HARRAP'S POCKET PLUS

English-French
DICTIONARY

DICTIONNAIRE
Français-Anglais

Editor/Rédacteur
Michael Janes

Consultant Editors
Avec la collaboration de
Fabrice Antoine
Isabelle Elkaim

HARRAP

First published in Great Britain 1988
by Harrap Books Ltd
43-45 Annandale Street, Edinburgh EH7 4AZ

© Chambers Harrap Publishers Ltd 1994

ISBN 0 245 60523 1 (UK)
ISBN 0 245 50268 8 (France)
ISBN 0 02 860039 8 (USA)
ISBN 0 245 60560 6 (Canada)

All rights reserved. No part of this
publication may be reproduced in any
form or by any means without the prior
permission of Chambers Harrap Publishers Ltd.

Reprinted with amendments 1988
Reprinted 1989 (twice), 1990,
1991, 1992, 1993, 1994

New edition 1994

Dépôt légal pour cette édition: septembre 1994

Typeset by Morton Word Processing Ltd
Printed and bound in Great Britain by
Mackays of Chatham PLC

Contents/Table des matières

Preface iv
Préface v

Grammar Notes vii
Notes sur la grammaire viii

Abbreviations Used in the Text ix
Abréviations employées dans le texte ix

Pronunciation of French xi
Prononciation du français xi

Pronunciation of English xii
Prononciation de l'anglais xii

ENGLISH-FRENCH DICTIONARY 1
DICTIONNAIRE ANGLAIS-FRANÇAIS 1

French Verb Conjugations (i)
Conjugaisons des verbes français (i)

English Irregular Verbs (ix)
Les verbes anglais irréguliers (ix)

FRENCH-ENGLISH DICTIONARY 1
DICTIONNAIRE FRANÇAIS-ANGLAIS 1

Trademarks
Words considered to be trademarks have been designated in this dictionary by the symbol ®. However, no judgment is implied concerning the legal status of any trademark by virtue of the presence or absence of such a symbol.

Marques Déposées
Les termes considérés comme des marques déposées sont signalés dans ce dictionnaire par le symbole ®. Cependant, la présence ou l'absence de ce symbole ne constitue nullement une indication quant à la valeur juridique de ces termes.

Preface

This dictionary, based on the text of Harrap's *Pocket French-English Dictionary*, is a new publication offering a wide-ranging selection of the most useful words and expressions of French and English. A large amount of new material has been incorporated as well as extensive examples of usage and a great deal of helpful grammatical and context information. A handy, reliable and up-to-date work of reference, the dictionary aims to provide a high level of understanding of the French and English languages of today for students and general users alike.

The text is presented in a clear and attractive form with grammatical categories and sense divisions in longer entries starting on a new line. In order to save space, some derived words are included within the entry of the main headword. All such forms are written in full and highlighted by means of the symbol ● to make them easy to find.

Dictionary entries consist of headwords followed by pronunciation and part of speech. When there is more than one translation, context words in brackets are supplied to help the user make the correct choice. Further guidance in the understanding of translations is provided by the use of labels to indicate the level of style (eg *Fam* for 'familiar' or colloquial) or to define a particular usage or field (eg *Am* for 'American' or *Comptr* for 'computing'). Context words and labels are also given when considered helpful for the understanding of single translations (eg **article** *n* (*object*, *clause*, *in newspaper*) & *Grammar* article *m*, or **putty** *n* mastic *m* (*pour vitres*)). The user is also helped by having context indicators and labels in French in the French section and in English in the English section of the dictionary.

Style and field labels follow bracketed indicators (eg **corn** *n* (*wheat*) *Br* blé *m*, or **bidule** *nm* (*chose*) *Fam* whatsit). In the event of more than one translation within a grammatical category being qualified by the same style or field label, the label may then precede (see **trucker** where *Am* covers both senses given).

The user will find in the text important abbreviated words in English (eg **BA, HIV**) and in French (eg **BCBG, OVNI**), useful geographical information such as names of countries, and a wide coverage of American words and usage (eg **diaper, pinkie**). The vocabulary includes French and English colloquialisms and slang, and important technical and business terms. Comparatives and superlatives of English adjectives are also indicated.

An oblique stroke within an entry is a useful space-saving device to separate non-interchangeable parts of a phrase or expression matched exactly in French and English (eg **to be able to swim/drive** savoir nager/conduire is to be understood as: **to be able to swim** savoir nager and **to be able to drive** savoir conduire).

In common with other Harrap dictionaries, when a headword appears in an example in the same form, it is represented by its initial letter (eg **at h.** stands for **at home** in headword **home**). This applies whether the headword starts a new line or appears within an entry (eg ● **household** *a* ... **h. name** ...).

The pronunciation of both English and French is shown using the latest symbols of the International Phonetic Alphabet. Pronunciation is given for headwords at the start of an entry, and, as an additional help to the user, for those words within the entry where the correct pronunciation may be difficult to derive (eg ● **aristocratie** [-asi] not [-ati]; ● **rabid** ['ræbɪd] not ['reɪbɪd]).

Stress in English is indicated for headwords and for derived words in which stress differs from that of a headword (eg **miracle** ['mɪrək(ə)l] and ● **mi'raculous**). American English pronunciation is listed wherever it is considered to show a marked difference from that of British English (eg **tomato** [tə'mɑːtəʊ, *Am* tə'meɪtəʊ]). American spelling is also supplied if sufficiently different from British (eg **tire** and **tyre**, **plow** and **plough**).

A major feature of this dictionary is its semantic approach to the order and arrangement of entries: the meaning of words determines the structure of entries. Important semantic categories have been indicated by bold Arabic numerals within an entry (eg **1, 2, 3, 4**) (see **bolt, tail, général**) or have been entered as separate headwords

Preface

(see **bug**[1] and **bug**[2], **draw**[1] and **draw**[2], **start**[1] and **start**[2]). The different grammatical divisions of separate headwords are easily identified by means of the symbol **❙**. The symbol **❙** is used in lists of English phrasal verbs (eg **❙ to move along** or **❙ to move away**) to mark the start of each new phrasal.

Words may be entered under the headword from which they are considered to derive (eg • **astronomer** follows **astronomy**, and • **planétaire** follows **planète**). Present and past participles are, in most cases, entered within an entry immediately after the infinitive, any other derived words there may be following in alphabetical order (eg **accuse** *vt* ... •**accused** *n* ... • **accusing** *a* ... **accusation** *n*; **exagérer** *vt* ... • **exagéré, -ée** *a* ... • **exagération** *nf*).

The author wishes to express his gratitude to Stuart Fortey and Hazel Curties for their substantial contributions to the first edition of this dictionary, and to his wife, Susan, for her help with Americanisms.

M. Janes
London 1994

Préface

Cet ouvrage, établi à partir du Harrap's *Pocket Dictionnaire Français-Anglais*, est un dictionnaire nouveau: on y trouvera un large échantillon du vocabulaire français et anglais le plus courant et le plus utile. On y a fait figurer quantité de termes jusqu'alors absents, ainsi que de très nombreux exemples d'emploi et un grand nombre d'indications précieuses sur le contexte et le fonctionnement grammatical. C'est un outil moderne, fiable et maniable qui permettra à l'étudiant comme à l'utilisateur occasionnel de comprendre très aisément le français et l'anglais d'aujourd'hui.

Ce dictionnaire se présente sous la forme la plus claire et la plus agréable possible: les catégories grammaticales et sémantiques des articles longs sont présentées en paragraphes distincts. Par souci de concision, on a fait figurer certains dérivés au sein de l'article principal; dans ce cas, ces mots apparaissent en toutes lettres et sont repérés par le symbole • qui permet de les localiser aisément.

Chaque article de ce dictionnaire présente le mot d'entrée suivi de sa prononciation, puis de la catégorie grammaticale à laquelle il appartient. Lorsque plusieurs traductions sont apportées, des indications de contexte sont données entre parenthèses pour guider l'utilisateur vers la traduction adéquate. Le sens des différentes traductions est éclairé encore davantage par les indications de niveau de langue (par exemple: *Fam* pour 'familier') ou de domaines d'utilisation (par exemple: *Am* pour 'américain' ou *Ordinat* pour 'informatique') données sous forme abrégée. Les mêmes indications, de contexte, de niveau de langue ou de domaine d'utilisation, accompagnent également une traduction unique d'un mot d'entrée lorsque celle-ci peut être ambiguë (par exemple: **article** *n* (*object, clause, in newspaper*) & *Grammar* article *m*, ou **putty** *n* mastic *m* (*pour vitres*)). L'accès à l'ouvrage est également facilité par l'utilisation d'indications en français dans la partie français-anglais et en anglais dans la partie anglais-français.

Les indications de niveau de langue et de domaine d'utilisation viennent à la suite de celles entre parenthèses (par exemple: **corn** *n* (*wheat*) *Br* blé *m*, ou **bidule** *nm* (*chose*) *Fam* whatsit). Lorsque plusieurs traductions dans la même catégorie grammaticale sont définies par la même indication, celle-ci peut venir en tête (voir **trucker** où l'indication *Am* concerne les deux sens envisagés).

L'utilisateur trouvera dans cet ouvrage des abréviations courantes, tant anglaises (par exemple: **BA, HIV**) que françaises (par exemple: **BCBG, OVNI**), de précieux éléments de géographie tels que des noms de pays, ainsi qu'une large sélection d'américanismes (par exemple: **diaper, pinkie**). Le lexique retenu comprend des mots et expressions familiers et argotiques, tant en français qu'en anglais, et les termes essentiels de la langue technique et des affaires. De plus, les comparatifs et superlatifs des adjectifs anglais sont indiqués.

Préface

Par souci de concision, on utilise dans le corps d'un article une barre oblique pour mettre en parallèle des expressions sans répéter un élément qui ne varie pas (par exemple: **to be able to swim/drive** savoir nager/conduire se lira: **to be able to swim** savoir nager, **to be able to drive** savoir conduire).

Comme il est d'usage dans les autres dictionnaires Harrap, lorsqu'un mot d'entrée est repris sans modification dans un exemple, il est remplacé par sa première lettre. Cela est le cas aussi bien lorsque le mot figure au début d'un article (par exemple: **at h.** se lira **at home** dans l'article **home**) ou apparaît dans le corps d'un article (par exemple: ● **household** *a* . . . **h. name** . . .).

La prononciation de l'anglais comme du français est fournie; elle utilise la notation la plus moderne de l'Alphabet Phonétique International. On donne la prononciation des mots d'entrée en début d'article, et, par souci de clarté, pour tout mot au sein de l'article dont il pourrait être difficile de déduire la prononciation (par exemple: ●**aristocratie** [-asi] et non [-ati]; ● **rabid** ['ræbɪd] et non ['reɪbɪd]).

L'accent tonique est indiqué pour les mots d'entrée anglais et pour les dérivés chaque fois que l'accentuation diffère de celle du mot principal (par exemple: **miracle** ['mɪrək(ə)l] et ● **mi'raculous**). Les prononciations américaines sont indiquées chaque fois qu'elles diffèrent nettement de celles de l'anglais britannique (par exemple: **tomato** [tə'mɑːtəʊ, *Am* tə'meɪtəʊ]). On a également fait figurer l'orthographe américaine lorsqu'elle est notablement différente de celle de l'anglais britannique (par exemple: **tire** et **tyre**, **plow** et **plough**).

Une des caractéristiques essentielles de ce dictionnaire est son approche sémantique du classement et de l'organisation des articles: c'est le sens des mots qui détermine l'organisation des articles. Les catégories sémantiques importantes sont indiquées par des chiffres arabes en gras (voir **bolt**, **tail**, **général**) ou donnent lieu à des articles séparés (voir **bug**^{1} et **bug**^{2}, **draw**^{1} et **draw**^{2}, **start**^{1} et **start**^{2}). Au sein d'un article, les différentes catégories grammaticales sont repérables aisément grâce au symbole ‖ qui les précède. Le symbole ‖ sert à repérer les verbes à particule anglais (par exemple: ‖ **to move along** ou ‖ **to move away**) dans une série de tels verbes.

Les mots apparaissent, dans certains cas, sous les mots d'entrée dont ils sont dérivés (par exemple: ●**astronomer** suit **astronomy**, et ● **planétaire** suit **planète**). Les participes présents et passés sont, dans la plupart des cas, placés à la suite de l'infinitif dont ils sont dérivés; tous les autres dérivés éventuels apparaissent ensuite par ordre alphabétique (par exemple: **accuse** *vt* . . . ●**accused** *n* . . . ● **accusing** *a* . . . **accusation** *n*; **exagérer** *vt* . . . ● **exagéré, –ée** *a* . . . ● **exagération** *nf*).

L'auteur tient à exprimer sa gratitude à Stuart Fortey et Hazel Curties pour leur importante contribution à la première édition du présent dictionnaire, et à son épouse, Susan, pour ses conseils et suggestions concernant les américanismes.

M. Janes
Londres 1994

Grammar Notes

In French, the feminine of an adjective is formed, when regular, by adding **e** to the masculine form (eg compétent, compétente; carré, carrée; fin, fine). If the masculine already ends in **e**, the feminine is the same as the masculine (eg utile). Both regular and irregular feminine forms of adjectives (eg généreux, généreuse; léger, légère; doux, douce) are given on the French-English side of the dictionary. They are listed in the following way: compétent, -ente; carré, -ée; fin, fine; généreux, -euse; léger, -ère; doux, douce. On the English-French side, French adjectives are shown in the masculine but highly irregular feminine forms (eg frais, fraîche; faux, fausse) have been included as an additional help to the user.

To form the plural of a French noun or adjective **s** is usually added to the singular (eg arbre, arbres; taxi, taxis; petit, petits). The plural form of a noun ending in **s**, **x** or **z** (eg pois, croix, nez) is the same as that of the singular. Plurals of nouns and adjectives which do not follow these general rules are listed in the French section, including the plurals of French compounds where the formation of the plural involves a change *other than* the addition of final **s** (eg chou-fleur, choux-fleurs; arc-en-ciel, arcs-en-ciel). The plurals of compounds which are formed simply by adding **s** (eg tire-bouchon) are not given.

The irregular plurals of French nouns (and irregular masculine plurals of French adjectives) ending in **al**, **eau**, **eu**, **au**, **ail** and **ou** are listed on the French-English side (eg cerveau, -x; général, -aux). Included on the English-French side, as an additional help to the user, are the plurals of French nouns (and adjectives) ending in **al**, **eu** and **au** where **s**, and not the usual **x**, forms the plural (eg pneu, pneus; naval, navals) and of those nouns in **ail** and **ou** where the plural is formed with **x**, and not the usual **s** (eg vitrail, vitraux; chou, choux).

In English also, **s** is added to form the plural of a noun (eg cat, cats; taxi, taxis) but a noun ending in **ch**, **s**, **sh**, **x** or **z** forms its plural by the addition of **es**, pronounced [-ɪz] (eg glass, glasses; match, matches). (Note that when **ch** is pronounced [k], the plural is in **s**, eg monarch, monarchs.) When a noun ends in **y** preceded by a consonant, **y** is changed to **ies** to form the plural (eg army, armies). English plurals not following these general rules are given on the English-French side, including the plurals of English compounds where the formation of the plural involves a change other than the addition of final **s** (eg brother-in-law, brothers-in-law). Common English irregular plurals involving a change of vowel (eg tooth, teeth) are given, for convenience, at both singular and plural headword positions.

Most French verbs have regular conjugations though some display spelling anomalies (see French Verb Conjugations on p (i)). In the French section an asterisk is used to mark an irregular verb, and refers the user to the table of irregular verbs on p (ii).

Most English verbs form their past tense and past participle by adding **ed** to the infinitive (eg look, looked) or **d** to an infinitive already ending in **e** (eg love, loved). When a verb ends in **y** preceded by a consonant, **y** becomes **ied** (eg satisfy, satisfied). To form the third person singular of a verb in the present tense **s** is added to the infinitive (eg know, knows) but an infinitive in **ch**, **s**, **sh**, **x** or **z** forms its third person singular by the addition of **es**, pronounced [-ɪz] (eg dash, dashes). When an infinitive ends in **y** preceded by a consonant, **y** is changed to **ies** to form the third person singular (eg satisfy, satisfies).

The English present participle is formed by the addition of **ing** to the infinitive (eg look, looking) but final **e** is omitted when an infinitive ends in **e** (eg love, loving). When the infinitive ends in a single consonant preceded by a vowel (eg tug), the final consonant is usually doubled in the past tense, past and present participles (eg tug, tugged, tugging). The doubling of consonants in English verbs is indicated in the text in the following way: **tug** ... *vt* (**-gg-**).

Irregular English verb conjugations are given in the English headword list, and a summary of the most important irregular verbs may also be found on p (ix).

Notes sur la grammaire

En français, le féminin d'un adjectif se forme régulièrement en ajoutant **e** au masculin (par exemple: compétent, -ente; carré, carrée; fin, fine). Lorsque le masculin se termine déjà par **e**, le féminin est identique (par exemple: utile). Les féminins de tous les adjectifs, réguliers et irréguliers, (par exemple: généreux, généreuse; léger, légère; doux, douce) sont donnés dans la partie français-anglais où ils sont notés comme suit: compétent, -ente; carré, -ée; fin, fine; généreux, -euse; léger, -ère; doux, douce. Dans la partie anglais-français, on ne donne que le masculin des adjectifs, mais, par souci de fournir une information complémentaire utile, on indique les féminins irréguliers remarquables (par exemple: frais, fraîche; faux, fausse).

On forme en général le pluriel d'un nom ou d'un adjectif français en ajoutant **s** au singulier (par exemple: arbre, arbres; taxi, taxis; petit, petits). Le pluriel d'un nom se terminant par **s**, **x** ou **z** (par exemple: pois, croix, nez) est identique au singulier. Les pluriels des noms et adjectifs qui font exception à ces règles générales sont signalés dans la partie français-anglais, de même que les pluriels des mots composés français dont le passage au pluriel appelle une modification *autre que* le simple ajout d'un **s** final (par exemple: chou-fleur, choux-fleurs; arc-en-ciel, arcs-en-ciel). Les pluriels des mots composés ne sont pas donnés lorsqu'ils se forment par simple ajout d'un **s** (par exemple: tire-bouchon).

Les pluriels irréguliers des noms français, de même que ceux des adjectifs masculins, qui se terminent par **al**, **eau**, **eu**, **au**, **ail** et **ou** sont indiqués dans la partie français-anglais (par exemple: cerveau, -x; général, -aux). Un complément d'information est fourni, dans la partie anglais-français, par la mention des pluriels des noms et adjectifs français qui se terminent par **al**, **eu** et **au** et forment leur pluriel en **s** au lieu de **x** (par exemple: pneu, pneus; naval, navals); il en va de même pour ceux qui se terminent par **ail** et **ou** et qui forment leur pluriel en **x**, au lieu de **s** (par exemple: vitrail, vitraux; chou, choux).

De la même façon, en anglais, on forme le pluriel des noms en ajoutant **s** (par exemple: cat, cats; taxi, taxis) mais on ajoutera **es**, prononcé [-ɪz], aux noms qui se terminent par **ch**, **s**, **sh**, **x** ou **z** (par exemple: glass, glasses; match, matches). (Noter cependant que lorsque **ch** se prononce [k], le pluriel est en **s**, comme dans monarch, monarchs.) Lorsqu'un nom se termine par un **y** précédé d'une consonne, ce **y** devient **ies** au pluriel (par exemple: army, armies). Les pluriels des noms anglais qui font exception à ces règles générales sont signalés dans la partie anglais-français, de même que les pluriels des mots composés anglais dont le passage au pluriel entraîne une modification autre que le simple ajout d'un **s** final (par exemple: brother-in-law, brothers-in-law).

La plupart des verbes français ont des conjugaisons régulières; cependant, certains subissent des variations orthographiques (voir: Conjugaisons des verbes français à la page (i)). Dans la partie français-anglais, un astérisque signale un verbe irrégulier et renvoie à la table des verbes irréguliers donnée en page (ii).

En anglais, le passé et le participe passé des verbes se forment dans la plupart des cas en ajoutant **ed** à l'infinitif (par exemple: look, looked) ou seulement **d** lorsque l'infinitif se termine par un **e** (par exemple: love, loved). Lorsqu'un verbe se termine par un **y** précédé d'une consonne, ce **y** devient **ied** (par exemple: satisfy, satisfied). La troisième personne du singulier d'un verbe au présent se forme en ajoutant **s** à l'infinitif (par exemple: know, knows), mais on ajoutera **es**, prononcé [-ɪz], aux infinitifs qui se terminent par **ch**, **s**, **sh**, **x** ou **z** (par exemple: dash, dashes). Enfin, lorsqu'un verbe se termine par un **y** précédé d'une consonne, ce **y** devient **ies** à la troisième personne du singulier (par exemple: satisfy, satisfies).

Le participe présent en anglais se forme en ajoutant la désinence **ing** à l'infinitif (par exemple: look, looking); lorsqu'un infinitif comporte un **e** final, celui-ci disparaît (par exemple: love, loving). Lorsque l'infinitif se termine par une seule consonne précédée d'une voyelle (par exemple: tug), la consonne finale est le plus souvent doublée au passé et aux participes passé et présent (par exemple: tug, tugged, tugging). Le doublement des consonnes dans les verbes anglais est signalé comme suit: **tug** ... *vt* (**-gg-**).

Abbreviations   Abréviations

adjective	*a*	adjectif
abbreviation	*abbr, abrév*	abréviation
adverb	*adv*	adverbe
agriculture	*Agr*	agriculture
American	*Am*	américain
anatomy	*Anat*	anatomie
architecture	*Archit*	architecture
slang	*Arg*	argot
article	*art*	article
cars, motoring	*Aut*	automobile
auxiliary	*aux*	auxiliaire
aviation, aircraft	*Av*	aviation
biology	*Biol*	biologie
botany	*Bot*	botanique
British	*Br*	britannique
Canadian	*Can*	canadien
carpentry	*Carp*	menuiserie
chemistry	*Ch*	chimie
commerce	*Com*	commerce
computing	*Comptr*	informatique
conjunction	*conj*	conjonction
cookery	*Culin*	cuisine
definite	*def, déf*	défini
demonstrative	*dem, dém*	démonstratif
economics	*Econ, Écon*	économie
electricity	*El, Él*	électricité
et cetera	*etc*	et cetera
feminine	*f*	féminin
familiar	*Fam*	familier
figurative	*Fig*	figuré
finance	*Fin*	finance
feminine plural	*fpl*	féminin pluriel
French	*Fr*	français
geography	*Geog, Géog*	géographie
geology	*Geol, Géol*	géologie
geometry	*Geom, Géom*	géométrie
history	*Hist*	histoire
humorous	*Hum*	humoristique
indefinite	*indef, indéf*	indéfini
indicative	*indic*	indicatif
infinitive	*inf*	infinitif
interjection	*int*	interjection
invariable	*inv*	invariable
ironic	*Iron*	ironique
legal, law	*Jur*	juridique
linguistics	*Ling*	linguistique
literary	*Lit, Litt*	littéraire
literature	*Liter, Littér*	littérature
masculine	*m*	masculin
mathematics	*Math*	mathématiques
medicine	*Med, Méd*	médecine
carpentry	*Menuis*	menuiserie
meteorology	*Met, Mét*	météorologie

Abbreviations — Abréviations

English	Abbr.	French
military	*Mil*	militaire
masculine plural	*mpl*	masculin pluriel
music	*Mus*	musique
noun	*n*	nom
nautical	*Nau*	nautique
noun feminine	*nf*	nom féminin
noun masculine	*nm*	nom masculin
noun masculine and feminine	*nmf*	nom masculin et féminin
computing	*Ordinat*	informatique
pejorative	*Pej, Péj*	péjoratif
philosophy	*Phil*	philosophie
photography	*Phot*	photographie
physics	*Phys*	physique
plural	*pl*	pluriel
politics	*Pol*	politique
possessive	*poss*	possessif
past participle	*pp*	participe passé
prefix	*pref, préf*	préfixe
preposition	*prep, prép*	préposition
present participle	*pres p, p prés*	participe présent
present tense	*pres t*	temps présent
pronoun	*pron*	pronom
psychology	*Psy*	psychologie
past tense	*pt*	prétérit
	qch	quelque chose
	qn	quelqu'un
registered trademark	®	marque déposée
railway, *Am* railroad	*Rail*	chemin de fer
relative	*rel*	relatif
religion	*Rel*	religion
school	*Sch, Scol*	école
singular	*sing*	singulier
slang	*Sl*	argot
someone	*s.o.*	
something	*sth*	
subjunctive	*sub*	subjonctif
suffix	*suff*	suffixe
technical	*Tech*	technique
telephone	*Tel, Tél*	téléphone
textiles	*Tex*	industrie textile
television	*TV*	télévision
typography, printing	*Typ*	typographie
university	*Univ*	université
United States	*US*	États-Unis
auxiliary verb	*v aux*	verbe auxiliaire
intransitive verb	*vi*	verbe intransitif
impersonal verb	*v imp*	verbe impersonnel
pronominal verb	*vpr*	verbe pronominal
transitive verb	*vt*	verbe transitif
transitive and intransitive verb	*vti*	verbe transitif et intransitif
vulgar	*Vulg*	vulgaire

Pronunciation of French

Table of Phonetic Symbols

Vowels

[i]	vite, cygne, sortie		[y]	cru, sûr, rue
[e]	été, donner		[φ]	feu, meule, nœud
[ε]	elle, mais, père		[œ]	œuf, jeune
[a]	chat, fameux		[ə]	le, refaire, entre
[ɑ]	pas, âgé		[ɛ̃]	vin, plein, faim, saint
[ɔ]	donne, fort, album		[ɑ̃]	enfant, temps, paon
[o]	dos, chaud, peau		[ɔ̃]	mon, nombre
[u]	tout, cour, roue		[œ̃]	lundi, humble

Consonants

[p]	pain, absolu, frapper		[n]	né, canne
[b]	beau, abbé		[ɲ]	campagne
[t]	table, nette		[ŋ]	jogging
[d]	donner, sud		[']	This symbol is placed before the phonetics of a word beginning with **h** to show that there is no elision or liaison: the preceding word must not be abbreviated (eg la hache and not l'hache), and the final consonant of the preceding word must not be pronounced (eg les haches: [leaʃ] and not [lezaʃ]).
[k]	camp, képi, qui			
[g]	garde, guerre, second			
[f]	feu, phrase			
[v]	voir, wagon			
[s]	sou, cire, nation			
[z]	cousin, zéro			
[ʃ]	chose, schéma			
[ʒ]	gilet, jeter			
[l]	lait, facile, elle			
[r]	rare, rhume, barreau			
[m]	mon, flamme			

Semi-consonants

[j]	piano, voyage, fille
[w]	ouest, noir, tramway
[ɥ]	muet, lui

Prononciation de l'anglais
Tableau des Signes Phonétiques
Voyelles et diphtongues

[i:]	bee, police		[ɒ]	lot, what
[ɪə]	beer, real		[ɔ:]	all, saw
[ɪ]	bit, added		[ɔɪ]	boil, toy
[e]	bet, said		[əʊ]	low, soap
[eɪ]	date, nail		[ʊ]	put, wool
[eə]	bear, air		[u:]	shoe, too
[æ]	bat, plan		[ʊə]	poor, sure
[aɪ]	fly, life		[ʌ]	cut, some
[ɑ:]	art, ask		[ɜ:]	burn, learn
[aʊ]	fowl, house		[ə]	china, annoy
			[(ə)]	relation

Consonnes

[p]	pat, top		[ð]	that, breathe
[b]	but, tab		[h]	hat, rehearse
[t]	tap, patter		[l]	lad, all
[d]	dab, ladder		[r]	red, sorry
[k]	cat, kite		[r]	better, here (*représente un r final qui se prononce en liaison devant une voyelle, par exemple* 'here is' [hɪərɪz])
[g]	go, rogue			
[f]	fat, phrase			
[v]	veal, rave			
[s]	sat, ace		[m]	mat, hammer
[z]	zero, houses		[n]	no, banner
[ʃ]	dish, pressure		[ŋ]	singing, link
[ʒ]	pleasure		[j]	yet, onion
[tʃ]	charm, rich		[w]	wall, quite
[dʒ]	judge, rage		[']	*marque l'accent tonique; précède la syllabe accentuée*
[θ]	thank, breath			

A

A, a [eɪ] *n* A, a *m*; **5A** (*number*) 5 bis; **A1** (*dinner etc*) *Fam* super, superbe; **to go from A to B** aller du point A au point B.

a [ə, *stressed* eɪ] (*before vowel or mute h* **an** [ən, *stressed* æn]) *indef art* **1** un, une; **a man** un homme; **an apple** une pomme.
2 (= *def art in Fr*) **sixty pence a kilo** soixante pence le kilo; **50 km an hour** 50 km à l'heure; **I have a broken arm** j'ai le bras cassé.
3 (*art omitted in Fr*) **he's a doctor** il est médecin; **Caen, a town in Normandy** Caen, ville de Normandie; **what a man!** quel homme!; **a hundred** cent; **a thousand** mille.
4 (*a certain*) **a Mr Smith** un certain M. Smith.
5 (*time*) **twice a month** deux fois par mois.
6 (*some*) **to make a noise/a fuss** faire du bruit/des histoires.

aback [əˈbæk] *adv* **taken a.** déconcerté.

abandon [əˈbændən] **1** *vt* abandonner. **2** *n* (*freedom of manner*) laisser-aller *m*, abandon *m*. ●**abandonment** *n* abandon *m*.

abashed [əˈbæʃt] *a* confus, gêné.

abate [əˈbeɪt] *vi* (*of storm, pain*) se calmer; (*of flood*) baisser ▮ *vt* diminuer, réduire. ●**abatement** *n* diminution *f*, réduction *f*.

abbey [ˈæbɪ] *n* abbaye *f*.

abbot [ˈæbət] *n* abbé *m*. ●**abbess** *n* abbesse *f*.

abbreviate [əˈbriːvɪeɪt] *vt* abréger. ●**abbreviation** [-ˈeɪʃ(ə)n] *n* abréviation *f*.

abdicate [ˈæbdɪkeɪt] *vti* abdiquer. ●**abdication** [-ˈkeɪʃ(ə)n] *n* abdication *f*.

abdomen [ˈæbdəmən] *n* abdomen *m*. ●**abˈdominal** *a* abdominal.

abduct [æbˈdʌkt] *vt* (*kidnap*) enlever. ●**abduction** *n* enlèvement *m*, rapt *m*.

aberration [æbəˈreɪʃ(ə)n] *n* (*folly, lapse*) aberration *f*.

abet [əˈbet] *vt* (-tt-) **to aid and a. s.o.** *Jur* être le complice de qn.

abeyance [əˈbeɪəns] *n* **in a.** (*matter*) en suspens.

abhor [əbˈhɔːr] *vt* (-rr-) avoir horreur de, exécrer. ●**abhorrent** [əbˈhɒrənt] *a* exécrable. ●**abhorrence** *n* horreur *f*.

abide [əˈbaɪd] **1** *vi* **to a. by** (*promise etc*) rester fidèle à. **2** *vt* supporter; **I can't a. him** je ne peux pas le supporter.

ability [əˈbɪlətɪ] *n* capacité *f* (**to do** pour faire), aptitude *f* (**to do** à faire); **to the best of my a.** de mon mieux.

abject [ˈæbdʒekt] *a* abject; **a. poverty** la misère.

ablaze [əˈbleɪz] *a* en feu; **a. with** (*light*) resplendissant de; (*anger*) enflammé de.

able [ˈeɪb(ə)l] *a* (-er, -est) capable, compétent; **to be a. to do** être capable de faire, pouvoir faire; **to be a. to swim/drive** savoir nager/conduire. ●**able-ˈbodied** *a* robuste. ●**ably** *adv* habilement.

ablutions [əˈbluːʃ(ə)nz] *npl* ablutions *fpl*.

abnormal [æbˈnɔːm(ə)l] *a* anormal. ●**abnorˈmality** *n* anomalie *f*; (*of body*) difformité *f*. ●**abnormally** *adv* (*more than usually*) exceptionnellement.

aboard [əˈbɔːd] *adv* (*on ship*) à bord; **all a.** (*on train*) en voiture ▮ *prep* **a. the ship** à bord du navire; **a. the train** dans le train.

abode [əˈbəʊd] *n* (*house*) *Lit* demeure *f*; *Jur* domicile *m*.

abolish [əˈbɒlɪʃ] *vt* supprimer, abolir. ●**aboˈlition** *n* suppression *f*, abolition *f*.

abominable [əˈbɒmɪnəb(ə)l] *a* abominable. ●**abomination** [-ˈneɪʃ(ə)n] *n* abomination *f*.

aboriginal [æbəˈrɪdʒən(ə)l] *a & n* aborigène (*m*). ●**aborigines** [æbəˈrɪdʒɪnɪz] *npl* aborigènes *mpl*.

abort [əˈbɔːt] *vt* (*space flight, computer program*) abandonner; (*fetus*) provoquer l'avortement de. ●**abortion** [-ʃ(ə)n] *n* avortement *m*; **to have an a.** se faire avorter. ●**abortive** *a* (*plan etc*) manqué, avorté.

abound [əˈbaʊnd] *vi* abonder (**in, with** en).

about [əˈbaʊt] *adv* **1** (*approximately*) à peu près, environ; (**at**) **a. two o'clock** vers deux heures.
2 (*here and there*) çà et là, ici et là; (*ideas, flu*) *Fig* dans l'air; **there's a rumour a. (that)** il y a une rumeur qui circule (selon laquelle); **to look a.** regarder autour de soi; **to follow a.** suivre partout; **to bustle a.** s'affairer; **there are lots a.** il y en a beaucoup *or* plein; (**out and**) **a.** (*after illness*) sur pied, guéri; (**up and**) **a.** (*out of bed*) levé, debout; **a. turn, a. face** *Mil* demi-tour *m*; *Fig* volteface *f inv*.
▮ *prep* **1** (*around*) **a. the garden** autour du jardin; **a. the streets** par *or* dans les rues.
2 (*near to*) **a. here** par ici.
3 (*concerning*) au sujet de; **to talk a.** parler de; **a book a.** un livre sur; **what's it (all) a.?** de quoi s'agit-il?; **while you're a.** pendant que vous y êtes; **what or how a. me?** et moi alors?; **what or how a. a drink?** que dirais-tu de prendre un verre?, et si on prenait un verre?
4 (+ *inf*) **a. to do** sur le point de faire; **I was a. to say** j'étais sur le point de dire, j'allais dire.

above [əˈbʌv] *adv* au-dessus; (*in book*) ci-

aboveboard

dessus; **from a.** d'en haut; **floor a.** étage *m* supérieur *or* du dessus.
▮ *prep* au-dessus de; **a. all** par-dessus tout, surtout; **a. the bridge** (*on river*) en amont du pont; **he's a. me** (*in rank*) c'est mon supérieur; **she's not a. lying** elle n'est pas incapable de mentir; **he's not a. asking** il n'est pas trop fier pour demander. ●**above-'mentioned** *a* susmentionné.

aboveboard [əbʌv'bɔːd] *a* ouvert, honnête ▮ *adv* sans tricherie, cartes sur table.

abrasion [ə'breɪʒ(ə)n] *n* frottement *m*; (*wound*) écorchure *f*. ●**abrasive** *a* (*substance*) abrasif; (*rough*) Fig rude, dur; (*irritating*) agaçant ▮ *n* abrasif *m*.

abreast [ə'brest] *adv* côte à côte, de front; **four a.** par rangs de quatre; **to keep a. of** *or* **with** se tenir au courant de.

abridge [ə'brɪdʒ] *vt* (*book etc*) abréger. ●**abridg(e)ment** *n* abrégement *m* (**of** de); (*abridged version*) abrégé *m*.

abroad [ə'brɔːd] *adv* **1** (*in or to a foreign country*) à l'étranger; **from a.** de l'étranger. **2** (*over a wide area*) de tous côtés; **rumour a.** bruit *m* qui court.

abrogate ['æbrəgeɪt] *vt* abroger.

abrupt [ə'brʌpt] *a* (*sudden*) brusque; (*person*) brusque, abrupt; (*slope, style*) abrupt. ●**abruptly** *adv* (*suddenly*) brusquement; (*rudely*) avec brusquerie.

abscess ['æbses] *n* abcès *m*.

abscond [əb'skɒnd] *vi* (*run off*) s'enfuir.

absence ['æbsəns] *n* absence *f*; **in the a. of sth** à défaut de qch, faute de qch; **a. of mind** distraction *f*.

absent ['æbsənt] *a* absent (**from** de); (*look*) distrait ▮ [æb'sent] *vt* **to a. oneself** s'absenter. ●**absent-'minded** *a* distrait. ●**absent-'mindedness** *n* distraction *f*.

absentee [æbsən'tiː] *n* absent, -ente *mf*. ●**absenteeism** *n* absentéisme *m*.

absolute ['æbsəluːt] *a* absolu; (*proof etc*) indiscutable; (*coward etc*) parfait, véritable. ●**absolutely** *adv* absolument; (*forbidden*) formellement.

absolve [əb'zɒlv] *vt* (*sinner, accused*) absoudre; **to a. from** (*vow*) libérer de. ●**absolution** [æbsə'luːʃ(ə)n] *n* absolution *f*.

absorb [əb'zɔːb] *vt* (*liquid etc*) absorber; (*shock*) amortir; **to become absorbed in** (*work*) s'absorber dans; **absorbed in** (*one's thoughts*) plongé dans. ●**absorbing** *a* (*work*) absorbant; (*book, film*) prenant. ●**absorption** [-ʃ(ə)n] *n* absorption *f*.

absorbent [əb'zɔːbənt] *a* absorbant; **a. cotton** *Am* coton *m* hydrophile, ouate *f*.

absorber [əb'zɔːbər] *n* **shock a.** (*in vehicle*) amortisseur *m*.

abstain [əb'steɪn] *vi* (*refuse to vote*) s'abstenir; **to a. from sth/from doing** s'abstenir de qch/de faire. ●**abstention** [-'stenʃ(ə)n] *n* abstention *f*.

abstemious [əb'stiːmɪəs] *a* sobre, frugal.

abstinence ['æbstɪnəns] *n* abstinence *f*.

abstract ['æbstrækt] **1** *a & n* abstrait (*m*). **2** *n* (*summary*) résumé *m*. **3** [əb'strækt] *vt* (*remove*) retirer; (*notion*) abstraire. ●**ab'straction** *n* (*idea*) abstraction *f*; (*absent-mindedness*) distraction *f*.

abstruse [əb'struːs] *a* obscur.

absurd [əb'sɜːd] *a* absurde, ridicule. ●**absurdity** *n* absurdité *f*. ●**absurdly** *adv* absurdement.

abundant [ə'bʌndənt] *a* abondant. ●**abundance** *n* abondance *f*. ●**abundantly** *adv* **a. clear** tout à fait clair.

abuse [ə'bjuːs] *n* (*abusing*) abus *m* (**of** de); (*of child etc*) mauvais traitements *mpl*; (*insults*) injures *fpl* ▮ [ə'bjuːz] *vt* (*use badly or wrongly*) abuser de; (*ill-treat*) maltraiter; (*speak ill of*) dire du mal de; (*insult*) injurier. ●**abusive** [ə'bjuːsɪv] *a* (*person*) grossier; (*words*) injurieux.

abysmal [ə'bɪzm(ə)l] *a* (*bad*) *Fam* désastreux, exécrable.

abyss [ə'bɪs] *n* abîme *m*.

acacia [ə'keɪʃə] *n* (*tree*) acacia *m*.

academic [ækə'demɪk] *a* (*year, diploma etc*) universitaire; (*scholarly*) érudit, intellectuel; (*issue etc*) *Pej* théorique; (*style, art*) académique ▮ *n* (*teacher*) universitaire *mf*.

academy [ə'kædəmɪ] *n* (*society*) académie *f*; (*military*) école *f*; (*of music*) conservatoire *m*. ●**acade'mician** *n* académicien, -ienne *mf*.

accede [ək'siːd] *vi* **to a. to** (*request, throne, position*) accéder à.

accelerate [ək'seləreɪt] *vt* accélérer ▮ *vi* s'accélérer; (*of vehicle, driver*) accélérer. ●**acceleration** [-'reɪʃ(ə)n] *n* accélération *f*. ●**accelerator** *n* (*pedal, device*) accélérateur *m*.

accent ['æksənt] *n* accent *m* ▮ [æk'sent] *vt* accentuer. ●**accentuate** [æk'sentʃʊeɪt] *vt* accentuer.

accept [ək'sept] *vt* accepter. ●**accepted** *a* (*opinion, custom*) reçu; (*fact*) reconnu. ●**acceptable** *a* (*worth accepting, tolerable*) acceptable. ●**acceptance** *n* acceptation *f*; (*approval, favour*) accueil *m* favorable.

access ['ækses] *n* accès *m* (**to sth** à qch, **to s.o.** auprès de qn). ●**ac'cessible** *a* accessible.

accession [æk'seʃ(ə)n] *n* accession *f* (**to** à); (*increase*) augmentation *f*; (*sth added*) nouvelle acquisition *f*.

accessories [ək'sesərɪz] *npl* (*objects*) accessoires *mpl*.

accessory [ək'sesərɪ] *n* (*accomplice*) *Jur* complice *mf*.

accident ['æksɪdənt] *n* accident *m*; **by a.** (*by chance*) par accident; (*unintentionally*) accidentellement, sans le vouloir. ●**accident-prone** *a* qui attire les accidents.

accidental [æksɪ'dentəl] *a* accidentel, fortuit. ●**acci'dentally** *adv* accidentellement, par mégarde; (*by chance*) par accident.

acclaim [ə'kleɪm] *vt* (*cheer*) acclamer; (*praise*) faire l'éloge de; **to a. king** proclamer roi ▮ *n* (**critical**) **a.** éloges *mpl* (de la critique); **the film enjoys critical a.** le film a reçu un accueil élogieux de la critique.

acclimate ['æklımeıt] *vti Am* = **acclimatize**. ● **a'cclimatize** *vt Br* ▌ *vi* s'acclimater. ● **acclimation** *n Am or* **acclima'tization** *Br* acclimatisation *f*.

accolade ['ækəleıd] *n* (*praise*) louange *f*.

accommodate [ə'kɒmədeıt] *vt* (*of house*) loger, recevoir; (*have room for*) avoir de la place pour (mettre); (*adapt*) adapter (**to** à); (*supply*) fournir (**s.o. with** qch à qn); (*oblige*) rendre service à; (*reconcile*) concilier; **to a. oneself to** se faire à. ● **accommodating** *a* accommodant, obligeant.

accommodation [əkɒmə'deıʃ(ə)n] *n* **1** (*lodging*) logement *m*; (*rented room or rooms*) chambre(s) *f(pl)*; **accommodations** (*in hotel*) *Am* chambre(s) *f(pl)*. **2** (*compromise*) compromis *m*, accommodement *m*.

accompany [ə'kʌmpənı] *vt* accompagner. ● **accompaniment** *n* accompagnement *m*. ● **accompanist** *n* (*musician*) accompagnateur, -trice *mf*.

accomplice [ə'kʌmplıs] *n* complice *mf*.

accomplish [ə'kʌmplıʃ] *vt* (*task*, *duty*) accomplir; (*aim*) réaliser. ● **accomplished** *a* accompli. ● **accomplishment** *n* (*of task*, *duty*) accomplissement *m*; (*thing achieved*) réalisation *f*; **accomplishments** (*skills*) talents *mpl*; **writing a novel is a great a.** écrire un roman, c'est vraiment quelque chose.

accord [ə'kɔːd] **1** *n* accord *m*; **of my own a.** volontairement, de mon plein gré ▌ *vi* concorder. **2** *vt* (*grant*) accorder. ● **accordance** *n* **in a. with** conformément à.

according to [ə'kɔːdıŋtuː] *prep* selon, d'après, suivant. ● **accordingly** *adv* en conséquence.

accordion [ə'kɔːdıən] *n* accordéon *m*.

accost [ə'kɒst] *vt* accoster, aborder.

account [ə'kaʊnt] **1** *n* (*with bank or firm*) compte *m*; **accounts department** comptabilité *f*; **ten pounds on a.** un acompte de dix livres. **2** *n* (*report*) compte rendu *m*, récit *m*; (*explanation*) explication *f*; **by all accounts** au dire de tous; **to give a good a. of oneself** s'en tirer à son avantage ▌ *vi* **to a. for** (*explain*) expliquer; (*give reckoning of*) rendre compte de; (*represent*) représenter. **3** (*expressions*) **on a.** of à cause de; **on no a.** en aucun cas; **of some a.** d'une certaine importance; **to take into a.** tenir compte de. **4** *vt* **to a. to** (*consider*) se considérer heureux/*etc*. ● **accountable** *a* responsable (**for** de, **to** devant); (*explainable*) explicable.

accountant [ə'kaʊntənt] *n* comptable *mf*. ● **accountancy** *n* comptabilité *f*.

accoutrements [ə'kuːtrəmənts] (*Am* **accouterments** [ə'kuːtrəmənts]) *npl* équipement *m*.

accredit [ə'kredıt] *vt* (*ambassador*) accréditer; **to a. s.o. with sth** attribuer qch à qn.

accrue [ə'kruː] *vi* (*of interest*) Fin s'accumuler; **to a. to** (*of advantage*) revenir à.

accumulate [ə'kjuːmjʊleıt] *vt* accumuler, amasser ▌ *vi* s'accumuler. ● **accumulation** [-'leıʃ(ə)n] *n* accumulation *f*; (*mass*) amas *m*.

accurate ['ækjʊrət] *a* exact, précis. ● **accuracy** *n* exactitude *f*, précision *f*. ● **accurately** *adv* avec précision.

accursed [ə'kɜːsıd] *a* maudit, exécrable.

accuse [ə'kjuːz] *vt* accuser (**of** de). ● **accused** *n* **the a.** *Jur* l'inculpé, -ée *mf*, l'accusé, -ée *mf*. ● **accusing** *a* accusateur. ● **accusation** [ækjuː'zeıʃ(ə)n] *n* accusation *f*.

accustom [ə'kʌstəm] *vt* habituer, accoutumer. ● **accustomed** *a* habitué (**to sth** à qch, **to doing** à faire); **to get a. to** s'habituer à, s'accoutumer à.

ace [eıs] *n* (*card*, *person*) as *m*.

acetate ['æsıteıt] *n* acétate *m*.

acetic [ə'siːtık] *a* acétique.

ache [eık] *n* douleur *f*, mal *m*; **to have an a. in one's arm** avoir mal au bras ▌ *vi* faire mal; **my head aches** la tête me fait mal; **I'm aching all over** j'ai mal partout; **it makes my heart a.** cela me serre le cœur; **to be aching to do** brûler de faire. ● **aching** *a* douloureux. ● **achy** ['eıkı] *a* **to be a.** avoir mal partout.

achieve [ə'tʃiːv] *vt* (*success*, *result*) obtenir; (*aim*) atteindre; (*ambition*, *feat*) réaliser; (*victory*) remporter; **he can never a. anything** il n'arrive jamais à faire quoi que ce soit. ● **achievement** *n* (*success*) réussite *f*; (*of ambition*) réalisation *f*; **writing a novel is quite an a.** écrire un roman, c'est vraiment quelque chose.

acid ['æsıd] *a & n* acide (*m*); **a. rain** pluies *fpl* acides. ● **a'cidity** *n* acidité *f*.

acknowledge [ək'nɒlıdʒ] *vt* reconnaître (**as** pour); (*greeting*) répondre à; **to a.** (**receipt of**) accuser réception de; **to a. defeat** s'avouer vaincu. ● **acknowledg(e)ment** *n* (*of letter*) accusé *m* de réception; (*receipt*) reçu *m*; (*confession*) aveu *m* (**of** de); **in a. of** en reconnaissance de.

acme ['ækmı] *n* sommet *m*, comble *m*.

acne ['æknı] *n* acné *f*.

acorn ['eıkɔːn] *n* gland *m* (*de chêne*).

acoustic [ə'kuːstık] *a* acoustique. ● **acoustics** *npl* acoustique *f*.

acquaint [ə'kweınt] *vt* **to a. s.o. with sth** informer qn de qch; **to be acquainted with** (*person*) connaître; (*fact*) savoir; **we are acquainted** on se connaît. ● **acquaintance** *n* (*person*, *knowledge*) connaissance *f*.

acquiesce [ækwı'es] *vi* acquiescer (**in** à). ● **acquiescence** *n* acquiescement *m*.

acquire [ə'kwaıər] *vt* acquérir; (*taste*) prendre (**for** à); (*friends*) se faire; **acquired taste** goût *m* qui s'acquiert. ● **acqui'sition** *n* acquisition *f*. ● **acquisitive** *a* avide, cupide.

acquit [ə'kwıt] *vt* (**-tt-**) **to a. s.o.** (**of a crime**) acquitter qn. ● **acquittal** *n* acquittement *m*.

acre ['eıkər] *n* acre *f* (= *0,4 hectare*). ● **acreage** *n* superficie *f*.

acrid ['ækrıd] *a* (*smell*, *taste*) âcre; (*manner*) acerbe.

acrimonious [ækrı'məʊnıəs] *a* acerbe.

acrobat ['ækrəbæt] *n* acrobate *mf*. ● **acro'batic** *a* acrobatique; **a. movement** *or* **feat** acrobatie *f*. ● **acro'batics** *npl* acrobaties

fpl.
acronym ['ækrənɪm] *n* sigle *m*.
across [ə'krɒs] *adv & prep (from side to side (of))* d'un côté à l'autre (de); *(on the other side (of))* de l'autre côté (de); *(crossways)* en travers (de); **to be a kilometre/etc a.** *(wide)* avoir un kilomètre/etc de large; **to walk** *or* **go a.** *(street etc)* traverser; **to come a.** *(person)* rencontrer (par hasard), tomber sur; *(lost object)* trouver (par hasard); *(reference etc)* tomber sur, trouver (par hasard); **to get sth a. to s.o.** faire comprendre qch à qn.
acrostic [ə'krɒstɪk] *n* acrostiche *m*.
acrylic [ə'krɪlɪk] *n* acrylique *m* ∎ *a (paint)* acrylique; **a. socks/etc** chaussettes *fpl*/etc en acrylique.
act [ækt] **1** *n (deed)* acte *m*; **a. (of parliament)** loi *f*; **caught in the a.** pris sur le fait; **a. of walking** action *f* de marcher; **an a. of folly** une folie.
2 *n (part of play) Theatre* acte *m*; *(in circus, cabaret etc)* numéro *m*; **in on the a.** *Fam* dans le coup; **to put on an a.** *Fam* jouer la comédie ∎ *vt (part in play or film)* jouer; **to a. the fool** faire l'idiot ∎ *vi (in play or film)* jouer; *(pretend)* jouer la comédie.
3 *vi (do sth, behave)* agir; *(function)* fonctionner; **to a. as** *(secretary etc)* faire office de; *(of object)* servir de; **to a. (up)on** *(affect)* agir sur; *(advice)* suivre; **to a. on behalf of** représenter; **to a. up** *(of person, machine) Fam* faire des siennes. ● **acting 1** *a (manager etc)* intérimaire. **2** *n (of play)* représentation *f*; *(actor's art)* jeu *m*; *(career)* théâtre *m*.
action ['ækʃ(ə)n] *n* action *f*; *(military)* combat *m*; *(legal)* procès *m*, action *f*; **to take a.** prendre les mesures; **to put into a.** *(plan)* exécuter; **out of a.** hors d'usage, hors (de) service; *(person)* hors de combat; **killed in a.** mort au champ d'honneur; **to take industrial a.** *Br* se mettre en grève.
activate ['æktɪveɪt] *vt Ch* activer; *(mechanism)* actionner.
active ['æktɪv] *a* actif; *(interest, dislike)* vif; *(volcano)* en activité ∎ *n Grammar* actif *m*. ● **ac'tivity** *n* activité *f*; *(in street)* animation *f*.
activist ['æktɪvɪst] *n* activiste *mf*.
actor ['æktər] *n* acteur *m*. ● **actress** *n* actrice *f*.
actual ['æktʃʊəl] *a* réel, véritable; *(example)* concret; **the a. book** le livre même; **in a. fact** en réalité, effectivement. ● **actually** *adv (truly)* réellement; *(in fact)* en réalité, en fait.
actuary ['æktʃʊərɪ] *n* actuaire *mf*.
actuate ['æktʃʊeɪt] *vt (machine)* actionner.
acumen [*Br* 'ækjʊmən, *Am* ə'kju:mən] *n* perspicacité *f*, finesse *f*; **to have business a.** avoir le sens des affaires.
acupuncture ['ækjʊpʌŋktʃər] *n* acupuncture *f*.
acute [ə'kju:t] *a (pain, angle etc)* aigu *(f* -uë); *(anxiety, emotion)* vif, profond; *(mind,*

observer) perspicace; *(shortage)* grave. ● **acutely** *adv (to suffer, feel)* vivement, profondément. ● **acuteness** *n* acuité *f*; *(of mind)* perspicacité *f*.
ad [æd] *n Fam* pub *f*; *(private, in newspaper)* annonce *f*; **small ad** *Br* **want ad** *Am* petite annonce.
AD [eɪ'di:] *abbr (anno Domini)* après Jésus-Christ.
adage ['ædɪdʒ] *n* adage *m*.
Adam ['ædəm] *n* **A.'s apple** pomme *f* d'Adam.
adamant ['ædəmənt] *a* inflexible; **to be a. that** maintenir que.
adapt [ə'dæpt] *vt* adapter **(to** à); **to a. (oneself)** s'adapter. ● **adaptable** *a (person)* souple, capable de s'adapter. ● **adaptation** [ædæp'teɪʃ(ə)n] *n* adaptation *f*. ● **adaptor** *n (device)* adaptateur *m*; *(plug)* prise *f* multiple.
add [æd] *vt* ajouter **(to** à, **that** que); **to a. (up** *or* **together)** *(numbers)* additionner ∎ *vi* **to a.** *(increase)* augmenter; **to a. up to** *(total)* s'élever à; *(mean)* signifier; *(represent)* constituer; **it all adds up** *Fam* ça s'explique. ● **a'ddendum,** *pl* **-da** *n* supplément *m*. ● **adding machine** *n* machine *f* à calculer.
adder ['ædər] *n* vipère *f*.
addict ['ædɪkt] *n (drugs, alcohol etc)* intoxiqué, -ée *mf*; **jazz/TV/etc a.** fana(tique) *mf* du jazz/de la télé/etc; **drug a.** drogué, -ée *mf*. ● **a'ddicted** *a* **to be a. to** *(music, sport)* se passionner pour, être un fana de; *(work)* être un fou de; *(study)* s'adonner à; **to be a. to doing sth** *(have the habit of)* avoir la manie de faire qch; **a. to drink** alcoolique; **a. to cigarettes** accroché à la cigarette.
addiction [ə'dɪkʃ(ə)n] *n (habit)* manie *f*; *(dependency)* dépendance *f*; **drug a.** toxicomanie *f*. ● **addictive** *a (drug, TV etc)* qui crée une dépendance.
addition [ə'dɪʃ(ə)n] *n* addition *f*; *(increase)* augmentation *f*; **in a.** de plus; **in a. to** en plus de. ● **additional** *a* supplémentaire. ● **additionally** *adv* de plus.
additive ['ædɪtɪv] *n* additif *m*.
address [*Br* ə'dres, *Am* 'ædres] *n (on letter etc)* adresse *f*; *(speech)* allocution *f*; **form of a.** formule *f* de politesse ∎ [ə'dres] *vt (person)* s'adresser à; *(audience)* parler devant; *(words, speech)* adresser **(to** à); *(letter)* mettre l'adresse sur. ● **addressee** [ædre'si:] *n* destinataire *mf*.
adenoids ['ædɪnɔɪdz] *npl* végétations *fpl* (adénoïdes).
adept [ə'dept] *a* expert **(in, at** à).
adequate ['ædɪkwət] *a (quantity etc)* suffisant; *(acceptable)* convenable; *(person)* compétent; *(performance)* acceptable. ● **adequacy** *n (of person)* compétence *f*; **to doubt the a. of sth** douter que qch soit suffisant. ● **adequately** *adv (sufficiently)* suffisamment; *(acceptably)* convenablement.
adhere [əd'hɪər] *vi* **to a. to** adhérer à; *(deci-*

advise

sion, *rule*) s'en tenir à. ●**adherence** *n* (*support*) adhésion *f*. ●**adhesion** [-'hi:ʒ(ə)n] *n* (*grip*) adhérence *f*. ●**adhesive** *a* & *n* adhésif (*m*).
ad infinitum [ædɪnfɪ'naɪtəm] *adv* à l'infini.
adjacent [ə'dʒeɪsənt] *a* (*house, angle etc*) adjacent (**to** à).
adjective ['ædʒɪktɪv] *n* adjectif *m*.
adjoin [ə'dʒɔɪn] *vt* avoisiner. ●**adjoining** *a* voisin, avoisinant.
adjourn [ə'dʒɜːn] *vt* (*postpone*) ajourner; (*session*) lever, suspendre ▌ *vi* lever la séance; **to a. to** (*go*) passer à. ●**adjournment** *n* ajournement *m*; (*of session*) suspension *f* (de séance), levée *f* de séance.
adjudicate [ə'dʒuːdɪkeɪt] *vti* juger. ●**adjudication** [-'keɪʃ(ə)n] *n* jugement *m*. ●**adjudicator** *n* juge *m*, arbitre *m*.
adjust [ə'dʒʌst] *vt* (*machine*) régler; (*machine part*) ajuster, régler; (*salaries, prices*) (r)ajuster; (*arrange*) arranger; **to a.** (**oneself**) **to** s'adapter à. ●**adjustable** *a* (*seat etc*) réglable. ●**adjustment** *n* Tech réglage *m*; (*of person*) adaptation *f*; (*of salaries, prices*) (r)ajustement *m*.
ad-lib [æd'lɪb] *vi* (**-bb-**) improviser ▌ *a* (*joke etc*) improvisé.
administer [əd'mɪnɪstər] *vt* (*manage, dispense*) administrer (**to** à). ●**admini'stration** *n* administration *f*; (*government*) gouvernement *m*. ●**administrative** *a* administratif. ●**administrator** *n* administrateur, -trice *mf*.
admirable ['ædmərəb(ə)l] *a* admirable. ●**admiration** [-'reɪʃ(ə)n] *n* admiration *f*.
admiral ['ædmərəl] *n* amiral *m*.
admire [əd'maɪər] *vt* admirer (**for sth** pour qch, **for doing** de faire). ●**admiring** *a* admiratif. ●**admirer** *n* admirateur, -trice *mf*.
admit [əd'mɪt] *vt* (**-tt-**) (*let in*) laisser entrer, admettre; (*acknowledge*) reconnaître, admettre (**that que**) ▌ *vi* **to a. to sth** (*confess*) avouer qch; **to a. of** permettre. ●**admissible** *a* admissible. ●**admission** [-ʃ(ə)n] *n* (*entry to theatre etc*) entrée *f* (**to** à, de); (*to club, school*) admission *f*; (*acknowledgment*) aveu *m*; **a.** (**charge**) (prix *m* d')entrée *f*. ●**admittance** *n* entrée *f*; **'no a.'** 'entrée interdite'. ●**admittedly** [-ɪdlɪ] *adv* c'est vrai (que).
admonish [əd'mɒnɪʃ] *vt* (*rebuke*) réprimander; (*warn*) avertir.
ado [ə'duː] *n* **without further a.** sans (faire) plus de façons.
adolescent [ædə'lesənt] *n* adolescent, -ente *mf*. ●**adolescence** *n* adolescence *f*.
adopt [ə'dɒpt] *vt* (*child, method, attitude etc*) adopter; (*candidate*) Pol choisir. ●**adopted** *a* (*child*) adoptif; (*country*) d'adoption. ●**adoption** [-ʃ(ə)n] *n* adoption *f*. ●**adoptive** *a* (*parent*) adoptif.
adore [ə'dɔːr] *vt* adorer (**doing** faire); **he adores being flattered** il adore qu'on le flatte. ●**adorable** *a* adorable. ●**adoration** [ædə'reɪʃ(ə)n] *n* adoration *f*.
adorn [ə'dɔːn] *vt* (*room, book*) orner; (*person, dress*) parer. ●**adornment** *n* ornement *m*; (*finery*) parure *f*.
adrenalin(e) [ə'drenəlɪn] *n* adrénaline *f*.
Adriatic [eɪdrɪ'ætɪk] *n* **the A.** l'Adriatique *f*.
adrift [ə'drɪft] *a* & *adv* (*boat*) à la dérive; **to come a.** (*of rope, collar etc*) se détacher; **to turn s.o. a.** Fig abandonner qn à son sort.
adroit [ə'drɔɪt] *a* adroit, habile.
adulation [ædjʊ'leɪʃ(ə)n] *n* adulation *f*.
adult ['ædʌlt, ə'dʌlt] *n* adulte *mf* ▌ *a* (*animal etc*) adulte; **a. class/film/etc** classe *f*/film *m*/etc pour adultes. ●**adulthood** *n* âge *m* adulte.
adulterate [ə'dʌltəreɪt] *vt* (*food*) altérer.
adultery [ə'dʌltərɪ] *n* adultère *m*; **to commit a.** commettre l'adultère. ●**adulterous** *a* adultère.
advance [əd'vɑːns] *n* (*movement, money*) avance *f*; (*of science*) progrès *mpl*; **advances** (*of love, friendship*) avances *fpl*; **in a.** à l'avance, d'avance; (*to arrive*) en avance; **in a. of s.o.** avant qn.
▌ *a* (*payment*) anticipé; **a. booking** réservation *f*; **a. guard** avant-garde *f*.
▌ *vt* (*put forward, lend*) avancer; (*science, one's work*) faire avancer.
▌ *vi* (*go forward, progress*) avancer; **to a. towards s.o.** s'avancer *or* avancer vers qn. ●**advanced** *a* avancé; (*studies, level*) supérieur; (*course*) de niveau supérieur; **a. in years** âgé. ●**advancement** *n* (*progress, promotion*) avancement *m*.
advantage [əd'vɑːntɪdʒ] *n* avantage *m* (**over** sur); **to take a. of** (*situation etc*) profiter de; (*person*) tromper, exploiter; (*woman*) séduire; **to show** (**off**) **to a.** faire valoir. ●**advan'tageous** *a* avantageux (**to, pour**), profitable.
advent ['ædvent] *n* arrivée *f*, avènement *m*; **A.** Rel l'Avent *m*.
adventure [əd'ventʃər] *n* aventure *f* ▌ *a* (*film etc*) d'aventures. ●**adventurer** *n* aventurier, -ière *mf*. ●**adventurous** *a* aventureux.
adverb ['ædvɜːb] *n* adverbe *m*.
adversary ['ædvəsərɪ] *n* adversaire *mf*.
adverse ['ædvɜːs] *a* hostile, défavorable. ●**ad'versity** *n* adversité *f*.
advert ['ædvɜːt] *n* Br Fam pub *f*; (*private, in newspaper*) annonce *f*.
advertise ['ædvətaɪz] *vt* (*commercially*) faire de la publicité pour; (*privately*) passer une annonce pour vendre; (*make known*) annoncer ▌ *vi* faire de la publicité; (*privately*) passer une annonce (**for** pour trouver). ●**advertising** *n* publicité *f*; **a. agency** agence *f* de publicité. ●**advertiser** *n* annonceur *m*.
advertisement [Br əd'vɜːtɪsmənt, Am ædvə'taɪzmənt] *n* publicité *f*; (*private or classified in newspaper*) annonce *f*; (*poster*) affiche *f*; **classified a.** petite annonce; **the advertisements** TV la publicité.
advice [əd'vaɪs] *n* conseil(s) *m*(*pl*); (*notification*) Com avis *m*; **a piece of a.** un conseil.
advise [əd'vaɪz] *vt* (*counsel*) conseiller; (*recommend*) recommander; (*notify*) informer; **to a. s.o. to do** conseiller à qn de faire; **to a.**

against déconseiller; **he would be well advised to leave** il ferait bien de partir. ●**advisable** *a* (*action*) à conseiller; **it's a. to wait**/*etc* il est plus prudent d'attendre/*etc*. ●**advisedly** [-ɪdlɪ] *adv* après réflexion. ●**adviser** *or* **advisor** *n* conseiller, -ère *mf*. ●**advisory** *a* consultatif; **in an a. capacity** à titre consultatif.

advocate 1 ['ædvəkət] *n* (*of cause*) défenseur *m*, avocat, -ate *mf*; (*lawyer*) avocat *m*. 2 ['ædvəkeɪt] *vt* préconiser, recommander.

aegis ['iːdʒɪs] *n* **under the a. of** sous l'égide de.

aeon ['iːən] *n* éternité *f*.

aerial ['eərɪəl] *n* Br antenne *f* ▮ *a* (*photo etc*) aérien.

aerobatics [eərə'bætɪks] *npl* acrobatie *f* aérienne. ●**ae'robics** *npl* aerobic *f*. ●'**aerodrome** *n* aérodrome *m*. ●**aero'dynamic** *a* aérodynamique. ●**aero'nautics** *npl* aéronautique *f*. ●'**aeroplane** *n* Br avion *m*. ●'**aerosol** *n* aérosol *m*. ●'**aerospace** *a* (*industry*) aérospatial.

aesthetic [Br iːs'θetɪk, Am es'θetɪk] *a* esthétique.

afar [ə'fɑːr] *adv* **from a.** de loin.

affable ['æfəb(ə)l] *a* affable, aimable.

affair ['əfeər] *n* (*matter, concern*) affaire *f*; (**love**) **a.** liaison *f*; **state of affairs** situation *f*.

affect [ə'fekt] *vt* (*concern, move*) toucher, affecter; (*harm*) nuire à; (*influence*) influer sur; (*pretend to have*) affecter. ●**affected** *a* (*manner*) affecté; (*by disease*) atteint. ●**affectation** [æfek'teɪʃ(ə)n] *n* affectation *f*.

affection [ə'fekʃ(ə)n] *n* affection *f* (**for** pour). ●**affectionate** *a* affectueux, aimant. ●**affectionately** *adv* affectueusement.

affiliate [ə'fɪlɪeɪt] *vt* affilier; **to be affiliated** s'affilier (**to** à); **affiliated company** filiale *f*. ●**affiliation** [-'eɪʃ(ə)n] *n* affiliation *f*; **affiliations** (*political*) attaches *fpl*.

affinity [ə'fɪnɪtɪ] *n* affinité *f*.

affirm [ə'fɜːm] *vt* affirmer. ●**affirmation** [æfə'meɪʃ(ə)n] *n* affirmation *f*. ●**affirmative** *a* affirmatif ▮ *n* affirmative *f*; **to answer in the a.** répondre par l'affirmative.

affix [ə'fɪks] *vt* (*stamp, signature*) apposer.

afflict [ə'flɪkt] *vt* affliger (**with** de). ●**affliction** *n* (*misery*) affliction *f*; (*disability*) infirmité *f*.

affluent ['æfluənt] *a* riche; **a. society** société *f* d'abondance. ●**affluence** *n* richesse *f*.

afford [ə'fɔːd] *vt* 1 (*pay for*) avoir les moyens d'acheter, pouvoir se payer; **he can't a. the time (to read it)** il n'a pas le temps (de le lire); **I can a. to wait** je peux me permettre d'attendre. 2 (*provide*) fournir, donner; **to a. s.o. sth** fournir qch à qn. ●**affordable** *a* (*price etc*) abordable.

affray [ə'freɪ] *n* Jur rixe *f*, bagarre *f*.

affront [ə'frʌnt] *n* affront *m* ▮ *vt* faire un affront à.

Afghanistan [æf'gænɪstɑːn] *n* Afghanistan *m*.

afield [ə'fiːld] *adv* **further a.** plus loin; **too far a.** trop loin.

afloat [ə'fləʊt] *adv* (*ship, swimmer, business*) à flot; (*awash*) submergé; **life a.** la vie sur l'eau; **to stay a.** (*of ship*) rester à flot; (*of businessman*) surnager.

afoot [ə'fʊt] *adv* **there's something a.** il se trame quelque chose; **there's a plan a. to...** on prépare un projet pour....

aforementioned [ə'fɔːmenʃənd] *a* susmentionné.

afraid [ə'freɪd] *a* **to be a.** avoir peur (**of s.o./sth** de qn/qch); **to be a. to do** *or* **of doing** avoir peur de faire; **to make s.o. afraid** faire peur à qn; **I'm a. (that) he'll fall** j'ai peur qu'il (ne) tombe; **he's a. (that) she may be ill** il a peur qu'elle (ne) soit malade; **I'm a. he's out** (*I regret to say*) je regrette, il est sorti.

afresh [ə'freʃ] *adv* de nouveau.

Africa ['æfrɪkə] *n* Afrique *f*. ●**African** *a* africain ▮ *n* Africain, -aine *mf*.

after ['ɑːftər] *adv* après; **the month a.** le mois suivant, le mois d'après ▮ *prep* après; **a. all** après tout; **a. eating** après avoir mangé; **day a. day** jour après jour; **page a. page** page sur page; **time a. time** bien des fois; **a. you!** je vous en prie!; **ten a. four** *Am* quatre heures dix; **to be a. sth/s.o.** (*seek*) chercher qch/qn ▮ *conj* après que; **a. he saw you** après qu'il t'a vu.

aftercare ['ɑːftəkeər] *n* Med soins *mpl* post-opératoires; *Jur* surveillance *f*. ●**aftereffects** *npl* suites *fpl*, séquelles *fpl*. ●**afterlife** *n* vie *f* future. ●**aftermath** [-mɑːθ, -mæθ] *n* suites *fpl*. ●**aftersales service** *n* service *m* après-vente. ●**aftershave (lotion)** *n* lotion *f* après-rasage, aftershave *m*. ●**aftertaste** *n* arrière-goût *m*. ●**afterthought** *n* réflexion *f* après coup; **to add/say**/*etc* **sth as an a.** ajouter/dire/*etc* qch après coup. ●**afterward(s)** *adv* après, plus tard.

afternoon [ɑːftə'nuːn] *n* après-midi *m or f inv*; **in the a.** l'après-midi; **at three in the a.** à trois heures de l'après-midi; **every Monday a.** tous les lundis après-midi; **good a.!** (*hello*) bonjour!; (*goodbye*) au revoir! ●**after'noons** *adv Am* l'après-midi.

afters ['ɑːftəz] *npl Br Fam* dessert *m*.

again [ə'gen, ə'geɪn] *adv* de nouveau, encore une fois; (*furthermore*) en outre; **to do a.** refaire; **to go down/up a.** redescendre/remonter; **she won't do it a.** elle ne le fera plus; **never a.** plus jamais; **half as much a.** moitié plus; **a. and a.**, **time and (time) a.** bien des fois, maintes fois; **what's his name a.?** comment s'appelle-t-il déjà?

against [ə'genst, ə'geɪnst] *prep* contre; **to go** *or* **be a.** s'opposer à; **a. the law** illégal; **a law a. drinking** une loi qui interdit de boire; **his age is a. him** son âge lui est défavorable; **a. a background of** sur (un) fond de; **a. the light** à contre-jour; **a. the rules** *Br*, **a. the rule** *Am* interdit, contraire aux règlements.

age [eɪdʒ] *n* âge *m*; (*old*) **a.** vieillesse *f*; **the Middle Ages** le moyen âge; **what a. are you?**, **what's your a.?** quel âge as-tu?; **five years of a.** âgé de cinq ans; **to be of a.** être

airborne

majeur; **to come of a.** atteindre sa majorité; **under a.** trop jeune, mineur; **to wait (for) ages** *Fam* attendre une éternité; **a. gap** différence *f* d'âge; **a. group** tranche *f* d'âge; **a. limit** limite *f* d'âge.
▮ *vti* (*pres p* **ag(e)ing**) vieillir. ● **age-old** *a* séculaire. ● **aged** *a* [eɪdʒd] **a. ten** âgé de dix ans; ['eɪdʒɪd] vieux, âgé; **the a.** les personnes *fpl* âgées. ● **ageless** *a* toujours jeune.
agenda [ə'dʒendə] *n* ordre *m* du jour.
agent ['eɪdʒənt] *n* agent *m*; (*dealer selling cars etc*) concessionnaire *mf*. ● **agency** *n* **1** (*office*) agence *f*. **2 through the a. of s.o.** par l'intermédiaire de qn.
aggravate ['ægrəveɪt] *vt* (*make worse*) aggraver; **to a. s.o.** *Fam* exaspérer qn. ● **aggravation** [-'veɪʃ(ə)n] *n* aggravation *f*; *Fam* exaspération *f*; (*bother*) *Fam* ennui(s) *m(pl)*.
aggregate ['ægrɪgət] *a* global ▮ *n* (*total*) ensemble *m*.
aggression [ə'greʃ(ə)n] *n* agression *f*. ● **aggressive** *a* agressif. ● **aggressiveness** *n* agressivité *f*. ● **aggressor** *n* agresseur *m*.
aggrieved [ə'griːvd] *a* (*offended*) blessé, froissé; (*tone*) peiné.
aggro ['ægrəʊ] *n inv* (*bother*) *Br Fam* embêtements *mpl*.
aghast [ə'ɡɑːst] *a* consterné, horrifié.
agile [*Br* 'ædʒaɪl, *Am* 'ædʒ(ə)l] *a* agile. ● **a'gility** *n* agilité *f*.
agitate ['ædʒɪteɪt] *vt* (*worry*) agiter; **to be agitated** être agité ▮ *vi* **to a. for** (*political cause*) faire campagne pour. ● **agitation** [-'teɪʃ(ə)n] *n* (*anxiety*, *unrest*) agitation *f*. ● **agitator** *n* (*political*) agitateur, -trice *mf*.
aglow [ə'gləʊ] *a* **to be a.** briller (**with** de).
agnostic [æg'nɒstɪk] *a & n* agnostique (*mf*).
ago [ə'gəʊ] *adv* **a year a.** il y a un an; **how long a.?** il y a combien de temps (de cela)?; **long a.** autrefois; **as long a. as 1800** (déjà) en 1800.
agog [ə'gɒg] *a* (*excited*) en émoi; (*eager*) impatient.
agonize ['ægənaɪz] *vi* se faire beaucoup de souci. ● **agonized** *a* (*look*) angoissé; (*cry*) de douleur. ● **agonizing** *a* (*pain*) atroce; (*situation*) angoissant.
agony ['ægənɪ] *n* (*pain*) douleur *f* atroce; (*anguish*) angoisse *f*; **to be in a.** souffrir horriblement; **a. column** (*in newspaper*) courrier *m* du cœur.
agree [ə'griː] *vi* (*come to an agreement*) se mettre d'accord, s'accorder; (*be in agreement*) être d'accord, s'accorder (**with** avec); (*of facts*, *dates etc*) concorder; (*of verb etc*) s'accorder; **to a. (up)on** (*decide*) convenir de; **to a. to sth/to doing** consentir à qch/à faire; **it doesn't a. with me** (*food*, *climate*) ça ne me réussit pas.
▮ *vt* (*figures*, *sums*) faire concorder; (*approve*) approuver (*comptabilité etc*); **to a. to do** accepter de faire; **to a. that** (*admit*) admettre que. ● **agreed** *a* (*time*, *place*) convenu; **we are a.** nous sommes d'accord; **a.!**

entendu! ● **agreement** *n* accord *m* (**with** avec); **to be in a. with/on** être d'accord avec/sur.
agreeable [ə'griːəb(ə)l] *a* **1** (*pleasant*) agréable. **2 to be a.** (*agree*) être d'accord; **to be a. to sth** consentir à qch.
agriculture ['ægrɪkʌltʃər] *n* agriculture *f*. ● **agri'cultural** *a* agricole.
aground [ə'graʊnd] *adv* **to run a.** (*of ship*) (s')échouer.
ah! [ɑː] *int* ah!
ahead [ə'hed] *adv* (*in space*) en avant; (*leading*) en tête; (*in the future*) dans l'avenir; **a.** (**of time** *or* **of schedule**) en avance (sur l'horaire); **one hour/*etc* a.** une heure/*etc* d'avance (**of** sur); **a. of** (*space*) en avance sur; **to go a.** (*advance*) avancer; (*continue*) continuer; (*start*) commencer; **go a.!** allez-y!; **to go a. with** (*task*) poursuivre; **to get a.** prendre de l'avance; (*succeed*) réussir; **to think a.** penser à l'avenir; **straight a.** (*to walk*) tout droit; (*to look*) droit devant soi.
aid [eɪd] *n* (*help*) aide *f*; (*device*) accessoire *m*; (*visual etc*) moyen *m*, support *m*; **with the a. of** (*a stick etc*) à l'aide de; **in a. of** (*charity etc*) au profit de; **what's (all) this in a. of?** *Fam* quel est le but de tout ça?, ça sert à quoi? ▮ *vt* aider (**s.o. to do qch** à faire).
aide [eɪd] *n* (*to politician etc*) collaborateur, -trice *mf*.
AIDS [eɪdz] *n abbr* (*acquired immune deficiency syndrome*) SIDA *m*; **A. victim/virus** malade *mf*/virus *m* du SIDA.
ail [eɪl] *vt* **what ails you?** de quoi souffrez-vous? ● **ailing** *a* (*ill*) souffrant; (*company*) en difficulté. ● **ailment** *n* (petit) ennui *m* de santé.
aim [eɪm] *n* but *m*; **to take a.** viser; **with the a. of** dans le but de ▮ *vt* (*gun*) braquer, diriger (**at** sur); (*lamp*) diriger (**at** vers); (*stone*) lancer (**at** à, vers); (*blow*, *remark*) décocher (**at** à); **aimed at children**/*etc* (*product*) destiné aux enfants/*etc* ▮ *vi* viser; **to a. at s.o.** viser qn; **to a. to do** *or* **at doing** avoir l'intention de faire. ● **aimless** *a*, **aimlessly** *adv* sans but.
air [eər] **1** *n* air *m*; **in the open a.** en plein air; **by a.** (*to travel*) en *or* par avion; (*to send letter or goods*) par avion; **to be** *or* **go on the a.** (*of person*) passer à l'antenne; (*of programme*) être diffusé; **to throw (up) in(to) the a.** jeter en l'air; (**up**) **in the a.** (*plan*) incertain, en l'air; **there's something in the a.** *Fig* il se prépare quelque chose.
▮ *a* (*raid*, *base etc*) aérien; **a. fare** prix *m* du billet d'avion; **a. force** armée *f* de l'air; **a. hostess** *Br* hôtesse *f* de l'air; **a. terminal** aérogare *f*.
▮ *vt* (*room*) aérer; (*views*) exposer; **airing cupboard** *Br* armoire *f* sèche-linge.
2 *n* (*appearance*, *tune*) air *m*; **to put on airs** se donner des airs; **with an a. of sadness**/*etc* d'un air triste/*etc*.
airborne ['eəbɔːn] *a* en (cours de) vol;

airy

(*troops*) aéroporté; **to become a.** (*of aircraft*) décoller. ●**airbridge** *n* pont *m* aérien. ●**air-conditioned** *a* climatisé. ●**air-conditioner** *n* climatiseur *m*. ●**air-conditioning** *n* climatisation *f*. ●**aircraft** *n inv* avion(s) *m(pl)*; **a. carrier** porte-avions *m inv*. ●**aircrew** *n* équipage *m* (*d'un avion*). ●**airfield** *n* terrain *m* d'aviation. ●**airgun** *n* carabine *f* à air comprimé. ●**airletter** *n* aérogramme *m*. ●**airlift** *n* pont *m* aérien ▌ *vt* transporter par avion. ●**airline** *n* ligne *f* aérienne; **a. ticket** billet *m* d'avion. ●**airliner** *n* avion *m* de ligne. ●**airlock** *n* (*chamber in submarine, spacecraft etc*) sas *m*; (*in pipe*) bouchon *m*. ●**airmail** *n* poste *f* aérienne; **by a.** par avion. ●**airman** *n* (*pl* **-men**) aviateur *m*. ●**airplane** *n* Am avion *m*. ●**airpocket** *n* trou *m* d'air. ●**airport** *n* aéroport *m*. ●**air-raid shelter** *n* abri *m* antiaérien. ●**airship** *n* dirigeable *m*. ●**airsick** *a* **to be a.** avoir le mal de l'air. ●**airsickness** *n* mal *m* de l'air. ●**airstrip** *n* terrain *m* d'atterrissage. ●**airtight** *a* hermétique. ●**air traffic controller** *n* contrôleur *m* aérien, aiguilleur *m* du ciel. ●**airway** *n* (*route*) couloir *m* aérien. ●**airworthy** *a* en état de navigation.

airy ['eərɪ] *a* (**-ier, -iest**) (*room*) bien aéré; (*promise*) Fig vain; (*step*) léger. ●**airy-fairy** *a* Fam farfelu. ●**airily** *adv* (*not seriously*) d'un ton léger.

aisle [aɪl] *n* (*in plane, supermarket, cinema etc*) allée *f*; (*in church*) (*on side*) nef *f* latérale; (*central*) allée *f* centrale.

aitch [eɪtʃ] *n* (*letter*) h *m*.

ajar [əˈdʒɑː] *a* & *adv* (*door*) entrouvert.

akin [əˈkɪn] *a* **a. (to)** apparenté (à).

alabaster [ˈæləbɑːstər] *n* albâtre *m*.

alacrity [əˈlækrɪtɪ] *n* empressement *m*.

à la mode [ælæˈməʊd] *a* (*dessert*) Am avec de la crème glacée.

alarm [əˈlɑːm] *n* (*warning, fear, device in house or car*) alarme *f*; (*mechanism*) sonnerie *f* (d'alarme); **false a.** fausse alerte *f*; **a. (clock)** réveil *m*, réveille-matin *m inv* ▌ *vt* (*frighten*) alarmer; (*worry*) inquiéter; **to be alarmed** s'inquiéter (**at what's happening**/*etc* de ce qui se passe/*etc*); **I'm alarmed at that** ça m'inquiète. ●**alarmist** *n* alarmiste *mf*.

alas! [əˈlæs] *int* hélas!

Albania [ælˈbeɪnɪə] *n* Albanie *f*. ●**Albanian** *a* ▌ *n* Albanais, -aise *mf*.

albatross [ˈælbətrɒs] *n* albatros *m*.

albeit [ɔːlˈbiːɪt] *conj* Lit quoique (+ *sub*).

albino [Br ælˈbiːnəʊ, Am ælˈbaɪnəʊ] *n* (*pl* **-os**) albinos *mf*.

album [ˈælbəm] *n* (*book, record*) album *m*; **stamp a.** album à timbres; (*with stamps in*) album de timbres.

alchemy [ˈælkəmɪ] *n* alchimie *f*. ●**alchemist** *n* alchimiste *m*.

alcohol [ˈælkəhɒl] *n* alcool *m*. ●**alcoˈholic** *a* (*person*) alcoolique; **a. drink** boisson *f* alcoolisée ▌ *n* (*person*) alcoolique *mf*. ●**alcoholism** *n* alcoolisme *m*.

alcove [ˈælkəʊv] *n* alcôve *f*.

ale [eɪl] *n* bière *f*.

alert [əˈlɜːt] *a* (*paying attention*) vigilant; (*sharp, awake*) (*mind, baby etc*) éveillé ▌ *n* alerte *f*; **on the a.** sur le qui-vive ▌ *vt* alerter. ●**alertness** *n* vigilance *f*; (*of mind, baby*) vivacité *f*.

A level [ˈeɪlev(ə)l] *n* (*exam*) Br = épreuve *f* de bac.

alfalfa [ælˈfælfə] *n Am* luzerne *f*.

algebra [ˈældʒɪbrə] *n* algèbre *f*. ●**algeˈbraic** *a* algébrique.

Algeria [ælˈdʒɪərɪə] *n* Algérie *f*. ●**Algerian** *a* algérien ▌ *n* Algérien, -ienne *mf*.

alias [ˈeɪlɪəs] *adv* alias ▌ *n* nom *m* d'emprunt.

alibi [ˈælɪbaɪ] *n* alibi *m*.

alien [ˈeɪlɪən] *a* étranger (**to** à) ▌ *n* étranger, -ère *mf*. ●**alienate** *vt* aliéner; **to a. s.o.** (*make unfriendly*) se mettre qn à dos; **to feel alienated** se sentir exclu.

alight [əˈlaɪt] **1** *a* (*fire*) allumé; (*building*) en feu; (*face*) éclairé; **to set a.** mettre le feu à. **2** *vi* (*of passenger etc*) descendre (**from** de); (*of bird*) se poser (**on** sur).

align [əˈlaɪn] *vt* aligner; **to a. oneself with** (*politically*) s'aligner sur. ●**alignment** *n* alignement *m*.

alike [əˈlaɪk] **1** *a* (*people, things*) semblables, pareils; **to look** *or* **be a.** se ressembler. **2** *adv* de la même manière; **summer and winter a.** été comme hiver.

alimony [Br ˈælɪmənɪ, Am ˈælɪməʊnɪ] *n* Jur pension *f* alimentaire.

alive [əˈlaɪv] *a* vivant, en vie; **a. to** conscient de; **a. with worms**/*etc* (*crawling*) grouillant de vers/*etc*; **burnt a.** brûlé vif; **anyone a. will tell you** n'importe qui vous le dira; **to keep a.** (*custom, memory*) entretenir, perpétuer; **a. and kicking** Fam plein de vie; **look a.!** Fam active-toi!

all [ɔːl] *a* tout, toute, *pl* tous, toutes; **a. day** toute la journée; **a. (the) men** tous les hommes; **with a. speed** à toute vitesse; **for a. his wealth** malgré toute sa fortune.

▌ *pron* tous *mpl*, toutes *fpl*; (*everything*) tout; **a. will die** tous mourront; **my sisters are a. here** toutes mes sœurs sont ici; **he ate it a., he ate a. of it** il a tout mangé; **take a. of it** prends (le) tout; **a. (that) he has** tout ce qu'il a; **a. of us** nous tous; **a. in a.** à tout prendre; **in a., a. told** en tout; **a. but impossible**/*etc* (*almost*) presque impossible/*etc*; **anything at a.** quoi que ce soit; **if he comes at a.** s'il vient effectivement; **if there's any wind at a.** s'il y a le moindre vent; **nothing at a.** rien du tout; **not at a.** pas du tout; (*after 'thank you'*) il n'y a pas de quoi.

▌ *adv* tout; **a. alone** tout seul; **a. bad** entièrement mauvais; **a. over** (*everywhere*) partout; (*finished*) fini; **a. too soon** bien trop tôt; **six a.** Football six buts partout; **a. there** Fam éveillé, intelligent; **not a. there** Fam simple d'esprit; **a. in** Br Fam épuisé; **a.-in price** Br prix global.

▌ *n* **my a.** Lit tout ce que j'ai. ●**all-'clear** *n* Mil fin *f* d'alerte. ●**all-night** *a* (*party*) qui dure toute la nuit; (*shop*) ouvert toute la nuit. ●**all-out** *a* (*effort*) énergique; (*war, strike*) tous azimuts. ●**all-'powerful** *a* tout-puissant. ●**all-purpose** *a* (*tool*) universel. ●**all-round** *a* (*knowledge etc*) approfondi; (*athlete etc*) complet. ●**all-'rounder** *n* personne *f* qui est forte en tout. ●**all-time** *a* (*record*) jamais atteint; **to reach an a.-time low/high** arriver au point le plus bas/le plus haut.

allay [ə'leɪ] *vt* (*fears etc*) calmer, apaiser.
allegation [ælɪ'geɪʃ(ə)n] *n* accusation *f*.
allege [ə'ledʒ] *vt* prétendre (**that** que). ●**alleged** *a* (*so-called*) (*crime, fact etc*) prétendu; (*author, culprit*) présumé; **he is a. to be** on prétend qu'il est. ●**allegedly** [-ɪdlɪ] *adv* d'après ce qu'on dit.
allegiance [ə'liːdʒəns] *n* fidélité *f* (**to** à).
allegory [*Br* 'ælɪgərɪ, *Am* 'æləgɔːrɪ] *n* allégorie *f*. ●**alle'gorical** *a* allégorique.
allergy ['ælədʒɪ] *n* allergie *f*. ●**allergic** [ə'lɜːdʒɪk] *a* allergique (**to** à).
alleviate [ə'liːvɪeɪt] *vt* (*pain, suffering*) soulager; (*burden, task*) alléger; (*problem*) remédier à.
alley ['ælɪ] *n* ruelle *f*; (*in park*) allée *f*; **blind a.** impasse *f*; **that's (right) up my a.** *Fam* c'est mon truc. ●**alleyway** *n* ruelle *f*.
alliance [ə'laɪəns] *n* alliance *f*.
allied ['ælaɪd] *a* (*country*) allié; (*matters*) liés.
alligator ['ælɪgeɪtər] *n* alligator *m*.
allocate ['æləkeɪt] *vt* (*assign*) attribuer, allouer (**to** à); (*distribute*) répartir. ●**allocation** [-'keɪʃ(ə)n] *n* attribution *f*.
allot [ə'lɒt] *vt* (**-tt-**) (*assign*) attribuer; (*distribute*) répartir. ●**allotment** *n* **1** (*action*) attribution *f*; (*share*) partage *m*. **2** (*land*) *Br* lopin *m* de terre (*loué pour la culture*).
allow [ə'laʊ] **1** *vt* permettre (**s.o. sth** qch à qn); (*give, grant*) accorder (**s.o. sth** qch à qn); (*a request*) accéder à; **to a. a discount** accorder *or* consentir une réduction; **to a. s.o. to do** permettre à qn de faire, autoriser qn à faire; **to a. an hour/a metre/etc** (*estimated period or quantity*) prévoir une heure/un mètre/*etc*; **a. me!** permettez(-moi)!; **it's not allowed** c'est interdit; **you're not allowed to go** on vous interdit de partir. **2** *vi* **to a. for sth** tenir compte de qch. ●**allowable** *a* (*acceptable*) admissible; (*expense*) déductible.
allowance [ə'laʊəns] *n* allocation *f*; (*for travel, housing, food*) indemnité *f*; (*for duty-free goods*) tolérance *f*; (*tax-free amount*) abattement *m*; **to make allowance(s) for (an) a. for** (*person*) être indulgent envers; (*thing*) tenir compte de.
alloy ['ælɔɪ] *n* alliage *m*.
all right [ɔːl'raɪt] *a* (*satisfactory*) bien *inv*; (*unharmed*) sain et sauf; (*undamaged*) intact; (*without worries*) tranquille; **it's all r.** ça va; **I'm all r.** (*healthy*) je vais bien; **the TV is all r. now** (*fixed*) la télé marche maintenant; **he's all r.** (*trustworthy etc*) c'est quelqu'un de bien. ▮ *adv* (*well*) bien; **all r.!** (*agreement*) d'accord!; **I received your letter all r.** (*emphatic*) j'ai bien reçu votre lettre.
allude [ə'luːd] *vi* **to a.** to faire allusion à. ●**allusion** [-ʒ(ə)n] *n* allusion *f*.
allure [ə'lʊər] *vt* attirer.
ally ['ælaɪ] *n* allié, -ée *mf* ▮ [ə'laɪ] *vt* (*country, person*) allier.
almanac ['ɔːlmənæk] *n* almanach *m*.
almighty [ɔːl'maɪtɪ] **1** *a* tout-puissant ▮ *n* **the A.** le Tout-Puissant. **2** *a* (*enormous*) *Fam* terrible, formidable.
almond ['ɑːmənd] *n* amande *f*.
almost ['ɔːlməʊst] *adv* presque; **he a. fell/etc** il a failli tomber/*etc*.
alms [ɑːmz] *npl* aumône *f*.
aloft [ə'lɒft] *adv* *Lit* en haut.
alone [ə'ləʊn] *a & adv* seul; **an expert a. can...** seul un expert peut...; **I did it (all) a.** je l'ai fait à moi tout seul, je l'ai fait (tout) seul; **to leave** *or* **let a.** (*person*) laisser tranquille *or* en paix; (*thing*) ne pas toucher à; **they can't dance, let a. sing** ils ne savent pas danser, (et) encore moins chanter.
along [ə'lɒŋ] *prep* (*all*) **a.** (tout) le long de; **to go** *or* **walk a.** (*street*) passer par; **a. here** par ici; **a. with** avec. ▮ *adv* **all a.** (*all the time*) dès le début; (*all the way*) d'un bout à l'autre; **to move a.** avancer; **to hobble/plod a.** avancer en boitant/péniblement; **I'll be** *or* **come a. shortly** je viendrai tout à l'heure; **come a.!** venez donc!
alongside [əlɒŋ'saɪd] *prep & adv* à côté (de); **to come a.** (*of ship*) accoster; **a. the kerb** le long du trottoir.
aloof [ə'luːf] *a* distant ▮ *adv* à distance; **to keep a.** garder ses distances (**from** par rapport à). ●**aloofness** *n* réserve *f*.
aloud [ə'laʊd] *adv* à haute voix.
alphabet ['ælfəbet] *n* alphabet *m*. ●**alpha'betical** *a* alphabétique.
Alps [ælps] *npl* **the A.** les Alpes *fpl*. ●**alpine** *a* (*club, range etc*) alpin; (*scenery*) alpestre.
already [ɔːl'redɪ] *adv* déjà.
alright [ɔːl'raɪt] *adv* *Fam* = **all right**.
Alsatian [æl'seɪʃ(ə)n] *n* (*dog*) berger *m* allemand, chien-loup *m*.
also ['ɔːlsəʊ] *adv* aussi, également; (*moreover*) de plus. ●**also-ran** *n* (*person*) perdant, -ante *mf*.
altar ['ɔːltər] *n* autel *m*.
alter ['ɔːltər] *vt* changer, modifier; (*clothing*) retoucher ▮ *vi* changer. ●**alteration** [-'reɪʃ(ə)n] *n* changement *m*, modification *f*; (*of clothing*) retouche *f*; **alterations** (*to building*) travaux *mpl*.
altercation [ɔːltə'keɪʃ(ə)n] *n* altercation *f*.
alternate [ɔːl'tɜːnət] *a* alterné; **on a. days** tous les deux jours; **a. laughter and tears** des rires et des larmes qui se succèdent ▮ ['ɔːltəneɪt] *vi* alterner (**with** avec); **alternating current** *El* courant *m* alternatif ▮ *vt* faire alterner. ●**alternately** *adv* alternativement. ●**alternation** [-'neɪʃ(ə)n] *n* alternance *f*.

alternative

alternative [ɔːl'tɜːnətɪv] *a* (*other*) autre, *pl* d'autres; **an a. way**/*etc* une autre façon/*etc*; **a. answers**/*etc* d'autres réponses/*etc* (différentes) ▮ *n* (*choice*) alternative *f*. ● **alternatively** *adv* (*or*) **a.** (*or else*) ou alors, ou bien.
although [ɔːl'ðəʊ] *adv* bien que, quoique (+ *sub*).
altitude ['æltɪtjuːd] *n* altitude *f*.
altogether [ɔːltə'geðər] *adv* (*completely*) tout à fait; (*on the whole*) somme toute; **how much a.?** combien en tout?
aluminium [Br æljʊ'mɪnjəm] (Am **aluminum** [ə'luːmɪnəm]) *n* aluminium *m*.
alumnus, *pl* **-ni** [ə'lʌmnəs, -naɪ] *n* Am ancien(ne) élève *mf*, ancien(ne) étudiant, -ante *mf*.
always ['ɔːlweɪz] *adv* toujours; **he's a. criticizing** il est toujours à critiquer; **as a.** comme toujours.
am [æm, *unstressed* əm] *see* **be**.
a.m. [eɪ'em] *adv* du matin.
amalgam [ə'mælgəm] *n* (*mix*) amalgame *m*.
amalgamate [ə'mælgəmeɪt] *vt* (*organizations, clubs etc*) fusionner ▮ *vi* (*of organizations etc*) fusionner.
amass [ə'mæs] *vt* (*riches, a fortune etc*) amasser.
amateur ['æmətər] *n* amateur *m*; **a. painter**/**actress**/*etc* peintre *m*/actrice *f*/*etc* amateur ▮ *a* (*interest, sports*) d'amateur. ● **amateurish** *a* (*work*) *Pej* d'amateur; (*person*) *Pej* maladroit, malhabile. ● **amateurism** *n* amateurisme *m*.
amaze [ə'meɪz] *vt* stupéfier, étonner. ● **amazed** *a* stupéfait (**at sth** de qch), étonné (**at sth** par *or* de qch); (*filled with wonder*) émerveillé; **a. at seeing**/*etc* stupéfait *or* étonné de voir/*etc*. ● **amazing** *a* stupéfiant; (*incredible*) extraordinaire. ● **amazingly** *adv* extraordinairement; (*miraculously*) par miracle.
amazement [ə'meɪzmənt] *n* stupéfaction *f*; (*sense of wonder*) émerveillement *m*; **to my a.** à ma (grande) stupéfaction.
ambassador [æm'bæsədər] *n* ambassadeur *m*; (*woman*) ambassadrice *f*.
amber ['æmbər] *n* ambre *m*; **a. (light)** (*of traffic signal*) (feu *m*) orange *m*; **the lights are at a.** le feu est à l'orange.
ambidextrous [æmbɪ'dekstrəs] *a* ambidextre.
ambiguous [æm'bɪgjʊəs] *a* ambigu (*f* -uë). ● **ambiguously** *adv* de façon ambiguë. ● **ambi'guity** *n* ambiguïté *f*.
ambition [æm'bɪʃ(ə)n] *n* ambition *f*. ● **ambitious** *a* ambitieux.
ambivalent [æm'bɪvələnt] *a* ambigu (*f* -uë), équivoque.
amble ['æmb(ə)l] *vi* marcher d'un pas tranquille.
ambulance ['æmbjʊləns] *n* ambulance *f*; **a. driver** ambulancier, -ière *mf*.
ambush ['æmbʊʃ] *n* embuscade *f*, guet-apens *m* ▮ *vt* prendre en embuscade; **to be ambushed** tomber dans une embuscade.

amen [Br ɑː'men, Am eɪ'men] *int* amen.
amenable [ə'miːnəb(ə)l] *a* docile; **a. to** (*responsive to*) sensible à; **a. to reason** raisonnable.
amend [ə'mend] *vt* (*text*) modifier; (*law etc*) *Pol* amender; (*conduct*) corriger. ● **amendment** *n* (*to law, rule*) *Pol* amendement *m*.
amends [ə'mendz] *npl* **to make a. for** réparer; **to make a.** réparer son erreur.
amenities [Br ə'miːnɪtɪz, Am ə'menɪtɪz] *npl* (*pleasant things*) agréments *mpl*; (*of sports club etc*) équipement *m*; (*of town*) aménagements *mpl*.
America [ə'merɪkə] *n* Amérique *f*; **North/South A.** Amérique du Nord/du Sud. ● **American** *a* américain ▮ *n* Américain, -aine *mf*. ● **Americanism** *n* américanisme *m*.
amethyst ['æməθɪst] *n* améthyste *f*.
amiable ['eɪmɪəb(ə)l] *a* aimable.
amicable ['æmɪkəb(ə)l] *a* amical. ● **amicably** *adv* (*to part etc*) amicalement; (*to settle a dispute etc*) *Jur* à l'amiable.
amid(st) [ə'mɪd(st)] *prep* au milieu de, parmi.
amiss [ə'mɪs] *adv* & *a* mal (à propos); **something is a.** (*wrong*) quelque chose ne va pas; **that wouldn't come a.** ça ne ferait pas de mal; **to take sth a.** prendre qch en mauvaise part.
ammonia [ə'məʊnjə] *n* (*gas*) ammoniac *m*; (*liquid*) ammoniaque *f*.
ammunition [æmjʊ'nɪʃ(ə)n] *n* munitions *fpl*.
amnesia [æm'niːzjə] *n* amnésie *f*.
amnesty ['æmnəstɪ] *n* amnistie *f*.
amniocentesis [æmnɪəʊsen'tiːsɪs] *n* amniocentèse *f*.
amok [ə'mɒk] *adv* **to run a.** (*of crowd*) se déchaîner; (*of person, animal*) devenir fou furieux.
among(st) [ə'mʌŋ(st)] *prep* (*amidst*) parmi; (*between*) entre; **a. the crowd/books/others**/*etc* parmi la foule/les livres/les autres/*etc*; **a. themselves/friends** entre eux/amis; **a. the French**/*etc* (*group*) chez les Français/*etc*; **a. other things** entre autres (choses).
amoral [eɪ'mɒrəl] *a* amoral.
amorous ['æmərəs] *a* (*look, words*) polisson; (*person*) d'humeur polissonne; (*adventure etc*) amoureux.
amount [ə'maʊnt] **1** *n* quantité *f*; (*sum of money*) somme *f*; (*total figure of invoice, debt etc*) montant *m*; (*scope, size*) importance *f*. **2** *vi* **to a. to** s'élever à; (*mean*) *Fig* signifier; (*represent*) représenter; **it amounts to the same thing** ça revient au même.
amp [æmp] *n* (*unit of electricity*) ampère *m*; **3-a. plug** Br prise *f* avec fusible de 3 ampères.
amphibian [æm'fɪbɪən] *n* & *a* amphibie (*m*). ● **amphibious** *a* amphibie.
amphitheatre ['æmfɪθɪətər] *n* (*Greek, Roman*) amphithéâtre *m*.
ample ['æmp(ə)l] *a* (*enough*) largement assez de (*livres, argent etc*); (*roomy*) ample;

annuity

(*reasons*, *means*) solides; **you have a. time** tu as largement le temps; **that's (quite) a.** c'est largement suffisant. ●**amply** *adv* largement, amplement.
amplify ['æmplɪfaɪ] *vt* (*sound*) amplifier. ●**amplifier** *n* amplificateur *m*.
amputate ['æmpjʊteɪt] *vt* amputer; **to a. s.o.'s hand**/*etc* amputer qn de la main/*etc*. ●**amputation** [-'teɪʃ(ə)n] *n* amputation *f*.
amuck [ə'mʌk] *adv see* **amok**.
amuse [ə'mjuːz] *vt* amuser, divertir; **to keep s.o. amused** amuser qn. ●**amusing** *a* amusant. ●**amusement** *n* amusement *m*, divertissement *m*; (*pastime*) distraction *f*; **amusements** (*at fairground*) attractions *fpl*; (*gambling machines*) machines *fpl* à sous; **a. arcade** salle *f* de jeux; **a. park** parc *m* d'attractions.
an [æn, *unstressed* ən] *see* **a**.
anachronism [ə'nækrənɪz(ə)m] *n* anachronisme *m*.
an(a)emia [ə'niːmɪə] *n* anémie *f*. ●**an(a)emic** *a* anémique; **to become a.** faire de l'anémie.
an(a)esthesia [ænɪs'θiːzɪə] *n* anesthésie *f*. ●**an(a)esthetic** [ænɪs'θetɪk] *n* anesthésie *f*; (*substance*) anesthésique *m*; **under the a.** sous anesthésie; **general/local a.** anesthésie *f* générale/locale. ●**an(a)esthetize** [ə'niːsθɪtaɪz] *vt* anesthésier.
anagram ['ænəgræm] *n* anagramme *f*.
anal ['eɪnəl] *a* anal.
analogy [ə'nælədʒɪ] *n* analogie *f* (**with** avec). ●**analogous** *a* analogue (**to** à).
analyse ['ænəlaɪz] *vt* analyser. ●**analysis**, *pl* **-yses** ['ænələsɪs, -ɪsiːz] *n* analyse *f*. ●**analyst** *n* analyste *mf*. ●**ana'lytical** *a* analytique.
anarchy ['ænəkɪ] *n* anarchie *f*. ●**a'narchic** *a* anarchique. ●**anarchist** *n* anarchiste *mf*.
anathema [ə'næθəmə] *n* Rel anathème *m*; **it is (an) a. to me** j'ai une sainte horreur de cela.
anatomy [ə'nætəmɪ] *n* anatomie *f*. ●**ana'tomical** *a* anatomique.
ancestor ['ænsestər] *n* ancêtre *m*. ●**an'cestral** *a* ancestral; **a. home** demeure *f* ancestrale. ●**ancestry** *n* (*lineage*) ascendance *f*; (*ancestors*) ancêtres *mpl*.
anchor ['æŋkər] *n* ancre *f*; **to weigh a.** lever l'ancre ▮ *vt* (*ship*) mettre à l'ancre ▮ *vi* jeter l'ancre, mouiller. ●**anchored** *a* ancré, à l'ancre. ●**anchorage** *n* mouillage *m*.
anchovy [*Br* 'æntʃəvɪ, *Am* æn'tʃəʊvɪ] *n* anchois *m*.
ancient ['eɪnʃənt] *a* ancien; (*pre-medieval*) antique; (*person*) Hum d'un grand âge.
ancillary [æn'sɪlərɪ] *a* auxiliaire.
and [ænd, *unstressed* ən(d)] *conj* et; **a knife a. fork** un couteau et une fourchette; **two hundred a. two** deux cent deux; **four a. three quarters** quatre trois quarts; **better a.** better de mieux en mieux; **go a. see** va voir; **I knocked a. knocked** j'ai frappé bien des fois.
anecdote ['ænɪkdəʊt] *n* anecdote *f*.
anemone [ə'nemənɪ] *n* anémone *f*.
anew [ə'njuː] *adv* Lit de *or* à nouveau.

angel ['eɪndʒəl] *n* ange *m*. ●**an'gelic** *a* angélique.
anger ['æŋgər] *n* colère *f*; **in a., out of a.** sous le coup de la colère ▮ *vt* mettre en colère, fâcher.
angina [æn'dʒaɪnə] *n* angine *f* de poitrine.
angle[1] ['æŋg(ə)l] *n* angle *m*; **at an a.** en biais.
angle[2] ['æŋg(ə)l] *vi* (*to fish*) pêcher à la ligne; **to a. for** (*compliments etc*) Fig quêter. ●**angling** *n* pêche *f* à la ligne. ●**angler** *n* pêcheur, -euse *mf* à la ligne.
Anglican ['æŋglɪkən] *a* & *n* anglican, -ane (*mf*).
anglicism ['æŋglɪsɪz(ə)m] *n* anglicisme *m*.
Anglo- ['æŋgləʊ] *pref* anglo-. ●**Anglo-'Saxon** *a* & *n* anglo-saxon, -onne (*mf*).
angora [æŋ'gɔːrə] *n* (*wool*) angora *m*; **a. sweater**/*etc* pull *m*/*etc* en angora.
angry ['æŋgrɪ] *a* (**-ier, -iest**) (*person*) en colère, fâché; (*look*) fâché; **an a. letter** une lettre indignée; **a. words** des paroles indignées; **to get a.** se fâcher, se mettre en colère (**with** contre). ●**angrily** *adv* (*to leave*) en colère; (*to speak*) avec colère.
anguish ['æŋgwɪʃ] *n* angoisse *f*. ●**anguished** *a* (*look, voice etc*) angoissé.
angular ['æŋgjʊlər] *a* (*face*) anguleux.
animal ['ænɪməl] *a* (*kingdom, fat etc*) animal ▮ *n* animal *m*, bête *f*.
animate ['ænɪmeɪt] *vt* animer ▮ ['ænɪmət] *a* (*alive*) animé. ●**animated** *a* (*lively*) animé; **to become a.** s'animer. ●**animation** [-'meɪʃ(ə)n] *n* (*liveliness*) & *Cinema* animation *f*.
animosity [ænɪ'mɒsɪtɪ] *n* animosité *f*.
aniseed ['ænɪsiːd] *n* (*as flavouring*) anis *m*; **a. drink**/*etc* boisson *f*/*etc* à l'anis.
ankle ['æŋk(ə)l] *n* cheville *f*; **a. sock** socquette *f*.
annals ['æn(ə)lz] *npl* annales *fpl*.
annex [ə'neks] *vt* annexer. ●**annexation** [ænek'seɪʃ(ə)n] *n* annexion *f*.
annex, *Br* **annexe** ['æneks] *n* (*building*) annexe *f*.
annihilate [ə'naɪəleɪt] *vt* anéantir, annihiler. ●**annihilation** [-'leɪʃ(ə)n] *n* anéantissement *m*.
anniversary [ænɪ'vɜːsərɪ] *n* (*of event*) anniversaire *m*, commémoration *f*.
annotate ['ænəteɪt] *vt* annoter. ●**annotation** [-'teɪʃ(ə)n] *n* annotation *f*.
announce [ə'naʊns] *vt* annoncer; (*birth, marriage*) faire part de. ●**announcement** *n* (*statement*) annonce *f*; (*notice of birth, marriage, death*) avis *m*; (*private letter*) faire-part *m inv*. ●**announcer** *n* (*on TV*) speaker *m*, speakerine *f*.
annoy [ə'nɔɪ] *vt* (*inconvenience*) ennuyer, gêner; (*irritate*) agacer, contrarier. ●**annoyed** *a* contrarié, fâché; **to get a.** se fâcher (**with** contre). ●**annoying** *a* ennuyeux, contrariant. ●**annoyance** *n* contrariété *f*, ennui *m*.
annual ['ænjʊəl] *a* annuel ▮ *n* (*yearbook*) annuaire *m*; (*children's*) album *m*. ●**annually** *adv* annuellement.
annuity [ə'njʊɪtɪ] *n* (*of retired person*) pen-

annul

sion *f* viagère.
annul [əˈnʌl] *vt* (**-ll-**) (*contract, marriage etc*) annuler. ●**annulment** *n* annulation *f*.
anoint [əˈnɔɪnt] *vt* oindre (**with** de). ●**anointed** *a* oint.
anomalous [əˈnɒmələs] *a* anormal. ●**anomaly** *n* anomalie *f*.
anon [əˈnɒn] *adv Hum* tout à l'heure.
anonymous [əˈnɒnɪməs] *a* anonyme; **to remain a.** garder l'anonymat. ●**anoˈnymity** *n* anonymat *m*.
anorak [ˈænəræk] *n* anorak *m*.
anorexia [ænəˈreksɪə] *n* anorexie *f*. ●**anorexic** *a* & *n* anorexique (*mf*).
another [əˈnʌðər] *a* & *pron* un(e) autre; **a. man** (*different*) un autre homme; **a. month** (*additional*) encore un mois, un autre mois; **a. ten** encore dix; **one a.** l'un(e) l'autre, *pl* les un(e)s les autres; **they love one a.** ils s'aiment (l'un l'autre).
answer [ˈɑːnsər] *n* réponse *f*; (*to problem, riddle*) & *Math* solution *f* (**to** de); (*reason*) explication *f*; **in a. to your letter** en réponse à votre lettre.
▌ *vt* (*person, question, letter, phone etc*) répondre à; (*prayer, wish*) exaucer; **he answered 'yes'** il a répondu 'oui'; **to a. the bell or the door** ouvrir la porte; **to a. s.o. back** (*be rude to*) répondre à qn.
▌ *vi* répondre; **to a. back** (*rudely*) répondre, répliquer; **to a. for s.o./sth** (*be responsible for*) répondre de qn/qch; **to a. (to) a description** (*of police suspect*) répondre à un signalement. ●**answering machine** *n* répondeur *m*.
answerable [ˈɑːnsərəb(ə)l] *a* responsable (**for sth** de qch, **to s.o.** devant qn).
ant [ænt] *n* fourmi *f*. ●**anthill** *n* fourmilière *f*.
antagonism [ænˈtæɡənɪz(ə)m] *n* (*hostility*) hostilité *f*. ●**antagonist** *n* adversaire *mf*. ●**antagoˈnistic** *a* (*hostile*) hostile (**to** à). ●**antagonize** *vt* provoquer (l'hostilité de).
Antarctic [ænˈtɑːktɪk] *a* antarctique ▌ *n* **the A.** l'Antarctique *m*.
antecedent [æntɪˈsiːd(ə)nt] *n* antécédent *m*.
antechamber [ˈæntɪtʃeɪmbər] *n* antichambre *f*.
antedate [ˈæntɪdeɪt] *vt* (*letter*) antidater.
antelope [ˈæntɪləʊp] *n* antilope *f*.
antenatal [æntɪˈneɪt(ə)l] *a Br* prénatal; **a. clinic** service *m* de gynécologie-obstétrique ▌ *n Br* examen *m* prénatal.
antenna¹, *pl* **-ae** [ænˈtenə, -iː] *n* (*of insect etc*) antenne *f*.
antenna² [ænˈtenə] *n* (*pl* **-as**) (*for TV, radio*) *Am* antenne *f*.
anteroom [ˈæntɪruːm] *n* antichambre *f*.
anthem [ˈænθəm] *n* **national a.** hymne *m* national.
anthill [ˈænthɪl] *n see* **ant**.
anthology [ænˈθɒlədʒɪ] *n* recueil *m*, anthologie *f*.
anthropology [ænθrəˈpɒlədʒɪ] *n* anthropologie *f*.
anti- [*Br* ˈæntɪ, *Am* ˈæntaɪ] *pref* anti-; **to be a. sth** *Fam* être contre qch. ●**antiˈaircraft** *a*

antiaérien. ●**antibiˈotic** *a* & *n* antibiotique (*m*). ●**antibody** *n* anticorps *m*. ●**antiˈclimax** *n* chute *f* dans l'ordinaire; (*letdown*) déception *f*. ●**antiˈclockwise** *adv Br* dans le sens inverse des aiguilles d'une montre. ●**antiˈcyclone** *n* anticyclone *m*. ●**antidote** *n* antidote *m*. ●**antifreeze** *n* (*for vehicle*) antigel *m*. ●**antiˈhistamine** *n* (*drug*) antihistaminique *m*. ●**antiˈperspirant** *n* antisudoral *m*. ●**anti-Seˈmitic** *a* antisémite. ●**anti-ˈSemitism** *n* antisémitisme *m*. ●**antiˈseptic** *a* & *n* antiseptique (*m*). ●**antiˈsocial** *a* (*misfit*) asocial; (*measure, principles*) antisocial; (*unsociable*) peu sociable.
anticipate [ænˈtɪsɪpeɪt] *vt* (*foresee*) prévoir; (*expect*) s'attendre à; (*forestall*) devancer; (*the future*) anticiper sur. ●**anticiˈpation** *n* (*expectation*) attente *f*; (*foresight*) prévision *f*; **in a. of** dans l'attente de, en prévision de; **in a.** (*to thank s.o., pay etc*) d'avance.
antics [ˈæntɪks] *npl* singeries *fpl*.
antipathy [ænˈtɪpəθɪ] *n* antipathie *f*.
antipodes [ænˈtɪpədiːz] *npl* antipodes *mpl*.
antiquarian [æntɪˈkweərɪən] *a* **a. bookseller** libraire *mf* spécialisé(e) dans le livre ancien.
antiquated [ˈæntɪkweɪtɪd] *a* (*expression, custom etc*) vieilli; (*person*) vieux jeu *inv*; (*object, machine*) antédiluvien.
antique [ænˈtiːk] *a* (*furniture etc*) ancien; (*of Greek or Roman antiquity*) antique; **a. dealer** antiquaire *mf*; **a. shop** magasin *m* d'antiquités ▌ *n* antiquité *f*, objet *m* ancien *or* d'époque. ●**antiquity** *n* (*period etc*) antiquité *f*.
antithesis, *pl* **-eses** [ænˈtɪθəsɪs, -ɪsiːz] *n* antithèse *f*.
antler [ˈæntlər] *n* (*of deer*) andouiller *m*; **the antlers** les bois *mpl*.
antonym [ˈæntənɪm] *n* antonyme *m*.
Antwerp [ˈæntwɜːp] *n* Anvers *m or f*.
anus [ˈeɪnəs] *n* anus *m*.
anvil [ˈænvɪl] *n* enclume *f*.
anxiety [æŋˈzaɪətɪ] *n* (*worry*) inquiétude *f* (**about** au sujet de); (*fear*) anxiété *f*; (*eagerness*) impatience *f* (**to do** de faire, **for sth** de qch).
anxious [ˈæŋkʃəs] *a* (*worried*) inquiet (**about** de, pour); (*troubled*) anxieux; (*causing worry*) inquiétant; (*eager*) impatient (**to do** de faire); **I'm a. (that) he should leave** je tiens beaucoup à ce qu'il parte. ●**anxiously** *adv* avec inquiétude; (*to wait, await etc*) impatiemment.
any [ˈenɪ] *a* **1** (*in questions*) du, de la, des; **have you a. milk/tickets?** avez-vous du lait/ des billets?; **is there a. man (at all) who...?** y a-t-il un homme (quelconque) qui...?
2 (*negative*) de; (*not the slightest*) aucun; **he hasn't got a. milk/tickets/***etc* il n'a pas de lait/de billets/*etc*; **there isn't a. proof/doubt/ problem** il n'y a aucune preuve/aucun doute/aucun problème.
3 (*no matter which*) n'importe quel; **ask a. doctor** demande à n'importe quel médecin.
4 (*every*) tout; **at a. moment** à tout moment;

in a. case, at a. rate de toute façon.
❙ *pron* **1** (*no matter which one*) n'importe lequel; (*somebody*) quelqu'un; **if a. of you** si l'un d'entre vous, si quelqu'un parmi vous; **more than a.** plus qu'aucun.
2 (*quantity*) en; **have you got a.?** en as-tu?; **I don't see a.** je n'en vois pas.
❙ *adv* **not a. further/happier/***etc* pas plus loin/plus heureux/*etc*; **I don't see him a. more** je ne le vois plus; **a. more tea?** (*a little*) encore du thé?, encore un peu de thé?; **a. better?** (un peu) mieux?
anybody ['enɪbɒdɪ] *pron* **1** (*somebody*) quelqu'un; **do you see a.?** vois-tu quelqu'un?; **more than a.** plus que tout autre. **2** (*negative*) personne; **he doesn't know a.** il ne connaît personne. **3** (*no matter who*) n'importe qui; **a. would think that...** on croirait que....
anyhow ['enɪhaʊ] *adv* (*at any rate*) de toute façon; (*badly*) n'importe comment; **to leave sth a.** (*in confusion*) laisser qch sens dessus dessous.
anyone ['enɪwʌn] *pron* = **anybody.**
anyplace ['enɪpleɪs] *adv Am* = **anywhere.**
anything ['enɪθɪŋ] *pron* **1** (*something*) quelque chose; **can you see a.?** voyez-vous quelque chose? **2** (*negative*) rien; **he doesn't do a.** il ne fait rien; **without a.** sans rien. **3** (*everything*) tout; **a. you like** (tout) ce que tu veux; **like a.** (*to work etc*) *Fam* comme un fou. **4** (*no matter what*) **a. (at all)** n'importe quoi.
anyway ['enɪweɪ] *adv* (*at any rate*) de toute façon.
anywhere ['enɪweər] *adv* **1** (*no matter where*) n'importe où. **2** (*everywhere*) partout; **a. you go** où que vous alliez, partout où vous allez; **a. you like** (là) où tu veux. **3** (*somewhere*) quelque part; **is he going a.?** va-t-il quelque part? **4** (*negative*) nulle part; **he doesn't go a.** il ne va nulle part; **without a. to put it** sans un endroit où le mettre.
apace [ə'peɪs] *adv* rapidement.
apart [ə'pɑːt] *adv* **1** (*separated, separate*) **we kept them a.** nous les tenions séparés; **with legs (wide) a.** les jambes écartées; **they are a metre a.** ils se trouvent à un mètre l'un de l'autre; **to come a.** (*of two objects*) se séparer; (*of knot etc*) se défaire; **to tell two things/people a.** distinguer deux choses/personnes (l'une de l'autre); **worlds a.** (*very different*) diamétralement opposé.
2 (*to pieces*) **to tear a.** mettre en pièces; **to take a.** démonter.
3 (*to one side*) à part; **joking a.** plaisanterie à part; **a. from** (*except for*) à part.
apartheid [ə'pɑːteɪt] *n* apartheid *m*.
apartment [ə'pɑːtmənt] *n* (*flat*) *Am* appartement *m*; (*room*) chambre *f*; **a. house** *Am* immeuble *m* (*d'habitation*).
apathy ['æpəθɪ] *n* apathie *f*. ● **apa'thetic** *a* apathique.
ape [eɪp] *n* singe *m* ❙ *vt* (*imitate*) singer.
aperitif [ə'perətiːf] *n* apéritif *m*.

aperture ['æpətʃʊər] *n* ouverture *f*.
apex ['eɪpeks] *n* (*of triangle etc*) & *Fig* sommet *m*.
aphorism ['æfərɪz(ə)m] *n* aphorisme *m*.
aphrodisiac [æfrə'dɪzɪæk] *a* & *n* aphrodisiaque (*m*).
apiece [ə'piːs] *adv* chacun; **a pound a.** une livre (la) pièce *or* chacun.
apish ['eɪpɪʃ] *a* simiesque; (*imitative*) imitateur.
apocalypse [ə'pɒkəlɪps] *n* apocalypse *f*.
● **apoca'lyptic** *a* apocalyptique.
apocryphal [ə'pɒkrɪfəl] *a* apocryphe.
apogee ['æpədʒiː] *n* apogée *m*.
apologetic [əpɒlə'dʒetɪk] *a* (*letter*) plein d'excuses; **a. smile** sourire *m* d'excuse; **to be a.** (*about*) s'excuser (de). ● **apologetically** *adv* en s'excusant.
apology [ə'pɒlədʒɪ] *n* excuses *fpl*; **an a. for a dinner** /*Fam Pej* un dîner minable. ● **apologist** *n* apologiste *mf*. ● **apologize** *vi* s'excuser (**for** de); **to a. to s.o.** faire ses excuses à qn (**for** pour).
apoplexy ['æpəpleksɪ] *n* apoplexie *f*.
● **apo'plectic** *a* & *n* apoplectique (*mf*).
apostle [ə'pɒs(ə)l] *n* apôtre *m*.
apostrophe [ə'pɒstrəfɪ] *n* apostrophe *f*.
appal [ə'pɔːl] (*Am* **appall**) *vt* (**-ll-**) consterner; **to be appalled (at)** être horrifié (de).
● **appalling** *a* épouvantable.
apparatus [*Br* æpə'reɪtəs, *Am* -'rætəs] *n* (*equipment, organization*) appareil *m*; (*in gym*) *Br* agrès *mpl*.
apparel [ə'pærəl] *n Lit* habit *m*; **an article of a.** un habit.
apparent [ə'pærənt] *a* (*obvious, seeming*) apparent; **it's a. that** il est évident que. ● **apparently** *adv* apparemment.
apparition [æpə'rɪʃ(ə)n] *n* (*phantom*) apparition *f*.
appeal [ə'piːl] *n* (*charm*) attrait *m*; (*interest*) intérêt *m*; (*call*) appel *m*; (*pleading*) supplication *f*; (*to a court*) appel *m*.
❙ *vt* **to a. to** (*s.o., s.o.'s kindness*) faire appel à; **to a. to s.o.** (*attract*) plaire à qn, séduire qn; (*interest*) intéresser qn; **to a. to s.o. for sth** demander qch à qn; **to a. to s.o. to do** supplier qn de faire.
❙ *vi* (*in court*) faire appel. ● **appealing** *a* (*attractive*) (*offer, job etc*) séduisant; (*begging*) (*look*) suppliant.
appear [ə'pɪər] *vi* (*become visible*) apparaître; (*present oneself*) se présenter; (*seem, be published*) paraître; (*on stage, in film*) jouer; (*in court*) comparaître; **it appears that** (*it seems*) il semble que (+ *sub or indic*); (*it is rumoured*) il paraîtrait que (+ *indic*).
● **appearance** *n* (*act*) apparition *f*; (*look*) apparence *f*, aspect *m*; (*of book*) parution *f*; **to put in an a.** faire acte de présence; **to keep up appearances** sauver les apparences.
appease [ə'piːz] *vt* (*soothe*) apaiser; (*curiosity*) satisfaire.
append [ə'pend] *vt* joindre, ajouter (**to** à).
● **appendage** *n Anat* appendice *m*.

appendix

appendix, pl **-ixes** or **-ices** [ə'pendɪks, -ɪksɪz, -ɪsiːz] n (in book, body) appendice m; **to have one's a. out** se faire opérer de l'appendicite. ● **appendicitis** [əpendɪ'saɪtɪs] n appendicite f.
appertain [æpə'teɪn] vi **to a. to** se rapporter à.
appetite ['æpɪtaɪt] n appétit m; **to take away s.o.'s a.** couper l'appétit à qn. ● **appetizer** n (drink) apéritif m; (food) amuse-gueule m inv. ● **appetizing** a appétissant.
applaud [ə'plɔːd] vt (clap) applaudir; (approve of) approuver, applaudir à ▮ vi applaudir. ● **applause** n applaudissements mpl.
apple ['æp(ə)l] n pomme f; Br **stewed apples,** Am **a. sauce** compote f de pommes; **cooking a.** pomme f à cuire; **eating a.** pomme à manger crue; **a. pie** tarte f aux pommes; **a. core** trognon m de pomme; **a. tree** pommier m.
appliance [ə'plaɪəns] n appareil m.
applicable [ə'plɪkəb(ə)l] a (rule etc) applicable (**to** à); (relevant) pertinent.
applicant ['æplɪkənt] n candidat, -ate mf (**for** à).
application [æplɪ'keɪʃ(ə)n] n 1 (request) demande f (**for** de); (for job) candidature f; (for membership) demande f d'adhésion or d'inscription; **a. (form)** (for job) formulaire m de candidature; (for club) formulaire m d'inscription or d'adhésion. 2 (diligence) application f.
apply [ə'plaɪ] 1 vt (put on, carry out etc) appliquer; (brake of vehicle) appuyer sur; **to a. oneself to** s'appliquer à. 2 vi (be relevant) s'appliquer (**to** à); **to a. for** (job) poser sa candidature à, postuler; **to a. to s.o.** (ask) s'adresser à qn (**for** pour). ● **applied** a Math Ling etc appliqué.
appoint [ə'pɔɪnt] vt (person) nommer (**to a post** à un poste, **to do** pour faire); (director, minister etc) nommer; (secretary, clerk etc) engager; (time, place etc) fixer; **at the appointed time** à l'heure dite; **well-appointed** (kitchen etc) bien équipé. ● **appointment** n nomination f; (meeting) rendez-vous m inv; (post) situation f, place f; **to make an a. with** prendre rendez-vous avec.
apportion [ə'pɔːʃ(ə)n] vt répartir; **to a. blame** dégager les responsabilités.
apposite ['æpəzɪt] a juste, à propos.
appraise [ə'preɪz] vt évaluer. ● **appraisal** n évaluation f.
appreciable [ə'priːʃəb(ə)l] a appréciable, sensible.
appreciate [ə'priːʃɪeɪt] 1 vt (enjoy, value, assess) apprécier; (understand) comprendre; (be grateful for) être reconnaissant de. 2 vi prendre de la valeur. ● **appreciation** [-'eɪʃ(ə)n] n 1 (gratitude) reconnaissance f; (judgment) appréciation f. 2 (rise in value) augmentation f (de la valeur). ● **appreciative** a (grateful) reconnaissant (**of** de); (favourable) élogieux; **to be a. of** (enjoy) apprécier.
apprehend [æprɪ'hend] vt (seize, arrest) appréhender.

apprehension [æprɪ'henʃ(ə)n] n (fear) appréhension f. ● **apprehensive** a inquiet (**about** de, au sujet de); **to be a. of** redouter, appréhender.
apprentice [ə'prentɪs] n apprenti, -ie mf ▮ vt mettre (qn) en apprentissage (**to** chez). ● **apprenticeship** n apprentissage m.
approach [ə'prəʊtʃ] vt (draw near to) s'approcher de (qn, feu, porte etc); (age, result, town) approcher de; (subject) aborder; (accost) aborder (qn); **to a. s.o. about** parler à qn de.
▮ vi (of person, vehicle) s'approcher; (of date etc) approcher.
▮ n (method) façon f de s'y prendre; (path, route) voie f d'accès m; (of winter, vehicle) approche f; **at the a. of** à l'approche de; **a. to** (question) manière f d'aborder; **to make approaches to** faire des avances à. ● **approachable** a (person) abordable; (place) accessible (**by road**/etc par la route/etc).
appropriate 1 [ə'prəʊprɪət] a (place, clothes, means etc) qui convient, indiqué; (remark, time etc) qui convient à, opportun; **a. to** or **for** qui convient à; **it is a. to do** il est indiqué de faire. 2 [ə'prəʊprɪeɪt] vt (steal) s'approprier; (set aside) affecter (**for** à). ● **appropriately** adv convenablement.
approval [ə'pruːvəl] n approbation f; **on a.** (goods) à l'essai.
approve [ə'pruːv] vt approuver; **to a. of** (conduct, decision, idea etc) approuver; **I don't a. of him** il ne me plaît pas, je ne l'apprécie pas; **I a. of his going** je trouve bon qu'il y aille; **I a. of his accepting** or **having accepted** je l'approuve d'avoir accepté. ● **approving** a (look etc) approbateur.
approximate [ə'prɒksɪmət] a approximatif ▮ [ə'prɒksɪmeɪt] vi **to a. to** se rapprocher de. ● **approximately** adv à peu près, approximativement. ● **approximation** [-'meɪʃ(ə)n] n approximation f.
apricot ['eɪprɪkɒt] n abricot m.
April ['eɪprəl] n avril m; **to make an A. fool of s.o.** faire un poisson d'avril à qn; **A. fool!** poisson d'avril!
apron ['eɪprən] n (garment) tablier m.
apse [æps] n (of church) abside f.
apt [æpt] a (remark, reply, means etc) qui convient; (word, name) bien choisi; (student) doué, intelligent; **she/it is a. to fall**/etc (likely) (in general) elle/ça a tendance à tomber/etc; (on a particular occasion) elle/ça pourrait bien tomber/etc; **a. at sth** (manual work) habile à qch; (intellectual) doué pour qch. ● **aptly** adv convenablement; **a. named** qui porte bien son nom.
aptitude ['æptɪtjuːd] n aptitude f (**for** à, pour); (of student) don m (**for French**/etc pour le français/etc).
aqualung ['ækwəlʌŋ] n scaphandre m autonome.
aquarium [ə'kweərɪəm] n aquarium m.
Aquarius [ə'kweərɪəs] n (sign) le Verseau.
aquatic [ə'kwætɪk] a (plant etc) aquatique;

arrange

(*sport*) nautique.
aqueduct ['ækwɪdʌkt] *n* aqueduc *m*.
aquiline ['ækwɪlaɪn] *a* (*nose, profile*) aquilin.
Arab ['ærəb] *a* arabe ∎ *n* Arabe *mf*. ●**Arabian** [ə'reɪbɪən] *a* arabe. ●**Arabic** *a* & *n* (*language*) arabe (*m*); **A. numerals** chiffres *mpl* arabes.
arabesque [ærə'bɛsk] *n* (*decoration*) arabesque *f*.
arable ['ærəb(ə)l] *a* (*land*) arable.
arbiter ['ɑːbɪtər] *n* arbitre *m*.
arbitrary ['ɑːbɪtrərɪ] *a* (*decision, arrest etc*) arbitraire.
arbitrate ['ɑːbɪtreɪt] *vti* arbitrer. ●**arbitration** [-'treɪʃ(ə)n] *n* arbitrage *m*; **to go to a.** soumettre la question à l'arbitrage. ●**arbitrator** *n* (*in dispute*) médiateur, -trice *mf*.
arbour ['ɑːbər] *n* tonnelle *f*, charmille *f*.
arc [ɑːk] *n* (*of circle*) arc *m*.
arcade [ɑː'keɪd] *n* (*for shops*) (*small*) passage *m* couvert; (*large*) galerie *f* marchande.
arch [ɑːtʃ] *n* (*of bridge*) arche *f*; (*of building*) voûte *f*, arc *m*; (*of foot*) cambrure *f* ∎ *vt* (*one's back etc*) arquer, courber. ●**archway** *n* passage *m* voûté, voûte *f*.
arch- [ɑːtʃ] *pref* (*villain, hypocrite etc*) achevé, fini; **a.-enemy** ennemi *m* numéro un.
arch(a)eology [ɑːkɪ'ɒlədʒɪ] *n* archéologie *f*. ●**arch(a)eologist** *n* archéologue *m*.
archaic [ɑː'keɪɪk] *a* archaïque.
archangel ['ɑːkeɪndʒəl] *n* archange *m*.
archbishop [ɑːtʃ'bɪʃəp] *n* archevêque *m*.
archer ['ɑːtʃər] *n* archer *m*. ●**archery** *n* tir *m* à l'arc.
archetype ['ɑːkɪtaɪp] *n* archétype *m*.
archipelago [ɑːkɪ'peləɡəʊ] *n* (*pl* -oes *or* -os) archipel *m*.
architect ['ɑːkɪtekt] *n* architecte *mf*. ●**architecture** *n* architecture *f*.
archives ['ɑːkaɪvz] *npl* archives *fpl*. ●**archivist** ['ɑːkɪvɪst] *n* archiviste *mf*.
arctic ['ɑːktɪk] *a* arctique; (*weather*) polaire, glacial ∎ *n* **the A.** l'Arctique *m*.
ardent ['ɑːdənt] *a* (*supporter etc*) ardent, chaud. ●**ardently** *adv* ardemment. ●**ardour** *n* ardeur *f*.
arduous ['ɑːdjʊəs] *a* pénible, ardu. ●**arduously** *adv* péniblement, ardument.
are [ɑːr] *see* **be**.
area ['eərɪə] *n* (*of country*) région *f*; (*of town*) quartier *m*; Mil zone *f*; Geom superficie *f*; (*domain of knowledge*) Fig domaine *m*, secteur *m*, terrain *m*; **built-up a.** agglomération *f*; **parking a.** aire *f* de stationnement; **dining a.** coin-repas *m*; **kitchen a.** coin-cuisine *m*; **play a.** (*in house*) coin-jeux *m*; (*outdoors*) aire *f* de jeux; **a. code** (*phone number*) Am indicatif *m*; **a. office** agence *f* régionale.
arena [ə'riːnə] *n* (*for sports*) & Fig arène *f*.
aren't [ɑːnt] = **are not**.
Argentina [ɑːdʒən'tiːnə] *n* Argentine *f*.
Argentine ['ɑːdʒəntaɪn] *n* **the A.** l'Argentine *f*. ●**Argen'tinian** *a* argentin ∎ *n* Argentin,

-ine *mf*.
arguable ['ɑːɡjʊəb(ə)l] *a* discutable. ●**arguably** *adv* on pourrait soutenir que.
argue ['ɑːɡjuː] *vi* (*quarrel*) se disputer (**with** avec, **about** au sujet de); (*reason*) raisonner (**with** avec, **about** sur); **to a. in favour of** plaider pour ∎ *vt* (*matter*) discuter; **to a. that** (*maintain*) soutenir que.
argument ['ɑːɡjʊmənt] *n* (*quarrel*) dispute *f*; (*reasoning*) argument *m*; (*debate*) discussion *f*; **to have an a.** se disputer (**with** avec). ●**argu'mentative** *a* querelleur.
aria ['ɑːrɪə] *n* Mus air *m* (d'opéra).
arid ['ærɪd] *a* aride.
Aries ['eəriːz] *n* (*sign*) le Bélier.
arise [ə'raɪz] *vi* (*pt* arose, *pp* arisen) (*of problem, opportunity etc*) se présenter; (*of cry, objection*) s'élever; (*result*) résulter (**from** de); (*get up*) Lit se lever.
aristocracy [ærɪ'stɒkrəsɪ] *n* aristocratie *f*. ●**aristocrat** [Br 'ærɪstəkræt, Am ə'rɪstəkræt] *n* aristocrate *mf*. ●**aristo'cratic** *a* aristocratique.
arithmetic [ə'rɪθmətɪk] *n* arithmétique *f*.
ark [ɑːk] *n* **Noah's a.** l'arche *f* de Noé.
arm[1] [ɑːm] *n* bras *m*; **a. in a.** bras dessus bras dessous; **with open arms** à bras ouverts. ●**armband** *n* brassard *m*; (*for swimming*) manchon *m*. ●**armchair** *n* fauteuil *m*. ●**armful** *n* brassée *f*. ●**armhole** *n* emmanchure *f*. ●**armpit** *n* aisselle *f*. ●**armrest** *n* accoudoir *m*.
arm[2] [ɑːm] *vt* (*with weapon*) armer (**with** de). ●**armaments** *npl* armements *mpl*.
armadillo [ɑːmə'dɪləʊ] *n* (*pl* -os) tatou *m*.
armistice ['ɑːmɪstɪs] *n* armistice *m*.
armour ['ɑːmər] *n* (*of knight etc*) armure *f*; (*of tank etc*) blindage *m*. ●**armoured** *or* **armour-plated** *a* (*car etc*) blindé. ●**armoury** *n* arsenal *m*.
arms [ɑːmz] *npl* (*weapons*) armes *fpl*; **the a. race** la course aux armements.
army ['ɑːmɪ] *n* armée *f*; **to join the a.** s'engager; **the regular a.** l'armée active ∎ *a* (*uniform etc*) militaire.
aroma [ə'rəʊmə] *n* arôme *m*. ●**aro'matic** *a* aromatique. ●**aroma'therapy** *n* aromathérapie *f*.
arose [ə'rəʊz] *see* **arise**.
around [ə'raʊnd] *prep* autour de; (*approximately*) environ, autour de; **to go a. the world** faire le tour du monde.
∎ *adv* autour; **all a.** tout autour; **to follow s.o. a.** suivre qn partout; **to rush a.** courir çà et là; **a. here** par ici; **he's still a.** il est encore là; **there's a lot of flu a.** il y a pas mal de grippe en ce moment; **up and a.** (*after illness*) Am sur pied, guéri.
arouse [ə'raʊz] *vt* (*suspicion, anger, curiosity etc*) éveiller, susciter; (*sexually*) exciter (*qn*); **to a. s.o. from sleep** tirer qn du sommeil.
arrange [ə'reɪndʒ] *vt* arranger; (*time, meeting*) fixer; **it was arranged that** il était convenu que; **to a. to do** s'arranger pour faire. ●**arrangement** *n* (*layout, agreement*)

array

arrangement *m*; **arrangements** (*preparations*) préparatifs *mpl*; (*plans*) projets *mpl*; **to make arrangements to do** s'arranger pour faire.
array [ə'reɪ] *n* (*display*) étalage *m*. ● **arrayed** *a* (*dressed*) Lit (re)vêtu (**in** de).
arrears [ə'rɪəz] *npl* (*payment*) arriéré *m*; **to be in a.** avoir du retard dans ses paiements; **to be three months in a.** avoir trois mois de retard dans ses paiements.
arrest [ə'rest] *vt* (*criminal, progress etc*) arrêter ▮ *n* (*of criminal*) arrestation *f*; **under a.** en état d'arrestation; **cardiac a.** arrêt *m* du cœur. ● **arresting** *a* (*striking*) Fig frappant.
arrive [ə'raɪv] *vi* arriver; **to a. at** (*conclusion, decision*) arriver à, parvenir à. ● **arrival** *n* arrivée *f*; **on my a.** à mon arrivée; **new a.** nouveau venu *m*, nouvelle venue *f*; (*baby*) nouveau-né, -ée *mf*.
arrogant ['ærəgənt] *a* arrogant. ● **arrogance** *n* arrogance *f*. ● **arrogantly** *adv* avec arrogance.
arrow ['ærəʊ] *n* flèche *f*.
arsenal ['ɑːsən(ə)l] *n* arsenal *m*.
arsenic ['ɑːsnɪk] *n* arsenic *m*.
arson ['ɑːs(ə)n] *n* incendie *m* volontaire. ● **arsonist** *n* incendiaire *mf*, pyromane *mf*.
art [ɑːt] *n* art *m*; (*cunning*) artifice *m*; **work of a.** œuvre *f* d'art; **fine arts** beaux-arts *mpl*; **faculty of arts, arts faculty** faculté *f* des lettres; **arts degree** licence *f* ès lettres; **a. exhibition** exposition *f* d'œuvres d'art; **a. school** école *f* des beaux-arts.
artefact ['ɑːtɪfækt] *n* objet *m* fabriqué.
artery ['ɑːtərɪ] *n* (*in body, main route*) artère *f*. ● **arterial** [ɑː'tɪərɪəl] *a* (*blood*) artériel; **a. road** Br route *f* principale.
artful ['ɑːtfəl] *a* rusé, astucieux. ● **artfully** *adv* astucieusement.
arthritis [ɑː'θraɪtɪs] *n* arthrite *f*.
artichoke ['ɑːtɪtʃəʊk] *n* (**globe**) **a.** artichaut *m*; **Jerusalem a.** topinambour *m*.
article ['ɑːtɪk(ə)l] *n* (*object, clause, in newspaper*) & *Grammar* article *m*; **a. of clothing** vêtement *m*; **articles of value** objets *mpl* de valeur; **leading a.** (*in newspaper*) éditorial *m*; **articles** (*of lawyer*) Br contrat *m* de stage.
articulate [ɑː'tɪkjʊlət] *a* (*person*) qui s'exprime clairement; (*speech*) net (*f* nette), distinct ▮ [ɑː'tɪkjʊleɪt] *vti* (*speak*) articuler. ● **articulated lorry** *n* Br semi-remorque *m*. ● **articulation** [-'leɪʃ(ə)n] *n* articulation *f*.
artifact ['ɑːtɪfækt] *n* object *m* fabriqué.
artifice ['ɑːtɪfɪs] *n* artifice *m*.
artificial [ɑːtɪ'fɪʃ(ə)l] *a* artificiel. ● **artifici'ality** *n* caractère *m* artificiel. ● **artificially** *adv* artificiellement.
artillery [ɑː'tɪlərɪ] *n* artillerie *f*.
artisan [ɑːtɪ'zæn] *n* artisan *m*.
artist ['ɑːtɪst] *n* (*painter, actor etc*) artiste *mf*. ● **artiste** [ɑː'tiːst] *n* (*singer, dancer*) artiste *mf*. ● **ar'tistic** *a* (*pattern, treasure etc*) artistique; (*person*) artiste. ● **artistry** *n* art *m*.
artless ['ɑːtləs] *a* naturel, naïf.
arty ['ɑːtɪ] *a* Pej du genre artiste.
as [æz, *unstressed* əz] *adv & conj* **1** (*manner etc*) comme; **as you like** comme tu veux; **such as** comme, tel que; **dressed up as a clown/king/etc** déguisé en clown/roi/etc; **as much** *or* **as hard as I can** (au)tant que je peux; **as it is** (*this being the case*) les choses étant ainsi; **to leave sth as it is** laisser qch comme ça *or* tel quel; **it's late as it is** il est déjà tard; **as if, as though** comme si; **you look as if** *or* **as though you're tired** tu as l'air fatigué.
2 (*comparison*) **as tall as you** aussi grand que vous; **is he as tall as you?** est-il aussi *or* si grand que vous?; **as white as a sheet** blanc comme un linge; **as much** *or* **as hard as you** autant que vous; **the same as** le même que; **twice as big as** deux fois plus grand que.
3 (*though*) (**as**) **clever as he is** si *or* aussi intelligent qu'il soit.
4 (*capacity*) **as a teacher** comme professeur, en tant que *or* en qualité de professeur; **to act as a father** agir en père.
5 (*reason*) puisque, comme; **as it's late** puisqu'il est tard, comme il est tard.
6 (*time*) **as I was leaving, as I left** comme je partais; **as one grows older** à mesure que l'on vieillit; **as he slept** pendant qu'il dormait; **one day as...** un jour que...; **as from, as of** (*time*) à partir de.
7 (*concerning*) **as for that, as to that** quant à cela.
8 (+ *inf*) **so as to** de manière à; **so stupid as to** assez bête pour.
asap [eɪeseɪ'piː] *abbr* (*as soon as possible*) le plus tôt possible.
asbestos [æs'bestəs] *n* amiante *f*.
ascend [ə'send] *vi* monter ▮ *vt* (*throne*) monter sur; (*stairs*) monter; (*mountain*) faire l'ascension de. ● **ascent** *n* ascension *f* (**of** de); (*slope*) côte *f*.
ascertain [æsə'teɪn] *vt* (*discover*) établir; (*truth*) découvrir; (*check*) s'assurer de; **to a. that** s'assurer que.
ascetic [ə'setɪk] *a* ascétique ▮ *n* ascète *mf*.
ascribe [ə'skraɪb] *vt* attribuer (**to** à).
ash [æʃ] *n* **1** (*of cigarette, fire etc*) cendre *f*; **A. Wednesday** mercredi *m* des Cendres. **2** (*tree*) frêne *m*. ● **ashtray** *n* cendrier *m*.
ashamed [ə'ʃeɪmd] *a* **to be/feel a.** avoir honte (**of s.o./sth** de qn/qch); **to be a. of oneself** avoir honte; **to make s.o. a.** faire honte à qn.
ashen ['æʃən] *a* (*pale grey*) cendré; (*face*) pâle.
ashore [ə'ʃɔːr] *adv* **to go a.** débarquer; **to put s.o. a.** débarquer qn.
Asia ['eɪʒə, 'eɪʒə] *n* Asie *f*. ● **Asian** *a* asiatique; (*from India*) Br indien ▮ *n* Asiatique *mf*; (*Indian*) Br Indien, -ienne *mf*.
aside [ə'saɪd] **1** *adv* de côté; **to draw a.** (*curtain*) écarter; **to take** *or* **draw s.o. a.** prendre qn à part; **to step a.** s'écarter; **a. from** Am en dehors de. **2** *n* (*in play, film*) aparté *m*.
asinine ['æsɪnaɪn] *a* stupide, idiot.
ask [ɑːsk] *vt* (*request, inquire*) demander; (*in-*

astrology

vite) inviter **(to sth** à qch); **to a. (s.o.) a question** poser une question (à qn); **to a. s.o. the way/the reason/***etc* demander le chemin/la raison/*etc* à qn; **to a. s.o. for sth** demander qch à qn; **to a. s.o. to do** (*request*) demander à qn de faire; (*invite*) inviter qn à faire; **to a. to leave/***etc* demander à partir/*etc*.
❙ *vi* demander; **to a. for sth/s.o.** demander qch/qn; **to a. for sth back** redemander qch; **to a. about sth** se renseigner sur qch; **to a. after** *or* **about s.o.** demander des nouvelles de qn; **to a. s.o. about sth/s.o.** interroger qn sur qch/qn; **the asking price** le prix demandé.

askance [əˈskɑːns] *adv* **to look a. at** regarder avec méfiance.

askew [əˈskjuː] *adv* de biais, de travers.

aslant [əˈslɑːnt] *adv* de travers.

asleep [əˈsliːp] *a* endormi; (*arm, leg*) engourdi; **to be a.** dormir; **to fall a.** s'endormir.

asp [æsp] *n* (*snake*) aspic *m*.

asparagus [əˈspærəɡəs] *n* (*plant*) asperge *f*; (*shoots for cooking*) asperges *fpl*.

aspect [ˈæspekt] *n* aspect *m*; (*of house*) orientation *f*.

aspersions [Br əˈspɜːʃ(ə)nz, Am -ʒ(ə)nz] *npl* **to cast a. on** dénigrer.

asphalt [Br ˈæsfælt, Am ˈæsfɔːlt] *n* asphalte *m* ❙ *vt* asphalter.

asphyxia [æsˈfɪksɪə] *n* asphyxie *f*. ●**asphyxiate** *vt* asphyxier. ●**asphyxiation** [æsfɪksɪˈeɪʃ(ə)n] *n* asphyxie *f*.

aspire [əˈspaɪər] *vi* **to a. to** aspirer à. ●**aspiration** [æspəˈreɪʃ(ə)n] *n* aspiration *f*.

aspirin [ˈæsprɪn] *n* aspirine *f*.

ass [æs] *n* (*animal*) âne *m*; (*person*) *Fam* imbécile *mf*, âne *m*; **she-a.** ânesse *f*.

assail [əˈseɪl] *vt* assaillir (**with** de). ●**assailant** *n* agresseur *m*.

assassin [əˈsæsɪn] *n* assassin *m*. ●**assassinate** *vt* (*politician, king etc*) assassiner. ●**assassination** [-ˈneɪʃ(ə)n] *n* assassinat *m*.

assault [əˈsɔːlt] *n* (*military*) assaut *m*; (*crime*) agression *f* ❙ *vt* (*attack*) agresser; (*woman*) violenter.

assemble [əˈsemb(ə)l] *vt* (*objects, ideas*) assembler; (*people*) rassembler; (*machine*) monter ❙ *vi* se rassembler. ●**assembly** *n* (*meeting*) assemblée *f*; (*of machine*) montage *m*, assemblage *m*; (*in school*) rassemblement *m*; **a. line** (*in factory*) chaîne *f* de montage.

assent [əˈsent] *n* assentiment *m* ❙ *vi* consentir (**to** à).

assert [əˈsɜːt] *vt* affirmer (**that** que); (*rights*) revendiquer; **to a. oneself** s'affirmer. ●**assertion** [-ʃ(ə)n] *n* (*statement*) affirmation *f*; (*of rights*) revendication *f*.

assertive [əˈsɜːtɪv] *a* (*forceful*) (*tone person etc*) affirmatif; (*authoritarian*) autoritaire.

assess [əˈses] *vt* (*estimate, evaluate*) évaluer; (*decide amount of*) fixer le montant de; (*person*) juger. ●**assessment** *n* évaluation *f*; (*of person*) jugement *m*. ●**assessor** *n* (*valuer*) expert *m*.

asset [ˈæset] *n* (*advantage*) atout *m*, avantage *m*; **assets** (*of business*) biens *mpl*, avoir *m*.

assiduous [əˈsɪdjʊəs] *a* assidu, appliqué. ●**assiduously** *adv* avec application.

assign [əˈsaɪn] *vt* (*give*) attribuer; (*day, time etc*) fixer; (*appoint*) nommer; (*send, move*) affecter (**to** à); **he was assigned as director** il a été nommé directeur. ●**assignment** *n* (*task*) mission *f*; (*for student*) devoir *m*.

assimilate [əˈsɪmɪleɪt] *vt* (*absorb*) assimiler ❙ *vi* (*of immigrants etc*) s'assimiler. ●**assimilation** [-ˈleɪʃ(ə)n] *n* assimilation *f*.

assist [əˈsɪst] *vti* aider (**in doing, to do** à faire). ●**assistance** *n* aide *f*; **to be of a. to s.o.** aider qn. ●**assistant** *n* assistant, -ante *mf*; (*in shop*) *Br* vendeur, -euse *mf* ❙ *a* adjoint.

assizes [əˈsaɪzɪz] *npl* (*court meetings*) *Br* assises *fpl*.

associate [əˈsəʊʃɪeɪt] *vt* associer (**with sth** à *or* avec qch, **with s.o.** à qn) ❙ *vi* **to a. with s.o.** (*mix socially*) fréquenter qn; **to a. (oneself) with s.o.** (*in business venture*) s'associer à *or* avec qn ❙ [əˈsəʊʃɪət] *n* & *a* associé, -ée (*mf*). ●**association** [-ˈeɪʃ(ə)n] *n* association *f*; **associations** (*memories*) souvenirs *mpl*.

assorted [əˈsɔːtɪd] *a* (*different*) variés; (*foods*) assortis; **a well-a. couple/***etc* un couple/*etc* bien assorti. ●**assortment** *n* (*of cheeses etc*) assortiment *m*; **an a. of people** des gens de toutes sortes.

assuage [əˈsweɪdʒ] *vt* *Lit* apaiser, adoucir.

assume [əˈsjuːm] *vt* **1** (*suppose*) supposer, présumer (**that** que); **let us a. that...** supposons que... (+ *sub*). **2** (*take on*) prendre; (*responsibility, role*) assumer; (*attitude, name*) adopter. ●**assumed** *a* (*feigned*) faux (*f* fausse); **a. name** nom *m* d'emprunt. ●**assumption** [əˈsʌmpʃ(ə)n] *n* (*supposition*) supposition *f*; **on the a. that** en supposant que (+ *sub*).

assurance [əˈʃʊərəns] *n* (*confidence, certainty*) assurance *f*; (*promise*) engagement *m*, assurance *f*.

assure [əˈʃʊər] *vt* assurer (**s.o. that** à qn que, **s.o. of sth** qn de qch). ●**assuredly** [-ɪdlɪ] *adv* assurément.

asterisk [ˈæstərɪsk] *n* astérisque *m*.

astern [əˈstɜːn] *adv* (*in ship*) à l'arrière.

asthma [Br ˈæsmə, Am ˈæzmə] *n* asthme *m*. ●**asth'matic** *a* & *n* asthmatique (*mf*).

astir [əˈstɜːr] *a* (*excited*) *Lit* en émoi; (*out of bed*) *Lit* debout.

astonish [əˈstɒnɪʃ] *vt* étonner; **to be astonished** s'étonner (**at sth** de qch). ●**astonishing** *a* étonnant. ●**astonishingly** *adv* étonnamment. ●**astonishment** *n* étonnement *m*.

astound [əˈstaʊnd] *vt* stupéfier, étonner. ●**astounding** *a* stupéfiant.

astray [əˈstreɪ] *adv* **to go a.** s'égarer; **to lead a.** égarer.

astride [əˈstraɪd] *adv* à califourchon ❙ *prep* à cheval sur.

astringent [əˈstrɪndʒənt] *a* (*harsh*) sévère.

astrology [əˈstrɒlədʒɪ] *n* astrologie *f*. ●**astro-**

astronaut

loger *n* astrologue *mf*.
astronaut ['æstrənɔːt] *n* astronaute *mf*.
astronomy [ə'strɒnəmɪ] *n* astronomie *f*. ● **astronomer** *n* astronome *m*. ● **astro'nomical** *a* astronomique.
astute [ə'stjuːt] *a* (*crafty*) rusé; (*clever*) astucieux.
asunder [ə'sʌndər] *adv* **to tear a.** (*to pieces*) mettre en pièces; **to break a.** (*in two*) casser en deux.
asylum [ə'saɪləm] *n* asile *m*; **lunatic a.** *Pej* maison *f* de fous, asile *m* d'aliénés.
at [æt, *unstressed* ət] *prep* **1** à; **at the end** à la fin; **at school** à l'école; **at work** au travail; **at six (o'clock)** à six heures; **at Easter** à Pâques; **to drive at ten miles an hour** rouler à quinze kilomètres à l'heure; **to buy/sell at ten francs a kilo** acheter/vendre (à) dix francs le kilo. **2** chez; **at the doctor's** chez le médecin; **at home** chez soi, à la maison.
3 en; **at sea** en mer; **at war** en guerre; **good at** (*geography etc*) fort en.
4 contre; **angry at** fâché contre.
5 sur; **to shoot at** tirer sur; **at my request** sur ma demande.
6 de; **to laugh at** rire de; **surprised at** surpris de.
7 (au)près de; **at the window** (au)près de la fenêtre.
8 par; **to come in at the door** entrer par la porte; **six at a time** six par six.
9 (*phrases*) **at night** la nuit; **to look at** regarder; **not at all** pas du tout; (*after 'thank you'*) il n'y a pas de quoi!; **nothing at all** rien du tout (*see also* **all**); **to be** (**hard**) **at it** travailler dur; **he's always (on) at me** *Br Fam* il est toujours après moi.
ate [*Br* et, *Am* eɪt] *see* **eat**.
atheism ['eɪθɪɪz(ə)m] *n* athéisme *m*. ● **atheist** *n* athée *mf*.
Athens ['æθɪnz] *n* Athènes *m or f*.
athlete ['æθliːt] *n* athlète *mf*; **a.'s foot** (*disease*) mycose *f*. ● **ath'letic** *a* athlétique; **a. meeting** *Br* réunion *f* d'athlétisme; *Am* réunion *f* sportive. ● **ath'letics** *npl Br* athlétisme *m*; *Am* sport *m*.
atishoo! [ə'tɪʃuː] (*Am* **atchoo** [ə'tʃuː]) *int* atchoum!
Atlantic [ət'læntɪk] *a* (*coast, ocean*) atlantique ∎ *n* **the A.** l'Atlantique *m*.
atlas ['ætləs] *n* atlas *m*.
atmosphere ['ætməsfɪər] *n* atmosphère *f*. ● **atmospheric** [-'ferɪk] *a* atmosphérique.
atom ['ætəm] *n* atome *m*; **a. bomb** bombe *f* atomique. ● **a'tomic** *a* (*bomb etc*) atomique. ● **atomizer** *n* atomiseur *m*.
atone [ə'təʊn] *vi* **to a. for** (*one's sins*) expier. ● **atonement** *n* expiation *f* (for de).
atrocious [ə'trəʊʃəs] *a* atroce. ● **atrocity** *n* (*cruel action*) atrocité *f*.
atrophy ['ætrəfɪ] *vi* (*of muscle etc*) s'atrophier.
attach [ə'tætʃ] *vt* attacher (**to** à); (*document*) joindre (**to** à); **attached to s.o.** (*fond of*) attaché à qn.

attaché [ə'tæʃeɪ] *n* **1** (*in embassy*) attaché, -ée *mf*. **2 a. case** attaché-case *m*.
attachment [ə'tætʃmənt] *n* (*affection*) attachement *m* (**to s.o.** à qn); (*tool*) accessoire *m*; (*fastener*) attache *f*.
attack [ə'tæk] *n* **1** (*military etc*) attaque *f* (**on** contre); (*on s.o.'s life*) attentat *m* ∎ *vt* attaquer; (*problem, plan*) s'attaquer à ∎ *vi* attaquer. **2** *n* (*of illness*) crise *f*; (*of fever*) accès *m*; **an a. of migraine** une migraine; **heart a.** crise *f* cardiaque. ● **attacker** *n* agresseur *m*.
attain [ə'teɪn] *vt* (*aim*) parvenir à, atteindre; (*ambition*) réaliser; (*rank*) parvenir à. ● **attainable** *a* (*aim*) accessible; (*ambition, result*) réalisable. ● **attainment** *n* (*of ambition*) réalisation *f* (**of** de); **attainments** (*skills*) talents *mpl*.
attempt [ə'tempt] *n* tentative *f*; **to make an a.** **to do** essayer *or* tenter de faire; **to make an a. on** (*record*) faire une tentative pour battre; **a. on s.o.'s life** attentat *m* contre qn ∎ *vt* tenter; (*task*) entreprendre; **to a. to do** essayer *or* tenter de faire; **attempted murder** tentative *f* de meurtre.
attend [ə'tend] *vt* (*meeting etc*) assister à; (*course*) suivre; (*school, church*) aller à; (*patient*) soigner; (*wait on, serve*) servir; (*escort*) accompagner; **well-attended course** cours *m* très suivi; **the meeting was well attended** il y avait du monde à la réunion ∎ *vi* assister; **to a. to** (*take care of*) s'occuper de (*travail, client etc*); (*pay attention to*) *Lit* prêter attention à.
attendance [ə'tendəns] *n* présence *f* (**at** à); (*people*) assistance *f*; (**school**) **a.** scolarité *f*; **in a.** de service.
attendant [ə'tendənt] **1** *n* employé, -ée *mf*; (*in service station*) pompiste *mf*; (*in museum*) *Br* gardien, -ienne *mf*; **attendants** (*of prince, king etc*) suite *f*. **2** *a* (*fact*) concomitant.
attention [ə'tenʃ(ə)n] *n* attention *f*; **to pay a.** faire *or* prêter attention (**to** à); **for the a. of** à l'attention de; **to stand at a./to a.** (*of soldier etc*) être/se mettre au garde-à-vous; **a.!** garde-à-vous!; **a. to detail** minutie *f*.
attentive [ə'tentɪv] *a* (*heedful*) attentif (**to** à); (*thoughtful*) attentionné (**to** pour). ● **attentively** *adv* avec attention, attentivement.
attenuate [ə'tenjʊeɪt] *vt* atténuer.
attest [ə'test] *vt* (*certify, confirm*) confirmer ∎ *vi* **to a. to** témoigner de.
attic ['ætɪk] *n* grenier *m*.
attire [ə'taɪər] *n Lit* vêtements *mpl*.
attitude ['ætɪtjuːd] *n* attitude *f*.
attorney [ə'tɜːnɪ] *n* (*lawyer*) *Am* avocat *m*; **district a.** *Am* = procureur *m* (de la République).
attract [ə'trækt] *vt* attirer.
attraction [ə'trækʃ(ə)n] *n* (*charm, appeal*) attrait *m*; (*place, person etc that attracts*) attraction *f*; (*between people*) attirance *f*; (*magnetic etc*) attraction *f*; **attractions** (*at fun fair*) attractions *fpl*.
attractive [ə'træktɪv] *a* (*house, room, car*

etc) beau (*f* belle); (*price, offer etc*) intéressant; (*landscape*) attrayant; **a. girl** belle fille *f*; **a. boy** beau garçon *m*.
attribute 1 ['ætrɪbjuːt] *n* (*quality*) attribut *m*. **2** [ə'trɪbjuːt] *vt* (*ascribe*) attribuer (**to** à). ● **attributable** *a* attribuable (**to** à).
attrition [ə'trɪʃ(ə)n] *n* **war of a.** guerre *f* d'usure.
attuned [ə'tjuːnd] *a* **a. to** (*of ideas, trends etc*) en accord avec; (*used to*) habitué à.
atypical [eɪ'tɪpɪk(ə)l] *a* peu typique.
aubergine ['əʊbəʒiːn] *n Br* aubergine *f*.
auburn ['ɔːbən] *a* (*hair*) châtain roux.
auction ['ɔːkʃən] *n* vente *f* (aux enchères) ▮ *vt* **to a. (off)** vendre (aux enchères). ● **auctio'neer** *n* commissaire-priseur *m*, adjudicateur, -trice *mf*.
audacious [ɔː'deɪʃəs] *a* audacieux. ● **audacity** *n* audace *f*.
audible ['ɔːdɪb(ə)l] *a* (*sound, words etc*) perceptible, audible. ● **audibly** *adv* distinctement.
audience ['ɔːdɪəns] *n* **1** (*of speaker, musician*) auditoire *m*, public *m*; (*in theatre, cinema*) spectateurs *mpl*, public *m*; (*of writer*) public *m*; (*of radio broadcast*) auditeurs *mpl*; **TV a.** téléspectateurs *mpl*. **2** (*interview*) audience *f* (**with s.o.** avec qn).
audio ['ɔːdɪəʊ] *a* (*cassette, system etc*) audio *inv*; **a. tape** cassette *f* audio. ● **audiotypist** *n* dactylo *f* au magnétophone, audiotypiste *mf*. ● **audio-'visual** *a* audio-visuel.
audit ['ɔːdɪt] *vt* (*accounts*) vérifier ▮ *n* vérification *f* (des comptes). ● **auditor** *n* commissaire *m* aux comptes.
audition [ɔː'dɪʃ(ə)n] *n* audition *f* ▮ *vti* auditionner.
auditorium [ɔːdɪ'tɔːrɪəm] *n* salle *f* (*de spectacle, concert etc*).
augment [ɔːg'ment] *vt* augmenter (**with, by** de).
augur ['ɔːɡər] *vi* **to a. well** être de bon augure ▮ *vt* présager.
august [ɔː'gʌst] *a* auguste.
August ['ɔːgəst] *n* août *m*.
aunt [ɑːnt] *n* tante *f*. ● **auntie** *or* **aunty** *n Fam* tata *f*.
au pair [əʊ'peər] *adv* au pair ▮ *n* **au p. (girl)** jeune fille *f* au pair.
aura ['ɔːrə] *n* (*of place*) atmosphère *f*; (*of person*) aura *f*.
auspices ['ɔːspɪsɪz] *npl* **under the a. of** sous les auspices de.
auspicious [ɔː'spɪʃəs] *a* favorable.
austere [ɔː'stɪər] *a* austère. ● **austerity** *n* austérité *f*.
Australia [ɒ'streɪlɪə] *n* Australie *f*. ● **Australian** *a* australien ▮ *n* Australien, -ienne *mf*.
Austria ['ɒstrɪə] *n* Autriche *f*. ● **Austrian** *a* autrichien ▮ *n* Autrichien, -ienne *mf*.
authentic [ɔː'θentɪk] *a* authentique. ● **authenticate** *vt* authentifier. ● **authen'ticity** *n* authenticité *f*.
author ['ɔːθər] *n* auteur *m*. ● **authoress** *n* femme *f* auteur. ● **authorship** *n* (*of book etc*) paternité *f*.
authoritarian [ɔːθɒrɪ'teərɪən] *a & n* autoritaire (*mf*).
authoritative [ɔː'θɒrɪtətɪv] *a* (*report, book etc*) qui fait autorité; (*tone, person*) autoritaire.
authority [ɔː'θɒrɪtɪ] *n* autorité *f*; (*permission*) autorisation *f* (**to do** de faire); **to be in a.** (*in charge*) être responsable; **to be an a. on** faire autorité en ce qui concerne.
authorize ['ɔːθəraɪz] *vt* autoriser (**to do** à faire). ● **authorization** [-'zeɪʃ(ə)n] *n* autorisation *f* (**to do** de faire).
autistic [ɔː'tɪstɪk] *a* autiste.
auto ['ɔːtəʊ] *n* (*pl* **-os**) *Am* auto *f*, voiture *f*.
autobiography [ɔːtəʊbaɪ'ɒgrəfɪ] *n* autobiographie *f*. ● **autobio'graphical** *a* autobiographique.
autocrat ['ɔːtəkræt] *n* autocrate *m*. ● **auto'cratic** *a* autocratique.
autograph ['ɔːtəgrɑːf] *n* autographe *m*; **a. book** album *m* d'autographes ▮ *vt* dédicacer (**for s.o.** à qn).
automate ['ɔːtəmeɪt] *vt* automatiser. ● **automation** [-'meɪʃ(ə)n] *n* automatisation *f*.
automatic [ɔːtə'mætɪk] *a* automatique. ● **automatically** *adv* automatiquement.
automaton [ɔː'tɒmətən] *n* automate *m*.
automobile ['ɔːtəməbiːl] *n Am* auto(mobile) *f*.
autonomous [ɔː'tɒnəməs] *a* autonome. ● **autonomy** *n* autonomie *f*.
autopsy ['ɔːtɒpsɪ] *n* autopsie *f*.
autumn ['ɔːtəm] *n* automne *m*; **in a.** en automne. ● **autumnal** [ɔː'tʌmnəl] *a* (*weather, day etc*) d'automne, automnal.
auxiliary [ɔːg'zɪljərɪ] *a & n* auxiliaire (*mf*); **a. (verb)** (verbe *m*) auxiliaire *m*.
avail [ə'veɪl] **1** *vt* **to a. oneself of** profiter de, tirer avantage de. **2** *n* **to no a.** en vain; **of no a.** inutile.
available [ə'veɪləb(ə)l] *a* (*object, means, details etc*) disponible; (*person*) libre, disponible; **a. to all** (*education, goal etc*) accessible à tous. ● **availa'bility** *n* (*of object etc*) disponibilité *f*; (*of education etc*) accessibilité *f*.
avalanche ['ævəlɑːnʃ] *n* avalanche *f*.
avarice ['ævərɪs] *n* avarice *f*. ● **ava'ricious** *a* avare.
Ave *abbr* = **avenue**.
avenge [ə'vendʒ] *vt* venger; **to a. oneself** se venger (**on** de).
avenue ['ævənjuː] *n* avenue *f*; (*way to a result*) *Fig* voie *f*.
average ['ævərɪdʒ] *n* moyenne *f*; **on a.** en moyenne; **above/below a.** au-dessus/au-dessous de la moyenne ▮ *a* moyen ▮ *vt* (*do*) faire en moyenne; (*reach*) atteindre la moyenne de; (*figures*) faire la moyenne de.
averse [ə'vɜːs] *a* **to be a. to doing** répugner à faire. ● **aversion** [*Br* -ʃ(ə)n, *Am* -ʒ(ə)n] *n* (*dislike*) aversion *f*, répugnance *f*; **to have an a. to sth/to doing** avoir de la répugnance pour qch/à faire.
avert [ə'vɜːt] *vt* (*prevent*) éviter; **to a. one's**

aviary

eyes (*turn away*) détourner les yeux (**from** de).
aviary ['eɪvɪərɪ] *n* volière *f*.
aviation [eɪvɪ'eɪʃ(ə)n] *n* aviation *f*. ● **'aviator** *n* aviateur, -trice *mf*.
avid ['ævɪd] *a* avide (**for** de). ● **avidly** *adv* avidement.
avocado [ævə'kɑːdəʊ] *n* (*pl* -os) **a.** (**pear**) avocat *m*.
avoid [ə'vɔɪd] *vt* éviter; **to a. doing** éviter de faire; **I can't a. doing it** je ne peux pas ne pas le faire. ● **avoidable** *a* évitable. ● **avoidance** *n* **his a. of danger/***etc* son désir *m* d'éviter le danger/*etc*; **tax a.** évasion *f* fiscale.
avowed [ə'vaʊd] *a* (*enemy*) déclaré, avoué.
await [ə'weɪt] *vt* attendre.
awake [ə'weɪk] *vi* (*pt* **awoke**, *pp* **awoken**) se réveiller ▌ *vt* (*person*) réveiller; (*old memories etc*) *Lit* éveiller, réveiller ▌ *a* réveillé, éveillé; (**wide-)a.** (*not feeling sleepy*) éveillé; **to keep s.o. a.** empêcher qn de dormir, tenir qn éveillé; **he's (still) a.** il ne dort pas (encore); **to lie a.** être incapable de dormir; **a. to** (*conscious of*) conscient de. ● **awaken 1** *vti* = **awake. 2** *vt* **to a. s.o. to sth** faire prendre conscience de qch à qn. ● **awakening** *n* réveil *m*; **a rude a.** (*shock*) un réveil brutal.
award [ə'wɔːd] *vt* (*money*) attribuer; (*prize*) décerner, attribuer; **to a. damages** (*of judge*) accorder des dommages-intérêts ▌ *n* (*prize*) prix *m*, récompense *f*; (*scholarship*) bourse *f*.
aware [ə'weər] *a* **to be a. of** (*conscious*) être conscient de; (*informed*) être au courant de; (*realize*) se rendre compte de; **to become a. of/that** se rendre compte de/que; **to be a. that** se rendre compte que. ● **awareness** *n* conscience *f*.
awash [ə'wɒʃ] *a* inondé (**with** de).
away [ə'weɪ] *adv* **1** (*distant*) loin; **far a.** au loin, très loin; **5 km a.** à 5 km (de distance). **2** (*in time*) **ten days a.** dans dix jours. **3** (*absent, gone*) parti, absent; **a. with you!** va-t-en!; **to drive a.** partir (en voiture); **to fade/melt a.** disparaître/fondre complètement. **4** (*to one side*) **to look** *or* **turn a.** détourner les yeux. **5** (*continuously*) **to work/talk/***etc* **a.** travailler/parler/*etc* sans arrêt. **6 to play a.** (*of team*) *Br* jouer à l'extérieur.
awe [ɔː] *n* crainte *f* (*mêlée de respect*); **to be in a. of s.o.** éprouver de la crainte envers qn. ● **awe-inspiring** *a* (*impressive*) imposant. ● **awesome** *a* (*impressive*) imposant; (*frightening*) effrayant; (*marvellous*) *Fam* super.
awful ['ɔːfəl] *a* affreux; (*terrifying*) épouvantable; (*ill*) malade; **an a. lot of** *Fam* un nombre incroyable de; **I feel a.** (**about it**) j'ai vraiment honte. ● **awfully** *adv* (*to suffer etc*) affreusement; (*very*) (*good, pretty etc*) extrêmement, vraiment; (*bad, late etc*) affreusement; **thanks a.** merci infiniment.
awhile [ə'waɪl] *adv* quelque temps; (*to stay, wait*) un peu.
awkward ['ɔːkwəd] *a* **1** (*clumsy*) (*person, gesture etc*) maladroit. **2** (*difficult*) difficile; (*cumbersome*) gênant; (*tool*) peu commode; (*time*) mal choisi; (*silence*) gêné; **the a. age** l'âge ingrat. ● **awkwardly** *adv* (*to walk etc*) maladroitement; (*to speak*) d'un ton gêné; (*placed, situated*) à un endroit peu pratique. ● **awkwardness** *n* maladresse *f*; (*difficulty*) difficulté *f*; (*discomfort*) gêne *f*.
awl [ɔːl] *n* poinçon *m*.
awning ['ɔːnɪŋ] *n* (*of tent*) auvent *m*; (*over shop, window*) store *m*; (*canvas or glass canopy*) marquise *f* (*d'hôtel etc*).
awoke(n) [ə'wəʊk(ən)] *see* **awake**.
awry [ə'raɪ] *adv* **to go a.** (*of plan etc*) mal tourner.
axe [æks] (*Am* **ax**) *n* hache *f*; (*reduction*) *Fig* coupe *f* sombre; **to get the a.** (*of project etc*) être abandonné; (*of worker etc*) être mis à la porte ▌ *vt* réduire; (*job etc*) supprimer; (*project etc*) abandonner.
axiom ['æksɪəm] *n* axiome *m*.
axis, *pl* **axes** ['æksɪs, 'æksiːz] *n* *Geom etc* axe *m*.
axle ['æks(ə)l] *n* essieu *m*.
ay(e) 1 [aɪ] *adv* oui. **2** *n* **the ayes** (*votes*) les voix *fpl* pour.
azalea [ə'zeɪlɪə] *n* (*plant*) azalée *f*.

B

B, b [biː] *n* B, b *m*; **2B** (*number*) 2 ter.
BA *abbr* = Bachelor of Arts.
babble ['bæb(ə)l] *vi* (*mumble*) bredouiller; (*of baby, stream*) gazouiller ∎ *vt* **to b. (out)** (*words*) bredouiller ∎ *n inv* (*of voices*) rumeur *f*; (*of baby, stream*) gazouillement *m*, gazouillis *m*.
babe [beɪb] *n* **1** petit(e) enfant *mf*, bébé *m*. **2** (*girl*) *Sl* pépée *f*.
baboon [bəˈbuːn] *n* babouin *m*.
baby ['beɪbɪ] **1** *n* bébé *m*; **b. boy** petit garçon *m*; **b. girl** petite fille *f*; **b. tiger/etc** bébé-tigre/etc *m*; **b. clothes/toys/etc** vêtements *mpl*/jouets *mpl*/etc de bébé; **b. carriage** *Am* voiture *f* d'enfant; **b. sling** kangourou® *m*, porte-bébé *m*; **b. face** visage *m* poupin.
2 *n Sl* (*girl*) pépée *f*; (*girlfriend*) copine *f*.
3 *vt Fam* dorloter. ● **baby-batterer** *n* bourreau *m* d'enfants. ● **baby-minder** *n Br* gardien, -ienne *mf* d'enfants. ● **baby-sit** *vi* (*pt & pp* -sat, *pres p* -sitting) garder les enfants, faire du baby-sitting. ● **baby-sitter** *n* baby-sitter *mf*. ● **baby-snatching** *n* rapt *m* d'enfant. ● **baby-walker** *n* trotteur *m*, youpala® *m*.
babyish ['beɪbɪɪʃ] *a* de bébé; (*puerile*) bébé *inv*, puéril; **that's too b.** ça fait trop bébé.
bachelor ['bætʃələr] *n* **1** célibataire *m*; **b. flat** *Br* garçonnière *f*. **2** **B. of Arts/of Science** licencié, -ée *mf* ès lettres/ès sciences.
back¹ [bæk] *n* (*of person, animal*) dos *m*; (*of chair*) dossier *m*; (*of hand*) revers *m*; (*of house*) arrière *m*, derrière *m*; (*of vehicle, train, head*) arrière *m*; (*of room*) fond *m*; (*of page*) verso *m*; (*of fabric*) envers *m*; *Football* arrière *m*; **at the b. of the book** à la fin du livre; **in** *or* **at the b. of the car** à l'arrière de la voiture; **at the b. of one's mind** derrière la tête; **b. to front** devant derrière, à l'envers; **to get off s.o.'s b.** *Fam* ficher la paix à qn; **to get s.o.'s b. up** *Fam* irriter qn; **in b. of** *Am* derrière.
back² [bæk] *a* (*wheel, seat*) arrière *inv*; **b. door** porte *f* de derrière; **b. end** (*of bus*) arrière *m*; **b. number** (*of magazine etc*) vieux numéro *m*; **b. pay** rappel *m* de salaire; **b. payments** arriéré *m*; **b. room** pièce *f* du fond; **b. street** rue *f* écartée; **b. taxes** arriéré *m* d'impôts; **b. tooth** molaire *f*.
back³ [bæk] *adv* (*behind*) en arrière; **far b., a long way b.** loin derrière; **a long way b. in the past** à une époque reculée; **a month b.** il y a un mois; **to stand b.** (*of house*) être en retrait (**from the road** par rapport à la route); **to go b. and forth** aller et venir; **to come b.** revenir; **he's b.** il est de retour, il est rentré *or* revenu; **the trip there and b.** le voyage aller et retour.
back⁴ [bæk] *vt* (*with money*) financer; (*horse etc*) parier sur, jouer; (*vehicle*) faire reculer; **to be backed with** (*of curtain, picture etc*) être renforcé de; **to b. s.o (up)** (*support*) appuyer qn; **to b. up** *Comptr* sauvegarder. ∎ *vi* (*move backwards*) reculer; **to b. down** se dégonfler; **to b. out** (*withdraw*) se retirer; (*of vehicle*) sortir en marche arrière; **to b. on to** (*of house etc*) donner par derrière sur; **to b. up** (*of vehicle*) faire marche arrière.
backache ['bækeɪk] *n* mal *m* de dos *or* aux reins. ● **backbencher** *n Br Pol* membre *m* sans portefeuille. ● **backbiting** *n* médisance *f*. ● **backbone** *n see below*. ● **backbreaking** *a* éreintant. ● **backchat** *n Br* impertinence *f*. ● **backcloth** *n* toile *f* de fond. ● **back'date** *vt* (*Br cheque, Am check*) antidater; **backdated (salary) increase** augmentation *f* (de salaire) avec effet rétroactif. ● **back'fire** *vi see below*. ● **background** *n see below*. ● **back'handed** *a* (*compliment*) équivoque. ● **backhander** *n* (*stroke*) revers *m*; (*bribe*) *Br Fam* pot-de-vin *m*. ● **backpack** *n* sac *m* à dos. ● **backrest** *n* dossier *m*. ● **backside** *n* (*buttocks*) *Fam* derrière *m*. ● **back'stage** *adv* dans les coulisses. ● **backstroke** *n* (*in swimming*) dos *m* crawlé. ● **backtrack** *vi* rebrousser chemin. ● **backup** *n* appui *m*; (*tailback*) *Am* embouteillage *m*; *Comptr* sauvegarde *f*; **b. lights** (*of vehicle*) *Am* feux *mpl* de recul. ● **backwater** *n* (*place*) trou *m* perdu. ● **backwoods** *npl* forêt(s) *f(pl)* vierge(s); **to live in the b.** *Fig* habiter dans le bled. ● **back'yard** *n Br* arrière-cour *f*; *Am* jardin *m* (à *l'arrière d'une maison*).
backbone ['bækbəʊn] *n* colonne *f* vertébrale; (*of fish*) grande arête *f*; (*main support*) *Fig* pivot *m*.
backer ['bækər] *n* (*supporter*) partisan *m*; (*on horses etc*) parieur, -euse *mf*; (*financial*) bailleur *m* de fonds.
backfire [bæk'faɪər] *vi* **1** (*of vehicle*) pétarader. **2** (*of plot etc*) échouer.
backgammon ['bækgæmən] *n* trictrac *m*.
background ['bækgraʊnd] *n* fond *m*, arrière-plan *m*; (*events*) *Fig* antécédents *mpl*; (*education*) formation *f*; (*environment*) milieu *m*; (*social, political etc conditions*) contexte *m*; **to keep s.o. in the b.** tenir qn à l'écart; **b. music/noise** musique *f*/bruit *m* de fond.
backing ['bækɪŋ] *n* (*aid*) soutien *m*; (*material*) support *m*, renfort *m*.
backlash ['bæklæʃ] *n* choc *m* en retour, retour *m* de flamme.

backlog

backlog ['bæklɒg] *n* b. of work travail *m* en retard.
backward ['bækwəd] *a (person, country etc)* arriéré; *(glance etc)* en arrière ∎ *adv* = **backwards**. •**backwardness** *n (of person, country etc)* retard *m*. •**backwards** *adv* en arrière; *(to walk)* à reculons; *(to fall)* à la renverse; **to go** *or* **move b.** reculer; **to go b. and forwards** aller et venir.
bacon ['beɪkən] *n* lard *m*; *(in rashers)* bacon *m*; **b. and eggs** œufs *mpl* au bacon.
bacteria [bæk'tɪərɪə] *npl* bactéries *fpl*.
bad [bæd] *a* (**worse, worst**) mauvais; *(wicked)* méchant; *(sad)* triste; *(accident, wound etc)* grave; *(tooth)* carié; *(arm, leg)* malade; *(pain)* violent; *(air)* vicié; **b. language** gros mots *mpl*; **it's b. to think that...** ce n'est pas bien de penser que...; **to feel b.** *(ill)* se sentir mal; **to feel b. about sth** s'en vouloir de qch; **things are b.** ça va mal; **that's not b.!** ce n'est pas mal!; **to go b.** *(of fruit, meat)* se gâter; *(of milk)* tourner; **in a b. way** mal en point; *(ill)* très mal; *(in trouble)* dans le pétrin; **too b.!** tant pis! •**bad-'mannered** *a* mal élevé. •**bad-'tempered** *a* grincheux.
badge [bædʒ] *n (of plastic, bearing slogan or joke)* badge *m*; *(of metal, bearing logo)* pin's *m*; *(of postman, policeman etc)* plaque *f*; *(on school uniform)* insigne *m*.
badger ['bædʒər] **1** *n (animal)* blaireau *m*. **2** *vt* importuner.
badly ['bædlɪ] *adv* mal; *(hurt)* grièvement; **b. affected/shaken** très touché/bouleversé; **to be b. mistaken** se tromper lourdement; **b. off** dans la gêne; **to be b. off for** manquer de; **to want b.** avoir grande envie de.
badminton ['bædmɪntən] *n* badminton *m*.
baffle ['bæf(ə)l] *vt (person)* déconcerter, dérouter.
bag¹ [bæg] *n* sac *m*; **bags** *(luggage)* valises *fpl*, bagages *mpl*; *(under the eyes)* poches *fpl*; **bags of** *Fam (lots of)* beaucoup de; **an old b.** une vieille taupe; **in the b.** *Fam* dans la poche *f*; **b. lady** *Fam* clocharde *f*. •**bagful** *n* (plein) sac *m*.
bag² [bæg] *vt* (**-gg-**) *(take, steal) Fam* piquer, s'adjuger; *(hunted animal)* tuer.
baggage ['bægɪdʒ] *n* bagages *mpl*; *(of soldier)* équipement *m*; **b. car** *Am* fourgon *m*; **b. handler** *(in airport)* bagagiste *m*; **b. room** *Am* consigne *f*.
baggy ['bægɪ] *a* (**-ier, -iest**) *(Br trousers, Am pants)* faisant des poches; *(suit)* trop ample.
bagpipes ['bægpaɪps] *npl* cornemuse *f*.
Bahamas [bə'hɑːməz] *npl* **the B.** les Bahamas *fpl*.
bail [beɪl] **1** *n Jur* caution *f*; **on b.** en liberté provisoire ∎ *vt* **to b. (out)** fournir une caution pour; **to b. out** *(ship)* écoper; *(person, company)* venir en aide à. **2** *vi* **to b. out** *(from aircraft)* *Am* sauter (en parachute).
bailiff ['beɪlɪf] *n (law officer)* huissier *m*; *(of landowner)* *Br* régisseur *m*.
bait [beɪt] **1** *n* amorce *f*, appât *m* ∎ *vt (fishing hook)* amorcer. **2** *vt (annoy)* asticoter,

tourmenter.
baize [beɪz] *n* **green b.** *(on card table etc)* tapis *m* vert.
bake [beɪk] *vt* (faire) cuire (au four) ∎ *vi (of cook)* faire de la pâtisserie *or* du pain; *(of cake etc)* cuire (au four); **we're** *or* **it's baking (hot)** *Fam* on cuit. •**baked** *a (potatoes, apples)* au four; **b. beans** haricots *mpl* blancs (à la tomate). •**baking** *n* cuisson *f*; **b. tin** moule *m* à pâtisserie; **b. powder** levure *f* (chimique).
baker ['beɪkər] *n* boulanger, -ère *mf*. •**bakery** *n* boulangerie *f*.
balaclava [bælə'klɑːvə] *n* **b. (helmet)** *Br* passe-montagne *m*.
balance ['bæləns] *n (equilibrium)* équilibre *m*; *(of account)* solde *m*; *(remainder)* reste *m*; *(scales) & Econ Pol* balance *f*; **to lose one's b.** perdre l'équilibre; **to strike a b.** trouver le juste milieu; **sense of b.** sens *m* de la mesure; **in the b.** incertain; **on b.** à tout prendre; **b. of payments** balance *f* des paiements; **b. sheet** bilan *m*.
∎ *vt* tenir *or* mettre en équilibre **(on** sur); *(budget, account)* équilibrer; *(compare)* mettre en balance, peser; **to b. (out)** *(compensate for)* compenser; **well balanced** *(person, diet)* bien équilibré.
∎ *vi (of person)* se tenir en équilibre; *(of accounts)* être en équilibre, s'équilibrer; **to b. (out)** *(even out)* s'équilibrer.
balcony ['bælkənɪ] *n* balcon *m*.
bald [bɔːld] *a* (**-er, -est**) chauve; *(statement)* brutal; *(Br tyre, Am tire)* lisse; **b. patch** *or* **spot** tonsure *f*. •**bald-'headed** *a* chauve. •**balding** *a* **to be b.** perdre ses cheveux. •**baldness** *n* calvitie *f*.
balderdash ['bɔːldədæʃ] *n Lit* balivernes *fpl*.
bale [beɪl] **1** *n (of cotton etc)* balle *f*. **2** *vi* **to b. out** *(from aircraft)* sauter (en parachute).
baleful ['beɪlfəl] *a Lit* sinistre, funeste.
balk [bɔːk] *vi* reculer **(at** devant), regimber **(at** contre).
Balkans ['bɔːlkənz] *npl* **the B.** les Balkans *mpl*.
ball¹ [bɔːl] *n* balle *f*; *(inflated, for football, rugby etc)* ballon *m*; *Billiards* bille *f*; *(of string, wool)* pelote *f*; *(sphere)* boule *f*; *(of meat or fish)* boulette *f*; **on the b.** *(alert) Fam* éveillé; **he's on the b.** *(efficient, knowledgeable) Fam* il connaît son affaire, il est au point; **b. bearing** roulement *m* à billes; **b. game** *Am* partie *f* de baseball; **it's a whole new b. game** *or* **a different b. game** *Am Fig* c'est une tout autre affaire.
ball² [bɔːl] *n (dance)* bal *m* (*pl* bals).
ballad ['bæləd] *n (poem)* ballade *f*; *(song)* romance *f*.
ballast ['bæləst] *n* lest *m* ∎ *vt* lester.
ballcock ['bɔːlkɒk] *n Br* robinet *m* à flotteur.
ballerina [bælə'riːnə] *n* ballerine *f*.
ballet ['bæleɪ] *n* ballet *m*.
ballistic [bə'lɪstɪk] *a* **b. missile** engin *m* balistique.

balloon [bə'luːn] *n (toy, airship)* ballon *m*; *(in cartoon)* bulle *f*; **(weather) b.** ballon-sonde *m*.

ballot ['bælət] *n (voting)* scrutin *m*; **b. (paper)** bulletin *m* de vote; **b. box** urne *f* ∎ *vt (members)* consulter (par un scrutin).

ballpoint (pen) ['bɔːlpɔɪnt(pen)] *n* stylo *m* à bille.

ballroom ['bɔːlruːm] *n* salle *f* de danse; **b. dancing** danse *f* de salon.

ballyhoo [bælɪ'huː] *n Fam* battage *m* (publicitaire).

balm [bɑːm] *n (oil, comfort)* baume *m*. ●**balmy** *a* (**-ier, -iest**) **1** *(air) Lit* embaumé. **2** *(crazy) Br Fam* dingue, timbré.

baloney [bə'ləʊnɪ] *n (nonsense) Sl* foutaises *fpl*.

Baltic ['bɔːltɪk] *n* **the B.** la Baltique.

balustrade ['bæləstreɪd] *n* balustrade *f*.

bamboo [bæm'buː] *n* bambou *m*; **b. shoots** pousses *fpl* de bambou.

bamboozle [bæm'buːz(ə)l] *vt (cheat) Fam* embobiner.

ban [bæn] *n* interdiction *f* ∎ *vt* (**-nn-**) interdire; **to ban s.o. from doing** interdire à qn de faire; **to b. s.o. from** *(club etc)* exclure qn de.

banal [*Br* bə'nɑːl, *Am* 'beɪn(ə)l] *a* banal (*mpl* -als). ●**ba'nality** *n* banalité *f*.

banana [bə'nɑːnə] *n* banane *f*; **b. skin** peau *f* de banane.

band [bænd] **1** *n (strip)* bande *f*; *(of hat)* ruban *m*; **rubber** *or* **elastic b.** élastique *m*. **2** *n (group of people)* bande *f*; *(of musicians)* (petit) orchestre *m*; *(pop group)* groupe *m*; **(brass) b.** fanfare *f* ∎ *vi* **to b. together** se (re)grouper.

bandage ['bændɪdʒ] *n (strip)* bande *f*; *(dressing)* bandage *m* ∎ *vt* **to b. (up)** *(arm, leg)* bander; *(wound)* mettre un bandage sur.

Band-Aid® ['bændeɪd] *n* pansement *m* adhésif.

B and B [biːənd'biː] *n Br abbr* **bed and breakfast.**

bandit ['bændɪt] *n* bandit *m*. ●**banditry** *n* banditisme *m*.

bandstand ['bændstænd] *n* kiosque *m* à musique.

bandwagon ['bændwægən] *n* **to jump on the b.** *Fig* suivre le mouvement.

bandy[1] ['bændɪ] *a* (**-ier, -iest**) *(person)* bancal (*mpl* -als); **to have b. legs** avoir les jambes arquées. ●**bandy-'legged** *a* bancal.

bandy[2] ['bændɪ] *vt* **to b. about** *(story, rumour etc)* faire circuler.

bane [beɪn] *n Lit* fléau *m*. ●**baneful** *a Lit* funeste.

bang[1] [bæŋ] *n (hit, noise)* coup *m* (violent); *(of gun etc)* détonation *f*; *(of door)* claquement *m*.

∎ *vt* cogner, frapper; *(door)* (faire) claquer; **to b. one's head** se cogner la tête; **to b. down** *(lid)* rabattre (violemment).

∎ *vi* cogner, frapper; *(of door)* claquer; *(of gun)* détoner; *(of firework)* éclater; **to b. into** sth/s.o. heurter qch/qn.

∎ *int* vlan!, pan!; **to go (off) b.** éclater.

bang[2] [bæŋ] *adv Br Fam (exactly)* exactement; **b. in the middle** en plein milieu; **b. on six** à six heures tapantes.

banger ['bæŋər] *n Br* **1** *(sausage) Fam* saucisse *f*. **2** *(firecracker)* pétard *m*. **3** **old b.** *(car) Fam* tacot *m*, guimbarde *f*.

Bangladesh [bæŋglə'deʃ] *n* Bangladesh *m*. ●**Bangladeshi** *a* du Bangladesh ∎ *n* habitant, -ante *mf* du Bangladesh.

bangle ['bæŋg(ə)l] *n* bracelet *m* (rigide).

bangs [bæŋz] *npl (of hair) Am* frange *f*.

banish ['bænɪʃ] *vt* bannir.

banister ['bænɪstər] *n* **banister(s)** rampe *f* (d'escalier).

banjo ['bændʒəʊ] *n (pl* **-os** *or* **-oes**) banjo *m*.

bank [bæŋk] **1** *n (of river)* bord *m*, rive *f*; *(raised)* berge *f*; *(of earth)* talus *m*; *(of sand)* banc *m*; **the Left B.** *(in Paris)* la Rive gauche ∎ *vt* **to b. (up)** *(earth etc)* amonceler; *(fire)* couvrir.

2 *n (for money)* banque *f*; **b. account** compte *m* en banque; **b. card** carte *f* d'identité bancaire; **b. holiday** jour *m* férié; **b. note** *Br* billet *m* de banque; **b. rate** taux *m* d'escompte ∎ *vt (money)* mettre en banque ∎ *vi* avoir un compte en banque (**with** à).

3 *vi (of aircraft)* virer.

4 *vi* **to b. on s.o./sth** *(rely on)* compter sur qn/qch. ●**banking** *a (transaction etc)* bancaire ∎ *n (activity, profession)* la banque.

banker ['bæŋkər] *n* banquier *m*; **b.'s card** *Br* = **bank card**.

bankrupt ['bæŋkrʌpt] *a* **to go b.** faire faillite; **b. of** *(ideas) Fig* dénué de; **morally b.** qui n'a plus de valeurs ∎ *vt* mettre en faillite. ●**bankruptcy** *n* faillite *f*.

banner ['bænər] *n (across street, at rallies etc, on two poles)* banderole *f*; *(military flag)* & *Fig* bannière *f*.

banns [bænz] *npl* bans *mpl* (de mariage); **to put up the b.** publier les bans.

banquet ['bæŋkwɪt] *n* banquet *m*.

banter ['bæntər] *vi* plaisanter ∎ *n* plaisanterie *f*. ●**bantering** *a (tone, air)* plaisantin.

baptism ['bæptɪzəm] *n* baptême *m*. ●**Baptist** *n & a* baptiste (*mf*).

baptize [bæp'taɪz] *vt* baptiser.

bar [bɑːr] **1** *n (of metal etc)* barre *f*; *(of gold)* lingot *m*; *(of chocolate)* tablette *f*; *(on window)* barreau *m*; **b. of soap** savonnette *f*; **behind bars** *(criminal)* sous les verrous; **to be a b. to** *Fig* faire obstacle à; **the B.** *Jur* le barreau; **b. code** *(on product)* code *m* à barres, code-barres *m*.

2 *n (pub)* bar *m*; *(counter)* bar *m*, comptoir *m*.

3 *n (group of musical notes)* mesure *f*.

4 *vt* (**-rr-**) **to b. s.o.'s way** bloquer *or* barrer le passage à qn; **barred window** fenêtre *f* grillagée.

5 *vt (prohibit)* interdire (**s.o. from doing** à qn de faire); *(exclude)* exclure (**from** à).

Barbados

6 *prep* (*except*) sauf; **b. none** sans exception. ● **barmaid** *n* serveuse *f* de bar. ● **barman** *n* barman *n* ● **bartender** *n Am* barman *n*.

Barbados [bɑːˈbeɪdɒs] *n* Barbade *f*.

barbarian [bɑːˈbeərɪən] *n* barbare *mf*. ● **barbaric** *a* barbare. ● **barbarity** *n* barbarie *f*.

barbecue [ˈbɑːbɪkjuː] *n* barbecue *m* ▮ *vt* griller (au barbecue).

barbed wire [bɑːbdˈwaɪər] *n* fil *m* de fer barbelé; (*fence*) barbelés *mpl*.

barber [ˈbɑːbər] *n* coiffeur *m* (*pour hommes*).

Barbie® [ˈbɑːbɪ] *n* **B. doll** poupée *f* Barbie®.

barbiturate [bɑːˈbɪtjʊrət] *n* barbiturique *m*.

bare [beər] *a* (**-er, -est**) nu; (*tree, hill etc*) dénudé; (*room, Br cupboard, Am closet*) vide; (*mere*) simple; **the b. necessities** le strict nécessaire; **with his b. hands** à mains nues ▮ *vt* (*arm, wire etc*) dénuder; **to b. one's head** se découvrir. ● **bareness** *n* (*of room etc*) dépouillement *m*.

bareback [ˈbeəbæk] *adv* **to ride b.** monter à cru. ● **barefaced** *a* (*lie*) éhonté. ● **barefoot** *adv* nu-pieds ▮ *a* aux pieds nus. ● **bare'headed** *a & adv* nu-tête *inv*.

barely [ˈbeəlɪ] *adv* (*scarcely*) à peine, tout juste.

bargain [ˈbɑːgɪn] *n* (*deal*) marché *m*, affaire *f*; **a b.** (*cheap buy*) une occasion, une bonne affaire; **a real b.** une véritable occasion *or* affaire; **it's a b.!** (*agreed*) c'est entendu!; **to make a b.** faire un marché (**with s.o.** avec qn); **into the b.** (*in addition*) par-dessus le marché; **b. price** prix *m* exceptionnel; **b. counter** rayon *m* des soldes.
▮ *vi* (*negotiate*) négocier, (*haggle*) marchander; **to b. for** *or* **on sth** (*expect*) s'attendre à qch. ● **bargaining** *n* négociations *fpl*; (*haggling*) marchandage *m*.

barge [bɑːdʒ] **1** *n* chaland *m*, péniche *f*. **2** *vi* **to b. in** (*enter a room*) faire irruption; (*interrupt s.o.*) interrompre; **to b. into** (*hit*) se cogner contre.

baritone [ˈbærɪtəʊn] *n* (*voice, singer*) baryton *m*.

bark [bɑːk] **1** *n* (*of tree*) écorce *f*. **2** *vi* (*of dog etc*) aboyer ▮ *n* aboiement *m*. ● **barking** *n* aboiements *mpl*.

barley [ˈbɑːlɪ] *n* orge *f*; **b. sugar** sucre *m* d'orge.

barmy [ˈbɑːmɪ] *a* (**-ier, -iest**) (*crazy*) *Br Fam* dingue, timbré.

barn [bɑːn] *n* (*for crops etc*) grange *f*; (*for horses*) écurie *f*; (*for cattle*) étable *f*. ● **barnyard** *n* basse-cour *f*.

barometer [bəˈrɒmɪtər] *n* baromètre *m*.

baron [ˈbærən] *n* baron *m*; (*industrialist*) *Fig* magnat *m*; **press/oil b.** magnat de la presse/ du pétrole. ● **baroness** *n* baronne *f*.

baroque [*Br* bəˈrɒk, *Am* bəˈrəʊk] *a & n* (*style etc*) *Archit Mus etc* baroque (*m*).

barracks [ˈbærəks] *npl* caserne *f*.

barrage [*Br* ˈbærɑːʒ, *Am* bəˈrɑːʒ] *n* (*barrier across river*) barrage *m*; **a b. of questions**/*etc* un feu roulant de questions/*etc*.

barrel [ˈbærəl] *n* **1** (*cask*) tonneau *m*; (*of oil*) baril *m*. **2** (*of gun*) canon *m*. **3 b. organ** orgue *m* de Barbarie.

barren [ˈbærən] *a* (*land, woman, ideas*) stérile; (*style*) aride.

barrette [bəˈret] *n* (*hair slide*) *Am* barrette *f*.

barricade [ˈbærɪkeɪd] *n* barricade *f* ▮ *vt* barricader; **to b. oneself (in)** se barricader.

barrier [ˈbærɪər] *n* barrière *f*; *Fig* obstacle *m*, barrière *f*; (**ticket**) **b.** *Br Rail* portillon *m*; **sound b.** mur *m* du son.

barring [ˈbɑːrɪŋ] *prep* sauf, excepté.

barrister [ˈbærɪstər] *n Br* avocat *m*.

barrow [ˈbærəʊ] *n* (*wheelbarrow*) brouette *f*; (*cart*) charrette *f or* voiture *f* à bras.

barter [ˈbɑːtər] *vt* troquer, échanger (**for** contre) ▮ *n* troc *m*, échange *m*.

base [beɪs] **1** *n* (*bottom, main ingredient*) base *f*; (*of tree, lamp*) pied *m*; **b. rate** (*of bank*) taux *m* de base.
2 *n* (*military*) base *f*.
3 *vt* baser, fonder (**on** sur); **based in London** (*person, company etc*) basé à Londres.
4 *a* (*dishonourable*) bas (*f* basse), ignoble.
5 *a* **b. metal** métal *m* vil. ● **baseless** *a* sans fondement. ● **baseness** *n* bassesse *f*.

baseball [ˈbeɪsbɔːl] *n* base-ball *m*.

baseboard [ˈbeɪsbɔːd] *n Am* plinthe *f*.

basement [ˈbeɪsmənt] *n* sous-sol *m*.

bash [bæʃ] *n* (*bang*) coup *m*; **to have a b.** (*try*) *Br Fam* essayer un coup ▮ *vt* (*hit*) cogner; **to b. (about)** (*ill-treat*) malmener; **to b. s.o. up** tabasser qn; **to b. in** *or* **down** (*door, fence etc*) défoncer. ● **bashing** *n* (*thrashing*) *Fam* raclée *f*; **to get a b.** prendre une raclée.

bashful [ˈbæʃfəl] *a* timide.

basic [ˈbeɪsɪk] *a* essentiel, de base; (*elementary*) élémentaire; (*pay, food*) de base; (*room, house, meal*) tout simple ▮ *n* **the basics** *Fam* l'essentiel *m*. ● **basically** [-klɪ] *adv* au fond.

basil [ˈbæz(ə)l] *n* (*herb*) basilic *m*.

basilica [bəˈzɪlɪkə] *n* basilique *f*.

basin [ˈbeɪs(ə)n] *n* bassine *f*; (*for soup, food*) (grand) bol *m*; (*of river*) bassin *m*; (*portable washbasin*) cuvette *f*; (*sink*) lavabo *m*.

basis, *pl* **-ses** [ˈbeɪsɪs, -siːz] *n* (*of agreement etc*) bases *fpl*; **on the b. of** d'après; **on that b.** dans ces conditions; **on a weekly**/*etc* **b.** chaque semaine/*etc*.

bask [bɑːsk] *vi* (*in the sun*) se chauffer.

basket [ˈbɑːskɪt] *n* panier *m*; (*for bread, laundry, litter*) corbeille *f*. ● **basketball** *n* basket(-ball) *m*.

Basque [bæsk] *a & n* basque (*mf*).

bass[1] [beɪs] *n Mus* basse *f* ▮ *a* (*note, voice, flute etc*) bas (*f* basse).

bass[2] [bæs] *n* (*sea fish*) bar *m*; (*fresh-water*) perche *f*.

bassinet [bæsɪˈnet] *n* (*cradle*) *Am* couffin *m*.

bassoon [bəˈsuːn] *n* basson *m*.

bastard [ˈbɑːstəd] **1** *n & a* (*child*) bâtard, -arde (*mf*). **2** *n* (*unpleasant person*) *Sl* salaud *m*, salope *f*.

baste [beɪst] *vt* **1** (*fabric*) bâtir. **2** (*meat*) arroser.
bastion ['bæstɪən] *n* bastion *m*.
bat [bæt] **1** *n* (*animal*) chauve-souris *f*. **2** *n Cricket Baseball* batte *f*; *Table Tennis* raquette *f*; **off my own b.** de ma propre initiative ∎ *vt* (**-tt-**) (*ball*) frapper. **3** *vt* **she didn't b. an eyelid** elle n'a pas sourcillé.
batch [bætʃ] *n* (*of people*) groupe *m*; (*of letters*) paquet *m*; (*of books*) lot *m*; (*of loaves*) fournée *f*; (*of papers*) liasse *f*.
bated ['beɪtɪd] *a* **with b. breath** en retenant son souffle.
bath [bɑːθ] *n* (*pl* **-s** [bɑːðz]) bain *m*; (*tub*) baignoire *f*; **to have** *or* **take a b.** prendre un bain; **b. towel** serviette *f* de bain; **swimming baths** *Br* piscine *f* ∎ *vt Br* baigner ∎ *vi Br* prendre un bain. ●**bathrobe** *n Br* peignoir *m* (de bain); *Am* robe *f* de chambre. ●**bathroom** *n* salle *f* de bain(s); (*toilet*) *Am* toilettes *fpl*. ●**bathtub** *n* baignoire *f*.
bathe [beɪð] *vt* baigner; (*wound*) laver ∎ *vi* se baigner; *Am* prendre un bain ∎ *n* bain *m* (de mer), baignade *f*; **to go for a b.** se baigner. ●**bathing** *n* baignade(s) *f(pl)*; **b. suit,** *Br* **b. costume** maillot *m* de bain.
baton [*Br* 'bætən, *Am* bə'tɒn] *n* (*of conductor*) baguette *f*; (*of policeman*) matraque *f*; (*of soldier, drum majorette*) bâton *m*.
battalion [bə'tæljən] *n* bataillon *m*.
batter ['bætər] **1** *n* pâte *f* à frire. **2** *vt* (*strike*) rouer (*qn*) de coups; frapper (*qch*) (à coups redoublés); (*baby, child*) martyriser; (*town etc with shells*) pilonner; **to b. down** (*door*) défoncer. ●**battered** *a* (*car, hat*) cabossé; (*house*) délabré; (*face*) meurtri; **b. baby** *or* **child** enfant *m* martyr; **b. wife** femme *f* battue. ●**battering** *n* **to take a b.** souffrir beaucoup.
battery ['bætərɪ] *n* (*in vehicle, of guns, for hens*) batterie *f*; (*in radio, appliance etc*) pile *f*; **b. hen** poule *f* de batterie.
battle ['bæt(ə)l] *n* bataille *f*; (*struggle*) lutte *f*; **that's half the b.** *Fam* on *etc* a déjà fait la moitié du chemin; **b. dress** tenue *f* de campagne ∎ *vi* se battre, lutter. ●**battlefield** *n* champ *m* de bataille. ●**battleship** *n* cuirassé *m*.
battlements ['bæt(ə)lmənts] *npl* (*indentations*) créneaux *mpl*; (*wall*) remparts *mpl*.
batty ['bætɪ] *a* (**-ier, -iest**) (*crazy*) *Br Sl* dingue, toqué.
baulk [bɔːk] *vi* reculer (**at** devant), regimber (**at** contre).
bawdy ['bɔːdɪ] *a* (**-ier, -iest**) paillard, grossier.
bawl [bɔːl] *vti* **to b.** (**out**) beugler, brailler; **to b. s.o. out** *Am Sl* engueuler qn.
bay [beɪ] **1** *n* (*part of coastline*) baie *f*. **2** *n* (*in room*) renfoncement *m*; **b. window** bow-window *m*, oriel *m*. **3** *n* (*tree*) laurier *m*; **b. leaf** feuille *f* de laurier. **4** *n* (*for loading*) *Br* aire *f*. **5** *n* (*of dog*) aboiement *m*; **at b.** (*animal, criminal*) aux abois; **to keep** *or* **hold at b.** (*enemy, wild dog etc*) tenir en respect;

(*disease*) juguler ∎ *vi* aboyer. **6** *a* (*horse*) bai.
bayonet ['beɪənɪt] *n* baïonnette *f*.
bazaar [bə'zɑːr] *n* (*market, shop*) bazar *m*; (*charity sale*) vente *f* de charité.
bazooka [bə'zuːkə] *n* bazooka *m*.
BC [biː'siː] *abbr* (*before Christ*) avant Jésus-Christ.
be [biː] *vi* (*pres t* **am, are, is;** *pt* **was, were;** *pp* **been;** *pres p* **being**) **1** être; **it is green/small/***etc* c'est vert/petit/*etc*; **he's a doctor** il est médecin; **he's an Englishman** c'est un Anglais; **it's him** c'est lui; **it's them** ce sont eux; **it's eux; it's 3 (o'clock)** il est trois heures; **it's the sixth of May,** *Am* **it's May sixth** c'est *or* nous sommes le six mai.
2 avoir; **to be hot/right/lucky** avoir chaud/raison/de la chance; **my feet are cold** j'ai froid aux pieds; **he's 20** (*age*) il a 20 ans; **to be 2 metres high** avoir 2 mètres de haut; **to be 6 feet tall** mesurer 1,80 m.
3 (*health*) **how are you?** comment vas-tu?; **I'm well/not well** je vais bien/mal.
4 (*place, situation*) se trouver, être; **she's in York** elle se trouve *or* elle est à York.
5 (*exist*) être; **the best painter there is** le meilleur peintre qui soit; **leave me be** laissez-moi (tranquille); **that may be** cela se peut.
6 (*go, come*) **I've been to see her** je suis allé *or* j'ai été la voir; **he's (already) been** il est (déjà) venu.
7 (*weather, calculations*) faire; **it's fine** il fait beau; **it's foggy** il y a du brouillard; **2 and 2 are 4** 2 et 2 font 4.
8 (*cost*) coûter, faire; **it's 20 pence** ça coûte 20 pence; **how much is it?** ça fait combien?, c'est combien?
9 (*auxiliary*) **I am/was doing** je fais/faisais; **I'll be staying** je resterai, je vais rester; **I'm listening to the radio** (*in the process of*) je suis en train d'écouter la radio; **what has she been doing?** qu'est-ce qu'elle a fait?; **she's been there some time** elle est là depuis longtemps; **he was killed** il a été tué, on l'a tué; **I've been waiting (for) two hours** j'attends depuis deux heures; **it is said** on dit; **she's to be pitied** elle est à plaindre.
10 (*in questions and answers*) **isn't it?, aren't you?** *etc* n'est-ce pas?, non?; **she's ill, is she?** (*surprise*) alors, comme ça, elle est malade?; **I am!, he is!** *etc* oui!
11 (+ *inf*) **he is to come at once** (*must*) il doit venir tout de suite; **he's shortly to go** (*intends to*) il va bientôt partir.
12 there is *or* **are** il y a; (*pointing*) voilà; **here is** *or* **are** voici; **there she is** la voilà; **here they are** les voici.
beach [biːtʃ] *n* plage *f*. ●**beachcomber** *n* (*person*) ramasseur, -euse *mf* d'épaves.
beacon ['biːkən] *n* (*for ship, aircraft*) balise *f*; (*lighthouse*) phare *m*.
bead [biːd] *n* (*small sphere*) perle *f*; (*of rosary*) grain *m*; (*of sweat*) goutte *f*, gouttelette *f*; (**string of**) **beads** collier *m*.
beak [biːk] *n* bec *m*.

beaker ['bi:kər] *n* gobelet *m*.

beam [bi:m] 1 *n* (*of wood*) poutre *f*. 2 *n* (*of light, sunlight*) rayon *m*; (*of headlight, flashlight*) faisceau *m* (lumineux) ▮ *vi* (*of light*) rayonner; (*of face, person*) rayonner (**with joy** de joie); (*smile broadly*) sourire largement. 3 *vt* (*signals, radio or TV programme etc*) transmettre (**to** à). ●**beaming** *a* (*face, person, smile*) radieux, rayonnant.

bean [bi:n] *n* haricot *m*; (*of coffee*) grain *m*; (**broad**) **b.** fève *f*; **to be full of beans** *Fam* déborder d'entrain. ●**beanshoots** *or* **beansprouts** *npl* germes *mpl* de soja.

bear[1] [beər] *n* (*animal*) ours *m*; **b. cub** ourson *m*.

bear[2] [beər] *vt* (*pt* **bore**, *pp* **borne**) (*carry, show*) porter; (*endure*) supporter; (*resemblance*) offrir; (*comparison*) soutenir; (*responsibility*) assumer; (*child*) donner naissance à; **I can't b. him/it** je ne peux pas le supporter/supporter ça; **to b. in mind** tenir compte de; **to b. out** corroborer.
▮ *vi* **to b. left/right** (*turn*) tourner à gauche/droite; **to b. north/etc** (*go*) aller en direction du nord/*etc*; **to b. (up)on** (*relate to*) se rapporter à; **to b. heavily on s.o.** (*of burden*) *Fig* peser sur qn; **to b. with s.o.** être indulgent envers qn, être patient avec qn; **to bring one's energies to b. on a task**/*etc* consacrer toute son énergie à un travail/*etc*; **to bring pressure to b. on s.o.** faire pression sur qn (**to do** pour faire); **to b. up** ne pas se décourager, tenir le coup; **b. up!** courage!

bearable ['beərəb(ə)l] *a* supportable.

beard [bɪəd] *n* barbe *f*; **to have a b.** porter la barbe. ●**bearded** *a* barbu.

bearer ['beərər] *n* porteur, -euse *mf*.

bearing ['beərɪŋ] *n* (*relationship, relevance*) relation *f* (**on** avec); (*posture, conduct*) maintien *m*; (*of ship, aircraft*) position *f*; **to get one's bearings** s'orienter; **I've lost my bearings** je ne sais plus où j'en suis.

beast [bi:st] *n* bête *f*, animal *m*; (*cruel person*) brute *f*.

beastly ['bi:stlɪ] *a Br Fam* (*bad*) vilain, infect; (*spiteful*) méchant; **a b. trick** un sale tour ▮ *adv Br Fam* terriblement.

beat [bi:t] *n* (*of heart, drum*) battement *m*; (*of policeman*) ronde *f*; (*in music*) mesure *f*, rythme *m*.
▮ *vt* (*pt* **beat**, *pp* **beaten**) battre; (*defeat*) vaincre, battre; **to b. a drum** battre du tambour; **that beats me** *Fam* ça me dépasse; **to b. s.o. to it** devancer qn; **b. it!** *Fam* fichez le camp!; **to b. back** *or* **off** repousser; **to b. down** (*price*) faire baisser; **to b. down** *or* **in** (*door*) défoncer; **to b. out** (*rhythm*) marquer; (*tune*) jouer; **to b. s.o. up** tabasser qn.
▮ *vi* battre; (*at door*) frapper (**at** à); **to b. about** *or* **around the bush** *Fam* tourner autour du pot; **to b. down** (*of rain*) tomber à verse; (*of sun*) taper. ●**beating** *n* (*blows, defeat*) raclée *f*; (*of heart, drums*) battement *m*; **to take a b.** souffrir beaucoup.

beater ['bi:tər] *n* (*for eggs*) batteur *m*.

beautician [bju:'tɪʃ(ə)n] *n* esthéticienne *f*.

beautiful ['bju:tɪf(ə)l] *a* (très) beau (*f* belle); (*superb*) merveilleux. ●**beautifully** *adv* (*after verb*) à merveille; (*before adjective*) merveilleusement.

beauty ['bju:tɪ] *n* (*quality, woman*) beauté *f*; **it's a b.!** (*car, house etc*) c'est une merveille!; **the b. of it is (that)...** le plus beau, c'est que...; **b. parlour** *or* **salon** institut *m* de beauté; **b. spot** (*on skin*) grain *m* de beauté; (*in countryside*) *Br* endroit *m* or site *m* pittoresque.

beaver ['bi:vər] *n* castor *m* ▮ *vi* **to b. away** travailler dur (**at sth** à qch).

because [bɪ'kɒz] *conj* parce que; **b. of** à cause de.

beck [bek] *n* **at s.o.'s b. and call** aux ordres de qn.

beckon ['bekən] *vti* **to b. (to) s.o.** faire signe à qn (**to do** de faire).

become [bɪ'kʌm] 1 *vi* (*pt* **became**, *pp* **become**) devenir; **to b. a painter** devenir peintre; **to b. thin** maigrir; **to b. worried** commencer à s'inquiéter; **what has b. of her?** qu'est-elle devenue?
2 *vt* **that hat becomes her** ce chapeau lui sied *or* lui va. ●**becoming** *a* (*clothes*) seyant; (*modesty*) bienséant.

bed [bed] *n* lit *m*; (*flower bed*) parterre *m*; (*of vegetables*) carré *m*; (*of sea*) fond *m*; (*of river*) lit *m*; (*of rock etc*) couche *f*; **to go to b.** (aller) se coucher; **to put to b.** coucher (*un enfant etc*); **in b.** couché; **to get out of b.** se lever; **to make the b.** faire le lit; **b. and breakfast** (*in hotel etc*) chambre *f* avec petit déjeuner; **b. settee** *Br* (canapé *m*) convertible *m*; **air b.** matelas *m* pneumatique.
▮ *vt* (-**dd**-) **to b. (out)** (*plant*) repiquer.
▮ *vi* **to b. down** se coucher.

bedbug ['bedbʌg] *n* punaise *f*. ●**bedclothes** *npl* couvertures *fpl* et draps *mpl*. ●**bedding** *n* literie *f*. ●**bedpan** *n* bassin *m* (hygiénique). ●**bedridden** *a* alité. ●**bedroom** *n* chambre *f* à coucher. ●**bedside** *n* chevet *m*; **b. lamp/book/table** lampe *f*/livre *m*/table *f* de chevet. ●**bed'sitter** *or* **bedsit** *n Br* chambre *f* meublée. ●**bedspread** *n* dessus-de-lit *m inv*. ●**bedtime** *n* heure *f* du coucher.

bedeck [bɪ'dek] *vt* orner (**with** de).

bedevil [bɪ'dev(ə)l] *vt* (*Br* -**ll**-, *Am* -**l**-) (*plague*) tourmenter; (*confuse*) embrouiller; **bedevilled by** (*problems etc*) perturbé par, empoisonné par.

bedlam ['bedləm] *n* (*noise*) *Fam* chahut *m*.

bedraggled [bɪ'dræg(ə)ld] *a* (*clothes, person*) débraillé (et tout trempé).

bee [bi:] *n* abeille *f*. ●**beehive** *n* ruche *f*.

beech [bi:tʃ] *n* (*tree, wood*) hêtre *m*.

beef [bi:f] 1 *n* bœuf *m*. 2 *vi* (*complain*) *Sl* rouspéter. ●**beefburger** *n* hamburger *m*. ●**beefy** *a* (-**ier**, -**iest**) *Fam* musclé, costaud.

beekeeper ['bi:ki:pər] *n* apiculteur, -trice *mf*. ●**beekeeping** *n* apiculture *f*.

beeline ['bi:laɪn] *n* **to make a b. for** aller

been [biːn] *pp of* **be**.
beer [bɪər] *n* bière *f*; **bottle of b.** bouteille *f* de bière; (*small*) cannette *f*; **b. glass** chope *f*. ● **beery** *a* (*room, person*) qui sent la bière.
beet [biːt] *n* betterave *f* (à sucre); *Am* = **beetroot**. ● **beetroot** *n* betterave *f* (potagère).
beetle ['biːt(ə)l] **1** *n* scarabée *m*; (*any beetle-shaped insect*) bestiole *f*. **2** *vi* **to b. off** (*run off*) *Br Fam* se sauver.
befall [bɪ'fɔːl] *vt* (*pt* befell, *pp* befallen) arriver à.
befit [bɪ'fɪt] *vt* (-tt-) convenir à.
before [bɪ'fɔːr] *adv* avant; (*already*) déjà; (*in front*) devant; **the month b.** le mois d'avant *or* précédent; **the day b.** la veille; **I've never done it b.** je ne l'ai (encore) jamais fait.
▍ *prep* (*time*) avant; (*place*) devant; **the year b. last** il y a deux ans.
▍ *conj* avant que (+ ne + *sub*), avant de (+ *inf*); **b. he goes** avant qu'il (ne) parte; **b. going** avant de partir. ● **beforehand** *adv* à l'avance, avant.
befriend [bɪ'frend] *vt* offrir son amitié à.
befuddled [bɪ'fʌd(ə)ld] *a* (*drunk*) ivre.
beg [beg] *vt* (-gg-) **to b. (for)** (*favour, help etc*) solliciter, demander; (*bread, money*) mendier; **to b. to do sth** supplier qn de faire qch; **I b. to differ** permettez-moi de ne pas être d'accord; **to b. the question** esquiver la question.
▍ *vi* (*in street etc*) mendier; (*ask earnestly*) supplier; **to go begging** (*of food, articles*) ne pas trouver d'amateurs.
beget [bɪ'get] *vt* (*pt* begot, *pp* begotten, *pres p* begetting) engendrer.
beggar ['begər] *n* mendiant, -ante *mf*; (*person*) *Br Fam* type *m*; **lucky b.** veinard, -arde *mf*. ● **beggarly** *a* misérable.
begin [bɪ'gɪn] *vt* (*pt* began, *pp* begun, *pres p* beginning) commencer; (*fashion, campaign*) lancer; (*bottle, sandwich*) entamer, commencer; (*conversation*) engager; **to b. doing** *or* **to do** commencer *or* se mettre à faire.
▍ *vi* commencer (**with** par, **by doing** par faire); **to b. on sth** commencer qch; **beginning from** à partir de; **to b. with** (*first of all*) d'abord.
beginner [bɪ'gɪnər] *n* débutant, -ante *mf*.
beginning [bɪ'gɪnɪŋ] *n* commencement *m*, début *m*.
begrudge [bɪ'grʌdʒ] *vt* (*envy*) envier (**s.o. sth** qch à qn); (*reproach*) reprocher (**s.o. sth** qch à qn); (*give unwillingly*) donner à contrecœur; **to b. doing sth** faire qch à contrecœur.
behalf [bɪ'hɑːf] *n* **on b. of** (*representing*) pour, au nom de, de la part de; (*in the interests of*) en faveur de, pour.
behave [bɪ'heɪv] *vi* se conduire; (*of machine*) fonctionner; **to b. (oneself)** se tenir bien; (*of child*) être sage.
behaviour [bɪ'heɪvjər] (*Am* behavior) *n* conduite *f*, comportement *m*; **to be on one's best b.** se conduire de son mieux.
behead [bɪ'hed] *vt* décapiter.
behest [bɪ'hest] *n* **at the b. of** *Lit* sur l'ordre de.
behind [bɪ'haɪnd] **1** *prep* derrière; (*in terms of progress*) en retard sur ▍ *adv* derrière; (*late*) en retard (**with** *or* **in one's work/payments/etc** dans son travail/ses paiements/*etc*). **2** *n* (*buttocks*) *Fam* derrière *m*. ● **behindhand** *adv* en retard (**with, in** dans).
beholden [bɪ'həʊldən] *a* redevable (**to** à, **for** de).
beige [beɪʒ] *a* & *n* beige (*m*).
Beijing [beɪ'dʒɪn] *n* Beijing *m or f*.
being ['biːɪŋ] *n* (*person, soul*) être *m*; **to come into b.** naître, être créé; **with all my b.** de tout mon être.
belated [bɪ'leɪtɪd] *a* tardif.
belch [beltʃ] **1** *vi* (*of person*) faire un renvoi, éructer ▍ *n* renvoi *m*. **2** *vt* **to b. (out)** (*smoke*) vomir.
beleaguered [bɪ'liːgəd] *a* (*besieged*) assiégé.
belfry ['belfrɪ] *n* beffroi *m*, clocher *m*.
Belgium ['beldʒəm] *n* Belgique *f*. ● **Belgian** ['beldʒən] *a* belge ▍ *n* Belge *mf*.
belie [bɪ'laɪ] *vt* démentir.
belief [bɪ'liːf] *n* (*believing, thing believed*) croyance *f* (**in sth** en qch, **in sth à** *or* **en** qch); (*trust*) confiance *f*, foi *f* (**in** en); (*religious faith*) foi *f*; **to the best of my b.** pour autant que je sache.
believe [bɪ'liːv] *vti* croire (**in sth** à qch, **in God/s.o.** en Dieu/qn); **I b. so/not** je crois que oui/que non; **I b. I'm right** je crois avoir raison, je crois que j'ai raison; **to b. in doing** croire qu'il faut faire; **he doesn't b. in smoking** il désapprouve que l'on fume. ● **believable** *a* croyable. ● **believer** *n* (*religious*) croyant, -ante *mf*; **to be a b. in** = **believe in**.
Belisha beacon [bəliːʃə'biːkən] *n Br* signal *m* lumineux orange (*marquant un passage pour piétons*).
belittle [bɪ'lɪt(ə)l] *vt* dénigrer.
bell [bel] *n* (*large*) (*of church etc*) cloche *f*; (*small*) clochette *f*; (*in phone, mechanism, alarm*) sonnerie *f*; (*on door, bicycle*) sonnette *f*; (*on tambourine, dog*) grelot *m*; **b. tower** clocher *m*. ● **bellboy** *or* **bellhop** *n Am* groom *m*.
belle [bel] *n* (*woman*) beauté *f*, belle *f*.
belligerent [bɪ'lɪdʒərənt] *a* & *n* belligérant, -ante (*mf*).
bellow ['beləʊ] *vi* beugler, mugir.
bellows ['beləʊz] *npl* (**pair of**) **b.** soufflet *m*.
belly ['belɪ] *n* ventre *m*; **b. button** *Fam* nombril *m*. ● **bellyache** *n Fam* mal *m* au ventre ▍ *vi Sl* (*complain*) rouspéter. ● **bellyful** *n* **to have had a b.** *Sl* en avoir plein le dos.
belong [bɪ'lɒŋ] *vi* appartenir (**to** à); **to b. to a club/etc** être membre d'un club/*etc*; **the cup belongs here** la tasse se range ici; **he doesn't b.** il n'est pas à sa place. ● **belongings** *npl* affaires *fpl*.
beloved [bɪ'lʌvɪd] *a* & *n* bien-aimé, -ée (*mf*).

below 28

below [bɪ'ləʊ] *prep* (*lower than*) au-dessous de; (*under*) sous, au-dessous de; (*unworthy of*) *Fig* indigne de ▮ *adv* en dessous; **see b.** (*in book etc*) voir ci-dessous.
belt [belt] **1** *n* ceinture *f*; (*in machine*) courroie *f* ▮ *vi* **to b. up** (*fasten seat belt*) attacher sa ceinture. **2** *n* (*area*) zone *f*, région *f*. **3** *vt* (*hit*) *Sl* rosser. **4** *vi* **to b.** (**along**) (*rush*) *Br Sl* filer à toute allure; **b. up!** (*shut up*) *Br Sl* boucle-la!
bemoan [bɪ'məʊn] *vt* déplorer.
bemused [bɪ'mju:zd] *a* perplexe.
bench [bentʃ] *n* (*seat*) banc *m*; (*work table*) établi *m*, banc *m*; **the B.** *Jur* la magistrature (assise); (*court*) le tribunal.
bend [bend] *n* courbe *f*; (*in river*, *pipe*) coude *m*; (*in road*) virage *m*; (*of arm, knee*) pli *m*; **double b.** (*on road*) *Br* virage *m* en S, double virage *m*; **round the b.** (*mad*) *Fam* cinglé.
▮ *vt* (*pt & pp* **bent**) courber; (*leg, arm*) plier; **to b. one's head** baisser la tête; **to b. the rules** faire une entorse au règlement.
▮ *vi* (*of branch*) plier; (*of road*) tourner; **to b.** (**down**) (*stoop*) se baisser, se courber; **to b.** (**over** *or* **forward**) se pencher; **to b. over backwards to do** *Fig* se mettre en quatre pour faire; **to b. to s.o.'s will***/etc* se soumettre à la volonté de qn*/etc*.
bendy ['bendɪ] *a* (**-ier**, **-iest**) (*road*) *Br Fam* plein de virages; **b. straw** paille *f* flexible.
beneath [bɪ'ni:θ] *prep* au-dessous de, sous; (*unworthy of*) au-dessous de, indigne de ▮ *adv* (au-)dessous.
benediction [benɪ'dɪkʃ(ə)n] *n* bénédiction *f*.
benefactor ['benɪfæktər] *n* bienfaiteur *m*. ●**benefactress** *n* bienfaitrice *f*.
beneficial [benɪ'fɪʃl] *a* bénéfique.
beneficiary [benɪ'fɪʃərɪ] *n* bénéficiaire *mf*.
benefit ['benɪfɪt] *n* (*advantage*) avantage *m*; (*money*) allocation *f*; **benefits** (*of science, education*) bienfaits *mpl*; **child b.** *Br* allocations *fpl* familiales; **to s.o.'s b.** dans l'intérêt de qn; **for s.o.'s (own) b.** pour vous, pour votre bien; **to be of b.** faire du bien (**to s.o.** à qn); **to give s.o. the b. of the doubt** accorder à qn le bénéfice du doute; **b. concert***m/etc* concert*m/etc* de bienfaisance.
▮ *vt* faire du bien à; (*be useful to*) profiter à.
▮ *vi* **you'll b. from the rest***/etc* le repos*/etc* vous fera du bien; **to b. from doing** gagner à faire.
Benelux ['benɪlʌks] *n* Bénélux *m*.
benevolent [bɪ'nevələnt] *a* bienveillant. ●**benevolence** *n* bienveillance *f*.
benign [bɪ'naɪn] *a* (*kind*) bienveillant; (*climate*) doux (*f* douce); **b. tumour** tumeur *f* bénigne.
bent [bent] **1** *a* (*nail, mind*) tordu; (*dishonest*) *Fam* corrompu; **b. on doing** résolu à faire. **2** *n* (*talent*) aptitude *f* (**for** pour); (*inclination, liking*) penchant *m*, goût *m* (**for** pour).
bequeath [bɪ'kwi:ð] *vt* léguer (**to** à). ●**bequest** *n* legs *m*.

bereaved [bɪ'ri:vd] *a* endeuillé ▮ *n* **the b.** la famille (*or* la femme, le mari *etc*) du défunt *or* de la défunte. ●**bereavement** *n* deuil *m*.
bereft [bɪ'reft] *a* **b. of** dénué de.
beret [*Br* 'bereɪ, *Am* bə'reɪ] *n* béret *m*.
berk [bɜ:k] *n* *Br Sl* imbécile *mf*.
Bermuda [bə'mju:də] *n* Bermudes *fpl*.
berry ['berɪ] *n* baie *f*.
berserk [bə'zɜ:k] *a* **to go b.** devenir fou, se déchaîner.
berth [bɜ:θ] **1** *n* (*in ship, train*) couchette *f*. **2** *n* (*anchorage*) mouillage *m* ▮ *vi* (*of ship*) mouiller. **3** *n* **to give a place/person a wide b.** éviter un endroit/une personne comme la peste.
beseech [bɪ'si:tʃ] *vt* (*pt & pp* **besought** *or* **beseeched**) *Lit* implorer (**to do** de faire).
beset [bɪ'set] *vt* (*pt & pp* **beset**, *pres p* **besetting**) assaillir (*qn*); **b. with obstacles/***etc* semé *or* hérissé d'obstacles*/etc*.
beside [bɪ'saɪd] *prep* à côté de; **that's b. the point** ça n'a rien à voir; **b. oneself** (*angry*) hors de soi.
besides [bɪ'saɪdz] *prep* (*in addition to*) en plus de; (*except*) excepté; **there are ten of us b. Paul** nous sommes dix sans compter Paul ▮ *adv* (*in addition*) de plus; (*moreover*) d'ailleurs; **there are more b.** il y en a d'autres encore.
besiege [bɪ'si:dʒ] *vt* (*of soldiers, crowd*) assiéger; (*annoy*) *Fig* assaillir (*qn*) (**with questions/***etc* de questions*/etc*).
besotted [bɪ'sɒtɪd] *a* (*drunk*) abruti; **b. with** (*infatuated*) entiché de.
bespatter [bɪ'spætər] *vt* éclabousser (**with** de).
bespectacled [bɪ'spektɪk(ə)ld] *a* à lunettes.
bespoke [bɪ'spəʊk] *a* (*tailor*) à façon.
best [best] *a* meilleur; **the b. page in the book** la meilleure page du livre; **the b. part of** (*most*) la plus grande partie de; **that's the b. thing** c'est le mieux; **the b. thing is to accept** le mieux c'est d'accepter; **'b. before'** (*on product*) 'à consommer avant'; **b. man** (*at wedding*) témoin *m*, garçon *m* d'honneur.
▮ *n* **the b.** (*one*) le meilleur, la meilleure; **it's for the b.** c'est pour le mieux; **at b.** au mieux; **to do one's b.** faire de son mieux; **to look one's b., be at one's b.** être à son avantage; **to the b. of my knowledge** autant que je sache; **to make the b. of** (*accept*) s'accommoder de (*situation etc*); **to get the b. of it** avoir le dessus; **in one's Sunday b.** endimanché; **all the (very) b.!** (*when leaving s.o.*) portez-vous bien!; (*in letter*) amicalement.
▮ *adv* **the b.** (*to play, sing etc*) le mieux; **to like** *or* **love sth/s.o. (the) b.** aimer qch/qn le plus; **the b. loved** le plus aimé; **to think it b. to wait***/etc* juger prudent d'attendre*/etc*. ●**best-'seller** *n* (*book*) best-seller *m*.
bestow [bɪ'stəʊ] *vt* accorder, conférer (**on** à).
bet [bet] *n* pari *m* ▮ *vti* (*pt & pp* **bet** *or* **betted**, *pres p* **betting**) parier (**on** sur, **that** que); **you b.!** *Fam* (*of course*) tu parles!

betoken [bɪ'təʊkən] *vt Lit* annoncer.
betray [bɪ'treɪ] *vt* (*person, secret etc*) trahir; **to b. to s.o.** (*give away to*) livrer à qn. ● **betrayal** *n* (*disloyalty*) trahison *f*; (*disclosure*) (*of secret etc*) révélation *f*.
better ['betər] *a* meilleur (**than** que); **I need a b. car** j'ai besoin d'une meilleure voiture; **she's (much) b.** (*in health*) elle va (bien) mieux; **he's b. than you** (*at sports*) il joue mieux que vous; (*in French, history etc*) il est plus fort que vous; **that's b.** c'est mieux; **to get b.** (*recover*) se remettre; (*improve*) s'améliorer; **it's b. to go** il vaut mieux partir; **the b. part of** (*most*) la plus grande partie de.
∎ *adv* mieux (**than** que); **b. dressed/known/etc** mieux habillé/connu/*etc*; **I had b. go** il vaut mieux que je parte; **so much the b., all the b.** tant mieux (**for** pour).
∎ *n* **to get the b. of s.o.** l'emporter sur qn; **change for the b.** amélioration *f*; **one's betters** ses supérieurs *mpl*.
∎ *vt* (*improve*) améliorer; (*do better than*) dépasser; **to b. oneself** améliorer sa condition; **to b. s.o.'s results/etc** (*do better than*) dépasser les résultats/*etc* de qn. ● **betterment** *n* amélioration *f*.
betting ['betɪŋ] *n* pari(s) *m(pl)*; **b. shop** *or* **office** *Br* bureau *m* du pari mutuel.
between [bɪ'twiːn] *prep* entre; **we did it b. (the two of) us** nous l'avons fait à nous deux; **b. you and me** entre nous; **in b.** entre ∎ *adv* **in b.** (*space*) au milieu, entre les deux; (*time*) dans l'intervalle.
bevel ['bevəl] *n* (*edge*) biseau *m*. ● **bevelled** *a* (*Am* **beveled**) **b. edge** biseau *m*.
beverage ['bevərɪdʒ] *n* boisson *f*.
bevy ['bevɪ] *n* **a b. of** (*girls, reporters etc*) un essaim *or* une bande de.
beware [bɪ'weər] *vi* **to b. of** (*s.o., sth*) se méfier de, prendre garde à; **b.!** méfiez-vous!, prenez garde!; **b. of falling/***etc* prenez garde de (ne pas) tomber/*etc*; **'b. of the trains!'** 'attention aux trains!'; **'b. of the dog!'** 'attention, chien méchant!'; **'danger b.!'** 'attention! danger!'
bewilder [bɪ'wɪldər] *vt* dérouter, rendre perplexe. ● **bewildering** *a* déroutant. ● **bewilderment** *n* confusion *f*.
bewitch [bɪ'wɪtʃ] *vt* enchanter. ● **bewitching** *a* enchanteur.
beyond [bɪ'jɒnd] **1** *prep* (*further than*) au-delà de; **b. a year/***etc* (*longer than*) plus d'un an/*etc*; **b. reach/doubt** hors de portée/de doute; **b. belief** incroyable; **b. my/his/our/***etc* **means** au-dessus de mes/ses/nos/*etc* moyens; **it's b. me** ça me dépasse ∎ *adv* (*further*) au-delà. **2** *prep* (*except*) sauf.
bias ['baɪəs] **1** *n* penchant *m* (**towards** pour); (*prejudice*) préjugé *m*, parti pris *m* ∎ *vt* (-ss- *or* -s-) influencer. **2** *n* **cut on the b.** (*fabric*) coupé dans le biais. ● **bias(s)ed** *a* partial; **to be b. against** avoir des préjugés contre.
bib [bɪb] *n* (*baby's*) bavoir *m*.
bible ['baɪb(ə)l] *n* bible *f*; **the B.** la Bible.

● **biblical** ['bɪblɪk(ə)l] *a* biblique.
bibliography [bɪblɪ'ɒgrəfɪ] *n* bibliographie *f*.
bicarbonate [baɪ'kɑːbənət] *n* **b. of soda** bicarbonate *m* de soude.
bicentenary [baɪsen'tiːnərɪ] *or* **bicentennial** *n* bicentenaire *m*.
biceps ['baɪseps] *n inv* (*muscle*) biceps *m*.
bicker ['bɪkər] *vi* se chamailler. ● **bickering** *n* chamailleries *fpl*.
bicycle ['baɪsɪk(ə)l] *n* bicyclette *f*; **by b.** à bicyclette ∎ *vi* **to b. to** (*travel*) aller à bicyclette à.
bid[1] [bɪd] **1** *vt* (*pt & pp* **bid,** *pres p* **bidding**) (*sum of money*) offrir, faire une offre de ∎ *vi* faire une offre (**for** pour); (*for doing a job*) faire une soumission (**for** pour) ∎ *n* (*at auction*) offre *f*, enchère *f* (**for** pour); (*for doing a job*) soumission *f* (**for** pour).
2 *n* (*attempt*) tentative *f*; **a b. for attention/love** une tentative pour attirer l'attention/se faire aimer; **to make a b. for power** tenter d'accéder au pouvoir ∎ *vi* **to b. for** = **to make a b. for.** ● **bidding**[1] *n* (*at auction*) enchères *fpl*. ● **bidder** *n* (*at auction*) enchérisseur *m*; (*tenderer*) soumissionnaire *mf*; **to the highest b.** au plus offrant.
bid[2] [bɪd] *vt* (*pt* **bade** [bæd], *pp* **bidden** *or* **bid**, *pres p* **bidding**) (*command*) commander (**s.o. to do** à qn de faire); (*say, wish*) dire, souhaiter; **to b. s.o. good day** dire bonjour à qn, souhaiter le bonjour à qn. ● **bidding**[2] *n* **at s.o.'s b.** sur les ordres de qn.
bide [baɪd] *vt* **to b. one's time** attendre le bon moment.
bier [bɪər] *n* (*for coffin*) brancards *mpl*.
bifocals [baɪ'fəʊkəlz] *npl* verres *mpl* à double foyer.
big [bɪg] *a* (**bigger, biggest**) grand, gros (*f* grosse); (*in age, generous*) grand; (*in bulk, amount*) gros; **b. deal!** *Fam* (bon) et alors!; **b. mouth** *Fam* grande gueule *f*; **b. toe** gros orteil *m*; **it's the b. time** *Fam* c'est mon, ton *etc* heure.
∎ *adv* **to do things b.** *Fam* faire les choses en grand; **to look b.** *Fam* faire l'important; **to talk b.** *Fam* fanfaronner. ● **bighead** *n or* **big'headed** *a Fam* (*conceited*) prétentieux, -euse (*mf*); (*boasting*) vantard, -arde (*mf*). ● **big-'hearted** *a* généreux. ● **bigshot** *or* **bigwig** *n Fam* gros bonnet *m*. ● **big-time** *a* (*criminal etc*) d'une grande envergure.
bigamy ['bɪgəmɪ] *n* bigamie *f*. ● **bigamist** *n* bigame *mf*. ● **bigamous** *a* bigame.
bigot ['bɪgət] *n* sectaire *mf*, fanatique *mf*; (*religious*) bigot, -ote *mf*. ● **bigoted** *a* sectaire, fanatique; (*religious*) bigot. ● **bigotry** *n* sectarisme *m*, fanatisme *m*; bigoterie *f*.
bike [baɪk] *n Fam* vélo *m*; (*motorbike*) moto *f* ∎ *vi* **to b. to** (*travel*) *Fam* aller à vélo *or* à moto à.
bikini [bɪ'kiːnɪ] *n* deux-pièces *m inv*; **b. briefs** mini-slip *m*.
bilberry ['bɪlbərɪ] *n* myrtille *f*.
bile [baɪl] *n* bile *f*. ● **bilious** ['bɪlɪəs] *a* bilieux; **b. attack** *Br* crise *f* de foie.

bilingual

bilingual [baɪˈlɪŋgwəl] a bilingue.
bill[1] [bɪl] 1 n (invoice) facture f, note f; (in restaurant) addition f; (in hotel) note f; (banknote) Am billet m; (bank draft) effet m; **b. of sale** acte m de vente ∎ vt **to b. s.o.** envoyer la facture à qn. 2 n (proposed law) projet m de loi; **b. of rights** déclaration f des droits. 3 n (of play, concert etc) affiche f ∎ vt mettre à l'affiche, annoncer. 4 n (list) **b. of fare** menu m. ●**billboard** n Am panneau m d'affichage. ●**billfold** n (wallet) Am portefeuille m.
bill[2] [bɪl] n (of bird) bec m.
billet [ˈbɪlɪt] vt Mil cantonner ∎ n cantonnement m.
billiard [ˈbɪljəd] a (table etc) de billard. ●**billiards** n (jeu m de) billard m.
billion [ˈbɪljən] n milliard m. ●**billioˈnaire** n milliardaire mf.
billow [ˈbɪləʊ] n (of smoke) (épaisse) volute f ∎ vi (of smoke) tourbillonner; (of sea) se soulever; (of sail) se gonfler; **billowing smoke** des tourbillons mpl de fumée.
billy goat [ˈbɪlɪgəʊt] n bouc m.
bimbo [ˈbɪmbəʊ] n (pl -os) Fam Pej minette f.
bimonthly [baɪˈmʌnθlɪ] a (every two weeks) bimensuel; (every two months) bimestriel.
bin [bɪn] n (for bread) Br huche f, boîte f; (for litter) poubelle f, boîte f à ordures.
binary [ˈbaɪnərɪ] a binaire.
bind [baɪnd] 1 vt (pt & pp **bound**) (fasten) attacher, lier; (book) relier; (fabric, hem) border; (unite) lier (qn); **to b. s.o. (hand and foot)** ligoter qn; **to b. s.o. to do** (oblige) obliger or astreindre qn à faire. 2 n (bore) Fam plaie f. ●**binding** 1 n (of book) reliure f. 2 a (contract) irrévocable; **to be b. on s.o.** (legally) lier qn.
binder [ˈbaɪndər] n (for papers) classeur m.
binge [bɪndʒ] n **to go on a b.** Fam (merry-making, drinking etc) faire la bringue; (eating) se gaver.
bingo [ˈbɪŋgəʊ] n loto m.
binoculars [bɪˈnɒkjʊləz] npl jumelles fpl.
biochemistry [baɪəʊˈkemɪstrɪ] n biochimie f. ●**biochemical** a biochimique.
biodegradable [baɪəʊdɪˈgreɪdəb(ə)l] a biodégradable.
biography [baɪˈɒgrəfɪ] n biographie f. ●**bioˈgraphical** a biographique. ●**biographer** n biographe mf.
biology [baɪˈɒlədʒɪ] n biologie f. ●**bioˈlogical** a biologique. ●**biologist** n biologiste mf.
biped [ˈbaɪped] n bipède m.
birch [bɜːtʃ] n 1 (silver) **b.** (tree) bouleau m. 2 (whip) verge f ∎ vt fouetter.
bird [bɜːd] n oiseau m; (fowl) volaille f; (girl) Br Old-fashioned Sl poulette f, nana f; **b.'s-eye view** perspective f à vol d'oiseau; (of plan etc) Fig vue f d'ensemble. ●**birdseed** n grains mpl de millet.
biro® [ˈbaɪərəʊ] n (pl -os) Br stylo m à bille, bic® m.

birth [bɜːθ] n naissance f; **to give b. to** donner naissance à; **from b.** de naissance; **b. certificate** acte m de naissance; **b. control** limitation f des naissances.
birthday [ˈbɜːθdeɪ] n anniversaire m; **happy b.!** bon anniversaire!; **b. party** fête f d'anniversaire. ●**birthmark** n tache f de vin. ●**birthplace** n lieu m de naissance; (house) maison f natale. ●**birthrate** n (taux m de) natalité f. ●**birthright** n droit m (qu'on a dès sa naissance), patrimoine m.
biscuit [ˈbɪskɪt] n Br biscuit m, gâteau m sec; Am petit pain m au lait.
bishop [ˈbɪʃəp] n évêque m; (in chess) fou m.
bison [ˈbaɪs(ə)n] n inv bison m.
bit[1] [bɪt] n 1 morceau m; (of string, time) bout m; **a b.** (a little) un peu; **a tiny b.** un tout petit peu; **quite a b.** (very) très; (a lot) beaucoup; **not a b.** pas du tout; **a b. of luck** une chance; **b. by b.** petit à petit; **in bits (and pieces)** en morceaux; **to come to bits** se démonter; **to do one's b.** y mettre du sien. 2 (coin) pièce f. 3 (of horse) mors m. 4 (of drill) mèche f. 5 (computer information) bit m.
bit[2] [bɪt] see **bite**.
bitch [bɪtʃ] 1 n chienne f; (unpleasant woman) Fam garce f. 2 vi (complain) Fam râler. ●**bitchy** a (-ier, -iest) (remark, behaviour etc) Fam vache.
bite [baɪt] n (wound) morsure f; (from insect) piqûre f; Fishing touche f; (mouthful) bouchée f; (of style, text etc) Fig mordant m; **a b. to eat** un morceau à manger ∎ vti (pt **bit**, pp **bitten**) mordre; (of insect) piquer, mordre; **to b. one's nails** se ronger les ongles; **to b. on sth** mordre qch; **to b. sth off** arracher qch d'un coup de dent(s); **to b. off a piece of apple** mordre dans la pomme. ●**biting** a (cold) mordant; (wind) cinglant; (irony etc) Fig mordant.
bitter [ˈbɪtər] 1 a (person, taste, irony etc) amer; (cold, wind) glacial, âpre; (criticism) acerbe; (shock, fate) cruel; (conflict) violent; **to feel b.** (about sth) être plein d'amertume (à cause de qch). 2 n (beer) Br bière f (pression). ●**bitterly** adv **to cry/regret b.** pleurer/regretter amèrement; **b. disappointed** cruellement déçu; **it's b. cold** il fait un froid glacial. ●**bitterness** n amertume f; (of the cold etc) âpreté f; (of conflict) violence f. ●**bitter'sweet** a aigre-doux (f -douce); **b. chocolate** Am chocolat m à croquer.
bivouac [ˈbɪvʊæk] n Mil bivouac m ∎ vi (-ck-) bivouaquer.
bizarre [bɪˈzɑːr] a bizarre.
blab [blæb] vi (-bb-) jaser. ●**blabber** vi jaser. ●**blabbermouth** n bavard, -euse mf.
black [blæk] a (-er, -est) noir; **b. eye** œil m poché or au beurre noir; **to give s.o. a b. eye** pocher l'œil à qn; **b. and blue** (bruised) couvert de bleus; **b. sheep** Fig brebis f galeuse;

b. ice *Br* verglas *m*; *Br* **b. pudding** boudin *m*. ‖ *n* (*colour*) noir *m*; (*person*) Noir, -e *mf*. ‖ *vt* noircir; (*refuse to deal with*) boycotter. ‖ *vi* **to b. out** (*faint*) s'évanouir. ● **blacken** *vti* noircir. ● **blackish** *a* noirâtre. ● **blackness** *n* noirceur *f*; (*of night*) obscurité *f*.

blackberry [*Br* 'blækbərɪ, *Am* -berɪ] *n* mûre *f*. ● **blackbird** *n* merle *m*. ● **blackboard** *n* tableau *m* (noir); **on the b.** au tableau. ● **black'currant** *n* cassis *m*. ● **blackleg** *n* (*strike breaker*) *Br* jaune *m*. ● **blacklist** *n* liste *f* noire ‖ *vt* mettre sur la liste noire. ● **blackmail** *n* chantage *m* ‖ *vt* faire chanter; **to b. s.o. into doing** faire chanter qn pour qu'il fasse. ● **blackmailer** *n* maître chanteur *m*. ● **blackout** *n* panne *f* d'électricité; (*during war*) black-out *m*; (*fainting fit*) syncope *f*; (*news*) b. black-out *m*. ● **blacksmith** *n* forgeron *m*.

blackguard ['blæga:d, -gəd] *n Old-fashioned* canaille *f*.

bladder ['blædər] *n* vessie *f*.

blade [bleɪd] *n* lame *f*; (*of Br windscreen or Am windshield wiper*) caoutchouc *m*; **b. of grass** brin *m* d'herbe.

blame [bleɪm] *vt* accuser; (*criticize*) blâmer; **to b. sth on(to) s.o.** or **s.o. for sth** rejeter la responsabilité de qch sur qn; **to b. s.o. for sth** (*reproach*) reprocher qch à qn; **you're to b.** c'est ta faute; **I b. you for doing that** je considère que c'est toi qui es responsable de cela. ‖ *n* responsabilité *f*; (*criticism*) blâme *m*; **to lay the b. (for sth) on s.o.** rejeter la responsabilité (de qch) sur qn. ● **blameless** *a* irréprochable.

blanch [blɑ:ntʃ] *vt* (*vegetables*) blanchir ‖ *vi* (*turn pale with fear etc*) blêmir.

blancmange [blə'mɒnʒ] *n Br* blanc-manger *m*.

bland [blænd] *a* (-er, -est) (*food*) (mild) sans saveur particulière; (*insipid*) fade, insipide; (*remark, joke*) quelconque, fade.

blank [blæŋk] *a* (*paper, page*) blanc (*f* blanche), vierge; (*Br cheque, Am check*) en blanc; (*look, mind*) vide; (*puzzled*) ébahi; (*refusal*) absolu; **to leave b.** (*on form*) laisser en blanc; **b. tape** cassette *f* vierge. ‖ *a & n* **b. (space)** blanc *m*; **b. (cartridge)** cartouche *f* à blanc; **my mind's a b.** j'ai la tête vide. ● **blankly** *adv* **to look at b.** regarder, le visage inexpressif; (*without understanding*) regarder sans comprendre.

blanket ['blæŋkɪt] **1** *n* (*on bed*) couverture *f*; (*of snow, leaves etc*) couche *f* ‖ *vt* (*cover*) *Fig* recouvrir. **2** *a* (*term, remark etc*) général. ● **blanketing** *n* (*blankets*) couvertures *fpl*.

blare [bleər] *n* (*noise*) beuglement *m*; (*of trumpet*) sonnerie *f* ‖ *vi* **to b. (out)** (*of radio*) beugler; (*of music, car horn*) retentir.

blarney ['blɑ:nɪ] *n Fam* boniment(s) *m(pl)*.

blasé ['blɑ:zeɪ] *a* blasé.

blaspheme [blæs'fi:m] *vti* blasphémer. ● **blasphemous** ['blæsfəməs] *a* (*text etc*) blasphématoire; (*person*) blasphémateur. ● **blasphemy** ['blæsfəmɪ] *n* blasphème *m*.

blast [blɑ:st] **1** *n* explosion *f*; (*air from explosion*) souffle *m*; (*of wind*) rafale *f*, coup *m*; (*of trumpet*) sonnerie *f*; **(at) full b.** (*loud*) à plein volume; (*fast*) à pleine vitesse; **b. furnace** haut fourneau *m* ‖ *vt* (*blow up*) faire sauter; (*hopes*) *Fig* détruire; **to b. s.o.** *Fam* réprimander qn. **2** *int Br Fam* zut!, merde! **b. you!** tu m'enquiquines! ● **blasted** *a Br Fam* fichu. ● **blast-off** *n* (*of spacecraft*) mise *f* à feu.

blatant ['bleɪtənt] *a* (*obvious*) flagrant, criant; (*shameless*) éhonté.

blaze [bleɪz] **1** *n* (*flame*) flamme *f*, (*fire*) feu *m*; (*large*) incendie *m*; (*splendour*) *Fig* éclat *m*; **a b. of colour** une explosion de couleurs; **b. of light** torrent *m* de lumière ‖ *vi* (*of fire*) flamber; (*of sun, colour, eyes*) flamboyer. **2** *vt* **to b. a trail** marquer la voie. ● **blazing** *a* (*burning*) en feu; (*sun*) brûlant; (*argument*) *Fig* violent.

blazer ['bleɪzər] *n* blazer *m*.

bleach [bli:tʃ] *n* (*household*) eau *f* de Javel; (*for hair*) décolorant *m* ‖ *vt* (*hair*) décolorer, oxygéner; (*linen*) blanchir.

bleachers ['bli:tʃəz] *npl* (*at athletic stadium*) *Am* gradins *mpl*.

bleak [bli:k] *a* (-er, -est) (*appearance etc*) morne; (*future, situation etc*) sombre; (*countryside*) désolé.

bleary ['blɪərɪ] *a* (*eyes*) troubles, voilés.

bleat [bli:t] *vi* bêler.

bleed [bli:d] *vti* (*pt & pp* bled) saigner; **to b. to death** perdre tout son sang. ● **bleeding** *a* **1** (*wound*) saignant. **2** **a b. idiot/etc** (*bloody*) *Br Sl* un foutu crétin/*etc*.

bleep [bli:p] *n* bip *m* ‖ *vt* appeler au bip. ● **bleeper** *n* (*portable pager*) bip *m*.

blemish ['blemɪʃ] *n* (*fault*) défaut *m*; (*on fruit, reputation*) tache *f* ‖ *vt* (*reputation*) ternir.

blend [blend] *n* mélange *m* ‖ *vt* mélanger (*with* à) ‖ *vi* se mélanger; (*go together*) (*of styles, colours etc*) se marier (*with* avec); **everything blends (in)** (*decor of room etc*) tout est assorti. ● **blender** *n* (*for food*) mixer *m*.

bless [bles] *vt* bénir; **to be blessed with good health/with children** avoir le bonheur d'être en bonne santé/d'avoir des enfants; **b. you!** (*sneezing*) à vos souhaits! ● **blessed** [-ɪd] *a* **1** saint, béni; (*happy*) *Rel* bienheureux. **2** (*blasted*) *Fam* fichu, sacré. ● **blessing** *n* bénédiction *f*; (*divine favour*) grâce *f*; (*benefit*) bienfait *m*; **what a b. that...** quelle chance que....

blew [blu:] *see* blow².

blight [blaɪt] *n* (*on plants*) rouille *f*; (*scourge*) *Fig* fléau *m*; **to be or cast a b. on** avoir une influence néfaste sur; **urban b.** (*area*) quartier *m* délabré; (*condition*) délabrement *m* (de quartier).

blighter ['blaɪtər] *n* (*person*) *Br Fam* type *m*.

blimey! ['blaɪmɪ] *int Br Fam* zut!, mince!

blimp

blimp [blɪmp] *n* dirigeable *m*.
blind [blaɪnd] 1 *a* aveugle; **b. person** aveugle *mf*; **b. in one eye** borgne; **he's b. to her faults**/*etc* il ne voit pas ses défauts/*etc*; **to turn a b. eye to** fermer les yeux sur; **b. alley** impasse *f* ▮ *n* **the b.** les aveugles *mpl* ▮ *vt* (*dazzle, make blind*) aveugler.
2 *n* (*on window*) *Br* store *m*.
3 *adv* **b. drunk** complètement ivre. ●**blindly** *adv* aveuglément. ●**blindness** *n* cécité *f*.
blinders ['blaɪndəz] *npl Am* œillères *fpl*.
blindfold ['blaɪndfəʊld] *n* bandeau *m* ▮ *vt* bander les yeux à ▮ *adv* les yeux bandés.
blink [blɪŋk] *vi* (*of person*) cligner des yeux; (*of eyes*) cligner; (*of light*) clignoter ▮ *vt* **to b. one's eyes** cligner des yeux ▮ *n* clignement *m*; **on the b.** (*machine*) *Fam* détraqué. ●**blinking** *a* (*a bloody*) *Br Fam* sacré, fichu.
blinkers ['blɪŋkəz] *npl* (*of horse*) *Br* œillères *fpl*; (*indicators of vehicle*) clignotants *mpl*.
bliss [blɪs] *n* félicité *f*. ●**blissful** *a* (*wonderful*) merveilleux; (*very happy*) (*person*) ravi, aux anges. ●**blissfully** *adv* (*happy, unaware*) parfaitement.
blister ['blɪstər] *n* (*on skin*) ampoule *f* ▮ *vi* se couvrir d'ampoules.
blithe [blaɪð] *a* joyeux.
blitz [blɪts] *n* (*air attack*) raid *m* éclair; (*bombing*) bombardement *m* aérien; (*onslaught*) *Fam* offensive *f* ▮ *vt* bombarder.
blizzard ['blɪzəd] *n* tempête *f* de neige.
bloated ['bləʊtɪd] *a* (*swollen, full after eating*) gonflé.
blob [blɒb] *n* (*of water*) (grosse) goutte *f*; (*of ink, colour*) tache *f*.
bloc [blɒk] *n* (*political group*) bloc *m*.
block [blɒk] 1 *n* (*of stone etc*) bloc *m*; (*of buildings*) pâté *m* (de maisons); (*in pipe*) obstruction *f*; (*mental*) blocage *m*; **b. of flats** immeuble *m*; **a b. away** *Am* une rue plus loin; **school b.** groupe *m* scolaire; **b. capitals** *or* **letters** majuscules *fpl*.
2 *vt* (*obstruct*) bloquer; (*pipe*) boucher, bloquer; (*s.o.'s view*) boucher; **to b. off** (*road*) barrer; (*light*) intercepter; **to b. up** (*pipe, hole*) bloquer. ●**blockage** *n* obstruction *f*.
blockade [blɒ'keɪd] *n* blocus *m* ▮ *vt* bloquer.
blockbuster ['blɒkbʌstər] *n* (*film*) film *m* à grand spectacle, superproduction *f*.
blockhead ['blɒkhed] *n Fam* imbécile *mf*.
bloke [bləʊk] *n Br Fam* type *m*.
blond [blɒnd] *a & n* blond (*m*). ●**blonde** *a & n* blonde (*f*).
blood [blʌd] *n* sang *m* ▮ *a* (*group, transfusion etc*) sanguin; **b. bank** banque *f* du sang; **b. bath** bain *m* de sang; **b. donor** donneur, -euse *mf* de sang; **b. poisoning** empoisonnement *m* du sang; **b. pressure** tension *f* (artérielle); **high b. pressure** (hyper)tension *f*; **to have high b. pressure** avoir de la tension; **b. test** analyse *f* de sang; **b. sausage** *Am* boudin *m*.
bloodcurdling ['blʌdkɜːdlɪŋ] *a* à vous tourner le sang. ●**bloodhound** *n* (*dog, detective*) limier *m*. ●**bloodletting** *n* saignée *f*. ●**bloodshed** *n* effusion *f* de sang. ●**bloodshot** *a* (*eye*) injecté de sang. ●**bloodstained** *a* taché de sang. ●**bloodstream** *n* système *m* sanguin. ●**bloodsucker** *n* (*insect, person*) sangsue *f*. ●**bloodthirsty** *a* sanguinaire.
bloody ['blʌdɪ] 1 *a* (-ier, -iest) sanglant. 2 *a Br Fam* **b. weather**/*etc* (*awful*) saleté *f* de temps/*etc*, sale temps/*etc*; **a b. liar**/*etc* un sale menteur/*etc* ▮ *adv* (*very, completely*) *Br Fam* vachement. ●**bloody-'minded** *a* hargneux, pas commode.
bloom [bluːm] *n* fleur *f*; **in b.** en fleur(s) ▮ *vi* (*of tree, flower*) fleurir; (*of person*) *Fig* s'épanouir. ●**blooming** *a* 1 (*in bloom*) en fleur(s); (*thriving*) florissant; (*person*) resplendissant. 2 (*bloody*) *Br Fam* sacré, fichu.
bloomer ['bluːmər] *n Br Fam* (*mistake*) gaffe *f*.
blossom ['blɒsəm] *n* fleur(s) *f(pl)* ▮ *vi* fleurir; **to b. (out)** (*of person*) s'épanouir; **to b. (out) into** (*a real beauty etc*) devenir.
blot [blɒt] *n* tache *f* ▮ *vt* (-tt-) (*stain*) tacher; (*dry*) sécher; **to b. out** (*obliterate*) effacer. ●**blotter** *n* buvard *m*. ●**blotting paper** *n* (papier *m*) buvard *m*.
blotch [blɒtʃ] *n* tache *f*. ●**blotchy** *a* (-ier, -iest) couvert de taches; (*face, skin*) marbré.
blouse [*Br* blaʊz, *Am* blaʊs] *n* chemisier *m*.
blow[1] [bləʊ] *n* (*with fist, tool etc*) coup *m*; **to come to blows** en venir aux mains.
blow[2] [bləʊ] *vt* (*pt* blew, *pp* blown) (*of wind*) pousser (*un navire etc*), chasser (*la pluie etc*); (*of person*) (*smoke, glass*) souffler; (*bubbles*) faire; (*trumpet*) souffler dans; (*kiss*) envoyer (to à); (*money*) *Br Fam* claquer; **to b. a fuse** faire sauter un plomb *or* un fusible; **to b. one's nose** se moucher; **to b. a whistle** siffler.
▮ *vi* (*of wind, person*) souffler; (*of fuse*) sauter; (*of papers etc*) (*in wind*) s'éparpiller; **b.!** *Br Fam* zut!
blow away *vt* (*of wind*) emporter (*qch*) ▮ *vi* (*of hat etc*) s'envoler ▮ **to blow down** *vt* (*chimney etc*) faire tomber ▮ *vi* (*fall*) tomber ▮ **to blow off** *vt* (*hat etc*) emporter; (*arm*) arracher ▮ **to blow out** *vt* (*candle*) souffler; (*cheeks*) gonfler ▮ *vi* (*of light*) s'éteindre.
●**blowout** *n* (*of Br tyre, Am tire*) éclatement *m*; (*meal*) *Br Sl* gueuleton *m*. ▮ **to blow over** 1 *vti* = **blow down**. 2 *vi* (*of quarrel etc*) passer, se tasser ▮ **to blow up** *vt* (*building etc*) faire sauter; (*pump up*) gonfler; (*photo*) agrandir ▮ *vi* (*explode*) exploser. ●**blow-up** *n* (*of photo*) agrandissement *m*.
blow-dry ['bləʊdraɪ] *n* brushing *m* ▮ *vt* **to b.-dry s.o.'s hair** faire un brushing à qn.
blowlamp ['bləʊlæmp] *n Br* (*Am* **blowtorch**) chalumeau *m*.
blowy ['bləʊɪ] *a* **it's b.** *Fam* il y a du vent.
blowzy ['blaʊzɪ] *a* **b. woman** (*slovenly*) *Fam* femme *f* débraillée.
blubber ['blʌbər] *n* graisse *f* (de baleine).
bludgeon ['blʌdʒən] *n* gourdin *m* ▮ *vt* matraquer.
blue [bluː] *a* (bluer, bluest) bleu (*mpl* bleus); **to feel b.** *Fam* avoir le cafard; **b. film** *Fam*

film *m* porno ▪ *n* bleu *m* (*pl* bleus); **the blues** (*depression*) *Fam* le cafard; (*music*) le blues; **out of the b.** (*unexpectedly*) de manière inattendue, sans crier gare.

bluebell ['blu:bel] *n* jacinthe *f* des bois. ●**blueberry** *n* airelle *f*. ●**bluebottle** *n* mouche *f* à viande. ●**blueprint** *n* Fig plan *m* (de travail).

bluff [blʌf] **1** *a* (*person*) brusque, direct. **2** *vti* bluffer ▪ *n* bluff *m*.

blunder ['blʌndər] **1** *n* (*mistake*) gaffe *f*, bévue *f* ▪ *vi* faire une gaffe *or* une bévue. **2** *vi* (*move awkwardly*) avancer à tâtons. ●**blundering** *a* (*clumsy*) maladroit ▪ *n* maladresse *f*.

blunt [blʌnt] *a* (**-er, -est**) (*edge*) émoussé; (*pencil*) mal taillé; (*person, speech*) franc (*f* franche), brusque ▪ *vt* (*blade etc*) émousser; (*pencil*) user la mine de. ●**bluntly** *adv* (*to say etc*) carrément. ●**bluntness** *n* (*of person*) brusquerie *f*; (*of speech*) franchise *f*.

blur [bls:r] *n* tache *f* floue, contour *m* imprécis ▪ *vt* (**-rr-**) (*outline, etc*) estomper, rendre flou, brouiller. ●**blurred** *a* (*image, outline*)) flou, estompé.

blurb [bls:b] *n* Fam résumé *m* publicitaire, laïus *m*.

blurt [bls:t] *vt* **to b. (out)** (*secret*) laisser échapper; (*excuse*) bredouiller.

blush [blʌʃ] *vi* rougir (**with** de) ▪ *n* rougeur *f*; **with a b.** en rougissant.

bluster ['blʌstər] *vi* (*of person*) tempêter; (*of wind*) faire rage. ●**blustery** *a* (*weather*) de grand vent, à bourrasques.

BO [bi:'əʊ] *n abbr* (*body odour*) **to have BO** sentir la transpiration, sentir mauvais.

boa ['bəʊə] *n* (*snake*) boa *m*.

boar [bɔ:r] *n* (*wild*) **b.** sanglier *m*.

board¹ [bɔ:d] **1** *n* (*piece of wood*) planche *f*; (*for notices etc*) tableau *m*; (*for games*) plateau *m*; (*cardboard*) carton *m*; **on b.** (*ship, aircraft*) à bord (de); **to go on b. (a** **ship**/*etc*) monter à bord (d'un navire/*etc*); **to go by the b.** (*of plan*) être abandonné. **2** *vt* (*ship, aircraft*) monter à bord de; (*bus, train*) monter dans; **to b. up** (*door*) boucher ▪ *vi Nau Av etc* monter (à bord). ●**boarding** *n* (*of passengers*) embarquement *m*; **b. pass** carte *f* d'embarquement. ●**boardwalk** *n Am* promenade *f*.

board² [bɔ:d] *n* (*committee*) conseil *m*, commission *f*; **b. (of directors)** conseil *m* d'administration; **b. (of examiners)** jury *m* (d'examen); **B. of Trade** *Br Pol* ministère *m* du Commerce; **across the b.** (*pay increase, measures etc*) général; **b. room** salle *f* du conseil.

board³ [bɔ:d] *n* (*food*) pension *f*; **full b.** *Br* pension *f* complète; **half b.** *Br* demi-pension *f*; **b. and lodging, bed and b.** (chambre *f* avec) pension *f* ▪ *vi* (*lodge*) être en pension (**with** chez); **boarding house** pension *f* (de famille); **boarding school** pensionnat *m*. ●**boarder** *n* pensionnaire *mf*.

boast [bəʊst] *vi* se vanter (**about, of** de) ▪ *vt* se glorifier de; **to b. that one can do sth** se vanter de (pouvoir) faire qch ▪ *n* vantardise *f*. ●**boasting** *n* vantardise *f*.

boastful ['bəʊstfəl] *a* vantard. ●**boastfully** *adv* en se vantant.

boat [bəʊt] *n* bateau *m*; (*small*) barque *f*, canot *m*; (*liner*) paquebot *m*; **by b.** en bateau; **in the same b.** *Fig* logé à la même enseigne; **b. race** course *f* d'aviron. ●**boating** *n* canotage *m*; **b. trip** excursion *f* en bateau.

boatswain ['bəʊs(ə)n] *n* maître *m* d'équipage.

bob [bɒb] *vi* (**-bb-**) **to b. (up and down)** (*on water*) danser sur l'eau.

bobbin ['bɒbɪn] *n* bobine *f*.

bobby ['bɒbɪ] *n* **1** (*policeman*) *Br Fam* flic *m*, agent *m*. **2 b. pin** *Am* pince *f* à cheveux.

bode [bəʊd] *vi* **to b. well/ill** être de bon/mauvais augure.

bodice ['bɒdɪs] *n* corsage *m*.

bodily ['bɒdɪlɪ] *a* (*need*) physique ▪ *adv* (*to lift, seize*) à bras-le-corps; (*to carry*) dans ses bras; (*as a whole*) tout entier.

body ['bɒdɪ] *n* corps *m*; (*of vehicle*) carrosserie *f*; (*quantity*) masse *f*; (*institution*) organisme *m*; **dead b.** cadavre *m*; **the main b. of the audience** le gros de l'assistance; **b. building** culturisme *m*. ●**bodyguard** *n* garde *m* du corps, *Fam* gorille *m*. ●**body warmer** *n* gilet *m* matelassé. ●**bodywork** *n* carrosserie *f*.

boffin ['bɒfɪn] *n Br Fam* chercheur, -euse *mf* scientifique.

bog [bɒg] *n* (*swamp*) marécage *m* ▪ *vt* **to get bogged down** (*in mud, in one's work etc*) s'enliser. ●**boggy** *a* (**-ier, -iest**) marécageux.

bogey ['bəʊgɪ] *n* (*of war etc*) spectre *m*. ●**bogeyman** *n* croque-mitaine *m*.

boggle ['bɒg(ə)l] *vi* **the mind boggles** cela confond l'imagination.

boggy ['bɒgɪ] *see* **bog**.

bogus ['bəʊgəs] *a* (*accent, doctor etc*) faux (*f* fausse).

bohemian [bəʊ'hi:mɪən] *a & n* (*artist etc*) bohème (*mf*).

boil¹ [bɔɪl] *n* (*pimple*) furoncle *m*, clou *m*.

boil² [bɔɪl] *vi* bouillir; **to b. away** (*until dry*) s'évaporer; (*on and on*) bouillir sans arrêt; **to b. down to** (*of situation, question etc*) *Fig* se ramener à; **to b. over** (*of milk, Fig emotions etc*) déborder. ▪ *vt* **to b. (up)** faire bouillir. ▪ *n* **to be on the b., come to the b.** bouillir; **to bring to the b.** amener à ébullition. ●**boiled** *a* (*beef*) bouilli; (*potato*) à l'anglaise; (*with skin*) (cuit) à l'eau; **b. egg** œuf *m* à la coque. ●**boiling** *n* ébullition *f*; **to be at b. point** (*of liquid*) bouillir ▪ *a* **b. (hot)** bouillant; **it's b. (hot)** (*weather*) il fait une chaleur infernale.

boiler ['bɔɪlər] *n* chaudière *f*; **b. suit** *Br* bleus *mpl* (de travail).

boisterous ['bɔɪstərəs] *a* (*noisy*) tapageur, chahuteur; (*child*) turbulent; (*meeting*) houleux.

bold [bəʊld] *a* (**-er, -est**) hardi; **in b. type** en

Bolivia

(caractères) gras. ●**boldness** *n* hardiesse *f*.
Bolivia [bə'lɪvɪə] *n* Bolivie *f*. ●**Bolivian** *a* bolivien ∎ *n* Bolivien, -ienne *mf*.
bollard ['bɒləd, 'bɒlɑ:d] *n* (*for traffic*) *Br* borne *f*.
boloney [bə'ləʊnɪ] *n* (*nonsense*) *Sl* foutaises *fpl*.
bolster ['bəʊlstər] **1** *n* (*pillow*) traversin *m*, polochon *m*. **2** *vt* **to b. (up)** (*support*) soutenir.
bolt [bəʊlt] **1** *n* (*on door etc*) verrou *m*; (*for nut*) boulon *m* ∎ *vt* (*door*) fermer au verrou, verrouiller.
2 *n* (*dash*) fuite *f*, ruée *f*; **to make a b. for the door**/*etc* se précipiter vers la porte/*etc* ∎ *vi* (*dash*) se précipiter; (*run away*) détaler; (*of horse*) s'emballer.
3 *n* **b.** (*of lightning*) éclair *m*.
4 *vt* (*food*) engloutir.
5 *adv* **b. upright** tout droit.
bomb [bɒm] *n* bombe *f*; **letter b.** lettre *f* piégée; **b. disposal** désamorçage *m*; **b. disposal unit** équipe *f* de déminage ∎ *vt* (*from the air*) bombarder; (*of terrorist*) faire sauter une bombe dans *or* à. ●**bombing** *n* bombardement *m*; (*terrorist act*) attentat *m* à la bombe. ●**bomber** *n* (*aircraft*) bombardier *m*; (*terrorist*) plastiqueur *m*. ●**bombshell** *n* **to come as a b.** tomber comme une bombe. ●**bombsite** *n* terrain *m* vague, lieu *m* bombardé.
bombard [bɒm'bɑ:d] *vt* (*with bombs, questions etc*) bombarder (**with** de). ●**bombardment** *n* bombardement *m*.
bona fide [*Br* bəʊnə'faɪdɪ, *Am* -'faɪd] *a* sérieux, de bonne foi.
bonanza [bə'nænzə] *n Fig* mine *f* d'or.
bond [bɒnd] **1** *n* (*link*) lien *m*; (*investment certificate*) bon *m*, obligation *f*; (*agreement, promise*) engagement *m*; (*adhesion*) adhérence *f*. **2** *vt* (*of glue etc*) coller (**to** à). **3** *a* **bonded warehouse** entrepôt *m* en douane.
bondage ['bɒndɪdʒ] *n* esclavage *m*.
bone [bəʊn] **1** *n* os *m*; (*of fish*) arête *f*; **b. of contention** pomme *f* de discorde; **b. china** porcelaine *f* tendre ∎ *vt* (*meat etc*) désosser.
2 *vi* **to b. up on** (*subject*) *Am Fam* bûcher. ●**bony** *a* (**-ier, -iest**) (*thin*) osseux, maigre; (*fish*) plein d'arêtes.
bone-dry [bəʊn'draɪ] *a* tout à fait sec (*f* sèche). ●**bone-idle** *a Br* paresseux comme une couleuvre.
bonfire ['bɒnfaɪər] *n* (*for celebration*) feu *m* de joie; (*for dead leaves*) *Br* feu *m* (de jardin).
bonkers ['bɒŋkəz] *a* (*crazy*) *Br Fam* dingue.
bonnet ['bɒnɪt] *n* (*hat*) bonnet *m*; (*of vehicle*) *Br* capot *m*.
bonus ['bəʊnəs] *n* prime *f*; **no claims b.** (*of car driver*) bonus *m*.
bony ['bəʊnɪ] *a see* **bone**.
boo [bu:] **1** *int* (*to frighten s.o.*) hou! **2** *vti* siffler, huer ∎ *n* **boos** sifflets *mpl*, huées *fpl*.
boob [bu:b] **1** *Br Fam n* (*mistake*) gaffe *f* ∎ *vi* gaffer. **2** *n* **boobs** (*breasts*) *Fam* nénés *mpl*.

booby-trap ['bu:bɪtræp] *n* engin *m* piégé ∎ *vt* (**-pp-**) piéger.
book¹ [bʊk] *n* livre *m*; (*of tickets*) carnet *m*; (*record*) registre *m*; (*exercise*) **b.** cahier *m*; (*bank*) **b.** livret *m* (de banque); **books** (*accounts*) comptes *mpl*; **b. club** club *m* du livre.
book² [bʊk] *vt* **to b. (up)** (*seat etc*) réserver, retenir; **to b. s.o.** (*for speeding etc*) *Br* donner un procès-verbal à qn; **to b. (down)** (*write down*) inscrire; (**fully**) **booked (up)** (*hotel, concert*) complet; (*person*) pris ∎ *vi* **to b. (up)** réserver des places; **to b. in** (*in hotel*) signer le registre; **to b. into** (*a hotel*) prendre une chambre dans, descendre à. ●**booking** *n* réservation *f*; **b. clerk** guichetier, -ière *mf*; **b. office** bureau *m* de location, guichet *m*.
bookable ['bʊkəb(ə)l] *a* (*seat*) qu'on peut réserver.
bookbinding ['bʊkbaɪndɪŋ] *n* reliure *f*. ●**bookcase** *n* bibliothèque *f*. ●**bookend** *n* serre-livres *m inv*. ●**bookie** *n Fam* bookmaker *m*. ●**bookkeeper** *n* comptable *mf*. ●**bookkeeping** *n* comptabilité *f*. ●**booklet** *n* brochure *f*. ●**book-lover** *n* bibliophile *mf*. ●**bookmaker** *n* bookmaker *m*. ●**bookmark** *n* marque *f*, marque-page *m*. ●**bookseller** *n* libraire *mf*. ●**bookshelf** *n* rayon *m*. ●**bookshop** *Br or* **bookstore** *Am n* librairie *f*. ●**bookstall** *n* kiosque *m* (à journaux). ●**bookworm** *n* rat *m* de bibliothèque.
bookish ['bʊkɪʃ] *a* (*word, theory*) livresque; (*person*) studieux.
boom [bu:m] **1** *vi* (*of thunder, gun etc*) gronder ∎ *n* (*noise*) grondement *m*; **sonic b.** bang *m*. **2** *n* (*economic*) expansion *f*, essor *m*, boom *m*.
boomerang ['bu:məræŋ] *n* boomerang *m*.
boon [bu:n] *n* avantage *m*.
boor [bʊər] *n* rustre *m*. ●**boorish** *a* rustre.
boost [bu:st] *vt* (*increase*) augmenter; (*product*) faire de la réclame pour; (*economy*) stimuler; (*s.o.'s morale*) remonter; **to b. s.o. (up)** (*push upwards*) soulever qn ∎ *n* **to give a b. to** = **to boost**. ●**booster** *n* **b.** (*injection*) (piqûre *f* de) rappel *m*.
boot¹ [bu:t] **1** *n* (*shoe*) botte *f*; (*ankle*) **b.** bottillon *m*; (*knee*) **b.** bottine *f*; **to get the b.** *Fam* être mis à la porte; **b. polish** cirage *m* ∎ *vt* (*kick*) donner un coup *or* des coups de pied à; **to b. s.o. out** mettre qn à la porte. **2** *n* (*of vehicle*) *Br* coffre *m*. **3** *n* **to b.** (*in addition*) en plus. ●**bootblack** *n* cireur *m*. ●**bootee** *n* (*of baby*) chausson *m*. ●**bootlace** *n* lacet *m*.
boot² [bu:t] *Comptr vt* amorcer ∎ *vi* s'amorcer.
booth [bu:θ, bu:ð] *n* (*for phone, in language lab*) cabine *f*; (*at fair*) baraque *f*; (*for voting*) isoloir *m*.
booty ['bu:tɪ] *n* (*stolen goods*) butin *m*.
booze [bu:z] *n Fam* alcool *m*, boisson(s) *f(pl)* ∎ *vi Fam* boire (beaucoup). ●**boozer** *n Fam* (*person*) buveur, -euse *mf*; (*place*) *Br* bistrot *m*. ●**booze-up** *n* (*drinking bout*) *Br*

Fam beuverie *f*.
border ['bɔːdər] *n* (*of country*) & *Fig* frontière *f*; (*edge*) bord *m*; (*of garden etc*) bordure *f* ∎ *a* (*town*) frontière *inv*; (*incident*) de frontière ∎ *vt* (*street*) border; **to b.** (**on**) (*country*) toucher à; **to b.** (**up**)**on** (*resemble*, *verge on*) être voisin de. ●**borderland** *n* pays *m* frontière. ●**borderline** *n* frontière *f*; **b. case** cas *m* limite.
bore[1] [bɔːr] **1** *vt* (*weary*) ennuyer; **to be bored** s'ennuyer; **I'm bored with that job/teacher/etc** ce travail/ce professeur/etc m'ennuie ∎ *n* (*person*) raseur, -euse *mf*; **it's a b.** c'est ennuyeux or rasoir. **2** *vt* (*hole*) percer; (*rock, well*) forer, creuser ∎ *vi* forer. **3** *n* (*of gun*) calibre *m*. ●**boring** *a* ennuyeux.
bore[2] [bɔːr] *pt of* **bear**[2].
boredom ['bɔːdəm] *n* ennui *m*.
born [bɔːn] *a* né; **to be b.** naître; **he was b. in Paris/in 1953/etc** il est né à Paris/en 1953/etc.
borne [bɔːn] *pp of* **bear**[2].
borough ['bʌrə] *n* (*town*) municipalité *f*; (*part of town*) arrondissement *m*.
borrow ['bɒrəʊ] *vt* emprunter (**from** à). ●**borrowing** *n* emprunt *m*.
Borstal ['bɔːst(ə)l] *n Br* maison *f* d'éducation surveillée.
Bosnia ['bɒznɪə] *n* Bosnie *f*.
bosom ['bʊzəm] *n* (*chest, breasts*) poitrine *f*, seins *mpl*; (*breast*) sein *m*; (*heart, soul*) *Fig* sein *m*; **b. friend** ami, -ie *mf* intime.
boss [bɒs] *n* patron, -onne *mf*, chef *m* ∎ *vt* **to b. s.o. around** *or* **about** commander qn, régenter qn. ●**bossy** *a* (-**ier**, -**iest**) *Fam* autoritaire.
boss-eyed ['bɒsaɪd] *a* **to be b.-eyed** loucher.
bosun ['bəʊs(ə)n] *n* maître *m* d'équipage.
botany ['bɒtənɪ] *n* botanique *f*. ●**bo'tanical** *a* botanique. ●**botanist** *n* botaniste *mf*.
botch [bɒtʃ] *vt* **to b.** (**up**) (*spoil*) bâcler; (*repair badly*) rafistoler.
both [bəʊθ] *a* les deux ∎ *pron* tous *or* toutes (les) deux, l'un(e) et l'autre; **b.** (**of**) **the boys** les deux garçons, l'un et l'autre des garçons; **b. of us** nous deux ∎ *adv* (*at the same time*) à la fois; **b. you and I know that...** vous et moi, nous savons que....
bother ['bɒðər] *vt* (*annoy, worry*) ennuyer; (*disturb*) déranger; (*pester*) importuner; (*hurt, itch etc*) (*of foot, eye etc*) gêner; **to b. doing** *or* **to do** se donner la peine de faire; **I can't be bothered** je n'en ai pas envie!, ça m'embête!
∎ *vi* **to b. about** (*worry about*) se préoccuper de; (*deal with*) s'occuper de.
∎ *n* (*trouble*) ennui *m*; (*effort*) peine *f*; (*inconvenience*) dérangement *m*; (**oh**) **b.!** *Br* zut alors!
bottle ['bɒt(ə)l] *n* bouteille *f*; (*small*) flacon *m*; (*wide-mouthed*) bocal *m*; (*for baby*) biberon *m*; (*hot-water*) **b.** bouillotte *f*; **b. opener** ouvre-bouteilles *m inv*; **b. bank** conteneur *m* pour verre usagé.
∎ *vt* (*milk, wine etc*) mettre en bouteilles; **to b. up** (*feeling*) contenir. ●**bottle-feed** *vt* (*pt & pp* -**fed**) nourrir au biberon. ●**bottleneck** *n* (*in road*) goulot *m* d'étranglement; (*traffic holdup*) bouchon *m*.
bottom ['bɒtəm] *n* (*of sea, box etc*) fond *m*; (*of page, hill etc*) bas *m*; (*buttocks*) *Fam* derrière *m*; (*of table*) bout *m*; **to be** (**at the**) **b. of the class** être le dernier de la classe ∎ *a* (*shelf*) inférieur, du bas; **b. floor** rez-de-chaussée *m*; **b. gear** première vitesse *f*; **b. part** *or* **half** partie *f* inférieure; **that's the b. line** *Fig* c'est la seule chose qui compte. ●**bottomless** *a* (*funds*) inépuisable; **b. pit** abîme *m* sans fond; **b. coffee** *Am* du café à volonté.
bough [baʊ] *n Lit* rameau *m*.
bought [bɔːt] *pt & pp of* **buy**.
boulder ['bəʊldər] *n* rocher *m*.
boulevard ['buːləvɑːd] *n* boulevard *m*.
bounce [baʊns] **1** *vi* (*of ball*) rebondir; (*of person*) faire des bonds; **to b. into the hole/etc** (*of ball*) rebondir et atterrir dans le trou/etc ∎ *vt* (*ball*) faire rebondir ∎ *n* (re)bond *m*. **2** *vi* (*of Br cheque, Am check*) *Fam* être sans provision, être en bois. ●**bouncing baby** *n* beau bébé *m*.
bouncer ['baʊnsər] *n* (*at club etc*) *Fam* videur *m*.
bound[1] [baʊnd] *pt & pp of* **bind**. **1** *a* **b. to do** (*obliged*) obligé de faire; (*certain*) sûr de faire; **it's b. to happen/snow/etc** ça arrivera/il neigera/etc sûrement; **to be b. for** (*of person, ship*) être en route pour; (*of train, plane*) être à destination de. **2** *a* **b. up with** (*connected*) lié à.
bound[2] [baʊnd] *n* (*leap*) bond *m* ∎ *vi* bondir.
boundary ['baʊnd(ə)rɪ] *n* limite *f*.
bounded ['baʊndɪd] *a* **b. by** limité par. ●**boundless** *a* sans bornes.
bounds [baʊndz] *npl* limites *fpl*; **out of b.** (*place*) interdit.
bountiful ['baʊntɪfʊl] *a* généreux.
bounty ['baʊntɪ] *n* (*reward*) prime *f*.
bouquet [bəʊ'keɪ] *n* (*of flowers, wine*) bouquet *m*.
bourbon ['bɜːbən] *n* (*whisky*) *Am* bourbon *m*.
bout [baʊt] *n* (*of fever, coughing, violence etc*) accès *m*; (*of asthma, malaria etc*) crise *f*; *Boxing* combat *m*; (*session*) séance *f*; (*period*) période *f*; **a b. of flu** une grippe.
boutique [buː'tiːk] *n* boutique *f* (de mode).
bow[1] [bəʊ] *n* (*weapon*) arc *m*; (*of violin etc*) archet *m*; (*knot*) nœud *m*; **b. tie** nœud *m* papillon. ●**bow-'legged** *a* aux jambes arquées.
bow[2] [baʊ] **1** *n* (*with knees bent*) révérence *f*; (*nod*) salut *m*; **to take a b.** (*of actor*) saluer ∎ *vi* s'incliner (**to devant**); (*nod*) incliner la tête (**to devant**); **to b. down** (*submit*) s'incliner (**to devant**). **2** *n* (*of ship*) proue *f*.
bowels ['baʊəlz] *npl* intestins *mpl*; **in the b. of the earth** *Lit* dans les entrailles de la terre.
bowl [bəʊl] **1** *n* (*for food*) bol *m*; (*for washing, of lavatory etc*) cuvette *f*; (*for sugar*) sucrier *m*; (*for salad*) saladier *m*; (*for fruit*) (*of glass*,

bowler

plastic) coupe *f*; (*wicker*) corbeille *f*. **2** *vi* *Cricket* lancer la balle; **to b. along** (*in car etc*) rouler vite ▮ *vt* (*ball*) *Cricket* servir; **to b. s.o. over** (*astound*) bouleverser qn; (*knock down*) renverser qn. ●**bowler**[1] *n Cricket* lanceur, -euse *mf*.

bowler[2] ['bəʊlər] *n* **b.** (**hat**) *Br* (chapeau *m*) melon *m*.

bowling ['bəʊlɪŋ] *n* (*tenpin*) **b.** bowling *m*; **b. alley** bowling *m*; **b. green** terrain *m* de boules.

bowls [bəʊlz] *npl* (*game*) boules *fpl*.

box [bɒks] **1** *n* boîte *f*; (*large*) caisse *f*; (*of cardboard*) carton *m*; (*in theatre*) loge *f*; (*for horse, in stable*) box *m*; (*television*) *Br Fam* télé *f*; *Br* **witness b.** barre *f* or banc *m* des témoins; **b. number** (*at post office*) numéro *m* de boîte postale; (*at newspaper*) référence *f* (*de petite annonce*); **b. office** bureau *m* de location, guichet *m*; **b. room** *Br* (*lumber room*) débarras *m*; (*bedroom*) petite chambre *f* (carrée) ▮ *vt* **to b.** (**up**) mettre en boîte; **to b. in** (*enclose*) enfermer.
2 *vi Boxing* boxer; **to b. against s.o.** boxer contre qn.
3 *vt* **to b. s.o.'s ears** gifler qn. ●**boxing** *n* **1** boxe *f*; **b. gloves/match** gants *mpl*/combat *m* de boxe; **b. ring** ring *m*. **2 B. Day** *Br* le lendemain de Noël.

boxcar ['bɒkskɑːr] *n Rail Am* wagon *m* couvert.

boxer ['bɒksər] *n* boxeur *m*.

boxwood ['bɒkswʊd] *n* buis *m*.

boy [bɔɪ] *n* garçon *m*; **English b.** jeune Anglais *m*; **old b.** (*former pupil*) *Br* ancien élève *m*; **yes, old b.!** *Br* oui, mon vieux!; **the boys** (*pals*) *Fam* les copains *mpl*; **my dear b.** mon cher ami; **oh b.!** mon Dieu! ●**boyfriend** *n* (petit) ami *m*. ●**boyhood** *n* enfance *f*. ●**boyish** *a* de garçon; *Pej* puéril.

boycott ['bɔɪkɒt] *vt* boycotter ▮ *n* boycottage *m*.

bra [brɑː] *n* soutien-gorge *m*.

brace [breɪs] *n* (*dental*) appareil *m*; (*on leg, arm*) appareil *m* orthopédique; (*for fastening*) attache *f*; **braces** (*trouser straps*) *Br* bretelles *fpl* ▮ *vt* (*fix*) attacher; (*press*) appuyer; **to b. oneself for** (*news, shock*) se préparer à. ●**bracing** *a* (*air etc*) fortifiant.

bracelet ['breɪslɪt] *n* bracelet *m*.

bracken ['brækən] *n* fougère *f*.

bracket ['brækɪt] *n* (*for shelf etc*) équerre *f*; (*round sign*) parenthèse *f*; (*square sign*) crochet *m*; (*group*) *Fig* groupe *m*, tranche *f* ▮ *vt* mettre entre parenthèses *or* crochets; **to b. together** *Fig* mettre dans la même groupe.

brag [bræg] *vi* (**-gg-**) se vanter (**about** *or* **of sth** de qch, **about doing** de faire). ●**bragging** *n* vantardise *f*. ●**braggart** *n* vantard, -arde *mf*.

braid [breɪd] *vt* (*hair*) tresser; (*trim*) galonner ▮ *n* tresse *f*; (*trimming*) galon *m*.

Braille [breɪl] *n* braille *m*; **in B.** en braille.

brain [breɪn] *n* cerveau *m*; (*of animal, bird*) & *Pej* cervelle *f*; **to have brains** (*sense*) avoir de l'intelligence; **use your brain(s)!** *Hum* utilise ta cervelle!
▮ *a* (*operation, disease*) cérébral; **b. death** mort *f* cérébrale; **b. drain** fuite *f* des cerveaux.
▮ *vt* (*hit*) *Fam* assommer.

brainchild ['breɪntʃaɪld] *n* invention *f* personnelle. ●**brainstorm** *n Am* idée *f* géniale; *Br Psy* aberration *f*. ●**brainwash** *vt* faire un lavage de cerveau à. ●**brainwashing** *n* lavage *m* de cerveau. ●**brainwave** *n* idée *f* géniale.

brainy ['breɪnɪ] *a* (**-ier, -iest**) *Fam* intelligent.

braise [breɪz] *vt* (*meat etc*) braiser.

brake [breɪk] *n* frein *m*; **b. light** (*on vehicle*) stop *m*; **b. fluid** liquide *m* de freins ▮ *vi* freiner. ●**braking** *n* freinage *m*.

bramble ['bræmb(ə)l] *n* (*bush*) ronce *f*.

bran [bræn] *n* (*of wheat*) son *m*.

branch [brɑːntʃ] *n* branche *f*; (*of road*) embranchement *m*; (*of store, office etc*) succursale *f*; **b. office** succursale *f* ▮ *vi* **to b. off** (*of road*) bifurquer; **to b. out** (*of firm, person*) étendre ses activités; (*of family, tree*) se ramifier.

brand [brænd] *n* (*trademark, & on cattle*) marque *f*; (*variety*) type *m*, style *m*; **b. name** marque *f* ▮ *vt* (*mark*) marquer; (*stigmatize*) flétrir; **to be branded as a liar**/*etc* avoir une réputation de menteur/*etc*.

brandish ['brændɪʃ] *vt* brandir.

brand-new [brænd'njuː] *a* tout neuf (*f* toute neuve), flambant neuf (*f* flambant neuve).

brandy ['brændɪ] *n* cognac *m*; (*made with pears etc*) eau-de-vie *f*.

brash [bræʃ] *a* effronté.

brass [brɑːs] *n* cuivre *m*; (*instruments in orchestra*) cuivres *mpl*; **the top b.** (*officers, executives*) *Fam* les huiles *fpl*; **b. band** fanfare *f*.

brassiere [*Br* 'bræzɪər, *Am* brə'zɪər] *n* soutien-gorge *m*.

brat [bræt] *n* (*child*) *Pej* môme *mf*, gosse *mf*; (*badly behaved*) sale gosse *mf*.

bravado [brə'vɑːdəʊ] *n* bravade *f*.

brave [breɪv] *a* (**-er, -est**) courageux, brave ▮ *n* (*Red Indian*) guerrier *m* (indien), brave *m* ▮ *vt* (*danger etc*) braver, affronter; **to b. the elements** braver *or* affronter les éléments. ●**bravely** *adv* courageusement. ●**bravery** *n* courage *m*.

bravo! ['brɑːvəʊ] *int* bravo!

brawl [brɔːl] *n* (*fight*) bagarre *f* ▮ *vi* se bagarrer. ●**brawling** *a* bagarreur ▮ *n* bagarres *fpl*.

brawn [brɔːn] *n* muscles *mpl*. ●**brawny** *a* (**-ier, -iest**) musclé.

bray [breɪ] *vi* (*of ass*) braire.

brazen ['breɪz(ə)n] *a* (*shameless*) effronté ▮ *vt* **to b. it out** payer d'audace, tenir front.

Brazil [brə'zɪl] *n* Brésil *m*. ●**Brazilian** *a* brésilien ▮ *n* Brésilien, -ienne *mf*.

breach [briːtʃ] **1** *n* violation *f*, infraction *f* (**of** de); **b. of contract** rupture *f* de contrat; **b. of trust** abus *m* de confiance ▮ *vt* (*law, code*) violer. **2** *n* (*gap*) brèche *f* ▌ *vt* (*wall etc*) ouvrir une brèche dans.

bread [bred] *n inv* pain *m*; (*money*) *Sl* blé *m*, fric *m*; **loaf of b.** pain *m*; **brown b.** pain bis; (**slice** *or* **piece of**) **b. and butter** tartine *f*; **it's my b. and butter** (*job*) c'est mon gagne-pain *m*; **b. knife** couteau *m* à pain. ● **breadbin** *Br or* **breadbox** *Am n* boîte *f* à pain. ● **breadboard** *n* planche *f* à pain. ● **breadcrumb** *n* miette *f* (de pain); **breadcrumbs** (*in cooking*) chapelure *f*. ● **breaded** *a* pané. ● **breadline** *n* **on the b.** indigent. ● **breadwinner** *n* soutien *m* de famille.

breadth [bretθ] *n* largeur *f*.

break [breɪk] *vt* (*pt* **broke**, *pp* **broken**) casser; (*into pieces, with force*) briser; (*silence, spell, vow etc*) rompre; (*strike, heart, will, ice etc*) briser; (*agreement, treaty*) briser, rompre; (*sports record*) battre; (*law*) violer; (*one's promise, an appointment*) manquer à; (*journey*) interrompre; (*sound barrier*) franchir; (*a fall*) amortir; (*news*) annoncer (**to** à); **to b. (oneself of)** (*habit*) se débarrasser de; **to b. open** (*safe*) percer; **to b. new ground** innover.
▌ *vi* (se) casser; (*into pieces, of heart etc*) se briser; (*of spell*) se rompre; (*of voice*) s'altérer; (*of boy's voice*) muer; (*of weather*) se gâter; (*of news*) éclater; (*of day*) se lever; (*of wave*) déferler; (*stop work*) faire la pause; **to b. free** se libérer; **to b. loose** s'échapper; **to b. with s.o.** rompre avec qn.
▌ *n* cassure *f*; (*in bone*) fracture *f*; (*with person, group & in continuity*) rupture *f*; (*in journey*) interruption *f*; (*rest*) repos *m*; (*in activity, for tea*) pause *f*; (*in school*) récréation *f*; (*change in weather*) changement *m*; **a lucky b.** *Fam* une chance. ● **breakable** *a* fragile. ● **breakage** *n* casse *f*; **breakages** (*things broken*) la casse. ● **breaker** *n* (*wave*) brisant *m*; (*dealer in old cars*) *Br* casseur *m*. ● **breaking point** *n* **at b. point** (*patience*) à bout; (*person*) sur le point de craquer, à bout.

break away *vi* se détacher ▌ *vt* détacher. ● **breakaway** *a* (*group*) dissident. ▌ **to break down** *vt* (*door*) enfoncer; (*resistance*) briser; (*analyse*) analyser ▌ *vi* (*of vehicle, machine*) tomber en panne; (*of talks, negotiations*) échouer; (*collapse*) (*of person*) s'effondrer; (*have nervous breakdown*) craquer; (*start crying*) éclater en sanglots. ● **breakdown** *n* panne *f*; (*of figures etc*) analyse *f*; (*in talks*) rupture *f*; (*nervous*) dépression *f*; **b. lorry** *or* **van** *Br* dépanneuse *f*; **b. service** *Br* service *m* de dépannage. ▌ **to break in** *vi* (*of burglar*) entrer par effraction; (*interrupt*) interrompre ▌ *vt* (*door*) enfoncer; (*horse*) dresser; (*vehicle*) *Am* roder. ● **break-in** *n* cambriolage *m*. ▌ **to break into** *vt* (*house etc*) cambrioler; (*safe*) forcer; (*start*) entamer (*explication etc*) ▌ **to break off** *vt* (*piece of chocolate etc*) détacher; (*relations*) rompre ▌ *vi* se détacher; (*stop*) s'arrêter; **to b. off with s.o.** rompre avec qn ▌ **to break out** *vi* (*of war, fire*) éclater; (*escape*) s'échapper; **to b. out in a rash** faire une éruption de boutons ▌ **to break through** *vi* (*of sun, army*) percer ▌ *vt* (*defences*) percer. ● **breakthrough** *n* (*discovery*) percée *f*, découverte *f*. ▌ **to break up** *vt* mettre en morceaux; (*marriage*) briser; (*fight*) mettre fin à ▌ *vi* (*end*) prendre fin; (*of group*) se disperser; (*of marriage*) se briser; (*from school*) partir en vacances. ● **break-up** *n* fin *f*; (*in marriage, friendship*) rupture *f*.

breakfast ['brekfəst] *n* petit déjeuner *m*; **to have b.** prendre le petit déjeuner; **b. TV** émissions *fpl* télévisées du matin.

breakwater ['breɪkwɔːtər] *n* brise-lames *m inv*.

breast [brest] *n* sein *m*; (*chest*) poitrine *f*; (*of chicken*) blanc *m*. ● **breastfeed** *vt* (*pt & pp* -**fed**) allaiter. ● **breaststroke** *n* (*in swimming*) brasse *f*.

breath [breθ] *n* haleine *f*, souffle *m*; (*of air*) souffle *m*; **out of b.** (tout) essoufflé, à bout de souffle; **to get a b. of air** prendre l'air; **to take a deep b.** respirer profondément; **under one's b.** tout bas; **one's last b.** son dernier soupir. ● **breathalyser**® *n* alcootest® *m*. ● **breathless** *a* haletant. ● **breathtaking** *a* sensationnel.

breathe [briːð] *vti* respirer; **to b. in** aspirer; **to b. out** expirer; **to b. air into sth** souffler dans qch ▌ *vt* (*utter*) pousser (*soupir*); **she didn't b. a word (about it)** elle n'en a pas soufflé mot. ● **breathing** *n* respiration *f*; **b. space** moment *m* de repos.

breather ['briːðər] *n Fam* moment *m* de repos; **to go for a b.** sortir prendre l'air.

bred [bred] *pt & pp of* **breed 1** ▌ *a* **well-b.** bien élevé.

breeches ['brɪtʃɪz] *npl* culotte *f*.

breed [briːd] **1** *vt* (*pt & pp* **bred**) (*animals*) élever; (*cause*) *Fig* engendrer (*la haine, la violence etc*) ▌ *vi* (*of animals*) se reproduire. **2** *n* race *f*, espèce *f*. ● **breeding** *n* élevage *m*; (*procreation*) reproduction *f*; (*good manners*) *Fig* éducation *f*. ● **breeder** *n* éleveur, -euse *mf*.

breeze [briːz] *n* brise *f*. ● **breezy** *a* (-**ier**, -**iest**) **1** (*weather, day*) frais, venteux. **2** (*cheerful*) jovial; (*relaxed*) décontracté.

breezeblock ['briːzblɒk] *n* parpaing *m*.

brevity ['brevɪtɪ] *n* brièveté *f*.

brew [bruː] *vt* (*beer*) brasser; (*trouble, plot*) préparer; **to b. tea** préparer du thé; (*infuse*) (faire) infuser du thé ▌ *vi* (*of beer*) fermenter; (*of tea*) infuser; (*of storm*) se préparer; **something is brewing** il se prépare quelque chose ▌ *n* (*drink*) breuvage *m*; (*of tea*) infusion *f*. ● **brewer** *n* brasseur *m*. ● **brewery** *n* brasserie *f*.

bribe [braɪb] *n* pot-de-vin *m* ▌ *vt* acheter, soudoyer (*qn*); **to b. s.o. into doing sth** soudoyer qn pour qu'il fasse qch. ● **bribery** *n* corruption *f*.

brick [brɪk] *n* brique *f*; (*child's*) cube *m*; **to drop a b.** *Br Fam* faire une gaffe ▌ *vt* **to b.**

up (*gap*, *door*) murer. ● **bricklayer** *n* maçon *m*. ● **brickwork** *n* (*bricks*) briques *fpl*; (*construction*) ouvrage *m* en briques.

bridal ['braɪd(ə)l] *a* (*ceremony*, *bed etc*) nuptial; **b. gown** robe *f* de mariée; **b. suite** (*in hotel*) suite *f* nuptiale.

bride [braɪd] *n* mariée *f*; **the b. and groom** les mariés *mpl*. ● **bridegroom** *n* marié *m*. ● **bridesmaid** *n* demoiselle *f* d'honneur.

bridge [brɪdʒ] **1** *n* pont *m*; (*on ship*) passerelle *f*; (*of nose*) arête *f*; (*false tooth*) bridge *m* ▮ *vt* **to b. a gap** combler une lacune. **2** *n Cards* bridge *m*.

bridle ['braɪd(ə)l] *n* (*for horse*) bride *f*; **b. path** allée *f* cavalière ▮ *vt* (*horse*) brider.

brief[1] [briːf] *a* (-er, -est) bref (*f* brève); **in b.** en résumé. ● **briefly** *adv* (*quickly*) en vitesse; (*to say*) brièvement.

brief[2] [briːf] *n* (*military etc instructions*) instructions *fpl*; (*legal*) dossier *m*; (*task*) *Fig* tâche *f*, fonctions *fpl* ▮ *vt* donner des instructions à; (*inform*) mettre au courant (**on** de). ● **briefing** *n* instructions *fpl*; (*to pilot etc*) briefing *m*.

briefcase ['briːfkeɪs] *n* serviette *f*.

briefs [briːfs] *npl* (*underpants*) slip *m*.

brigade [brɪ'geɪd] *n* brigade *f*. ● **brigadier** [brɪgə'dɪər] *n* général *m* de brigade.

bright [braɪt] *a* (-er, -est) (*star, eyes, situation etc*) brillant; (*light, colour*) vif; (*weather, room*) clair; (*clever*) intelligent; (*happy*) joyeux; (*future*) brillant, prometteur; (*idea*) génial; **b. interval** (*sunny period*) éclaircie *f* ▮ *adv* **b. and early** (*to get up*) de bonne heure. ● **brightly** *adv* avec éclat. ● **brightness** *n* éclat *m*; (*of person*) intelligence *f*.

brighten ['braɪt(ə)n] *vt* (*a light*) **b. (up)** (*room*) égayer ▮ *vi* **to b. (up)** (*of weather*) s'éclaircir; (*of face*) s'éclairer.

brilliant ['brɪljənt] *a* (*light*) éclatant; (*very clever*) brillant; (*person, idea etc*) brillant; (*fantastic*) *Br Fam* super. ● **brilliance** *n* éclat *m*; (*of person*) grande intelligence *f*.

brim [brɪm] *n* (*of hat, cup etc*) bord *m* ▮ *vi* (-mm-) **to b. over** déborder (**with** de).

brine [braɪn] *n* (*for preserving food*) saumure *f*.

bring [brɪŋ] *vt* (*pt & pp* brought) (*person, vehicle etc*) amener; (*object*) apporter; (*to cause*) amener; **to b. a (legal) action against s.o.** intenter un procès contre or à qn; **to b. sth to** (*perfection, a peak etc*) porter qch à; **to b. to an end** mettre fin à; **to b. to mind** rappeler; **to b. sth on oneself** s'attirer qch; **I can't b. myself to do it** je ne peux pas me résoudre à le faire.

bring about *vt* provoquer, amener ▮ **to bring along** *vt* (*object*) apporter; (*person*) amener ▮ **to bring back** *vt* (*person*) ramener; (*object*) rapporter; (*memories*) rappeler ▮ **to bring down** *vt* (*memories*) descendre; (*overthrow*) faire tomber; (*reduce*) réduire; (*shoot down*) abattre (*avion*) ▮ **to bring forward** *vt* (*in time or space*) avancer; (*witness*) produire ▮ **to bring in** *vt* (*object*) rentrer; (*person*) faire entrer *or* venir; (*introduce*) introduire; (*income*) rapporter ▮ **to bring off** *vt* (*task*) mener à bien ▮ **to bring out** *vt* (*object*) sortir; (*person*) faire sortir; (*meaning*) faire ressortir; (*book*) publier; (*product*) lancer ▮ **to bring over** *vt* **to b. s.o. over to** (*convert*) convertir qn à ▮ **to bring round** *vt* ranimer (*qn*); (*convert*) convertir (*qn*) (**to** à) ▮ **to bring to** *vt* **to b. s.o. to** ranimer qn ▮ **to bring together** *vt* (*friends, members*) réunir; (*reconcile*) réconcilier; (*put in touch*) mettre en contact ▮ **to bring up** *vt* (*child etc*) élever; (*question*) soulever; (*subject*) mentionner; (*food*) rendre.

brink [brɪŋk] *n* bord *m*; **on the b. of sth** au bord de qch.

brisk [brɪsk] *a* (-er, -est) (*lively*) vif; **at a b. pace** vite, d'un bon pas; **trading is b.** le marché est actif; **business is b.** les affaires marchent bien. ● **briskly** *adv* vivement; (*to walk*) vite, d'un bon pas. ● **briskness** *n* vivacité *f*.

bristle ['brɪs(ə)l] *n* poil *m* ▮ *vi* se hérisser; **bristling with difficulties/etc** hérissé de difficultés/*etc*.

Britain ['brɪt(ə)n] *n* Grande-Bretagne *f*. ● **British** *a* britannique; **the B. Isles** les îles *fpl* Britanniques ▮ *n* **the B.** les Britanniques *mpl*. ● **Briton** *n* Britannique *mf*.

Brittany ['brɪtənɪ] *n* Bretagne *f*.

brittle ['brɪt(ə)l] *a* fragile, cassant.

broach [brəʊtʃ] *vt* (*topic*) entamer.

broad[1] [brɔːd] *a* (-er, -est) (*wide*) large; (*accent*) prononcé; **in b. daylight** en plein jour; **the b. outline of** (*plan etc*) les grandes lignes de; **b. bean** fève *f*; **b. jump** *Sport Am* saut *m* en longueur. ● **broad-'minded** *a* (*person*) à l'esprit large; **b.-minded views** des idées *fpl* larges (**on** sur). ● **broad-'shouldered** a large d'épaules.

broad[2] [brɔːd] *n* (*woman*) *Am Sl* nana *f*.

broadcast ['brɔːdkɑːst] *vt* (*pt & pp* broadcast) diffuser, retransmettre; **b. account** (*of event*) reportage *m* (radio *or* télévisé) ▮ *vi* (*book*) publier; (*of station*) émettre; (*of person*) parler à la radio *or* à la télévision ▮ *n* émission *f*. ● **broadcasting** *n* radiodiffusion *f*; *TV* télévision *f*. ● **broadcaster** *n* journaliste *mf* de radio *or* de télévision.

broaden ['brɔːd(ə)n] *vt* élargir ▮ *vi* s'élargir.

broadly ['brɔːdlɪ] *adv* **b. (speaking)** en gros, grosso modo.

broccoli ['brɒkəlɪ] *n inv* (*plant*) brocoli *m*; (*food*) brocolis *mpl*.

brochure ['brəʊʃər] *n* brochure *f*, dépliant *m*.

brogue [brəʊg] *n* (*Irish*) accent *m* irlandais.

broil [brɔɪl] *vti* griller. ● **broiler** *n* poulet *m* (à rôtir); (*apparatus*) gril *m*.

broke [brəʊk] **1** *pt* of **break**. **2** *a* (*penniless*) fauché. ● **broken** *pp* of **break** ▮ *a* (*man, voice, line*) brisé; (*ground*) accidenté; (*spirit*) abattu; **in b. English** en mauvais anglais *m*; **b. home** foyer *m* brisé. ● **broken-'down** *a* (*machine etc*) (tout) déglingué, détraqué.

broker ['brəʊkər] n courtier, -ière mf.
brolly ['brɒlɪ] n (umbrella) Br Fam pépin m.
bronchitis [brɒŋ'kaɪtɪs] n bronchite f.
bronze [brɒnz] n bronze m; b. statue/etc statue f/etc en bronze.
brooch [brəʊtʃ] n (ornament) broche f.
brood [bruːd] 1 n couvée f, nichée f ∎ vi (of bird) couver. 2 vi méditer tristement (**over, on** sur); **to b. over** (a plan) ruminer. ●**broody** a (-ier, -iest) (person) (sulky) maussade; (dreamy) rêveur; (woman) Br Fam en mal d'enfant.
brook [brʊk] 1 n ruisseau m. 2 vt (tolerate) souffrir, tolérer.
broom [bruːm] n 1 (for sweeping) balai m. 2 (wild shrub) genêt m. ●**broomstick** n manche m à balai.
Bros abbr (Brothers) Frères mpl.
broth [brɒθ] n bouillon m.
brothel ['brɒθ(ə)l] n maison f close, bordel m.
brother ['brʌðər] n frère m. ●**brother-in-law** n (pl **brothers-in-law**) beau-frère m. ●**brotherhood** n fraternité f. ●**brotherly** a fraternel.
brought [brɔːt] pt & pp of **bring**.
brow [braʊ] n 1 (forehead) front m. 2 (of hill) sommet m.
browbeat ['braʊbiːt] vt (pt **-beat**, pp **-beaten**) intimider; **to b. s.o. into doing sth** faire faire qch à qn à force d'intimidation.
brown [braʊn] a (-er, -est) brun; (reddish) marron; (hair) châtain; (tanned) bronzé ∎ n brun m; (reddish) marron m ∎ vt (of sun) bronzer, brunir (la peau); (food) faire dorer; **to be browned off** Br Fam en avoir marre. ●**brownish** a brunâtre.
brownie ['braʊnɪ] n (cake) Am petit gâteau m au chocolat.
Brownie ['braʊnɪ] n (girl scout) jeannette f.
browse [braʊz] vi 1 (in bookshop) feuilleter des livres; (in shop, supermarket) regarder; **to b. through** (book) feuilleter. 2 (of animal) brouter.
bruise [bruːz] vt **to b. one's knee/hand/etc** se faire un bleu au genou/à la main/etc; **to b. a fruit** taler un fruit ∎ n bleu m, contusion f; (on fruit) meurtrissure f. ●**bruised** a (covered in bruises) couvert de bleus. ●**bruising** n (bruises) bleus mpl.
brunch [brʌntʃ] n brunch m (petit déjeuner pris comme déjeuner).
brunette [bruː'net] n brunette f.
brunt [brʌnt] n **to bear the b. of** (attack, anger etc) subir or essuyer le plus gros de; (expense) assumer la plus grosse part de.
brush [brʌʃ] n brosse f; (for shaving) blaireau m; (for sweeping, cleaning car etc) balayette f; (action) coup m de brosse; (fight) accrochage m.
∎ vt (teeth, hair etc) brosser; (clothes) donner un coup de brosse à; **to b. aside** écarter; **to b. away** or **off** enlever; **to b. up (on) one's French**/etc se remettre au français/etc.
∎ vi **to b. against** effleurer. ●**brush-off** n Fam **to give s.o. the b.-off** envoyer promener qn.
●**brush-up** n coup m de brosse.
brushwood ['brʌʃwʊd] n broussailles fpl.
brusque [bruːsk] a brusque.
Brussels ['brʌs(ə)lz] n Bruxelles m or f; **B. sprouts** choux mpl de Bruxelles.
brutal ['bruːt(ə)l] a brutal. ●**bru'tality** n brutalité f.
brute [bruːt] n (animal, person) brute f ∎ a **by b. force** par la force.
BSc, Am **BS** abbr = **Bachelor of Science**.
bubble ['bʌb(ə)l] n (of air, soap etc, in boiling liquid) bulle f; Br **b. and squeak** Fam friture f de purée et de viande réchauffées; **b. bath** bain m moussant; **b. gum** bubble-gum m ∎ vi (of liquid) bouillonner; **to b. over** déborder (**with** de). ●**bubbly** n Hum Fam champagne m.
buck [bʌk] 1 n Am Fam dollar m. 2 n (animal) mâle m (de lapin, lièvre etc). 3 n **to pass the b. to s.o.** Fam se décharger de ses responsabilités sur qn. **4** vt **to b. up** remonter le moral à (qn) ∎ vi **to b. up** (become livelier) reprendre du poil de la bête; (hurry) se grouiller.
bucket ['bʌkɪt] n seau m.
buckle ['bʌk(ə)l] 1 n boucle f ∎ vt boucler. 2 vti (warp) voiler, gauchir. 3 vi **to b. down to a task**/etc s'atteler à un travail/etc.
buckshot ['bʌkʃɒt] n inv du gros plomb m.
bucktooth [bʌk'tuːθ] n (pl **-teeth**) dent f saillante.
bud [bʌd] n (on tree) bourgeon m; (on flower) bouton m ∎ vi (-dd-) bourgeonner; (of flower) pousser des boutons. ●**budding** a (talent) naissant; (doctor etc) en herbe.
Buddhist ['bʊdɪst] a & n bouddhiste (mf).
buddy ['bʌdɪ] n Am Fam copain m, pote m.
budge [bʌdʒ] vi bouger ∎ vt faire bouger.
budgerigar ['bʌdʒərɪgɑːr] n Br perruche f.
budget ['bʌdʒɪt] n budget m ∎ vi dresser un budget; **to b. for** inscrire au budget. ●**budgetary** a budgétaire.
budgie ['bʌdʒɪ] n Br Fam perruche f.
buff [bʌf] 1 a **b.(-coloured)** chamois inv. 2 n **jazz/film**/etc **b.** Fam fana(tique) mf de jazz/de cinéma/etc. 3 n **in the b.** Fam tout nu.
buffalo ['bʌfələʊ] n (pl **-oes** or **-o**) buffle m; (**American**) **b.** bison m.
buffer ['bʌfər] n (on train) tampon m; (at end of track) butoir m; (safeguard) Fig protection f (**against** contre); **b. state** état m tampon.
buffet[1] ['bʊfeɪ] n (table, meal, Br café) buffet m; **cold b.** viandes fpl froides; **b. car** (on train) Br voiture-bar f.
buffet[2] ['bʌfɪt] vt (of waves) battre (navire etc); (of wind, rain) cingler (qn).
buffoon [bə'fuːn] n bouffon m.
bug[1] [bʌg] 1 n punaise f; (any insect) bestiole f; (germ) Fam microbe m, virus m; **the travel b.** (urge) le désir de voyager; **the skiing b.** le virus du ski. 2 n (in machine) défaut m; (in computer program) erreur f. 3 n (listening device) micro m (clandestin) ∎ vt (-gg-)

bug

(*room*) installer des micros dans.
bug² [bʌg] *vt* (**-gg-**) (*annoy*) *Fam* embêter.
bugbear ['bʌgbeər] *n* (*worry*) cauchemar *m*.
buggy ['bʌgɪ] *n* (**baby**) **b.** (*folding pushchair*) *Br* poussette-canne *f*; (*pram*) *Am* landau *m* (*pl* -aus).
bugle ['bju:g(ə)l] *n* clairon *m*. ● **bugler** *n* (*person*) clairon *m*.
build¹ [bɪld] *n* (*of person*) carrure *f*.
build² [bɪld] **1** *vt* (*pt & pp* **built**) construire; (*house, town*) construire, bâtir; **to b. sth into a wall** encastrer qch dans un mur ▮ *vi* (*build houses etc*) bâtir, construire. **2 to build up** *vt* (*increase*) augmenter; (*collection*) constituer; (*business*) monter; (*speed, one's strength*) prendre; (*reputation*) bâtir ▮ *vi* (*of tension, pressure*) augmenter, monter; (*of dust, snow*) s'accumuler; (*of traffic*) devenir dense; (*of interest in account*) s'accumuler.
builder ['bɪldər] *n* (*of houses etc*) (*skilled workman*) maçon *m*; (*contractor*) entrepreneur *m*; (*unskilled worker*) ouvrier *m*.
building ['bɪldɪŋ] *n* bâtiment *m*; (*flats, offices*) immeuble *m*; (*action*) construction *f*; **b. society** *Br* = société *f* de crédit immobilier.
build-up ['bɪldʌp] *n* (*increase*) augmentation *f*; (*of dust etc*) accumulation *f*; (*of troops*) concentration *f*; (*for author, book*) publicité *f*.
built-in [bɪlt'ɪn] *a* (*Br cupboard, Am closet*) encastré; (*part of machine etc*) incorporé; (*innate*) *Fig* inné.
built-up ['bɪltʌp] *a* urbanisé; **b.-up area** agglomération *f*.
bulb [bʌlb] *n* (*of plant*) oignon *m*, bulbe *m*; (*of lamp*) ampoule *f*.
bulbous ['bʌlbəs] *a* (*shape, nose etc*) gros et rond; (*table leg*) renflé.
Bulgaria [bʌl'geərɪə] *n* Bulgarie *f*. ● **Bulgarian** *a* bulgare ▮ *n* Bulgare *mf*.
bulge [bʌldʒ] *vi* **to b. (out)** se renfler, bomber; (*of eyes*) sortir de la tête ▮ *n* renflement *m*; (*increase*) *Fam* augmentation *f*. ● **bulging** *a* renflé, bombé; (*eyes*) protubérant; **to be b.** (*of bag, pocket etc*) être plein à craquer, être gonflé (**with** de).
bulimia [bʊ'lɪmɪə] *n* (*illness*) boulimie *f*.
bulk [bʌlk] *n inv* (*of building, parcel etc*) volume *m*; (*of person*) grosseur *f*; **the b. of** (*most*) la majeure partie de; **in b.** (*to buy, sell*) en gros. ● **bulky** *a* (**-ier, -iest**) gros (*f* grosse), volumineux.
bull [bʊl] *n* **1** (*animal*) taureau *m*. **2** (*nonsense*) *Fam* foutaises *fpl*. ● **bullfight** *n* corrida *f*. ● **bullfighter** *n* matador *m*. ● **bullring** *n* arène *f*.
bulldog ['bʊldɒg] *n* bouledogue *m*; **b. clip** pince *f* (à dessin).
bulldoze ['bʊldəʊz] *vt* (*site*) passer au bulldozer; (*building*) raser (au bulldozer). ● **bulldozer** *n* bulldozer *m*, bouteur *m*.
bullet ['bʊlɪt] *n* balle *f* (*de revolver etc*). ● **bulletproof** *a* (*car etc*) blindé; **b. jacket** *Br*, **b. vest** *Am* gilet *m* pare-balles *inv*; **it's b. glass** c'est une vitre blindée.

bulletin ['bʊlətɪn] *n* bulletin *m*; **b. board** *Am* tableau *m* d'affichage.
bullfight ['bʊlfaɪt] *n see* **bull**.
bullion ['bʊljən] *n* **or** *m* **or** argent *m* en lingots.
bullock ['bʊlək] *n* bœuf *m*.
bullring ['bʊlrɪŋ] *n see* **bull**.
bull's-eye ['bʊlzaɪ] *n* (*of target*) centre *m*; **to hit the b.-eye** faire mouche.
bully ['bʊlɪ] *n* (grosse) brute *f* ▮ *vt* (*ill-treat*) brutaliser; **to b. into doing** forcer à faire. ● **bullying** *n* (*in school*) brutalités *fpl*.
bulwark ['bʊlwək] *n* rempart *m*.
bum [bʌm] **1** *n Fam* (*loafer*) clochard, -arde *mf*; (*good-for-nothing*) propre *mf* à rien ▮ *vi* (**-mm-**) **to b. (around)** se balader. **2** *vt* (**-mm-**) **to b. sth off s.o.** (*cadge*) *Am Fam* taper qn de qch. **3** *n* (*buttocks*) *Br Fam* derrière *m*; **b. bag** banane *f*.
bumblebee ['bʌmb(ə)lbi:] *n* bourdon *m*.
bumf [bʌmf] *n* (*documents etc*) *Br Sl* paperasses *fpl*.
bump [bʌmp] *vt* (*of car etc*) heurter; **to b. one's head/knee/etc** se cogner la tête/le genou/*etc*; **to b. into** se cogner contre; (*of car*) rentrer dans; (*meet*) tomber sur; **to b. off** (*kill*) *Sl* liquider; **to b. up** (*price etc*) *Fam* augmenter.
▮ *vi* **to b. along** (*on rough road*) (*in car etc*) cahoter.
▮ *n* (*impact*) choc *m*; (*jerk*) cahot *m*; (*on road, body*) bosse *f*. ● **bumper** *n* (*of car etc*) pare-chocs *m inv* ▮ *a* (*crop, year etc*) exceptionnel. **b. cars** autos *fpl* tamponneuses.
bumpkin ['bʌmpkɪn] *n* (**country**) **b.** rustre *m*.
bumptious ['bʌmpʃəs] *a* prétentieux.
bumpy ['bʌmpɪ] *a* (**-ier, -iest**) (*road, ride*) cahoteux; **we had a b. flight** on a eu beaucoup de trous d'air pendant le vol.
bun [bʌn] *n* **1** (*cake*) petit pain *m* au lait. **2** (*of hair*) chignon *m*.
bunch [bʌntʃ] *n* (*of flowers*) bouquet *m*; (*of keys*) trousseau *m*; (*of bananas*) régime *m*; (*of people*) bande *f*; **b. of grapes** grappe *f* de raisin; **a b. of books/ideas/***etc* (*mass*) *Fam* un tas de livres/d'idées/*etc*.
bundle ['bʌnd(ə)l] **1** *n* paquet *m*; (*papers*) liasse *f*; (*of firewood*) fagot *m*. **2** *vt* (*put*) fourrer; (*push*) pousser (**into** dans); **to b. up** (*newspapers, letters*) mettre en paquet; **to b. s.o. off** (*to school etc*) expédier qn ▮ *vi* **to b. (oneself) up** se couvrir (bien).
bung [bʌŋ] **1** *n* (*stopper*) bonde *f* ▮ *vt* **to b. up** (*stop up*) boucher. **2** *vt* (*toss*) *Br Fam* balancer, jeter.
bungalow ['bʌŋgələʊ] *n* bungalow *m*.
bungle ['bʌŋg(ə)l] *vt* gâcher ▮ *vi* travailler mal. ● **bungling** *n* gâchis *m* ▮ *a* (*clumsy*) maladroit. ● **bungler** *n* **to be a b.** faire du mauvais travail.
bunion ['bʌnjən] *n* (*on toe*) oignon *m*.
bunk [bʌŋk] *n* **1** (*in ship, train*) couchette *f*; **b. beds** lits *mpl* superposés. **2** *Sl* = **bunkum**. ● **bunkum** *n* (*nonsense*) *Sl* foutaises *fpl*.

bunker ['bʌŋkər] *n Mil Golf* bunker *m*; (*coalstore in garden*) coffre *m*.
bunny ['bʌnɪ] *n* **b. (rabbit)** *Fam* Jeannot *m* lapin.
bunting ['bʌntɪŋ] *n* (*flags*) guirlande *f* de drapeaux.
buoy [bɔɪ] *n* bouée *f* ▌ *vt* **to b. up** (*support*) *Fig* soutenir.
buoyant ['bɔɪənt] *a* (*cheerful*) gai, optimiste; (*successful*) (*economy*) florissant; **the market is b.** *Fin* le marché est florissant.
burden ['bɜːd(ə)n] *n* fardeau *m*; **the tax b.** le poids des impôts ▌ *vt* charger, accabler (**s.o. with** qn de).
bureau, *pl* **-eaux** ['bjʊərəʊ, -əʊz] *n* (*office*) bureau *m*; (*desk*) *Br* secrétaire *m*; (*chest of drawers*) *Am* commode *f*.
bureaucracy [bjʊə'rɒkrəsɪ] *n* bureaucratie *f*. ● **bureaucrat** ['bjʊərəkræt] *n* bureaucrate *mf*.
burger ['bɜːgər] *n* hamburger *m*.
burglar ['bɜːglər] *n* cambrioleur, -euse *mf*; **b. alarm** alarme *f* antivol. ● **burglarize** *vt Am* cambrioler. ● **burglary** *n* cambriolage *m*. ● **burgle** *vt Br* cambrioler.
burial ['berɪəl] *n* enterrement *m* ▌ *a* (*service*) funèbre; **b. ground** cimetière *m*.
burlap ['bɜːlæp] *n* (*sacking*) *Am* toile *f* à sac.
burlesque [bɜː'lesk] *n* (*parody*) parodie *f*.
burly ['bɜːlɪ] *a* (**-ier**, **-iest**) costaud.
Burma ['bɜːmə] *n* Birmanie *f*. ● **Bur'mese** *a* birman ▌ *n* Birman, -ane *mf*.
burn [bɜːn] *n* brûlure *f*.
▌ *vt* (*pt* & *pp* **burned** *or* **burnt**) brûler; **burnt alive** brûlé vif; **to b. down** (*house etc*) détruire par le feu; **to b. off** (*paint etc*) décaper au chalumeau; **to b. up** (*consume*) brûler (*du carburant etc*).
▌ *vi* brûler; **to b. down** (*of house*) brûler (complètement), être réduit en cendres; **to b. out** (*of fire*) s'éteindre; (*of fuse*) sauter. ● **burning** *a* en feu; (*fire*) allumé; (*topic, fever etc*) *Fig* brûlant ▌ *n* **smell of b.** odeur *f* de brûlé.
burner ['bɜːnər] *n* (*on stove*) brûleur *m*; **to put sth on the back b.** *Fig* remettre qch à plus tard.
burp [bɜːp] *n Fam* rot *m* ▌ *vi Fam* roter.
burrow ['bʌrəʊ] *n* (*hole*) terrier *m* ▌ *vti* creuser.
bursar ['bɜːsər] *n* (*in school*) intendant, -ante *mf*.
bursary ['bɜːsərɪ] *n* (*scholarship*) bourse *f*.
burst [bɜːst] *n* éclatement *m*, explosion *f*; (*of laughter*) éclat *m*; (*of applause*) salve *f*; (*of thunder*) coup *m*; (*explosion*) éclatement *m*; (*surge*) élan *m*; (*fit*) accès *m*; (*burst water pipe*) *Fam* tuyau *m* crevé.
▌ *vi* (*pt* & *pp* **burst**) (*of bubble, balloon, boil, tyre, cloud etc*) crever; (*with force*) (*of shell, boiler etc*) éclater; **to b. into a room/etc** faire irruption dans une pièce/*etc*; **to b. into tears** fondre en larmes; **to b. into flames** prendre feu, s'embraser; **to b. open** (*of door etc*) s'ouvrir avec force; **to b. out laughing** éclater de rire.

▌ *vt* (*bubble, balloon, boil etc*) crever; (*with force*) faire éclater; **to b. a blood vessel** se rompre une veine; **to b. open** (*door etc*) ouvrir avec force. ● **bursting** *a* (*full*) (*pockets etc*) plein à craquer (**with** de); **b. with joy/etc** débordant de joie/*etc*; **to be b. to do** mourir d'envie de faire.
bury ['berɪ] *vt* (*dead person*) enterrer; (*hide*) enfouir; (*plunge*) plonger (**in** dans); **buried in one's work/etc** plongé dans son travail/*etc*.
bus [bʌs] *n* (auto)bus *m*; (*long-distance*) (auto)car *m*; **b. driver/ticket/etc** conducteur *m*/billet *m*/*etc* d'autobus *or* d'autocar; **b. shelter** Abribus®; **b. station** gare *f* routière; **b. stop** arrêt *m* d'autobus ▌ *vt* (**-ss-**) (*children*) transporter (en bus) à l'école. ● **bussing** *n* (*of schoolchildren*) ramassage *m* scolaire.
bush [bʊʃ] *n* buisson *m*; **the b.** (*land*) la brousse; **a b. of hair** une tignasse. ● **bushy** *a* (**-ier**, **-iest**) (*hair, tail etc*) broussailleux.
bushed [bʊʃt] *a* (*tired*) *Fam* crevé.
busily ['bɪzɪlɪ] *adv* (*actively*) activement.
business ['bɪznɪs] *n* affaires *fpl*, commerce *m*; (*shop*) commerce *m*; (*task, concern, matter*) affaire *f*; **the textile/construction b.** l'industrie *f* du textile/de la construction; **the travel b.** le tourisme; **big b.** les grosses entreprises *fpl* commerciales; **on b.** (*to travel*) pour affaires; **to go out of b.** (*stop trading*) fermer boutique; **it's quite a b.** c'est toute une affaire; **it's your b. to...** c'est à vous de...; **you have no b. to...** vous n'avez pas le droit de...; **that's none of your b.!, mind your own b.!** ça ne vous regarde pas!; **to mean b.** *Fam* ne pas plaisanter.
▌ *a* commercial; (*meeting, trip, lunch*) d'affaires; **b. card** carte *f* de visite; **b. hours** (*office*) heures *fpl* de travail; (*shop*) heures *fpl* d'ouverture. ● **businesslike** *a* sérieux, pratique. ● **businessman** *n* (*pl* **-men**) homme *m* d'affaires. ● **businesswoman** *n* (*pl* **-women**) femme *f* d'affaires.
busker ['bʌskər] *n Br* musicien, -ienne *mf* des rues.
bust [bʌst] **1** *n* (*sculpture*) buste *m*; (*woman's breasts*) poitrine *f*. **2** *a* (*broken*) *Fam* fichu; **to go b.** (*bankrupt*) faire faillite ▌ *vti* (*pt* & *pp* **bust** *or* **busted**) *Fam* = **to burst** & **to break**. ● **bust-up** *n Fam* (*quarrel*) engueulade *f*; (*breakup*) rupture *f*.
bustle ['bʌs(ə)l] *vi* **to b. (about)** s'affairer ▌ *n* activité *f*, branle-bas *m*. ● **bustling** *a* (*street*) bruyant.
busy ['bɪzɪ] *a* (**-ier**, **-iest**) occupé (**doing** à faire); (*active*) actif; (*day*) chargé; (*street*) animé; (*phone, line*) *Am* occupé; **to be b. doing** (*in the process of*) être en train de faire; **b. signal** *Am* sonnerie *f* 'occupé' ▌ *vt* **to b. oneself** s'occuper (**with sth** à qch, **doing** à faire). ● **busybody** *n* **to be a b.** faire la mouche du coche.
but [bʌt, *unstressed* bət] **1** *conj* mais. **2** *prep* (*except*) sauf; **b. for that** sans cela; **b. for him** sans lui; **no one b. you** personne d'autre

butane

que toi. **3** *adv* (*only*) ne...que, seulement; **he's b. a boy** ce n'est qu'un garçon; **one can b. try** on ne peut qu'essayer.
butane ['bju:teɪn] *n* **b. (gas)** (gaz *m*) butane *m*.
butcher ['bʊtʃər] *n* boucher *m*; **b.'s (shop)** boucherie *f* ▮ *vt* (*people*) massacrer; (*animal*) abattre. ● **butchery** *n* massacre *m* (**of** de).
butler ['bʌtlər] *n* maître *m* d'hôtel.
butt [bʌt] **1** *n* (*of cigarette*) mégot *m*; (*of gun*) crosse *f*; (*buttocks*) *Am Fam* derrière *m*; **b. for ridicule** objet *m* de risée. **2** *vi* **to b. in** interrompre, intervenir. **3** *vt* (*with one's head*) donner un coup de tête à.
butter ['bʌtər] *n* beurre *m*; **b. bean** *Br* haricot *m* blanc; **b. dish** beurrier *m* ▮ *vt* beurrer; **to b. s.o. up** *Fam* flatter qn. ● **butterfingers** *n* maladroit, -oite *mf*. ● **buttermilk** *n* lait *m* de beurre. ● **butterscotch** *n* caramel *m* (dur) au beurre.
buttercup ['bʌtəkʌp] *n* bouton-d'or *m*.
butterfly ['bʌtəflaɪ] *n* papillon *m*; **to have butterflies** *Fam* avoir le trac; **b. stroke** (*in swimming*) brasse *f* papillon.
buttock ['bʌtək] *n* fesse *f*.
button ['bʌtən] *n* bouton *m*; (*of phone*) touche *f*; (*badge*) *Am* badge *m* ▮ *vt* **to b. (up)** boutonner ▮ *vi* **to b. (up)** (*of garment*) se boutonner. ● **buttonhole 1** *n* boutonnière *f*; (*flower*) fleur *f*. **2** *vt* (*person*) *Fam* accrocher.
buttress ['bʌtrɪs] *n* (*for wall*) *Archit* contrefort *m*; *Fig* soutien *m*; **flying b.** arc-boutant *m* ▮ *vt* (*support*) *Archit* & *Fig* soutenir.
buxom ['bʌksəm] *a* (*woman*) bien en chair.
buy [baɪ] **1** *vt* (*pt* & *pp* **bought**) acheter (**from** s.o. à qn, **for** s.o. à *or* pour qn); **to b. back** racheter; **to b. over** (*bribe*) corrompre; **to b. up** acheter en bloc ▮ *n* **a good b.** une bonne affaire.
2 *vt* (*accept, believe*) *Am Fam* croire, avaler (*histoire etc*); **I'll b. that!** je veux bien le croire! ● **buyer** *n* acheteur, -euse *mf*.
buzz [bʌz] **1** *vi* bourdonner; **to b. off** *Fam* décamper ▮ *n* bourdonnement *m*. **2** *vt* (*of aircraft*) raser (*bâtiment, ville*). **3** *vt* **to b. s.o.** (*using buzzer*) appeler qn ▮ *n* (*phone call*) **to give s.o. a b.** *Fam* passer un coup *m* de fil à qn. ● **buzzer** *n* (*internal phone*) interphone *m*; (*of bell, clock*) sonnerie *f*.
by [baɪ] *prep* **1** (*agent*) par; de; **hit/chosen/***etc* **by** frappé/choisi/*etc* par; **surrounded/ followed/***etc* **by** entouré/suivi/*etc* de; **a book/ painting by...** un livre/tableau de....
2 (*manner, means*) par; en; à; de; **by sea** par mer; **by mistake** par erreur; **by car** en voiture; **by bicycle** à bicyclette; **by moonlight** au clair de lune; **by doing** en faisant; **one by one** un à un; **day by day** de jour en jour; **by sight/day/far** de vue/jour/loin; **by the door** (*through*) par la porte; (**all**) **by oneself** tout seul.
3 (*next to*) à côté de; (*near*) près de; **by the lake/sea** au bord du lac/de la mer; **to go** *or* **pass by the bank/school/***etc* passer devant la banque/l'école/*etc*.
4 (*before in time*) avant; **by Monday** avant lundi, d'ici lundi; **by now** à cette heure-ci, déjà; **by yesterday** (dès) hier.
5 (*amount, measurement*) à; **by the kilo** au kilo; **taller by a metre** plus grand d'un mètre; **paid by the hour** payé à l'heure.
6 (*according to*) à, d'après; **by my watch** à *or* d'après ma montre; **it's fine** *or* **OK** *or* **all right by me** si vous voulez.
▮ *adv* **close by** tout près; **to go by, pass by** passer; **to put by** mettre de côté; **by and by** bientôt; **by and large** en gros. ● **by-election** *n* élection *f* partielle. ● **by-law** *n* arrêté *m* (municipal); (*of organization*) *Am* statut *m*. ● **by-product** *n* sous-produit *m*. ● **by-road** *n* chemin *m* de traverse.
bye(-bye)! [baɪ('baɪ)] *int Fam* salut!, au revoir!
bygone ['baɪgɒn] *a* **in b. days** jadis ▮ *npl* **let bygones be bygones** oublions le passé.
bypass ['baɪpɑːs] *n* déviation *f* (routière), voie *f* de contournement; (**heart**) **b. operation** pontage *m* ▮ *vt* (*town etc*) contourner; (*ignore*) *Fig* éviter de passer par (*qn*).
bystander ['baɪstændər] *n* (*at scene of accident etc*) spectateur, -trice *mf*; (*at street scene*) badaud, -aude *mf*.
byte [baɪt] *n Compt* octet *m*.
byword ['baɪwɜːd] *n* **a b. for** *Pej* un synonyme de.

C

C, c [siː] *n* C, c *m*.
c *abbr* = **cent**.
cab [kæb] *n* taxi *m*; (*of train driver etc*) cabine *f*; (*horse-drawn*) *Hist* fiacre *m*.
cabaret ['kæbəreɪ] *n* (*show*) spectacle *m*; (*place*) cabaret *m*.
cabbage ['kæbɪdʒ] *n* chou *m* (*pl* choux).
cabbie *or* **cabby** ['kæbɪ] *n Fam* chauffeur *m* de taxi.
cabin ['kæbɪn] *n* (*on ship, aircraft*) cabine *f*; (*hut*) cabane *f*, case *f*; **c. class** *Av* = deuxième classe *f*; **c. crew** *Av* équipage *m*.
cabinet[1] ['kæbɪnɪt] *n* (*Br* cupboard, *Am* closet) armoire *f*; (*for display*) vitrine *f*; **(filing) c.** classeur *m* (de bureau). ● **cabinet-maker** *n* ébéniste *m*.
cabinet[2] ['kæbɪnɪt] *n* (*government ministers*) gouvernement *m*; **c. meeting** conseil *m* des ministres; **c. minister** ministre *m*.
cable ['keɪb(ə)l] *n* câble *m*; **c. car** (*with overhead cable*) téléphérique *m*; (*on tracks*) funiculaire *m*; **c. television** la télévision par câble; **to have c.** *Fam* avoir le câble ▮ *vt* (*message etc*) câbler (**to** à).
caboose [kə'buːs] *n* (*on train*) *Am* fourgon *m* (de queue).
cache [kæʃ] *n* (*place*) cachette *f*; **an arms' c.** une cache d'armes.
cachet ['kæʃeɪ] *n* (*mark, character etc*) cachet *m*.
cackle ['kæk(ə)l] *vi* (*of hen*) caqueter; (*laugh*) glousser ▮ *n* caquet *m*; (*laughter*) gloussement *m*.
cacophony [kə'kɒfənɪ] *n* cacophonie *f*.
cactus, *pl* **-ti** *or* **-tuses** ['kæktəs, -taɪ, -təsɪz] *n* cactus *m*.
cad [kæd] *n* *Old-fashioned Pej* goujat *m*.
cadaverous [kə'dævərəs] *a* cadavérique.
caddie ['kædɪ] *n Golf* caddie *m*.
caddy ['kædɪ] *n* **(tea) c.** boîte *f* à thé.
cadence ['keɪdəns] *n* (*rhythm*) & *Mus* cadence *f*.
cadet [kə'det] *n* élève *mf* d'une école militaire; **officer c.** élève officier; **police c.** *Br* élève *mf* d'une école de police.
cadge [kædʒ] *vi* (*beg*) quémander ▮ *vt* (*meal*) se faire payer (**off s.o.** par qn); **to c. money from** *or* **off s.o.** taper de qn.
Caesarean [sɪ'zeərɪən] *n* **c. (section)** (*operation*) césarienne *f*.
café ['kæfeɪ] *n* café(-restaurant) *m*.
cafeteria [kæfɪ'tɪərɪə] *n* cafétéria *f*.
caffeine ['kæfiːn] *n* caféine *f*.
cage [keɪdʒ] *n* cage *f* ▮ *vt* **to c. (up)** mettre en cage.
cagey ['keɪdʒɪ] *a Fam* peu communicatif (**about** à l'égard de).
cahoots [kə'huːts] *n* **in c.** *Sl* de mèche, en cheville (**with s.o.** avec qn).
Cairo ['kaɪərəʊ] *n* Le Caire *m*.
cajole [kə'dʒəʊl] *vt* amadouer, enjôler.
cake[1] [keɪk] *n* gâteau *m*; (*small*) pâtisserie *f*; **c. shop** pâtisserie *f*; **c. of soap** savonnette *f*.
cake[2] [keɪk] *vt* **caked with blood/mud** couvert de sang/boue séché(e); **caked blood/mud** sang *m*/boue *f* séché(e).
calamine ['kæləmaɪn] *n* **c. (lotion)** lotion *f* apaisante (à la calamine).
calamity [kə'læmɪtɪ] *n* calamité *f*. ● **calamitous** *a* désastreux.
calcium ['kælsɪəm] *n* calcium *m*.
calculate ['kælkjʊleɪt] *vti* calculer; **to c. that** (*estimate*) calculer que; *Fam* supposer que; **to c. on** (*rely on*) compter sur. ● **calculated** *a* (*deliberate*) délibéré; **a c. risk** un risque calculé. ● **calculating** *a* (*shrewd*) calculateur. ● **calculation** [-'leɪʃ(ə)n] *n* calcul *m*.
calculator ['kælkjʊleɪtər] *n* (*desk computer*) calculatrice *f*; **(pocket) c.** calculatrice (de poche).
calculus ['kælkjʊləs] *n Math Med* calcul *m*.
calendar ['kælɪndər] *n* calendrier *m*; (*directory*) annuaire *m*; (*for engagements*) *Am* agenda *m*; **c. month/year** mois *m*/année *f* civil(e).
calf [kɑːf] *n* (*pl* calves) 1 (*animal*) veau *m*. 2 (*part of leg*) mollet *m*.
calibre ['kælɪbər] (*Am* **caliber**) *n* calibre *m*. ● **calibrate** *vt* calibrer.
calico ['kælɪkəʊ] *n* (*pl* -oes *or* -os) (*fabric*) calicot *m*; (*printed*) *Am* indienne *f*.
call [kɔːl] *n* appel *m*; (*shout*) cri *m*; (*vocation*) vocation *f*; (*visit*) visite *f*; **(telephone) c.** communication *f*, appel *m* téléphonique; **to make a c.** (*phone*) téléphoner (**to** à); **on c.** (*doctor etc*) de garde; **there's no c. to do that** il n'y a aucune raison de faire cela; **there's no c. for that article** cet article n'est pas très demandé; **c. box** *Br* cabine *f* (téléphonique); **c. girl** call-girl *f*.
▮ *vt* appeler; (*shout*) crier; (*wake up*) réveiller; (*person to meeting*) convoquer (**to** à); (*attention*) attirer (**to** sur); (*truce*) demander; (*consider*) considérer; **he's called David** il s'appelle David; **to c. a meeting** convoquer une assemblée; **to c. s.o. a liar/etc** traiter *or* qualifier qn de menteur/etc; **she calls herself an expert** elle se dit expert; **to c. into question** mettre en question; **let's c. it a day** *Fam* on va s'arrêter là, ça suffit.
▮ *vi* appeler; (*cry out*) crier; (*visit*) passer.
call back *vti* rappeler ▮ **to call by** *vi* (*visit*)

caller

passer ▮ **to call for** *vt* (*require*) demander; (*summon*) appeler; (*collect*) passer prendre ▮ **to call in** *vt* (*into room etc*) faire venir *or* entrer; (*police*) appeler; (*recall*) rappeler, faire rentrer (*appareil défectueux*) ▮ *vi* **to c. in** (on s.o.) (*visit*) passer (chez qn); **c.-in programme** (*on radio*) émission *f* à ligne ouverte. ▮ **to call off** *vt* (*cancel*) annuler; (*dog*) rappeler ▮ **to call on** *vi* (*visit*) passer voir, passer chez; (*invoke*) invoquer (*Dieu etc*); **to c. (up)on s.o. to do** inviter qn à faire; (*urge*) sommer qn de faire. ▮ **to call out** *vt* (*shout*) crier; (*doctor*) appeler; (*workers*) donner une consigne de grève à ▮ *vi* (*shout*) crier; **to c. out to** interpeller qn; **to c. out for** demander à haute voix ▮ **to call over** *vi* (*visit*) passer. ▮ **to call round** *vi* (*visit*) passer. ▮ **to call up** *vt* (*phone*) appeler; (*recruits*) Mil appeler, mobiliser; (*memories*) évoquer. ● **call-up** *n* (*of recruits*) appel *m*, mobilisation *f*.
caller ['kɔːlər] *n* visiteur, -euse *mf*; (*on phone*) correspondant, -ante *mf*.
calligraphy [kəˈlɪɡrəfɪ] *n* calligraphie *f*.
calling ['kɔːlɪŋ] *n* vocation *f*; **c. card** Am carte *f* de visite.
callous ['kæləs] *a* **1** (*cruel*) cruel, insensible. **2** (*skin*) calleux.
callow ['kæləʊ] *a* **c. youth** blanc-bec *m*.
callus ['kæləs] *n* durillon *m*, cal *m*.
calm [kɑːm] *a* (**-er, -est**) calme, tranquille; **keep c.!** (*don't panic*) du calme! ▮ *n* calme *m* ▮ *vt* **to c. (down)** calmer ▮ *vi* **to c. down** se calmer. ● **calmly** *adv* calmement. ● **calmness** *n* calme *m*.
Calor gas ['kæləɡæs] *n* Br butagaz® *m*; **C. gas stove** camping-gaz *m*.
calorie ['kælərɪ] *n* calorie *f*.
calumny ['kæləmnɪ] *n* calomnie *f*.
calve [kɑːv] *vi* (*of cow*) vêler.
camber ['kæmbər] *n* (*in road*) bombement *m*.
camcorder ['kæmkɔːdər] *n* caméscope *m*.
came [keɪm] *pt of* **come**.
camel ['kæməl] *n* chameau *m*.
camellia [kəˈmiːlɪə] *n* (*plant*) camélia *m*.
cameo ['kæmɪəʊ] *n* (*gem*) camée *m*; **c. role** Cinema petit rôle *m*.
camera ['kæmrə] *n* appareil (photo) *m*; (**TV** *or* **film**) **c.** caméra *f*. ● **cameraman** *n* (*pl* -men) cameraman *m*, cadreur *m*.
camomile ['kæməmaɪl] *n* (*plant*) camomille *f*.
camouflage ['kæməflɑːʒ] *n* camouflage *m* ▮ *vt* camoufler.
camp[1] [kæmp] *n* camp *m*, campement *m*; **c. bed** lit *m* de camp ▮ *vi* **to c. (out)** camper. ● **camping** *n* camping *m*; **c. site** (terrain *m* de) camping *m*. ● **camper** *n* (*person*) campeur, -euse *mf*; (*vehicle*) camping-car *m*. ● **campfire** *n* feu *m* de camp. ● **campsite** *n* camping *m*.
camp[2] [kæmp] *a* (*affected*) affecté, exagéré (et risible).
campaign [kæmˈpeɪn] *n* (*political, military etc*) campagne *f*; **press/publicity c.** campagne *f* de presse/publicité ▮ *vi* faire campagne (**for** pour, **against** contre). ● **campaigner** *n* militant, -ante *mf* (**for** pour).
campus ['kæmpəs] *n* (*of university*) campus *m*.
can[1] [kæn, *unstressed* kən] *v aux* (*pres t* **can**, *pt* **could**) (*be able to*) pouvoir; (*know how to*) savoir; **he can't help me** il ne pouvait pas m'aider; **if I c.** si je peux; **she c. swim** elle sait nager; **if I could swim** si je savais nager; **he could do it tomorrow** il pourrait le faire demain; **he could have done it** il aurait pu le faire; **you could be wrong** (*possibility*) tu as peut-être tort; **he can't be dead** (*probability*) il ne peut pas être mort; **that can't be right!** (*disbelief*) ce n'est pas possible!; **c. I come in?** (*permission*) puis-je entrer?; **yes, you c.!** oui!; **you can't** *or* **c. not** *or* **cannot come** tu ne peux pas venir; **I c. see** je vois; **as happy/***etc* **as c. be** aussi heureux/*etc* que possible.
can[2] [kæn] *n* (*for water etc*) bidon *m*; (*for food, beer*) boîte *f* ▮ *vt* (**-nn-**) mettre en boîte. ● **canned** *a* en boîte, en conserve; **c. beer** bière *f* en boîte; **c. food** conserves *fpl*. ● **can-opener** *n* ouvre-boîtes *m inv*.
Canada ['kænədə] *n* Canada *m*. ● **Canadian** [kəˈneɪdɪən] *a* canadien ▮ *n* Canadien, -ienne *mf*.
canal [kəˈnæl] *n* canal *m*.
canary [kəˈneərɪ] *n* canari *m*, serin *m*.
cancan ['kænkæn] *n* french-cancan *m*.
cancel ['kænsəl] *vt* (*Br* **-ll-**, *Am* **-l-**) (*flight, appointment etc*) annuler; (*goods, taxi*) décommander; (*train*) supprimer; (*word, paragraph etc*) biffer; (*stamp*) oblitérer; **to c. a ticket** (*punch*) (*with date*) composter un billet; (*with hole*) poinçonner un billet; **to c. each other out** s'annuler. ● **cancellation** [-ˈleɪʃ(ə)n] *n* annulation *f*; (*of train*) suppression *f*; (*of stamp*) oblitération *f*.
cancer ['kænsər] *n* cancer *m*; **C.** (*sign*) le Cancer; **stomach/***etc* **c.** cancer de l'estomac/*etc*; **c. patient** cancéreux, -euse *mf*; **c. specialist** cancérologue *mf*. ● **cancerous** *a* cancéreux.
candelabra [kændɪˈlɑːbrə] *n* candélabre *m*.
candid ['kændɪd] *a* franc (*f* franche), sincère. ● **candour** (*Am* **candor**) *n* franchise *f*, sincérité *f*.
candidate ['kændɪdeɪt] *n* candidat, -ate *mf*. ● **candidacy** *or* **candidature** *n* candidature *f*.
candle ['kænd(ə)l] *n* (*wax*) bougie *f*; (*tallow*) chandelle *f*; (*in church*) cierge *m*; **c. grease** suif *m*. ● **candlelight** *n* **by c.** à la (lueur d'une) bougie; **to have dinner by c.** dîner aux chandelles. ● **candlestick** *n* bougeoir *m*; (*tall*) chandelier *m*.
candy ['kændɪ] *n Am* bonbon(s) *m*(*pl*); (*sugar*) **c.** sucre *m* candi; **c. store** *Am* confiserie *f*. ● **candied** *a* (*fruit*) confit. ● **candyfloss** *n Br* barbe *f* à papa.
cane [keɪn] *n* (*stick*) canne *f*; (*for basket*) rotin *m*; (*for punishing s.o.*) baguette *f* ▮ *vt*

canine ['keınaın] **1** *a* (*tooth, race etc*) canin. **2** *n* (*tooth*) canine *f*.
canister ['kænıstər] *n* boîte *f* (*en métal*).
canker ['kæŋkər] *n* (*evil*) chancre *m*.
cannabis ['kænəbıs] *n* (*drug*) haschisch *m*, cannabis *m*; (*plant*) chanvre *m* indien.
cannibal ['kænıbəl] *n* cannibale *mf*. ●**canniba'listic** *a* (*habits etc*) cannibale.
cannon ['kænən] *n* (*pl* -s *or inv*) canon *m*. ●**cannonball** *n* boulet *m* (de canon).
cannot ['kænɒt] = **can not**.
canny ['kænı] *a* (-**ier**, -**iest**) rusé, malin (*f* -igne).
canoe [kə'nuː] *n* canoë *m*, kayak *m*; (*dugout*) pirogue *f* ▮ *vi* faire du canoë-kayak. ●**canoeing** *n* **to go c.** faire du canoë-kayak. ●**canoeist** *n* canoéiste *mf*.
canon ['kænən] *n* (*law*) canon *m*; (*clergyman*) chanoine *m*. ●**canonize** *vt Rel* canoniser.
canopy ['kænəpı] *n* (*hood of Br pram or Am baby carriage*) capote *f*; (*awning*) auvent *m*; (*over bed, altar etc*) dais *m*; (*made of glass*) marquise *f*; (*of leaves*) *Fig* voûte *f*.
cant [kænt] *n* (*jargon*) jargon *m*.
can't [kɑːnt] = **can not**.
cantaloup(e) [Br 'kæntəluːp, Am -loʊp] *n* (*melon*) cantaloup *m*.
cantankerous [kæn'tæŋkərəs] *a* (*old man etc*) grincheux, acariâtre.
cantata [kæn'tɑːtə] *n Mus* cantate *f*.
canteen [kæn'tiːn] *n* (*in school, factory etc*) cantine *f*; (*flask*) gourde *f*; **c. of cutlery** *Br* ménagère *f*.
canter ['kæntər] *n* petit galop *m* ▮ *vi* aller au petit galop.
cantor ['kæntər] *n* (*singer*) *Rel* chantre *m*, maître *m* de chapelle.
canvas ['kænvəs] *n* (*grosse*) toile *f*; (*for embroidery*) canevas *m*; **under c.** (*in a tent*) sous la tente.
canvass ['kænvəs] *vt* (*an area*) faire du démarchage dans; (*opinions*) sonder; **to c. s.o.** (*seek votes*) solliciter des voix de qn; (*seek orders*) solliciter des commandes de qn. ●**canvassing** *n* (*for orders*) démarchage *m*, prospection *f*; (*for votes*) démarchage *m* (électoral). ●**canvasser** *n Pol* agent *m* électoral, démarcheur, -euse *mf* (électoral(e)); *Com* démarcheur, -euse *mf*.
canyon ['kænjən] *n* cañon *m*, canyon *m*.
cap[1] [kæp] *n* **1** (*hat*) casquette *f*; (*for shower, of sailor*) bonnet *m*; (*of soldier*) képi *m*. **2** (*of bottle, tube, valve*) bouchon *m*; (*of milk or beer bottle*) capsule *f*; (*of pen*) capuchon *m*. **3** (*of child's gun*) amorce *f*. **4** (**Dutch**) **c.** (*contraceptive*) diaphragme *m*.
cap[2] [kæp] *vt* (-**pp**-) **1** (*outdo*) surpasser; **to c. it all** pour comble. **2** (*expenses*) *Br* limiter. **3** (*cover*) **capped with** surmonté de; **capped with snow** coiffé de neige.
CAP [siːer'piː] *n abbr* (*common agricultural policy*) PAC *f*.
capable ['keıpəb(ə)l] *a* (*person*) capable (of sth de qch, of doing de faire), compétent; **c. of** (*situation, text etc*) susceptible de. ●**capa'bility** *n* capacité *f*. ●**capably** *adv* avec compétence.
capacity [kə'pæsətı] *n* (*of container*) capacité *f*, contenance *f*; (*ability*) aptitude *f*, capacité *f* (**for sth** pour qch, **for doing** à faire); (*output*) rendement *m*; **in my c. as a doctor**/*etc* en ma qualité de médecin/*etc*; **in an advisory**/*etc* **c.** à titre consultatif/*etc*; **filled to c.** (*concert hall etc*) absolument plein, comble; **c. audience** salle *f* comble.
cape [keıp] *n* **1** (*cloak*) cape *f*; (*of cyclist*) pèlerine *f*. **2** (*of coast*) cap *m*; **C. Town** Le Cap.
caper ['keıpər] **1** *vi* (*jump about*) gambader. **2** *n* (*activity*) *Sl* affaire *f*; (*prank*) *Fam* farce *f*; (*trip*) *Fam* virée *f*. **3** *n* (*for seasoning*) câpre *f*.
capital ['kæpıtəl] **1** *a* (*letter, importance*) capital; **c. punishment** peine *f* capitale ▮ *n* **c. (city)** capitale *f*; **c. (letter)** majuscule *f*, capitale *f*. **2** *n* (*money*) capital *m*, capitaux *mpl*. ●**capitalism** *n* capitalisme *m*. ●**capitalist** *a* & *n* capitaliste (*mf*). ●**capitalize** *vi* **to c. on** tirer parti de.
capitulate [kə'pıtʃʊleıt] *vi* capituler. ●**capitulation** [-'leıʃ(ə)n] *n* capitulation *f*.
cappuccino [kæpʊ'tʃiːnəʊ] *n* (*pl* -**os**) cappuccino *m*.
caprice [kə'priːs] *n* caprice *m*. ●**capricious** [kə'prıʃəs] *a* capricieux.
Capricorn ['kæprıkɔːn] *n* (*sign*) le Capricorne.
capsicum ['kæpsıkəm] *n* poivron *m*.
capsize [kæp'saız] *vi* (*of boat*) chavirer ▮ *vt* (*faire*) chavirer.
capsule [Br 'kæpsjuːl, Am 'kæpsəl] *n* (*medicine, of spaceship etc*) capsule *f*.
captain ['kæptın] *n* capitaine *m* ▮ *vt* (*ship*) commander; (*team*) être le capitaine de.
caption ['kæpʃ(ə)n] *n* (*under illustration*) légende *f*; (*of film, heading of article*) sous-titre *m*.
captivate ['kæptıveıt] *vt* captiver. ●**captivating** *a* captivant.
captive ['kæptıv] *n* prisonnier, -ière *mf*, captif, -ive *mf*. ●**cap'tivity** *n* **in c.** en captivité.
capture ['kæptʃər] *vt* (*person, animal, ship*) capturer, prendre; (*escaped prisoner or animal*) reprendre; (*town*) prendre; (*attention*) capter; (*represent in words, on film etc*) rendre, reproduire ▮ *n* capture *f*.
car [kɑːr] *n* voiture *f*, auto(mobile) *f*; (*train carriage*) wagon *m*, voiture *f*; **c. insurance/industry** assurance *f*/industrie *f* automobile; **the c. door**/*etc* la portière/*etc* de la voiture; **c. boot sale** *Br* (*sorte de*) braderie *f*; **c. chase** poursuite *f* en voiture; **c. ferry** ferry-boat *m*; **c. hire** *Br*, **c. rental** *Am* location *f* de voitures; **c. park** *Br* parking *m*; **c. phone** téléphone *m* de voiture; **c. radio** autoradio *m*; **c. wash** (*machine*) lave-auto *m*; (*action*) lavage *m* automatique. ●**carfare** *n Am* frais *mpl* de voyage. ●**carport** *n* auvent *m* (pour

carafe

voiture). ●**carsick** *a* **to be c.** être malade en voiture.
carafe [kə'ræf] *n* carafe *f*.
caramel ['kærəməl] *n* (*flavouring, Br sweet, Am candy*) caramel *m*.
carat ['kærət] *n* carat *m*; **18 c. gold** or *m* à 18 carats.
caravan ['kærəvæn] *n* (*vehicle*) Br caravane *f*; (*horse-drawn*) roulotte *f*; (*in desert*) caravane *f*; **c. site** camping *m* pour caravanes.
caraway ['kærəweɪ] *n* (*plant*) cumin *m*, carvi *m*; **c. seeds** graines *fpl* de carvi *or* de cumin.
carbohydrates [kɑːbəʊ'haɪdreɪts] *npl* (*in diet*) féculents *mpl*.
carbon ['kɑːbən] *n* carbone *m*; **c. copy** double *m* (au carbone); (*of crime etc*) Fig double *m*; **c. paper** (papier *m*) carbone *m*.
carbuncle ['kɑːbʌŋk(ə)l] *n* (*swelling*) furoncle *m*, clou *m*.
carburettor [kɑːbjʊ'retər] (*Am* **carburetor** ['kɑːbəreɪtər]) *n* carburateur *m*.
carcass ['kɑːkəs] *n* carcasse *f*.
carcinogenic [kɑːsɪnə'dʒenɪk] *a* cancérigène.
card [kɑːd] *n* (*cardboard*) carton *m*; (*index*) **c. fiche** *f*; **c. index** fichier *m*; **c. game** (*type of game*) jeu *m* de cartes; (*game of cards*) partie *f* de cartes; **c. table** table *f* de jeu; **to play cards** jouer aux cartes; *Br* **on** *or Am* **in the cards** *Fam* très vraisemblable. ●**cardphone** *n* téléphone *m* or publiphone *m* à carte. ●**cardsharp** *n* tricheur, -euse *mf*.
cardboard ['kɑːdbɔːd] *n* carton *m*; **c. box** boîte *f* en carton, carton *m*.
cardiac ['kɑːdɪæk] *a* cardiaque.
cardigan ['kɑːdɪɡən] *n* gilet *m*.
cardinal ['kɑːdɪn(ə)l] **1** *a* (*number, point etc*) cardinal. **2** *n* (*priest*) cardinal *m*.
care [keər] **1** *vi* **to c. about** (*feel concern about*) se soucier de, s'intéresser à; **I don't c.** ça m'est égal; **I couldn't c. less** *Fam* je m'en fiche; **who cares?** qu'est-ce que ça fait?
2 *vi* (*like*) aimer, vouloir; **would you c. to try?** voulez-vous essayer?, aimeriez-vous essayer?; **I don't c. for it** (**much**) (*opera, tennis etc*) je n'aime pas tellement ça; **to c. for a drink/a change/***etc* avoir envie d'un verre/d'un changement/*etc*; **to c. about** *or* **for s.o.** (*be fond of*) avoir de la sympathie pour qn; **to c. for s.o.** (*look after*) s'occuper de qn; (*sick person*) soigner qn.
3 *n* (*attention*) soin(s) *m*(*pl*), attention *f*; (*protection*) garde *f*, soin *m*; (*anxiety*) souci *m*; **to take c. not to do** faire attention à ne pas faire; **to take c. to do** veiller à faire; **to take c. of** s'occuper de (*qch, qn*); (*sick person*) prendre soin de; **to take c. of oneself** (*manage*) se débrouiller; (*keep healthy*) faire bien attention à soi; **that will take c. of itself** ça s'arrangera; **'c. of'** (*on envelope*) 'chez'.
career [kə'rɪər] **1** *n* carrière *f*; **to make a c. in** faire carrière dans ❙ *a* (*diplomat etc*) de carrière; **the job has c. prospects** cet emploi offre des perspectives de carrière. **2** *vi* **to c.**

along aller à toute vitesse.
carefree ['keəfriː] *a* insouciant.
careful ['keəf(ə)l] *a* (*exact, thorough*) soigneux (**about** de); (*work*) soigné; (*cautious*) prudent; **c.** (**about** *or* **with money**) regardant; **to be c. of** *or* **with** faire attention à; **to be c. not to do** faire attention à ne pas faire; **to be c. to do** veiller à faire; **be c. she doesn't see you!** (fais) attention qu'elle ne te voie pas! ●**carefully** *adv* avec soin; (*cautiously*) prudemment.
careless ['keələs] *a* négligent; (*absentminded*) étourdi; (*work*) peu soigné; **c. about one's work/appearance/***etc* peu soigneux de son travail/de sa personne/*etc*. ●**carelessness** *n* négligence *f*, manque *m* de soin.
carer ['keərər] *n* (**professional**) **c.** travailleur *m* social.
caress [kə'res] *n* caresse *f* ❙ *vt* (*stroke*) caresser; (*kiss*) embrasser.
caretaker ['keəteɪkər] *n* gardien, -ienne *mf*, concierge *mf*.
cargo ['kɑːɡəʊ] *n* (*pl Br* **-oes**, *Am* **-os**) cargaison *f*; **c. boat** cargo *m*.
Caribbean [*Br* kærɪ'biːən, *Am* kə'rɪbɪən] *a* caraïbe ❙ *n* **the C.** (**Islands**) les Antilles *fpl*.
caricature ['kærɪkətʃʊər] *n* caricature *f* ❙ *vt* caricaturer.
caring ['keərɪŋ] *a* (*loving*) aimant; (*understanding*) très humain ❙ *n* affection *f*.
carnage ['kɑːnɪdʒ] *n* carnage *m*.
carnal ['kɑːnəl] *a* charnel, sexuel.
carnation [kɑː'neɪʃən] *n* œillet *m*.
carnival ['kɑːnɪvəl] *n* carnaval *m* (*pl* -als).
carnivore ['kɑːnɪvɔːr] *n* carnivore *m*. ●**car'nivorous** *a* carnivore.
carol ['kærəl] *n* chant *m* (de Noël).
carouse [kə'raʊz] *vi* faire la fête.
carp [kɑːp] **1** *n* (*fish*) carpe *f*. **2** *vi* critiquer; **to c. at** critiquer.
carpenter ['kɑːpɪntər] *n* (*for house building*) charpentier *m*; (*for light woodwork*) menuisier *m*. ●**carpentry** *n* charpenterie *f*; (*for light woodwork*) menuiserie *f*.
carpet ['kɑːpɪt] *n* tapis *m*; (*Br fitted, Am wall-to-wall*) moquette *f*; **c. sweeper** balai *m* mécanique ❙ *vt* recouvrir d'un tapis *or* d'une moquette; (*of snow etc*) Fig tapisser. ●**carpeting** *n* (*carpets*) tapis *mpl*; (**wall-to-wall**) **c.** *Am* moquette *f*.
carriage ['kærɪdʒ] *n* (*of train*) *Br* voiture *f*; (*horse-drawn*) voiture *f*, équipage *m*; (*transport of goods*) *Br* transport *m*; (*of typewriter*) chariot *m*; **c. paid** *Br* port payé.
carriageway ['kærɪdʒweɪ] *n Br* chaussée *f*.
carrier ['kærɪər] *n* (*of illness*) porteur, -euse *mf*; (*company*) entreprise *f* de transports; (*airline*) transporteur *m* aérien; **c.** (**bag**) *Br* sac *m* (en plastique); **c. pigeon** pigeon *m* voyageur.
carrot ['kærət] *n* carotte *f*.
carry ['kærɪ] *vt* porter; (*goods*) transporter; (*by wind*) emporter; (*motion*) Pol faire passer, voter; (*sound*) conduire; (*sell*) sto-

casual

cker; (*in calculation*) *Math* retenir; **to c. water/etc to** (*of pipe etc*) amener de l'eau/etc à; **to c. responsibility** (*of job*) comporter des responsabilités; **to c. sth too far** pousser qch trop loin; **to c. oneself** se comporter. ∎ *vi* (*of sound*) porter.

carryall ['kærɪɔːl] *n* (*bag*) *Am* fourre-tout *m inv*. ●**carrycot** *n Br* (nacelle *f*) porte-bébé *m*.

carry away *vt* emporter; (*of idea etc*) *Fig* transporter; **to be** or **get carried away** (*excited*) s'emballer ∎ **to carry back** *vt* (*thing*) rapporter; (*person*) ramener; (*in thought*) reporter ∎ **to carry forward** (*in bookkeeping*) reporter ∎ **to c. off** *vt* emporter; (*kidnap*) enlever; (*prize*) remporter; **to c. it off** réussir ∎ **to carry on** *vt* continuer (**doing** à faire); (*negotiations*) diriger, mener; (*conversation*) soutenir ∎ *vi* continuer; (*behave*) *Pej* se conduire (mal); (*complain*) se plaindre; **to c. on with sth** continuer qch; **to c. on about** (*talk*) causer de. ●**carryings-'on** *npl Pej* activités *fpl* louches; (*behaviour*) façons *fpl*. ∎ **to carry out** *vt* (*plan, order, promise etc*) exécuter, réaliser; (*repair, reform*) effectuer; (*duty*) accomplir; (*meal*) *Am* emporter ∎ **to carry through** *vt* (*plan etc*) mener à bonne fin.

cart [kɑːt] **1** *n* (*horse-drawn*) charrette *f*; (*handcart*) voiture *f* à bras; (*in supermarket*) *Am* caddie® *m*; (**serving**) **c.** table *f* roulante. **2** *vt* (*goods, people*) transporter; **to c.** (**around**) *Fam* trimbal(l)er; **to c. away** emporter. ●**carthorse** *n* cheval *m* de trait.

cartel [kɑːˈtel] *n* (*of businesses*) cartel *m*.

cartilage ['kɑːtɪlɪdʒ] *n* cartilage *m*.

carton ['kɑːtən] *n* (*box*) carton *m*; (*of milk, fruit juice etc*) brique *f*; (*of cigarettes*) cartouche *f*; (*of cream*) pot *m*.

cartoon [kɑːˈtuːn] *n* (*in newspaper etc*) dessin *m* (humoristique); (*film*) dessin *m* animé; (**strip**) **c.** bande *f* dessinée. ●**cartoonist** *n* dessinateur, -trice *mf* (humoristique).

cartridge ['kɑːtrɪdʒ] *n* (*of firearm, pen, camera, tape deck*) cartouche *f*; (*of record player*) cellule *f*; **c. belt** cartouchière *f*.

cartwheel ['kɑːtwiːl] *n* **to do a c.** (*in gymnastics*) faire la roue.

carve [kɑːv] *vt* (*cut*) tailler (**out of** dans); (*initials etc*) graver; (*sculpt*) sculpter; **to c.** (**up**) (*meat*) découper; **to c. up** (*country*) dépecer, morceler; **to c. out a career for oneself** se tailler une carrière. ●**carving** *a* **c. knife** couteau *m* à découper ∎ *n* (*wood*) **c.** sculpture *f* (sur bois).

cascade [kæsˈkeɪd] *n* (*of rocks*) chute *f*; (*of blows*) déluge *m*; (*of lace*) flot *m* ∎ *vi* (*fall*) tomber; (*hang*) pendre.

case¹ [keɪs] *n* (*instance, in hospital*) cas *m*; (*in court*) affaire *f*; (*arguments*) arguments *mpl*; **in any c.** en tout cas; **in c. it rains** pour le cas où il pleuvrait; **in c. of** en cas de; (**just**) **in c.** à tout hasard.

case² [keɪs] *n* (*bag*) valise *f*; (*crate*) caisse *f*; (*for pen, glasses, camera, violin, cigarettes*) étui *m*; (*for jewels*) coffret *m*.

cash [kæʃ] *n* argent *m*; **to pay (in) c.** (*not by Br cheque or Am check*) payer en espèces or en liquide; **to pay c.** (**down**) (*not on credit*) payer comptant; **c. price** prix *m* (au) comptant; **c. box** caisse *f*; **c. desk** *Br* caisse *f*; **c. dispenser** or **machine** distributeur *m* de billets; **he has c. flow problems** il a des problèmes d'argent; **c. register** caisse *f* enregistreuse. ∎ *vt* **to c. a** *Br* **cheque** or *Am* **check** (*of person*) encaisser un chèque; (*of bank*) payer un chèque; **to c. in on** (*situation*) *Fam* profiter de.

cashew ['kæʃuː] *n* (*nut*) noix *f* de cajou.

cashier [kæˈʃɪər] **1** *n* caissier, -ière *mf*. **2** *vt* (*dismiss*) casser (*officier*).

cashmere ['kæʃmɪər] *n* cachemire *m*.

casing ['keɪsɪŋ] *n* (*covering*) enveloppe *f*.

casino [kəˈsiːnəʊ] *n* (*pl* **-os**) casino *m*.

cask [kɑːsk] *n* fût *m*, tonneau *m*. ●**casket** *n* (*box*) coffret *m*; (*coffin*) cercueil *m*.

casserole ['kæsərəʊl] *n* (*covered dish*) cocotte *f*; (*stew*) ragoût *m* en cocotte.

cassette [kəˈset] *n* (*audio, video*) cassette *f*; (*for camera*) cartouche *f*; **c. player** lecteur *m* de cassettes; **c. recorder** magnétophone *m* à cassettes.

cassock ['kæsək] *n* soutane *f*.

cast [kɑːst] **1** *n* (*actors*) acteurs *mpl*; (*list of actors*) distribution *f*; (*mould*) moulage *m*; (*of dice*) coup *m*; (*for broken bone*) plâtre *m*; (*squint*) léger strabisme *m*; **in a c.** *Med* dans le plâtre; **c. of mind** tournure *f* d'esprit. **2** *vt* (*pt* & *pp* **cast**) (*throw*) jeter; (*light, shadow*) projeter; (*blame*) rejeter; (*glance*) jeter (**at** à, sur); (*metal*) couler; (*theatrical role*) distribuer; (*actor*) donner un rôle à; **to c. doubt on sth** jeter le doute sur qch; **to c. a spell on s.o.** jeter un sort sur qn, envoûter qn; **to c. one's mind back** se reporter en arrière; **to c. a vote** voter; **to c. aside** rejeter; **to c. off** (*chains etc*) se libérer de; (*person*) *Fig* abandonner; **to c. off its skin** (*of animal*) muer, se dépouiller.

3 *vi* **to c. off** (*of ship*) appareiller.

4 *n* **c. iron** fonte *f*. ●**cast-'iron** *a* (*pan etc*) en fonte; (*will*) *Fig* de fer, solide; (*alibi, excuse*) *Fig* en béton.

castaway ['kɑːstəweɪ] *n* naufragé, -ée *mf*.

caste [kɑːst] *n* caste *f*.

caster ['kɑːstər] *n* (*wheel*) roulette *f*; **c. sugar** *Br* sucre *m* en poudre, sucre semoule.

castle ['kɑːs(ə)l] *n* château *m*; *Chess* tour *f*.

castoffs ['kɑːstɒfs] *npl* vieux vêtements *mpl*.

castor ['kɑːstər] *n* (*wheel*) roulette *f*; **c. oil** huile *f* de ricin; **c. sugar** *Br* sucre *m* en poudre, sucre semoule.

castrate [kæˈstreɪt] *vt* châtrer. ●**castration** [-ʃ(ə)n] *n* castration *f*.

casual ['kæʒjʊəl] *a* (*remark*) fait en passant; (*stroll*) sans but; (*meeting*) fortuit; (*offhand*) désinvolte, insouciant; (*worker*) temporaire; (*work*) irrégulier; **c. clothes** vêtements *mpl* sport; **she's a c. acquaintance** c'est quelqu'un

casualty

que je connaîs un peu. ● **casually** *adv* (*informally*) avec désinvolture; (*to remark*) en passant.
casualty ['kæʒjʊəltɪ] *n* (*dead*) mort *m*, morte *f*; (*wounded*) blessé, -ée *mf*; (*accident victim*) accidenté, -ée *mf*; **casualties** morts et blessés *mpl*; **c. (department)** (*in hospital*) *Br* (service *m* des) urgences *fpl*.
cat [kæt] *n* chat *m*; (*female*) chatte *f*; **c. food** pâtée *f*; **c. burglar** monte-en-l'air *m inv*; **c.'s eyes**® *Br* cataphotes® *mpl*.
cataclysm ['kætəklɪzəm] *n* cataclysme *m*.
catalogue ['kætəlɒg] (*Am* **catalog**) *n* catalogue *m* ▌ *vt* cataloguer.
catalyst ['kætəlɪst] *n Ch* & *Fig* catalyseur *m*.
catapult ['kætəpʌlt] *n* (*toy*) lance-pierres *m inv*; (*on aircraft carrier*) catapulte *f* ▌ *vt* catapulter.
cataract ['kætərækt] *n* (*of eye*) cataracte *f*.
catarrh [kə'tɑːr] *n Br* gros rhume *m*.
catastrophe [kə'tæstrəfɪ] *n* catastrophe *f*. ● **cata'strophic** *a* catastrophique.
catcall ['kætkɔːl] *n* sifflet *m*, huée *f*.
catch [kætʃ] *vt* (*pt* & *pp* **caught**) (*ball, thief, illness etc*) attraper; (*grab*) prendre, saisir; (*surprise*) (sur)prendre; (*understand*) saisir; (*train, bus etc*) attraper, (réussir à) prendre; (*garment on nail etc*) accrocher (**on** à); **to c. one's finger**/*etc* **in** se prendre le doigt/*etc* dans; **to c. s.o.'s eye** *or* **attention** attirer l'attention de qn; **to c. sight of** apercevoir; **to c. fire** prendre feu; **to c. s.o. (in)** *Fam* trouver qn (chez soi); **to c. one's breath** (*rest a while*) reprendre haleine; (*stop breathing*) retenir son souffle; **I didn't c. the train**/*etc* j'ai manqué le train/*etc*; **to c. s.o. doing** surprendre *ou* prendre qn à faire; **to c. s.o. out** prendre qn en défaut; **to c. s.o. up** rattraper qn.
▌ *vi* (*of fire*) prendre; **her skirt (got) caught in the door** sa jupe s'est prise *or* coincée dans la porte; **to c. on** (*become popular*) prendre, devenir populaire; (*understand*) saisir; **to c. up** se rattraper; **to c. up with s.o.** rattraper qn.
▌ *n* (*captured animal*) capture *f*, prise *f*; (*fish*) prise *f*; (*many fish*) pêche *f*; (*trick, snare*) piège *m*; (*on door*) loquet *m*; **there's a c.** (*hidden difficulty etc*) ça cache quelque chose. ● **catching** *a* (*illness*) contagieux. ● **catchphrase** *or* **catchword** *n* slogan *m*.
catchy ['kætʃɪ] *a* (**-ier, -iest**) (*tune*) *Fam* facile à retenir.
catechism ['kætɪkɪzəm] *n Rel* catéchisme *m*.
category ['kætɪgərɪ] *n* catégorie *f*. ● **cate'gorical** *a* catégorique. ● **categorize** *vt* classer (**par catégories**).
cater ['keɪtər] *vi* (*prepare food and drink*) s'occuper des repas (**for** pour); **to c. to,** *Br* **c. for** (*need, taste*) satisfaire; (*of book, newspaper*) s'adresser à (*enfants, étudiants etc*). ● **catering** *n* restauration *f*; **to do the c.** s'occuper des repas. ● **caterer** *n* traiteur *m*.
caterpillar ['kætəpɪlər] *n* chenille *f*; **c. track**® chenille *f*.

catgut ['kætgʌt] *n* (*cord*) boyau *m*.
cathedral [kə'θiːdrəl] *n* cathédrale *f*.
catholic ['kæθlɪk] **1** *a* & *n* **C.** catholique (*mf*). **2** *a* (*taste*) universel; (*view*) libéral. ● **Ca'tholicism** *n* catholicisme *m*.
cattle ['kæt(ə)l] *npl* bétail *m*, bestiaux *mpl*.
catty ['kætɪ] *a* (**-ier, -iest**) (*spiteful*) *Fam* rosse, méchant.
catwalk ['kætwɔːk] *n* (*in fashion show*) *Br* podium *m*.
caucus ['kɔːkəs] *n* (*to choose candidates*) *Pol Am* comité *m* électoral.
caught [kɔːt] *see* **catch**.
cauldron ['kɔːldrən] *n* chaudron *m*.
cauliflower ['kɒlɪflaʊər] *n* chou-fleur *m*; **c. cheese** *Br* chou-fleur au gratin.
cause [kɔːz] *n* (*origin, ideal, aim*) & *Jur* cause *f*; (*reason*) cause *f*, raison *f* (**of** de); **c. for complaint**/**dispute** sujet *m* de plainte/dispute; **to have no c. to worry**/*etc* n'avoir aucune raison de s'inquiéter/*etc*; **to have c. for complaint** avoir à se plaindre.
▌ *vt* causer, occasionner; **to c. trouble for s.o.** créer *ou* causer des ennuis à qn; **to c. sth**/**s.o. to fall**/*etc* faire tomber/*etc* qch/qn.
causeway ['kɔːzweɪ] *n* chaussée *f* (*chemin surélevé*).
caustic ['kɔːstɪk] *a* (*remark, substance*) caustique; **c. soda** soude *f* caustique.
cauterize ['kɔːtəraɪz] *vt* (*wound*) cautériser.
caution ['kɔːʃ(ə)n] *n* (*care*) prudence *f*, précaution *f*; (*warning*) avertissement *m* ▌ *vt* (*warn*) avertir; **to c. s.o. against sth** mettre qn en garde contre qch.
cautionary ['kɔːʃən(ə)rɪ] *a* **c. tale** conte *m* moral.
cautious ['kɔːʃəs] *a* prudent, circonspect. ● **cautiously** *adv* prudemment.
cavalier [kævə'lɪər] **1** *a* (*selfish*) cavalier. **2** *n* (*horseman, knight*) *Hist* cavalier *m*.
cavalry ['kævəlrɪ] *n* cavalerie *f*.
cave [keɪv] **1** *n* caverne *f*, grotte *f*. **2** *vi* **to c. in** (*fall in*) (*of ceiling etc*) s'effondrer. ● **caveman** *n* (*pl* **-men**) homme *m* des cavernes.
cavern ['kævən] *n* caverne *f*.
caviar(e) ['kævɪɑːr] *n* caviar *m*.
cavity ['kævɪtɪ] *n* cavité *f*.
cavort [kə'vɔːt] *vi Fam* cabrioler; **to c. naked**/*etc* se balader tout nu/*etc*.
CD [siː'diː] *abbr* (*compact Br disc or Am disk*) CD *m*.
cease [siːs] *vti* cesser (**doing** de faire). ● **cease-fire** *n* cessez-le-feu *m inv*. ● **ceaseless** *a* incessant. ● **ceaselessly** *adv* sans cesse.
cedar ['siːdər] *n* (*tree, wood*) cèdre *m*.
cedilla [sɪ'dɪlə] *n Grammar* cédille *f*.
ceiling ['siːlɪŋ] *n* (*of room, Fig on wages etc*) plafond *m*.
celebrate ['selɪbreɪt] *vt* (*event*) fêter; (*mass, s.o.'s merits etc*) célébrer ▌ *vi* faire la fête; **we should c. (that)!** il faut fêter ça! ● **celebrated** *a* célèbre. ● **celebration** [-'breɪʃ(ə)n] *n* (*event*) fête *f*; **the celebrations** les festivités *fpl*; **the c. of** (*marriage etc*) la célébration de.

celebrity [sə'lebrətɪ] *n (person)* célébrité *f*.
celery ['selərɪ] *n* céleri *m*; **stick of c.** côte *f* de céleri.
celibate ['selɪbət] *a (abstaining from sex)* chaste, célibataire; *(monk, priest etc)* abstinent. ● **celibacy** *n (of young person etc)* chasteté *f*, célibat *m*; *(of monk etc)* abstinence *f*.
cell [sel] *n* cellule *f*; **El** élément *m*.
cellar ['selər] *n* cave *f*.
cello ['tʃeləʊ] *n (pl -os)* violoncelle *m*. ● **cellist** *n* violoncelliste *mf*.
cellophane® ['seləfeɪn] *n* cellophane® *f*.
cellular ['seljʊlər] *a* cellulaire; **c. blanket** couverture *f* en cellular; **c. phone** téléphone *m* cellulaire.
celluloid ['seljʊlɔɪd] *n* celluloïd *m*.
cellulose ['seljʊləʊs] *n* cellulose *f*.
Celsius ['selsɪəs] *a* Celsius *inv*.
Celt [kelt] *n* Celte *mf*. ● **Celtic** *a* celtique, celte.
cement [sɪ'ment] *n* ciment *m*; **c. mixer** bétonnière *f* ▮ *vt* cimenter.
cemetery [Br 'semətrɪ, Am 'seməterɪ] *n* cimetière *m*.
cenotaph ['senətɑːf] *n* cénotaphe *m*.
censor ['sensər] *n* censeur *m* ▮ *vt (film etc)* censurer. ● **censorship** *n* censure *f*.
censure ['senʃər] *vt (criticize)* blâmer; *(government, party etc)* censurer ▮ *n* blâme *m*; **c. motion, vote of c.** motion *f* de censure.
census ['sensəs] *n* recensement *m*.
cent [sent] *n (coin)* cent *m*; **not a c.** Fam pas un sou.
centenary [Br sen'tiːnərɪ, Am sen'tenərɪ] *n* centenaire *m*.
center ['sentər] *n Am* = **centre**.
centigrade ['sentɪɡreɪd] *a* centigrade.
centimetre ['sentɪmiːtər] *n* centimètre *m*.
centipede ['sentɪpiːd] *n* mille-pattes *m inv*.
central ['sentrəl] *a* central. ● **centralize** *vt* centraliser.
centre ['sentər] *(Am* **center)** *n* centre *m*; **c. forward** Football avant-centre *m* ▮ *vt (object, discussion etc)* centrer (**on** sur); *(photo)* cadrer ▮ *vi* **to c. on** *(of thoughts)* se concentrer sur; *(of question)* tourner autour de.
centrifugal [sen'trɪfjʊɡəl] *a* centrifuge.
century ['sentʃərɪ] *n* siècle *m*; *(score)* Cricket cent points *mpl*; **in the twenty-first c.** au vingt-et-unième siècle.
ceramic [sə'ræmɪk] *a (tile etc)* de *or* en céramique. ● **ceramics** *npl (objects)* céramiques *fpl*; *(art)* céramique *f*.
cereal ['sɪərɪəl] *n* céréale *f*; **(breakfast) c.** céréales *fpl* (pour petit déjeuner).
cerebral [Br 'serɪbrəl, Am sə'riːbrəl] *a* cérébral.
ceremony ['serɪmənɪ] *n (event)* cérémonie *f*; **to stand on c.** faire des cérémonies *or* des façons. ● **cere'monial** *a. c.* **dress/etc** tenue *f/etc* de cérémonie ▮ *n* cérémonial *m*. ● **cere'monious** *a* cérémonieux.
certain ['sɜːtən] *a* **1** *(sure)* certain, sûr *(that* que); **she's c. to come, she'll come for c.**

c'est certain *or* sûr qu'elle viendra; **I'm not c. what to do** je ne sais pas très bien ce qu'il faut faire; **to be c. of sth/that** être certain de qch/que; **for c.** *(to say, know)* avec certitude; **be c. to go!** vas-y sans faute!; **to make c. of** *(fact)* s'assurer de; *(seat, s.o.'s safety etc)* s'assurer.
2 *(particular, some)* certain; **a c. person** une certaine personne; **c. people** certaines personnes. ● **certainly** *adv (undoubtedly)* certainement; *(yes)* bien sûr; *(without fail)* sans faute. ● **certainty** *n* certitude *f*.
certificate [sə'tɪfɪkɪt] *n* certificat *m*; *(from university)* diplôme *m*.
certify ['sɜːtɪfaɪ] *vt (document, signature etc)* certifier; **to c. s.o. (insane)** déclarer qn dément; **certified public accountant** *Am* expert-comptable *m*; **certified letter** *Am* = lettre *f* recommandée ▮ *vi* **to c. to sth** attester qch.
cervix ['sɜːvɪks] *n* col *m* de l'utérus.
cesspool ['sespuːl] *n* fosse *f* d'aisances; *(of corruption etc)* Fig cloaque *m*.
chafe [tʃeɪf] *vt (skin)* Lit frotter.
chaff [tʃæf] *vt (tease)* taquiner.
chaffinch ['tʃæfɪntʃ] *n (bird)* pinson *m*.
chagrin [Br 'ʃæɡrɪn, Am ʃə'ɡrɪn] *n* contrariété *f* ▮ *vt* contrarier.
chain [tʃeɪn] *n (of rings, mountains)* chaîne *f*; *(of ideas, events)* enchaînement *m*, suite *f*; *(of lavatory)* chasse *f* d'eau; **c. reaction** réaction *f* en chaîne; **to be a c.-smoker** fumer cigarette sur cigarette, fumer comme un pompier; **c. saw** tronçonneuse *f*; **c. store** magasin *m* à succursales multiples.
▮ *vt* **to c. (down)** enchaîner; **to c. (up)** *(dog)* mettre à l'attache. ● **chain-smoke** *vi* fumer comme un pompier.
chair [tʃeər] *n* chaise *f*; *(armchair)* fauteuil *m*; *(of university professor)* chaire *f*; **the c.** *(office of chairperson)* la présidence; **c. lift** télésiège *m* ▮ *vt (meeting)* présider. ● **chairman** *(pl -men) or* **chairperson** *n* président, -ente *mf*. ● **chairmanship** *n* présidence *f*.
chalet ['ʃæleɪ] *n* chalet *m*.
chalk [tʃɔːk] *n* craie *f*; **not by a long c.** loin de là, tant s'en faut ▮ *vt* écrire *or* marquer à la craie; **to c. up** *(success)* Fig remporter. ● **chalky** *a (-ier, -iest)* crayeux.
challenge ['tʃælɪndʒ] *n* défi *m*; *(task)* challenge *m*, gageure *f*; *(order from soldier)* sommation *f*; **a c. for sth** *(bid)* une tentative d'obtenir qch ▮ *vt* défier **(s.o. to do** qn de faire); *(question, dispute)* contester; **to c. s.o. to a game** inviter qn à jouer; **to c. s.o. to a duel** provoquer qn en duel. ● **challenging** *a (job)* exigeant; *(book)* stimulant. ● **challenger** *n (in sports)* challenger *m*.
chamber ['tʃeɪmbər] *n (room, assembly, hollow of gun etc)* chambre *f*; **chambers** *(of judge)* Br cabinet *m*; **c. of commerce** chambre *f* de commerce. **c. music/orchestra** musique *f*/orchestre *m* de chambre; **c. pot** pot *m* de chambre. ● **chambermaid** *n* femme *f* de chambre.

chameleon [kə'mi:lıən] *n* caméléon *m*.
chamois ['ʃæmı] *n* c. **(leather)** peau *f* de chamois.
champagne [ʃæm'peɪn] *n* champagne *m*.
champion ['tʃæmpɪən] *n* champion, -onne *mf*; **c. skier, skiing c.** champion, -onne de ski ▮ *vt* (*support*) se faire le champion de (*cause, personne etc*). ●**championship** *n* championnat *m*.
chance [tʃɑ:ns] *n* (*luck*) hasard *m*; (*possibility*) chances *fpl*, possibilité *f*; (*opportunity*) occasion *f*; (*risk*) risque *m*; **by c.** par hasard; **by any c.** (*possibly*) par hasard; **to have the c. to do** *sth or* **of doing sth** avoir l'occasion de faire qch; **to give s.o. (another) c.** donner à qn une deuxième chance; **to take a c.** tenter le coup; **on the off c. (that) you could help me** au cas où tu pourrais m'aider. ▮ *a* (*remark*) fait au hasard; **c. meeting** rencontre *f* fortuite; **c. occurrence** événement *m* accidentel.
▮ *vt* **to c. doing** prendre le risque de faire; **to c. to find/etc** trouver/*etc* par hasard; **to c. it** risquer le coup
▮ *v imp* **to 'chanced that** (*happened*) il s'est trouvé que (+ *indic*).
chancel ['tʃɑ:nsəl] *n* (*in church*) chœur *m*.
chancellor ['tʃɑ:nsələr] *n Pol etc* chancelier *m*. ●**chancellery** *n* chancellerie *f*.
chandelier [ʃændə'lɪər] *n* lustre *m*.
change [tʃeɪndʒ] *n* changement *m*; (*money*) monnaie *f*; **for a c.** pour changer; **it makes a c. from** ça change de; **to have a c. of heart** changer d'avis; **a c. of clothes** des vêtements de rechange.
▮ *vt* (*modify*) changer; (*exchange*) échanger (**for** contre); (*money, wheel*) changer; (*transform*) changer, transformer (*qn, qch* **into** en); **to c. trains/one's skirt/etc** changer de train/de jupe/*etc*; **to c. gear** (*in vehicle*) changer de vitesse; **to c. colour** changer de couleur; **to c. the subject** changer de sujet.
▮ *vi* (*alter*) changer; (*change clothes*) se changer; **to c. into** (*be transformed*) se changer *or* se transformer en; **she changed into a dress** elle a mis une robe; **to c. over** passer (**from** de, **to** à). ●**changing** *n* **the c. of the guard** *Br* la relève de la garde; **c. room** vestiaire *m*.
changeable ['tʃeɪndʒəb(ə)l] *a* (*weather, mood etc*) changeant, variable.
changeover ['tʃeɪndʒəʊvər] *n* passage *m* (**from** de, **to** à).
channel ['tʃæn(ə)l] *n* (*on television*) chaîne *f*, canal *m*; (*for irrigation*) rigole *f*; (*route for boats*) chenal *m*; (*groove*) rainure *f*; (*of inquiry etc*) *Fig* voie *f*; **through the c. of** le canal de; **to go through the usual channels** passer par la voie normale; **the C.** *Geog* la Manche; **the C. Tunnel** le tunnel sous la Manche; **the C. Islands** les îles anglonormandes ▮ *vt* (*Br* **-ll-**, *Am* **-l-**) (*energies, crowd, money etc*) canaliser (**into** vers).
chant [tʃɑ:nt] *n* (*of demonstrators*) chant *m* scandé; (*religious*) psalmodie *f* ▮ *vt* (*slogan*) scander ▮ *vi* (*of demonstrators*) scander des slogans.
chaos ['keɪɒs] *n* chaos *m*. ●**cha'otic** *a* (*room etc*) sens dessus dessous; (*situation, scene*) chaotique.
chap [tʃæp] **1** *n* (*fellow*) *Br Fam* type *m*; **old c.!** mon vieux! **2** *n* (*on skin*) gerçure *f* ▮ *vi* (**-pp-**) se gercer ▮ *vt* gercer; **chapped hands/lips/***etc* lèvres/mains/*etc* gercées.
chapel ['tʃæp(ə)l] *n* chapelle *f*; (*nonconformist church*) temple *m*.
chaperon(e) ['ʃæpərəʊn] *n* chaperon *m* ▮ *vt* chaperonner.
chaplain ['tʃæplɪn] *n* aumônier *m*.
chapter ['tʃæptər] *n* chapitre *m*.
char [tʃɑ:r] **1** *vt see* **charred**. **2** *n* (*cleaning woman*) *Br Fam* femme *f* de ménage ▮ *vi* **to go charring** *Br Fam* faire des ménages. **3** *n* (*tea*) *Br Sl* thé *m*.
character ['kærɪktər] *n* **1** (*of person, place etc*) caractère *m*; (*in book, film*) personnage *m*; (*strange person*) numéro *m*; **c. actor** acteur *m* de genre. **2** (*typographical*) caractère *m*; **in bold characters** en caractères gras.
characteristic [kærɪktə'rɪstɪk] *a & n* caractéristique (*f*). ●**characteristically** *adv* typiquement.
characterize [kærɪktə'raɪz] *vt* caractériser.
charade [*Br* ʃə'rɑ:d, *Am* ʃə'reɪd] *n* (*game*) charade *f* (mimée); (*travesty*) parodie *f*, comédie *f*.
charcoal ['tʃɑ:kəʊl] *n* charbon *m* (de bois); (*crayon*) fusain *m*, charbon *m*.
charge[1] [tʃɑ:dʒ] *n* (*in battle*) charge *f*; (*in court*) accusation *f*; (*responsibility*) responsabilité *f*, charge *f*; (*care*) garde *f*; **to take c. of** prendre en charge; **to be in c. of** (*child etc*) avoir la garde de; (*office etc*) être responsable de; **the person in c.** le *or* la responsable; **who's in c. here?** qui commande ici?; **the battery is on c.** la batterie est en charge.
▮ *vt* (*battery, soldiers*) charger; (*accuse*) *Jur* accuser, inculper (**with** de).
▮ *vi* (*rush*) se précipiter; **c.!** *Mil* chargez! ●**charger** *n* (*for battery*) chargeur *m*.
charge[2] [tʃɑ:dʒ] *n* (*cost*) prix *m*; **charges** (*expenses*) frais *mpl*; **there's a c.** (**for it**) c'est payant; **to make a c. for sth** faire payer qch; **free of c.** gratuit; **extra c.** supplément *m*; **c. card** carte *f* de clientèle ▮ *vt* (*amount*) demander (**for** pour); **to c. s.o.** faire payer qn; **to c. sth (up) to s.o.** mettre qch sur le compte de qn; **how much do you c.?** combien demandez-vous? ●**chargeable** *a* **c. to s.o.** aux frais de qn.
chariot ['tʃærɪət] *n* (*Roman etc*) char *m*.
charisma [kə'rɪzmə] *n* charisme *m*.
charity ['tʃærɪtɪ] *n* (*kindness, alms*) charité *f*; (*society*) fondation *f* *or* œuvre *f* charitable; **to give to c.** faire la charité. ●**charitable** *a* charitable.
charlady ['tʃɑ:leɪdɪ] *n Br* femme *f* de ménage.
charlatan ['ʃɑ:lətən] *n* charlatan *m*.

charm [tʃɑːm] *n* (*attractiveness, spell*) charme *m*; (*trinket*) breloque *f* ▌ *vt* charmer. ●**charming** *a* charmant. ●**charmingly** *adv* d'une façon charmante.

charred [tʃɑːd] *a* (*burnt until black*) carbonisé; (*scorched*) brûlé légèrement.

chart [tʃɑːt] *n* (*map*) carte *f*; (*table*) tableau *m*; (*graph*) graphique *m*; **temperature c.** courbe *f or* feuille *f* de température; (*pop*) **charts** hit-parade *m* ▌ *vt* (*route*) porter sur la carte; (*make a graph of*) faire le graphique de (*chiffres etc*); (*of graph*) montrer; (*observe*) suivre (attentivement) (*une évolution etc*).

charter ['tʃɑːtər] **1** *n* (*aircraft*) charter *m*; **the c. of** (*hiring*) l'affrètement *m* de; **c. flight** (vol *m*) charter *m* ▌ *vt* (*aircraft etc*) affréter. **2** *n* (*document*) charte *f*. ●**chartered accountant** *n Br* expert-comptable *m*.

charwoman ['tʃɑːwʊmən] *n* (*pl* -**women**) *Br* femme *f* de ménage.

chary ['tʃeərɪ] *a* (-**ier**, -**iest**) (*cautious*) prudent; **to be c. of doing** hésiter à faire.

chase [tʃeɪs] *n* poursuite *f*, chasse *f*; **to give c.** se lancer à la poursuite (**to de**) ▌ *vt* poursuivre; **to c. s.o. away** *or* **off** chasser qn; **to c. sth up** *Fam* essayer d'obtenir qch, rechercher qch ▌ *vi* **to c. after s.o./sth** courir après qn/qch.

chasm ['kæzəm] *n* abîme *m*, gouffre *m*.

chassis [*Br* 'ʃæsɪ, *Am* 'tʃæsɪ] *n* (*of vehicle*) châssis *m*.

chaste [tʃeɪst] *a* chaste. ●**chastity** *n* chasteté *f*.

chasten ['tʃeɪs(ə)n] *vt Lit* (*punish*) châtier; (*cause to improve*) faire se corriger, assagir. ●**chastening** *a* (*experience*) instructif.

chastise [tʃæ'staɪz] *vt* punir.

chat [tʃæt] *n* petite conversation *f*; **to have a c.** bavarder (**with** avec) ▌ *vi* (-**tt**-) causer, bavarder (**with** avec) ▌ *vt* **to c. s.o. up** *Br Fam* baratiner qn, draguer qn.

chatter ['tʃætər] *vi* (*of person*) bavarder; (*of birds, monkeys*) jacasser; **his teeth are chattering** il claque des dents ▌ *n* bavardage *m*; (*of birds etc*) jacassement *m*. ●**chatterbox** *n* bavard, -arde *mf*.

chatty ['tʃætɪ] *a* (-**ier**, -**iest**) (*person*) bavard; (*style*) familier; (*text*) plein de bavardages.

chauffeur ['ʃəʊfər] *n* chauffeur *m* (de maître).

chauvinist ['ʃəʊvɪnɪst] *n & a* chauvin, -ine (*mf*); (*male*) **c.** *Pej* macho *m*, phallocrate *m*.

cheap [tʃiːp] *a* (-**er**, -**est**) bon marché *inv*, pas cher; (*rate, fare*) réduit; (*worthless*) (*goods etc*) sans valeur; (*superficial*) (*emotion, remark*) facile; (*mean, petty*) mesquin; **cheaper** moins cher, meilleur marché; **to feel c.** (*humiliated*) se sentir humilié; (*ashamed*) avoir honte ▌ *adv* (*to buy*) (à) bon marché, au rabais ▌ *n* **on the c.** (à) bon marché. ●**cheaply** *adv* (à) bon marché. ●**cheapness** *n* bas prix *m*; (*meanness*) *Fig* mesquinerie *f*.

cheapen ['tʃiːpən] *vt* (*degrade*) avilir; (*disparage*) déprécier.

cheat [tʃiːt] *vt* (*deceive*) tromper; (*defraud*) frauder; **to c. s.o. out of sth** escroquer qch à qn; **to c. on** (*wife, husband*) faire une infidélité *or* des infidélités à ▌ *vi* (*at games etc*) tricher; (*defraud*) frauder ▌ *n* (*at games etc*) tricheur, -euse *mf*; (*crook*) escroc *m*. ●**cheating** *n* (*at games etc*) tricherie *f*; (*deceit*) tromperie *f*. ●**cheater** *n Am* = **cheat**.

check¹ [tʃek] *a* (*dress etc*) à carreaux ▌ *n* **c.** (*pattern*) carreaux *mpl*. ●**checked** *a* (*patterned*) à carreaux.

check² [tʃek] *vt* (*examine*) vérifier; (*inspect*) contrôler; (*mark off, Br tick*) cocher, pointer; (*stop*) arrêter, enrayer; (*restrain*) contenir, maîtriser; (*rebuke*) réprimander; (*baggage*) *Am* mettre à la consigne. ▌ *vi* vérifier; **to c. on sth** vérifier qch. ▌ *n* vérification *f*; (*inspection*) contrôle *m*; (*halt*) arrêt *m*; *Chess* échec *m*; (*curb*) frein *m* (**on** à); (*tick*) *Am* = croix *f*; (*receipt*) *Am* reçu *m*; (*bill in restaurant etc*) *Am* addition *f*; (*cheque*) *Am* chèque *m*; **to keep a c. on sth** contrôler qch; **to keep s.o. in c.** tenir qn en échec; **to put a c. on sth** mettre un frein à qch.

checkbook ['tʃekbʊk] *n Am* carnet *m* de chèques. ●**checking account** *n Am* compte *m* courant. ●**checklist** *n* liste *f* de contrôle. ●**checkmate** *n Chess* échec et mat *m*. ●**checkpoint** *n* contrôle *m*. ●**checkroom** *n Am* vestiaire *m*; (*left-luggage office*) *Am* consigne *f*.

checkered ['tʃekəd] *a Am* = **chequered**.

checkers ['tʃekəz] *npl Am* jeu *m* de dames. ●**checkerboard** *n Am* damier *m*.

check in *vt* (*luggage*) enregistrer ▌ *vi* (*at hotel*) arriver; (*sign in*) signer le registre; (*at airport*) se présenter (à l'enregistrement), enregistrer ses bagages. ●**check-in** *n* (*at airport*) enregistrement *m* (des bagages). ▌ **to check off** *vt* (*names on list etc*) cocher ▌ **to check out** *vt* (*confirm*) confirmer ▌ *vi* (*at hotel*) régler sa note. ●**checkout** *n* (*in supermarket*) caisse *f*. ▌ **to check up** *vi* vérifier, se renseigner. ●**checkup** *n* (*medical*) bilan *m* de santé; **to have a c.** passer un bilan de santé.

cheddar ['tʃedər] *n* (*cheese*) cheddar *m*.

cheek [tʃiːk] *n* joue *f*; (*impudence*) *Br Fig* culot *m*. ●**cheekbone** *n* pommette *f*. ●**cheeky** *a* (-**ier**, -**iest**) (*person, reply etc*) *Br* insolent, effronté.

cheep [tʃiːp] *vi* (*of bird*) piauler.

cheer¹ [tʃɪər] *n* **cheers** (*shouts*) acclamations *fpl*; **cheers!** *Fam* à votre santé! ▌ *vt* (*applaud*) acclamer; **to c. on** encourager; **to c. (up)** (*comfort*) donner du courage à (*qn*); (*amuse*) égayer (*qn*). ▌ *vi* applaudir; **to c. up** prendre courage; (*be amused*) s'égayer; **c. up!** (du) courage! ●**cheering** *n* (*shouts*) acclamations *fpl* ▌ *a* (*encouraging*) réjouissant.

cheer² [tʃɪər] *n* (*gaiety*) joie *f*; **good c.** (*food*) la bonne chère.

cheerful ['tʃɪəfəl] *a* gai. ●**cheerfully** *adv*

cheerio!

gaiement. ●**cheerless** a morne.
cheerio! [tʃɪərɪ'əʊ] int Br salut!, au revoir!
cheese [tʃiːz] n fromage m; **c. board** plateau m de fromages. ●**cheeseburger** n cheeseburger m. ●**cheesecake** n tarte f au fromage blanc.
cheesed [tʃiːzd] a **to be c. (off)** Fam en avoir marre (**with** de).
cheesy ['tʃiːzɪ] a (**-ier, -iest**) (shabby, bad) Am Fam miteux.
cheetah ['tʃiːtə] n guépard m.
chef [ʃef] n (cook) chef m.
chemical a chimique ∎ n produit m chimique.
chemist ['kemɪst] n (pharmacist) Br pharmacien, -ienne mf; (scientist) chimiste mf; **c.'s shop** Br pharmacie f. ●**chemistry** n chimie f.
chemotherapy [kiːməʊ'θerəpɪ] n chimiothérapie f; **to have c.** faire de la chimiothérapie.
cheque [tʃek] n Br chèque m; **c. card** carte f d'identité bancaire. ●**chequebook** n Br carnet m de chèques.
chequered ['tʃekəd] a (Br pattern) à carreaux; (career) qui connaît des hauts et des bas; **c. flag** Sport drapeau m à damier.
cherish ['tʃerɪʃ] vt (hope) nourrir, caresser; (person) chérir.
cherry ['tʃerɪ] n cerise f; **c. brandy** cherry m ∎ a **c.(-red)** cerise inv.
chess [tʃes] n échecs mpl. ●**chessboard** n échiquier m.
chest [tʃest] n 1 (part of body) poitrine f. 2 (box) coffre m; **c. of drawers** commode f.
chestnut ['tʃestnʌt] n châtaigne f; (cooked) châtaigne f, marron m ∎ a **c. hair** cheveux mpl châtains; **c. tree** châtaignier m.
chew [tʃuː] vt **to c. (up)** mâcher; **to c. over** (plan, problem etc) Fig ruminer ∎ vi mastiquer; **chewing gum** chewing-gum m.
chick [tʃɪk] n poussin m; (girl) Am Fam nana f.
chicken ['tʃɪkɪn] 1 n poulet m; **it's c. feed** Fam c'est deux fois rien, c'est une bagatelle. 2 a (cowardly) Fam froussard ∎ vi **to c. out** (avoid doing sth) Fam se dégonfler. ●**chickenpox** n varicelle f.
chickpea ['tʃɪkpiː] n pois m chiche.
chicory ['tʃɪkərɪ] n inv (for salad) endive f; (in coffee etc) chicorée f.
chide [tʃaɪd] vt gronder.
chief [tʃiːf] n chef m; (boss) Fam patron m, chef m; **commander/editor in c.** commandant m/rédacteur m en chef ∎ a (main, highest in rank) principal. ●**chiefly** adv principalement, surtout. ●**chieftain** [-tən] n (of clan) chef m.
chilblain ['tʃɪlbleɪn] n engelure f.
child pl **children** [tʃaɪld, 'tʃɪldrən] n enfant mf; **c. care** (for working parents) crèches fpl et garderies fpl; **c. minder** Br nourrice f, assistante f maternelle; **it's child's play** (easy) c'est un jeu d'enfant.
childbearing ['tʃaɪldbeərɪŋ] n (motherhood) maternité f; **of c. age** en âge de procréer.
●**childbirth** n accouchement m, couches fpl.

●**childhood** n enfance f. ●**childish** a puéril, enfantin. ●**childishness** n puérilité f. ●**childlike** a naïf, innocent. ●**childproof** a (lock etc) qui ne peut pas être ouvert par les enfants.
Chile ['tʃɪlɪ] n Chili m.
chill [tʃɪl] n froid m; (coldness in feelings) froideur f; (illness) refroidissement m; **to catch a c.** prendre froid ∎ vt (wine, melon) faire rafraîchir; (meat) réfrigérer; **to c. s.o.** (with fear, cold etc) faire frissonner qn (**with** de); **to be chilled to the bone** être transi; **chilled wine** vin m frais ou frappé; **chilled dessert** dessert m frais. ●**chilling** a (report, thought etc) qui fait froid dans le dos.
chilli ['tʃɪlɪ] n (pl **-ies**) piment m (de Cayenne).
chilly ['tʃɪlɪ] a (**-ier, -iest**) froid; (sensitive to cold) frileux; **it's c.** il fait (un peu) froid.
chime [tʃaɪm] vi (of bell) carillonner; (of clock) sonner; **to c. in** (interrupt) interrompre ∎ vt (of clock) sonnerie f.
chimney ['tʃɪmnɪ] n cheminée f. ●**chimneypot** n Br tuyau m de cheminée.
●**chimneysweep** n ramoneur m.
chimpanzee [tʃɪmpæn'ziː] n chimpanzé m.
chin [tʃɪn] n menton m.
china ['tʃaɪnə] n inv porcelaine f ∎ a en porcelaine. ●**chinaware** n (objects) porcelaine f.
China ['tʃaɪnə] n Chine f. ●**Chi'nese** a chinois; **c. leaves** Br, **c. cabbage** Am chou m chinois ∎ n inv (person) Chinois, -oise mf; (language) chinois m; (meal) Fam repas m chinois; **to eat c.** Fam manger chinois.
chink [tʃɪŋk] 1 n (slit) fente f. 2 vi (of glasses etc) tinter ∎ vt faire tinter ∎ n tintement m.
chip [tʃɪp] vt (**-pp-**) (cup, blade etc) ébrécher; (table) abîmer; (paint) écailler; (cut) tailler (pierre, marbre etc).
∎ vi **to c. in** Fam (contribute) contribuer; (interrupt) mettre son grain de sel.
∎ n (splinter) éclat m; (break) ébréchure f; (microchip) puce f; (counter) jeton m; **chips** (French fries) Br frites fpl; (crisps) Am chips fpl. ●**chipboard** n (bois m) aggloméré m.
●**chippings** npl **road** or **loose c.** gravillons mpl.
chiropodist [kɪ'rɒpədɪst] n Br pédicure mf.
●**chiropody** n Br soins mpl du pied.
chirp [tʃɜːp] vi (of bird) pépier ∎ n pépiement m.
chirpy ['tʃɜːpɪ] a (**-ier, -iest**) gai, plein d'entrain.
chisel ['tʃɪz(ə)l] n ciseau m ∎ vt (Br **-ll-,** Am **-l-**) ciseler.
chit [tʃɪt] n (paper) note f, billet m.
chitchat ['tʃɪttʃæt] n bavardage m.
chivalry ['ʃɪvəlrɪ] n (courtesy) galanterie f; (of medieval knights) chevalerie f. ●**chivalrous** a (man) galant.
chives [tʃaɪvz] npl ciboulette f.
chlorine ['klɔːriːn] n chlore m. ●**chlorinate** vt chlorer; **chlorinated water** eau f chlorée.
chloroform ['klɒrəfɔːm] n chloroforme m.
choc-ice ['tʃɒkaɪs] n (ice cream) Br esqui-

mau *m*.
chock [tʃɒk] *n* (*wedge*) cale *f* ∎ *vt* caler.
chock-a-block [tʃɒkə'blɒk] *Br or* **chock-'full** *a* (*room etc*) *Fam* archiplein.
chocolate ['tʃɒklɪt] *n* chocolat *m*; **milk c.** chocolat au lait; *Br* **plain** *or Am* **bittersweet c.** chocolat à croquer; **drinking c.** chocolat *m* en poudre ∎ *a* (*cake*) au chocolat; (*colour*) chocolat *inv*; **c. egg** œuf *m* en chocolat. ● **chocolate-coated** *a* enrobé de chocolat.
choice [tʃɔɪs] *n* choix *m*; **from c., out of c.** de son propre choix; **I had no c.** je n'ai pas eu le choix ∎ *a* (*goods*) de choix.
choir ['kwaɪər] *n* chœur *m*. ● **choirboy** *n* jeune choriste *m*.
choke [tʃəʊk] **1** *vt* (*person*) étrangler, étouffer; (*clog*) boucher, engorger (*tuyau*); **to c. back** (*sobs, tears etc*) étouffer ∎ *vi* s'étrangler, étouffer; **to c. on** (*fish bone etc*) s'étrangler avec. **2** *n* (*in vehicle*) starter *m*. ● **choker** *n* (*necklace*) collier *m* (de chien).
cholera ['kɒlərə] *n* choléra *m*.
cholesterol [kə'lestərɒl] *n* cholestérol *m*; **c. level** taux *m* de cholestérol.
choose [tʃuːz] *vt* (*pt* **chose**, *pp* **chosen**) choisir; **to c. to do** (*make a firm choice*) choisir de faire; (*decide*) juger bon de faire ∎ *vi* choisir; **as I/you/***etc* **c.** comme il me/vous/*etc* plaît.
choos(e)y ['tʃuːzɪ] *a* (**-sier, -siest**) difficile (**about** sur).
chop [tʃɒp] **1** *n* (*of lamb, pork*) côtelette *f*; **to lick one's chops** *Fig* s'en lécher les babines; **to get the c.** *Br Sl* être flanqué à la porte. **2** *vt* (**-pp-**) couper (à la hache); (*food*) hacher; **to c. down** (*tree*) abattre; **to c. off** (*branch, finger etc*) couper; **to c. up** couper en morceaux. **3** *vi* (**-pp-**) **to c. and change** changer constamment d'idées, de projets *etc*. ● **chopper** *n* hachoir *m*; (*helicopter*) *Sl* hélico *m*.
choppy ['tʃɒpɪ] *a* (*sea, river*) agité.
chopsticks ['tʃɒpstɪks] *npl* baguettes *fpl* (*pour manger*).
choral ['kɔːrəl] *a* choral; **c. society** chorale *f*. ● **chorister** ['kɒrɪstər] *n* choriste *mf*.
chord [kɔːd] *n* (*in music*) accord *m*.
chore [tʃɔːr] *n* travail *m* (routinier); (*unpleasant*) corvée *f*; (**household**) **chores** (travaux *mpl* du) ménage *m*; **to do the chores** faire le ménage.
choreographer [kɒrɪ'ɒgrəfər] *n* chorégraphe *mf*.
chortle ['tʃɔːt(ə)l] *vi* (*laugh*) glousser ∎ *n* gloussement *m*.
chorus ['kɔːrəs] *n* (*part of song*) refrain *m*; (*singers*) chœur *m*; (*dancers*) troupe *f*; **c. girl** girl *f*.
chose, chosen [tʃəʊz, 'tʃəʊz(ə)n] *see* **choose**.
chowder ['tʃaʊdər] *n Am* soupe *f* aux poissons *or* aux fruits de mer.
Christ [kraɪst] *n* Christ *m*. ● **Christian** ['krɪstʃən] *a & n* chrétien, -ienne (*mf*); **C. name** prénom *m*. ● **Christi'anity** *n* christianisme *m*.
christen ['krɪs(ə)n] *vt* (*baptize*) baptiser (*qn*); (*name*) *Fig* baptiser (*navire etc*). ● **christening** *n* baptême *m*.
Christmas ['krɪsməs] *n* Noël *m*; **at C.** (**time**) à (la) Noël; **Merry** *or* **Happy C.** Joyeux Noël; **Father C.** le père Noël ∎ *a* (*tree, card, day, party etc*) de Noël; **C. box** *Br* étrennes *fpl*; **C. Eve** la veille de Noël.
chrome [krəʊm] *or* **chromium** *n* chrome *m*.
chromosome ['krəʊməsəʊm] *n* chromosome *m*.
chronic ['krɒnɪk] *a* (*disease, state etc*) chronique; (*bad*) *Sl* atroce.
chronicle ['krɒnɪk(ə)l] *n* chronique *f* ∎ *vt* faire la chronique de.
chronology [krə'nɒlədʒɪ] *n* chronologie *f*. ● **chrono'logical** *a* chronologique; **in c. order** par ordre chronologique.
chronometer [krə'nɒmɪtər] *n* chronomètre *m*.
chrysanthemum [krɪ'sænθəməm] *n* chrysanthème *m*.
chubby ['tʃʌbɪ] *a* (**-ier, -iest**) (*person, hands etc*) potelé; (*cheeks*) rebondi. ● **chubby-'cheeked** *a* joufflu.
chuck [tʃʌk] *vt* (*throw*) *Fam* jeter, lancer; **to c.** (**in**) *or* (**up**) (*give up*) *Br Fam* laisser tomber (*travail etc*); **to c. away** *Fam* (*old clothes etc*) balancer; (*money*) gaspiller; **to c. out** (*old clothes, person etc*) *Fam* balancer.
chuckle ['tʃʌk(ə)l] *vi* glousser, rire ∎ *n* gloussement *m*.
chuffed [tʃʌft] *a Br Sl* super content; (*displeased*) *Iron* pas heureux.
chug [tʃʌg] *vi* (**-gg-**) **to c. along** (*of vehicle*) avancer lentement (*en faisant teuf-teuf*).
chum [tʃʌm] *n Fam* copain *m*. ● **chummy** *a* (**-ier, -iest**) *Fam* amical; **c. with** copain avec.
chump [tʃʌmp] *n* (*fool*) crétin, -ine *mf*.
chunk [tʃʌŋk] *n* (gros) morceau *m*. ● **chunky** *a* (**-ier, -iest**) (*person*) *Fam* trapu; (*coat, sweater, material etc*) de grosse laine.
church [tʃɜːtʃ] *n* église *f*; (*service*) office *m*; (*Catholic*) messe *f*; **to go to c.** aller à l'église *or* à l'office; (*of Catholic*) aller à la messe; **in c.** à l'église; **c. hall** salle *f* paroissiale. ● **churchgoer** *n* pratiquant, -ante *mf*. ● **churchyard** *n* cimetière *m*.
churlish ['tʃɜːlɪʃ] *a* (*rude*) grossier; (*bad-tempered*) hargneux.
churn [tʃɜːn] **1** *n* (*for making butter*) baratte *f*; (*milk can*) bidon *m*. **2** *vt* **to c. out** *Pej* (*cars, books etc*) produire (en série).
chute [ʃuːt] *n* (*in pool, playground*) *Br* toboggan *m*; (*for Br* rubbish, *Am* garbage) vide-ordures *m inv*.
chutney ['tʃʌtnɪ] *n* condiment *m* épicé (à base de fruits).
CID [siːaɪ'diː] *abbr* (*Criminal Investigation Department*) *Br* = PJ *f*.
cider ['saɪdər] *n* cidre *m*.
cigar [sɪ'gɑːr] *n* cigare *m*.
cigarette [sɪgə'ret] *n* cigarette *f*; **c. end** mégot *m*; **c. holder** fume-cigarette *m inv*; **c.**

cinch 54

lighter briquet *m*.
cinch [sɪntʃ] *n* **it's a c.** *Fam (easy)* c'est facile; *(sure)* c'est (sûr et) certain.
cinder ['sɪndər] *n* cendre *f*; **burnt to a c.** *(meat etc)* carbonisé; **c. track** *(for running) Br* cendrée *f*.
Cinderella [sɪndə'relə] *n* Cendrillon *f*; *Fig* parent *m* pauvre.
cine-camera ['sɪnɪkæmrə] *n Br* caméra *f*.
cinema ['sɪnəmə] *n (art)* cinéma *m*; *(place) Br* cinéma *m*. ●**cinemagoer** *Br n* cinéphile *mf*. ●**cinemascope** *n* cinémascope *m*.
cinnamon ['sɪnəmən] *n (spice)* cannelle *f*.
cipher ['saɪfər] *n (code, number)* chiffre *m*; *(zero, person) Fig* zéro *m*.
circle ['sɜːk(ə)l] *n (shape, group, range etc)* cercle *m*; *(around eyes)* cerne *m*; *Theatre* balcon *m*; **circles** *(political etc)* milieux *mpl* ▍*vt (move round)* faire le tour de; *(word etc)* encadrer ▍*vi (of aircraft, bird)* décrire des cercles.
circuit ['sɜːkɪt] *n (electrical path, in sport, journey)* circuit *m*; *(of entertainers, Br judge)* tournée *f*; **c. breaker** *El* disjoncteur *m*. ●**circuitous** [sɜː'kjuːɪtəs] *a (route, means)* indirect. ●**circuitry** *n El* circuits *mpl*.
circular ['sɜːkjʊlər] *a* circulaire ▍*n (letter)* circulaire *f*; *(advertisement)* prospectus *m*.
circulate ['sɜːkjʊleɪt] *vi* circuler ▍*vt* faire circuler. ●**circulation** [-'leɪʃ(ə)n] *n* circulation *f*; *(of newspaper etc)* tirage *m*; **to be in c.** *(person) Fam* être dans le circuit.
circumcised ['sɜːkəmsaɪzd] *a* circoncis. ●**circumcision** [-'sɪʒ(ə)n] *n* circoncision *f*.
circumference [sɜː'kʌmfərəns] *n* circonférence *f*.
circumflex ['sɜːkəmfleks] *n & a* **c. (accent)** accent *m* circonflexe.
circumscribe ['sɜːkəmskraɪb] *vt* circonscrire.
circumspect ['sɜːkəmspekt] *a* circonspect.
circumstance ['sɜːkəmstæns] *n* circonstance *f*; **circumstances** *(financial)* situation *f* financière; **in** *or* **under no circumstances** en aucun cas. ●**circum'stantial** *a* **c. evidence** *(in court)* preuves *fpl* indirectes; **on c. evidence** *(to convict s.o.)* sur la base de preuves indirectes.
circumvent [sɜːkəm'vent] *vt (rule, law, difficulty etc)* contourner.
circus ['sɜːkəs] *n* cirque *m*.
cirrhosis [sɪ'rəʊsɪs] *n (disease)* cirrhose *f*.
CIS *abbr (Commonwealth of Independent States)* CEI *f*.
cistern ['sɪstən] *n (in house)* réservoir *m* (d'eau); *(for lavatory)* réservoir *m* (de la chasse d'eau).
citadel ['sɪtəd(ə)l] *n* citadelle *f*.
cite [saɪt] *vt (quote, commend)* citer. ●**citation** [saɪ'teɪʃ(ə)n] *n* citation *f*.
citizen ['sɪtɪz(ə)n] *n* citoyen, -enne *mf*; *(of ›wn)* habitant, -ante *mf*; **Citizens' Band ›adio)** la CB. ●**citizenship** *n* citoyenneté *f*.
's ['sɪtrəs] *a* **c. fruit(s)** agrumes *mpl*.
'sɪtɪ] *n* (grande) ville *f*, cité *f*; **c. dweller**
citadin, -ine *mf*; **c. centre** centre-ville *m*; **c. hall** *Am* hôtel *m* de ville; **c. page** *(in newspaper) Br* rubrique *f* financière.
civic ['sɪvɪk] *a (duty)* civique; *(centre)* administratif; *(authorities)* municipal. ●**civics** *npl (social science)* instruction *f* civique.
civil ['sɪv(ə)l] *a* **1** *(rights, war, marriage etc)* civil; **c. defence** défense *f* passive; **c. servant** fonctionnaire *mf*; **c. service** fonction *f* publique. **2** *(polite)* civil. ●**ci'vility** *n* civilité *f*.
civilian [sɪ'vɪljən] *a & n* civil, -ile *(mf)*.
civilize ['sɪvɪlaɪz] *vt* civiliser. ●**civilization** [-'zeɪʃ(ə)n] *n* civilisation *f*.
civvies ['sɪvɪz] *npl* **in c.** *Fam* (habillé) en civil.
clad [klæd] *a Lit* vêtu (**in** de).
claim [kleɪm] *vt (one's due etc)* réclamer, revendiquer; *(payment, benefit, reduction etc)* demander à bénéficier de; **to c. s.o.'s attention** demander l'attention de qn; **to c. that** *(assert)* prétendre que.
▍*n (demand)* revendication *f*; *(statement)* affirmation *f*; *(complaint)* réclamation *f*; *(right)* droit *m* (**to** à); *(land claimed)* concession *f*; *(insurance)* **c.** demande *f* d'indemnité; **to lay c. to** prétendre à. ●**claimant** *n (entitled to social benefits) Br* demandeur, -euse *mf*, allocataire *mf*.
clairvoyant [kleə'vɔɪənt] *n* voyant, -ante *mf*.
clam [klæm] **1** *n (shellfish)* palourde *f*. **2** *vi* **to c. up** *(stop talking) Fam* se taire.
clamber ['klæmbər] *vi* **to c. (up)** grimper; **to c. up** *(stairs)* grimper; *(hill)* gravir.
clammy ['klæmɪ] *a (hands etc)* moite (et froid).
clamour ['klæmər] *(Am* **clamor**) *n* clameur *f* ▍*vi* **to c. for** demander à grands cris.
clamp [klæmp] *n (clip-like)* pince *f*; *(large, iron)* crampon *m*; *(in carpentry)* serre-joint(s) *m*; **(wheel) c.** *(for vehicle)* sabot *m* (de Denver) ▍*vt* serrer; *(vehicle)* mettre un sabot à ▍*vi* **to c. down** *Fam* sévir (**on** contre). ●**clampdown** *n Fam* coup *m* d'arrêt, restriction *f* (**on** à).
clan [klæn] *n* clan *m*.
clandestine [klæn'destɪn] *a* clandestin.
clang [klæŋ] *n* son *m* métallique.
clanger ['klæŋər] *n Br Sl* gaffe *f*; **to drop a c.** faire une gaffe.
clap [klæp] **1** *vti* (-pp-) *(applaud)* applaudir; **to c. (one's hands)** battre des mains ▍*n* battement *m* (des mains); *(on back)* tape *f*; *(of thunder)* coup *m*. **2** *vt* (-pp-) *(put) Fam* fourrer. ●**clapped-'out** *a (car, person) Br Fam* HS *inv*. ●**clapping** *n* applaudissements *mpl*.
claptrap ['klæptræp] *n (nonsense) Fam* boniment(s) *m(pl)*; **to talk c.** raconter des boniments.
claret ['klærət] *n (wine)* bordeaux *m* rouge.
clarify ['klærɪfaɪ] *vt* clarifier. ●**clarification** [-ɪ'keɪʃ(ə)n] *n* clarification *f*.
clarinet [klærɪ'net] *n* clarinette *f*.
clarity ['klærətɪ] *n (of expression, argument etc)* clarté *f*; *(of sound)* pureté *f*; *(of water)*

transparence *f.*
clash [klæʃ] *vi* (*of plates, pans*) s'entrechoquer; (*of interests, armies*) se heurter; (*of colours*) jurer (**with** avec); (*of people*) se bagarrer; (*coincide*) tomber en même temps (**with** que) ▌ *n* (*noise*) choc *m*, heurt *m*; (*of interests*) conflit *m*; (*of events*) coïncidence *f.*
clasp [klɑːsp] *vt* (*hold*) serrer; **to c. one's hands** joindre les mains ▌ *n* (*fastener*) fermoir *m*; (*of belt*) boucle *f.*
class [klɑːs] *n* classe *f*; (*lesson*) cours *m*; (*university grade*) *Br* mention *f*; **the c. of 1993** *Am* la promotion de 1993; **to have c.** avoir de la classe ▌ *vt* classer (**as** comme). ●**classmate** *n* camarade *mf* de classe. ●**classroom** *n* (salle *f* de) classe *f.*
classic ['klæsɪk] *a* classique ▌ *n* (*writer, work etc*) classique *m*; **to study classics** étudier les humanités *fpl*. ●**classical** *a* classique. ●**classicism** *n* classicisme *m.*
classify ['klæsɪfaɪ] *vt* classer, classifier. ●**classified** *a* (*information, document*) secret; **c. advertisement** petite annonce *f*. ●**classification** [-ɪ'keɪʃ(ə)n] *n* classification *f.*
classy ['klɑːsɪ] *a* (**-ier, -iest**) *Fam* chic *inv.*
clatter ['klætər] *n* bruit *m*, fracas *m.*
clause [klɔːz] *n* (*in sentence*) proposition *f*; (*in legal document*) clause *f.*
claustrophobia [klɔːstrə'fəʊbɪə] *n* claustrophobie *f*. ●**claustrophobic** *a* (*person*) claustrophobe; (*room, atmosphere*) oppressant, qui rend claustrophobe.
claw [klɔː] *n* (*of lobster*) pince *f*; (*of cat, sparrow etc*) griffe *f*; (*of eagle*) serre *f* ▌ *vt* (*scratch*) griffer; **to c. back** (*money etc*) *Pej Fam* repiquer, récupérer.
clay [kleɪ] *n* argile *f.*
clean [kliːn] *a* (**-er, -est**) propre; (*clear-cut*) net (*f* nette); (*joke*) pour toutes les oreilles; (*fair*) (*game of football etc*) loyal; **c. living** vie *f* saine; **a c. record** (*of suspect*) un casier judiciaire vierge; **to make a c. breast of it, come c.** tout avouer.
▌ *adv* (*utterly*) complètement, carrément; **to break c.** (se) casser net; **to cut c.** couper net.
▌ *n* **to give sth a c.** nettoyer qch.
▌ *vt* nettoyer; (*wash*) laver; (*wipe*) essuyer; **to c. one's teeth** se brosser *or* se laver les dents; **to c. out** (*room etc*) nettoyer; (*empty*) vider (*coffre, compte bancaire etc*); **to c. up** (*room etc*) nettoyer; (*reform*) *Fig* épurer.
▌ *vi* **to c. (up)** faire le nettoyage. ●**cleaning** *n* nettoyage *m*; (*housework*) ménage *m*; **c. woman** femme *f* de ménage. ●**cleaner** *n* (*in home*) femme *f* de ménage; (*dry*) **c.** teinturier, -ière *mf*. ●**cleanly** *adv* (*to break, cut*) net. ●**cleanness** *n* propreté *f.*
clean-cut [kliːn'kʌt] *a* net (*f* nette). ●**clean-'living** *a* honnête, chaste. ●**clean-'shaven** *a* (*with no beard or moustache*) glabre; (*closely shaven*) rasé (de près). ●**clean-up** *n* *Fig* purge *f*, coup *m* de balai.
cleanliness ['klenlɪnɪs] *n* propreté *f.*
cleanse [klenz] *vt* nettoyer; (*soul, person etc*) *Fig* purifier (**of** de); **cleansing cream** crème *f* démaquillante. ●**cleanser** *n* (*cream or lotion for skin*) démaquillant *m.*
clear [klɪər] *a* (**-er, -est**) (*sky, water, sound, thought etc*) clair; (*glass*) transparent; (*outline, photo*) net (*f* nette), clair; (*road*) libre, dégagé; (*majority*) net (*f* nette); (*mind*) lucide; (*obvious*) évident, clair, (*certain*) certain; **to profit** bénéfices *mpl* nets; **to be c. of** (*free of*) être libre de; (*out of*) être hors de; **to make oneself** (**completely** *or* **abundantly**) **c.** se faire (bien) comprendre; **it is c. that** il est évident *or* clair que; **c. conscience** conscience *f* nette *or* tranquille; **two c. weeks** (*complete*) deux semaines entières.
▌ *adv* **to get c. away** disparaître complètement; **c. of** (*away from*) à l'écart de; **to keep** *or* **steer c. of** se tenir à l'écart de; **to get c. of** (*away from*) s'éloigner de.
▌ *vt* (*path, road, table*) débarrasser, dégager; (*land*) défricher; (*fence*) franchir (sans toucher); (*obstacle*) éviter; (*accused person*) disculper; (*Br cheque, Am check*) faire passer (sur un compte); (*debts, goods*) liquider; (*through customs*) dédouaner; (*for security*) autoriser; **to c. s.o. of suspicion** laver qn de tout soupçon; **to c. one's throat** s'éclaircir la gorge.
▌ *vi* (*of weather*) s'éclaircir; (*of fog*) se dissiper. ●**clearing** *n* (*in woods*) clairière *f*. ●**clearly** *adv* clairement; (*to understand*) bien, clairement; (*obviously*) évidemment. ●**clearness** *n* (*of sound*) clarté *f*, netteté *f*; (*of mind*) lucidité *f.*
clearance ['klɪərəns] *n* (*sale*) soldes *mpl*; (*space*) dégagement *m*; (*permission*) autorisation *f*; (*of Br cheque, Am check*) compensation *f.*
clear away *vt* (*remove*) enlever ▌ *vi* (*of fog*) se dissiper ▌ **to clear off** *vi* (*leave*) *Fam* filer ▌ *vt* (*table*) débarrasser ▌ **to clear out** *vt* (*empty*) vider; (*clean*) nettoyer; (*remove*) enlever ▌ **to clear up** *vt* (*mystery etc*) éclaircir; (*tidy*) ranger (*pièce etc*) ▌ *vi* (*of weather*) s'éclaircir; (*of fog*) se dissiper; (*tidy a room etc*) ranger.
clear-cut [klɪə'kʌt] *a* net (*f* nette). ●**clear-'headed** *a* lucide.
clearway ['klɪəweɪ] *n* *Br* route *f* à stationnement interdit.
cleavage ['kliːvɪdʒ] *n* (*split*) clivage *m*; (*of woman*) *Fam* naissance *f* des seins.
clef [klef] *n* *Mus* clef *f.*
cleft [kleft] *a* **c. palate** palais *m* fendu ▌ *n* fissure *f.*
clement ['klemənt] *a* (*person, weather etc*) clément. ●**clemency** *n* clémence *f.*
clementine ['klemən taɪn] *n* clémentine *f.*
clench [klentʃ] *vt* **to c. one's fist/teeth** serrer le poing/les dents.
clergy ['klɜːdʒɪ] *n* clergé *m*. ●**clergyman** *n* (*pl* **-men**) ecclésiastique *m.*
cleric ['klerɪk] *n* *Rel* clerc *m*. ●**clerical** *a* (*job*) d'employé; (*work*) de bureau; (*error*) d'écriture; *Rel* clérical.

clerk

clerk [Br klɑːk, Am klɜːrk] n employé, -ée mf (de bureau); (in store) Am vendeur, -euse mf; solicitor's c. Br clerc m de notaire; c. of the court greffier m.

clever ['klevər] a (-er, -est) intelligent; (smart, shrewd) astucieux; (skilful) habile (at sth à qch, at doing à faire); (ingenious) (machine, plan etc) ingénieux; (gifted) doué; c. at English/etc fort en anglais/etc; c. with one's hands habile or adroit de ses mains. ●**cleverly** adv intelligemment; (ingeniously) astucieusement; (skilfully) habilement. ●**cleverness** n intelligence f; (ingenuity) astuce f; (skill) habileté f.

cliché ['kliːʃeɪ] n (idea) cliché m.

click [klɪk] 1 n déclic m, bruit m sec ▌ vi faire un déclic; (of lovers etc) Fam se plaire du premier coup; it suddenly clicked (I realized) Fam j'ai compris tout à coup. 2 vt to c. one's heels (of soldier) claquer des talons; to c. one's tongue faire claquer sa langue.

client ['klaɪənt] n client, -ente mf. ●**clientele** [kliːɒnˈtel] n clientèle f.

cliff [klɪf] n falaise f.

climate ['klaɪmɪt] n (weather, Fig conditions) climat m; c. of opinion opinion f générale. ●**cli'matic** a (changes etc) climatique.

climax ['klaɪmæks] n point m culminant; (sexual) orgasme ▌ vi atteindre son point culminant; (sexually) atteindre l'orgasme.

climb [klaɪm] vt to c. (up) (steps) monter, gravir; (hill, mountain) gravir, faire l'ascension de; (tree, ladder) monter à, grimper à; to c. (over) (wall) escalader; to c. down (from) (wall, tree, hill etc) descendre de.
▌ vi (of plant) grimper; to c. (up) (up steps, tree etc) monter; (up hill etc) gravir; to c. down descendre; (back down) Fig en rabattre.
▌ n montée f. ●**climbing** n montée f; (mountain) alpinisme m; (rock-)c. varappe f. ●**climber** n grimpeur, -euse mf; (mountaineer) alpiniste mf; (on rocks) varappeur, -euse mf; (plant) plante f grimpante; social c. arriviste mf.

climb-down ['klaɪmdaʊn] n reculade f.

clinch [klɪntʃ] vt (deal, bargain) conclure; (argument) consolider.

cling [klɪŋ] vt (pt & pp clung) se cramponner, s'accrocher (to à); (stick) adhérer (to à). ●**clinging** a (clothes) collant.

clingfilm ['klɪŋfɪlm] n Br film m plastique.

clinic ['klɪnɪk] n (private) Br clinique f; (health centre) centre m médical. ●**clinical** a Med clinique; (attitude etc) Fig scientifique, objectif.

clink [klɪŋk] vi tinter ▌ vt faire tinter ▌ n tintement m.

clip [klɪp] 1 vt (-pp-) (cut) couper; (hedge) tailler; (ticket) poinçonner; (sheep) tondre; to c. sth out of (newspaper etc) découper qch dans.
2 n (for paper) trombone m; (fastener) attache f; (of brooch, of cyclist, for hair) pince f ▌ vt (-pp-) to c. (on) (attach) attacher (to à); to c. together attacher.
3 n (of film) extrait m; (blow) Br Fam taloche f. ●**clipping** n (newspaper article) Am coupure f. ●**clippers** npl (for hair) tondeuse f; (for finger nails) coupe-ongles m inv.

clique [kliːk] n Pej clique f. ●**cliquey** a Pej (group of people etc) très fermé.

cloak [kləʊk] n (grande) cape f; (of night) Fig manteau m; c. and dagger (film etc) d'espionnage. ●**cloakroom** n vestiaire m; (lavatory) Br toilettes fpl.

clobber ['klɒbər] 1 vt (hit) Sl tabasser. 2 n (clothes) Br Sl affaires fpl.

clock [klɒk] n (large) horloge f; (small) pendule f; (in vehicle) Br compteur m; (alarm) c. réveil m; a race against the c. une course contre la montre; round the c. vingt-quatre heures sur vingt-quatre; c. radio radio-réveil m; c. tower clocher m.
▌ vt (athlete etc) chronométrer; to c. up (miles) (in car) Fam faire.
▌ vi to c. in or out (of worker) pointer. ●**clockwise** adv dans le sens des aiguilles d'une montre.

clockwork ['klɒkwɜːk] a (toy etc) mécanique ▌ n to go like c. aller or marcher comme sur des roulettes.

clod [klɒd] n 1 (of earth) motte f. 2 (oaf) Fam balourd, -ourde mf.

clog [klɒg] 1 n (shoe) sabot m. 2 vt (-gg-) to c. (up) (obstruct) boucher (tuyau etc).

cloister ['klɔɪstər] n cloître m ▌ vt cloîtrer.

close¹ [kləʊs] a (-er, -est) (place, relative etc) proche; (collaboration, resemblance, connection) étroit; (friend) intime; (contest) serré; (study) rigoureux; the weather is c., it's c. Br il fait lourd; it's c. in this room Br cette pièce est mal aérée; c. vowel Ling voyelle f fermée; c. to (near) près de, proche de; c. to tears au bord des larmes; I'm not very c. to her (friendly with) je ne suis pas très proche d'elle; to have a c. shave or call l'échapper belle.
▌ adv c. (by), c. at hand (tout) près; c. to près de; c. behind juste derrière; c. on (almost) Fam pas loin de; we stood/sat c. together nous étions debout/assis serrés les uns contre les autres; to follow c. suivre de près; to hold s.o. c. tenir qn contre soi. ●**close-'cropped** a (hair) (coupé) ras. ●**close-fitting** a (clothes) ajusté. ●**close-'knit** a (group, family etc) très uni. ●**close-up** n gros plan m.

close² [kləʊz] n (end) fin f, conclusion f; to bring to a c. mettre fin à; to draw to a c. tirer à sa fin.
▌ vt (door, shop etc) fermer; (discussion) clore, terminer; (opening) boucher; (road) barrer; (gap) réduire; (deal) conclure; (bank account) clore, fermer; to c. the meeting lever la séance; to c. ranks serrer les rangs.
▌ vi se fermer; (end) (se) terminer; (of shop) fermer; (of wound) se refermer.

closed [kləʊzd] a (door, shop etc) fermé; c.-

coat

circuit television télévision *f* en circuit fermé.
close down *vti* (*close for good*) fermer (définitivement) ▮ *vi* (*of TV station*) terminer les émissions. ●**close-down** *n* fermeture *f* (définitive); *TV* fin *f* (des émissions). ▮ **to close in** *vt* (*enclose*) enfermer ▮ *vi* (*approach*) approcher; **to c. in on s.o.** se rapprocher de qn ▮ **to close up** *vt* fermer ▮ *vi* (*of shopkeeper*) fermer; (*of wound*) se refermer; (*of line of people*) se resserrer.
closely ['kləʊslɪ] *adv* (*to follow, guard*) de près; (*to listen*) attentivement; **c. linked** étroitement lié (**to** à); **c. contested** très disputé; **to hold s.o. c.** tenir qn contre soi. ●**closeness** *n* proximité *f*; (*of collaboration etc*) étroitesse *f*; (*of friendship*) intimité *f*; (*of weather*) *Br* lourdeur *f*.
closet ['klɒzɪt] *n Am* (*cupboard*) placard *m*; (*wardrobe*) penderie *f*.
closing ['kləʊzɪŋ] *n* fermeture *f*; (*of session*) clôture *f* ▮ *a* (*words, remarks*) dernier; **c. speech** discours *m* de clôture; **c. date** (*for application etc*) date *f* limite; **c. time** heure *f* de fermeture.
closure ['kləʊʒər] *n* fermeture *f*.
clot [klɒt] **1** *n* (*of blood*) caillot *m* ▮ *vt* (**-tt-**) (*blood*) coaguler ▮ *vi* (*of blood*) se coaguler. **2** *n* (*person*) *Br Fam* imbécile *mf*.
cloth [klɒθ] *n* tissu *m*, étoffe *f*; (*of linen*) toile *f*; (*of wool*) drap *m*; (*for dusting*) chiffon *m*; (*for dishes*) torchon *m*; (*tablecloth*) nappe *f*.
clothe [kləʊð] *vt* habiller, vêtir (**in** de). ●**clothing** *n* (*clothes*) vêtements *mpl*; **an article of c.** un vêtement.
clothes [kləʊðz] *npl* vêtements *mpl*; **to put one's c. on** s'habiller; **to take one's c. off** se déshabiller; **c. shop** magasin *m* d'habillement; **c. brush** brosse *f* à habits; **c. peg** *Br*, **c. pin** *Am* pince *f* à linge; **c. line** corde *f* à linge.
cloud [klaʊd] *n* nuage *m*; (*of arrows, insects*) *Fig* nuée *f* ▮ *vt* (*mind*) obscurcir; (*window*) embuer; **to c. the issue** embrouiller la question ▮ *vi* **to c.** (**over**) (*of sky*) se couvrir. ●**cloudburst** *n* averse *f*. ●**cloudy** *a* (**-ier, -iest**) (*weather, sky*) couvert, nuageux; (*liquid*) trouble; **it's c., it's a c. day** le temps est couvert.
clout [klaʊt] **1** *n* (*blow*) *Fam* taloche *f* ▮ *vt Fam* flanquer une taloche à, talocher. **2** *n* (*influence*) *Fam* influence *f*, pouvoir *m*, poids *m*; **to have (plenty of) c.** avoir du poids.
clove [kləʊv] *n* clou *m* de girofle; **c. of garlic** gousse *f* d'ail.
clover ['kləʊvər] *n* trèfle *m*.
clown [klaʊn] *n* clown *m* ▮ *vi* **to c.** (**around** *or* **about**) faire le clown.
cloying ['klɔɪɪŋ] *a* (*smell, sentiments*) écœurant.
club [klʌb] **1** *n* (*weapon*) matraque *f*, massue *f*; (*golf*) **c.** (*stick*) club *m* ▮ *vt* (**-bb-**) matraquer. **2** *n* (*society*) club *m*, cercle *m* ▮ *vi* (**-bb-**) **to c. together** *Br* se cotiser (**to buy sth** pour acheter qch). **3** *n* **club**(**s**) *Cards* trèfle *m*. ●**clubhouse** *n* pavillon *m*. ●**club soda** *n Am* eau *f* gazeuse.
clubfoot ['klʌbfʊt] *n* pied *m* bot. ●**club'footed** *a* pied-bot *inv*.
cluck [klʌk] *vi* (*of hen*) glousser.
clue [kluː] *n* indice *m*; (*of crossword*) définition *f*; (*to mystery*) clef *f*; **I don't have a c.** *Fam* je n'en ai pas la moindre idée. ●**clueless** *a Br Fam* stupide, nul (*f* nulle).
clump [klʌmp] *n* (*of flowers, trees*) massif *m*.
clumsy ['klʌmzɪ] *a* (**-ier, -iest**) maladroit; (*shape*) lourd; (*tool*) peu commode. ●**clumsily** *adv* maladroitement. ●**clumsiness** *n* maladresse *f*.
clung [klʌŋ] *see* **cling**.
cluster ['klʌstər] *n* groupe *m*; (*of flowers*) grappe *f*; (*of stars*) amas *m* ▮ *vi* se grouper.
clutch [klʌtʃ] **1** *vt* (*hold tight*) serrer, étreindre; (*cling to*) se cramponner à; (*grasp*) saisir ▮ *vi* **to c. at** essayer de saisir ▮ *n* **to fall into/escape from s.o.'s clutches** tomber dans les griffes/s'échapper des griffes de qn. **2** *n* (*in vehicle*) embrayage *m*; (*pedal*) pédale *f* d'embrayage; **to let in/out the c.** embrayer/débrayer.
clutter ['klʌtər] *n* (*objects*) fouillis *m*, désordre *m* ▮ *vt* **to c.** (**up**) (*room, table etc*) encombrer (**with** de).
cm *abbr* (*centimetre*) cm.
co- [kəʊ] *pref* co-.
c/o *abbr* (*care of*) (*on envelope*) chez.
Co *abbr* (*company*) Cie.
coach [kəʊtʃ] **1** *n* (*train carriage*) *Br* voiture *f*, wagon *m*; (*bus*) *Br* autocar *m*; (*horse-drawn*) carrosse *m*. **2** *n* (*private tutor*) répétiteur, -trice *mf*; (*for sports*) entraîneur, -euse *mf* ▮ *vt* (*pupil*) donner des leçons (particulières) à; (*sportsman etc*) entraîner; **to c. s.o. for** (*exam*) préparer qn à. ●**coachman** *n* (*pl* **-men**) cocher *m*.
coagulate [kəʊ'ægjʊleɪt] *vi* (*of blood*) se coaguler ▮ *vt* coaguler.
coal [kəʊl] *n* charbon *m*; (*for industrial purposes*) houille *f*; (*merchant, fire*) de charbon; (*cellar, bucket*) à charbon; **c. industry** industrie *f* houillère. ●**coalfield** *n* bassin *m* houiller. ●**coalmine** *n* mine *f* de charbon. ●**coalminer** *n* mineur *m*.
coalition [kəʊə'lɪʃ(ə)n] *n* coalition *f*.
coarse [kɔːs] *a* (**-er, -est**) (*person, manners*) grossier, vulgaire; (*surface*) rude; (*fabric*) grossier; (*accent*) commun, vulgaire; **c. salt** gros sel *m*. ●**coarsely** *adv* grossièrement. ●**coarseness** *n* grossièreté *f*; (*of accent*) vulgarité *f*.
coast [kəʊst] **1** *n* côte *f*; **the c. is clear** la voie est libre. **2** *vi* **to c.** (**down** *or* **along**) (*of vehicle, bicycle*) descendre en roue libre. ●**coastal** *a* côtier. ●**coastguard** *n* (*person*) garde *m* maritime, garde-côte *m*. ●**coastline** *n* littoral *m*.
coaster ['kəʊstər] *n* (*for glass etc*) dessous *m* de verre, rond *m*; (*ship*) caboteur *m*.
coat [kəʊt] *n* manteau *m*; (*overcoat*)

coathanger

pardessus *m*; (*jacket*) veste *f*; (*of animal*) pelage *m*; (*of paint*) couche *f*; **c. of arms** armoiries *fpl*, blason *m* ▮ *vt* couvrir, enduire (**with** de); (*with chocolate etc*) enrober (**with** de); **to have a coated tongue** avoir la langue chargée. ●**coating** *n* couche *f*.
coathanger ['kəʊθæŋər] *n* cintre *m*.
coax [kəʊks] *vt* amadouer, cajoler; **to c. s.o. to do** *or* **into doing** amadouer qn pour qu'il fasse; **she needed coaxing** elle s'est bien fait tirer l'oreille. ●**coaxing** *n* cajoleries *fpl*.
cob [kɒb] *n* **corn on the c.** épi *m* de maïs.
cobble ['kɒb(ə)l] *n* pavé *m* ▮ *vt* **to c. together** (*text, compromise etc*) *Fam* bricoler. ●**cobbled** *a* pavé. ●**cobblestone** *n* pavé *m*.
cobbler ['kɒblər] *n* cordonnier *m*.
cobra ['kəʊbrə] *n* (*snake*) cobra *m*.
cobweb ['kɒbweb] *n* toile *f* d'araignée.
Coca-Cola® [kəʊkə'kəʊlə] *n* Coca-Cola® *m*.
cocaine [kəʊ'keɪn] *n* cocaïne *f*.
cock [kɒk] **1** *n* (*rooster*) coq *m*; (*male bird*) (oiseau *m*) mâle *m*. **2** *vt* (*gun*) armer; **to c. (up) one's ears** (*listen carefully*) dresser l'oreille. ●**cock-a-doodle-'doo** *n* & *int* cocorico (*m*). ●**cock-and-bull story** *n* histoire *f* à dormir debout.
cockatoo [kɒkə'tuː] *n* (*bird*) cacatoès *m*.
cocker ['kɒkər] *n* **c. (spaniel)** cocker *m*.
cockerel ['kɒkərəl] *n* coquelet *m*, jeune coq *m*.
cock-eyed [kɒk'aɪd] *a Fam* **1** (*cross-eyed*) bigleux. **2** (*crooked*) (*picture etc*) de travers. **3** (*crazy*) (*plan, idea etc*) absurde, stupide.
cockle ['kɒk(ə)l] *n* (*shellfish*) coque *f*.
cockney ['kɒknɪ] *a* & *n* cockney (*mf*) (*natif des quartiers est de Londres*).
cockpit ['kɒkpɪt] *n* (*of aircraft*) poste *m* de pilotage.
cockroach ['kɒkrəʊtʃ] *n* (*beetle*) cafard *m*.
cocksure [kɒk'ʃʊər] *a Fam* trop sûr de soi.
cocktail ['kɒkteɪl] *n* (*drink*) cocktail *m*; (**fruit**) **c.** macédoine *f* (de fruits); **c. party** cocktail *m*; **prawn c.** crevettes *fpl* à la mayonnaise.
cocky ['kɒkɪ] *a* (**-ier, -iest**) *Fam* trop sûr de soi, arrogant.
cocoa ['kəʊkəʊ] *n* cacao *m*.
coconut ['kəʊkənʌt] *n* noix *f* de coco; **c. palm** cocotier *m*.
cocoon [kə'kuːn] *n* cocon *m*.
cod [kɒd] *n* morue *f*; (*bought fresh*) cabillaud *m*. ●**cod-liver 'oil** *n* huile *f* de foie de morue.
COD [siːəʊ'diː] *Br abbr* (*cash on delivery*) contre remboursement.
coddle ['kɒd(ə)l] *vt* dorloter.
code [kəʊd] *n* code *m*; **in c.** (*letter, message etc*) codé; **c. word** code *m* ▮ *vt* coder. ●**coding** *n* codage *m*.
codeine ['kəʊdiːn] *n* codéine *f*.
codify ['kəʊdɪfaɪ] *vt* codifier.
co-educational [kəʊedjʊ'keɪʃ(ə)n(ə)l] *a* (*school, teaching*) mixte.
coefficient [kəʊɪ'fɪʃənt] *n* (*number*) *Math* coefficient *m*.

coerce [kəʊ'ɜːs] *vt* contraindre (**s.o. into doing** qn à faire). ●**coercion** [-ʃ(ə)n] *n* contrainte *f*.
coexist [kəʊɪg'zɪst] *vi* coexister. ●**coexistence** *n* coexistence *f*.
coffee ['kɒfɪ] *n* café *m*; **white c.** *Br*, **c. with milk** *Am* café *m* au lait; (*ordered in restaurant etc*) (café *m*) crème *m*; **black c.** café *m* noir, café nature; **c. bar** *Br*, **c. house** café *m*, cafétéria *f*; **c. break** pause-café *f*; **c. cup** tasse *f* à café; **c. table** table *f* basse ▮ *a* **c.(-coloured)** café au lait *inv*. ●**coffeepot** *n* cafetière *f*.
coffers ['kɒfəz] *npl* (*funds*) coffres *mpl*.
coffin ['kɒfɪn] *n* cercueil *m*.
cog [kɒg] *n* (*tooth of wheel*) dent *f*; (*person*) *Fig* rouage *m*.
cogent ['kəʊdʒənt] *a* (*reason, argument*) puissant, convaincant.
cogitate ['kɒdʒɪteɪt] *vi Iron* cogiter.
cognac ['kɒnjæk] *n* cognac *m*.
cohabit [kəʊ'hæbɪt] *vi* (*of unmarried people*) vivre en concubinage.
coherent [kəʊ'hɪərənt] *a* (*logical*) (*idea etc*) cohérent; (*way of speaking*) compréhensible, intelligible; **you're not very c.** tu n'es pas très clair. ●**cohesion** [-ʒ(ə)n] *n* cohésion *f*. ●**cohesive** *a* cohésif.
cohort ['kəʊhɔːt] *n* (*group*) cohorte *f*.
coil [kɔɪl] *n* (*of wire, rope etc*) rouleau *m*; (*single loop*) (*of hair*) boucle *f*; (*of snake*) anneau *m*; (*electrical*) bobine *f*; (*contraceptive*) stérilet *m* ▮ *vt* (*rope, hair, hose*) enrouler ▮ *vi* (*of snake etc*) s'enrouler (**around** autour de).
coin [kɔɪn] *n* pièce *f* (de monnaie); (*currency*) monnaie *f*; **c. bank** *Am* tirelire *f* ▮ *vt* (*money*) frapper; (*word*) *Fig* inventer, forger; **to c. a phrase** pour ainsi dire. ●**coinage** *n* (*coins*) monnaie *f*; *Fig* invention *f*; **a recent c.** (*word*) un mot de formation récente. ●**coin-operated** *a* (*washing machine etc*) automatique, à pièces.
coincide [kəʊɪn'saɪd] *vi* coïncider (**with** avec). ●**co'incidence** *n* coïncidence *f*. ●**coinci'dental** *a* (*resemblance etc*) fortuit; **it's c.** c'est une coïncidence.
coke [kəʊk] *n* **1** (*fuel*) coke *m*. **2** (*Coca-Cola*®) coca *m*.
colander ['kʌləndər] *n* (*for vegetables etc*) passoire *f*.
cold[1] [kəʊld] *n* froid *m*; **to catch c.** prendre froid; **to be out in the c.** être dehors dans le froid; **to be left out in the c.** *Fig* être abandonné *or* en carafe.
▮ *a* (**-er, -est**) froid; **to be** *or* **feel c.** (*of person*) avoir froid; **my hands are c.** j'ai froid aux mains; **it's c.** (*of weather*) il fait froid; **to get c.** (*of weather*) se refroidir; (*of food*) refroidir; **I'm getting c.** je commence à avoir froid; **to get c. feet** *Fam* se dégonfler; **in c. blood** de sang-froid; **c. cream** crème *f* de beauté; **c. meats** *Br*, **c. cuts** *Am* assiette *f* anglaise; **c. sore** bouton *m* de fièvre. ●**coldly** *adv* avec froideur. ●**coldness** *n* froideur *f*.

cold² [kəʊld] *n* (*illness*) rhume *m*; **a bad** *or* **nasty c.** un gros rhume; **to have a c.** être enrhumé; **to catch a c.** attraper un rhume; **to get a c.** s'enrhumer.
cold-blooded ['kəʊldblʌdɪd] *a* (*person*) cruel, insensible; (*murder*) (commis) de sang-froid.
cold-shoulder [kəʊld'ʃəʊldər] *vt* snober.
coleslaw ['kəʊlslɔː] *n* salade *f* de chou cru.
colic ['kɒlɪk] *n* (*illness*) coliques *fpl*.
collaborate [kə'læbəreɪt] *vi* collaborer (**on** à). ●**collaboration** [-'reɪʃ(ə)n] *n* collaboration *f*. ●**collaborator** *n* collaborateur, -trice *mf*.
collage ['kɒlɑːʒ] *n* (*picture*) collage *m*.
collapse [kə'læps] *vi* (*of person, building*) s'effondrer, s'écrouler; (*of government*) tomber; (*faint*) se trouver mal ▮ *n* effondrement *m*, écroulement *m*; (*of government*) chute *f*. ●**collapsible** *a* (*chair etc*) pliant.
collar ['kɒlər] *n* (*on garment*) col *m*; (*of dog*) collier *m*; **to seize s.o. by the c.** saisir *qn* au collet ▮ *vt Fam* (*seize*) saisir (*qn*) au collet; (*buttonhole*) retenir (*qn*); (*take, steal*) piquer (*qch*). ●**collarbone** *n* clavicule *f*.
collate [kə'leɪt] *vt* (*documents etc*) (*gather*) rassembler; (*compare*) collationner, confronter; (*pages*) collationner.
colleague ['kɒliːg] *n* collègue *mf*, confrère *m*.
collect [kə'lekt] *vt* (*pick up*) ramasser; (*gather*) rassembler, recueillir; (*taxes*) percevoir; (*rent*) encaisser; (*stamps etc as hobby*) collectionner; (*call for*) (passer) prendre; **to c. money** (*in street, church etc*) quêter.
▮ *vi* (*of dust*) s'accumuler; (*of people*) se rassembler; (*in street, church*) quêter (**for** pour).
▮ *adv* **to call** *or* **phone c.** *Am* téléphoner en PCV.
collection [kə'lekʃ(ə)n] *n* (*of objects, stamps*) collection *f*; (*of poems etc*) recueil *m*; (*of money in church etc*) quête *f*; (*of mail*) levée *f*; (*of taxes*) perception *f*; (*of twigs, Br rubbish or Am garbage etc*) ramassage *m*.
collective [kə'lektɪv] *a* collectif. ●**collectively** *adv* collectivement.
collector [kə'lektər] *n* (*of stamps etc*) collectionneur, -euse *mf*.
college ['kɒlɪdʒ] *n* (*university*) université *f*; (*within university*) collège *m*; *Pol Rel* collège *m*; **c. of music** conservatoire *m* de musique; **c. of education, teachers' training c.** *Br* = institut *m* de formation des maîtres; **art c.** école *f* des beaux-arts; **agricultural c.** institut *m* d'agronomie, lycée *m* agricole; **technical c.** *Br* = lycée *m* technique.
collide [kə'laɪd] *vi* entrer en collision (**with** avec). ●**collision** [-'lɪʒ(ə)n] *n* (*crash*) collision *f*; (*clash*) *Fig* conflit *m*, collision *f*.
colliery ['kɒlɪərɪ] *n Br* houillère *f*.
colloquial [kə'ləʊkwɪəl] *a* (*word etc*) familier. ●**colloquialism** *n* expression *f* familière.
collusion [kə'luːʒ(ə)n] *n* collusion *f*; **to be in c. with** être de collusion avec.
collywobbles ['kɒlɪwɒb(ə)lz] *npl* **to have the c.** (*feel nervous*) *Fam* avoir la frousse.
cologne [kə'ləʊn] *n* eau *f* de Cologne.
colon ['kəʊlən] *n* **1** (*punctuation mark*) deux-points *m inv*. **2** (*intestine*) côlon *m*.
colonel ['kɜːn(ə)l] *n* colonel *m*.
colonial [kə'ləʊnɪəl] *a* colonial.
colonize ['kɒlənaɪz] *vt* coloniser. ●**colonization** [-'zeɪʃ(ə)n] *n* colonisation *f*.
colony ['kɒlənɪ] *n* colonie *f*.
colossal [kə'lɒs(ə)l] *a* colosse.
colour ['kʌlər] (*Am* **color**) *n* couleur *f* ▮ *a* (*photo, television*) en couleurs; (*television set*) couleur *inv*, en couleurs; (*problem*) racial; **c. supplement** (*of newspaper*) supplément *m* illustré; **off c.** (*not well*) *Br* mal fichu; (*improper*) (*joke etc*) *Am* déplacé, scabreux ▮ *vt* colorer; **to c. (in)** (*drawing*) colorier. ●**coloured** *a* (*person, pencil*) de couleur; (*glass, water*) coloré. ●**colouring** *n* (*in food*) colorant *m*; (*complexion*) teint *m*; (*with crayons*) coloriage *m*; (*shade, effect*) coloris *m*; (*blend of colours*) couleurs *fpl*; **c. book** album *m* de coloriages.
colour-blind ['kʌləblaɪnd] *a* daltonien. ●**colour-blindness** *n* daltonisme *m*.
colourfast ['kʌləfɑːst] *a* grand teint *inv*.
colourful ['kʌləf(ə)l] *a* (*crowd, story*) coloré; (*person*) pittoresque.
colt [kəʊlt] *n* (*horse*) poulain *m*.
column ['kɒləm] *n* colonne *f*; (*newspaper feature*) chronique *f*. ●**columnist** *n* (*in newspaper*) chroniqueur *m*; **gossip c.** échotier, -ière *mf*.
coma ['kəʊmə] *n* coma *m*; **in a c.** dans le coma.
comb [kəʊm] *n* peigne *m* ▮ *vt* (*hair*) peigner; (*search*) *Fig* ratisser (*ville etc*); **to c. one's hair** se peigner.
combat ['kɒmbæt] *n* combat *m* ▮ *vti* combattre (**for** pour). ●**'combatant** *n* combattant, -ante *mf*.
combine¹ [kəm'baɪn] *vt* (*activities, qualities, features, elements, sounds etc*) combiner; (*efforts*) joindre, unir; **our combined efforts have produced a result** en joignant nos efforts nous avons obtenu un résultat; **combined wealth/etc** (*put together*) richesses/*etc fpl* réunies; **combined forces** *Mil* forces *fpl* alliées.
▮ *vi* (*of teams, groups etc*) s'unir; (*of elements*) se combiner; (*of gases etc*) s'associer; **everything combined to...** tout s'est ligué pour.... ●**combination** [-'neɪʃ(ə)n] *n* combinaison *f*; (*of qualities*) réunion *f*; (*of events*) concours *m*; **in c. with** en association avec; **c. lock** serrure *f* à combinaison.
combine² ['kɒmbaɪn] *n* **1** (*commercial*) association *f*; (*cartel*) cartel *m*. **2 c. harvester** (*machine*) moissonneuse-batteuse *f*.
combustion [kəm'bʌstʃ(ə)n] *n* combustion *f*.

come [kʌm] *vi* (*pt* **came**, *pp* **come**) venir (**from** de, **to** à); **to c. first** (*in race*) arriver premier; (*in exam*) être le premier; **c. and see me** viens me voir; **I've just c. from** j'arrive de; **to c. home** rentrer; **coming!** j'arrive!; **c. now!** voyons!; **to c. as a surprise (to)** surprendre; **to c. near** or **close to doing** faillir faire; **to c. on page 2** se trouver à la page 2; **nothing came of it** ça n'a abouti à rien; **to c. true** se réaliser; **c. May**/*etc Fam* en mai/*etc*; **the life to c.** la vie future; **how c. that...?** *Fam* comment se fait-il que...?; **c. what may** quoi qu'il arrive.

come about *vi* (*happen*) se faire, arriver ▮ **to come across** *vi* (*of speech*) faire de l'effet; (*of feelings*) se montrer ▮ *vt* (*person*) rencontrer (par hasard), tomber sur; (*lost object*) trouver (par hasard); (*reference etc*) tomber sur, trouver (par hasard) ▮ **to come along** *vi* venir (**with** avec); (*progress*) (*of work, student etc*) avancer; **c. along!** allons! ▮ **to come apart** *vi* (*of two objects*) se séparer ▮ **to come at** *vt* (*attack*) attaquer ▮ **to come away** *vi* (*leave, come off*) partir (**from** de); **to c. away from** (*step or move back from*) s'éloigner de, s'écarter de ▮ **to come back** *vi* revenir; (*return home*) rentrer. ●**comeback** *n* (*into fashion*) retour *m* (en vogue); (*of actor, politician etc*) retour *m* ▮ **to come by** *vt* (*obtain*) obtenir; (*find*) trouver ▮ **to come down** *vi* descendre; (*of rain, price*) tomber; (*of building*) être démoli ▮ *vt* (*stairs, hill etc*) descendre ▮ **to come down with** *vt* (*illness*) attraper. ●**comedown** *n Fam* humiliation *f*. ▮ **to come for** *vt* venir chercher (*qch*, *qn*) ▮ **to come forward** *vi* (*make oneself known, volunteer*) se présenter ▮ **to come forward with** *vt* offrir, suggérer ▮ **to come in** *vi* (*enter*) entrer; (*of tide*) monter; (*of train, athlete*) arriver; (*of politician*) arriver au pouvoir; (*of clothes*) devenir la mode, se faire beaucoup; (*of money*) rentrer ▮ **to come in for** (*criticism*) essuyer ▮ **to come into** *vt* (*room etc*) entrer dans; (*money*) hériter de ▮ **to come off** *vi* (*of button etc*) se détacher, partir; (*succeed*) réussir; (*happen*) avoir lieu; (*get along, manage*) s'en tirer ▮ *vt* (*fall from*) tomber de; (*get down from*) descendre de ▮ **to come on** *vi* (*follow*) suivre; (*progress*) (*of work, student etc*) avancer; (*start*) commencer; (*arrive*) arriver; (*of play*) être joué; **c. on!** allez! ▮ **to come out** *vi* sortir; (*of sun, book*) paraître; (*of stain*) s'enlever, partir; (*of secret*) être révélé; (*of photo*) réussir; **to c. out** (**on strike**) se mettre en grève ▮ **to come over** *vi* (*visit*) venir, passer (**to** chez); **to c. over to** (*approach*) s'approcher de; **to c. over funny** or **peculiar** se trouver mal; **I don't know what came over me** je ne sais pas ce qui m'a pris ▮ *vt* (*take hold of*) (*of feeling*) saisir (*qn*), prendre (*qn*) ▮ **to come round** *vi* (*visit*) venir, passer (**to** chez); (*of date*) revenir; (*regain consciousness*) revenir à soi ▮ **to come through** *vi* (*survive*) s'en tirer ▮ *vt* (*crisis etc*) se tirer indemne de ▮ **to come to** *vi* (*regain consciousness*) revenir à soi ▮ *vt* (*amount to*) revenir à, faire; (*a decision*) parvenir à; **to c. to an end** toucher à sa fin; **to c. to understand**/*etc* en venir à comprendre/*etc*; **when it comes to buying a car** quand il s'agit d'acheter une voiture ▮ **to come under** *vt* (*heading etc*) être classé sous; (*s.o.'s influence*) tomber sous ▮ **to come up** *vi* (*rise*) monter; (*of plant*) sortir; (*of question, job*) se présenter ▮ *vt* (*stairs etc*) monter ▮ **to come up against** *vt* (*wall, problem*) se heurter à ▮ **to come up to** *vt* (*reach*) arriver jusqu'à; (*approach*) s'approcher de; (*one's hopes*) *Fig* répondre à ▮ **to come up with** *vt* (*idea, money*) trouver ▮ **to come upon** *vt* (*book, reference etc*) tomber sur.

comedy ['kɒmɪdɪ] *n* comédie *f*. ●**co'median** *n* (*acteur m*) comique *m*, actrice *f* comique.

comet ['kɒmɪt] *n* comète *f*.

comeuppance [kʌm'ʌpəns] *n* **he got his c.** *Pej Fam* il n'a eu que ce qu'il mérite.

comfort ['kʌmfət] *n* confort *m*; (*consolation*) réconfort *m*, consolation *f*; **to be a c. to s.o.** être d'un grand réconfort à qn; **to like one's comforts** aimer ses aises *fpl*; **too close**/*etc* **for c.** trop près/*etc* à mon, son *etc* goût; **c. station** *Am* toilettes *fpl* ▮ *vt* consoler; (*cheer*) réconforter.

comfortable ['kʌmfətəb(ə)l] *a* (*chair, house etc*) confortable; (*rich*) aisé; **he's c.** (*in chair etc*) il est à l'aise, il est bien; **make yourself c.** mets-toi à l'aise. ●**comforting** *a* (*reassuring*) (*words, situation etc*) réconfortant. ●**comfortably** *adv* (*to sit*) confortablement; **to live c.** vivre à l'aise; **c. off** (*rich*) à l'aise.

comforter ['kʌmfətər] *n* (*quilt*) *Am* édredon *m*; (*for baby*) sucette *f*.

comfy ['kʌmfɪ] *a* (**-ier, -iest**) (*chair etc*) *Fam* confortable; **I'm c.** je suis bien.

comic ['kɒmɪk] *a* comique ▮ *n* (*actor*) comique *m*; (*actress*) actrice *f* comique; (*magazine*) *Br* illustré *m*; **c. strip** bande *f* dessinée. ●**comical** *a* comique, drôle.

coming ['kʌmɪŋ] *a* (*future*) (*years etc*) à venir; **the c. month/days**/*etc* le mois/les jours/*etc* prochain(s) ▮ *n* (*of Messiah etc*) avènement *m*; **comings and goings** allées *fpl* et venues.

comma ['kɒmə] *n* virgule *f*.

command [kə'mɑːnd] *vt* (*order*) commander (**s.o. to do** à qn de faire); (*control*) commander (*régiment, navire etc*); (*dominate*) (*of building etc*) dominer, commander (*vallée etc*); (*be able to*) disposer de (*crédits etc*); (*respect*) imposer (**from** à); (*require*) exiger.

▮ *vi* (*of captain etc*) commander.

▮ *n* (*order*) ordre *m*; (*authority*) commandement *m*; (*troops*) troupes *fpl*; (*mastery*) maîtrise *f* (**of** de); *Comptr* commande *f*; **at one's c.** (*disposal*) à sa disposition; **to be in c. of** (*ship, army etc*) commander; (*situation*) être maître (de); **to take c. of** (*ship etc*) prendre le commandement de; **under the c. of** sous le

commandement de. ●**commanding** *a* (*authoritative*) imposant; (*position*) dominant; **c. officer** commandant *m*.
commandant ['kɒməndænt] *n* (*army officer*) commandant *m* (*d'un camp etc*).
commandeer [kɒmən'dɪər] *vt* réquisitionner.
commander [kə'mɑːndər] *n* (*military*) commandant *m*; **c. in chief** commandant *m* en chef.
commandment [kə'mɑːndmənt] *n* (*religious*) commandement *m*.
commando [kə'mɑːndəʊ] *n* (*pl* **-os** *or* **-oes**) (*soldiers*) commando *m*.
commemorate [kə'meməreɪt] *vt* commémorer. ●**commemoration** [-'reɪʃ(ə)n] *n* commémoration *f*. ●**commemorative** *a* commémoratif.
commence [kə'mens] *vti* commencer (**doing** à faire). ●**commencement** *n* commencement *m*; (*university ceremony*) *Am* remise *f* des diplômes.
commend [kə'mend] *vt* (*praise*) louer; (*recommend*) recommander; (*entrust*) *Lit* confier (**to** à). ●**commendable** *a* louable. ●**commendation** [-'deɪʃ(ə)n] *n* (*praise*) éloge *m*.
commensurate [kə'menʃərət] *a* proportionné (**to, with** à).
comment ['kɒment] *n* commentaire *m*, remarque *f*; **'no c!'** '(je n'ai) rien à dire!' ▌ *vi* faire des commentaires *or* des remarques (**on** sur); **I won't c.** je n'ai rien à dire; **to c. on** (*text, event, news item*) commenter; **to c. that** remarquer que. ●**commentary** *n* commentaire *m*; (**live**) **c.** (*on TV or radio*) reportage *m* (en direct). ●**commentate** *vi* (*on event, on TV or radio*) faire un reportage (**on** sur). ●**commentator** *n* (*on TV or radio*) commentateur, -trice *mf* (**on** de).
commerce ['kɒmɜːs] *n* commerce *m*. ●**co'mmercial** **1** *a* commercial; **c. break** plage *f* de publicité; **c. district** quartier *m* commerçant; **c. traveller** *Br* voyageur *m or* représentant *m* de commerce. **2** *n* (*advertisement*) (*on TV*) publicité *f*; **the commercials** (*on TV*) la publicité. ●**commercialize** [kə'mɜːʃəlaɪz] *vt* (*event*) *Pej* transformer en une affaire de gros sous. ●**commercialized** *a* (*district etc*) devenu *or* rendu (trop) commercial.
commiserate [kə'mɪzəreɪt] *vi* **to c. with s.o.** s'apitoyer sur (le sort de) qn. ●**commiseration** [-'reɪʃ(ə)n] *n* commisération *f*.
commission [kə'mɪʃ(ə)n] *n* (*fee, group*) commission *f*; (*order for work*) commande *f*; **out of c.** (*machine*) hors service; **to get one's c.** (*of soldier*) être nommé officier.
▌ *vt* (*artist*) passer une commande à; (*book*) commander; **to c. s.o. to do** charger qn de faire; **to be commissioned** (*in the army*) être nommé officier; **commissioned officer** officier *m*.
commissionaire [kəmɪʃə'neər] *n* (*in hotel etc*) *Br* chasseur *m*. ●**commissioner** *n* Pol

communism

etc commissaire *m*; (**police**) **c.** *Br* préfet *m* (de police).
commit [kə'mɪt] *vt* (**-tt-**) (*crime*) commettre; (*bind*) engager (*qn*); (*devote*) consacrer (*des efforts etc*) (**to** à); **to c. sth to s.o.'s care** confier qch à (la garde de) qn; **to c. suicide** se suicider; **to c. sth to memory** apprendre qch par cœur; **to c. s.o. to prison** incarcérer qn; **to c. oneself** (*make a promise*) s'engager (**to** à); (*compromise oneself*) se compromettre. ●**commitment** *n* (*duty, responsibility*) obligation *f*; (*promise*) engagement *m*; (*devotion*) dévouement *m* (**to** à).
committee [kə'mɪtɪ] *n* comité *m*; (*parliamentary*) commission *f*.
commodity [kə'mɒdɪtɪ] *n* produit *m*, article *m*.
common ['kɒmən] **1** *a* (**-er, -est**) (*shared, vulgar*) commun; (*frequent*) courant, fréquent, commun; **the c. man** l'homme *m* du commun; **in c.** (*shared*) en commun (**with** avec); **to have nothing in c.** n'avoir rien de commun (**with** avec); **in c. with** (*like*) comme; **c. law** droit *m* coutumier; **c.-law wife** concubine *f*; **C. Market** Marché *m* commun; **c. room** (*for students*) salle *f* commune; (*for teachers*) salle *f* des professeurs; **c. or garden** ordinaire.
2 *n* (*land*) terrain *m* communal; **House of Commons** *Br Can etc* Chambre *f* des Communes; **the Commons** *Br Can etc* les Communes *fpl*.
commoner ['kɒmənər] *n* roturier, -ière *mf*. ●**commonly** *adv* (*generally*) en général; (*vulgarly*) d'une façon commune. ●**commonness** *n* fréquence *f*; (*vulgarity*) vulgarité *f*.
commonplace ['kɒmənpleɪs] *a* banal (*mpl* -als) ▌ *n* banalité *f*.
commonsense [kɒmən'sens] *n* sens *m* commun, bon sens *m* ▌ *a* (*sensible*) sensé.
Commonwealth ['kɒmənwelθ] *n* **the C.** *Br* le Commonwealth.
commotion [kə'məʊʃ(ə)n] *n* agitation *f*.
communal [kə'mjuːn(ə)l] *a* (*shared*) (*bathroom, kitchen etc*) commun; (*of the community*) communautaire; ●**communally** *adv* (*to own*) en commun; (*to live*) en communauté.
commune 1 ['kɒmjuːn] *n* (*district*) commune *f*; (*group*) communauté *f*. **2** [kə'mjuːn] *vi* **to c. with nature/God** être en communion avec la nature/Dieu. ●**co'mmunion** *n* communion *f* (**with** avec); (**Holy**) **C.** communion *f*.
communicate [kə'mjuːnɪkeɪt] *vt* communiquer; (*illness*) transmettre (**to** à) ▌ *vi* (*of person, rooms etc*) communiquer (**with** avec). ●**communication** [-'keɪʃ(ə)n] *n* communication *f*; **c. cord** (*on train*) *Br* signal *m* d'alarme.
communicative [kə'mjuːnɪkətɪv] *a* communicatif.
communiqué [kə'mjuːnɪkeɪ] *n* (*announcement*) communiqué *m*.
communism ['kɒmjʊnɪz(ə)m] *n* communisme *m*. ●**communist** *a* & *n* communiste

community

(*mf*).
community [kə'mju:nɪtɪ] *n* communauté *f*; **the student c.** les étudiants *mpl* ▮ *a* (*rights, life, spirit*) communautaire; **c. centre** centre *m* socio-culturel; **c. worker** animateur, -trice *mf* socio-culturel(le).

commute [kə'mju:t] **1** *vi* (*travel*) faire la navette (**to work** pour se rendre à son travail) ▮ *n* (*journey*) trajet *m*. **2** *vt* (*of judge*) commuer (*une sentence*) (**to** en). ●**commuting** *n* (*journeys*) trajets *mpl* journaliers. ●**commuter** *n* banlieusard, -arde *mf*; **c. train** train *m* de banlieue.

compact[1] [kəm'pækt] *a* (*car, crowd, substance*) compact; (*style*) condensé; **c. disc** Br, **c. disk** Am ['kɒmpækt] disque *m* compact.

compact[2] ['kɒmpækt] *n* (*for face powder*) poudrier *m*.

companion [kəm'pænjən] *n* (*person*) compagnon *m*, compagne *f*; (*handbook*) manuel *m*. ●**companionship** *n* camaraderie *f*.

company ['kʌmpənɪ] *n* (*companionship*) compagnie *f*; (*guests*) invités, -ées *mfpl*; (*people present*) assemblée *f*; (*business*) société *f*, compagnie *f*; (*theatre*) **c.** compagnie *f* (théâtrale); **to keep s.o. c.** tenir compagnie à qn; **in s.o.'s c.** en compagnie de qn; **to keep good c.** avoir de bonnes fréquentations; **he's good c.** c'est un bon compagnon; **c. car** voiture *f* de société.

comparable ['kɒmpərəb(ə)l] *a* comparable (**with, to** à).

comparative [kəm'pærətɪv] *a* (*method etc*) comparatif; (*law, literature etc*) comparé; (*relative*) (*costs etc*) relatif ▮ *n* Grammar comparatif *m*. ●**comparatively** *adv* relativement.

compare [kəm'peər] *vt* comparer (**with, to** à); **compared to** *or* **with** en comparaison de ▮ *vi* être comparable, se comparer (**with** à). ●**comparison** *n* comparaison *f* (**between** entre, **with** avec); **in c. with** en comparaison avec; **by** *or* **in c.** en comparaison.

compartment [kəm'pɑ:tmənt] *n* compartiment *m*. ●**compart'mentalize** *vt* compartimenter.

compass ['kʌmpəs] *n* **1** (*for finding direction*) boussole *f*; (*on ship*) compas *m*; (*range*) Fig portée *f*. **2** (*for drawing, measuring etc*) Am compas *m*; (**pair of**) **compasses** compas *m*.

compassion [kəm'pæʃ(ə)n] *n* compassion *f*. ●**compassionate** *a* compatissant; **on c. grounds** pour raisons de famille.

compatible [kəm'pætɪb(ə)l] *a* compatible. ●**compati'bility** *n* compatibilité *f*.

compatriot [kəm'pætrɪət, kəm'peɪtrɪət] *n* compatriote *mf*.

compel [kəm'pel] *vt* (**-ll-**) forcer, contraindre (**to do** à faire); (*respect, obedience etc*) forcer (**from s.o.** chez qn); **compelled to do** forcé *or* contraint de faire. ●**compelling** *a* (*film, argument etc*) irrésistible.

compendium [kəm'pendɪəm] *n* abrégé *m*.

compensate ['kɒmpənseɪt] *vt* **to c. s.o.** (*with payment, reward*) dédommager qn (**for** de) ▮ *vi* compenser; **to c. for sth** (*make up for*) compenser qch. ●**compensation** [-'seɪʃ(ə)n] *n* (*financial*) dédommagement *m*; (*consolation*) compensation *f*; **in c. for** en compensation de.

compère ['kɒmpeər] *n* (*on TV or radio*) animateur, -trice *mf*, présentateur, -trice *mf* ▮ *vt* (*a show*) Br animer, présenter.

compete [kəm'pi:t] *vi* (*take part in race etc*) concourir (**in** à); **to c.** (**with s.o.**) rivaliser (avec qn); (*in business*) faire concurrence (à qn); **to c. for sth** se disputer qch; **to c. in a race/rally** courir dans une course/un rallye.

competent ['kɒmpɪtənt] *a* (*capable*) compétent (**to do** pour faire); (*sufficient*) (*knowledge etc*) suffisant. ●**competently** *adv* avec compétence. ●**competence** *n* compétence *f*.

competition [kɒmpə'tɪʃ(ə)n] *n* (*rivalry*) compétition *f*, concurrence *f*; **a c.** (*contest*) un concours; (*in sport*) une compétition.

competitive [kəm'petɪtɪv] *a* (*price, market*) compétitif; (*selection*) par concours; (*person*) aimant la compétition; **c. examination** concours *m*. ●**competitor** *n* concurrent, -ente *mf*.

compile [kəm'paɪl] *vt* (*dictionary*) rédiger; (*list, catalogue*) dresser; (*documents*) compiler. ●**compiler** *n* (*of dictionary*) rédacteur, -trice *mf*.

complacent [kəm'pleɪsənt] *a* content de soi. ●**complacence** *or* **complacency** *n* autosatisfaction *f*; **there is no room for c.** ce n'est pas le moment de faire de l'autosatisfaction.

complain [kəm'pleɪn] *vi* se plaindre (**to s.o.** à qn; **of** *or* **about sth/s.o.** de qch/qn; **that** que); **to c. of** *or* **about being tired**/etc se plaindre d'être fatigué/etc. ●**complaint** *n* plainte *f*; (*in shop etc*) réclamation *f*; (*illness*) maladie *f*; (**cause for**) **c.** sujet *m* de plainte; **to have cause for c.** avoir à se plaindre.

complement ['kɒmplɪmənt] *n* complément *m* ▮ ['kɒmplɪment] *vt* compléter. ●**comple'mentary** *a* complémentaire.

complete [kəm'pli:t] *a* (*total*) complet; (*finished*) achevé; **a c. idiot**/etc (*downright*) un parfait imbécile/etc ▮ *vt* (*add sth missing to*) compléter; (*finish*) achever; (*a form*) remplir. ●**completely** *adv* complètement. ●**completion** [-ʃ(ə)n] *n* achèvement *m*, réalisation *f*; (*of contract, sale*) exécution *f*.

complex ['kɒmpleks] **1** *a* complexe. **2** *n* (*feeling, buildings*) complexe *m*; **housing c.** grand ensemble *m*. ●**com'plexity** *n* complexité *f*.

complexion [kəm'plekʃ(ə)n] *n* (*of the face*) teint *m*; Fig caractère *m*, nature *f* (**of** de).

compliance [kəm'plaɪəns] *n* (*agreement*) conformité *f* (**with** avec).

complicate ['kɒmplɪkeɪt] *vt* compliquer (**with** de). ●**complicated** *a* compliqué. ●**complication** [-'keɪʃ(ə)n] *n* complication *f*.

complicity [kəm'plɪsɪtɪ] *n* complicité *f*.

compliment ['kɒmplɪmənt] *n* compliment *m*; **compliments** (*of author*) hommages *mpl*; **to pay s.o. a c.** faire un compliment à qn; **compliments of the season** meilleurs vœux pour Noël et la nouvelle année ‖ ['kɒmplɪment] *vt* complimenter, faire des compliments à. ● **compli'mentary** *a* 1 (*flattering*) flatteur. 2 (*free*) (*seat, copy of book etc*) (offert) à titre gracieux; **c. ticket** billet *m* de faveur.

comply [kəm'plaɪ] *vi* (*obey*) obéir; **to c. with** (*order, rule*) obéir à; (*request*) accéder à.

component [kəm'pəʊnənt] *n* (*of structure, self-assembly furniture, problem etc*) élément *m*; (*of machine*) pièce *f*, élément *m*; (*chemical, electronic*) composant *m* ‖ *a* **c. part** partie *f* constituante.

compose [kəm'pəʊz] *vt* composer; **to c. oneself** se calmer. ● **composed** *a* calme. ● **composer** *n* (*of music*) compositeur, -trice *mf*. ● **composition** [kɒmpə'zɪʃ(ə)n] *n* (*in music, art, chemistry etc*) composition *f*; (*school essay*) rédaction *f*.

compost [*Br* 'kɒmpɒst, *Am* 'kɒmpəʊst] *n* compost *m*.

composure [kəm'pəʊʒər] *n* calme *m*, sang-froid *m*.

compound 1 ['kɒmpaʊnd] *n* (*substance, word*) composé *m*; (*area*) enclos *m* ‖ *a* (*substance, word, interest*) composé; (*sentence, number*) complexe. 2 [kəm'paʊnd] *vt* (*make worse*) aggraver (*problème etc*).

comprehend [kɒmprɪ'hend] *vt* comprendre. ● **comprehensible** *a* compréhensible. ● **comprehension** [-ʃ(ə)n] *n* compréhension *f*.

comprehensive [kɒmprɪ'hensɪv] *a* complet; (*knowledge*) étendu; (*view, measure*) d'ensemble; (*insurance*) tous risques *inv* ‖ *a* & *n* **c.** (**school**) *Br* = collège *m* d'enseignement secondaire.

compress [kəm'pres] *vt* (*gas, air etc*) comprimer; (*ideas, facts etc*) *Fig* condenser ‖ ['kɒmpres] *n* (*to relieve pain*) compresse *f*. ● **compression** [-ʃ(ə)n] *n* compression *f*; *Fig* condensation *f*.

comprise [kəm'praɪz] *vt* (*consist of*) comprendre, inclure; (*make up*) constituer; **to be comprised of** comprendre, inclure.

compromise ['kɒmprəmaɪz] *vt* compromettre ‖ *vi* accepter un compromis ‖ *n* compromis *m*; **c. solution/***etc* solution *f*/*etc* de compromis.

compulsion [kəm'pʌlʃ(ə)n] *n* contrainte *f*. ● **compulsive** *a* (*behaviour*) compulsif; (*smoker, gambler*) invétéré; **c. liar** mythomane *mf*, menteur, -euse *mf* invétéré(e); **c. eater** boulimique *mf*.

compulsory [kəm'pʌlsərɪ] *a* obligatoire.

compunction [kəm'pʌŋkʃ(ə)n] *n* scrupule *m* (**about doing** à faire).

compute [kəm'pjuːt] *vt* calculer. ● **computing** *n* informatique *f*.

computer [kəm'pjuːtər] *n* ordinateur *m* ‖ *a* (*program, system, network*) informatique; (*course, firm*) d'informatique; **c. game** jeu *m* électronique; **c. language** langage *m* de programmation; **c. operator** opérateur, -trice *mf* sur ordinateur; **c. science** informatique *f*; **c. scientist** informaticien, -ienne *mf*. ● **computerization** [-'zeɪʃ(ə)n] *n* informatisation *f*. ● **computerized** *a* informatisé.

comrade ['kɒmreɪd] *n* camarade *mf*. ● **comradeship** *n* camaraderie *f*.

con [kɒn] *vt* (**-nn-**) *Sl* rouler, escroquer; **to be conned** se faire avoir *or* rouler ‖ *n* *Sl* escroquerie *f*; **c. man** escroc *m*.

concave ['kɒnkeɪv] *a* concave.

conceal [kən'siːl] *vt* (*hide*) dissimuler (*object*) (**from s.o.** à qn); (*plan, news etc*) cacher (**from s.o.** à qn). ● **concealment** *n* dissimulation *f*.

concede [kən'siːd] *vt* concéder (**to** à, **that** que) ‖ *vi* céder.

conceit [kən'siːt] *n* vanité *f*. ● **conceited** *a* vaniteux. ● **conceitedly** *adv* avec vanité.

conceive [kən'siːv] *vt* (*idea, child etc*) concevoir; (*believe*) voir, envisager ‖ *vi* (*of woman*) concevoir; **to c. of** concevoir. ● **conceivable** *a* concevable, envisageable; **it's c. that** il est concevable *or* envisageable que + *sub*. ● **conceivably** *adv* **yes, c.** oui, c'est concevable.

concentrate ['kɒnsəntreɪt] 1 *vt* concentrer (**on** sur) ‖ *vi* (*mentally*) se concentrer (**on sth** sur qch); **to c. on doing** s'appliquer à faire; **to c. on one's exams/work/***etc* se consacrer particulièrement à ses examens/son travail/*etc*. 2 *vi* (*converge*) se concentrer (**on** sur). ● **concentration** [-'treɪʃ(ə)n] *n* concentration *f*; **c. camp** camp *m* de concentration.

concentric [kən'sentrɪk] *a* concentrique.

concept ['kɒnsept] *n* concept *m*. ● **conception** [-'sepʃ(ə)n] *n* (*idea, fertilization*) conception *f*.

concern [kən'sɜːn] *vt* concerner; **to c. oneself with, be concerned with** (*be busy*) s'occuper de; **to be concerned about** (*be worried*) s'inquiéter de; **as far as I'm concerned** en ce qui me concerne ‖ *n* (*matter*) affaire *f*; (*anxiety*) inquiétude *f*; (*business*) **c.** entreprise *f*; **his c. for** son souci de; **that's not my c.** cela ne me regarde pas. ● **concerned** *a* (*anxious*) inquiet (**about, at** au sujet de); **the department c.** (*correct, relevant*) le service compétent; **the main person c.** le principal intéressé *or* concerné. ● **concerning** *prep* en ce qui concerne.

concert ['kɒnsət] *n* concert *m*; **in c.** (*together*) de concert (**with** avec); **c. hall** salle *f* de concert. ● **concert-goer** *n* habitué, -ée *mf* des concerts.

concerted [kən'sɜːtɪd] *a* (*effort*) concerté.

concertina [kɒnsə'tiːnə] *n* concertina *m*; **c. crash** (*of vehicles*) carambolage *m*.

concerto [kən'tʃɜːtəʊ] *n* (*pl* **-os**) concerto *m*.

concession [kən'seʃ(ə)n] *n* concession *f* (**to** à). ● **concessionary** *a* (*rate, price*) réduit.

conciliate [kən'sɪlɪeɪt] *vt* **to c. s.o.** (*win over*) se concilier qn; (*soothe*) apaiser qn. ● **conciliation** [-'eɪʃ(ə)n] *n* conciliation *f*; (*soothing*) apaisement *m*. ● **conciliatory** [kən'sɪlɪətərɪ,

concise

Am -tɔ:rɪ] a (tone, person etc) conciliant.
concise [kən'saɪs] a concis. ●**concisely** adv avec concision. ●**conciseness** or **concision** [-ʒ(ə)n] n concision f.
conclude [kən'klu:d] vt (end, settle) conclure; **to c. that** (infer) conclure que ▮ vi (of event etc) se terminer (**with** par); (of speaker) conclure. ●**concluding** a (remarks, speech etc) final (mpl finals). ●**conclusion** [-ʒ(ə)n] n conclusion f; **in c.** pour conclure; **to come to the c. that** arriver à la conclusion que.
conclusive [kən'klu:sɪv] a concluant. ●**conclusively** adv de manière concluante.
concoct [kən'kɒkt] vt (dish) Pej concocter, confectionner; (scheme) Fig combiner. ●**concoction** [-ʃ(ə)n] n (substance) Pej mixture f; (of dish) confection f.
concord ['kɒŋkɔ:d] n concorde f.
concourse ['kɒŋkɔ:s] n (hall) Am hall m; (at train station) hall m, salle f des pas perdus.
concrete ['kɒŋkri:t] **1** n béton m; **c. wall**/etc mur m/etc en béton; **c. mixer** bétonnière f. **2** a (real, positive) (ideas, example etc) concret.
concur [kən'kɜ:r] vi (-rr-) **1** (agree) être d'accord (**with** avec). **2** (happen together) coïncider; **to c. to** (contribute) concourir à.
concurrent [kən'kʌrənt] a simultané. ●**concurrently** adv simultanément.
concussion [kən'kʌʃ(ə)n] n (injury) commotion f (cérébrale).
condemn [kən'dem] vt condamner (qn) (**to** à); (building) déclarer inhabitable; **condemned man** condamné m à mort. ●**condemnation** [kɒndem'neɪʃ(ə)n] n condamnation f.
condense [kən'dens] vt condenser ▮ vi se condenser. ●**condensation** [kɒndən'seɪʃ(ə)n] n condensation f (**of** de); (mist) buée f.
condescend [kɒndɪ'send] vi condescendre (**to do** à faire). ●**condescension** [-ʃ(ə)n] n condescendance f.
condiment ['kɒndɪmənt] n condiment m.
condition [kən'dɪʃ(ə)n] **1** n (stipulation, circumstance, rank) condition f; (state) état m, condition f; **on c. that one does** à condition de faire, à condition que l'on fasse; **in good c.** en bon état; **in/out of c.** en bonne/mauvaise forme.
2 vt (action, behaviour etc) déterminer, conditionner; **to c. s.o.** (train) conditionner qn (**to do** à faire). ●**conditional** a conditionnel; **to be c. upon** dépendre de ▮ n Grammar conditionnel m.
conditioner [kən'dɪʃənər] n (hair) **c.** après-shampooing m.
condo ['kɒndəʊ] n (pl -os) abbr Am = **condominium.**
condolences [kən'dəʊlənsɪz] npl condoléances fpl; **condolence card** carte f de condoléances.
condom ['kɒndəm] n préservatif m.
condominium [kɒndə'mɪnɪəm] n Am (build-ing) (immeuble m en) copropriété f; (apartment) appartement m dans une copropriété.
condone [kən'dəʊn] vt (overlook) fermer les yeux sur; (forgive) excuser.
conducive [kən'dju:sɪv] a **to be c. to** être favorable à, inciter à; **not to be c. to** ne pas inciter à.
conduct ['kɒndʌkt] n (behaviour, directing) conduite f ▮ [kən'dʌkt] vt (lead) conduire, mener (touristes, enquête etc); (orchestra) diriger; (electricity, heat) conduire; **to c. one's business** diriger ses affaires; **to c. oneself** se conduire; **conducted visit** or **tour** (of building etc) visite f guidée; **conducted tour** (around region) excursion f accompagnée.
conductor [kən'dʌktər] n (of orchestra) chef m d'orchestre; (on bus) Br receveur m; (on train) Am chef m de train; (metal, cable etc) conducteur m. ●**conductress** n (on bus) Br receveuse f.
cone [kəʊn] n cône m; (of ice cream) cornet m; (paper) **c.** cornet m (de papier); **traffic c.** Br cône m de chantier; **pine** or **fir c.** pomme f de pin.
confectioner [kən'fekʃənər] n (of Br sweets, Am candy) confiseur, -euse mf; (of cakes) pâtissier, -ière mf. ●**confectionery** n (Br sweets, Am candy) confiserie f; (cakes) pâtisserie f.
confederate [kən'fedərət] a confédéré ▮ n (accomplice) complice mf, acolyte m. ●**confederacy** or **confederation** [-'reɪʃ(ə)n] n confédération f.
confer [kən'fɜ:r] **1** vt (-rr-) (grant) conférer (**on** à); (university degrees) délivrer; **to c. a degree on s.o.** remettre un diplôme à qn. **2** vi (-rr-) (talk together) conférer, se consulter (**on, about** sur); **to c. with s.o.** consulter qn.
conference ['kɒnfərəns] n conférence f; (scientific, academic etc) congrès m; **press** or **news c.** conférence f de presse; **in c. (with)** en conférence (avec).
confess [kən'fes] **1** vt avouer, confesser (**that** que, **to s.o.** à qn) ▮ vi avouer; **to c. to** (crime etc) avouer, confesser. **2** vt (sins etc) confesser ▮ vi (to priest etc) se confesser. ●**confession** [-ʃ(ə)n] n aveu(x) m(pl), confession f; (religious) confession f; **to go to c.** aller à confesse. ●**confessional** n Rel confessionnal m.
confetti [kən'feti] n confettis mpl.
confidant, -ante ['kɒnfɪdænt] n confident, -ente mf.
confide [kən'faɪd] vt confier (**to** à, **that** que) ▮ vi **to c. in** (talk to) se confier à.
confidence ['kɒnfɪdəns] n (trust) confiance f; (secret) confidence f; **(self-)c.** confiance f en soi; **in c.** (adv) en confidence; (a) confidentiel; **in strict c.** (adv) tout à fait confidentiellement; (a) tout à fait confidentiel; **motion of no c.** Pol motion f de censure; **c. trick** escroquerie f; **c. trickster** escroc m. ●**confident** a sûr, assuré; **(self-)c.** sûr de soi. ●**confidently** adv avec confiance.
confidential [kɒnfɪ'denʃəl] a confidentiel;

(*secretary*) particulier. ● **confidentially** *adv* en confidence.
configuration [kənfɪgju'reɪʃ(ə)n] *n* configuration *f*.
confine [kən'faɪn] *vt* **1** (*limit*) limiter (**to** à); **to c. oneself to doing** se limiter à faire. **2** (*keep prisoner*) enfermer, confiner (**to, in** dans). ● **confined** *a* (*atmosphere*) confiné; (*space*) réduit; **c. to bed** cloué au lit, obligé de garder le lit; **c. to the house/one's room** obligé de rester chez soi/de garder la chambre. ● **confinement** *n* (*of pregnant woman*) couches *fpl*; (*of prisoner etc*) emprisonnement *m*.
confines ['kɒnfaɪnz] *npl* limites *fpl*, confins *mpl*.
confirm [kən'fɜːm] *vt* confirmer (**that** que); (*strengthen*) raffermir (*autorité*, *résolution etc*); **to be confirmed** (*religious ceremony*) recevoir la confirmation. ● **confirmed** *a* (*bachelor*) endurci; (*smoker*, *habit*) invétéré.
● **confirmation** [kɒnfə'meɪʃ(ə)n] *n* confirmation *f*; **it's subject to c.** c'est à confirmer.
confiscate ['kɒnfɪskeɪt] *vt* confisquer (**from s.o.** à qn). ● **confiscation** [-'keɪʃ(ə)n] *n* confiscation *f*.
conflagration [kɒnflə'greɪʃ(ə)n] *n* (grand) incendie *m*, brasier *m*.
conflict ['kɒnflɪkt] *n* conflit *m* ▮ [kən'flɪkt] *vi* (*of statement etc*) être en contradiction (**with** avec); (*of dates*, *events*, *TV programmes*) tomber en même temps (**with** que). ● **conflicting** *a* (*views*, *theories etc*) contradictoires; (*dates*) incompatibles.
confluence ['kɒnfluəns] *n* (*of rivers*) confluent *m*.
conform [kən'fɔːm] *vi* (*of person*) se conformer (**to, with** à); (*of ideas*, *actions etc*) être en conformité (**to with**). ● **conformist** *a* & *n* conformiste (*mf*). ● **conformity** *n* (*likeness*) conformité *f*; (*behaviour etc*) *Pej* conformisme *m*.
confound [kən'faʊnd] *vt* (*surprise*, *puzzle*) confondre; **c. him!** que le diable l'emporte!; **c. it!** quelle barbe!, flûte! ● **confounded** *a* (*damned*) *Fam* sacré.
confront [kən'frʌnt] *vt* (*danger*) affronter; (*problems*) faire face à; **to c. s.o.** (*be face to face with*) se trouver en face de qn; (*oppose*) s'opposer à qn; **to c. s.o. with s.o.** confronter qn avec qn; **to c. s.o. with sth** mettre qn en face de qch. ● **confrontation** [kɒnfrən'teɪʃ(ə)n] *n* confrontation *f*.
confuse [kən'fjuːz] *vt* (*make unsure*) embrouiller (*qn*); **to c. sth/s.o. with** (*mistake for*) confondre qch/qn avec; **to c. matters** *or* **the issue** embrouiller la question. ● **confused** *a* (*situation*, *noises*, *idea etc*) confus; **to be c.** (*of person*) s'y perdre; **I'm (all** *or* **quite) c. (about it)** je m'y perds; **she's (always) c.** elle a (toujours) les idées embrouillées; **to get c.** s'embrouiller. ● **confusing** *a* déroutant, difficile à comprendre. ● **confusion** [-ʒ(ə)n] *n* confusion *f*; **in (a state of) c.** en désordre.
congeal [kən'dʒiːl] *vi* (*of blood*) se coaguler.

● **congealed** *a* **c. blood** sang *m* coagulé.
congenial [kən'dʒiːnɪəl] *a* sympathique.
congenital [kən'dʒenɪtəl] *a* congénital.
congested [kən'dʒestɪd] *a* (*street*) embouteillé, encombré; (*district*, *town*) surpeuplé; (*nose*) bouché, pris; (*lungs*) congestionné.
● **congestion** [-tʃ(ə)n] *n* (*obstruction*) encombrement *m*; (*traffic*) encombrements *mpl*; (*overcrowding*) surpeuplement *m*; (*in lungs etc*) congestion *f*.
Congo ['kɒŋgəʊ] *n* Congo *m*.
congratulate [kən'grætʃʊleɪt] *vt* féliciter (**s.o. on sth** qn de qch, **s.o. on doing sth** qn d'avoir fait qch). ● **congratulations** [-'leɪʃ(ə)nz] *npl* félicitations *fpl* (**on** pour). ● **congratu'latory** *a* (*telegram etc*) de félicitations.
congregate ['kɒŋgrɪgeɪt] *vi* se rassembler.
● **congregation** [-'geɪʃ(ə)n] *n* (*worshippers*) fidèles *mfpl*, assemblée *f*.
congress ['kɒŋgres] *n* congrès *m*; **C.** (*political body*) *Am* le Congrès. ● **Congressman** *n* (*pl* **-men**) *Am* membre *m* du Congrès.
● **Con'gressional** *a* (*committee etc*) *Am* du Congrès.
conical ['kɒnɪk(ə)l] *a* conique.
conifer ['kɒnɪfər] *n* (*tree*) conifère *m*.
conjecture [kən'dʒektʃər] *n* conjecture *f* ▮ *vt* conjecturer ▮ *vi* faire des conjectures. ● **conjectural** *a* conjectural.
conjugal ['kɒndʒʊgəl] *a* conjugal.
conjugate ['kɒndʒʊgeɪt] *vt* (*verb*) conjuguer.
● **conjugation** [-'geɪʃ(ə)n] *n* conjugaison *f*.
conjunction [kən'dʒʌŋkʃ(ə)n] *n* *Grammar* conjonction *f*; **in c. with** conjointement avec.
conjunctivitis [kəndʒʌŋktɪ'vaɪtɪs] *n* conjonctivite *f*; **to have c.** avoir *or* faire de la conjonctivite.
conjure ['kʌndʒər] *vt* **to c. (up)** (*by magic*) faire apparaître (*objet*, *fantôme etc*); **to c. up** (*memories*, *images etc*) *Fig* évoquer; **conjuring trick** tour *m* de prestidigitation. ● **conjurer** *n* prestidigitateur, -trice *mf*.
conk [kɒŋk] **1** *vi* **to c. out** (*break down*) (*of TV set etc*) *Fam* tomber en panne *or* en rade. **2** *n* (*nose*) *Br Sl* pif *m*. **3** *n* (*blow*) *Sl* gnon *m*.
conker ['kɒŋkər] *n* (*horse-chestnut fruit*) *Br Fam* marron *m* (d'Inde).
connect [kə'nekt] *vt* relier (**with, to** à); (*telephone*, *washing machine etc*) brancher; **to c. s.o. with** (*on phone*) mettre qn en communication avec; **to c. sth/s.o. with** (*in memory*) associer qch/qn avec.
▮ *vi* (*be connected*) être relié; (*of rooms*) communiquer; (*of roads*) se rejoindre; **to c. with** (*of train*, *bus*) assurer la correspondance avec. ● **connected** *a* (*facts*, *events etc*) liés; (*speech*) suivi; **to be c. with** (*have dealings with*) être lié à; (*have to do with*, *relate to*) avoir rapport à, être lié à; (*by marriage*) être allié à.
connection [kə'nekʃ(ə)n] *n* (*link*) rapport *m*, relation *f* (**with** avec); (*train*, *bus etc*) correspondance *f*; (*phone call*) communica-

connive

tion *f*; (*between electrical wires*) contact *m*; (*between pipes*) raccord *m*; **connections** (*contacts*) relations *fpl*; **to have no c. with** n'avoir aucun rapport avec; **in c. with** à propos de; **in this** *or* **that c.** à ce propos; **there's a loose c.** (*in electrical appliance*) il y a un faux contact.

connive [kə'naɪv] *vi* **to c. at** fermer les yeux sur; **to c. to do** se mettre de connivence pour faire (**with s.o.** avec qn); **to c. together** agir en complicité. ● **connivance** *n* connivence *f*.

connoisseur [kɒnə'sɜːr] *n* connaisseur *m*.

connotation [kɒnə'teɪʃ(ə)n] *n* connotation *f*.

conquer ['kɒŋkər] *vt* (*country, freedom etc*) conquérir; (*enemy, habit*) vaincre. ● **conquering** *a* victorieux. ● **conqueror** *n* conquérant, -ante *mf*, vainqueur *m*. ● **conquest** *n* conquête *f*.

cons [kɒnz] *npl* **the pros and (the) c.** le pour et le contre.

conscience ['kɒnʃəns] *n* conscience *f*. ● **conscience-stricken** *a* pris de remords.

conscientious [kɒnʃɪ'enʃəs] *a* consciencieux; **c. objector** objecteur *m* de conscience. ● **conscientiousness** *n* application *f*, sérieux *m*.

conscious ['kɒnʃəs] *a* (*awake*) conscient; (*intentional*) (*effort, decision etc*) délibéré; **c. of sth** (*aware*) conscient de qch; **c. that** conscient que; **to be c. of doing** avoir conscience de faire. ● **consciously** *adv* (*knowingly*) consciemment. ● **consciousness** *n* conscience *f* (**of** de); **to lose/regain c.** perdre/reprendre connaissance.

conscript ['kɒnskrɪpt] *n* (*soldier*) conscrit *m* ▮ [kən'skrɪpt] *vt* enrôler (par conscription). ● **conscription** [kən'skrɪpʃ(ə)n] *n* conscription *f*.

consecrate ['kɒnsɪkreɪt] *vt* (*church, temple, place, bishop*) consacrer. ● **consecration** [-'kreɪʃ(ə)n] *n* consécration *f*.

consecutive [kən'sekjʊtɪv] *a* consécutif. ● **consecutively** *adv* consécutivement.

consensus [kən'sensəs] *n* consensus *m*, accord *m* (général).

consent [kən'sent] *vi* consentir (**to** à) ▮ *n* consentement *m*; **by common c.** de l'aveu de tous; **by mutual c.** d'un commun accord.

consequence ['kɒnsɪkwəns] *n* (*result*) conséquence *f*; (*importance*) importance *f*, conséquence *f*. ● **consequently** *adv* par conséquent.

conservative [kən'sɜːvətɪv] **1** *a* (*estimate*) modeste; (*view, attitude etc*) traditionnel; (*person*) traditionaliste. **2** *a & n* **C.** *Br Pol* conservateur, -trice (*mf*). ● **conservatism** *n* (*in behaviour*) & *Br Pol* conservatisme *m*.

conservatoire [kən'sɜːvətwɑːr] *n* conservatoire *m* (*de musique*).

conservatory [kən'sɜːvətrɪ] *n* (*room next to house*) *Br* véranda *f*.

conserve [kən'sɜːv] *vt* (*energy, water, electricity etc*) économiser, faire des économies de; (*preserve unchanged*) préserver (*des privilèges, la faune etc*); **to c. one's strength** éco-nomiser *or* ménager ses forces. ● **conservation** [kɒnsə'veɪʃ(ə)n] *n* (*energy-saving*) économies *fpl* d'énergie; (*of nature*) protection *f* de l'environnement; **c. area** zone *f* naturelle protégée. ● **conservationist** *n* défenseur *m* de l'environnement.

consider [kən'sɪdər] *vt* considérer; (*take into account*) tenir compte de; **I'll c. it** j'y réfléchirai; **to c. doing** envisager de faire; **to c. that** estimer *or* considérer que; **he's** *or* **she's being considered for the job** sa candidature est à l'étude; **all things considered** tout compte fait.

considerable [kən'sɪdərəb(ə)l] *a* (*large*) considérable; (*much*) beaucoup de. ● **considerably** *adv* beaucoup, considérablement.

considerate [kən'sɪdərət] *a* plein d'égards (**to** pour), attentionné (**to** à l'égard de).

consideration [kənsɪdə'reɪʃ(ə)n] *n* (*thought, thoughtfulness, reason*) considération *f*; **under c.** à l'étude; **out of c. for** par égard pour; **to take sth into c.** prendre qch en considération.

considering [kən'sɪdərɪŋ] *prep* compte tenu de, étant donné que, vu que ▮ *adv Fam* **the result was good c.** *Fam* le résultat était bon, après tout.

consign [kən'saɪn] *vt* (*send*) expédier (*marchandises*); (*give, entrust*) confier (**to** à). ● **consignment** *n* (*goods arriving*) arrivage *m*, envoi *m*; (*goods sent off*) envoi *m*; (*sending*) expédition *f*.

consist [kən'sɪst] *vi* consister (**of** en, **in** dans, **in doing** à faire).

consistent [kən'sɪstənt] *a* (*unchanging*) (*loyalty etc*) constant; (*friend*) fidèle; (*coherent*) (*ideas, argument etc*) cohérent, logique; **to be c. with** (*of statement etc*) concorder avec, cadrer avec. ● **consistency** *n* **1** (*of liquid etc*) consistance *f*. **2** (*of ideas etc*) cohérence *f*. ● **consistently** *adv* (*always*) constamment; (*regularly*) régulièrement; (*logically*) avec logique.

console[1] [kən'səʊl] *vt* consoler. ● **consolation** [kɒnsə'leɪʃ(ə)n] *n* consolation *f*; **c. prize** lot *m* de consolation.

console[2] ['kɒnsəʊl] *n* (*control desk*) console *f*.

consolidate [kən'sɒlɪdeɪt] *vt* consolider ▮ *vi* se consolider. ● **consolidation** [-'deɪʃ(ə)n] *n* consolidation *f*.

consonant ['kɒnsənənt] *n* consonne *f*.

consort 1 ['kɒnsɔːt] *n* époux *m*, épouse *f*; **prince c.** prince *m* consort. **2** [kən'sɔːt] *vi* **to c. with** (*criminals, addicts etc*) fréquenter.

consortium [kən'sɔːtɪəm] *n* (*of companies etc*) consortium *m*.

conspicuous [kən'spɪkjʊəs] *a* (*noticeable*) visible, en évidence; (*striking*) remarquable, manifeste; (*showy*) voyant; **to be c. by one's absence** briller par son absence; **in a c. position** (bien) en évidence; **to make oneself c.** se faire remarquer, se mettre en évidence. ● **conspicuously** *adv* visiblement.

conspire [kən'spaɪər] **1** *vi* (*plot*) conspirer

(against contre); **to c. to do** comploter de faire. **2** *vt* **to c. to do** (*of events*) conspirer *or* concourir à faire. ●**conspiracy** [-'spɪrəsɪ] *n* conspiration *f*.
constable ['kʌnstəb(ə)l] *n* (*police*) **c.** *Br* agent *m* (de police); **chief c.** *Br* = préfet *m* de police. ●**con'stabulary** *n Br* la police.
constant ['kʌnstənt] *a* (*frequent*) incessant; (*unchanging*) constant; (*faithful*) fidèle. ●**constancy** *n* constance *f*. ●**constantly** *adv* constamment, sans cesse.
constellation [kʌnstə'leɪʃ(ə)n] *n* constellation *f*.
consternation [kʌnstə'neɪʃ(ə)n] *n* consternation *f*.
constipate ['kʌnstɪpeɪt] *vt* constiper. ●**constipated** *a* constipé. ●**constipation** [-'peɪʃ(ə)n] *n* constipation *f*.
constituent [kən'stɪtjʊənt] **1** *n* (*part*) élément *m* constituant ▌*a* (*element, part*) constituant, constitutif. **2** *n* (*voter*) électeur, -trice *mf* (*d'une circonscription*). ●**constituency** *n* circonscription *f* électorale; (*voters*) électeurs *mpl*.
constitute ['kʌnstɪtjuːt] *vt* constituer. ●**constitution** [-'tjuːʃ(ə)n] *n* (*of person, country, committee etc*) constitution *f*. ●**consti'tutional** *a Pol* constitutionnel.
constrain [kən'streɪn] *vt* **1** contraindre (s.o. to do qn à faire); **constrained to do** contraint de faire. **2** (*of clothing etc*) gêner (*qn*). ●**constraint** *n* contrainte *f*.
constrict [kən'strɪkt] *vt* (*tighten, narrow*) resserrer; (*movement*) gêner. ●**constriction** [-'strɪkʃ(ə)n] *n* resserrement *m*.
construct [kən'strʌkt] *vt* construire. ●**construction** [-ʃ(ə)n] *n* (*building, structure*) & *Grammar* construction *f*; **under c.** en construction. ●**constructive** *a* constructif.
construe [kən'struː] *vt* interpréter, comprendre.
consul ['kʌnsəl] *n* consul *m*. ●**consular** *a* consulaire. ●**consulate** *n* consulat *m*.
consult [kən'sʌlt] *vt* consulter ▌*vi* **to c. with** discuter avec, conférer avec; **consulting room** (*of doctor*) *Br* cabinet *m* de consultation. ●**consultation** [kʌnsəl'teɪʃ(ə)n] *n* consultation *f*; **in c. with** en consultation avec.
consultancy [kən'sʌltənsɪ] *n* **c.** (**firm**) cabinet *m* d'experts-conseils; **c. fee** honoraires *mpl* de conseils. ●**consultant** *n* (*doctor*) *Br* spécialiste *mf*; (*adviser*) conseiller, -ère *mf*; (*financial, legal*) conseil *m*, expert-conseil *m* ▌*a* (*engineer etc*) consultant. ●**consultative** *a* (*committee, role*) consultatif.
consume [kən'sjuːm] *vt* (*food, supplies etc*) consommer; (*of fire*) consumer (*bâtiment etc*); (*of grief, hate etc*) dévorer (*qn*); **to be consumed by** *or* **with** (*jealousy etc*) être dévoré de; **consuming ambition/passion** ambition *f*/passion *f* dévorante. ●**consumer** *n* consommateur, -trice *mf*; **gas/electricity c.** abonné, -ée *mf* au gaz/à l'électricité; **c. goods/society** biens *mpl*/société *f* de consommation; **c. magazine** magazine *m* de défense du consommateur; **c. protection** défense *f* du consommateur. ●**consumerism** *n* consumérisme *m*. ●**consumption** [-'sʌmpʃ(ə)n] *n* consommation *f* (**of** de).
consummate ['kʌnsəmət] *a* (*perfect*) (*artist etc*) consommé, parfait; (*liar etc*) fini, parfait.
contact ['kʌntækt] *n* contact *m*; (*person*) contact *m*, relation *f*; **in c. with** en contact avec; **c. lenses** lentilles *fpl or* verres *mpl* de contact ▌*vt* contacter, se mettre en contact avec.
contagious [kən'teɪdʒəs] *a* contagieux.
contain [kən'teɪn] *vt* (*enclose, hold back*) contenir; **to c. oneself** se contenir. ●**container** *n* (*box, jar etc*) récipient *m*; (*for transporting goods*) conteneur *m*, container *m*.
contaminate [kən'tæmɪneɪt] *vt* contaminer. ●**contamination** [-'neɪʃ(ə)n] *n* contamination *f*.
contemplate ['kʌntəmpleɪt] *vt* (*look at*) contempler; (*consider*) envisager (**doing** de faire). ●**contemplation** [-'pleɪʃ(ə)n] *n* contemplation *f*; **deep in c.** en pleine contemplation.
contemporary [kən'tempərərɪ] *a* contemporain (**with** de); (*pattern, colour, style etc*) moderne ▌*n* (*person*) contemporain, -aine *mf*.
contempt [kən'tempt] *n* mépris *m*; **to hold s.o./sth in c.** mépriser qn/qch. ●**contemptible** *a* méprisable. ●**contemptuous** *a* dédaigneux (**of** de).
contend [kən'tend] **1** *vi* **to c. with** (*problem, difficulty*) faire face à; **to c. with s.o.** (*deal with*) avoir affaire à qn; (*compete with*) rivaliser avec qn; (*struggle with*) se battre avec qn. **2** *vt* **to c. that** (*claim*) soutenir que. ●**contender** *n* concurrent, -ente *mf*.
content[1] [kən'tent] *a* satisfait (**with** de); **he's c. to do** il ne demande pas mieux que de faire. ●**contented** *a* satisfait. ●**contentment** *n* contentement *m*.
content[2] ['kʌntent] *n* (*of book, text, film etc*) (*subject matter*) contenu *m*; **contents** (*of container, letter, book etc*) (*total contained within*) contenu *m*; (**table of**) **contents** (*of book*) table *f* des matières; **alcoholic/iron/etc c.** teneur *f* en alcool/fer/etc.
contention [kən'tenʃ(ə)n] *n* **1** (*claim, belief*) affirmation *f*. **2** (*disagreement*) désaccord *m*.
contentious [kən'tenʃəs] *a* (*issue*) litigieux.
contest [kən'test] *vt* (*dispute*) contester; (*fight for*) disputer ▌['kʌntest] *n* (*competition*) concours *m*; (*fight*) lutte *f*; *Boxing* combat *m*. ●**con'testant** *n* concurrent, -ente *mf*; (*in fight*) adversaire *mf*.
context ['kʌntekst] *n* contexte *m*; **in/out of c.** (*word*) dans/hors de son contexte.
continent ['kʌntɪnənt] *n* continent *m*; **the C.** l'Europe *f* (continentale); **on the c.** en Europe. ●**conti'nental** *a* (*of Europe*) européen; (*of other continents*) continental; **c. breakfast** petit déjeuner *m* à la française

contingent

▮ n Européen, -enne mf (continental(e)).
contingent [kən'tɪndʒənt] 1 a **to be c. upon** dépendre de. 2 nm (group of people, soldiers) contingent m. ●**contingency** n éventualité f; **c. plan** plan m d'urgence.
continual [kən'tɪnjuəl] a continuel. ●**continually** adv continuellement.
continue [kən'tɪnjuː] vt continuer (**to do** or **doing** à or de faire); **to c. (with)** (work, speech etc) poursuivre, continuer; (resume) reprendre ▮ vi continuer; (resume) reprendre; **to c. in one's job** garder son emploi; **to c. with s.o.** (in job) garder qn. ●**continued** a (interest, attention etc) soutenu, assidu; (presence) continu(el); **to be c.** (of story) à suivre. ●**continuance** n continuation f. ●**continuation** [-'eɪʃ(ə)n] n continuation f; (resumption) reprise f; (new episode) suite f.
continuity [kɒntɪ'njuːɪtɪ] n continuité f.
continuous [kən'tɪnjuəs] a continu; **c. film programme, c. performance** cinéma m permanent. ●**continuously** adv sans interruption.
contort [kən'tɔːt] vt (twist) tordre; **to c. oneself** se contorsionner. ●**contortion** [-ʃ(ə)n] n contorsion f. ●**contortionist** n (acrobat) contorsionniste mf.
contour ['kɒntʊər] n contour m; **c. (line)** (on map) courbe f de niveau.
contraband ['kɒntrəbænd] n contrebande f.
contraception [kɒntrə'sepʃ(ə)n] n contraception f. ●**contraceptive** a & n contraceptif (m); **c. device** contraceptif m.
contract[1] ['kɒntrækt] n contrat m; **c. work** travail m en sous-traitance ▮ vt **to c. to do** s'engager (par un contrat) à faire ▮ vi **to c. out of** (agreement etc) se dégager de. ●**con'tractor** n entrepreneur m.
contract[2] [kən'trækt] vt (illness, habit, debt, muscle etc) contracter ▮ vi (of heart, market etc) se contracter. ●**contraction** [-ʃ(ə)n] n (of muscle etc, word) contraction f.
contradict [kɒntrə'dɪkt] vt (person, statement etc) contredire; (belie) démentir; **to c. each other** se contredire. ●**contradiction** [-ʃ(ə)n] n contradiction f. ●**contradictory** a contradictoire.
contralto [kən'træltəʊ] n (pl -os) contralto m.
contraption [kən'træpʃ(ə)n] n Fam engin m, machin m.
contrary 1 ['kɒntrərɪ] a (opposite) contraire (**to** à) ▮ adv **c. to** contrairement à ▮ n contraire m; **on the c.** au contraire; **unless you, I** etc **hear to the c.** sauf avis contraire; **she said nothing to the c.** elle n'a rien dit contre. 2 [kən'treərɪ] a (obstinate) entêté, difficile.
contrast 1 ['kɒntrɑːst] n contraste m; **in c. to** par opposition à. 2 [kən'trɑːst] vi contraster (**with** avec) ▮ vt mettre en contraste, faire contraster. ●**contrasting** a (colours, opinions etc) opposés.
contravene [kɒntrə'viːn] vt (law) enfreindre. ●**contravention** [-'venʃ(ə)n] n **in c. of** en contravention de.

contribute [kən'trɪbjuːt] vt donner, fournir (**to** à); (article) écrire (**to** pour); **to c. money to** contribuer à, verser de l'argent à.
▮ vi **to c. to** contribuer à; (publication) collaborer à; (discussion, debate) participer à. ●**contribution** [kɒntrɪ'bjuːʃ(ə)n] n contribution f; (to pension fund etc) cotisation(s) f(pl); (newspaper article) article m. ●**contributor** n (to newspaper etc) collaborateur, -trice mf; (of money) donateur, -trice mf. ●**contributory** a **a c. factor** un facteur qui a contribué (à).
contrite [kən'traɪt] a contrit. ●**contrition** [-ʃ(ə)n] n contrition f.
contrivance [kən'traɪvəns] n (device) dispositif m; (scheme) invention f.
contrive [kən'traɪv] vt **to c. to do** trouver moyen de faire.
contrived [kən'traɪvd] a (meeting, incident) arrangé; (plot, ending) artificiel.
control [kən'trəʊl] vt (-ll-) (business, organization) diriger; (traffic) régler; (prices, quality) contrôler; (emotion, reaction) maîtriser, contrôler; (disease) enrayer; (situation) être maître de, contrôler; **to c. oneself** se contrôler.
▮ n (authority) autorité f (**over** sur); (over prices, quality) contrôle m; (over one's emotions) maîtrise f; **the controls** (of train etc) les commandes fpl; (knobs of TV set, radio etc) les boutons mpl; (self-)**c.** le contrôle de soi-même, la maîtrise (de soi); **to keep s.o. under c.** tenir qn; **the situation** or **everything is under c.** je contrôle la situation; **everything is under c.** (OK) tout est en ordre, tout va bien; **to bring** or **get a fire/inflation under c.** maîtriser un incendie/l'inflation; **to take** or **assume c. of** (country, business etc) prendre le contrôle de; **to be in c. of** (situation, vehicle) être maître de; **I'm in c. of** (situation) j'ai la situation en main; **to lose c. of** (situation, vehicle) perdre le contrôle de; **out of c.** (situation, crowd) difficilement maîtrisable; **c. key** Comptr touche f de contrôle; **c. room** (in space station) salle f de contrôle; **c. tower** (at airport) tour f de contrôle.
controller [kən'trəʊlər] n **air traffic c.** contrôleur m aérien, aiguilleur m du ciel.
controversy ['kɒntrəvɜːsɪ] n controverse f. ●**controversial** [-'vɜːʃəl] a (book, author) contesté, discuté; (doubtful) discutable.
conundrum [kə'nʌndrəm] n devinette f, énigme f; (mystery) énigme f.
conurbation [kɒnɜː'beɪʃ(ə)n] n conurbation f.
convalesce [kɒnvə'les] vi (rest) être en convalescence; **to c. from** (recover) se remettre de. ●**convalescence** n convalescence f. ●**convalescent** n convalescent, -ente mf; **c. home** maison f de convalescence.
convector [kən'vektər] n **c. (heater)** convecteur m, radiateur m à convection.
convene [kən'viːn] vt (meeting) convoquer ▮ vi (meet) se réunir.
convenience [kən'viːnɪəns] n commodité f;

(*comfort*) confort *m*, commodité *f*; (*advantage*) avantage *m*; (*closeness*) proximité *f* (*des magasins, écoles etc*); **come at your (own) c.** venez quand vous voudrez; **all modern conveniences** tout le confort moderne; (**public**) **conveniences** *Br* toilettes *fpl*; **c. food(s)** plats *mpl* tout préparés; **c. store** magasin *m* de proximité.

convenient [kən'viːnɪənt] *a* commode, pratique; (*well-situated*) bien situé (**for the shops/** *etc* par rapport aux magasins/*etc*); (*moment*), convenable, opportun; **to be c. (for)** (*suit*) convenir (à). ●**conveniently** *adv* (*to arrive, say sth etc*) à propos; **c. situated** bien situé.

convent ['kɒnvənt] *n* couvent *m*; **c. school** couvent *m*.

convention [kən'venʃ(ə)n] *n* (*custom*) usage *m*, convention *f*; (*agreement*) convention *f*; (*meeting*) assemblée *f*; (*political*) *Am* convention *f*. ●**conventional** *a* conventionnel; **c. weapons** armes *fpl* classiques.

converge [kən'vɜːdʒ] *vi* converger (**on** sur). ●**converging** *a* convergent. ●**convergence** *n* convergence *f*.

conversant [kən'vɜːsənt] *a* **to be c. with** (*custom, book, author etc*) connaître; (*fact*) savoir; (*cars, painting etc*) s'y connaître en.

conversation [kɒnvə'seɪʃ(ə)n] *n* conversation *f* (**with** avec). ●**conversational** *a* (*tone*) de la conversation; (*person*) loquace; **to study c. French** étudier le français parlé. ●**conversationalist** *n* causeur, -euse *mf*; **to be a (good) c.** avoir de la conversation.

converse 1 [kən'vɜːs] *vi* s'entretenir (**with** avec). **2** ['kɒnvɜːs] *a* & *n* inverse (*m*). ●**con'versely** *adv* inversement.

convert [kən'vɜːt] **1** *vt* (*change*) convertir (**into**, **to** en); (*building*) aménager (**into**, **to** en). **2** *vt* **to c. s.o.** (*to another religion*) convertir qn (**to** à) ▌ *vi* (*change religion*) se convertir; **to c. into a bed** (*of sofa*) se transformer en lit ▌ ['kɒnvɜːt] *n* converti, -ie *mf*. ●**conversion** [*Br* -ʃ(ə)n, *Am* -ʒ(ə)n] *n* conversion *f*; (*of building*) aménagement *m*.

convertible [kən'vɜːtəb(ə)l] *n* (*car*) (voiture *f*) décapotable *f* ▌ *a* **c. currency/sofa/***etc* monnaie *f*/canapé *m*/*etc* convertible.

convex ['kɒnveks] *a* convexe.

convey [kən'veɪ] *vt* (*goods, people*) transporter; (*sound, message, order*) transmettre; (*idea*) communiquer (**to** à); (*evoke*) évoquer; (*water etc through pipes*) amener. ●**conveyance** *n* transport *m*; (*vehicle*) véhicule *m*. ●**conveyor belt** *n* tapis *m* roulant.

convict ['kɒnvɪkt] *n* forçat *m* ▌ [kən'vɪkt] *vt* reconnaître *or* déclarer coupable (**of** murder/*etc* de meurtre/*etc*). ●**con'viction** [-ʃ(ə)n] *n* (*for crime*) condamnation *f*; (*belief*) conviction *f* (**that** que); **to carry c.** (*of argument etc*) être convaincant.

convince [kən'vɪns] *vt* convaincre, persuader (**of sth** de qch, **s.o. to do sth** qn de faire qch). ●**convincing** *a* (*argument, person*) convaincant. ●**convincingly** *adv* (*to argue etc*) de façon convaincante.

convivial [kən'vɪvɪəl] *a* (*event etc*) joyeux, gai; (*person*) bon vivant.

convoke [kən'vəʊk] *vt* (*meeting etc*) convoquer.

convoluted [kɒnvə'luːtɪd] *a* (*argument, style*) compliqué, tarabiscoté.

convolvulus [kən'vɒlvjʊləs] *n* liseron *m*.

convoy ['kɒnvɔɪ] *n* (*ships, cars etc*) convoi *m*.

convulse [kən'vʌls] *vt* (*shake*) bouleverser, ébranler; (*face*) convulser; **to be convulsed with pain** se tordre de douleur. ●**convulsion** [-ʃ(ə)n] *n* convulsion *f*. ●**convulsive** *a* convulsif.

coo [kuː] *vi* (*of dove*) roucouler.

cook [kʊk] *vt* (fa re) cuire; **to c. the accounts** *or* **books** *Fam* truquer les comptes; **to c. up** *Fam* inventer (*excuse etc*).
▌ *vi* (*of food*) cuire; (*of person*) faire la cuisine; **what's cooking?** *Fam* qu'est-ce qui se passe?
▌ *n* (*person*) cuisinier, -ière *mf*. ●**cooking** *n* (*activity, food*) cuisine *f*; **to do the c.** faire la cuisine; **c. apple** pomme *f* à cuire. ●**cooker** *n* *Br* (*stove*) cuisinière *f*; (*apple*) pomme *f* à cuire.

cookbook ['kʊkbʊk] *n* livre *m* de cuisine. ●**cookery** *n* cuisine *f*; **c. book** *Br* livre *m* de cuisine.

cookie ['kʊkɪ] *n* *Am* biscuit *m*, gâteau *m* sec.

cool [kuːl] *a* (**-er, -est**) (*weather, place etc*) frais (*f* fraîche); (*having cooled down*) (*tea, soup etc*) qui n'est plus très chaud; (*clothes*) léger; (*calm*) (*manner, person*) calme; (*unfriendly*) (*reception etc*) froid; (*impertinent*) *Fam* effronté; (*excellent*) *Fam* super *inv*; (*acceptable*) *Fam* cool *inv*; **I feel c.** (*too cold*) j'ai (un peu) froid; (*no longer too hot*) j'ai moins chaud; **a (nice) c. drink** une boisson (bien) fraîche; **a c. 50 pounds** la coquette somme de 50 livres; **the weather is c., it's c.** il fait frais; **to keep sth c.** tenir qch au frais.
▌ *n* (*of evening*) fraîcheur *f*; **to keep sth in the c.** tenir qch au frais; **to keep/lose one's c.** garder/perdre son sang-froid.
▌ *vt* **to c. (down)** refroidir, rafraîchir.
▌ *vi* **to c. (down** *or* **off)** (*of hot liquid*) refroidir; (*of enthusiasm*) se refroidir; (*of anger, angry person*) se calmer; **to c. off** (*refresh oneself by drinking, swimming etc*) se rafraîchir; **to c. off towards s.o.** se refroidir envers qn. ●**cooler** *n* (*for food*) glacière *f*. ●**coolly** *adv* (*calmly*) calmement; (*to welcome*) froidement; (*boldly*) effrontément. ●**coolness** *n* fraîcheur *f*; (*unfriendliness*) froideur *f*.

cool-headed [kuːl'hedɪd] *a* calme.

coop [kuːp] **1** *n* (*for chickens*) poulailler *m*. **2** *vt* **to c. up** (*person, animal*) enfermer; **I've been cooped up** je suis resté enfermé.

co-op ['kəʊɒp] *n* *Am* appartement *m* en copropriété.

co-operate [kəʊˈɒpəreɪt] *vi* coopérer (**in** à, **with** avec). ●**co-operation** [-ˈreɪʃ(ə)n] *n* coopération *f*.
co-operative [kəʊˈɒpərətɪv] *a* coopératif ▮ *n* coopérative *f*.
co-opt [kəʊˈɒpt] *vt* coopter (**on to** à).
co-ordinate [kəʊˈɔːdɪneɪt] *vt* coordonner. ●**co-ordination** [-ˈneɪʃ(ə)n] *n* coordination *f*. ●**co-ordinator** *n* (*of project*) coordinateur, -trice *mf*.
co-ordinates [kəʊˈɔːdɪnəts] *npl Math* coordonnées *fpl*; (*clothes*) coordonnés *mpl*.
co-owner [kəʊˈəʊnər] *n* copropriétaire *mf*.
cop [kɒp] **1** *n* (*policeman*) *Fam* flic *m*. **2** *vt* (**-pp-**) (*catch*) *Br Sl* piquer. **3** *vi* (**-pp-**) **to c. out** *Sl* se défiler, éviter ses responsabilités.
cope [kəʊp] *vi* **to c. with** s'occuper de; (*problem*) faire face à; (**to be able**) **to c.** (*savoir*) se débrouiller; **I (just) can't c.** je n'y arrive plus.
copier [ˈkɒpɪər] *n* (*photocopying machine*) photocopieuse *f*.
co-pilot [ˈkəʊpaɪlət] *n* copilote *m*.
copious [ˈkəʊpɪəs] *a* (*meal*) copieux; (*sunshine, amount*) abondant.
copper [ˈkɒpər] *n* **1** (*metal*) cuivre *m*; **coppers** (*coins*) *Br* petite monnaie *f*. **2** (*policeman*) *Br Fam* flic *m*.
coppice [ˈkɒpɪs] *or* **copse** [kɒps] *n* (*trees, bushes*) bosquet *m*.
copulate [ˈkɒpjʊleɪt] *vi* s'accoupler. ●**copulation** [-ˈleɪʃ(ə)n] *n* copulation *f*.
copy [ˈkɒpɪ] *n* copie *f*; (*of book, magazine etc*) exemplaire *m*; (*of photo*) épreuve *f* ▮ *vt* copier; **to c. out** *or* **down** (*text, letter etc*) (re)copier ▮ *vi* copier. ●**copyright** *n* copyright *m*.
coral [ˈkɒrəl] *n* corail *m*; **c. reef** récif *m* de corail.
cord [kɔːd] *n* **1** (*heavy string*) (*of curtain, bell, Br pyjamas, Am pajamas*) cordon *m*; (*electrical*) cordon *m* électrique; **vocal cords** cordes *fpl* vocales. **2 cords** (*corduroy Br trousers or Am pants*) *Fam* velours *m*, pantalon *m* en velours (côtelé).
cordial [ˈkɔːdɪəl] **1** *a* (*friendly*) cordial. **2** *n* (*fruit*) **c.** *Br* sirop *m*.
cordless [ˈkɔːdləs] *a* **c. phone** téléphone *m* sans fil.
cordon [ˈkɔːdən] *n* cordon *m* ▮ *vt* **to c. off** (*of police*) interdire l'accès de, boucler (*lieu*).
corduroy [ˈkɔːdərɔɪ] *n* (*fabric*) velours *m* côtelé; **corduroys** (*Br trousers, Am pants*) pantalon *m* en velours (côtelé), velours *m*.
core [kɔːr] *n* (*of apple etc*) trognon *m*; (*of problem*) cœur *m*; (*group of people*) & *Geol* noyau *m*; **rotton to the c.** corrompu jusqu'à la moelle; **c. vocabulary** vocabulaire *m* de base ▮ *vt* (*apple*) vider. ●**corer** *n* (*apple*) **c.** vide-pomme *m*.
cork [kɔːk] *n* (*material*) liège *m*; (*for bottle*) bouchon *m* ▮ *vt* **to c. (up)** (*bottle*) boucher. ●**corkscrew** *n* tire-bouchon *m*.
corn [kɔːn] *n* **1** (*wheat*) *Br* blé *m*; (*maize*) *Am* maïs *m*; (*seed*) grain *m*; **c. on the cob** épi *m* de maïs. **2** (*hard skin on foot*) cor *m*.
corned beef [kɔːndˈbiːf] *n* corned-beef *m*.
cornea [ˈkɔːnɪə] *n* (*of eye*) cornée *f*.
corner [ˈkɔːnər] **1** *n* coin *m*; (*of street, room*) coin *m*, angle *m*; (*bend in road*) virage *m*; **Football corner** *m*; **in a (tight) c.** dans une situation difficile; **around the c.** (*shops, school etc*) à deux pas; (*help, spring etc*) tout proche; **c. shop** magasin *m* du coin. **2** *vt* (*trap so as to speak to, capture etc*) coincer, accrocher (*qn*); (*animal*) acculer; **to c. the market** monopoliser le marché. **3** *vi* (*of vehicle*) prendre un virage. ●**cornerstone** *n* pierre *f* angulaire.
cornet [ˈkɔːnɪt] *n* (*of ice cream etc*) *Br* cornet *m*; (*instrument*) cornet *m* (à pistons).
cornflakes [ˈkɔːnfleɪks] *npl* céréales *fpl*, corn flakes *mpl*.
cornflour [ˈkɔːnflaʊər] *n* farine *f* de maïs, maïzena® *f*.
cornflower [ˈkɔːnflaʊər] *n* bleuet *m*.
cornstarch [ˈkɔːnstɑːtʃ] *n Am* = **cornflour**.
Cornwall [ˈkɔːnwəl] *n* Cornouailles *f*. ●**Cornish** *a* de Cornouailles.
corny [ˈkɔːnɪ] *a* (**-ier, -iest**) (*joke etc*) rebattu.
corollary [*Br* kəˈrɒlərɪ, *Am* ˈkɒrələrɪ] *n* corollaire *m*.
coronary [ˈkɒrənərɪ] *n* (*heart attack*) infarctus *m*.
coronation [kɒrəˈneɪʃ(ə)n] *n* couronnement *m*, sacre *m*.
coroner [ˈkɒrənər] *n* coroner *m* (*officier de police judiciaire qui enquête en cas de mort suspecte*).
corporal [ˈkɔːpərəl] **1** *n* (*in army*) caporal (-chef) *m*. **2** *a* **c. punishment** châtiment *m* corporel.
corporate [ˈkɔːpərət] *a* (*decision etc*) collectif; (*action etc*) en commun; (*budget, image etc*) de l'entreprise; **c. body** *Jur* corps *m* constitué.
corporation [kɔːpəˈreɪʃ(ə)n] *n* (*business*) société *f* commerciale; (*of town*) *Br* conseil *m* municipal.
corps [kɔːr, *pl* kɔːz] *n Mil Pol etc* corps *m*; **the press c.** les journalistes *mpl*.
corpse [kɔːps] *n* cadavre *m*.
corpulent [ˈkɔːpjʊlənt] *a* corpulent. ●**corpulence** *n* corpulence *f*.
corpus [ˈkɔːpəs] *n* (*texts, words*) corpus *m*.
corpuscle [ˈkɔːpʌs(ə)l] *n* (*blood cell*) globule *m*.
corral [kəˈræl] *n Am* corral *m* (*pl* -als).
correct [kəˈrekt] *a* (*right, accurate*) (*answer etc*) exact, correct; (*proper*) correct; **he's c.** il a raison; **the c. time** l'heure exacte ▮ *vt* corriger. ●**correctly** *adv* correctement. ●**correctness** *n* (*accuracy, propriety*) correction *f*.
correction [kəˈrekʃ(ə)n] *n* correction *f*; **c. fluid** liquide *m* correcteur.
corrective [kəˈrektɪv] *a* (*act, measure*) rectificatif.
correlate [ˈkɒrəleɪt] *vi* correspondre (**with** à) ▮ *vt* faire correspondre. ●**correlation**

[-'leɪʃ(ə)n] *n* corrélation *f* (**between** entre).

correspond [kɒrɪ'spɒnd] *vi* **1** (*agree, be similar*) correspondre (**to, with** à). **2** (*by letter*) correspondre (**with** avec). ● **corresponding** *a* (*matching*) correspondant; (*similar*) semblable.

correspondence [kɒrɪ'spɒndəns] *n* correspondance *f*; **c. course** cours *m* par correspondance. ● **correspondent** *n* (*journalist*) envoyé, -ée *mf*; (*letter writer*) correspondant, -ante *mf*.

corridor ['kɒrɪdɔːr] *n* couloir *m*, corridor *m*; **air c.** couloir *m* aérien.

corroborate [kə'rɒbəreɪt] *vt* corroborer.

corrode [kə'rəʊd] *vt* ronger, corroder ▌ *vi* se corroder; (*rust*) rouiller *f*. ● **corroded** *a* (*rusty*) rouillé. ● **corrosion** [-ʒ(ə)n] *n* corrosion *f*; (*rust*) rouille. ● **corrosive** *a* corrosif.

corrugated ['kɒrəgeɪtɪd] *a* **c. iron** tôle *f* ondulée; **c. cardboard** carton *m* ondulé.

corrupt [kə'rʌpt] *vt* corrompre ▌ *a* corrompu. ● **corruption** [-ʃ(ə)n] *n* corruption *f*.

corset ['kɔːsɪt] *n* (*boned*) corset *m*; (*elasticated*) gaine *f*.

Corsica ['kɔːsɪkə] *n* Corse *f*. ● **Corsican** *a* corse ▌ *n* Corse *mf*.

cos [kɒs] *n* **c.** (**lettuce**) *Br* laitue *f*) romaine *f*.

cosh [kɒʃ] *n Br* matraque *f* ▌ *vt Br* matraquer.

cosiness ['kəʊzɪnəs] *n* intimité *f*, confort *m*.

cosmetic [kɒz'metɪk] *n* produit *m* de beauté ▌ *a* (*surgery*) esthétique; (*change etc*) *Fig* superficiel.

cosmopolitan [kɒzmə'pɒlɪtən] *a & n* cosmopolite (*mf*).

cosmos ['kɒzmɒs] *n* cosmos *m*. ● **cosmic** *a* cosmique. ● **cosmonaut** *n* cosmonaute *mf*.

Cossack ['kɒsæk] *n* cosaque *m*.

cosset ['kɒsɪt] *vt* choyer.

cost [kɒst] *vti* (*pt & pp* **cost**) coûter; **how much does it c.?** ça coûte *or* ça vaut combien?; **to c. the earth** *Fam* coûter les yeux de la tête.
▌ *n* prix *m*, coût *m*; **the c. of living** le coût de la vie; **at great c.** à grands frais; **to my c.** à mes dépens; **at any c., at all costs** à tout prix; **at c. price** *Br* au prix coûtant. ● **cost-effective** *a* rentable. ● **costly** *a* (**-ier, -iest**) (*expensive*) (*car, trip etc*) coûteux; (*valuable*) (*jewel, antique etc*) de (grande) valeur; **c. error** erreur *f* qui coûte cher.

co-star ['kəʊstɑːr] *n* (*in film, play*) partenaire *mf*.

Costa Rica [kɒstə'riːkə] *n* Costa Rica *m*.

costume ['kɒstjuːm] *n* costume *m*; (*woman's suit*) tailleur *m*; (**swimming**) **c.** *Br* maillot *m* (de bain); **c. jewellery** *Br*, **c. jewelry** *Am* bijoux *mpl* de fantaisie.

cosy ['kəʊzɪ] **1** *a* (**-ier, -iest**) (*house etc*) *Br* douillet; (*atmosphere etc*) intime; **make yourself** (**nice and**) **c.** mets-toi à l'aise; **we're c. on** est bien ici. **2** *n* (**tea**) **c.** couvre-théière *m*.

cot [kɒt] *n* (*for baby*) *Br* lit *m* (d'enfant); (*camp bed*) *Am* lit *m* de camp; **c. death** *Br* mort *f* subite du nourrisson.

cottage ['kɒtɪdʒ] *n* petite maison *f* de campagne; (**thatched**) **c.** chaumière *f*; **c. cheese** fromage *m* blanc (maigre); **c. industry** travail *m* à domicile (*activité artisanale*); **c. pie** *Br* hachis *m* Parmentier.

cotton ['kɒtən] **1** *n* coton *m*; (*yarn*) fil *m* (de coton); **absorbent c.** *Am*, **c. wool** *Br* coton *m* hydrophile, ouate *f*; **c. shirt/**etc chemise *f*/etc de *or* en coton; **c. candy** *Am* barbe *f* à papa. **2** *vi* **to c. on** (to) (*realize*) *Sl* piger.

couch [kaʊtʃ] **1** *n* (*sofa*) canapé *m*; (*for doctor's patient*) lit *m*. **2** *vt* (*express*) formuler.

couchette [kuː'ʃet] *n* (*on train*) *Br* couchette *f*.

cough [kɒf] **1** *n* toux *f*; **c. syrup** *or* **medicine**, *Br* **c. mixture** sirop *m* contre la toux ▌ *vi* tousser ▌ *vt* **to c. up** (*blood*) cracher. **2** *vti* **c. up** (*money*) *Sl* cracher ▌ *vi* **to c. up** *Sl* casquer.

could [kʊd, *unstressed* kəd] *see* **can**[1].

couldn't ['kʊd(ə)nt] = **could not**.

council ['kaʊns(ə)l] *n* conseil *m*; (**town** *or* **city**) **c.** conseil *m* municipal; **Security C.** Conseil *m* de Sécurité; **c. flat/house** *Br* appartement *m*/maison *f* loué(e) à la municipalité, = HLM *m or f*; **c. offices** bureaux *mpl* de la municipalité. ● **councillor** *n* conseiller, -ère *mf*; (**town**) **c.** conseiller *m* municipal.

counsel ['kaʊnsəl] *n inv* (*advice*) conseil *m*; (*lawyer*) avocat, -ate *mf* ▌ *vt* (*Br* **-ll-**, *Am* **-l-**) conseiller (**s.o. to do** à qn de faire). ● **counselling** (*Am* **counseling**) *n* (*advice*) conseils *mpl*; (*psychiatric etc*) assistance *f*. ● **counsellor** (*Am* **counselor**) *n* conseiller, -ère *mf*.

count[1] [kaʊnt] *vt* (*find number of, include*) compter; (*deem*) considérer; **not counting Paul** sans compter Paul; **to c. in** (*include*) inclure; **to c. out** (*exclude*) exclure; (*money*) compter.
▌ *vi* (*calculate, be important*) compter; **to c. against s.o.** être un désavantage pour qn, jouer contre qn; **to c. on s.o./sth** (*rely on*) compter sur qn/qch; **to c. on doing** compter faire.
▌ *n* compte *m*; (*charge*) *Jur* chef *m* (d'accusation); **he's lost c. of** *or* **he can't keep c. of the books he has** il ne sait plus combien il a de livres; **to keep (a) c. (of)** tenir le compte (de). ● **countdown** *n* compte *m* à rebours.

count[2] [kaʊnt] *n* (*title*) comte *m*.

countenance ['kaʊntɪnəns] **1** *n* (*face*) *Lit* mine *f*, expression *f*. **2** *vt* (*allow*) tolérer; (*approve*) approuver.

counter ['kaʊntər] **1** *n* (*in shop, bar etc*) comptoir *m*; (*in bank etc*) guichet *m*; **the food c.** (*in store*) le rayon alimentation; **under the c.** *Fig* clandestinement, au marché noir; **over the c.** (*to obtain medicine*) sans ordonnance.

counter-

2 n (in games) jeton m.
3 n Tech compteur m.
4 adv c. to à l'encontre de.
5 vt (threat) répondre à; (decision) s'opposer à; (effects) neutraliser; (plan) contrarier; (insult) riposter à; (blow) parer ▮ vi riposter (with par).
counter- ['kaʊntər] pref contre-.
counteract [kaʊntə'rækt] vt (influence, effects etc) neutraliser.
counterattack ['kaʊntərətæk] n contre-attaque f ▮ vti contre-attaquer.
counterbalance ['kaʊntəbæləns] n contrepoids m ▮ vt contrebalancer.
counterclockwise [kaʊntə'klɒkwaɪz] a & adv Am dans le sens inverse des aiguilles d'une montre.
counterfeit ['kaʊntəfɪt] a faux (f fausse) ▮ n contrefaçon f, faux m ▮ vt contrefaire.
counterfoil ['kaʊntəfɔɪl] n souche f.
counterpart ['kaʊntəpɑːt] n (thing) équivalent m; (person) homologue mf.
counterpoint ['kaʊntəpɔɪnt] n (musical) contrepoint m.
counterproductive [kaʊntəprə'dʌktɪv] a (action) inefficace, qui produit l'effet contraire.
countersign ['kaʊntəsaɪn] vt contresigner.
countess ['kaʊntes] n comtesse f.
countless ['kaʊntləs] a innombrable.
countrified ['kʌntrɪfaɪd] a rustique.
country ['kʌntrɪ] n pays m; (regarded with affection) patrie f; (region) région f, pays m; (opposed to town) campagne f; **in the c.** à la campagne ▮ a (house, road etc) de campagne; **c. dancing** la danse folklorique. ●**countryman** n (pl -men) (fellow) **c.** compatriote m. ●**countryside** n campagne f; **in the c.** à la campagne.
county ['kaʊntɪ] n comté m; **c. seat** Am, **c. town** Br chef-lieu m.
coup [kuː] n, pl **coups** [kuːz] Pol coup m d'état.
coupé ['kuːpeɪ] n (car) coupé m.
couple ['kʌp(ə)l] **1** n (of people) couple m; **a c. of** deux ou trois; (a few) quelques. **2** vt (connect) accoupler. **3** vi (mate) s'accoupler.
coupon ['kuːpɒn] n (voucher for gift, meal etc) bon m; (ticket) coupon m.
courage ['kʌrɪdʒ] n courage m. ●**courageous** [kə'reɪdʒəs] a courageux.
courgette [kʊə'ʒet] n Br courgette f.
courier ['kʊrɪər] n (for tourists) guide m; (messenger) messager m; **c. service** service m de messagerie.
course [kɔːs] **1** n (duration, movement) cours m; (of ship) route f; (of river) cours m; (way) Fig route f, chemin m; (means) moyen m; **c. (of action)** ligne f de conduite; (option) parti m; **your best c. is to...** le mieux c'est de...; **as a matter of c.** normalement; **in the c. of** au cours de; **in (the) c. of time** avec le temps, à la longue; **in due c.** en temps utile.
2 n (lessons) cours m; **c. of lectures** série f de conférences.
3 n **c. (of treatment)** traitement m.

4 n (of meal) plat m; **first c.** entrée f; **main c.** plat m principal or de résistance.
5 n (racecourse) champ m de courses; **(golf) c.** terrain m (de golf).
6 adv **of c.!** bien sûr!, mais oui!; **of c. not!** bien sûr que non!
court[1] [kɔːt] n (of king etc) cour f; (for trials) cour f, tribunal m; **(tennis) c.** court m (de tennis); **c. of inquiry** commission f d'enquête; **high c.** cour f suprême; **to take s.o. to c.** poursuivre qn en justice; **c. shoe** Br escarpin m. ●**courthouse** n palais m de justice. ●**courtroom** n salle f du tribunal. ●**courtyard** n cour f.
court[2] [kɔːt] vt (woman) faire la cour à; (danger) aller au-devant de; (s.o.'s support) rechercher ▮ vi **they are courting** ils sortent ensemble; **a courting couple** un couple d'amoureux. ●**courtship** n (act, period of time) cour f.
courteous ['kɜːtɪəs] a poli, courtois. ●**courtesy** n politesse f, courtoisie f.
courtier ['kɔːtɪər] n Hist courtisan m.
court-martial [kɔːt'mɑːʃəl] n conseil m de guerre ▮ vt (Br -ll-, Am -l-) faire passer en conseil de guerre.
cousin ['kʌz(ə)n] n cousin, -ine mf.
cove [kəʊv] n (bay) anse f.
covenant ['kʌvənənt] n (legal) convention f; (religious) alliance f.
Coventry ['kɒvəntrɪ] n **to send s.o. to C.** (punish) Br mettre qn en quarantaine.
cover ['kʌvər] n (lid) couvercle m; (of book) couverture f; (for furniture, typewriter) housse f; (bedspread) dessus-de-lit m; **the covers** (on bed) les couvertures fpl et les draps mpl; **to take c.** se mettre à l'abri; **under c.** (sheltered) à l'abri; **c. charge** (in restaurant) couvert m; **c. note** (insurance) Br certificat m provisoire d'assurance; **under separate c.** (letter) sous pli séparé.
▮ vt couvrir (**with** de); (protect) protéger, couvrir; (distance) parcourir, couvrir; (pay for) couvrir; (include) englober, recouvrir; (treat) traiter (sujet); (event) (in newspaper, on TV etc) couvrir, faire le reportage de; (aim gun at) tenir en joue; (insure) assurer (**against** contre); **to c. over** (floor, saucepan etc) recouvrir; **to c. up** recouvrir; (truth, tracks) dissimuler; (scandal) étouffer, camoufler.
▮ vi **to c. (oneself) up** (wrap up) se couvrir; **to c. up for s.o.** couvrir qn. ●**cover-up** n tentative f pour étouffer or camoufler une affaire.
coverage ['kʌvərɪdʒ] n (of event on TV etc) reportage m (**of** sur).
coveralls ['kʌvərɔːlz] npl Am bleus mpl de travail.
covering ['kʌvərɪŋ] n (wrapping) enveloppe f; (layer) couche f; **c. letter** lettre f jointe (à un document).
covert ['kəʊvət, 'kʌvət] a secret.
covet ['kʌvɪt] vt convoiter. ●**covetous** a avide.

cow[1] [kaʊ] *n* vache *f*; (*nasty woman*) *Fam* chameau *m*; **c. elephant**/*etc* éléphant *m*/*etc* femelle. ● **cowboy** *n* cow-boy *m*. ● **cowhand** *n* vacher, -ère *mf*. ● **cowshed** *n* étable *f*.

cow[2] [kaʊ] *vt* **to be cowed** (*frightened*) être intimidé (**by** par).

coward ['kaʊəd] *n* lâche *mf*. ● **cowardice** *n* lâcheté *f*. ● **cowardly** *a* lâche.

cower ['kaʊər] *vi* (*crouch*) se tapir; (*with fear*) trembler; (*move back*) reculer (par peur).

cowslip ['kaʊslɪp] *n* (*plant*) coucou *m*.

cox [kɒks] *vt* (*boat*) barrer ▌ *n* barreur, -euse *mf*.

coy [kɔɪ] *a* (-er, -est) qui fait son *or* sa timide. ● **coyness** *n* timidité *f* feinte.

coyote [kar'əʊtɪ] *n* (*wolf*) *Am* coyote *m*.

cozy ['kəʊzɪ] *Am* = **cosy**.

CPA [siːpiː'eɪ] *n abbr* (*certified public accountant*) *Am* expert-comptable *m*.

crab [kræb] **1** *n* crabe *m*. **2** *n* **c. apple** pomme *f* sauvage. **3** *vi* (-bb-) (*complain*) *Fam* rouspéter (**about** à cause de).

crabby ['kræbɪ] *a* (-ier, -iest) (*person*) grincheux.

crack[1] [kræk] *n* (*split*) fente *f*; (*in glass, china, bone etc*) fêlure *f*; (*in skin*) crevasse *f*; (*snapping noise*) craquement *m*; (*of whip*) claquement *m*; (*blow*) coup *m*; (*joke*) *Fam* plaisanterie *f* (**at** aux dépens de); **to have a c. at doing** *Fam* essayer de faire; **at the c. of dawn** au point du jour.
▌ *vt* (*glass, ice*) fêler; (*nut*) casser; (*ground, skin*) crevasser; (*whip*) faire claquer; (*joke*) lancer; (*problem*) résoudre; (*code*) déchiffrer; (*safe*) percer; **it's not as hard as it's cracked up to be** ce n'est pas aussi dur qu'on le dit.
▌ *vi* se fêler; (*of skin*) se crevasser; (*of branch, wood*) craquer; **to get cracking** (*get to work*) *Fam* s'y mettre; (*hurry*) *Fam* se grouiller; **to c. down on** sévir contre; **to c. up** (*mentally*) *Fam* craquer. ● **crack-up** *n Fam* dépression *f* nerveuse; (*crash*) *Am Fam* accident *m*.

crack[2] [kræk] *a* (*first-rate*) (*driver, skier etc*) de premier ordre; **c. shot** tireur *m* d'élite.

crack[3] [kræk] *n* (*drug*) crack *m*.

cracked [krækt] *a* (*crazy*) *Fam* cinglé.

cracker ['krækər] *n* **1** (*biscuit*) biscuit *m* (salé). **2** (*firework*) pétard *m*; **Christmas c.** diablotin *m*. **3 she's a c.** *Br Fam* elle est sensationnelle. ● **crackers** *a* (*mad*) *Sl* cinglé.

crackle ['kræk(ə)l] *vi* (*of fire*) crépiter; (*of sth frying*) grésiller; (*of radio*) crachoter ▌ *n* crépitement *m*; grésillement *m*; crachotement *m*.

crackpot ['krækpɒt] *n Fam* cinglé, -ée *mf*.

cradle ['kreɪd(ə)l] *n* berceau *m* ▌ *vt* bercer.

craft [krɑːft] **1** *n* (*skill*) art *m*; (*job*) métier *m* (artisanal) ▌ *vt* façonner. **2** *n* (*cunning*) ruse *f*. **3** *n inv* (*boat*) bateau *m*. ● **craftsman** *n* (*pl* -men) artisan *m*. ● **craftsmanship** *n* (*skill*) art *m*; **a fine piece of c.** un beau travail, une belle pièce.

crafty ['krɑːftɪ] *a* (-ier, -iest) astucieux; *Pej* rusé.

crag [kræg] *n* rocher *m* à pic. ● **craggy** *a* (*rock*) à pic; (*face*) rude.

cram [kræm] *vt* (-mm-) **to c. sth into** (*force*) fourrer qch dans; **to c. with** (*fill*) bourrer de ▌ *vi* **to c. into** (*of people*) s'entasser dans; **to c. (for an exam)** bachoter.

cramp [kræmp] *n* (*muscle pain*) crampe *f* (**in** à).

cramped [kræmpt] *a* (*in a room or one's clothes*) à l'étroit; **in c. conditions** à l'étroit.

cranberry ['krænbərɪ] *n* canneberge *f*.

crane [kreɪn] **1** *n* (*machine, bird*) grue *f*. **2** *vt* **to c. one's neck** tendre le cou.

crank [kræŋk] **1** *n* (*person*) *Fam* excentrique *mf*; (*fanatic*) fanatique *mf*. **2** *n* (*handle*) manivelle *f* ▌ *vt* **to c. (up)** (*vehicle*) faire démarrer à la manivelle. ● **cranky** *a* (-ier, -iest) excentrique; (*bad-tempered*) *Am* grincheux.

crannies ['krænɪz] *npl* **nooks and c.** coins et recoins *mpl*.

craps [kræps] *n* **to shoot c.** *Am* jouer aux dés.

crash [kræʃ] *n* (*accident*) accident *m*; (*collapse of firm*) faillite *f*; (*noise*) fracas *m*; (*of thunder*) coup *m*; **c. course/diet** cours *m*/régime *m* intensif; **c. barrier** (*on road*) glissière *f* de sécurité; **c. helmet** casque *m* (anti-choc); **c. landing** atterrissage *m* en catastrophe.
▌ *int* (*of fallen object*) patatras!
▌ *vt* (*car*) avoir un accident avec; **to c. one's car into** faire rentrer sa voiture dans.
▌ *vi* (*of car, plane*) s'écraser; **to c. into** rentrer dans; **the cars crashed (into each other)** les voitures se sont percutées *or* rentrées dedans; **to c. (down)** (*fall*) tomber; (*break*) se casser; (*of roof*) s'effondrer. ● **crash-land** *vi* atterrir en catastrophe.

crass [kræs] *a* grossier; (*stupidity*) crasse.

crate [kreɪt] *n* (*large*) caisse *f*; (*small*) cageot *m*; (*for bottles*) casier *m*.

crater ['kreɪtər] *n* cratère *m*; (**bomb**) **c.** entonnoir *m*.

cravat [krə'væt] *n* foulard *m* (*autour du cou*).

crave [kreɪv] *vt* **to c. (for)** éprouver un grand besoin de; (*mercy*) implorer. ● **craving** *n* désir *m*, grand besoin *m* (**for** de).

craven ['kreɪvən] *a* (*cowardly*) *Lit* lâche.

crawl [krɔːl] *vi* (*of snake, animal*) ramper; (*of child*) marcher à quatre pattes; (*of vehicle*) avancer au pas; **to be crawling with** grouiller de ▌ *n* (*swimming stroke*) crawl *m*; **to do the c.** nager le crawl; **to move at a c.** (*in vehicle*) avancer au pas.

crayfish ['kreɪfɪʃ] *n inv* (*freshwater*) écrevisse *f*.

crayon ['kreɪən] *n* crayon *m* de couleur (en cire).

craze [kreɪz] *n* manie *f* (**for** de), engouement *m* (**for** pour). ● **crazed** *a* affolé.

crazy ['kreɪzɪ] *a* (-ier, -iest) fou (*f* folle); **to go c.** devenir fou; **c. about sth** fana de qch; **c. about s.o.** fou de qn; **c. paving** dallage *m*

irrégulier. ●**craziness** *n* folie *f*.
creak [kri:k] *vi* (*of hinge*) grincer; (*of floorboard, timber*) craquer. ●**creaky** *a* grinçant; (*floorboard etc*) qui craque.
cream [kri:m] *n* crème *f*; (*élite*) *Fig* crème *f*, gratin *m*; **c.(-coloured)** crème *inv*; **c. cake** gâteau *m* à la crème; **c. cheese** fromage *m* blanc ▮ *vt* (*milk*) écrémer; **to c. off** (*best students etc*) *Fig* écrémer. ●**creamy** *a* (**-ier, -iest**) crémeux.
crease [kri:s] *vt* froisser, plisser ▮ *vi* se froisser ▮ *n* pli *m*; (*accidental*) (faux) pli *m*. ●**crease-resistant** *a* infroissable.
create [kri:'eɪt] *vt* créer; (*impression, noise*) faire. ●**creation** [-ʃ(ə)n] *n* création *f*. ●**creator** *n* créateur, -trice *mf*.
creative [kri:'eɪtɪv] *a* (*person, activity*) créatif. ●**creativeness** *or* **crea'tivity** *n* créativité *f*.
creature ['kri:tʃər] *n* animal *m*, bête *f*; (*person*) créature *f*; **one's c. comforts** ses aises *fpl*.
crèche [kreʃ] *n* (*nursery*) *Br* crèche *f*; (*nativity scene*) *Am* crèche *f*.
credence ['kri:dəns] *n* **to give** *or* **lend c. to** ajouter foi à.
credentials [krɪ'denʃəlz] *npl* références *fpl*; (*identity*) pièces *fpl* d'identité; (*of diplomat*) lettres *fpl* de créance.
credible ['kredɪb(ə)l] *a* (*believable*) croyable; (*politician, information*) crédible. ●**credi'bility** *n* crédibilité *f*.
credit ['kredɪt] *n* (*financial*) crédit *m*; (*merit*) mérite *m*; (*influence, prestige*) crédit *m*; (*from university*) unité *f* de valeur; **credits** (*of film*) générique *m*; **to give c. to** (*person*) *Fin* faire crédit à; *Fig* reconnaître le mérite de; (*statement*) ajouter foi à; **to be a c. to** faire honneur à; **on c.** à crédit; **to be in c.** (*of account*) être créditeur; (*of person*) avoir un solde positif; **to one's c.** *Fig* à son actif; **c. balance** solde *m* créditeur; **c. card** carte *f* de crédit; **c. facilities** facilités *fpl* de paiement.
▮ *vt* (*of bank*) créditer (**s.o. with sth** qn de qch); (*believe*) croire (*qch*); **to c. s.o./sth with** (*qualities*) attribuer à qn/qch. ●**creditable** *a* honorable. ●**creditor** *n* créancier, -ière *mf*. ●**creditworthy** *a* solvable.
credulous ['kredjʊləs] *a* crédule.
creed [kri:d] *n* credo *m*.
creek [kri:k] *n* (*stream*) *Am* ruisseau *m*; (*bay*) *Br* crique *f*; **up the c.** (*in trouble*) *Br Sl* dans le pétrin.
creep [kri:p] **1** *vi* (*pt* & *pp* **crept**) ramper; (*silently*) se glisser (furtivement); (*slowly*) avancer lentement; **it makes my flesh c.** ça me donne la chair de poule.
2 *n* (*person*) *Sl* salaud *m*; **it gives me the creeps** *Fam* ça me fait froid dans le dos. ●**creepy** *a* (**-ier, -iest**) *Fam* (*scary*) terrifiant; (*nasty*) vilain. ●**creepy-'crawly** *Br Fam* or **creepy-'crawler** *Am Fam n* bestiole *f*.
cremate [krɪ'meɪt] *vt* incinérer. ●**cremation** [-ʃ(ə)n] *n* crémation *f*.
crematorium [kremə'tɔ:rɪəm] (*Am* **crematory** ['kri:mətɔ:rɪ]) *n* crématorium *m*.

Creole ['kri:əʊl] *n Am* créole *mf*; (*language*) créole *m*.
creosote ['krɪəsəʊt] *n* créosote *f*.
crêpe [kreɪp] *n* (*fabric*) crêpe *m*; **c. (rubber)** crêpe *m*; **c. bandage** bande *f* Velpeau®; **c. paper** papier *m* crêpon.
crept [krept] *pt* & *pp of* **creep 1**.
crescendo [krɪ'ʃendəʊ] *n* (*pl* **-os**) crescendo *m inv*.
crescent ['kres(ə)nt] *n* croissant *m*; (*street*) *Br Fig* rue *f* (en demi-lune).
cress [kres] *n* cresson *m*.
crest [krest] *n* (*of wave, mountain, bird*) crête *f*; (*of hill*) sommet *m*; (*on seal, letters etc*) armoiries *fpl*.
Crete [kri:t] *n* Crète *f*.
cretin [*Br* 'kretɪn, *Am* 'kri:t(ə)n] *n* crétin, -ine *mf*. ●**cretinous** *a* crétin.
crevasse [krɪ'væs] *n* (*in ice*) crevasse *f*.
crevice ['krevɪs] *n* (*crack*) crevasse *f*, fente *f*.
crew [kru:] *n* (*of ship, plane*) équipage *m*; (*gang*) équipe *f*; **c. cut** (coupe *f* en) brosse *f*. ●**crew-neck(ed)** *a* à col ras.
crib [krɪb] **1** *n* (*cot*) *Am* lit *m* d'enfant; (*cradle*) berceau *m*; (*nativity scene*) crèche *f*; **c. death** *Am* mort *f* subite du nourrisson. **2** *n* (*list of answers*) *Br* pompe *f*, antisèche *f*; (*copy*) plagiat *m* ▮ *vti* (**-bb-**) copier.
crick [krɪk] *n* **c. in the neck** torticolis *m*; **c. in the back** tour *m* de reins.
cricket ['krɪkɪt] *n* **1** (*game*) cricket *m*. **2** (*insect*) grillon *m*. ●**cricketer** *n* joueur, -euse *mf* de cricket.
crikey! ['kraɪkɪ] *int Br Sl* zut (alors)!
crime [kraɪm] *n* crime *m*; (*not serious*) délit *m*; (*criminal practice*) criminalité *f*; **c. wave** vague *f* de criminalité.
criminal ['krɪmɪnəl] *n* criminel, -elle *mf* ▮ *a* criminel; **c. offence** (*minor*) délit *m*; (*serious*) crime *m*; **c. record** casier *m* judiciaire.
crimson ['krɪmz(ə)n] *a* & *n* cramoisi (*m*).
cringe [krɪndʒ] *vi* reculer (**from** devant); (*be humble*) faire des courbettes (**to, before** à). ●**cringing** *a* (*attitude etc*) servile.
crinkle ['krɪŋk(ə)l] *vt* (*crumple*) froisser; (*fold*) froncer ▮ *vi* se froisser ▮ *n* fronce *f*. ●**crinkly** *a* (*crumpled*) froissé; (*folded*) froncé; (*hair*) frisé.
cripple ['krɪpəl] *n* (*lame*) estropié, -ée *mf*; (*disabled*) infirme *mf* ▮ *vt* (*disable*) rendre infirme, estropier; (*nation etc*) *Fig* paralyser; **crippling taxes** impôts *mpl* écrasants; **crippling strike** grève *f* paralysante. ●**crippled** *a* infirme, estropié; (*ship*) désemparé; **c. with rheumatism/pain** perclus de rhumatismes/douleurs.
crisis, *pl* **-ses** ['kraɪsɪs, -si:z] *n* crise *f*.
crisp [krɪsp] **1** *a* (**-er, -est**) (*biscuit*) croustillant; (*apple, vegetables etc*) croquant; (*snow*) craquant; (*air, style*) vif. **2** *npl* (**potato**) **crisps** *Br* (pommes *fpl*) chips *fpl*; **packet of crisps** sachet *m* de chips. ●**crispbread** *n* pain *m* suédois.
criss-cross ['krɪskrɒs] *a* (*lines*) entrecroisés; (*muddled*) enchevêtrés ▮ *vi* s'entrecroiser ▮ *vt*

cruise

sillonner (en tous sens).
criterion, *pl* **-ia** [kraɪ'tɪərɪən, -ɪə] *n* critère *m*.
critic ['krɪtɪk] *n* critique *m*. ●**critical** *a* critique. ●**critically** *adv* (*to examine etc*) en critique; (*harshly*) sévèrement; **c. ill** gravement malade. ●**criticism** *n* critique *f*. ●**criticize** *vti* critiquer. ●**critique** [krɪ'ti:k] *n* (*essay etc*) critique *f*.
croak [krəʊk] *vi* (*of frog*) croasser; (*of person*) parler d'une voix enrouée ▮ *n* croassement *m*.
Croatia [krəʊ'eɪʃə] *n* Croatie *f*.
crochet ['krəʊʃeɪ] *vt* faire au crochet ▮ *vi* faire du crochet ▮ *n* (travail *m* au) crochet *m*; **c. hook** crochet *m*.
crock [krɒk] *n* **a c., an (old) c.** *Fam* (*person*) un croulant; (*car*) un tacot.
crockery ['krɒkərɪ] *n* (*cups etc*) vaisselle *f*.
crocodile ['krɒkədaɪl] *n* crocodile *m*.
crocus ['krəʊkəs] *n* crocus *m*.
croft [krɒft] *n Br* petite ferme *f*.
crony ['krəʊnɪ] *n Pej Fam* copain *m*, copine *f*.
crook [krʊk] *n* **1** (*thief*) escroc *m*. **2** (*shepherd's stick*) houlette *f*.
crooked ['krʊkɪd] *a* (*stick*) courbé; (*path*) tortueux; (*hat, picture*) de travers; (*deal, person*) malhonnête ▮ *adv* de travers. ●**crookedly** *adv* de travers.
croon [kru:n] *vti* chanter (à voix basse).
crop [krɒp] **1** *n* (*harvest*) récolte *f*; (*produce*) culture *f*; (*of questions etc*) *Fig* série *f*; (*of people*) groupe *m*. **2** *vt* (**-pp-**) (*hair*) couper (ras) ▮ *n* **c. of hair** chevelure *f*. **3** *vi* (**-pp-**) **to c. up** se présenter, survenir. ●**cropper** *n* **to come a c.** *Br Sl* (*fall*) ramasser une pelle; (*fail*) échouer.
croquet ['krəʊkeɪ] *n* (*game*) croquet *m*.
croquette [krəʊ'ket] *n* (*mashed potato etc*) croquette *f*.
cross[1] [krɒs] *n* croix *f*; **a c. between** (*animal*) un croisement entre *or* de; **it's a c. between a car and a van** *Fig* c'est un compromis entre une voiture et une camionette; **c. street/** *etc* rue *fletc* transversale.
cross[2] [krɒs] *vt* (*street, room etc*) traverser; (*barrier, threshold*) franchir; (*legs, animals*) croiser; (*thwart*) contrecarrer; (*cheque, Am check*) barrer; **to c. off** *or* **out** (*word, name etc*) rayer; **to c. over** (*road etc*) traverser; **it never crossed my mind that...** il ne m'est pas venu à l'esprit que...; **crossed lines** (*of telephone*) lignes *fpl* embrouillées.
▮ *vi* (*of paths*) se croiser; **to c. over** traverser.
cross[3] [krɒs] *a* (*angry*) fâché (**with** contre); **to get c.** se fâcher (**with** contre). ●**crossly** *adv* d'un air fâché.
crossbow ['krɒsbəʊ] *n* arbalète *f*.
crosscheck [krɒs'tʃek] *n* contre-épreuve *f* ▮ *vt* vérifier.
cross-country [krɒs'kʌntrɪ] *a* (*walk etc*) à travers champs; **c.-country race** cross *m*. ●**cross-examination** [-'neɪʃ(ə)n] *n* contre-interrogatoire *m*. ●**cross-e'xamine** *vt* interroger. ●**cross-eyed** *a* qui louche. ●**cross-'legged** *a* & *adv* les jambes croisées. ●**cross-'purposes** *npl* **to be at c.-purposes** se comprendre mal. ●**cross-'reference** *n* renvoi *m*. ●**cross-section** [-ʃ(ə)n] *n* coupe *f* transversale; (*sample*) échantillon *m*.
crossfire ['krɒsfaɪər] *n* feux *mpl* croisés.
crossing ['krɒsɪŋ] *n* (*by ship*) traversée *f*; **(pedestrian) c.** *Br* passage *m* protégé *or* clouté.
crossroads ['krɒsrəʊdz] *n* carrefour *m*.
crosswalk ['krɒswɔ:k] *n Am* passage *m* protégé *or* clouté.
crosswind ['krɒswɪnd] *n* vent *m* de travers.
crossword ['krɒswɜ:d] *n* **c. (puzzle)** mots *mpl* croisés.
crotch [krɒtʃ] *n* (*of garment, person*) entrejambe *m*.
crotchet ['krɒtʃɪt] *n* (*musical note*) noire *f*.
crotchety ['krɒtʃɪtɪ] *a* grincheux.
crouch [kraʊtʃ] *vi* **to c. (down)** s'accroupir, se tapir. ●**crouching** *a* accroupi, tapi.
croupier ['kru:pɪər] *n* (*in casino*) croupier *m*.
crow [krəʊ] **1** *n* corbeau *m*, corneille *f*; **as the c. flies** à vol d'oiseau; **c.'s nest** (*on ship*) nid *m* de pie. **2** *vi* (*of cock*) chanter; (*boast*) *Fig* se vanter (**about** de).
crowbar ['krəʊbɑ:r] *n* levier *m*, pince *f* à levier.
crowd [kraʊd] *n* foule *f*; (*particular group*) bande *f*; (*of things*) *Fam* masse *f*; **quite a c.** beaucoup de monde.
▮ *vi* **to c. into** (*of people*) s'entasser dans; **to c. round s.o./sth** se presser autour de qn/qch; **to c. together** se serrer.
▮ *vt* (*fill*) remplir; **to c. people/objects into** entasser des gens/des objets dans; **don't c. me!** *Fam* ne me bouscule pas! ●**crowded** *a* plein (**with** de); (*train, room etc*) bondé, plein; (*city*) encombré; **it's very c.!** il y a beaucoup de monde!
crown [kraʊn] *n* (*of king etc*) couronne *f*; (*of head, hill*) sommet *m*; **c. court** *Br* cour *f* d'assises; **C. jewels** *Br* joyaux *mpl* de la Couronne; **c. prince** prince *m* héritier ▮ *vt* couronner. ●**crowning** *a* (*glory etc*) suprême; **c. achievement** (*of career*) couronnement *m*.
crucial ['kru:ʃəl] *a* crucial.
crucify ['kru:sɪfaɪ] *vt* crucifier. ●**crucifix** ['kru:sɪfɪks] *n* crucifix *m*. ●**cruci'fixion** [-ʃ(ə)n] *n* crucifixion *f*.
crude [kru:d] *a* (**-er, -est**) (*manners, person, language*) grossier; (*painting, work*) rudimentaire; (*fact*) brut; **c. oil** pétrole *m* brut. ●**crudely** *adv* (*to say, order etc*) crûment; (*to build, paint etc*) grossièrement. ●**crudeness** *n* (*of manners etc*) grossièreté *f*; (*of painting etc*) état *m* rudimentaire.
cruel [kruəl] *a* (**crueller, cruellest**) cruel. ●**cruelty** *n* cruauté *f*; **an act of c.** une cruauté.
cruet ['kru:ɪt] *n* **c. (stand)** *Br* salière *f*, poivrière *f* et huilier *m*.
cruise [kru:z] *n* croisière *f* ▮ *vi* (*of ship*) croiser; (*of vehicle*) rouler; (*of plane*) voler; (*of taxi*) marauder; (*of tourists*) faire une croi-

crumb 76

sière; **cruising speed** (*of ship, plane*) vitesse *f* de croisière. ● **cruiser** *n* (*ship*) croiseur *m*; **cabin c.** cruiser *m*, yacht *m* de croisière.

crumb [krʌm] *n* miette *f*; (*of comfort*) *Fig* brin *m*; **crumbs!** *Br Hum Fam* zut!

crumble ['krʌmb(ə)l] *vt* (*bread*) émietter ▌ *vi* (*of bread*) s'émietter; (*collapse*) (*of resistance etc*) s'effondrer; **to c. (away)** (*in small pieces*) s'effriter; (*become ruined*) (*of building etc*) tomber en ruine. ● **crumbly** *a* (*pastry etc*) friable.

crummy ['krʌmɪ] *a* (-ier, -iest) *Fam* moche, minable.

crumpet ['krʌmpɪt] *n Br* petite crêpe *f* grillée (*servie beurrée*).

crumple ['krʌmp(ə)l] *vt* froisser ▌ *vi* se froisser.

crunch [krʌntʃ] **1** *vt* (*food*) croquer ▌ *vi* (*of snow*) craquer. **2** *n* **when it comes to the c.** *Fam* au moment critique. ● **crunchy** *a* (-ier, -iest) (*apple, vegetables etc*) croquant; (*bread, Br biscuit, Am cookie*) croustillant.

crusade [kruː'seɪd] *n Hist & Fig* croisade *f* ▌ *vi* faire une croisade. ● **crusader** *n Hist* croisé *m*; *Fig* militant, -ante *mf*.

crush [krʌʃ] **1** *n* (*crowd*) cohue *f*; (*rush*) bousculade *f*; **to have a c. on s.o.** *Fam* en pincer pour qn. **2** *vt* écraser; (*hope*) détruire; (*clothes*) froisser; (*cram*) entasser (**into** dans). ● **crushing** *a* (*defeat*) écrasant. ● **crush-resistant** *a* infroissable.

crust [krʌst] *n* croûte *f*. ● **crusty** *a* (-ier, -iest) (*bread*) croustillant.

crutch [krʌtʃ] *n* **1** (*of invalid*) béquille *f*. **2** (*crotch*) entre jambe *m*.

crux [krʌks] *n* **the c. of the matter/problem** le nœud de l'affaire/du problème.

cry [kraɪ] *n* (*shout*) cri *m*; **to have a c.** *Fam* pleurer.
▌ *vi* (*weep*) pleurer; **to c. (out)** pousser un cri, crier; (*exclaim*) s'écrier; **to c. (out) for** (*of person*) demander (à grands cris); **to be crying out for** (*of thing*) avoir grand besoin de; **to c. off** (*withdraw*) abandonner; **to c. off (sth)** se désintéresser (de qch); **to c. over sth/s.o.** pleurer (sur) qch/qn.
▌ *vt* **to c. (out)** (*shout*) crier. ● **crying** *a* (*need*) très grand; **a c. shame** une véritable honte ▌ *n* (*shouts*) cris *mpl*; (*weeping*) pleurs *mpl*.

crypt [krɪpt] *n* crypte *f*.

cryptic ['krɪptɪk] *a* secret, énigmatique.

crystal ['krɪst(ə)l] *n* cristal *m*; **c. ball** boule *f* de cristal. ● **crystal-clear** *a* (*water, sound*) cristallin; (*explanation etc*) clair comme le jour *or* l'eau de roche.

crystallize ['krɪstəlaɪz] *vt* cristalliser ▌ *vi* (se) cristalliser.

cub [kʌb] *n* **1** (*of animal*) petit *m*, petite *f*. **2** (*scout*) louveteau *m*.

Cuba ['kjuːbə] *n* Cuba *m*. ● **Cuban** *a* cubain ▌ *n* Cubain, -aine *mf*.

cubbyhole ['kʌbɪhəʊl] *n* cagibi *m*.

cube [kjuːb] *n* cube *m*; (*of meat etc*) dé *m*.
● **cubic** *a* (*shape*) cubique; **c. metre/etc** mètre *m/etc* cube; **c. capacity** volume *m*; (*of engine of car etc*) cylindrée *f*.

cubicle ['kjuːbɪk(ə)l] *n* (*for changing clothes*) cabine *f*; (*in hospital, dormitory*) box *m*.

cuckoo [*Br* 'kʊkuː, *Am* 'kuːkuː] **1** *n* (*bird*) coucou *m*; **c. clock** coucou *m*. **2** *a* (*stupid*) *Sl* cinglé.

cucumber ['kjuːkʌmbər] *n* concombre *m*.

cuddle ['kʌd(ə)l] *vt* (*hug*) serrer (dans ses bras); (*caress*) câliner ▌ *vi* (*of lovers etc*) se serrer; **to (kiss and) c.** s'embrasser; **to c. up to s.o.** (*huddle*) se serrer *or* se blottir contre qn ▌ *n* caresse *f*. ● **cuddly** *a* (-ier, -iest) (*person*) câlin, caressant; (*toy*) doux (*f* douce), en peluche.

cudgel ['kʌdʒəl] *n* trique *f*, gourdin *m*.

cue [kjuː] *n* **1** (*in theatre*) réplique *f*; (*signal*) signal *m*. **2** (*billiard*) **c.** queue *f* (de billard).

cuff [kʌf] **1** *n* (*of shirt etc*) poignet *m*, manchette *f*; (*of trousers*) *Am* revers *m*; **off the c.** (*remark etc*) impromptu; **c. link** bouton *m* de manchette. **2** *vt* (*strike*) gifler.

cul-de-sac ['kʌldəsæk] *n Br* impasse *f*, cul-de-sac *m*.

culinary ['kʌlɪnərɪ] *a* culinaire.

cull [kʌl] *vt* choisir (**from** dans); (*animals*) abattre sélectivement.

culminate ['kʌlmɪneɪt] *vi* **to c. in** finir par. ● **culmination** [-'neɪʃ(ə)n] *n* point *m* culminant.

culprit ['kʌlprɪt] *n* coupable *mf*.

cult [kʌlt] *n* culte *m*.

cultivate ['kʌltɪveɪt] *vt* (*land, mind etc*) cultiver. ● **cultivated** *a* cultivé. ● **cultivation** [-'veɪʃ(ə)n] *n* culture *f*; **land** *or* **fields under c.** cultures *fpl*.

culture ['kʌltʃər] *n* culture *f*. ● **cultural** *a* culturel. ● **cultured** *a* (*person, mind etc*) cultivé.

cumbersome ['kʌmbəsəm] *a* encombrant.

cumulative ['kjuːmjʊlətɪv] *a* cumulatif; **c. effect** (*long-term*) effet *m or* résultat *m* à long terme.

cunning ['kʌnɪŋ] *a* (*ingenious*) astucieux; (*devious*) rusé ▌ *n* astuce *f*; *Pej* ruse *f*. ● **cunningly** *adv* avec astuce; *Pej* avec ruse.

cup [kʌp] *n* tasse *f*; (*goblet, prize*) coupe *f*; **that's not my c. of tea** *Fam* ce n'est pas mon truc; **c. final** *Football* finale *f* de la coupe. ● **cupful** *n* tasse *f*.

cupboard ['kʌbəd] *n Br* armoire *f*; (*built into wall*) placard *m*.

Cupid ['kjuːpɪd] *n* Cupidon *m*.

cupola ['kjuːpələ] *n* (*dome*) coupole *f*.

cuppa ['kʌpə] *n Br Fam* tasse *f* de thé.

cup-tie ['kʌptaɪ] *n Football* match *m* éliminatoire.

curate ['kjʊərɪt] *n* vicaire *m*.

curator [kjʊə'reɪtər] *n* (*of museum*) conservateur *m*.

curb [kɜːb] **1** *n* (*kerb*) *Am* bord *m* de trottoir. **2** *vt* (*feelings*) refréner, freiner; (*ambitions*) modérer; (*expenses*) limiter ▌ *n* frein *m*; **to put a c. on** mettre un frein à.

curdle ['kɜːd(ə)l] *vt* cailler ▌ *vi* se cailler; **my**

blood curdled *Fig* mon sang s'est figé.
curds [kɜːdz] *npl* lait *m* caillé. ● **curd cheese** *n* fromage *m* blanc (maigre).
cure [kjʊər] **1** *vt* (*person, illness*) guérir; (*poverty etc*) *Fig* éliminer; **to c. s.o. of** guérir qn de ∎ *n* remède *m* (**for** contre); (*recovery*) guérison *f*; **rest c.** cure *f* de repos. **2** *vt* (*meat, fish*) (*smoke*) fumer; (*salt*) saler; (*dry*) sécher. ● **curable** *a* guérissable, curable. ● **curative** *a* curatif.
curfew ['kɜːfjuː] *n* couvre-feu *m*.
curio ['kjʊərɪəʊ] *n* (*pl* **-os**) bibelot *m*.
curious ['kjʊərɪəs] *a* (*odd*) curieux; (*inquisitive*) curieux (**about** de); **to be c. to know/see/etc** être curieux de savoir/voir/etc. ● **curiously** *adv* (*oddly*) curieusement; (*inquisitively*) avec curiosité.
curiosity [kjʊərɪ'ɒsɪtɪ] *n* curiosité *f* (**about** de).
curl [kɜːl] **1** *vti* (*hair*) boucler; (*with small tight curls*) friser ∎ *n* (*in hair*) boucle *f*; (*of smoke*) *Fig* spirale *f*. **2** *vi* **to c. up** (*shrivel*) se racornir; **to c. (oneself) up** (*into a ball*) se pelotonner. ● **curler** *n* bigoudi *m*. ● **curly** *a* (**-ier, -iest**) bouclé; (*having many tight curls*) frisé.
currant ['kʌrənt] *n* (*dried grape*) raisin *m* de Corinthe; (*fruit*) groseille *f*.
currency ['kʌrənsɪ] *n* **1** (*money*) monnaie *f*; (**foreign**) **c.** devises *fpl* (étrangères). **2 to gain c.** (*of ideas etc*) se répandre.
current ['kʌrənt] **1** *a* (*fashion, trend etc*) actuel; (*opinion, use, phrase*) courant; (*year, month*) en cours, courant; **c. account** (*in bank*) compte *m* courant; **c. affairs** questions *fpl* d'actualité; **c. events** actualité *f*; **the c. issue** (*of magazine etc*) le dernier numéro. **2** *n* (*of river, air, electricity*) courant *m*. ● **currently** *adv* actuellement, à présent.
curriculum, *pl* **-la** [kə'rɪkjʊləm, -lə] *n* programme *m* (scolaire); **c. vitae** *Br* curriculum vitae *m inv*.
curry ['kʌrɪ] **1** *n* (*dish*) curry *m*, cari *m*. **2** *vt* **to c. favour with** s'insinuer dans les bonnes grâces de.
curse [kɜːs] *n* malédiction *f*; (*swearword*) juron *m*; (*scourge*) fléau *m* (**of terrorism/etc** du terrorisme/etc) ∎ *vt* maudire; **cursed with** (*blindness etc*) affligé de ∎ *vi* (*swear*) jurer. ● **cursed** [-ɪd] *a Fam* maudit.
cursor ['kɜːsər] *n* (*on computer screen*) curseur *m*.
cursory ['kɜːsərɪ] *a* (*trop*) rapide, superficiel.
curt [kɜːt] *a* brusque. ● **curtly** *adv* d'un ton brusque. ● **curtness** *n* brusquerie *f*.
curtail [kɜː'teɪl] *vt* (*visit etc*) écourter, raccourcir; (*expenses*) réduire. ● **curtailment** *n* raccourcissement *m*; (*of expenses*) réduction *f*.
curtain ['kɜːt(ə)n] *n* rideau *m*; **to draw the curtains** (*close*) tirer les rideaux; **c. call** (*in theatre*) rappel *m*.
curts(e)y ['kɜːtsɪ] *n* révérence *f* ∎ *vi* faire une révérence (**to** à).
curve [kɜːv] *n* courbe *f*; (*in road*) virage *m* ∎ *vt* courber ∎ *vi* se courber; (*of road*) tourner, faire une courbe.
cushion ['kʊʃən] *n* coussin *m* ∎ *vt* (*shock*) *Fig* amortir. ● **cushioned** *a* (*seat*) rembourré; **c. against** *Fig* protégé contre.
cushy ['kʊʃɪ] *a* (**-ier, -iest**) (*job, life*) *Fam* pépère, facile.
custard ['kʌstəd] *n* crème *f* anglaise; (*when set*) crème *f* renversée.
custodian [kʌ'stəʊdɪən] *n* (*of traditions etc*) gardien, -ienne *mf*.
custody ['kʌstədɪ] *n* (*care*) garde *f* (*d'un enfant etc*); **in the c. of** sous la garde de; **to take s.o. into c.** mettre qn en détention préventive. ● **cu'stodial** *a* **c. sentence** peine *f* de prison.
custom ['kʌstəm] *n* coutume *f*; (*of individual*) habitude *f*; (*customers*) clientèle *f*. ● **custom-built** *or* **customized** *a* (*car etc*) (fait) sur commande. ● **custom-made** *a* (*shirt etc*) (fait) sur mesure.
customary ['kʌstəmərɪ] *a* habituel, coutumier; **it is c. to** il est d'usage de.
customer ['kʌstəmər] *n* client, -ente *mf*; (*individual*) *Pej* individu *m*.
customs ['kʌstəmz] *n* & *npl* (**the**) **c.** la douane; **c.** (**duties**) droits *mpl* de douane; **c. officer** douanier *m*; **c. union** union *f* douanière.
cut [kʌt] *n* (*mark*) coupure *f*; (*stroke*) coup *m*; (*of clothes, hair*) coupe *f*; (*in salary, prices etc*) réduction *f*; (*of meat*) morceau *m*. ∎ *vt* (*pt* & *pp* **cut**, *pres p* **cutting**) couper; (*meat, chicken*) découper; (*glass, diamond, tree*) tailler; (*hay*) faucher; (*salary, prices, profits etc*) réduire; **to c. a corner** (*in vehicle*) prendre un virage à la corde; **to c. a tooth** (*of child*) percer une dent; **to get one's hair c.** se faire couper les cheveux; **to c. open** ouvrir (*au couteau etc*); **to c. short** (*visit*) abréger.
∎ *vi* (*of person, scissors*) couper; **this cloth cuts easily** ce tissu se coupe facilement.
cut away *vt* (*remove*) enlever ∎ **to cut back (on)** *vti* réduire. ● **cutback** *n* réduction *f*. ∎ **to cut down** *vt* (*tree*) abattre, couper ∎ **to cut down (on)** *vti* réduire ∎ **to cut in** *vi* (*interrupt*) interrompre; (*in vehicle*) faire une queue de poisson (**on s.o.** à qn) ∎ **to cut into** (*cake, bread etc*) entamer ∎ **to cut off** *vt* (*piece, limb, hair etc*) couper; (*isolate*) isoler ∎ **to cut out** *vi* (*of car engine*) caler ∎ *vt* (*article*) découper; (*garment*) tailler; (*remove*) enlever; (*eliminate*) supprimer; **to c. out drinking** (*stop*) s'arrêter de boire; **c. it out!** *Fam* ça suffit!; **c. out to be a doctor/etc** fait pour être médecin/etc. ● **cutout** *n* (*picture*) découpage *m*; (*electrical*) coupe-circuit *m inv*. ∎ **to cut up** *vt* couper (en morceaux); (*meat, chicken*) découper; **to be c. up about** (*upset*) être très affecté par; (*demoralized*) être démoralisé par.
cute [kjuːt] *a* (**-er, -est**) *Fam* (*pretty*) mignon (*f* mignonne); (*shrewd*) astucieux.
cuticle ['kjuːtɪk(ə)l] *n* petites peaux *fpl* (*de*

cutlery

l'ongle), envies *fpl*.
cutlery ['kʌtləri] *n* couverts *mpl*.
cutlet ['kʌtlɪt] *n* (*of veal etc*) côtelette *f*.
cut-price [kʌt'praɪs] *a* à prix réduit.
cutthroat ['kʌtθrəʊt] *n* assassin *m* ▮ *a* (*competition*) impitoyable.
cutting ['kʌtɪŋ] *n* coupe *f*; (*of glass, diamond etc*) taille *f*; (*newspaper article*) Br coupure *f*; (*plant*) bouture *f*; (*of film*) montage *m*; (*for train*) tranchée *f* ▮ *a* (*remark, tone*) cinglant, mordant; **c. edge** tranchant *m*.
cuttlefish ['kʌt(ə)lfɪʃ] *n* seiche *f*.
CV [siː'viː] *n abbr Br* curriculum (vitae) *m inv*.
cwt *abbr* = **hundredweight**.
cyanide ['saɪənaɪd] *n* cyanure *m*.
cybernetics [saɪbə'netɪks] *n* cybernétique *f*.
cycle[1] ['saɪk(ə)l] *n* (*bicycle*) bicyclette *f*, vélo *m*; **c. shed** abri *m* à bicyclettes; **c. path** *or* **track** piste *f* cyclable; **c. race** course *f* cycliste ▮ *vi* aller à bicyclette (**to** à); (*as activity*) faire de la bicyclette. ●**cycling** *n* cyclisme *m*; **c. champion** champion *m* cycliste.
●**cyclist** *n* cycliste *mf*.
cycle[2] ['saɪk(ə)l] *n* (*series, period*) cycle *m*.
●**cyclical** ['sɪklɪk(əl)] *a* cyclique.
cyclone ['saɪkləʊn] *n* cyclone *m*.
cylinder ['sɪlɪndər] *n* cylindre *m*; **c. head** (*in car engine*) culasse *f*. ●**cy'lindrical** *a* cylindrique.
cymbal ['sɪmb(ə)l] *n* cymbale *f*.
cynic ['sɪnɪk] *n* cynique *mf*. ●**cynical** *a* cynique. ●**cynicism** *n* cynisme *m*.
cypress ['saɪprəs] *n* (*tree*) cyprès *m*.
Cyprus ['saɪprəs] *n* Chypre *f*. ●**Cypriot** ['sɪprɪət] *a* cypriote ▮ *n* Cypriote *mf*.
cyst [sɪst] *n* (*growth*) kyste *m*.
cystitis [sɪ'staɪtəs] *n* cystite *f*.
czar [zɑːr] *n* tsar *m*.
Czech [tʃek] *a* tchèque; **the C. Republic** la République tchèque ▮ *n* (*language*) tchèque *m*; (*person*) Tchèque *mf*. ●**Czecho'slovak** *a* tchécoslovaque ▮ *n* Tchécoslovaque *mf*. ●**Czechoslo'vakia** *n* (*former State*) Tchécoslovaquie *f*. ●**Czechoslo'vakian** *a* tchécoslovaque ▮ *n* Tchécoslovaque *mf*.

D

D, d [diː] *n* D, d *m*. ● **D.-day** *n* le jour J.
dab [dæb] *n* **a d. of** un petit peu de ▮ *vt* (**-bb-**) (*wound, brow etc*) tamponner; **to d. sth on sth** appliquer qch (à petits coups) sur qch.
dabble ['dæb(ə)l] *vi* **to d. in** s'occuper *or* se mêler un peu de.
Dacron® ['dækrɒn] *n Am* tergal® *m*.
dad [dæd] *n Fam* papa *m*. ● **daddy** *n Fam* papa *m*; **d. longlegs** (*cranefly*) *Br* tipule *f*; (*spider*) *Am* faucheur *m*.
daffodil ['dæfədɪl] *n* jonquille *f*.
daft [dɑːft] *a* (**-er, -est**) *Fam* idiot, bête.
dagger ['dægər] *n* poignard *m*; **at daggers drawn** à couteaux tirés (**with** avec).
dahlia [*Br* 'deɪljə, *Am* 'dæljə] *n* dahlia *m*.
daily ['deɪlɪ] *a* quotidien, journalier; (*wage*) journalier ▮ *adv* chaque jour, quotidiennement; **three times d.** trois fois par jour ▮ *n* **d.** (*paper*) quotidien *m*; **d.** (*help*) (*cleaning woman*) *Br* femme *f* de ménage.
dainty ['deɪntɪ] *a* (**-ier, -iest**) délicat; (*delicate*) mignon; (*pretty*) menu; (*small, slender*) menu; (*tasteful*) élégant. ● **daintily** *adv* (*to eat etc*) délicatement; (*to dress etc*) élégamment.
dairy ['deərɪ] *n* (*shop*) crémerie *f* ▮ *a* laitier; **d. farm/cow** ferme *f*/vache *f* laitière; **d. product** produit *m* laitier; **d. produce** produits *mpl* laitiers. ● **dairyman** *n* (*pl* **-men**) employé *m* de laiterie. ● **dairywoman** *n* (*pl* **-women**) employée *f* de laiterie.
daisy ['deɪzɪ] *n* pâquerette *f*.
dale [deɪl] *n* (*valley*) *Lit* vallée *f*.
dally ['dælɪ] *vi* musarder, lanterner.
dam [dæm] *n* (*wall*) barrage *m* ▮ *vt* (**-mm-**) (*river*) barrer.
damage ['dæmɪdʒ] *n* dégâts *mpl*, dommages *mpl*; (*harm*) préjudice *m*; **damages** (*in court*) dommages-intérêts *mpl* ▮ *vt* (*object*) endommager, abîmer; (*health*) abîmer, nuire à; (*eyesight*) abîmer; (*plans, reputation etc*) compromettre. ● **damaging** *a* (*harmful*) préjudiciable (**to** à).
dame [deɪm] *n Lit* dame *f*; *Am Sl* nana *f*, fille *f*.
damn [dæm] *vt* (*condemn, doom*) condamner; (*of God*) damner; (*curse*) maudire; **d. him!** *Fam* qu'il aille se faire voir!
▮ *int* **d.** (**it**)! *Fam* merde!
▮ *n* **he doesn't care** *or* **give a d.** *Fam* il s'en fiche pas mal.
▮ *a* (*awful*) *Fam* fichu, sacré; **your d. car** ta fichue *or* sacrée bagnole.
▮ *adv* (*very*) *Fam* vachement; **d. all** *Br* rien de rien. ● **damned 1** *a* (*soul*) damné. **2** *Fam* = **damn** *a* & *adv*. ● **damning** *a* (*evidence etc*) accablant.
damnation [dæm'neɪʃ(ə)n] *n* damnation *f* ▮ *int Hum Fam* merde!
damp [dæmp] *a* (**-er, -est**) humide; (*skin*) moite ▮ *n* humidité *f*. ● **damp(en)** *vt* humecter; **to d.** (**down**) (*enthusiasm, zeal*) refroidir; (*ambition*) étouffer; **to d. s.o.'s spirits** décourager qn. ● **dampness** *n* humidité *f*.
damper ['dæmpər] *n* **to put a d. on** jeter un froid sur.
damsel ['dæmzəl] *n Lit* & *Hum* demoiselle *f*.
damson ['dæmzən] *n* prune *f* de Damas.
dance [dɑːns] *n* danse *f*; (*social event*) bal *m* (*pl* bals); **d. hall** dancing *m*, salle *f* de danse ▮ *vi* danser; **to d. for joy** sauter de joie ▮ *vt* (*waltz, polka etc*) danser. ● **dancing** *n* danse *f*; **d. partner** cavalier, -ière *mf*. ● **dancer** *n* danseur, -euse *mf*.
dandelion ['dændɪlaɪən] *n* pissenlit *m*.
dandruff ['dændrʌf] *n* pellicules *fpl*.
dandy ['dændɪ] **1** *n* dandy *m*. **2** *a* (*very good*) *Am Fam* formidable, super *inv*.
Dane [deɪn] *n* Danois, -oise *mf*.
danger ['deɪndʒər] *n* (*peril*) danger *m* (**to** pour); **in d.** en danger; **out of d.** hors de danger; **in d. of** (*threatened by*) menacé de (*guerre nucléaire etc*); **to be in d. of falling/etc** risquer de tomber/*etc*; **on the d. list** (*hospital patient*) dans un état critique; **'d. of fire'** 'risque d'incendie'; **d. signal** (*on train etc*) signal *m* d'alarme; **d. zone** zone *f* dangereuse. ● **dangerous** *a* (*place, illness, person etc*) dangereux (**to** pour). ● **dangerously** *adv* dangereusement; **d. ill** gravement malade.
dangle ['dæŋg(ə)l] *vt* (*keys etc*) balancer; (*prospect*) *Fig* faire miroiter (**before s.o.** aux yeux de qn) ▮ *vi* (*hang*) pendre; (*swing*) se balancer.
Danish ['deɪnɪʃ] *a* danois ▮ *n* (*language*) danois *m*.
dank [dæŋk] *a* (**-er, -est**) humide (et froid).
dapper ['dæpər] *a* pimpant, fringant.
dappled ['dæp(ə)ld] *a* pommelé, tacheté.
dare [deər] *vt* oser (*do faire*); **she d. not come** elle n'ose pas venir; **he doesn't d. (to) go** il n'ose pas y aller; **if you d. (to)** si tu l'oses, si tu oses le faire; **I d. say he tried** il a sans doute essayé, je suppose qu'il a essayé; **to d. s.o. to do** défier qn de faire.
daredevil ['deədev(ə)l] *n* casse-cou *m inv*, risque-tout *m inv*.
daring ['deərɪŋ] *a* audacieux ▮ *n* audace *f*.
dark [dɑːk] *a* (**-er, -est**) (*room, night etc*) obscur, noir, sombre; (*colour*) foncé, sombre;

darken

(*skin*) brun, foncé; (*eyes*) foncé; (*gloomy*) sombre; **d. hair** cheveux *mpl* bruns *or* foncés; (*black*) cheveux noirs; **it's d.** il fait nuit *or* noir; **to keep sth d.** tenir qch secret; **d. glasses** lunettes *fpl* noires.

▮ *n* noir *m*, obscurité *f*; **after d.** après la tombée de la nuit; **to keep s.o. in the d.** laisser qn dans l'ignorance (**about** de). ●**dark-'haired** *a* aux cheveux bruns; (*black*) aux cheveux noirs. ●**dark-'skinned** *a* (*person*) brun, à peau brune.

darken ['dɑːk(ə)n] *vt* assombrir, obscurcir; (*colour*) foncer ▮ *vi* s'assombrir; (*of colour*) foncer.

darkness ['dɑːknəs] *n* obscurité *f*, noir *m*.

darkroom ['dɑːkruːm] *n* (*for photography*) chambre *f* noire.

darling ['dɑːlɪŋ] *n* (*favourite*) chouchou, -oute *mf*; (**my**) **d.** (mon) chéri, (ma) chérie; **he's a d.** c'est un amour; **be a d.!** sois un ange! ▮ *a* chéri; (*delightful*) *Fam* adorable.

darn [dɑːn] **1** *vt* (*socks*) repriser. **2** *int* **d. it!** bon sang! ●**darning** *n* reprise *f* ▮ *a* (*needle*, *wool*) à repriser.

dart [dɑːt] **1** *vi* (*dash*) se précipiter, s'élancer (**for** vers) ▮ **to make a d.** se précipiter (**for** vers). **2** *n* (*in game*) fléchette *f*; **darts** (*game*) fléchettes *fpl*. ●**dartboard** *n* cible *f*.

dash [dæʃ] **1** *n* (*run*, *rush*) ruée *f*; **to make a d.** se précipiter (**for** vers) ▮ *vi* se précipiter; (*of waves*) se briser (**against** contre); **to d. off** *or* **away** partir *or* filer en vitesse ▮ *vt* (*throw*) jeter (avec force); (*shatter*) *Fig* briser (*espérances*, *rêves etc*); **d. (it)!** *Br Fam* zut!; **to d. off** (*letter*) faire en vitesse.

2 *n* **a d. of** un (petit) peu de; **a d. of milk** une goutte *or* un nuage de lait.

3 *n* (*handwritten stroke*) trait *m*; (*punctuation sign*) tiret *m*.

dashboard ['dæʃbɔːd] *n* (*of vehicle*) tableau *m* de bord.

dashing ['dæʃɪŋ] *a* (*person*) pimpant, fringant.

data ['deɪtə] *npl* données *fpl*; **d. bank/base** *Comptr* banque *f*/base *f* de données; **d. capture** saisie *f* de données; **d. processing** informatique *f*.

date¹ [deɪt] *n* date *f*; (*meeting*) *Fam* rendez-vous *m inv*; (*person*) *Fam* copain, -ine *mf* (*avec qui on a un rendez-vous*); **up to d.** moderne; (*information*) à jour; (*well-informed*) au courant (**on** de); **out of d.** (*old-fashioned*) démodé; (*expired*) périmé; **to d.** à ce jour, jusqu'ici; **d. stamp** (*object*) (tampon *m*) dateur *m*; (*mark*) cachet *m*.

▮ *vt* (*letter etc*) dater; (*girl*, *boy*) *Fam* sortir avec.

▮ *vi* (*become out of date*) dater; **to back to, d. from** dater de.

date² [deɪt] *n* (*fruit*) datte *f*.

datebook ['deɪtbʊk] *n Am* agenda *m*.

dated ['deɪtɪd] *a* démodé.

dative ['deɪtɪv] *n Grammar* datif *m*.

daub [dɔːb] *vt* barbouiller (**with** de).

daughter ['dɔːtər] *n* fille *f*. ●**daughter-in-law** *n* (*pl* **daughters-in-law**) belle-fille *f*, bru *f*.

daunt [dɔːnt] *vt* décourager, rebuter. ●**dauntless** *a* intrépide.

dawdle ['dɔːd(ə)l] *vi* traîner, lambiner. ●**dawdler** *n* traînard, -arde *mf*.

dawn [dɔːn] *n* aube *f*, aurore *f*; **at d.** à l'aube ▮ *vi* (*of day*) se lever, poindre; (*of new era*, *idea*) naître, voir le jour; **it dawned upon him that...** il lui est venu à l'esprit que....

day [deɪ] *n* jour *m*; (*working period*, *whole day long*) journée *f*; **days** (*period*) époque *f*, temps *mpl*; **all d. (long)** toute la journée; **what d. is it?** quel jour sommes-nous?; **the following** *or* **next d.** le lendemain; **the d. before** la veille; **the d. before yesterday** *or* **before last** avant-hier; **the d. after tomorrow** après-demain; **to the d.** jour pour jour; **d. boarder** *Br* demi-pensionnaire *mf*; **d. nursery** *Br* crèche *f*; **d. return** (*on train*) *Br* aller et retour *m* (*pour une journée*); **d. tripper** *Br* excursionniste *mf*.

daybreak ['deɪbreɪk] *n* point *m* du jour. ●**daycare** **d. (facilities)** (*for children*) service *m* de garderie. ●**daydream** *n* rêverie *f* ▮ *vi* rêvasser. ●**daylight** *n* (lumière *f* du) jour *m*; (*dawn*) point *m* du jour; **it's d.** il fait jour. ●**daytime** *n* journée *f*, jour *m*.

day-to-day [deɪtə'deɪ] *a* quotidien, journalier; **on a d.-to-d. basis** (*every day*) journellement.

daze [deɪz] *vt* (*by blow*) étourdir; (*of drug etc*) hébéter ▮ *n* **in a d.** étourdi; (*because of drugs*) hébété; (*astonished*) ahuri.

dazzle ['dæz(ə)l] *vt* éblouir ▮ *n* éblouissement *m*.

deacon ['diːkən] *n* (*clergyman*) diacre *m*.

dead [ded] *a* mort; (*numb*) (*arm etc*) engourdi; (*party etc*) qui manque de vie, mortel; (*telephone*) sans tonalité; **in (the) d. centre** au beau milieu; **to be a d. loss** (*of person*) *Fam* être bon à rien; **it's a d. loss** *Fam* ça ne vaut rien; **d. silence** un silence de mort; **a d. stop** un arrêt complet; **d. end** (*street*) & *Fig* impasse *f*; **a d.-end job** un travail sans avenir.

▮ *adv* (*completely*) absolument; (*very*) très; **d. beat** *Br Fam* éreinté; **d. drunk** *Fam* ivre mort; **to stop d.** s'arrêter net.

▮ *n* **the d.** les morts *mpl*; **in the d. of night/winter/etc** au cœur de la nuit/l'hiver/*etc*.

deadbeat ['dedbiːt] *n* (*sponger*) *Am Fam* parasite *m*. ●**deadline** *n* date *f* limite; (*hour*) heure *f* limite. ●**deadlock** *n Fig* impasse *f*. ●**deadpan** *a* (*face*) figé, impassible.

deaden ['ded(ə)n] *vt* (*shock*) amortir; (*pain*) calmer; (*feeling*) émousser.

deadly ['dedlɪ] *a* (**-ier**, **-iest**) (*enemy*, *silence*) mortel; (*paleness*) mortel, de mort; (*boring*) (*evening etc*) *Fam* mortel; **d. weapon** arme *f* meurtrière; **d. sins** péchés *mpl* capitaux ▮ *adv* (*pale*, *boring*) mortellement.

deaf [def] *a* sourd; **d. and dumb** sourd-muet; **d. in one ear** sourd d'une oreille; **d. to s.o.'s requests/etc** sourd aux prières/*etc* de qn ▮ *n* **the d.** les sourds *mpl*. ●**deaf-aid** *n Br* audio-

deception

phone *m*, prothèse *f* auditive. ●**deafen** *vt* assourdir. ●**deafness** *n* surdité *f*.

deal[1] [di:l] *n* **a good** *or* **great d.** (*a lot*) beaucoup (**of** de).

deal[2] [di:l] *n* **1** (*in business*) marché *m*, affaire *f*; *Cards* donne *f*; **to make** *or* **do a d.** (**with** s.o.) conclure *or* faire un marché *or* une affaire (avec qn); **to give s.o. a fair d.** traiter qn équitablement; **to get a fair d. from s.o.** être traité équitablement par qn; **it's a d.!** d'accord!; **big d.!** *Iron* la belle affaire!
2 *vt* (*pt & pp* **dealt** [delt]) **to d. s.o. a blow** porter un coup à qn; **to d.** (**out**) (*cards*) donner; (*money*) distribuer.
3 *vi* (*trade*) traiter (**with** s.o. avec qn); **to d. in** faire le commerce de; **to d. with** (*take care of*) s'occuper de; (*concern*) (*of book etc*) traiter de, parler de; **I can d. with him** (*handle*) je sais m'y prendre avec lui.

deal[3] [di:l] *n* (*wood*) sapin *m*.

dealer ['di:lər] *n* marchand, -ande *mf* (**in** de); (*agent*) dépositaire *mf*; (*for cars*) concessionnaire *mf*; (*in drugs*) revendeur, -euse *mf* (de drogues); *Cards* donneur, -euse *mf*.

dealings ['di:lɪŋz] *npl* relations *fpl* (**with** avec); (*in business*) transactions *fpl*.

dean [di:n] *n* (*in church, Br university*) doyen *m*; (*in secondary school*) *Am* CPE *mf*, conseiller, -ère *mf* principal(e) d'éducation.

dear [dɪər] *a* (**-er, -est**) (*loved, precious, expensive*) cher; (*price*) élevé; **D. Sir** (*in letter*) Monsieur; **D. Sirs** Messieurs; **D. Uncle** (mon) cher oncle; **oh d.!** oh là là!, oh mon Dieu!
▍ *n* (**my**) **d.** (*darling*) (mon) chéri, (ma) chérie; (*friend*) mon cher, ma chère; **she's a d.** c'est un amour; **be a d.!** sois un ange!
▍ *adv* (*to cost, pay*) cher. ●**dearly** *adv* (*to love*) tendrement; (*very much*) beaucoup; **to pay d. for sth** payer qch cher.

dearth [dɜ:θ] *n* manque *m*, pénurie *f*.

death [deθ] *n* mort *f*; **to put s.o. to d.** mettre qn à mort; **to be bored to d.** s'ennuyer à mourir; **to be burnt to d.** mourir carbonisé; **to be sick to d.** en avoir vraiment marre (**of** de); **there were many deaths** (*people killed*) il y a eu de nombreux morts *mpl*; **d. certificate** acte *m* de décès; **d. duty** *or* **duties** *Br*, **d. taxes** *Am* droits *mpl* de succession; **d. march** marche *f* funèbre; **d. mask** masque *m* mortuaire; **d. penalty** peine *f* de mort; **d. rate** (taux *m* de) mortalité *f*; **d. sentence** condamnation *f* à mort; **it's a d. trap** il y a danger de mort; **d. wish** désir *m* de mort. ●**deathbed** *n* lit *m* de mort. ●**deathblow** *n* coup *m* mortel. ●**deathly** *a* (*silence, paleness*) de mort, mortel ▍ *adv* **d. pale** d'une pâleur mortelle.

debar [dɪ'bɑːr] *vt* (**-rr-**) exclure (**from sth** de qch); **to d. s.o. from doing** interdire à qn de faire.

debase [dɪ'beɪs] *vt* (*person*) avilir; (*reputation, talents*) galvauder; (*coinage*) altérer.

debate [dɪ'beɪt] *vti* discuter; **to d.** (**with oneself**) **whether to leave**/*etc* se demander si on doit partir/*etc* ▍ *n* débat *m*, discussion *f*. ●**debatable** *a* discutable, contestable; **it's d. whether she will succeed** il est difficile de dire si elle réussira.

debauch [dɪ'bɔ:tʃ] *vt* corrompre, débaucher. ●**debauchery** *n* débauche *f*.

debilitate [dɪ'bɪlɪteɪt] *vt* débiliter. ●**debility** *n* faiblesse *f*, débilité *f*.

debit ['debɪt] *n* débit *m*; **in d.** (*account*) débiteur; **d. balance** solde *m* débiteur ▍ *vt* débiter (s.o. **with sth** qn de qch).

debonair [debə'neər] *a* (*cheerful*) jovial; (*charming*) charmant; (*polite*) poli.

debrief [di:'bri:f] *vt* **to be debriefed** (*of soldier*) rendre compte (**by** à).

debris ['debri:] *n* débris *mpl*.

debt [det] *n* dette *f*; **to be in d.** avoir des dettes; **to be 50 dollars in d.** devoir 50 dollars; **to run** *or* **get into d.** faire des dettes. ●**debtor** *n* débiteur, -trice *mf*.

debug [di:'bʌg] *vt* (*computer program*) éliminer les erreurs de.

debunk [di:'bʌŋk] *vt* (*idea etc*) *Fam* démystifier.

debut ['debju:] *n* (*on stage*) début *m*.

decade ['dekeɪd] *n* décennie *f*.

decadent ['dekədənt] *a* décadent. ●**decadence** *n* décadence *f*.

decaffeinated [di:'kæfɪneɪtɪd] *a* décaféiné.

decal ['di:kæl] *n* (*transfer*) *Am* décalcomanie *f*.

decant [dɪ'kænt] *vt* (*wine*) décanter. ●**decanter** *n* carafe *f*.

decapitate [dɪ'kæpɪteɪt] *vt* décapiter.

decathlon [dɪ'kæθlɒn] *n* *Sport* décathlon *m*.

decay [dɪ'keɪ] *vi* (*go bad*) se gâter; (*rot*) pourrir; (*of tooth*) se carier, se gâter; (*of building*) tomber en ruine; (*decline*) (*of nation etc*) *Fig* décliner ▍ *n* (*rot*) pourriture *f*; (*of building*) délabrement *m*; (*of tooth*) carie(s) *f(pl)*; (*of nation*) décadence *f*; **to fall into d.** (*of building*) tomber en ruine. ●**decaying** *a* (*meat, fruit etc*) pourrissant; (*nation*) décadent.

deceased [dɪ'si:st] *a* décédé, défunt ▍ *n* **the d.** le défunt, la défunte; *pl* les défunt(e)s.

deceit [dɪ'si:t] *n* tromperie *f*. ●**deceitful** *a* trompeur. ●**deceitfully** *adv* avec duplicité.

deceive [dɪ'si:v] *vti* tromper; **to d. oneself** se faire des illusions.

December [dɪ'sembər] *n* décembre *m*.

decent ['di:sənt] *a* (*respectable*) convenable, décent; (*good*) bon; (*kind*) gentil; **that was d.** (**of you**) c'était chic de ta part. ●**decency** *n* décence *f*; (*kindness*) gentillesse *f*. ●**decently** *adv* décemment.

decentralize [di:'sentrəlaɪz] *vt* décentraliser. ●**decentralization** [-'zeɪʃ(ə)n] *n* décentralisation *f*.

deception [dɪ'sepʃ(ə)n] *n* tromperie *f*. ●**deceptive** *a* trompeur. ●**deceptively** *adv* **it looks d. straightforward** ça a l'air simple mais il ne faut pas s'y fier.

decibel

decibel ['desɪbel] *n* décibel *m*.
decide [dɪ'saɪd] *vt* (*question, matter etc*) décider, régler; (*s.o.'s career, fate etc*) décider de; **to d. to do** décider de faire; **to d. that** décider que; **to d. s.o. to do** décider qn à faire.
▌ *vi* (*make decisions*) décider; (*make up one's mind*) se décider (**on doing** à faire); **to d. on sth** décider de qch, se décider à qch; (*choose*) se décider pour qch; **the deciding factor** le facteur décisif. ● **decided** *a* (*firm*) décidé, résolu; (*clear*) net. ● **decidedly** [-ɪdlɪ] *adv* (*firmly*) résolument; (*clearly*) nettement.
decimal ['desɪməl] *a* décimal; **d. point** virgule *f* ▌ *n* décimale *f*. ● **decimalization** [-aɪ'zeɪʃ(ə)n] *n* décimalisation *f*.
decimate ['desɪmeɪt] *vt* décimer.
decipher [dɪ'saɪfər] *vt* déchiffrer.
decision [dɪ'sɪʒ(ə)n] *n* décision *f*.
decisive [dɪ'saɪsɪv] *a* (*defeat, tone etc*) décisif; (*victory*) net (*f* nette), incontestable. ● **decisively** *adv* (*to state*) avec décision; (*to win*) nettement, incontestablement.
deck [dek] **1** *n* (*of ship*) pont *m*; **top d.** (*of bus*) impériale *f*. **2** *n* **d. of cards** jeu *m* de cartes. **3** *n* (*of record player*) platine *f*. **4** *vt* **to d. (out)** (*adorn*) orner. ● **deckchair** *n* chaise *f* longue.
declare [dɪ'kleər] *vt* déclarer (**that** que); (*verdict, result*) proclamer. ● **declaration** [deklə'reɪʃ(ə)n] *n* déclaration *f*; (*of verdict etc*) proclamation *f*.
decline [dɪ'klaɪn] **1** *vi* (*become less*) (*of popularity, birthrate etc*) être en baisse; (*deteriorate*) (*of health, strength etc*) décliner; **to d. in importance** perdre de l'importance; **one's declining years** ses dernières années ▌ *n* déclin *m*; (*fall*) baisse *f*. **2** *vt* (*offer etc*) refuser, décliner; **to d. to do** refuser de faire.
declutch [dɪ'klʌtʃ] *vi Aut Br* débrayer.
decode [diː'kəʊd] *vt* (*message*) décoder. ● **decoder** *n Compt TV* décodeur *m*.
decompose [diːkəm'pəʊz] *vi* (*rot*) se décomposer ▌ *vt* (*chemical compound etc*) décomposer. ● **decomposition** [-kɒmpə'zɪʃ(ə)n] *n* décomposition *f*.
decompression [diːkəm'preʃ(ə)n] *n* décompression *f*; **d. chamber** sas *m* de décompression.
decontaminate [diːkən'tæmɪneɪt] *vt* décontaminer.
decor ['deɪkɔːr] *n* décor *m*.
decorate ['dekəreɪt] *vt* (*cake, house, soldier*) décorer (**with** de); (*hat, skirt etc*) orner (**with** de); (*paint, wallpaper etc*) peindre (et tapisser) (*pièce, maison etc*). ● **decorating** *n* **interior d.** décoration *f* d'intérieurs. ● **decoration** [-'reɪʃ(ə)n] *n* décoration *f*. ● **decorative** *a* décoratif. ● **decorator** *n* (*house painter etc*) *Br* peintre *m* décorateur; (**interior**) **d.** décorateur, -trice *mf*, ensemblier *m*.
decorum [dɪ'kɔːrəm] *n* bienséances *fpl*.
decoy ['diːkɔɪ] *n* (*artificial bird*) appeau *m*; (*police*) **d.** policier *m* en civil.
decrease [dɪ'kriːs] *vti* diminuer ▌ ['diːkriːs] *n* diminution *f* (**in** de). ● **decreasing** *a* (*number etc*) décroissant. ● **decreasingly** *adv* de moins en moins.
decree [dɪ'kriː] *n* (*by king etc*) décret *m*; (*by court*) jugement *m*; (*municipal*) arrêté *m* ▌ *vt* (*pt & pp* decreed) décréter (**that** que).
decrepit [dɪ'krepɪt] *a* (*building*) en ruine; (*person*) décrépit.
decry [dɪ'kraɪ] *vt* décrier.
dedicate ['dedɪkeɪt] *vt* (*devote*) consacrer (**to** à); (*book*) dédier (**to** à); **to d. oneself to** se consacrer à. ● **dedicated** *a* (*teacher etc*) consciencieux. ● **dedication** [-'keɪʃ(ə)n] *n* (*in book*) dédicace *f*; (*devotion*) dévouement *m*.
deduce [dɪ'djuːs] *vt* (*conclude*) déduire (**from** de, **that** que).
deduct [dɪ'dʌkt] *vt* (*subtract*) déduire, retrancher (**from** de); (*from wage, account*) prélever (**from** sur). ● **deductible** *a* (*from invoice etc*) à déduire (**from** de); (*from income*) (*expenses etc*) déductible. ● **deduction** [-ʃ(ə)n] *n* (*subtraction, conclusion*) déduction *f*.
deed [diːd] *n* action *f*, acte *m*; (*feat*) exploit *m*; (*legal document*) acte *m* (notarié).
deem [diːm] *vt* juger, estimer.
deep [diːp] *a* (**-er, -est**) profond; (*snow*) épais (*f* épaisse); (*voice*) grave; (*musical note*) bas (*f* basse); (*person*) (*difficult to understand*) insondable; **to be six metres/etc d.** avoir six mètres/etc de profondeur; **d. in thought** absorbé *ou* plongé dans ses pensées; **the d. end** (*in swimming pool*) le grand bain; **d. red** rouge foncé.
▌ *adv* (*to breathe*) profondément; **she went in d.** (*into water*) elle alla (jusqu')où elle n'avait pas pied; **d. into the night** tard dans la nuit.
▌ *n* **the d.** l'océan *m*. ● **deeply** *adv* (*grateful, to breathe, regret etc*) profondément.
deepen ['diːpən] *vt* (*increase*) augmenter; (*canal, knowledge*) approfondir ▌ *vi* devenir plus profond; (*of mystery*) s'épaissir. ● **deepening** *a* (*gap etc*) grandissant; **the d. recession/crisis** l'aggravation *f* de la récession/crise.
deep-freeze [diːp'friːz] *vt* surgeler ▌ *n* congélateur *m*. ● **deep-fryer** *n* friteuse *f*. ● **deep-rooted** *or* **deep-seated** *a* bien ancré, profond. ● **deep-sea 'diving** *n* plongée *f* sous-marine (en haute mer). ● **deep-set** *a* (*eyes*) enfoncés.
deer [dɪər] *n inv* cerf *m*.
deface [dɪ'feɪs] *vt* (*damage*) dégrader; (*daub*) barbouiller.
defamation [defə'meɪʃ(ə)n] *n* diffamation *f*. ● **de'famatory** *a* diffamatoire.
default [dɪ'fɔːlt] *n* **by d.** *Compt* par défaut; **to win by d.** gagner par forfait ▌ *vi* (*fail to appear in court*) être défaillant; **to d. on one's payments** être en rupture de paiement.
defeat [dɪ'fiːt] *vt* (*opponent, army etc*) battre, vaincre; (*plan, effort*) faire échouer; **that defeats the purpose** *or* **object** ça va à l'encontre de ce qu'on veut faire. ▌ *n* défaite *f*. ● **de-**

featism *n* défaitisme *m*. ● **defeatist** *a* & *n* défaitiste (*mf*).
defect[1] ['di:fekt] *n* défaut *m*.
defect[2] [dɪ'fekt] *vi* (*of party member, soldier etc*) déserter, faire défection; **to d. to** (*the enemy etc*) passer à. ● **defection** [-ʃ(ə)n] *n* défection *f*. ● **defector** *n* transfuge *mf*.
defective [dɪ'fektɪv] *a* (*machine, brakes etc*) défectueux.
defence [dɪ'fens] (*Am* **defense**) *n* défense *f*; **the body's defences** la défense de l'organisme (**against** contre); **to speak in d. of s.o.** prendre la défense de qn; **in his d.** à sa décharge, pour le défendre. ● **defenceless** *a* sans défense.
defend [dɪ'fend] *vt* défendre. ● **defendant** *n* (*accused*) prévenu, -ue *mf*. ● **defender** *n* défenseur *m*; (*of sports title*) détenteur, -trice *mf*.
defense [dɪ'fens] *n Am* = **defence**.
defensible [dɪ'fensəb(ə)l] *a* défendable.
defensive [dɪ'fensɪv] *a* défensif ∎ *n* **on the d.** sur la défensive.
defer [dɪ'fɜːr] **1** *vt* (**-rr-**) (*postpone*) différer, reporter. **2** *vi* (**-rr-**) **to d. to s.o.** (*yield*) déférer à qn. ● **deferment** *n* (*postponement*) report *m*.
deference ['defərəns] *n* déférence *f*. ● **deferential** [-'renʃ(ə)l] *a* déférent, plein de déférence.
defiant [dɪ'faɪənt] *a* (*tone etc*) de défi; (*person*) rebelle. ● **defiance** *n* (*resistance*) défi *m* (**of** à); **in d. of** (*contempt*) au mépris de. ● **defiantly** *adv* d'un air de défi.
deficient [dɪ'fɪʃənt] *a* (*not adequate*) insuffisant; (*faulty*) défectueux; **to be d. in** manquer de. ● **deficiency** *n* (*shortage*) manque *m*; (*in vitamins, calcium etc*) carence *f* (**in** de); (*flaw*) défaut *m*.
deficit ['defɪsɪt] *n* déficit *m*.
defile [dɪ'faɪl] *vt* (*make dirty*) souiller, salir.
define [dɪ'faɪn] *vt* définir.
definite ['defɪnɪt] *a* (*exact*) (*date, plan*) précis, déterminé; (*clear*) (*reply, improvement*) net (*f* nette); (*firm*) (*offer, order*) ferme; (*certain, sure*) certain; **d. article** *Grammar* article *m* défini; **it's d. that** il est certain que (+ *indic*); **I was quite d.** j'ai été tout à fait formel. ● **definitely** *adv* certainement; (*considerably*) nettement; (*to say*) catégoriquement.
definition [defɪ'nɪʃ(ə)n] *n* définition *f*.
definitive [dɪ'fɪnɪtɪv] *a* définitif.
deflate [dɪ'fleɪt] *vt* (*Br tyre, Am tire*) dégonfler. ● **deflation** [-ʃ(ə)n] *n* dégonflement *m*; (*economic*) déflation *f*.
deflect [dɪ'flekt] *vt* (*bullet etc*) faire dévier; **to d. s.o. from a plan/aim** détourner qn d'un projet/objectif ∎ *vi* (*of bullet etc*) dévier.
deform [dɪ'fɔːm] *vt* déformer. ● **deformed** *a* (*body*) difforme. ● **deformity** *n* difformité *f*.
defraud [dɪ'frɔːd] *vt* (*customs, State etc*) frauder; **to d. s.o. of sth** escroquer qch à qn.
defray [dɪ'freɪ] *vt* (*expenses*) payer.
defrost [diː'frɒst] *vt* (*fridge*) dégivrer; (*food*) décongeler.
deft [deft] *a* adroit (**with** de). ● **deftness** *n* adresse *f*.
defunct [dɪ'fʌŋkt] *a* défunt.
defuse [diː'fjuːz] *vt* (*bomb, conflict*) désamorcer.
defy [dɪ'faɪ] *vt* (*person, death etc*) défier; (*efforts*) résister à; **to d. s.o. to do** défier qn de faire; **it defies description** cela défie toute description.
degenerate [dɪ'dʒenəreɪt] *vi* dégénérer (**into** en) ∎ [dɪ'dʒenərət] *a* & *n* dégénéré, -ée (*mf*). ● **degeneration** [-'reɪʃ(ə)n] *n* dégénérescence *f*.
degrade [dɪ'greɪd] *vt* dégrader. ● **degrading** *a* dégradant. ● **degradation** [degrə'deɪʃ(ə)n] *n Mil Ch* dégradation *f*; (*of person*) déchéance *f*.
degree [dɪ'griː] *n* **1** (*angle, temperature, extent etc*) degré *m*; **by degrees** par degrés; **it's 20 degrees** il fait 20 degrés; **not in the slightest d.** pas du tout; **to some d., to a certain d.** jusqu'à un certain point; **to such a d.** à tel point (**that** que). **2** (*from university*) diplôme *m*; (*Bachelor's*) licence *f*; (*Master's*) maîtrise *f*; (*PhD*) doctorat *m*.
dehumanize [diː'hjuːmənaɪz] *vt* déshumaniser.
dehydrated [diːhaɪ'dreɪtɪd] *a* déshydraté; **to get d.** se déshydrater.
de-ice [diː'aɪs] *vt* (*car window etc*) dégivrer.
deign [deɪn] *vt* daigner (**to do** faire).
deity ['diːɪtɪ] *n* dieu *m*.
dejected [dɪ'dʒektɪd] *a* abattu, découragé. ● **dejection** [-ʃ(ə)n] *n* abattement *m*.
dekko ['dekəʊ] *n Br Sl* coup *m* d'œil.
delay [dɪ'leɪ] *vt* retarder; (*payment*) différer; **to d. doing** tarder à faire; **to be delayed** avoir du retard, être retardé ∎ *vi* (*be slow*) tarder (**in doing** à faire); (*linger*) s'attarder ∎ *n* (*lateness*) retard *m*; (*waiting period*) délai *m*; **without d.** sans tarder. ● **delayed-'action** *a* (*bomb, fuse*) à retardement. ● **delaying** *a* **d. tactics** *or* **actions** moyens *mpl* dilatoires.
delectable [dɪ'lektəb(ə)l] *a* délectable.
delegate 1 ['delɪgeɪt] *vt* déléguer (**to** à). **2** ['delɪgət] *n* délégué, -ée *mf*. ● **delegation** [delɪ'geɪʃ(ə)n] *n* délégation *f*.
delete [dɪ'liːt] *vt* rayer, supprimer. ● **deletion** [-ʃ(ə)n] *n* (*thing deleted*) rature *f*; (*act*) suppression *f*.
deleterious [delɪ'tɪərɪəs] *a* (*effect etc*) néfaste.
deliberate[1] [dɪ'lɪbərət] *a* (*intentional*) délibéré; (*cautious*) réfléchi; (*slow*) mesuré. ● **deliberately** *adv* (*intentionally*) exprès, délibérément; (*to walk*) avec mesure.
deliberate[2] [dɪ'lɪbəreɪt] *vi* délibérer (**on** sur) ∎ *vt* (*discuss*) délibérer sur. ● **deliberation** [-'reɪʃ(ə)n] *n* (*discussion*) délibération *f*.
delicate ['delɪkət] *a* délicat. ● **delicacy** *n* délicatesse *f*; (*food*) mets *m* délicat, gourmandise *f*. ● **delicately** *adv* délicatement.
delicatessen [delɪkə'tesən] *n* traiteur *m* et

delicious

épicerie f fine.
delicious [dɪ'lɪʃəs] a délicieux.
delight [dɪ'laɪt] n (pleasure) délice m, (grand) plaisir m, joie f; (delicious food etc) délice m; **delights** (pleasures, things) délices fpl; **to my (great) d.** à mon grand plaisir, à ma grande joie; **to be the d. of** faire les délices de; **to take d. in sth/in doing** se délecter de qch/à faire ▮ vt réjouir ▮ vi **to d. in doing** se délecter à faire. ●**delighted** a ravi, enchanté (**with sth** de qch, **to do** de faire, **that** que).
delightful [dɪ'laɪtfəl] a charmant; (meal, perfume, sensation) délicieux. ●**delightfully** adv (with charm) avec beaucoup de charme; (wonderfully) merveilleusement.
delineate [dɪ'lɪnɪeɪt] vt (outline) esquisser; (portray) décrire.
delinquent [dɪ'lɪŋkwənt] a & n délinquant, -ante (mf). ●**delinquency** n délinquance f.
delirious [dɪ'lɪərɪəs] a délirant; **to be d.** avoir le délire, délirer. ●**delirium** n (illness) délire m.
deliver [dɪ'lɪvər] vt **1** (goods, milk etc) livrer; (letters) distribuer; (hand over) remettre (to à). **2** (rescue) délivrer (qn) (from de). **3** (give birth to) mettre au monde, accoucher de; **to d. a woman's baby** accoucher une femme. **4** (speech) prononcer; (warning, ultimatum) lancer; (blow) porter.
deliverance [dɪ'lɪvərəns] n délivrance f (**from** de).
delivery [dɪ'lɪvərɪ] n **1** livraison f; (of letters) distribution f; (handing over) remise f. **2** (birth) accouchement m. **3** (speaking) débit m. ●**deliveryman** n (pl **-men**) livreur m.
delta ['deltə] n (of river) delta m.
delude [dɪ'luːd] vt tromper; **to d. oneself** se faire des illusions. ●**delusion** [-ʒ(ə)n] n illusion f; (in mental illness) aberration f mentale.
deluge ['deljuːdʒ] n (of water, Fig questions etc) déluge m ▮ vt inonder (**with** de).
de luxe [dɪ'lʌks] a de luxe.
delve [delv] vi **to d. into** (question, past) fouiller; (books) fouiller dans.
demagogue ['deməgɒg] n démagogue mf.
demand [dɪ'mɑːnd] vt exiger (**sth from s.o.** qch de qn), réclamer (**sth from s.o.** qch à qn); (rights, more pay) revendiquer; **to d. that** exiger que; **to d. to know** insister pour savoir.
▮ n exigence f; (claim) revendication f, réclamation f; (for goods) demande f (**for** pour); **demands** (of terrorists etc) exigences fpl; **to be in (great) d.** être très demandé; **to make demands on s.o.** exiger beaucoup de qn. ●**demanding** a exigeant.
demarcation [diːmɑː'keɪʃ(ə)n] n démarcation f; **d. line** ligne f de démarcation.
demean [dɪ'miːn] vt **to d. oneself** s'abaisser, s'avilir. ●**demeaning** a dégradant.
demeanour [dɪ'miːnər] n (Am **demeanor**) n (behaviour) comportement m.
demented [dɪ'mentɪd] a dément.

demerara [demə'reərə] n **d. (sugar)** Br sucre m roux, cassonade f.
demise [dɪ'maɪz] n (death) décès m; (of newspaper, custom etc) Fig disparition f.
demister [diː'mɪstər] n (for vehicle) Br dispositif m de désembuage.
demo ['deməʊ] n (pl **-os**) (demonstration) Fam manif f.
demobilize [diː'məʊbɪlaɪz] vt démobiliser.
democracy [dɪ'mɒkrəsɪ] n démocratie f. ●**democrat** ['deməkræt] n démocrate mf. ●**demo'cratic** a démocratique; (person) démocrate. ●**demo'cratically** adv démocratiquement.
demography [dɪ'mɒgrəfɪ] n démographie f.
demolish [dɪ'mɒlɪʃ] vt démolir. ●**demolition** [demə'lɪʃ(ə)n] n démolition f.
demon ['diːmən] n démon m.
demonstrate ['demənstreɪt] vt démontrer; (machine) faire une démonstration de; **to d. how to do** montrer comment faire ▮ vi (protest) manifester. ●**demonstration** [-'streɪʃ(ə)n] n démonstration f; (protest) manifestation f; **to hold or stage a d.** manifester. ●**demonstrator** n (protester) manifestant, -ante mf; (in shop etc) démonstrateur, -trice mf.
demonstrative [dɪ'mɒnstrətɪv] **1** a (person, attitude) démonstratif. **2** a & n Grammar démonstratif (m).
demoralize [dɪ'mɒrəlaɪz] vt démoraliser.
demote [dɪ'məʊt] vt rétrograder.
demure [dɪ'mjʊər] a sage, réservé.
den [den] n (of lion, Fig person) tanière f, antre m.
denationalize [diː'næʃ(ə)nəlaɪz] vt dénationaliser.
denial [dɪ'naɪəl] n (of rumour, allegation) démenti m; (of the truth of sth) dénégation f; **to issue a d.** publier un démenti.
denigrate ['denɪgreɪt] vt dénigrer.
denim ['denɪm] n (toile f de) coton m; **denims** (jeans) (blue-)jean m.
denizen ['denɪz(ə)n] n habitant, -ante mf.
Denmark ['denmɑːk] n Danemark m.
denomination [dɪnɒmɪ'neɪʃ(ə)n] n (religion) confession f, religion f; (sect) secte m; (of coin, banknote) valeur f; (of weights etc) unité f. ●**denominational** a (school) confessionnel, religieux.
denominator [dɪ'nɒmɪneɪtər] n Math & Fig dénominateur m.
denote [dɪ'nəʊt] vt dénoter.
denounce [dɪ'naʊns] vt (person, injustice etc) dénoncer (**to** à); **to d. s.o. as a spy/etc** accuser qn publiquement d'être un espion/etc.
dense [dens] a (-er, -est) dense; (stupid) Fam lourd, bête. ●**densely** adv **d. populated/etc** très peuplé/etc. ●**density** n densité f.
dent [dent] n (in car, metal etc) bosse f, Fam gnon m; **full of dents** (car etc) cabossé; **to make a d. in** cabosser; **to make a d. in one's savings** (of purchase) écorner ses économies

descend

❚ *vt* cabosser, bosseler.
dental ['dent(ə)l] *a* dentaire; **d. appointment** rendez-vous *m* chez le dentiste; **d. surgeon** chirurgien *m* dentiste.
dentist ['dentɪst] *n* dentiste *mf*; **to go to the d.('s)** aller chez le dentiste. ● **dentistry** *n* médecine *f* dentaire; **school of d.** école *f* dentaire.
dentures ['dentʃəz] *npl* dentier *m*.
denunciation [dɪnʌnsɪ'eɪʃ(ə)n] *n* dénonciation *f*; (*public*) accusation *f* publique.
deny [dɪ'naɪ] *vt* nier (**doing** avoir fait, **that** que); (*rumour*) démentir; (*authority*) rejeter; (*disown*) renier; **to d. s.o. sth** refuser qch à qn.
deodorant [diː'əʊdərənt] *n* déodorant *m*.
depart [dɪ'pɑːt] *vi* partir; (*deviate*) s'écarter (**from** de) ❚ *vt* **to d. this world** *Lit* quitter ce monde. ● **departed** *a* (*dead*) défunt ❚ *n* **the d.** le défunt, la défunte.
department [dɪ'pɑːtmənt] *n* département *m*; (*in office*) service *m*; (*in shop*) rayon *m*; (*in university*) section *f*, département *m*; **that's your d.** (*sphere*) c'est ton rayon; **d. store** grand magasin *m*. ● **depart'mental** *a* **d. manager** (*in office*) chef *m* de service; (*in shop*) chef *m* de rayon.
departure [dɪ'pɑːtʃər] *n* départ *m*; **a d. from** (*custom, rule*) un écart par rapport à, une entorse à; **to be a new d. for** constituer une nouvelle voie pour; **d. lounge** (*in airport*) salle *f* de départ.
depend [dɪ'pend] *vi* dépendre (**on, upon** de); **to d. (up)on** (*rely on*) compter sur (**for sth** pour qch); **you can d. on it!** tu peux en être sûr! ● **dependable** *a* (*person, information etc*) sûr; (*machine*) fiable, sûr. ● **dependant** *n* personne *f* à charge. ● **dependence** *n* dépendance *f* (**on** de). ● **dependency** *n* (*country*) dépendance *f*. ● **dependent** *a* dépendant (**on, upon** de); (*relative, child*) à charge; **to be d. (up)on** dépendre de.
depict [dɪ'pɪkt] *vt* (*describe*) dépeindre; (*in pictures*) représenter. ● **depiction** [-ʃ(ə)n] *n* peinture *f*; (*in picture form*) représentation *f*.
deplete [dɪ'pliːt] *vt* (*use up*) épuiser; (*reduce*) réduire. ● **depletion** [-ʃ(ə)n] *n* épuisement *m*; (*reduction*) réduction *f*.
deplore [dɪ'plɔːr] *vt* déplorer. ● **deplorable** *a* déplorable. ● **deplorably** *adv* déplorablement.
deploy [dɪ'plɔɪ] *vt* (*troops etc*) déployer.
depopulate [diː'pɒpjʊleɪt] *vt* dépeupler. ● **depopulation** [-'leɪʃ(ə)n] *n* dépeuplement *m*.
deport [dɪ'pɔːt] *vt* (*foreigner, criminal etc*) expulser; (*to concentration camp etc*) *Hist* déporter. ● **deportation** [diːpɔː'teɪʃ(ə)n] *n* expulsion *f*; *Hist* déportation *f*.
deportment [dɪ'pɔːtmənt] *n* maintien *m*.
depose [dɪ'pəʊz] *vt* (*king, ruler etc*) déposer.
deposit [dɪ'pɒzɪt] **1** *vt* (*object, money etc*) déposer ❚ *n* (*of money in bank*) dépôt *m*; (*part payment*) acompte *m*; (*against damage*) caution *f*; (*on bottle*) consigne *f*; **d. account** compte *m* d'épargne. **2** *n* (*sediment in liquid etc*) dépôt *m*; (*of gold, oil etc*) gisement *m*. ● **depositor** *n* déposant, -ante *mf*, épargnant, -ante *mf*.
depot [*Br* 'depəʊ, *Am* 'diːpəʊ] *n* (*for goods etc*) dépôt *m*; (*railroad station*) *Am* gare *f*; (**bus**) **d.** *Am* gare *f* routière.
deprave [dɪ'preɪv] *vt* dépraver. ● **depraved** *a* dépravé. ● **depravity** *n* dépravation *f*.
deprecate ['deprɪkeɪt] *vt* désapprouver.
depreciate [dɪ'priːʃɪeɪt] *vt* (*reduce in value*) déprécier ❚ *vi* (*fall in value*) se déprécier. ● **depreciation** [-'eɪʃ(ə)n] *n* dépréciation *f*.
depress [dɪ'pres] *vt* (*discourage*) déprimer; (*push down*) appuyer sur. ● **depressed** *a* (*person, market*) déprimé; (*industry*) (*in decline*) en déclin; (*in crisis*) en crise; **to get d.** se décourager. ● **depression** [-ʃ(ə)n] *n* dépression *f*.
deprive [dɪ'praɪv] *vt* priver (**of** de). ● **deprived** *a* (*child etc*) déshérité. ● **deprivation** [deprə'veɪʃ(ə)n] *n* (*hardship*) privation *f*; (*loss*) perte *f*.
depth [depθ] *n* profondeur *f*; (*of snow*) épaisseur *f*; (*of interest*) intensité *f*; **in the depths of** (*forest, despair*) au plus profond de; (*winter*) au cœur de; **to get out of one's d.** (*be unable to cope*) perdre pied, nager; **in d.** en profondeur.
deputation [depjʊ'teɪʃ(ə)n] *n* députation *f*.
deputize ['depjʊtaɪz] *vi* assurer l'intérim (**for s.o.** de qn) ❚ *vt* députer (**s.o. to do** qn pour faire).
deputy ['depjʊtɪ] *n* (*replacement*) remplaçant, -ante *mf*; (*assistant*) adjoint, -ointe *mf*; **d. (sheriff)** *Am* shérif *m* adjoint; **d. chairman** vice-président, -ente *mf*.
derailed [dɪ'reɪld] *a* **to be d.** (*of train*) dérailler. ● **derailment** *n* déraillement *m*.
deranged [dɪ'reɪndʒd] *a* **he's (mentally) d., his mind is d.** il a le cerveau dérangé.
derby ['dɑːbɪ] *n* (*bowler hat*) *Am* chapeau *m*) melon *m*.
derelict ['derɪlɪkt] *a* (*building etc*) abandonné.
deride [dɪ'raɪd] *vt* tourner en dérision. ● **derision** [-ʒ(ə)n] *n* dérision *f*. ● **derisive** *a* (*laughter etc*) moqueur; (*amount etc*) dérisoire. ● **derisory** [dɪ'raɪsərɪ] *a* (*amount etc*) dérisoire.
derive [dɪ'raɪv] *vt* **to d. from sth** (*pleasure, profit etc*) tirer de qch; (*word, meaning etc*) dériver de qch; **to be derived from** (*of word etc*) dériver de, provenir de ❚ *vi* **to d. from** dériver de. ● **derivation** [derɪ'veɪʃ(ə)n] *n* *Ling* dérivation *f*. ● **derivative** [dɪ'rɪvətɪv] *a* & *n* *Ling Ch* dérivé (*m*).
dermatitis [dɜːmə'taɪtəs] *n* dermatite *f*.
dermatology [dɜːmə'tɒlədʒɪ] *n* dermatologie *f* ● **dermatologist** *n* dermatologue *mf*.
derogatory [dɪ'rɒɡət(ə)rɪ] *a* (*word*) péjoratif; (*remark*) désobligeant (**to** pour).
derrick ['derɪk] *n* (*over oil well*) derrick *m*.
derv [dɜːv] *n* *Br* gazole *m*, gas-oil *m*.
descend [dɪ'send] *vi* descendre (**from** de);

descendant

(*of rain*) tomber; **to d. upon** (*of tourists*) envahir; (*attack*) faire une descente sur, tomber sur; **in descending order** en ordre décroissant ▌ *vt* (*stairs*) descendre; **to be descended from** descendre de.

descendant [dɪ'sendənt] *n* descendant, -ante *mf*.

descent [dɪ'sent] *n* **1** (*of aircraft etc*) descente *f*; **his d. into crime** sa chute dans le crime. **2** (*ancestry*) origine *f*, souche *f*.

describe [dɪ'skraɪb] *vt* décrire. ● **description** [-ʃ(ə)n] *n* description *f*; (*on passport*) signalement *m*; **of every d.** de toutes sortes. ● **descriptive** *a* descriptif.

desecrate ['desɪkreɪt] *vt* profaner. ● **desecration** [-'kreɪʃ(ə)n] *n* profanation *f*.

desegregate [diː'segrɪgeɪt] *vt* (*school etc*) supprimer la ségrégation raciale dans. ● **desegregation** [-'geɪʃ(ə)n] *n* déségrégation *f*.

desert[1] ['dezət] *n* désert *m*; **d. climate/plant/** *etc* climat *m*/plante *f*/etc désertique *or* du désert; **d. animal** animal *m* du désert; **d. island** île *f* déserte.

desert[2] [dɪ'zɜːt] *vt* (*person*) abandonner; (*place, cause etc*) déserter; **to d. s.o.** (*of luck etc*) abandonner qn ▌ *vi* (*of soldier*) déserter. ● **deserted** *a* (*place*) désert. ● **deserter** *n* (*soldier*) déserteur *m*.

desertion [dɪ'zɜːʃ(ə)n] *n* (*by soldier*) désertion *f*; (*by spouse*) abandon *m* (*du domicile conjugal*).

deserts [dɪ'zɜːts] *n* **to get one's just d.** recevoir ce qu'on mérite.

deserve [dɪ'zɜːv] *vt* mériter (**to do** de faire). ● **deserving** *a* (*person*) méritant; (*action, cause*) louable, méritoire; **to be d. of** (*praise, s.o.'s love etc*) être digne de. ● **deservedly** [-ɪdlɪ] *adv* à juste titre.

desiccated ['desɪkeɪtɪd] *a* (des)séché.

design [dɪ'zaɪn] **1** *vt* (*car, furniture etc*) dessiner; (*dress*) créer, dessiner; (*devise*) concevoir (*projet, moyen etc*); **designed to do/for s.o.** conçu pour faire/pour qn; **well designed** bien conçu.

▌ *n* (*pattern*) motif *m*, dessin *m*; (*sketch*) plan *m*, dessin *m*; (*type of dress or car*) modèle *m*; (*planning*) conception *f*, création *f*; **industrial d.** dessin *m* industriel; **to study d.** étudier le dessin *or* le design.

2 *n* (*aim*) dessein *m*, intention *f*; **by d.** intentionnellement; **to have designs on** avoir des desseins sur. ● **designer** *n* (*artistic*) dessinateur, -trice *mf*; (*industrial*) (concepteur-)dessinateur *m*; (*of clothes*) styliste *mf*; (*well-known*) couturier *m*; **d. clothes** vêtements *mpl* griffés.

designate ['dezɪgneɪt] *vt* désigner. ● **designation** [-'neɪʃ(ə)n] *n* désignation *f*.

desire [dɪ'zaɪər] *n* désir *m*; **I've got no d. to do that** je n'ai aucune envie de faire cela ▌ *vt* désirer (**to do** faire). ● **desirable** *a* désirable; **d. property/**etc (*in advertising*) (très) belle propriété/etc.

desk [desk] *n* (*in school*) table *f*; (*in office*) bureau *m*; (*in shop*) *Br* caisse *f*; (**reception** **d.**) (*in hotel etc*) réception *f*; **the news d.** le service des informations; **d. job** travail *m* de bureau; **d. clerk** (*in hotel*) *Am* réceptionniste *mf*.

desktop ['desktɒp] *n* **d. computer** ordinateur *m* de bureau; **d. publishing** microédition *f*, publication *f* assistée par ordinateur.

desolate ['desələt] *a* (*deserted*) désolé; (*in ruins*) dévasté; (*dreary, bleak*) morne, triste; (*person*) affligé. ● **desolation** [-'leɪʃ(ə)n] *n* (*ruin*) dévastation *f*; (*emptiness*) solitude *f*.

despair [dɪ'speər] *n* désespoir *m*; **to drive s.o. to d.** désespérer qn; **to be in d.** être au désespoir ▌ *vi* désespérer (**of s.o.** de qn, **of doing** de faire). ● **despairing** *a* désespéré. ● **despairingly** *adv* avec désespoir.

despatch [dɪ'spætʃ] *see* **dispatch**.

desperado [despə'rɑːdəʊ] *n* (*pl* -**oes** *or* -**os**) criminel *m*.

desperate ['despərət] *a* désespéré; (*criminal*) capable de tout; (*serious*) grave; **to be d. for** (*money, love etc*) avoir désespérément besoin de; (*a cigarette, baby etc*) mourir d'envie d'avoir. ● **desperately** *adv* (*ill*) gravement; (*in love*) éperdument.

desperation [despə'reɪʃ(ə)n] *n* désespoir *m*; **in d.** (*as a last resort*) en désespoir de cause.

despicable [dɪ'spɪkəb(ə)l] *a* méprisable.

despise [dɪ'spaɪz] *vt* mépriser.

despite [dɪ'spaɪt] *prep* malgré.

despondent [dɪ'spɒndənt] *a* découragé. ● **despondency** *n* découragement *m*.

despot ['despɒt] *n* despote *m*. ● **despotism** *n* despotisme *m*.

dessert [dɪ'zɜːt] *n* dessert *m*. ● **dessertspoon** *n Br* cuillère *f* à dessert.

destabilize [diː'steɪbəlaɪz] *vt* déstabiliser.

destination [destɪ'neɪʃ(ə)n] *n* destination *f*.

destine ['destɪn] *vt* destiner (**for** à, **to do** à faire); **it was destined to happen** ça devait arriver.

destiny ['destɪnɪ] *n* destin *m*; (*fate of individual*) destinée *f*.

destitute ['destɪtjuːt] *a* (*poor*) indigent; **d. of** (*lacking in*) dénué de. ● **destitution** [-'tjuːʃ(ə)n] *n* dénuement *m*.

destroy [dɪ'strɔɪ] *vt* détruire; (*horse, monkey etc*) abattre; (*cat, dog*) faire piquer. ● **destroyer** *n* (*ship*) contre-torpilleur *m*, (*person*) destructeur, -trice *mf*.

destruction [dɪ'strʌkʃ(ə)n] *n* destruction *f*. ● **destructive** *a* (*person, war*) destructeur; (*power*) destructif; **d. child** enfant *mf* qui casse tout, brise-fer *m*.

detach [dɪ'tætʃ] *vt* détacher (**from** de). ● **detached** *a* (*indifferent*) (*person, manner*) détaché; (*without bias*) (*view*) désintéressé; **d. house** *Br* maison *f* individuelle.

detachable [dɪ'tætʃəb(ə)l] *a* (*lining etc*) amovible.

detachment [dɪ'tætʃmənt] *n* (*attitude, group of soldiers*) détachement *m*; **the d. of** (*action*) la séparation de.

detail [*Br* 'diːteɪl, *Am* dɪ'teɪl] **1** *n* détail *m*; **in d.** en détail ▌ *vt* raconter *or* exposer en dé-

diagnose

tail *or* par le menu, détailler. **2** *vt Mil* détacher (*qn*) (**to do** pour faire) ▮ *n* (*group of soldiers*) détachement *m*. ● **detailed** *a* (*account etc*) détaillé.

detain [dɪ'teɪn] *vt* retenir; (*prisoner*) détenir; (*in hospital*) garder, hospitaliser. ● **detai'nee** *n Pol Jur* détenu, -ue *mf*. ● **detention** [dɪ'tenʃ(ə)n] *n* (*school punishment*) retenue *f*; (*in prison*) détention *f*.

detect [dɪ'tekt] *vt* (*discover*) découvrir; (*see, hear*) distinguer; (*identify*) identifier; (*mine*) détecter; (*illness*) dépister. ● **detection** [-ʃ(ə)n] *n* découverte *f*; (*identification*) identification *f*; (*of mine*) détection *f*; (*of illness*) dépistage *m*.

detective [dɪ'tektɪv] *n* inspecteur *m* de police, policier *m* (en civil); (*private*) détective *m* (privé); **d. film/novel** *or* **story** film *m*/roman *m* policier.

detector [dɪ'tektər] *n* détecteur *m*; **smoke d.** détecteur *m* de fumée.

deter [dɪ'tɜːr] *vt* (**-rr-**) **to d. s.o.** dissuader *or* décourager qn (**from doing** de faire, **from sth** de qch).

detergent [dɪ'tɜːdʒənt] *n* détergent *m*.

deteriorate [dɪ'tɪərɪəreɪt] *vi* se détériorer; (*of morals*) dégénérer. ● **deterioration** [-'reɪʃ(ə)n] *n* détérioration *f*; (*of morals*) dégénérescence *f*.

determine [dɪ'tɜːmɪn] *vt* déterminer; (*price*) fixer; **to d. s.o. to do** décider qn à faire; **to d. that** décider que; **to d. to do** se déterminer à faire. ● **determined** *a* (*look, person, quantity*) déterminé; **to be d. to do** *or* **on doing** être décidé à faire; **I'm d. she'll succeed** je suis bien décidé à ce qu'elle réussisse.

deterrent [*Br* dɪ'terənt, *Am* dɪ'tɜːrənt] *n* (*military*) force *f* de dissuasion; **to be a d., act as a d.** *Fig* être dissuasif.

detest [dɪ'test] *vt* détester (**doing** faire). ● **detestable** *a* détestable.

detonate ['detəneɪt] *vt* faire exploser *or* détoner ▮ *vi* exploser, détoner. ● **detonation** [-'neɪʃ(ə)n] *n* détonation *f*. ● **detonator** *n* détonateur *m*.

detour ['diːtʊər] *n* détour *m*; **to make a d.** faire un détour.

detract [dɪ'trækt] *vi* **to d. from** (*make less*) diminuer. ● **detractor** *n* détracteur, -trice *mf*.

detriment ['detrɪmənt] *n* **to the d. of** au détriment de. ● **detri'mental** *a* préjudiciable (**to** à).

devalue [diː'væljuː] *vt* (*money*) dévaluer; (*person, s.o.'s worth etc*) dévaloriser. ● **devaluation** [-'eɪʃ(ə)n] *n* dévaluation *f*.

devastate ['devəsteɪt] *vt* (*lay waste, wreck*) dévaster; (*opponent*) anéantir; (*upset, shock*) *Fig* foudroyer (*qn*). ● **devastating** *a* (*storm etc*) dévastateur; (*overwhelming*) (*news, results etc*) confondant, accablant; (*shock*) terrible; (*charm*) irrésistible.

develop [dɪ'veləp] *vt* développer; (*area, land*) mettre en valeur; (*habit, illness*) contracter; (*talent*) manifester; (*photo*) développer; **to d. a liking for** prendre goût à.

▮ *vi* se développer; (*of event, argument, crisis*) se produire; (*of talent, illness*) se manifester; **to d. into** devenir. ● **developing** *a* **d. country** pays *m* en voie de développement ▮ *n* (*of photos*) développement *m*.

developer [dɪ'veləpər] *n* (**property**) **d.** promoteur *m* (de construction).

development [dɪ'veləpmənt] *n* développement *m*; (*of land*) mise *f* en valeur; (**housing**) **d.** lotissement *m*; (*large*) grand ensemble *m*; **a (new) d.** (*in situation*) un fait nouveau.

deviate ['diːvɪeɪt] *vi* dévier (**from** de); **to d. from the norm** s'écarter de la norme. ● **deviant** *a* (*behaviour etc*) anormal. ● **deviation** [-'eɪʃ(ə)n] *n* déviation *f*.

device [dɪ'vaɪs] *n* (*instrument, gadget etc*) dispositif *m*, engin *m*; (*scheme*) procédé *m*; **explosive/nuclear d.** engin *m* explosif/nucléaire; **safety d.** dispositif *m* de sécurité; **left to one's own devices** livré à soi-même.

devil ['dev(ə)l] *n* diable *m*; **a** *or* **the d. of a problem** *Fam* un problème épouvantable; **a** *or* **the d. of a noise** *Fam* un bruit infernal; **I had a** *or* **the d. of a job** *Fam* j'ai eu un mal fou (**doing**, **to do** à faire); **what/where/why the d.?** *Fam* que/où/pourquoi diable?; **to run/etc like the d.** courir/*etc* comme un fou. ● **devilish** *a* diabolique. ● **devilry** *n* (*mischief*) diablerie *f*.

devious ['diːvɪəs] *a* (*mind, behaviour*) tortueux; **he's d.** il a l'esprit tortueux. ● **deviousness** *n* (*of person*) esprit *m* tortueux.

devise [dɪ'vaɪz] *vt* (*a plan*) combiner; (*a plot*) tramer; (*invent*) inventer.

devitalize [diː'vaɪtəlaɪz] *vt* rendre exsangue.

devoid [dɪ'vɔɪd] *a* **d. of** dénué *or* dépourvu de; (*guilt*) exempt de.

devolution [diːvə'luːʃ(ə)n] *n Pol* décentralisation *f*; **the d. of** (*power*) la délégation de.

devolve [dɪ'vɒlv] *vi* **to d. upon** incomber à.

devote [dɪ'vəʊt] *vt* consacrer (**to** à). ● **devoted** *a* dévoué; (*admirer*) fervent. ● **devotedly** [-ɪdlɪ] *adv* avec dévouement.

devotee [dɪvəʊ'tiː] *n* (*of music, tennis etc*) passionné, -ée *mf* (**of** de).

devotion [dɪ'vəʊʃ(ə)n] *n* dévouement *m* (**to s.o.** à qn); (*religious*) dévotion *f*; **devotions** (*prayers*) dévotions *fpl*.

devour [dɪ'vaʊər] *vt* (*eat, engulf, read etc*) dévorer.

devout [dɪ'vaʊt] *a* dévot, pieux; (*supporter, prayer*) fervent.

dew [djuː] *n* rosée *f*. ● **dewdrop** *n* goutte *f* de rosée.

dext(e)rous ['dekst(ə)rəs] *a* adroit, habile. ● **dex'terity** *n* adresse *f*, dextérité *f*.

diabetes [daɪə'biːtiːz] *n* (*illness*) diabète *m*. ● **diabetic** [-'betɪk] *n* diabétique *mf* ▮ *a* diabétique; **d. jam/etc** confiture *f*/*etc* pour diabétiques.

diabolical [daɪə'bɒlɪk(ə)l] *a* diabolique; (*bad*) (*behaviour, weather etc*) épouvantable.

diadem ['daɪədem] *n* diadème *m*.

diagnose [*Br* 'daɪəgnəʊz, *Am* -'nəʊs] *vt* dia-

diagonal 88

gnostiquer. ●**diagnosis**, *pl* **-oses** [daɪəgˈnəʊsɪs, -əʊsiːz] *n* diagnostic *m*.
diagonal [daɪˈæɡən(ə)l] *a* diagonal ▮ *n* d. (line) diagonale *f*. ●**diagonally** *adv* en diagonale.
diagram [ˈdaɪəɡræm] *n* schéma *m*, diagramme *m*; (*geometrical*) figure *f*. ●**diagra'mmatic** *a* schématique.
dial [ˈdaɪəl] *n* cadran *m* ▮ *vt* (*Br* -ll-, *Am* -l-) (*phone number*) faire, composer; (*person*) appeler; **to d. s.o. direct** appeler qn par l'automatique. ●**dialling code** *n Br* indicatif *m*. ●**dialling tone** *n Br* ●**dial tone** *n Am* tonalité *f*.
dialect [ˈdaɪəlekt] *n* (*regional*) dialecte *m*; (*rural*) patois *m*.
dialogue [ˈdaɪəlɒɡ] (*Am* **dialog**) *n* dialogue *m*.
dialysis, *pl* **-yses** [daɪˈælɪsɪs, -ɪsiːz] *n* (*medical process*) dialyse *f*; **to be in d., be having d.** être sous dialyse.
diameter [daɪˈæmɪtər] *n* diamètre *m*. ●**dia'metrically** *adv* **d. opposed** (*opinion etc*) diamétralement opposé.
diamond [ˈdaɪəmənd] *n* **1** (*stone*) diamant *m*; (*shape*) losange *m*; (*baseball*) **d.** *Am* terrain *m* (de baseball); **d. necklace**/*etc* rivière *f* /*etc* de diamants. **2 diamond(s)** *Cards* carreau *m*.
diaper [ˈdaɪəpər] *n* (*for baby*) *Am* couche *f*.
diaphragm [ˈdaɪəfræm] *n* diaphragme *m*.
diarrh(o)ea [daɪəˈrɪə] *n* diarrhée *f*; **to have d.** avoir la diarrhée.
diary [ˈdaɪərɪ] *n* (*calendar*) *Br* agenda *m*; (*private*) journal *m* (intime).
dice [daɪs] *n inv* dé *m* (à jouer) ▮ *vt* (*food*) couper en dés.
dicey [ˈdaɪsɪ] *a* (**-ier, -iest**) *Fam* risqué.
dichotomy [daɪˈkɒtəmɪ] *n* dichotomie *f*.
dickens [ˈdɪkɪnz] *n* **where/why/what the d.?** *Fam* où/pourquoi/que diable?
dictaphone® [ˈdɪktəfəʊn] *n* dictaphone®.
dictate [dɪkˈteɪt] *vt* (*letter, conditions etc*) dicter (**to** à) ▮ *vi* dicter; **to d. to s.o.** (*order around*) faire la loi à qn, régenter qn. ●**dictation** *n* [-ʃ(ə)n] dictée *f*.
dictates [ˈdɪkteɪts] *npl* préceptes *mpl*; **the d. of conscience** la voix de la conscience.
dictator [dɪkˈteɪtər] *n* dictateur *m*. ●**dicta'torial** *a* dictatorial. ●**dictatorship** *n* dictature *f*.
diction [ˈdɪkʃ(ə)n] *n* langage *m*; (*way of speaking*) diction *f*.
dictionary [ˈdɪkʃənərɪ] *n* dictionnaire *m*; **English d.** dictionnaire *m* d'anglais.
dictum [ˈdɪktəm] *n* dicton *m*.
did [dɪd] *pt of* **do**.
diddle [ˈdɪd(ə)l] *vt* (*cheat*) *Br Sl* rouler; **to d. s.o. out of sth** carotter qch à qn; **to get diddled out of sth** se faire refaire de qch.
die¹ [daɪ] *vi* (*pt & pp* **died**, *pres p* **dying**) mourir (**of, from** de); **to be dying to do** mourir d'envie de faire; **to be dying for sth** avoir une envie folle de qch; **to d. away** (*of noise*) mourir; **to d. down** (*of fire*) mourir; (*of storm*) se calmer; **to d. off** mourir (les uns après les autres); **to d. out** (*of custom*) mourir.
die² [daɪ] *n* (*mould*) matrice *f*; (*in engraving*) coin *m*; **the d. is cast** *Fig* les dés sont jetés.
diehard [ˈdaɪhɑːd] *n* réactionnaire *mf*.
diesel [ˈdiːzəl] *a* & *n*. **d.** (**engine**) (moteur *m*) diesel *m*; **d.** (**oil**) gazole *m*.
diet [ˈdaɪət] *n* (*for losing weight*) régime *m*; (*usual food*) alimentation *f*; **to go on a d.** faire un régime ▮ *vi* suivre un régime. ●**dietary** *a* diététique; **d. fibre** fibre(s) *f*(*pl*) alimentaire(s). ●**dietician** [-ˈtɪʃ(ə)n] *n* diététicien, -ienne *mf*.
differ [ˈdɪfər] *vi* différer (**from** de); (*disagree*) ne pas être d'accord (**from** avec).
difference [ˈdɪf(ə)rəns] *n* différence *f* (**in** de); (*in age, weight etc*) écart *m*, différence *f*; **d.** (**of opinion**) différend *m*; **it makes no d.** ça n'a pas d'importance; **it makes no d. to me** ça m'est égal; **that will make a (big) d.** ça changera pas mal de choses.
different [ˈdɪf(ə)rənt] *a* différent (**from, to** de); (*another*) autre; (*various*) divers, différents. ●**differently** *adv* autrement (**from, to** que), différemment (**from, to** de).
differential [dɪfəˈrenʃəl] *a* différentiel ▮ *n* **differentials** (*in pay*) écarts *mpl* salariaux.
differentiate [dɪfəˈrenʃɪeɪt] *vt* différencier (**from** de) ▮ *vti* **to d.** (**between**) faire la différence entre.
difficult [ˈdɪfɪkəlt] *a* difficile (**to do** à faire); **it's d. for us to...** il nous est difficile de...; **the d. thing is to...** le plus difficile est de....
difficulty [ˈdɪfɪkəltɪ] *n* difficulté *f*; **to have d. doing sth** avoir du mal à faire; **to be in d.** avoir des difficultés; **to have d. or difficulties with sth/s.o.** (*problems*) avoir des ennuis avec qch/qn.
diffident [ˈdɪfɪdənt] *a* (*person*) qui manque d'assurance; (*smile, tone*) mal assuré. ●**diffidence** *n* manque *m* d'assurance.
diffuse [dɪˈfjuːz] *vt* (*spread*) diffuser ▮ [dɪˈfjuːs] *a* (*spread out, wordy*) diffus. ●**diffusion** [-ʒ(ə)n] *n* diffusion *f*.
dig [dɪɡ] *vt* (*pt & pp* **dug**, *pres p* **digging**) (*ground, garden*) bêcher; (*hole, grave etc*) creuser; (*understand*) *Sl* piger; (*appreciate*) *Sl* aimer; **to d. sth into sth** planter or enfoncer qch dans qch; **to d. out** (*animal etc from ground*) déterrer; (*accident victim*) dégager; (*find*) *Fam* dénicher; **to d. up** (*from ground*) déterrer; (*weed*) arracher; (*earth*) retourner; (*street*) piocher.
▮ *vi* (*dig a hole*) creuser; (*of pig*) fouiller; **to d.** (**oneself**) **in** (*of soldier*) se retrancher; **to d. in** (*eat*) *Fam* manger; **to d. into** (*s.o.'s past*) fouiller dans; (*meal*) *Fam* attaquer; **to d. into one's savings** puiser dans ses économies.
▮ *n* (*with spade*) coup *m* de bêche; (*archeological*) fouilles *fpl*; (*push*) coup *m* de coude; (*with fist*) coup *m* de poing; (*remark*) *Fam* coup *m* de griffe.
digest [daɪˈdʒest] *vti* digérer ▮ [ˈdaɪdʒest] *n* (*summary of texts*) condensé *m*. ●**digestible**

a digeste. ● **digestion** [-tʃ(ə)n] *n* digestion *f*. ● **digestive** *a* digestif.
digger ['dɪgər] *n* (*machine*) pelleteuse *f*.
digit ['dɪdʒɪt] *n* (*number*) chiffre *m*. ● **digital** *a* (*watch*) numérique; (*tape, recording*) audionumérique.
dignified ['dɪgnɪfaɪd] *a* digne, qui a de la dignité. ● **dignify** *vt* donner de la dignité à; **to d. with the name of** honorer du nom de. ● **dignitary** *n* dignitaire *m*. ● **dignity** *n* dignité *f*.
digress [daɪ'gres] *vi* faire une digression; **to d. from** s'écarter de. ● **digression** [-ʃ(ə)n] *n* digression *f*.
digs [dɪgz] *npl Br Fam* chambre *f* (meublée); **to be in d.** avoir une chambre en ville.
dike [daɪk] *n* = dyke.
dilapidated [dɪ'læpɪdeɪtɪd] *a* (*house*) délabré. ● **dilapidation** [-'deɪʃ(ə)n] *n* délabrement *m*.
dilate [daɪ'leɪt] *vt* dilater ▍ *vi* se dilater. ● **dilation** [-ʃ(ə)n] *n* dilatation *f*.
dilemma [daɪ'lemə] *n* dilemme *m*.
dilettante [dɪlɪ'tæntɪ] *n* dilettante *mf*.
diligent ['dɪlɪdʒənt] *a* assidu, appliqué; **to be d. in doing sth** faire qch avec zèle. ● **diligence** *n* zèle *m*, assiduité *f*.
dilly-dally [dɪlɪ'dælɪ] *vi Fam* (*dawdle*) lambiner, lanterner; (*hesitate*) tergiverser.
dilute [daɪ'luːt] *vt* diluer ▍ *a* (*liquid etc*) dilué.
dim [dɪm] *a* (**dimmer, dimmest**) (*light*) faible; (*colour*) terne; (*room*) sombre; (*memory, outline*) vague; (*person*) stupide.
▍ *vt* (**-mm-**) (*light*) baisser, réduire; (*glory*) ternir; (*memory*) estomper; **to d. one's headlights** *Am* se mettre en code. ● **dimly** *adv* (*to shine*) faiblement; (*vaguely*) vaguement; **d. lit** mal éclairé. ● **dimness** *n* faiblesse *f*; (*of memory etc*) vague *m*; (*of room*) pénombre *f*.
dime [daɪm] *n* (*US & Can coin*) (pièce *f* de) dix cents *mpl*; **a d. store** = un Prisunic®, un Monoprix®.
dimension [daɪ'menʃ(ə)n] *n* dimension *f*; **the dimension(s) of the problem**/*etc* (*extent*) l'étendue *f* du problème/*etc*. ● **dimensional** *a* **two-d.** à deux dimensions.
diminish [dɪ'mɪnɪʃ] *vti* diminuer. ● **diminishing** *a* qui diminue.
diminutive [dɪ'mɪnjʊtɪv] **1** *a* (*tiny*) minuscule. **2** *a & n Grammar* diminutif (*m*).
dimmer ['dɪmər] *n* **d.** (**switch**) variateur *m* (de lumière).
dimmers ['dɪməz] *npl* (*low beams of vehicle*) *Am* phares *mpl* code *inv*, codes *mpl*.
dimple ['dɪmp(ə)l] *n* fossette *f*. ● **dimpled** *a* (*chin, cheek*) à fossettes.
dimwit ['dɪmwɪt] *n* idiot, -ote *mf*. ● **dim'witted** *a* idiot.
din [dɪn] **1** *n* (*noise*) vacarme *m*. **2** *vt* (**-nn-**) **to d. into s.o. that** rabâcher à qn que.
dine [daɪn] *vi* dîner (**on, off** de); **to d. out** dîner en ville. ● **diner** *n* (*person*) dîneur, -euse *mf*; (*train carriage*) wagon-restaurant *m*; (*short-order restaurant*) *Am* petit restaurant *m*. ● **dining car** *n* (*on train*) wagon-restaurant *m*. ● **dining room** *n* salle *f* à manger.
ding(dong)! ['dɪŋ(dɒŋ)] *int* (*sound of bell*) dring!, ding (dong)!
dinghy ['dɪŋgɪ] *n* petit canot *m*, youyou *m*; (**rubber**) **d.** canot *m* pneumatique.
dingy ['dɪndʒɪ] *a* (**-ier, -iest**) (*room etc*) minable; (*colour*) terne. ● **dinginess** *n* malpropreté *f*.
dinner ['dɪnər] *n* (*evening meal*) dîner *m*; (*lunch*) déjeuner *m*; (*for dog, cat*) pâtée *f*; **to have d.** dîner; **to have s.o. to d.** avoir qn à dîner; **d. dance** dîner-dansant *m*; **d. jacket** smoking *m*; **d. party** dîner *m* (à la maison); **d. plate** grande assiette *f*; **d. service, d. set** service *m* de table; **it's d. time** c'est l'heure de dîner; (*lunch*) c'est l'heure de déjeuner.
dinosaur ['daɪnəsɔːr] *n* dinosaure *m*.
dint [dɪnt] *n* **by d. of sth/of doing** à force de qch/de faire.
diocese ['daɪəsɪs] *n* (*of bishop*) diocèse *m*.
dip [dɪp] *vt* (**-pp-**) plonger; (*into liquid*) tremper, plonger; **to d. one's headlights** *Br* se mettre en code ▍ *vi* (*of road*) plonger; (*of sun etc*) baisser; **to d. into** (*pocket, savings*) puiser dans; (*book*) feuilleter ▍ *n* (*in road*) petit creux *m*; **to go for a d.** (*swim*) faire trempette.
diphtheria [dɪp'θɪərɪə] *n* diphtérie *f*.
diphthong ['dɪfθɒŋ] *n* (*vowel*) diphtongue *f*.
diploma [dɪ'pləʊmə] *n* diplôme *m*.
diplomacy [dɪ'pləʊməsɪ] *n* (*tact*) & *Pol* diplomatie *f*.
diplomat ['dɪpləmæt] *n* diplomate *mf*. ● **diplo'matic** *a* diplomatique; **to be d.** (*tactful*) être diplomate.
dipper ['dɪpər] *n* **the big d.** (*at fairground*) *Br* les montagnes *fpl* russes.
dipstick ['dɪpstɪk] *n* jauge *f* (de niveau) d'huile.
dire ['daɪər] *a* (*situation etc*) affreux; (*poverty, need*) extrême.
direct[1] [daɪ'rekt] *a* (*result, flight, person etc*) direct; (*danger*) immédiat; **d. debit** *Br* prélèvement *m* automatique ▍ *adv* directement. ● **directness** *n* (*of person, reply*) franchise *f*.
direct[2] [daɪ'rekt] *vt* (*work, one's steps, one's attention*) diriger; (*letter, remark*) adresser (**to** à); (*efforts*) orienter (**to, towards** vers); (*film*) réaliser; (*play*) mettre en scène; **to d. s.o. to** (*place*) indiquer à qn le chemin de; **to d. s.o. to do** charger qn de faire.
direction [daɪ'rekʃ(ə)n] *n* direction *f*, sens *m*; (*management*) direction *f*; (*of film*) réalisation *f*; (*of play*) mise *f* en scène; **directions** (*orders*) indications *fpl*; **directions** (**for use**) mode *m* d'emploi; **in the opposite d.** en sens inverse.
directive [dɪ'rektɪv] *n* directive *f*.
directly [daɪ'rektlɪ] *adv* (*without detour*) directement; (*exactly*) juste; (*at once*) tout de suite; (*to speak*) franchement; **d. in front/behind** juste devant/derrière ▍ *conj* (*as soon as*) *Br Fam* aussitôt que (+ *indic*).

director [daɪˈrektər] *n* directeur, -trice *mf*; (*of film*) réalisateur, -trice *mf*; (*of play*) metteur *m* en scène; (*board member in firm*) administrateur, -trice *mf*. ●**directorship** *n* poste *m* de directeur; (*as board member*) poste *m* d'administrateur.

directory [daɪˈrektərɪ] *n* (*phone book*) annuaire *m*; (*of streets*) guide *m*; (*of addresses*) & *Comptr* répertoire *m*; **telephone d.** annuaire *m* du téléphone; **d. inquiries** *Br* renseignements *mpl*.

dirge [dɜːdʒ] *n* chant *m* funèbre.

dirt [dɜːt] *n* saleté *f*; (*filth*) ordure *f*; (*mud*) boue *f*; (*earth*) terre *f*; (*talk*) *Fig* obscénité(s) *f(pl)*; **d. cheap** *Fam* très bon marché; **d. road** chemin *m* de terre; **d. track** *Sport* cendrée *f*.

dirty [ˈdɜːtɪ] *a* (-ier, -iest) sale; (*job*) salissant; (*obscene, unpleasant*) sale; (*word*) grossier, obscène; **to get d.** se salir; **to get sth d.** salir qch; **a d. joke** une histoire cochonne; **a d. trick** un sale tour; **a d. old man** un vieux cochon ▮ *adv* (*to fight*) déloyalement ▮ *vt* salir; (*machine*) encrasser ▮ *vi* se salir; **it dirties easily** ça se salit facilement.

dis- [dɪs] *pref* dé-, dis-.

disability [dɪsəˈbɪlɪtɪ] *n* (*injury*) infirmité *f*; (*condition*) invalidité *f*; *Fig* désavantage *m*.

disable [dɪˈseɪb(ə)l] *vt* rendre infirme; (*maim*) mutiler. ●**disabled** *a* infirme, handicapé; (*maimed*) mutilé ▮ **the d.** les infirmes *mpl*, les handicapés *mpl*.

disadvantage [dɪsədˈvɑːntɪdʒ] *n* désavantage *m* ▮ *vt* désavantager.

disaffected [dɪsəˈfektɪd] *a* mécontent. ●**disaffection** [-ʃ(ə)n] *n* désaffection *f* (**for** pour).

disagree [dɪsəˈgriː] *vi* ne pas être d'accord, être en désaccord (**with** avec); (*of figures*) ne pas concorder; **to d. with s.o.** (*of food etc*) ne pas réussir à qn. ●**disagreement** *n* désaccord *m*; (*quarrel*) différend *m*.

disagreeable [dɪsəˈgriːəb(ə)l] *a* désagréable.

disallow [dɪsəˈlaʊ] *vt* rejeter.

disappear [dɪsəˈpɪər] *vi* disparaître. ●**disappearance** *n* disparition *f*.

disappoint [dɪsəˈpɔɪnt] *vt* décevoir; **I'm disappointed with it** ça m'a déçu. ●**disappointing** *a* décevant. ●**disappointment** *n* déception *f*.

disapproval [dɪsəˈpruːv(ə)l] *n* désapprobation *f*.

disapprove [dɪsəˈpruːv] *vi* **to d. of s.o./sth** désapprouver qn/qch; **I d.** je suis contre. ●**disapproving** *a* (*look etc*) désapprobateur.

disarm [dɪsˈɑːm] *vti* désarmer. ●**disarmament** *n* désarmement *m*.

disarray [dɪsəˈreɪ] *n* (*distress*) désarroi *m*; (*disorder*) désordre *m*; **in d.** (*army, political party*) en plein désarroi; (*clothes, hair*) en désordre.

disaster [dɪˈzɑːstər] *n* désastre *m*, catastrophe *f*; **d. area** région *f* sinistrée. ●**disaster-stricken** *a* sinistré. ●**disastrous** *a* désastreux.

disband [dɪsˈbænd] *vt* disperser ▮ *vi* se disperser.

disbelief [dɪsbəˈliːf] *n* incrédulité *f*.

disc [dɪsk] (*Am* **disk**) *n* disque *m*; **identity d.** plaque *f* d'identité; **d. jockey** disc-jockey *m*.

discard [dɪsˈkɑːd] *vt* (*get rid of*) se débarrasser de; (*plan, hope etc*) *Fig* abandonner.

discern [dɪˈsɜːn] *vt* discerner. ●**discerning** *a* (*person*) averti, sagace.

discernible [dɪˈsɜːnəb(ə)l] *a* perceptible.

discernment [dɪˈsɜːnmənt] *n* discernement *m*.

discharge [dɪsˈtʃɑːdʒ] *vt* (*patient, employee*) renvoyer; (*soldier*) libérer; (*unfit soldier*) réformer; (*gun, accused person*) décharger; (*liquid*) déverser; (*one's duty*) accomplir.
▮ *vi* (*of wound*) suppurer.
▮ [ˈdɪstʃɑːdʒ] *n* (*of gun, electrical*) décharge *f*; (*of pus, liquid*) écoulement *m*; (*dismissal*) renvoi *m*; (*freeing*) libération *f*; (*of unfit soldier*) réforme *f*.

disciple [dɪˈsaɪp(ə)l] *n* disciple *m*.

disciplinarian [dɪsɪplɪˈneərɪən] *n* partisan *m* de la discipline; **to be a (strict) d.** être très à cheval sur la discipline.

disciplinary [dɪsɪˈplɪnərɪ] *a* (*measure etc*) disciplinaire.

discipline [ˈdɪsɪplɪn] *n* (*behaviour, subject*) discipline *f* ▮ *vt* (*control*) discipliner; (*punish*) punir.

disclaim [dɪsˈkleɪm] *vt* (*responsibility*) (dé)nier; (*knowledge*) désavouer.

disclose [dɪsˈkləʊz] *vt* révéler, divulguer. ●**disclosure** [-ʒər] *n* révélation *f*.

disco [ˈdɪskəʊ] *n* (*pl* -os) *Fam* discothèque *f*.

discolour [dɪsˈkʌlər] (*Am* **discolor**) *vt* décolorer; (*teeth*) jaunir ▮ *vi* se décolorer; (*of teeth*) jaunir. ●**discolo(u)ration** [-ˈreɪʃ(ə)n] *n* décoloration *f*; (*of teeth*) jaunissement *m*.

discomfort [dɪsˈkʌmfət] *n* (*physical*) douleur *f*; (*mental*) malaise *m*; (*hardship*) inconvénient *m*; **I get d. from my wrist** mon poignet me gêne.

disconcert [dɪskənˈsɜːt] *vt* déconcerter.

disconnect [dɪskəˈnekt] *vt* (*unfasten etc*) détacher; (*unplug*) débrancher; (*wires*) déconnecter; (*gas, telephone*) couper. ●**disconnected** *a* (*speech, words*) décousu.

discontent [dɪskənˈtent] *n* mécontentement *m*. ●**discontented** *a* mécontent.

discontinue [dɪskənˈtɪnjuː] *vt* cesser, interrompre. ●**discontinued** *a* (*article*) qui ne se fait plus.

discord [ˈdɪskɔːd] *n* (*disagreement*) discorde *f*; (*musical notes*) dissonance *f*.

discotheque [ˈdɪskətek] *n* (*club*) discothèque *f*.

discount 1 [ˈdɪskaʊnt] *n* (*on article*) remise *f*, réduction *f*; (*on account paid early*) escompte *m*; **at a d.** (*to buy, sell*) à prix réduit, au rabais; **d. store** solderie *f*. **2** [dɪsˈkaʊnt] *vt* (*story etc*) ne pas tenir compte de.

discourage [dɪsˈkʌrɪdʒ] *vt* décourager (**s.o. from doing** qn de faire); **to get discouraged** se décourager. ●**discouragement** *n* découra-

gement *m*.
discourse ['dɪskɔːs] *n* discours *m*.
discourteous [dɪs'kɜːtɪəs] *a* discourtois, impoli (**towards** envers). ● **discourtesy** *n* manque *m* de courtoisie, impolitesse *f*.
discover [dɪs'kʌvər] *vt* découvrir (**that** que). ● **discovery** *n* découverte *f*.
discredit [dɪs'kredɪt] *vt* (*cast slur on*) discréditer; (*refuse to believe*) ne pas croire ▌ *n* discrédit *m*. ● **discreditable** *a* indigne.
discreet [dɪ'skriːt] *a* (*unassuming, reserved etc*) discret; (*careful, cautious*) prudent, avisé.
discrepancy [dɪ'skrepənsɪ] *n* divergence *f*, contradiction *f* (**between** entre).
discretion [dɪ'skreʃ(ə)n] *n* (*tact, discernment*) discrétion *f*; (*caution*) prudence *f*; **I'll use my own d.** je ferai comme bon me semblera. ● **discretionary** *a* discrétionnaire.
discriminate [dɪ'skrɪmɪneɪt] *vi* **to d. against** faire de la discrimination contre; **to d. between** distinguer entre. ● **discriminating** *a* (*person*) averti, sagace; (*ear*) fin. ● **discrimination** [-'neɪʃ(ə)n] *n* (*against s.o.*) discrimination *f*; (*judgment*) discernement *m*; (*distinction*) distinction *f*. ● **discriminatory** [-ətərɪ] *a* discriminatoire.
discus ['dɪskəs] *n Sport* disque *m*.
discuss [dɪ'skʌs] *vt* (*talk about*) discuter de (*politique, personne etc*); (*examine in detail*) discuter (*projet, question, prix etc*). ● **discussion** [-ʃ(ə)n] *n* discussion *f*; **under d.** (*matter etc*) en question, en discussion.
disdain [dɪs'deɪn] *n* dédain *m* ▌ *vt* dédaigner (**to do** de faire). ● **disdainful** *a* dédaigneux; **to be d. of** dédaigner.
disease [dɪ'ziːz] *n* maladie *f*. ● **diseased** *a* malade.
disembark [dɪsɪm'bɑːk] *vti* débarquer. ● **disembarkation** [dɪsembɑː'keɪʃ(ə)n] *n* débarquement *m*.
disembodied [dɪsɪm'bɒdɪd] *a* désincarné.
disembowel [dɪsɪm'baʊəl] *vt* (*Br* **-ll-**, *Am* **-l-**) éventrer.
disenchant [dɪsɪn'tʃɑːnt] *vt* désenchanter. ● **disenchantment** *n* désenchantement *m*.
disengage [dɪsɪn'geɪdʒ] *vt* (*object*) dégager (**from** de); (*troops*) désengager; **to d. the clutch** *Br* débrayer.
disentangle [dɪsɪn'tæŋg(ə)l] *vt* (*string etc*) démêler; **to d. oneself from** se dégager de.
disfavour [dɪs'feɪvər] (*Am* **disfavor**) *n* défaveur *f*.
disfigure [dɪs'fɪgər] *vt* défigurer. ● **disfigured** *a* (*face etc*) défiguré. ● **disfigurement** *n* défigurement *m*.
disgorge [dɪs'gɔːdʒ] *vt* (*water, Fig passengers*) dégorger; (*food*) vomir.
disgrace [dɪs'greɪs] *n* (*shame*) honte *f* (**to** à); (*disfavour*) disgrâce *f* ▌ *vt* déshonorer, faire honte à. ● **disgraced** *a* (*politician etc*) disgracié.
disgraceful [dɪs'greɪsfəl] *a* honteux (**of s.o.** de la part de qn). ● **disgracefully** *adv* honteusement.

disgruntled [dɪs'grʌnt(ə)ld] *a* mécontent.
disguise [dɪs'gaɪz] *vt* déguiser (**as en**) ▌ *n* déguisement *m*; **in d.** déguisé.
disgust [dɪs'gʌst] *n* dégoût *m* (**for, at, with** de); **in d.** dégoûté ▌ *vt* dégoûter, écœurer. ● **disgusted** *a* dégoûté (**at, by, with** de); **to be d. with s.o.** (*annoyed*) être fâché contre qn; **I was d. to hear that...** j'étais indigné d'apprendre que.... ● **disgusting** *a* dégoûtant, écœurant. ● **disgustingly** *adv* d'une façon dégoûtante.
dish [dɪʃ] **1** *n* (*container*) plat *m*; (*food*) mets *m*, plat *m*; **the dishes** la vaisselle; **to do the dishes** faire la vaisselle. **2** *vt* **to d. out** *Fam* distribuer; **to d. out** *or* **up** (*food*) servir.
disharmony [dɪs'hɑːmənɪ] *n* désaccord *m*; (*in music*) dissonance *f*.
dishcloth ['dɪʃklɒθ] *n* (*for washing*) lavette *f*; (*for drying*) torchon *m*.
dishearten [dɪs'hɑːt(ə)n] *vt* décourager.
dishevelled [dɪ'ʃevəld] *a* (*Am* **disheveled**) (*person, hair*) hirsute, ébouriffé.
dishonest [dɪs'ɒnɪst] *a* malhonnête; (*insincere*) de mauvaise foi. ● **dishonesty** *n* malhonnêteté *f*; (*lack of sincerity*) mauvaise foi *f*.
dishonour [dɪs'ɒnər] (*Am* **dishonor**) *n* déshonneur *m* ▌ *vt* déshonorer; (*Br cheque, Am check*) refuser d'honorer. ● **dishonourable** *a* peu honorable. ● **dishonourably** *adv* avec déshonneur.
dishpan ['dɪʃpæn] *n Am* bassine *f* (à vaisselle). ● **dishtowel** *n* torchon *m* (à vaisselle). ● **dishwasher** *n* lave-vaisselle *m inv*.
dishy ['dɪʃɪ] *a* (**-ier, -iest**) (*woman, man*) *Fam* sexy, qui a du chien.
disillusion [dɪsɪ'luːʒ(ə)n] *vt* décevoir; **to be disillusioned (with)** être déçu (de) ▌ *n* désillusion *f*. ● **disillusionment** *n* désillusion *f*.
disincentive [dɪsɪn'sentɪv] *n* mesure *f* dissuasive; **to be a d. to s.o.** décourager qn; **it's a d. to work/invest/***etc* cela n'encourage pas à travailler/investir/*etc.*
disinclined [dɪsɪn'klaɪnd] *a* peu disposé (**to do** à faire). ● **disinclination** [-'neɪʃ(ə)n] *n* répugnance *f* (**to do** à faire).
disinfect [dɪsɪn'fekt] *vt* désinfecter. ● **disinfectant** *a* & *n* désinfectant (*m*). ● **disinfection** [-ʃ(ə)n] *n* désinfection *f*.
disinherit [dɪsɪn'herɪt] *vt* déshériter.
disintegrate [dɪs'ɪntɪgreɪt] *vi* se désintégrer ▌ *vt* désintégrer. ● **disintegration** [-'greɪʃ(ə)n] *n* désintégration *f*.
disinterested [dɪs'ɪntrɪstɪd] *a* (*impartial*) désintéressé; (*uninterested*) *Fam* indifférent (**in** à).
disjointed [dɪs'dʒɔɪntɪd] *a* (*words, style etc*) décousu.
disk [dɪsk] *n* **1** *Am* = **disc**. **2** (*of computer*) disque *m*; **hard d.** disque *m* dur; **on d.** sur disque; **d. drive** lecteur *m* de disquettes *or* de disques. ● **diskette** [dɪs'ket] *n* disquette *f*.
dislike [dɪs'laɪk] *vt* ne pas aimer (**doing** faire); **he doesn't d. it** ça ne lui déplaît pas ▌

dislocate 92

n aversion *f* (**for, of** pour); **to take a d. to s.o./sth** prendre qn/qch en grippe; **our likes and dislikes** nos goûts et dégoûts *mpl*.
dislocate ['dɪsləkeɪt] *vt* (*limb*) démettre; (*disrupt*) *Fig* désorganiser; **to d. one's shoulder***/etc* se démettre l'épaule*/etc*. ● **dislocation** [-'keɪʃ(ə)n] *n* dislocation *f*.
dislodge [dɪs'lɒdʒ] *vt* faire bouger, déplacer; (*enemy*) déloger.
disloyal [dɪs'lɔɪəl] *a* déloyal. ● **disloyally** *adv* (*to act etc*) déloyalement. ● **disloyalty** *n* déloyauté *f*.
dismal ['dɪzməl] *a* morne, triste. ● **dismally** *adv* (*to fail, behave*) lamentablement.
dismantle [dɪs'mænt(ə)l] *vt* (*machine etc*) démonter; (*organization*) démanteler.
dismay [dɪs'meɪ] *vt* consterner ∎ *n* consternation *f*.
dismember [dɪs'membər] *vt* (*country etc*) démembrer.
dismiss [dɪs'mɪs] *vt* (*from job*) renvoyer, congédier (**from** de); (*official*) destituer; (*thought, suggestion etc from one's mind*) écarter; **to d. an appeal** (*in court*) rejeter un appel; **to d. a case** (*of judge*) rendre une fin de non-recevoir; **d.!** (*to soldiers*) rompez!; (*to class*) vous pouvez partir. ● **dismissal** *n* renvoi *m*; (*of official*) destitution *f*.
dismount [dɪs'maʊnt] *vi* (*of person*) descendre (**from** de) ∎ *vt* (*of horse*) démonter, désarçonner (*cavalier*).
disobedience [dɪsə'biːdɪəns] *n* désobéissance *f*. ● **disobedient** *a* désobéissant.
disobey [dɪsə'beɪ] *vt* désobéir à ∎ *vi* désobéir.
disorder [dɪs'ɔːdər] *n* (*confusion*) désordre *m*; (*illness*) troubles *mpl*; (*riots*) désordres *mpl*. ● **disorderly** *a* (*behaviour, person, room*) désordonné; (*meeting, crowd*) houleux.
disorganize [dɪs'ɔːgənaɪz] *vt* désorganiser; **to be disorganized** être désorganisé.
disorientate [dɪs'ɔːrɪənteɪt] (*Am* **disorient** [dɪs'ɔːrɪənt]) *vt* désorienter.
disown [dɪs'əʊn] *vt* désavouer, renier.
disparage [dɪs'pærɪdʒ] *vt* dénigrer. ● **disparaging** *a* (*remark etc*) peu flatteur, désobligeant.
disparate ['dɪspərət] *a* disparate. ● **dis'parity** *n* écart *m*, disparité *f* (**between** entre).
dispassionate [dɪs'pæʃənət] *a* (*unemotional*) calme; (*not biased*) impartial.
dispatch [dɪs'pætʃ] *vt* (*send*) expédier (*lettre, paquet etc*); (*troops, messenger*) envoyer; (*finish off*) expédier (*travail etc*) ∎ *n* (*sending*) expédition *f* (**of** de); (*report by journalist or army officer*) dépêche *f*; **d. rider** (*on motorcycle*) messager *m*, estafette *f*, courrier *m*.
dispel [dɪs'pel] *vt* (**-ll-**) dissiper.
dispensary [dɪs'pensərɪ] *n* (*in hospital*) pharmacie *f*; (*in chemist's shop*) officine *f*.
dispense [dɪs'pens] **1** *vt* (*give out*) distribuer; (*justice*) administrer; (*medicine*) préparer; **dispensing chemist** *Br* pharmacien, -ienne *mf* diplômé(e); (*shop*) pharmacie *f*.

2 *vi* **to d. with** (*do without*) se passer de; **that dispenses with the need for...** cela rend superflu.... ● **dispensation** [-'seɪʃ(ə)n] *n* distribution *f*; **special d.** (*exemption*) dérogation *f*. ● **dispenser** *n* (*device*) distributeur *m*; **cash d.** distributeur *m* de billets.
disperse [dɪ'spɜːs] *vt* disperser ∎ *vi* se disperser. ● **dispersal** *or* **dispersion** [*Br* -ʃ(ə)n, *Am* -ʒ(ə)n] *n* dispersion *f*.
dispirited [dɪ'spɪrɪtɪd] *a* découragé.
displace [dɪs'pleɪs] *vt* (*refugees, furniture, bone*) déplacer; (*replace*) supplanter; **displaced person** personne *f* déplacée.
display [dɪ'spleɪ] *vt* montrer; (*notice, electronic data etc*) afficher; (*painting, goods*) exposer; (*courage etc*) faire preuve de ∎ *n* (*in shop*) étalage *m*; (*of electronic data*) affichage *m*; (*of force*) déploiement *m*; (*of anger etc*) manifestation *f*; (*of paintings*) exposition *f*; (*of luxury*) étalage *m*; **d.** (**unit**) (*of computer*) moniteur *m*; **on d.** exposé; **air d.** fête *f* aéronautique.
displease [dɪs'pliːz] *vt* déplaire à. ● **displeased** *a* mécontent (**with** de). ● **displeasing** *a* désagréable.
displeasure [dɪs'pleʒər] *n* mécontentement *m*.
disposable [dɪ'spəʊzəb(ə)l] *a* (*plate, Br* nappy, *Am* diaper *etc*) à jeter, jetable; (*income*) disponible.
disposal [dɪ'spəʊzəl] *n* (*sale*) vente *f*; (*waste*) évacuation *f*; **at the d. of** à la disposition de.
dispose[1] [dɪ'spəʊz] *vi* **to d. of** (*get rid of*) se débarrasser de; (*throw away*) jeter (*papier etc*); (*take away*) enlever (*ordures etc*); (*one's time, money*) disposer de; (*sell*) vendre; (*matter, problem*) expédier, liquider; (*kill*) liquider.
dispose[2] [dɪ'spəʊz] *vt* **to d. s.o. to do** (*make willing*) disposer qn à faire; **to be disposed to do** être disposé à faire; **well-disposed towards** bien disposé envers.
disposition [dɪspə'zɪʃ(ə)n] *n* (*placing*) disposition *f*; (*character*) naturel *m*; (*readiness*) inclination *f*.
dispossess [dɪspə'zes] *vt* déposséder (**of** de).
disproportion [dɪsprə'pɔːʃ(ə)n] *n* disproportion *f*. ● **disproportionate** *a* disproportionné.
disprove [dɪs'pruːv] *vt* réfuter.
dispute [dɪ'spjuːt] *n* (*quarrel*) dispute *f*; (*debate*) discussion *f*; (*industrial*) conflit *m*; (*legal*) litige *m*; **beyond d.** incontestable; **in d.** (*matter*) débattu; (*facts, territory etc*) contesté; (*competence etc*) en question ∎ *vt* (*claim, will etc*) contester.
disqualify [dɪs'kwɒlɪfaɪ] *vt* (*make unfit*) rendre inapte (**from** à); *Sport* disqualifier; **to d. s.o. from driving** retirer son permis à qn. ● **disqualification** [-'keɪʃ(ə)n] *n* *Sport* disqualification *f*; **his d. from driving** le retrait de son permis de conduire.
disquiet [dɪs'kwaɪət] *n* inquiétude *f* ∎ *vt* inquiéter. ● **disquieting** *a* inquiétant.

disregard [dɪsrɪ'gɑːd] vt ne tenir aucun compte de ‖ n indifférence f (**for** à); (*for the law*) désobéissance f (**for** à).

disrepair [dɪsrɪ'peər] n **in (a state of) d.** en mauvais état.

disreputable [dɪs'repjʊtəb(ə)l] a peu recommandable; (*behaviour*) honteux.

disrepute [dɪsrɪ'pjuːt] n discrédit m; **to bring sth into d.** jeter le discrédit sur qch.

disrespect [dɪsrɪ'spekt] n manque m de respect. ●**disrespectful** a irrespectueux (**to** envers).

disrupt [dɪs'rʌpt] vt (*traffic, class etc*) perturber; (*communications*) interrompre; (*plan, s.o.'s books etc*) déranger. ●**disruption** [-ʃ(ə)n] n perturbation f; (*of communications*) interruption f; (*of plan etc*) dérangement m.

disruptive [dɪs'rʌptɪv] a (*child*) turbulent; (*element*) perturbateur.

dissatisfied [dɪ'sætɪsfaɪd] a mécontent (**with** de). ●**dissatisfaction** [-'fækʃ(ə)n] n mécontentement m (**with** devant).

dissect [daɪ'sekt] vt disséquer. ●**dissection** [-ʃ(ə)n] n dissection f.

disseminate [dɪ'semɪneɪt] vt disséminer.

dissension [dɪ'senʃ(ə)n] n dissension f.

dissent [dɪ'sent] vi différer (d'opinion) (**from sth** à l'égard de qch) ‖ n dissentiment m. ●**dissenting** a (*voice*) dissident.

dissertation [dɪsə'teɪʃ(ə)n] n (*essay*) mémoire m.

disservice [dɪ'sɜːvɪs] n **to do s.o. a d.** rendre un mauvais service à qn.

dissident ['dɪsɪdənt] a & n dissident, -ente (mf). ●**dissidence** n dissidence f.

dissimilar [dɪ'sɪmɪlər] a différent (**to** de), dissemblable (**to** à).

dissipate ['dɪsɪpeɪt] vt (*clouds, fog, fears etc*) dissiper; (*energy, fortune*) gaspiller. ●**dissipation** [-'peɪʃ(ə)n] n dissipation f; (*of energy etc*) gaspillage m.

dissociate [dɪ'səʊʃɪeɪt] vt dissocier (**from** de).

dissolute ['dɪsəluːt] a (*life, person*) dissolu.

dissolve [dɪ'zɒlv] vt dissoudre ‖ vi se dissoudre. ●**dissolution** [dɪsə'luːʃ(ə)n] n dissolution f.

dissuade [dɪ'sweɪd] vt dissuader (**from doing** de faire); **to d. s.o. from sth** détourner qn de qch. ●**dissuasion** [-ʒ(ə)n] n dissuasion f.

distance ['dɪstəns] n distance f; **in the d.** au loin; **from a d.** de loin; **at a d.** à quelque distance; **it's within walking d.** on peut y aller à pied; **to keep one's d.** garder ses distances.

distant ['dɪstənt] a éloigné, lointain; (*relative*) éloigné; (*reserved*) distant; **5 km d. from** à (une distance de) 5 km de. ●**distantly** adv **we're d. related** nous sommes parents éloignés.

distaste [dɪs'teɪst] n aversion f (**for** pour). ●**distasteful** a désagréable, déplaisant.

distemper [dɪ'stempər] **1** n (*paint*) badigeon m ‖ vt badigeonner. **2** n (*in dogs*) la maladie.

distend [dɪ'stend] vt dilater; **distended stomach** ventre m ballonné ‖ vi se distendre.

distil [dɪ'stɪl] vt (-ll-) distiller; **distilled water** (*for car battery, iron*) eau f déminéralisée. ●**distillation** [-'leɪʃ(ə)n] n distillation f. ●**distillery** n distillerie f.

distinct [dɪ'stɪŋkt] a **1** (*clear*) (*voice, light etc*) distinct; (*definite, marked*) (*difference, improvement etc*) net (f nette), marqué; (*promise*) formel. **2** (*different*) distinct (**from** de). ●**distinctly** adv (*to see etc*) distinctement; (*to forbid, stipulate*) formellement; (*definitely*) sensiblement; (*really*) vraiment; **d. possible** tout à fait possible.

distinction [dɪ'stɪŋkʃ(ə)n] n distinction f; (*in university examination*) mention f très bien; **singer/writer/etc of d.** chanteur, -euse mf/ écrivain m/etc de marque.

distinctive [dɪ'stɪŋktɪv] a distinctif.

distinguish [dɪ'stɪŋgwɪʃ] vti distinguer (**from** de, **between** entre); **to d. oneself** se distinguer (**as** en tant que); **distinguishing mark** signe m particulier. ●**distinguished** a distingué.

distinguishable [dɪ'stɪŋgwɪʃəb(ə)l] a qu'on peut distinguer; (*discernible*) (*sound, glow etc*) perceptible.

distort [dɪ'stɔːt] vt déformer. ●**distorted** a (*false*) (*idea etc*) faux (f fausse). ●**distortion** [-ʃ(ə)n] n (*of features, sound etc*) distorsion f; (*of truth*) déformation f.

distract [dɪ'strækt] vt distraire (**from** de). ●**distracted** a (*troubled*) préoccupé; (*mad with worry*) éperdu. ●**distracting** a (*noise etc*) gênant.

distraction [dɪ'strækʃ(ə)n] n (*lack of attention, amusement*) distraction f; **to drive s.o. to d.** rendre qn fou.

distraught [dɪ'strɔːt] a éperdu, affolé.

distress [dɪ'stres] n (*pain*) douleur f; (*anguish, misfortune, danger*) détresse f; **in d.** (*ship, soul*) en détresse; **in (great) d.** (*poverty*) dans la détresse ‖ vt affliger, peiner. ●**distressing** a affligeant, pénible.

distribute [dɪ'strɪbjuːt] vt (*goods, prizes, leaflets etc*) distribuer; (*spread evenly*) répartir (*poids etc*). ●**distribution** [-'bjuːʃ(ə)n] n distribution f; (*even spread*) répartition f. ●**distributor** n (*in car, of films etc*) distributeur m; (*commercial dealer*) concessionnaire mf.

district ['dɪstrɪkt] n région f; (*of town*) quartier m; (*administrative*) district m, = arrondissement m; **postal d.** division f postale; **d. attorney** Am = procureur m (de la République); **d. nurse** Br infirmière f visiteuse.

distrust [dɪs'trʌst] vt se méfier de ‖ n méfiance f (**of** de). ●**distrustful** a méfiant; **to be d. of** se méfier de.

disturb [dɪ'stɜːb] vt (*sleep, water*) troubler; (*papers, belongings*) déranger; **to d. s.o.** (*bother*) déranger qn; (*worry, alarm*) troubler qn. ●**disturbed** a (*person*) (*worried, mentally unbalanced*) perturbé, troublé. ●**disturbing** a (*worrying*) inquiétant; (*annoy-*

disturbance

ing, irksome) gênant.
disturbance [dɪˈstɜːbəns] *n* (*noise*) tapage *m*; **disturbances** (*riots*) troubles *mpl*.
disunity [dɪsˈjuːnɪtɪ] *n* désunion *f*.
disuse [dɪsˈjuːs] *n* **to fall into d.** tomber en désuétude. ●**disused** [-ˈjuːzd] *a* (*building*) désaffecté.
ditch [dɪtʃ] **1** *n* fossé *m*. **2** *vt* (*dump*) *Fam* se débarrasser de.
dither [ˈdɪðər] *vi Fam* hésiter, tergiverser; **to d. (around)** (*waste time*) tourner en rond.
ditto [ˈdɪtəʊ] *adv* idem.
divan [dɪˈvæn] *n* divan *m*.
dive [daɪv] **1** *vi* (*pt* **dived**, *Am* **dove** [dəʊv]) plonger; (*rush*) se précipiter, se jeter; **to d. for pearls** pêcher des perles ❙ *n* (*of swimmer, goalkeeper*) plongeon *m*; (*of submarine*) plongée *f*; (*of aircraft*) piqué *m*. **2** *n* (*bar, club*) *Pej* boui-boui *m*. ●**diving** *n* (*underwater*) plongée *f* sous-marine; **d. suit** combinaison *f* de plongée, scaphandre *m*; **d. board** plongeoir *m*. ●**diver** *n* plongeur, -euse *mf*; (*in suit*) scaphandrier *m*.
diverge [daɪˈvɜːdʒ] *vi* diverger (**from** de). ●**divergence** *n* divergence *f*. ●**divergent** *a* divergent.
diverse [daɪˈvɜːs] *a* divers. ●**diversify** *vt* diversifier ❙ *vi* (*of firm etc*) se diversifier. ●**diversity** *n* diversité *f*.
diversion [*Br* daɪˈvɜːʃ(ə)n, *Am* -ʒ(ə)n] *n* (*on road*) *Br* déviation *f*; (*distraction*) & *Mil* diversion *f*.
divert [daɪˈvɜːt] *vt* (*attention, suspicions, river etc*) détourner; (*traffic*) *Br* dévier; (*aircraft*) dérouter; (*amuse*) divertir (*qn*); **to d. s.o. from** détourner qn de.
divest [daɪˈvest] *vt* **to d. of** (*power, rights*) priver de.
divide [dɪˈvaɪd] *vt* diviser (**into** en); **to d. sth (off)** séparer qch (**from sth** de qch); **to d. sth up** (*share out*) partager qch; **to d. one's time between** partager son temps entre ❙ *vi* (*of group, road etc*) se diviser (**into** en); **dividing line** ligne *f* de démarcation. ●**divided** *a* (*family, group etc*) divisé; **opinions are d.** les avis sont partagés (**on** sur).
dividend [ˈdɪvɪdend] *n* (*money*) dividende *m*.
divine [dɪˈvaɪn] *a* divin. ●**divinity** *n* (*quality, god*) divinité *f*; (*study*) théologie *f*.
division [dɪˈvɪʒ(ə)n] *n* division *f*; (*dividing object*) séparation *f*. ●**divisible** *a* divisible. ●**divisive** [-ˈvaɪsɪv] *a* (*policy etc*) qui cause des dissensions.
divorce [dɪˈvɔːs] *n* divorce *m* ❙ *vt* (*husband, wife*) divorcer d'avec; (*idea etc*) *Fig* séparer ❙ *vi* divorcer. ●**divorced** *a* divorcé (**from** d'avec); **to get d.** divorcer. ●**divorcee** [*Br* dɪvɔːˈsiː, *Am* dɪvɔːˈseɪ] *n* divorcé, -ée *mf*.
divulge [dɪˈvʌldʒ] *vt* divulguer.
DIY [diːaɪˈwaɪ] *n abbr* (*do-it-yourself*) *Br* bricolage *m*.
dizzy [ˈdɪzɪ] *a* (**-ier, -iest**) (*heights, speeds*) vertigineux; **to be** *or* **feel d.** avoir le vertige; **to make s.o. (feel) d.** donner le vertige à qn.
●**dizziness** *n* vertige *m*.
DJ [diːˈdʒeɪ] *abbr* = **disc jockey**.
do [duː] **1** *v aux* (3rd person sing pres *t* **does**; *pt* **did**; *pp* **done**; *pres p* **doing**) **do you know?** savez-vous?, est-ce que vous savez?; **I do not** *or* **don't see** je ne vois pas; **he did say so** (*emphasis*) il l'a bien dit; **do stay** reste donc; **you know him, don't you?** tu le connais, n'est-ce pas?; **better than I do** mieux que je ne le fais; **neither do I** moi non plus; **so do I** moi aussi; **oh, does he?** (*surprise*) ah oui?; **don't!** non!
2 *vt* faire; **to do nothing but sleep** ne faire que dormir; **what does she do?** (*in general*), **what is she doing?** (*now*) qu'est-ce qu'elle fait?, que fait-elle?; **what have you done (with)...?** qu'as-tu fait (de)...?; **well done** (*congratulations*) bravo!; (*steak etc*) bien cuit; **it's over and done (with)** c'est fini; **that'll do me** (*suit*) ça fera mon affaire; **I've been done** (*cheated*) *Br Fam* je me suis fait avoir; **I'll do you!** *Fam* je t'aurai!; **to do s.o. out of sth** escroquer qch à qn; **he's hard done by** on le traite durement; **I'm done (in)** (*tired*) *Sl* je suis claqué *or* vanné; **he's done for** *Fam* il est fichu; **to do in** (*kill*) *Sl* supprimer; **to do out** (*clean*) nettoyer; **to do over** (*redecorate*) refaire; **to do up** (*coat, button*) boutonner; (*Br zip, Am zipper*) fermer; (*house*) refaire; (*goods*) emballer; **do yourself up (well)!** (*wrap up*) couvre-toi (bien)!
3 *vi* (*get along*) aller, marcher; (*suit, be suitable*) faire l'affaire, convenir; (*be enough*) suffire; (*finish*) finir; **that will do** (*be OK*) ça fera l'affaire, ça ira; (*be enough*) ça suffit; **have you done?** vous avez fini?; **business is doing well** les affaires marchent *or* vont bien; **how do you do?** (*introduction*) enchanté; (*greeting*) bonjour; **he did well** *or* **right to leave** il a bien fait de partir; **do as I do** fais comme moi; **to make do** se débrouiller; **to do away with sth/s.o.** supprimer qch/qn; **I could do with a coffee/some luck/** *etc* (*need, want*) j'aimerais bien (prendre) un café/avoir un peu de chance/*etc*; **to do without sth/s.o.** se passer de qch/qn; **it has to do with...** (*relates to*) cela a à voir avec...; (*concerns*) cela concerne...; **anything doing?** *Fam* est-ce qu'il se passe quelque chose?
4 *n* (*pl* **dos** *or* **do's**) (*party*) *Br Fam* soirée *f*, fête *f*; **the do's and don'ts** ce qu'il faut faire ou ne pas faire.
docile [ˈdəʊsaɪl] *a* docile.
dock [dɒk] **1** *n* (*for ship*) dock *m* ❙ *vi* (*of ship*) (*at quayside*) se mettre à quai; (*in port*) relâcher; (*of spacecraft*) s'arrimer. **2** *n* (*in court*) banc *m* des accusés. **3** *vt* (*wages*) rogner; **to d. sth from** (*wages*) retenir qch sur. **4** *vt* (*animal's tail*) couper. ●**docker** *n* docker *m*. ●**dockyard** *n* chantier *m* naval.
docket [ˈdɒkɪt] *n* fiche *f*, bordereau *m*.
doctor [ˈdɒktər] **1** *n* (*medical*) médecin *m*, docteur *m*; (*having doctor's degree*) docteur *m*. **2** *vt* (*text, food*) altérer; (*cat*) *Fam* châ-

trer. ●**doctorate** n doctorat m (**in** ès, en).
doctrine ['dɒktrɪn] n doctrine f. ●**doctri'naire** a & n Pej doctrinaire (mf).
document ['dɒkjumənt] n document m ▌ ['dɒkjument] vt (inform) documenter; (report in detail) (of film, author etc) rendre compte de (la vie de qn etc); **well documented** (person) bien renseigné; (book) bien documenté. ●**docu'mentary** a documentaire ▌ n (film) documentaire m.
doddering ['dɒdərɪŋ] a (senile) gâteux; (shaky) branlant.
doddle ['dɒd(ə)l] n **it's a d.** Br Fam c'est simple comme bonjour.
dodge [dɒdʒ] vt (question, acquaintance etc) esquiver; (pursuer) échapper à; (tax) éviter de payer ▌ vi (to one side) faire un saut (de côté); **to d. out of sight** s'esquiver; **to d. through** (crowd) se faufiler dans ▌ n (to one side) mouvement m de côté; (trick) Fig truc m, tour m.
dodgems ['dɒdʒəmz] npl autos fpl tamponneuses.
dodgy ['dɒdʒɪ] a (-ier, -iest) Fam (tricky) délicat; (dubious) douteux; (unreliable) peu sûr.
doe [dəʊ] n (deer) biche f.
doer ['du:ər] n personne f dynamique.
does [dʌz] see **do**. ●**doesn't** ['dʌz(ə)nt] = **does not**.
dog[1] [dɒg] n chien m; (female) chienne f; **dirty d.** (person) Pej sale type m; **d. biscuit** biscuit m or croquette f pour chien; **d. food** pâtée f; **d. collar** collier m de chien; (of clergyman) Fam col m de pasteur; **d. days** canicule f. ●**dog-eared** a (page etc) écorné. ●**dog-'tired** a Fam claqué, crevé.
dog[2] [dɒg] vt (**-gg-**) (follow) poursuivre.
dogged ['dɒgɪd] a obstiné. ●**doggedly** adv obstinément.
doggy ['dɒgɪ] n toutou m; **d. bag** (in restaurant) petit sac m pour emporter les restes.
doghouse ['dɒghaʊs] n (kennel) Am niche f; **you're in the d.!** Fam je suis fâché contre toi!
dogma ['dɒgmə] n dogme m. ●**dog'matic** a dogmatique. ●**dogmatism** n dogmatisme m.
dogsbody ['dɒgzbɒdɪ] n Pej bonne f à tout faire, factotum m, sous-fifre m.
doily ['dɔɪlɪ] n napperon m.
doing ['du:ɪŋ] n **that's your d.** c'est toi qui as fait ça; **doings** (activities) Fam activités fpl.
do-it-yourself [du:ɪtjə'self] n Br bricolage m; **do-it-yourself store/book/**etc magasin m/livre m/etc de bricolage.
doldrums ['dɒldrəmz] npl **to be in the d.** (of person) avoir le cafard; (of business) être en plein marasme.
dole [dəʊl] **1** n Br **d. (money)** allocation f de chômage; **to go on the d.** s'inscrire au chômage. **2** vt **to d. out** distribuer au compte-gouttes.
doleful ['dəʊlfəl] a morne, triste.
doll [dɒl] **1** n poupée f; **doll's house** Br, **doll-**
house Am maison f de poupée. **2** vt **to d. oneself up** Fam se bichonner.
dollar ['dɒlər] n dollar m.
dollop ['dɒləp] n (of food) gros morceau m.
dolly ['dɒlɪ] n (doll) Fam poupée f.
dolphin ['dɒlfɪn] n (sea animal) dauphin m.
domain [dəʊ'meɪn] n (land, sphere) domaine m.
dome [dəʊm] n dôme m, coupole f.
domestic [də'mestɪk] a familial, domestique; (animal) domestique; (trade, flight) intérieur; (product) national; **d. science** arts mpl ménagers; **d. servant** domestique mf. ●**domesticated** a habitué à la vie du foyer; (animal) domestiqué.
domicile ['dɒmɪsaɪl] n domicile m.
dominant ['dɒmɪnənt] a dominant; (person) dominateur. ●**dominance** n prédominance f.
dominate ['dɒmɪneɪt] vti dominer. ●**domination** [-'neɪʃ(ə)n] n domination f.
domineering [dɒmɪ'nɪərɪŋ] a (person, character etc) dominateur.
dominion [də'mɪnjən] n domination f (**over** sur); (land) territoire m.
domino ['dɒmɪnəʊ] n (pl **-oes**) domino m; **dominoes** (game) dominos mpl.
don [dɒn] **1** n (in university) Br professeur m. **2** vt (**-nn-**) (coat etc) Lit revêtir.
donate [dəʊ'neɪt] vt faire don de; (blood) donner ▌ vi donner. ●**donation** [-ʃ(ə)n] n don m.
done [dʌn] pp of **do**.
donkey ['dɒŋkɪ] n âne m; **I haven't seen him for d.'s years** Br Fam je ne l'ai pas vu depuis belle lurette or depuis un siècle; **d. work** travail m ingrat.
donor ['dəʊnər] n (of blood, organ) donneur, -euse mf.
don't [dəʊnt] = **do not**.
doodle ['du:d(ə)l] vi griffonner.
doom [du:m] n ruine f; (fate) destin m; (gloom) Fam tristesse f ▌ vt condamner, destiner (**to** à); **to be doomed (to failure)** être voué à l'échec.
door [dɔ:r] n porte f; (of vehicle, train) portière f, porte f; **out of doors** dehors; **d.-to-d. salesman** démarcheur m. ●**doorbell** n sonnette f. ●**door handle** n poignée f de porte. ●**doorknob** n bouton m or poignée f de porte. ●**doorknocker** n marteau m. ●**doorman** n (pl **-men**) (of hotel etc) portier m, concierge m. ●**doormat** n paillasson m. ●**doorstep** n seuil m. ●**doorstop(per)** n butoir m (de porte). ●**doorway** n **in the d.** dans l'encadrement de la porte.
dope [dəʊp] **1** n (drugs) Fam drogue f; (for horse, athlete) dopant m ▌ vt doper. **2** n (information) Fam tuyaux mpl. **3** n (idiot) Fam imbécile mf.
dopey ['dəʊpɪ] a (-ier, -iest) Fam (stupid) abruti; (sleepy) endormi; (drugged) drogué, camé.
dorm [dɔ:m] n abbr Fam = **dormitory**.
dormant ['dɔ:mənt] a (volcano, matter) en sommeil; (passion) endormi.

dormer ['dɔːmər] *n* d. **(window)** lucarne *f*.
dormitory [*Br* 'dɔːmɪtrɪ, *Am* 'dɔːmɪtɔːrɪ] *n* dortoir *m*; (*university residence*) *Am* résidence *f* (universitaire).
dormouse, *pl* **-mice** ['dɔːmaus, -maɪs] *n* loir *m*.
dose [dəus] *n* dose *f*; (*of hard work*) *Fig* période *f*; (*of illness*) attaque *f*; **a d. of flu** une grippe ▮ *vt* **to d. oneself (up)** se bourrer de médicaments. ●**dosage** *n* (*amount*) dose *f*.
doss [dɒs] *vi* **to d. down** *Br Sl* se pieuter.
dosshouse ['dɒshaus] *n* *Br Sl* asile *m* (de nuit).
dossier ['dɒsɪeɪ] *n* (*papers*) dossier *m*.
dot [dɒt] *n* point *m*; **polka d.** pois *m*; **on the d.** *Fam* à l'heure pile ▮ *vt* (**-tt-**) (*an i*) mettre un point sur; **dotted with** parsemé de; **dotted line** pointillé *m*. ●**dot matrix printer** *n Compr* imprimante *f* matricielle.
dote [dəut] *vt* **to d. on** être gaga de. ●**doting** *a* affectueux; **her d. husband/father** son mari/père qui lui passe tout.
dotty ['dɒtɪ] *a* (**-ier, -iest**) *Br Fam* cinglé.
double ['dʌb(ə)l] *a* double; **a d. bed** un grand lit; **a d. room** une chambre pour deux personnes; **d. 's'** deux 's'; **d. six** deux fois six; **d. three four two** (*phone number*) trente-trois quarante-deux.
▮ *adv* (*twice*) deux fois, le double; (*to fold*) en deux; **he earns d. what I earn** il gagne le double de moi *or* deux fois plus que moi; **to see d.** voir double.
▮ *n* double *m*; (*person*) double *m*, sosie *m*; (*stand-in film*) doublure *f*; **on** *or* **at the d.** au pas de course.
▮ *vt* doubler; **to d. sth back** *or* **over** (*fold*) replier (qch); **to be doubled over in pain** être plié (en deux) de douleur.
▮ *vi* doubler; **to d. back** (*of person*) revenir en arrière; **to d. up with pain/laughter** être plié (en deux) de douleur/rire.
double-barrelled [dʌb(ə)l'bærəld] *a* (*gun*) à deux canons; (*name*) à rallonges. ●**double-'bass** *n* (*instrument*) *Br* contrebasse *f*. ●**double-'breasted** *a* (*jacket*) croisé. ●**double-'check** *vti* revérifier. ●**double-'cross** *vt* tromper. ●**double-'dealing** *n* double jeu *m*. ●**double-'decker (bus)** *n* autobus *m* à impériale. ●**double-'door(s)** *n* porte *f* à deux battants. ●**double-'dutch** *n Fam* baragouin *m*. ●**double-'glazing** *n* (*window*) double vitrage *m*. ●**double-'jointed** *a* désarticulé. ●**double-'parking** *n* stationnement *m* en double file. ●**double-'quick** *adv* en vitesse. ●**double-sided 'disk** *n* (*for computer*) disque *m* (à) double face.
doubly ['dʌblɪ] *adv* doublement.
doubt [daut] *n* doute *m*; **to be in d. about sth** avoir des doutes sur qch; **I have no d. about it** je n'en doute pas; **no d.** (*probably*) sans doute; **in d.** (*result, career etc*) dans la balance ▮ *vt* douter de; **to d. whether** *or* **that** *or* **if** douter que (+ *sub*).
doubtful ['dautfəl] *a* (*person, future, success etc*) incertain; (*dubious*) (*quality etc*) douteux; **to be d.** (*about sth*) avoir des doutes (sur qch); **it's d. whether** *or* **that** *or* **if** ce n'est pas certain que (+ *sub*). ●**doubtless** *adv* sans doute.
dough [dəu] *n* pâte *f*; (*money*) *Fam* fric *m*, blé *m*.
doughnut ['dəunʌt] *n* beignet *m* (rond).
dour ['duər] *a* austère.
douse [daus] *vt* arroser, tremper; (*light*) *Fam* éteindre.
dove[1] [dʌv] *n* colombe *f*. ●**dovecote** [-kɒt] *n* colombier *m*.
dove[2] [dəuv] *Am pt of* **dive 1**.
Dover ['dəuvər] *n* Douvres *m or f*.
dovetail ['dʌvteɪl] **1** *n* (*wood joint*) queue *f* d'aronde. **2** *vi* (*fit*) *Fig* concorder.
dowdy ['daudɪ] *a* (**-ier, -iest**) peu élégant, sans chic.
down[1] [daun] *adv* en bas; (*to the ground*) par terre, à terre; (*from upstairs*) descendu; (*of sun*) couché; (*of curtain, temperature*) baissé; (*of Br tyre, Am tire*) dégonflé; **d. (in writing)** inscrit; (**lie) d.!** (*to dog*) couché!; **to come** *or* **go d.** descendre; **to come d. from** (*place*) arriver de; **to fall d.** tomber (par terre); **d. there** *or* **here** en bas; **d. with traitors/etc!** à bas les traîtres/etc!; **d. with (the) flu** grippé; **to feel d.** (*depressed*) *Fam* avoir le cafard; **d. to** (*in series, numbers, dates etc*) jusqu'à; **d. payment** acompte *m*; **d. under** aux antipodes, en Australie; **d. at heel** *Br*, **d. at the heels** *Am* miteux.
▮ *prep* (*at bottom of*) en bas de; (*from top to bottom of*) du haut en bas de; (*along*) le long de; **to go d.** (*hill, street, stairs*) descendre; **to live d. the street** habiter plus loin dans la rue.
▮ *vt* (*shoot down*) abattre; (*knock down*) terrasser; **to d. a drink** vider un verre.
down[2] [daun] *n* (*on bird, person etc*) duvet *m*. ●**downy** *a* (**-ier, -iest**) (*skin*) duveté.
down-and-out ['daunənaut] *a* sur le pavé ▮ *n* clochard, -arde *mf*. ●**downbeat** *a* (*gloomy*) *Fam* pessimiste. ●**downcast** *a* découragé. ●**downfall** *n* chute *f*. ●**downgrade** *vt* (*job etc*) déclasser; (*person*) rétrograder. ●**down'hearted** *a* découragé. ●**down'hill** *adv* en pente; **to go d.** descendre; (*of sick person, business*) aller de plus en plus mal. ●**downmarket** *a Br* (*car, furniture etc*) bas de gamme; (*neighbourhood, accent*) populaire; (*person, crowd*) ordinaire. ●**downpour** *n* averse *f*, pluie *f* torrentielle. ●**downright** *a* (*rogue etc*) véritable; (*refusal etc*) catégorique; **a d. nerve** *or Br* **cheek** un sacré culot ▮ *adv* (*rude, disagreeable etc*) franchement. ●**downscale** *a Am* = **downmarket**. ●**downstairs** ['daunsteəz] *a* (*room, neighbours*) (*below*) d'en bas; (*on the Br ground or Am first floor*) du rez-de-chaussée ▮ [daun'steəz] *adv* en bas; au rez-de-chaussée; **to come** *or* **go d.** descendre l'escalier. ●**down'stream** *adv* en aval. ●**down-to-'earth** *a* terre-à-terre *inv*. ●**down'town** *adv* en ville; **d. Chicago/etc** le

centre de Chicago/*etc*. ●**downtrodden** *a* opprimé. ●**downward** *a* vers le bas; (*path*) qui descend; (*trend*) à la baisse. ●**downward(s)** *adv* vers le bas.

downs [daʊnz] *npl* (*hills*) *Br* collines *fpl*.

Down's [daʊnz] *n* **D. syndrome** mongolisme *m*, trisomie *f*; **a D. baby** un bébé mongolien *or* trisomique.

dowry ['daʊərɪ] *n* dot *f*.

doz *abbr* = **dozen**.

doze [dəʊz] *n* petit somme *m* ▮ *vi* sommeiller; **to d. off** s'assoupir. ●**dozy** *a* (**-ier, -iest**) somnolent; (*silly*) *Br Fam* bête, gourde.

dozen ['dʌz(ə)n] *n* douzaine *f*; **a d. books/eggs/***etc* une douzaine de livres/d'œufs/*etc*; **dozens of** *Fig* des dizaines de.

Dr *abbr* (*Doctor*) Docteur.

drab [dræb] *a* terne; (*weather*) gris. ●**drabness** *n* caractère *m* terne; (*of weather*) grisaille *f*.

draconian [drə'kəʊnɪən] *a* (*measures etc*) draconien.

draft [drɑːft] **1** *n* (*outline*) ébauche *f*; (*of letter etc*) brouillon *m*; (*commercial document*) traite *f* ▮ *vt* **to d. (out)** (*sketch out*) faire le brouillon de; (*write out*) rédiger. **2** *n* (*military*) *Am* conscription *f*; (*men*) contingent *m*; **d. dodger** réfractaire *m* ▮ *vt* (*conscript*) appeler (sous les drapeaux). **3** *n Am* = **draught**.

draftsman ['drɑːftsmən] *n* (*pl* **-men**) *Am* = **draughtsman**.

drafty ['drɑːftɪ] *a* (**-ier, -iest**) *Am* = **draughty**.

drag [dræg] *vt* (**-gg-**) traîner, tirer; (*river*) draguer; **to d. sth from s.o.** (*confession, promise etc*) *Fig* arracher qch à qn; **to d. s.o./sth along** (en)traîner qn/qch; **to d. s.o. away from** arracher qn à; **to d. s.o. into** entraîner qn dans.

▮ *vi* traîner; **to d. on** *or* **out** (*last a long time*) se prolonger.

▮ *n Fam* (*boring task*) corvée *f*; (*boring person*) raseur, -euse *mf*; (*on cigarette*) bouffée *f* (**on** de); **it's a d.!** c'est la barbe!; **in d.** (*clothing*) en travesti; **the main d.** *Am* la rue principale.

dragon ['drægən] *n* dragon *m*.

dragonfly ['drægənflaɪ] *n* libellule *f*.

drain [dreɪn] *n* (*sewer*) égout *m*; (*pipe, channel*) canal *m*; (*outside house*) puisard *m*; (*in street*) bouche *f* d'égout; **it's down the d.** (*wasted efforts, hopes etc*) *Fam* c'est fichu; **to be a d. on** (*resources, patience*) épuiser.

▮ *vt* (*glass, tank*) vider; (*vegetables*) égoutter; (*land*) drainer; (*resources*) épuiser; **to d. (off)** (*liquid*) faire écouler; **to d. sth/s.o. of** (*deprive of*) priver qch/qn de.

▮ *vi* **to d. (off)** (*of liquid*) s'écouler; **to d. away** (*of strength*) s'épuiser; **draining board** paillasse *f*. ●**drainage** *n* (*sewers*) système *m* d'égouts; (*draining of land*) drainage *m*. ●**drainer** *n* (*board*) paillasse *f*; (*rack, basket*) égouttoir *m*.

drainboard ['dreɪnbɔːd] *n Am* paillasse *f*.

drainpipe ['dreɪnpaɪp] *n* tuyau *m* d'évacuation.

drake [dreɪk] *n* canard *m* (mâle).

dram [dræm] *n* (*drink*) *Fam* goutte *f*.

drama ['drɑːmə] *n* (*event*) drame *m*; (*dramatic art*) théâtre *m*; **d. critic** critique *m* dramatique.

dramatic [drə'mætɪk] *a* dramatique; (*very great, striking*) spectaculaire. ●**dramatically** *adv* (*to change, drop etc*) de façon spectaculaire. ●**dramatics** *n* théâtre *m*.

dramatist ['dræmətɪst] *n* dramaturge *m*.

dramatize ['dræmətaɪz] *vt* (*exaggerate*) dramatiser; (*novel etc*) adapter (pour la scène *or* l'écran).

drank [dræŋk] *pt of* **drink**.

drape [dreɪp] *vt* (*person, shoulders etc*) draper (**with** de); (*wall*) tapisser (de tentures). ●**draper** *n Br* marchand, -ande *mf* de tissus. ●**drapes** *npl* (*hangings*) *Br* tentures *fpl*; (*heavy curtains*) *Am* rideaux *mpl*.

drastic ['dræstɪk] *a* (*change, measure etc*) radical; (*remedy*) puissant; **d. reductions** (*in shop*) soldes *mpl* monstres. ●**drastically** *adv* radicalement; **d. reduced prices** prix *mpl* cassés.

draught [drɑːft] (*Am* **draft**) *n* **1** (*wind*) courant *m* d'air; (*for fire*) tirage *m*; **d. excluder** bourrelet *m* (*de porte, de fenêtre*). **2 draughts** (*game*) *Br* dames *fpl*. ●**draught 'beer** *n* bière *f* (à la) pression. ●**draughtboard** *n Br* damier *m*. ●**draught horse** *n* cheval *m* de trait.

draughtsman ['drɑːftsmən] (*Am* **draftsman**) *n* (*pl* **-men**) dessinateur, -trice *mf* (industriel(le) *or* technique).

draughty ['drɑːftɪ] (*Am* **drafty**) *a* (**-ier, -iest**) (*room*) plein de courants d'air.

draw[1] [drɔː] *n Sport* match *m* nul; (*of lottery*) tirage *m* au sort; (*attraction*) attraction *f*.

▮ *vt* (*pt* **drew**, *pp* **drawn**) (*pull*) tirer; (*pass, move*) passer (**over** sur, **into** dans); (*prize*) gagner; (*applause*) provoquer; (*money from bank*) retirer (**from, out of** de); (*salary*) toucher; (*attract*) attirer; (*water from well, Fig comfort*) puiser (**from** dans); **to d. a smile** faire sourire (**from** s.o. qn); **to d. a bath** faire couler un bain; **to d. sth to a close** mettre fin à qch; **to d. a match** *Sport* faire match nul; **to d. in** (*claws*) rentrer; **to d. out** (*money from bank*) retirer; (*prolong*) faire traîner (*réunion, repas etc*) en longueur; **to d. up** (*chair*) approcher; (*contract, list, plan*) dresser, rédiger; **to d. (up)on** (*savings*) puiser dans.

▮ *vi Sport* faire match nul; **to d. near (to)** s'approcher (de); (*of time*) approcher (de); **to d. to a close** tirer à sa fin; **to d. aside** (*step aside*) s'écarter; **to d. away** (*go away*) s'éloigner; **to d. back** (*go backwards*) reculer; **to d. in** (*of days*) diminuer; (*of train*) arriver (en gare); **to d. into the station** (*of train*) entrer en gare; **to d. on** (*of time*) s'avancer; **to d. up** (*of vehicle*) s'arrêter.

draw² [drɔː] vt (pt **drew**, pp **drawn**) (picture) dessiner; (circle) tracer; (parallel, distinction) Fig faire (**between** entre) ▮ vi (as artist) dessiner.

drawback ['drɔːbæk] n inconvénient m.
drawbridge ['drɔːbrɪdʒ] n pont-levis m.
drawer [drɔːr] n (in furniture) tiroir m.
drawing ['drɔːɪŋ] n dessin m; **d. board** planche f à dessin; **d. pin** Br punaise f; **d. room** salon m.
drawl [drɔːl] vi parler d'une voix traînante ▮ n voix f traînante.
drawn [drɔːn] pp of **drawn**¹,² a (face) tiré, crispé; **d. match** or **game** match m nul.
dread [dred] vt (exam etc) appréhender; **to d. doing** appréhender de faire ▮ n crainte f, terreur f.
dreadful ['dredfəl] a épouvantable; (child) insupportable; (ill) malade; **I feel d. about it** j'ai vraiment honte. ● **dreadfully** adv terriblement; **to be** or **feel d. sorry** regretter infiniment.
dream [driːm] vi (pt & pp **dreamed** or **dreamt** [dremt]) rêver; (**of** or **about** s.o./sth de qn/qch, **of** or **about doing** de faire); **I wouldn't d. of it!** (il n'en est) pas question! ▮ vt rêver (**that** que); **I never dreamt that...** (imagined) je n'ai jamais imaginé or songé que...; **to d. sth up** imaginer qch.
▮ n rêve m; (wonderful thing or person) Fam merveille f; **to have a d.** faire un rêve (**about** de); **to have dreams of** rêver de; **a d. house**/etc une maison/etc de rêve; **a d. world** un monde imaginaire. ● **dreamer** n rêveur, -euse mf. ● **dreamy** a (-ier, -iest) rêveur.
dreary ['drɪərɪ] a (-ier, -iest) (gloomy) morne; (monotonous) monotone; (boring) ennuyeux.
dredge [dredʒ] vt (river etc) draguer ▮ n drague f. ● **dredger** n (ship) dragueur m.
dregs [dregz] npl **the d.** (in liquid, Fig of society) la lie.
drench [drentʃ] vt tremper; **to get drenched** se faire tremper (jusqu'aux os).
dress [dres] **1** n (woman's garment) robe f; (style of dressing) tenue f; **d. circle** (in theatre) Br (premier) balcon m; **d. designer** styliste mf, dessinateur, -trice mf de mode; (well-known) couturier m; **d. rehearsal** (in theatre) (répétition f) générale f; **d. shirt** chemise f de soirée.
2 vt (person) habiller; (wound) panser; (salad) assaisonner; (chicken) préparer; **to get dressed** s'habiller; **dressed for tennis**/etc en tenue de tennis/etc.
▮ vi s'habiller; **to d. up** (smartly) bien s'habiller; (in disguise) se déguiser (**as** en).
dresser ['dresər] n **1** (furniture) Br vaisselier m; (dressing table) Am coiffeuse f. **2 she's a good d.** elle s'habille toujours bien.
dressing ['dresɪŋ] n (for wound) pansement m; (seasoning) assaisonnement m; **to give s.o. a d.-down** passer un savon à qn; **d. gown** Br robe f de chambre; (of boxer) peignoir m; **d. room** (in theatre) loge f; (in store) cabine f d'essayage; **d. table** coiffeuse f.
dressmaker ['dresmeɪkər] n couturière f. ● **dressmaking** n couture f.
dressy ['dresɪ] a (-ier, -iest) (smart) chic inv; (too) **d.** trop habillé.
drew [druː] pt of **draw**¹,².
dribble ['drɪb(ə)l] **1** vi (of baby) baver; (of liquid) tomber goutte à goutte ▮ vt laisser tomber goutte à goutte. **2** vi (of footballer) dribbler ▮ vt (ball) dribbler.
dribs [drɪbz] npl **in d. and drabs** par petites quantités; (to arrive) par petits groupes.
dried [draɪd] a (fruit) sec (f sèche); (milk, eggs) en poudre; (flowers) séché.
drier ['draɪər] n = **dryer**.
drift [drɪft] vi (through air, on water) être emporté par le vent or le courant; (of ship) dériver; (of person, nation etc) Fig aller à la dérive; (of snow) s'amonceler; **to d. about** (aimlessly) (walk around) se promener sans but, traînailler; **to d. apart** (of husband and wife) devenir des étrangers l'un pour l'autre; **to d. into crime**/etc sombrer dans le crime/etc; **to d. towards disaster**/etc s'acheminer vers la catastrophe/etc.
▮ n (movement) mouvement m; (direction) sens m; (of events) cours m; (of snow) congère f; (meaning) sens m général. ● **drifter** n (aimless person) paumé, -ée mf. ● **driftwood** n bois m flotté.
drill [drɪl] **1** n (tool) perceuse f; (bit) mèche f; (pneumatic) marteau m piqueur; (dentist's) roulette f, fraise f; (for rock) foreuse f ▮ vt (wood etc) percer; (tooth) fraiser; (oil well) forer ▮ vi **to d. for oil** faire de la recherche pétrolière.
2 n (training exercise in army, school etc) exercice(s) m(pl); (correct procedure) marche f à suivre ▮ vi faire l'exercice ▮ vt faire faire l'exercice à (qn).
drily ['draɪlɪ] adv (to remark etc) sèchement, d'un ton sec.
drink [drɪŋk] n boisson f; (glass of sth alcoholic) verre m; **to give s.o. a d.** donner (quelque chose) à boire à qn; **to have a d.** boire quelque chose; (alcoholic) prendre or boire un verre ▮ vt (pt **drank**, pp **drunk**) boire; **to d. oneself to death** se tuer à force de boire; **to d. sth down** or **up** boire qch.
▮ vi boire (**out of** dans); **to d. up** finir son verre; **to d. to s.o.** boire à la santé de qn; **drinking bout** beuverie f; **drinking chocolate** chocolat m en poudre; **drinking fountain** fontaine f publique, borne-fontaine f; **drinking song** chanson f à boire; **drinking trough** abreuvoir m; **drinking water** eau f potable.
drinkable ['drɪŋkəb(ə)l] a (fit for drinking) potable; (not unpleasant) buvable.
drip [drɪp] vi (**-pp-**). (of water, rain etc) dégouliner, goutter; (of washing, vegetables) s'égoutter; (of Br tap, Am faucet) goutter ▮ vt (paint etc) laisser couler ▮ n (drop) goutte f; (sound) bruit m de goutte; (for hospital patient) goutte-à-goutte m inv; (fool) Fam nouille f. ● **drip-dry** a (shirt etc) sans re-

drug

passage.
dripping ['drɪpɪŋ] **1** *n* (*Am* **drippings**) (*fat*) graisse *f* (*de rôti*). **2** *a* & *adv* **d.** (**wet**) dégoulinant.
drive [draɪv] *n* (*in car*) promenade *f* en voiture; (*energy*) énergie *f*; (*campaign*) campagne *f*; (*road to private house*) allée *f*; (*for disks or diskettes*) *Compt* lecteur *m*, drive *m*; **an hour's d.** une heure de voiture; **left-hand d.** (*vehicle*) (véhicule *m* à) conduite *f* à gauche; **front-wheel d.** (*vehicle*) traction *f* avant; **the sex d.** la pulsion sexuelle.
▮ *vt* (*pt* **drove**, *pp* **driven**) (*vehicle, train, passenger*) conduire (**to** à); (*machine*) actionner; (*chase away*) chasser; **to d. s.o. to do** pousser qn à faire; **to d. s.o. to despair** réduire qn au désespoir; **to d. s.o. mad** *or* **crazy** rendre qn fou; **to d. the rain/smoke against** (*of wind*) rabattre la pluie/fumée contre; **to d. s.o. hard** surmener qn; **he drives a Ford** il a une Ford.
▮ *vi* (*drive a car*) conduire; (*go by car*) rouler; **to d. on the left** rouler à gauche; **to d. to Paris**/*etc* aller (en voiture) à Paris/*etc*; **what are you driving at?** *Fig* où veux-tu en venir?
drive along *vi* (*in car*) rouler ▮ **to drive away** *vt* (*chase away*) chasser ▮ *vi* (*in car*) partir (en voiture) ▮ **to drive back** *vt* (*passenger*) ramener (en voiture); (*enemy etc*) repousser ▮ *vi* (*in car*) revenir (en voiture) ▮ **to drive in** *vt* (*nail, knife etc*) enfoncer ▮ **to drive off** *vi* (*in car*) partir (en voiture) ▮ **to drive on** *vi* (*in car*) continuer ▮ **to drive out** *vt* (*chase away*) chasser (*qn, qch*) ▮ **to drive over** *vt* (*crush*) écraser (*qch*) ▮ **to drive up** *vi* (*in car*) arriver (en voiture).
drive-in ['draɪvɪn] *a Am* accessible en voiture; **d.-in** (*movie theater*) drive-in *m*; **d.-in** (*restaurant*) restaurant *m* où l'on est servi dans sa voiture.
drivel ['drɪv(ə)l] *vi* (*Br* **-ll-**, *Am* **-l-**) (*talk nonsense*) radoter ▮ *n* idioties *fpl*.
driver ['draɪvər] *n* (*of car*) conducteur, -trice *mf*; (*of taxi, Br lorry, Am truck*) chauffeur *m*, conducteur, -trice *mf*; (*train or engine*) **d.** mécanicien *m*; **she's a good d.** elle conduit bien; **d.'s license** *Am* permis *m* de conduire.
driveway ['draɪvweɪ] *n* (*road to house*) allée *f*.
driving ['draɪvɪŋ] **1** *n* (*in car etc*) conduite *f*; **d. lesson** leçon *f* de conduite; **d. licence** *f*, **d. test** permis *m* de conduire; **d. school** auto-école *f*. **2** *a* (*forceful*) **d. force** force *f* agissante; **d. rain** pluie *f* battante.
drizzle ['drɪz(ə)l] *n* bruine *f*, crachin *m* ▮ *vi* bruiner. ●**drizzly** *a* **it's d., the weather is d.** il bruine.
droll [drəʊl] *a* drôle, comique.
dromedary [*Br* 'drɒmədərɪ, *Am* 'drɒmɪderɪ] *n* dromadaire *m*.
drone [drəʊn] **1** *n* (*hum*) bourdonnement *m*; (*purr*) ronronnement *m*; (*of person*) *Fig* débit *m* monotone ▮ *vi* (*of engine*) ronronner; (*of bee*) bourdonner; **to d. (on)** (*of person*) *Fig* parler d'une voix monotone. **2** *n* (*bee*)

abeille *f* mâle.
drool [druːl] *vi* (*slaver*) baver; (*talk nonsense*) *Fig* radoter; **to d. over** *Fig* s'extasier devant.
droop [druːp] *vi* (*of flower*) se faner; (*of head*) pencher; (*of eyelids, shoulders*) tomber.
drop [drɒp] **1** *n* (*of liquid*) goutte *f*; **eye/nose drops** gouttes *fpl* pour les yeux/le nez.
2 *n* (*fall*) baisse *f*, chute *f* (**in** de); (*distance of fall*) hauteur *f* (de chute); (*slope*) descente *f*; (*jump from aircraft*) saut *m*; (*of supplies from aircraft*) parachutage *m*.
▮ *vt* (**-pp-**) laisser tomber; (*price, voice*) baisser; (*bomb*) larguer; (*passenger, goods from vehicle*) déposer; (*from boat*) débarquer; (*put*) mettre; (*leave out*) faire sauter, omettre; (*remark*) laisser échapper; (*get rid of*) supprimer; (*habit*) abandonner; (*team member*) écarter; **to d. s.o. off** (*from vehicle*) déposer qn; **to d. a line/postcard to** écrire un petit mot/une carte postale à; **to d. a hint** faire une allusion; **to d. a hint that** laisser entendre que; **to d. one's h's** ne pas prononcer les h; **to d. a word in s.o.'s ear** glisser un mot à l'oreille de qn.
▮ *vi* (*fall*) tomber; (*of person*) (se laisser) tomber; (*of price*) baisser; **he's ready to d.** *Fam* il tombe de fatigue; **let it d.!** *Fam* laisse tomber!; **to d. away** (*diminish*) diminuer; **to d. back** *or* **behind** rester en arrière, se laisser distancer; **to d. by** *or* **in** (*visit s.o.*) passer (chez qn); **to d. off** (*fall asleep*) s'endormir; (*fall off*) tomber; (*of interest, sales etc*) diminuer; **to d. out** (*fall out*) tomber; (*withdraw*) se retirer; (*socially*) se mettre en marge de la société; (*of student*) laisser tomber ses études; **to d. over** *or* **round** (*visit s.o.*) passer (chez qn).
drop-out ['drɒpaʊt] *n* marginal, -ale *mf*; (*student*) étudiant, -ante *mf* qui abandonne ses études.
dropper ['drɒpər] *n* (*for eye drops etc*) compte-gouttes *m inv*.
droppings ['drɒpɪŋz] *npl* (*of animal*) crottes *fpl*; (*of bird*) fiente *f*.
dross [drɒs] *n* déchets *mpl*.
drought [draʊt] *n* sécheresse *f*.
drove [drəʊv] *pt of* **drive**.
droves [drəʊvz] *npl* (*of people*) foules *fpl*; **in d.** en foule.
drown [draʊn] *vi* se noyer ▮ *vt* noyer; **to d. oneself, be drowned** se noyer. ●**drowning** *a* (*man, woman etc*) qui se noie ▮ *n* (*death*) noyade *f*.
drowse [draʊz] *vi* somnoler.
drowsy ['draʊzɪ] *a* (**-ier, -iest**) somnolent; **to be** *or* **feel d.** avoir sommeil; **to make s.o. (feel) d.** assoupir qn. ●**drowsily** *adv* d'un air somnolent. ●**drowsiness** *n* somnolence *f*.
drubbing ['drʌbɪŋ] *n* (*beating*) raclée *f*; **to take a d.** (*be defeated*) se faire écraser.
drudge [drʌdʒ] *n* bête *f* de somme, esclave *mf* du travail ▮ *vi* trimer. ●**drudgery** *n* corvée(s) *f(pl)*, travail *m* ingrat.
drug [drʌg] *n* (*against illness*) médicament *m*,

druggist

drogue *f*; (*narcotic*) stupéfiant *m*, drogue *f*; (*activity, hobby etc*) *Fig* drogue *f*; **drugs** (*narcotics in general*) la drogue; **to be on drugs, take drugs** se droguer; **d. addict** drogué, -ée *mf*; **d. addiction** toxicomanie *f*; **d. taking** usage *m* de la drogue ▮ *vt* (**-gg-**) droguer (*qn*); (*drink*) mêler un somnifère à.

druggist ['drʌgɪst] *n Am* pharmacien, -ienne *mf*, droguiste *mf*.

drugstore ['drʌgstɔːr] *n Am* drugstore *m*.

drum [drʌm] *n Mus* tambour *m*; (*for oil*) bidon *m*; **the big or bass d.** *Mus* la grosse caisse; **the drums** (*of orchestra etc*) la batterie.

▮ *vi* (**-mm-**) battre du tambour; (*with fingers*) tambouriner.

▮ *vt* **I tried to d. it into him** j'ai essayé de le lui faire rentrer dans le crâne; **to d. up** (*support, interest*) susciter; **to d. up business or custom** attirer les clients. ●**drummer** *n* (joueur, -euse *mf* de) tambour *m*; (*in pop or jazz group*) batteur *m*. ●**drumstick** *n* (*for drum*) baguette *f* de tambour; (*of chicken*) pilon *m*.

drunk [drʌŋk] *pp of* **drink** ▮ *a* ivre; **to get d.** s'enivrer; **d. with power/success** *Fig* enivré *or* grisé par le pouvoir/le succès ▮ *n* ivrogne *mf*, pochard, -arde *mf*. ●**drunkard** *n* ivrogne *mf*. ●**drunken** *a* (*person*) (*regularly*) ivrogne; (*driver*) ivre; (*quarrel, brawl*) d'ivrogne; **d. driving** conduite *f* en état d'ivresse. ●**drunkenness** *n* (*state*) ivresse *f*; (*habit*) ivrognerie *f*.

dry [draɪ] *a* (**drier, driest**) sec (*f* sèche); (*well, river*) à sec; (*day*) sans pluie; (*toast*) sans beurre; (*wit*) caustique; (*subject, book*) aride; **on d. land** sur la terre ferme; **to keep sth d.** tenir qch au sec; **to wipe sth d.** essuyer qch; **to run d.** se tarir; **to feel** *or* **be d.** (*thirsty*) avoir soif; **d. dock** cale *f* sèche; **d. goods store** *Am* magasin *m* de nouveautés.

▮ *vt* sécher; (*clothes in tumble dryer etc*) faire sécher; (*by wiping*) essuyer; **to d. the dishes** essuyer la vaisselle; **to d. sth off** *or* **up** sécher qch.

▮ *vi* sécher; **to d. off** sécher; **to d. up** sécher; (*dry the dishes*) essuyer la vaisselle; (*run dry*) (*of stream etc*) se tarir; **d. up!** *Fam* tais-toi! ●**dryer** *n* (*for hair, clothes*) séchoir *m*; (*helmet-style for hair*) casque *m*. ●**dryness** *n* sécheresse *f*; (*of wit*) causticité *f*; (*of book etc*) aridité *f*.

dry-clean [draɪ'kliːn] *vt* nettoyer à sec. ●**dry-cleaner** *n* teinturier, -ière *mf*; **the d.-cleaner's** (*shop*) le pressing, la teinturerie.

DSS [diːes'es] *n abbr Br* **Department of Social Security** (*see* **social**).

dual ['djuːəl] *a* double; **d. carriageway** *Br* route *f* à deux voies (séparées). ●**du'ality** *n* dualité *f*.

dub [dʌb] *vt* (**-bb-**) **1** (*film*) doubler. **2** (*nickname*) surnommer. ●**dubbing** *n* (*of film*) doublage *m*.

dubious ['djuːbɪəs] *a* (*offer, person etc*) douteux; **I'm d. about going** *or* **about whether to go** je me demande si je dois y aller; **to be d. about sth** douter de qch.

duchess ['dʌtʃɪs] *n* duchesse *f*. ●**duchy** *n* duché *m*.

duck [dʌk] **1** *n* canard *m*. **2** *vi* se baisser (vivement) ▮ *vt* (*head*) baisser; **to d. s.o.** plonger qn dans l'eau. ●**ducking** *n* bain *m* forcé. ●**duckling** *n* caneton *m*.

duct [dʌkt] *n* (*tube in body, pipe*) conduit *m*.

dud [dʌd] *a Fam* (*coin*) faux (*f* fausse); (*Br cheque, Am check*) en bois; (*watch etc*) qui ne marche pas; (*bomb*) non éclaté ▮ *n* (*person*) zéro *m*, type *m* nul.

dude [duːd] *n Am Fam* dandy *m*; **d. ranch** ranch(-hôtel) *m*.

due¹ [djuː] *a* (*money, sum*) dû (**to** à); (*rent, bill*) à payer; (*respect*) qu'on doit (**to** à); (*fitting, proper*) qui convient; **to fall d.** échoir; **she's d. for** (*salary increase etc*) elle doit *or* devrait recevoir; **he's d.** (**to arrive**) (*is awaited*) il doit arriver, il est attendu; **I'm d. there** je dois être là-bas; **in d. course** (*at proper time*) en temps utile; (*finally*) à la longue; **d. to** (*caused by*) dû à; (*because of*) à cause de; (*thanks to*) grâce à.

▮ *n* dû *m*; **dues** (*of club*) cotisation *f*; (*official charges*) droits *mpl*; **to give s.o. his d.** admettre que qn a raison.

due² [djuː] *adv* **d. north/south/***etc* plein nord/sud/*etc*, droit vers le nord/sud/*etc*.

duel ['djuːəl] *n* duel *m* ▮ *vi* (**-ll-**, *Am* **-l-**) se battre en duel.

duet [djuː'et] *n* duo *m*.

duffel, duffle ['dʌf(ə)l] *a* **d. bag** sac *m* de marin; **d. coat** duffel-coat *m*.

dug [dʌg] *pt & pp of* **dig**. ●**dugout** *n* **1** (*canoe*) pirogue *f*. **2** (*soldier's shelter*) abri *m* souterrain.

duke [djuːk] *n* duc *m*.

dull [dʌl] *a* (**-er, -est**) (*boring*) ennuyeux; (*colour, character*) terne; (*weather*) maussade; (*sound, ache*) sourd; (*mind*) lourd, borné; (*edge, blade*) émoussé; (*hearing, sight*) faible.

▮ *vt* (*sound, pain*) amortir; (*senses*) émousser; (*mind*) engourdir; (*colour*) ternir. ●**dullness** *n* (*of life, town*) monotonie *f*; (*of colour*) manque *m* d'éclat; (*of mind*) lourdeur *f* d'esprit.

duly ['djuːlɪ] *adv* (*properly*) comme il convient (*convenait etc*); (*in fact*) en effet; (*in due time*) en temps utile.

dumb [dʌm] *a* (**-er, -est**) muet (*f* muette); (*stupid*) idiot, bête; **d. animals** les bêtes *fpl*. ●**dumbness** *n* mutisme *m*; (*stupidity*) bêtise *f*.

dumbbell ['dʌmbel] *n* (*weight*) haltère *m*.

dumbfound [dʌm'faʊnd] *vt* sidérer, ahurir.

dumbwaiter [dʌm'weɪtər] *n* (*lift for food*) monte-plats *m inv*.

dummy ['dʌmɪ] **1** *n* (*of baby*) *Br* sucette *f*; (*for displaying clothes*) mannequin *m*; (*of ventriloquist*) pantin *m*; (*of book*) maquette *f*; (*fool*) *Fam* idiot, -ote *mf*. **2** *a* factice, faux

dyslexia

(*f* fausse); **d. run** (*in car etc*) essai *m*.
dump [dʌmp] *vt* (*Br rubbish, Am garbage*) déposer; (*bricks etc*) décharger; (*data*) *Comptr* transférer; **to d. (down)** déposer; **to d. s.o.** (*ditch*) *Fam* plaquer qn.
▌ *n* (*for ammunition*) dépôt *m*; (*dirty or dull town*) *Fam* trou *m*; (*house*) *Fam* baraque *f*; (*Br* **rubbish** *or Am* **garbage**) **d.** tas *m* d'ordures; (*place*) dépôt *m* d'ordures, décharge *f*; (*untidy room*) dépotoir *m*; **to be (down) in the dumps** *Fam* avoir le cafard; **d. truck = dumper.** ● **dumper** *n* **d. (truck)** *Br* camion *m* à benne basculante.
dumpling ['dʌmplɪŋ] *n* (*food*) boulette *f* (de pâte).
Dumpster® ['dʌmpstər] *n Am* benne *f* à ordures.
dumpy ['dʌmpɪ] *a* (**-ier, -iest**) (*person*) boulot (*f* -otte), gros (*f* grosse) et court.
dunce [dʌns] *n* cancre *m*, âne *m*.
dune [djuːn] *n* (**sand**) **d.** dune *f*.
dung [dʌŋ] *n* (*of horse*) crotte *f*; (*of cattle*) bouse *f*; (*manure*) fumier *m*.
dungarees [dʌŋɡəˈriːz] *npl* (*of child, workman*) salopette *f*; (*jeans*) *Am* jean *m*.
dungeon ['dʌndʒən] *n* cachot *m*.
dunk [dʌŋk] *vt* (*bread, Br biscuit, Am cookie*) tremper.
dupe [djuːp] *vt* duper ▌ *n* dupe *f*.
duplex ['duːpleks] *n* (*apartment*) *Am* duplex *m*.
duplicate ['djuːplɪkeɪt] *vt* (*key, map etc*) faire un double de; (*on machine*) polycopier ▌ ['djuːplɪkət] *n* double *m*; **in d.** en deux exemplaires; **a d. copy/etc** une copie/*etc* en double; **a d. key** un double de la clef. ● **duplication** [-ˈkeɪʃ(ə)n] *n* (*on machine*) polycopie *f*; (*of effort*) répétition *f*. ● **duplicator** *n* duplicateur *m*.
duplicity [djuːˈplɪsɪtɪ] *n* duplicité *f*.
durable ['djʊərəb(ə)l] *a* (*material, shoes etc*) résistant; (*friendship, love*) durable. ● **duraˈbility** *n* résistance *f*; (*of friendship etc*) durabilité *f*.
duration [djʊəˈreɪʃ(ə)n] *n* durée *f*.
duress [djʊˈres] *n* **under d.** sous la contrainte.
during ['djʊərɪŋ] *prep* pendant, durant.
dusk [dʌsk] *n* (*twilight*) crépuscule *m*.
dusky ['dʌskɪ] *a* (**-ier, -iest**) (*complexion*) foncé.
dust [dʌst] **1** *n* poussière *f*; **d. cloth** *Am* chiffon *m*; **d. cover** *or* **sheet** (*for furniture*) housse *f*; **d. cover** *or* **jacket** (*for book*) jaquette *f*.
▌ *vt* (*furniture etc*) essuyer (la poussière de).

▌ *vi* faire la poussière. **2** *vt* (*sprinkle*) saupoudrer (**with** de). ● **dustbin** *n Br* poubelle *f*. ● **dustcart** *n Br* camion-benne *m*. ● **dustman** *n* (*pl* **-men**) *Br* éboueur *m*, boueux *m*. ● **dustpan** *n* petite pelle *f* (à poussière).
duster ['dʌstər] *n Br* chiffon *m*.
dusty ['dʌstɪ] *a* (**-ier, -iest**) (*room, road etc*) poussiéreux.
Dutch [dʌtʃ] *a* hollandais, néerlandais; **D. cheese** hollande *m*; **to go D.** partager les frais (**with** avec) ▌ *n* (*language*) hollandais *m*; **the D.** (*people*) les Hollandais *mpl*. ● **Dutchman** *n* (*pl* **-men**) Hollandais *m*. ● **Dutchwoman** *n* (*pl* **-women**) Hollandaise *f*.
dutiful ['djuːtɪf(ə)l] *a* (*son, child etc*) respectueux, obéissant; (*worker*) consciencieux.
duty ['djuːtɪ] *n* devoir *m*; (*tax*) droit *m*; **duties** (*responsibilities*) fonctions *fpl*; **on d.** (*policeman, soldier, teacher etc*) de service; (*doctor, pharmacist etc*) de garde; (*in office*) de permanence; **off d.** libre. ● **duty-'free** *a* (*goods, shop*) hors-taxe *inv*.
duvet ['duːveɪ] *n Br* couette *f*.
dwarf [dwɔːf] *n* nain *m*, naine *f* ▌ *vt* (*of building, trees etc*) écraser, rapetisser; (*of person*) faire paraître tout petit.
dwell [dwel] *vi* (*pt* & *pp* **dwelt**) demeurer; **to d. (up)on** (*think about*) penser sans cesse à; (*speak about*) parler sans cesse de, s'étendre sur; (*insist on*) appuyer sur.
dwelling ['dwelɪŋ] *n* habitation *f*. ● **dweller** *n* habitant, -ante *mf*.
dwindle ['dwɪnd(ə)l] *vi* diminuer (peu à peu). ● **dwindling** *a* (*interest, resources etc*) décroissant; (*supplies*) qui s'épuisent.
dye [daɪ] *n* teinture *f* ▌ *vt* teindre; **to d. green/etc** teindre en vert/*etc*. ● **dyeing** *n* teinture *f*; (*industry*) teinturerie *f*. ● **dyer** *n* teinturier, -ière *mf*.
dying ['daɪɪŋ] *see* **die**[1] ▌ *a* (*person, animal*) mourant; (*custom*) qui se perd; (*wish, words*) dernier; **to my d. day** jusqu'à ma mort ▌ *n* (*death*) mort *f*.
dyke [daɪk] *n* (*wall*) digue *f*; (*ditch*) *Br* fossé *m*.
dynamic [daɪˈnæmɪk] *a* dynamique. ● **'dynamism** *n* dynamisme *m*.
dynamite ['daɪnəmaɪt] *n* dynamite *f* ▌ *vt* dynamiter.
dynamo ['daɪnəməʊ] *n* (*pl* -**os**) dynamo *f*.
dynasty [*Br* 'dɪnəstɪ, *Am* 'daɪnəstɪ] *n* dynastie *f*.
dysentery ['dɪsəntrɪ] *n* (*illness*) dysenterie *f*.
dyslexia [dɪsˈleksɪə] *n* dyslexie *f*. ● **dyslexic** [dɪsˈleksɪk] *a* & *n* dyslexique (*mf*).

E

E, e [iː] *n* E, e *m*.
each [iːtʃ] *a* chaque; **e. one** chacun, -une ǁ *pron* chacun, -une; **e. other** l'un(e) l'autre, *pl* les un(e)s les autres; **to see/greet/etc other** se voir/se saluer/*etc* (l'un(e) l'autre); **separated from e. other** séparés l'un de l'autre; **e. of us** chacun, -une d'entre nous.
eager ['iːgər] *a* impatient (**to do** de faire); (*enthusiastic*) plein d'enthousiasme; **to be e. for sth** désirer qch vivement; **e. for money** avide d'argent; **to be e. to do** (*want*) tenir (beaucoup) à faire; **e. to help** empressé (à aider). ●**eagerly** *adv* (*to work etc*) avec enthousiasme; (*to await*) avec impatience. ●**eagerness** *n* impatience *f* (**to do** de faire); (*zeal*) enthousiasme *m* (**for sth** pour qch).
eagle ['iːg(ə)l] *n* aigle *m*. ●**eagle-'eyed** *a* au regard d'aigle.
ear[1] [ɪər] *n* oreille *f*; **to be all ears** *Fam* être tout ouïe; **up to one's ears in work** débordé de travail; **to play it by e.** *Fam* agir selon la situation; **to give s.o. a thick e.** *Fam* donner une gifle à qn. ●**earache** *n* mal *m* d'oreille. ●**eardrum** *n* tympan *m*.
ear[2] [ɪər] *n* (*of corn*) épi *m*.
earl [ɜːl] *n* comte *m*.
early ['ɜːlɪ] *a* (**-ier, -iest**) (*first*) premier; (*fruit, season*) précoce; (*death*) prématuré; (*age*) jeune; (*painting, work*) de jeunesse; (*reply*) rapide; (*return, retirement*) anticipé; (*ancient*) ancien; **it's e.** (*on clock*) il est tôt; (*referring to meeting, appointment etc*) c'est tôt; **it's too e. to get up/etc** il est trop tôt pour se lever/*etc*; **to be e.** (*ahead of time*) être en avance, arriver de bonne heure *or* tôt; (*in getting up*) être matinal; **to have an e. meal/night** manger/se coucher de bonne heure; **in e. times** jadis; **in e. summer** au début de l'été; **to be in one's e. fifties** avoir à peine plus que la cinquantaine; **one's e. life** sa jeunesse.
ǁ *adv* tôt, de bonne heure; (*ahead of time*) en avance; (*to book a ticket etc*) à l'avance; (*to die*) prématurément; **as e. as possible** le plus tôt possible; **earlier (on)** plus tôt; **at the earliest** au plus tôt; **as e. as yesterday** déjà hier. ●**early-'warning system** *n* dispositif *m* de première alerte.
earmark ['ɪəmɑːk] *vt* (*funds*) assigner (**for** à).
earmuffs ['ɪəmʌfs] *npl* protège-oreilles *m inv*.
earn [ɜːn] *vt* gagner; (*interest*) rapporter. ●**earnings** *npl* (*wages*) rémunérations *fpl*; (*profits*) bénéfices *mpl*.
earnest ['ɜːnɪst] *a* (*serious*) sérieux; (*sincere*) sincère ǁ *n* **in e.** sérieusement; **it's raining in e.** il pleut pour de bon; **he's in e.** il est sérieux. ●**earnestness** *n* sérieux *m*; (*sincerity*) sincérité *f*.
earphones ['ɪəfəʊnz] *npl* casque *m*. ●**earpiece** *n* écouteur *m*. ●**earplug** *n* (*to keep out noise etc*) boule *f* Quiès®. ●**earring** *n* boucle *f* d'oreille. ●**earshot** *n* **within e.** à portée de voix. ●**ear-splitting** *a* (*noise*) assourdissant.
earth [ɜːθ] *n* (*world, ground*) terre *f*; (*electrical wire*) *Br* terre *f*, masse *f*; **to fall to e.** tomber à *or* par terre; **nothing/nobody on e.** rien/personne au monde; **where/what on e.?** où/que diable?
earthenware ['ɜːθənweər] *n* faïence *f*; **e. plate/etc** assiette *f*/*etc* en faïence.
earthly ['ɜːθlɪ] *a* (*possessions etc*) terrestre; **not an e. chance** *Fam* pas la moindre chance; **for no e. reason** *Fam* sans la moindre raison.
earthquake ['ɜːθkweɪk] *n* tremblement *m* de terre. ●**earthworks** *npl* (*excavations*) terrassements *mpl*. ●**earthworm** *n* ver *m* de terre.
earthy ['ɜːθɪ] *a* (**-ier, -iest**) (*taste, smell etc*) de terre, terreux; (*person*) *Fig* terre-à-terre *inv*.
earwig ['ɪəwɪg] *n* (*insect*) perce-oreille *m*.
ease [iːz] **1** *n* (*facility*) facilité *f*; (*physical*) bien-être *m*; (*mental*) tranquillité *f*; **with e.** facilement; **to be at e.** (*in situation*) (mal) à l'aise; **my mind is at e.** j'ai l'esprit tranquille; **(stand) at e.!** (*to soldier*) repos!
2 *vt* (*pain*) soulager; (*mind*) calmer; (*tension*) diminuer; (*loosen*) relâcher; **to e. sth off/along** enlever/déplacer qch doucement; **to e. oneself through** se glisser par.
ǁ *vi* **to e.** (**off** *or* **up**) (*become less*) (*of pressure*) diminuer; (*of demand*) baisser; (*of pain*) se calmer; (*not work so hard*) se relâcher; **the situation is easing** la situation se détend.
easel ['iːz(ə)l] *n* chevalet *m*.
easily ['iːzɪlɪ] *adv* facilement; **e. the best/etc** de loin le meilleur/*etc*; **that could e. be the case** ça pourrait bien être le cas. ●**easiness** *n* aisance *f*.
east [iːst] *n* est *m*; (**to the**) **e. of** à l'est de; **the E.** (*Eastern Europe*) l'Est *m*; (*the Orient*) l'Orient *m*; **Middle/Far E.** Moyen-/Extrême-Orient *m*.
ǁ *a* (*coast*) est *inv*; (*wind*) d'est; **E. Africa** Afrique *f* orientale.
ǁ *adv* à l'est, vers l'est. ●**eastbound** *a* (*traffic*) en direction de l'est; (*carriageway*) *Br* est *inv*. ●**easterly** *a* (*point*) est *inv*; (*direction*) de l'est; (*wind*) d'est. ●**eastern** *a* (*coast*) est *inv*; **E. France** l'Est *m* de la

editor

France; **E. Europe** Europe *f* de l'Est. ●**easterner** *n* habitant, -ante *mf* de l'Est. ●**eastward(s)** *a* & *adv* vers l'est.
Easter ['i:stər] *n* Pâques *m sing or fpl*; **Happy E.!** joyeuses Pâques!; **E. egg** œuf *m* de Pâques; **E. week** semaine *f* pascale.
easy ['i:zı] *a* (**-ier, -iest**) (*not difficult*) facile; (*pace*) modéré; (*manners*) naturel; (*style*) aisé; **an e. life** une vie tranquille; **it's e. to do** c'est facile à faire; **it's e. for them to do it** il leur est facile de faire ça; **to feel e. in one's mind** être tranquille; **to be an e. first** (*in race etc*) être bon premier; **I'm e.** *Br Fam* ça m'est égal; **e. chair** fauteuil *m* (rembourré).
❚ *adv* doucement; **go e. on** (*sugar, salt etc*) vas-y doucement *or* mollo avec; (*person*) ne sois pas trop dur avec *or* envers; **take it e.** (*rest*) repose-toi; (*work less*) ne te fatigue pas; (*calm down*) calme-toi; (*go slow*) ne te presse pas. ●**easy'going** *a* (*carefree*) insouciant; (*easy to get along with*) facile à vivre.
eat [i:t] *vt* (*pt* **ate** [*Br* et, *Am* eɪt], *pp* **eaten** ['i:t(ə)n]) manger; (*meal*) prendre; **to e. breakfast** déjeuner, prendre le petit déjeuner; **to e. one's words** *Fig* ravaler ses paroles; **what's eating you?** *Sl* qu'est-ce qui te tracasse?; **to e. sth up** (*finish*) finir qch; **eaten up with jealousy** dévoré de jalousie.
❚ *vi* manger; **to e. into sth** (*of acid*) ronger qch; **to e. into one's savings** entamer ses économies; **to e. out** manger dehors; **eating place** restaurant *m*. ●**eatable** *a* mangeable. ●**eater** *n* **big e.** gros mangeur *m*, grosse mangeuse *f*.
eau de Cologne [əʊdəkə'ləʊn] *n* eau *f* de Cologne.
eaves [i:vz] *npl* avant-toit *m*. ●**eavesdrop** *vti* (**-pp-**) **to e.** (**on**) écouter (de façon indiscrète). ●**eavesdropper** *n* oreille *f* indiscrète.
ebb [eb] *n* reflux *m*; **e. and flow** le flux et le reflux; **e. tide** marée *f* descendante; **to be at a low e.** (*patient, spirits*) *Fig* être très bas ❚ *vi* refluer; **to e.** (**away**) (*of strength etc*) *Fig* décliner.
ebony ['ebənı] *n* (*wood*) ébène *f*.
ebullient [ı'bʌlıənt] *a* exubérant.
EC [i:'si:] *n abbr* (*European Community*) CEE *f*.
eccentric [ık'sentrık] *a* & *n* excentrique (*mf*). ●**eccen'tricity** *n* excentricité *f*.
ecclesiastic [ıkli:zı'æstık] *a* & *n* ecclésiastique (*m*). ●**ecclesiastical** *a* ecclésiastique.
echelon ['eʃəlɒn] *n* (*of organization, government etc*) échelon *m*.
echo ['ekəʊ] *n* (*pl* **-oes**) écho *m* ❚ *vt* (*sound*) répercuter; (*repeat*) *Fig* répéter ❚ *vi* **the explosion**/*etc* **echoed** l'écho de l'explosion/*etc* se répercuta; **the room**/*etc* **echoes** la pièce/*etc* est très sonore; **to e. with the sound of** (*of building etc*) résonner de l'écho de.
éclair [eı'kleər] *n* (*cake*) éclair *m*.
eclectic [ı'klektık] *a* éclectique.
eclipse [ı'klıps] *n* (*of sun, moon*) éclipse *f*; (*loss of fame, overshadowing*) *Fig* éclipse *f* ❚ *vt* éclipser.
ecology [ı'kɒlədʒı] *n* écologie *f*. ●**eco'logical** *a* écologique.
economic [i:kə'nɒmık] *a* économique; (*profitable*) rentable. ●**economical** *a* économique; (*thrifty*) économe. ●**economically** *adv* économiquement. ●**economics** *n* science *f* économique, économie *f*; (*profitability*) (*of a business etc*) aspect *m* financier.
economist [ı'kɒnəmıst] *n* économiste *mf*.
economize [ı'kɒnəmaız] *vti* économiser (**on** sur).
economy [ı'kɒnəmı] *n* (*saving, system, thrift*) économie *f*; **e. class** (*on aircraft*) classe *f* touriste.
ecstasy ['ekstəsı] *n* extase *f*. ●**ec'static** *a* extasié; **to be e. about** s'extasier sur. ●**ec'statically** *adv* avec extase.
ECU [eı'kju:] *n abbr* (*European Currency Unit*) ECU *m inv*.
Ecuador ['ekwədɔ:r] *n* Équateur *m*.
ecumenical [i:kju'menık(ə)l] *a* œcuménique.
eczema ['eksımə] *n Med* eczéma *m*.
eddy ['edı] *n* tourbillon *m*, remous *m*.
edge [edʒ] *n* bord *m*; (*of forest*) lisière *f*; (*of town*) abords *mpl*; (*of page*) marge *f*; (*of knife, blade etc*) tranchant *m*, fil *m*; **to be on e.** (*of person*) être énervé; (*of nerves*) être tendus; **to set s.o.'s teeth on e.** (*irritate s.o.*) crisper qn, faire grincer les dents à qn; **to have the e. or a slight e.** *Fig* être légèrement supérieur (**over, on** à).
❚ *vt* (*clothing etc*) border (**with** de).
❚ *vti* **to e.** (**oneself**) **into** (*move*) se glisser dans; **to e.** (**oneself**) **forward** avancer doucement. ●**edging** *n* (*border*) bordure *f*.
edgeways ['edʒweız] *adv Br*, **edgewise** ['edʒwaız] *adv Am* de côté; **I can't get a word in e.** *Fam* je n'arrive pas à placer un mot.
edgy ['edʒı] *a* (**-ier, -iest**) énervé. ●**edginess** *n* nervosité *f*.
edible ['edıb(ə)l] *a* (*mushroom, berry etc*) comestible; (*not unpleasant*) (*meal, food*) mangeable.
edict ['i:dıkt] *n* décret *m*; *Fr Hist* édit *m*.
edifice ['edıfıs] *n* (*building, organization*) édifice *m*.
edify ['edıfaı] *vt* (*improve the mind of*) édifier.
Edinburgh ['edınb(ə)rə] *n* Édimbourg *m or f*.
edit ['edıt] *vt* (*newspaper etc*) diriger; (*article etc*) mettre au point; (*film*) monter; (*annotate*) éditer (*texte*); (*compile*) rédiger (*dictionnaire etc*); **to e.** (**out**) (*cut out*) couper.
edition [ı'dıʃ(ə)n] *n* édition *f*.
editor ['edıtər] *n* (*in charge of newspaper*) rédacteur, -trice *mf* en chef; (*in charge of magazine*) directeur, -trice *mf*; (*compiler of dictionary etc*) rédacteur, -trice *mf*; (*annotator of text*) éditeur, -trice *mf*; (*proofreader*) correcteur, -trice *mf*; (*of TV or radio broadcast*) réalisateur, -trice *mf*; **sports e.** (*in*

educate

newspaper) rédacteur *m* sportif, rédactrice *f* sportive; **the e. in chief** (*of newspaper*) le rédacteur *or* la rédactrice en chef. ●**edi'torial** *a* de la rédaction; **e. staff** rédaction *f* ■ *n* éditorial *m*.

educate ['edjʊkeɪt] *vt* (*bring up*) éduquer (*enfant, famille*); (*in school*) instruire (*élève*); (*train*) former, éduquer (*l'esprit*); **to be educated at** faire ses études à. ●**educated** *a* (*voice*) cultivé; (**well-**)**e.** (*person*) instruit.

education [edjʊ'keɪʃ(ə)n] *n* éducation *f*; (*teaching*) instruction *f*, enseignement *m*; (*training*) formation *f*; (*university subject*) pédagogie *f*; **the e. system** le système éducatif. ●**educational** *a* (*establishment*) d'enseignement; (*method, theory, content*) pédagogique; (*game, film*) éducatif; (*supplies*) scolaire; (*experience*) instructif; **e. qualifications** diplômes *mpl*. ●**educationally** *adv* du point de vue de l'éducation.

educator ['edjʊkeɪtər] *n* éducateur, -trice *mf*.

EEC [iːiː'siː] *n abbr* (*European Economic Community*) CEE *f*.

eel [iːl] *n* anguille *f*.

eerie ['ɪərɪ] *a* (**-ier, -iest**) sinistre, étrange.

efface [ɪ'feɪs] *vt* effacer.

effect [ɪ'fekt] *n* **1** (*result, impression*) effet *m* (**on** sur); **effects** (*goods*) biens *mpl*; **to no e.** en vain; **in e.** en fait; **to put into e.** mettre en application, faire entrer en vigueur; **to come into e., take e.** (*of law, rule etc*) entrer en vigueur; **to take e.** (*of drug, medicine etc*) agir; **to have an e.** (*of medicine etc*) faire de l'effet; **to have no e.** rester sans effet; **to this e.** (*with this meaning or result in mind*) dans ce sens; **to write a letter to the e. that** (*saying that*) écrire une lettre comme quoi.
2 *vt* (*carry out*) effectuer, réaliser.

effective [ɪ'fektɪv] *a* (*efficient*) efficace; (*striking*) frappant; (*actual*) effectif; **to become e.** (*of law*) prendre effet. ●**effectively** *adv* efficacement; (*in fact*) effectivement. ●**effectiveness** *n* efficacité *f*; (*quality*) effet *m* frappant.

effeminate [ɪ'femɪnɪt] *a* efféminé.

effervescent [efə'ves(ə)nt] *a* (*drink*) gazeux; (*mixture, liquid, youth*) effervescent. ●**effervesce** [efə'ves] *vi* (*of drink*) pétiller. ●**effervescence** *n* (*excitement, bubbling*) effervescence *f*; (*of drink*) pétillement *m*.

effete [ɪ'fiːt] *a* (*feeble*) mou (*f* molle), faible; (*decadent*) décadent.

efficient [ɪ'fɪʃ(ə)nt] *a* (*method, treatment etc*) efficace; (*person*) compétent, efficace; (*organization*) efficace, performant; (*machine*) performant, à haut rendement. ●**efficiency** *n* efficacité *f*; (*of person*) compétence *f*; (*of machine*) performances *fpl*. ●**efficiently** *adv* efficacement; (*competently*) avec compétence; **to work e.** (*of machine*) bien fonctionner.

effigy ['efɪdʒɪ] *n* effigie *f*.

effort ['efət] *n* effort *m*; **to make an e.** faire un effort (**to** pour); **it isn't worth the e.** ça ne *or* n'en vaut pas la peine; **his *or* her latest e.** (*attempt*) *Fam* sa dernière tentative. ●**effortless** *a* (*victory, progress etc*) facile; **with e. ease** sans effort. ●**effortlessly** *adv* facilement, sans effort.

effrontery [ɪ'frʌntərɪ] *n* effronterie *f*.

effusive [ɪ'fjuːsɪv] *a* (*person*) expansif; (*thanks, excuses*) sans fin. ●**effusively** *adv* avec effusion.

e.g. [iː'dʒiː] *abbr* (*exempli gratia*) par exemple.

egalitarian [ɪgælɪ'teərɪən] *a* (*society etc*) égalitaire.

egg[1] [eg] *n* œuf *m*; **e. timer** sablier *m*; **e. whisk** fouet *m* (à œufs). ●**eggcup** *n* coquetier *m*. ●**egghead** *n* *Pej* intellectuel, -elle *mf*. ●**eggplant** *n* *Am* aubergine *f*. ●**eggshell** *n* coquille *f* (d'œuf).

egg[2] [eg] *vt* **to e. s.o. on** (*encourage*) inciter qn (**to do** à faire).

ego ['iːgəʊ] *n* (*pl* **-os**) **the e.** l'ego *m*; (*in psychoanalysis*) le moi, l'ego *m*; **one's e.** (*self-image*) son image *f* de soi; (*self-esteem*) son amour-propre *m*; **to have an enormous e.** avoir très haute opinion de soi. ●**ego'centric** *a* égocentrique.

egoism ['egəʊɪz(ə)m] *n* égoïsme *m*. ●**egoist** *n* égoïste *mf*. ●**ego'istic(al)** *a* égoïste.

egotism ['egəʊtɪz(ə)m] *n* égotisme *m*. ●**egotist** *n* égotiste *mf*.

Egypt ['iːdʒɪpt] *n* Égypte *f*. ●**Egyptian** [ɪ'dʒɪpʃən] *a* égyptien ■ *n* Égyptien, -ienne *mf*.

eh? [eɪ] *int* *Fam* hein?

eiderdown ['aɪdədaʊn] *n* édredon *m*.

eight [eɪt] *a* & *n* huit (*m*). ●**eighth** *a* & *n* huitième (*mf*); **an e.** un huitième.

eighteen [eɪ'tiːn] *a* & *n* dix-huit (*m*). ●**eighteenth** *a* & *n* dix-huitième (*mf*).

eighty ['eɪtɪ] *a* & *n* quatre-vingts (*m*); **e.-one** quatre-vingt-un. ●**eightieth** *a* & *n* quatre-vingtième (*mf*).

Eire ['eərə] *n* Eire *f*, République *f* d'Irlande.

either ['aɪðər] **1** *a* & *pron* (*one or other*) l'un(e) ou l'autre; (*with negative*) ni l'un(e) ni l'autre; (*each*) chaque; **on e. side** de chaque côté, des deux côtés; **I don't know e. man** *or* **e. of the men** je ne connais ni l'un ni l'autre de ces hommes.
2 *adv* **she can't swim e.** elle ne sait pas nager non plus; **I don't e.** (ni) moi non plus; **and it's not so far off e.** (*moreover*) et ce n'est pas si loin d'ailleurs.
3 *conj* **e....** ou (bien)... ou (bien), soit... soit; (*with negative*) ni... ni; **it isn't e. green or red** ce n'est ni vert ni rouge.

eject [ɪ'dʒekt] *vt* (*from hall etc*) expulser (qn) (**from** de); (*from aircraft, machine*) éjecter ■ *vi* (*of pilot*) s'éjecter. ●**ejector** *a* **e. seat** (*in aircraft*) siège *m* éjectable.

eke [iːk] *vt* **to e. out** faire durer; **to e. out a living** gagner (difficilement) sa vie.

elaborate[1] [ɪ'læbərət] *a* compliqué, détaillé; (*preparation*) minutieux; (*style*) recherché; (*meal*) raffiné. ●**elaborately** *adv* (*to plan*)

emancipate

minutieusement; (*to decorate*) avec recherche.
elaborate[2] [ɪ'læbəreɪt] *vt* (*theory etc*) élaborer ▮ *vi* entrer dans les détails (**on** de). ●**elaboration** [-'reɪʃ(ə)n] *n* élaboration *f*.
elapse [ɪ'læps] *vi* (*of period of time*) s'écouler.
elastic [ɪ'læstɪk] *a* (*object, Fig character*) élastique; **e. band** *Br* élastique *m* ▮ *n* (*fabric*) élastique *m*. ●**ela'sticity** *n* élasticité *f*.
elated [ɪ'leɪtɪd] *a* transporté de joie. ●**elation** [-ʃ(ə)n] *n* exaltation *f*.
elbow ['elbəʊ] *n* coude *m*; **e. grease** *Fam* huile *f* de coude; **to have enough e. room** avoir assez de place ▮ *vt* **to e. one's way se** frayer un chemin (à coups de coude) (**through** à travers).
elder[1] ['eldər] *a* & *n* (*of two people*) aîné, -ée (*mf*); **eldest** *a* & *n* aîné, -ée (*mf*); **his** *or* **her e. brother** l'aîné de ses frères.
elder[2] ['eldər] *n* (*tree*) sureau *m*.
elderly ['eldəlɪ] *a* assez âgé, entre deux âges ▮ *n* **the e.** les personnes *fpl* âgées.
elect [ɪ'lekt] *vt* (*by voting*) élire (*qn*) (**to** à); **to e. to do** choisir de faire ▮ *a* **the president/** *etc* **e.** le président/*etc* désigné.
election [ɪ'lekʃ(ə)n] *n* élection *f*; **general e.** élections *fpl* législatives ▮ *a* (*campaign*) électoral; (*day, results*) du scrutin, des élections. ●**electio'neering** *n* campagne *f* électorale.
elective [ɪ'lektɪv] *a* (*course*) *Am* facultatif.
electoral [ɪ'lektər(ə)l] *a* électoral. ●**electorate** *n* électorat *m*.
electric [ɪ'lektrɪk] *a* électrique; **e. blanket** couverture *f* chauffante; **e. fire** *Br* radiateur *m* électrique; **e. shock** décharge *f* électrique; **e. shock treatment** électrochoc *m*. ●**electrical** *a* électrique; **e. engineer** ingénieur *m* électricien.
electrician [ɪlek'trɪʃən] *n* électricien *m*.
electricity [ɪlek'trɪsɪtɪ] *n* électricité *f*; **to switch off the e.** couper le courant *or* l'électricité.
electrify [ɪ'lektrɪfaɪ] *vt* (*Br railway or Am railroad line*) électrifier; (*excite*) *Fig* électriser.
electrocute [ɪ'lektrəkjuːt] *vt* électrocuter.
electrode [ɪ'lektrəʊd] *n* électrode *f*.
electron [ɪ'lektrɒn] *n* électron *m*; **e. microscope** microscope *m* électronique.
electronic [ɪlek'trɒnɪk] *a* électronique; **e. mail** *Compt* messagerie *f* or courrier *m* électronique. ●**electronics** *n* électronique *f*.
elegant ['elɪɡənt] *a* élégant. ●**elegance** *n* élégance *f*. ●**elegantly** *adv* avec élégance, élégamment.
elegy ['elədʒɪ] *n* élégie *f*.
element ['eləmənt] *n* (*component, chemical, person etc*) élément *m*; (*of heater, kettle etc*) résistance *f*; **an e. of truth** un grain or une part de vérité; **the human/chance e.** le facteur humain/chance; **the elements** (*bad weather*) les éléments *mpl*; **in one's e.** dans son élément. ●**ele'mental** *a* *Lit* élémentaire.

elementary [elɪ'ment(ə)rɪ] *a* élémentaire; (*school*) *Am* primaire; **e. courtesy** la courtoisie la plus élémentaire.
elephant ['elɪfənt] *n* éléphant *m*. ●**elephantine** [elɪ'fæntaɪn] *a* (*large*) éléphantesque; (*clumsy*) gauche.
elevate ['elɪveɪt] *vt* élever (**to** à). ●**elevation** [-'veɪʃ(ə)n] *n* élévation *f* (**of** de); (*height*) altitude *f*; (*promotion in job or rank*) avancement *m*.
elevator ['elɪveɪtər] *n* *Am* ascenseur *m*.
eleven [ɪ'lev(ə)n] *a* & *n* onze (*m*). ●**elevenses** [ɪ'lev(ə)nzɪz] *n* *Br Fam* pause-café *f* (*vers onze heures du matin*). ●**eleventh** *a* & *n* onzième (*mf*).
elf [elf] *n* (*pl* **elves**) lutin *m*.
elicit [ɪ'lɪsɪt] *vt* tirer, obtenir (**from** de).
elide [ɪ'laɪd] *vt* (*vowel*) élider. ●**elision** [ɪ'lɪʒ(ə)n] *n* élision *f*.
eligible ['elɪdʒəb(ə)l] *a* (*for post etc*) admissible (**for** à); (*for political office*) éligible (**for** à); **to be e. for sth** (*entitled to*) avoir droit à qch; **an e. young man** (*suitable as husband*) un beau parti. ●**eligi'bility** *n* admissibilité *f*; *Pol* éligibilité *f*.
eliminate [ɪ'lɪmɪneɪt] *vt* supprimer (**from** de); (*applicant, possibility, suspect*) éliminer. ●**elimination** [-'neɪʃ(ə)n] *n* suppression *f*; (*of applicant etc*) élimination *f*.
elite [eɪ'liːt] *n* élite *f* (**of** de).
elk [elk] *n* (*animal*) élan *m*.
ellipse [ɪ'lɪps] *n* (*shape*) ellipse *f*. ●**elliptical** *a* elliptique.
elm [elm] *n* (*tree, wood*) orme *m*.
elocution [elə'kjuːʃ(ə)n] *n* élocution *f*.
elongate ['iːlɒŋɡeɪt] *vt* allonger. ●**elongated** *a* allongé.
elope [ɪ'ləʊp] *vi* (*of lovers*) s'enfuir (**with** avec). ●**elopement** *n* fugue *f* (amoureuse).
eloquent ['eləkwənt] *a* éloquent. ●**eloquence** *n* éloquence *f*. ●**eloquently** *adv* avec éloquence.
El Salvador [el'sælvədɔːr] *n* Le Salvador.
else [els] *adv* d'autre; **somebody/anybody e.** quelqu'un/n'importe d'autre; **everybody e.** tous les autres, tout le monde à part moi, vous *etc*; **nobody/nothing e.** personne/rien d'autre; **something e.** autre chose; **anything e.?** (*in shop etc*) autre chose?; **anything e. to add?** encore quelque chose à ajouter?; **somewhere e.**, *Am* **someplace e.** ailleurs, autre part; **anywhere/nowhere e.** n'importe où/ nulle part ailleurs; **anywhere e.?** ailleurs?; **who e.?** qui d'autre?; **any encore?**; **how e.?** de quelle autre façon?; **or e.** ou bien, sinon. ●**elsewhere** *adv* ailleurs; **e. in the town** dans une autre partie de la ville.
elucidate [ɪ'luːsɪdeɪt] *vt* élucider.
elude [ɪ'luːd] *vt* (*of word, name*) échapper à (*qn*); (*question*) éluder; (*obligation*) se dérober à; (*blow*) esquiver. ●**elusive** *a* (*enemy, aims, quality*) insaisissable; (*reply*) évasif.
emaciated [ɪ'meɪsɪeɪtɪd] *a* émacié.
emanate ['eməneɪt] *vi* émaner (**from** de).
emancipate [ɪ'mænsɪpeɪt] *vt* (*women etc*)

embalm

émanciper. ●**emancipation** [-'peɪʃ(ə)n] n émancipation f.
embalm [ɪm'bɑːm] vt (dead body) embaumer.
embankment [ɪm'bæŋkmənt] n (of path etc) talus m; (of river) berge f.
embargo [ɪm'bɑːgəʊ] n (pl -oes) embargo m; **to impose an e. on** mettre l'embargo sur.
embark [ɪm'bɑːk] vi (s')embarquer; **to e. on** (start) commencer (voyage, travail etc); (launch into) se lancer dans, s'embarquer dans (aventure, carrière etc) ▮ vt (passengers, goods) embarquer. ●**embarkation** [embɑː'keɪʃ(ə)n] n embarquement m.
embarrass [ɪm'bærəs] vt embarrasser, gêner. ●**embarrassing** a (question, situation etc) embarrassant. ●**embarrassment** n embarras m, gêne f; (financial) embarras mpl.
embassy ['embəsɪ] n ambassade f.
embattled [ɪm'bæt(ə)ld] a (political party, person etc) assiégé de toutes parts.
embedded [ɪm'bedɪd] a (stick, bullet etc) enfoncé (**in** dans); (jewel) enchâssé; (in s.o.'s memory) gravé; (in stone) scellé.
embellish [ɪm'belɪʃ] vt embellir. ●**embellishment** n embellissement m.
embers ['embəz] npl braise(s) f(pl), charbons mpl ardents.
embezzle [ɪm'bez(ə)l] vt (money) détourner. ●**embezzlement** n détournement m de fonds. ●**embezzler** n escroc m, voleur m.
embitter [ɪm'bɪtər] vt (person) aigrir; (relations, situation) envenimer. ●**embittered** a (person) aigri.
emblem ['embləm] n emblème m.
embody [ɪm'bɒdɪ] vt (express) exprimer; (represent) incarner; (include) réunir. ●**embodiment** n incarnation f (**of** de).
emboss [ɪm'bɒs] vt (paper) gaufrer; (metal) emboutir, bosseler. ●**embossed** a (pattern, characters etc) en relief; **e. paper** papier m gaufré.
embrace [ɪm'breɪs] vt prendre dans ses bras, étreindre, embrasser; (include, adopt) embrasser ▮ vi s'étreindre, s'embrasser ▮ n étreinte f.
embroider [ɪm'brɔɪdər] vt (cloth) broder; (story, facts) Fig enjoliver. ●**embroidery** n broderie f.
embroil [ɪm'brɔɪl] vt **to e. s.o. in** mêler qn à.
embryo ['embrɪəʊ] n (pl -os) embryon m. ●**embry'onic** a (plan, state etc) embryonnaire.
emcee [em'siː] n Am présentateur, -trice mf.
emend [ɪ'mend] vt (text) corriger.
emerald ['emərəld] n émeraude f.
emerge [ɪ'mɜːdʒ] vi apparaître (**from** de); (from hole etc) sortir; (of truth, from water) émerger; (of nation) naître; **it emerges that** il apparaît que. ●**emergence** n apparition f.
emergency [ɪ'mɜːdʒənsɪ] n (situation, case) urgence f; (contingency) éventualité f; **in an e.** en cas d'urgence; **this is an e.** (speaking on telephone) j'appelle pour une urgence ▮ a

(measure, operation etc) d'urgence; **e. exit/ brake** sortie f/frein m de secours; **e. ward** Br, **e. room** Am salle f des urgences; **e. landing** atterrissage m forcé; **e. powers** (of government etc) pouvoirs mpl extraordinaires; **e. services** services mpl d'urgence.
emery ['emərɪ] a **e. board** lime f à ongles en carton; **e. cloth** toile f (d')émeri.
emigrant ['emɪɡrənt] n émigrant, -ante mf. ●**emigrate** vi émigrer. ●**emigration** [-'ɡreɪʃ(ə)n] n émigration f.
eminent ['emɪnənt] a éminent. ●**eminence** n distinction f; **your E.** (to cardinal) votre Éminence. ●**eminently** adv hautement, remarquablement.
emir [e'mɪər] n émir m. ●**emirate** ['emɪrət] n émirat m.
emissary ['emɪsərɪ] n émissaire m.
emission [ɪ'mɪʃ(ə)n] n (of pollutant) émission f.
emit [ɪ'mɪt] vt (-tt-) (light, heat etc) émettre; (smell) dégager.
emotion [ɪ'məʊʃ(ə)n] n (strength of feeling) émotion f; (joy, love etc) sentiment m.
emotional [ɪ'məʊʃ(ə)n(ə)l] a (person, reaction) émotif; (story, speech, plea) émouvant; (moment) d'intense émotion; **an e. state** Psy un état émotionnel. ●**emotionally** adv (to say) avec émotion; **to be e. unstable** avoir des troubles émotifs.
emotive [ɪ'məʊtɪv] a (word) affectif; (person) émotif; **an e. issue** une question sensible.
empathy ['empəθɪ] n (sympathy) compassion f.
emperor ['empərər] n empereur m.
emphasis ['emfəsɪs] n (in word or phrase) accent m; (insistence) insistance f; **to lay** or **put e. on** mettre l'accent sur.
emphasize ['emfəsaɪz] vt (importance of sth etc) souligner; (word, fact) appuyer sur, insister sur, souligner; (vowel, syllable) appuyer sur, insister sur; **to e. that** souligner que.
emphatic [em'fætɪk] a (denial, refusal etc) (clear) catégorique; (forceful) énergique; **to be e. about sth** insister sur qch; **she was e.** elle a été catégorique. ●**emphatically** adv (to refuse etc) catégoriquement; (forcefully) énergiquement; **e. no!** absolument pas!
empire ['empaɪər] n empire m.
empirical [em'pɪrɪk(ə)l] a empirique. ●**empiricism** n empirisme m.
employ [ɪm'plɔɪ] vt (person, means) employer ▮ n **in the e. of** employé par. ●**employee** [ɪm'plɔɪiː, emplɔɪ'iː] n employé, -ée mf. ●**employer** n patron, -onne mf. ●**employment** n emploi m; **place of e.** lieu m de travail; **to be in the e. of** être employé par; **e. agency** bureau m de placement.
empower [ɪm'paʊər] vt autoriser (qn) (**to do** à faire).
empress ['emprɪs] n impératrice f.
empty ['emptɪ] a (-ier, -iest) vide; (stomach) creux, vide; (threat, promise etc) vain; **on an**

enforce

e. stomach à jeun; **to return**/*etc* **e.-handed** revenir/*etc* les mains vides.
▎ *n* empties (*bottles*) bouteilles *fpl* vides.
▎ *vt* **to e. (out)** (*box, pocket, liquid etc*) vider; (*vehicle*) décharger; (*objects in box etc*) sortir (**from, out of** de).
▎ *vi* (*of building, tank etc*) se vider; **to e. into** (*of river*) se jeter dans. ●**emptiness** *n* (*in s.o.'s life etc*) vide *m*; **I was surprised by the e. of the theatre** j'ai été surpris de trouver le théâtre vide.
emulate ['emjʊleɪt] *vt* imiter. ●**emulation** [-'leɪʃ(ə)n] *n* émulation *f*.
emulsion [ɪ'mʌlʃ(ə)n] *n* (*paint*) peinture *f* acrylique (mate); *Phot* émulsion *f*.
enable [ɪ'neɪb(ə)l] *vt* **to e. s.o. to do** permettre à qn de faire.
enact [ɪn'ækt] *vt* (*law*) promulguer; (*play, part in play*) jouer.
enamel [ɪ'næm(ə)l] *n* émail *m* (*pl* émaux) ▎ *a* en émail ▎ *vt* (*Br* **-ll-**, *Am* **-l-**) émailler.
enamoured [ɪn'æməd] *a* **e. of** (*thing*) séduit par; (*person*) amoureux de.
encamp [ɪn'kæmp] *vi* camper. ●**encampment** *n* campement *m*.
encapsulate [ɪn'kæpsjʊleɪt] *vt* (*ideas, views etc*) résumer.
encase [ɪn'keɪs] *vt* (*cover*) recouvrir (**in** de), envelopper (**in** dans).
enchant [ɪn'tʃɑːnt] *vt* enchanter. ●**enchanting** *a* enchanteur. ●**enchantment** *n* enchantement *m*.
encircle [ɪn'sɜːk(ə)l] *vt* entourer; (*of army, police*) encercler.
encl *abbr* (*enclosure(s)*) pièce(s) *f(pl)* jointe(s), PJ.
enclave ['enkleɪv] *n* enclave *f*.
enclose [ɪn'kləʊz] *vt* (*send with letter*) joindre (**in, with** à); (*fence off*) clôturer; **to e. sth with a wall**/*etc* entourer qch d'un mur/*etc*. ●**enclosed** *a* (*receipt, document etc*) ci-joint; (*market*) couvert; **e. space** espace *m* clos; **e. please find** veuillez trouver ci-joint.
enclosure [ɪn'kləʊʒər] *n* (*in letter*) pièce *f* jointe; (*place, fence*) enceinte *f*.
encompass [ɪn'kʌmpəs] *vt* (*include*) inclure; (*surround*) entourer.
encore ['ɒŋkɔːr] *int* & *n* bis (*m*) ▎ *vt* bisser.
encounter [ɪn'kaʊntər] *vt* (*person, resistance etc*) rencontrer ▎ *n* rencontre *f*.
encourage [ɪn'kʌrɪdʒ] *vt* encourager (**to do** à faire). ●**encouragement** *n* encouragement *m*.
encroach [ɪn'krəʊtʃ] *vi* empiéter (**on, upon** sur); **to e. on the land** (*of sea*) gagner du terrain. ●**encroachment** *n* empiétement *m*.
encumber [ɪn'kʌmbər] *vt* encombrer (**with** de). ●**encumbrance** *n* embarras *m*.
encyclical [ɪn'sɪklɪk(ə)l] *n* (*sent by Pope*) encyclique *f*.
encyclop(a)edia [ɪnsaɪklə'piːdɪə] *n* encyclopédie *f*. ●**encyclop(a)edic** *a* encyclopédique.
end [end] *n* (*of street, box etc*) bout *m*, extrémité *f*; (*of month, meeting, book etc*) fin *f*; (*purpose*) fin *f*, but *m*; **at an e.** (*discussion, war etc*) fini, terminé; (*period of time*) écoulé; **my patience is at an e.** ma patience est à bout; **in the e.** à la fin; **to come to an e.** prendre fin; **to put an e. to sth, bring sth to an e.** mettre fin à qch; **there's no e. to it** ça n'en finit plus; **no e. of** *Fam* beaucoup de; **six days on e.** six jours d'affilée; **for days on e.** pendant des jours et des jours; **to stand a box**/*etc* **on e.** mettre une boîte/*etc* debout.
▎ *a* (*row, house etc*) dernier; **e. product** (*industrial*) produit *m* fini; *Fig* résultat *m* (final).
▎ *vt* finir, terminer, achever (**with** par); (*rumour, speculation etc*) mettre fin à.
▎ *vi* finir, se terminer, s'achever; **to e. in failure** se solder par un échec; **to e. in a point** finir en pointe; **to e. up doing** finir par faire; **to e. up in London**/*etc* se retrouver à Londres/*etc*; **he ended up in prison/a doctor** il a fini en prison/médecin.
endanger [ɪn'deɪndʒər] *vt* mettre en danger; **endangered species** espèce *f* menacée *or* en voie de disparition.
endear [ɪn'dɪər] *vt* faire aimer *or* apprécier (*qn* to de); **that's what endears him to me** c'est cela qui me plaît en lui. ●**endearing** *a* (*person*) attachant, sympathique; (*quality*) qui inspire la sympathie. ●**endearment** *n* parole *f* tendre; **term of e.** terme *m* d'affection.
endeavour [ɪn'devər] (*Am* **endeavor**) *vi* s'efforcer (**to do** de faire) ▎ *n* effort *m* (**to do** pour faire).
ending ['endɪŋ] *n* fin *f*; (*of word*) terminaison *f*; **a happy e.** (*in story etc*) un heureux dénouement, un happy end.
endive [*Br* 'endɪv, *Am* 'endaɪv] *n* (*curly*) chicorée *f*; (*smooth*) endive *f*.
endless ['endləs] *a* (*speech, series etc*) interminable; (*patience*) infini; (*countless*) innombrable. ●**endlessly** *adv* interminablement.
endorse [ɪn'dɔːs] *vt* (*Br cheque, Am check*) endosser; (*action, plan*) approuver; (*claim, application*) appuyer. ●**endorsement** *n* (*on driving licence*) *Br* = point(s) enlevé(s) sur le permis de conduire.
endow [ɪn'daʊ] *vt* (*institution*) doter (**with** de); (*university chair, hospital bed etc*) fonder; **to be endowed with** (*of person*) être doté de. ●**endowment** *n* dotation *f*; (*of university chair etc*) fondation *f*.
endurance [ɪn'djʊərəns] *n* endurance *f*, résistance *f*; **e. test** épreuve *f* d'endurance.
endure [ɪn'djʊər] **1** *vt* (*bear*) supporter (**doing** de faire). **2** *vi* (*last*) durer. ●**enduring** *a* durable.
enemy ['enəmɪ] *n* ennemi, -ie *mf* ▎ *a* (*army, tank etc*) ennemi.
energetic [enə'dʒetɪk] *a* énergique; **to feel e.** se sentir en pleine forme. ●**energetically** *adv* énergiquement.
energy ['enədʒɪ] *n* énergie *f* ▎ *a* (*crisis, resources etc*) énergétique.
enforce [ɪn'fɔːs] *vt* (*law*) faire respecter;

engage

(*discipline*) imposer (**on** à). ●**enforced** *a* (*rest, silence etc*) forcé.
engage [ɪnˈgeɪdʒ] *vt* (*take on*) engager, prendre; **to e. s.o. in conversation** engager la conversation avec qn; **to e. the clutch** (*in vehicle*) *Br* embrayer ▌ *vi* **to e. in** (*launch into*) se lancer dans; (*be involved in*) être mêlé à.
engaged [ɪnˈgeɪdʒd] *a* **1** (*occupied*) (*person, toilet, phone*) *Br* occupé; **e. in doing** occupé à faire; **to be e. in business**/*etc* être dans les affaires/*etc*. **2 e. (to be married)** fiancé; **to get e.** se fiancer.
engagement [ɪnˈgeɪdʒmənt] *n* (*agreement to marry*) fiançailles *fpl*; (*meeting*) rendez-vous *m inv*; (*undertaking*) engagement *m*; **to have a prior e.** (*be busy*) être déjà pris, ne pas être libre; **e. ring** bague *f* de fiançailles.
engaging [ɪnˈgeɪdʒɪŋ] *a* (*smile*) engageant.
engender [ɪnˈdʒendər] *vt* (*produce*) engendrer.
engine [ˈendʒɪn] *n* (*of vehicle, aircraft*) moteur *m*; (*of train*) locomotive *f*; (*of ship*) machine *f*; **e. driver** (*of train*) *Br* mécanicien *m*.
engineer [endʒɪˈnɪər] **1** *n* ingénieur *m*; (*repairer*) *Br* dépanneur, -euse *mf*; (*train driver*) *Am* mécanicien *m*; (*on ship*) mécanicien *m*; **civil e.** ingénieur *m* des travaux publics; **mechanical e.** ingénieur *m* mécanicien.
2 *vt* (*arrange secretly*) combiner, manigancer (*plan etc*). ●**engineering** *n* ingénierie *f*; (**civil**) génie *m* civil, travaux *mpl* publics; (**mechanical**) **e.** mécanique *f*; **e. factory** atelier *m* de construction mécanique.
England [ˈɪŋglənd] *n* Angleterre *f*.
English [ˈɪŋglɪʃ] *a* anglais; **E. teacher** professeur *m* d'anglais; **the E. Channel** la Manche ▌ *n* (*language*) anglais *m*; **the E.** (*people*) les Anglais *mpl*. ●**Englishman** *n* (*pl* **-men**) Anglais *m*. ●**English-speaking** *a* (*person, country etc*) anglophone. ●**Englishwoman** *n* (*pl* **-women**) Anglaise *f*.
engrave [ɪnˈgreɪv] *vt* graver. ●**engraving** *n* gravure *f*. ●**engraver** *n* graveur *m*.
engrossed [ɪnˈgrəʊst] *a* **e. in one's work** absorbé par son travail; **e. in one's book** absorbé dans sa lecture.
engulf [ɪnˈgʌlf] *vt* engloutir.
enhance [ɪnˈhɑːns] *vt* (*beauty, prestige etc*) rehausser; (*value*) augmenter.
enigma [ɪˈnɪgmə] *n* énigme *f*. ●**enigˈmatic** *a* énigmatique.
enjoy [ɪnˈdʒɔɪ] *vt* aimer (**doing** faire); (*meal*) apprécier; (*good health, standard of living etc*) jouir de; **to e. the evening** passer une bonne soirée; **to e. oneself** s'amuser; **to e. being in London**/*etc* se plaire à Londres/*etc*. ●**enjoyable** *a* agréable; (*meal*) excellent. ●**enjoyably** *adv* agréablement. ●**enjoyment** *n* plaisir *m*.
enlarge [ɪnˈlɑːdʒ] *vt* agrandir ▌ *vi* s'agrandir; **to e. (up)on** (*say more about*) s'étendre sur. ●**enlargement** *n* (*increase*) & *Phot* agrandissement *m*.
enlighten [ɪnˈlaɪt(ə)n] *vt* éclairer (**s.o. on** or

about sth qn sur qch). ●**enlightening** *a* instructif. ●**enlightenment** *n* (*explanations*) éclaircissements *mpl*; **an age of e.** une époque éclairée.
enlist [ɪnˈlɪst] *vi* (*in the army etc*) s'engager ▌ *vt* (*recruit*) engager; (*supporter*) recruter; (*support*) obtenir. ●**enlistment** *n* engagement *m*; (*of supporter*) recrutement *m*.
enliven [ɪnˈlaɪv(ə)n] *vt* (*meeting etc*) animer; (*people*) égayer.
enmeshed [ɪnˈmeʃt] *a* empêtré (**in** dans).
enmity [ˈenmɪtɪ] *n* inimitié *f* (**between** entre).
enormous [ɪˈnɔːməs] *a* énorme; (*explosion, blow*) terrible; (*patience, gratitude*) immense; **an e. success** un succès fou *or* immense. ●**enormity** *n* (*vastness, extent*) énormité *f*; (*atrocity*) atrocité *f*. ●**enormously** *adv* (*very much*) énormément; (*very*) extrêmement.
enough [ɪˈnʌf] *a* & *n* assez (de); **e. time**/**cups**/*etc* assez de temps/de tasses/*etc*; **to have e. to live on** avoir de quoi vivre; **to have e. to drink** avoir assez à boire; **to have had e. of s.o.**/**sth** (*be fed up with*) en avoir assez de qn/qch; **it's e. for me to see that...** il me suffit de voir que...; **that's e.** ça suffit, c'est assez.
▌ *adv* (*to work, sleep etc*) assez, suffisamment; **big**/**good**/*etc* **e.** assez *or* suffisamment grand/bon/*etc* (**to** pour); **strangely e., he left** chose curieuse, il est parti.
enquire [ɪnˈkwaɪər] *vi* = **inquire**.
enquiry [ɪnˈkwaɪərɪ] *n* = **inquiry**.
enrage [ɪnˈreɪdʒ] *vt* mettre en rage.
enrapture [ɪnˈræptʃər] *vt* ravir.
enrich [ɪnˈrɪtʃ] *vt* enrichir; (*soil*) fertiliser. ●**enrichment** *n* enrichissement *m*.
enrol [ɪnˈrəʊl] (*Am* **enroll**) *vi* (**-ll-**) s'inscrire (**in**, **for** à) ▌ *vt* inscrire. ●**enrolment** (*Am* **enrollment**) *n* inscription *f*; (*people enrolled*) effectif *m*.
ensconced [ɪnˈskɒnst] *a* bien installé (**in** dans).
ensemble [ɒnˈsɒmb(ə)l] *n* (*musicians, clothes*) ensemble *m*.
ensign [ˈensən, ˈensaɪn] *n* (*flag*) pavillon *m*; (*naval rank*) *Am* enseigne *m* de vaisseau.
enslave [ɪnˈsleɪv] *vt* asservir.
ensue [ɪnˈsjuː] *vi* s'ensuivre. ●**ensuing** *a* (*day, year etc*) suivant; (*event*) qui s'ensuit.
ensure [ɪnˈʃʊər] *vt* assurer; **to e. that** (*make sure*) s'assurer que.
entail [ɪnˈteɪl] *vt* (*imply, involve*) supposer, impliquer.
entangle [ɪnˈtæŋg(ə)l] *vt* emmêler, enchevêtrer; **to get entangled in** (*seaweed, explanations etc*) s'empêtrer dans. ●**entanglement** *n* enchevêtrement *m*; **to have an e. with** (*police*) avoir des démêlés *mpl* avec.
enter [ˈentər] *vt* (*room, vehicle, army etc*) entrer dans; (*road*) s'engager dans; (*university*) s'inscrire à; (*write down*) (*on list etc*) inscrire (**in** dans, **on** sur); (*in accounts book*) porter (**in** sur); (*computer data*) entrer, introduire; **to e. s.o. for** (*exam*) présenter *or* inscrire qn à; **to e. a painting**/*etc* **in** (*competition*) pré-

senter un tableau/*etc* à; **it didn't e. my head** *or* **mind** ça ne m'est pas venu à l'esprit (**that** que). **I** *vi* entrer; **to e. for** (*race, exam*) s'inscrire pour, se présenter à; **to e. into** (*relations*) entrer en; (*explanation*) entamer; (*contract*) passer (**with** avec); **to e. into a conversation with** s.o. entamer *or* engager la conversation avec qn; **you don't e. into it** tu n'y es pour rien; **to e. into** *or* **upon** (*career*) entrer dans; (*negotiations*) entamer; (*agreement*) conclure.

enterprise ['entəpraɪz] *n* (*undertaking, firm*) entreprise *f*; (*spirit, initiative*) initiative *f*. ●**enterprising** *a* (*person*) plein d'initiative; (*attempt*) hardi.

entertain [entə'teɪn] *vt* amuser, distraire; (*guest*) recevoir; (*idea, possibility*) envisager; (*doubt, hope*) nourrir; **to e. s.o. to a meal** recevoir qn à dîner **I** *vi* (*receive guests*) recevoir. ●**entertaining** *a* amusant. ●**entertainer** *n* artiste *mf*. ●**entertainment** *n* amusement *m*, distraction *f*; (*show*) spectacle *m*.

enthral(l) [ɪn'θrɔːl] *vt* (**-ll-**) (*delight*) captiver.

enthuse [ɪn'θjuːz] *vi* **to e. over** *Fam* s'emballer pour.

enthusiasm [ɪn'θjuːzɪæz(ə)m] *n* enthousiasme *m*. ●**enthusiast** *n* enthousiaste *mf*; **jazz**/*etc* **e.** passionné, -ée *mf* de jazz/*etc*.

enthusiastic [ɪnθjuːzɪ'æstɪk] *a* enthousiaste; (*golfer, photographer etc*) passionné; **to be e. about** (*hobby*) être passionné de; **he was e. about** *or* **over** (*gift, idea etc*) il a été emballé par; **to get e.** s'emballer (**about** pour). ●**enthusiastically** *adv* avec enthousiasme.

entice [ɪn'taɪs] *vt* attirer (par la ruse) (**into** dans); **to e. s.o. to do** entraîner qn (par la ruse) à faire. ●**enticing** *a* séduisant, alléchant. ●**enticement** *n* (*bait*) attrait *m*.

entire [ɪn'taɪər] *a* entier. ●**entirely** *adv* tout à fait, entièrement.

entirety [ɪn'taɪərətɪ] *n* intégralité *f*; **in its e.** en entier.

entitle [ɪn'taɪt(ə)l] *vt* **to e. s.o. to do** donner à qn le droit de faire; **to e. s.o. to sth** donner à qn (le) droit à qch; **that entitles me to believe that...** ça m'autorise à croire que.... ●**entitled** *a* **1 to be e. to do** avoir le droit de faire; **to be e. to sth** avoir droit à qch. **2 a book e....** un livre intitulé.... ●**entitlement** *n* **one's e.** son dû.

entity ['entɪtɪ] *n* entité *f*.

entourage ['ɒntʊrɑːʒ] *n* entourage *m*.

entrails ['entreɪlz] *npl* entrailles *fpl*.

entrance 1 ['entrəns] *n* entrée *f* (**to** de); (*to university, school etc*) admission *f* (**to** à); **e. examination** examen *m* d'entrée. **2** [ɪn'trɑːns] *vt* (*captivate*) transporter, ravir (*qn*).

entrant ['entrənt] *n* (*in race*) concurrent, -ente *mf*; (*for exam*) candidat, -ate *mf*.

entreat [ɪn'triːt] *vt* supplier, implorer (**to do** de faire). ●**entreaty** *n* supplication *f*.

entrée ['ɒntreɪ] *n Br Culin* entrée *f*; (*main dish*) *Am* plat *m* principal.

entrench [ɪn'trentʃ] *vt* **to e. oneself** (*of soldier*) & *Fig* se retrancher.

entrepreneur [ɒntrəprə'nɜːr] *n* entrepreneur *m*.

entrust [ɪn'trʌst] *vt* confier (**to** à); **to e. s.o. with sth** confier qch à qn.

entry ['entrɪ] *n* (*way in, action*) entrée *f*; (*bookkeeping item*) écriture *f*; (*term in dictionary, logbook etc*) entrée *f*; (*competitor in race etc*) concurrent, -ente *mf*; (*thing to be judged in competition*) objet *m* (*or* œuvre *f or* projet *m*) soumis au jury; **e. form** feuille *f* d'inscription; **'no. e.'** (*on door etc*) 'entrée interdite'; (*road sign*) 'sens interdit'.

entwine [ɪn'twaɪn] *vt* entrelacer.

enumerate [ɪ'njuːməreɪt] *vt* énumérer. ●**enumeration** [-'reɪʃ(ə)n] *n* énumération *f*.

enunciate [ɪ'nʌnsɪeɪt] *vt* (*word*) articuler; (*theory*) énoncer. ●**enunciation** [-'eɪʃ(ə)n] *n* articulation *f*; (*of theory*) énonciation *f*.

envelop [ɪn'veləp] *vt* envelopper (**in fog/mystery**/*etc* de brouillard/mystère/*etc*).

envelope ['envələʊp] *n* enveloppe *f*.

enviable ['envɪəb(ə)l] *a* enviable.

envious ['envɪəs] *a* envieux (**of sth** de qch); **e. of s.o.** jaloux de qn. ●**enviously** *adv* avec envie.

environment [ɪn'vaɪərənmənt] *n* (*social, moral etc*) milieu *m*; **the e.** (*natural*) l'environnement *m*; **e.-friendly product**/*etc* produit *m*/*etc* qui ne nuit pas à l'environnement. ●**environ'mental** *a* du milieu; (*natural*) de l'environnement, écologique. ●**environ'mentalist** *n* écologiste *mf*.

envisage [ɪn'vɪzɪdʒ] *vt* (*imagine*) envisager; (*foresee*) prévoir; **to e. doing** envisager de faire.

envision [ɪn'vɪʒ(ə)n] *vt Am* = **envisage**.

envoy ['envɔɪ] *n* (*messenger*) envoyé, -ée *mf*; (*diplomat*) ministre *m* plénipotentiaire.

envy ['envɪ] *n* envie *f* **I** *vt* envier (**s.o. sth** qch à qn).

ephemeral [ɪ'femərəl] *a* éphémère.

epic ['epɪk] *a* épique **I** *n* épopée *f*; (**screen**) **e.** film *m* à grand spectacle.

epidemic [epɪ'demɪk] *n* épidémie *f*; **to reach e. proportions** prendre des allures d'épidémie.

epidural [epɪ'djʊərəl] *n* (*anaesthetic*) (anesthésie *f*) péridurale *f*.

epilepsy ['epɪlepsɪ] *n* épilepsie *f*. ●**epi'leptic** *a* & *n* épileptique (*mf*).

epilogue ['epɪlɒg] *n* épilogue *m*.

episode ['epɪsəʊd] *n* épisode *m*. ●**episodic** [epɪ'sɒdɪk] *a* épisodique.

epistle [ɪ'pɪs(ə)l] *n* épître *f*.

epitaph ['epɪtɑːf] *n* épitaphe *f*.

epithet ['epɪθet] *n* épithète *f*.

epitome [ɪ'pɪtəmɪ] *n* **the e. of** l'exemple même de, l'incarnation de. ●**epitomize** *vt* incarner.

epoch ['iːpɒk] *n* époque *f*. ●**epoch-making** *a* (*event*) qui fait date.

equal ['iːkwəl] *a* égal (**to** à); **with e. hostility**/**respect**/*etc* avec la même hostilité/le même respect/*etc*; **on an e. footing** sur un pied

equality

d'égalité (**with** avec); **to be e. to** (*in number, quantity*) égaler; **she's e. to** (*task, situation*) elle est à la hauteur de.
∎ *n* (*person*) égal, -ale *mf*; **to treat s.o. as an e.** traiter qn en égal *or* d'égal à égal; **he doesn't have his e.** il n'a pas son pareil.
∎ *vt* (*Br* **-ll-**, *Am* **-l-**) égaler (**in beauty**/*etc* en beauté/*etc*); **equals sign** signe *m* d'égalité.

equality [ɪ'kwɒlɪtɪ] *n* égalité *f*.

equalize ['iːkwəlaɪz] *vi* (*score in football etc*) égaliser ∎ *vt* égaliser.

equally ['iːkwəlɪ] *adv* (*to an equal degree, also*) également; (*to divide*) en parts égales; **he's e. stupid** (*just as*) il est tout aussi bête.

equanimity [ekwə'nɪmɪtɪ] *n* égalité *f* d'humeur.

equate [ɪ'kweɪt] *vt* mettre sur le même pied (**with** que), assimiler (**with** à).

equation [ɪ'kweɪʒ(ə)n] *n* (*mathematical*) équation *f*.

equator [ɪ'kweɪtər] *n* équateur *m*; **at** *or* **on the e.** sous l'équateur. ● **equatorial** [ekwə'tɔːrɪəl] *a* équatorial.

equestrian [ɪ'kwestrɪən] *a* équestre.

equilibrium [iːkwɪ'lɪbrɪəm] *n* équilibre *m*.

equinox ['iːkwɪnɒks, 'ek-] *n* équinoxe *m*.

equip [ɪ'kwɪp] *vt* (**-pp-**) équiper (**with** de); **(well-)equipped with** pourvu de; **to be (well-)equipped to do** être compétent pour faire. ● **equipment** *n* équipement *m*, matériel *m*.

equity ['ekwɪtɪ] *n* **1** (*fairness*) équité *f*. **2** *Com* (*investment*) participation *f* (financière); **equities** (*shares*) actions *fpl* (ordinaires). ● **equitable** *a* équitable.

equivalent [ɪ'kwɪvələnt] *a* & *n* équivalent (*m*). ● **equivalence** *n* équivalence *f*.

equivocal [ɪ'kwɪvək(ə)l] *a* équivoque.

era [*Br* 'ɪərə, *Am* 'erə] *n* époque *f*; (*historical, geological*) ère *f*.

eradicate [ɪ'rædɪkeɪt] *vt* supprimer; (*evil, prejudice*) extirper.

erase [*Br* ɪ'reɪz, *Am* ɪ'reɪs] *vt* effacer. ● **eraser** *n* (*rubber for pencil marks*) gomme *f*. ● **erasure** [ɪ'reɪʒər] *n* rature *f*.

erect [ɪ'rekt] **1** *a* (*upright*) (bien) droit. **2** *vt* (*build*) construire; (*statue, monument*) ériger; (*scaffolding*) monter; (*tent*) dresser, monter. ● **erection** [-ʃ(ə)n] *n* construction *f*; (*of statue etc*) érection *f*; (*of scaffolding etc*) montage *m*.

ERM [iːɑː'rem] *n abbr* (*Exchange Rate Mechanism*) = SME *m*.

ermine ['ɜːmɪn] *n* (*animal, fur*) hermine *f*.

erode [ɪ'rəʊd] *vt* (*of sea etc*) éroder; (*confidence etc*) *Fig* miner, ronger. ● **erosion** [-ʒ(ə)n] *n* érosion *f*.

erotic [ɪ'rɒtɪk] *a* érotique. ● **eroticism** *n* érotisme *m*.

err [ɜːr] *vi* (*be wrong*) se tromper; (*sin*) pécher.

errand ['erənd] *n* commission *f*, course *f*; **e. boy** garçon *m* de courses.

erratic [ɪ'rætɪk] *a* (*unpredictable*) (*service, machine etc*) capricieux, fantaisiste; (*person, behaviour*) lunatique; (*irregular*) (*performance, results etc*) irrégulier.

erroneous [ɪ'rəʊnɪəs] *a* erroné.

error ['erər] *n* (*mistake*) erreur *f*; **to do sth in e.** faire qch par erreur; **typing/printing e.** faute *f* de frappe/d'impression.

erudite [*Br* 'eruːdaɪt, *Am* 'erjʊdaɪt] *a* érudit, savant. ● **erudition** [-'dɪʃ(ə)n] *n* érudition *f*.

erupt [ɪ'rʌpt] *vi* (*of volcano*) entrer en éruption; (*of pimples*) apparaître; (*of war, violence*) éclater. ● **eruption** [-ʃ(ə)n] *n* (*of volcano, pimples, anger*) éruption *f* (**of** de); (*of violence*) flambée *f*.

escalate ['eskəleɪt] *vi* (*of war, violence*) s'intensifier; (*of prices*) monter en flèche ∎ *vt* intensifier. ● **escalation** [-'leɪʃ(ə)n] *n* escalade *f*.

escalator ['eskəleɪtər] *n* escalier *m* roulant.

escapade ['eskəpeɪd] *n* (*prank*) frasque *f*.

escape [ɪ'skeɪp] *vi* (*of gas, animal etc*) s'échapper; (*of prisoner*) s'évader, s'échapper; **to e. from** (*person*) échapper à; (*place, cage*) s'échapper de; **escaped prisoner** évadé, -ée *mf*.
∎ *vt* (*death*) échapper à; (*punishment*) éviter; **that name escapes me** ce nom m'échappe; **to e. notice** passer inaperçu.
∎ *n* (*of gas, liquid*) fuite *f*; (*of person*) évasion *f*, fuite *f*; **to have a lucky** *or* **narrow e.** l'échapper belle.

escapism [ɪ'skeɪpɪz(ə)m] *n* évasion *f* (hors de la réalité). ● **escapist** *a* (*film, novel etc*) d'évasion.

escort ['eskɔːt] *n* (*soldiers, ships etc*) escorte *f*; (*of woman to social event*) cavalier *m*; **it's dangerous — she needs an e.** c'est dangereux — elle a besoin de quelqu'un pour l'accompagner ∎ [ɪ'skɔːt] *vt* escorter.

Eskimo ['eskɪməʊ] *n* (*pl* **-os**) Esquimau, -aude *mf* ∎ *a* esquimau (*inv or f* -aude).

esoteric [esəʊ'terɪk] *a* obscur, ésotérique.

especial [ɪ'speʃəl] *a* (*tout*) spécial; (*care, attention*) (tout) particulier. ● **especially** *adv* (*in particular*) spécialement, particulièrement; (*for particular purpose*) (tout) spécialement; **e. as** d'autant plus que.

espionage ['espɪənɑːʒ] *n* espionnage *m*.

esplanade ['espləneɪd] *n* esplanade *f*.

espouse [ɪ'spaʊz] *vt* (*a cause*) épouser.

espresso [e'spresəʊ] *n* (*pl* **-os**) (café *m*) express *m*.

Esq [ɪ'skwaɪər] *Br abbr* (*esquire*) **J. Smith Esq** (*on envelope*) Monsieur J. Smith.

essay ['eseɪ] *n* (*in school*) rédaction *f*; (*in university*) dissertation *f*; (*literary*) essai *m* (**on** sur).

essence ['esəns] *n* (*distinctive quality*) essence *f*; (*of food*) extrait *m*, essence *f*; **the e. of** (*main point*) l'essentiel *m* de; **in e.** essentiellement.

essential [ɪ'senʃ(ə)l] *a* (*principal*) essentiel; (*necessary*) indispensable, essentiel; **it's e. that** il est indispensable que (+ *sub*) ∎ *npl* **the essentials** l'essentiel *m* (**of** de); (*of grammar*) les éléments *mpl*. ● **essentially** *adv* essentiellement.

establish [ɪ'stæblɪʃ] vt établir; (state, society, business company) fonder; (post) créer. ● **established** a (well-)e. (business company) solide; (fact) reconnu; (reputation) établi; **she's (well-)e.** (well-known) elle a une réputation établie. ● **establishment** n (institution, business company) établissement m; **the e. of** (action) l'établissement de; (state etc) la fondation de; (post) la création de; **the E.** (dominant group) les classes fpl dirigeantes.

estate [ɪ'steɪt] n (land) terre(s) f(pl), propriété f; (possessions) biens mpl; (property after death) succession f; **housing e.** Br lotissement m; (workers') cité f (ouvrière); **industrial e.** Br zone f industrielle; **e. agency** Br agence f immobilière; **e. agent** Br agent m immobilier; **e. car** Br break m; **e. duty** Br, **e. tax** Am droits mpl de succession.

esteem [ɪ'stiːm] vt estimer; **highly esteemed** très estimé ▮ n estime f.

esthetic [es'θetɪk] a Am esthétique.

estimate ['estɪmeɪt] vt (value) estimer, évaluer; (consider) estimer (**that** que) ▮ ['estɪmət] n (assessment) évaluation f, estimation f; (judgment) évaluation f; (price for work to be done) devis m; **rough e.** chiffre m approximatif. ● **estimation** [-'meɪʃ(ə)n] n jugement m; (esteem) estime f; (calculation) estimation f; **in my e.** à mon avis.

estranged [ɪ'streɪndʒd] a **to become e.** (of married couple) se séparer.

estuary ['estjʊərɪ] n estuaire m.

etc [et'setərə] adv etc.

etch [etʃ] vti graver à l'eau forte. ● **etching** n (picture) eau-forte f.

eternal [ɪ'tɜːn(ə)l] a éternel. ● **eternally** adv éternellement. ● **eternity** n éternité f.

ether ['iːθər] n éther m.

ethic ['eθɪk] n éthique f. ● **ethics** n (moral standards) moralité f; (philosophical study) éthique f. ● **ethical** a moral, éthique.

Ethiopia [iːθɪ'əʊpɪə] n Éthiopie f. ● **Ethiopian** a éthiopien ▮ n Éthiopien, -ienne mf.

ethnic ['eθnɪk] a ethnique; **e. minority** minorité f ethnique; **e. music/dancing/**etc musique f/danses fpl traditionnelle(s) (d'Afrique, d'Orient etc); **e. cleansing** purification f ethnique.

ethos ['iːθɒs] n génie m.

etiquette ['etɪket] n (rules) bienséances fpl; (diplomatic) protocole m, étiquette f; **professional e.** déontologie f.

etymology [etɪ'mɒlədʒɪ] n étymologie f.

eucalyptus [juːkə'lɪptəs] n eucalyptus m.

eulogy ['juːlədʒɪ] n panégyrique m, éloge m.

euphemism ['juːfəmɪz(ə)m] n euphémisme m.

euphoria [juː'fɔːrɪə] n euphorie f. ● **euphoric** a euphorique.

Euro- ['jʊərəʊ] pref euro-; **Euro-MP** membre m du parlement européen.

Eurocheque ['jʊərəʊtʃek] n eurochèque m.

Eurocrat ['jʊərəʊkræt] n eurocrate mf.

Europe ['jʊərəp] n Europe f. ● **European** [jʊərə'piːən] a européen ▮ n Européen, -enne mf.

euthanasia [juːθə'neɪzɪə] n euthanasie f.

evacuate [ɪ'vækjʊeɪt] vt évacuer. ● **evacuation** [-'eɪʃ(ə)n] n évacuation f.

evade [ɪ'veɪd] vt éviter, esquiver; (pursuer, tax) échapper à; (law, question) éluder.

evaluate [ɪ'væljʊeɪt] vt évaluer (**at** à). ● **evaluation** [-'eɪʃ(ə)n] n évaluation f.

evangelical [iːvæn'dʒelɪk(ə)l] a évangélique. ● **evangelist** [ɪ'vændʒəlɪst] n évangéliste m.

evaporate [ɪ'væpəreɪt] vi (of liquid) s'évaporer; (of hopes) s'évanouir; **evaporated milk** lait m concentré. ● **evaporation** [-'reɪʃ(ə)n] n évaporation f.

evasion [ɪ'veɪʒ(ə)n] n **e. of** (pursuer etc) fuite f devant; (question) esquive f de; **tax e.** évasion f fiscale.

evasive [ɪ'veɪsɪv] a évasif.

eve [iːv] n **on the e. of** à la veille de.

even ['iːv(ə)n] **1** a (flat) uni, égal; (equal) égal; (regular) régulier; (number) pair; **to get e. with s.o.** se venger de qn; **I'll get e. with him (for that)** je lui revaudrai ça; **we're e.** (not owing anything to each other) nous sommes quittes; (in score) nous sommes à égalité; **to break e.** (financially) s'y retrouver ▮ vt **to e. sth (out** or **up)** égaliser qch.

2 adv même; **e. better/more** encore mieux/plus; **e. if** or **though** même si; **e. so** quand même. ● **evenly** adv de manière égale; (regularly) régulièrement. ● **evenness** n (of surface, temper) égalité f; (of movement etc) régularité f. ● **even-'tempered** a de caractère égal.

evening ['iːvnɪŋ] n soir m; (whole evening, event) soirée f; **in the e.,** Am **evenings** le soir; **at seven in the e.** à sept heures du soir; **every Tuesday e.** tous les mardis soir; **all e. (long)** toute la soirée; **e. meal/newspaper/**etc repas m/journal m/etc du soir; **e. class** cours m du soir; **e. dress** (of man) tenue f de soirée; (of woman) robe f du soir or de soirée; **e. performance** (in theatre) soirée f.

event [ɪ'vent] n événement m; Sport épreuve f; **in the e. of death** en cas de décès; **in any e.** en tout cas; **after the e.** après coup.

eventful [ɪ'ventfəl] a (journey, life etc) mouvementé; (occasion) mémorable.

eventual [ɪ'ventʃʊəl] a (final) final, définitif; (possible) éventuel. ● **eventu'ality** n éventualité f. ● **eventually** adv finalement, à la fin; (some day or other) un jour ou l'autre.

ever ['evər] adv jamais; **has he e. seen it?** l'a-t-il jamais vu?; **more than e.** plus que jamais; **nothing e.** jamais rien; **hardly e.** presque jamais; **e. ready** toujours prêt; **the first e.** le tout premier; **e. since** (that event etc) depuis; **e. since then** depuis lors, dès lors; **for e.** (for always) pour toujours; (continually) sans cesse; **the best son e.** le meilleur fils du monde; **e. so sorry/happy/**etc vraiment désolé/heureux/etc; **thank you e. so much** Br merci mille fois; **it's e. such a pity** Br c'est vraiment dommage; **why e. not?** mais

evergreen

pourquoi pas?
evergreen ['evəgri:n] *n* arbre *m* à feuilles persistantes.
everlasting [evə'lɑ:stɪŋ] *a* éternel.
evermore [evə'mɔ:r] *adv* for e. à (tout) jamais.
every ['evrɪ] *a* chaque; e. child chaque enfant, tous les enfants; e. time chaque fois (that que); e. one chacun; e. single one tous (sans exception); e. second *or* other day tous les deux jours; her e. gesture ses moindres gestes; e. bit as big tout aussi grand (as que); e. so often, e. now and then de temps en temps; to have e. confidence in avoir pleine confiance en.
everybody ['evrɪbɒdɪ] *pron* tout le monde; e. in turn chacun à son tour. ● **everyday** *a* (*happening, life etc*) de tous les jours; (*ordinary*) banal; in e. use d'usage courant. ● **everyone** *pron* = **everybody**. ● **everyplace** *adv Am* = **everywhere**. ● **everything** *pron* tout; I have tout ce que j'ai. ● **everywhere** *adv* partout; e. she goes où qu'elle aille, partout où elle va.
evict [ɪ'vɪkt] *vt* expulser (**from** de). ● **eviction** [-ʃ(ə)n] *n* expulsion *f*.
evidence ['evɪdəns] *n* (*proof*) preuve(s) *f(pl)*; (*testimony*) témoignage *m*; to give e. témoigner (**against** contre); to accept the e. se rendre à l'évidence; e. of (*wear etc*) des signes *mpl* de; in e. (*noticeable*) (bien) en vue.
evident ['evɪdənt] *a* évident (**that** que); it is e. from... il apparaît de... (**that** que). ● **evidently** *adv* (*obviously*) évidemment; (*apparently*) apparemment.
evil ['i:v(ə)l] *a* (*spell, influence, person etc*) malfaisant; (*deed, advice, system*) mauvais; (*consequence*) funeste ▌ *n* mal *m*; to speak e. dire du mal (**about, of** de).
evince [ɪ'vɪns] *vt* manifester.
evocative [ɪ'vɒkətɪv] *a* évocateur.
evoke [ɪ'vəʊk] *vt* (*recall, conjure up*) évoquer; (*admiration*) susciter.
evolution [i:və'lu:ʃ(ə)n] *n* évolution *f*.
evolve [ɪ'vɒlv] *vi* (*of society, idea etc*) évoluer; (*of plan*) se développer ▌ *vt* (*system etc*) développer.
ewe [ju:] *n* brebis *f*.
ex [eks] *n* (*former spouse*) *Fam* ex *mf*.
ex- [eks] *pref* ex-; **ex-wife** ex-femme *f*.
exacerbate [ɪk'sæsəbeɪt] *vt* (*situation*) empirer; (*pain*) exacerber.
exact [ɪg'zækt] **1** *a* (*accurate, precise etc*) exact; to be (more) e. about sth préciser qch. **2** *vt* (*demand*) exiger (**from** de); (*money*) extorquer (**from** à). ● **exactly** *adv* exactement; it's e. 5 o'clock il est 5 heures juste, il est exactement 5 heures. ● **exactness** *n* exactitude *f*.
exacting [ɪg'zæktɪŋ] *a* (*demanding*) exigeant.
exaggerate [ɪg'zædʒəreɪt] *vt* exagérer; to e. sth (*in one's own mind*) s'exagérer qch ▌ *vi* exagérer. ● **exaggeration** [-'reɪʃ(ə)n] *n* exagération *f*.

exalt [ɪg'zɔ:lt] *vt* (*praise*) exalter. ● **exalted** *a* (*position, rank*) élevé. ● **exaltation** [-'teɪʃ(ə)n] *n* exaltation *f*.
exam [ɪg'zæm] *n abbr* (*examination*) examen *m*.
examine [ɪg'zæmɪn] *vt* examiner; (*accounts, luggage*) vérifier; (*passport*) contrôler; (*question*) interroger (*élève, témoin*). ● **examination** [-'neɪʃ(ə)n] *n* (*in school etc*) examen *m*; (*inspection*) examen *m*; (*of accounts etc*) vérification *f*; (*of passport*) contrôle *m*; **class e.** devoir *m* surveillé *ou* sur table; **medical e.** examen *m* médical. ● **examiner** *n* (*for school exam*) examinateur, -trice *mf*.
example [ɪg'zɑ:mp(ə)l] *n* exemple *m*; **for e.** par exemple; **to set an e.** *or* **a good e.** donner l'exemple *or* le bon exemple (**to** à); **to set a bad e.** donner le mauvais exemple (**to** à); **to make an e. of s.o.** punir qn pour l'exemple.
exasperate [ɪg'zɑ:spəreɪt] *vt* exaspérer; **to get exasperated** s'exaspérer (**at** de). ● **exasperation** [-'reɪʃ(ə)n] *n* exaspération *f*.
excavate ['ekskəveɪt] *vt* (*dig*) creuser; (*for relics etc*) fouiller; (*uncover*) déterrer. ● **excavation** [-'veɪʃ(ə)n] *n* (*digging*) creusement *m*; (*archeological*) fouille(s) *f(pl)*.
exceed [ɪk'si:d] *vt* dépasser; (*one's powers*) excéder.
exceedingly [ɪk'si:dɪŋlɪ] *adv* extrêmement.
excel [ɪk'sel] *vi* (**-ll-**) to e. in *or* at sth être excellent en qch, exceller en qch; to e. at *or* in doing sth exceller à faire qch ▌ *vt* (*be better than*) surpasser.
Excellency ['eksələnsɪ] *n* (*title*) Excellence *f*.
excellent ['eksələnt] *a* excellent. ● **excellence** *n* excellence *f*. ● **excellently** *adv* parfaitement, admirablement.
except [ɪk'sept] *prep* sauf, excepté; **e. for** à part; **e. that** sauf que, à part le fait que; **e. if** sauf si; **to do nothing e. wait** ne rien faire sinon attendre ▌ *vt* excepter.
exception [ɪk'sepʃ(ə)n] *n* exception *f*; **with the e. of** à l'exception de; **to take e. to** (*object to*) désapprouver; (*be hurt by*) s'offenser de.
exceptional [ɪk'sepʃən(ə)l] *a* exceptionnel. ● **exceptionally** *adv* exceptionnellement.
excerpt ['eksɜ:pt] *n* (*from film, book etc*) extrait *m*.
excess ['ekses] *n* excès *m*; (*surplus*) excédent *m*; **one's excesses** ses excès *mpl*; **to eat/drink/***etc* **to e.** manger/boire/*etc* à l'excès; **a sum/***etc* **in e. of...** une somme/*etc* qui dépasse...; **e. calories/***etc* des calories *fpl/etc* en trop; **e. fare** supplément *m* (de billet); **e. luggage** excédent *m* de bagages; **e. weight** kilos *mpl* en trop.
excessive [ɪk'sesɪv] *a* excessif. ● **excessively** *adv* (*too, too much*) excessivement; (*very*) extrêmement.
exchange [ɪks'tʃeɪndʒ] *vt* (*addresses, blows etc*) échanger (**for** contre) ▌ *n* échange *m*; (*of foreign currencies*) change *m*; (*telephone*) **e. central** *m* (téléphonique); **in e.** en échange (**for** de); **e. rate** taux *m* de change.

Exchequer [ɪks'tʃekər] *n* **Chancellor of the E. Br** = ministre *m* des Finances.
excise ['eksaɪz] *n* taxe *f* (**on** sur).
excitable [ɪk'saɪtəb(ə)l] *a* excitable.
excite [ɪk'saɪt] *vt* (*enthuse*) passionner, exciter; (*agitate, provoke, stimulate*) exciter. ●**excited** *a* (*happy*) surexcité; (*nervous*) énervé; **to get e.** (*nervous, angry, enthusiastic*) s'exciter; **to be e. about** (*new car, news etc*) se réjouir de; **to be e. about the Br holidays** *or Am* **vacation** être surexcité à l'idée de partir en vacances. ●**excitedly** [-ɪdlɪ] *adv* avec agitation; (*to wait, jump about*) dans un état de surexcitation. ●**exciting** *a* (*book, adventure etc*) passionnant.
excitement [ɪk'saɪtmənt] *n* agitation *f*, excitation *f*, fièvre *f*; (*emotion*) vive émotion *f*; (*adventure*) aventure *f*; **great e.** surexcitation *f*.
exclaim [ɪk'skleɪm] *vti* s'exclamer, s'écrier (**that** que). ●**exclamation** [eksklə'meɪʃ(ə)n] *n* exclamation *f*; **e. mark** *Br*, **e. point** *Am* point *m* d'exclamation.
exclude [ɪks'kluːd] *vt* exclure (**from** de); (*name from list*) écarter (**from** de). ●**exclusion** [-ʒ(ə)n] *n* exclusion *f*.
exclusive [ɪks'kluːsɪv] *a* (*right, interest, design*) exclusif; (*club, group*) fermé; (*interview, news item*) en exclusivité; **e. of wine/***etc* vin/*etc* non compris. ●**exclusively** *adv* exclusivement.
excommunicate [ekskə'mjuːnɪkeɪt] *vt* excommunier. ●**excommunication** [-'keɪʃ(ə)n] *n* excommunication *f*.
excrement ['ekskrəmənt] *n* excrément(s) *m(pl)*.
excruciating [ɪk'skruːʃɪeɪtɪŋ] *a* insupportable, atroce.
excursion [ɪk'skɜːʃ(ə)n] *n* excursion *f*.
excuse [ɪk'skjuːz] *vt* (*forgive, justify*) excuser (**s.o. for doing** qn d'avoir fait, qn de faire); (*exempt*) dispenser (**from** de); **e. me for asking** permettez-moi de demander; **e. me!** excusez-moi!, pardon!; **you're excused** (*you may go*) tu peux t'en aller *or* sortir ▌ [ɪk'skjuːs] *n* excuse *f*; **to make an e., make excuses** se trouver une excuse; **it was an e. for a party/***etc* cela a servi de prétexte à une petite sauterie/*etc*.
ex-directory [eksdaɪ'rektərɪ] *a* (*telephone number*) *Br* sur la liste rouge; **to go ex-d.** demander à être sur la liste rouge.
execute ['eksɪkjuːt] *vt* (*criminal, order, plan etc*) exécuter. ●**execution** [-'kjuːʃ(ə)n] *n* exécution *f*. ●**exe'cutioner** *n* bourreau *m*.
executive [ɪg'zekjutɪv] *a* (*job*) de cadre; (*car, plane*) de direction; (*power, committee*) exécutif; **e. model** (*of car*) version *f* grand luxe ▌ *n* (*person*) cadre *m*; (*board, committee*) bureau *m*; **the e.** (*part of government*) l'exécutif *m*; (*senior*) e. cadre *m* supérieur; **junior e.** jeune cadre *m*; **sales e.** cadre *m* commercial.
exemplary [ɪg'zemplərɪ] *a* exemplaire.
exemplify [ɪg'zemplɪfaɪ] *vt* (*show*) illustrer; (*serve as an example of*) servir d'exemple de.
exempt [ɪg'zempt] *a* (*person*) dispensé (**from** de) ▌ *vt* dispenser (**from sth** de qch, **from doing** de faire). ●**exemption** [-ʃ(ə)n] *n* dispense *f*.
exercise ['eksəsaɪz] *n* (*training, activity, task etc*) exercice *m*; **the e. of** (*power*) l'exercice *m* de; **exercises** (*in university*) *Am* cérémonies *fpl*; **e. book** cahier *m*; **e. bike** vélo *m* d'appartement.
▌ *vt* exercer; (*troops*) faire faire l'exercice à; (*dog, horse etc*) promener; (*tact, judgment, restraint etc*) faire preuve de; (*rights*) faire valoir, exercer.
▌ *vi* (*take exercise*) faire de l'exercice.
exert [ɪg'zɜːt] *vt* exercer; (*force*) employer; **to e. oneself** (*physically*) se dépenser; **don't e. yourself!** ne te fatigue pas!; **to e. oneself to do** (*try hard*) s'efforcer de faire. ●**exertion** [-ʃ(ə)n] *n* effort *m*; (*of force*) emploi *m*.
ex gratia [eks'greɪʃə] *a* (payment) exceptionnel, non prévu au contrat.
exhale [eks'heɪl] *vt* (*breathe out*) expirer; (*give off*) exhaler ▌ *vi* expirer.
exhaust [ɪg'zɔːst] **1** *vt* (*use up, tire*) épuiser; **to become exhausted** s'épuiser. **2** *n* **e. (pipe)** (*of vehicle*) tuyau *m* d'échappement; **e. (fumes)** gaz *mpl* d'échappement. ●**exhausted** *a* (*person, supplies etc*) épuisé. ●**exhausting** *a* épuisant.
exhaustion [ɪg'zɔːstʃ(ə)n] *n* épuisement *m*.
exhaustive [ɪg'zɔːstɪv] *a* (*study, analysis etc*) complet, exhaustif; (*research*) approfondi.
exhibit [ɪg'zɪbɪt] *vt* (*put on display*) exposer; (*ticket, courage etc*) montrer ▌ *n* objet *m* exposé; (*in court*) pièce *f* à conviction.
exhibition [egzɪ'bɪʃ(ə)n] *n* exposition *f*; **an e. of** (*skill, arrogance etc*) une démonstration de; **to make an e. of oneself** se donner en spectacle. ●**exhibitionist** *n* exhibitionniste *mf*.
exhibitor [ɪg'zɪbɪtər] *n* exposant, -ante *mf*.
exhilarate [ɪg'zɪlərɪt] *vt* stimuler; (*of air, breeze*) vivifier; (*make happy*) rendre fou de joie. ●**exhilarating** *a* (*experience etc*) grisant; (*air etc*) vivifiant. ●**exhilaration** [-'reɪʃ(ə)n] *n* joie *f*, liesse *f*.
exhort [ɪg'zɔːt] *vt* exhorter (**to do** à faire, **to sth** à qch).
exhume [eks'hjuːm] *vt* exhumer.
exile ['egzaɪl] *vt* exiler ▌ *n* (*absence*) exil *m*; (*person*) exilé, -ée *mf*.
exist [ɪg'zɪst] *vi* exister; (*live*) vivre (**on** de); **the notion exists that...** il existe une notion selon laquelle...; **some doubt (still) exists le doute subsiste**. ●**existing** *a* (*situation, circumstances*) actuel; (*law*) existant.
existence [ɪg'zɪstəns] *n* existence *f*; **to come into e.** être créé; **to be in e.** exister.
exit ['eksɪt, 'egzɪt] *n* (*action*) sortie *f*; (*door, window*) sortie *f*, issue *f* ▌ *vi* (*of actor*) sortir.
exodus ['eksədəs] *n inv* exode *m*.
exonerate [ɪg'zɒnəreɪt] *vt* (*from blame*) disculper (**from** de).
exorbitant [ɪg'zɔːbɪtənt] *a* exorbitant.

exorcize

- **exorbitantly** *adv* démesurément.
- **exorcize** ['eksɔːsaɪz] *vt* exorciser. ● **exorcism** *n* exorcisme *m*.
- **exotic** [ɪɡ'zɒtɪk] *a* exotique.
- **expand** [ɪk'spænd] *vt* (*one's knowledge, influence, fortune etc*) étendre; (*trade, idea*) développer; (*production*) augmenter; (*gas, metal*) dilater; **to e. a range of products** élargir une gamme de produits ∎ *vi* s'étendre; (*of trade etc*) se développer; (*of production*) augmenter; (*of gas etc*) se dilater; **to e. on** développer ses idées sur; (**fast or rapidly) expanding sector**/*etc* secteur *m*/*etc* en (pleine) expansion.
- **expanse** [ɪk'spæns] *n* étendue *f*.
- **expansion** [ɪk'spænʃ(ə)n] *n* (*economic, colonial etc*) expansion *f*; (*of trade etc*) développement *m*; (*of production*) augmentation *f*; (*of gas, metal*) expansion *f*. ● **expansionism** *n* expansionnisme *m*.
- **expansive** [ɪk'spænsɪv] *a* expansif. ● **expansively** *adv* avec effusion.
- **expatriate** [*Br* eks'pætrɪət, *Am* eks'peɪtrɪət] *a & n* expatrié, -ée (*mf*).
- **expect** [ɪk'spekt] *vt* (*anticipate*) s'attendre à, escompter; (*think*) penser (**that** que); (*suppose*) supposer (**that** que); (*await*) attendre (*qn*); **to e. sth from s.o./sth** attendre qch de qn/qch; **to e. to do** compter faire; **to e. that** (*anticipate*) s'attendre à ce que (+ *sub*); **I e. you to come** (*want*) je compte que vous viendrez; **it was expected** c'était prévu (**that** que); **as expected** comme prévu; **she's expecting (a baby)** elle attend un bébé.
- **expectancy** [ɪk'spektənsɪ] *n* attente *f*; **life e.** espérance *f* de vie.
- **expectant** [ɪk'spektənt] *a* (*crowd*) qui attend; **e. mother** future mère *f*.
- **expectation** [ekspek'teɪʃ(ə)n] *n* attente *f*; **to come up to s.o.'s expectations** répondre à l'attente de qn.
- **expedient** [ɪk'spiːdɪənt] *a* avantageux; (*suitable*) opportun ∎ *n* (*action, plan*) expédient *m*.
- **expedite** ['ekspədaɪt] *vt* (*hasten*) accélérer; (*task*) expédier.
- **expedition** [ekspɪ'dɪʃ(ə)n] *n* expédition *f*.
- **expel** [ɪk'spel] *vt* (**-ll-**) (*from school*) renvoyer; (*foreigner, demonstrator etc*) expulser (**from** de); (*enemy*) chasser.
- **expend** [ɪk'spend] *vt* (*energy, money*) dépenser; (*resources*) épuiser. ● **expendable** *a* (*object*) remplaçable; (*soldiers*) sacrifiable.
- **expenditure** [ɪk'spendɪtʃər] *n* (*money spent*) dépenses *fpl*; **an e. of time/money** une dépense de temps/d'argent.
- **expense** [ɪk'spens] *n* frais *mpl*, dépense *f*; **expenses** frais *mpl*; **business/travelling expenses** frais *mpl* généraux/de déplacement; **to go to some e.** faire des frais; **at the e. of s.o./sth** (*causing harm*) aux dépens de qn/qch; **to laugh at s.o.'s e.** rire aux dépens de qn; **an e. account** une note de frais (professionnels).
- **expensive** [ɪk'spensɪv] *a* (*goods, hotel etc*) cher; (*tastes*) de luxe, dispendieux; **to be e.** coûter *or* être cher; **an e. mistake** une faute qui coûte cher. ● **expensively** *adv* **e. dressed/furnished**/*etc* habillé/meublé/*etc* luxueusement; **to do sth e.** faire qch à grands frais.
- **experience** [ɪk'spɪərɪəns] *n* (*knowledge, skill, event*) expérience *f*; **from** *or* **by e.** par expérience; **he has had e. of this work**/**of grief** il a déjà fait ce travail/éprouvé le chagrin; **I've had e. of driving** j'ai déjà conduit; **practical e.** pratique *f*; **previous e.** (*in job*) expérience *f* antérieure; **terrible experiences** (*hardship*) de rudes épreuves *fpl*; **unforgettable e.** moment *m* inoubliable.

∎ *vt* (*undergo*) connaître, subir; (*difficulty, remorse*) éprouver; (*joy*) ressentir. ● **experienced** *a* (*person*) expérimenté; (*eye, ear*) exercé; **to be e. in photography**/*etc* s'y connaître en (matière de) photographie/*etc*.
- **experiment** [ɪk'sperɪmənt] *n* expérience *f* ∎ [ɪk'sperɪment] *vi* faire une expérience *or* des expériences; **to e. with sth** (*scientifically*) expérimenter qch; **to e. with drugs** toucher à la drogue. ● **experi'mental** *a* expérimental; **e. period** période *f* d'expérimentation.
- **expert** ['ekspɜːt] *n* expert *m* (**on, in** en), spécialiste *mf* (**on, in** de) ∎ *a* expert (**in sth** en qch, **in** *or* **at doing** à faire); **e. advice** le conseil d'un expert; **e. eye** l'œil *m* d'un connaisseur; **e. touch** doigté *m*, grande habileté *f*. ● **expertise** [-'tiːz] *n* compétence *f* (**in** en). ● **expertly** *adv* habilement.
- **expiate** ['ekspɪeɪt] *vt* (*sins*) expier.
- **expire** [ɪk'spaɪər] *vi* expirer. ● **expired** *a* (*ticket, passport etc*) périmé.
- **expiry** [ɪk'spaɪərɪ] (*Am* **expiration** [ekspə'reɪʃ(ə)n]) *n* expiration *f*; **e. date** (*on ticket etc*) date *f* d'expiration; (*on product*) date *f* limite d'utilisation.
- **explain** [ɪk'spleɪn] *vt* expliquer (**to** à, **that** que); (*reasons*) exposer; (*mystery*) éclaircir; **e. yourself!** explique-toi!; **to e. sth away** justifier qch. ● **explainable** *a* explicable.
- **explanation** [eksplə'neɪʃ(ə)n] *n* explication *f*.
- **explanatory** [ɪk'splænət(ə)rɪ] *a* explicatif.
- **expletive** [*Br* ɪk'spliːtɪv, *Am* 'eksplətɪv] *n* (*oath*) juron *m*.
- **explicit** [ɪk'splɪsɪt] *a* explicite. ● **explicitly** *adv* explicitement.
- **explode** [ɪk'spləʊd] *vi* (*of bomb etc*) exploser; **to e. with laughter** *Fig* éclater de rire ∎ *vt* (*bomb etc*) faire exploser; (*theory*) *Fig* discréditer.
- **exploit 1** [ɪk'splɔɪt] *vt* (*person, land etc*) exploiter. **2** ['eksplɔɪt] *n* (*feat*) exploit *m*. ● **exploitation** [eksplɔɪ'teɪʃ(ə)n] *n* exploitation *f*.
- **exploratory** [ɪk'splɒrət(ə)rɪ] *a* (*journey etc*) d'exploration; (*talks, step etc*) préliminaires, exploratoire; **e. operation** (*by surgeon*) sondage *m*.
- **explore** [ɪk'splɔːr] *vt* explorer; (*causes, possibilities etc*) examiner. ● **exploration** [eksplə-

extra-curricular

'reɪʃ(ə)n] n exploration f.
explorer [ɪk'splɔːrər] n explorateur, -trice mf.
explosion [ɪk'spləʊʒ(ə)n] n explosion f.
explosive [ɪk'spləʊsɪv] a (weapon, situation, question) explosif; (mixture, gas) détonant; e. device engin m explosif ▌ n explosif m.
exponent [ɪk'spəʊnənt] n (of opinion, theory etc) interprète m (of de).
export ['ekspɔːt] n exportation f; e. goods/permit/etc marchandises fpl/permis m d'exportation ▌ [ɪk'spɔːt] vt exporter (to vers, from de). ● **ex'porter** n exportateur, -trice mf; (country) pays m exportateur.
expose [ɪk'spəʊz] vt (leave uncovered etc) exposer; (wire) dénuder; (photographic film) exposer; (plot, scandal etc) révéler, dévoiler; (crook etc) démasquer; to e. s.o. to (subject to) exposer qn à; to e. oneself (in public place) commettre un attentat à la pudeur; exposed film/position pellicule f/position f exposée; to be in an exposed position Fig être (très) exposé. ● **exposition** [ekspə'zɪʃ(ə)n] n exposition f.
exposure [ɪk'spəʊʒər] n èxposition f (to à); (of plot etc) révélation f; (of building) exposition f; (in photography) pose f; to die of e. mourir de froid.
expound [ɪk'spaʊnd] vt (theory etc) exposer.
express[1] [ɪk'spres] vt exprimer; (proposition) énoncer; to e. oneself s'exprimer.
express[2] [ɪk'spres] a (letter, delivery) exprès inv; (train) rapide, express inv; (order) exprès, formel; (intention) explicite; with the e. purpose of doing dans le seul but de faire ▌ adv (to send) par exprès ▌ n (train) rapide m, express m inv. ● **expressly** adv (to forbid etc) expressément.
expression [ɪk'spreʃ(ə)n] n (phrase, look etc) expression f; an e. of (gratitude, affection etc) un témoignage de.
expressive [ɪk'spresɪv] a expressif.
expressway [ɪk'spresweɪ] n Am autoroute f.
expulsion [ɪk'spʌlʃ(ə)n] n expulsion f; (from school) renvoi m.
expurgate ['ekspəgeɪt] vt expurger.
exquisite [ɪk'skwɪzɪt] a exquis. ● **exquisitely** adv d'une façon exquise.
ex-serviceman [eks'sɜːvɪsmən] n (pl -men) Br ancien combattant m.
extant ['ekstənt, ek'stænt] a existant.
extend [ɪk'stend] vt (arm, business) étendre; (line, visit, meeting) prolonger (by de); (hand) tendre (to s.o. à qn); (house) agrandir; (knowledge) élargir; (time limit) reculer; (help, thanks) offrir (to à); to e. an invitation to faire une invitation à ▌ vi (of wall, plain etc) s'étendre (to jusqu'à); (in time) se prolonger; great joy extended to everyone l'allégresse gagna tout le monde.
extension [ɪk'stenʃ(ə)n] n (for table) rallonge f; (to building) agrandissement(s) m(pl); (of telephone) appareil m supplémentaire; (of office telephone) poste m; (in time) prolongation f; (in space) prolongement m; (of meaning, powers, strike) extension f; an e. (of time) (extra time) un délai.
extensive [ɪk'stensɪv] a (powers, forests etc) étendu, vaste; (repairs, damage etc) important; it's in e. use (machine etc) c'est très couramment utilisé. ● **extensively** adv (very much) énormément, considérablement; e. used (method) répandu; (procedure) courant.
extent [ɪk'stent] n (scope) étendue f; (size) importance f; (degree) mesure f; to a large or great e. dans une large mesure; to some e. or a certain e. dans une certaine mesure; to such an e. that à tel point que.
extenuating [ɪk'stenjueɪtɪŋ] a e. circumstances circonstances fpl atténuantes.
exterior [ɪks'tɪərɪər] a & n extérieur (m).
exterminate [ɪk'stɜːmɪneɪt] vt (people, animals) exterminer; (evil) extirper. ● **extermi'nation** [-'neɪʃ(ə)n] n extermination f.
external [ek'stɜːn(ə)l] a (wall, influence, trade etc) extérieur; for e. use (medicine) à usage externe; e. affairs Pol affaires fpl étrangères. ● **externally** adv extérieurement.
extinct [ɪk'stɪŋkt] a (volcano) éteint; (species, animal) disparu. ● **extinction** [-ʃ(ə)n] n extinction f; (of species) disparition f.
extinguish [ɪk'stɪŋgwɪʃ] vt éteindre. ● **extinguisher** n (fire) extincteur m.
extol [ɪk'stəʊl] vt (-ll-) exalter, louer.
extort [ɪk'stɔːt] vt (money) extorquer (from à); (consent) arracher (from à). ● **extortion** [-ʃ(ə)n] n (crime) extorsion f de fonds; it's (sheer) e.! c'est du vol!
extortionate [ɪk'stɔːʃənət] a (price etc) exorbitant.
extra ['ekstrə] a (additional) supplémentaire; one e. glass un verre de or en plus, encore un verre; (any) e. bread? encore du pain?; to be e. (spare) être en trop; (cost more) être en supplément; postage is e. les frais d'envoi sont en plus or en sus; e. care un soin tout particulier; e. charge or portion supplément m; e. time Football prolongation f.
▌ adv to pay e. payer un supplément; wine costs or is 3 francs e. il y a un supplément de 3F pour le vin; e. big/etc plus grand/etc que d'habitude.
▌ n (perk) à-côté m; (actor in film etc) figurant, -ante mf; extras (expenses) frais mpl supplémentaires; an optional e. (for car etc) un accessoire en option.
extra- ['ekstrə] pref extra-. ● **extra-'dry** a (champagne) brut. ● **extra-'fine** a extra-fin. ● **extra-'strong** a extra-fort.
extract [ɪk'strækt] vt extraire (from de); (tooth) arracher, extraire; (promise) arracher, soutirer (from s.o. à qn); (money) soutirer (from s.o. à qn) ▌ ['ekstrækt] n (of book, poem etc) extrait m; (chemical or food substance) extrait m; beef e. extrait m de viande. ● **extraction** [-ʃ(ə)n] n 1 extraction f; (of tooth, promise) arrachement m. 2 (descent) origine f.
extra-curricular [ekstrəkə'rɪkjʊlər] a (activities etc) extrascolaire, en dehors des heures

extradite de cours.
extradite ['ekstrədaɪt] *vt* extrader. ●**extradition** [-'dɪʃ(ə)n] *n* extradition *f*.
extramarital [ekstrə'mærɪt(ə)l] *a* en dehors du mariage, extra-conjugal.
extramural [ekstrə'mjʊərəl] *a* (*studies*) Br hors faculté.
extraneous [ɪk'streɪnɪəs] *a* (*detail etc*) accessoire.
extraordinary [ɪk'strɔːdən(ə)rɪ] *a* (*strange, exceptional*) extraordinaire. ●**extraordinarily** *adv* extraordinairement.
extra-special [ekstrə'speʃəl] *a* (*occasion*) très spécial; (*care*) tout particulier.
extraterrestrial [ekstrətə'restrɪəl] *a & n* extraterrestre (*mf*).
extravagant [ɪk'strævəgənt] *a* (*behaviour, idea etc*) extravagant; (*claim*) exagéré; (*wasteful with money*) dépensier, prodigue. ●**extravagance** *n* (*of behaviour etc*) extravagance *f*; (*wastefulness*) prodigalité *f*; (*thing bought*) folle dépense *f*; (*wasteful expenses*) prodigalités *fpl*.
extravaganza [ɪkstrævə'gænzə] *n* (*musical etc entertainment*) spectacle *m* somptueux.
extreme [ɪk'striːm] *a* (*exceptional, furthest*) extrême; (*danger, poverty, importance*) très grand; (*praise*) outré; **at the e. end** à l'extrémité; **of e. importance** de première importance ▮ *n* (*furthest degree*) extrême *m*; **to carry** *or* **take sth to extremes** pousser qch à l'extrême; **extremes of temperature** températures *fpl* extrêmes; **extremes of climate** excès *mpl* du climat. ●**extremely** *adv* extrêmement.
extremist [ɪk'striːmɪst] *a & n* extrémiste (*mf*). ●**extremism** *n* extrémisme *m*.
extremity [ɪk'stremɪtɪ] *n* extrémité *f*.
extricate ['ekstrɪkeɪt] *vt* (*free*) dégager (qch, qn) (**from** de); **to e. oneself from a difficulty/a danger** se tirer d'une situation difficile/d'un danger.
extrovert ['ekstrəvɜːt] *n* extraverti, -ie *mf*.
exuberant [ɪg'z(j)uːbərənt] *a* exubérant. ●**exuberance** *n* exubérance *f*.
exude [ɪg'zjuːd] *vt* (*charm, honesty etc*) respirer.
exultation [egzʌl'teɪʃ(ə)n] *n* exultation *f*.
eye[1] [aɪ] *n* œil *m* (*pl* yeux); **before my very eyes** sous mes yeux; **to be all eyes** être tout yeux; **as far as the e. can see** à perte de vue; **up to one's eyes in debt** endetté jusqu'au cou; **up to one's eyes in work** débordé de travail; **to have one's e. on** (*house, car etc*) avoir en vue; **to keep an e. on** surveiller; **to make eyes at** *Fam* faire de l'œil à; **to lay** *or* **set eyes on** voir; **to take one's eyes off s.o./sth** quitter qn/qch des yeux; **to catch s.o.'s e.** attirer l'attention de qn; **keep your eyes open!**, **keep an e. out!** ouvre l'œil!, sois vigilant!; **we don't see e. to e.** nous ne voyons pas les choses du même œil; **to be an e.-opener for s.o.** *Fam* être une révélation pour qn.
eye[2] [aɪ] *vt* (*look at*) regarder; (*with envy*) dévorer des yeux; (*with lust*) reluquer.
eyeball ['aɪbɔːl] *n* globe *m* oculaire. ●**eyebrow** *n* sourcil *m*. ●**eyecatching** *a* (*title etc*) accrocheur. ●**eyeglass** *n* monocle *m*. ●**eyeglasses** *npl* (*spectacles*) *Am* lunettes *fpl*. ●**eyelash** *n* cil *m*. ●**eyelid** *n* paupière *f*. ●**eyeliner** *n* eye-liner *m*. ●**eyepiece** *n* (*of telescope etc*) oculaire *m*. ●**eye shadow** *n* ombre *f or* fard *m* à paupières. ●**eyesight** *n* vue *f*. ●**eyesore** *n* (*building etc*) horreur *f*. ●**eyestrain** *n* **to have e.** avoir les yeux qui tirent. ●**eyewash** *n* (*nonsense*) *Fam* sottises *fpl*. ●**eyewitness** *n* témoin *m* oculaire.

F

F, f [ef] *n* F, f *m*.
fable ['feɪb(ə)l] *n* fable *f*.
fabric ['fæbrɪk] *n* (*cloth*) tissu *m*, étoffe *f*; (*of building*) structure *f*; **the f. of society** le tissu social.
fabricate ['fæbrɪkeɪt] *vt* (*invent, make*) fabriquer. ● **fabrication** [-'keɪʃ(ə)n] *n* fabrication *f*.
fabulous ['fæbjʊləs] *a* (*wonderful*) *Fam* formidable; (*incredible, legendary*) fabuleux.
façade [fə'sɑːd] *n* (*of building & false appearance*) façade *f*.
face [feɪs] *n* (*of person*) visage *m*, figure *f*; (*expression*) mine *f*; (*of clock*) cadran *m*; (*of building*) façade *f*; (*of cube, mountain*) face *f*; (*of cliff*) paroi *f*; **the f. of the earth** la surface de la terre; **she laughed in my f.** elle m'a ri au nez; **to show one's f.** se montrer; **f. down(wards)** (*person*) face contre terre; (*thing*) tourné à l'envers; **f. to f.** face à face; **in the f. of** devant; (*despite*) en dépit de; **to save/lose f.** sauver/perdre la face; **to make** *or* **pull faces** faire des grimaces; **to tell s.o. sth to his f.** dire qch à qn en face; **f. powder** poudre *f*; **f. value** (*of stamp, coin etc*) valeur *f*; **to take sth at f. value** prendre qch au pied de la lettre.

▮ *vt* (*danger, enemy, problem etc*) faire face à; (*accept*) accepter; (*look in the face*) regarder (*qn*) bien en face; **to f., be facing** (*be opposite*) être en face de; (*of window, door, room etc*) donner sur (*le jardin, la mer. etc*); **faced with** (*prospect, problem*) confronté à, face à; (*defeat*) menacé par; (*bill*) contraint à payer; **he can't f. leaving** il n'a pas le courage de partir.

▮ *vi* (*of house*) être orienté (**north**/*etc* au nord/*etc*); (*of person*) (*turn*) se tourner; (*of person, object*) (*be turned*) être tourné (**towards** vers); **to f. up to** (*danger, problem*) faire face à; (*fact*) accepter; **about f.!** *Am Mil* demi-tour!

facecloth ['feɪsklɒθ] *n* *Br* gant *m* de toilette.
faceless ['feɪsləs] *a* anonyme.
facelift ['feɪslɪft] *n* (*by surgeon*) lifting *m*; (*of building*) ravalement *m*.
facet ['fæsɪt] *n* (*of problem, diamond etc*) facette *f*.
facetious [fə'siːʃəs] *a* (*person*) facétieux; (*remark*) plaisant; **don't be f.!** ne plaisante pas!
facial ['feɪʃ(ə)l] *a* (*expression*) du visage ▮ *n* soin *m* du visage.
facile [*Br* 'fæsaɪl, *Am* 'fæs(ə)l] *a* facile, superficiel.
facilitate [fə'sɪlɪteɪt] *vt* faciliter.
facility [fə'sɪlɪtɪ] *n* (*ease*) facilité *f*; (*service*) service *m*; (*device*) dispositif *m*; (*in computer*) fonction *f*. ● **facilities** *npl* (*for sports, cooking etc*) équipements *mpl*; (*in harbour, airport etc*) installations *fpl*; (*possibilities*) facilités *fpl*; (*means*) moyens *mpl*, ressources *fpl*; **special f.** (*conditions*) conditions *fpl* spéciales (**for** pour); **credit f.** facilités *fpl* de paiement.
facing ['feɪsɪŋ] *n* (*of dress, jacket etc*) parement *m*.
fact [fækt] *n* fait *m*; **as a matter of f., in f.** en fait; **the facts of life** les choses *fpl* de la vie; **is that a f.?** c'est vrai?; **f. and fiction** le réel et l'imaginaire.
faction ['fækʃ(ə)n] *n* (*group*) faction *f*.
factor ['fæktər] *n* (*element*) facteur *m*.
factory ['fækt(ə)rɪ] *n* (*large*) usine *f*; (*small*) fabrique *f*; **arms/porcelain f.** manufacture *f* d'armes/de porcelaine.
factual ['fæktʃʊəl] *a* objectif, basé sur les faits, factuel; (*error*) de fait.
faculty ['fækəltɪ] *n* (*aptitude, section of university*) faculté *f*.
fad [fæd] *n* (*fashion*) folie *f*, mode *f* (**for** de); (*personal habit*) marotte *f*.
fade [feɪd] *vi* (*of flower*) se faner; (*of light*) baisser; (*of colour*) passer; (*of fabric*) se décolorer; **to f. (away)** (*of memory, smile*) s'effacer; (*of sound*) s'affaiblir; (*of person*) dépérir ▮ *vt* (*fabric*) décolorer.
fag [fæg] *n* 1 (*cigarette*) *Br Fam* clope *m or f*; **f. end** mégot *m*. 2 (*male homosexual*) *Am Sl Pej* pédé *m*.
fagged [fægd] *a* **f. (out)** (*tired*) *Br Sl* claqué.
faggot ['fægət] *n* 1 (*meatball*) *Br* boulette *f* (de viande). 2 (*male homosexual*) *Am Sl Pej* pédé.*m*.
fail [feɪl] *vi* (*of person, plan etc*) échouer; (*of business*) faire faillite; (*of health, sight, light*) baisser; (*of memory, strength*) défaillir; (*of car brakes*) lâcher; (*run short*) (*of supplies*) manquer; (*of gas, electricity*) être coupé; (*of engine*) tomber en panne; **to f. in an exam** échouer à un examen; **to f. in one's duty** manquer à son devoir.

▮ *vt* (*exam*) rater, échouer à; (*candidate*) refuser, recaler; **to f. s.o.** (*let down*) laisser tomber qn, décevoir qn; **words f. me** les mots me manquent; **to f. to do** (*forget*) manquer de faire; (*not be able*) ne pas arriver à faire; **I f. to see the reason** je ne vois pas la raison.

▮ *n* **without f.** à coup sûr, sans faute. ● **failed** *a* (*attempt, poet*) manqué. ● **failing** *n* (*fault*) défaut *m* ▮ *prep* à défaut de; **f. this, f. that** à défaut.

failure

failure ['feɪljər] n échec m; (of business) faillite f; (of engine, machine) panne f; (of gas etc) coupure f, panne f; (person) raté, -ée mf; **f. to do** (inability) incapacité f de faire; **her f. to leave** le fait qu'elle n'est pas partie; **to end in f.** se solder par un échec; **heart f.** arrêt m du cœur.

faint [feɪnt] 1 a (-er, -est) (weak) (voice, trace, breeze, hope etc) faible; (colour) pâle; (idea) vague; **I haven't got the faintest idea** je n'en ai pas la moindre idée. 2 a **to feel f.** se trouver mal, défaillir; **f. with hunger**/etc défaillant de faim/etc ▮ vi s'évanouir (**with fear/from fatigue**/etc de peur/fatigue/etc); **she fainted with hunger** elle s'est trouvée mal tellement elle a eu faim; **fainting fit** évanouissement m. ●**faintly** adv (weakly) faiblement; (slightly) légèrement. ●**faintness** n (of voice etc) faiblesse f.

faint-hearted [feɪnt'hɑːtɪd] a timoré, timide.

fair[1] [feər] n foire f; (for charity) fête f; (funfair) Br fête f foraine; (larger) parc m d'attractions. ●**fairground** n champ m de foire.

fair[2] [feər] 1 a (-er, -est) (just) juste, équitable; (game, fight) loyal; **she's f. to him** elle est juste envers lui; **that's f. to him** c'est juste pour lui; **f. (and square)** honnête(ment); **f. play** fair-play m inv; **that's not f. play!** ce n'est pas du jeu!; **f. enough!** très bien! ▮ adv (to play, fight) loyalement. 2 a (rather good) passable, assez bon; (price, amount, warning) raisonnable; **a f. amount (of)** (a lot) pas mal (de); **f. copy** copie f au propre. 3 a (wind) favorable; (weather) beau. ●**fairly** adv 1 (to treat) équitablement; (to act, play, fight, get) loyalement. 2 (rather) assez, plutôt; **f. sure** presque sûr. ●**fairness**[1] n justice f; (of person) impartialité f; (of decision) équité f; **in all f.** en toute justice. ●**fair-'minded** a impartial. ●**fair-'sized** a assez grand.

fair[3] [feər] a (hair, person) blond; (complexion, skin) clair. ●**fairness**[2] n (of hair) blond m; (of skin) blancheur f. ●**fair-'haired** a blond. ●**fair-'skinned** a à la peau claire.

fairy ['feərɪ] n fée f; **f. tale** or **story** conte m de fées; **f. lights** Br guirlande f multicolore.

faith [feɪθ] n foi f; **to have f.** in s.o. avoir confiance en qn; **to put one's f. in** (justice, medicine etc) se fier à; **in good/bad f.** (to act etc) de bonne/mauvaise foi; **f. healer** guérisseur, -euse mf.

faithful ['feɪθfəl] a fidèle. ●**faithfully** adv fidèlement; **yours f.** (in letter) Br veuillez agréer l'expression de mes salutations distinguées. ●**faithfulness** n fidélité f.

faithless ['feɪθləs] a déloyal, infidèle.

fake [feɪk] n (painting, document etc) faux m; (person) imposteur m ▮ vt (document, signature etc) falsifier, maquiller; (election) truquer; **to f. death** faire semblant d'être mort ▮ vi (pretend) faire semblant ▮ a faux (f fausse); (elections) truqué.

falcon ['fɔːlkən] n faucon m.

fall [fɔːl] n chute f; (in price, demand etc) baisse f; **falls** (waterfall) chutes fpl (d'eau); **the f.** (season) Am l'automne m.
▮ vi (pt **fell**, pp **fallen**) tomber; (of price, temperature) baisser, tomber; **the dollar is falling** le dollar est en baisse; (of building) s'effondrer; **her face fell** son visage se rembrunit; **to f. into** (hole, trap etc) tomber dans; (habit) prendre; **to f. off a bicycle**/etc tomber d'une bicyclette/etc; **to f. off or down a ladder** tomber (en bas) d'une échelle; **the onus falls on you** la responsabilité vous incombe; **to f. on a Monday**/etc (of event) tomber un lundi/etc; **to f. out of a window**/etc tomber d'une fenêtre/etc; **to f. over sth** (chair etc) tomber en butant contre qch; (balcony etc) tomber de qch; **to f. short of s.o.'s expectations** ne pas répondre à l'attente de qn; **to f. short of being** être loin d'être; **to f. victim** devenir victime (**to** de); **to f. asleep** s'endormir; **to f. ill** tomber malade; **to f. due** échoir.

fall apart vi (of machine) tomber en morceaux; (of group) se désagréger ▮ **to fall away** vi (come off) se détacher, tomber; (of numbers) diminuer ▮ **to fall back on** vt (as last resort) se rabattre sur ▮ **to fall behind** vi (stay behind) rester en arrière; (in work, payments) prendre du retard ▮ **to fall down** vi tomber; (of building) s'effondrer ▮ **to fall for** vt (person) tomber amoureux de; (trick) se laisser prendre à ▮ **to fall in** vi (collapse) s'écrouler ▮ **to fall in with** vt (tally with) cadrer avec; (agree to) accepter ▮ **to fall off** vi (come off) se détacher, tomber; (of numbers) diminuer ▮ **to fall out** vi (quarrel) se brouiller (**with** avec) ▮ **to fall over** vi tomber; (of table, vase) se renverser ▮ **to fall through** vi (of plan) tomber à l'eau, échouer.

fallacious [fə'leɪʃəs] a faux (f fausse). ●**fallacy** ['fæləsɪ] n erreur f; (in argument) faux raisonnement m.

fallen ['fɔːlən] a tombé; (angel, woman) déchu; **f. leaf** feuille f morte.

fallible ['fæləb(ə)l] a faillible.

falling-off [fɔːlɪŋ'ɒf] n (of interest etc) diminution f.

fallout ['fɔːlaʊt] n (radioactive) retombées fpl; **f. shelter** abri m antiatomique.

fallow ['fæləʊ] a (land, fields) en jachère.

false [fɔːls] a faux (f fausse); **f. teeth** fausses dents fpl; **a f. bottom** un double fond. ●**falsehood** n mensonge m; **truth and f.** le vrai et le faux. ●**falseness** n fausseté f.

falsify ['fɔːlsɪfaɪ] vt falsifier.

falter ['fɔːltər] vi (of step, resolution) chanceler; (of voice, speaker) hésiter; (of courage) vaciller.

fame [feɪm] n renommée f; (glory) gloire f. ●**famed** a renommé.

familiar [fə'mɪljər] a (task, person, face, atmosphere, word etc) familier; (event) habituel; **to be f. with s.o.** (too friendly) être familier avec qn; **to be f. with s.o./sth** (know)

fashion

connaître qn/qch; **I'm f. with her voice** je connais bien sa voix, sa voix m'est familière; **to make oneself f. with** se familiariser avec; **he looks f. (to me)** je l'ai déjà vu (quelque part).
familiarity [fəmɪlɪˈærətɪ] *n* familiarité *f* (**with** avec); (*of event, sight etc*) caractère *m* familier.
familiarize [fəˈmɪljəraɪz] *vt* familiariser (**with** avec); **to f. oneself with** se familiariser avec.
family [ˈfæmɪlɪ] *n* famille *f* ▌ *a* (*name, doctor, jewels etc*) de famille; (*planning, problems*) familial; **f. friend** ami *m* de la famille; **f. man** père *m* de famille; **f. tree** arbre *m* généalogique.
famine [ˈfæmɪn] *n* famine *f*.
famished [ˈfæmɪʃt] *a* affamé.
famous [ˈfeɪməs] *a* célèbre (**for** pour, par) ▌ *n* **the f.** les célébrités *fpl*. ●**famously** *adv* (*very well*) *Fam* rudement bien.
fan[1] [fæn] *n* (*held in hand*) éventail *m*; (*mechanical*) ventilateur *m*; **f. belt** (*of vehicle*) courroie *f* de ventilateur; **f. heater** radiateur *m* soufflant ▌ *vt* (**-nn-**) (*person etc*) éventer; (*fire, quarrel*) attiser ▌ *vi* **to f. out** se déployer (en éventail).
fan[2] [fæn] *n* (*of person*) fan *mf*, admirateur, -trice *mf*; (*of sportsman, team etc*) supporter *m*; **to be a jazz/sports f.** être passionné *or* mordu de jazz/de sport; **f. mail** courrier *m* des admirateurs.
fanatic [fəˈnætɪk] *n* fanatique *mf*. ●**fanatical** *a* fanatique. ●**fanaticism** *n* fanatisme *m*.
fancier [ˈfænsɪər] *n* **horse/**etc **f.** amateur *m* de chevaux/*etc*.
fanciful [ˈfænsɪfəl] *a* fantaisiste.
fancy [ˈfænsɪ] **1** *n* (*whim, imagination*) fantaisie *f*; (*liking*) goût *m*; **to take a f. to s.o.** prendre d'affection pour qn; **I took a f. to it, it took my f.** j'en ai eu envie; **when the f. takes me** quand ça me chante.
▌ *a* (*hat, button etc*) fantaisie *inv*; (*car*) de luxe; (*house, restaurant*) chic; (*idea*) fantaisiste; (*price*) exorbitant; **f. dress** (*costume*) *Br* travesti *m*; **f.-dress ball** *Br* bal *m* masqué. **2** *vt* (*want*) *Br* avoir envie de; (*like*) *Br* aimer; (*imagine*) se figurer que; (*think*) croire que; **f. that!** tiens (donc)!; **he fancies her** *Br Fam* elle lui plaît; **to f. oneself as** *Br Fam* se prendre pour; **she fancies herself!** *Br Fam* elle se prend pour qn!
fanfare [ˈfænfeər] *n* (*of trumpets*) fanfare *f*.
fang [fæŋ] *n* (*of dog, wolf etc*) croc *m*; (*of snake*) crochet *m*.
fanny [ˈfænɪ] *n* (*buttocks*) *Am Fam* derrière *m*; **f. pack** banane *f*.
fantastic [fænˈtæstɪk] *a* fantastique; **a f. idea** (*absurd, unlikely*) une idée aberrante.
fantasy [ˈfæntəsɪ] *n* (*imagination*) fantaisie *f*; (*dream*) rêve *m*; (*fanciful, sexual*) fantasme *m*. ●**fantasize** *vi* (*dream*) rêver (**about** de); (*fancifully, sexually*) fantasmer (**about** sur).
far [fɑːr] *adv* (**farther** *or* **further**, **farthest** *or* **furthest**) (*distance*) loin; **f. bigger/more expensive/**etc (*much*) beaucoup plus grand/plus cher/*etc* (**than** que); **f. more/better** beaucoup plus/mieux; **f. advanced** très avancé; **how f. is it to...?** combien y a-t-il d'ici à...?; **is it f. to...?** sommes-nous, suis-je *etc* loin de...?; **how f. are you going?** jusqu'où vas-tu?; **how f. has he got with?** (*his plans, work etc*) où en est-il de?; **so f.** (*time*) jusqu'ici; (*place*) jusque-là; **as f.** (*place*) jusqu'à; **as f. or so f. as I know** autant que je sache; **as f. or so f. as I'm concerned** en ce qui me concerne; **as f. back as 1820** dès 1820; **f. from doing** loin de faire; **f. from it!** loin de là!; **f. away** *or* **off** au loin; **to be f. away** être loin (**from** de); **f. and wide** partout; **by f. de** loin; **f. into the night** très avant dans la nuit.
▌ *a* (*other*) **the f. side/end** l'autre côté/bout; **it's a f. cry from** on est loin de; **the F. East** l'Extrême-Orient *m*.
faraway [ˈfɑːrəweɪ] *a* (*country*) lointain; (*look*) distrait, dans le vague. ●**far-ˈfetched** *a* forcé, exagéré. ●**far-ˈflung** *a* (*widespread*) vaste. ●**far-ˈoff** *a* lointain. ●**far-ˈreaching** *a* de grande portée. ●**far-ˈsighted** *a* clairvoyant.
farce [fɑːs] *n* farce *f*. ●**farcical** *a* grotesque, ridicule.
fare [feər] **1** *n* (*price of journey*) (*in train, bus etc*) prix *m* du billet; (*in taxi*) prix *m* de la course; (*taxi passenger*) client, -ente *mf*. **2** *n* (*food*) chère *f*, nourriture *f*; **prison f.** régime *m* de prison; **full f.** menu *m*. **3** *vi* (*manage*) se débrouiller; **how did she f.?** comment ça s'est passé (pour elle)?
farewell [feəˈwel] *n & int* adieu (*m*) ▌ *a* (*party, speech etc*) d'adieu.
farm [fɑːm] *n* ferme *f*; **to work on a f.** travailler dans une ferme ▌ *a* (*worker, produce etc*) agricole; **f. land** terres *fpl* cultivées ▌ *vt* cultiver ▌ *vi* être agriculteur. ●**farming** *n* agriculture *f*; (*breeding*) élevage *m*; **dairy f.** industrie *f* laitière. ●**farmer** *n* fermier, -ière *mf*, agriculteur *m*.
farmhand [ˈfɑːmhænd] *n* ouvrier, -ière *mf* agricole. ●**farmhouse** *n* ferme *f*. ●**farm worker** *n* = **farmhand**. ●**farmyard** *n* basse-cour *f*.
fart [fɑːt] *vi Vulgar Sl* péter.
farther [ˈfɑːðər] *adv* plus loin; **nothing is f. from** (*my mind, the truth etc*) rien n'est plus éloigné de; **f. forward** plus avancé; **to get f. away** s'éloigner ▌ *a* **at the f. end of** à l'autre bout de. ●**farthest** *a* le plus éloigné ▌ *adv* le plus loin.
fascinate [ˈfæsɪneɪt] *vt* fasciner. ●**fascination** [fæsɪˈneɪʃ(ə)n] *n* fascination *f*.
fascism [ˈfæʃɪz(ə)m] *n* fascisme *m*. ●**fascist** *a & n* fasciste (*mf*).
fashion [ˈfæʃ(ə)n] **1** *n* (*style in clothes etc*) mode *f*; **in f.** à la mode; **out of f.** démodé; **f. designer** (grand) couturier *m*; **f. house** maison *f* de couture; **f. show** présentation *f* de collections. **2** *n* (*manner*) façon *f*; (*custom*) habitude *f*; **after a f.** tant bien que mal, plus au moins; **in f.** façonner. **3** *vt* (*make*) façonner. ●**fashionable** *a* à la mode; (*place*) chic *inv*; **it's f. to**

fast

do that il est de bon ton de faire cela. ●**fashionably** adv (dressed etc) à la mode.

fast¹ [fɑ:st] 1 a (-er, -est) rapide; **to be f.** (of clock) avancer (**by** de); **f. colour** couleur f grand teint inv; **f. food** restauration f rapide; **f. food restaurant** fast-food m; **f. living** vie f dissolue ∎ adv (quickly) vite; **how f.?** à quelle vitesse? 2 adv **f. asleep** profondément endormi. 3 adv (firmly) **stuck f.** (drawer etc) bien coincé; (in mind) bien pris; **to hold f.** (of person) tenir ferme.

fast² [fɑ:st] vi (go without food) jeûner ∎ n jeûne m.

fasten ['fɑ:s(ə)n] vt attacher (**to** à); (door, window) fermer (bien); **to f. sth down** or **up** attacher qch ∎ vi (of dress etc) s'attacher; (of door, window) se fermer. ●**fastener** or **fastening** n (clip) attache f; (of garment) fermeture f; (of bag) fermoir m; (hook) agrafe f.

fastidious [fə'stɪdɪəs] a difficile (à contenter), exigeant.

fat [fæt] 1 n graisse f; (on meat) gras m; **vegetable f.** huile f végétale. 2 a (fatter, fattest) gras (f grasse); (cheeks, salary, book) gros (f grosse); **to get f.** grossir; **that's a f. lot of good** or **use!** Iron Fam ça va vraiment servir (à quelque chose)! ●**fathead** n imbécile mf.

fatal ['feɪt(ə)l] a mortel; (mistake, blow etc) Fig fatal. ●**fatally** adv **f. wounded** mortellement blessé.

fatality [fə'tælɪtɪ] n 1 (person killed) victime f. 2 (of event) fatalité f.

fate [feɪt] n destin m, sort m; **one's f.** son sort. ●**fated** a **to be f. to do** être destiné à faire; **our meeting/his death/etc was f.** notre rencontre/sa mort/etc devait arriver. ●**fateful** a (important) fatal, décisif; (prophetic) fatidique; (disastrous) néfaste.

father ['fɑ:ðər] n père m; **F. Martin** (in monastic order, priest) le Père Martin; **yes, F.** (to priest) oui, mon père ∎ vt (child) engendrer. ●**father-in-law** n (pl fathers-in-law) beau-père m.

fatherhood ['fɑ:ðəhʊd] n paternité f.

fatherland ['fɑ:ðəlænd] n patrie f.

fatherly ['fɑ:ðəlɪ] a paternel.

fathom ['fæðəm] 1 n (nautical measurement) brasse f (= 1,8 m). 2 vt **to f. (out)** (understand) comprendre.

fatigue [fə'ti:g] 1 n fatigue f ∎ vt fatiguer. 2 n **f. (duty)** (of soldier) corvée f.

fatness ['fætnɪs] n corpulence f.

fatten ['fæt(ə)n] vt engraisser. ●**fattening** a (food) qui fait grossir.

fatty ['fætɪ] a (-ier, -iest) (food) gras (f grasse); **f. tissue** (in body) tissu m adipeux ∎ n (person) Fam gros lard m.

fatuous ['fætʃʊəs] a stupide.

faucet ['fɔ:sɪt] n (tap) Am robinet m.

fault [fɔ:lt] n (blame) faute f; (defect, failing) défaut m; (mistake) erreur f; Geol faille f; **to find f. (with)** critiquer; **it's your f.** c'est ta faute; **he's at f.** il est fautif, c'est sa faute; **his** or **her memory is at f.** sa mémoire lui fait défaut ∎ vt **to f. s.o./sth** trouver des défauts chez qn/à qch. ●**fault-finding** a critique, chicanier.

faultless ['fɔ:ltləs] a irréprochable.

faulty ['fɔ:ltɪ] a (-ier, -iest) défectueux.

fauna ['fɔ:nə] n (animals) faune f.

faux pas [fəʊ'pɑ:] n inv gaffe f.

favour ['feɪvər] (Am **favor**) n (act of kindness) service m; (approval) faveur f; **to do s.o. a f.** rendre service à qn; **in f.** (fashion) en vogue; **in f.** (with s.o.) bien vu (de qn); **it's in her f. to do** elle a intérêt à faire cela; **in f. of** (for the sake of) au profit de, en faveur de; **to be in f. of** (support) être pour, être partisan de; (prefer) préférer. ∎ vt (encourage) favoriser; (prefer) préférer; (support) être partisan de; **he favoured me with a visit** il a eu la gentillesse de me rendre visite. ●**favourable** a favorable (**to** à).

favourite ['feɪv(ə)rɪt] (Am **favorite**) a favori, préféré ∎ n favori, -ite mf. ●**favouritism** n favoritisme m.

fawn [fɔ:n] 1 n (deer) faon m ∎ a & n (colour) fauve (m). 2 vi **to f. (up)on** flatter bassement.

fax [fæks] n (message) télécopie f, fax m; **f. (machine)** télécopieur m, fax m; **f. number** numéro m de fax or de télécopie ∎ vt (message) faxer; **to f. s.o.** envoyer une télécopie or un fax à qn.

fear [fɪər] n crainte f, peur f; **for f. of doing** de peur de faire; **for f. that** de peur que (+ ne + sub); **there's no f. of his going** il ne risque pas d'y aller; **there are fears (that) he might leave** on craint qu'il ne parte ∎ vt craindre; **I f. (that) he might leave** je crains qu'il ne parte; **to f. for one's life/career/etc** craindre pour sa vie/carrière/etc.

fearful ['fɪəfəl] a (timid) (person) peureux; (frightful, awful) (noise etc) affreux. ●**fearless** a intrépide. ●**fearlessness** n intrépidité f. ●**fearsome** a redoutable.

feasible ['fi:zəb(ə)l] a (practicable) faisable; (theory, explanation etc) plausible. ●**feasibility** n possibilité f (of doing de faire); (of theory etc) plausibilité f; **f. study** étude f de faisabilité.

feast [fi:st] n festin m, banquet m; (religious) fête f ∎ vi banqueter; **to f. on cakes/etc** se régaler de gâteaux/etc.

feat [fi:t] n exploit m, tour m de force; **f. of skill** tour m d'adresse.

feather ['feðər] 1 n plume f; **f. duster** plumeau m. 2 vt **to f. one's nest** (enrich oneself) faire son beurre or sa pelote.

feature ['fi:tʃər] 1 n (of face, person) trait m; (of thing, place, machine) caractéristique f; **f. (article)** article m de fond; **f. (film)** grand film m; **to be a regular f.** (in newspaper) paraître régulièrement. 2 vt (of newspaper, book, film etc) (present) présenter; (portray) représenter; (news item) mettre en avant; **a film featuring Chaplin** un film avec Charlot en vedette ∎ vi (appear) figurer (**in** dans).

February ['februərɪ] n février m.

fed [fed] *pt* & *pp of* **feed** ▌ **a to be f. up** *Fam* en avoir marre *or* ras le bol (**with** de).
federal ['fedərəl] *a* fédéral. ●**federate** *vt* fédérer. ●**federation** [-'reɪʃ(ə)n] *n* fédération *f*.
fedora [fə'dɔːrə] *n Am* chapeau *m* mou.
fee [fiː] *n* (*price*) prix *m*; **fee(s)** (*professional*) (*of doctor, lawyer etc*) honoraires *mpl*; (*of artist*) cachet *m*; (*for registration, examination*) droits *mpl*; **to charge a f.** (*for a job*) se faire payer (pour un travail); **for a small f.** pour une petite somme; **school** *or* **tuition fees** frais *mpl* de scolarité; **entrance f.** prix *m or* droit *m* d'entrée; **membership fee(s)** cotisation *f*; **f.-paying school** école *f* privée.
feeble ['fiːb(ə)l] *a* (**-er, -est**) faible; (*excuse, smile*) pauvre; (*joke, attempt*) pitoyable. ●**feeble-'minded** *a* imbécile.
feed [fiːd] *n* (*food for animal*) aliments *mpl*; (*baby's breast feed*) tétée *f*; (*baby's bottle feed*) biberon *m*.
▌ *vt* (*pt* & *pp* **fed**) donner à manger à, nourrir; (*breastfeed*) allaiter (*un bébé*); (*bottlefeed*) donner le biberon à (*un bébé*); (*machine*) *Fig* alimenter; **to f. s.o. sth** faire manger qch à qn; **to f. sth into** (*machine*) introduire qch dans; (*computer*) entrer qch dans.
▌ *vi* (*eat*) manger; **to f. on sth** se nourrir de qch. ●**feeding** *n* alimentation *f*.
feedback ['fiːdbæk] *n* réaction(s) *f(pl)*.
feel [fiːl] *n* (*touch*) toucher *m*; (*feeling*) sensation *f*.
▌ *vt* (*pt* & *pp* **felt**) (*be aware of*) sentir; (*experience*) éprouver, ressentir; (*touch*) tâter, palper; **to f. that** (*think*) avoir l'impression que; **to f. one's way** avancer à tâtons.
▌ *vi* **to f.** (**about**) (*grope*) tâtonner; (*in pocket etc*) fouiller (**for sth** pour trouver qch); **it feels hard** c'est dur (au toucher); **to f. tired/ old/ill/etc** se sentir fatigué/vieux/malade/*etc*; **I f. hot/sleepy/hungry/etc** j'ai chaud/sommeil/faim/*etc*; **she feels better** elle va mieux; **he doesn't f. well** il ne se sent pas bien; **to f. like sth** (*want*) avoir envie de qch; **it feels like cotton** on dirait du coton; **to f. as if** avoir l'impression que; **what do you f. about...?** que pensez-vous de...?; **I f. bad about it** ça m'ennuie, ça me fait de la peine; **what does it f. like?** quelle impression ça (te) fait?; **to f. for s.o.** (*pity*) éprouver de la pitié pour qn; **to f. up to doing** être (assez) en forme pour faire.
feeler ['fiːlər] *n* (*of snail etc*) antenne *f*; **to put out a f.** *or* **feelers** *Fig* lancer un ballon d'essai.
feeling ['fiːlɪŋ] *n* (*emotion, impression*) sentiment *m*; (*physical*) sensation *f*; **a f. for** (*person*) de la sympathie pour; (*music, painting etc*) une appréciation de; **bad f.** animosité *f*.
feet [fiːt] *see* **foot**[1].
feign [feɪn] *vt* feindre, simuler.
feint [feɪnt] *n Boxing etc* feinte *f*.
feisty ['faɪstɪ] *a* (**-ier, -iest**) (*lively*) *Am Fam* plein d'entrain.
felicitous [fə'lɪsɪtəs] *a* heureux.
feline ['fiːlaɪn] *a* félin.
fell [fel] **1** *pt of* **fall**. **2** *vt* (*tree, giant etc*) abattre.
fellow ['feləʊ] *n* **1** (*man, boy*) type *m*, gars *m*; **an old f.** un vieux; **poor f.!** pauvre malheureux! **2** (*companion*) **f. being** semblable *m*; **f. countryman, f. countrywoman** compatriote *mf*; **f. passenger/worker/etc** compagnon *m* de voyage/travail/*etc*, compagne *f* de voyage/travail/*etc*. **3** (*of society*) membre *m*.
fellowship ['feləʊʃɪp] *n* (*feeling*) camaraderie *f*; (*group*) association *f*; (*membership*) qualité *f* de membre; (*scholarship*) bourse *f* universitaire.
felony ['felənɪ] *n* crime *m*.
felt[1] [felt] *pt* & *pp of* **feel**.
felt[2] [felt] *n* feutre *m*. ●**felt-tip (pen)** *n* crayon *m* feutre.
female ['fiːmeɪl] *a* (*name, voice, quality etc*) féminin; (*animal*) femelle; **the f. vote** le vote des femmes; **f. student** étudiante *f* ▌ *n* (*woman*) femme *f*; (*girl*) fille *f*; (*animal*) femelle *f*.
feminine ['femɪnɪn] *a* féminin ▌ *n Grammar* féminin *m*. ●**femi'ninity** *n* féminité *f*. ●**feminist** *a* & *n* féministe (*mf*).
fence [fens] **1** *n* barrière *f*, clôture *f*; (*in race*) obstacle *m* ▌ *vt* **to f.** (**in**) (*land*) clôturer. **2** *vi* (*with sword*) faire de l'escrime. **3** *n* (*criminal*) *Fam* receleur, -euse *mf*. ●**fencing** *n Sport* escrime *f*.
fend [fend] **1** *vi* **to f. for oneself** se débrouiller. **2** *vt* **to f. off** (*blow etc*) parer.
fender ['fendər] *n* **1** (*of car*) *Am* aile *f*. **2** (*for fire*) garde-feu *m inv*.
fennel ['fen(ə)l] *n* (*plant, herb*) fenouil *m*.
ferment ['fɜːment] *n* (*substance*) ferment *m*; (*excitement*) *Fig* effervescence *f* ▌ [fə'ment] *vi* fermenter. ●**fermentation** [-'teɪʃ(ə)n] *n* fermentation *f*.
fern [fɜːn] *n* fougère *f*.
ferocious [fə'rəʊʃəs] *a* féroce. ●**ferocity** [fə'rɒsətɪ] *n* férocité *f*.
ferret ['ferɪt] *n* (*animal*) furet *m* ▌ *vi* **to f. about** (*pry*) fureter ▌ *vt* **to f. out** (*person, information*) dénicher.
Ferris wheel ['ferɪswiːl] *n* (*in fairground*) grande roue *f*.
ferry ['ferɪ] *n* ferry-boat *m*; (*small, for river*) bac *m* ▌ *vt* transporter.
fertile [*Br* 'fɜːtaɪl, *Am* 'fɜːt(ə)l] *a* (*land, imagination*) fertile; (*person, animal*) fécond. ●**fer'tility** *n* fertilité *f*; **f. drug** médicament *m* de traitement de la stérilité.
fertilize ['fɜːtəlaɪz] *vt* (*land*) fertiliser; (*egg, animal etc*) féconder. ●**fertilizer** *n* engrais *m*.
fervent ['fɜːv(ə)nt] *a* fervent. ●**fervour** (*Am* **fervor**) *n* ferveur *f*.
fester ['festər] *vi* (*of wound*) suppurer; (*of anger etc*) *Fig* couver.
festival ['festɪv(ə)l] *n* (*of music, film etc*) festival *m* (*pl* -als); (*religious*) fête *f*.
festive ['festɪv] *a* (*atmosphere, clothes*) de

festoon

fête; (*mood*) joyeux; **the f. season** la période des fêtes. ●**fe'stivities** *npl* festivités *fpl*, réjouissances *fpl*.
festoon [fe'stu:n] *vt* **to f. with** orner de.
fetch [fetʃ] *vt* **1** (*bring*) amener (*qn*); (*object*) apporter; **to (go and) f.** aller chercher; **to f. sth in** rentrer qch; **to f. sth out** sortir qch. **2** (*be sold for*) rapporter (**ten pounds**/*etc* dix livres/*etc*); **it fetched a high price** cela a atteint un prix élevé. ●**fetching** *a* (*smile etc*) charmant, séduisant.
fête [feɪt] *n Br* fête *f* ▍ *vt* (*person etc*) fêter.
fetid ['fetɪd] *a* fétide.
fetish ['fetɪʃ] *n* (*obsession*) manie *f*, obsession *f*; **to make a f. of sth** être obsédé par qch.
fetter ['fetər] *vt* (*hinder*) entraver.
fettle ['fet(ə)l] *n* **in fine f.** en pleine forme.
fetus ['fi:təs] *n Am* fœtus *m*.
feud [fju:d] *n* querelle *f*, dissension *f*.
feudal ['fju:d(ə)l] *a* féodal.
fever ['fi:vər] *n* fièvre *f*; **to have a f.** (*temperature*) avoir de la fièvre; **a high f.** une forte *or* grosse fièvre. ●**feverish** *a* (*person, activity*) fiévreux.
few [fju:] *a & pron* peu (de); **f. towns**/*etc* peu de villes/*etc*; **a f. towns**/*etc* quelques villes/*etc*; **f. of them** peu d'entre eux; **a f.** quelques-un(e)s (**of** de); **a f. of us** quelques-uns d'entre nous; **one of the f. books** l'un des rares livres; **quite a f., a good f.** bon nombre (de); **a f. more books**/*etc* encore quelques livres/*etc*; **f. and far between** rares (et espacés); **f. came** peu sont venus; **the examples are f.** les exemples sont peu nombreux; **every f. days** tous les trois ou quatre jours.
fewer ['fju:ər] *a & pron* moins (de) (**than** que); **f. houses**/*etc* moins de maisons/*etc* (**than** que); **to be f.** être moins nombreux (**than** que); **no f. than** pas moins de. ●**fewest** ['fju:ɪst] *a & pron* le moins (de).
fiancé(e) [fɪ'ɒnseɪ] *n* fiancé, -ée *mf*.
fiasco [fɪ'æskəʊ] *n* (*pl* **-os**, *Am* **-oes**) fiasco *m*.
fib [fɪb] *n Fam* blague *f*, bobard *m* ▍ *vi* (**-bb-**) *Fam* raconter des blagues. ●**fibber** *n Fam* blagueur, -euse *mf*.
fibre ['faɪbər] (*Am* **fiber**) *n* fibre *f*; (*in diet*) fibre(s) *f(pl)*; **high-f. diet** alimentation *f* riche en fibres. ●**fibreglass** *n* fibre *f* de verre.
fickle ['fɪk(ə)l] *a* inconstant.
fiction ['fɪkʃ(ə)n] *n* (*imagination*) fiction *f*; (*works of*) **f.** romans *mpl*; **that's pure f.** ce sont des histoires. ●**fictional** *a* (*character etc*) fictif.
fictitious [fɪk'tɪʃəs] *a* (*false, imaginary*) fictif.
fiddle ['fɪd(ə)l] **1** *n* (*violin*) *Fam* violon *m* ▍ *vi Fam* jouer du violon.
2 *vi* **to f. about** (*waste time*) traînailler, perdre son temps; **to f. (about) with** (*watch, pen etc*) tripoter; (*cars etc*) bricoler.
3 *n* (*dishonest act*) *Br Fam* combine *f*, magouille *f*, fraude *f* ▍ *vi* (*swindle*) *Br Fam* magouiller ▍ *vt* (*accounts etc*) *Br Fam* falsifier.

●**fiddler** *n* **1** (*violin player*) *Fam* joueur, -euse *mf* de violon. **2** (*swindler*) *Br Fam* combinard, -arde *mf*.
fiddling ['fɪdlɪŋ] *a* (*petty*) insignifiant.
fiddly ['fɪdlɪ] *a* (**-ier, -iest**) (*task*) délicat.
fidelity [fɪ'delɪtɪ] *n* fidélité *f* (**to** à).
fidget ['fɪdʒɪt] *vi* **to f. (about)** gigoter, se trémousser; **to f. (about) with** tripoter ▍ *n* personne *f* qui ne tient pas en place. ●**fidgety** *a* agité, remuant.
field [fi:ld] *n* champ *m*; (*for sports*) terrain *m*; (*sphere*) domaine *m*; **to have a f. day** (*a good day*) s'en donner à cœur joie; **f. glasses** jumelles *fpl*; **f. marshal** maréchal *m*.
fiend [fi:nd] *n* démon *m*; **a jazz**/*etc* **f.** *Fam* un(e) fana de jazz/*etc*; (*sex*) **f.** *Fam* satyre *m*; **fresh-air f.** maniaque *mf* du grand air. ●**fiendish** *a* (*cruel*) diabolique; (*difficult, awful*) abominable.
fierce [fɪəs] *a* (**-er, -est**) (*animal, warrior, tone etc*) féroce; (*attack, wind*) furieux. ●**fierceness** *n* férocité *f*; (*of attack etc*) fureur *f*.
fiery ['faɪərɪ] *a* (**-ier, -iest**) (*person, speech*) fougueux; (*sun, eyes*) ardent.
fiesta [fɪ'estə] *n* fiesta *f*.
fifteen [fɪf'ti:n] *a & n* quinze (*m*). ●**fifteenth** *a & n* quinzième (*mf*).
fifth [fɪfθ] *a & n* cinquième (*mf*); **a f.** un cinquième.
fifty ['fɪftɪ] *a & n* cinquante (*m*); **a f.-fifty chance** une chance sur deux; **to split the profits f.-fifty** partager les bénéfices moitié-moitié. ●**fiftieth** *a & n* cinquantième (*mf*).
fig [fɪg] *n* figue *f*; **f. tree** figuier *m*.
fight [faɪt] *n* (*brawl between people*) bagarre *f*; (*between boxers, soldiers etc*) combat *m*; (*struggle*) lutte *f* (**against** contre); (*quarrel*) dispute *f*; **to put up a (good) fight** bien se défendre.
▍ *vi* (*pt & pp* **fought**) se battre (**against** contre); (*of soldiers*) se battre, combattre; (*struggle*) lutter; (*quarrel*) se disputer; **to f. back** (*in self-defence*) se défendre; **to f. over sth** se disputer qch; **to f. against an illness**/**for a cause** lutter contre une maladie/pour une cause.
▍ *vt* se battre avec (*qn*); (*evil*) lutter contre, combattre; **to f. a battle** livrer bataille; **to f. an election** (*of candidate for parliament*) se présenter à une élection; **to f. back** (*tears*) refouler; **to f. off** (*attacker, attack*) repousser; (*illness*) lutter contre; **to f. it out** se bagarrer.
fighter ['faɪtər] *n* (*determined person*) battant, -ante *mf*; (*in brawl, battle*) combattant, -ante *mf*; (*boxer*) boxeur *m*; (*aircraft*) chasseur *m*.
fighting ['faɪtɪŋ] *n* (*between soldiers*) combat(s) *m(pl)*; (*brawling*) bagarres *fpl*; **f. spirit** combativité *f*; **f. troops** troupes *fpl* de combat.
figment ['fɪgmənt] *n* **a f. of one's imagination** une création de son esprit.
figurative ['fɪgjʊrətɪv] *a* (*meaning*) figuré;

(*art*) figuratif. ● **figuratively** *adv* au figuré.
figure¹ [*Br* 'fɪɡər, *Am* 'fɪɡjər] *n* **1** (*numeral*) chiffre *m*; (*price*) prix *m*; **figures** (*arithmetic*) calcul *m*.
2 (*shape*) forme *f*; (*outline*) silhouette *f*; (*of woman*) ligne *f*; **she has a nice f.** elle est bien faite.
3 (*diagram*) figure *f*; **f. of eight** *Br*, **f. eight** *Am* huit *m*; **f. skating** patinage *m* artistique.
4 (*expression, word*) **a f. of speech** (*figurative usage*) une façon de parler; (*in literature*) une figure de rhétorique.
5 (*important person*) figure *f*, personnage *m*.
figure² [*Br* 'fɪɡər, *Am* 'fɪɡjər] **1** *vt* **to f. that** (*guess*) penser que; (*imagine*) (s')imaginer que; **to f. out** (*person, motive*) arriver à comprendre; (*problem*) résoudre; (*answer*) trouver; (*price*) calculer; (*plan*) élaborer ∎ *vi* **that figures** (*makes sense*) ça s'explique; **to f. on doing** compter faire.
2 *vi* (*appear*) figurer (**on** sur).
figurehead ['fɪɡəhed] *n* (*of organization*) potiche *f*; (*of ship*) figure *f* de proue.
filament ['fɪləmənt] *n* filament *m*.
filch [fɪltʃ] *vt* (*steal*) voler (**from** s.o. à qn).
file [faɪl] **1** *n* (*tool*) lime *f* ∎ *vt* **to f. (down)** limer.
2 *n* (*folder, information*) dossier *m* (**on** sur); (*loose-leaf*) classeur *m*; (*for card index, computer data*) fichier *m*; **to be on f.** figurer au dossier ∎ *vt* (*complaint, claim, application etc*) déposer; **to f. (away)** (*document*) classer.
3 *n* **in single f.** en file ∎ *vi* **to f. in/out** entrer/sortir à la queue leu leu; **to f. past** (*general, coffin etc*) défiler devant. ●**filing** *a* **f. clerk** documentaliste *mf*; **f. cabinet** classeur *m* (*meuble*). ●**filings** *npl* (*particles*) limaille *f*.
Filipino [fɪlɪ'piːnəʊ] *n* (*pl* -os) Philippin, -ine *mf*.
fill [fɪl] *vt* remplir (**with** de); (*tooth*) plomber; **to f. a need** répondre à un besoin; **to f. in** (*form*) *Br* remplir; (*hole*) remplir, combler; (*door, window*) condamner; **to f. s.o. in on sth** mettre qn au courant de qch; **to f. out** (*form*) remplir; **to f. up** (*container, form*) remplir.
∎ *vi* **to f. (up)** se remplir; **to f. in for s.o.** remplacer qn; **to f. out** (*get fatter*) grossir, se remplumer; **to f. up** (*with Br petrol or Am gas*) faire le plein.
∎ *n* **to eat one's f.** manger à sa faim; **to have had one's f. of s.o./sth** en avoir assez de.
filler ['fɪlər] *n* (*for cracks in wood*) mastic *m*.
fillet ['fɪlɪt, *Am* fɪ'leɪ] *n* (*of fish, meat*) filet *m* ∎ *vt* (*pt & pp Am* [fɪ'leɪd]) (*fish*) découper en filets; (*meat*) désosser.
filling ['fɪlɪŋ] *a* (*meal etc*) nourrissant, substantiel ∎ *n* (*in tooth*) plombage *m*; (*in food*) garniture *f*; **f. station** poste *m* d'essence.
fillip ['fɪlɪp] *n* (*stimulus*) coup *m* de fouet.
filly ['fɪlɪ] *n* (*horse*) pouliche *f*.
film [fɪlm] *n* film *m*; (*for camera*) pellicule *f*; (*layer of dust etc*) fine couche *f*, pellicule *f*; (*for wrapping food*) film *m* plastique.
∎ *a* (*studio, technician, critic*) de cinéma; **f. club** ciné-club *m*; **f. fan** *or* **buff** cinéphile *mf*; **f. festival** festival *m* du film; **f. library** cinémathèque *f*; **f. maker** cinéaste *m*; **f. star** vedette *f* (de cinéma).
∎ *vt* filmer.
∎ *vi* (*of film maker, actor*) tourner.
Filofax® ['faɪləʊfæks] *n* (agenda *m*) organiseur *m*.
filter ['fɪltər] *n* filtre *m*; (*traffic sign*) *Br* flèche *f*; **f. lane** *Br Aut* couloir *m* (pour tourner); **f. tip** (bout *m*) filtre *m*; **f.-tipped cigarette** cigarette *f* (à bout) filtre ∎ *vt* filtrer ∎ *vi* filtrer (**through sth** à travers qch); **to f. through** filtrer.
filth [fɪlθ] *n* saleté *f*; (*obscenities*) *Fig* saletés *fpl*. ●**filthy** *a* (-**ier**, -**iest**) (*hands, shoes etc*) sale; (*language*) obscène; (*habit*) dégoûtant; **f. weather** *Br Fam* un temps infect, un sale temps.
fin [fɪn] *n* (*of fish, seal*) nageoire *f*; (*of shark*) aileron *m*; (*of swimmer*) *Am* palme *f*.
final ['faɪn(ə)l] *a* (*last*) dernier; (*definite*) (*decision, answer etc*) définitif ∎ *n Sport* finale *f*; **finals** (*university exams*) *Br* examens *mpl* de dernière année. ●**finalist** *n Sport* finaliste *mf*. ●**finalize** *vt* (*plan*) mettre au point; (*date*) fixer (définitivement). ●**finally** *adv* (*lastly*) enfin, en dernier lieu; (*eventually*) finalement, enfin; (*once and for all*) définitivement.
finale [fɪ'nɑːlɪ] *n* (*musical*) finale *m*.
finance ['faɪnæns] *n* finance *f*; **finances** (*of person*) finances *fpl*; (*of company*) situation *f* financière; **f. company** établissement *m* de crédit ∎ *vt* financer.
financial [faɪ'nænʃəl] *a* financier; **f. year** année *f* budgétaire. ●**financially** *adv* financièrement.
financier [faɪ'nænsɪər] *n* (grand) financier *m*.
find [faɪnd] *n* (*discovery*) trouvaille *f* ∎ *vt* (*pt & pp* **found**) trouver; (*sth or s.o. lost*) retrouver; **I f. that** je trouve que; **to f. difficulty doing sth** éprouver de la difficulté à faire qch; **£20 all found** 20 livres logé et nourri; **to f. s.o. guilty** (*in court*) déclarer qn coupable; **to f. one's feet** (*settle in*) s'adapter; **to f. oneself** (*to be*) se trouver.
find out *vt* (*secret, information etc*) découvrir; (*person*) démasquer ∎ *vi* (*inquire*) se renseigner (**about** s.o./sth sur qn/qch); **to f. out about sth** (*discover*) découvrir qch.
findings ['faɪndɪŋz] *npl* conclusions *fpl*.
fine¹ [faɪn] *n* (*money*) amende *f*; (*for driving offence*) contravention *f* ∎ *vt* **to f. s.o.** (£10/*etc*) infliger une amende de dix livres/*etc*) à qn.
fine² [faɪn] **1** *a* (-**er**, -**est**) (*thin, not coarse*) (*hair, needle etc*) fin; (*gold, metal*) pur; (*feeling*) délicat; (*distinction*) subtil ∎ *adv* (*to cut, write*) menu.
2 *a* (-**er**, -**est**) (*very good*) excellent; (*beautiful*) (*weather, statue etc*) beau (*f* belle); **it's f.** (*weather*) il fait beau; **he's f.** (*healthy*) il va bien ∎ *adv* (*very well*) très bien; **f.!** très bien! ●**finely** *adv* (*dressed*) magnifiquement; (*em-*

finery

broidered, *ground*) finement; (*painted*, *expressed*) délicatement; **f. chopped** haché menu.

finery ['faɪnərɪ] *n* (*clothes*) parure *f*, belle toilette *f*.

finesse [fɪ'nes] *n* (*skill*, *tact*) doigté *m*; (*refinement*) finesse *f*.

finger ['fɪŋgər] *n* doigt *m*; **to keep one's fingers crossed** croiser les doigts; **little f.** petit doigt *m*, auriculaire *m*; **middle f.** majeur *m*; **f. mark** trace *f* de doigt ▌ *vt* toucher (des doigts), palper. ● **fingering** *n Mus* doigté *m*. ● **fingernail** *n* ongle *m*. ● **fingerprint** *n* empreinte *f* (digitale). ● **fingerstall** *n* doigtier *m*. ● **fingertip** *n* bout *m* du doigt.

finicky ['fɪnɪkɪ] *a* (*precise*) méticuleux; (*difficult*) difficile (**about** sur).

finish ['fɪnɪʃ] *n* (*end*) fin *f*; (*of race*) arrivée *f*; (*of article*, *car etc*) finition *f*; **paint with a matt f.** peinture *f* mate.

▌ *vt* **to f.** (**off** *or* **up**) finir, terminer; **to f. eating**/*etc* finir de manger/*etc*; **to f. s.o. off** (*kill*) achever qn.

▌ *vi* (*of meeting*, *event etc*) finir, se terminer; (*of person*) finir, terminer; **to f. first** terminer premier; (*in race*) arriver premier; **to have finished with** (*object*) ne plus avoir besoin de; (*situation*, *person*) en avoir fini avec; **to f. off** *or* **up** (*of person*) finir, terminer; **to f. up in** (*end up in*) se retrouver à; **to f. up doing** finir par faire; **finishing line** (*of race*) ligne *f* d'arrivée; **finishing school** institution *f* pour jeunes filles; **to put the finishing touch(es) to sth** mettre la dernière main *or* la touche finale à qch. ● **finished** *a* (*ended*, *complete*, *ruined etc*) fini.

finite ['faɪnaɪt] *a* fini.

Finland ['fɪnlənd] *n* Finlande *f*. ● **Finn** *n* Finlandais, -aise *mf*, Finnois, -oise *mf*. ● **Finnish** *a* finlandais, finnois ▌ *n* (*language*) finnois *m*.

fir [fɜːr] *n* (*tree*, *wood*) sapin *m*.

fire¹ ['faɪər] *n* feu *m*; (*accidental*) incendie *m*; (*electric heater*) *Br* radiateur *m*; **to light** *or* **make a f.** faire du feu; **to set f. to** mettre le feu à; **to catch f.** prendre feu; **on f.** en feu; (**there's a**) **f.!** au feu!; **f.!** (*to soldiers*) feu!; **to open f.** ouvrir le feu; **f. alarm** alarme *f* d'incendie; **f. brigade** *Br*, **f. department** *Am* pompiers *mpl*; **f. engine** (*vehicle*) voiture *f* de pompiers; (*machine*) pompe *f* à incendie; **f. escape** escalier *m* de secours; **f. exit** sortie *f* de secours; **f. station** caserne *f* de pompiers.

fire² ['faɪər] *vt* (*cannon*) tirer; (*pottery*) cuire; (*imagination*) *Fig* enflammer; **to f. a gun** tirer un coup de fusil *or* de pistolet; **to f. questions at s.o.** bombarder qn de questions; **to f. s.o.** (*dismiss*) renvoyer qn ▌ *vi* tirer (at sur); **f. away!** (*start speaking*) *Fam* vas-y, parle!; **firing squad** peloton *m* d'exécution; *Br* **in** *or Am* **on the firing line** en butte aux attaques.

firearm ['faɪərɑːm] *n* arme *f* à feu. ● **firebug** *n* pyromane *mf*. ● **firecracker** *n Am* pétard *m*. ● **fireguard** *n* garde-feu *m inv*. ● **fireman** *n* (*pl* **-men**) (sapeur-)pompier *m*. ● **fireplace** *n* cheminée *f*. ● **fireproof** *a* (*door*) ignifugé, coupe-feu *inv*. ● **fireside** *n* **by the f.** au coin du feu; **f. chair** fauteuil *m*. ● **firewood** *n* bois *m* de chauffage. ● **firework** *n* fusée *f*; (*firecracker*) pétard *m*; **f. display** *Br* feu *m* d'artifice.

firm¹ [fɜːm] *n* (*company*) entreprise *f*, maison *f*, firme *f*.

firm² [fɜːm] *a* (**-er**, **-est**) (*earth*, *decision etc*) ferme; (*faith*) solide; (*character*) résolu; **to be f. with s.o.** être ferme avec qn ▌ *adv* **to stand f.** tenir bon *or* ferme. ● **firmly** *adv* (*to shut*, *believe etc*) fermement; (*to speak*) d'une voix ferme. ● **firmness** *n* fermeté *f*; (*of faith*) solidité *f*.

first [fɜːst] *a* premier; **I'll do it f. thing in the morning** je le ferai dès le matin, sans faute; **f. cousin** cousin, -ine *mf* germain(e).

▌ *adv* d'abord, premièrement; (*for the first time*) pour la première fois; **f. of all** tout d'abord; **at f.** d'abord; **to come f.** (*in race*) arriver premier; (*in exam*) être premier.

▌ *n* (*person*, *thing*) premier, -ière *mf*; (*British university degree*) = licence *f* avec mention très bien; **from the f.** dès le début; **f. aid** premiers secours *mpl or* soins *mpl*; **f. (gear)** (*of vehicle*) première *f*.

first-class [fɜːst'klɑːs] *a* excellent; (*ticket etc*) de première (classe); (*mail*) ordinaire ▌ *adv* (*to travel*) en première. ● **first-'hand** *a* (*news etc*) de première main; **to have (had) f.-hand experience of** avoir fait l'expérience personnelle de ▌ *adv* (*to hear news etc*) de première main. ● **first-'rate** *a* excellent.

firstly ['fɜːstlɪ] *adv* premièrement.

fiscal ['fɪsk(ə)l] *a* fiscal.

fish [fɪʃ] *n* (*pl inv* or **-es** [-ɪz]) poisson *m*; **f. market** marché *m* aux poissons; **f. bone** arête *f*; **f. bowl** bocal *m*; **f. fingers** *Br*, **f. sticks** *Am* bâtonnets *mpl* de poisson; **f. shop** poissonnerie *f*; **f.-and-chip shop** *Br* boutique *f* de fritures.

▌ *vi* pêcher; **to f. for** (*salmon etc*) pêcher; (*compliment etc*) *Fig* chercher.

▌ *vt* **to f. out** (*from water*) repêcher; (*from pocket*, *drawer etc*) sortir. ● **fishing** *n* pêche *f*; **to go f.** aller à la pêche; **f. boat**/**line**/*etc* bateau *m*/ligne *f*/*etc* de pêche; **f. net** (*of fisherman*) filet *m* (de pêche); (*of angler*) épuisette *f*; **f. pole** *Am* canne *f* à pêche; **f. rod** canne *f* à pêche.

fisherman ['fɪʃəmən] *n* (*pl* **-men**) pêcheur *m*.

fishmonger ['fɪʃmʌŋgər] *n* poissonnier, -ière *mf*.

fishy ['fɪʃɪ] *a* (**-ier**, **-iest**) (*smell*, *taste*) de poisson; (*story*, *business etc*) *Fig* louche.

fission ['fɪʃ(ə)n] *n* **nuclear f.** fission *f* nucléaire.

fissure ['fɪʃər] *n* (*crack*) fissure *f*.

fist [fɪst] *n* poing *m*. ● **fistful** *n* poignée *f* (**of** de).

fit¹ [fɪt] **1** *a* (**fitter**, **fittest**) (*healthy*) en bonne

santé; (*in good shape*) en forme; (*suitable*) propre (**for** à, **to do** à faire); (*worthy*) digne (**for** de, **to do** de faire); (*able*) apte (**for** à, **to do** à faire); **f. to eat** *or* **for eating** bon à manger, mangeable; **to see f. to do** juger à propos de faire; **as you see f.** comme bon vous semble; **I was f. to drop** *Fam* je ne tenais plus debout; **to keep f.** se maintenir en forme.
2 *vt* (**-tt-**) (*of clothes etc*) aller (bien) à (*qn*), être à la taille de (*qn*); (*match*) répondre à, correspondre à (*description, besoin etc*); (*equal*) égaler; (*put in*) poser (*fenêtre, moquette etc*); **to f. sth on s.o.** (*garment*) ajuster qch à qn; **to f. sth** (**on**) **to sth** (*put*) poser qch sur qch; (*adjust*) adapter qch à qch; (*fix*) fixer qch à qch; **to f.** (**out** *or* **up**) **with sth** (*house, ship etc*) équiper de qch; **to f. in** (*install*) poser (*fenêtre etc*); (*insert*) faire entrer (*qch*); **to f. in a customer/etc** (*find time to see*) prendre un client/etc; **to f.** (**in**) **sth** (*go in*) (*of key etc*) aller dans qch; **to f.** (**on**) **sth** (*go on*) (*of lid etc*) aller sur qch.
▌*vi* (*of clothes*) aller (bien) (à *qn*); **this shirt fits** (*fits me*) cette chemise me va (bien); **to f.** (**in**) (*go in*) entrer, aller; (*of facts, plans*) s'accorder, cadrer (**with** avec); **he doesn't f. in** il ne peut pas s'intégrer.
▌*n* **a good f.** (*clothes*) à la bonne taille; **a close** *or* **tight f.** (*clothes*) ajusté.
fit² [fɪt] *n* (*attack of illness, anger etc*) accès *m*, crise *f*; **a f. of crying** une crise de larmes; **a f. of enthusiasm** un accès d'enthousiasme; **in fits and starts** par à-coups.
fitful ['fɪtfəl] *a* (*sleep*) agité.
fitment ['fɪtmənt] *n* (*furniture*) *Br* meuble *m* encastré; (*machine accessory*) accessoire *m*.
fitness ['fɪtnɪs] *n* (*health*) santé *f*; (*of remark etc*) à-propos *m*; (*for job*) aptitudes *fpl* (**for** pour).
fitted ['fɪtɪd] *a Br* (*cupboard*) encastré; (*garment*) ajusté; **f. carpet** moquette *f*; **f. kitchen** cuisine *f* aménagée; **f.** (**kitchen**) **units** éléments *mpl* de cuisine.
fitter ['fɪtər] *n* (*of machinery*) *Br* monteur, -euse *mf*.
fitting ['fɪtɪŋ] **1** *a* (*suitable*) convenable. **2** *n* (*of clothes*) essayage *m*; **f. room** (*booth in store*) cabine *f* d'essayage. ●**fittings** *npl* (*in house etc*) installations *fpl*.
five [faɪv] *a & n* cinq (*m*). ●**fiver** *n Br Fam* billet *m* de cinq livres.
fix [fɪks] **1** *vt* (*make firm, decide*) fixer; (*tie with rope*) attacher; (*mend*) réparer; (*deal with*) arranger; (*prepare, cook*) préparer, faire; (*rig*) *Fam* truquer (*élections etc*); (*bribe*) acheter (*qn*); **to f. one's hopes on s.o./sth** mettre ses espoirs en qn/qch; **to f. the blame on s.o.** rejeter la responsabilité sur qn; **to f. s.o.** (*punish*) *Fam* régler son compte à qn; **it's fixed in my mind** c'est gravé dans mon esprit; **to f.** (**on**) (*lid etc*) mettre en place; **to f. up** (*trip etc*) arranger; **to f. s.o. up with a job**/*etc* procurer un travail/*etc* à qn.

2 *n* (*of plane, ship*) position *f*; (*injection*) *Sl* piqûre *f*; **in a f.** *Fam* dans le pétrin.
fixation [fɪk'seɪʃ(ə)n] *n* fixation *f*.
fixed [fɪkst] *a* (*idea, price etc*) fixe; (*resolution*) inébranlable; **how's he f. for cash?** *Fam* a-t-il assez d'argent?; **how are you f. for tomorrow?** *Fam* qu'est-ce que tu fais pour demain?
fixer ['fɪksər] *n* (*schemer*) *Fam* combinard, -arde *mf*.
fixings ['fɪksɪŋz] *npl Culin Am* garniture *f*.
fixture ['fɪkstʃər] *n* **1** *Sport* rencontre *f* (prévue). **2 fixtures** (*in house*) installations *fpl*.
fizz [fɪz] *vi* (*of champagne*) pétiller; (*of gas*) siffler. ●**fizzy** *a* (**-ier, -iest**) pétillant.
fizzle ['fɪz(ə)l] *vi* (*hiss*) siffler; (*of liquid*) pétiller; **to f. out** (*of firework*) rater, faire long feu; (*of plan*) *Fig* tomber à l'eau; (*of custom*) disparaître.
flabbergasted ['flæbəgɑːstɪd] *a Fam* sidéré.
flabby ['flæbɪ] *a* (**-ier, -iest**) (*skin, character, person*) mou (*f* molle), flasque.
flag [flæg] **1** *n* drapeau *m*; (*on ship*) pavillon *m*; (*for charity*) insigne *m*; **f. stop** *Am* arrêt *m* facultatif ▌*vt* (**-gg-**) **to f. down** (*taxi*) faire signe à. **2** *vi* (**-gg-**) (*of conversation*) languir; (*of worker*) fléchir; (*of plant*) dépérir. ●**flagpole** *n* mât *m*.
flagrant ['fleɪgrənt] *a* flagrant.
flagstone ['flægstəʊn] *n* dalle *f*.
flair [fleər] *n* (*intuition*) flair *m*; **to have a f. for** (*natural talent*) avoir un don pour.
flak [flæk] *n* **to get a lot of f.** (*criticism*) *Fam* se faire rentrer dedans.
flake [fleɪk] *n* (*of snow etc*) flocon *m*; (*of soap, metal*) paillette *f* ▌*vi* **to f.** (**off**) (*of paint*) s'écailler. ●**flaky** *a* **f. pastry** *Br* pâte *f* feuilletée.
flamboyant [flæm'bɔɪənt] *a* (*person, manner*) extravagant.
flame [fleɪm] *n* flamme *f*; **to burst into flame(s), go up in flames** prendre feu, s'enflammer; **to be in flames** être en flammes ▌*vi* **to f.** (**up**) (*of fire, house*) flamber. ●**flaming** *a* **1** (*sun*) flamboyant. **2** (*damn*) *Br Fam* fichu; **f. idiot/etc** fichu imbécile *m/etc*.
flamingo [flə'mɪŋgəʊ] *n* (*pl* **-os** *or* **-oes**) (*bird*) flamant *m*.
flammable ['flæməb(ə)l] *a* inflammable.
flan [flæn] *n* tarte *f*.
flank [flæŋk] *n* flanc *m* ▌*vt* flanquer; **flanked by** flanqué de.
flannel ['flænəl] *n* (*cloth*) flanelle *f*; (*face*) **f.** *Br* gant *m* de toilette, carré-éponge *m*; **flannels** (*trousers*) *Br* pantalon *m* de flanelle. ●**flanne'lette** *n* pilou *m*, finette *f*; **f. sheet** drap *m* en flanelle.
flap [flæp] **1** *vi* (**-pp-**) (*of wings, sail, shutter etc*) battre ▌*vt* **to f. its wings** (*of bird*) battre des ailes. **2** *n* (*flapping noise*) battement *m*. **2** *n* (*of pocket, envelope*) rabat *m*; (*of table*) abattant *m*; (*of door*) battant *m*.
flare [fleər] *n* (*distress signal*) fusée *f* éclairante; (*runway light*) balise *f*; (*sudden blaze*) flambée *f*; (*sudden light*) éclat *m* ▌*vi* (*blaze*)

flared

flamber; (*shine*) briller; **to f. up** (*of fire*) prendre; (*of violence, war*) éclater; (*of region in revolt*) s'embraser; (*get angry*) s'emporter. ● **flare-up** *n* (*of violence, fire*) flambée *f*; (*of region*) embrasement *m*.

flared [fleəd] *a* (*skirt*) évasé; (*Br trousers, Am pants*) (à) pattes d'éléphant.

flash [flæʃ] *n* (*of light*) éclat *m*; (*of genius, anger*) éclair *m*; (*for camera*) flash *m*; **f. of lightning** éclair *m*; **news f.** flash *m*; **in a f.** en un clin d'œil.
▮ *vi* (*shine*) briller; (*on and off*) clignoter; **to f. past** *or* **by** (*rush*) passer comme un éclair; **flashing lights** clignotants *mpl*.
▮ *vt* (*a light*) projeter; (*aim*) diriger (**on, at** sur); (*a glance*) jeter; **to f. sth (around)** (*flaunt*) étaler qch; **to f. one's (head)lights** faire un appel de phares. ● **flashback** *n* retour *m* en arrière. ● **flashlight** *n* (*torch*) *Br* lampe *f* de poche, lampe *f* électrique; (*for camera*) flash *m*.

flashy ['flæʃɪ] *a* (**-ier, -iest**) *a* voyant, tape-à-l'œil *inv*.

flask [flɑːsk] *n* thermos® *m or f inv*; (*for brandy, medicine*) flacon *m*; (*phial*) fiole *f*.

flat[1] [flæt] *a* (**flatter, flattest**) plat; (*Br tyre or Am tire, battery*) à plat; (*beer*) éventé; (*refusal*) net (*f* nette); (*rate, fare*) fixe; (*razed to the ground*) rasé; **f. nose** nez *m* aplati; **f. fee** prix *m* unique; **to put sth (down) f.** mettre qch à plat; **to be f.-footed** avoir les pieds plats.
▮ *adv* **to sing f.** chanter trop bas; **I told him f.** je le lui ai dit carrément; **to fall f. on one's face** tomber à plat ventre; **to fall f.** (*of joke, play etc*) tomber à plat; **to fold f.** (*of ironing board etc*) se (re)plier; **f. broke** *Fam* complètement fauché; **in two minutes f.** en deux minutes pile; **f. out** (*to work*) d'arrache-pied; (*to run*) à toute vitesse; **to be lying f. out** être étendu de tout son long.
▮ *n* (*puncture*) crevaison *f*; (*of hand*) plat *m*; (*in music*) bémol *m*. ● **flatly** *adv* (*to deny, refuse etc*) catégoriquement. ● **flatness** *n* (*of surface*) égalité *f*.

flat[2] [flæt] *n* (*rooms*) *Br* appartement *m*.

flatmate ['flætmeɪt] *n* **my f.** *Br* la personne avec qui je partage mon appartement.

flatten ['flætən] *vt* (*crops*) coucher; (*town, buildings*) raser; **to f. (out)** (*metal etc*) aplatir.

flatter ['flætər] *vt* flatter; (*of clothes*) avantager (*qn*). ● **flattering** *a* (*remark, words etc*) flatteur; **it's a f. hat, the hat is f. on you** ce chapeau vous avantage. ● **flatterer** *n* flatteur, -euse *mf*.

flattery ['flætərɪ] *n* flatterie *f*.

flatulence ['flætjʊləns] *n* **to have f.** avoir des gaz.

flaunt [flɔːnt] *vt* (*show off*) faire étalage de; (*defy, treat with scorn*) *Am* narguer, défier.

flautist ['flɔːtɪst] *n Br* flûtiste *mf*.

flavour ['fleɪvər] (*Am* **flavor**) *n* (*taste*) goût *m*, saveur *f*; (*of ice cream, Br sweet or Am candy etc*) parfum *m* ▮ *vt* (*food*) assaisonner;

126

(*sauce*) relever; (*ice cream etc*) parfumer (**with** à); **lemon/**etc**-flavoured** (parfumé) au citron/*etc*. ● **flavouring** *n* (*seasoning*) assaisonnement *m*; (*in cake, ice cream etc*) parfum *m*.

flaw [flɔː] *n* défaut *m*. ● **flawed** *a* imparfait. ● **flawless** *a* parfait.

flax [flæks] *n* lin *m*. ● **flaxen** *a* de lin.

flay [fleɪ] *vt* (*animal*) écorcher; (*criticize*) *Fig* éreinter.

flea [fliː] *n* puce *f*; **f. market** marché *m* aux puces. ● **fleapit** *n Br Fam* cinéma *m* miteux.

fleck [flek] *n* (*mark*) petite tache *f*.

fledgling ['fledʒlɪŋ] *n* (*novice*) blanc-bec *m*.

flee [fliː] *vi* (*pt & pp* **fled**) s'enfuir, fuir, se sauver ▮ *vt* (*place*) s'enfuir de; (*danger, temptation etc*) fuir.

fleece [fliːs] **1** *n* (*sheep's coat*) toison *f*. **2** *vt* (*rob*) *Fam* voler (*qn*). ● **fleecy** *a* (**-ier, -iest**) (*gloves etc*) molletonné.

fleet [fliːt] *n* (*of ships*) flotte *f*; **a f. of buses/** *etc* (*belonging to company*) un parc d'autobus/*etc*; (*providing shuttle service*) une noria d'autobus/*etc*; **a f. of vehicles** (*of company*) un parc automobile.

fleeting ['fliːtɪŋ] *a* (*visit, moment*) bref (*f* brève); (*beauty*) éphémère. ● **fleetingly** *adv* fugitivement, un bref instant.

Flemish ['flemɪʃ] *a* flamand ▮ *n* (*language*) flamand *m*; **the F.** (*people*) les Flamands *mpl*.

flesh [fleʃ] *n* chair *f*; **in the f.** en chair et en os; **he's your (own) f. and blood** (*child*) c'est la chair de ta chair; (*brother, father etc*) il est de ton sang; **f. wound** blessure *f* superficielle. ● **fleshy** *a* (**-ier, -iest**) charnu.

flew [fluː] *see* **fly**[2].

flex [fleks] **1** *vt* (*limb*) fléchir; (*muscle*) faire jouer, bander. **2** *n* (*wire*) fil *m* (souple); (*for telephone*) cordon *m*.

flexible ['fleksɪb(ə)l] *a* (*person, wire, plans*) souple, flexible. ● **flexi'bility** *n* flexibilité *f*.

flick [flɪk] *vt* (*with whip etc*) donner un petit coup à; **to f. sth off** (*remove*) enlever qch (d'une chiquenaude); **to f. a switch** pousser un bouton; **to f. on/off the light** allumer/éteindre ▮ *vi* **to f. over** *or* **through** (*pages*) feuilleter ▮ *n* (*with finger*) chiquenaude *f*; (*with whip etc*) petit coup *m*; **f. knife** *Br* couteau *m* à cran d'arrêt.

flicker ['flɪkər] *vi* (*of flame, light*) vaciller; (*of needle*) osciller ▮ *n* vacillement *m*; **f. of light** lueur *f*.

flier ['flaɪər] *n* **1** (*leaflet*) *Am* prospectus *m*; (*political*) tract *m*. **2** (*person*) aviateur, -trice *mf*; **high f.** (*ambitious person*) jeune loup *m*.

flies [flaɪz] *npl* (*on Br trousers or Am pants*) braguette *f*.

flight [flaɪt] *n* **1** (*of bird, aircraft etc*) vol *m*; (*of bullet*) trajectoire *f*; (*of imagination*) *Fig* élan *m*; **f. to/from** destination de/en provenance de; **she had a good f.** elle a fait bon voyage; **f. attendant** (*man*) steward *m*; (*woman*) hôtesse *f* de l'air; **f. deck** cabine *f* de pilotage; **f. path** (*of aircraft*) trajectoire *f* de vol. **2** (*floor, Br storey, Am story*) étage

m; **f. of stairs** escalier *m*. **3** (*escape*) fuite *f* (**from** de); **to take f.** prendre la fuite.
flighty ['flaɪtɪ] *a* (**-ier, -iest**) inconstant, volage.
flimsy ['flɪmzɪ] *a* (**-ier, -iest**) (*cloth, structure etc*) (*light*) (trop) léger; (*thin*) (trop) mince; (*excuse, reason*) mince, frivole.
flinch [flɪntʃ] *vi* (*with pain*) tressaillir; **to f. from** (*duty etc*) se dérober à; **without flinching** (*complaining*) sans broncher.
fling [flɪŋ] **1** *vt* (*pt & pp* **flung**) lancer, jeter; **to f. open** (*door etc*) ouvrir brutalement. **2** *n* **to have one's** *or* **a f.** (*indulge oneself*) s'en donner à cœur joie.
flint [flɪnt] *n* (*stone*) silex *m*; (*for cigarette lighter*) pierre *f*.
flip [flɪp] **1** *vt* (**-pp-**) (*with finger*) donner une chiquenaude à; **to f. a switch** pousser un bouton; **to f. sth over** retourner qch ▍ *vi* **to f. through** (*book etc*) feuilleter ▍ *n* chiquenaude *f*; **the f. side** (*of record*) la face deux. **2** *a* (*impudent*) *Am Fam* effronté.
flip-flops ['flɪpflɒps] *npl* (*rubber sandals*) tongs *fpl*.
flippant ['flɪpənt] *a* irrévérencieux; (*offhand*) désinvolte.
flipper ['flɪpər] *n* (*of swimmer*) palme *f*; (*of seal*) nageoire *f*.
flipping ['flɪpɪŋ] *Br Fam a* (*idiot, rain etc*) sacré ▍ *adv* sacrément, bougrement.
flirt [flɜːt] *vi* flirter (**with** avec) ▍ *n* flirteur, -euse *mf*. ● **flirtation** [-'teɪʃ(ə)n] *n* flirt *m*.
flit [flɪt] *vi* (**-tt-**) (*fly*) voltiger; **to f. in and out** (*of person*) *Fig* entrer et sortir (rapidement).
float [fləʊt] *n Fishing* flotteur *m*; (*in parade*) char *m* ▍ *vi* flotter (**on** sur); **to f. down the river** descendre la rivière ▍ *vt* (*boat, wood*) faire flotter; (*idea, rumour*) lancer; **to f. a currency** laisser flotter une monnaie; **to f. a loan** émettre un emprunt. ● **floating** *a* (*wood, debt etc*) flottant; (*population*) instable; **f. voters** électeurs *mpl* indécis.
flock [flɒk] *n* (*of sheep etc*) troupeau *m*; (*of birds*) volée *f*; (*religious congregation*) Hum ouailles *fpl*; (*of tourists etc*) foule *f* ▍ *vi* venir en foule (**to the coast**/*etc*) à la côte/*etc*); **to f. round s.o.** s'attrouper autour de qn.
floe [fləʊ] *n* (*ice*) **f.** banquise *f*.
flog [flɒg] *vt* (**-gg-**) **1** (*beat*) flageller. **2** (*sell*) *Br Sl* bazarder. ● **flogging** *n* flagellation *f*.
flood [flʌd] *n* inondation *f*; (*of letters, tears, insults etc*) *Fig* flot *m*, déluge *m*, torrent *m* ▍ *vt* (*field etc*) inonder (**with** de); (*river*) faire déborder; **to f. (out)** (*house*) inonder ▍ *vi* (*of river*) déborder; (*of building*) être inondé; **to f. in** (*of people, money*) affluer; **to f. into** (*of tourists etc*) envahir (*un pays etc*). ● **flooding** *n* (*of field etc*) inondation *f*; (*floods*) inondations *fpl*.
floodgate ['flʌdgeɪt] *n* (*in water*) & *Fig* vanne *f*.
floodlight ['flʌdlaɪt] *n* projecteur *m* ▍ *vt* (*pt & pp* **floodlit**) illuminer; **floodlit match** *or Am* **game** (match *m* en) nocturne *f*.
floor [flɔːr] **1** *n* (*ground*) sol *m*; (*wooden etc*

flue

in building) plancher *m*; (*Br storey, Am story*) étage *m*; (*dance*) **f.** piste *f* (de danse); **on the f.** par terre; **on the first f.** *Br* au premier étage; (*ground floor*) *Am* au rez-de-chaussée; **f. polish** cire *f*, encaustique *f*; **f. show** spectacle *m* (de cabaret). **2** *vt* (*knock down*) terrasser; (*puzzle*) stupéfier.
floorboard ['flɔːbɔːd] *n* planche *f*.
flop [flɒp] **1** *vi* (**-pp-**) **to f. down** (*collapse*) s'effondrer; **to f. about** s'agiter mollement. **2** *vi* (**-pp-**) *Fam* (*fail*) (*of business, efforts etc*) échouer; (*of play, film etc*) faire un four ▍ *n Fam* échec *m*, fiasco *m*; (*play etc*) four *m*.
floppy ['flɒpɪ] *a* (**-ier, -iest**) (*soft*) mou (*f* molle); (*clothes*) (trop) large; (*ears*) pendant; **f. disk** (*of computer*) disquette *f*.
flora ['flɔːrə] *n* (*plants*) flore *f*. ● **floral** *a* (*material, pattern*) à fleurs; (*art, exhibition*) floral.
florid ['flɒrɪd] *a* (*style*) fleuri; (*complexion*) rougeaud, fleuri.
florist ['flɒrɪst] *n* fleuriste *mf*.
floss [flɒs] *n* (**dental**) **f.** fil *m* (de soie) dentaire.
flotilla [flə'tɪlə] *n* (*of ships*) flottille *f*.
flounce [flaʊns] *n* (*frill on dress, tablecloth etc*) volant *m*.
flounder ['flaʊndər] **1** *vi* (*in water etc*) patauger (avec effort), se débattre; (*in speech*) hésiter, patauger. **2** *n* (*fish*) carrelet *m*.
flour ['flaʊər] *n* farine *f*.
flourish ['flʌrɪʃ] **1** *vi* (*of person, business, plant etc*) prospérer; (*of the arts*) fleurir. **2** *vt* (*wave*) brandir (*bâton, épée etc*) ▍ *n* (*gesture*) grand geste *m*. **3** *n* (*decoration*) fioriture *f*; (*trumpet music*) fanfare *f*. ● **flourishing** *a* prospère, florissant.
flout [flaʊt] *vt* narguer, braver.
flow [fləʊ] *vi* couler; (*of electric current, information*) circuler; (*of hair, clothes*) flotter; (*of traffic*) s'écouler; **to f. back** (*of liquid*) refluer; **to f. in** (*of people, money*) affluer; **to f. into the sea** (*of river*) se jeter dans la mer. ▍ *n* (*of river*) courant *m*; (*of tide*) flux *m*; (*of current, information, blood*) circulation *f*; (*of traffic, liquid*) écoulement *m*; **a f. of visitors/words** un flot de visiteurs/paroles; **f. chart** organigramme *m*. ● **flowing** *a* (*movement*) gracieux; (*style*) coulant, aisé; (*beard*) flottant.
flower ['flaʊər] *n* fleur *f*; **in f.** en fleur(s); **f. bed** parterre *m*; **f. pot** pot *m* de fleurs; **f. shop** (boutique *f* de) fleuriste *mf*; **f. show** floralies *fpl* ▍ *vi* fleurir. ● **flowered** *a* (*dress*) à fleurs. ● **flowering** *n* floraison *f* ▍ *a* (*in bloom*) en fleurs; (*producing flowers*) (*shrub etc*) à fleurs.
flowery ['flaʊərɪ] *a* (*style etc*) fleuri; (*material*) à fleurs.
flown [fləʊn] *pp* of **fly**[2].
flu [fluː] *n* (*influenza*) *Fam* grippe *f*.
fluctuate ['flʌktʃʊeɪt] *vi* varier. ● **fluctuation(s)** [-'eɪʃ(ə)n(z)] *n(pl)* (*in prices etc*) fluctuations *fpl* (**in** de).
flue [fluː] *n* (*of chimney*) conduit *m*.

fluent ['flu:ənt] *a* (*style*) aisé; **he's f. in Russian, his Russian is f.** il parle couramment le russe; **to be a f. speaker** s'exprimer avec facilité. ●**fluency** *n* facilité *f*. ●**fluently** *adv* (*to write, express oneself*) avec facilité; **to speak French/etc f.** parler couramment le français/*etc*.

fluff [flʌf] **1** *n* (*of material*) *Br* peluche(s) *f(pl)*; (*on floor*) *Br* moutons *mpl*; (*down on bird etc*) duvet *m*. **2** *vt* (*bungle*) *Fam* rater. ●**fluffy** *a* (**-ier, -iest**) (*bird etc*) duveteux; (*material*) pelucheux; (*toy*) en peluche; (*hair*) bouffant; **f. kitten** chaton *m* tout doux; **light and f.** (*cake etc*) très léger.

fluid ['flu:ɪd] *a* fluide; (*plans*) flexible, non arrêté ▮ *n* fluide *m*, liquide *m*.

fluke [flu:k] *n Fam* coup *m* de chance; **by a f.** par raccroc.

flummox ['flʌməks] *vt Br Fam* désorienter.

flung [flʌŋ] *pt* & *pp of* **fling 1**.

flunk [flʌŋk] *vi* (*in exam*) *Am Fam* être collé ▮ *vt Am Fam* (*exam*) être collé à; (*pupil*) coller; (*school*) laisser tomber.

flunk(e)y ['flʌŋkɪ] *n Pej* larbin *m*.

fluorescent [flʊə'res(ə)nt] *a* fluorescent.

fluoride ['flʊəraɪd] *n* (*in water etc*) fluor *m*; **f. toothpaste** dentifrice *m* au fluor.

flurry ['flʌrɪ] *n* **1** (*of activity*) poussée *f*. **2** (*of snow*) rafale *f*.

flush [flʌʃ] **1** *n* (*blush*) rougeur *f*; (*of youth, beauty*) éclat *m*; **hot flushes** bouffées *fpl* de chaleur; **the f. of victory** l'ivresse *f* de la victoire ▮ *vi* (*blush*) rougir.

2 *vt* **to f. sth (out)** nettoyer qch à grande eau; **to f. the pan** *or* **toilet** tirer la chasse d'eau; **to f. sth down the pan** *or* **toilet** faire disparaître qch dans les toilettes; **to f. s.o. out** (*chase away*) faire sortir qn (**from de**) ▮ *n* (*of toilet*) chasse *f* d'eau.

3 *a* (*level*) de niveau (**with** de); **f. (with money)** *Fam* bourré de fric. ●**flushed** *a* (*cheeks etc*) rouge; **f. with success/etc** ivre de succès/*etc*.

fluster ['flʌstər] *vt* énerver; **to get flustered** s'énerver.

flute [flu:t] *n* flûte *f*. ●**flutist** *n Am* flûtiste *mf*.

flutter ['flʌtər] **1** *vi* (*of bird, butterfly*) voltiger; (*of wing*) battre; (*of flag*) flotter (mollement); (*of heart*) palpiter; **to f. about** (*of person*) papillonner ▮ *vt* **to f. its wings** (*of bird*) battre des ailes. **2** *n* **to have a f.** (*bet*) *Br Fam* jouer une petite somme (**on the horses/etc** aux courses/*etc*).

flux [flʌks] *n* **in a state of f.** en changement constant.

fly[1] [flaɪ] *n* (*insect*) mouche *f*; **f. swatter** (*instrument*) tapette *f*. ●**flypaper** *n* papier *m* tue-mouches.

fly[2] [flaɪ] *vi* (*pt* **flew**, *pp* **flown**) (*of bird, aircraft etc*) voler; (*of passenger*) aller en avion; (*of time*) passer vite; (*of flag*) flotter; (*flee*) *Lit* fuir; **to f. away** *or* **off** s'envoler; **to f. out** (*of passenger*) partir en avion; **to f. out of a room** sortir d'une pièce à toute vitesse; **I must f.!** il faut que je file!; **to f. at s.o.** (*attack*) sauter sur qn; **the door flew open** la porte s'ouvrit brusquement.

▮ *vt* (*aircraft*) piloter; (*passengers*) transporter (**par avion**); (*airline*) voyager par; (*flag*) arborer; (*kite*) faire voler; **to f. the French flag** battre pavillon français; **to f. the Atlantic** traverser l'Atlantique en avion; **to f. across** *or* **over** (*country, city*) survoler.

fly[3] [flaɪ] *n* (*on trousers*) *Br* braguette *f*.

flyby ['flaɪbaɪ] *n* (*by plane*) *Am* défilé *m* aérien. ●**fly-by-night** *a* (*firm*) véreux. ●**flyover** *n* (*bridge*) *Br* toboggan *m*. ●**flypast** *n* (*by plane*) *Br* défilé *m* aérien.

flyer ['flaɪər] *n* = **flier**.

flying ['flaɪɪŋ] *n* (*flight*) vol *m*; (*air travel*) (*as pilot*) aviation *f*; (*as passenger*) l'avion *m* ▮ *a* (*doctor, personnel etc*) volant; **to succeed with f. colours** réussir haut la main; **to get off to a f. start** prendre un très bon départ; **f. saucer** soucoupe *f* volante; **f. visit** visite *f* éclair *inv*; **f. time** (*length of plane trip*) durée *f* du vol; **ten hours'/etc f. time** dix heures/*etc* de vol.

FM [ef'em] *n abbr* (*frequency modulation*) modulation *f* de fréquence.

foal [fəʊl] *n* poulain *m*.

foam [fəʊm] *n* (*on sea, mouth*) écume *f*; (*on beer*) mousse *f*; **f. rubber** caoutchouc *m* mousse; **f. (rubber) mattress/etc** matelas *m*/*etc* mousse; **f. bath** bain *m* moussant ▮ *vi* (*of sea, mouth*) écumer; (*of beer, soap*) mousser.

fob [fɒb] *vt* (**-bb-**) **to f. s.o. off with sth** (*object, excuse etc*) se débarrasser de qn en lui donnant *or* lui racontant qch; **to f. sth on (to) s.o.** refiler qch à qn.

focal ['fəʊk(ə)l] *a* focal; **f. point** point *m* central.

focus ['fəʊkəs] *n* (*of attention, interest*) centre *m*; (*optical, geometrical*) foyer *m*; **the photo is in f./out of f.** la photo est nette/floue.

▮ *vt* (*image, camera*) mettre au point; (*light*) faire converger; (*efforts*) concentrer (**on** sur).

▮ *vi* (*converge*) (*of light*) converger (**on** sur); **to f. on s.o./sth** (*with camera*) mettre au point sur qn/qch.

▮ *vti* **to f. (one's eyes) on** fixer les yeux sur; **to f. (one's attention) on** se tourner vers.

fodder ['fɒdər] *n* fourrage *m*.

foe [fəʊ] *n* ennemi, -ie *mf*.

foetus ['fi:təs] *n Br* fœtus *m*.

fog [fɒg] *n* brouillard *m*, brume *f* ▮ *vt* (**-gg-**) **to f. the issue** embrouiller la question. ●**fogbound** *a* bloqué par le brouillard. ●**foghorn** *n* corne *f* de brume; (*harsh voice*) voix *f* tonitruante. ●**foglamp** *or* **foglight** *n* (*on vehicle*) (phare *m*) anti-brouillard *m*.

fog(e)y ['fəʊgɪ] *n* **old f.** vieille baderne *f*.

foggy ['fɒgɪ] *a* (**-ier, -iest**) **it's f.** il y a du brouillard; **f. weather** brouillard *m*; **on a f. day** par un jour de brouillard; **she hasn't got the foggiest (idea)** *Fam* elle n'en a pas la moindre idée.

foible ['fɔɪb(ə)l] *n* petit défaut *m*.
foil [fɔɪl] **1** *n* (*for cooking*) papier *m* alu(minium); (*metal sheet*) feuille *f* de métal. **2** *n* (*contrasting person*) repoussoir *m*. **3** *vt* (*plans etc*) déjouer. **4** *n* (*sword for fencing*) fleuret *m*.
foist [fɔɪst] *vt* **to f. sth (off) on s.o.** (*fob off*) refiler qch à qn; **to f. oneself on s.o.** s'imposer à qn.
fold[1] [fəʊld] *n* (*in paper, cloth etc*) pli *m* ▌ *vt* plier; (*wrap*) envelopper (**in** dans); **to f. away** *or* **down** *or* **up** (*chair etc*) plier; **to f. back** *or* **over** (*blanket etc*) replier; **to f. one's arms** se croiser les bras.
▌ *vi* (*of chair etc*) se plier; (*of business*) *Fam* s'écrouler; **to f. away** *or* **down** *or* **up** (*of chair etc*) se plier; **to f. back** *or* **over** (*of blanket etc*) se replier. ● **folding** *a* (*chair, bed etc*) pliant.
fold[2] [fəʊld] *n* (*for sheep*) parc *m* à moutons; **to return to the f.** *Fig* rentrer au bercail.
-fold [fəʊld] *suff* **tenfold** *a* par dix ▌ *adv* dix fois; **he earns tenfold what I earn** il gagne dix fois plus que moi.
folder ['fəʊldər] *n* (*file holder*) chemise *f*; (*for drawings*) carton *m* à dessins; (*pamphlet*) dépliant *m*.
foliage ['fəʊlɪɪdʒ] *n* feuillage *m*.
folk [fəʊk] **1** *npl* (*Am* **folks**) gens *mpl* or *fpl*; **my folks** (*parents*) *Fam* mes parents *mpl*; **hello folks!** *Fam* salut tout le monde!; **old f.** *Br* les vieux *mpl*. **2** *a* (*dance, costume etc*) folklorique; **f. music** (*contemporary*) (musique *f*) folk *m*.
folklore ['fəʊklɔːr] *n* folklore *m*.
follow ['fɒləʊ] *vt* suivre; (*career*) poursuivre; **followed by** suivi de; **to f. suit** (*do the same*) en faire autant; **to f. s.o. around** suivre qn partout; **to f. through** (*plan, idea etc*) poursuivre jusqu'au bout; **to f. up** (*idea, story*) creuser; (*clue, suggestion, case*) suivre; (*letter*) donner suite à; (*remark*) faire suivre (**with** de); (*advantage*) exploiter.
▌ *vi* (*of person, event etc*) suivre; **it follows that** il s'ensuit que; **that doesn't f.** ce n'est pas logique; **to f. on** (*come after*) suivre. ● **follow-up** *n* suite *f* (**to** de); (*letter*) rappel *m*; **f.-up visit** (*by doctor*) visite *f* de contrôle; **f.-up treatment** traitement *m* complémentaire.
follower ['fɒləʊər] *n* (*supporter*) partisan *m*.
following ['fɒləʊɪŋ] **1** *a* suivant ▌ *prep* à la suite de. **2** *n* (*supporters*) partisans *mpl*; **to have a large f.** avoir de nombreux partisans; (*of TV programme, fashion etc*) être très suivi.
folly ['fɒlɪ] *n* folie *f*, sottise *f*; **an act of f.** une folie.
foment [fəʊ'ment] *vt* (*revolt etc*) fomenter.
fond [fɒnd] *a* (**-er, -est**) (*loving*) tendre, affectueux; (*doting*) indulgent; (*memory, thought*) doux (*f* douce); **to be (very) f. of sth/s.o.** aimer beaucoup qch/qn; **with f. regards** (*in letter*) bien amicalement. ● **fondly** *adv* tendrement. ● **fondness** *n* prédilection *f* (**for sth** pour qch); (*affection*) affection *f* (**for s.o.** pour qn).
fondle ['fɒnd(ə)l] *vt* caresser.
font [fɒnt] *n* **1** (*in church*) fonts *mpl* baptismaux. **2** *Typ* *Ordinat* police *f* de caractères.
food [fuːd] *n* nourriture *f*; (*particular substance*) aliment *m*; (*cooking*) cuisine *f*; (*for cats, dogs, pigs etc*) pâtée *f*; (*for plants*) engrais *m*; **foods** (*foodstuffs*) aliments *mpl*; **fast f.** restauration *f* rapide ▌ *a* (*needs, industry etc*) alimentaire; **f. poisoning** intoxication *f* alimentaire; **f. value** valeur *f* nutritive.
foodstuffs ['fuːdstʌfs] *npl* denrées *fpl* or produits *mpl* alimentaires.
fool [fuːl] *n* imbécile *mf*, idiot, -ote *mf*; **(you) silly f.!** espèce d'imbécile!; **to make a f. of s.o.** (*ridicule*) ridiculiser qn; (*trick*) rouler qn; **to be f. enough to do sth** être assez stupide pour faire qch; **to play the f.** faire l'imbécile.
▌ *vt* (*trick*) duper, rouler.
▌ *vi* **to f. (about** *or* **around)** faire l'imbécile; (*waste time*) perdre son temps; **to f. around** (*make love*) *Fam* faire l'amour (**with** avec).
foolhardy ['fuːlhɑːdɪ] *a* (*rash*) téméraire. ● **foolhardiness** *n* témérité *f*.
foolish ['fuːlɪʃ] *a* bête, idiot. ● **foolishly** *adv* bêtement. ● **foolishness** *n* bêtise *f*, sottise *f*.
foolproof ['fuːlpruːf] *a* (*scheme etc*) infaillible.
foot[1], *pl* **feet** [fʊt, fiːt] *n* pied *m*; (*of animal*) patte *f*; (*measure*) pied *m* (= 30,48 cm); **at the f. of** (*page, stairs*) au bas de; (*table*) au bout de; **on f.** à pied; **to be on one's feet** (*standing*) être debout; (*recovered from illness*) être sur pied; **f. brake** (*of vehicle*) frein *m* au plancher; **f.-and-mouth disease** fièvre *f* aphteuse.
foot[2] [fʊt] *vt* (*bill*) payer.
footage ['fʊtɪdʒ] *n* (*part of film*) séquences *fpl* (**on** sur).
football ['fʊtbɔːl] *n* *Br* (*game*) football *m*; (*ball*) ballon *m*. ● **footballer** *n* *Br* joueur, -euse *mf* de football. ● **footbridge** *n* passerelle *f*. ● **foothills** *npl* contreforts *mpl*. ● **foothold** *n* prise *f* (de pied); *Fig* position *f*; **to gain a f.** (*of person*) prendre pied (**in** dans). ● **footlights** *npl* (*in theatre*) rampe *f*. ● **footloose** *a* libre de toute attache. ● **footman** *n* (*pl* **-men**) valet *m* de pied. ● **footmark** *n* empreinte *f* (de pied). ● **footnote** *n* note *f* au bas de la page; (*extra comment*) *Fig* post-scriptum *m*. ● **footpath** *n* sentier *m*; (*at roadside*) chemin *m* (piétonnier). ● **footstep** *n* pas *m*; **to follow in s.o.'s footsteps** suivre les traces de qn. ● **footstool** *n* petit tabouret *m*. ● **footwear** *n* chaussures *fpl*.
footing ['fʊtɪŋ] *n* prise *f* (de pied); *Fig* position *f*; **on a war f.** sur le pied de guerre; **on an equal f.** sur un pied d'égalité.
for [fɔr, *unstressed* fər] **1** *prep* pour; (*for a distance or period of*) pendant; (*in spite of*) malgré; **f. you/me/***etc* pour toi/moi/*etc*; **it's f. tomorrow/f. this reason/f. eating** c'est pour demain/pour cette raison/pour manger;

forage

what's it f.? ça sert à quoi?; **I did it f. love/pleasure** je l'ai fait par amour/par plaisir; **to swim/rush. f.** (*towards*) nager/se précipiter vers; **a train f.** un train à destination de *or* en direction de, un train pour; **the road f. London** la route (en direction) de Londres; **it's time f. breakfast/***etc* c'est l'heure du petit déjeuner/*etc*; **to come f. dinner** venir dîner; **to sell sth f. seven dollars** vendre qch sept dollars; **what's the Russian f. 'book'?** comment dit-on 'livre' en russe?; **she walked f. a kilometre** elle a marché pendant un kilomètre; **he was away f. a month** il a été absent pendant un mois; **he won't be back f. a month** il ne sera pas de retour avant un mois; **he's been here f. a month** (*he's still here*) il est ici depuis un mois; **I haven't seen him f. ten years** voilà dix ans que je ne l'ai vu, je ne l'ai pas vu depuis dix ans; **it's easy/possible/***etc* **f. her to do it** il lui est facile/possible/etc de le faire; **it's f. you to say** c'est à toi de dire; **f. that to be done** pour que ça soit fait.
2 *conj* (*because*) car.
forage ['fɒrɪdʒ] *vt* **to f. (about)** fourrager (**for** pour) trouver).
foray ['fɒreɪ] *n* incursion *f*.
forbearance [fɔː'beərəns] *n* patience *f*.
forbid [fə'bɪd] *vt* (*pt* **forbad(e)**, *pp* **forbidden**, *pres p* **forbidding**) interdire, défendre (**s.o. to do** à qn de faire); **to f. s.o. sth** interdire *or* défendre qch à qn. ● **forbidden** *a* (*fruit, region, palace etc*) défendu; **she is f. to leave it** lui est interdit de partir. ● **forbidding** *a* (*look, landscape etc*) menaçant, sinistre.
force [fɔːs] *n* force *f*; **the (armed) forces** les forces armées; **by (sheer) f.** de force; **in f.** (*rule*) en vigueur; (*in great numbers*) en grand nombre, en force.
▮ *vt* forcer, contraindre (**to do** à faire); (*impose*) imposer (**on** à); (*door, lock*) forcer; (*confession*) arracher (**from** à); **to f. one's way into** entrer de force dans; **to f. back** (*enemy, demonstrators etc*) faire reculer; (*repress*) refouler (*larmes, sanglots*); **to f. down** (*aircraft*) forcer à atterrir; **to f. sth into sth** faire entrer qch de force dans qch; **to f. sth out** faire sortir qch de force. ● **forced** *a* **f. to do** obligé *or* forcé de faire; **a f. smile** un sourire forcé. ● **force-feed** *vt* (*pt & pp* **f.-fed**) nourrir de force.
forceful ['fɔːsfəl] *a* énergique, puissant. ● **forcefully** *adv* avec force, énergiquement.
forceps ['fɔːseps] *n* forceps *m*.
forcible ['fɔːsəb(ə)l] *a* (*treatment etc*) de force; (*forceful*) énergique. ● **forcibly** *adv* (*by force*) de force; (*to argue, express etc*) avec force.
ford [fɔːd] *n* gué *m* **▮** *vt* (*river etc*) passer à gué.
fore [fɔːr] *n* **to come to the f.** (*of question, preoccupation etc*) passer au premier plan.
forearm [fɔːrɑːm] *n* avant-bras *m inv*.
forebode [fɔː'bəʊd] *vt* (*be a warning of*) présager. ● **foreboding** *n* (*feeling*) pressentiment *m*.
forecast ['fɔːkɑːst] *vt* (*pt & pp* **forecast**) prévoir **▮** *n* prévision *f*; (*of weather*) prévisions *fpl*; (*in racing*) pronostic *m*.
forecourt ['fɔːkɔːt] *n* (*of hotel etc*) avant-cour *f*; (*of Br petrol or Am gas station*) aire *f* (de service), devant *m*.
forefathers ['fɔːfɑːðəz] *npl* aïeux *mpl*.
forefinger ['fɔːfɪŋɡər] *n* index *m*.
forefront ['fɔːfrʌnt] *n* **in the f. of** au premier rang de.
forego [fɔː'ɡəʊ] *vt* (*pp* **foregone**) renoncer à; **it's a foregone conclusion** c'est couru d'avance.
foregoing [fɔː'ɡəʊɪŋ] *a* précédent.
foreground ['fɔːɡraʊnd] *n* premier plan *m*.
forehead ['fɒrɪd, 'fɔːhed] *n* (*brow*) front *m*.
foreign ['fɒrən] *a* (*language, person, country etc*) étranger; (*trade*) extérieur; (*travel, correspondent*) à l'étranger; (*produce*) de l'étranger; **f. body** (*in eye etc*) corps *m* étranger; **F. Minister**, *Br* **F. Secretary** ministre *m* des Affaires étrangères; **the f. service** *Am* le service diplomatique. ● **foreigner** *n* étranger, -ère *mf*.
foreman ['fɔːmən] *n* (*pl* **-men**) (*worker*) contremaître *m*; (*of jury*) président *m*.
foremost ['fɔːməʊst] **1** *a* principal. **2** *adv* **first and f.** tout d'abord.
forensic [fə'rensɪk] *a* **f. medicine** médecine *f* légale; **f. laboratory/department** laboratoire *m*/service *m* médico-légal.
forerunner ['fɔːrʌnər] *n* précurseur *m*.
foresee [fɔː'siː] *vt* (*pt* **foresaw**, *pp* **foreseen**) prévoir. ● **foreseeable** *a* prévisible.
foreshadow [fɔː'ʃædəʊ] *vt* présager.
foresight ['fɔːsaɪt] *n* prévoyance *f*.
forest ['fɒrɪst] *n* forêt *f*. ● **forester** *n* (garde *m*) forestier *m*.
forestall [fɔː'stɔːl] *vt* devancer.
foretaste ['fɔːteɪst] *n* avant-goût *m* (**of** de).
foretell [fɔː'tel] *vt* (*pt & pp* **foretold**) prédire.
forethought ['fɔːθɔːt] *n* prévoyance *f*.
forever [fə'revər] *adv* (*for always*) pour toujours; (*continually*) sans cesse.
forewarn [fɔː'wɔːn] *vt* avertir.
foreword ['fɔːwɜːd] *n* avant-propos *m inv*.
forfeit ['fɔːfɪt] *vt* (*lose*) perdre **▮** *n* (*penalty*) peine *f*; (*in game*) gage *m*.
forge [fɔːdʒ] **1** *vt* (*signature, money*) contrefaire; (*document*) falsifier. **2** *vt* (*friendship, bond*) forger. **3** *vi* **to f. ahead** (*progress*) aller de l'avant. **4** *vt* (*metal, iron*) forger **▮** *n* forge *f*. ● **forged** *a* (*passport etc*) faux (*f* fausse); **f. money** fausse monnaie *f*. ● **forger** *n* (*of documents, money etc*) faussaire *m*.
forgery ['fɔːdʒərɪ] *n* faux *m*, contrefaçon *f*.
forget [fə'ɡet] *vt* (*pt* **forgot**, *pp* **forgotten**, *pres p* **forgetting**) oublier (**to do** de faire); **f. it!** *Fam* (*when thanked*) pas de quoi!; (*it doesn't matter*) peu importe!; **to f. oneself** s'oublier **▮** *vi* oublier; **to f. about** oublier. ● **forget-me-not** *n* (*plant*) myosotis *m*.
forgetful [fə'ɡetfəl] *a* **he's f.** il n'a pas de mémoire; **to be f. of** oublier, être oublieux

de. ●**forgetfulness** n manque m de mémoire; (carelessness) négligence f; **in a moment of f.** dans un moment d'oubli.

forgive [fə'gɪv] vt (pt **forgave**, pp **forgiven**) pardonner (**s.o. sth** qch à qn). ●**forgiving** a indulgent. ●**forgiveness** n pardon m; (compassion) clémence f.

forgo [fɔː'gəʊ] vt (pp **forgone**) renoncer à.

fork [fɔːk] **1** n (for eating) fourchette f; (for garden etc) fourche f. **2** vi (of road) bifurquer; **to f. left** (in vehicle) prendre à gauche ▮ n (in road) bifurcation f, fourche f. **3** vt **to f. out** (money) Fam allonger ▮ vi **to f. out** (pay) Fam casquer (**on** pour). ●**forked** a (branch etc) fourchu. ●**forklift truck** n chariot m élévateur.

forlorn [fə'lɔːn] a (forsaken) abandonné; (unhappy) triste, affligé.

form [fɔːm] n (shape, type, style) forme f; (document) formulaire m; (in school) Br classe f; **it's good f.** c'est ce qui se fait; **in the f. of** en forme de; **a f. of speech** une façon de parler; **on f., in good** or **top f.** en (pleine) forme.
▮ vt (group, basis, character etc) former; (clay) façonner; (habit) contracter; (constitute) constituer, former (gouvernement, alliance etc); **to f. part of** faire partie de; **to f. an opinion/impression** se faire une opinion/impression (**of** de).
▮ vi (appear) se former.

formal ['fɔːm(ə)l] a (person, tone etc) cérémonieux; (stuffy) compassé; (official) (announcement, dinner etc) officiel; (in due form) (agreement etc) en bonne et due forme; (denial, structure, logic) formel; (resemblance) extérieur; **f. dress** tenue f or habit m de cérémonie; **f. education** éducation f scolaire; **f. language** langue f soignée. ●**for'mality** n (requirement) formalité f; (of occasion etc) cérémonie f. ●**formally** adv (to declare etc) officiellement; **f. dressed** en tenue de cérémonie.

format ['fɔːmæt] n (layout) présentation f; (size) format m ▮ vt (computer diskette etc) formater.

formation [fɔː'meɪʃ(ə)n] n formation f.

formative ['fɔːmətɪv] a formateur.

former ['fɔːmər] **1** a (previous) (president, teacher, job, house etc) ancien; (situation, life) antérieur; **my f. colleague** mon ancien collègue; **her f. husband** son ex-mari m; **in f. days** autrefois. **2** a (of two) premier ▮ pron **the f.** celui-là, celle-là, le premier, la première. ●**formerly** adv autrefois.

formidable ['fɔːmɪdəb(ə)l] a effroyable, terrible.

formula ['fɔːmjʊlə] n **1** (pl **-as** or **-ae** [-iː]) (rule, symbols etc) formule f. **2** (pl **-as**) (baby food) lait m maternisé (en poudre). ●**formulate** vt formuler. ●**formulation** [-'leɪʃ(ə)n] n formulation f.

forsake [fə'seɪk] vt (pt **forsook**, pp **forsaken**) abandonner.

fort [fɔːt] n (building) Mil fort m; **to hold the f.** (look after shop, office in s.o.'s absence) Fam garder la boutique.

forte [Br 'fɔːteɪ, Am fɔːt] n (strong point) fort m; **that's not my f.** ce n'est pas mon fort.

forth [fɔːθ] adv en avant; **from this day f.** désormais; **and so f.** et ainsi de suite; **to go back and f.** aller et venir.

forthcoming [fɔːθ'kʌmɪŋ] a **1** (event) à venir; (book, film) qui va sortir; **my f. book** mon prochain livre. **2** (available) disponible. **3** (open, frank) (person) communicatif, franc (f franche); (helpful) serviable.

forthright ['fɔːθraɪt] a direct, franc (f franche).

forthwith [fɔːθ'wɪð] adv sur-le-champ.

fortieth ['fɔːtɪəθ] a & n quarantième (mf).

fortify ['fɔːtɪfaɪ] vt (strengthen) fortifier; **to f. s.o.** (of food, drink) réconforter qn, remonter qn. ●**fortification** [-'keɪʃ(ə)n] n fortification f.

fortitude ['fɔːtɪtjuːd] n courage m (moral).

fortnight ['fɔːtnaɪt] n Br quinze jours mpl, quinzaine f (de jours). ●**fortnightly** a Br bimensuel ▮ adv tous les quinze jours.

fortress ['fɔːtrɪs] n forteresse f.

fortuitous [fɔː'tjuːɪtəs] a fortuit.

fortunate ['fɔːtʃənɪt] a (choice, event etc) heureux; **to be f.** (of person) avoir de la chance; **to be f. enough to...** avoir la chance de...; **it's f. (for her) that** c'est heureux (pour elle) que (+ sub). ●**fortunately** adv heureusement.

fortune ['fɔːtʃuːn] n (wealth) fortune f; (luck) chance f; (chance) sort m, hasard m, fortune f; **to have the good f. to do** avoir la chance or le bonheur de faire; **to tell s.o.'s f.** dire la bonne aventure à qn; **to make one's f.** faire fortune; **to cost a f.** coûter une (petite) fortune. ●**fortune-teller** n diseur, -euse mf de bonne aventure.

forty ['fɔːtɪ] a & n quarante (m).

forum ['fɔːrəm] n forum m.

forward ['fɔːwəd] adv **forward(s)** en avant; **to go f.** avancer; **from this time f.** désormais ▮ a (movement) en avant; (child) Fig précoce; (impudent) effronté; **the f. gears** (in vehicle) les vitesses fpl avant ▮ n Football avant m ▮ vt (letter) faire suivre; (goods) expédier; **forwarding address** nouvelle adresse f (pour faire suivre le courrier). ●**forward-looking** a tourné vers l'avenir. ●**forwardness** n (of child) précocité f; (impudence) effronterie f.

fossil ['fɒs(ə)l] n fossile m ▮ a (animal, plant) fossile.

foster ['fɒstər] **1** vt (music, art etc) encourager. **2** vt (child) élever en famille d'accueil ▮ a (child, parents) adoptif; **f. home** or **family** famille f d'accueil.

fought [fɔːt] pt & pp of **fight**.

foul [faʊl] **1** a (-er, -est) (smell, taste, weather, person etc) infect; (air) vicié; (breath) fétide; (language) grossier; (action, place) immonde; **to be f.-mouthed** avoir un langage grossier.

found 132

2 *n Sport* coup *m* irrégulier; *Football* faute *f* ▌*a* f. **play** *Sport* jeu *m* irrégulier; (*violence*) *Jur* acte *m* criminel.
3 *vt* **to f. (up)** (*get dirty*) salir; (*air*) vicier; (*pipe, drain*) encrasser; **to f. up** (*plans, s.o.'s life*) *Fam* gâcher; **to f. the pavement** (*of dog*) *Br* salir le trottoir. ● **foul-up** *n* (*disorder*) cafouillage *m*; (*in system*) *Fam* raté *m*.
found¹ [faʊnd] *pt & pp of* **find**.
found² [faʊnd] *vt* (*town, political party etc*) fonder; (*opinion, suspicions etc*) fonder, baser (**on** sur). ● **founder¹** *n* fondateur, -trice *mf*.
foundation [faʊnˈdeɪʃ(ə)n] *n* fondation *f*; (*basis of agreement etc*) bases *fpl*, fondement(s) *m(pl)*; **the foundations** (*of building*) les fondations *fpl*; **without f.** sans fondement; **f. cream** fond *m* de teint.
founder² [ˈfaʊndər] *vi* (*of ship*) sombrer.
foundry [ˈfaʊndrɪ] *n* fonderie *f*.
fountain [ˈfaʊntɪn] *n* fontaine *f*; **f. pen** stylo(-plume) *m*.
four [fɔːr] *a & n* quatre (*m*); **on all fours** à quatre pattes; **f.-letter word** = mot *m* de cinq lettres. ● **fourth** *a & n* quatrième (*mf*).
fourfold [ˈfɔːfəʊld] *a* quadruple ▌*adv* au quadruple.
foursome [ˈfɔːsəm] *n* (*two couples*) deux couples *mpl*; **to go out as a f.** sortir à deux couples.
fourteen [fɔːˈtiːn] *a & n* quatorze (*m*). ● **fourteenth** *a & n* quatorzième (*mf*).
fowl [faʊl] *n* (*hens etc for breeding*) la volaille; **a f.** une volaille.
fox [fɒks] **1** *n* renard *m*. **2** *vt* (*puzzle*) mystifier; (*trick*) tromper. ● **foxy** *a* (*sly*) rusé, futé.
foxglove [ˈfɒksglʌv] *n* (*plant*) digitale *f*.
foyer [*Br* ˈfɔɪeɪ, *Am* ˈfɔɪər] *n* (*in theatre*) foyer *m*; (*in hotel*) hall *m*.
fraction [ˈfrækʃ(ə)n] *n* fraction *f*. ● **fractionally** *adv* un tout petit peu.
fractious [ˈfrækʃəs] *a* grincheux.
fracture [ˈfræktʃər] *n* fracture *f* ▌*vt* fracturer; **to f. one's leg/etc** se fracturer la jambe/etc ▌*vi* se fracturer.
fragile [*Br* ˈfrædʒaɪl, *Am* ˈfrædʒ(ə)l] *a* fragile. ● **fragility** [frəˈdʒɪlətɪ] *n* fragilité *f*.
fragment [ˈfrægmənt] *n* fragment *m*, morceau *m*. ● **fragˈmented** *or* **fragmentary** *a* fragmentaire.
fragrant [ˈfreɪɡrənt] *a* parfumé. ● **fragrance** *n* parfum *m*.
frail [freɪl] *a* (-**er**, -**est**) (*person*) fragile, frêle; (*hope, health*) fragile. ● **frailty** *n* fragilité *f*.
frame [freɪm] **1** *n* (*of building, person*) charpente *f*; (*of picture, bicycle*) cadre *m*; (*of window, car*) châssis *m*; (*of spectacles*) monture *f*; **f. of mind** humeur *f* ▌*vt* (*picture*) encadrer; (*proposals, ideas etc*) *Fig* formuler. **2** *vt* **to f. s.o.** *Fam* monter un coup contre qn. ● **frame-up** *n Fam* coup *m* monté. ● **framework** *n* structure *f*; **(with)in the f. of** (*context*) dans le cadre de.
franc [fræŋk] *n* franc *m*.
France [frɑːns] *n* France *f*.

franchise [ˈfræntʃaɪz] *n* **1** (*right to vote*) droit *m* de vote. **2** (*right to sell product*) franchise *f*.
Franco- [ˈfræŋkəʊ] *pref* franco-.
frank¹ [fræŋk] *a* (-**er**, -**est**) (*honest*) franc (*f* franche). ● **frankly** *adv* franchement. ● **frankness** *n* franchise *f*.
frank² [fræŋk] **1** *vt* (*letter*) affranchir; **franking machine** machine *f* à affranchir. **2** *n Am Fam* = **frankfurter**.
frankfurter [ˈfræŋkfɜːtər] *n* saucisse *f* de Francfort.
frantic [ˈfræntɪk] *a* (*activity, shouts*) frénétique; (*rush, efforts, desire*) effréné; (*person*) hors de soi; **f. with joy** fou de joie. ● **frantically** *adv* (*to run, search etc*) comme un fou.
fraternal [frəˈtɜːn(ə)l] *a* fraternel. ● **fraternity** *n* (*bond of friendship*) fraternité *f*; (*in American university*) association *f* de camarades de classe; **the publishing/***etc* **f.** la grande famille de l'édition/*etc*. ● **fraternize** [ˈfrætənaɪz] *vi* fraterniser (**with** avec).
fraud [frɔːd] *n* **1** (*crime*) fraude *f*; **to obtain sth by f.** obtenir qch frauduleusement. **2** (*person*) imposteur *m*. ● **fraudulent** *a* frauduleux.
fraught [frɔːt] *a* **f. with** plein de, chargé de; **to be f.** (*of situation, person*) être tendu.
fray [freɪ] **1** *vi* (*of garment*) s'effilocher; (*of rope*) s'user ▌*vt* (*garment*) effilocher; (*rope*) user; **my nerves are frayed** j'ai les nerfs à vif; **tempers were frayed** on s'énervait. **2** *n* (*fight*) rixe *f*.
freak [friːk] *n* (*person*) phénomène *m*, monstre *m*; **a jazz/etc f.** *Fam* un(e) fana de jazz/*etc* ▌*a* (*result, weather etc*) anormal; **a f. accident** un accident très rare. ● **freakish** *a* anormal.
freckle [ˈfrek(ə)l] *n* tache *f* de rousseur. ● **freckled** *a* couvert de taches de rousseur.
free [friː] *a* (**freer**, **freest**) (*at liberty, not occupied*) libre; (*without cost*) gratuit; (*lavish*) généreux (**with** de); **to get f.** se libérer; **f. to do** libre de faire; **to let s.o. go f.** relâcher qn; **f. of charge** gratuit; **f. of pain/s.o./etc** (*rid of*) débarrassé d'une douleur/de qn/*etc*; **to have a f. hand** *Fig* avoir carte blanche (**to do** pour faire); **f. and easy** décontracté; **f. gift** prime *f*; **f. kick** *Football* coup *m* franc; **f.-range egg** *Br* œuf *m* de ferme; **f. speech** liberté *f* d'expression; **f. trade** libre-échange *m*.
▌*adv* **f. (of charge)** gratuitement.
▌*vt* (*pt & pp* **freed**) (*prisoner, country etc*) libérer; (*trapped person*) dégager; (*person trapped in car wreckage*) désincarcérer; (*untie*) détacher.
freebie [ˈfriːbiː] *n Fam* petit cadeau *m*, prime *f*.
freedom [ˈfriːdəm] *n* liberté *f*; **f. of speech** liberté *f* d'expression; **f. from worry/responsibility/***etc* absence *f* de souci/de responsabilité/*etc*; **f. fighter** guérillero *m*.
Freefone® [ˈfriːfəʊn] *n* (*phone number*) *Br* = numéro *m* vert. ● **free-for-'all** *n* mêlée *f* gé-

nérale. ●**freehold** n propriété f foncière libre. ●**freelance** a indépendant ▌ n collaborateur, -trice mf indépendant(e). ●**freeloader** n (sponger) parasite m. ●**Freemason** n franc-maçon m. ●**Freemasonry** n franc-maçonnerie f. ●**Freepost**® n Br Libre Réponse f. ●**freestyle** n Swimming nage f libre. ●**free'thinker** n libre penseur, -euse mf. ●**freeway** n Am autoroute f. ●**free'wheel** vi (in vehicle) faire roue libre.

freely ['fri:lɪ] adv (to speak, act, circulate etc) librement; (to give) libéralement.

freeze [fri:z] vi (pt **froze**, pp **frozen**) geler; (of smile) Fig se figer; (of person) (stop dead) s'arrêter net; **f.!** Am ne bougez plus!; **to f. to death** mourir de froid; **to f. easily/well** (of food) se congeler facilement/bien; **to f. up** or **over** (of lake etc) geler; (of window) se givrer.
▌ vt (food) congeler, surgeler; (credits, river) geler; (prices, wages) bloquer; **frozen food** surgelés mpl.
▌ n (freezing weather) gel m; (of prices etc) blocage m. ●**freeze-dry** vt (food) lyophiliser.

freezer ['fri:zər] n (deep-freeze) congélateur m; (in fridge) freezer m.

freezing ['fri:zɪŋ] a (weather etc) glacial; (hands, person) gelé; **it's f.** on gèle ▌ adv **f. cold** très froid; **I'm f. cold** j'ai très froid ▌ n **it's 5 degrees below f.** il fait 5 degrés au-dessous de zéro.

freight [freɪt] n (goods, price for transport) fret m; (transport) transport m; **f. train** Am train m de marchandises ▌ vt (ship) affréter. ●**freighter** n (ship) cargo m.

French [frentʃ] a français; (teacher) de français; (embassy) de France; **F. fries** Am frites fpl ▌ n (language) français m; **the F.** (people) les Français mpl. ●**Frenchman** n (pl **-men**) Français m. ●**French-speaking** a (person, country etc) francophone. ●**Frenchwoman** n (pl **-women**) Française f.

frenzy ['frenzɪ] n frénésie f. ●**frenzied** a (shouts etc) frénétique; (person) effréné; (attack) violent.

frequency ['fri:kwənsɪ] n fréquence f.

frequent ['fri:kwənt] a fréquent; **f. visitor** habitué, -ée mf (**to** de) ▌ [frɪ'kwent] vt fréquenter. ●**frequently** adv fréquemment.

fresco ['freskəʊ] n (pl **-oes** or **-os**) fresque f.

fresh [freʃ] 1 a (-er, -est) frais (f fraîche); (new) nouveau (f nouvelle); (impudent) Fam culotté; **to get some f. air** prendre l'air; **f.-water fish** poisson m d'eau douce. 2 adv **to be f. from** (city, country) arriver tout juste de; (school, university) sortir tout juste de. ●**freshly** adv (arrived, picked etc) fraîchement. ●**freshness** n fraîcheur f; (impudence) Fam culot m.

freshen ['freʃən] 1 vi (of wind) fraîchir. 2 vi **to f. up** (have a wash) faire un brin de toilette ▌ vt **to f. up** (house etc) retaper; **to f. s.o. up** (of bath, shower) rafraîchir qn. ●**freshener** n **air f.** désodorisant m.

fresher ['freʃər] n Br étudiant, -ante mf de première année.

freshman ['freʃmən] n (pl **-men**) Am étudiant, -ante mf de première année.

fret [fret] vi (-tt-) (worry) se faire du souci, s'en faire; (of baby) pleurer. ●**fretful** a (baby, child) grognon (f -onne).

friar ['fraɪər] n frère m, moine m.

friction ['frɪkʃ(ə)n] n friction f.

Friday ['fraɪdɪ, Am -deɪ] n vendredi m; **Good F.** Vendredi Saint.

fridge [frɪdʒ] n frigo m.

fried [fraɪd] pt & pp of **fry**[1] ▌ a (fish etc) frit; **f. egg** œuf m sur le plat. ●**frier** n (pan) friteuse f.

friend [frend] n ami, -ie mf; (from school, work) camarade mf; **to be friends with s.o.** être ami avec qn; **to make friends with s.o.** se lier avec qn. ●**friendly** a (-ier, -iest) aimable, gentil (**to** avec); (child, animal) gentil, affectueux; (attitude, smile) amical; **some f. advice** un conseil d'ami; **to be on f. terms with s.o.** être en bons termes avec qn; **to be f. with s.o.** être en bons termes avec qn; (friends) être ami avec qn. ●**friendship** n amitié f.

frieze [fri:z] n (on building) frise f.

frigate ['frɪgət] n (ship) frégate f.

fright [fraɪt] n peur f; **to have a f.** avoir peur; **to give s.o. a f.** faire peur à qn; **you look a f.!** Fam tu te verrais (— tu es grotesque)!

frighten ['fraɪtən] vt effrayer, faire peur à; **to f. away** or **off** (animal, person) faire fuir. ●**frightened** a effrayé; **to be f.** avoir peur (**of** de). ●**frightening** a effrayant.

frightful ['fraɪtfəl] a affreux. ●**frightfully** adv (ugly, late) affreusement; (kind, glad) terriblement; **f. sorry** absolument désolé.

frigid ['frɪdʒɪd] a (greeting, manner etc) froid; (woman) frigide.

frill [frɪl] n 1 (on dress, curtain etc) volant m. 2 **frills** (useless embellishments) fioritures fpl, superflu m; **no frills** (machine, Br holiday, Am vacation) sans rien de superflu; **we had a no frills meal** nous avons fait un repas des plus simples.

fringe [frɪndʒ] n 1 (of hair) Br frange f; (on clothes, curtains etc) frange f. 2 n (of forest) lisière f; **on the fringe(s) of society** en marge de la société; **f. group/lifestyle/etc** groupe m/mode m de vie/etc marginal; **f. benefits** (in job) avantages mpl divers; **f. theatre** Br théâtre m expérimental.

Frisbee® ['frɪzbi:] n Frisbee® m.

frisk [frɪsk] 1 vt (search) fouiller (au corps). 2 vi **f.** (about) gambader.

frisky ['frɪskɪ] a (-ier, -iest) a (lively) vif.

fritter ['frɪtər] 1 vt **to f. away** (waste) gaspiller (son temps etc). 2 n (fried food) beignet m.

frivolous ['frɪvələs] a frivole. ●**fri'volity** n frivolité f.

frizzy ['frɪzɪ] a (hair) crépu.

fro [frəʊ] adv **to go to and f.** aller et venir.

frock [frɒk] n (dress) robe f; (of monk) froc m.

frog [frɒg] n grenouille f; **to have a f. in one's**

frolic

throat *Fam* avoir un chat dans la gorge. ●**frogman** *n* (*pl* **-men**) homme-grenouille *m*.
frolic ['frɒlɪk] *vi* (*pt* & *pp* **frolicked**) **to f. (about)** gambader. ●**frolics** *npl* (*playing*) gambades *fpl*; (*pranks*) gamineries *fpl*.
from [frɒm, *unstressed* frəm] *prep* **1** de; **a letter f.** une lettre de; **to suffer f.** souffrir de; **where are you f.?** d'où êtes-vous?; **a train f.** un train en provenance de; **to be ten metres (away) f. the house** être à dix mètres de la maison.
2 (*time onwards*) à partir de, dès, depuis; **f. today (on)**, **as f. today** à partir d'aujourd'hui; **f. her childhood** dès *or* depuis son enfance.
3 (*numbers, prices, time onwards*) à partir de; **f. five francs** à partir de cinq francs; **f. tomorrow (on** *or* **onwards)** à partir de demain.
4 (*away from*) à; **to take/hide/borrow f.** prendre/cacher/emprunter à.
5 (*out of*) dans; sur; **to take f.** (*box*) prendre dans; (*table*) prendre sur; **to drink f. a cup/**etc boire dans une tasse/*etc*; **to drink (straight) f. the bottle** boire à (même) la bouteille.
6 (*according to*) d'après; **f. what I saw** d'après ce que j'ai vu; **f. a poem by...** d'après un poème de....
7 (*cause*) par; **f. conviction/habit/***etc* par conviction/habitude/*etc*.
8 (*on the part of, on behalf of*) de la part de; **tell her f. me** dis-lui de ma part.
front [frʌnt] *n* (*of garment, building*) devant *m*; (*of boat, car*) avant *m*; (*of crowd*) premier rang *m*; (*of book*) début *m*; *Mil Pol Met* front *m*; **on the (sea) f.** (*beach*) *Br* sur le front de mer; **it's just a f.** (*appearance*) *Fig* ce n'est qu'une façade; **in f. of s.o./sth** devant qn/qch; **in f.** devant; (*further ahead*) en avant; (*in race*) en tête; **in the f.** *or* (*of vehicle*) à l'avant; (*of house*) devant.
■ *a* (*tooth, garden etc*) de devant; (*part, wheel, car seat*) avant *inv*; (*row, page*) premier; **f. view** (*not side view*) vue *f* de face; **f. door** porte *f* d'entrée; **f. line** *Mil* front *m*; **f. room** (*lounge*) *Br* salon *m*; **f. runner** *Fig* favori, -ite *mf*; **f.-wheel drive** (*on vehicle*) traction *f* avant.
■ *vi* **to f. on to** (*of windows etc*) donner sur.
frontage ['frʌntɪdʒ] *n* façade *f*.
frontal ['frʌntəl] *a* (*attack*) de front.
frontier ['frʌntɪər] *n* frontière *f*; **f. town/post** ville *f*/poste *m* frontière *inv*.
frost [frɒst] *n* gel *m*, gelée *f*; (*frozen drops on window, grass etc*) givre *m*, gelée *f* blanche ■ *vi* **to f. up** (*of window etc*) se givrer.
frostbite ['frɒstbaɪt] *n* gelure *f*. ●**frostbitten** *a* gelé.
frosted ['frɒstɪd] *a* **1** (*glass*) dépoli. **2** (*cake*) *Am* glacé.
frosting ['frɒstɪŋ] *n* (*icing on cake*) *Am* glaçage *m*.
frosty ['frɒstɪ] *a* (**-ier, -iest**) (*air, night, weather, Fig welcome etc*) glacial; (*window*) givré; **it's f.** il gèle.
froth [frɒθ] *n* mousse *f* ■ *vi* mousser. ●**frothy** *a* (**-ier, -iest**) (*beer etc*) mousseux.
frown [fraʊn] *n* froncement *m* de sourcils ■ *vi* froncer les sourcils; **to f. (up)on** *Fig* désapprouver.
froze, frozen [frəʊz, 'frəʊz(ə)n] *pt* & *pp* de **freeze**.
frugal ['fruːɡ(ə)l] *a* (*meal, life, person*) frugal. ●**frugally** *adv* frugalement.
fruit [fruːt] *n* fruit *m*; (*some*) **f.** (*one item*) un fruit; (*more than one*) des fruits; **to like f.** aimer les fruits; **f. basket/bowl** corbeille *f*/coupe *f* à fruits; **f. drink** boisson *f* aux fruits; **f. juice** jus *m* de fruit; **f. salad** salade *f* de fruits; **f. tree** arbre *m* fruitier; **f. machine** (*for gambling*) *Br* machine *f* à sous. ●**fruitcake** *n* cake *m*. ●**fruiterer** *n* *Br* fruitier, -ière *mf*.
fruitful ['fruːtfəl] *a* (*meeting, career etc*) fructueux, fécond. ●**fruitless** *a* (*efforts etc*) stérile.
fruition [fruː'ɪʃ(ə)n] *n* **to come to f.** (*of plan etc*) se réaliser.
fruity ['fruːtɪ] *a* (**-ier, -iest**) (*taste, smell*) de fruit; (*joke*) *Br Fam* corsé.
frumpish ['frʌmpɪʃ] *or* **frumpy** ['frʌmpɪ] *a* *Fam* (*woman*) (mal) fagotée.
frustrate [frʌ'streɪt] *vt* (*person*) frustrer; (*plans*) faire échouer; (*hopes, ambitions*) décevoir. ●**frustrated** *a* (*mentally, sexually*) frustré; (*effort*) vain. ●**frustrating** *a* irritant. ●**frustration** [-'streɪʃ(ə)n] *n* frustration *f*; (*disappointment*) déception *f*.
fry[1] [fraɪ] *vt* (*pt* & *pp* **fried**) faire frire ■ *vi* frire. ●**frying** *n* friture *f*; **f. pan** poêle *f* (à frire). ●**fryer** *n* (*deep pan*) friteuse *f*.
fry[2] [fraɪ] *n* **small f.** (*people*) menu fretin *m*; **it's small f.** (*project, affair etc*) ce n'est pas grand-chose.
fry-up ['fraɪʌp] *n* *Br Fam* = pommes de terre, bacon, saucisses *etc* frits ensemble.
ft *abbr* (*measure*) = **foot, feet**.
fuddled ['fʌd(ə)ld] *a* (*drunk*) gris; (*confused*) embrouillé.
fuddy-duddy ['fʌdɪdʌdɪ] *n* **he's an old f.-duddy** *Fam* c'est un vieux schnoque.
fudge [fʌdʒ] **1** *n* (*Br sweet, Am candy*) caramel *m* mou. **2** *vt* **to f. the issue** refuser d'aborder le problème.
fuel [fjʊəl] *n* combustible *m*; (*for vehicle*) carburant *m*; **f. (oil)** mazout *m*; **f. tank** (*in vehicle*) réservoir *m* ■ *vt* (*Br* **-ll-**, *Am* **-l-**) (*stove*) alimenter; (*vehicle, plane, ship*) ravitailler (en combustible); (*s.o.'s anger, hatred etc*) attiser; **to be fuelled by diesel/***etc* (*of engine*) marcher au gazole/*etc*.
fugitive ['fjuːdʒɪtɪv] *n* fugitif, -ive *mf*.
fugue [fjuːɡ] *n* *Mus* fugue *f*.
fulfil, *Am* **fulfill** [fʊl'fɪl] *vt* (**-ll-**) (*ambition, dream, wish*) réaliser; (*condition, duty, promise*) remplir; (*desire*) satisfaire; (*order*) exécuter; **to f. oneself** s'épanouir. ●**fulfilling** *a* satisfaisant. ●**fulfilment** *or Am* **fulfillment** *n*

(*of ambition etc*) réalisation *f* (**of** de); (*feeling*) satisfaction *f*.
full [fʊl] *a* (**-er, -est**) plein (**of** de); (*bus, theatre, meal*) complet; (*life, day, programme*) (bien) rempli; (*skirt*) ample; **to be f. (up)** (*of person*) n'avoir plus faim; (*of hotel*) être complet; **f. information/examination** des renseignements/un examen complet(s); **a f. member** un membre à part entière; **to wait a f. hour** attendre une heure entière; **the f. price** le prix fort; **to pay (the) f. fare** payer plein tarif; **the f. facts** tous les faits; **at f. speed** à toute vitesse; **f. name** (*on form*) nom et prénom; **f. stop** *Grammar Br* point *m*. ▮ *adv* **to know f. well** savoir fort bien; **f. in the face** (*to hit etc*) en pleine figure. ▮ *n* **in f.** (*to read sth, publish sth*) en entier, intégralement; (*to write one's name*) en toutes lettres; **the text in f.** le texte intégral; **to pay in f.** tout payer, payer en totalité; **to the f.** (*completely*) tout à fait.
full-back ['fʊlbæk] *n Football* arrière *m*. ●**full-'grown** *a* (*person, animal etc*) adulte; (*foetus*) arrivé à terme. ●**full-'length** *a* (*film*) de long métrage; (*portrait*) en pied; (*dress*) long. ●**full-'scale** *a* (*model, drawing etc*) grandeur nature *inv*; (*operation, attack etc*) de grande envergure. ●**full-'sized** *a* (*model, drawing etc*) grandeur nature *inv*. ●**full-'time** *a* & *adv* (*work etc*) à plein temps.
fullness ['fʊlnɪs] *n* (*of details*) abondance *f*; (*of dress*) ampleur *f*.
fully ['fʊlɪ] *adv* (*completely*) entièrement; (*thoroughly*) à fond; (*at least*) au moins.
fully-fledged, *Am* **full-fledged** [fʊl(ɪ)'fledʒd] *a* (*engineer, teacher etc*) diplômé; (*member*) à part entière. ●**fully-formed** *a* (*baby etc*) formé. ●**fully-grown** *a* = **full-grown**.
fulsome ['fʊlsəm] *a* (*praise etc*) excessif; **a f. apology** de plates excuses.
fumble ['fʌmb(ə)l] *vi* **to f. (about)** (*grope*) (*in the dark etc*) tâtonner; (*search*) (*in drawer etc*) fouiller (**for** pour trouver); **to f. (about) with** tripoter.
fume [fju:m] **1** *vi* (*of person*) rager. **2** *vi* (*give off fumes*) fumer ▮ *npl* **fumes** vapeurs *fpl*; (*from car exhaust*) gaz *mpl*.
fumigate ['fju:mɪɡeɪt] *vt* désinfecter (par fumigation).
fun [fʌn] *n* amusement *m*; **to be** (**good** *or* **great**) **f.** être (très) amusant; **to have (some) f.** s'amuser; **to make f. of**, **poke f. at** se moquer de; **for f., for the f. of it** pour le plaisir; **to spoil s.o.'s f.** empêcher qn de s'amuser.
function ['fʌŋkʃ(ə)n] **1** *n* (*role, duty*) & *Math Comptr* fonction *f*; (*party*) réception *f*; (*meeting*) réunion *f*; (*public ceremony*) cérémonie *f* (publique). **2** *vi* (*work*) (*of machine etc*) fonctionner. ●**functional** *a* fonctionnel.
fund [fʌnd] *n* (*for pension, emergency etc*) caisse *f*, fonds *m*; (*of knowledge etc*) Fig fond *m*; **funds** (*money resources*) fonds *mpl*; (*for special purpose*) crédits *mpl*; **f. manager** gestionnaire *mf* de fonds ▮ *vt* (*with money*) fournir en fonds *or* des crédits à.

fundamental [fʌndə'ment(ə)l] *a* fondamental ▮ *npl* **fundamentals** principes *mpl* essentiels.
funeral ['fju:nərəl] *n* enterrement *m*; (*grandiose*) funérailles *fpl*; **f. service/march/etc** service *m*/marche *f*/etc funèbre; **f. parlour** *Br*, **f. home** *Am* entreprise *f* de pompes funèbres; (*chapel*) chapelle *f* ardente.
funfair ['fʌnfeər] *n Br* fête *f* foraine; (*larger*) parc *m* d'attractions.
fungus, *pl* **-gi** ['fʌŋɡəs, -ɡaɪ] *n* (*plant*) champignon *m*; (*Br* mould, *Am* mold) moisissure *f*.
funicular [fjʊ'nɪkjʊlər] *n* funiculaire *m*.
funk [fʌŋk] *n* **to be in a f.** (*afraid*) *Fam* avoir la frousse; (*depressed, sulking*) *Am Fam* faire la gueule.
funnel ['fʌn(ə)l] *n* **1** (*of ship*) cheminée *f*. **2** (*tube for pouring*) entonnoir *m*.
funny ['fʌnɪ] *a* (**-ier, -iest**) (*amusing*) drôle; (*strange*) bizarre; **a f. idea** une drôle d'idée; **there's some f. business going on** il y a quelque chose de louche; **to feel f.** ne pas se sentir très bien. ●**funnily** *adv* (*amusingly*) drôlement; (*strangely*) bizarrement; **f. enough, I was just about to...** chose bizarre, j'étais sur le point de....
fur [fɜ:r] **1** *n* (*of animal, for wearing*) fourrure *f*; (*of dog, cat*) pelage *m*, poil *m*; **f. coat** manteau *m* de fourrure. **2** *n* (*in kettle, boiler etc*) *Br* dépôt *m* (de tartre) ▮ *vi* (**-rr-**) **to f. (up)** (*of kettle etc*) *Br* s'entartrer.
furious ['fjʊərɪəs] *a* (*violent, angry*) furieux (**with, at** contre); (*efforts, struggle*) acharné; **at a f. speed** à une allure folle. ●**furiously** *adv* furieusement; (*to struggle*) avec acharnement; (*to drive, rush*) à une allure folle.
furlong ['fɜ:lɒŋ] *n* (*measurement*) = 201 mètres.
furnace ['fɜ:nɪs] *n* (*forge*) fourneau *m*; (*hot room etc*) Fig fournaise *f*.
furnish ['fɜ:nɪʃ] *vt* **1** (*room*) meubler. **2** (*supply*) fournir (**s.o. with sth** qch à qn). ●**furnishings** *npl* ameublement *m*.
furniture ['fɜ:nɪtʃər] *n* meubles *mpl*; **a piece of f.** un meuble; **f. shop** magasin *m* d'ameublement.
furrier ['fʌrɪər] *n* fourreur *m*.
furrow ['fʌrəʊ] *n* (*on brow, in earth*) sillon *m*.
furry ['fɜ:rɪ] *a* (*animal*) à poil; (*toy*) en peluche.
further ['fɜ:ðər] **1** *adv* & *a* = **farther**. **2** *adv* (*more*) davantage, plus; (*besides*) en outre; **f. to my letter** suite à ma lettre ▮ *a* (*additional*) supplémentaire; **f. details** de plus amples détails; **a f. case/etc** (*another*) un autre cas/etc; **without f. delay** sans plus attendre; **f. education** enseignement *m* postscolaire. **3** *vt* (*cause, research, interests etc*) promouvoir.
furthermore ['fɜ:ðəmɔ:r] *adv* en outre. ●**furthest** *a* & *adv* = **farthest**.
furtive ['fɜ:tɪv] *a* (*action, smile etc*) furtif; (*person*) sournois.

fury ['fjʊərɪ] *n* (*violence, anger*) fureur *f*.
fuse [fjuːz] **1** *vt* **to f. the lights**/*etc* faire sauter les plombs ▎ *vi* **the lights**/*etc* **have fused** les plombs ont sauté ▎ *n* (*wire*) fusible *m*, plomb *m*. **2** *n* (*of bomb*) amorce *f*. **3** *vt* (*metal*) fondre; (*join together*) réunir par fusion (*pièces de métal*); (*merge*) *Fig* fusionner (*deux partis etc*) ▎ *vi* (*of metals*) fondre.
fused [fjuːzd] *a* **f. plug** *Br* fiche *f* avec fusible incorporé.
fuselage ['fjuːzəlɑːʒ] *n* (*of aircraft*) fuselage *m*.
fusion ['fjuːʒən] *n* (*union*) & *Phys Biol* fusion *f*.
fuss [fʌs] *n* chichis *mpl*, façons *fpl*, histoires *fpl*; (*noise, bustle*) agitation *f*; **what a (lot of) f.!** quelle histoire!; **to make a f.**, *Br* **kick up a f.** faire des histoires; **to make a f. of s.o.** être aux petits soins pour qn.
▎ *vi* faire des chichis; (*worry*) se tracasser (**about** pour); (*rush about*) s'agiter; **to f. over s.o.** être aux petits soins pour qn. ●**fusspot** *or Am* **fussbudget** *n Fam* enquiquineur, -euse *mf*. ●**fussy** *a* (**-ier, -iest**) tatillon, méticuleux; (*difficult*) difficile (**about** sur); **I'm not f.** (*I don't mind*) ça m'est égal.
fusty ['fʌstɪ] *a* (**-ier, -iest**) (*smell*) de renfermé.
futile [*Br* 'fjuːtaɪl, *Am* 'fjuːt(ə)l] *a* futile, vain. ●**fu'tility** *n* futilité *f*.
future ['fjuːtʃər] *n* avenir *m*; *Grammar* futur *m*; **in f.** (*from now on*) à l'avenir; **in the f.** (*one day*) un jour (futur) ▎ *a* futur; **my f. wife** ma future épouse; **the f. tense** le futur; **at a** *or* **some f. date** à une date ultérieure.
fuze [fjuːz] *n, vt* & *vi Am* = **fuse 1 & 2**.
fuzz [fʌz] *n* **1** (*down on face, legs etc*) *Fam* duvet *m*; (*of material*) *Am* peluche(s) *f(pl)*; (*on floor*) *Am* moutons *mpl*. **2 the f.** (*police*) *Sl* les flics *mpl*.
fuzzy ['fʌzɪ] *a* (**-ier, -iest**) **1** (*unclear*) (*picture, idea*) flou. **2** (*fleecy*) (*material, coat*) *Am* velouté. **3 f. hair** cheveux *mpl* crépus.

G

G, g [dʒiː] *n* G, g *m*. ●**G-string** *n* (*cloth*) cache-sexe *m inv*.

gab [gæb] *n* **to have the gift of the g.** *Fam* avoir du bagou(t).

gabardine [gæbə'diːn] *n* (*material*, *coat*) gabardine *f*.

gabble ['gæb(ə)l] *vi* (*chatter*) jacasser; (*indistinctly*) bredouiller ▌ *n* baragouin *m*.

gable ['geɪb(ə)l] *n* (*of building*) pignon *m*.

gad [gæd] *vi* (**-dd-**) **to g. about** *or* **around** vadrouiller, se balader.

gadget ['gædʒɪt] *n* gadget *m*.

Gaelic ['geɪlɪk, 'gælɪk] *a* & *n* gaélique (*m*).

gaffe [gæf] *n* (*blunder*) gaffe *f*, bévue *f*.

gag [gæg] **1** *n* (*over mouth*) bâillon *m* ▌ *vt* (**-gg-**) (*victim*, *Fig press etc*) bâillonner. **2** *n* (*joke*) plaisanterie *f*; (*of actor*) gag *m*. **3** *vi* (**-gg-**) (*choke*) s'étouffer (**on** avec); (*retch*) avoir des haut-le-cœur.

gaggle ['gæg(ə)l] *n* (*of geese*) troupeau *m*.

gaiety ['geɪtɪ] *n* (*cheerfulness etc*) gaieté *f*; (*brightness of colour*) éclat *m*. ●**gaily** *adv* gaiement.

gain [geɪn] *vt* (*obtain*, *win*) gagner; (*experience*, *reputation*) acquérir; (*objective*) atteindre; **to g. speed/weight** prendre de la vitesse/du poids; **to g. popularity** gagner en popularité; **to g. support** (*of person*, *idea*, *plan etc*) recueillir de plus en plus d'opinions favorables.
▌ *vi* (*of watch*, *clock*) avancer; **my watch gains 5 minutes a day** ma montre avance de *or* prend 5 minutes par jour; **to g. in strength** gagner en force; **to g. on s.o.** (*catch up with*) rattraper qn.
▌ *n* (*increase*) augmentation *f* (**in** de); (*profit*) bénéfice *m*, gain *m*; *Fig* avantage *m*.

gainful ['geɪnfəl] *a* profitable; **g. employment** emploi *m* rémunéré.

gainsay [geɪn'seɪ] *vt* (*pt* & *pp* **gainsaid** [-sed]) (*person*) contredire; (*facts*) nier.

gait [geɪt] *n* (*walk*) démarche *f*.

gala [*Br* 'gɑːlə, *Am* 'geɪlə] *n* gala *m*; **swimming g.** *Br* concours *m* de natation.

galaxy ['gæləksɪ] *n* galaxie *f*.

gale [geɪl] *n* grand vent *m*, rafale *f* (de vent).

gall [gɔːl] **1** *n* (*bitterness*) *Lit* fiel *m*; (*impudence*) *Fam* effronterie *f*. **2 g. bladder** vésicule *f* biliaire. **3** *vt* (*annoy*) irriter.

gallant ['gælənt] *a* (*chivalrous*) galant; (*brave*) courageux; (*splendid*) *Lit* magnifique. ●**gallantry** *n* (*bravery*) courage *m*.

galleon ['gælɪən] *n* (*ship*) *Hist* galion *m*.

gallery ['gælərɪ] *n* (*room etc*) galerie *f*; (*for public*, *press*) tribune *f*; **the g.** (*in theatre*) les troisièmes galeries *fpl*; **art g.** (*private*) galerie *f* d'art; (*public*) musée *m* d'art.

galley ['gælɪ] *n* (*ship*) *Hist* galère *f*; (*kitchen in ship*, *on aircraft*) office *m*.

Gallic ['gælɪk] *a* (*French*) français. ●**gallicism** *n* (*word etc*) gallicisme *m*.

galling ['gɔːlɪŋ] *a* irritant.

gallivant ['gælɪvænt] *vi* **to g. (about)** *Fam* vadrouiller, courir.

gallon ['gælən] *n* gallon *m* (*Br* = 4,5 litres, *Am* = 3,8 litres).

gallop ['gæləp] *n* galop *m* ▌ *vi* galoper; **to g. away** (*rush off*) partir au galop *or* en vitesse; **galloping inflation** l'inflation *f* galopante.

gallows ['gæləʊz] *npl* potence *f*.

gallstone ['gɔːlstəʊn] *n Med* calcul *m* biliaire.

galore [gə'lɔːr] *adv* à gogo, en abondance.

galoshes [gə'lɒʃɪz] *npl* (*shoes*) caoutchoucs *mpl*.

galvanize ['gælvənaɪz] *vt* (*metal*, *Fig person*) galvaniser.

Gambia ['gæmbɪə] *n* **The G.** la Gambie *f*.

gambit ['gæmbɪt] *n* **opening g.** (*ploy*) manœuvre *f* stratégique.

gamble ['gæmb(ə)l] *vi* jouer (**on** sur, **with** avec); **to g. on sth** (*count on*) miser sur qch ▌ *vt* (*bet*) parier, jouer (**ten dollars/***etc* dix dollars/*etc*); **to g. (away)** (*lose*) perdre (au jeu) ▌ *n* (*risk*) coup *m* risqué. ●**gambling** *n* jeu *m*. ●**gambler** *n* joueur, -euse *mf*.

game¹ [geɪm] **1** *n* jeu *m*; (*of football*, *cricket etc*) match *m*; (*of tennis*, *chess*, *cards*) partie *f*; **to have a g. of** (*football etc*) jouer un match de; (*tennis etc*) faire une partie de; **games** (*in school*) le sport; **games teacher** *Br* professeur *m* d'éducation physique. **2** *n* (*animals*, *birds*) gibier *m*; **big g.** le gros gibier; **to be fair g. for** *Fig* être une proie idéale pour.

game² [geɪm] *a* **1** (*brave*) courageux; **g. for sth** (*willing to do*) prêt à qch; **I'm g.** je suis partant. **2** (*leg*) estropié; **to have a g. leg** être boiteux.

gamekeeper ['geɪmkiːpər] *n* garde-chasse *m*.

gammon ['gæmən] *n* (*ham*) *Br* jambon *m* fumé.

gammy ['gæmɪ] *a Fam* = **game²** 2.

gamut ['gæmət] *n Mus* & *Fig* gamme *f*.

gang [gæŋ] *n* (*of children*, *friends etc*) bande *f*; (*of workers*) équipe *f*; (*of criminals*) bande *f*, gang *m* ▌ *vi* **to g. up on** *or* **against** se mettre à plusieurs contre.

Ganges ['gændʒiːz] *n* **the G.** le Gange.

gangling ['gæŋglɪŋ] *a* dégingandé.

gangrene ['gæŋgriːn] *n* gangrène *f*.

gangster ['gæŋstər] *n* gangster *m*.
gangway ['gæŋweɪ] *n* **1** *Br* (*passage*) couloir *m*; (*in train*) couloir *m*; (*in bus, cinema, theatre*) allée *f*. **2** (*footbridge to ship or aircraft*) passerelle *f*; **g.!** dégagez!
gaol [dʒeɪl] *n* & *vt* = **jail**.
gap [gæp] *n* (*empty space*) trou *m*, vide *m* (**between** entre); (*in wall, fence etc*) trou *m*; (*in time*) intervalle *m*; (*in knowledge*) lacune *f*; **the g. between** (*difference*) l'écart *m* entre.
gape [geɪp] *vi* (*stare*) rester *or* être bouche bée; **to g. at** regarder bouche bée. ● **gaping** *a* (*hole, wound, chasm*) béant.
garage [*Br* 'gærɑː(d)ʒ, 'gærɪdʒ, *Am* gə'rɑːʒ] *n* garage *m* ∎ *vt* mettre au garage.
garb [gɑːb] *n* (*clothes*) costume *m*.
garbage ['gɑːbɪdʒ] *n Am* ordures *fpl*; **g. can** poubelle *f*; **g. man** *or* **collector** éboueur *m*; **g. truck** camion-benne *m*.
garble ['gɑːb(ə)l] *vt* (*words etc*) rendre confus *or* incompréhensible; **garbled message** message *m* incompréhensible.
garden ['gɑːd(ə)n] *n* jardin *m*; **gardens** (*park*) parc *m*; (*public*) jardin *m* public, parc *m*; **g. centre** (*store*) jardinerie *f*; **g. party** garden-party *f*; **g. produce** produits *mpl* maraîchers ∎ *vi* jardiner, faire du jardinage. ● **gardening** *n* jardinage *m*. ● **gardener** *n* jardinier, -ière *mf*.
gargle ['gɑːg(ə)l] *vi* se gargariser ∎ *n* gargarisme *m*.
gargoyle ['gɑːgɔɪl] *n Archit* gargouille *f*.
garish [*Br* 'geərɪʃ, *Am* 'gærɪʃ] *a* (*clothes etc*) voyant, criard; **g. light** lumière *f* crue.
garland ['gɑːlənd] *n* guirlande *f*.
garlic ['gɑːlɪk] *n* ail *m*; **g. sausage** saucisson *m* à l'ail.
garment ['gɑːmənt] *n* vêtement *m*.
garnish ['gɑːnɪʃ] *vt* garnir (**with** de) ∎ *n* garniture *f*.
garret ['gærət] *n* (*room*) mansarde *f*.
garrison ['gærɪsən] *n* (*soldiers*) garnison *f*.
garrulous ['gærələs] *a* (*talkative*) loquace.
garter ['gɑːtər] *n* (*round leg*) jarretière *f*; (*attached to belt*) *Am* jarretelle *f*; (*for men*) fixe-chaussette *m*.
gas [gæs] **1** *n* gaz *m inv*; (*gasoline*) *Am* essence *f*; (*for operation*) *Med* anesthésie *f* au masque; **g. mask/meter/chamber/etc** masque *m*/compteur *m*/chambre *f*/*etc* à gaz; **g. cooker** *Br* cuisinière *f* à gaz; **g. heater**, *Br* **g. fire** appareil *m* de chauffage à gaz; **g. heating** chauffage *m* au gaz; **g. industry** industrie *f* du gaz; **g. pipe** tuyau *m* de gaz; **g. ring** (*burner*) brûleur *m*; **g. station** *Am* station-service *f*; **g. stove** (*large*) cuisinière *f* à gaz; (*portable*) réchaud *m* à gaz; **g. tank** *Am* réservoir *m* à essence ∎ *vt* (-ss-) (*poison*) asphyxier (*qn*); *Mil* gazer (*qn*).
2 *vi* (-ss-) (*talk*) *Fam* bavarder ∎ *n* **for a g.** (*fun*) *Am Fam* pour rire.
gasbag ['gæsbæg] *n Fam* commère *f*.
gash [gæʃ] *n* entaille *f* ∎ *vt* (*skin*) entailler; **to g. one's knee/etc** se faire une blessure profonde au genou/*etc*.

gasket ['gæskɪt] *n* (*in car engine*) joint *m* de culasse.
gasman ['gæsmæn] *n* (*pl* **-men**) employé *m* du gaz.
gasoline ['gæsəliːn] *n Am* essence *f*.
gasp [gɑːsp] **1** *vi* **to g.** (**for breath**) haleter ∎ *n* halètement *m*. **2** *vi* **to g. with** *or* **in surprise/etc** avoir le souffle coupé de surprise/*etc* ∎ *vt* (*say gasping*) dire d'une voix entrecoupée ∎ *n* **a g. of surprise/etc** un hoquet de surprise/*etc*.
gassy ['gæsɪ] *a* (**-ier, -iest**) (*drink*) gazeux.
gastric ['gæstrɪk] *a* (*juices, ulcer etc*) gastrique; **g. flu** grippe *f* gastro-intestinale.
gastronomy [gæ'strɒnəmɪ] *n* gastronomie *f*.
gasworks ['gæswɜːks] *n Br* usine *f* à gaz.
gate [geɪt] *n* (*of level crossing, field etc*) barrière *f*; (*metal, of garden*) grille *f*; (*of castle, building, in airport etc*) porte *f*; (*at stadium*) entrée *f*; (*in Paris Metro*) portillon *m*; **gate(s)** (*of park*) grilles *fpl*.
gâteau, *pl* **-eaux** ['gætəʊ, -əʊz] *n* (*cake*) *Br* gros gâteau *m* à la crème.
gatecrash ['geɪtkræʃ] *vt* **to g. a party** s'inviter (de force) à une réception ∎ *vi* s'inviter (de force).
gateway ['geɪtweɪ] *n* **the g. to success/etc** le chemin du succès/*etc*.
gather ['gæðər] **1** *vt* (*people, objects*) rassembler; (*pick up*) ramasser; (*flowers*) cueillir; (*information*) recueillir; **to g. speed** prendre de la vitesse; **to g. in** (*crops, harvest*) rentrer; (*exam papers*) ramasser; **to g. (up) one's strength** rassembler ses forces; **to g. up** (*pick up*) ramasser (*papiers etc*).
∎ *vi* (*of people*) se rassembler, s'assembler, s'amasser; (*of clouds*) se former; (*of dust*) s'accumuler; **to g. round** (*come closer*) s'approcher; **to g. round s.o.** entourer qn.
2 *vt* (*understand*) comprendre; **I g. that...** je crois comprendre que...
3 *vt* (*sew pleats in*) froncer (*jupe etc*).
gathering ['gæðərɪŋ] *n* (*group*) rassemblement *m*.
gaudy ['gɔːdɪ] *a* (**-ier, -iest**) voyant, criard.
gauge [geɪdʒ] *n* (*instrument*) jauge *f*, indicateur *m*; *Rail* écartement *m*; **to be a g. of sth** *Fig* permettre de jauger qch ∎ *vt* (*estimate*) évaluer, jauger; (*measure*) mesurer.
gaunt [gɔːnt] *a* (*thin*) décharné.
gauntlet ['gɔːntlɪt] *n* gant *m*; **to run the g. of** (*endure*) essuyer le feu de.
gauze [gɔːz] *n* (*fabric*) gaze *f*.
gave [geɪv] *pt of* **give**.
gawk [gɔːk] *vi* **to g.** (**at**) regarder bouche bée.
gawp [gɔːp] *vi* = **gawk**.
gay [geɪ] *a* (**-er, -est**) **1** *a* & *n* homosexuel (*m*), homo (*m inv*), gay (*m*). **2** *a* (*cheerful*) gai, joyeux; (*colour*) vif, gai.
gaze [geɪz] *n* regard *m* (fixe) ∎ *vi* regarder; **to g. at** regarder (fixement).
gazelle [gə'zel] *n* (*animal*) gazelle *f*.
gazette [gə'zet] *n* journal *m* officiel.
gazetteer [gæzə'tɪər] *n* répertoire *m* géo-

graphique.
gazump [gə'zʌmp] *vt* **to be gazumped** *Br* se retrouver avec une promesse de vente annulée (par le vendeur).
GB [dʒi:'bi:] *abbr* (*Great Britain*) Grande-Bretagne *f*.
GCE [dʒi:si:'i:] *n abbr Br* (*General Certificate of Education*) = épreuve *f* de bac.
GCSE [dʒi:si:es'i:] *n abbr Br* (*General Certificate of Secondary Education*) = épreuve *f* de brevet.
GDP [dʒi:di:'pi:] *n abbr* (*gross domestic product*) PIB *m*.
gear [gɪər] **1** *n* équipement *m*, matériel *m*; (*belongings*) affaires *fpl*; (*clothes*) *Fam* vêtements *mpl*; (*speed in vehicle*) vitesse *f*; (*toothed wheels in machine*) engrenage *m*; **in g.** (*vehicle etc*) en prise; **not in g.** au point mort; **g. lever** *Br*, **g. shift** *Am* levier *m* de (changement de) vitesse.
2 *vt* (*adapt*) adapter (*qch*) (**to** à); **to be geared** (**up**) **to do** être prêt à faire; **to g. oneself up for** se préparer pour.
gearbox ['gɪəbɒks] *n* boîte *f* de vitesses.
gee! [dʒi:] *int Am Fam* ça alors!
geese [gi:s] *see* **goose**.
geezer ['gi:zər] *n* (*man*) *Br Sl* type *m*.
Geiger counter ['gaɪgəkaʊntər] *n* compteur *m* Geiger.
gel [dʒel] *n* (*substance*) gel *m*.
gelatin(e) [*Br* 'dʒeləti:n, *Am* -tən] *n* gélatine *f*.
gelignite ['dʒelɪgnaɪt] *n* dynamite *f* (au nitrate de soude).
gem [dʒem] *n* (*stone*) pierre *f* précieuse; (*person of value*) *Fig* perle *f*; (*thing of value*) *Fig* bijou *m* (*pl* -oux); (*error*) *Iron* perle *f*.
Gemini ['dʒemɪnaɪ] *n* (*sign*) les Gémeaux *mpl*.
gen [dʒen] **1** (*information*) *Br Fam* tuyaux *mpl* ▮ *vi* (-nn-) **to g. up on sth/s.o.** *Br Fam* se rancarder sur qch/qn.
gender ['dʒendər] *n Grammar* genre *m*; (*of person*) sexe *m*.
gene [dʒi:n] *n* (*part of cell*) gène *m*.
genealogy [dʒi:nɪ'ælədʒɪ] *n* généalogie *f*.
general ['dʒenərəl] **1** *a* général; **in g.** en général; **the g. public** le (grand) public; **for g. use** à l'usage du public; **a g. favourite** aimé *or* apprécié de tous; **g. delivery** *Am* poste *f* restante; **to be g.** (*widespread*) être très répandu; **g.-purpose tool**/*etc* outil *m*/*etc* universel. **2** *n* (*army officer*) général *m*.
generality [dʒenə'rælətɪ] *n* généralité *f*.
generalize ['dʒen(ə)rəlaɪz] *vti* généraliser. ●**generalization** [-'zeɪʃ(ə)n] *n* généralisation *f*.
generally ['dʒen(ə)rəlɪ] *adv* généralement; **g. speaking** en général, généralement parlant.
generate ['dʒenəreɪt] *vt* (*fear, hope, unemployment, ideas etc*) engendrer; & *Ling* engendrer; (*heat, electricity*) produire; (*jobs*) susciter la création de.
generation [dʒenə'reɪʃ(ə)n] *n* génération *f*; **the g. of** (*heat etc*) la production de; **g. gap** conflit *m* des générations.
generator ['dʒenəreɪtər] *n* groupe *m* électrogène, génératrice *f*.
generous ['dʒenərəs] *a* généreux (**with** de); (*helping, meal etc*) copieux. ●**gene'rosity** *n* générosité *f*. ●**generously** *adv* généreusement; (*to serve s.o. with food*) copieusement.
genesis ['dʒenəsɪs] *n* (*of idea etc*) genèse *f*.
genetic [dʒɪ'netɪk] *a* génétique; **g. engineering** génie *m or* ingénierie *f* génétique. ●**genetics** *n* génétique *f*.
Geneva [dʒɪ'ni:və] *n* Genève *m or f*.
genial ['dʒi:nɪəl] *a* (*kind*) affable; (*cheerful*) jovial.
genie ['dʒi:nɪ] *n* (*goblin*) génie *m*.
genital ['dʒenɪt(ə)l] *a* génital. ●**genitals** *npl* organes *mpl* génitaux.
genius ['dʒi:nɪəs] *n* (*ability, person*) génie *m*; **to have a g. for doing/for sth** avoir le génie pour faire/de qch.
genocide ['dʒenəsaɪd] *n* génocide *m*.
gent [dʒent] *n Br Fam* monsieur *m*; **gents' shoes** *Br* chaussures *fpl* pour hommes; **the gents** *Br* les toilettes *fpl* (pour hommes).
genteel [dʒen'ti:l] *a Iron* distingué.
gentle ['dʒent(ə)l] *a* (-**er**, -**est**) (*person, sound, slope etc*) doux (*f* douce); (*hint, reminder*) discret; (*exercise, speed, progress*) modéré; **g. breeze** légère brise *f*; **g. pace** allure *f* modérée; **to have a g. touch** (*of pianist etc*) avoir un toucher léger; **to be g. to s.o.** traiter qn avec douceur; **be g. with your sister!** ne sois pas brutal avec ta sœur!; **of g. birth** noble, bien né. ●**gentleness** *n* douceur *f*. ●**gently** *adv* doucement; (*to remind*) discrètement; (*smoothly*) (*to land in aircraft etc*) en douceur.
gentleman ['dʒent(ə)lmən] *n* (*pl* -**men**) monsieur *m*; (*well-bred*) gentleman *m*, monsieur *m* bien élevé. ●**gentlemanly** *a* distingué, bien élevé.
gentrified ['dʒentrɪfaɪd] *a* (*houses, street*) devenu de plus grand standing.
genuine ['dʒenjʊɪn] *a* (*authentic*) (*leather, diamond etc*) véritable; (*signature, work of art etc*) authentique; (*sincere*) sincère, vrai. ●**genuinely** *adv* (*surprised etc*) véritablement; (*to think etc*) sincèrement. ●**genuineness** *n* authenticité *f*; (*sincerity*) sincérité *f*.
geography [dʒɪ'ɒgrəfɪ] *n* géographie *f*. ●**geo'graphical** *a* géographique.
geology [dʒɪ'ɒlədʒɪ] *n* géologie *f*. ●**geo'logical** *a* géologique. ●**geologist** *n* géologue *mf*.
geometry [dʒɪ'ɒmɪtrɪ] *n* géométrie *f*. ●**geo'metric(al)** *a* géométrique.
geostationary [dʒɪəʊ'steɪʃən(ə)rɪ] *a* géostationnaire.
geranium [dʒɪ'reɪnɪəm] *n* (*plant*) géranium *m*.
geriatric [dʒerɪ'ætrɪk] *a* (*hospital*) gériatrique; **g. ward** service *m* de gériatrie.
germ [dʒɜ:m] *n* (*in body, food etc*) microbe *m*; (*seed of plant, idea etc*) germe *m*; **g. war-**

German

fare guerre f bactériologique.
German ['dʒɜːmən] *a* allemand; **G. measles** rubéole *f*; **G. shepherd** (*dog*) *Am* berger *m* allemand ∎ *n* (*person*) Allemand, -ande *mf*; (*language*) allemand *m*. ●**Ger'manic** *a* germanique.
Germany ['dʒɜːmənɪ] *n* Allemagne *f*.
germinate ['dʒɜːmɪneɪt] *vi* (*of seed, Fig idea etc*) germer.
gerund ['dʒerənd] *n Grammar* gérondif *m*.
gestation [dʒe'steɪʃ(ə)n] *n* gestation *f*.
gesticulate [dʒes'tɪkjʊleɪt] *vi* gesticuler.
gesture ['dʒestʃər] *n* geste *m* ∎ *vi* **to g. to s.o. to do** faire signe à qn de faire.
get [get] **1** *vt* (*pt & pp* got, *pp Am* gotten, *pres p* getting) (*obtain*) obtenir, avoir; (*find*) trouver; (*buy*) acheter; (*receive*) recevoir, avoir; (*catch*) attraper; (*bus, train*) prendre; (*seize*) prendre, saisir; (*fetch*) aller chercher (*qn, qch*); (*put*) mettre; (*derive*) tirer (**from** de); (*understand*) comprendre, saisir; (*prepare*) préparer; (*lead*) mener; (*hit with fist, stick etc*) atteindre, avoir; (*reputation*) se faire; (*annoy*) *Fam* ennuyer; **I have got,** *Am* **I have gotten** j'ai; **to g. s.o. to do sth** faire faire qch à qn; **to g. sth built**/*etc* faire construire/*etc* qch; **to g. things going** *or* **started** faire démarrer les choses; **to g. sth to s.o.** (*send*) faire parvenir qch à qn; **to g. s.o. to the station**/*etc* (*bring*) amener qn à la gare/*etc*.
2 *vi* (*go*) aller (**to** à); (*arrive*) arriver (**to** à); (*become*) (*tired, old etc*) devenir; **to g. caught/run over**/*etc* se faire prendre/écraser/*etc*; **to g. married** se marier; **to g. dressed/ washed** s'habiller/se laver; **to g. paid** être payé; **where have you got** *or Am* **gotten to?** où en es-tu?; **you've got to stay** (*must*) tu dois rester; **to g. to do** (*succeed in doing*) parvenir à faire; **I'm getting to understand** (*starting*) je commence à comprendre; **to g. working** (*start*) se mettre à travailler.
get about *or* **(a)round** *vi* se déplacer; (*of news*) circuler ∎ **to get across** *vt* (*road*) traverser; (*message*) communiquer; **to g. s.o. across** faire traverser qn ∎ *vi* traverser; (*of speaker*) se faire comprendre (**to** de); **to g. across to s.o. that** faire comprendre à qn que ∎ **to get along** *vi* (*manage*) se débrouiller; (*progress*) avancer; (*be on good terms*) s'entendre (**with** avec); (*leave*) se sauver ∎ **to get at** *vt* (*reach*) parvenir à, atteindre; (*taunt*) s'en prendre à; **what is he getting at?** où veut-il en venir? ∎ **to get away** *vi* (*leave*) partir, s'en aller; (*escape*) s'échapper; **to g. away with a fine** s'en tirer avec une amende; **he got away with that crime** il n'a pas été inquiété pour ce crime; **there's no getting away from it** il faut le reconnaître, c'est comme ça. ●**getaway** *n* (*escape*) fuite *f*. ∎ **to get back** *vt* (*recover*) récupérer; (*replace*) remettre ∎ *vi* (*return*) revenir, retourner; (*move back*) reculer; **to g. back at, g. one's own back at** (*punish*) se venger de ∎ **to get by** *vi* (*pass*) passer; (*manage*) se débrouiller ∎ **to get down** *vi* (*go down*) descendre (**from** de); **to g. down to** (*task, work*) se mettre à ∎ *vt* (*bring down*) descendre (**from** de); (*write down*) noter; **to g. s.o. down** (*depress*) *Fam* déprimer qn; **to g. down the stairs/a ladder** descendre l'escalier/d'une échelle ∎ **to get in** *vt* (*bicycle, washing etc*) rentrer; (*buy*) acheter; **to g. s.o. in** (*call for*) faire venir qn; **to g. in a car**/*etc* monter dans une voiture/*etc* ∎ *vi* (*enter*) entrer; (*come home*) rentrer; (*enter vehicle or train*) monter; (*of plane, train*) arriver; (*of candidate for election*) être élu ∎ **to get into** *vt* entrer dans; (*vehicle, train*) monter dans; (*habit*) prendre; **to g. into bed/a rage** se mettre au lit/en colère ∎ **to get off** *vi* (*leave*) partir; (*from vehicle or train*) descendre (**from** de); (*escape*) s'en tirer; (*finish work*) sortir; (*be acquitted in court*) être acquitté ∎ *vt* (*remove*) enlever; (*send*) expédier; (*in court*) faire acquitter (*qn*); **to g. off a chair** se lever d'une chaise; **to g. off a bus** descendre d'un bus; **to g. off doing** *Fam* se dispenser de faire ∎ **to get on** *vt* (*shoes, clothes*) mettre; (*bus, train*) monter dans ∎ *vi* (*progress*) marcher, avancer; (*manage*) se débrouiller; (*succeed*) réussir; (*enter bus or train*) monter; (*be on good terms*) s'entendre (**with** avec); **how are you getting on?** comment ça va?; **to g. on to s.o.** (*on phone*) contacter qn, toucher qn; **to g. on with** (*task*) continuer ∎ **to get out** *vi* sortir; (*from vehicle or train*) descendre (**of, from** de); **to g. out of** (*obligation*) échapper à; (*danger*) se tirer de; (*habit*) perdre ∎ *vt* (*remove*) enlever; (*bring out*) sortir (*qch*); **faire sortir** (*qn*) ∎ **to get over** *vt* (*road*) traverser; (*obstacle*) surmonter; (*fence*) franchir; (*illness*) se remettre de; (*surprise*) revenir de; (*ideas*) communiquer; **let's g. it over with** finissons-en ∎ *vi* (*cross*) traverser; (*visit*) passer ∎ **to get round** *vt* (*obstacle*) contourner; (*person, by persuasion etc*) entortiller ∎ *vi* (*visit*) passer; **to g. round to doing** en venir à faire ∎ **to get through** *vi* (*pass*) passer; (*finish work*) finir; (*pass exam*) être reçu; **to g. through to s.o.** (*communicate with*) se faire comprendre de qn; (*on the phone*) contacter qn ∎ *vt* (*hole etc*) passer par; (*task, meal*) venir à bout de; (*exam*) être reçu à; **g. me through to your boss** (*on the phone*) passe-moi ton patron ∎ **to get to-gether** *vi* (*of people*) se rassembler. ●**get-together** *n* réunion *f*. ∎ **to get up** *vi* (*rise, stand up*) se lever (**from** de); **to g. up to** (*in book*) en arriver à; **to g. up to something** *or* **to mischief** faire des bêtises ∎ *vt* (*ladder, stairs etc*) monter; (*party, group*) organiser; **to g. sth up** (*bring up*) monter qch. ●**get-up** *n* (*clothes*) *Fam* accoutrement *m*.
geyser ['giːzər] *n* **1** (*water heater*) *Br* chauffe-eau *m inv* (à gaz). **2** (*underground spring*) geyser *m*.
Ghana ['gɑːnə] *n* Ghana *m*.
ghastly ['gɑːstlɪ] *a* (-ier, -iest) (*horrible*) affreux; (*pale*) blême, pâle.

gherkin ['gɜːkɪn] *n* cornichon *m*.
ghetto ['getəʊ] *n* (*pl* **-os**) ghetto *m*; **g. blaster** *Fam* mini-stéréo *f* portable.
ghost [gəʊst] *n* fantôme *m*; **not the g. of a chance** pas l'ombre d'une chance; **g. story** histoire *f* de fantômes; **g. ship** vaisseau *m* fantôme; **g. town** ville *f* fantôme. ●**ghostly** *a* spectral.
ghoul [guːl] *n* goule *f*.
ghoulish ['guːlɪʃ] *a* morbide.
giant ['dʒaɪənt] *n* géant *m* ▮ *a* (*tree, packet etc*) géant; (*struggle, efforts etc*) gigantesque; **with g. steps** à pas de géant.
gibberish ['dʒɪbərɪʃ] *n* baragouin *m*.
gibe [dʒaɪb] *vi* railler; **to g. at** railler ▮ *n* raillerie *f*.
giblets ['dʒɪblɪts] *npl* (*of fowl*) abats *mpl*.
giddy ['gɪdɪ] *a* (**-ier, -iest**) **g. heights** hauteurs *fpl* vertigineuses; **to be** *or* **feel g.** (*at great height*) avoir le vertige; (*in room etc*) avoir un *or* des vertige(s); **to make s.o. g.** donner le vertige à qn. ●**giddiness** *n* vertige *m*.
gift [gɪft] *n* cadeau *m*; (*talent, donation*) don *m*; **g. voucher** *or* **token** *Br* chèque-cadeau *m*. ●**gifted** *a* doué (**with** de, **for** pour); **g. child** (*with genius-level IQ*) enfant *mf* surdoué(e).
giftwrapped ['gɪftræpt] *a* en paquet-cadeau. ●**giftwrapping** *n* emballage-cadeau *m*.
gig [gɪg] *n* (*by pop musicians*) *Fam* engagement *m*, séance *f*.
gigantic [dʒaɪ'gæntɪk] *a* gigantesque.
giggle ['gɪg(ə)l] *vi* rire (bêtement) ▮ *n* petit rire *m* bête; **to have the giggles** avoir le fou rire.
gild [gɪld] *vt* dorer. ●**gilt** *a* doré ▮ *n* dorure *f*.
gills [gɪlz] *npl* (*of fish*) ouïes *fpl*.
gimmick ['gɪmɪk] *n* (*trick, object*) truc *m*.
gin [dʒɪn] *n* (*drink*) gin *m*.
ginger ['dʒɪndʒər] **1** *a* (*hair*) roux (*f* rousse). **2** *n* (*plant, spice*) gingembre *m*; **g. beer** boisson *f* gazeuse au gingembre. ●**gingerbread** *n* pain *m* d'épice.
gingerly ['dʒɪndʒəlɪ] *adv* avec précaution.
gipsy ['dʒɪpsɪ] *n* bohémien, -ienne *mf*; (*Central European*) Tsigane *mf*; (*Spanish*) gitan, -ane *mf*; **g. music** musique *f* tsigane; (*Spanish*) musique *f* gitane.
giraffe [dʒɪ'ræf, *Br* dʒɪ'rɑːf] *n* girafe *f*.
girder ['gɜːdər] *n* (*metal beam*) poutre *f*.
girdle ['gɜːd(ə)l] *n* (*belt*) ceinture *f*; (*corset*) gaine *f*.
girl [gɜːl] *n* (*child*) (petite) fille *f*, fillette *f*; (*young woman*) jeune fille *f*; (*daughter*) fille *f*; (*sweetheart*) *Fam* petite amie *f*; **English g.** jeune Anglaise *f*; **g. guide** éclaireuse *f*. ●**girlfriend** *n* (*of girl*) amie *f*; (*of boy*) petite amie *f*. ●**girlish** *a* (*de jeune*) fille. ●**girlhood** *n* (première) jeunesse *f*.
giro ['dʒaɪrəʊ] *n* (*pl* **-os**) *Br* **bank g.** virement *m* bancaire; (*cheque*) chèque *m* (de paiement) d'indemnités (maladie *or* chômage); **g. account** compte *m* courant postal, CCP *m*.
girth [gɜːθ] *n* (*measure*) circonférence *f*; (*of waist*) tour *m*.

gist [dʒɪst] *n* **to get the g. of** comprendre l'essentiel de.
give [gɪv] *vt* (*pt* **gave**, *pp* **given**) donner (**to** à); (*one's support*) apporter; (*a smile, a gesture, pleasure*) faire; (*a sigh*) pousser; (*a look*) jeter; (*a blow*) porter; **g. me York 234** (*phone number*) passez-moi le 234 à York; **she doesn't g. a damn** *Fam* elle s'en fiche pas mal; **to g. way** (*yield, break*) (*of branch, person etc*) céder (**to** à); (*collapse*) (*of roof etc*) s'effondrer; (*in vehicle*) céder la priorité (**to** à) ▮ *n* (*in fabric etc*) élasticité *f*.
give away *vt* (*prize*) distribuer; (*money*) donner; (*facts*) révéler; (*betray*) trahir (*qn*) ▮ **to give back** *vt* (*return*) rendre ▮ **to give in** *vi* (*surrender*) céder (**to** à) ▮ *vt* (*hand in*) remettre ▮ **to give off** *vt* (*smell, heat*) dégager ▮ **to give out** *vt* (*hand out*) distribuer (*livres etc*); (*make known*) annoncer (*nouvelle etc*) ▮ *vi* (*of supplies, patience*) s'épuiser; (*of engine*) rendre l'âme ▮ **to give over** *vt* (*devote*) consacrer (**to** à); **to g. oneself over to** (*despair, bad habit etc*) s'abandonner à ▮ *vi* **g. over!** (*stop*) *Br Fam* arrête! ▮ **to give up** *vi* abandonner, renoncer ▮ *vt* abandonner, renoncer à; (*seat*) céder (**to** à); (*prisoner*) livrer (**to** à); (*patient*) condamner; **to g. up smoking** cesser de fumer.
given ['gɪv(ə)n] *a* (*fixed*) donné; **at a g. time** à un moment donné; **to be g. to doing** (*prone to do*) avoir l'habitude de faire; **g. your age** (*in view of*) étant donné votre âge; **g. that** étant donné que.
giver ['gɪvər] *n* donateur, -trice *mf*.
glacier [*Br* 'glæsɪər, *Am* 'gleɪʃər] *n* glacier *m*.
glad [glæd] *a* (*person*) content (**of, about** de; **that** que + *sub*); **I'm g. to know/hear/etc that...** je suis content de savoir/d'apprendre/*etc* que...; **she's only too g. to help you** elle ne demande pas mieux que de vous aider. ●**gladden** *vt Lit* réjouir. ●**gladly** *adv* (*willingly*) volontiers.
glade [gleɪd] *n* clairière *f*.
gladiolus, *pl* **-i** [glædɪ'əʊləs, -aɪ] *n* (*plant*) glaïeul *m*.
glamorize ['glæməraɪz] *vt* montrer sous un jour séduisant. ●**glamorous** *a* (*person, dress, life etc*) séduisant; (*career, job*) prestigieux.
glamour ['glæmər] *n* (*charm*) enchantement *m*; (*splendour*) éclat *m*; (*of career etc*) prestige *m*.
glance [glɑːns] **1** *n* coup *m* d'œil ▮ *vi* jeter un coup d'œil (**at** à, sur). **2** *vt* **to g. off sth** (*of bullet*) ricocher sur qch.
gland [glænd] *n* glande *f*. ●**glandular fever** *n Br* mononucléose *f* infectieuse.
glare [gleər] **1** *vi* **to g. at s.o.** foudroyer qn (du regard) ▮ *n* regard *m* furieux. **2** *vi* (*of sun*) briller d'un éclat aveuglant ▮ *n* éclat *m*, aveuglant. ●**glaring** *a* (*light*) éblouissant; (*sun*) aveuglant; (*eyes*) furieux; (*injustice*) flagrant; **a g. mistake** une faute grossière.
glass [glɑːs] *n* verre *m*; (*mirror*) miroir *m*, glace *f*; **a pane of g.** une vitre, un carreau ▮ *a*

glasses

(*bottle etc*) de verre; **g. door** porte *f* vitrée; **g. industry** industrie *f* du verre. ●**glassful** *n* (*plein*) verre *m*. ●**glassware** *n* objets *mpl* de *or* en verre.

glasses ['glɑːsɪz] *npl* (*spectacles*) lunettes *fpl*.

glaze [gleɪz] *vt* (*door*) vitrer; (*pottery*) vernisser; (*paper*) glacer ▌*n* (*on pottery*) vernis *m*; (*on paper*) glacé *m*. ●**glazier** *n* vitrier *m*.

gleam [gliːm] *n* lueur *f* ▌*vi* (re)luire.

glean [gliːn] *vt* (*information*, *grain etc*) glaner.

glee [gliː] *n* joie *f*. ●**gleeful** *a* joyeux.

glen [glen] *n* vallon *m*.

glib [glɪb] *a* (*person*) qui a la parole facile; (*speech*) facile, peu sincère. ●**glibly** *adv* (*to say*) peu sincèrement.

glide [glaɪd] *vi* glisser; (*of aircraft*, *bird*) planer; (*of vehicle*) avancer silencieusement. ●**gliding** *n* (*sport*) vol *m* à voile. ●**glider** *n* (*aircraft*) planeur *m*.

glimmer ['glɪmər] *vi* luire (faiblement) ▌*n* (*light*, *of hope etc*) (faible) lueur *f*.

glimpse [glɪmps] *n* aperçu *m*; **to catch** *or* **get** *or* **have a g. of** entrevoir, apercevoir ▌*vt* = **to catch a g. of.**

glint [glɪnt] *vi* (*shine with flashes*) briller ▌*n* éclair *m*; (*in eye*) étincelle *f*.

glisten ['glɪs(ə)n] *vi* (*of wet surface*) briller; (*of water*) miroiter.

glitch [glɪtʃ] *n* Comptr *etc* Fam problème *m* (technique).

glitter ['glɪtər] *vi* scintiller, briller ▌*n* scintillement *m*. ●**glittering** *a* (*prize*, *career*) extraordinaire.

gloat [gləʊt] *vi* jubiler (**over** à l'idée de).

global ['gləʊb(ə)l] *a* (*universal*; *influence etc*) mondial, universel; (*comprehensive*) (*amount*, *view etc*) global; **g. warming** réchauffement *m* de la planète.

globe [gləʊb] *n* globe *m*.

gloom [gluːm] *n* (*sadness*) tristesse *f*; (*darkness*) obscurité *f*. ●**gloomy** *a* (-ier, -iest) (*sad*) triste; (*pessimistic*) pessimiste; (*dark*, *dismal*) sombre, triste.

glorify ['glɔːrɪfaɪ] *vt* (*praise*) glorifier; **it's a glorified barn**/*etc* Br ce n'est guère plus qu'une grange/*etc*.

glorious ['glɔːrɪəs] *a* (*splendid*) magnifique; (*full of glory*) glorieux.

glory ['glɔːrɪ] *n* gloire *f*; (*great beauty*) splendeur *f*; **to be in one's g.** (*very happy*) Fam être à son affaire ▌*vi* **to g. in** se glorifier de.

gloss [glɒs] **1** *n* (*shine*) brillant *m*; **g. paint** peinture *f* brillante; **g. finish** brillant *m*. **2** *n* (*note*) glose *f*, commentaire *m*. **3** *vt* **to g. over** (*minimize*, *make light of*) glisser sur; (*conceal*) dissimuler. ●**glossy** *a* (-ier, -iest) brillant; (*photo*) glacé; (*magazine*) de luxe.

glossary ['glɒsərɪ] *n* glossaire *m*.

glove [glʌv] *n* gant *m*; **g. compartment** (*in car*) (*shelf*) vide-poches *m inv*; (*enclosed*) boîte *f* à gants. ●**gloved** *a* **a g. hand** une main gantée.

glow [gləʊ] *vi* (*of sky*, *fire*, *embers*) rougeoyer; (*of lamp*) luire; (*of eyes*, *person*) Fig rayonner (**with** de) ▌*n* rougeoiement *m*; (*of lamp*) lueur *f*; (*of complexion*) éclat *m*. ●**glowing** *a* (*account*, *terms*, *reference etc*) très favorable, enthousiaste. ●**glow-worm** *n* ver *m* luisant.

glucose ['gluːkəʊs] *n* glucose *m*.

glue [gluː] *n* colle *f* ▌*vt* coller (**to**, **on** à); **with one's eyes glued to** Fam les yeux fixés *or* rivés sur; **to be glued to the television** Fam être cloué devant la télévision. ●**glue-sniffing** *n* inhalation *f* de la colle.

glum [glʌm] *a* (**glummer**, **glummest**) triste.

glut [glʌt] *vt* **the market is glutted** le marché est encombré *or* saturé (**with** de) ▌*n* (*of goods*, *oil etc*) surplus *m* (**of** de).

glutton ['glʌt(ə)n] *n* glouton, -onne *mf*; **g. for work** bourreau *m* de travail; **g. for punishment** masochiste *mf*. ●**gluttony** *n* gloutonnerie *f*.

glycerin(e) ['glɪsərɪn] *n* glycérine *f*.

GMT [dʒiːemˈtiː] *abbr* (*Greenwich Mean Time*) GMT.

gnarled [nɑːld] *a* noueux.

gnash [næʃ] *vt* **to g. one's teeth** grincer des dents.

gnat [næt] *n* (petit) moustique *m*.

gnaw [nɔː] *vti* **to g. (at)** ronger.

gnome [nəʊm] *n* (*little man*) gnome *m*; **garden g.** nain *m* or lutin *m* de jardin.

GNP [dʒiːenˈpiː] *n abbr* (*gross national product*) PNB *m*.

go [gəʊ] **1** *vi* (3rd person sing pres t **goes**; pt **went**; pp **gone**; pres p **going**) aller (**to** à, **from** de); (*depart*) partir, s'en aller; (*disappear*) disparaître, partir; (*be sold*) se vendre; (*function*) marcher, fonctionner; (*progress*) aller, marcher; (*become*) devenir; (*of time*) passer; (*of hearing*, *strength*) baisser; (*of fuse*) sauter; (*of bulb*) griller; (*of material*) s'user; (*of rope*) céder; **to go well**/**badly** (*of event*) se passer bien/mal; **she's going to do** (*is about to*, *intends to*) elle va faire; **it's all gone** (*finished*) il n'y en a plus; **to go and get** (*fetch*) aller chercher; **to go and see** aller voir; **to go riding**/**sailing**/**on a trip**/*etc* faire du cheval/de la voile/un voyage/*etc*; **to let go of** lâcher; **to go to a doctor**/**lawyer**/*etc* aller voir un médecin/un avocat/*etc*; **to get things going** faire démarrer les choses; **let's get going** allons-y; **is there any beer going?** (*available*) y a-t-il de la bière?; **it goes to show that**…; ça montre que…; **two hours**/*etc* **to go** (*still left*) encore deux heures/*etc*.

2 *n* (pl **goes**) (*attempt*) coup *m*; (*energy*) dynamisme *m*; **to have a go at (doing) sth** essayer (de faire) qch; **at one go** d'un seul coup; **on the go** en mouvement, actif; **to make a go of sth** (*make a success of*) réussir qch.

go about *or* **(a)round** *vi* se déplacer; (*of news*, *rumour*) circuler ▌ **to go about** *vt* (*one's duties etc*) s'occuper de; **to know how**

to go about it savoir s'y prendre ∎ **to go across** vt traverser ∎ vi (cross) traverser; (go) aller (**to** à); **to go across to s.o.('s)** faire un saut chez qn ∎ **to go after** vt (chase) poursuivre; (seek) (re)chercher; (job) essayer d'obtenir ∎ **to go against** vt (of result) être défavorable à; (s.o.'s wishes) aller contre; (harm) nuire à ∎ **to go ahead** vi avancer; (continue) continuer; (start) commencer; **go ahead!** allez-y!; **to go ahead with** (plan, idea etc) poursuivre. ∎ **to go along** vi aller; (move forward, progress) avancer; **to go along with s.o./sth** (agree) être d'accord avec qn/qch ∎ **to go away** vi partir, s'en aller ∎ **to go back** vi retourner; (in time) remonter; (step back, retreat) reculer; **to go back on one's promise** or **word** revenir sur sa promesse ∎ **to go by** vi passer ∎ vt (act according to) se fonder sur; (judge from) juger d'après; (instruction) suivre ∎ **to go down** vi descendre; (fall down) tomber; (of ship) couler; (of sun) se coucher; (of storm) s'apaiser; (of temperature, price etc) baisser; (of Br tyre or Am tire) se dégonfler; **to go down well** (of speech etc) être bien reçu; **to go down with an illness** attraper une maladie ∎ vt **to go down the stairs/street** descendre l'escalier/la rue ∎ **to go for** vt (fetch) aller chercher; (attack) attaquer, sauter sur; (like) Fam aimer beaucoup ∎ **to go forward(s)** vi avancer ∎ **to go in** vi (r)entrer; (of sun) se cacher; **to go in for** Br (exam) se présenter à; (hobby, sport) faire; (career) entrer dans; (like) Fam aimer beaucoup ∎ vt **to go in a room/etc** entrer dans une pièce/etc ∎ **to go into** vt (room etc) entrer dans; (question) examiner ∎ **to go off** vi (leave) partir; (go bad) se gâter; (of alarm) se déclencher; (of gun) partir; (of bomb) exploser; (of event) se passer; (of effect) passer ∎ vt (one's food) perdre le goût de ∎ **to go on** vi continuer (**doing** à faire); (travel) poursuivre sa route; (happen) se passer; (last) durer; (of time) passer; **to go on at s.o.** (nag) Fam s'en prendre à qn; **to go on about sth/s.o.** Fam parler sans cesse de qch/qn ∎ **to go out** vi sortir; (of light, fire) s'éteindre; (of tide) descendre; (of newspaper, product) être distribué (**to** à); (depart) partir; **to go out to work** travailler (au dehors) ∎ **to go over** vi (go) aller (**to** à); (cross over) traverser; (to enemy) passer (**to** à); **to go over to s.o.('s)** faire un saut chez qn, passer chez qn ∎ vt examiner; (in one's mind) repasser; (speech) revoir; (touch up) retoucher; (overhaul) réviser (véhicule, montre) ∎ **to go round** vi (turn) tourner; (make a detour) faire le tour; (be sufficient) suffire; **to go round to s.o.('s)** faire un saut chez qn, passer chez qn; **enough to go round** assez pour tout le monde ∎ vt **to go round a corner** tourner à un coin; **to go round the world** faire le tour du monde ∎ **to go through** vi passer; (of deal) être conclu ∎ vt (suffer, undergo) subir; (examine) examiner; (search) fouiller; (spend) dépenser; (wear out) user; (perform) accomplir; **to go through with** (carry out) aller jusqu'au bout de, réaliser ∎ **to go up** vi (of ship, person, firm) couler ∎ **to go up** vi monter; (explode) sauter ∎ vt **to go up the stairs/street** monter l'escalier/la rue ∎ **to go without** vi se passer de.

goad [gəʊd] vt **to g. s.o. (on)** aiguillonner qn.
go-ahead ['gəʊəhed] a dynamique ∎ n **to get the g.** avoir le feu vert; **to give s.o. the g.** donner le feu vert à qn.
goal [gəʊl] n but m. •**goalie** n Football Br Fam goal m. •**goalkeeper** n Football gardien m de but, goal m. •**goalpost** n Football poteau m de but.
goat [gəʊt] n chèvre f; **to get s.o.'s g.** Fam énerver qn.
goatee [gəʊ'ti:] n (beard) barbiche f.
gobble ['gɒb(ə)l] vt **to g. (up** or **down)** (food) engloutir, engouffrer.
go-between ['gəʊbɪtwi:n] n intermédiaire mf.
goblet ['gɒblɪt] n verre m à pied.
goblin ['gɒblɪn] n (evil spirit) lutin m.
god [gɒd] n dieu m; **G.** Dieu m; **the gods** (in theatre) Fam le poulailler. •**god-fearing** a croyant. •**god-forsaken** a (place) perdu.
godchild ['gɒdtʃaɪld] n (pl -children) filleul, -eule mf. •**goddaughter** n filleule f. •**godfather** n parrain m. •**godmother** n marraine f. •**godson** n filleul m.
goddam(n) ['gɒdæm] a Am Fam foutu.
goddess ['gɒdɪs] n déesse f.
godly ['gɒdlɪ] a dévot.
godsend ['gɒdsend] n **to be a (real) g.** (of thing, person) être un don du ciel.
goes [gəʊz] see **go 1.**
gofer ['gəʊfər] n (messenger) Am Fam coursier, -ière mf, garçon m de courses.
goggle ['gɒg(ə)l] vi **to g. at** regarder en roulant de gros yeux. •**goggles** npl (spectacles) lunettes fpl (de protection, de plongée). •**goggle-eyed** a **to be g.-eyed** Fam avoir les yeux saillants; (with surprise) avoir les yeux ronds.
going ['gəʊɪŋ] 1 n (conditions) conditions fpl; **it's hard** or **heavy g.** c'est difficile. 2 a **the g. price** le prix pratiqué (**for** pour); **the g. rate** le tarif en vigueur; **the g. salary** le salaire habituel; **a g. concern** une entreprise qui marche bien. •**goings-'on** npl Pej activités fpl.
go-kart ['gəʊkɑːt] n (for racing) kart m.
gold [gəʊld] n or m ∎ a (watch etc) en or; (coin, dust) d'or; **g. medal** Sport médaille f d'or. •**golden** a (of gold colour) (hair etc) doré; **g. rule** règle f d'or; **it's a g. opportunity** c'est une occasion en or. •**goldmine** n mine f d'or. •**gold-'plated** a plaqué or. •**goldsmith** n orfèvre m.
goldfinch ['gəʊldfɪntʃ] n (bird) chardonneret m.
goldfish ['gəʊldfɪʃ] n poisson m rouge.
golf [gɒlf] n golf m. •**golfer** n golfeur, -euse mf. •**golfing** n **to go g.** faire du golf.
golly! ['gɒlɪ] int **(by) g.!** Old-fashioned Fam

gondola 144

mince (alors)!
gondola ['gɒndələ] n (boat) gondole f. ●**gondolier** [-'lɪər] n gondolier m.
gone [gɒn] pp of go 1 ▮ a it's g. two Br Fam il est plus de deux heures. ●**goner** n to be a g. Sl être fichu.
gong [gɒŋ] n gong m.
goo [guː] n Fam truc m collant or visqueux.
good [gʊd] a (**better, best**) bon (f bonne); (kind) gentil; (well-behaved) sage; **to have g. weather** avoir du beau temps; **would you be g. enough to...?** auriez-vous la gentillesse de...?; **my g. friend** mon cher ami; **a g. fellow** or **guy** or Br **chap** or Br **bloke** un brave type; **g. and strong** bien fort; **a g. (long) walk** une bonne promenade; **g.! bon!, bien!; very g.!** (all right) très bien!; **that's g. of you** c'est gentil de ta part; **to feel g.** se sentir bien; **that isn't g. enough** (bad) ça ne va pas; (not sufficient) ça ne suffit pas; **it's g. for us** ça nous fait du bien; **to be g. at French**/etc (at school) être bon or fort en français/etc; **to be g. at swimming/telling jokes**/etc savoir bien nager/raconter des blagues/etc; **to be g. with children**/etc savoir s'y prendre avec les enfants/etc; **it's a g. thing (that)...** heureusement que...; **a g. many, a g. deal (of)** beaucoup (de); **as g. as** (almost) pratiquement; **g. afternoon, morning** bonjour; (on leaving someone) au revoir; **g. evening** bonsoir; **g. night** bonsoir; (before going to bed) bonne nuit.
▮ n (advantage, virtue) bien m; **for her (own) g.** pour son bien; **for the g. of your family/career**/etc pour ta famille/carrière/etc; **it will do you (some) g.** ça te fera du bien; **there's some g. in him** il a du bon; **it's no g. crying/shouting**/etc ça ne sert à rien de pleurer/crier/etc; **that's no g.** (worthless) ça ne vaut rien; (not all right, bad) ça ne va pas; **what's the g.?** à quoi bon?; **what's the g. of crying**/etc? à quoi bon pleurer/etc?; **for g.** (to leave, give up etc) pour de bon. ●**good-for-nothing** a & n propre à rien (mf). ●**good-'humoured** a de bonne humeur. ●**good-'looking** a beau (f belle). ●**good-'natured** a (person) d'humeur toujours égale.
goodbye [gʊd'baɪ] int & n au revoir (m inv).
goodly ['gʊdlɪ] a (size, number) grand.
goodness ['gʊdnɪs] n bonté f; **my g.!** mon Dieu!
goods [gʊdz] npl marchandises fpl; (articles for sale) articles mpl; **g. train** Br train m de marchandises.
goodwill [gʊd'wɪl] n (kindness) bonne volonté f; (zeal) zèle m.
gooey ['guːɪ] a Fam gluant, poisseux.
goof [guːf] vi **to g. (up)** (blunder) Am faire une gaffe.
goon [guːn] n Fam idiot, -ote mf.
goose, pl **geese** [guːs, giːs] n oie f; **g. pimples** or **bumps** chair f de poule. ●**gooseflesh** n chair f de poule.
gooseberry [Br 'gʊzbərɪ, Am 'guːsbərɪ] n groseille f à maquereau.

gorge [gɔːdʒ] **1** n (ravine) gorge f. **2** vt (food) engloutir; **to g. oneself** se gaver (**on** de).
gorgeous ['gɔːdʒəs] a magnifique.
gorilla [gə'rɪlə] n gorille m.
gormless ['gɔːmləs] a Br Fam stupide.
gorse [gɔːs] n inv ajonc(s) m(pl).
gory ['gɔːrɪ] a (**-ier, -iest**) (bloody) sanglant; (details) Fig horrible.
gosh! [gɒʃ] int Fam mince (alors)!
gosling ['gɒzlɪŋ] n oison m.
go-slow [gəʊ'sləʊ] n (strike) Br grève f perlée.
gospel ['gɒspəl] n évangile m; **G.** Évangile m.
gossip ['gɒsɪp] n (talk) bavardage(s) m(pl); (malicious) cancan(s) m(pl); (person) commère f; **g. column** (in newspaper) échos mpl ▮ vi bavarder; (maliciously) cancaner. ●**gossiping** or **gossipy** a bavard; (maliciously) cancanier.
got [gɒt] pt & pp of **get**.
Gothic ['gɒθɪk] a & n gothique (m).
gotten ['gɒt(ə)n] Am pp of **get**.
gouge [gaʊdʒ] vt **to g. out** (eye) crever.
goulash ['guːlæʃ] n (dish) goulasch f.
gourmet ['gʊəmeɪ] n gourmet m; **g. cook** cordon-bleu m; **g. restaurant** restaurant m gastronomique.
gout [gaʊt] n (illness) goutte f.
govern ['gʌvən] vt (rule) gouverner; (city, province) administrer; (emotion) maîtriser, gouverner; (influence) déterminer ▮ vi (rule) gouverner; **governing body** conseil m d'administration.
governess ['gʌvənɪs] n gouvernante f.
government ['gʌvənmənt] n gouvernement m; **local g.** administration f locale ▮ a (decision, policy etc) gouvernemental, du gouvernement; **g. loan** emprunt m d'État. ●**govern'mental** a gouvernemental.
governor ['gʌv(ə)nər] n gouverneur m; (of school) administrateur, -trice mf; (of prison) directeur, -trice mf.
gown [gaʊn] n (woman's dress) robe f; (of judge, lecturer) Br toge f.
GP [dʒiː'piː] n abbr (general practitioner) (médecin m) généraliste m.
grab [græb] vt (**-bb-**) **to g. (hold of)** saisir, agripper; **to g. sth from s.o.** arracher qch à qn.
grace [greɪs] **1** n (charm, goodwill, religious mercy etc) grâce f; **to say g.** (before meals) dire le bénédicité; **g. (period)** (extension of time) délai m de grâce; **10 days' grace** 10 jours de grâce. **2** vt (adorn) orner; (honour) honorer (**with** de).
graceful ['greɪsfʊl] a (movement, person etc) gracieux. ●**gracefully** adv (to dance etc) avec grâce; **to accept g.** accepter de bonne grâce.
gracious ['greɪʃəs] a (kind) aimable, gracieux (**to** envers); (elegant) élégant; **good g.!** Fam bonté divine! ●**graciously** adv (to accept) de bonne grâce.
gradation [Br grə'deɪʃ(ə)n, Am greɪ'deɪ-

grave

ʃ(ə)n] n gradation f.
grade [greɪd] n catégorie f; (of soldier) grade m; (of product) qualité f; (of eggs, fruit) calibre m; (level) niveau m; (mark in exam etc) note f; (class in school) Am classe f; **g. school** Am école f primaire; **g. crossing** Am passage m à niveau ∎ vt (classify) classer; (colours, exercises etc) graduer; (school or college paper) noter.
gradient ['greɪdɪənt] n (slope) inclinaison f.
gradual ['grædʒʊəl] a progressif, graduel; (slope) doux (f douce). ● **gradually** adv progressivement, peu à peu.
graduate¹ ['grædʒʊeɪt] vi (from university) obtenir son diplôme; (from school) Am obtenir son baccalauréat; **to g. from** sortir de ∎ vt **to be graduated** (from university, school) Am = **to graduate** vi ∎ ['grædʒʊət] n diplômé, -ée mf, licencié, -ée mf. ● **graduation** [-'eɪʃ(ə)n] n Univ remise f des diplômes.
graduate² ['grædʒʊeɪt] vt (mark with degrees) graduer. ● **graduated** a (tube etc) gradué.
graffiti [grə'fiːtɪ] npl graffiti mpl.
graft [grɑːft] 1 n (of skin, on plant) greffe f ∎ vt greffer (**on to** à). 2 n (bribery) Am Fam pots-de-vin mpl. 3 n **hard g.** Br Fam boulot m.
grain [greɪn] n (seed, particle) grain m; (seeds) grain(s) m(pl); (cereals) céréales fpl; (in cloth) fil m; (in wood) fibre f; (in leather, paper) grain m; **a g. of truth/commonsense** Fig une once de vérité/de bon sens.
gram(me) [græm] n gramme m.
grammar ['græmər] n grammaire f; **g. (book)** grammaire f; **g. school** Br lycée m; US école f primaire. ● **gra'mmatical** a grammatical.
gramophone ['græməfəʊn] n phonographe m.
granary ['grænərɪ] n (farm building) grenier m; **g. loaf** Br pain m complet.
grand [grænd] 1 a (-er, -est) (splendid) magnifique, grand; (style) grandiose; (wonderful) Fam magnifique; **with a g. gesture** d'un geste majestueux; **g. duke** grand duc m; **g. piano** piano m à queue; **g. total** somme f totale; **the g. tour** (of town, museum etc) la visite complète; (of house) le tour du propriétaire. 2 n inv Am Sl mille dollars mpl; Br Sl mille livres fpl.
grandchild ['græntʃaɪld] n (pl -children) petit(e)-enfant mf. ● **grand(d)ad** n Fam papi m, pépé m. ● **granddaughter** n petite-fille f. ● **grandfather** n grand-père m. ● **grandma** [-mɑː] n Fam mamie f. ● **grandmother** n grand-mère f. ● **grandpa** [-pɑː] n Fam papi m, pépé m. ● **grandparents** npl grands-parents mpl. ● **grandson** n petit-fils m.
grandeur ['grændʒər] n magnificence f; (of person, country) grandeur f.
grandstand ['grænstænd] n (at sports ground) tribune f.
grange [greɪndʒ] n (house) manoir m.
granite ['grænɪt] n granit(e) m.
granny ['grænɪ] n Fam mamie f.

grant [grɑːnt] 1 vt accorder (**to** à); (request) accéder à; (prayer, wish) exaucer; (admit) admettre (**that** que); **to take sth for granted** considérer qch comme acquis; **to take s.o. for granted** considérer qn comme faisant partie du décor; **I take it for granted that...** je présume que.... 2 n subvention f, allocation f; (for study at university etc) bourse f.
granule ['grænjuːl] n granule m. ● **granulated sugar** n sucre m cristallisé.
grape [greɪp] n grain m de raisin; **grapes** le raisin, les raisins mpl; **to eat (some) grapes** manger du raisin or des raisins; **g. harvest** vendange f; **g. juice** jus m de raisin.
grapefruit ['greɪpfruːt] n pamplemousse m.
grapevine ['greɪpvaɪn] n **on** or **through the g.** Fig par le téléphone arabe.
graph [græf, grɑːf] n courbe f, graphique m; **g. paper** papier m millimétré.
graphic ['græfɪk] a (description) explicite, vivant; (art etc) graphique; **g. design** (drawing etc) arts mpl graphiques. ● **graphically** adv (to describe) explicitement. ● **graphics** npl (computer) n. graphiques mpl.
grapple ['græp(ə)l] vi **to g. with** (person, problem etc) se colleter avec.
grasp [grɑːsp] vt (seize, understand) saisir ∎ n (firm hold) prise f; (understanding) compréhension f; (knowledge) connaissance f; **to have a strong g.** (strength of hand) avoir de la poigne; **within s.o.'s g.** (reach) à la portée de qn. ● **grasping** a (greedy) rapace.
grass [grɑːs] n herbe f; (lawn) gazon m; **the g. roots** (of organization) la base. ● **grasshopper** n sauterelle f. ● **grassland** n prairie f. ● **grassy** a herbeux.
grate [greɪt] 1 n (for fireplace) grille f de foyer. 2 vt (cheese, carrot etc) râper. 3 vi (of sound) grincer (**on sth** sur qch); **to g. on the ears** écorcher les oreilles; **to g. on s.o.'s nerves** taper sur les nerfs de qn. ● **grating** 1 a (sound) grinçant; Fig irritant. 2 n (bars) grille f. ● **grater** n (for cheese etc) râpe f.
grateful ['greɪtfəl] a reconnaissant (**to** à, **for** de); (words, letter) de remerciement; (attitude, friend) plein de reconnaissance; **I'm g. (to you) for your help** je vous suis reconnaissant de votre aide; **I'd be g. if you'd be quieter** j'aimerais bien que tu fasses moins de bruit; **g. thanks** mes sincères remerciements. ● **gratefully** adv avec reconnaissance.
gratify ['grætɪfaɪ] vt (whim) satisfaire; **to g. s.o.** faire plaisir à qn. ● **gratified** a (pleased) très content (**by** or **with sth** de qch, **to do** de faire). ● **gratifying** a très satisfaisant or agréable; **it's g. to know that...** ça fait plaisir de savoir que.... ● **gratification** [-'keɪʃ(ə)n] n satisfaction f.
gratis ['grætɪs, 'greɪtɪs] adv gratis.
gratitude ['grætɪtjuːd] n reconnaissance f, gratitude f (**for** de).
gratuitous [grə'tjuːɪtəs] a (act etc) gratuit.
gratuity [grə'tjuːɪtɪ] n (tip) pourboire m.
grave¹ [greɪv] n tombe f; **g. digger** fossoyeur

grave

m. •**gravestone** *n* pierre *f* tombale. •**graveyard** *n* cimetière *m*; **auto g.** *Am Fam* cimetière *m* de voitures.

grave² [greɪv] *a* (**-er, -est**) (*serious*) grave. •**gravely** *adv* (*ill, to say etc*) gravement; **g. concerned/displeased** extrêmement inquiet/mécontent.

gravel ['græv(ə)l] *n* gravier *m*; **g. path** allée *f* de gravier.

gravitate ['græviteit] *vi* **to g. towards** (*be drawn towards*) être attiré vers; (*move towards*) se diriger vers. •**gravitation** [-'teɪʃ(ə)n] *n* gravitation *f*.

gravity ['græviti] *n* **1** (*force*) *Phys* pesanteur *f*. **2** (*seriousness*) gravité *f*.

gravy ['greɪvɪ] *n* jus *m* de viande.

gray [greɪ] *Am* = **grey**.

graze [greɪz] **1** *vt* (*scrape*) écorcher; (*touch lightly*) frôler, effleurer ▌ *n* (*wound*) écorchure *f*. **2** *vi* (*of cattle*) paître.

grease [gri:s] *n* graisse *f* ▌ *vt* graisser. •**greaseproof (paper)** *a & n Br* papier *m* sulfurisé. •**greasy** *a* (**-ier, -iest**) plein de graisse; (*hair, ointment*) gras (*f* grasse); (*surface, road*) glissant.

great [greɪt] *a* (**-er, -est**) grand; (*effort, heat, parcel*) gros (*f* grosse), grand; (*excellent*) *Fam* magnifique, merveilleux; **to be g. at tennis/***etc* être très doué pour le tennis/*etc*; **a g. deal** *or* **number (of), a g. many** beaucoup (de); **a g. opinion of** une haute opinion de; **a very g. age** un âge très avancé; **the greatest team/***etc* (*best*) la meilleure équipe/*etc*; **Greater London** le grand Londres. •**great-'grandfather** *n* arrière-grand-père *m.* •**great-'grandmother** *n* arrière-grand-mère *f*.

Great Britain [greɪt'brɪt(ə)n] *n* Grande-Bretagne *f*.

greatly ['greɪtlɪ] *adv* (*much*) beaucoup; (*very*) très, bien; **I g. prefer** je préfère de beaucoup.

greatness ['greɪtnɪs] *n* (*in size, importance*) grandeur *f*; (*in degree*) intensité *f*.

Greece [gri:s] *n* Grèce *f*.

greed [gri:d] *n* avidité *f* (**for** de); (*for food*) gourmandise *f*.

greedy ['gri:dɪ] *a* (**-ier, -iest**) avide (**for** de); (*for food*) glouton, gourmand. •**greedily** *adv* avidement; (*to eat*) gloutonnement. •**greediness** *n* = **greed**.

Greek [gri:k] *a* grec (*f* grecque) ▌ *n* Grec *m*, Grecque *f*; (*language*) grec *m*.

green [gri:n] *a* (**-er, -est**) vert; (*pale*) blême, vert; (*immature*) *Fig* inexpérimenté, naïf; *Pol* vert, écologiste; **to turn** *or* **go g.** (*of mixture etc*) devenir vert; (*of garden, tree etc*) verdir; **the g. belt** (*land*) *Br* la ceinture verte; **g. card** *US* permis *m* de travail; **to get the g. light** avoir le feu vert; **to have** *Br* **g. fingers** *or Am* **a g. thumb** avoir la main verte; **g. with envy** *Fig* vert de jalousie.

▌ *n* (*colour*) vert *m*; (*lawn*) pelouse *f*; (*village square*) place *f* gazonnée; (**bowling**) **g.** terrain *m* pour jeu de boules; **greens** (*vegetables*) légumes *mpl* verts; **the Greens** *Pol* les Verts *mpl*.

greenery ['gri:nərɪ] *n* (*plants, leaves*) verdure *f*. •**greenfly** *n* puceron *m* (des plantes). •**greengage** *n* (*plum*) reine-claude *f*. •**greengrocer** *n Br* marchand, -ande *mf* de légumes. •**greenhouse** *n* serre *f*; **the g. effect** (*in atmosphere*) l'effet *m* de serre. •**greenish** *a* verdâtre. •**greenness** *n* (*colour*) vert *m*; (*greenery*) verdure *f*.

Greenland ['gri:nlənd] *n* Groenland *m*.

greet [gri:t] *vt* (*with a nod, a hello etc*) saluer (*qn*); (*welcome*) accueillir (*qn*); (*receive*) accueillir (*nouvelle etc*); **to g. s.o.** (*of sight*) s'offrir aux regards de qn. •**greeting** *n* salutation *f*; (*welcome*) accueil *m*; **greetings** (*for birthday, festival*) vœux *mpl*; **send my greetings to...** envoie mon bon souvenir à...; **greeting(s) card** carte *f* de vœux.

gregarious [grɪ'geərɪəs] *a* (*person*) sociable; (*instinct, animal*) grégaire.

gremlin ['gremlɪn] *n* petit diable *m*.

grenade [grə'neɪd] *n* (*bomb*) grenade *f*; **to throw a g.** lancer une grenade.

grew [gru:] *pt of* **grow**.

grey [greɪ] *Br a* (**-er, -est**) gris; (*pale*) (*complexion*) blême; **the outlook is g.** les perspectives sont sombres; **to be going g.** grisonner ▌ *vi* **to be greying** être grisonnant. •**grey-'haired** *a Br* aux cheveux gris. •**greyhound** *n* lévrier *m*. •**greyish** *a Br* grisâtre.

grid [grɪd] *n* (*grating, lines on map*) grille *f*; **the (national) g.** *Br* le réseau électrique national.

griddle ['grɪd(ə)l] *n* (*on stove*) plaque *f* à griller.

grief [gri:f] *n* chagrin *m*, douleur *f*; **to come to g.** (*have problems*) avoir des ennuis; (*of driver, pilot etc*) avoir un accident; (*of plan*) échouer; **good g.!** (*surprise etc*) ciel!, bon sang!

grievance ['gri:vəns] *n* grief *m*; **grievances** (*complaints*) doléances *fpl*; **to have a g. against s.o.** avoir à se plaindre de qn.

grieve [gri:v] *vi* s'affliger (**over** *sth* de *qch*); **to g. for s.o.** pleurer qn; **she's still grieving** elle pleure toujours sa perte ▌ *vt* peiner, affliger.

grievous ['gri:vəs] *a* (*serious*) très grave; **g. bodily harm** *Br Jur* coups *mpl* et blessures *fpl*.

grill [grɪl] **1** *n* (*utensil*) gril *m*; (*dish*) grillade *f* ▌ *vti* griller. **2** *vt* (*question*) *Fam* cuisiner (*qn*).

grille [grɪl] *n* (*metal bars*) grille *f*; (**radiator**) **g.** (*of vehicle*) calandre *f*.

grim [grɪm] *a* (**grimmer, grimmest**) (*stern*) (*face etc*) sombre, sévère; (*bleak*) (*future etc*) sombre; (*horrifying*) sinistre; (*bad*) *Fam* affreux; **a g. determination** une volonté inflexible; **the g. truth** la triste vérité. •**grimly** *adv* (*to look at*) sévèrement.

grimace ['grɪməs] *n* grimace *f* ▌ *vi* grimacer.

grime [graɪm] *n* crasse *f*. •**grimy** *a* (**-ier, -iest**) crasseux.

grin [grɪn] *vi* (**-nn-**) avoir un large sourire ▌ *n* large sourire *m.*

grind [graɪnd] **1** *vt* (*pt* & *pp* **ground**) (*coffee, pepper etc*) moudre; (*meat*) *Am* hacher; (*blade, tool*) aiguiser; (*oppress*) *Fig* écraser; **to g. one's teeth** grincer des dents ▮ *vi* **to g. to a halt** s'arrêter (progressivement); **grinding poverty** la misère noire. **2** *n* (*work, routine*) *Fam* corvée *f*, travail *m* long et monotone; **the daily g.** le boulot quotidien. ●**grinder** *n* **coffee g.** moulin *m* à café.

grip [ɡrɪp] *vt* (**-pp-**) (*seize*) saisir; (*hold*) tenir serré; (*of story*) *Fig* empoigner (qn); **to g. the road** (*of Br tyre, Am tire*) adhérer à la route.
▮ *vi* (*of brakes, screw*) mordre; (*of Br tyre, Am tire*) adhérer.
▮ *n* (*hold*) prise *f*; (*on situation*) contrôle *m* (**on** de); (*of subject*) *Fam* connaissance *f*; (*hand clasp*) poigne *f*; (*of Br tyre, Am tire*) adhérence *f*; (*handle*) poignée *f*; **to lose one's g.** *Fig* ne plus être à la hauteur, baisser; **get a g. on yourself!** secoue-toi!; **to come** *or* **get to grips with** (*problem, subject*) s'attaquer à; **in the g. of** (*despair etc*) en proie à. ●**gripping** *a* (*book, film etc*) passionnant.

gripe [ɡraɪp] *vi* (*complain*) *Sl* rouspéter.

grisly ['ɡrɪzlɪ] *a* (*gruesome*) horrible.

gristle ['ɡrɪs(ə)l] *n* (*in meat*) cartilage *m*.

grit [ɡrɪt] **1** *n* (*sand*) sable *m*; (*gravel*) gravillon *m* ▮ *vt* (**-tt-**) (*road*) sabler. **2** *n* (*courage*) *Fam* cran *m*. **3** *vt* (**-tt-**) **to g. one's teeth** serrer les dents.

grizzle ['ɡrɪz(ə)l] *vi Fam* pleurnicher. ●**grizzly** *a* **1** (*child*) *Fam* pleurnicheur. **2 g. bear** grizzli *m*.

groan [ɡrəʊn] *vi* (*with pain*) gémir; (*complain*) grogner, gémir ▮ *n* (*of pain*) gémissement *m*; (*of dissatisfaction*) grognement *m*.

grocer ['ɡrəʊsər] *n* épicier, -ière *mf*; **g.'s shop** épicerie *f*. ●**grocery** *n* (*shop*) *Am* épicerie *f*; **groceries** (*food*) provisions *fpl*.

grog [ɡrɒɡ] *n* (*drink*) grog *m*.

groggy ['ɡrɒɡɪ] *a* (**-ier, -iest**) (*shaky on one's feet*) pas solide sur les jambes; (*weak*) faible; (*from a blow*) groggy.

groin [ɡrɔɪn] *n* aine *f*; (*genitals*) bas-ventre *m*.

groom [ɡruːm] **1** *n* (*bridegroom*) marié *m*. **2** *n* (*for horses*) lad *m* ▮ *vt* (*horse*) panser; **to g. s.o. for a job/etc** préparer qn pour un poste/*etc*; **well groomed** (*person*) très soigné.

groove [ɡruːv] *n* (*slot for sliding door etc*) rainure *f*; (*in record*) sillon *m*.

grope [ɡrəʊp] *vi* **to g. (about)** tâtonner; **to g. for** chercher à tâtons.

gross [ɡrəʊs] **1** *a* (*total*) (*weight, income, output etc*) brut; **g. domestic product** produit *m* intérieur brut; **g. national product** produit national brut ▮ *vt* faire une recette brute de. **2** *a* (**-er, -est**) (*coarse*) grossier; **g. error** grosse erreur *f*, erreur *f* grossière; **g. injustice** injustice *f* flagrante. **3** *n* (*number*) grosse *f*. ●**grossly** *adv* (*very*) extrêmement; (*bluntly, coarsely*) grossièrement.

grotesque [ɡrəʊ'tesk] *a* (*ludicrous, strange*) grotesque; (*frightening*) monstrueux.

grotto ['ɡrɒtəʊ] *n* (*pl* **-oes** *or* **-os**) grotte *f*.

grotty ['ɡrɒtɪ] *a* (**-ier, -iest**) *Br Fam* (*ugly*) moche; (*of poor quality*) nul.

ground¹ [ɡraʊnd] **1** *n* terre *f*, sol *m*; (*area for camping, football etc*) terrain *m*; (*estate*) terres *fpl*; (*electrical wire*) *Am* terre *f*, masse *f*; (*background*) fond *m*; **grounds** (*reasons*) raisons *fpl*, motifs *mpl*; (*gardens*) parc *m*; **on the g.** (*lying, sitting etc*) par terre; **to gain/lose g.** gagner/perdre du terrain; **g. crew** (*at airport*) personnel *m* au sol; **g. floor** *Br* rez-de-chaussée *m inv*; **g. frost** gelée *f* blanche.
2 *vt* (*aircraft*) bloquer *or* retenir au sol. ●**grounding** *n* connaissances *fpl* (de fond) (**in** en). ●**groundless** *a* sans fondement.

ground² [ɡraʊnd] *pt* & *pp of* **grind** ▮ *a* (*coffee*) moulu; **g. meat** *Am* viande *f* hachée
▮ *npl* (*coffee*) **grounds** marc *m* (de café).

groundnut ['ɡraʊndnʌt] *n* arachide *f*. ●**groundsheet** *n* tapis *m* de sol. ●**groundswell** *n* lame *f* de fond. ●**groundwork** *n* préparation *f*.

group [ɡruːp] *n* groupe *m* ▮ *vt* **to g. (together)** grouper ▮ *vi* se grouper. ●**grouping** *n* (*group*) groupe *m*.

grouse [ɡraʊs] **1** *n inv* (*bird*) coq *m* de bruyère. **2** *vi* (*complain*) *Fam* rouspéter.

grove [ɡrəʊv] *n* bocage *m*.

grovel ['ɡrɒv(ə)l] *vi* (*Br* **-ll-**, *Am* **-l-**) (*be humble*) ramper, s'aplatir (**to s.o.** devant qn).

grow [ɡrəʊ] *vi* (*pt* **grew**, *pp* **grown**) (*of person*) grandir; (*of plant, hair*) pousser; (*increase*) augmenter, grandir, croître; (*of firm, town*) se développer; (*of gap, family*) s'agrandir; **to g. fat(ter)** grossir; **to g. to like** finir par aimer; **to g. into** devenir; **to g. on s.o.** (*of book, music etc*) plaire progressivement à qn; **to g. out of** (*one's clothes*) devenir trop grand pour; (*a habit*) perdre; **to g. up** devenir adulte; **when I g. up** quand je serai grand.
▮ *vt* (*plant, crops*) cultiver, faire pousser; (*beard, hair*) laisser pousser. ●**growing** *a* (*child*) qui grandit; (*number, discontent etc*) grandissant. ●**grower** *n* (*person*) cultivateur, -trice *mf* (**of** de).

growl [ɡraʊl] *vi* grogner (**at** contre) ▮ *n* grognement *m*.

grown [ɡrəʊn] *a* (*man, woman*) adulte. ●**grown-up** *n* grande personne *f*, adulte *mf* ▮ *a* (*ideas, behaviour etc*) d'adulte.

growth [ɡrəʊθ] *n* croissance *f*; (*increase*) augmentation *f* (**in** de); (*lump*) tumeur *f* (**on** à); **a week's g. of beard** une barbe de huit jours.

grub [ɡrʌb] *n* **1** (*food*) *Fam* bouffe *f*. **2** (*insect*) larve *f*.

grubby ['ɡrʌbɪ] *a* (**-ier, -iest**) sale.

grudge [ɡrʌdʒ] **1** *n* rancune *f*; **to have a g. against s.o.** garder rancune à qn. **2** *vt* **to g. s.o. sth** (*give*) donner qch à qn à contrecœur; (*reproach*) reprocher qch à qn; **to g. doing sth** faire qch à contrecœur. ●**grudging**

gruelling

a peu généreux. ● **grudgingly** *adv* (*to give etc*) à contrecœur.
gruelling, *Am* **grueling** ['gruəlɪŋ] *a* (*day, detail etc*) éprouvant, atroce.
gruesome ['gru:səm] *a* horrible.
gruff [grʌf] *a* (**-er, -est**) (*voice, person*) bourru.
grumble ['grʌmb(ə)l] *vi* (*complain*) râler, grogner (**about, at** contre).
grumpy ['grʌmpɪ] *a* (**-ier, -iest**) grincheux.
grunt [grʌnt] *vti* grogner ▮ *n* grognement *m*.
guarantee [gærən'tiː] *n* garantie *f* ▮ *vt* garantir (**against** contre); (*vouch for*) se porter garant de; **to g. s.o. that** garantir *or* certifier à qn que. ● **guarantor** *n* garant, -ante *mf*.
guard [gɑːd] *n* (*vigilance, group of soldiers etc*) garde *f*; (*individual person*) garde *m*; (*on train*) chef *m* de train; **to keep a g. on** surveiller; **under g.** sous surveillance; **on one's g.** sur ses gardes; **to catch s.o. off his g.** prendre qn au dépourvu; **on g.** (**duty**) de garde; **to stand g.** monter la garde.
▮ *vt* (*protect*) protéger (**against** contre); (*watch over*) surveiller, garder.
▮ *vi* **to g. against** (*protect oneself*) se prémunir contre; (*prevent*) empêcher; **to g. against doing/being** se garder de faire/d'être. ● **guarded** *a* (*cautious*) prudent.
guardian ['gɑːdɪən] *n* (*of child*) *Jur* tuteur, -trice *mf*; (*protector*) gardien, -ienne *mf*; **g. angel** ange *m* gardien.
Guatemala [gwætɪ'mɑːlə] *n* Guatemala *m*.
Guernsey ['gɜːnzɪ] *n* Guernesey *m or f*.
guerrilla [gə'rɪlə] *n* (*person*) guérillero *m*; **g. warfare** guérilla *f*.
guess [ges] *n* conjecture *f*; (*intuition*) intuition *f*; (*estimate*) estimation *f*; **to make** *or* **take a g.** (essayer de) deviner; **an educated** *or* **informed g.** une conjecture fondée; **at a g.** à vue de nez, au jugé.
▮ *vt* deviner (**that** que); (*length, number etc*) estimer; **to g. that** (*suppose*) *Am* supposer que; (*think*) *Am* croire que.
▮ *vi* deviner; **to g. right** deviner juste; **you guessed wrong** tu n'as pas deviné *or* trouvé; **I g. (so)** *Am* je suppose, (*I think so*) je crois. ● **guesswork** *n* hypothèse *f*; **by g.** à vue de nez, au jugé.
guest [gest] *n* invité, -ée *mf*; (*in hotel*) client, -ente *mf*; (*at meal*) convive *mf*; **our g. speaker/singer/etc** le conférencier/chanteur/ *etc* qui est notre invité. ● **guesthouse** *n* pension *f* de famille. ● **guestroom** *n* chambre *f* d'ami.
guffaw [gə'fɔː] *vi* rire bruyamment.
guidance ['gaɪdəns] *n* (*advice*) conseils *mpl*.
guide [gaɪd] *n* (*person*) guide *m*; (*indication*) indication *f*; **g. (book)** guide *m*; (*girl*) *a. Br* éclaireuse *f*; **g. dog** chien *m* d'aveugle ▮ *vt* (*lead*) guider; **guiding principle** principe *m* directeur. ● **guided** *a* (*missile, rocket*) guidé; **g. tour** visite *f* guidée. ● **guidelines** *npl* indications *fpl* (à suivre), lignes *fpl* directrices.
guild [gɪld] *n* association *f*; *Hist* corporation *f*.

guile [gaɪl] *n* (*deceit*) ruse *f*.
guillotine ['gɪlətiːn] *n* (*for execution*) guillotine *f*; (*for paper*) *Br* massicot *m*.
guilt [gɪlt] *n* culpabilité *f*. ● **guilty** *a* (**-ier, -iest**) coupable; **g. person** coupable *mf*; **to find s.o. g./not g.** déclarer qn coupable/non coupable.
guinea pig ['gɪnɪpɪg] *n* (*animal*) & *Fig* cobaye *m*.
guise [gaɪz] *n* **under the g. of** sous l'apparence de.
guitar [gɪ'tɑːr] *n* guitare *f*. ● **guitarist** *n* guitariste *mf*.
gulf [gʌlf] *n* (*in sea*) golfe *m*; (*chasm*) gouffre *m*; **a g. between** (*gap*) un abîme entre.
gull [gʌl] *n* (*bird*) mouette *f*.
gullet ['gʌlɪt] *n* gosier *m*.
gullible ['gʌlɪb(ə)l] *a* crédule.
gully ['gʌlɪ] *n* (*valley*) ravine *f*; (*drain*) rigole *f*.
gulp [gʌlp] **1** *vt* **to g. (down)** avaler (vite) ▮ *n* (*of drink*) gorgée *f*, lampée *f*; **in** *or* **at one g.** d'une seule gorgée. **2** *vi* (*with emotion*) avoir la gorge serrée ▮ *n* serrement *m* de gorge.
gum¹ [gʌm] *n* (*around teeth*) gencive *f*. ● **gumboil** *n* abcès *m* (dentaire).
gum² [gʌm] **1** *n* (*glue*) colle *f*; (*substance from tree*) gomme *f* ▮ *vt* (**-mm-**) coller. **2** *n* (*for chewing*) chewing-gum *m*.
gumption ['gʌmpʃ(ə)n] *n Fam* (*courage*) initiative *f*; (*commonsense*) jugeote *f*.
gun [gʌn] *n* pistolet *m*, revolver *m*; (*rifle*) fusil *m*; (*firing shells*) canon *m* ▮ *vt* (**-nn-**) **to g. down** abattre. ● **gunfight** *n* échange *m* de coups de feu. ● **gunfire** *n* coups *mpl* de feu; (*in battle*) tir *m* d'artillerie. ● **gunman** *n* (*pl* **-men**) bandit *m* armé. ● **gunner** *n* (*in army etc*) artilleur *m*. ● **gunpoint** *n* **to hold s.o. at g.** tenir qn sous la menace d'un pistolet *or* d'un fusil *or* d'une arme. ● **gunpowder** *n* poudre *f* à canon. ● **gunshot** *n* coup *m* de feu; **g. wound** blessure *f* par balle.
gunge [gʌndʒ] *n Br Fam* magma *m*.
gung-ho [gʌŋ'həʊ] *a* **g.-ho about sth** très enthousiaste à l'idée de qch.
gurgle ['gɜːg(ə)l] *vi* (*of water*) glouglouter; (*of baby*) gazouiller ▮ *n* glouglou *m*; (*of baby*) gazouillis *m*.
guru ['gʊruː] *n* (*leader*) *Fam* gourou *m*.
gush [gʌʃ] *vi* **to g. (out)** jaillir (**of** de) ▮ *n* jaillissement *m*.
gust [gʌst] *n* (*of smoke*) bouffée *f*; **g. of wind** rafale *f* (de vent) ▮ *vi* (*of wind*) souffler eu rafales. ● **gusty** *a* (**-ier, -iest**) (*weather*) venteux; (*day*) de vent.
gusto ['gʌstəʊ] *n* **with g.** avec entrain.
gut [gʌt] **1** *n* (*inside body*) intestin *m*; (*catgut*) boyau *m*; **guts** *Fam* (*insides*) ventre *m*, tripes *fpl*; (*courage*) cran *m*, tripes *fpl*; **he hates your guts** *Fam* il ne peut pas te sentir. **2** *vt* (**-tt-**) (*of fire*) ne laisser que les quatre murs de (*maison etc*).
gutter ['gʌtər] *n* (*on roof*) gouttière *f*; (*in street*) caniveau *m*. ● **guttering** *n* gouttières *fpl*.

guttural ['gʌtərəl] *a* guttural.
guy [gaɪ] *n* (*fellow*) *Fam* type *m*.
guzzle ['gʌz(ə)l] *vi* (*eat*) bâfrer ▮ *vt* (*eat*) engloutir (*gâteau etc*); (*drink*) siffler (*vin etc*).
gym [dʒɪm] *n* gym(nastique) *f*; (*gymnasium*) gymnase *m*; **g. shoes** tennis *fpl or mpl*.
●**gymnasium** [-'neɪzɪəm] *n* gymnase *m*.
●**gymnast** *n* gymnaste *mf*. ●**gym'nastics** *n* gymnastique *f*.
gynaecology, *Am* **gynecology** [gaɪnɪ'kɒlədʒɪ] *n* gynécologie *f*. ●**gynaecologist**, *Am* **gynecologist** *n* gynécologue *mf*.
gypsy ['dʒɪpsɪ] = gipsy.
gyrate [dʒaɪ'reɪt] *vi* tournoyer.

H

H, h [eɪtʃ] n H, h m; **H bomb** bombe f H.
haberdasher ['hæbədæʃər] n (selling sewing items) Br mercier, -ière mf; (men's outfitter) Am chemisier m. ● **haberdashery** n mercerie f; Am chemiserie f.
habit ['hæbɪt] n 1 habitude f; **to be in/get into the h. of doing** avoir/prendre l'habitude de faire; **to make a h. of doing** avoir pour habitude de faire. 2 (addiction) accoutumance f; **a h.-forming drug** une drogue qui crée une accoutumance. 3 (costume of monk or nun) habit m.
habitable ['hæbɪtəb(ə)l] a habitable. ● **habitat** n (of animal, plant) habitat m. ● **habitation** [-'teɪʃ(ə)n] n habitation f; **fit for (human) h.** habitable.
habitual [hə'bɪtʃʊəl] a habituel; (smoker, drinker etc) invétéré. ● **habitually** adv habituellement.
hack [hæk] 1 vt (cut) tailler. 2 n (old horse) rosse f; (hired horse) cheval m de louage; **h. (writer)** Pej écrivaillon m; **h. work** (drudgery) tâches fpl ingrates.
hacker ['hækər] n Compt pirate m (informatique).
hackneyed ['hæknɪd] a (saying) rebattu, banal (mpl -als).
had [hæd] pt & pp of have.
haddock ['hædək] n (fish) aiglefin m; **smoked h.** haddock m.
haemorrhage ['hemərɪdʒ] n (bleeding) hémorragie f.
haemorrhoids ['hemərɔɪdz] npl hémorroïdes fpl.
hag [hæg] n (old) h. (vieille) sorcière f.
haggard ['hægəd] a (person, face) hâve, émacié.
haggle ['hæg(ə)l] vi marchander; **to h. over (article)** marchander; **to h. over the price** discuter le prix. ● **haggling** n marchandage m.
Hague (The) [ðə'heɪg] n La Haye.
ha-ha! [hɑː'hɑː] int (laughter) ha, ha!
hail[1] [heɪl] n grêle f; **a h. of bullets/etc** Fig une grêle de balles/etc ▌ v imp grêler; **it's hailing** il grêle. ● **hailstone** n grêlon m.
hail[2] [heɪl] 1 vt (greet) saluer; (taxi) héler. 2 vi **to h. from** (of person) être originaire de; (of ship, train etc) être en provenance de.
hair [heər] n (on head) cheveux mpl; (on body, of animal) poils mpl; **a h.** (on head) un cheveu; (on body, of animal) un poil; **by a h.'s breadth** de justesse; **h. cream** brillantine f; **h. dryer** sèche-cheveux m inv; **h. spray** (bombe f de) laque f.
hairbrush ['heəbrʌʃ] n brosse f à cheveux. ● **haircut** n coupe f de cheveux; **to have a h.** se faire couper les cheveux. ● **hairdo** n (pl -dos) Fam coiffure f. ● **hairdresser** n coiffeur, -euse mf. ● **hairgrip** n pince f à cheveux. ● **hairnet** n résille f. ● **hairpiece** n postiche m. ● **hairpin** n épingle f à cheveux; **h. bend** (in road) virage m en épingle à cheveux. ● **hair-raising** a effrayant, à faire dresser les cheveux sur la tête. ● **hair-splitting** n ergotage m. ● **hairstyle** n coiffure f.
-haired [heəd] suff **long-/red-/etc h.** aux cheveux longs/roux/etc.
hairy ['heərɪ] a (-ier, -iest) (person, animal, body) poilu; (frightening) Fam effrayant.
hake [heɪk] n (fish) colin m.
hale [heɪl] a **h. and hearty** vigoureux.
half [hɑːf] n (pl halves) moitié f, demi, -ie mf; (part of match) mi-temps f; (half fare) Br demi-tarif m; **h. (of) the apple/etc** la moitié de la pomme/etc; **ten and a h.** dix et demi; **ten and a h. weeks** dix semaines et demie; **to cut in h.** couper en deux; **to go halves with** partager les frais avec.
▌ a demi; **h. a day, a h.-day** une demi-journée; **h. a dozen, a h.-dozen** une demi-douzaine; **h. fare** demi-tarif m; **at h. price** à moitié prix; **h. man h. beast** mi-homme mi-bête; **h. sleeves** manches fpl mi-longues.
▌ adv (dressed, full etc) à moitié, à demi; (almost) presque; **h. asleep** à moitié endormi; **h. past one** une heure et demie; **he isn't h. lazy/etc** Br Fam il est drôlement or rudement paresseux/etc; **h. as much as** moitié moins que; **h. as much again** moitié plus.
half-back ['hɑːfbæk] n Football demi m. ● **half-baked** a (idea) Fam à la manque, à la noix. ● **half-caste** n métis, -isse mf. ● **half-'dozen** n demi-douzaine f. ● **half-'hearted** a (person, manner) peu enthousiaste; (effort) timide. ● **half-'hour** n demi-heure f. ● **half-light** n pénombre f, demi-jour m. ● **half-'mast** n **at h.-mast** (flag) en berne. ● **half-'open** a entrouvert. ● **half-'price** a & adv à moitié prix. ● **half-'term** n (in British school) petites vacances fpl, congé m de demi-trimestre. ● **half-'time** n (in game) mi-temps f. ● **half'way** adv (between places) à mi-chemin (between entre); **to fill/etc h.** remplir/etc à moitié; **to be h. through a book/etc** être (arrivé) à la moitié d'un livre/etc. ● **half-wit** n or **half-'witted** a imbécile (mf).
halibut ['hælɪbət] n (fish) flétan m.
hall [hɔːl] n (room) salle f; (house entrance) entrée f, vestibule m; (of hotel) hall m; (mansion) manoir m; (for meals, in British

handy

university) réfectoire *m*; **h. of residence** *Br* résidence *f* universitaire; **halls of residence** *Br* cité *f* universitaire; **lecture h.** amphithéâtre *m*.
hallelujah [hælɪˈluːjə] *n* & *int* alléluia (*m*).
hallmark [ˈhɔːlmɑːk] *n* (*on silver or gold*) poinçon *m*; (*of genius, talent*) *Fig* sceau *m*.
hallo! [həˈləʊ] *int* (*greeting*) bonjour!; (*answering phone*) allô!; (*surprise*) tiens!
hallow [ˈhæləʊ] *vt* sanctifier.
Hallowe'en [hæləʊˈiːn] *n* la veille de la Toussaint.
hallstand [ˈhɔːlstænd] *n Br* portemanteau *m*.
hallucination [həluːsɪˈneɪʃ(ə)n] *n* hallucination *f*.
hallway [ˈhɔːlweɪ] *n* entrée *f*, vestibule *m*.
halo [ˈheɪləʊ] *n* (*pl* **-oes** or **-os**) (*round angel etc*) auréole *f*; (*round person, thing*) *Fig* auréole *f*, halo *m*.
halogen [ˈhælədʒən] *n* **h. lamp** lampe *f* halogène.
halt [hɔːlt] *n* halte *f*; **to call a h. to** mettre fin à; **to come to a h.** s'arrêter ∎ *vi* (*of soldiers etc*) faire halte; (*of production etc*) s'arrêter ∎ *vt* (*stop*) arrêter ∎ *int* (*to soldiers*) halte!
● **halting** *a* (*voice*) hésitant.
halve [hɑːv] *vt* (*time, expense*) réduire de moitié; (*number, cake etc*) diviser en deux.
ham [hæm] *n* **1** jambon *m*; **h. and eggs** œufs *mpl* au jambon; **h. sandwich** sandwich *m* au jambon. **2** *n* (*actor*) *Pej* cabotin, -ine *mf*.
hamburger [ˈhæmbɜːgər] *n* hamburger *m*.
ham-fisted [hæmˈfɪstɪd] *a Fam* maladroit.
hamlet [ˈhæmlɪt] *n* hameau *m*.
hammer [ˈhæmər] *n* marteau *m* ∎ *vt* (*nail*) enfoncer (**into** dans); (*metal*) marteler; (*defeat*) *Fam* battre à plate(s) couture(s); (*criticize*) *Fam* démolir; **to h. out** (*agreement, plan*) mettre au point ∎ *vi* frapper (au marteau); **to h. on the door** frapper à la porte à coups redoublés. ● **hammering** *n* (*defeat*) *Fam* raclée *f*, défaite *f*.
hammock [ˈhæmək] *n* hamac *m*.
hamper [ˈhæmpər] **1** *vt* (*hinder*) gêner. **2** *n* (*basket*) *Br* panier *m* (*à provisions, à pique-nique*); (*laundry basket*) *Am* panier *m* à linge.
hamster [ˈhæmstər] *n* hamster *m*.
hand[1] [hænd] *n* **1** main *f*; **to hold in one's h.** tenir à la main; **by h.** (*to make, sew etc*) à la main; **to deliver sth by h.** remettre qch en mains propres; **at** or **to h.** (*within reach*) sous la main, à portée de la main; (**close**) **at h.** (*person etc*) tout près; (*day etc*) proche; **the situation is in h.** la situation est bien en main; **the matter in h.** l'affaire *f* en question; **to have money in h.** avoir de l'argent disponible; **work in h.** travail *m* en cours; **on h.** (*ready for use*) disponible; **to have s.o. on one's hands** *Fig* avoir qn sur les bras; **on the right h.** du côté droit (**of** de); **on the one h....** d'une part...; **on the other h....** d'autre part...; **hands up!** (*in attack*) haut les mains!; (*to schoolchildren*) levez la main!; **hands off!** pas touche!, bas les pattes!; **my hands are full** *Fig* je suis très occupé; **to give s.o. a** (**helping**) **h.** donner un coup de main à qn; **to get out of h.** (*of child etc*) devenir impossible; (*of situation*) devenir incontrôlable; **h. in h.** la main dans la main; **it goes h. in h. with** (*together with*) *Fig* cela va de pair avec; **at first h.** de première main; **to win hands down** gagner haut la main ∎ *a* (*luggage, grenade etc*) à main; (*cream, lotion*) pour les mains.
2 *n* (*worker*) ouvrier, -ière *mf*; (*of clock*) aiguille *f*; *Cards* jeu *m*; (*style of writing*) écriture *f*.
hand[2] [hænd] *vt* (*give*) donner (**to** à); **to h. down** (*bring down*) descendre; (*knowledge, heirloom*) transmettre (**to** à); **to h. in** remettre; **to h. out** distribuer; **to h. over** remettre; (*power*) transmettre; **to h. round** (*cakes, photos etc*) passer.
handbag [ˈhændbæg] *n* sac *m* à main.
● **handball** *n Sport* hand-ball *m*. ● **handbill** *n* prospectus *m*. ● **handbook** *n* (*manual*) manuel *m*; (*guide*) guide *m*. ● **handbrake** *n* frein *m* à main. ● **handbrush** *n* balayette *f*. ● **handcuff** *vt* passer les menottes à; **to be handcuffed** avoir les menottes aux poignets. ● **handcuffs** *npl* menottes *fpl*. ● **hand'made** *a* fait à la main. ● **hand'picked** *a* (*team member etc*) trié sur le volet. ● **handrail** *n* (*on stairs*) rampe *f*. ● **handshake** *n* poignée *f* de main. ● **hands-on** *a* (*experience etc*) pratique, direct. ● **handwriting** *n* écriture *f*. ● **hand'written** *a* écrit à la main.
handful [ˈhændfʊl] *n* (*bunch, group*) poignée *f*; **she's** (**quite**) **a h.** elle est difficile.
handicap [ˈhændɪkæp] *n* (*disadvantage*) & *Sport* handicap *m* ∎ *vt* (**-pp-**) handicaper; **to be handicapped** (*after an accident*) rester handicapé. ● **handicapped** *a* (*disabled*) handicapé.
handicraft [ˈhændɪkrɑːft] *n* artisanat *m* d'art.
● **handiwork** *n* artisanat *m* d'art; (*action, work achieved*) ouvrage *m*.
handkerchief [ˈhæŋkətʃɪf] *n* (*pl* **-fs**) mouchoir *m*.
handle [ˈhænd(ə)l] **1** *n* (*of door*) poignée *f*; (*of knife*) manche *m*; (*of bucket*) anse *f*; (*of saucepan*) queue *f*; (*of pump*) bras *m*. **2** *vt* (*manipulate*) manier; (*touch*) toucher à; (*vehicle, ship*) manœuvrer; (*deal with*) s'occuper de; (*difficult child etc*) s'y prendre avec ∎ *vi* **to h. well** (*of machine*) être facile à manier.
handlebars [ˈhænd(ə)lbɑːz] *npl* guidon *m*.
handout [ˈhændaʊt] *n* (*leaflet*) prospectus *m*; (*money*) aumône *f*.
handsome [ˈhænsəm] *a* (*person, building etc*) beau (*f* belle); (*profit, sum*) considérable; (*gift*) généreux. ● **handsomely** *adv* (*generously*) généreusement.
handy [ˈhændɪ] *a* (**-ier, -iest**) (*convenient, practical*) commode, pratique; (*skilful*) habile (**at doing** à faire); (*useful*) utile; (*within reach*) sous la main; (*place*) accessible; **to come in h.** se révéler utile; **to keep sth h.** avoir qch sous la main. ● **handyman** *n* (*pl*

-men) (*DIY enthusiast*) bricoleur *m*; (*workman*) homme *m* à tout faire.

hang¹ [hæŋ] *vt* (*pt & pp* **hung**) suspendre (**on, from** à); (*on hook*) accrocher (**on, from** à), suspendre; (*wallpaper*) poser; (*let dangle*) laisser pendre (**from,** *out of* de); **to h. sth with sth** (*decorate with*) orner qch de qch.
∎ *vi* (*dangle*) pendre; (*of threat*) planer; (*of fog, smoke*) flotter.
2 *n* **to get the h. of sth** *Fam* arriver à comprendre qch; **to get the h. of doing sth** *Fam* trouver le truc pour faire qch. ●**hanging¹** *a* suspendu (**from** à); (*leg, arm*) pendant; **h. on the wall** accroché au mur.

hang² [hæŋ] *vt* (*pt & pp* **hanged**) (*criminal*) pendre (**for murder/***etc* pour meurtre/*etc*) ∎ *vi* (*of criminal*) être pendu. ●**hanging²** *n* (*execution*) pendaison *f*. ●**hangman** *n* (*pl* **-men**) bourreau *m*.

hang about *or* **around** *vi* (*loiter*) traîner, rôder; (*wait*) *Fam* attendre ∎ **to hang down** *vi* (*dangle*) pendre; (*of hair*) tomber ∎ **to hang on** *vi* (*hold out*) résister; (*wait*) *Fam* attendre; **to h. on to** (*cling to*) ne pas lâcher; (*keep*) garder ∎ **to hang out** *vt* (*washing*) étendre; (*flag*) arborer ∎ *vi* (*of tongue, shirt*) pendre; (*live*) *Sl* crécher ∎ **to hang together** *vi* (*of facts*) se tenir; (*of plan*) tenir debout ∎ **to hang up** *vt* (*picture etc*) accrocher ∎ *vi* (*on phone*) raccrocher.

hangar ['hæŋər] *n* (*for aircraft*) hangar *m*.

hanger ['hæŋər] *n* (*coat*) **h.** cintre *m*.
●**hanger-'on** *n* (*pl* **hangers-on**) (*unwanted follower*) parasite *m*.

hang-glider ['hæŋglaɪdər] *n* delta-plane® *m*.
●**hang-gliding** *n* vol *m* libre.

hangnail ['hæŋneɪl] *n* petites peaux *fpl*.

hangover ['hæŋəʊvər] *n* (*after drinking*) *Fam* gueule *f* de bois.

hangup ['hæŋʌp] *n Fam* complexe *m*.

hanker ['hæŋkər] *vi* **to h. after** *or* **for** avoir envie de. ●**hankering** *n* (forte) envie *f*.

hankie, hanky ['hæŋkɪ] *n Fam* mouchoir *m*.

hanky-panky [hæŋkɪ'pæŋkɪ] *n inv Fam* (*sexual behaviour*) galipettes *fpl*, papouilles *fpl*, pelotage *m*; (*deceit*) manigances *fpl*, magouilles *fpl*.

haphazard [hæp'hæzəd] *a* (fait) au hasard, (fait) au petit bonheur; (*selection, arrangement*) aléatoire. ●**haphazardly** *adv* au hasard.

hapless ['hæplɪs] *a Lit* infortuné.

happen ['hæpən] *vi* arriver, se passer, se produire; **to h. to s.o./sth** arriver à qn/qch; **I h. to know, it (so) happens that I know** il se trouve que je le sais; **do you h. to have...?** est-ce que par hasard vous avez...?; **whatever happens** quoi qu'il arrive. ●**happening** *n* événement *m*.

happily ['hæpɪlɪ] *adv* joyeusement; (*contentedly*) tranquillement; (*fortunately*) heureusement; **h. married couple** couple *m* heureux.

happiness ['hæpɪnəs] *n* bonheur *m*.

happy ['hæpɪ] *a* (**-ier, -iest**) heureux (**to do** de faire, **about sth** de qch); **I'm not (too** *or* **very) h. about (doing) it** ça ne me plaît pas beaucoup (de le faire); **H. New Year!** bonne année!; **H. Christmas!** Joyeux Noël!
●**happy-go-'lucky** *a* insouciant.

harass [*Br* 'hærəs, *Am* hə'ræs] *vt* harceler.
●**harassment** *n* harcèlement *m*; **sexual h.** harcèlement *m* sexuel.

harbour ['hɑːbər] (*Am* **harbor**) **1** *n* port *m*. **2** *vt* (*shelter*) cacher, abriter (*assassin, fugitif*). **3** *vt* (*hope*) nourrir (*crainte, secret*); **to h. a grudge against** garder rancune contre.

hard [hɑːd] *a* (**-er, -est**) (*not soft, severe*) dur; (*difficult*) difficile, dur; (*study*) assidu; (*drink*) (fortement) alcoolisé; (*water*) calcaire; **to be h. on** *or* **to s.o.** être dur avec qn; **to find it h. to sleep/***etc* avoir du mal à dormir/*etc*; **no h. feelings!** sans rancune!; **h. of hearing** dur d'oreille; **h. cash** espèces *fpl*; **h. core** (*group*) noyau *m*; **h. disk** (*of computer*) disque *m* dur; **h. drinker/worker** gros buveur *m*/travailleur *m*; **h. evidence** preuves *fpl* tangibles; **the h. facts** les faits bruts; **h. frost** une forte gelée; **h. labour** travaux *mpl* forcés; **h. up** (*broke*) *Fam* fauché; **to be h. up for sth** manquer de qch.
∎ *adv* (**-er, -est**) (*to work*) dur; (*to pull*) fort; (*to hit, freeze*) dur, fort; (*to study*) assidûment; (*to rain*) à verse; (*badly*) mal; **to look h. at** regarder fixement; (*examine*) regarder de près; **to look h.** (*seek*) chercher bien; **to think h.** réfléchir bien; **h. at work** en plein travail; **h. by** tout près; **to be h. done by** être traité injustement.

hard-and-fast [hɑːdən(d)'fɑːst] *a* (*rule*) strict. ●**'hardback** *n* livre *m* relié.
●**'hardboard** *n* Isorel® *m*. ●**hard-'boiled** *a* (*egg*) dur. ●**hard-'core** *a* (*supporter etc*) inconditionnel. ●**'hard-earned** *a* (*money*) péniblement gagné; (*rest etc*) bien mérité.
●**hard'headed** *a* réaliste. ●**hard'wearing** *a* résistant. ●**hardwood** *n* bois *m* de feuillu.
●**hard-'working** *a* travailleur.

harden ['hɑːd(ə)n] *vti* durcir; **to become hardened to** s'endurcir à. ●**hardened** *a* (*criminal*) endurci.

hardly ['hɑːdlɪ] *adv* à peine; **he h. talks** il parle à peine, il ne parle guère; **h. anyone/ anything** presque personne/rien; **h. ever** presque jamais.

hardness ['hɑːdnɪs] *n* dureté *f*.

hardship ['hɑːdʃɪp] *n* (*ordeal*) épreuve(s) *f(pl)*; (*deprivation*) privation(s) *f(pl)*.

hardware ['hɑːdweər] *n inv* quincaillerie *f*; (*of computer*) & *Mil* matériel *m*; **h. shop** quincaillerie *f*.

hardy ['hɑːdɪ] *a* (**-ier, -iest**) (*person, plant*) résistant.

hare [heər] *n* lièvre *m*. ●**hare-brained** *a* (*person*) écervelé; (*scheme*) insensé.

harem [hɑː'riːm] *n* harem *m*.

hark [hɑːk] *vi Lit* écouter; **to h. back to** (*subject etc*) *Fam* revenir sur.

harm [hɑːm] *n* (*hurt*) mal *m*; (*wrong*) tort *m*; **he means (us) no h.** il ne nous veut pas de mal; **she'll come to no h.** il ne lui arrivera

rien; **out of h.'s way** à l'abri du danger ∥ *vt* (*hurt*) faire du mal à (*qn*); (*health, interests, cause etc*) nuire à, faire du tort à; (*object*) endommager, abîmer. ●**harmful** *a* nuisible.
●**harmless** *a* (*person, treatment*) inoffensif; (*hobby, act*) innocent; (*gas, fumes etc*) qui n'est pas nuisible, inoffensif.
harmonic [hɑːˈmɒnɪk] *a & n Mus* harmonique (*m*).
harmonica [hɑːˈmɒnɪkə] *n* harmonica *m*.
harmonious [hɑːˈməʊnɪəs] *a* harmonieux.
harmonium [hɑːˈməʊnɪəm] *n* (*musical instrument*) harmonium *m*.
harmonize [ˈhɑːmənaɪz] *vt* harmoniser ∥ *vi* s'harmoniser.
harmony [ˈhɑːmənɪ] *n* harmonie *f*.
harness [ˈhɑːnɪs] *n* (*for horse, baby*) harnais *m* ∥ *vt* (*horse*) harnacher; (*energy etc*) *Fig* exploiter.
harp [hɑːp] **1** *n* harpe *f*. **2** *vi* **to h. on about sth** *Fam* ne pas s'arrêter de parler de qch.
●**harpist** *n* harpiste *mf*.
harpoon [hɑːˈpuːn] *n* harpon *m* ∥ *vt* (*whale*) harponner.
harpsichord [ˈhɑːpsɪkɔːd] *n* (*musical instrument*) clavecin *m*.
harrowing [ˈhærəʊɪŋ] *a* (*story, memory*) poignant; (*experience*) très éprouvant; (*cry, sight*) déchirant.
harsh [hɑːʃ] *a* (-er, -est) (*severe*) dur, sévère; (*winter, climate*) rude, rigoureux; (*sound*) discordant; (*voice*) rauque; (*taste*) âpre; (*surface*) rugueux; (*fabric*) rêche; **h. light** lumière *f* crue; **to be h. with s.o.** être dur *or* sévère envers qn. ●**harshly** *adv* durement, sévèrement. ●**harshness** *n* dureté *f*, sévérité *f*; (*of winter etc*) rigueur *f*; (*of sound*) discordance *f*; (*of taste*) âpreté *f*; (*of surface*) rugosité *f*.
harvest [ˈhɑːvɪst] *n* moisson *f*; (*of fruit*) récolte *f* ∥ *vt* moissonner; (*fruit*) récolter.
has [hæz] *see* **have**. ●**has-been** *n Fam* personne *f* finie.
hash [hæʃ] **1** *n* (*food*) hachis *m* ∥ *vt* **to h. (up)** hacher. **2** *n* (*mess*) *Fam* gâchis *m*; **to make a h. of sth** faire un beau gâchis de qch. **3** *n* (*hashish*) *Fam* hasch *m*, H *m*.
hashish [ˈhæʃiːʃ] *n* haschisch *m*.
hassle [ˈhæs(ə)l] *n Fam* (*trouble*) histoires *fpl*; (*bother*) mal *m*, peine *f*.
haste [heɪst] *n* hâte *f*; **to make h.** se hâter.
hasten [ˈheɪs(ə)n] *vi* se hâter (**to do** de faire) ∥ *vt* hâter.
hasty [ˈheɪstɪ] *a* (-ier, -iest) (*sudden*) précipité; (*visit*) rapide; (*decision, work*) hâtif. ●**hastily** *adv* (*quickly*) à la hâte; (*too quickly*) hâtivement.
hat [hæt] *n* chapeau *m*; (*of child*) bonnet *m*; (*cap*) casquette *f*; **that's old h.** *Fam* (*old-fashioned*) c'est vieux jeu; (*stale*) c'est vieux comme les rues; **to score** *or* **get a h. trick** *Sport* réussir trois coups consécutifs.
hatch [hætʃ] **1** *vi* (*of chick, egg*) éclore ∥ *vt* faire éclore; (*plot*) *Fig* tramer. **2** *n* (*in kitchen wall*) *Br* passe-plats *m inv*; (*on ship*) écoutille *f*.
hatchback [ˈhætʃbæk] *n* (*car*) trois-portes *f inv*, cinq-portes *f inv*; (*door*) hayon *m*.
hatchet [ˈhætʃɪt] *n* hachette *f*.
hate [heɪt] *vt* détester, haïr; **to h. doing** *or* **to do** détester faire; **I h. to say it** ça me gêne de le dire ∥ *n* haine *f*; **pet h.** *Br Fam* bête *f* noire. ●**hateful** *a* haïssable. ●**hatred** [ˈheɪtrɪd] *n* haine *f*.
hatstand [ˈhætstænd] *n* portemanteau *m*.
haughty [ˈhɔːtɪ] *a* (-ier, -iest) hautain.
●**haughtily** *adv* avec hauteur.
haul [hɔːl] **1** *vt* (*pull*) tirer, traîner; (*goods*) camionner. **2** *n* (*fish caught*) prise *f*; (*of thief*) butin *m*; **a long h.** (*trip*) un long voyage. ●**haulage** *n* camionnage *m*. ●**hauler** *Am or* **haulier** *Br n* transporteur *m* routier.
haunt [hɔːnt] **1** *vt* hanter. **2** *n* (*place*) endroit *m* favori; (*of criminal*) repaire *m*. ●**haunted** *a* (*house etc*) hanté. ●**haunting** *a* (*music, memory*) obsédant.
have [hæv] **1** (*3rd person sing pres t* **has**; *pt & pp* **had**; *pres p* **having**) *vt avoir*; (*get*) recevoir, avoir; (*meal, shower, lesson etc*) prendre; **he has got, he has** il a; **to h. a walk/dream/***etc* faire une promenade/un rêve/*etc*; **to h. a drink** prendre *or* boire un verre; **to h. a wash** se laver; **to h. a pleasant** *Br* **holiday** *or Am* **vacation** (*spend*) passer d'agréables vacances; **let's h. a party** *or* **celebration** on va fêter ça; **will you h....?** (*a cake, some tea etc*) est-ce que tu veux...?; **to let s.o. h. sth** donner qch à qn; **to h. it from s.o. that** tenir de qn que; **he had me by the hair** il me tenait par les cheveux; **I won't h. this** (*allow*) je ne tolérerai pas ça; **you've had it!** *Fam* tu es fichu!; **I've been had** (*cheated*) *Fam* je me suis fait avoir; **to h. gloves/a dress/***etc* **on** porter des gants/une robe/*etc*; **to h. something on** (*be busy*) être pris; **to h. s.o. over** *or* **round** inviter qn chez soi.

2 *v aux* avoir; (*with* entrer, monter, sortir *etc & pronominal verbs*) être; **to h. decided** avoir décidé; **to h. gone** être allé; **to h. cut oneself** s'être coupé; **she has been punished** elle a été punie, on l'a punie; **I've just done it** je viens de le faire; **I've got to go, I h. to go** je dois partir, je suis obligé de partir, il faut que je parte; **I don't h. to go** je ne suis pas obligé de partir; **to h. sth done** (*get sth done*) faire faire qch; **he's had his suitcase brought up** il a fait monter sa valise; **she's had her hair cut** elle s'est fait couper les cheveux; **I've had my car stolen** on m'a volé mon auto; **I've been doing it for months** je le fais depuis des mois; **haven't I?, hasn't she?** *etc* n'est-ce pas?; **no I haven't!** non!; **yes I h.!** si!; **after he had eaten** *or* **after having eaten**, he left après avoir mangé, il partit.

3 *npl* **the haves and (the) have-nots** les riches *mpl* et les pauvres *mpl*.
haven [ˈheɪv(ə)n] *n* refuge *m*, havre *m*.

haven't ['hævənt] = have not.
haversack ['hævəsæk] *n* (*shoulder bag*) musette *f*.
havoc ['hævək] *n* ravages *mpl*; **to wreak** *or* **cause h.** causer des ravages.
hawk [hɔːk] **1** *n* (*bird*) & *Pol* faucon *m*. **2** *vt* (*goods*) colporter. ● **hawker** *n* colporteur, -euse *mf*.
hawthorn ['hɔːθɔːn] *n* aubépine *f*.
hay [heɪ] *n* foin *m*; **h. fever** rhume *m* des foins. ● **haystack** *n* meule *f* de foin.
haywire ['heɪwaɪər] *a* **to go h.** (*of machine*) se détraquer; (*of scheme, plan*) mal tourner.
hazard ['hæzəd] *n* risque *m*; **health h.** risque *m* pour la santé; **it's a fire h.** ça risque de provoquer un incendie; **h. (warning) lights** (*on vehicle*) *Br* feux *mpl* de détresse ▮ *vt* (*guess, remark etc*) hasarder, risquer. ● **hazardous** *a* hasardeux.
haze [heɪz] **1** *n* brume *f*; **in a h.** (*person*) (*confused*) dans le brouillard. **2** *vt* (*student*) *Am* bizuter. ● **hazing** *n Am* bizutage *m*.
hazel ['heɪz(ə)l] *n* (*bush*) noisetier *m* ▮ *a* **to have h. eyes** avoir les yeux noisette. ● **hazelnut** *n* noisette *f*.
hazy ['heɪzɪ] *a* (**-ier, -iest**) (*weather*) brumeux; (*photo, idea*) flou; **h. sunshine** soleil *m* voilé; **I'm h. about my plans** je ne suis pas sûr de mes projets.
he [hiː] *pron* il; (*stressed*) lui; **he wants** il veut; **he's a happy man** c'est un homme heureux; **if I were he** si j'étais lui; **he and I** lui et moi ▮ *n* (*male*) *Fam* mâle *m*; **he-bear** ours *m* mâle; **it's a he** (*baby*) *Fam* c'est un garçon.
head [hed] **1** *n* (*of person, hammer etc*) tête *f*; (*leader*) chef *m*; (*headmaster*) *Br* directeur *m*; (*headmistress*) *Br* directrice *f*; (*of bed*) chevet *m*, tête *f*; (*of arrow*) pointe *f*; (*subject heading*) rubrique *f*; (**tape**) **h.** (*of tape recorder, VCR*) tête *f* magnétique; **h. of hair** chevelure *f*; **h. first** la tête la première; **this beer has a (good) h.** cette bière a de la mousse *or* un faux-col; **it didn't enter my h.** ça ne m'est pas venu à l'esprit (**that** que); **to take it into one's h. to do** se mettre en tête de faire; **to shout one's h. off** *Fam* crier à tue-tête; **to have a good h. for business** avoir le sens des affaires; **at the h. of** (*in charge of*) à la tête de; **at the h. of the table** au haut bout de la table; **at the h. of the list** en tête de liste; **at the h. of the page** en haut de (la) page; **it's above my h.** ça me dépasse; **to keep one's h.** garder son sang-froid; **to lose one's h.** perdre la tête; **to go off one's h.** devenir fou; **it's coming to a h.** (*of situation*) ça devient critique; **heads or tails?** pile ou face?; **per h., a h.** (*each*) par personne; **h. cold** rhume *m* de cerveau.
2 *a* (*salesperson etc*) principal; **h. gardener** jardinier *m* en chef; **h. waiter** maître *m* d'hôtel; **to have a h. start** avoir une grosse avance (**over** sur).
3 *vt* (*group, firm*) être à la tête de; (*list, poll*) être en tête de; (*vehicle*) diriger (**towards** vers); **to h. the ball** *Football* faire une tête; **to h. off** (*person*) détourner de son chemin; (*prevent*) empêcher (*qch*); **to be headed for** *Am* = **to h. for.**
4 *vi* **to h. for, be heading for** (*place*) se diriger vers; (*ruin etc*) *Fig* aller à.
headache ['hedeɪk] *n* mal *m* de tête; (*difficulty, person*) *Fig* problème *m*, (véritable) casse-tête *m inv*; **to have a h.** avoir mal à la tête. ● **headdress** *n* (*ornamental*) coiffe *f*. ● **headlamp** *Br or* **headlight** *n* (*of vehicle*) phare *m*. ● **headline** *n* (*of newspaper*) manchette *f*; **the headlines** les (gros) titres *mpl*; (*on radio, TV*) les (grands) titres *mpl*. ● **headlong** *adv* (*to fall*) la tête la première; **to rush** *or* **run h.** courir tête baissée. ● **head'master** *n* (*of school*) *Br* directeur *m*; (*of lycée*) proviseur *m*. ● **head'mistress** *n* (*of school*) *Br* directrice *f*; (*of lycée*) proviseur *m*. ● **head-'on** *adv* & *a* (*to collide, collision*) de plein fouet. ● **headphones** *npl* casque *m* (à écouteurs). ● **headquarters** *npl* (*of company, political party*) siège *m* (central); (*of army, police*) quartier *m* général, QG *m*. ● **headrest** *n* appuie-tête *m inv*. ● **headscarf** *n* (*pl* -scarves) foulard *m*. ● **headstrong** *a* têtu. ● **headway** *n* progrès *mpl*; **to make h.** faire des progrès.
headed ['hedɪd] *a* **h. (note)paper** *Br* papier *m* (à lettres) à en-tête.
-headed ['hedɪd] *suff* **two-h.** (*monster etc*) à deux têtes; **curly-h.** aux cheveux frisés.
header ['hedər] *n Football* (coup *m* de) tête *f*.
heading ['hedɪŋ] *n* (*of chapter, page etc*) titre *m*; (*of subject*) rubrique *f*; (*printed on letter etc*) en-tête *m*.
heady ['hedɪ] *a* (**-ier, -iest**) (*wine etc*) capiteux; (*action, speech*) impétueux.
heal [hiːl] *vi* **to h. (up)** (*of wound*) se cicatriser; (*of bruise*) disparaître; (*of bone*) se ressouder ▮ *vt* (*wound*) cicatriser, guérir; (*bruise*) faire disparaître; (*bone*) ressouder; (*person, Fig sorrow*) guérir. ● **healer** *n* guérisseur, -euse *mf*.
health [helθ] *n* santé *f*; **in good/bad h.** en bonne/mauvaise santé; **h. food** aliment *m* naturel; **h. food shop** *Br or* **h. food store** *Am* magasin *m* de produits diététiques; **h. food restaurant** restaurant *m* diététique; **h. resort** station *f* climatique; **the (National) H. Service** *Br* = la Sécurité Sociale. ● **healthful** *a* sain.
healthy ['helθɪ] *a* (**-ier, -iest**) (*person*) en bonne santé, sain; (*food, attitude etc*) sain; (*appetite*) bon, robuste.
heap [hiːp] *n* tas *m*; **heaps of** (*money, people*) *Fam* des tas de; **to have heaps of time** *Fam* avoir largement le temps ▮ *vt* entasser, empiler ▮ **to h. on s.o.** (*praise, gifts*) couvrir qn de; (*insults, work*) accabler qn de; **a heaped spoonful** *Br*, **a heaping spoonful** *Am* une grosse cuillerée.
hear [hɪər] *vt* (*pt & pp* **heard** [hɜːd]) entendre; (*listen to*) écouter; (*learn*) apprendre (**that** que); **I heard him come** *or* **coming** je

heighten

l'ai entendu venir; **to h. it said that** entendre dire que; **have you heard the news?** connais-tu la nouvelle?; **I've heard that...** on m'a dit que..., j'ai appris que...; **to h. s.o. out** écouter qn jusqu'au bout; **h., h.!** bravo! ▮ *vi* entendre; (*get news*) recevoir *or* avoir des nouvelles (**from** de); **I've heard of** *or* **about him** j'ai entendu parler de lui; **she wouldn't h. of it** elle ne voulait pas en entendre parler; **I wouldn't h. of it!** pas question! ● **hearing** *n* **1** (*sense*) ouïe *f*; **hard of h.** dur d'oreille; **h. aid** appareil *m* auditif. **2** (*of committee etc*) séance *f*; **the h. of witnesses** *Jur* l'audition *f* des témoins; **to get a (fair) h.** avoir la possibilité de s'exprimer.

hearsay ['hɪəseɪ] *n* **by h.** par ouï-dire; **it's (only) h.** ce ne sont que des bruits qui courent *or* des on-dit.

hearse [hɜːs] *n* corbillard *m*.

heart [hɑːt] *n* cœur *m*; **heart(s)** *Cards* cœur *m*; **(off) by h.** par cœur; **to lose h.** perdre courage; **to one's h.'s content** tout son saoul *or* content; **at h.** au fond; **his h. is set on it** il le veut à tout prix, il y tient; **his h. is set on doing it** il veut le faire à tout prix, il tient à le faire; **h. attack** crise *f* cardiaque; **h. disease** maladie *f* de cœur.

heartache ['hɑːteɪk] *n* chagrin *m*. ● **heartbeat** *n* battement *m* de cœur. ● **heartbreaking** *a* navrant, déchirant. ● **heartbroken** *a* inconsolable, désespéré. ● **heartburn** *n* (*indigestion*) brûlures *fpl* d'estomac. ● **heartfelt** *a* (très) sincère. ● **heartland** *n* (*of country*) cœur *m*, centre *m*. ● **heartthrob** *n* (*male singer etc*) *Fam* idole *f*.

hearten ['hɑːt(ə)n] *vt* encourager. ● **heartening** *a* encourageant.

hearth [hɑːθ] *n* foyer *m*; **h. rug** devant *m* de foyer.

hearty ['hɑːtɪ] *a* (**-ier, -iest**) (*appetite, meal*) gros. ● **heartily** *adv* (*to eat*) avec appétit; (*to laugh, detest*) de tout son cœur; (*absolutely*) (*to approve, agree*) absolument.

heat [hiːt] **1** *n* chaleur *f*; (*heating*) chauffage *m*; (*of oven*) température *f*; **in the h. of the argument** dans le feu de la discussion; **in the h. of the day** au plus chaud de la journée; **at low h., on a low h.** (*to cook food*) à feu doux; **h. wave** vague *f* de chaleur ▮ *vti* **to h. (up)** chauffer.
2 *n* (*in race, competition*) éliminatoire *f*; **it was a dead h.** ils sont arrivés ex aequo. ● **heated** *a* (*swimming pool*) chauffé; (*argument*) passionné; **the house is centrally h.** la maison a le chauffage central. ● **heatedly** *adv* avec passion. ● **heating** *n* chauffage *m*; **central h.** chauffage *m* central.

heater ['hiːtər] *n* appareil *m* de chauffage, radiateur *m*; **water h.** chauffe-eau *m inv*.

heath [hiːθ] *n* (*land, place*) lande *f*.

heathen ['hiːð(ə)n] *a & n* païen, -enne (*mf*).

heather ['heðər] *n* (*plant*) bruyère *f*.

heave [hiːv] *vt* (*lift*) soulever; (*pull*) tirer; (*drag*) traîner; (*throw*) *Fam* lancer; **to h. a sigh** pousser un soupir ▮ *vi* (*of stomach, chest*) se soulever; (*feel sick*) *Fam* avoir des haut-le-cœur ▮ *n* (*effort*) effort *m* (*pour soulever etc*).

heaven ['hev(ə)n] *n* ciel *m*, paradis *m*; **h. knows when** *Fam* Dieu sait quand; **good heavens!** *Fam* mon Dieu!; **it was h.** *Fam* c'était divin. ● **heavenly** *a* (*pleasing*) *Fam* divin; (*of heaven*) (*body etc*) céleste.

heavily ['hevɪlɪ] *adv* (*to walk, tax etc*) lourdement; (*to breathe*) péniblement; (*to smoke, drink*) beaucoup; **to rain h.** pleuvoir à verse; **to snow h.** neiger beaucoup *or* fort; **h. involved in** lourdement impliqué dans; **to depend h. on** dépendre beaucoup *or* largement de; **h. underlined** fortement souligné; **h. in debt** lourdement endetté.

heavy ['hevɪ] *a* (**-ier, -iest**) lourd; (*work, cold etc*) gros (*f* grosse); (*blow*) violent; (*rain, concentration*) fort; (*traffic*) dense; (*smoker, drinker*) grand; (*film, text*) difficile; (*timetable, schedule*) chargé; **a h. day** une journée chargée; **h. casualties** de nombreuses victimes; **h. snow** d'abondantes *or* de fortes chutes de neige; **to be h. on** *Br* **petrol** *or* *Am* **gas** (*of vehicle*) consommer beaucoup; **it's h. going** c'est difficile; **h. goods vehicle** *Br* poids lourd. ● **heaviness** *n* pesanteur *f*, lourdeur *f*. ● **heavyweight** *n* *Boxing* poids *m* lourd; *Fig* personnage *m* important.

Hebrew ['hiːbruː] *n* (*language*) hébreu *m* ▮ *a* hébreu (*m only*), hébraïque.

Hebrides ['hebrɪdiːz] *n* **the H.** les Hébrides *fpl*.

heck [hek] *int Fam* zut! ▮ *n* = **hell** *in expressions*.

heckle ['hek(ə)l] *vt* interpeller, interrompre. ● **heckling** *n* interpellations *fpl*. ● **heckler** *n* interpellateur, -trice *mf*.

hectic ['hektɪk] *a* (*activity*) fiévreux; (*period*) très agité; (*trip*) mouvementé; **h. life** vie *f* trépidante.

he'd [hiːd] = **he had** & **he would**.

hedge [hedʒ] **1** *n* (*bushes*) haie *f*. **2** *vi* (*answer evasively*) ne pas se mouiller, éviter de se compromettre.

hedgehog ['hedʒhɒg] *n* (*animal*) hérisson *m*.

hedgerow ['hedʒrəʊ] *n* (*bushes*) haie *f*.

heed [hiːd] *vt* faire attention à ▮ *n* **to pay h. to, take h. of** faire attention à. ● **heedless** *a* **h. of the danger/etc** inattentif au danger/etc.

heel [hiːl] *n* **1** (*of foot, shoe etc*) talon *m*; **down at h.** *Br*, **down at the heels** *Am* (*shabby*) miteux; **h. bar** cordonnerie *f* express; (*on sign*) 'talon minute'. **2** (*person*) *Am Fam* salaud *m*.

hefty ['heftɪ] *a* (**-ier, -iest**) (*large, heavy*) gros (*f* grosse).

heifer ['hefər] *n* (*cow*) génisse *f*.

height [haɪt] *n* hauteur *f*; (*of person*) taille *f*; (*of mountain, aircraft*) altitude *f*; **the h. of** (*success, fame, glory*) le sommet de, l'apogée *m* de; (*folly, pain*) le comble de; **at the h. of** (*summer, storm*) au cœur de; **it's the h. of fashion** c'est la dernière mode.

heighten ['haɪt(ə)n] *vt* (*tension, interest etc*)

heinous

augmenter.
heinous ['heɪnəs] *a* (*crime etc*) atroce.
heir [eər] *n* héritier *m*. ●**heiress** *n* héritière *f*. ●**heirloom** *n* héritage *m*, bijou *m or* meuble *m* de famille.
heist [haɪst] *n* (*holdup*) *Am Sl* braquage *m*.
held [held] *pt & pp of* **hold**.
helicopter ['helɪkɒptər] *n* hélicoptère *m*. ●**heliport** *n* héliport *m*.
hell [hel] *n* enfer *m*; **a h. of a lot** (*to work, suffer etc*) *Fam* énormément, vachement; **a h. of a lot of** (*very many, very much*) *Fam* énormément de, un paquet de; **a h. of a nice guy** *Fam* un type super; **what the h. are you doing?** *Fam* qu'est-ce que tu fous?; **to h. with him** *Fam* qu'il aille se faire voir; **h.!** *Fam* zut!; **to be h.-bent** *Br* **on doing** *or Am* **to do** *Fam* être acharné à faire. ●**hellish** *a* diabolique.
he'll [hiːl] = **he will**.
hello! [həˈləʊ] *int* bonjour!; (*answering phone*) allô!; (*surprise*) tiens!
helm [helm] *n* (*of boat*) barre *f*.
helmet ['helmɪt] *n* casque *m*.
help [help] *n* aide *f*, secours *m*; (*cleaning woman*) *Br* femme *f* de ménage; (*office or shop workers*) employés, -ées *mfpl*; **with the h. of a stick/etc** à l'aide d'un bâton/*etc*; **to cry** *or* **shout for h.** crier au secours, appeler à l'aide; **h.!** au secours!
▮ *vt* aider; **to h. s.o. do** *or* **to do** aider qn à faire; **to h. s.o. to soup/etc** (*serve*) servir du potage/*etc* à qn; **h. yourself** servez-vous (**to** de); **to h. s.o. out** aider qn; (*of trouble, predicament*) dépanner qn; **to h. s.o. up** aider qn à monter; **I can't h. laughing/etc** je ne peux/*etc* m'empêcher de rire/*etc*; **he can't h. being blind/etc** ce n'est pas sa faute s'il est aveugle/*etc*; **it can't be helped** on n'y peut rien.
▮ *vi* aider; **to h. out** aider, donner un coup de main. ●**helping** *n* (*serving*) portion *f*. ●**helper** *n* assistant, -ante *mf*.
helpful ['helpfəl] *a* (*useful*) utile; (*obliging*) (*person*) serviable.
helpless ['helpləs] *a* (*powerless*) impuissant; (*baby*) désarmé; (*disabled*) impotent. ●**helplessly** *adv* (*to struggle*) en vain.
helpline ['helplaɪn] *n* *Tel* ligne *f* d'assistance.
helter-skelter [heltəˈskeltər] **1** *n* (*slide*) toboggan *m*. **2** *adv* à la débandade.
hem [hem] *n* ourlet *m* ▮ *vt* (**-mm-**) (*garment*) ourler; **to be hemmed in** (*surrounded*) être cerné (**by** de); (*unable to move*) être coincé.
he-man ['hiːmæn] *n Fam* mâle *m*.
hemisphere ['hemɪsfɪər] *n* hémisphère *m*.
hemorrhage ['hemərɪdʒ] *n* (*bleeding*) hémorragie *f*.
hemorrhoids ['hemərɔɪdz] *npl* hémorroïdes *fpl*.
hemp [hemp] *n* chanvre *m*.
hen [hen] *n* poule *f*; **h. bird** oiseau *m* femelle.
hence [hens] *adv* **1** (*therefore*) d'où. **2** (*from now*) **ten years/etc h.** d'ici dix ans/*etc*.

●**henceforth** *adv* désormais.
henchman ['hentʃmən] *n* (*pl* **-men**) *Pej* acolyte *m*.
henpecked ['henpekt] *a* (*husband*) harcelé *or* dominé par sa femme.
hepatitis [hepəˈtaɪtɪs] *n* hépatite *f*.
her [hɜːr] **1** *pron* la, l'; (*after prep*, '*than*', '*it is*') elle; (**to**) **h.** (*indirect*) lui; **I see h.** je la vois; **I saw h.** je l'ai vue; **I give (to) h.** je lui donne; **with h.** avec elle. **2** *poss a* son, sa, *pl* ses.
herald ['herəld] *vt* annoncer.
heraldry ['herəldrɪ] *n* héraldique *f*.
herb [*Br* hɜːb, *Am* ɜːb] *n* herbe *f*; **herbs** (*in cooking*) fines herbes *fpl*; **h. tea** *Br* = **herbal tea**. ●**herbal** *a* **h. tea** infusion *f* (d'herbes); **h. medicine** phytothérapie *f*.
Hercules ['hɜːkjʊliːz] *n* (*strong man*) hercule *m*.
herd [hɜːd] *n* troupeau *m* ▮ *vti* **to h. together** (se) rassembler (en troupeau).
here [hɪər] **1** *adv* ici; **h. is, h. are** voici; **h. she is** la voici; **h. we are** nous voici; **h. comes the teacher** voici le professeur (qui arrive); **this man h.** cet homme-ci; **I won't be h. tomorrow** je ne serai pas là demain; **summer is h.** l'été est là, c'est l'été; **h. and there** çà et là; **h. you are!** (*take this*) tenez!; **h.'s to you!** (*toast*) à la tienne!
2 *int* **h.!** (*calling s.o.'s attention*) holà!, écoutez!; (*giving s.o. sth*) tenez! ●**hereaˈbouts** *adv* par ici. ●**hereˈafter** *adv* après; (*in book*) ci-après. ●**hereˈby** *adv* (*to declare etc*) par le présent acte; (*in writing*) par la présente. ●**hereˈwith** *adv* (*with letter*) ci-joint.
heredity [hɪˈredɪtɪ] *n* hérédité *f*. ●**hereditary** *a* héréditaire.
heresy ['herəsɪ] *n* hérésie *f*. ●**heretic** *n* hérétique *mf*. ●**heˈretical** *a* hérétique.
heritage ['herɪtɪdʒ] *n* héritage *m*.
hermetic [hɜːˈmetɪk] *a* hermétique. ●**hermetically** *adv* **sealed** fermé hermétiquement.
hermit ['hɜːmɪt] *n* solitaire *mf*, ermite *m*.
hernia ['hɜːnɪə] *n* hernie *f*.
hero ['hɪərəʊ] *n* (*pl* **-oes**) héros *m*. ●**heroic** [hɪˈrəʊɪk] *a* héroïque. ●**heˈroics** *npl* (*action*) héroïsme *m* inutile; (*words*) grandiloquence *f*. ●**heroine** ['herəʊɪn] *n* héroïne *f*. ●**heroism** ['herəʊɪz(ə)m] *n* héroïsme *m*.
heroin ['herəʊɪn] *n* (*drug*) héroïne *f*.
heron ['herən] *n* (*bird*) héron *m*.
herring ['herɪŋ] *n* hareng *m*; **a red h.** *Fig* une diversion.
hers [hɜːz] *poss pron* le sien, la sienne, *pl* les sien(ne)s; **this hat is h.** ce chapeau est à elle *or* est le sien; **a friend of h.** une amie à elle.
herself [hɜːˈself] *pron* elle-même; (*reflexive*) se, s'; (*after prep*) elle; **she did it h.** elle l'a fait elle-même; **she cut h.** elle s'est coupée; **she thinks of h.** elle pense à elle.
hesitant ['hezɪtənt] *a* hésitant. ●**hesitantly** *adv* avec hésitation.
hesitate ['hezɪteɪt] *vi* hésiter (**over**, **about** sur) ▮ *vt* **to h. to do sth** hésiter à faire qch.

● **hesitation** [-'teɪʃ(ə)n] *n* hésitation *f*.
hessian ['hesɪən] *n* toile *f* de jute.
heterogeneous [het(ə)rəʊ'dʒiːnɪəs] *a* hétérogène.
heterosexual [hetərəʊ'seksjʊəl] *a* hétérosexuel(le) (*mf*).
het up [het'ʌp] *a Fam* énervé.
hew [hjuː] *vt* (*pp* **hewn** *or* **hewed**) tailler.
hexagon ['heksəgən] *n* hexagone *m*. ● **hex'agonal** *a* hexagonal.
hey! [heɪ] *int* (*calling s.o.*) hé!, ohé!; (*expressing surprise, annoyance*) ho!
heyday ['heɪdeɪ] *n* (*of thing*) âge *m* d'or; (*of person*) apogée *m*; **in its h.** à son âge d'or; **in my h.** à l'apogée de ma vie *or* de ma carrière.
hi! [haɪ] *int Fam* salut!
hiatus [haɪ'eɪtəs] *n* (*gap*) hiatus *m*.
hibernate ['haɪbəneɪt] *vi* hiberner. ● **hibernation** [-'neɪʃ(ə)n] *n* hibernation *f*.
hiccup, hiccough ['hɪkʌp] *n* hoquet *m*; *Fig* (petit) problème *m*, anicroche *f*; **to have (the) hiccups** *or* **(the) hiccoughs** avoir le hoquet ▮ *vi* hoqueter.
hick [hɪk] *n* (*peasant*) *Am Fam Pej* plouc *mf*.
hide[1] [haɪd] *vt* (*pt* **hid**, *pp* **hidden**) cacher, dissimuler (**from** à) ▮ *vi* **to h. (away** *or* **out)** se cacher (**from** de). ● **hide-and-'seek** *n* cache-cache *m inv*; **to play h.-and-seek** jouer à cache-cache.
hide[2] [haɪd] *n* (*skin*) peau *f*.
hideaway ['haɪdəweɪ] *n* refuge *m*.
hideous ['hɪdɪəs] *a* (*weather, experience, task, crime etc*) horrible; (*person, sight*) horrible, hideux. ● **hideously** *adv* (*badly, very*) horriblement.
hideout ['haɪdaʊt] *n* cachette *f*.
hiding ['haɪdɪŋ] *n* **1 to go into h.** se cacher; **h. place** cachette *f*. **2 a good h.** (*thrashing*) *Fam* une bonne raclée *or* volée.
hierarchy ['haɪərɑːkɪ] *n* hiérarchie *f*.
hi-fi ['haɪfaɪ] *n* (*system, equipment*) chaîne *f* hi-fi; (*sound reproduction*) hi-fi *f inv* ▮ *a* hi-fi *inv*.
high [haɪ] *a* (**-er, -est**) haut; (*speed*) grand; (*price*) élevé; (*number, ideal*) grand, élevé; (*colour*) vif; (*complexion*) rougeaud; (*meat, game*) faisandé; (*on drugs*) *Fam* défoncé; **to be five metres h.** avoir *or* faire cinq mètres de haut, être haut de cinq mètres; **it is h. time that** il est grand temps que (+ *sub*); **h. and mighty** arrogant; **to leave s.o. h. and dry** *Fam* laisser qn en plan; **h. fever** forte *or* grosse fièvre *f*; **h. jump** *Sport* saut *m* en hauteur; **h. noon** plein midi *m*; **h. priest** grand prêtre *m*; **h. school** = lycée *m*; **h. school diploma** *Am* diplôme *m* de fin d'études secondaires; **h. spirits** entrain *m*; **h. spot** (*of visit, day*) point *m* culminant; (*of show*) clou *m*; **h. street** *Br* grand-rue *f*; **h. summer** le cœur de l'été; **h. table** table *f* d'honneur; **h. voice** voix *f* aiguë; **h. winds** des vents *mpl* violents.
▮ *adv* **h. (up)** (*to fly, throw etc*) haut; **to aim h.** viser haut.
▮ *n* **a new h., an all-time h.** (*peak*) un nouveau record; **on h.** *Rel & Fig* en haut.
highbrow ['haɪbraʊ] *a & n* intellectuel, -elle (*mf*).
high-chair ['haɪtʃeər] *n* chaise *f* haute. ● **high-'class** *a* (*service*) de premier ordre; (*building*) de luxe; (*person*) raffiné. ● **high-'flown** *a* (*language*) ampoulé. ● **high-'handed** *a* tyrannique. ● **high-'minded** *a* à l'âme noble. ● **high-'pitched** *a* (*sound*) aigu (*f* -uë). ● **high-'powered** *a* (*person*) très dynamique. ● **high-rise** *a* **h.-rise flats** *Br* tour *f*. ● **high-'speed** *a* ultra-rapide; **h.-speed train** train *m* à grande vitesse. ● **high-'strung** *a Am* nerveux. ● **high-'up** *a* (*person*) *Fam* haut placé.
higher ['haɪər] *a* (*number, speed, quality etc*) supérieur (**than** à); **h. education** enseignement *m* supérieur ▮ *adv* (*to fly, aim etc*) plus haut (**than** que).
highlands ['haɪləndz] *npl* régions *fpl* montagneuses.
highlight ['haɪlaɪt] *n* (*of visit, day*) point *m* culminant; (*of show*) clou *m*; (*in hair*) reflet *m* ▮ *vt* souligner; (*with marker*) surligner. ● **highlighter** *n* (*marker*) surligneur *m*.
highly ['haɪlɪ] *adv* hautement, fortement; (*interesting, amusing, pleased*) très; (*to recommend*) chaudement; **h. paid** très bien payé; **to speak h. of** dire beaucoup de bien de; **h. strung** *Br* nerveux.
Highness ['haɪnɪs] *n* (*title*) Altesse *f*.
highroad ['haɪrəʊd] *n Br* grand-route *f*.
highway ['haɪweɪ] *n Am* autoroute *f*; **public h.** *Br* voie *f* publique; **H. Code** *Br* Code *m* de la route.
hijack ['haɪdʒæk] *vt* (*aircraft, vehicle*) détourner ▮ *n* détournement *m*. ● **hijacking** *n* (*air piracy*) piraterie *f* aérienne; (*hijack*) détournement *m*. ● **hijacker** *n* (*of aircraft*) pirate *m* de l'air.
hike [haɪk] **1** *n* excursion *f* à pied ▮ *vi* marcher à pied. **2** *vt* (*price etc*) *Fam* augmenter ▮ *n* (*increase*) *Fam* hausse *f*. ● **hiker** *n* excursionniste *mf*.
hilarious [hɪ'leərɪəs] *a* (*funny*) désopilant.
hill [hɪl] *n* colline *f*; (*small*) coteau *m*; (*slope*) pente *f*; (*in road*) côte *f*. ● **hillbilly** *n Am Fam* péquenaud, -aude *mf*. ● **hillside** *n* **on the h.** à flanc de colline *or* de coteau. ● **hilly** *a* (**-ier, -iest**) accidenté.
hilt [hɪlt] *n* (*of sword*) poignée *f*; **to the h.** *Fig* au maximum.
him [hɪm] *pron* le, l'; (*after prep, 'than', 'it is'*) lui; **(to) h.** (*indirect*) lui; **I see h.** je le vois; **I saw h.** je l'ai vu; **I give (to) h.** je lui donne; **with h.** avec lui.
himself [hɪm'self] *pron* lui-même; (*reflexive*) se, s'; (*after prep*) lui; **he did it h.** il l'a fait lui-même; **he cut h.** il s'est coupé; **he thinks of h.** il pense à lui.
hind [haɪnd] *a* **h. legs** pattes *fpl* de derrière *or* postérieures. ● **hindquarters** *npl* arrière-train *m*.
hinder ['hɪndər] *vt* (*obstruct*) gêner; (*prevent*) empêcher (**from doing** de faire). ● **hindrance**

hindsight

n gêne *f*.
hindsight ['haɪndsaɪt] *n* **with h.** rétrospectivement.
Hindu ['hɪnduː] *a* & *n* hindou, -oue (*mf*).
hinge [hɪndʒ] 1 *n* (*of box*, *stamp*) charnière *f*; (*of door*) gond *m*, charnière *f*. 2 *vi* **to h. on** (*depend on*) dépendre de. ●**hinged** *a* (*lid etc*) à charnière(s).
hint [hɪnt] *n* (*insinuation*) allusion *f*; (*sign*) indication *f*; (*trace*) trace *f*; **hints** (*advice*) conseils *mpl*; **to drop a h.** faire une allusion ∎ *vt* laisser entendre (**that** que) ∎ *vi* **to h. at sth/s.o.** faire allusion à qch/qn.
hip [hɪp] *n* hanche *f*.
hippie ['hɪpɪ] *n* hippie *mf*.
hippopotamus [hɪpə'pɒtəməs] *n* hippopotame *m*.
hire ['haɪər] *vt* (*vehicle etc*) louer; (*worker*) engager; **to h. out** donner en location, louer ∎ *n* location *f*; **for h.** à louer; (*sign on taxi*) *Br* 'libre'; **on h.** en location; **h. purchase** *Br* vente *f* or achat *m* à crédit, location-vente *f*; **on h. purchase** *Br* à crédit.
his [hɪz] 1 *poss a* son, sa, *pl* ses. 2 *poss pron* le sien, la sienne, *pl* les sien(ne)s; **this hat is h.** ce chapeau est à lui or est le sien; **a friend of h.** un ami à lui.
Hispanic [hɪs'pænɪk] *a Am* hispanoaméricain ∎ *n* Hispano-Américain, -aine *mf*.
hiss [hɪs] *vti* siffler ∎ *n* sifflement *m*; **hisses** (*booing*) sifflets *mpl*. ●**hissing** *n* sifflement(s) *m(pl)*.
history ['hɪstərɪ] *n* (*study*, *events*) histoire *f*; **it will make h.** or **go down in h.** ça va faire date; **your medical h.** vos antécédents médicaux. ●**historian** [hɪs'tɔːrɪən] *n* historien, -ienne *mf*. ●**hi'storic(al)** *a* historique.
histrionic [hɪstrɪ'ɒnɪk] *a Pej* théâtral ∎ *npl* **histrionics** attitudes *fpl* théâtrales.
hit [hɪt] *vt* (*pt* & *pp* **hit**, *pres p* **hitting**) (*beat etc*) frapper; (*bump into*) heurter; (*reach*) atteindre; (*affect*) toucher, affecter; (*find*) trouver; (*problem*, *difficulty*) rencontrer; **to h. the headlines** *Fam* faire les gros titres; **to h. it off** *Fam* s'entendre bien (**with s.o.** avec qn).
∎ *vi* frapper; **to h. back** rendre coup pour coup; (*answer criticism*, *counterattack*) riposter; **to h. out (at)** *Fam* attaquer; **to h. (up)on** (*find*) tomber sur.
∎ *n* (*blow*) coup *m*; (*success*) coup *m* réussi; (*play*, *film*, *book*) succès *m*; **h. (song)** chanson *f* à succès; **to make a h. with** (*book etc*) *Fam* avoir un succès avec. ●**hit-and-run driver** *n* chauffard *m* (*qui prend la fuite*). ●**hit-or-'miss** *a* (*chancy*, *random*) aléatoire.
hitch [hɪtʃ] 1 *n* (*snag*) problème *m*, anicroche *f*. 2 *vt* (*fasten*) accrocher (**to** à). 3 *vti* **to h. (a ride)**, *Br* **h. a lift** *Fam* faire du stop (**to** jusqu'à).
hitchhike ['hɪtʃhaɪk] *vi* faire de l'auto-stop (**to** jusqu'à). ●**hitchhiking** *n* auto-stop *m*. ●**hitchhiker** *n* auto-stoppeur, -euse *mf*.
hi-tech ['haɪtek] *a* **hi-tech industry** industrie *f* de pointe.

hitherto [hɪðə'tuː] *adv* jusqu'ici.
HIV [eɪtʃaɪ'viː] *n* (*virus*) VIH *m*; **HIV positive/negative** séropositif/séronégatif.
hive [haɪv] 1 *n* ruche *f*. 2 *vt* **to h. off** (*industry*) dénationaliser.
HMS [eɪtʃe'mes] *n abbr Br* **Her** or **His Majesty's Ship**.
hoard [hɔːd] *n* réserve *f*; (*of money*) trésor *m* ∎ *vt* amasser.
hoarding ['hɔːdɪŋ] *n* (*for advertising*) *Br* panneau *m* d'affichage.
hoarfrost ['hɔːfrɒst] *n* givre *m*.
hoarse [hɔːs] *a* (-er, -est) (*person*, *voice*) enroué. ●**hoarseness** *n* enrouement *m*.
hoax [həʊks] *n* canular *m* ∎ *vt* faire un canular à, mystifier.
hob [hɒb] *n* (*on stove*) plaque *f* chauffante.
hobble ['hɒb(ə)l] *vi* (*walk*) boitiller.
hobby ['hɒbɪ] *n* passe-temps *m inv*; **my h.** mon passe-temps favori. ●**hobbyhorse** *n* (*favourite subject*) dada *m*.
hobnob ['hɒbnɒb] *vi* (**-bb-**) **to h. with** frayer avec.
hobo ['həʊbəʊ] *n* (*pl* **-oes** or **-os**) *Am* vagabond, -onde *mf*.
hock [hɒk] *vt* (*pawn*) *Fam* mettre au clou ∎ *n* **in h.** *Fam* au clou.
hockey ['hɒkɪ] *n* hockey *m*; **ice h.** hockey *m* sur glace.
hocus-pocus [həʊkəs'pəʊkəs] *n* (*talk*) charabia *m*; (*deception*) tromperie *f*.
hodgepodge ['hɒdʒpɒdʒ] *n* fatras *m*.
hoe [həʊ] *n* binette *f*, houe *f* ∎ *vt* biner.
hog [hɒg] 1 *n* (*pig*) cochon *m*, porc *m*; **road h.** (*bad driver*) chauffard *m*. 2 *n* **to go the whole h.** *Fam* aller jusqu'au bout. 3 *vt* (-gg-) *Fam* monopoliser, garder pour soi.
hoist [hɔɪst] *vt* hisser ∎ *n* (*machine*) palan *m*.
hold [həʊld] *n* (*grip*) prise *f*; (*of ship*) cale *f*; (*of aircraft*) soute *f*; **to get h. of** (*grab*) saisir; (*contact*) joindre; (*find*) trouver; **to get a h. of oneself** se maîtriser.
∎ *vt* (*pt* & *pp* **held**) tenir; (*breath*, *interest*, *heat*, *attention*) retenir; (*a post*) occuper; (*a record*) détenir; (*weight*) supporter; (*party*, *bazaar*, *exhibition etc*) organiser; (*ceremony*, *mass*) célébrer; (*possess*) posséder; (*contain*) contenir; (*keep*) garder; **I h. that...** (*believe*) je maintiens que...; **to h. hands** se tenir par la main; **to h. one's own** se débrouiller; (*of sick person*) se maintenir; **h. the line!** (*on phone*) ne quittez pas!; **h. it!** (*stay still*) ne bouge pas!; **to be held** (*of event*) avoir lieu.
∎ *vi* (*of nail*, *rope*) tenir; (*of weather*) se maintenir; **to h. (good)** (*of argument*) valoir (**for** pour).
holdall ['həʊldɔːl] *n* (*bag*) *Br* fourre-tout *m inv*.
hold back *vt* (*crowd*, *tears*) contenir; (*hide*) cacher (**from s.o.** à qn) ∎ **to hold down** *vt* (*price*) maintenir bas; (*person on ground*) maintenir au sol; **to h. down a job** (*keep*) garder un emploi (*occupy*) avoir un emploi ∎ **to hold forth** *vi* (*talk*) *Pej* disserter ∎ **to hold in** *vt* **to h. one's stomach in** rentrer son

ventre ∎ **to hold off** *vt* (*enemy*) tenir à distance ∎ *vi* **if the rain holds off** s'il ne pleut pas ∎ **to hold on** *vt* (*keep in place*) tenir en place (*son chapeau etc*) ∎ *vi* (*wait*) attendre; (*stand firm*) tenir bon; **h. on!** (*on phone*) ne quittez pas!; **h. on (tight)!** tenez bon! ∎ **to hold onto** *vt* (*cling to*) tenir bien; (*keep*) garder ∎ **to hold out** *vt* (*offer*) offrir; (*arm*) étendre ∎ *vi* (*resist*) résister; (*last*) durer ∎ **to hold over** *vt* (*postpone*) remettre ∎ **to hold together** *vt* (*nation, group*) assurer l'union de ∎ **to hold up** *vt* (*raise*) lever; (*support*) soutenir; (*delay*) retarder; (*bank*) attaquer (à main armée).

holder ['həʊldər] *n* (*of passport, post*) titulaire *mf*; (*of record, card, ticket*) détenteur, -trice *mf*; (*container*) support *m*.

holdings ['həʊldɪŋz] *npl Fin* possessions *fpl*.

holdup ['həʊldʌp] *n* (*attack*) hold-up *m inv*; (*traffic jam*) *Br* bouchon *m*; (*delay*) retard *m*.

hole [həʊl] *n* trou *m*; (*town, village etc*) *Fam* bled *m*, trou *m*; (*room*) *Fam* baraque *f* ∎ *vt* trouer ∎ *vi* **to h. up** (*hide*) *Fam* se terrer.

holiday ['hɒlɪdeɪ] *n Br* **holiday(s)** (*from work, school etc*) vacances *fpl*; **a h.** (*day off*) un congé; **a (public** *or* **bank) h.** *Br*, **a legal h.** *Am* un jour férié; **a (religious)** h. une fête; **on h.** en vacances; **holidays with pay** congés *mpl* payés ∎ *a* (*camp, clothes etc*) de vacances; **the h. season** la période des vacances; **in h. mood** d'humeur folâtre. ● **holidaymaker** *n Br* vacancier, -ière *mf*.

holiness ['həʊlɪnəs] *n* sainteté *f*.

Holland ['hɒlənd] *n* Hollande *f*.

hollow ['hɒləʊ] *a* creux; (*victory*) faux (*f* fausse); (*promise*) vain ∎ *n* creux *m* ∎ *vt* **to h. out** creuser.

holly ['hɒlɪ] *n* houx *m*.

holocaust ['hɒləkɔːst] *n* (*massacre*) holocauste *m*.

hologram ['hɒləɡræm] *n* hologramme *m*.

holster ['həʊlstər] *n* étui *m* de revolver.

holy ['həʊlɪ] *a* (**-ier, -iest**) saint; (*bread, water*) bénit; (*ground*) sacré.

homage ['hɒmɪdʒ] *n* hommage *m*; **to pay h. to** rendre hommage à.

home[1] [həʊm] *n* maison *f*; (*country*) pays *m* (natal); (*for old soldiers, sailors etc*) foyer *m*; **(old people's) h.** maison *f* de retraite; **at h.** à la maison, chez soi; **to feel at h.** se sentir à l'aise; **to make oneself at h.** se mettre à l'aise; **to play at h.** (*of football team*) jouer à domicile; **far from h.** loin de chez soi; **a broken h.** un foyer désuni; **a good h.** une bonne famille; **to make one's h. in** s'installer à *or* en; **my h. is here** j'habite ici.

∎ *adv* à la maison, chez soi; **to go** *or* **come (back) h.** rentrer; **to be h.** être rentré; **to drive h.** ramener (*qn*) (en voiture); (*nail*) enfoncer; **to bring sth h. to s.o.** *Fig* faire voir qch à qn.

∎ *a* (*life, pleasures, atmosphere*) de famille, familial; (*visit, match*) à domicile; (*product,*

market etc) national; **h. computer** ordinateur *m* domestique; **h. economics** économie *f* domestique; **h. help** *Br* aide *f* ménagère; **h. loan** prêt *m* immobilier; **H. Office** *Br* = ministère *m* de l'Intérieur; **h. owner** propriétaire *mf* (de son logement); **h. rule** autonomie *f*; **H. Secretary** *Br* = ministre *m* de l'Intérieur; **h. team** équipe *f* qui reçoit; **h. town** (*birth place*) ville *f* natale.

home[2] [həʊm] *vi* **to h. in on** se diriger automatiquement sur.

homecoming ['həʊmkʌmɪŋ] *n* retour *m* au foyer. ● **home'grown** *a* (*fruit, vegetables*) du jardin; (*not grown abroad*) du pays. ● **homeland** *n* patrie *f*. ● **homeloving** *a* casanier. ● **home'made** *a* (fait à la) maison *inv*.

homeless ['həʊmlɪs] *a* sans abri ∎ *n* **the h.** les sans-abri *m inv*.

homely ['həʊmlɪ] *a* (**-ier, -iest**) (*simple*) simple; (*comfortable*) accueillant; (*ugly*) *Am* laid.

homeopathic [həʊmɪəʊ'pæθɪk] *a* (*medicine*) homéopathique.

homesick ['həʊmsɪk] *a* **to be h.** avoir envie de rentrer chez soi; (*for one's country*) avoir le mal du pays. ● **homesickness** *n* envie *f* de rentrer chez soi; (*for country*) nostalgie *f*, mal *m* du pays.

homeward ['həʊmwəd] *a* (*trip*) de retour ∎ *adv* **h. bound** sur le chemin de retour.

homework ['həʊmwɜːk] *n* (*taken home from school*) devoir(s) *m(pl)*.

homey ['həʊmɪ] *a* (**-ier, -iest**) *Am Fam* accueillant.

homicide ['hɒmɪsaɪd] *n* (*murder*) homicide *m*; **two homicides** *Am* deux meurtres *mpl*.

homily ['hɒmɪlɪ] *n* homélie *f*.

homogeneous [həʊmə'dʒiːnɪəs] *a* homogène.

homosexual [həʊmə'sekʃʊəl] *a & n* homosexuel, -elle (*mf*). ● **homosexu'ality** *n* homosexualité *f*.

Honduras [hɒn'djʊərəs] *n* Honduras *m*.

honest ['ɒnɪst] *a* honnête; (*frank*) franc (*f* franche) (**with** avec); (*profit, money*) honnêtement gagné; **the h. truth** la pure vérité; **to be (quite) h....** pour être franc.... ● **honestly** *adv* (*to act etc*) honnêtement; (*frankly*) franchement; **h.!** (*showing annoyance*) vraiment! ● **honesty** *n* honnêteté *f*; (*frankness*) franchise *f*; (*of report, text*) exactitude *f*.

honey ['hʌnɪ] *n* miel *m*; (*person*) *Fam* chéri, -ie *mf*. ● **honeycomb** *n* rayon *m* de miel; (*for eating*) *Br* gâteau *m* de miel. ● **honeymoon** *n* lune *f* de miel; **to be on one's h.** être en voyage *m* de noces. ● **honeysuckle** *n* (*plant*) chèvrefeuille *f*.

Hong Kong [hɒŋ'kɒŋ] *n* Hong Kong *f*.

honk [hɒŋk] *vi* (*in vehicle*) klaxonner ∎ *n* coup *m* de klaxon®.

honorary ['ɒnərərɪ] *a* (*member*) honoraire; (*title*) honorifique.

honour ['ɒnər] (*Am* **honor**) *n* honneur *m*; **in h. of** en l'honneur de; **the h. of doing** *or* **to do** l'honneur de faire; **honours degree** (*in*

honourable

British university) = licence *f* ▮ *vt* honorer (**with** de).
honourable ['ɒnərəb(ə)l] *a* honorable.
hood [hʊd] *n* **1** capuchon *m*; (*mask of robber*) cagoule *f*; (*soft car roof, roof of Br pram or Am baby carriage*) capote *f*; (*car bonnet*) *Am* capot *m*; (*above stove*) hotte *f*. **2** (*hoodlum*) *Am Sl* gangster *m*. ●**hooded** *a* (*person*) encapuchonné; (*coat*) à capuchon.
hoodlum ['huːdləm] *n Fam* (*gangster*) gangster *m*; (*hooligan*) voyou *m*.
hoodwink ['hʊdwɪŋk] *vt* tromper, duper.
hoof, *pl* **-fs** or **-ves** [huːf, -fs, -vz] (*Am* [hʊf, -fs, huːvz]) *n* sabot *m*.
hoo-ha ['huːhɑː] *n Fam* tumulte *m*.
hook [hʊk] *n* crochet *m*; (*on clothes*) agrafe *f*; *Fishing* hameçon *m*; **off the h.** (*phone*) décroché; **to let** *or* **get s.o. off the h.** tirer qn d'affaire ▮ *vt* **to h.** (**on** *or* **up**) accrocher (**to** à). ●**hooked** *a* (*nose, beak*) recourbé, crochu; (*end, object*) recourbé; **to be h. on chess**/*etc Fam* être enragé d'échecs/*etc*, être accro des échecs/*etc*; **to be h. on s.o.** (*infatuated with*) *Fam* être entiché de qn; **to be h.** (**on drugs**) *Fam* être accro.
hooker ['hʊkər] *n Fam* prostituée *f*.
hook(e)y ['hʊkɪ] *n* **to play h.** *Am Fam* sécher (la classe).
hooligan ['huːlɪɡən] *n* vandale *m*, voyou *m*. ●**hooliganism** *n* vandalisme *m*.
hoop [huːp] *n* cerceau *m*; (*of barrel*) cercle *m*.
hoot [huːt] **1** *vi* (*of vehicle*) *Br* klaxonner; (*of train*) siffler; (*of owl*) hululer ▮ *n* (*of vehicle*) *Br* coup *m* de klaxon®. **2** *vti* (*jeer*) huer ▮ *n* huée *f*. ●**hooter** *n* (*of vehicle*) *Br* klaxon® *m*; (*of factory*) sirène *f*.
hoover® ['huːvər] *n Br* aspirateur *m* ▮ *vt Br* (*room*) passer l'aspirateur dans; (*carpet*) passer l'aspirateur sur; **to h.** (**up**) (*dust*) enlever à l'aspirateur.
hop [hɒp] *vi* (**-pp-**) (*of person*) sauter (à cloche-pied); (*of kangaroo etc*) sauter; (*of bird*) sautiller; **h. in!** (*in car*) montez!; **to h. on a bus** monter dans un autobus; **to h. on a plane** attraper un vol ▮ *vt* **h. it!** *Fam* fiche le camp! ▮ *n* (*leap*) saut *m*; (*plane journey*) *Fam* étape *f*.
hope [həʊp] *n* espoir *m*, espérance *f* ▮ *vi* espérer; **to h. for** (*wish for*) espérer; (*expect*) attendre; **I h. so**/**not** j'espère que oui/non ▮ *vt* **to h. to do sth** espérer faire qch; **to h. that** espérer que.
hopeful ['həʊpfəl] *a* (*person*) optimiste, plein d'espoir; (*promising*) prometteur; (*encouraging*) encourageant; **to be h. that** avoir bon espoir que. ●**hopefully** *adv* avec optimisme; (*one hopes*) on espère (que).
hopeless ['həʊpləs] *a* désespéré, sans espoir; (*useless, bad*) nul; (*liar*) invétéré. ●**hopelessly** *adv* (*extremely*) complètement; (*in love*) éperdument; (*to live, act*) sans espoir.
hops [hɒps] *npl* (*for beer*) houblon *m*.
hopscotch ['hɒpskɒtʃ] *n* (*game*) marelle *f*.

horde [hɔːd] *n* horde *f*, foule *f*.
horizon [hə'raɪz(ə)n] *n* horizon *m*; **on the h.** à l'horizon.
horizontal [hɒrɪ'zɒnt(ə)l] *a* horizontal. ●**horizontally** *adv* horizontalement.
hormone ['hɔːməʊn] *n* hormone *f*.
horn [hɔːn] **1** *n* (*of animal*) corne *f*; (*on vehicle*) klaxon® *m*; (*musical instrument*) cor *m*. **2** *vi* **to h. in** *Am Fam* mêler son grain de sel (**on a conversation** à une conversation); (*interrupt*) interrompre.
hornet ['hɔːnɪt] *n* (*insect*) frelon *m*.
horny ['hɔːnɪ] *a* (**-ier**, **-iest**) (*aroused*) *Fam* excité.
horoscope ['hɒrəskəʊp] *n* horoscope *m*.
horrendous [hɒ'rendəs] *a* horrible.
horrible ['hɒrəb(ə)l] *a* horrible, affreux. ●**horribly** *adv* horriblement.
horrid ['hɒrɪd] *a* horrible; (*child*) épouvantable, méchant.
horrific [hə'rɪfɪk] *a* horrible, horrifiant.
horrify ['hɒrɪfaɪ] *vt* horrifier.
horror ['hɒrər] *n* horreur *f*; (**little**) **h.** (*child*) *Fam* petit monstre *m*; **h. film**/**story** film *m*/histoire *f* d'épouvante *or* d'horreur.
hors-d'œuvre [ɔː'dɜːv] *n* hors-d'œuvre *m inv*.
horse [hɔːs] *n* **1** cheval *m*; **to go h. riding** faire du cheval; **h. show** concours *m* hippique. **2 h. chestnut** marron *m* (d'Inde).
horseback ['hɔːsbæk] *n* **on h.** à cheval; **to go h. riding** *Am* faire du cheval. ●**horseman** *n* (*pl* **-men**) cavalier *m*. ●**horseplay** *n* jeux *mpl* brutaux. ●**horsepower** *n* cheval *m* (vapeur). ●**horseracing** *n* courses *fpl*. ●**horseradish** *n* radis *m* noir, raifort *m*. ●**horseshoe** *n* fer *m* à cheval. ●**horsewoman** *n* (*pl* **-women**) cavalière *f*.
horticulture ['hɔːtɪkʌltʃər] *n* horticulture *f*. ●**horti'cultural** *a* horticole.
hose [həʊz] *n* (*tube*) tuyau *m*; **garden h.** tuyau *m* d'arrosage ▮ *vt* (*garden etc*) arroser; **to h. down** (*car etc*) laver au jet. ●**hosepipe** *n Br* = **hose**.
hosiery [*Br* 'həʊzɪərɪ, *Am* 'həʊʒərɪ] *n* bonneterie *f*.
hospice ['hɒspɪs] *n* (*for dying people*) hospice *m* (pour incurables).
hospitable [hɒ'spɪtəb(ə)l] *a* accueillant, hospitalier (**to s.o.** envers qn). ●**hospitably** *adv* avec hospitalité. ●**hospi'tality** *n* hospitalité *f*.
hospital ['hɒspɪt(ə)l] *n* hôpital *m*; **in h.** *Br*, **in the h.** *Am* à l'hôpital; **h. bed**/**food** lit *m*/nourriture *f* d'hôpital; **h. staff**/**services** personnel *m*/services *mpl* hospitalier(s). ●**hospitalize** *vt* hospitaliser.
host [həʊst] *n* **1** (*man who receives guests*) hôte *m*; (*on TV or radio show*) présentateur, -trice *mf* ▮ *vt* (*programme*) présenter. **2 a h. of** (*many*) une foule de. **3** *Rel* hostie *f*.
hostage ['hɒstɪdʒ] *n* otage *m*; **to take s.o. h.** prendre qn en otage; **to be held h.** être retenu en otage.
hostel ['hɒst(ə)l] *n* foyer *m*; **youth h.** au-

berge *f* de jeunesse.
hostess ['həʊstɪs] *n* (*in house, nightclub*) hôtesse *f*; (**air**) h. hôtesse *f* (de l'air).
hostile [*Br* 'hɒstaɪl, *Am* 'hɒst(ə)l] *a* hostile (**to, towards** à). ●**ho'stility** *n* hostilité *f* (**to, towards** envers); **hostilities** (*in battle*) hostilités *fpl*.
hot[1] [hɒt] *a* (**hotter, hottest**) chaud; (*spice*) fort; (*temperature*) passionné; (*news*) *Fam* dernier; **to be** *or* **feel h.** avoir chaud; **it's h.** il fait chaud; **not so h. at Spanish**/*etc* (*good at*) *Fam* pas très calé en espagnol/*etc*; **not so h.** (*bad*) *Fam* pas fameux; **h. dog** (*sausage*) hot-dog *m*; **h. favourite** *Sport* grand(e) favori(te) *mf*.
hot[2] [hɒt] *vi* (-tt-) **to h. up** (*increase*) s'intensifier; (*become dangerous or excited*) chauffer.
hotbed ['hɒtbed] *n Pej* foyer *m* (**of** de). ●**hot-'blooded** *a* ardent. ●**hotcake** *n* (*pancake*) *Am* crêpe *f*. ●**hothead** *n* tête *f* brûlée. ●**hot'headed** *a* impétueux. ●**hothouse** *n* serre *f* (chaude). ●**hotplate** *n* chauffe-plats *m inv*; (*on stove*) plaque *f* chauffante. ●**hot-'tempered** *a* emporté. ●**hot-'water bottle** *n* bouillotte *f*.
hotchpotch ['hɒtʃpɒtʃ] *n* fatras *m*.
hotel [həʊ'tel] *n*; **h. room/bed/***etc* chambre *f*/lit *m*/*etc* d'hôtel; **h. prices** le prix des hôtels; **the h. industry** l'industrie *f* hôtelière. ●**hotelier** [həʊ'telɪeɪ] *n* hôtelier, -ière *mf*.
hotly ['hɒtlɪ] *adv* passionnément.
hound [haʊnd] **1** *vt* (*pursue*) traquer, poursuivre avec acharnement; (*bother, worry*) harceler; **to h. out** chasser. **2** *n* (*dog*) chien *m* courant.
hour ['aʊər] *n* heure *f*; **half an h., a half-h.** une demi-heure; **a quarter of an h.** un quart d'heure; **paid fifty francs an h.** payé cinquante francs (de) l'heure; **ten miles an h.** dix miles à l'heure; **open all hours** ouvert à toute heure; **h. hand** (*of watch, clock*) petite aiguille *f*.
hourly ['aʊəlɪ] *a* (*rate, pay*) horaire; **an h. bus/train/***etc* un bus/train/*etc* toutes les heures ▋ *adv* toutes les heures; **h. paid, paid h.** payé à l'heure.
house[1], *pl* **-ses** [haʊs, -zɪz] *n* maison *f*; (*audience in theatre*) salle *f*, auditoire *m*; (*performance of play*) séance *f*; **the H.** *Pol* la Chambre; **the Houses of Parliament** le Parlement; **at** *or* **to my h.** chez moi; **on the h.** (*free of charge*) aux frais de la maison; **h. doctor** *Br* = **houseman**; **h. guest** invité, -ée *mf*; **h. prices** prix *mpl* immobiliers.
house[2] [haʊz] *vt* loger; (*of building*) abriter; **it is housed in** (*kept*) on le garde dans. ●**housing** *n* logement *m*; (*houses*) logements *mpl*; **h. crisis/***etc* crise *f*/*etc* du logement.
houseboat ['haʊsbəʊt] *n* péniche *f* (aménagée). ●**housebound** *a* confiné chez soi. ●**housebreaking** *n* (*crime*) cambriolage *m*. ●**housebroken** *a* (*dog etc*) *Am* propre. ●**housecoat** *n* robe *f* d'intérieur. ●**housefly** *n* mouche *f* (domestique). ●**household** *n* famille *f*, ménage *m*, maison *f*; **h. duties** soins *mpl* du ménage; **a h. name** un nom très connu. ●**householder** *n* (*owner*) propriétaire *mf*; (*family head*) chef *m* de famille. ●**househusband** *n* homme *m* au foyer. ●**housekeeper** *n* (*employee*) gouvernante *f*; (*housewife*) ménagère *f*. ●**housekeeping** *n* ménage *m*. ●**houseman** *n* (*pl* -**men**) *Br* interne *mf* (des hôpitaux). ●**houseproud** *a* qui s'occupe méticuleusement de sa maison. ●**housetrained** *a* (*dog etc*) *Br* propre. ●**housewarming** *n* & *a* **to have a h.-warming (party)** pendre la crémaillère. ●**housewife** *n* (*pl* -**wives**) ménagère *f*. ●**housework** *n* (travaux *mpl* de) ménage *m*.
hovel ['hɒv(ə)l] *n* (*slum*) taudis *m*.
hover ['hɒvər] *vi* (*of bird, aircraft,* Fig *danger etc*) planer; **to h. (around)** (*of person*) rôder, traîner.
hovercraft ['hɒvəkrɑːft] *n* aéroglisseur *m*.
how [haʊ] *adv* comment; **h.'s that?, h. so?, h. come?** *Fam* comment ça?; **h. kind!** comme c'est gentil!; **h. do you do?** (*greeting*) bonjour; **h. long/high is...?** quelle est la longueur/hauteur de...?; **h. much?, h. many?** combien?; **h. much time/***etc*? combien de temps/*etc*?; **h. many apples/***etc*? combien de pommes/*etc*?; **h. about a walk?** si on faisait une promenade?; **h. about some coffee?** (si on prenait) du café?; **h. about me?** et moi?
howdy! ['haʊdɪ] *int Am Fam* salut!
however [haʊ'evər] **1** *adv* **h. big he may be** si *or* quelque grand qu'il soit; **h. she may do it, h. she does it** de quelque manière qu'elle le fasse; **h. that may be** quoi qu'il en soit. **2** *conj* cependant.
howl [haʊl] *vi* hurler; (*of baby*) brailler; (*of wind*) mugir ▋ *n* hurlement *m*; (*of baby*) braillement *m*; (*of wind*) mugissement *m*; **h. of laughter** éclat *m* de rire.
howler ['haʊlər] *n* (*mistake*) *Fam* gaffe *f*.
HP [eɪtʃ'piː] *Br abbr* = **hire purchase**.
hp *abbr* (*horsepower*) CV.
HQ [eɪtʃ'kjuː] *abbr* = **headquarters**.
hub [hʌb] *n* (*of wheel*) moyeu *m*; *Fig* centre *m*. ●**hubcap** *n* (*of car*) enjoliveur *m*.
hubbub ['hʌbʌb] *n* vacarme *m*.
huckleberry ['hʌk(ə)lbərɪ] *n Am* myrtille *f*.
huddle ['hʌd(ə)l] *vi* **to h. (together)** se blottir (les uns contre les autres).
hue [hjuː] *n* **1** (*colour*) teinte *f*, couleur *f*. **2** **h. and cry** boucan bien tollé *m*.
huff [hʌf] *n* **in a h.** (*offended*) *Fam* fâché.
hug [hʌg] *vt* (-gg-) (*person*) serrer (dans ses bras), étreindre; **to h. the kerb/coast** (*stay near*) serrer le trottoir/la côte ▋ *n* **to give s.o. a h.** serrer qn (dans ses bras).
huge [hjuːdʒ] *a* énorme. ●**hugely** *adv* énormément. ●**hugeness** *n* énormité *f*.
hulk [hʌlk] *n* (*person*) lourdaud, -aude *mf*.
hull [hʌl] *n* (*of ship*) coque *f*.
hullabaloo [hʌləbə'luː] *n Fam* (*noise*) vacarme *m*; (*fuss*) histoire(s) *f*(*pl*).

hullo

hullo! [hʌ'ləʊ] *int Br* bonjour!; *(answering phone)* allô!; *(surprise)* tiens!
hum [hʌm] *vi* (**-mm-**) *(of insect)* bourdonner; *(of person)* fredonner; *(of spinning top, radio)* ronfler; *(of engine)* vrombir ▮ *vt (tune)* fredonner ▮ *n (of insect)* bourdonnement *m*.
human ['hju:mən] *a* humain; **h. being** être *m* humain ▮ *npl* **humans** humains *mpl*. ● **humanly** *adv* **h. possible** humainement possible.
humane [hju:'meɪn] *a (kind)* humain. ● **humanely** *adv* humainement.
humanitarian [hju:mænɪ'teərɪən] *a* & *n* humanitaire (*mf*).
humanity [hju:'mænətɪ] *n (human beings, kindness)* humanité *f*.
humble ['hʌmb(ə)l] *a* humble ▮ *vt* humilier. ● **humbly** *adv* humblement.
humbug ['hʌmbʌg] *n (talk)* fumisterie *f*; *(person)* fumiste *mf*.
humdrum ['hʌmdrʌm] *a* monotone.
humid ['hju:mɪd] *a* humide. ● **hu'midify** *vt* humidifier. ● **hu'midity** *n* humidité *f*.
humiliate [hju:'mɪlɪeɪt] *vt* humilier. ● **humiliation** [-'eɪʃ(ə)n] *n* humiliation *f*.
humility [hju:'mɪlətɪ] *n* humilité *f*.
humorist ['hju:mərɪst] *n* humoriste *mf*.
humorous ['hju:mərəs] *a (book etc)* humoristique; *(person)* plein d'humour. ● **humorously** *adv* avec humour.
humour ['hju:mər] *(Am* **humor**) **1** *n (fun)* humour *m*; *(temper)* humeur *f*; **to have a sense of h.** avoir le sens de l'humour; **in a good h.** de bonne humeur. **2** *vt* **to h. s.o.** faire plaisir à qn, ménager qn.
hump [hʌmp] **1** *n (lump, mound in road)* bosse *f* ▮ *vt (one's back)* voûter. **2** *n* **to have the h.** *Br Fam (depression)* avoir le cafard; *(bad temper)* être en rogne. ● **humpback(ed) bridge** *n Br* pont *m* en dos d'âne.
hunch [hʌntʃ] **1** *n (idea) Fam* intuition *f*, idée *f*. **2** *vt (one's shoulders)* voûter. ● **hunchback** *n* bossu, -ue *mf*.
hundred ['hʌndrəd] *a* & *n* cent (*m*); **a h. pages** cent pages; **two h. pages** deux cents pages; **hundreds of** des centaines de. ● **hundredfold** *a* centuple ▮ *adv* au centuple. ● **hundredth** *a* & *n* centième (*mf*). ● **hundredweight** *n Br* 112 livres (= *50,8 kg*); *Am* 100 livres (= *45,3 kg*).
hung [hʌŋ] *pt* & *pp* of **hang**[1].
Hungary ['hʌŋgərɪ] *n* Hongrie *f*. ● **Hun'garian** [hʌŋ'geərɪən] *a*, hongrois ▮ *n (language)* hongrois *m*; *(person)* Hongrois, -oise *mf*.
hunger ['hʌŋgər] *n* faim *f*; **h. strike** grève *f* de la faim. ● **hungry** *a* (**-ier, -iest**) **to be** or **feel h.** avoir faim; **to go h.** souffrir de la faim; **to make s.o. h.** donner faim à qn; **h. for** *(news etc)* avide de. ● **hungrily** *adv* avidement.
hunk [hʌŋk] *n (gros)* morceau *m*.
hunt [hʌnt] *n (search)* recherche *f* (**for** de); *(for animals)* chasse *f* ▮ *vt (animals)* chasser; *(pursue)* poursuivre; *(seek)* chercher; **to h. down** *(fugitive etc)* traquer; **to h. out** *(information etc)* dénicher ▮ *vi (kill animals)* chasser; **to h. for sth** (re)chercher qch. ● **hunting** *n* chasse *f*. ● **hunter** *n (person)* chasseur *m*.
hurdle ['hɜːd(ə)l] *n (fence in race)* haie *f*; *(problem) Fig* obstacle *m*.
hurl [hɜːl] *vt (throw)* jeter, lancer (**at** à); **to h. oneself at s.o.** se ruer sur qn; **to h. insults** *or* **abuse at s.o.** lancer des insultes à qn.
hurly-burly ['hɜːlɪbɜːlɪ] *n* tumulte *m*.
hurray! [hʊ'reɪ] *int* hourra!
hurricane [*Br* 'hʌrɪkən, *Am* 'hʌrɪkeɪn] *n* ouragan *m*.
hurry ['hʌrɪ] *n* hâte *f*; **in a h.** à la hâte; **to be in a h.** être pressé; **to be in a h. to do sth** avoir hâte de faire qch; **there's no h.** rien ne presse.
▮ *vi* se dépêcher, se presser (**to do** de faire); **to h. along** *or* **up** se dépêcher; **to h. back** se dépêcher de revenir; **to h. out** sortir à la hâte; **to h. towards** se précipiter vers.
▮ *vt (person)* bousculer, presser; *(pace)* presser; **to h. one's meal** manger à toute vitesse; **to h. one's work** se précipiter dans son travail, faire son travail à la hâte; **to h. s.o. out** faire sortir qn à la hâte. ● **hurried** *a (steps, decision etc)* précipité; *(work)* fait à la hâte; *(visit)* éclair *inv*; **to be h.** *(in a hurry)* être pressé.
hurt [hɜːt] *vt (pt* & *pp* **hurt**) *(physically)* faire du mal à; *(causing a wound)* blesser; *(emotionally)* faire de la peine à; *(offend)* blesser; *(prejudice, damage)* nuire à *(réputation etc)*; **to h. s.o.'s feelings** blesser qn; **his arm hurts (him)** son bras lui fait mal ▮ *vi* faire mal ▮ *n* mal *m* ▮ *a (wounded, offended)* blessé. ● **hurtful** *a (remark)* blessant.
hurtle ['hɜːt(ə)l] *vi* **to h. along** aller à toute vitesse; **to h. down** dégringoler.
husband ['hʌzbənd] *n* mari *m*.
hush [hʌʃ] *n* silence *m* ▮ *int* chut! ▮ *vt (person)* faire taire; *(baby)* calmer; **to h. up** *(scandal)* étouffer. ● **hushed** *a (voice)* étouffé; *(silence)* profond. ● **hush-hush** *a Fam* ultra-secret.
husk [hʌsk] *n (of rice, grain)* enveloppe *f*.
husky ['hʌskɪ] *a* (**-ier, -iest**) *(voice)* enroué, voilé.
hussy ['hʌsɪ] *n Pej* friponne *f*, coquine *f*.
hustings ['hʌstɪŋz] *npl Br* campagne *f* électorale, élections *fpl*.
hustle ['hʌs(ə)l] **1** *vt (shove, rush)* bousculer *(qn)* ▮ *vi (work busily) Am* se démener (**to get sth** pour avoir qch). **2** *n* **h. and bustle** tourbillon *m*, agitation *f*.
hut [hʌt] *n* cabane *f*, hutte *f*.
hutch [hʌtʃ] *n (for rabbit)* clapier *m*.
hyacinth ['haɪəsɪnθ] *n* jacinthe *f*.
hybrid ['haɪbrɪd] *a* & *n* hybride (*m*).
hydrangea [haɪ'dreɪndʒə] *n (shrub)* hortensia *m*.
hydrant ['haɪdrənt] *n (fire)* **h.** bouche *f* d'incendie.
hydraulic [haɪ'drɔːlɪk] *a* hydraulique.
hydrocarbon [haɪdrəʊ'kɑːbən] *n* hydro-

hysteria

carbure *m*.
hydroelectric [haɪdrəʊɪ'lektrɪk] *a* hydroélectrique.
hydrogen ['haɪdrədʒən] *n* (*gas*) hydrogène *m*.
hyena [haɪ'iːnə] *n* (*animal*) hyène *f*.
hygiene ['haɪdʒiːn] *n* hygiène *f*. ● **hy'gienic** *a* hygiénique. ● **hy'gienist** *n* (**dental**) **h.** spécialiste *mf* de l'hygiène dentaire.
hymn [hɪm] *n* cantique *m*, hymne *m*.
hype [haɪp] *n* (*publicity*) Fam grand battage *m* publicitaire.
hyper- ['haɪpər] *pref* hyper-.
hypermarket ['haɪpəmɑːkɪt] *n* hypermarché *m*.
hyphen ['haɪf(ə)n] *n* trait *m* d'union. ● **hyphenate** *vt* mettre un trait d'union à. ● **hyphenated** *a* (*word*) à trait d'union.
hypnosis [hɪp'nəʊsɪs] *n* hypnose *f*. ● **hypnotic** *a* hypnotique. ● **'hypnotism** *n* hypnotisme *m*. ● **'hypnotist** *n* hypnotiseur *m*. ● **'hypnotize** *vt* hypnotiser.
hypoallergenic [haɪpəʊælə'dʒenɪk] *a* hypoallergénique.
hypochondriac [haɪpə'kɒndrɪæk] *n* malade *mf* imaginaire.
hypocrisy [hɪ'pɒkrɪsɪ] *n* hypocrisie *f*. ● **hypocrite** ['hɪpəkrɪt] *n* hypocrite *mf*. ● **hypo'critical** *a* hypocrite.
hypodermic [haɪpə'dɜːmɪk] *a* hypodermique.
hypothermia [haɪpə'θɜːmɪə] *n* Med hypothermie *f*.
hypothesis, *pl* **-eses** [haɪ'pɒθɪsɪs, -ɪsiːz] *n* hypothèse *f*. ● **hypo'thetical** *a* hypothétique.
hysteria [hɪ'stɪərɪə] *n* hystérie *f*. ● **hysterical** [hɪ'sterɪk(ə)l] *a* (*very upset*) qui a une crise de nerfs; (*funny*) Fam désopilant; **he became h.** il a eu une crise de nerfs. ● **hysterically** *adv* (*to cry*) sans pouvoir s'arrêter; **to laugh h.** rire aux larmes. ● **hysterics** *npl* (*tears etc*) crise *f* de nerfs; (*laughter*) crise *f* de rire; **to be in h.** avoir une crise de nerfs; (*with laughter*) être écroulé de rire; **he had us in h.** il nous a fait tordre de rire.

I

I, i [aɪ] *n* I, i *m*.
I [aɪ] *pron* je, j'; *(stressed)* moi; **I want** je veux; **she and I** elle et moi.
ice¹ [aɪs] *n* glace *f*; *(on road)* verglas *m*; **black i.** *(on road) Br* verglas *m* ∥ *vi* **to i.** **(over** *or* **up)** *(of lake)* geler; *(of window)* se givrer. ● **iced** *a* (*tea, coffee*) glacé.
ice² [aɪs] *vt (cake) Br* glacer. ● **icing** *n (on cake etc) Br* glaçage *m*.
iceberg ['aɪsbɜːg] *n* iceberg *m* ● **icebox** *n Am* réfrigérateur *m*; *(for storing food)* glacière *f*. ● **ice-'cold** *a* glacial; *(drink)* glacé. ● **ice cream** *n* glace *f*. ● **ice cube** *n* glaçon *m*. ● **ice-skating** *n* patinage *m* (sur glace).
Iceland ['aɪslənd] *n* Islande *f*. ● **Ice'landic** *a* islandais.
icicle ['aɪsɪk(ə)l] *n* glaçon *m (naturel)*.
icon ['aɪkɒn] *n Rel* icône *f*.
icy ['aɪsɪ] *a* (**-ier, -iest**) *(water, hands, room)* glacé; *(weather, manner, welcome)* glacial; *(road etc)* verglacé.
ID [aɪ'diː] *n* pièce *f* d'identité.
I'd [aɪd] = **I had** & **I would**.
idea [aɪ'dɪə] *n* idée *f*; **I have an i. that...** j'ai l'impression que...; **that's my i. of rest** c'est ce que j'appelle du repos; **that's the i.!** *Fam* c'est ça!; **not the slightest** *or* **foggiest i.** pas la moindre idée.
ideal [aɪ'dɪəl] *a* idéal (*mpl* -aux *or* -als) ∥ *n* idéal *m* (*pl* -aux *or* -als).
idealism [aɪ'diːəlɪz(ə)m] *n* idéalisme *m*. ● **idealist** *n* idéaliste *mf*. ● **idea'listic** *a* idéaliste. ● **idealize** *vt* idéaliser.
ideally [aɪ'dɪəlɪ] *adv* idéalement; **i. we should stay** l'idéal, ce serait de rester *or* que nous restions.
identical [aɪ'dentɪk(ə)l] *a* identique (**to, with** à).
identify [aɪ'dentɪfaɪ] *vt* identifier; **to i. (oneself) with** s'identifier avec. ● **identification** [-'keɪʃ(ə)n] *n* identification *f*; **to have (some) i.** *(document)* avoir une pièce d'identité.
identikit [aɪ'dentɪkɪt] *n* portrait-robot *m*.
identity [aɪ'dentɪtɪ] *n* identité *f*; **i. card** carte *f* d'identité.
ideology [aɪdɪ'ɒlədʒɪ] *n* idéologie *f*. ● **ideo'logical** *a* idéologique.
idiocy ['ɪdɪəsɪ] *n* idiotie *f*.
idiom ['ɪdɪəm] *n (phrase)* expression *f* idiomatique; *(language)* idiome *m*; *(style)* style *m*. ● **idio'matic** *a* idiomatique.
idiosyncrasy [ɪdɪə'sɪŋkrəsɪ] *n* particularité *f*.
idiot ['ɪdɪət] *n* idiot, -ote *mf*. ● **idi'otic** *a* idiot, bête. ● **idi'otically** *adv* idiotement.
idle ['aɪd(ə)l] *a (unoccupied)* inactif, désœuvré; *(lazy)* paresseux; *(unemployed)* au chômage; *(promise)* vain; *(pleasure, question)* futile, vain; *(rumour)* sans fondement; **to lie i.** *(of machine)* être au repos; **an i. moment** un moment de loisir ∥ *vi (of engine, machine)* tourner au ralenti; *(laze about)* paresser ∥ *vt* **to i. away the** *or* **one's time** gaspiller son temps. ● **idleness** *n* oisiveté *f*; *(laziness)* paresse *f*. ● **idler** *n* paresseux, -euse *mf*. ● **idly** *adv (lazily)* paresseusement; *(to suggest, say)* négligemment.
idol ['aɪd(ə)l] *n* idole *f*. ● **idolize** *vt (adore)* traiter comme une idole.
idyllic [aɪ'dɪlɪk] *a* idyllique.
i.e. [aɪ'iː] *abbr (id est)* c'est-à-dire.
if [ɪf] *conj* si; **if he comes** s'il vient; **even if** même si; **if so** dans ce cas, si c'est le cas; **if not** sinon; **if only I were rich** si seulement j'étais riche; **if only to look** ne serait-ce que pour regarder; **as if** comme si; **as if nothing had happened** comme si de rien n'était; **as if to say** comme pour dire; **if necessary** s'il le faut.
igloo ['ɪgluː] *n* igloo *m*.
ignite [ɪg'naɪt] *vt* mettre le feu à ∥ *vi* prendre feu. ● **ignition** [-'nɪʃ(ə)n] *n (in vehicle)* allumage *m*; **to switch on/off the i.** mettre/couper le contact; **i. key** clef *f* de contact.
ignominious [ɪgnə'mɪnɪəs] *a* déshonorant, ignominieux.
ignoramus [ɪgnə'reɪməs] *n* ignare *mf*.
ignorance ['ɪgnərəns] *n* ignorance *f* (**of** de). ● **ignorant** *a* ignorant (**of** de). ● **ignorantly** *adv* par ignorance.
ignore [ɪg'nɔːr] *vt* ne prêter aucune attention à, ne tenir aucun compte de (*qch*); *(duty)* méconnaître; *(pretend not to recognize)* faire semblant de ne pas reconnaître (*qn*).
iguana [ɪg'wɑːnə] *n (lizard)* iguane *m*.
ilk [ɪlk] *n* **of that i.** *(kind)* de cet acabit.
ill [ɪl] *a (sick)* malade; *(bad)* mauvais; **i. will** malveillance *f* ∥ *npl* **ills** *(misfortunes)* maux *mpl*, malheurs *mpl* ∥ *adv* mal; **to speak i. of** dire du mal de.
I'll [aɪl] = **I will** *or* **I shall**.
ill-advised [ɪləd'vaɪzd] *a* peu judicieux, malavisé. ● **ill-'fated** *a* malheureux. ● **ill-'gotten** **i.-gotten gains** biens *mpl* mal acquis. ● **ill-in'formed** *a* mal renseigné. ● **ill-'mannered** *a* mal élevé. ● **ill-'natured** *a (mean, unkind)* désagréable. ● **ill-'timed** *a* inopportun. ● **ill-'treat** *vt* maltraiter. ● **ill-'treatment** *n* mauvais traitements *mpl*.
illegal [ɪ'liːg(ə)l] *a* illégal. ● **ille'gality** *n* illégalité *f*.
illegible [ɪ'ledʒəb(ə)l] *a* illisible.
illegitimate [ɪlɪ'dʒɪtɪmət] *a (child, action,*

claim) illégitime. ● **illegitimacy** *n* illégitimité *f*.
illicit [ɪ'lɪsɪt] *a* illicite.
illiterate [ɪ'lɪtərət] *a* & *n* illettré, -ée (*mf*), analphabète (*mf*). ● **illiteracy** *n* analphabétisme *m*.
illness ['ɪlnɪs] *n* maladie *f*.
illogical [ɪ'lɒdʒɪk(ə)l] *a* illogique.
illuminate [ɪ'lu:mɪneɪt] *vt* (*street, Fig question etc*) éclairer; (*monument etc for special occasion*) illuminer. ● **illumination** [-'neɪʃ(ə)n] *n* (*of street etc*) éclairage *m*; (*of monument etc*) illumination *f*; **the illuminations** (*decorative lights*) *Br* les illuminations *fpl*.
illusion [ɪ'lu:ʒ(ə)n] *n* illusion *f* (**about** sur); **to have the i. that** avoir l'illusion que; **I'm not under any i. about** je ne me fais aucune illusion sur. ● **illusive** *or* **illusory** *a* illusoire.
illustrate ['ɪləstreɪt] *vt* (*with pictures, examples*) illustrer (**with** de). ● **illustration** [-'streɪʃ(ə)n] *n* illustration *f*. ● **illustrative** [ɪ'lʌstrətɪv] *a* (*example*) explicatif.
illustrious [ɪ'lʌstrɪəs] *a* illustre.
image ['ɪmɪdʒ] *n* image *f*; (*public*) **i.** (*of company etc*) image *f* de marque; **he's the** (**living** *or* **spitting** *or* **very**) **i. of his brother** c'est tout le portrait de son frère. ● **imagery** *n* images *fpl*.
imaginable [ɪ'mædʒɪnəb(ə)l] *a* imaginable; **the worst thing i.** le pire que l'on puisse imaginer.
imaginary [ɪ'mædʒɪn(ə)rɪ] *a* imaginaire.
imagination [ɪmædʒɪ'neɪʃ(ə)n] *n* imagination *f*.
imaginative [ɪ'mædʒɪnətɪv] *a* (*plan, novel etc*) plein d'imagination; (*person*) imaginatif, plein d'imagination.
imagine [ɪ'mædʒɪn] *vt* (*picture to oneself*) (s')imaginer, se figurer (**that** que); (*suppose*) imaginer (**that** que); **i. that...** imaginez que...; **you're imagining** (**things**)**!** tu te fais des illusions! ● **imaginings** *npl* (*dreams*) imaginations *fpl*.
imbalance [ɪm'bæləns] *n* déséquilibre *m*.
imbecile [*Br* 'ɪmbəsi:l, *Br* -saɪl, *Am* 'ɪmbəs(ə)l] *a* & *n* imbécile (*mf*). ● **imbe'cility** *n* imbécillité *f*.
imbibe [ɪm'baɪb] *vt* absorber.
imbued [ɪm'bju:d] *a* **i. with** (*ideas*) imprégné de; (*feelings*) pénétré de, imbu de.
imitate ['ɪmɪteɪt] *vt* imiter. ● **imitation** [-'teɪʃ(ə)n] *n* imitation *f*; **i. jewellery** *Br*, **i. jewelry** *Am* bijoux *mpl* fantaisie; **i. leather** similicuir *m*.
imitative ['ɪmɪtətɪv] *a* (*sound etc*) imitatif; (*person*) imitateur.
imitator ['ɪmɪteɪtər] *n* imitateur, -trice *mf*.
immaculate [ɪ'mækjʊlət] *a* (*person, appearance, shirt etc*) impeccable.
immaterial [ɪmə'tɪərɪəl] *a* peu important (**to** pour).
immature [ɪmə'tʃʊər] *a* (*person*) qui manque de maturité; (*animal*) jeune; (*fruit*) vert.
immeasurable [ɪ'meʒərəb(ə)l] *a* incommensurable.
immediate [ɪ'mi:dɪət] *a* immédiat. ● **immediacy** *n* caractère *m* immédiat. ● **immediately** *adv* (*at once*) tout de suite, immédiatement; (*to concern, affect*) directement; **it's i. above/below** c'est juste au-dessus/en dessous ‖ *conj* (*as soon as*) *Br* dès que.
immense [ɪ'mens] *a* immense. ● **immensely** *adv* (*rich etc*) extraordinairement; **to enjoy oneself i.** s'amuser énormément *or* extraordinairement. ● **immensity** *n* immensité *f*.
immerse [ɪ'mɜ:s] *vt* (*in liquid*) plonger, immerger; **immersed in work** plongé dans le travail. ● **immersion** [-ʃ(ə)n] *n* immersion *f*; **i. heater** *Br* chauffe-eau *m inv* électrique.
immigrate ['ɪmɪgreɪt] *vi* immigrer. ● **immigrant** *n* (*establisl.ed*) immigré, -ée *mf*; (*in the process of immigrating*) immigrant, -ante *mf* ‖ *a* (*family etc*) immigré. ● **immigration** [-'greɪʃ(ə)n] *n* immigration *f*.
imminent ['ɪmɪnənt] *a* imminent. ● **imminence** *n* imminence *f*.
immobile [*Br* ɪ'məʊbaɪl, *Am* ɪ'məʊb(ə)l] *a* immobile. ● **immo'bility** *n* immobilité *f*. ● **immobilize** *vt* immobiliser.
immoderate [ɪ'mɒdərət] *a* immodéré.
immodest [ɪ'mɒdɪst] *a* impudique.
immoral [ɪ'mɒrəl] *a* immoral. ● **immo'rality** *n* immoralité *f*.
immortal [ɪ'mɔ:t(ə)l] *a* immortel. ● **immor'tality** *n* immortalité *f*. ● **immortalize** *vt* immortaliser.
immune [ɪ'mju:n] *a* (*naturally*) immunisé (**to** contre); (*vaccinated*) vacciné; **i. system** système *m* immunitaire; **i. to danger/criticism** *Fig* à l'abri du danger/de la critique. ● **immunity** *n* immunité *f*. ● **immunize** *vt* vacciner, immuniser (**against** contre).
immutable [ɪ'mju:təb(ə)l] *a* immuable.
imp [ɪmp] *n* diablotin *m*, lutin *m*; (**you**) **little i.!** (*to child*) petit coquin!
impact ['ɪmpækt] *n* (*shock*) impact *m*; (*effect*) effet *m*, impact *m* (**on** sur).
impair [ɪm'peər] *vt* détériorer; (*hearing, health*) abîmer.
impale [ɪm'peɪl] *vt* empaler.
impart [ɪm'pɑ:t] *vt* communiquer (**to** à).
impartial [ɪm'pɑ:ʃ(ə)l] *a* impartial. ● **imparti'ality** *n* impartialité *f*.
impassable [ɪm'pɑ:səb(ə)l] *a* (*road*) impraticable; (*river*) infranchissable.
impasse [*Br* 'æmpɑ:s, *Am* 'ɪmpæs] *n* (*situation*) impasse *f*.
impassioned [ɪm'pæʃ(ə)nd] *a* (*speech, request etc*) enflammé, passionné.
impassive [ɪm'pæsɪv] *a* impassible, imperturbable. ● **impassively** *adv* imperturbablement. ● **impassiveness** *n* impassibilité *f*.
impatient [ɪm'peɪʃ(ə)nt] *a* impatient (**to do** de faire); **i. with s.o.** intolérant à l'égard de qn; **to get i. with s.o.** s'impatienter contre qn. ● **impatience** *n* impatience *f*. ● **impatiently** *adv* avec impatience, impatiemment.
impeccable [ɪm'pekəb(ə)l] *a* (*manners,*

impecunious

person etc) impeccable. ●**impeccably** *adv* impeccablement.
impecunious [ɪmpɪ'kju:nɪəs] *a* sans le sou.
impede [ɪm'pi:d] *vt* (*hamper*) gêner; **to i. s.o. from doing** (*prevent*) empêcher qn de faire.
impediment [ɪm'pedɪmənt] *n* obstacle *m*; (*speech*) **i.** défaut *m* d'élocution.
impel [ɪm'pel] *vt* (**-ll-**) (*drive*) pousser; (*force*) obliger (**to do** à faire).
impending [ɪm'pendɪŋ] *a* imminent.
impenetrable [ɪm'penɪtrəb(ə)l] *a* (*forest, mystery etc*) impénétrable.
imperative [ɪm'perətɪv] *a* (*need, tone*) impérieux; (*necessary*) essentiel, indispensable; **it is i. that** il faut absolument que *or* il est indispensable que (+ *sub*) ▌ *n* Grammar impératif *m*.
imperceptible [ɪmpə'septəb(ə)l] *a* imperceptible (**to** à).
imperfect [ɪm'pɜ:fɪkt] **1** *a* imparfait; (*goods*) défectueux. **2** *a & n* **i.** (**tense**) Grammar imparfait *m*. ●**imperfection** [-'fekʃ(ə)n] *n* imperfection *f*.
imperial [ɪm'pɪərɪəl] *a* impérial; (*majestic*) majestueux; **i. measure** Br mesure *f* légale (anglo-saxonne). ●**imperialism** *n* impérialisme *m*.
imperil [ɪm'perɪl] *vt* (Br **-ll-**, Am **-l-**) mettre en péril.
imperious [ɪm'pɪərɪəs] *a* impérieux.
impersonal [ɪm'pɜ:sən(ə)l] *a* impersonnel.
impersonate [ɪm'pɜ:səneɪt] *vt* (*pretend to be*) se faire passer pour; (*on TV etc*) imiter. ●**impersonation** [-'neɪʃ(ə)n] *n* imitation *f*. ●**impersonator** *n* (*on TV etc*) imitateur, -trice *mf*.
impertinent [ɪm'pɜ:tɪnənt] *a* impertinent (**to** envers). ●**impertinence** *n* impertinence *f*. ●**impertinently** *adv* avec impertinence.
impervious [ɪm'pɜ:vɪəs] *a* imperméable (**to** à).
impetuous [ɪm'petjʊəs] *a* impétueux. ●**impetu'osity** *n* impétuosité *f*.
impetus ['ɪmpɪtəs] *n* impulsion *f*.
impinge [ɪm'pɪndʒ] *vi* **to i. on** (*affect*) affecter; (*encroach on*) empiéter sur.
impish ['ɪmpɪʃ] *a* (*naughty*) espiègle.
implacable [ɪm'plækəb(ə)l] *a* implacable.
implant [ɪm'plɑ:nt] *vt* (*surgically*) implanter (**in** dans); (*ideas*) inculquer (**in** à) ▌ ['ɪmplɑ:nt] *n* (*in body*) implant *m*.
implement¹ ['ɪmplɪmənt] *n* (*tool*) instrument *m*; (*utensil*) ustensile *m*; **farm implements** matériel *m* agricole.
implement² ['ɪmplɪment] *vt* (*carry out*) mettre en œuvre, exécuter. ●**implementation** [-'teɪʃ(ə)n] *n* mise *f* en œuvre, exécution *f*.
implicate ['ɪmplɪkeɪt] *vt* impliquer (**in** dans). ●**implication** [-'keɪʃ(ə)n] *n* (*consequence*) conséquence *f*; (*involvement*) implication *f*; (*innuendo*) insinuation *f*; (*impact*) portée *f*; **by i.** implicitement.
implicit [ɪm'plɪsɪt] *a* (*implied*) implicite; (*belief, obedience etc*) absolu. ●**implicitly** *adv* implicitement.

implore [ɪm'plɔ:r] *vt* implorer (**s.o. to do** qn de faire).
imply [ɪm'plaɪ] *vt* (*suggest*) laisser entendre (**that** que); (*assume*) impliquer, supposer (**that** que); (*insinuate*) insinuer (**that** que). ●**implied** *a* implicite.
impolite [ɪmpə'laɪt] *a* impoli. ●**impoliteness** *n* impolitesse *f*.
import 1 [ɪm'pɔ:t] *vt* (*goods etc*) importer (**from** de) ▌ ['ɪmpɔ:t] *n* (*imported product*) importation *f*. **2** ['ɪmpɔ:t] *n* (*meaning*) sens *m*. ●**im'porter** *n* importateur, -trice *mf*.
importance [ɪm'pɔ:təns] *n* importance *f*; **to be of i.** avoir de l'importance; **of no i.** sans importance.
important [ɪm'pɔ:tənt] *a* important (**to** à, **for** pour); **it's i. that** il est important que (+ *sub*). ●**importantly** *adv* **more i.** ce qui est plus important.
impose [ɪm'pəʊz] *vt* (*conditions, silence etc*) imposer (**on** à); (*fine, punishment*) infliger (**on** s.o. à qn) ▌ *vi* (*cause trouble*) déranger; **to i. on s.o.** déranger qn. ●**imposition** [-'zɪʃ(ə)n] *n* imposition *f* (**of** de); (*inconvenience*) dérangement *m*.
imposing [ɪm'pəʊzɪŋ] *a* (*building, height etc*) impressionnant.
impossible [ɪm'pɒsəb(ə)l] *a* impossible (**to do** à faire); **it is i.** (**for us**) **to do** il (nous) est impossible de faire; **it is i. that** il est impossible que (+ *sub*); **to make it i. for s.o. to do sth** mettre qn dans l'impossibilité de faire qch ▌ *n* **to do the i.** faire l'impossible. ●**impossi'bility** *n* impossibilité *f*. ●**impossibly** *adv* (*late, hard etc*) incroyablement.
impostor [ɪm'pɒstər] *n* imposteur *m*.
impotent ['ɪmpətənt] *a* (*powerless & sexually*) impuissant. ●**impotence** *n* impuissance *f*.
impound [ɪm'paʊnd] *vt* (*of police*) saisir, confisquer; (*vehicle*) emmener à la fourrière.
impoverish [ɪm'pɒvərɪʃ] *vt* appauvrir. ●**impoverished** *a* appauvri, pauvre.
impracticable [ɪm'præktɪkəb(ə)l] *a* impraticable, irréalisable.
impractical [ɪm'præktɪk(ə)l] *a* peu réaliste.
imprecise [ɪmprɪ'saɪs] *a* imprécis.
impregnable [ɪm'pregnəb(ə)l] *a* (*fortress etc*) imprenable; (*argument*) Fig inattaquable.
impregnate ['ɪmpregneɪt] *vt* (*imbue*) imprégner (**with** de); (*fertilize*) féconder.
impresario [ɪmprɪ'sɑ:rɪəʊ] *n* (*pl* **-os**) impresario *m*.
impress [ɪm'pres] *vt* impressionner (*qn*); (*imprint*) imprimer (*marque etc*) (**on** sur, **in** dans); **to i. sth on s.o.** faire comprendre qch à qn.
impression [ɪm'preʃ(ə)n] *n* impression *f*; **to be under** *or* **have the i. that** avoir l'impression que; **to make a good i. on s.o.** faire une bonne impression à qn. ●**impressionable** *a* (*person*) impressionnable; (*age*) où l'on est impressionnable.
impressionist [ɪm'preʃənɪst] *n* (*entertainer*) imitateur, -trice *mf*; (*artist*) impressionniste

mf.

impressive [ɪmˈpresɪv] *a* impressionnant.
imprint [ɪmˈprɪnt] *vt* imprimer ▮ [ˈɪmprɪnt] *n* empreinte *f*; **publisher's i.** nom *m* de l'éditeur.
imprison [ɪmˈprɪz(ə)n] *vt* emprisonner. ●**imprisonment** *n* emprisonnement *m*; **life i.** la prison à vie.
improbable [ɪmˈprɒbəb(ə)l] *a* improbable; (*story*, *excuse*) invraisemblable. ●**improbaˈbility** *n* improbabilité *f*; (*of story etc*) invraisemblance *f*.
impromptu [ɪmˈprɒmptjuː] *a* & *adv* impromptu.
improper [ɪmˈprɒpər] *a* (*indecent*) indécent, inconvenant; (*wrong*) (*use*, *sense etc*) incorrect. ●**impropriety** [ɪmprəˈpraɪətɪ] *n* (*in behaviour*, *language etc*) inconvenance *f*; (*wrong use of word etc*) impropriété *f*.
improve [ɪmˈpruːv] *vt* améliorer; (*mind*) cultiver, développer; **to i.** one's English se perfectionner en anglais, améliorer son anglais; **to i. s.o.'s looks** embellir qn; **to i. oneself** se cultiver ▮ *vi* s'améliorer; (*of business*) aller de mieux en mieux, reprendre; **to i. on sth/s.o.** (*do better than*) faire mieux que qch/qn. ●**improvement** *n* amélioration *f* (**in** de); (*of mind*) développement *m*; (*progress*) progrès *m(pl)*; **there has been some** *or* **an i.** il y a du mieux; **to be an i. on sth** (*be better than*) être supérieur à qch *or* meilleur que qch.
improvise [ˈɪmprəvaɪz] *vti* improviser. ●**improvisation** [-ˈzeɪʃ(ə)n] *n* improvisation *f*.
impudent [ˈɪmpjʊdənt] *a* impudent. ●**impudence** *n* impudence *f*.
impulse [ˈɪmpʌls] *n* impulsion *f*; **on i.** sur un coup de tête. ●**imˈpulsive** *a* (*person*, *act*) impulsif, irréfléchi; (*remark*) irréfléchi. ●**imˈpulsively** *adv* (*to act etc*) de manière impulsive.
impunity [ɪmˈpjuːnɪtɪ] *n* **with i.** impunément.
impure [ɪmˈpjʊər] *a* impur. ●**impurity** *n* impureté *f*.
in [ɪn] *prep* **1** dans; **in the box/the school/***etc* dans la boîte/l'école/*etc*; **in an hour('s time)** dans une heure; **in the garden** dans le jardin, au jardin; **in luxury** dans le luxe; **in so far as** dans la mesure où.
2 à; **in school** à l'école; **in Paris** à Paris; **in the USA** aux USA; **in Portugal** au Portugal; **in fashion** à la mode; **in pencil** au crayon; **in ink** à l'encre; **in my opinion** à mon avis; **in spring** au printemps; **the woman in the red dress** la femme à la robe rouge.
3 en; **in summer/secret/French** en été/secret/français; **in Spain** en Espagne; **in May** en mai, au mois de mai; **in season** (*fruit etc*) de saison; **in fashion** en vogue; **in an hour** (*during the period of an hour*) en une heure; **in doing en faisant**; **dressed in black** habillé en noir; **in all** en tout.
4 de; **in a soft voice** d'une voix douce; **the best in the class** le meilleur de la classe; **an increase in salary** une augmentation de sa-

laire; **at six in the evening** à six heures du soir.
5 chez; **in children/adults/animals** chez les enfants/les adultes/les animaux; **in Shakespeare** chez Shakespeare.
6 in the rain sous la pluie; **in the morning** le matin; **he hasn't done it in months/years** ça fait des mois/années qu'il ne l'a pas fait; **in an hour** (*at the end of an hour*) au bout d'une heure; **one in ten** un sur dix; **in tens** dix par dix; **in hundreds/thousands** par centaines/milliers; **in here** ici; **in there** là-dedans.
7 *adv* **to be in** (*home*) être là, être à la maison; (*of train*) être arrivé; (*in fashion*) être en vogue; (*in season*) (*fruit etc*) être de saison; (*in power*) être au pouvoir; **day in day out** jour après jour; **in on a secret** au courant d'un secret; **we're in for some rain/trouble/***etc* on va avoir de la pluie/des ennuis/*etc*; **it's the in thing** *Fam* c'est dans le vent.
8 *npl* **the ins and outs of** les moindres détails de.
in- [ɪn] *pref* in-.
inability [ɪnəˈbɪlɪtɪ] *n* incapacité *f* (**to do** de faire).
inaccessible [ɪnəkˈsesəb(ə)l] *a* inaccessible.
inaccurate [ɪnˈækjʊrət] *a* inexact. ●**inaccuracy** *n* inexactitude *f*; **an i.** (*error*) une inexactitude.
inaction [ɪnˈækʃ(ə)n] *n* inaction *f*.
inactive [ɪnˈæktɪv] *a* inactif; (*mind*) inerte. ●**inacˈtivity** *n* inactivité *f*, inaction *f*.
inadequate [ɪnˈædɪkwət] *a* (*quantity*) insuffisant; (*person*) pas à la hauteur, insuffisant; (*work*) médiocre. ●**inadequacy** *n* insuffisance *f*. ●**inadequately** *adv* insuffisamment.
inadmissible [ɪnədˈmɪsəb(ə)l] *a* inadmissible.
inadvertently [ɪnədˈvɜːtəntlɪ] *adv* par inadvertance.
inadvisable [ɪnədˈvaɪzəb(ə)l] *a* (*action*) à déconseiller; **it is i. to go out alone/***etc* il est déconseillé de sortir seul/*etc*.
inane [ɪˈneɪn] *a* (*absurd*) inepte.
inanimate [ɪnˈænɪmət] *a* inanimé.
inappropriate [ɪnəˈprəʊprɪət] *a* (*unsuitable*) (*place*, *clothes etc*) qui ne convient pas; (*remark*, *moment*) qui ne convient pas, inopportun.
inarticulate [ɪnɑːˈtɪkjʊlət] *a* (*person*) incapable de s'exprimer; (*sound*) inarticulé.
inasmuch as [ɪnəzˈmʌtʃəz] *adv* (*because*) vu que; (*to the extent that*) en ce sens que.
inattentive [ɪnəˈtentɪv] *a* inattentif (**to** à).
inaudible [ɪnˈɔːdəb(ə)] *a* inaudible.
inaugural [ɪˈnɔːgjʊrəl] *a* (*speech*, *meeting*) inaugural.
inaugurate [ɪˈnɔːgjʊreɪt] *vt* (*building*, *policy*) inaugurer; (*official*) installer (dans ses fonctions). ●**inauguration** [-ˈreɪʃ(ə)n] *n* inauguration *f*; (*of official*) investiture *f*.
inauspicious [ɪnɔːˈspɪʃəs] *a* peu propice.
inborn [ɪnˈbɔːn] *a* inné.

inbred [ɪnˈbred] *a* (*quality etc*) inné.
Inc *abbr* (*Incorporated*) *Am Com* SA, SARL.
incalculable [ɪnˈkælkjʊləb(ə)l] *a* incalculable.
incandescent [ɪnkænˈdes(ə)nt] *a* incandescent.
incapable [ɪnˈkeɪpəb(ə)l] *a* incapable (**of doing** de faire); **i. of pity**/*etc* inaccessible à la pitié/*etc*.
incapacitate [ɪnkəˈpæsɪteɪt] *vt* (*for work*) rendre (*qn*) incapable (de travailler); (*of alcohol, drugs etc*) rendre (*qn*) incapable de faire quoi que ce soit. ● **incapacity** *n* (*inability*) incapacité *f*.
incarcerate [ɪnˈkɑːsəreɪt] *vt* incarcérer. ● **incarceration** [-ˈreɪʃ(ə)n] *n* incarcération *f*.
incarnate [ɪnˈkɑːnət] *a* incarné ▌[ɪnˈkɑːneɪt] *vt* incarner. ● **incarnation** [-ˈneɪʃ(ə)n] *n* incarnation *f*.
incendiary [ɪnˈsendɪərɪ] *a* **i. device** *or* **bomb** bombe *f* incendiaire.
incense 1 [ɪnˈsens] *vt* mettre en colère. **2** [ˈɪnsens] *n* (*substance*) encens *m*.
incentive [ɪnˈsentɪv] *n* encouragement *m*, motivation *f*; **to give s.o. an i. to work**/*etc* encourager qn à travailler/*etc*.
inception [ɪnˈsepʃ(ə)n] *n* début *m*.
incessant [ɪnˈses(ə)nt] *a* incessant. ● **incessantly** *adv* sans cesse.
incest [ˈɪnsest] *n* inceste *m*. ● **inˈcestuous** *a* incestueux.
inch [ɪntʃ] *n* pouce *m* (= 2,54 cm); **a few inches** (*loosely*) quelques centimètres; **within an i. of** (*success, death*) à deux doigts de; **i. by i.** petit à petit ▌*vti* **to i. (one's way) forward** avancer petit à petit.
incidence [ˈɪnsɪdəns] *n* fréquence *f*.
incident [ˈɪnsɪdənt] *n* incident *m*; (*in book, film etc*) épisode *m*.
incidental [ɪnsɪˈdent(ə)l] *a* (*additional*) accessoire, secondaire; **i. music** musique *f* de fond; **i. expenses** frais *mpl* accessoires; **it's i. to the main plot** c'est secondaire par rapport à l'intrigue principale. ● **incidentally** *adv* (*by the way*) à propos; (*additionally*) accessoirement.
incinerate [ɪnˈsɪnəreɪt] *vt* (*refuse, leaves etc*) incinérer. ● **incinerator** *n* incinérateur *m*.
incipient [ɪnˈsɪpɪənt] *a* naissant.
incision [ɪnˈsɪʒ(ə)n] *n* incision *f*.
incisive [ɪnˈsaɪsɪv] *a* incisif.
incisor [ɪnˈsaɪzər] *n* (*tooth*) incisive *f*.
incite [ɪnˈsaɪt] *vt* inciter (**to do** à faire). ● **incitement** *n* incitation *f* (**to do** à faire).
inclination [ɪnklɪˈneɪʃ(ə)n] *n* (*tendency*) inclination *f*; (*desire*) envie *f* (**to do** de faire); **to have no i. to do** n'avoir aucune envie de faire.
incline 1 [ɪnˈklaɪn] *vt* (*bend, tilt*) incliner; **to be inclined to do** (*feel a wish to*) avoir bien envie de faire; (*tend to*) avoir tendance à faire; **to be inclined towards** (*indulgence etc*) incliner à; (*opinion etc*) pencher pour; **to i. s.o. to do** incliner qn à faire ▌*vi* **to i. to sth = to be inclined towards sth**. **2** [ˈɪnklaɪn] *n* (*slope*) inclinaison *f*.
include [ɪnˈkluːd] *vt* (*contain*) comprendre, englober, inclure; **my invitation includes you** mon invitation s'adresse aussi à vous; **to be included** être compris; (*on list*) être inclus. ● **including** *prep* y compris; **i. service** service *m* compris.
inclusion [ɪnˈkluːʒ(ə)n] *n* inclusion *f*.
inclusive [ɪnˈkluːsɪv] *a* inclus; **from the fourth to the tenth of May i.** du quatre jusqu'au dix mai inclus(ivement); **to be i. of** comprendre; **i. of tax** toutes taxes comprises; **i. charge** *or* **price** prix *m* global.
incognito [ɪnkɒgˈniːtəʊ] *adv* incognito.
incoherent [ɪnkəʊˈhɪərənt] *a* incohérent. ● **incoherently** *adv* (*to speak, act etc*) de façon incohérente.
income [ˈɪŋkʌm] *n* revenu *m* (**from** de); **private i.** rentes *fpl*; **i. tax** impôt *m* sur le revenu.
incoming [ˈɪnkʌmɪŋ] *a* (*tenant, president etc*) nouveau (*f* nouvelle); **i. calls** (*on telephone*) appels *mpl* de l'extérieur; **i. mail** courrier *m* à l'arrivée; **i. tide** marée *f* montante.
incommunicado [ɪnkəmjuːnɪˈkɑːdəʊ] *a* (tenu) au secret.
incomparable [ɪnˈkɒmpərəb(ə)l] *a* incomparable.
incompatible [ɪnkəmˈpætəb(ə)l] *a* incompatible (**with** avec). ● **incompatiˈbility** *n* incompatibilité *f*.
incompetent [ɪnˈkɒmpɪtənt] *a* incompétent. ● **incompetence** *n* incompétence *f*.
incomplete [ɪnkəmˈpliːt] *a* incomplet.
incomprehensible [ɪnkɒmprɪˈhensəb(ə)l] *a* incompréhensible.
inconceivable [ɪnkənˈsiːvəb(ə)l] *a* inconcevable.
inconclusive [ɪnkənˈkluːsɪv] *a* peu concluant.
incongruous [ɪnˈkɒŋgrʊəs] *a* (*building, colours*) qui jure(nt) (**with** avec); (*remark, attitude*) incongru; (*absurd*) absurde.
inconsequential [ɪnkɒnsɪˈkwenʃ(ə)l] *a* sans importance.
inconsiderate [ɪnkənˈsɪdərət] *a* (*action, remark*) irréfléchi, inconsidéré; **to be i.** (*of person*) ne pas être très gentil, manquer d'égards (**towards** avec, envers).
inconsistent [ɪnkənˈsɪstənt] *a* (*reports etc at variance*) en contradiction (**with** avec); (*person, behaviour etc*) inconséquent, incohérent. ● **inconsistency** *n* (*of person etc*) inconséquence *f*, incohérence *f*; **an i.** une incohérence.
inconsolable [ɪnkənˈsəʊləb(ə)l] *a* inconsolable.
inconspicuous [ɪnkənˈspɪkjʊəs] *a* peu en évidence, qui passe inaperçu. ● **inconspicuously** *adv* discrètement.
incontinent [ɪnˈkɒntɪnənt] *a* incontinent.
inconvenience [ɪnkənˈviːnɪəns] *n* (*bother*) dérangement *m*; (*disadvantage*) inconvénient *m* ▌*vt* déranger, gêner.
inconvenient [ɪnkənˈviːnɪənt] *a* (*moment, si-*

tuation etc) gênant; (*house, school etc*) mal situé; **it's i. (for me) to...** ça me dérange de...; **that's very i.** c'est très gênant. ●**inconveniently** *adv* (*to arrive, happen*) à un moment gênant; **i. situated** mal situé.
incorporate [ɪnˈkɔːpəreɪt] *vt* (*contain*) contenir; (*introduce*) incorporer (**into** dans); **incorporated society** *Am* société *f* anonyme, société *f* à responsabilité limitée.
incorrect [ɪnkəˈrekt] *a* (*answer etc*) inexact; (*behaviour etc*) incorrect; **you're i.** vous avez tort.
incorrigible [ɪnˈkɒrɪdʒəb(ə)l] *a* incorrigible.
incorruptible [ɪnkəˈrʌptəb(ə)l] *a* incorruptible.
increase [ɪnˈkriːs] *vi* augmenter; (*of effort, noise*) s'intensifier; **to i. in weight** prendre du poids ∎ *vt* augmenter; (*effort etc*) intensifier ∎ [ˈɪnkriːs] *n* augmentation *f* (**in, of** de); (*of effort etc*) intensification *f* (**in, of** de); **on the i.** en hausse. ●**increasing** *a* (*amount etc*) croissant. ●**increasingly** *adv* de plus en plus.
incredible [ɪnˈkredəb(ə)l] *a* incroyable. ●**incredibly** *adv* incroyablement.
incredulous [ɪnˈkredjʊləs] *a* incrédule. ●**incre'dulity** *n* incrédulité *f*.
increment [ˈɪŋkrəmənt] *n* augmentation *f*.
incriminate [ɪnˈkrɪmɪneɪt] *vt* incriminer. ●**incriminating** *a* compromettant.
incubate [ˈɪŋkjʊbeɪt] *vt* (*eggs*) couver ∎ *vi* (*of illness*) être en période d'incubation. ●**incubation** [-ˈbeɪʃ(ə)n] *n* incubation *f*. ●**incubator** *n* (*for baby, eggs*) couveuse *f*.
inculcate [ˈɪnkʌlkeɪt] *vt* inculquer (**in** à).
incumbent [ɪnˈkʌmbənt] *a* **it is i. upon him or her to...** il lui incombe de... ∎ *n* (*holder of office*) titulaire *mf*.
incur [ɪnˈkɜːr] *vt* (**-rr-**) (*expenses*) faire; (*loss*) subir; (*debt*) contracter; (*criticism, danger*) s'attirer.
incurable [ɪnˈkjʊərəb(ə)l] *a* incurable.
incursion [*Br* ɪnˈkɜːʃ(ə)n, *Am* -ʒ(ə)n] *n* incursion *f* (**into** dans).
indebted [ɪnˈdetɪd] *a* **i. to s.o. for sth/for doing sth** redevable à qn de qch/d'avoir fait qch. ●**indebtedness** *n* dette *f*.
indecent [ɪnˈdiːs(ə)nt] *a* (*obscene*) indécent; (*improper*) peu approprié; **i. assault** *Br* attentat *m* à la pudeur. ●**indecency** *n* indécence *f*; (*crime*) *Br* outrage *m* à la pudeur. ●**indecently** *adv* indécemment.
indecisive [ɪndɪˈsaɪsɪv] *a* (*person, answer*) indécis. ●**indecision** [-ʒ(ə)n] *n*, ●**indecisiveness** *n* indécision *f*.
indeed [ɪnˈdiːd] *adv* en effet; **very good/***etc* **i.** vraiment très bon/*etc*; **yes i.!** bien sûr!; **thank you very much i.!** merci infiniment!, merci mille fois!
indefensible [ɪndɪˈfensəb(ə)l] *a* indéfendable.
indefinable [ɪndɪˈfaɪnəb(ə)l] *a* indéfinissable.
indefinite [ɪnˈdefɪnət] *a* (*feeling, duration etc*) indéfini; (*plan*) mal déterminé. ●**indefinitely** *adv* indéfiniment.
indelible [ɪnˈdeləb(ə)l] *a* (*ink, memory*) indélébile; **i. pen** stylo *m* à encre indélébile.
indelicate [ɪnˈdelɪkət] *a* (*coarse*) indélicat.
indemnify [ɪnˈdemnɪfaɪ] *vt* indemniser (**for** de). ●**indemnity** *n* (*compensation*) indemnité *f*; **an i. against** (*protection*) une garantie contre.
indented [ɪnˈdentɪd] *a* (*edge*) dentelé, découpé; (*line of print*) renfoncé. ●**indentation** [-ˈteɪʃ(ə)n] *n* dentelure *f*, découpure *f*; *Typ* renfoncement *m*.
independence [ɪndɪˈpendəns] *n* indépendance *f*.
independent [ɪndɪˈpendənt] *a* indépendant (**of** de); (*opinions, reports*) de sources différentes. ●**independently** *adv* de façon indépendante; **i. of** indépendamment de.
indescribable [ɪndɪˈskraɪbəb(ə)l] *a* indescriptible.
indestructible [ɪndɪˈstrʌktəb(ə)l] *a* indestructible.
indeterminate [ɪndɪˈtɜːmɪnət] *a* indéterminé.
index [ˈɪndeks] *n* (*in book etc*) index *m*; (*in library*) catalogue *m*; (*number, sign*) indice *m*; **cost of living i.** indice *m* du coût de la vie; **i. card** fiche *f*; **i. finger** index *m* ∎ *vt* (*classify*) classer. ●**index-'linked** *a* (*wages etc*) indexé (**to** sur).
India [ˈɪndɪə] *n* Inde *f*. ●**Indian** *a* indien ∎ *n* Indien, -ienne *mf*.
indicate [ˈɪndɪkeɪt] *vt* indiquer (**that** que); **I was indicating right** (*in vehicle*) j'avais mis mon clignotant droit. ●**indication** [-ˈkeɪʃ(ə)n] *n* (*sign*) indice *m*, indication *f*; (*idea*) idée *f*.
indicative [ɪnˈdɪkətɪv] *a* **to be i. of** (*symptomatic*) être symptomatique de, renseigner sur ∎ *n Grammar* indicatif *m*.
indicator [ˈɪndɪkeɪtər] *n* (*instrument*) indicateur *m*; (*sign*) indication *f* (**of** de); (*in vehicle*) clignotant *m*; (*display board*) tableau *m* (indicateur).
indict [ɪnˈdaɪt] *vt* inculper (**for** de). ●**indictment** *n* inculpation *f*.
Indies [ˈɪndɪz] *npl* **the West I.** les Antilles *fpl*.
indifferent [ɪnˈdɪf(ə)rənt] *a* indifférent (**to** à); (*mediocre*) médiocre. ●**indifference** *n* indifférence *f* (**to** à). ●**indifferently** *adv* indifféremment.
indigenous [ɪnˈdɪdʒɪnəs] *a* indigène.
indigestion [ɪndɪˈdʒestʃ(ə)n] *n* problèmes *mpl* de digestion; (**an attack of**) **i.** une indigestion. ●**indigestible** *a* indigeste.
indignant [ɪnˈdɪgnənt] *a* indigné (**at** de, **with** contre); **to become i.** s'indigner. ●**indignantly** *adv* avec indignation. ●**indignation** [-ˈneɪʃ(ə)n] *n* indignation *f*.
indignity [ɪnˈdɪgnɪtɪ] *n* indignité *f*.
indigo [ˈɪndɪgəʊ] *n* & *a* (*colour*) indigo *m* & *a inv*.
indirect [ɪndaɪˈrekt] *a* indirect. ●**indirectly** *adv* indirectement.
indiscreet [ɪndɪˈskriːt] *a* indiscret. ●**indiscretion** [-ˈkreʃ(ə)n] *n* indiscrétion *f*.

indiscriminate [ɪndɪ'skrɪmɪnət] a (random) fait, donné etc au hasard; (person) qui manque de discernement. ● **indiscriminately** adv (at random) au hasard; (without discrimination) sans discernement.

indispensable [ɪndɪ'spensəb(ə)l] a indispensable (**to** à).

indisposed [ɪndɪ'spəʊzd] a (unwell) indisposé. ● **indisposition** [-pə'zɪʃ(ə)n] n (illness) indisposition f.

indisputable [ɪndɪ'spjuːtəb(ə)l] a incontestable.

indistinct [ɪndɪ'stɪŋkt] a indistinct.

indistinguishable [ɪndɪ'stɪŋgwɪʃəb(ə)l] a différenciable (**from** de).

individual [ɪndɪ'vɪdʒʊəl] a (separate, personal) (responsibility, fact etc) individuel; (specific) particulier ▮ n (person) individu m. ● **individu'ality** n (distinctiveness) individualité f. ● **individually** adv (separately) individuellement; (unusually) de façon (très) personnelle.

individualist [ɪndɪ'vɪdʒʊəlɪst] n individualiste mf. ● **individua'listic** a individualiste.

indivisible [ɪndɪ'vɪzəb(ə)l] a indivisible.

Indo-China [ɪndəʊ'tʃaɪnə] n Indochine f.

indoctrinate [ɪn'dɒktrɪneɪt] vt endoctriner. ● **indoctrination** [-'neɪʃ(ə)n] n endoctrinement m.

indolent ['ɪndələnt] a indolent. ● **indolence** n indolence f.

indomitable [ɪn'dɒmɪtəb(ə)l] a (will, energy) indomptable.

Indonesia [ɪndəʊ'niːʒə] n Indonésie f.

indoor ['ɪndɔːr] a (games, shoes etc) d'intérieur; (swimming pool etc) couvert. ● **in'doors** adv à l'intérieur; **to go** or **come i.** rentrer.

induce [ɪn'djuːs] vt (persuade) persuader (qn) (**to do** de faire); (cause) provoquer; **to i. labour** (in pregnant woman) déclencher le travail. ● **inducement** n encouragement m (**to do** à faire); (bribe) pot-de-vin m.

indulge [ɪn'dʌldʒ] vt (s.o.'s wishes) satisfaire; (child etc) gâter, tout passer à; **to i. oneself** se gâter ▮ vi **to i. in** (ice cream, cigar etc) se permettre; (hobby, vice etc) s'adonner à. ● **indulgence** n indulgence f. ● **indulgent** a indulgent (**to** envers).

industrial [ɪn'dʌstrɪəl] a industriel; (conflict, legislation) du travail; **i. action** Br mouvement m revendicatif; **to take i. action** Br se mettre en grève; **i. estate** Br, **i. park** Am zone f industrielle; **i. relations** relations fpl patronat-salariés. ● **industrialist** n industriel m. ● **industrialized** a industrialisé.

industrious [ɪn'dʌstrɪəs] a travailleur.

industry ['ɪndəstrɪ] n industrie f; (hard work) application f.

inebriated [ɪn'iːbrɪeɪtɪd] a ivre.

inedible [ɪn'edəb(ə)l] a immangeable.

ineffective [ɪnɪ'fektɪv] a (measure etc) inefficace, sans effet; (person) incapable. ● **ineffectiveness** n inefficacité f.

ineffectual [ɪnɪ'fektʃʊəl] a (measure etc) inefficace; (person) incompétent.

inefficient [ɪnɪ'fɪʃ(ə)nt] a (person, measure etc) inefficace; (machine) peu performant. ● **inefficiency** n inefficacité f.

ineligible [ɪn'elɪdʒəb(ə)l] a (candidate) inéligible; **to be i. for** (scholarship etc) ne pas avoir droit à.

inept [ɪ'nept] a (unskilled) peu habile (**at sth** à qch); (incompetent) incapable, inapte; (foolish) inepte. ● **ineptitude** n (incapacity) inaptitude f.

inequality [ɪnɪ'kwɒlətɪ] n inégalité f.

inert [ɪ'nɜːt] a inerte. ● **inertia** [ɪ'nɜːʃə] n inertie f.

inescapable [ɪnɪ'skeɪpəb(ə)l] a inéluctable.

inevitable [ɪn'evɪtəb(ə)l] a inévitable. ● **inevitably** adv inévitablement.

inexcusable [ɪnɪk'skjuːzəb(ə)l] a inexcusable.

inexhaustible [ɪnɪg'zɔːstəb(ə)l] a inépuisable.

inexorable [ɪn'eksərəb(ə)l] a inexorable.

inexpensive [ɪnɪk'spensɪv] a bon marché inv.

inexperience [ɪnɪk'spɪərɪəns] n inexpérience f. ● **inexperienced** a inexpérimenté.

inexplicable [ɪnɪk'splɪkəb(ə)l] a inexplicable.

inexpressible [ɪnɪk'spresəb(ə)l] a inexprimable.

inextricable [ɪnɪk'strɪkəb(ə)l] a inextricable.

infallible [ɪn'fæləb(ə)l] a infaillible. ● **infalli'bility** n infaillibilité f.

infamous ['ɪnfəməs] a (evil) infâme. ● **infamy** n infamie f.

infancy ['ɪnfənsɪ] n petite enfance f; **to be in its i.** (of art, technique etc) en être à ses premiers balbutiements.

infant ['ɪnfənt] n (child) petit(e) enfant mf; (baby) nourrisson m; **i. school** Br classes fpl préparatoires.

infantile ['ɪnfəntaɪl] a (illness, reaction etc) infantile.

infantry ['ɪnfəntrɪ] n infanterie f.

infatuated [ɪn'fætʃʊeɪtɪd] a amoureux; **i. with** (person) amoureux de, engoué de; (sport, hobby etc) engoué de. ● **infatuation** [-'eɪʃ(ə)n] n engouement m (**for, with** pour).

infect [ɪn'fekt] vt (wound, person etc) infecter; **to get** or **become infected** s'infecter; **to i. s.o. with sth** communiquer qch à qn. ● **infection** [-ʃ(ə)n] n infection f.

infectious [ɪn'fekʃəs] a (disease) contagieux, infectieux; (person, laughter etc) contagieux.

infer [ɪn'fɜːr] vt (-rr-) déduire (**from** de, **that** que). ● **'inference** n déduction f; **by i.** par déduction; **to draw an i. from** tirer une conclusion de.

inferior [ɪn'fɪərɪər] a inférieur (**to** à); (goods, work) de qualité inférieure ▮ n (person) inférieur, -eure mf. ● **inferi'ority** n infériorité f; **i. complex** complexe m d'infériorité.

infernal [ɪn'fɜːn(ə)l] a infernal. ● **infernally** adv Fam épouvantablement.

inferno [ɪn'fɜːnəʊ] n (pl -os) (blaze) brasier

initiate

m, incendie *m*; (*hell*) enfer *m*.
infertile [*Br* ɪn'fɜːtaɪl, *Am* ɪn'fɜːt(ə)l] *a* (*person, land*) stérile.
infest [ɪn'fest] *vt* infester (**with** de); **rat-/shark-infested** infesté de rats/requins.
infidelity [ɪnfɪ'delɪtɪ] *n* infidélité *f*.
infighting ['ɪnfaɪtɪŋ] *n* (*within group, office etc*) luttes *fpl* intestines.
infiltrate ['ɪnfɪltreɪt] *vi* s'infiltrer (**into** dans) ▮ *vt* (*group etc in order to disrupt*) s'infiltrer dans, noyauter. ● **infiltration** [-'treɪʃ(ə)n] *n* infiltration *f*; *Pol* noyautage *m*.
infinite ['ɪnfɪnɪt] *a* & *n* infini (*m*). ● **infinitely** *adv* infiniment. ● **in'finity** *n Math Phot* infini *m*; **to i.** *Math* à l'infini.
infinitive [ɪn'fɪnɪtɪv] *n Grammar* infinitif *m*.
infirm [ɪn'fɜːm] *a* infirme.
infirmary [ɪn'fɜːmərɪ] *n* (*hospital*) hôpital *m*; (*sickbay*) infirmerie *f*.
infirmity [ɪn'fɜːmətɪ] *n* (*disability*) infirmité *f*.
inflame [ɪn'fleɪm] *vt* enflammer. ● **inflamed** *a* (*throat, wound etc*) enflammé.
inflammable [ɪn'flæməb(ə)l] *a* inflammable. ● **inflammation** [ɪnflə'meɪʃ(ə)n] *n* inflammation *f*. ● **inflammatory** *a* (*remark, speech etc*) incendiaire.
inflate [ɪn'fleɪt] *vt* (*balloon, prices etc*) gonfler. ● **inflatable** *a* gonflable.
inflation [ɪn'fleɪʃ(ə)n] *n* (*rising prices*) inflation *f*. ● **inflationary** *a* inflationniste.
inflection [ɪn'flekʃ(ə)n] *n Grammar* flexion *f*; (*of voice*) inflexion *f*.
inflexible [ɪn'fleksəb(ə)l] *a* inflexible.
inflexion [ɪn'flekʃ(ə)n] *n* = **inflection**.
inflict [ɪn'flɪkt] *vt* (*a wound*) occasionner (**on s.o.** à qn); (*punishment, torture*) infliger (**on s.o.** à qn); **to i. pain on s.o.** faire souffrir qn.
influence ['ɪnfluəns] *n* influence *f*; **under the i. of** (*anger, drugs*) sous l'effet de; **under the i. of drink** *or* **alcohol** en état d'ébriété ▮ *vt* influencer. ● **influential** [-'enʃəl] *a* **to be i.** avoir une grande influence, être influent.
influenza [ɪnflu'enzə] *n* grippe *f*.
influx ['ɪnflʌks] *n* (*of tourists, refugees etc*) afflux *m* (**of** de).
info ['ɪnfəʊ] *n Fam* tuyaux *mpl*, renseignements *mpl* (**on** sur).
inform [ɪn'fɔːm] *vt* informer (**of** de, **that** que) ▮ *vi* **to i. on s.o.** dénoncer qn. ● **informed** *a* (*person, public etc*) informé; **to keep s.o. i. of sth** tenir qn au courant de qch.
informal [ɪn'fɔːm(ə)l] *a* (*manner, attitude, person etc*) simple, décontracté; (*occasion*) dénué de formalité; (*tone, expression*) familier; (*announcement*) officieux; (*meeting*) non-officiel. ● **infor'mality** *n* simplicité *f*; (*of tone etc*) familiarité *f*. ● **informally** *adv* (*without fuss*) sans cérémonie; (*dress*) simplement; (*to discuss*) à titre non-officiel; (*to meet*) officieusement.
informant [ɪn'fɔːmənt] *n* informateur, -trice *mf*.
information [ɪnfə'meɪʃ(ə)n] *n* (*facts*) renseignements *mpl* (**about, on** sur); (*knowledge*) & *Comptr* information *f*; **a piece of i.** un renseignement, une information; **to get some i.** se renseigner; **i. technology** informatique *f*.
informative [ɪn'fɔːmətɪv] *a* instructif.
informer [ɪn'fɔːmər] *n* (**police**) i. indicateur, -trice *mf*.
infrared [ɪnfrə'red] *a* infrarouge.
infrequent [ɪn'friːkwənt] *a* peu fréquent. ● **infrequently** *adv* rarement.
infringe [ɪn'frɪndʒ] *vt* (*rule*) contrevenir à ▮ *vi* **to i. upon** (*encroach on*) empiéter sur. ● **infringement** *n* infraction *f* (**of** à).
infuriate [ɪn'fjʊərɪeɪt] *vt* exaspérer. ● **infuriating** *a* exaspérant.
infuse [ɪn'fjuːz] *vt* (*tea*) (faire) infuser. ● **infusion** [-ʒ(ə)n] *n* infusion *f*.
ingenious [ɪn'dʒiːnɪəs] *a* ingénieux. ● **ingenuity** [ɪndʒɪ'njuːɪtɪ] *n* ingéniosité *f*.
ingot ['ɪŋgət] *n* lingot *m*.
ingrained [ɪn'greɪnd] *a* (*prejudice, attitude etc*) enraciné; **i. dirt** crasse *f*.
ingratiate [ɪn'greɪʃɪeɪt] *vt* **to i. oneself with s.o.** s'insinuer dans les bonnes grâces de qn. ● **ingratiating** *a* (*person, smile*) insinuant.
ingratitude [ɪn'grætɪtjuːd] *n* ingratitude *f*.
ingredient [ɪn'griːdɪənt] *n* ingrédient *m*.
ingrowing ['ɪngrəʊɪŋ] (*Am* **ingrown** ['ɪngrəʊn]) *a* (*toenail*) incarné.
inhabit [ɪn'hæbɪt] *vt* habiter. ● **inhabitable** *a* habitable. ● **inhabitant** *n* habitant, -ante *mf*.
inhale [ɪn'heɪl] *vt* (*smell etc*) aspirer; (*smoke, fumes*) respirer; **to i. the smoke** (*of smoker*) avaler la fumée. ● **inhalation** [ɪnhə'leɪʃ(ə)n] *n* inhalation *f*. ● **inhaler** *n* (*for medication*) inhalateur *m*.
inherent [ɪn'hɪərənt] *a* inhérent (**in** à). ● **inherently** *adv* intrinsèquement, en soi.
inherit [ɪn'herɪt] *vt* hériter (de); (*title*) succéder à. ● **inheritance** *n* héritage *m*; (*legal process*) succession *f*; (*cultural*) patrimoine *m*.
inhibit [ɪn'hɪbɪt] *vt* (*hinder*) gêner; (*control*) maîtriser (*impulsion etc*); **to i. s.o. from doing sth** empêcher qn de faire qch; **to be inhibited** être inhibé, avoir des inhibitions. ● **inhibition** [-'bɪʃ(ə)n] *n* inhibition *f*.
inhospitable [ɪnhɒ'spɪtəb(ə)l] *a* peu accueillant, inhospitalier.
inhuman [ɪn'hjuːmən] *a* (*not human, cruel*) inhumain. ● **inhu'mane** *a* (*not kind*) inhumain. ● **inhu'manity** *n* brutalité *f*, cruauté *f*.
inimitable [ɪ'nɪmɪtəb(ə)l] *a* inimitable.
iniquitous [ɪ'nɪkwɪtəs] *a* inique. ● **iniquity** *n* iniquité *f*.
initial [ɪ'nɪʃ(ə)l] *a* premier, initial ▮ *npl* **initials** (*letters*) initiales *fpl*; (*signature*) paraphe *m* ▮ *vt* (*Br* **-ll-**, *Am* **-l-**) parapher. ● **initially** *adv* au début, initialement.
initiate [ɪ'nɪʃɪeɪt] *vt* (*reform, negotiations*) amorcer; (*attack, fashion*) lancer; (*policy, period*) inaugurer; **to i. s.o. into** initier qn à; **to i. proceedings against s.o.** engager des poursuites contre qn ▮ *n* **the initiated** les initiés *mpl*. ● **initiation** [-'eɪʃ(ə)n] *n* amorce *f*; (*of attack*) lancement *m*; (*of policy*) inau-

initiative

guration *f*; (*of person*) initiation *f*. ● **initiator** *n* (*of idea etc*) initiateur, -trice *mf*.
initiative [ɪˈnɪʃətɪv] *n* initiative *f*.
inject [ɪnˈdʒekt] *vt* injecter (**into sth** dans qch); (*new life etc*) *Fig* insuffler (**into** à); **to i. sth into s.o., i. s.o. with sth** faire une piqûre de qch à qn, injecter qch à qn. ● **injection** [-ʃ(ə)n] *n* injection *f*, piqûre *f*.
injunction [ɪnˈdʒʌŋkʃ(ə)n] *n* (*court order*) ordonnance *f*.
injure [ˈɪndʒər] *vt* (*physically*) blesser, faire du mal à; (*damage*) nuire à, compromettre (*réputation etc*); **to i. one's foot**/*etc* se blesser au pied/*etc*; **to i. s.o.'s feelings** offenser qn. ● **injured** *a* blessé ▮ *n* **the i.** les blessés *mpl*.
injurious [ɪnˈdʒʊərɪəs] *a* préjudiciable (**to** à).
injury [ˈɪndʒərɪ] *n* (*to flesh*) blessure *f*; (*fracture*) fracture *f*; (*sprain*) foulure *f*; (*bruise*) contusion *f*; (*wrong*) *Fig* préjudice *m*.
injustice [ɪnˈdʒʌstɪs] *n* injustice *f*.
ink [ɪŋk] *n* encre *f*; **Indian i.** encre *f* de Chine. ● **inkpot** *or* **inkwell** *n* encrier *m*. ● **inky** *a* couvert d'encre.
inkling [ˈɪŋklɪŋ] *n* (petite) idée *f*; **to have some** *or* **an i. of sth** soupçonner qch, avoir une (petite) idée de qch.
inlaid [ɪnˈleɪd] *a* (*marble etc*) incrusté (**with** de); (*wood*) marqueté.
inland [ˈɪnlənd, ˈɪnlænd] *a* intérieur; **the I. Revenue** *Br* le fisc, le service des impôts ▮ [ɪnˈlænd] *adv* à l'intérieur (*des terres*).
in-laws [ˈɪnlɔːz] *npl* belle-famille *f*.
inlet [ˈɪnlet] *n* (*of sea*) crique *f*; **i. pipe** tuyau *m* d'arrivée.
inmate [ˈɪnmeɪt] *n* (*of prison*) détenu, -ue *mf*; (*of asylum*) interné, -ée *mf*; (*of hospice, home*) pensionnaire *mf*.
inmost [ˈɪnməʊst] *a* le plus profond.
inn [ɪn] *n* auberge *f*.
innards [ˈɪnədz] *npl Fam* entrailles *fpl*.
innate [ɪˈneɪt] *a* inné.
inner [ˈɪnər] *a* intérieur; (*feelings*) intime, profond; (*ear*) interne; **an i. circle** (*group of people*) un cercle restreint; **the i. circle** le saint des saints; **the i. city** les quartiers du centre-ville; **i. tube** (*of Br tyre, Am tire*) chambre *f* à air. ● **innermost** *a* le plus profond.
inning [ˈɪnɪŋ] *n Baseball* tour *m* de batte. ● **innings** *n inv Cricket* tour *m* de batte; **a good i.** *Fig* une vie longue.
innkeeper [ˈɪnkiːpər] *n* aubergiste *mf*.
innocent [ˈɪnəs(ə)nt] *a* innocent. ● **innocence** *n* innocence *f*. ● **innocently** *adv* innocemment.
innocuous [ɪˈnɒkjʊəs] *a* inoffensif.
innovate [ˈɪnəveɪt] *vi* innover. ● **innovation** [-ˈveɪʃ(ə)n] *n* innovation *f*. ● **innovator** *n* innovateur, -trice *mf*.
innuendo [ɪnjʊˈendəʊ] *n* (*pl* -oes *or* -os) insinuation *f*.
innumerable [ɪˈnjuːmərəb(ə)l] *a* innombrable.
inoculate [ɪˈnɒkjʊleɪt] *vt* vacciner (**against** contre). ● **inoculation** [-ˈleɪʃ(ə)n] *n* vaccination *f*, inoculation *f*.
inoffensive [ɪnəˈfensɪv] *a* inoffensif.
inoperative [ɪnˈɒpərətɪv] *a* (*machine*) qui ne fonctionne pas; (*rule*) inopérant.
inopportune [ɪnˈɒpətjuːn] *a* inopportun.
inordinate [ɪˈnɔːdɪnət] *a* excessif. ● **inordinately** *adv* excessivement.
in-patient [ˈɪnpeɪʃənt] *n Br* malade *mf* hospitalisé(e).
input [ˈɪnpʊt] *n* (*computer operation*) entrée *f*; (*data*) données *fpl*; (*electrical current*) énergie *f*; (*resources*) ressources *fpl*; (*contribution*) apport *m* ▮ *vt* (*into computer*) entrer (*données*).
inquest [ˈɪnkwest] *n* enquête *f*.
inquire [ɪnˈkwaɪər] *vi* se renseigner (**about** sur); **to i. after s.o.** demander des nouvelles de qn; **to i. into** faire une enquête sur, examiner ▮ *vt* demander; **to i. how to get to** demander le chemin de. ● **inquiring** *a* (*mind, look*) curieux.
inquiry [ɪnˈkwaɪərɪ] *n* (*request for information*) demande *f* de renseignements; (*investigation*) enquête *f*; **'inquiries'** (*sign*) 'renseignements'; **to make inquiries** demander des renseignements; (*of police*) enquêter.
inquisitive [ɪnˈkwɪzɪtɪv] *a* curieux. ● **inquisitively** *adv* avec curiosité. ● **inquisition** [-ˈzɪʃ(ə)n] *n* (*inquiry*) & *Rel* inquisition *f*.
inroads [ˈɪnrəʊdz] *npl* (*attacks*) incursions *fpl* (**into** dans); **to make i. into** (*start on*) entamer.
insane [ɪnˈseɪn] *a* fou (*f* folle), dément. ● **insanely** *adv* comme un fou. ● **insanity** *n* folie *f*, démence *f*.
insanitary [ɪnˈsænɪt(ə)rɪ] *a* insalubre.
insatiable [ɪnˈseɪʃəb(ə)l] *a* insatiable.
inscribe [ɪnˈskraɪb] *vt* inscrire; (*book*) dédicacer (**to** à). ● **inscription** [-ˈskrɪpʃ(ə)n] *n* inscription *f*; (*in book*) dédicace *f*.
inscrutable [ɪnˈskruːtəb(ə)l] *a* impénétrable.
insect [ˈɪnsekt] *n* insecte *m*; **i. powder/spray** poudre *f*/bombe *f* insecticide; **i. repellent** crème *f* anti-insecte. ● **inˈsecticide** *n* insecticide *m*.
insecure [ɪnsɪˈkjʊər] *a* (*not securely fixed*) mal fixé; (*furniture, ladder*) branlant, bancal; (*window*) mal fermé; (*uncertain*) incertain; (*unsafe*) peu sûr; (*person*) qui manque d'assurance. ● **insecurity** *n* (*of person, situation*) insécurité *f*.
insemination [ɪnsemɪˈneɪʃ(ə)n] *n* **artificial i.** insémination *f* artificielle.
insensible [ɪnˈsensəb(ə)l] *a* (*unconscious*) inconscient.
insensitive [ɪnˈsensɪtɪv] *a* insensible (**to** à). ● **insensiˈtivity** *n* insensibilité *f*.
inseparable [ɪnˈsep(ə)rəb(ə)l] *a* inséparable (**from** de).
insert [ɪnˈsɜːt] *vt* insérer (**in, into** dans). ● **insertion** [-ʃ(ə)n] *n* insertion *f*.
inshore [ˈɪnʃɔːr] *a* côtier ▮ *adv* (*to fish etc*) près de la côte.
inside [ɪnˈsaɪd] *adv* dedans, à l'intérieur;

come i.! entrez!
▮ *prep* à l'intérieur de, dans; (*time*) en moins de.
▮ *n* dedans *m*, intérieur *m*; **insides** (*stomach*) *Fam* ventre *m*; **on the i.** à l'intérieur (**of** de); **i. out** (*coat, socks etc*) à l'envers; (*to know, study etc*) à fond; **to turn everything i. out** *Fig* tout chambouler.
▮ *a* intérieur; (*information*) obtenu à la source; **the i. lane** *Br* la voie de gauche, *Am* la voie de droite.
insider [ɪn'saɪdər] *n* initié, -ée *mf*; **i. dealing or trading** (*on Stock Exchange*) délit *m* d'initié.
insidious [ɪn'sɪdɪəs] *a* insidieux.
insight ['ɪnsaɪt] *n* perspicacité *f*; (*into question etc*) aperçu *m*; **to give s.o. an i. into** (*s.o.'s character*) permettre à qn de comprendre; (*question etc*) donner à qn un aperçu de.
insignia [ɪn'sɪgnɪə] *npl* (*of important person*) insignes *mpl*.
insignificant [ɪnsɪg'nɪfɪkənt] *a* insignifiant. ● **insignificance** *n* insignifiance *f*.
insincere [ɪnsɪn'sɪər] *a* peu sincère. ● **insincerity** *n* manque *m* de sincérité.
insinuate [ɪn'sɪnjʊeɪt] *vt* 1 (*suggest*) insinuer (**that** que). 2 **to i. oneself into** s'insinuer dans. ● **insinuation** [-'eɪʃ(ə)n] *n* insinuation *f*.
insipid [ɪn'sɪpɪd] *a* insipide.
insist [ɪn'sɪst] *vi* insister (**on doing** pour faire); **to i. on sth** (*demand*) exiger qch; (*assert*) affirmer qch ▮ *vt* (*order*) insister (**that** pour que + *sub*); (*declare firmly*) affirmer (**that** que); **I i. that you come or on your coming** j'insiste pour que tu viennes.
insistence [ɪn'sɪstəns] *n* insistance *f*; **her i. on seeing me** l'insistance qu'elle met à vouloir me voir.
insistent [ɪn'sɪstənt] *a* (*person, request*) insistant; **to be i.** (**that**) insister (pour que + *sub*); **I was i. about it** j'ai été pressant. ● **insistently** *adv* avec insistance.
insolent ['ɪnsələnt] *a* insolent. ● **insolence** *n* insolence *f*. ● **insolently** *adv* insolemment.
insoluble [ɪn'sɒljʊb(ə)l] *a* insoluble.
insolvent [ɪn'sɒlvənt] *a* (*financially*) insolvable.
insomnia [ɪn'sɒmnɪə] *n* insomnie *f*. ● **insomniac** *n* insomniaque *mf*.
insomuch as [ɪnsəʊ'mʌtʃəz] *adv* = **inasmuch as**.
inspect [ɪn'spekt] *vt* inspecter; (*tickets*) contrôler; (*troops*) passer en revue. ● **inspection** [-ʃ(ə)n] *n* inspection *f*; (*of tickets*) contrôle *m*; (*of troops*) revue *f*. ● **inspector** *n* inspecteur, -trice *mf*; (*on train*) contrôleur, -euse *mf*.
inspire [ɪn'spaɪər] *vt* inspirer (**s.o. with sth** qch à qn); **to be inspired to do** avoir l'inspiration de faire. ● **inspired** *a* inspiré. ● **inspiring** *a* (*example etc*) inspirant, qui inspire. ● **inspiration** [-spə'reɪʃ(ə)n] *n* inspiration *f*; (*person*) source *f* d'inspiration.

instability [ɪnstə'bɪlɪtɪ] *n* instabilité *f*.
install [ɪn'stɔːl] (*Am* **instal**) *vt* installer. ● **installation** [-stə'leɪʃ(ə)n] *n* installation *f*.
instalment [ɪn'stɔːlmənt] (*Am* **installment**) *n* (*of money*) acompte *m*, versement *m* (partiel); (*of serial, story*) épisode *m*; (*of publication*) fascicule *m*; **to buy on the i. plan** *Am* acheter à crédit.
instance ['ɪnstəns] *n* (*example*) exemple *m*; (*case*) cas *m*; **for i.** par exemple; **in this i.** dans le cas présent; **in the first i.** en premier lieu.
instant ['ɪnstənt] *a* immédiat; **i. coffee** café *m* instantané *or* soluble, nescafé® *m*; **i. camera** appareil (photo) *m* à développement instantané; **of the 3rd i.** (*in commercial letter*) *Br* du 3 courant ▮ *n* (*moment*) instant *m*; **this (very) i.** (*at once*) à l'instant; **the i. that** (*as soon as*) dès que. ● **instantly** *adv* immédiatement.
instantaneous [ɪnstən'teɪnɪəs] *a* instantané.
instead [ɪn'sted] *adv* (*as alternative*) plutôt, au lieu de cela; **i. of sth** au lieu de qch; **i. of doing sth** au lieu de faire qch; **i. of s.o.** à la place de qn, (**of him or her**) à sa place.
instep ['ɪnstep] *n* (*of foot*) cou-de-pied *m*; (*of shoe*) cambrure *f*.
instigate ['ɪnstɪgeɪt] *vt* provoquer. ● **instigation** [-'geɪʃ(ə)n] *n* instigation *f*. ● **instigator** *n* instigateur, -trice *mf*.
instil [ɪn'stɪl] (*Am* **instill**) *vt* (-ll-) (*idea*) inculquer (**into** à); (*courage*) insuffler (**into** à).
instinct ['ɪnstɪŋkt] *n* instinct *m*; **by i.** d'instinct. ● **in'stinctive** *a* instinctif. ● **in'stinctively** *adv* instinctivement.
institute ['ɪnstɪtjuːt] *n* institut *m* ▮ *vt* (*rule, practice*) instituer; (*inquiry*) entamer, intenter; **to i. proceedings against s.o.** engager *or* intenter des poursuites contre qn.
institution [ɪnstɪ'tjuːʃ(ə)n] *n* (*private organization, custom etc*) institution *f*; (*financial, religious, psychiatric*) établissement *m*; **educational i.** établissement *m* scolaire. ● **insti'tutional** *a* institutionnel.
instruct [ɪn'strʌkt] *vt* (*teach*) enseigner (**s.o. in sth** qch à qn); **to i. s.o. about sth** (*inform*) instruire qn de qch; **to i. s.o. to do** (*order*) charger qn de faire.
instruction [ɪn'strʌkʃ(ə)n] *n* (*teaching*) instruction *f*; **instructions** (*orders*) instructions *fpl*; **instructions** (**for use**) mode *m* d'emploi.
instructive [ɪn'strʌktɪv] *a* instructif.
instructor [ɪn'strʌktər] *n* (*for judo, dance etc*) professeur *m*; (*for skiing, swimming etc*) moniteur, -trice *mf*; (*military*) instructeur *m*; (*in American university*) maître-assistant, -ante *mf*; **driving i.** moniteur, -trice *mf* d'auto-école.
instrument ['ɪnstrʊmənt] *n* instrument *m*.
instrumental [ɪnstrʊ'ment(ə)l] *a* (*music*) instrumental; **to be i. in sth/in doing sth** contribuer à qch/à faire qch. ● **instrumentalist** *n* (*performer*) instrumentaliste *mf*.
instrumentation [ɪnstrəmən'teɪʃ(ə)n] *n Mus* orchestration *f*.

insubordinate

insubordinate [ɪnsə'bɔːdɪnət] *a* indiscipliné. ●**insubordination** [-'neɪʃ(ə)n] *n* indiscipline *f*.

insubstantial [ɪnsəb'stænʃ(ə)l] *a* (*argument, evidence*) peu solide.

insufferable [ɪn'sʌfərəb(ə)l] *a* intolérable.

insufficient [ɪnsə'fɪʃənt] *a* insuffisant. ●**insufficiently** *adv* insuffisamment.

insular ['ɪnsjʊlər] *a* (*climate*) insulaire; (*views*) étroit, borné.

insulate ['ɪnsjʊleɪt] *vt* (*against cold etc, and electrically*) isoler; (*against sound*) insonoriser; **to i. s.o. from** *Fig* protéger qn de; **insulating tape** chatterton *m*. ●**insulation** [-'leɪʃ(ə)n] *n* isolation *f*; (*against sound*) insonorisation *f*; (*material*) isolant *m*.

insulin ['ɪnsjʊlɪn] *n* insuline *f*.

insult [ɪn'sʌlt] *vt* insulter ▮ ['ɪnsʌlt] *n* insulte *f* (**to** à). ●**insulting** *a* (*words, offer etc*) insultant.

insuperable [ɪn'suːpərəb(ə)l] *a* insurmontable.

insure [ɪn'ʃʊər] *vt* **1** (*house, car, goods etc*) assurer (**against** contre). **2** *Am* = **ensure**. ●**insurance** *n* assurance *f*; **i. company** compagnie *f* d'assurances; **i. policy** police *f* d'assurance.

insurgent [ɪn'sɜːdʒənt] *n* insurgé, -ée *mf*.

insurmountable [ɪnsə'maʊntəb(ə)l] *a* insurmontable.

insurrection [ɪnsə'rekʃ(ə)n] *n* insurrection *f*.

intact [ɪn'tækt] *a* intact.

intake ['ɪnteɪk] *n* (*of food*) consommation *f*; (*of students, schoolchildren*) admissions *fpl*; (*of recruits*) contingent *m*; (*of gas, air etc*) *Tech* admission *f*.

intangible [ɪn'tændʒəb(ə)l] *a* intangible.

integral ['ɪntɪɡrəl] *a* intégral; **to be an i. part of** faire partie intégrante de.

integrate ['ɪntɪɡreɪt] *vt* intégrer (**into** dans); **integrated school**/*etc* école *f*/*etc* où se pratique la déségrégation raciale ▮ *vi* s'intégrer (**into** dans); ●**integration** [-'ɡreɪʃ(ə)n] *n* intégration *f*; (**racial**) **i.** déségrégation *f* raciale.

integrity [ɪn'teɡrɪtɪ] *n* intégrité *f*.

intellect ['ɪntɪlekt] *n* (*faculty*) intelligence *f*, intellect *m*; (*cleverness, person*) intelligence *f*. ●**inte'llectual** *a* & *n* intellectuel, -elle (*mf*).

intelligence [ɪn'telɪdʒəns] *n* intelligence *f*; (*information about enemy*) renseignements *mpl*.

intelligent [ɪn'telɪdʒənt] *a* intelligent. ●**intelligently** *adv* intelligemment.

intelligentsia [ɪntelɪ'dʒentsɪə] *n* intelligentsia *f*.

intelligible [ɪn'telɪdʒəb(ə)l] *a* compréhensible, intelligible. ●**intelligi'bility** *n* intelligibilité *f*.

intemperance [ɪn'tempərəns] *n* intempérance *f*.

intend [ɪn'tend] *vt* (*gift, remark etc*) destiner (**for** à); **to be intended for s.o.** être destiné à qn; **to be intended to do/be** être destiné à faire/être; **to i. to do** avoir l'intention de faire; **I i. you to stay** mon intention est que vous restiez. ●**intended** *a* (*deliberate*) voulu, intentionnel; (*planned*) projeté.

intense [ɪn'tens] *a* intense; (*interest*) vif; (*person*) passionné. ●**intensely** *adv* (*to look etc*) intensément; (*very*) *Fig* extrêmement.

intensify [ɪn'tensɪfaɪ] *vt* intensifier ▮ *vi* s'intensifier. ●**intensification** [-'keɪʃ(ə)n] *n* intensification *f*.

intensity [ɪn'tensətɪ] *n* intensité *f*.

intensive [ɪn'tensɪv] *a* intensif; **in i. care** en réanimation; **i. care unit** service *m* de réanimation.

intent [ɪn'tent] **1** *a* (*look*) attentif; **i. on doing** résolu à faire; **i. on one's task**/*etc* absorbé par son travail/*etc*. **2** *n* intention *f*; **to all intents and purposes** en fait, essentiellement.

intention [ɪn'tenʃ(ə)n] *n* intention *f* (**of doing** de faire).

intentional [ɪn'tenʃ(ə)n(ə)l] *a* intentionnel; **it wasn't i.** ce n'était pas fait exprès. ●**intentionally** *adv* exprès, intentionnellement.

inter [ɪn'tɜːr] *vt* (**-rr-**) enterrer.

inter- ['ɪntə(r)] *pref* inter-.

interact [ɪntə'rækt] *vi* (*of people*) agir conjointement; (*of ideas etc*) être interdépendants; (*of chemicals*) interagir. ●**interaction** [-ʃ(ə)n] *n* interaction *f*. ●**interactive** *a Comptr* interactif.

intercede [ɪntə'siːd] *vi* intercéder (**with** auprès de).

intercept [ɪntə'sept] *vt* intercepter. ●**interception** [-ʃ(ə)n] *n* interception *f*.

interchange ['ɪntətʃeɪndʒ] *n* (*on road*) *Br* échangeur *m*.

interchangeable [ɪntə'tʃeɪndʒəb(ə)l] *a* interchangeable.

inter-city [ɪntə'sɪtɪ] *a* **i.-city train** *Br* train *m* de grandes lignes; **i.-city service** *Br* (service *m*) grandes lignes *fpl*.

intercom ['ɪntəkɒm] *n* interphone *m*.

interconnected [ɪntəkə'nektɪd] *a* (*facts etc*) liés. ●**interconnecting** *a* **i. rooms** pièces *fpl* communicantes.

intercontinental [ɪntəkɒntɪ'nent(ə)l] *a* intercontinental.

intercourse ['ɪntəkɔːs] *n* (*sexual*) rapports *mpl* (sexuels).

interdependent [ɪntədɪ'pendənt] *a* interdépendant; (*parts of machine*) solidaire.

interest ['ɪnt(ə)rɪst, 'ɪntrest] *n* intérêt *m*; (*money*) intérêts *mpl*; **an i. in a company** (*stake*) une participation *or* des intérêts dans une société; **his** *or* **her i. is** (*hobby etc*) ce qui l'intéresse c'est; **to take an i. in sth/s.o.** s'intéresser à qch/qn; **to lose i. in sth/s.o.** se désintéresser de qch/qn; **to be of i. to s.o.** intéresser qn.

▮ *vt* intéresser. ●**interested** *a* (*motive, person*) intéressé; **i. party** partie *f* intéressée; **to seem i.** sembler intéressé (**in** par); **to be i. in sth/s.o.** s'intéresser à qch/qn; **I'm i. in doing that** ça m'intéresse de faire ça; **are you i.?** ça vous intéresse? ●**interesting** *a* intéressant. ●**interestingly** *adv* **i.** (**enough**), **she**...

curieusement, elle....
interface ['ɪntəfeɪs] *n Comptr & Fig* interface *f*.
interfere [ɪntə'fɪər] *vi* se mêler des affaires des autres; **to i. in** s'ingérer dans; **to i. with** (*upset*) déranger (*projet etc*); (*touch*) toucher (à). ● **interfering** *a* (*person*) qui se mêle de tout.
interference [ɪntə'fɪərəns] *n* ingérence *f*; (*on radio*) parasites *mpl*.
interim ['ɪntərɪm] *n* **in the i.** entre-temps ∎ *a* (*measure etc*) provisoire; (*post*) intérimaire.
interior [ɪn'tɪərɪər] *a* intérieur ∎ *n* intérieur *m*; **Department of the I.** *Am* ministère *m* de l'Intérieur.
interjection [ɪntə'dʒekʃ(ə)n] *n Grammar* interjection *f*.
interlock [ɪntə'lɒk] *vi* (*of machine parts etc*) s'emboîter.
interloper ['ɪntələupər] *n* intrus, -use *mf*.
interlude ['ɪntəluːd] *n* (*on TV*) interlude *m*; (*in theatre*) entracte *m*; (*period of time*) intervalle *m*.
intermarry [ɪntə'mærɪ] *vi* se marier (entre eux). ● **intermarriage** *n* mariage *m* (*entre personnes de races etc différentes*).
intermediary [ɪntə'miːdɪərɪ] *a & n* intermédiaire (*mf*).
intermediate [ɪntə'miːdɪət] *a* (*stage etc*) intermédiaire; (*course, group*) de niveau moyen.
interminable [ɪn'tɜːmɪnəb(ə)l] *a* interminable.
intermingle [ɪntə'mɪŋg(ə)l] *vi* se mélanger.
intermission [ɪntə'mɪʃ(ə)n] *n Cinema Theatre* entracte *m*.
intermittent [ɪntə'mɪtənt] *a* intermittent. ● **intermittently** *adv* par intermittence.
intern 1 [ɪn'tɜːn] *vt* (*imprison*) interner. **2** ['ɪntɜːn] *n* (*doctor*) *Am* interne *mf* (des hôpitaux). ● **inter'nee** *n* interné, -ée *mf*. ● **in'ternment** *n Pol* internement *m*.
internal [ɪn'tɜːn(ə)l] *a* interne; (*flight, policy*) intérieur; **i. combustion engine** moteur *m* à explosion; **the I. Revenue Service** *Am* le fisc, le service des impôts. ● **internally** *adv* intérieurement; **'not to be taken i.'** (*medicine*) 'à usage externe'.
international [ɪntə'næʃ(ə)nəl] *a* international ∎ *n* (*match*) rencontre *f* internationale; (*player*) international *m*. ● **internationally** *adv* **i. famous** mondialement connu; **i. recognized** reconnu dans le monde entier.
interplanetary [ɪntə'plænɪt(ə)rɪ] *a* interplanétaire.
interplay ['ɪntəpleɪ] *n* interaction *f*, jeu *m*.
interpolate [ɪn'tɜːpəleɪt] *vt* interpoler.
interpret [ɪn'tɜːprɪt] *vt* interpréter ∎ *vi* (*translate for people*) faire l'interprète. ● **interpretation** [-'teɪʃ(ə)n] *n* interprétation *f*. ● **interpreter** *n* interprète *mf*.
interrelated [ɪntərɪ'leɪtɪd] *a* en corrélation. ● **interrelation** [-ʃ(ə)n] *n* corrélation *f*.
interrogate [ɪn'terəgeɪt] *vt* (*question closely*) interroger. ● **interrogation** [-'geɪʃ(ə)n] *n* interrogation *f*; (*by police*) interrogatoire *m*. ● **interrogator** *n* (*questioner*) interrogateur, -trice *mf*.
interrogative [ɪntə'rɒgətɪv] *a & n Grammar* interrogatif (*m*).
interrupt [ɪntə'rʌpt] *vt* interrompre. ● **interruption** [-ʃ(ə)n] *n* interruption *f*.
intersect [ɪntə'sekt] *vt* couper ∎ *vi* (*of roads, lines etc*) se couper, s'entrecouper. ● **intersection** [-ʃ(ə)n] *n* (*crossroads*) croisement *m*, intersection *f*; (*of lines etc*) intersection *f*.
interspersed [ɪntə'spɜːst] *a* **i. with** (*quotations, flowers etc*) parsemé de; **weeks of work i. with visits to the theatre** des semaines de travail entrecoupées de sorties au théâtre.
intertwine [ɪntə'twaɪn] *vt* entrelacer.
interval ['ɪntəv(ə)l] *n* intervalle *m*; (*in theatre, cinema*) *Br* entracte *m*; **at intervals** (*time*) de temps à autre; (*space*) par intervalles; **at five-minute intervals** toutes les cinq minutes; **bright** *or* **sunny intervals** éclaircies *fpl*.
intervene [ɪntə'viːn] *vi* (*of person*) intervenir; (*of event*) survenir; **ten years intervened** dix années s'écoulèrent; **if nothing intervenes** s'il n'arrive rien entre-temps. ● **intervention** [-'venʃ(ə)n] *n* intervention *f*.
interview ['ɪntəvjuː] *n* entrevue *f*, entretien *m* (**with** avec); (*on TV etc*) interview *f*; **to call s.o. for** *or* **to an i.** convoquer qn ∎ *vt* avoir une entrevue avec; (*on TV etc*) interviewer [-vjuːe]. ● **interviewer** *n* (*on TV etc*) interviewer [-vjuːœr] *m*; (*for research, in canvassing*) enquêteur, -euse *mf*.
intestine [ɪn'testɪn] *n* intestin *m*.
intimate[1] ['ɪntɪmət] *a* intime; (*friendship*) profond; (*knowledge, analysis*) approfondi. ● **intimacy** *n* intimité *f*. ● **intimately** *adv* intimement.
intimate[2] ['ɪntɪmeɪt] *vt* (*hint*) suggérer (**that** que). ● **intimation** [-'meɪʃ(ə)n] *n* (*announcement*) annonce *f*; (*hint*) suggestion *f*; (*sign*) indication *f*.
intimidate [ɪn'tɪmɪdeɪt] *vt* intimider. ● **intimidation** [-'deɪʃ(ə)n] *n* intimidation *f*.
into ['ɪntuː, *unstressed* 'ɪntə] *prep* **1** dans; **to put i.** mettre dans; **to go i.** (*room, detail*) entrer dans.
2 en; **to translate i.** traduire en; **to change s.o. i.** transformer *or* changer qn en; **to go i. town** aller en ville; **to break i. pieces** briser en morceaux.
3 *Math* **three i. six goes two** six divisé par trois fait deux.
4 to be i. yoga/*etc Fam* être à fond dans le yoga/*etc*.
intolerable [ɪn'tɒlərəb(ə)l] *a* intolérable (**that** que + *sub*). ● **intolerably** *adv* insupportablement.
intolerance [ɪn'tɒlərəns] *n* intolérance *f*. ● **intolerant** *a* intolérant (**of** de). ● **intolerantly** *adv* avec intolérance.
intonation [ɪntə'neɪʃ(ə)n] *n* (*of voice*) intonation *f*.
intoxicate [ɪn'tɒksɪkeɪt] *vt* enivrer. ● **intoxi-**

intra-

cated *a* ivre. ●**intoxication** [-'keɪʃ(ə)n] *n* ivresse *f*.
intra- ['ɪntrə] *pref* intra-.
intractable [ɪn'træktəb(ə)l] *a* (*person*) intraitable; (*problem*) épineux.
intransigent [ɪn'trænsɪdʒənt] *a* intransigeant. ●**intransigence** *n* intransigeance *f*.
intransitive [ɪn'trænsɪtɪv] *a* Grammar intransitif.
intravenous [ɪntrə'viːnəs] *a* Med intraveineux.
in-tray ['ɪntreɪ] *n* (*in office*) corbeille *f* (du courrier) 'arrivée'.
intrepid [ɪn'trepɪd] *a* intrépide.
intricate ['ɪntrɪkət] *a* complexe, compliqué. ●**intricacy** *n* complexité *f*. ●**intricately** *adv* de façon complexe.
intrigue 1 [ɪn'triːg] *vt* (*interest*) intriguer; **I'm intrigued to know...** je suis curieux de savoir.... 2 ['ɪntriːg] *n* (*plot*) intrigue *f*. ●**intriguing** *a* (*news, attitude etc*) curieux.
intrinsic [ɪn'trɪnsɪk] *a* intrinsèque. ●**intrinsically** *adv* intrinsèquement.
introduce [ɪntrə'djuːs] *vt* (*bring in, insert*) introduire (**into** dans); (*programme, subject*) présenter; **to i. s.o.** (**to s.o.**) présenter qn (à qn); **to i. oneself** (**to s.o.**) se présenter (à qn); **to i. s.o. to Dickens/geography/***etc* faire découvrir Dickens/la géographie/*etc* à qn.
introduction [ɪntrə'dʌkʃ(ə)n] *n* introduction *f*; (*of person to person*) présentation *f*; (*book title*) initiation *f*; **her i. to** (*life abroad etc*) son premier contact avec; **letter of i.** lettre *f* de recommandation (**to s.o.** auprès de qn).
introductory [ɪntrə'dʌktərɪ] *a* (*words*) d'introduction; (*speech*) de présentation; (*course*) d'initiation; **i. price** prix *m* de lancement.
introspective [ɪntrə'spektɪv] *a* introspectif. ●**introspection** [-ʃ(ə)n] *n* introspection *f*.
introvert ['ɪntrəvɜːt] *n* introverti, -ie *mf*.
intrude [ɪn'truːd] *vi* (*of person*) déranger (**on s.o.** qn), s'imposer (**on s.o.** à qn); **to i. on s.o.'s time** abuser du temps de qn; **to i. on s.o.'s privacy** porter atteinte à la vie privée de qn. ●**intruder** *n* intrus, -use *mf*. ●**intrusion** [-ʒ(ə)n] *n* (*bother*) dérangement *m*; (*interference*) intrusion *f* (**into** dans); **forgive my i.** pardonnez-moi de vous avoir dérangé.
intuition [ɪntjuː'ɪʃ(ə)n] *n* intuition *f*. ●**in'tuitive** *a* intuitif.
Inuit ['ɪnjuːɪt] *n* Inuit *m inv* ▮ *a* inuit *inv*.
inundate ['ɪnʌndeɪt] *vt* inonder (**with** de); **inundated with work/letters/***etc* submergé de travail/lettres/*etc*. ●**inundation** [-'deɪʃ(ə)n] *n* inondation *f*.
invade [ɪn'veɪd] *vt* envahir; **to i. s.o.'s privacy** violer la vie privée de qn. ●**invader** *n* envahisseur, -euse *mf*.
invalid[1] ['ɪnvəlɪd] *a* & *n* malade (*mf*); (*through injury*) infirme (*mf*); **i. car** Br voiture *f* d'infirme.
invalid[2] [ɪn'vælɪd] *a* (*ticket etc*) non valable. ●**invalidate** *vt* (*ticket etc*) annuler; (*election, law etc*) invalider.

invaluable [ɪn'væljʊəb(ə)l] *a* (*help etc*) inestimable.
invariable [ɪn'veərɪəb(ə)l] *a* invariable. ●**invariably** *adv* (*always*) toujours.
invasion [ɪn'veɪʒ(ə)n] *n* invasion *f*; **i. of s.o.'s privacy** *f* à la vie privée de qn.
invective [ɪn'vektɪv] *n* invective *f*.
inveigh [ɪn'veɪ] *vi* **to i. against** invectiver contre.
inveigle [ɪn'veɪg(ə)l] *vt* **to i. s.o. into doing sth** amener qn à faire qch par la ruse.
invent [ɪn'vent] *vt* inventer. ●**invention** [-ʃ(ə)n] *n* invention *f*. ●**inventive** *a* inventif. ●**inventiveness** *n* esprit *m* d'invention. ●**inventor** *n* inventeur, -trice *mf*.
inventory ['ɪnvənt(ə)rɪ] *n* inventaire *m*.
inverse [ɪn'vɜːs] *a* inverse; **in i. proportion to** inversement proportionnel à.
invert [ɪn'vɜːt] *vt* (*order etc*) intervertir; (*object*) retourner; **inverted commas** Br guillemets *mpl*. ●**inversion** [-ʃ(ə)n] *n* interversion *f*; Grammar Anat *etc* inversion *f*.
invest [ɪn'vest] *vt* (*money*) placer, investir (**in** dans); (*funds*) investir (**in** dans); (*time, effort*) consacrer (**in** à); **to i. s.o. with** (*endow*) investir qn de ▮ *vi* **to i. in** (*project*) placer son argent dans; (*company*) investir dans; (*new house, radio etc*) Fig se payer.
investigate [ɪn'vestɪgeɪt] *vt* (*examine*) examiner, étudier; (*crime*) enquêter sur ▮ *vi* **to go and i.** Fam aller voir ce qui se passe. ●**investigation** [-'geɪʃ(ə)n] *n* examen *m*, étude *f*; (*inquiry by journalist, police etc*) enquête *f* (**of, into** sur). ●**investigator** *n* (*detective*) enquêteur, -euse *mf*; (*private*) détective *m*.
investiture [ɪn'vestɪtʃ(ə)r] *n* (*of bishop etc*) investiture *f*.
investment [ɪn'vestmənt] *n* investissement *m*, placement *m*. ●**investor** *n* (*in shares*) actionnaire *mf*; (*saver*) épargnant, -ante *mf*.
inveterate [ɪn'vetərət] *a* invétéré.
invidious [ɪn'vɪdɪəs] *a* qui suscite la jalousie; (*hurtful*) blessant; (*odious*) odieux.
invigilate [ɪn'vɪdʒɪleɪt] *vi* (*in school etc*) être de surveillance (**à un examen**). ●**invigilator** *n* Br surveillant, -ante *mf*.
invigorate [ɪn'vɪgəreɪt] *vt* revigorer. ●**invigorating** *a* stimulant.
invincible [ɪn'vɪnsəb(ə)l] *a* invincible.
invisible [ɪn'vɪzəb(ə)l] *a* invisible; **i. ink** encre *f* sympathique.
invite [ɪn'vaɪt] *vt* inviter (**to do** à faire); (*ask for*) demander; (*give occasion for*) provoquer (*critiques, doutes etc*); **you're inviting trouble** tu cherches des ennuis; **to i. s.o. out** inviter qn (à sortir); **to i. s.o. over** inviter qn (à venir) ▮ ['ɪnvaɪt] *n* Fam invitation *f*. ●**inviting** *a* (*prospect etc*) engageant, séduisant; (*food*) appétissant. ●**invitation** [-'teɪʃ(ə)n] *n* invitation *f*.
invoice ['ɪnvɔɪs] *n* facture *f* ▮ *vt* facturer.
invoke [ɪn'vəʊk] *vt* invoquer.
involuntary [ɪn'vɒləntərɪ] *a* involontaire. ●**involuntarily** *adv* involontairement.
involve [ɪn'vɒlv] *vt* (*include*) mêler (*qn*) (**in**

à), impliquer (*qn*) (**in** dans); (*associate*) associer (*qn*) (**in** à); (*entail*) entraîner; **to i. oneself, get involved** (*commit oneself*) s'engager (**in** dans); **to i. s.o. in expense** entraîner qn à des dépenses; **the job involves going abroad** le poste nécessite des déplacements à l'étranger.

involved [ɪn'vɒlvd] *a* (*concerned*) concerné; (*committed*) engagé (**in** dans); (*complicated*) compliqué; **the factors/***etc* **i.** (*at stake*) les facteurs/*etc* en jeu; **the person i.** la personne en question; **i. with s.o.** mêlé aux affaires de qn; **personally i.** (*directement*) concerné; **emotionally i. with s.o.** amoureux de qn; **to become i.** (*of police*) intervenir.

involvement [ɪn'vɒlvmənt] *n* participation *f* (**in** à), implication *f* (**in** dans); (*commitment*) engagement *m* (**in** dans); **emotional i.** liaison *f*.

invulnerable [ɪn'vʌln(ə)rəb(ə)l] *a* invulnérable.

inward ['ɪnwəd] *a* & *adv* (*movement, to move*) vers l'intérieur ▌ *a* (*inner*) (*happiness etc*) intérieur; (*thoughts etc*) intime. ● **inward-looking** *a* replié sur soi. ● **inwardly** *adv* (*to laugh, curse etc*) intérieurement; (*inside*) à l'intérieur. ● **inwards** [-wədz] *adv* vers l'intérieur.

iodine [*Br* 'aɪədiːn, *Am* 'aɪədaɪn] *n* (*antiseptic*) teinture *f* d'iode.

iota [aɪ'əʊtə] *n* (*of truth, guilt etc*) brin *m*, once *f*.

IOU [aɪəʊ'juː] *n abbr* (*I owe you*) reconnaissance *f* de dette.

IQ [aɪ'kjuː] *n abbr* (*intelligence quotient*) QI *m inv*.

Iran [ɪ'rɑːn, ɪ'ræn] *n* Iran *m*. ● **Iranian** [ɪ'reɪnɪən, *Am* ɪ'rɑːnɪən] *a* iranien ▌ *n* Iranien, -ienne *mf*.

Iraq [ɪ'rɑːk] *n* Irak *m*. ● **Iraqi** *a* irakien ▌ *n* Irakien, -ienne *mf*.

irascible [ɪ'ræsəb(ə)l] *a* irascible.

ire ['aɪər] *n Lit* courroux *m*. ● **irate** [aɪ'reɪt] *a* furieux.

Ireland ['aɪələnd] *n* Irlande *f*. ● **Irish** *a* irlandais ▌ *n* (*language*) irlandais *m*; **the I.** (*people*) les Irlandais *mpl*. ● **Irishman** *n* (*pl* -men) Irlandais *m*. ● **Irishwoman** *n* (*pl* -women) Irlandaise *f*.

iris ['aɪərɪs] *n* (*plant, of eye*) iris *m*.

irk [ɜːk] *vt* ennuyer. ● **irksome** [-səm] *a* ennuyeux.

iron ['aɪən] *n* fer *m*; (*for clothes*) fer *m* (à repasser); **old i., scrap i.** *Br* ferraille *f*; **i. and steel industry** sidérurgie *f* ▌ *vt* (*clothes*) repasser; **to i. out** (*difficulties*) aplanir. ● **ironing** *n* repassage *m*; **i. board** planche *f* à repasser.

ironmonger ['aɪənmʌŋgər] *n* quincaillier, -ière *mf*; **i.'s shop** quincaillerie *f*. ● **ironmongery** *n* quincaillerie *f*.

ironwork ['aɪənwɜːk] *n* ferronnerie *f*.

irony ['aɪərənɪ] *n* ironie *f*. ● **ir'onic(al)** *a* ironique.

irradiate [ɪ'reɪdɪeɪt] *vt* (*subject to radiation*) irradier; **irradiated food** aliments *mpl* irradiés.

irrational [ɪ'ræʃən(ə)l] *a* (*person*) peu rationnel, illogique; (*act*) irrationnel; (*fear*) irraisonné.

irreconcilable [ɪrekən'saɪləb(ə)l] *a* (*people*) irréconciliable, inconciliable; (*views, laws etc*) inconciliable.

irrefutable [ɪrɪ'fjuːtəb(ə)l] *a* (*evidence etc*) irréfutable.

irregular [ɪ'regjʊlər] *a* irrégulier. ● **irregu'larity** *n* irrégularité *f*.

irrelevant [ɪ'reləvənt] *a* sans rapport (**to** avec); (*remark*) non pertinent; (*useless*) (*activity, course*) peu utile; **that's i.** ça n'a rien à voir. ● **irrelevance** *n* manque *m* de rapport.

irreparable [ɪ'rep(ə)rəb(ə)l] *a* (*harm, loss*) irréparable.

irreplaceable [ɪrɪ'pleɪsəb(ə)l] *a* irremplaçable.

irrepressible [ɪrɪ'presəb(ə)l] *a* (*laughter etc*) irrépressible.

irreproachable [ɪrɪ'prəʊtʃəb(ə)l] *a* irréprochable.

irresistible [ɪrɪ'zɪstəb(ə)l] *a* (*person, charm etc*) irrésistible.

irresolute [ɪ'rezəluːt] *a* irrésolu, indécis.

irrespective of [ɪrɪ'spektɪvəv] *prep* sans tenir compte de.

irresponsible [ɪrɪ'spɒnsəb(ə)l] *a* (*act*) irréfléchi; (*person*) irresponsable. ● **irresponsibly** *adv* (*to behave*) de façon irresponsable.

irretrievable [ɪrɪ'triːvəb(ə)l] *a* irréparable.

irreverent [ɪ'revərənt] *a* irrévérencieux.

irreversible [ɪrɪ'vɜːsəb(ə)l] *a* (*process*) irréversible; (*decision*) irrévocable.

irrevocable [ɪ'revəkəb(ə)l] *a* irrévocable.

irrigate ['ɪrɪgeɪt] *vt* irriguer. ● **irrigation** [-'geɪʃ(ə)n] *n* irrigation *f*.

irritable ['ɪrɪtəb(ə)l] *a* (*easily annoyed*) irritable.

irritant ['ɪrɪtənt] *n* irritant *m*.

irritate ['ɪrɪteɪt] *vt* (*annoy, inflame*) irriter. ● **irritating** *a* irritant.

irritation [ɪrɪ'teɪʃ(ə)n] *n* (*anger, inflammation*) irritation *f*.

IRS [aɪɑːr'es] *n abbr Am* = **Internal Revenue Service**.

is [ɪz] *see* **be**.

Islam ['ɪzlɑːm] *n* islam *m*. ● **Islamic** [ɪz'læmɪk] *a* islamique.

island ['aɪlənd] *n* île *f*; (**traffic**) **i.** refuge *m* (*pour piétons*). ● **islander** *n* insulaire *mf*.

isle [aɪl] *n* île *f*; **the British Isles** les îles Britanniques.

isn't ['ɪz(ə)nt] = **is not**.

isolate ['aɪsəleɪt] *vt* isoler (**from** de). ● **isolated** *a* (*remote, unique*) isolé. ● **isolation** [-'leɪʃ(ə)n] *n* isolement *m*; **in i.** isolément.

Israel ['ɪzreɪl] *n* Israël *m*. ● **is'raeli** *a* israélien ▌ *n* Israélien, -ienne *mf*.

issue ['ɪʃuː] *vt* (*book etc*) publier; (*tickets*) distribuer; (*passport*) délivrer; (*an order*) donner; (*warning*) lancer; (*stamps, bank-*

isthmus

notes) émettre; (*supply*) fournir (**with** de, **to** à). ▎*vi* **to i. from** (*of smell*) se dégager de; (*stem from*) provenir de.
▎*n* (*of newspaper, magazine*) numéro *m*; (*matter*) question *f*; (*problem*) problème *m*; (*outcome*) résultat *m*; (*of text*) publication *f*; (*of stamps etc*) émission *f*; **at i.** (*at stake*) en cause; **to make an i. or a big i. of sth** faire toute une affaire de qch; **to take i. with s.o.** être en désaccord avec qn.

isthmus ['ɪsməs] *n Geog* isthme *m*.

it [ɪt] *pron* **1** (*subject*) il, elle; (*object*) le, la, l'; (**to**) **it** (*indirect object*) lui; **it bites** (*dog etc*) il mord; **I've done it** je l'ai fait.
2 (*impersonal*) il; **it's snowing** il neige; **it's hot** il fait chaud.
3 (*non specific*) ce, cela, ça; **it's good** c'est bon; **it was pleasant** c'était agréable; **who is it?** qui est-ce?; **that's it!** (*I agree*) c'est ça!; (*it's done*) ça y est!; **to consider it wise to do sth** juger prudent de faire qch; **it was Paul who...** c'est Paul qui...; **she's got it in her to succeed** elle est capable de réussir; **to have it in for s.o.** en vouloir à qn.
4 **of it, from it, about it; in it, to it, at it** y; **on it** dessus; **under it** dessous.

italic [ɪ'tælɪk] *a* (*character etc*) italique. ●**italics** *npl* italique *m*; **in i.** en italique.

Italy ['ɪtəlɪ] *n* Italie *f*. ●**I'talian** *a* italien ▎*n* (*language*) italien *m*; (*person*) Italien, -ienne *mf*.

itch [ɪtʃ] *n* démangeaison(s) *f(pl)*; **to have an i. to do** avoir une envie folle de faire ▎*vi* (*of leg etc*) démanger; (*of person*) avoir des démangeaisons; **his arm itches** son bras le *or* lui démange; **I'm itching to do** ça me démange de faire. ●**itching** *n* démangeaison(s) *f(pl)*. ●**itchy** *a* **I have an i. hand** j'ai une main qui me démange; **I'm (all) i.** j'ai des démangeaisons.

item ['aɪtəm] *n* (*object for sale, on list, in newspaper etc*) article *m*; (*matter*) question *f*; (*on entertainment programme*) numéro *m*; **i. of clothing** vêtement *m*; **news i.** information *f*. ●**itemize** *vt* (*invoice etc*) détailler.

itinerant [aɪ'tɪnərənt] *a* (*musician, actor*) ambulant; (*judge, preacher*) itinérant.

itinerary [aɪ'tɪnərərɪ] *n* itinéraire *m*.

its [ɪts] *poss a* son, sa, *pl* ses. ●**it'self** *pron* lui-même, elle-même; (*reflexive*) se, s'; **goodness i.** la bonté même; **by i.** tout seul.

IUD [aɪjuː'diː] *n abbr* (*intrauterine device*) stérilet *m*.

ivory ['aɪvərɪ] *n* ivoire *m*; **i. statuette/***etc* statuette *f*/*etc* en ivoire.

ivy ['aɪvɪ] *n* lierre *m*.

J

J, j [dʒeɪ] *n* J, j *m*.
jab [dʒæb] *vt* (**-bb-**) (*knife, stick etc*) enfoncer (**into** dans); (*prick*) piquer (*qn*) (**with sth** du bout de qch) ▌ *n* coup *m* (sec); (*injection*) *Br Fam* piqûre *f*.
jabber ['dʒæbər] *vi* bavarder, jaser ▌ *vt* **to j. out** (*excuse etc*) bredouiller. ● **jabbering** *n* bavardage *m*.
jack [dʒæk] **1** *n* (*for vehicle*) cric *m* ▌ *vt* **to j. up** (*vehicle*) soulever (*avec un cric*); (*price*) *Fig* augmenter. **2** *n Cards* valet *m*. **3** *vt* **to j. (in)** (*job etc*) *Br Fam* plaquer. **4** *n* **j. of all trades** homme *m* à tout faire. ● **jack-in-the-box** *n* diable *m* (à ressort).
jackal ['dʒæk(ə)l] *n* (*animal*) chacal *m*.
jackass ['dʒækæs] *n* (*fool*) idiot, -ote *mf*.
jackdaw ['dʒækdɔː] *n* (*bird*) choucas *m*.
jacket ['dʒækɪt] *n* (*short coat*) veste *f*; (*of man's suit*) veston *m*; (*of woman*) veste *f*, jaquette *f*; (*bulletproof*) *Br* gilet *m*; (*dust*) *Am* (*of book*) jaquette *f*; **j. potato, potato in its j.** *Br* pomme *f* de terre en robe des champs.
jack-knife ['dʒæknaɪf] **1** *n* couteau *m* de poche. **2** *vi* (*of truck, Br lorry*) se mettre en travers de la route.
jackpot ['dʒækpɒt] *n* gros lot *m*.
jacks [dʒæks] *npl* (jeu *m* d')osselets *mpl*.
jacuzzi [dʒəˈkuːzɪ] *n* (*bath, pool*) jacuzzi *m*.
jade [dʒeɪd] **1** *n* (*stone*) jade *m*. **2** (*horse*) rosse *f*, canasson *m*.
jaded ['dʒeɪdɪd] *a* blasé.
jagged ['dʒægɪd] *a* déchiqueté.
jaguar [*Br* 'dʒægjʊər, *Am* -wɑːr] *n* (*animal*) jaguar *m*.
jail [dʒeɪl] *n* prison *f* ▌ *vt* emprisonner (**for theft/***etc* pour vol/*etc*); **to j. s.o. for ten years** condamner qn à dix ans de prison; **to j. s.o. for life** condamner qn à perpétuité. ● **jailer** *n* gardien, -ienne *mf* de prison.
jalopy [dʒəˈlɒpɪ] *n* (*car*) *Fam* vieux tacot *m*.
jam¹ [dʒæm] *n* (*preserve*) confiture *f*; **strawberry/***etc* **j.** confiture *f* de fraises/*etc*. ● **jamjar** *n* pot *m* à confiture.
jam² [dʒæm] **1** *n* (**traffic**) **j.** embouteillage *m*; **in a j.** (*trouble*) *Fam* dans le pétrin.
2 *vt* (**-mm-**) (*squeeze, make stuck*) coincer, bloquer; (*gun*) enrayer; (*street, corridor etc*) encombrer; (*building*) envahir; (*broadcast, radio station*) brouiller; **to j. sth into** (*pack, cram*) (en)tasser qch dans; **to j. people into** (en)tasser des gens dans; **to j. a stick/***etc* **into** (*poke, thrust*) enfoncer un bâton/*etc* dans; **to j. on** (*brakes*) bloquer.
▌ *vi* (*get stuck*) se coincer, se bloquer; (*of gun*) s'enrayer; **to j. into** (*of crowd*) s'entasser dans. ● **jammed** *a* (*machine etc*)

coincé, bloqué; (*street etc*) encombré. ● **jam-'packed** *a* (*hall, train etc*) bourré de monde.
Jamaica [dʒəˈmeɪkə] *n* Jamaïque *f*.
jangle ['dʒæŋg(ə)l] *vi* cliqueter ▌ *n* cliquetis *m*. ● **jangling** *a* (*noise*) discordant.
janitor ['dʒænɪtər] *n* (*caretaker*) *Am* concierge *m*.
January ['dʒænjʊərɪ] *n* janvier *m*.
Japan [dʒəˈpæn] *n* Japon *m*. ● **Japa'nese** *a* japonais ▌ *n* (*language*) japonais *m* ▌ *n inv* (*person*) Japonais, -aise *mf*.
jar [dʒɑːr] **1** *n* (*container*) pot *m*; (*large, glass*) bocal *m*. **2** *n* (*jolt*) choc *m* ▌ *vt* (**-rr-**) (*shake*) ébranler. **3** *vi* (**-rr-**) (*of noise*) grincer; (*of musical note*) détonner; (*of colours, words*) jurer (**with** avec); **it jars on my nerves** cela me tape sur les nerfs; **it jars on my ears** cela m'écorche les oreilles. ● **jarring** *a* (*noise, voice*) discordant.
jargon ['dʒɑːgən] *n* jargon *m*.
jasmine ['dʒæzmɪn] *n* (*shrub*) jasmin *m*.
jaundice ['dʒɔːndɪs] *n* (*illness*) jaunisse *f*. ● **jaundiced** *a* (*bitter*) aigri; **to take a j. view of sth** voir qch d'un mauvais œil.
jaunt [dʒɔːnt] *n* (*journey*) balade *f*.
jaunty ['dʒɔːntɪ] *a* (**-ier, -iest**) (*carefree*) insouciant; (*cheerful, lively*) allègre; (*hat etc*) coquet, chic. ● **jauntily** *adv* avec insouciance; (*cheerfully*) allégrement.
javelin ['dʒævlɪn] *n* javelot *m*.
jaw [dʒɔː] **1** *n Anat* mâchoire *f*. **2** *vi* (*talk*) *Pej Fam* papoter ▌ *n* **to have a j.** *Pej Fam* tailler une bavette.
jay [dʒeɪ] *n* (*bird*) geai *m*.
jaywalker ['dʒeɪwɔːkər] *n* piéton *m* imprudent. ● **jaywalking** *n* imprudence *f* (*de piéton*).
jazz [dʒæz] *n* jazz *m* ▌ *vt* **to j. up** *Fam* (*enliven*) animer; (*clothes, room*) égayer; (*music*) jazzifier.
JCB® [dʒeɪsiːˈbiː] *n Br* tractopelle *m or f*.
jealous ['dʒeləs] *a* jaloux (*f* -ouse) (**of** de). ● **jealousy** *n* jalousie *f*.
jeans [dʒiːnz] *npl* (**pair of**) **j.** jean *m*.
jeep® [dʒiːp] *n* jeep® *f*.
jeer [dʒɪər] *vti* **to j. (at)** (*mock*) railler; (*boo*) huer ▌ *n* raillerie *f*; **jeers** (*boos*) huées *fpl*. ● **jeering** *a* railleur ▌ *n* (*mocking*) railleries *fpl*; (*of crowd*) huées *fpl*.
jell [dʒel] *vi* (*of ideas etc*) *Fam* prendre tournure.
jello® ['dʒeləʊ] *n inv* (*dessert*) *Am* gelée *f*. ● **jellied** *a* (*eel etc*) *Br* en gelée. ● **jelly** *n* (*preserve, Br dessert*) gelée *f*. ● **jellyfish** *n* méduse *f*.
jeopardy ['dʒepədɪ] *n* danger *m*, péril *m*.

●**jeopardize** *vt* mettre en danger *or* en péril.
jerk [dʒɜːk] **1** *vt* donner une secousse à (*pour tirer, pousser etc*) ▮ *n* secousse *f*, saccade *f*. **2** *n* (*person*) (**stupid**) **j.** *Fam* crétin, -ine *mf*, abruti, -ie *mf*.
jerky ['dʒɜːkɪ] *a* (**-ier, -iest**) **1** (*movement, voice etc*) saccadé. **2** (*stupid*) *Am Fam* stupide, bête. ●**jerkily** *adv* par saccades.
jersey ['dʒɜːzɪ] *n* (*garment*) tricot *m* (de laine); *Football* maillot *m*; (*cloth*) jersey *m*.
Jersey ['dʒɜːzɪ] *n* Jersey *f*.
jest [dʒest] *n* plaisanterie *f*; **in j.** pour rire ▮ *vi* plaisanter. ●**jester** *n* (**court**) **j.** *Hist* bouffon *m* (du roi).
Jesus ['dʒiːzəs] *n* Jésus *m*; **J. Christ** Jésus-Christ *m*.
jet [dʒet] **1** *n* (*plane*) avion *m* à réaction; **j. engine** réacteur *m*, moteur *m* à réaction; **j. lag** fatigue *f* (due au décalage horaire); ▮ *vi* **to j. off** *Fam* s'envoler (**to** pour). **2** *n* (*steam, liquid etc*) jet *m*.
jet-black [dʒet'blæk] *a* (noir) de jais, noir comme (du) jais.
jetfoil ['dʒetfɔɪl] *n* hydroglisseur *m*.
jet-lagged ['dʒetlægd] *a Fam* qui souffre du décalage horaire.
jettison ['dʒetɪs(ə)n] *vt* (*cargo from ship*) jeter à la mer; (*fuel from plane*) larguer; *Fig* abandonner.
jetty ['dʒetɪ] *n* jetée *f*; (*landing place*) embarcadère *m*.
Jew [dʒuː] *n* (*man*) Juif *m*; (*woman*) Juive *f*. ●**Jewess** *n* Juive *f*. ●**Jewish** *a* juif.
jewel ['dʒuːəl] *n* bijou *m* (*pl* -oux); (*in watch*) rubis *m*. ●**jewelled** *or Am* **jeweled** *a* orné de bijoux. ●**jeweller** *or Am* **jeweler** *n* bijoutier, -ière *mf*. ●**jewellery** *or Am* **jewelry** *n* bijoux *mpl*.
jib [dʒɪb] *vi* (**-bb-**) regimber (**at** devant); **to j. at doing** se refuser à faire.
jibe [dʒaɪb] *vi & n* = **gibe**.
jiffy ['dʒɪfɪ] *n Fam* instant *m*.
Jiffy bag® ['dʒɪfɪbæg] *n* enveloppe *f* matelassée.
jig [dʒɪg] *n* (*dance, music*) gigue *f*.
jigsaw ['dʒɪgsɔː] *n* **j. (puzzle)** puzzle *m*.
jilt [dʒɪlt] *vt* (*lover*) laisser tomber.
jingle ['dʒɪŋg(ə)l] **1** *vi* (*of keys, bell etc*) tinter ▮ *vt* faire tinter ▮ *n* tintement *m*. **2** *n* (*in TV etc advertisement*) sonal *m*, jingle *m*.
jinx [dʒɪŋks] *n* (*person, object*) porte-malheur *m inv*; (*spell, curse*) (mauvais) sort *m*, poisse *f*.
jitters ['dʒɪtəz] *npl* **to have the j.** *Fam* avoir la frousse. ●**jittery** *a* **to be j.** *Fam* avoir la frousse.
job [dʒɒb] *n* (*task, work*) travail *m*; (*employment, post*) poste *m*, emploi *m*, situation *f*; (*crime*) *Fam* coup *m*; **to have a (hard) j. doing** *or* **to do** (*much trouble*) *Fam* avoir du mal à faire; **to have the j. of doing** (*unpleasant task*) être obligé de faire; (*for a living etc*) être chargé de faire; **it's a good j. (that)** *Br Fam* heureusement que (+ *indic*); **that's just the j.** *Fam* c'est juste ce qu'il faut; **out of a j.** au chômage.
jobcentre ['dʒɒbsentər] *n Br* = agence *f* nationale pour l'emploi.
jobless ['dʒɒbləs] *a* au chômage, sans travail.
jock [dʒɒk] *n* (*sportsman*) *Am Fam* sportif *m*.
jockey ['dʒɒkɪ] **1** *n* jockey *m*. **2** *vi* **to j. for** (*position, job*) manœuvrer pour obtenir.
jockstrap ['dʒɒkstræp] *n* slip *m* à coquille.
jocular ['dʒɒkjʊlər] *a* jovial, amusant.
joey ['dʒəʊɪ] *n Fam* petit kangourou *m*.
jog [dʒɒg] **1** *n* (*shake, jolt*) secousse *f*; (*nudge*) coup *m* de coude ▮ *vt* (**-gg-**) (*shake*) secouer; (*push*) pousser (d'un coup sec); (*memory*) *Fig* rafraîchir. **2** *vi* (**-gg-**) **to j. along** (*of vehicle*) cahoter; (*of work*) aller tant bien que mal; (*of person*) faire son petit bonhomme de chemin. **3** *vi* (**-gg-**) *Sport* faire du jogging. ●**jogging** *n Sport* jogging *m*.
john [dʒɒn] *n* **the j.** (*lavatory*) *Am Fam* le petit coin.
join [dʒɔɪn] **1** *vt* (*put together*) joindre, réunir; (*wires, pipes*) raccorder; (*words, towns*) relier; **to j. sth to sth** joindre qch à qch; (*link*) relier qch à qch; **to j. s.o.** (*catch up with, meet*) rejoindre qn; (*associate oneself with, go with*) se joindre à qn (**in doing** pour faire); **to j. the sea** (*of river*) rejoindre la mer; **to j. hands** se donner la main; **to j. together** *or* **up** (*objects*) joindre.
▮ *vi* (*of roads, rivers etc*) se rejoindre; **to j. (together** *or* **up)** (*of objects*) se joindre (**with** à); **to j.** in prendre part, participer; **to j. in a game/etc** prendre part à un jeu/*etc*.
▮ *n* raccord *m*, joint *m*.
2 *vt* (*become a member of*) s'inscrire à (*club, parti*); (*army, police, company, group*) entrer dans; **to j. the** *Br* **queue** *or Am* **line** prendre la queue.
▮ *vi* (*become a member*) devenir membre; **to j. up** (*join the army etc*) s'engager.
joiner ['dʒɔɪnər] *n Br* menuisier *m*.
joint [dʒɔɪnt] **1** *n* (*in body*) articulation *f*; (*meat*) *Br* rôti *m*; *Tech* joint *m*; (*in carpentry*) assemblage *m*; **out of j.** (*shoulder etc*) déboîté. **2** *n* (*nightclub etc*) *Fam* boîte *f*. **3** *n* (*cannabis cigarette*) *Fam* joint *m*. **4** *a* (*decision etc*) commun; **j. account** compte *m* joint; **j. author** coauteur *m*; **j. efforts** efforts *mpl* conjugués. ●**jointly** *adv* conjointement.
joist [dʒɔɪst] *n* solive *f*.
joke [dʒəʊk] *n* plaisanterie *f*; (*trick*) tour *m*; **it's no j.** (*it's unpleasant*) ce n'est pas drôle (**doing** de faire) ▮ *vi* plaisanter (**about** sur).
●**joker** *n* plaisantin *m*; (*fellow*) *Fam* type *m*; *Cards* joker *m*. ●**jokingly** *adv* (*to say*) en plaisantant.
jolly[1] ['dʒɒlɪ] *a* (**-ier, -iest**) (*happy*) gai; (*drunk*) *Fam* éméché. ●**jollification** [-'keɪʃ(ə)n] *n* (*merry-making*) réjouissances *fpl*. ●**jollity** *n* jovialité *f*; (*merry-making*) réjouissances *fpl*.
jolly[2] ['dʒɒlɪ] *adv* (*very*) *Br Fam* rudement; **j. good!** très bien!

jolt [dʒɒlt] *vt* (*shake*) secouer; **to j. s.o.** (*of vehicle*) cahoter *or* secouer qn; (*shock, surprise*) secouer qn ▌ *vi* **to j.** (**along**) (*of vehicle*) cahoter ▌ *n* cahot *m*, secousse *f*; (*shock*) secousse *f*.
Jordan ['dʒɔːd(ə)n] *n* Jordanie *f*.
jostle ['dʒɒs(ə)l] *vti* (*push*) bousculer; **don't j.!** ne bousculez pas! ▌ *vi* (*push each other*) se bousculer (**for sth** pour obtenir qch).
jot [dʒɒt] *vt* (**-tt-**) **to j. down** noter. ●**jotter** *n* (*notepad*) bloc-notes *m*.
journal ['dʒɜːn(ə)l] *n* (*periodical*) revue *f*. ●**journa'lese** *n* jargon *m* journalistique.
journalism ['dʒɜːnəlɪz(ə)m] *n* journalisme *m*. ●**journalist** *n* journaliste *mf*.
journey ['dʒɜːnɪ] *n* (*trip*) voyage *m*; (*distance*) trajet *m*; **to go on a j.** partir en voyage ▌ *vi* voyager.
jovial ['dʒəʊvɪəl] *a* jovial.
joy [dʒɔɪ] *n* joie *f*; **the joys of** (*countryside, motherhood etc*) les plaisirs *mpl* de. ●**joyful** *or* **joyous** *a* joyeux.
joyride ['dʒɔɪraɪd] *n* équipée *f* en voiture volée, rodéo *m*. ●**joyrider** *n* petit(e) voleur, -euse *mf* de voitures.
joystick ['dʒɔɪstɪk] *n* (*of aircraft, computer*) manche *m* à balai.
JP [dʒeɪ'piː] *Br abbr* = **Justice of the Peace**.
jubilant ['dʒuːbɪlənt] *a* **to be j.** jubiler. ●**jubilation** [-'leɪʃ(ə)n] *n* jubilation *f*.
jubilee ['dʒuːbɪliː] *n* (**golden**) **j.** jubilé *m*.
Judaism ['dʒuːdeɪɪz(ə)m] *n* judaïsme *m*.
judder ['dʒʌdər] *vi* (*shake*) vibrer ▌ *n* vibration *f*.
judge [dʒʌdʒ] *n* juge *m* ▌ *vti* juger; **judging by** à en juger par. ●**judg(e)ment** *n* jugement *m*.
judicial [dʒuː'dɪʃ(ə)l] *a* judiciaire.
judiciary [dʒuː'dɪʃ(ə)rɪ] *n* magistrature *f*.
judicious [dʒuː'dɪʃ(ə)s] *a* judicieux.
judo ['dʒuːdəʊ] *n* judo *m*.
jug [dʒʌg] *n* cruche *f*; (*for milk*) pot *m*.
juggernaut ['dʒʌgənɔːt] *n* (*truck*) *Br* poids *m* lourd, mastodonte *m*.
juggle ['dʒʌg(ə)l] *vi* jongler (**with** avec) ▌ *vt* jongler avec. ●**juggler** *n* jongleur, -euse *mf*.
juice [dʒuːs] *n* jus *m*; (*in stomach*) suc *m*. ●**juicy** *a* (**-ier, -iest**) (*fruit*) juteux; (*meat*) succulent; (*story*) *Fig* savoureux.
jukebox ['dʒuːkbɒks] *n* juke-box *m*.
July [dʒuː'laɪ] *n* juillet *m*.
jumble ['dʒʌmb(ə)l] *vt* **to j.** (**up**) (*objects, facts etc*) mélanger, brouiller ▌ *n* (*disorder*) fouillis *m*, pagaïe *f*; (*unwanted articles*) *Br* bric-à-brac *m inv*; **j. sale** *Br* (*used clothes etc*) vente *f* de charité; (*for school etc*) vente *f* (au profit de l'école etc).
jumbo ['dʒʌmbəʊ] *a* (*packet etc*) géant ▌ *a* & *n* (*pl* **-os**) **j.** (**jet**) avion *m* géant, gros-porteur *m*, jumbo-jet *m*.
jump [dʒʌmp] *n* (*leap*) saut *m*, bond *m*; (*start*) sursaut *m*; (*increase*) hausse *f*; **j. leads** *Br* câbles *mpl* de démarrage; **j. rope** *Am* corde *f* à sauter.
▌ *vi* sauter (**at** sur); (*start*) sursauter; (*of price, heart*) faire un bond; **to j. about** sautiller; **to j. across sth** traverser qch d'un bond; **to j. to conclusions** tirer des conclusions hâtives; **to j. in** *or* **on** (*train, vehicle, bus*) sauter *or* monter dans; **j. in** *or* **on!** montez!; **to j. off** *or* **out** sauter; (*from bus etc*) descendre; **to j. off sth, j. out of sth** sauter de qch; **to j. out of the window** sauter par la fenêtre; **to j. up** se lever d'un bond.
▌ *vt* (*ditch etc*) sauter; **to j. the lights** (*in vehicle*) griller un feu rouge; **to j. the rails** (*of train*) dérailler; **to j. the queue** *Br* passer avant son tour, resquiller; **to j. rope** *Am* sauter à la corde.
jumper ['dʒʌmpər] *n* *Br* pull(-over) *m*; (*dress*) *Am* robe *f* chasuble; **j. cables** *Am* câbles *mpl* de démarrage.
jumpy ['dʒʌmpɪ] *a* (**-ier, -iest**) nerveux.
junction ['dʒʌŋkʃ(ə)n] *n* (*crossroads*) carrefour *m*; (*joining*) jonction *f*; **j. 23** (*on motorway*) *Br* (*exit*) la sortie 23; (*entrance*) l'entrée *f* 23.
juncture ['dʒʌŋktʃər] *n* **at this j.** (*critical point in time*) en ce moment même.
June [dʒuːn] *n* juin *m*.
jungle ['dʒʌŋg(ə)l] *n* jungle *f*.
junior ['dʒuːnɪər] *a* (*younger*) plus jeune; (*in rank, status etc*) subalterne; (*teacher, doctor*) jeune; **to be s.o.'s j., be j. to s.o.** être plus jeune que qn; (*in rank, status*) être au-dessous de qn; **Smith J.** Smith fils *or* junior; **j. school** *Br* école *f* primaire (entre 7 et 11 ans); **j. high school** *Am* = collège *m* d'enseignement secondaire.
▌ *n* cadet, -ette *mf*; (*in school*) petit, -ite *mf*, petit(e) élève *mf*; *Sport* junior *mf*, cadet, -ette *mf*.
junk[1] [dʒʌŋk] **1** *n* (*unwanted objects*) bric-à-brac *m inv*; (*metal*) ferraille *f*; (*inferior goods*) camelote *f*; (*waste*) ordures *fpl*; (*bad film, book etc*) navet *m*; (*nonsense*) idioties *fpl*; **j. food** aliment *m* peu nutritif; **j. mail** courrier *m* publicitaire; **j. shop** (boutique *f* de) brocanteur *m*. ●**junkyard** *n* dépôt *m* de ferrailleur.
junk[2] [dʒʌŋk] *vt* (*get rid of*) *Am Fam* balancer.
junkie ['dʒʌŋkɪ] *n* *Fam* drogué, -ée *mf*.
junta [*Br* 'dʒʌntə, *Am* 'hʊntə] *n Mil Pol* junte *f*.
jurisdiction [dʒʊərɪs'dɪkʃ(ə)n] *n* juridiction *f*; **to be within the j. of** tomber sous la juridiction de.
jury ['dʒʊərɪ] *n* (*in competition, court*) jury *m*. ●**juror** *n* (*in court*) juré *m*.
just [dʒʌst] **1** *adv* (*exactly, slightly*) juste; (*only*) juste, seulement; (*simply*) (tout) simplement; **j. before/after** juste avant/après; **it's j. as I thought** c'est bien ce que je pensais; **j. at that time** à cet instant même; **she has/had j. left** elle vient/venait de partir; **I've j. come from** j'arrive de; **I'm j. coming!** j'arrive!; **he'll (only) j. catch the bus** il aura son bus de justesse; **he j. missed it** il l'a manqué de peu; **j. as big/light/etc** tout aussi grand/léger/

justice

etc (*as que*); **j. listen!** écoute donc!; **j. a moment!** un instant!; **j. over ten** un peu plus de dix; **j. one** un(e) seul(e) (*of* de); **j. about** (*approximately*) à peu près; (*almost*) presque; **to be j. about to do** être sur le point de faire.

2 *a* (*fair*) juste (**to** envers). ● **justly** *adv* avec justice, à juste titre. ● **justness** *n* (*of cause etc*) justice *f*.

justice ['dʒʌstɪs] *n* justice *f*; (*judge*) juge *m*; **to do j. to** (*meal*) faire honneur à; **it doesn't do you j.** (*hat, photo*) cela ne vous avantage pas; (*attitude*) cela ne vous fait pas honneur; **J. of the Peace** juge *m* de paix.

justify ['dʒʌstɪfaɪ] *vt* justifier; **to be justified in doing** (*have right*) être en droit de faire; (*have reason*) être fondé à faire. ● **justi'fiable** *a* justifiable. ● **justi'fiably** *adv* légitimement. ● **justification** [-'keɪʃ(ə)n] *n* justification *f*.

jut [dʒʌt] *vi* (-tt-) **to j. out** faire saillie; **to j. out over sth** (*overhang*) surplomber qch.

jute [dʒuːt] *n* (*fibre*) jute *m*.

juvenile ['dʒuːvənaɪl, *Am* -ən(ə)l] *n* adolescent, -ente *mf* ▌ *a* (*court, book etc*) pour enfants; (*behaviour*) puéril; **j. delinquent** jeune délinquant, -ante *mf*.

juxtapose [dʒʌkstə'pəʊz] *vt* juxtaposer. ● **juxtaposition** [-pə'zɪʃ(ə)n] *n* juxtaposition *f*.

K

K, k [keɪ] *n* K, k *m*.
kaleidoscope [kəˈlaɪdəskəʊp] *n* kaléidoscope *m*.
kangaroo [kæŋɡəˈruː] *n* kangourou *m*.
kaput [kəˈpʊt] *a* (*broken*, *ruined*) *Sl* fichu.
karate [kəˈrɑːtɪ] *n Sport* karaté *m*.
kebab [kəˈbæb] *n* brochette *f*.
keel [kiːl] *n* (*of boat*) quille *f* ▌ *vi* to k. over (*of boat*) chavirer.
keen [kiːn] *a* **1** *Br* (*eager*, *enthusiastic*) plein d'enthousiasme; **he's a k. sportsman** c'est un passionné de sport; **to be k. to do** *or* **on doing** (*want*) tenir (beaucoup) à faire; **to be k. on doing** (*like*) aimer (beaucoup) faire; **to be k. on** (*music*, *sport etc*) être passionné de; **he is k. on her/the idea** elle/l'idée lui plaît beaucoup.
2 (*edge*, *appetite*) aiguisé; (*interest*, *feeling*) vif; (*mind*) pénétrant; (*wind*) coupant, piquant; **to have k. eyesight** avoir la vue perçante. ●**keenly** *adv* (*to work etc*) *Br* avec enthousiasme; (*to feel*, *interest*) vivement. ●**keenness** *n Br* enthousiasme *m*; (*of mind*) pénétration *f*; (*of interest*) intensité *f*; **k. to do** *Br* empressement *m* à faire.
keep¹ [kiːp] *vt* (*pt & pp* **kept**) garder; (*shop*, *car*) avoir; (*diary*, *promise*) tenir; (*family*) entretenir; (*rule*) respecter, observer; (*feast day*) célébrer; (*birthday*) fêter; (*delay*, *detain*) retenir; (*put*) mettre; **to k. doing** (*continue*) continuer à faire; **to k. sth clean** tenir *or* garder qch propre; **to k. sth from s.o.** (*hide*) cacher qch à qn; **to k. s.o. from doing** (*prevent*) empêcher qn de faire; **to k. s.o. waiting/working** faire attendre/travailler qn; **to k. sth going** (*engine*, *machine*) laisser qch en marche; **to k. s.o. in whisky/***etc* fournir qn en whisky/*etc*; **to k. an appointment** se rendre à un rendez-vous.

▌ *vi* (*remain*) rester; (*continue*) continuer; (*of food*) se garder, se conserver; (*wait*) attendre; **how is he keeping?** comment va-t-il?; **to k. still** rester *or* se tenir tranquille; **to k. left** tenir sa gauche; **to k. from doing** (*refrain*) s'abstenir de faire; **to k. going** (*continue*) continuer; **to k. at it** (*keep doing it*) continuer à le faire.

▌ *n* (*food*) nourriture *f*, subsistance *f*; **to have one's k.** être logé et nourri; **for keeps** *Fam* pour toujours.
keep² [kiːp] *n* (*tower*) *Hist* donjon *m*.
keep away *vt* (*person*) éloigner (**from** de) ▌ *vi* ne pas s'approcher (**from** de) ▌ **to keep back** *vt* (*crowd*) contenir; (*delay*, *withhold*) retenir; (*hide*) cacher (**from** à) ▌ *vi* ne pas s'approcher (**from** de) ▌ **to keep down** *vt* (*restrict*) limiter; (*control*) maîtriser; (*price*, *costs*) maintenir bas ▌ **to keep in** *vt* empêcher (*qn*) de sortir; (*as punishment in school*) mettre en retenue, consigner (*élève*) ▌ **to keep off** *vt* (*person*) éloigner; '**k. off the grass**' 'ne pas marcher sur les pelouses'; **k. your hands off!** n'y touche(z) pas! ▌ *vi* (*not go near*) ne pas s'approcher; **if the rain keeps off** s'il ne pleut pas ▌ **to keep on** *vt* (*hat*, *employee*) garder; **to k. on doing** continuer à faire ▌ *vi* **to k. on at s.o.** harceler qn ▌ **to keep out** *vt* empêcher (*qn*) d'entrer ▌ *vi* rester en dehors (**of** de) ▌ **to keep to** *vt* (*subject*, *path*) ne pas s'écarter de; (*room*) garder; **to k. sth to oneself** garder qch pour soi ▌ *vi* **to k. to the left** tenir la gauche; **to k. to oneself** se tenir à l'écart. ▌ **to keep up** *vt* (*continue*, *maintain*) continuer (**doing sth** à faire qch); (*road*, *building*) entretenir ▌ *vi* (*continue*) continuer; (*follow*) suivre; **to k. up with s.o** (*follow*) suivre qn; (*in quality of work etc*) se maintenir à la hauteur de qn.
keeper [ˈkiːpər] *n* (*in park*, *zoo*) gardien, -ienne *mf*.
keeping [ˈkiːpɪŋ] *n* **in k. with** en rapport avec; **to have sth in one's k.** avoir qch sous sa garde.
keepsake [ˈkiːpseɪk] *n* souvenir *m* (*objet*).
keg [keɡ] *n* tonnelet *m*.
kennel [ˈken(ə)l] *n Br* niche *f*; (*for boarding dogs*) chenil *m*; **kennels** *Br* chenil *m*.
Kenya [ˈkiːnjə, ˈkenjə] *n* Kenya *m*.
kept [kept] *pt & pp* de **keep¹** ▌ *a* **well** *or* **nicely k.** (*house etc*) bien tenu.
kerb [kɜːb] *n Br* bord *m* du trottoir.
kernel [ˈkɜːn(ə)l] *n* (*of nut*) amande *f*.
kerosene [ˈkerəsiːn] *n* (*paraffin*) *Am* pétrole *m* (lampant); (*aviation fuel*) kérosène *m*.
ketchup [ˈketʃəp] *n* (*sauce*) ketchup *m*.
kettle [ˈket(ə)l] *n* bouilloire *f*; **the k. is boiling** l'eau bout; **to put on the k.** mettre l'eau à chauffer (*pour le thé etc*).
key [kiː] *n* clef *f*, clé *f*; (*of piano*, *typewriter*, *computer*) touche *f* ▌ *a* (*industry*, *post etc*) clef (*f inv*), clé (*f inv*); **k. person** personne *f* clef; **k. ring** porte-clefs *m inv* ▌ *vt* **to k. in** (*computer data*) saisir, faire la saisie de.
keyboard [ˈkiːbɔːd] *n* (*of piano*, *computer etc*) clavier *m*; **k. operator** opérateur, -trice *mf* de saisie ▌ *vt* (*data*) faire la saisie de. ●**keyhole** *n* trou *m* de (la) serrure. ●**keynote** *n* (*of speech*) note *f* dominante. ●**keystone** *n* (*of policy etc*) & *Archit* clef *f* de voûte.
keyed [kiːd] *a* **to be k. up** avoir les nerfs tendus.
khaki [ˈkɑːkɪ] *a & n* kaki *a inv & m*.

kibbutz

kibbutz [kɪˈbʊts] *n* kibboutz *m*.
kick [kɪk] *n* coup *m* de pied; (*of horse*) ruade *f*; **to get a k. out of doing** (*thrill*) *Fam* prendre un malin plaisir à faire; **for kicks** *Fam* pour le plaisir ▮ *vt* donner un coup de pied à; (*of horse*) lancer une ruade à ▮ *vi* donner des coups de pied; (*of horse*) ruer.
kick back *vt* (*ball*) renvoyer (*du pied*) ▮ **to kick down** *or* **in** *vt* (*door etc*) démolir à coups de pied ▮ **to kick off** *vi* Football donner le coup d'envoi; (*start*) démarrer. ●**kick-off** *n* Football coup *m* d'envoi. ▮ **to kick out** *vt* (*throw out*) *Fam* flanquer dehors ▮ **to kick up** *vt* **to k. up a fuss/row** *Br Fam* faire des histoires/du vacarme.
kickback [ˈkɪkbæk] *n* (*bribe*) pot-de-vin *m*.
kid [kɪd] **1** *n* (*child*) *Fam* gosse *mf*; **my k. brother** *Am Fam* mon petit frère. **2** *n* (*goat*) chevreau *m*. **3** *vti* (**-dd-**) (*joke, tease*) *Fam* blaguer; **to k. oneself** se faire des illusions.
kidnap [ˈkɪdnæp] *vt* (**-pp-**) kidnapper. ●**kidnapping** *n* enlèvement *m*. ●**kidnapper** *n* ravisseur, -euse *mf*.
kidney [ˈkɪdnɪ] *n* rein *m*; (*as food*) rognon *m*; **on a k. machine** sous rein artificiel; **k. bean** haricot *m* rouge.
kill [kɪl] *vt* (*person, animal, plant etc*) tuer; (*rumour*) *Fam* étouffer; (*story*) *Fam* supprimer; (*engine*) *Fam* arrêter; **to k. oneself** se tuer; **my feet are killing me** *Fam* je ne sens plus mes pieds, j'ai les pieds en compote; **to k. off** (*bacteria etc*) & *Fig* détruire.
▮ *vi* tuer.
▮ *n* mise *f* à mort; (*prey*) animaux *mpl* tués. ●**killing 1** *n* (*of person*) meurtre *m*; (*of group*) massacre *m*; (*of animal*) mise *f* à mort; **to make a k.** (*financially*) réussir un beau coup. **2** *a* (*tiring*) *Fam* tuant; (*amusing*) *Fam* crevant. ●**killer** *n* tueur, -euse *mf*.
killjoy [ˈkɪldʒɔɪ] *n* rabat-joie *m inv*.
kiln [kɪln] *n* (*for pottery*) four *m*.
kilo [ˈkiːləʊ] *n* (*pl* -os) kilo *m*. ●**kilogram(me)** [ˈkɪləʊgræm] *n* kilogramme *m*.
kilobyte [ˈkɪləbaɪt] *n* *Comptr* kilo-octet *m*, k.-o *m*.
kilometre [kɪˈlɒmɪtər] (*Am* **kilometer**) *n* kilomètre *m*.
kilowatt [ˈkɪləʊwɒt] *n* kilowatt *m*.
kilt [kɪlt] *n* kilt *m*.
kimono [kɪˈməʊnəʊ] *n* (*pl* -os) kimono *m*.
kin [kɪn] *n* (*relatives*) parents *mpl*; **one's next of k.** son plus proche parent.
kind[1] [kaɪnd] *n* (*sort, type*) sorte *f*, genre *m*, espèce *f* (**of** de); **to pay in k.** payer en nature; **what k. of drink/***etc* **is it?** qu'est-ce que c'est comme boisson/*etc*?; **that's the k. of man he is** il est comme ça; **nothing of the k.!** absolument pas!; **k. of worried/sad/***etc* (*somewhat*) plutôt inquiet/triste/*etc*; **in a k. of way** d'une certaine façon; **it's the only one of its k.,** **it's one of a k.** c'est unique en son genre; **we are two of a k.** nous nous ressemblons.
kind[2] [kaɪnd] *a* (**-er, -est**) (*helpful, pleasant*) gentil (**to** avec, pour), bon (*f* bonne) (**to**

pour); **that's k. of you** c'est gentil *or* aimable à vous. ●**kind-ˈhearted** *a* qui a bon cœur.
kindergarten [ˈkɪndəgɑːt(ə)n] *n* jardin *m* d'enfants.
kindle [ˈkɪnd(ə)l] *vt* allumer ▮ *vi* s'allumer.
kindly [ˈkaɪndlɪ] *adv* avec bonté; **k. wait/***etc* ayez la bonté d'attendre/*etc*; **not to take k. to sth** ne pas apprécier qch ▮ *a* (*person*) bienveillant.
kindness [ˈkaɪndnɪs] *n* gentillesse *f*, bonté *f*.
kindred [ˈkɪndrɪd] *n* (*relationship*) parenté *f*; (*relatives*) parents *mpl*; **k. spirit** semblable *mf*, âme *f* sœur.
king [kɪŋ] *n* roi *m*. ●**king-size(d)** *a* géant; (*cigarette*) long.
kingdom [ˈkɪŋdəm] *n* royaume *m*; **animal/plant k.** règne *m* animal/végétal.
kingfisher [ˈkɪŋfɪʃər] *n* (*bird*) martin-pêcheur *m*.
kingly [ˈkɪŋlɪ] *a* royal.
kink [kɪŋk] *n* (*in rope*) entortillement *m*.
kinky [ˈkɪŋkɪ] *a* (**-ier, -iest**) (*person*) qui a des goûts bizarres; (*clothes, tastes etc*) bizarre.
kinship [ˈkɪnʃɪp] *n* parenté *f*.
kiosk [ˈkiːɒsk] *n* kiosque *m*; (**telephone**) **k.** *Br* cabine *f* (téléphonique).
kip [kɪp] *vi* (**-pp-**) (*sleep*) *Br Sl* roupiller.
kipper [ˈkɪpər] *n* (*herring*) kipper *m*.
kiss [kɪs] *n* baiser *m*, bise *f*; **the k. of life** (*in first aid*) le bouche-à-bouche ▮ *vt* (*person*) embrasser; **to k. s.o.'s hand** baiser la main de qn ▮ *vi* s'embrasser.
kit [kɪt] *n* équipement *m*, matériel *m*; (*set of articles*) trousse *f*; (*belongings*) *Br* affaires *fpl*; **gym/tennis/***etc* **k.** *Br* affaires *fpl* de gym/de tennis/*etc*; **first-aid k.** trousse *f* de pharmacie; **tool k.** trousse *f* à outils; (**do-it-yourself**) **k.** kit *m*; **model aircraft k.** maquette *f* d'avion à assembler; **in k. form** en kit; **k. bag** sac *m* (*de soldat etc*) ▮ *vt* (**-tt-**) **to k. s.o. out** *Br* équiper qn (**with** de).
kitchen [ˈkɪtʃɪn] *n* cuisine *f*; **k. cabinet** buffet *m* de cuisine; **k. garden** jardin *m* potager; **k. sink** évier *m*; **k. units** éléments *mpl* de cuisine. ●**kitcheˈnette** *n* coin-cuisine *m*, kitchenette *f*. ●**kitchenware** *n* ustensiles *mpl* de cuisine; (*dishes*) vaisselle *f* de cuisine.
kite [kaɪt] *n* (*toy*) cerf-volant *m*.
kith [kɪθ] *n* **k. and kin** amis *mpl* et parents *mpl*.
kitten [ˈkɪt(ə)n] *n* chaton *m*, petit chat *m*.
kitty [ˈkɪtɪ] *n* (*fund*) cagnotte *f*.
kiwi [ˈkiːwiː] *n* (*bird, fruit*) kiwi *m*.
km *abbr* (*kilometre*) km.
knack [næk] *n* (*skill*) coup *m* (de main), truc *m* (**of doing** pour faire); **to have a** *or* **the k. of doing** (*aptitude, tendency*) avoir le don de faire.
knackered [ˈnækəd] *a* (*tired*) *Br Sl* vanné.
knapsack [ˈnæpsæk] *n* sac *m* à dos.
knead [niːd] *vt* (*dough*) pétrir.
knee [niː] *n* genou *m*; **to go down on one's knees** se mettre à genoux; **k. pad** *Sport* genouillère *f*. ●**kneecap** *n* (*bone*) rotule *f*.

Kuwait

● **knee-deep** *a* (*in water etc*) jusqu'aux genoux. ● **knees-up** *n* (*party*) *Br Fam* soirée *f* dansante, sauterie *f*.
kneel [niːl] *vi* (*pt & pp* **knelt** *or* **kneeled**) **to k. (down)** s'agenouiller; **to be kneeling (down)** être à genoux.
knell [nel] *n* glas *m*.
knew [n(j)uː] *pt of* **know**.
knickers ['nɪkəz] *npl* (*woman's undergarment*) *Br* slip *m*; (*longer*) culotte *f*.
knick-knack ['nɪknæk] *n* babiole *f*.
knife [naɪf] *n* (*pl* **knives**) couteau *m*; (*penknife*) canif *m* ▌ *vt* poignarder.
knight [naɪt] *n* *Hist & Br* chevalier *m*; *Chess* cavalier *m* ▌ *vt* **to be knighted** *Br* être fait chevalier. ● **knighthood** *n Br* titre *m* de chevalier.
knit [nɪt] *vt* (-tt-) tricoter; **to k. one's brow** froncer les sourcils ▌ *vi* tricoter; **to k. (together)** (*of bones*) se souder. ● **knitting** *n* (*activity, material*) tricot *m*; **k. needle** aiguille *f* à tricoter. ● **knitwear** *n* tricots *mpl*.
knob [nɒb] *n* (*on door etc*) bouton *m*; (*on walking stick*) pommeau *m*; **k. of butter** noix *f* de beurre.
knock [nɒk] *vt* (*strike*) frapper; (*collide with*) heurter; (*criticize*) *Fam* critiquer; **to k. one's head on sth** se cogner la tête contre qch; **to k. s.o. senseless** assommer qn; **to k. to the ground** jeter à terre.
▌ *vi* (*strike*) frapper; **to k. against** *or* **into** (*bump into*) heurter.
▌ *n* (*blow*) coup *m*; (*collision*) heurt *m*; **there's a k. at the door** quelqu'un frappe; **I heard a k.** j'ai entendu frapper.
knock about *vt* (*ill-treat*) malmener ▌ *vi* (*travel*) *Fam* bourlinguer; (*lie around, stand around*) *Fam* traîner ▌ **to knock back** (*drink, glass*) *Br Fam* s'envoyer (derrière la cravate), siffler ▌ **to knock down** *vt* (*vase, pedestrian etc*) renverser; (*house, tree, wall etc*) abattre; (*price*) baisser, casser ▌ **to knock in** *vt* (*nail*) enfoncer ▌ **to knock off** *vt* (*person, object*) faire tomber (**from** de); (*do quickly*) *Fam* expédier; (*steal*) *Br Fam* piquer; **to k. £5 off (the price)** baisser le prix de cinq livres, faire cinq livres sur le prix ▌ *vi* (*stop work*) *Fam* s'arrêter de travailler ▌ **to knock out** *vt* (*make unconscious*) assommer; *Boxing* mettre k.-o.; (*beat in competition*) éliminer; **to k. oneself out** (*tire*) *Fam* s'esquinter (**doing** à faire) ▌ **to knock over** *vt* (*pedestrian, vase etc*) renverser ▌ **to knock up** *vt* (*meal*) *Br Fam* préparer à la hâte.
knockdown ['nɒkdaʊn] *a* **k. price** *Br* prix *m* imbattable. ● **knock-'kneed** *a* cagneux. ● **knock-out** *n Boxing* knock-out *m*; **to be a k.-out** (*of person, film etc*) *Fam* être formidable.
knocker ['nɒkər] *n* (*for door*) marteau *m*.
knot [nɒt] **1** *n* (*in rope etc*) nœud *m* ▌ *vt* (-tt-) nouer. **2** *n* (*unit of speed at sea*) nœud *m*. ● **knotty** *a* (-ier, -iest) (*wood etc*) noueux; (*problem*) *Fig* épineux.
know [nəʊ] *vt* (*pt* **knew**, *pp* **known**) (*facts, language etc*) savoir; (*person, place etc*) connaître; (*recognize*) reconnaître (**by** à); **to k. that** savoir que; **to k. how to do** savoir faire; **for all I k.** (*autant*) que je sache; **I'll let you k.** je vous le ferai savoir; **I'll have you k. that...** sachez que...; **to k. (a lot) about** (*person, event*) en savoir long sur; **to k. (a lot) about cars/sewing/etc** s'y connaître en voitures/couture/*etc*; **I've never known him to complain** je ne l'ai jamais vu se plaindre; **to get to k. (about) sth** apprendre qch; **to get to k. s.o.** (*meet*) faire la connaissance de qn.
▌ *vi* savoir; **I k.** je (le) sais; **I wouldn't k., I k. nothing about it** je n'en sais rien; **I k. about that** je suis au courant, je sais ça; **to k. of** (*have heard of*) avoir entendu parler de; **do you k. of a good dentist/etc?** connais-tu un bon dentiste/*etc*?; **you (should) k. better than to do that** tu es trop intelligent pour faire ça; **you should have known better** tu aurais dû réfléchir.
▌ *n* **in the k.** *Fam* au courant. ● **knowing** *a* (*smile, look*) entendu. ● **knowingly** *adv* (*consciously*) sciemment. ● **known** *a* connu; **a k. expert** un expert reconnu; **well k.** (bien) connu (**that** que); **she is k. to be...** on sait qu'elle est....
know-all ['nəʊɔːl] *n* (*Am* **know-it-all**) *Pej* je-sais-tout *mf inv*. ● **know-how** *n* (*skill*) savoir-faire *m inv*, compétence *f*.
knowledge ['nɒlɪdʒ] *n* connaissance *f* (**of** de); (*learning*) connaissances *fpl*, savoir *m*; **to (the best of) my k.** à ma connaissance; **without s.o.'s k.** à l'insu de qn; **to have no k. of sth** ignorer qch; **general k.** culture *f* générale. ● **knowledgeable** *a* bien informé (**about** sur).
knuckle ['nʌk(ə)l] **1** *n* articulation *f* (du doigt). **2** *vi* **to k. down to** (*task*) *Fam* s'atteler à; **to k. under** céder.
Koran [kəˈrɑːn] *n* **the K.** le Coran.
Korea [kəˈrɪə] *n* Corée *f*. ● **Korean** *a* coréen ▌ *n* (*language*) coréen *m*; (*person*) Coréen, -enne *mf*.
kosher ['kəʊʃər] *a* (*food*) kascher *inv*.
kowtow [kaʊˈtaʊ] *vi* se prosterner (**to s.o.** devant qn).
kudos ['kjuːdɒs] *n* (*glory*) gloire *f*; (*prestige*) prestige *m*.
Kuwait [kjuːˈweɪt] *n* Koweït *m*. ● **Kuwaiti** *a* koweïtien ▌ *n* Koweïtien, -ienne *mf*.

L

L, l [el] *n* L, l *m*.

lab [læb] *n Fam* labo *m*. ●**laboratory** [*Br* ləˈbɒrət(ə)rɪ, *Am* ˈlæbrətərɪ] *n* laboratoire *m*; **language l.** laboratoire *m* de langues.

label [ˈleɪb(ə)l] *n* étiquette *f* ▮ *vt* (*Br* -ll-, *Am* -l-) (*with price*) étiqueter; (*for identification*) mettre une étiquette sur; **to l. s.o. (as)** étiqueter qn (comme).

laborious [ləˈbɔːrɪəs] *a* laborieux.

labour [ˈleɪbər] (*Am* **labor**) *n* (*work*) travail *m*; (*workers*) main-d'œuvre *f*; **L.** (*political party*) *Br* les travaillistes *mpl*; **in l.** (*woman*) en train d'accoucher.

▮ *a* (*market, situation*) du travail; (*relations*) ouvriers-patronat *inv*; **l. dispute** conflit *m* ouvrier; **l. force** main-d'œuvre *f*; **l. union** *Am* syndicat *m*; **l. unrest** agitation *f* ouvrière.

▮ *vi* (*toil*) peiner.

▮ *vt* **to l. a point** insister sur un point. ●**laboured** *a* (*style*) laborieux. ●**labourer** *n* (*on roads etc*) manœuvre *m*; (*on farm*) ouvrier *m* agricole.

laburnum [ləˈbɜːnəm] *n* (*tree*) cytise *f*.

labyrinth [ˈlæbɪrɪnθ] *n* labyrinthe *m*.

lace [leɪs] 1 *n* (*cloth*) dentelle *f*. 2 *n* (*of shoe etc*) lacet *m* ▮ *vt* **to l. (up)** (*tie up*) lacer (*chaussure etc*). 3 *vt* (*drink*) additionner, arroser (**with** de).

lacerate [ˈlæsəreɪt] *vt* (*flesh etc*) lacérer. ●**laceration** [-ˈreɪʃ(ə)n] *n* (*cut on skin*) entaille *f*.

lack [læk] *n* manque *m*; **for l. of** à défaut de ▮ *vt* manquer de ▮ *vi* **to be lacking** manquer (**in** de); **they l. for nothing** ils ne manquent de rien.

lackey [ˈlækɪ] *n Pej* laquais *m*.

laconic [ləˈkɒnɪk] *a* laconique.

lacquer [ˈlækər] *n* (*for wood, hair*) laque *f* ▮ *vt* (*wood*) laquer; (*hair*) mettre de la laque sur.

lad [læd] *n* gamin *m*, gosse *m*, garçon *m*; **when I was a l.** quand j'étais gosse *or* gamin.

ladder [ˈlædər] *n* échelle *f*; (*in stocking*) *Br* maille *f* filée ▮ *vti* (*stocking*) *Br* filer.

laden [ˈleɪd(ə)n] *a* chargé (**with** de).

ladle [ˈleɪd(ə)l] *n* louche *f*.

lady [ˈleɪdɪ] *n* dame *f*; **a young l.** une jeune fille; (*married*) une jeune femme; **the l. of the house** la maîtresse de maison; **Ladies and Gentlemen!** Mesdames, Mesdemoiselles, Messieurs!; **l. doctor** femme *f* médecin; **l. friend** amie *f*; **the ladies' room**, *Br* **the ladies** les toilettes *fpl* pour dames. ●**lady-in-ˈwaiting** *n* (*pl* **ladies-in-waiting**) dame *f* d'honneur.

ladybird [ˈleɪdɪbɜːd] *or Am* **ladybug** [ˈleɪdɪbʌg] *n* coccinelle *f*.

ladylike [ˈleɪdɪlaɪk] *a* (*manner*) distingué; **she's (very) l.** elle est très grande dame.

lag [læg] 1 *vi* (-gg-) **to l. behind** (*in progress, work*) avoir du retard; (*dawdle*) traîner; **to l. behind s.o.** avoir du retard sur qn ▮ *n* **time l.** (*between events*) décalage *m*; (*between countries*) décalage *m* horaire. 2 *vt* (-gg-) (*pipe*) calorifuger.

lager [ˈlɑːgər] *n Br* bière *f* blonde.

lagoon [ləˈguːn] *n* lagune *f*; (*small, coral*) lagon *m*.

laid [leɪd] *pt* & *pp* of **lay**². ●**laid-ˈback** *a Fam* relax.

lain [leɪn] *pp* of **lie**¹.

lair [leər] *n* tanière *f*.

laity [ˈleɪɪtɪ] *n* **the l.** les laïcs *mpl*.

lake [leɪk] *n* lac *m*.

lamb [læm] *n* agneau *m*. ●**lambswool** *n* laine *f* d'agneau, lambswool *m*; **l. sweater** pull *m* en lambswool.

lame [leɪm] *a* (-er, -est) (*person, argument*) boiteux; (*excuse*) piètre; **to be l.** boiter. ●**lameness** *n Med* claudication *f*; (*of excuse*) *Fig* faiblesse *f*.

lament [ləˈment] *n* lamentation *f* ▮ *vt* **to l. (over)** se lamenter sur. ●**lamentable** *a* lamentable. ●**lamentation** [læmenˈteɪʃ(ə)n] *n* lamentation *f*.

laminated [ˈlæmɪneɪtɪd] *a* (*glass*) feuilleté; (*metal*) laminé.

lamp [læmp] *n* lampe *f*; (*bulb*) ampoule *f*, lampe *f*; (*on vehicle*) feu *m*. ●**lamppost** *n* lampadaire *m* (*de rue*). ●**lampshade** *n* abat-jour *m inv*.

lanai [ləˈnaɪ] *n* (*verandah*) *Am* véranda *f*.

lance [lɑːns] 1 *n* (*weapon*) lance *f*. 2 *vt* (*abscess*) inciser.

land¹ [lænd] *n* terre *f*; (*country*) pays *m*; (**plot of**) **l.** terrain *m*; **on dry l.** sur la terre ferme; **no man's l.** (*between armies etc, wasteland*) no man's land *m inv*; **to travel by l.** voyager par voie terrestre ▮ *a* (*transport, flora etc*) terrestre; (*reform, law*) agraire; (*tax*) foncier.

land² [lænd] *vi* (*of aircraft*) atterrir, se poser; (*of ship*) mouiller, relâcher; (*of passengers*) débarquer; (*of bomb, missile etc*) (re)tomber; **to l. up** (*in a ditch, in jail etc*) se retrouver.

▮ *vt* (*passengers, cargo*) débarquer; (*aircraft*) poser; (*blow*) flanquer (**on** à); (*job, prize etc*) *Fam* décrocher; **to l. s.o. in trouble** *Fam* mettre qn dans le pétrin; **to be landed with** *Fam* (*person*) avoir sur les bras; (*fine*) ramasser, écoper de. ●**landing** *n* 1 (*of aircraft*)

atterrissage *m*; (*of ship*) débarquement *m*; **forced l.** atterrissage *m* forcé; **l. stage** débarcadère *m*. **2** (*at top of stairs*) pâlier *m*.
landed ['lændɪd] *a* (*owning land*) terrien.
landlady ['lændleɪdɪ] *n* propriétaire *f*, logeuse *f*; (*of pub*) patronne *f*. ● **landlocked** *a* sans accès à la mer. ● **landlord** *n* propriétaire *m*; (*of pub*) patron *m*. ● **landmark** *n* point *m* de repère. ● **landowner** *n* propriétaire *m* foncier. ● **landslide** *n* (*falling rocks*) éboulement *m*, glissement *m* de terrain; (*election victory*) raz-de-marée *m inv* électoral.
landscape ['lændskeɪp] *n* paysage *m*.
lane [leɪn] *n* (*in country*) chemin *m*; (*in town*) ruelle *f*; (*division of road*) voie *f*; (*line of traffic*) file *f*; (*for aircraft, shipping, runner*) couloir *m*; '**get in l.**' (*traffic sign*) 'prenez votre file'; **bus l.** Br couloir *m* (*réservé aux autobus*).
language ['læŋgwɪdʒ] *n* (*English, French etc*) langue *f*; (*faculty, style*) langage *m*; **computer l.** langage *m* machine ∎ *a* (*laboratory*) de langues; (*teacher, studies*) de langue(s).
languid ['læŋgwɪd] *a* languissant. ● **languish** *vi* languir (**for, after** après).
lank [læŋk] *a* (*hair*) plat et terne.
lanky ['læŋkɪ] *a* (**-ier, -iest**) dégingandé.
lantern ['læntən] *n* lanterne *f*; **Chinese l.** lampion *m*.
lap [læp] **1** *n* (*of person*) genoux *mpl*; **in the l. of luxury** dans le plus grand luxe. **2** *n* (*in race*) tour *m* (de piste). **3** *vt* (**-pp-**) **to l. up** (*drink*) laper; (*like very much*) *Fam* adorer; (*believe*) *Fam* gober ∎ *vi* (*of waves*) clapoter. **4** *vi* (**-pp-**) **to l. over** (*overlap*) se chevaucher.
lapel [lə'pel] *n* (*of jacket etc*) revers *m*.
lapse [læps] **1** *n* (*fault*) faute *f*; (*weakness*) défaillance *f*; **a l. of memory** un trou de mémoire; **a l. in behaviour** un écart de conduite ∎ *vi* (*err*) commettre une faute; **to l. into** (*bad habits etc*) retomber dans. **2** *n* (*interval*) intervalle *m*; **a l. of time** un intervalle (**between** entre). **3** *vi* (*expire*) (*of ticket, passport etc*) se périmer, expirer; (*of subscription*) prendre fin; (*of insurance policy*) cesser d'être valable.
laptop ['læptɒp] *a & n* **l. (computer)** (ordinateur *m*) portable *m*.
larceny ['lɑːsənɪ] *n* vol *m* simple.
lard [lɑːd] *n* saindoux *m*.
larder ['lɑːdər] *n* (*cupboard*) garde-manger *m inv*.
large [lɑːdʒ] *a* (**-er, -est**) (*in size or extent*) grand; (*in volume, bulkiness*) gros (*f* grosse); (*quantity*) grand, important; **to become or grow or get l.** grossir, grandir; **to a l. extent** en grande mesure; **at l.** (*of prisoner, animal*) en liberté; (*as a whole*) en général; **by and l.** dans l'ensemble, généralement. ● **large-scale** *a* (*operation, reform etc*) de grande envergure.
largely ['lɑːdʒlɪ] *adv* (*to a great extent*) en grande mesure.
largeness ['lɑːdʒnəs] *n* grandeur *f*; (*bulkiness*) grosseur *f*.

largesse [lɑː'ʒes] *n* largesse *f*.
lark [lɑːk] **1** *n* (*bird*) alouette *f*. **2** *n* (*joke*) *Fam* rigolade *f*, blague *f* ∎ *vi* **to l. about** *Br Fam* s'amuser.
larva, *pl* **-vae** ['lɑːvə, -viː] *n* (*of insect*) larve *f*.
larynx ['lærɪŋks] *n* larynx *m*. ● **laryngitis** [-'dʒaɪtəs] *n* (*infection*) laryngite *f*.
lasagna [lə'zænjə] *n* lasagne *f*.
lascivious [lə'sɪvɪəs] *a* lascif.
laser ['leɪzər] *n* laser *m*; **l. beam/printer/**etc rayon *m*/imprimante *f*/etc laser.
lash[1] [læʃ] *n* (*with whip*) coup *m* de fouet ∎ *vt* (*strike*) fouetter; (*tie*) attacher (**to** à); **the dog lashed its tail** le chien donna un coup de queue ∎ *vi* **to l. out** (*spend wildly*) *Fam* claquer son argent; **to l. out at** (*hit*) envoyer des coups à; (*insult*) *Fig* invectiver; (*criticize*) *Fig* fustiger.
lash[2] [læʃ] *n* (*eyelash*) cil *m*.
lashings ['læʃɪŋz] *npl* **l. of** (*cream, jam etc*) *Br Fam* une montagne de.
lass [læs] *n Br* jeune fille *f*.
lassitude ['læsɪtjuːd] *n* lassitude *f*.
lasso [*Br* læ'suː, *Am* 'læsəʊ] *n* (*pl* **-os**) lasso *m* ∎ *vt* attraper au lasso.
last[1] [lɑːst] *a* dernier; **the l. ten lines** les dix dernières lignes; **l. but one** avant-dernier; **l. night** (*evening*) hier soir; (*night*) la nuit dernière ∎ *adv* (*lastly*) en dernier lieu, enfin; (*on the last occasion*) (pour) la dernière fois; **to leave l.** sortir en dernier *or* le dernier.
∎ *n* (*person, object*) dernier, -ière *mf*; (*end*) fin *f*; **the l. of the beer/**etc (*remainder*) le reste de la bière/etc; **the day before l.** avant-hier; **at (long) l.** enfin. ● **last-ditch** *a* (*attempt*) désespéré. ● **last-minute** *a* (*decision etc*) de dernière minute.
last[2] [lɑːst] *vi* durer; **to l. (out)** (*endure, resist*) tenir; (*of money, supplies*) durer; **it lasted me ten years** ça m'a duré *or* fait dix ans. ● **lasting** *a* (*impression, peace etc*) durable.
lastly ['lɑːstlɪ] *adv* en dernier lieu, enfin.
latch [lætʃ] **1** *n* loquet *m*; **the door is on the l.** la porte n'est pas fermée à clef. **2** *vi* **to l. on to** *Fam* (*adopt*) adopter (*idée etc*); (*understand*) saisir (*idée etc*); (*grab*) s'accrocher à (*qn*). ● **latchkey** *n* clef *f* de maison.
late[1] [leɪt] *a* (**-er, -est**) (*not on time*) en retard (**for** à); (*meal, fruit, season, hour*) tardif; (*stage*) avancé; (*edition*) dernier; **to be l.** (*of person, train etc*) être en retard, avoir du retard; **to be l. (in) coming** arriver en retard; **he's an hour l.** il a une heure de retard; **to make s.o. l.** mettre qn en retard; **it's l.** il est tard; **Easter/**etc **is l.** Pâques/etc est tard; **in June/**etc fin juin/etc; **to be in one's l. forties/**etc approcher de la cinquantaine/etc; **the l. Prime Minister/**etc (*former*) l'ancien Premier ministre/etc; **a later edition/**etc (*more recent*) une édition/etc plus récente; **the latest edition/**etc (*last*) la dernière édition/etc; **in later life** plus tard dans la vie; **to take a later train** prendre un train plus tard; **at a later**

late

date à une date ultérieure; **the latest date** la date limite; **at the latest** au plus tard; **of l.** dernièrement.
▌ *adv* (*in the day, season etc*) tard; (*not on time*) en retard; **it's getting l.** il se fait tard; **later (on)** plus tard; **not** *or* **no later than** pas plus tard que.

late² [leɪt] *a* **the l. Mr Smith**/*etc* (*deceased*) feu Monsieur Smith/*etc*; **our l. friend** notre regretté ami.

latecomer ['leɪtkʌmər] *n* retardataire *mf*.

lately ['leɪtlɪ] *adv* dernièrement.

lateness ['leɪtnəs] *n* (*of person, train etc*) retard *m*; **constant l.** des retards continuels; **the l. of the hour** l'heure tardive.

latent ['leɪtənt] *a* latent.

lateral ['lætərəl] *a* latéral.

lathe [leɪð] *n* (*machine*) tour *m*.

lather ['lɑːðər] *n* mousse *f* (de savon) ▌ *vt* savonner ▌ *vi* mousser.

Latin ['lætɪn] *a* latin; **L. America** Amérique *f* latine ▌ *n* (*person*) Latin, -ine *mf*; (*language*) latin *m*. ● **Latin American** *a* d'Amérique latine ▌ *n* Latino-Américain, -aine *mf*.

latitude ['lætɪtjuːd] *n* (*on map, Fig freedom*) latitude *f*.

latrines [lə'triːnz] *npl* latrines *fpl*.

latter ['lætər] *a* (*later, last-named*) dernier; (*second*) deuxième ▌ *n* **the l.** ce *or* le dernier, cette *or* la dernière; (*of two*) le second, la seconde. ● **latterly** *adv* (*recently*) récemment, dernièrement.

lattice ['lætɪs] *n* treillis *m*.

laudable ['lɔːdəb(ə)l] *a* louable.

laugh [lɑːf] *n* rire *m*; **to have a good l.** bien rire ▌ *vi* rire (**at, about** de); **to l. to oneself** rire en soi-même ▌ *vt* **to l. sth off** tourner qch en plaisanterie. ● **laughing** *a* riant; **it's no l. matter** il n'y a pas de quoi rire; **to be the l. stock of** être la risée de.

laughable ['lɑːfəb(ə)l] *a* ridicule.

laughter ['lɑːftər] *n* rire(s) *m(pl)*; **to roar with l.** rire aux éclats.

launch [lɔːntʃ] *n* **1** *n* (*motor boat*) vedette *f*; (*pleasure boat*) bateau *m* de plaisance. **2** *vt* (*rocket, boat, fashion etc*) lancer ▌ *vi* **to l. (out) into** (*begin*) se lancer dans ▌ *n* lancement *m*; **l. pad** aire *f* de lancement. ● **launching** *n* lancement *m*; **l. pad** aire *f* de lancement.

launder ['lɔːndər] *vt* (*clothes*) blanchir; (*money from drugs etc*) *Fig* blanchir. ● **laundering** *n* blanchissage *m*.

launderette [lɔːndə'ret] *or Am* **Laundromat**® ['lɔːndrəmæt] *n* laverie *f* automatique.

laundry ['lɔːndrɪ] *n* (*place*) blanchisserie *f*; (*clothes*) linge *m*.

laurel ['lɒrəl] *n* (*tree*) laurier *m*.

lava ['lɑːvə] *n* lave *f*.

lavatory ['lævətrɪ] *n* cabinets *mpl*.

lavender ['lævɪndər] *n* lavande *f*.

lavish ['lævɪʃ] *a* prodigue (**with** de); (*helping, meal*) généreux; (*decor, house etc*) somptueux; (*expenditure*) excessif ▌ *vt* prodiguer (**sth on s.o.** qch à qn). ● **lavishly** *adv* (*to* give) généreusement; (*to furnish*) somptueusement.

law [lɔː] *n* (*rule, rules*) loi *f*; (*study, profession, system*) droit *m*; **against the l.** illégal; **court of l., l. court** cour *f* de justice; **l. and order** l'ordre *m* public; **l. school** *Am* faculté *f* de droit; **l. student** étudiant, -ante *mf* en droit. ● **law-abiding** *a* respectueux des lois.

lawful ['lɔːfəl] *a* (*action, age etc*) légal; (*child, wife, claim etc*) légitime. ● **lawfully** *adv* légalement.

lawless ['lɔːləs] *a* (*country*) anarchique. ● **lawlessness** *n* anarchie *f*.

lawn [lɔːn] *n* pelouse *f*, gazon *m*; **l. mower** tondeuse *f* (à gazon); **l. tennis** tennis *m* (sur gazon).

lawsuit ['lɔːsuːt] *n* procès *m*.

lawyer ['lɔːjər] *n* (*in court*) avocat *m*; (*for wills, sales*) notaire *m*; (*legal expert, author*) juriste *m*.

lax [læks] *a* (*person*) négligent; (*discipline, behaviour*) relâché; **to be l. in doing sth** négliger de faire qch. ● **laxity** *or* **laxness** *n* négligence *f*; (*of discipline*) relâchement *m*.

laxative ['læksətɪv] *n* & *a* laxatif (*m*).

lay¹ [leɪ] *a* (*non-religious*) laïque; (*non-specialized*) (*opinion etc*) d'un profane; **l. person** profane *mf*. ● **layman** *n* (*pl* -**men**) (*non-specialist*) profane *mf*.

lay² [leɪ] (*pt & pp* **laid**) **1** *vt* (*put down, place*) poser; (*blanket*) étendre (**over** sur); (*trap*) tendre; (*money*) miser (**on** sur); (*accusation*) porter; (*ghost*) exorciser; **to l. the table** *Br* mettre la table *or* le couvert; **to l. a bet** parier; **to l. bare** mettre à nu; **to l. waste** ravager; **to l. s.o. open to** exposer qn à; **to l. one's hands on** mettre la main sur; **to l. a hand** *or* **a finger on** s.o. lever la main sur qn. **2** *vt* (*egg*) pondre ▌ *vi* (*of bird*) pondre.

lay³ [leɪ] *pt of* **lie¹**.

layabout ['leɪəbaʊt] *n Fam* fainéant, -ante *mf*. ● **lay-by** *n* (*pl* -**bys**) (*for vehicles*) *Br* aire *f* de stationnement *or* de repos. ● **lay-off** *n* (*of worker*) licenciement *m*. ● **layout** *n* (*of text*) mise *f* en pages. ● **layover** *n Am* halte *f*.

lay down *vt* (*put down*) poser; (*arms*) déposer; (*condition*) (im)poser; **to l. down one's life** sacrifier sa vie (**for** pour); **to l. down the law** faire la loi (**to** à) ▌ **to lay into** *vt Fam* attaquer ▌ **to lay off** *vt* (*worker*) licencier qn ▌ *vi* (*stop*) *Fam* arrêter; **to l. off s.o.** (*leave alone*) *Fam* laisser qn tranquille; **l. off!** (*don't touch*) *Fam* pas touche! ▌ **to lay on** *vt* (*install*) *Br* mettre, installer; (*supply*) fournir; **to l. it on (thick)** *Fam* y aller un peu fort ▌ **to lay out** *vt* (*garden*) dessiner; (*house*) concevoir; (*prepare*) préparer; (*display*) disposer; (*money*) *Fam* mettre (**on** dans); **to l. s.o. out (flat)** (*knock unconscious*) coucher qn sur le carreau ▌ *vi* (*spend money*) *Fam* claquer de l'argent ▌ **to be laid up** (*in bed*) être obligé de garder le lit, être alité.

layer ['leɪər] *n* couche *f*.

layman ['leɪmən] *n see* **lay¹**.

laze [leɪz] *vi* to l. (about *or* around) paresser.
lazy ['leɪzɪ] *a* (-ier, -iest) (*person etc*) paresseux; (*afternoon etc*) passé à ne rien faire. ● **lazy-bones** *n Fam* paresseux, -euse *mf*.
lb *abbr* (*libra*) = **pound** (*weight*).
lead[1] [li:d] *vt* (*pt & pp* led) (*guide, conduct take*) mener, conduire (to à); (*team, government etc*) diriger; (*expedition, attack*) mener, commander; (*be at the head of*) être en tête de (*cortège etc*); to l. a happy/*etc* life mener une vie heureuse/*etc*; to l. s.o. in/out/*etc* faire entrer/sortir/*etc* qn; to l. s.o. to do (*cause, induce*) amener qn à faire; to l. the way montrer le chemin; to l. the world tenir le premier rang mondial; **easily led** influençable.
▮ *vi* (*of street, door etc*) mener, conduire (to à); (*in race*) être en tête; (*in match*) être en tête; (*go ahead*) aller devant; to l. to (*result in*) aboutir à; (*cause*) causer, amener; to l. up to (*of street etc*) conduire à, mener à; (*precede*) précéder; (*approach gradually*) en venir à.
▮ *n* (*distance or time ahead*) avance *f* (**over** sur); (*example*) exemple *m*, initiative *f*; (*clue*) piste *f*, indice *m*; (*star part in film etc*) rôle *m* principal; (*for dog*) *Br* laisse *f*; (*electric wire*) fil *m*; to take the l. (*in race etc*) prendre la tête; to be in the l. (*in race*) être en tête; (*in match*) mener; l. singer (*in pop group*) chanteur, -euse *mf* vedette.
lead[2] [led] *n* (*metal*) plomb *m*; (*of pencil*) mine *f*; l. pencil crayon *m* à mine de plomb. ● **leaded** *a* (*Br petrol, Am gas*) au plomb. ● **leaden** *a* l. sky ciel *m* de plomb. ● **lead-free** *a* (*Br petrol, Am gas*) sans plomb.
lead away *vt* emmener (*qn*) ▮ **to lead back** *vt* ramener (*qn*) ▮ **to lead off** *vt* emmener (*qn*) ▮ **to lead on** *vt* (*tease*) faire marcher (*qn*).
leader ['li:dər] *n* **1** chef *m*; (*of country, party*) dirigeant, -ante *mf*; (*of strike, riot*) meneur, -euse *mf*; (*guide*) guide *m*; to be the l. (*in race*) être en tête. **2** (*newspaper article*) *Br* éditorial *m*. ● **leadership** *n* direction *f*; (*qualities*) qualités *fpl* de chef; (*leaders*) (*of country, party*) dirigeants *mpl*.
leading ['li:dɪŋ] *a* (*main*) principal; (*important*) important; the l. car/*etc* (*in front*) la voiture/*etc* de tête; the l. author l'auteur principal *or* le plus important; a l. figure, a l. light un personnage marquant; the l. lady (*in film etc*) la vedette féminine; l. article (*in newspaper*) *Br* éditorial *m*.
leaf [li:f] **1** *n* (*pl* leaves) feuille *f*; (*of book*) feuillet *m*; (*of table*) rallonge *f*. **2** *vi* **to l. through** (*book*) feuilleter. ● **leafy** *a* (-ier, -iest) (*tree*) feuillu.
leaflet ['li:flɪt] *n* prospectus *m*; (*containing instructions*) notice *f*.
league [li:g] *n* **1** (*alliance*) ligue *f*; *Sport* championnat *m*; **in l. with** *Pej* de connivence avec. **2** (*measure*) *Hist* lieue *f*.
leak [li:k] *n* (*in pipe, information etc*) fuite *f*; (*in boat*) voie *f* d'eau ▮ *vi* (*of liquid, pipe, Br tap, Am faucet etc*) fuir; (*of ship*) faire eau; **to l. out** (*of information*) *Fig* être divulgué ▮ *vt* (*liquid*) répandre; (*information*) *Fig* divulguer. ● **leakage** *n* fuite *f*; (*amount lost*) perte *f*. ● **leaky** *a* (-ier, -iest) (*kettle etc*) qui fuit.
lean[1] [li:n] *a* (-er, -est) (*thin*) maigre; (*year*) difficile. ● **leanness** *n* maigreur *f*.
lean[2] [li:n] *vi* (*pt & pp* leaned *or* leant [lent]) (*of object*) pencher; (*of person*) s'appuyer; to l. against/on sth (*of person*) s'appuyer contre/sur qch; to l. back against s'adosser à; to l. on s.o. (*influence*) *Fam* faire pression sur qn (to do pour faire); to l. forward (*of person*) se pencher (en avant); to l. over (*of person*) se pencher; (*of object*) pencher.
▮ *vt* appuyer (*qch*) (**against** contre); to l. one's head on/out of sth pencher la tête sur/par qch. ● **leaning** *a* penché; l. against (*resting*) appuyé contre. ● **leanings** *npl* tendances *fpl* (**towards** à). ● **lean-to** *n Br* (*pl* -tos) (*building*) appentis *m*.
leap [li:p] *n* (*jump*) bond *m*, saut *m*; (*change, increase etc*) *Fig* bond *m*; l. year année *f* bissextile; **in leaps and bounds** à pas de géant.
▮ *vi* (*pt & pp* leaped *or* leapt [lept]) bondir, sauter; (*of flames*) jaillir; (*of profits*) faire un bond; to l. to one's feet, l. up se lever d'un bond.
leapfrog ['li:pfrɒg] *n* saute-mouton *m inv*; **to play l.** jouer à saute-mouton.
learn [lɜːn] *vt* (*pt & pp* learned *or* learnt) apprendre (that que); to l. (how) to do apprendre à faire ▮ *vi* apprendre; to l. about (*study*) étudier; (*hear about*) apprendre. ● **learned** [-ɪd] *a* savant. ● **learning** *n* (*of language*) apprentissage *m* (**of** de); (*knowledge*) érudition *f*, savoir *m*. ● **learner** *n* débutant, -ante *mf*.
lease [li:s] *n* bail *m*; **a new l.** *Br* **of life** *or Am* **on life** un regain de vie, une nouvelle vie ▮ *vt* (*house etc*) louer à bail. ● **leasehold** *n* propriété *f* louée à bail.
leash [li:ʃ] *n* (*of dog*) laisse *f*; **on a l.** en laisse.
least [li:st] *a* **the l.** (*smallest amount of*) le moins de; (*slightest*) le *or* la moindre; **he has (the) l. talent** il a le moins de talent (**of all** de tous); **the l. effort/noise/***etc* le moindre effort/bruit/*etc*.
▮ *n* **the l.** le moins; **at l.** du moins; (*with quantity*) au moins; **at l. that's what she says** du moins c'est ce qu'elle dit; **not in the l.** pas du tout.
▮ *adv* (*to work, eat etc*) le moins; (*with adjective*) le *or* la moins; l. **of all** (*especially not*) surtout pas.
leather ['leðər] *n* cuir *m*; (**wash**) l. peau *f* de chamois. ● **leatherette** *n* Skaï ® *m*.
leave [li:v] **1** *n* (*Br holiday, Am vacation*) congé *m*; (*of soldier from army*) permission *f*; (*consent*) permission *f*; **to be on l.** être en congé; l. **of absence** congé *m* exceptionnel; **to take (one's) l. of s.o.** prendre congé de qn. **2** *vt* (*pt & pp* left) (*allow to remain, forget*)

Lebanon

laisser; (*go away from*) quitter; (*room*) sortir de, quitter; **to l. the table** sortir de table; **to l. s.o. in charge of s.o./sth** laisser à qn la garde de qn/qch; **to l. sth with s.o.** (*entrust, give*) laisser qch à qn; **to be left (over)** rester; **there's no hope/bread/**etc **left** il ne reste plus d'espoir/de pain/*etc*; **l. it to me!** laisse-moi faire!; **I'll l. it (up) to you** je m'en remets à toi; **to l. go (of)** (*release*) lâcher; **to l. behind** (*not take*) laisser; (*surpass*) dépasser; (*in race, at school*) distancer; **to l. off** (*lid*) ne pas (re)mettre; **to l. off doing** (*stop*) *Fam* arrêter de faire; **to l. on** (*hat, gloves*) garder; **to l. out** (*forget to put*) oublier (de mettre) (*accent etc*); (*word, line*) sauter; (*exclude*) exclure.
▎ *vi* (*go away*) partir (**from** de, **for** pour); **to l. off** (*stop*) *Fam* s'arrêter. ●**leavings** *npl* restes *mpl*.
Lebanon ['lebənən] *n* Liban *m*. ●**Leba'nese** *a* libanais ▎*n* Libanais, -aise *mf*.
lecher ['letʃər] *n* débauché *m*. ●**lecherous** *a* lubrique, luxurieux.
lectern ['lektən] *n* (*for giving speeches*) pupitre *m*; (*in church*) lutrin *m*.
lecture ['lektʃər] **1** *n* (*public speech*) conférence *f*; (*as part of series at university*) cours *m* (magistral) ▎*vi* faire une conférence *or* un cours; **she lectures in chemistry** elle est professeur de chimie.
2 *vt* (*scold*) faire la morale à, sermonner ▎*n* (*scolding*) sermon *m*. ●**lecturer** *n* conférencier, -ière *mf*; (*at university*) *Br* professeur *m* à l'université. ●**lectureship** *n Br* poste *m* à l'université.
led [led] *pt* & *pp* of **lead**[1].
ledge [ledʒ] *n* (*on wall, window*) rebord *m*; (*on mountain*) saillie *f*.
ledger ['ledʒər] *n* (*in bookkeeping*) grand livre *m*.
leech [liːtʃ] *n* (*worm, person*) sangsue *f*.
leek [liːk] *n* poireau *m*.
leer [lɪər] *vi* lorgner; **to l. at s.o.** lorgner qn ▎*n* regard *m* sournois *or* polisson.
leeway ['liːweɪ] *n* (*freedom*) liberté *f* d'action; (*safety margin*) marge *f* de sécurité.
left[1] [left] *pt* & *pp* of **leave 2**. ●**left luggage office** *n Br* consigne *f*.
left[2] [left] *a* (*side, hand etc*) gauche ▎*adv* à gauche ▎*n* gauche *f*; **on** *or* **to the l.** à gauche (of de). ●**left-hand** *a* à *or* de gauche; **on the l.-hand side** à gauche (of de). ●**left-'handed** *a* (*person*) gaucher. ●**left-wing** *a* (*views, government etc*) de gauche.
leftist ['leftɪst] *n* & *a Pol* gauchiste (*mf*).
leftovers ['leftəʊvəz] *npl* restes *mpl*.
leg [leg] *n* jambe *f*; (*of dog, bird etc*) patte *f*; (*of table*) pied *m*; (*of journey*) étape *f*; **l. of chicken**) cuisse *f* de poulet; **l. of lamb** gigot *m* d'agneau; **to pull s.o.'s l.** (*make fun of*) mettre qn en boîte; **on its last legs** (*machine, car etc*) *Fam* prêt à claquer; **to be on one's last legs** *Fam* avoir un pied dans la tombe.
●**leg-room** *n* (*in vehicle etc*) place *f* pour les jambes.

legacy ['legəsɪ] *n* (*bequest*) & *Fig* legs *m*.
legal ['liːg(ə)l] *a* (*lawful*) légal; (*affairs, adviser, mind*) juridique; (*error*) judiciaire; **l. aid** *Br* assistance *f* judiciaire; **l. expert** juriste *m*; **l. proceedings** procès *m*. ●**le'gality** *n* légalité *f*. ●**legalize** *vt* légaliser. ●**legally** *adv* légalement.
legation [lɪ'geɪʃ(ə)n] *n Pol* légation *f*.
legend ['ledʒənd] *n* (*story, inscription etc*) légende *f*. ●**legendary** *a* légendaire.
leggings ['legɪŋz] *npl* jambières *fpl*.
leggy ['legɪ] *a* (**-ier, -iest**) (*person*) aux longues jambes, tout en jambes.
legible ['ledʒəb(ə)l] *a* lisible. ●**legi'bility** *n* lisibilité *f*. ●**legibly** *adv* lisiblement.
legion ['liːdʒən] *n* (*of soldiers,* Fig *of people*) légion *f*.
legislate ['ledʒɪsleɪt] *vi* légiférer. ●**legislation** [-'leɪʃ(ə)n] *n* (*laws*) législation *f*; (*action*) élaboration *f* des lois; **(piece of) l.** loi *f*.
legislative ['ledʒɪslətɪv] *a* législatif.
legitimate [lɪ'dʒɪtɪmət] *a* (*reason, child etc*) légitime. ●**legitimacy** *n* légitimité *f*.
legless ['legləs] *a* (*drunk*) *Br Fam* (complètement) bourré.
leg-room ['legruːm] *n see* **leg**.
leisure [*Br* 'leʒər, *Am* 'liːʒər] *n* **l. (time)** loisirs *mpl*; **l. activities** loisirs *mpl*; **l. centre** *or* **complex** centre *m* de loisirs; **moment of l.** moment *m* de loisir; **at (one's) l.** à tête reposée. ●**leisurely** *a* (*walk, occupation*) peu fatigant; (*meal, life*) calme; **at a l. pace, in a l. way** sans se presser.
lemon ['lemən] *n* citron *m*; **l. drink,** *Br* **l. squash** citronnade *f*; **l. tea** thé *m* au citron. ●**lemo'nade** *n* (*fizzy*) *Br* limonade *f*; (*still*) *Am* citronnade *f*.
lend [lend] *vt* (*pt* & *pp* **lent**) prêter (**to** à); (*charm, colour etc*) *Fig* donner (**to** à); **to l. credence to** ajouter foi à. ●**lending** *n* prêt *m*; **l. library** bibliothèque *f* de prêt. ●**lender** *n* prêteur, -euse *mf*.
length [leŋθ] *n* longueur *f*; (*section of pipe etc*) morceau *m*; (*of road*) tronçon *m*; (*of cloth*) métrage *m*; (*in horseracing, swimming etc*) longueur *f*; (*duration*) durée *f*; **l. of time** temps *m*; **at l.** (*at last*) enfin; **at (great) l.** (*in detail*) (*to explain etc*) dans le détail; (*for a long time*) (*to speak etc*) longuement; **to go to great lengths** se donner beaucoup de mal (**to do** pour faire).
lengthen ['leŋθən] *vt* allonger; (*in time*) prolonger. ●**lengthwise** *adv* dans le sens de la longueur. ●**lengthy** *a* (**-ier, -iest**) long.
lenient ['liːnɪənt] *a* indulgent (**to** envers). ●**leniency** *n* indulgence *f*. ●**leniently** *adv* avec indulgence.
lens [lenz] *n* lentille *f*; (*in spectacles*) verre *m*; (*of camera*) objectif *m*.
Lent [lent] *n Rel* Carême *m*.
lentil ['lent(ə)l] *n* (*seed, plant*) lentille *f*.
Leo ['liːəʊ] *n* (*sign*) le Lion *m*.
leopard ['lepəd] *n* léopard *m*.
leotard ['liːətɑːd] *n* collant *m* (*de danse*).

leper ['lepər] *n* lépreux, -euse *mf*. ● **leprosy** *n* lèpre *f*.
lesbian ['lezbɪən] *n* & *a* lesbienne (*f*).
lesion ['li:ʒ(ə)n] *n* (*injury*) Med lésion *f*.
less [les] *a* & *n* moins (de) (than que); l. time/*etc* moins de temps/*etc*; she has l. (than you) elle en a moins (que toi); l. than a kilo/ten/*etc* (*with quantity, number*) moins d'un kilo/de dix/*etc*.
▮ *adv* (*to sleep, know etc*) moins (than que); l. (often) moins souvent; l. and l. de moins en moins; one l. un(e) de moins.
▮ *prep* moins; l. six francs moins six francs.
-less [ləs] *suff* sans; childless sans enfants.
lessen ['les(ə)n] *vti* diminuer. ● **lessening** *n* diminution *f*.
lesser ['lesər] *a* moindre ▮ *n* the l. of le *or* la moindre de.
lesson ['les(ə)n] *n* leçon *f*; an English l. une leçon *or* un cours d'anglais; I have lessons now j'ai cours maintenant.
lest [lest] *conj* Lit de peur que (+ ne + *sub*).
let¹ [let] **1** *vt* (*pt* & *pp* let, *pres p* letting) (*allow*) laisser (s.o. do qn faire); to l. s.o. have sth donner qch à qn.
2 *v aux* l. us eat/go/*etc*, l.'s eat/go/*etc* mangeons/partons/*etc*; l.'s go for a stroll allons nous promener; l. him come qu'il vienne.
let² [let] *vt* (*pt* & *pp* let, *pres p* letting) to l. (off *or* out) (*house, room etc*) louer. ● **letting** *n* (*renting*) location *f*.
let away *vt* (*allow to leave*) laisser partir ▮ **to let down** *vt* (*lower*) baisser; (*hair*) dénouer; (*dress*) rallonger; (*Br tyre, Am tire*) dégonfler; to l. s.o. down (*disappoint*) décevoir qn; don't l. me down je compte sur toi; the car l. me down la voiture est tombée en panne. ● **letdown** *n* déception *f*. ▮ **to let in** *vt* (*person, dog*) laisser entrer; (*noise, light*) laisser entrer; to l. in the clutch (*in vehicle*) Br embrayer; to l. s.o. in on sth mettre qn au courant de; to l. oneself in for a lot of expense se laisser entraîner à des dépenses; to l. oneself in for trouble s'attirer des ennuis ▮ **to let off** *vt* (*firework, gun*) faire partir ▮ (*bomb*) faire éclater; to l. s.o. off (*allow to leave*) laisser partir qn; (*not punish*) ne pas punir qn; (*clear of crime*) disculper qn; to be l. off with a fine/*etc* s'en tirer avec une amende/*etc*; to l. s.o. off doing dispenser qn de faire ▮ **to let on** *vi* not to l. on *Fam* ne rien dire, garder la bouche cousue; to l. on that *Fam* (*admit*) avouer que; (*reveal*) dire que ▮ **to let out** *vt* (*allow to leave*) faire *or* laisser sortir; (*prisoner*) relâcher; (*cry, secret*) laisser échapper; (*skirt*) élargir; to l. s.o. out (*of the house*) ouvrir la porte à qn; to l. out the clutch (*in vehicle*) Br débrayer ▮ **to let up** *vi* (*of rain, person etc*) s'arrêter. ● **letup** *n* arrêt *m*, répit *m*.
letdown ['letdaʊn] *see* let away.
lethal ['li:θ(ə)l] *a* (*blow, dose etc*) mortel; (*weapon*) meurtrier.
lethargy ['leθədʒɪ] *n* léthargie *f*. ● **le'thargic** *a* léthargique.
letter ['letər] *n* (*message, part of word*) lettre *f*; man of letters homme *m* de lettres; l. bomb lettre *f* piégée; l. opener coupe-papiers *m inv*; l. writer correspondant, -ante *mf*.
letterbox ['letəbɒks] *n* Br boîte *f* aux *or* à lettres. ● **letterhead** *n* en-tête *m*. ● **letterheaded** *a* l. paper papier *m* à en-tête. ● **lettering** *n* (*letters*) lettres *fpl*; (*on tomb*) inscription *f*.
lettuce ['letɪs] *n* laitue *f*, salade *f*.
letup ['letʌp] *n see* let away.
leuk(a)emia [lu:'ki:mɪə] *n* leucémie *f*.
level ['lev(ə)l] **1** *n* niveau *m*; (*rate*) taux *m*; speed on the l. vitesse *f* en palier.
▮ *a* (*surface*) plat, uni; (*object on surface*) d'aplomb; (*equal in score*) à égalité (with avec); (*in height*) au même niveau, à la même hauteur (with que); l. spoonful cuillerée *f* rase; l. crossing (*for train*) Br passage *m* à niveau.
▮ *vt* (Br -ll-, Am -l-) (*surface, differences*) aplanir, niveler; (*plane down*) raboter; (*building*) raser; (*gun*) braquer (at sur); (*accusation*) lancer (at contre).
▮ *vi* to l. off *or* out (*stabilize*) (*of prices etc*) se stabiliser.
2 *n* on the l. *Fam* (*honest*) honnête, franc (*f* franche); (*frankly*) honnêtement, franchement.
▮ *vi* (Br -ll-, Am -l-) to l. with s.o. *Fam* être franc avec qn. ● **level-'headed** *a* équilibré.
lever [Br 'li:vər, Am 'levər] *n* levier *m*. ● **leverage** *n* (*power*) influence *f*.
levity ['levɪtɪ] *n* légèreté *f*.
levy ['levɪ] *vt* (*tax, troops*) lever ▮ *n* (*tax*) impôt *m*.
lewd [lu:d] *a* (-er, -est) obscène.
liability [laɪə'bɪlɪtɪ] *n* responsabilité *f* (for de); (*disadvantage*) handicap *m*; **liabilities** (*debts*) dettes *fpl*.
liable ['laɪəb(ə)l] *a* l. to (*dizziness etc*) sujet à; (*fine, tax*) passible de; he's l. to do it il est susceptible de faire, il pourrait faire; l. for (*responsible*) responsable de.
liaise [lɪ'eɪz] *vi* travailler en liaison (with s.o. avec qn). ● **liaison** [li:'eɪzɒn] *n* (*contact, love affair*) & Mil liaison *f*.
liar ['laɪər] *n* menteur, -euse *mf*.
libel ['laɪb(ə)l] *vt* (Br -ll-, Am -l-) diffamer (par écrit) ▮ *n* diffamation *f*.
liberal ['lɪbərəl] *a* (*open-minded*) & Pol libéral; (*generous*) généreux (with de) ▮ *n* Pol libéral, -ale *mf*. ● **liberalism** *n* libéralisme *m*.
liberate ['lɪbəreɪt] *vt* libérer. ● **liberation** [-'reɪʃ(ə)n] *n* libération *f*. ● **liberator** *n* libérateur, -trice *mf*.
liberty ['lɪbətɪ] *n* liberté *f*; to be at l. to do être libre de faire; what a l.! (*impudence*) *Fam* quel culot!; to take liberties with s.o. se permettre des familiarités avec qn.
Libra ['li:brə] *n* (*sign*) la Balance.
library ['laɪbrərɪ] *n* bibliothèque *f*. ● **li'brarian** *n* bibliothécaire *mf*.

libretto

libretto [lɪˈbretəʊ] n (pl -os) livret m (d'opéra etc).
Libya [ˈlɪbjə] n Libye f. ●**Libyan** a libyen ∎ n Libyen, -enne mf.
lice [laɪs] see **louse**.
licence, Am **license** [ˈlaɪsəns] n **1** permis m, autorisation f; (for driving) permis m; (for trading etc) licence f; pilot's l. brevet m de pilote; l. fee (for television, radio) redevance f; l. plate/number (of vehicle) plaque f/ numéro m d'immatriculation. **2** (freedom) licence f.
license [ˈlaɪsəns] vt accorder un permis or une licence or un brevet à; (permit) autoriser (s.o. to do qn à faire); **licensed premises** Br établissement m qui a une licence de débit de boissons ∎ n Am = **licence**.
licit [ˈlɪsɪt] a licite.
lick [lɪk] vt lécher; (defeat) Fam écraser; (beat physically) Fam rosser; **to be licked** (by problem etc) Fam être dépassé; **to l. one's lips** s'en lécher les babines ∎ n coup m de langue; **a l. of paint** un coup de peinture. ●**licking** n Fam (defeat) déculottée f; (beating) rossée f.
licorice [ˈlɪkərɪʃ, -rɪs] n Am réglisse f.
lid [lɪd] n **1** (of box etc) couvercle m. **2** (of eye) paupière f.
lido [ˈliːdəʊ] n (pl -os) Br piscine f (découverte).
lie[1] [laɪ] vi (pt **lay**, pp **lain**, pres p **lying**) (in flat position) s'allonger, s'étendre; (remain) rester; (be) être; (in grave) reposer; **to be lying** (on the grass etc) être allongé or étendu; **he lay asleep** il dormait; **here lies** (on tomb) ci-gît; **the problem lies in** le problème réside dans; **it's lying heavy on my stomach** (of meal) cela me pèse sur l'estomac; **to l. low** (hide) se cacher; (be inconspicuous) se faire tout petit.
lie[2] [laɪ] vi (pt & pp **lied**, pres p **lying**) (tell lies) mentir ∎ n mensonge m; **to give the l. to sth** (show as untrue) démentir qch.
●**lie about** or **around** vi (of objects, person) traîner ∎ **to lie down** vi s'allonger, se coucher; **lying down** (resting) allongé, couché. ●**lie-down** n Br **to have a l.-down** = **to lie down** ∎ **to lie in** vi Br Fam **faire la grasse matinée**. ●**lie-in** n Br **to have a l.-in** = **to lie in**.
lieu [luː] n **in l. of** au lieu de.
lieutenant [Br lefˈtenənt, Am luːˈtenənt] n lieutenant m.
life [laɪf] n (pl **lives**) vie f; (of battery, machine) durée f (de vie); **to come to l.** (of party, street etc) s'animer; **at your time of l.** à ton âge; **loss of l.** perte f en vies humaines; **true to l.** conforme à la réalité; **to take one's (own) l.** se donner la mort; **bird l.** les oiseaux mpl; **l. annuity** rente f viagère; **l. blood** Fig âme f; **l. force** force f vitale; **l. insurance** assurance-vie f; **l. jacket** gilet m de sauvetage; **l. peer** Br pair m à vie; **l. preserver** Am ceinture f de sauvetage; **l. raft** radeau m de sauvetage; **l. span** durée f de vie; **l. style** style m de vie.
●**lifebelt** [ˈlaɪfbelt] n ceinture f de sauvetage. ●**lifeboat** n canot m de sauvetage. ●**lifebuoy** n bouée f de sauvetage. ●**lifeguard** n maître nageur m (sauveteur). ●**lifeless** a sans vie. ●**lifelike** a qui semble vivant. ●**lifeline** n **to be s.o.'s l.** être essentiel à la survie de qn. ●**lifelong** a de toute sa vie; (friend) de toujours. ●**lifesaving** n sauvetage m. ●**life-size(d)** a grandeur nature inv. ●**life-support system** n respirateur m artificiel. ●**lifetime** n vie f; Fig éternité f; **in my l.** de mon vivant; **a once-in-a-l. experience**/etc l'expérience f/etc de votre vie.
lift [lɪft] vt lever; (sth heavy) (sou)lever; (ban, siege) Fig lever; (idea etc) Fig voler, prendre (**from** à) ∎ vi (of fog) se lever ∎ n (elevator) Br ascenseur m; **to give s.o. a l.** emmener or accompagner qn (en voiture) (**to** à).
lift down vt (take down) descendre (**from** de) ∎ **to lift off** vt (take down) descendre (**from** de) ∎ vi (of space vehicle) décoller. ●**lift-off** n (of space vehicle) décollage m. ∎ **to lift out** vt (take out) sortir ∎ **to lift up** vt (arm, object, eyes) lever; (heavy object) (sou)lever.
ligament [ˈlɪgəmənt] n ligament m.
light[1] [laɪt] n lumière f; (daylight) jour m, lumière f; (on vehicle) feu m; (vehicle headlight) phare m; **by the l. of** à la lumière de; **in the l. of** (considering) à la lumière de; **in that l.** Fig sous ce jour or cet éclairage; **against the l.** à contre-jour; **to bring sth to l.** mettre qch en lumière; **to come to l.** être découvert; **to throw l. on** (matter) éclaircir; **do you have a l.?** (for cigarette) est-ce que vous avez du feu?; **to set l. to** mettre le feu à; **l. bulb** ampoule f (électrique).
∎ vt (pt & pp **lit** or **lighted**) (fire, candle, gas etc) allumer; (match) allumer, gratter; **to l. (up)** (room) éclairer; (cigarette) allumer.
∎ vi **to l. up** (of window) s'allumer. ●**lighting** n (lights) éclairage m; **the l. of** (candle etc) l'allumage m de. ●**light-year** n année-lumière f.
light[2] [laɪt] a (bright, not dark) clair; **a l. green jacket** une veste vert clair.
light[3] [laɪt] a (in weight, quantity, strength etc) léger; (task) facile; (low-fat) allégé; (low-calorie) pauvre en calories; **l. rain** pluie f fine; **to travel l.** voyager avec peu de bagages. ●**light-'fingered** a chapardeur. ●**light-'headed** a (giddy, foolish) étourdi. ●**light-'hearted** a gai.
light[4] [laɪt] vi (pt & pp **lit** or **lighted**) **to l. upon** Lit trouver par hasard.
lighten [ˈlaɪt(ə)n] **1** vt (colour, hair) éclaircir; (light up) éclairer (visage etc). **2** vt (a weight or a load) diminuer un poids. **3** vi **to l. up** (become less gloomy) Fam se dérider.
lighter [ˈlaɪtər] n (for cigarettes etc) briquet m; (for Br cooker, Am stove) allume-gaz m inv.
lighthouse, pl **-ses** [ˈlaɪthaʊs, -zɪz] n phare m.
lightly [ˈlaɪtlɪ] adv légèrement; **l. boiled egg**

œuf *m* à la coque; **to get off l.** s'en tirer à bon compte.
lightness ['laɪtnəs] *n* **1** *(brightness)* clarté *f*. **2** *(in weight)* légèreté *f*.
lightning ['laɪtnɪŋ] *n (flashes of light)* éclairs *mpl*; *(charge)* la foudre; **(flash of) l.** éclair *m* ∎ *a (speed)* foudroyant; *(visit)* éclair *inv*; **l. conductor** *Br*, **l. rod** *Am* paratonnerre *m*.
lightweight ['laɪtweɪt] *a (shoes, cloth etc)* léger; *(not serious) (politician etc)* pas sérieux, léger ∎ *n Boxing* poids *m* léger.
like¹ [laɪk] *prep* comme; **l. this** comme ça; **what's he l.?** *(physically, as character)* comment est-il?; **to be** *or* **look l.** ressembler à; **what was the book l.?** comment as-tu trouvé le livre?; **what does it smell l.?** cela sent quoi?; **I have one l.** it j'en ai un pareil.
∎ *adv* **nothing l. as big/etc** loin d'être aussi grand/etc.
∎ *conj (as) Fam* comme; **it's l. I say** c'est comme je vous le dis; **do l. I do** fais comme moi.
∎ *n* ...**and the l.** ...et ainsi de suite; **the l. of which we shall never see again** comme on n'en reverra plus; **the likes of you** des gens de ton acabit.
like² [laɪk] *vt* aimer (bien) **(to do, doing** faire); **I l. him** je l'aime bien, il me plaît; **she likes it here** elle se plaît ici; **to l. sth/s.o. best** aimer mieux qch/qn, aimer qch/qn le plus, préférer qch/qn; **I'd l. to come** *(want)* je voudrais (bien) *or* j'aimerais (bien) venir; **I'd l. a kilo of apples** je voudrais un kilo de pommes; **would you l. an apple?** voulez-vous une pomme?; **if you l.** si vous voulez; **how would you l. to come?** ça te plairait *or* te dirait de venir?
∎ *npl* **one's likes and dislikes** nos préférences *fpl*. ● **liking** *n* **a l. for** *(person)* de la sympathie pour; *(thing)* du goût pour; **to my l.** à mon goût.
likeable ['laɪkəb(ə)l] *a* sympathique.
likely ['laɪklɪ] *a* **(-ier, -iest)** *(result, event etc)* probable; *(excuse)* vraisemblable; *(place)* propice; *(candidate)* prometteur; **a l. excuse!** *Iron* belle excuse!; **it's l. (that) she'll come** il est probable qu'elle viendra; **he's l. to come** il viendra probablement; **he's not l. to come** il ne risque pas de venir.
∎ *adv* **very l.** très probablement; **not l.!** pas question! ● **likelihood** *n* probabilité *f*; **there isn't much l. that** il y a peu de chances que (+ *sub*).
liken ['laɪkən] *vt* comparer **(to** à).
likeness ['laɪknɪs] *n* ressemblance *f*; **a family l.** un air de famille; **it's a good l.** c'est très ressemblant.
likewise ['laɪkwaɪz] *adv (similarly)* de même, pareillement.
liking ['laɪkɪŋ] *n see* **like²**.
lilac ['laɪlək] *n* lilas *m* ∎ *a (colour)* lilas *inv*.
Lilo® ['laɪləʊ] *n (pl* -os) *Br* matelas *m* pneumatique.
lilt [lɪlt] *n (in song, voice)* cadence *f*.
lily ['lɪlɪ] *n* lis *m*, lys *m*; **l. of the valley** mu-

guet *m*.
limb [lɪm] *n (of body)* membre *m*; **to be out on a l.** *(in dangerous position)* être sur la corde raide.
limber ['lɪmbər] *vi* **to l. up** faire des exercices d'assouplissement.
limbo (in) [ɪn'lɪmbəʊ] *adv (uncertain, waiting)* dans l'expectative.
lime [laɪm] *n* **1** *(fruit)* lime *f*, citron *m* vert; **l. juice** jus *m* de citron vert. **2** *(tree)* tilleul *m*. **3** *(substance)* chaux *f*.
limelight ['laɪmlaɪt] *n* **in the l.** *(glare of publicity)* en vedette.
limerick ['lɪmərɪk] *n* = poème *m* humoristique de cinq vers.
limit ['lɪmɪt] *n* limite *f*; *(restriction)* limitation *f* **(on** de); **that's the l.!** *Fam* c'est le comble!; **within limits** dans une certaine limite.
∎ *vt* limiter **(to** à); **to l. oneself to doing** se borner à faire. ● **limited** *a (restricted)* limité; *(edition)* à tirage limité; *(mind)* borné; **l. company** *Br* société *f* à responsabilité limitée; **(public) l. company** *(with shareholders) Br* société *f* anonyme; **to a l. degree** jusqu'à un certain point. ● **limitation** [-'teɪʃ(ə)n] *n* limitation *f*. ● **limitless** *a* illimité.
limousine [lɪmə'ziːn] *n (airport etc shuttle) Am* voiture-navette *f*; *(car)* limousine *f*.
limp [lɪmp] **1** *vi (of person)* boiter; **to l. along** *(of vehicle, ship etc) Fig* avancer tant bien que mal ∎ *n* **to have a l.** boiter. **2** *a* **(-er, -est)** *(soft)* mou *(f* molle); *(flabby) (skin etc)* flasque; *(person, hat)* avachi.
limpid ['lɪmpɪd] *a (liquid) Lit* limpide.
linchpin ['lɪntʃpɪn] *n (person)* pivot *m*.
linctus ['lɪŋktəs] *n (cough medicine) Br* sirop *m* (contre la toux).
line¹ [laɪn] *n* ligne *f*; *(stroke)* trait *m*, ligne *f*; *(of poem)* vers *m*; *(wrinkle)* ride *f*; *(track)* voie *f*; *(rope)* corde *f*; *(row)* rangée *f*, ligne *f*; *(of vehicles)* file *f*; *(queue of people) Am* file *f*, queue *f*; *(family)* lignée *f*; *(business)* métier *m*, rayon *m*; *(of products for sale)* ligne *f (de produits)*; **one's lines** *(of actor)* son texte *m*; **to be on the l.** *(at other end of phone line)* être au bout du fil; *(at risk) (of job etc)* être menacé; **hold the l.!** *(remain on the phone)* ne quittez pas!; **the hot l.** le téléphone rouge; **to stand in l.** *Am* faire la queue; **to step** *or* **get out of l.** *Fig* refuser de se conformer; *(misbehave)* faire une incartade; **out of l. with** *(s.o.'s ideas etc)* en désaccord avec; **in l. with** conforme à; **he's in l. for promotion** il doit obtenir de l'avancement; **to take a hard l.** adopter une attitude ferme; **along the same lines** *(to work, think, act etc)* de la même façon; **something along those lines** quelque chose dans ce genre-là; **to drop a l.** *(send a letter) Fam* envoyer un mot **(to** à); **where do we draw the l.?** où fixer les limites?
∎ *vt* **to l. the street** *(of trees)* border la rue; *(of people)* faire la haie le long de la rue; **to l. up** *(children, objects)* aligner; *(arrange)* organiser; *(get ready)* préparer; **to have**

line 194

something lined up (*in mind*) avoir quelque chose en vue; lined face visage *m* ridé; lined paper papier *m* réglé.

▮ *vi* to l. up s'aligner; (*queue up*) *Am* faire la queue; to l. up in twos/*etc* se mettre en rangs par deux/*etc*. ●**line-up** *n* (*row of people etc*) file *f*; (*of countries etc*) Pol front *m*; (*of programmes*) TV programme *m*; (*of guests*) TV invités *mpl*.

line² [laɪn] *vt* (*clothes*) doubler; to l. one's pockets Fig se remplir les poches. ●**lining** *n* (*of clothes*) doublure *f*; brake l. garniture *f* de frein.

lineage ['lɪnɪɪdʒ] *n* lignée *f*.

linear ['lɪnɪər] *a* linéaire.

linen ['lɪnɪn] *n* (*sheets etc*) linge *m*; (*material*) (toile *f* de) lin *m*, fil *m*; l. basket *Br* panier *m* à linge; l. cupboard *Br*, l. closet *Am* armoire *f* à linge; l. sheet drap *m* de lin.

liner ['laɪnər] *n* 1 (ocean) l. paquebot *m*. 2 (dust)bin l. *Br*, garbage can l. *Am* sac *m* poubelle.

linesman ['laɪnzmən] *n* (*pl* -men) Football *etc* juge *m* de touche.

linger ['lɪŋgər] *vi* to l. (on) (*of person*) s'attarder; (*of smell, memory*) persister; (*of doubt*) subsister; a lingering death une mort lente.

lingo ['lɪŋgəʊ] *n* (*pl* -oes) Fam jargon *m*.

linguist ['lɪŋgwɪst] *n* (*specialist*) linguiste *mf*; to be a good l. être doué pour les langues. ●**lin'guistic** *a* linguistique. ●**lin'guistics** *n* linguistique *f*.

liniment ['lɪnɪmənt] *n* onguent *m*, pommade *f*.

link [lɪŋk] *vt* (*connect*) relier (to à); (*relate, associate*) lier (to à); to l. up relier; (*computer*) connecter ▮ *vi* to l. up (*of companies, countries etc*) s'associer; (*of computers*) se connecter; (*of roads*) se rejoindre ▮ *n* (*connection*) lien *m*; (*of chain*) maillon *m*; (*by road, rail*) liaison *f*. ●**link-up** *n* (*of spacecraft*) jonction *f*; (*between TV stations etc*) liaison *f*.

lino ['laɪnəʊ] *n* (*pl* -os) *Br* lino *m*. ●**linoleum** [lɪ'nəʊlɪəm] *n* linoléum *m*.

linseed ['lɪnsiːd] *n* l. oil huile *f* de lin.

lint [lɪnt] *n* (*bandage*) tissu *m* ouaté; (*fluff*) peluche(s) *f*(*pl*).

lion ['laɪən] *n* lion *m*; l. cub lionceau *m*; l. tamer dompteur, -euse *mf* de lions. ●**lioness** *n* lionne *f*.

lip [lɪp] *n* (*of person*, Fig *wound*) lèvre *f*; (*rim*) (*of cup etc*) bord *m*; (*impudence*) *Sl* culot *m*; to pay l. service to sth se déclarer en faveur de qch pour la forme seulement. ●**lip-read** *vi* (*pt & pp* -read [red]) lire sur les lèvres. ●**lipstick** *n* (*substance*) rouge *m* à lèvres; (*stick*) bâton *m* or tube *m* de rouge.

liquefy ['lɪkwɪfaɪ] *vt* liquéfier ▮ *vi* se liquéfier.

liqueur [*Br* lɪ'kjʊər, *Am* lɪ'kɜːr] *n* liqueur *f*.

liquid ['lɪkwɪd] *n & a* liquide (*m*).

liquidate ['lɪkwɪdeɪt] *vt* (*debt*) liquider; (*kill*) *Fam* liquider (*qn*). ●**liquidation** [-'deɪʃ(ə)n] *n* liquidation *f*.

liquidizer ['lɪkwɪdaɪzər] *n* (*for fruit juices, purées etc*) *Br* mixer *m*. ●**liquidize** *vt* *Br* passer au mixer.

liquor ['lɪkər] *n* alcool *m*, spiritueux *m*; l. store *Am* magasin *m* de vins et de spiritueux.

liquorice ['lɪkərɪʃ, -rɪs] *n* *Br* réglisse *f*.

lira, *pl* **lire** ['lɪərə, 'lɪəreɪ] *n* (*currency*) lire *f*.

lisp [lɪsp] *vi* zézayer ▮ *n* to have a l. zézayer.

list [lɪst] 1 *n* liste *f* ▮ *vt* (*one's possessions etc*) faire la liste de; (*names*) mettre sur la liste; (*name one by one*) énumérer; (*catalogue*) cataloguer; **listed building** *Br* monument *m* classé. 2 *vi* (*of ship*) gîter.

listen ['lɪs(ə)n] *vi* écouter; to l. to écouter; to l. (out) for (*telephone, person etc*) guetter (le bruit *or* les cris *etc* de); to l. in (to) Radio écouter. ●**listening** *n* écoute *f* (to de). ●**listener** *n* (*to radio*) auditeur, -trice *mf*; to be a good l. (*pay attention*) savoir écouter.

listeria [lɪ'stɪərɪə] *n* (*illness*) listériose *f*.

listless ['lɪstləs] *a* apathique, indolent. ●**listlessness** *n* apathie *f*.

lit [lɪt] *pt & pp of* **light** (*see* light¹).

litany ['lɪtənɪ] *n* (*prayers*) litanies *fpl*.

liter ['liːtər] *n* *Am* litre *m*.

literal ['lɪtərəl] *a* littéral; (*not exaggerated*) réel. ●**literally** *adv* littéralement; (*really*) réellement; he took it l. il l'a pris au pied de la lettre.

literary ['lɪtərərɪ] *a* littéraire.

literate ['lɪtərət] *a* qui sait lire et écrire; highly l. (*person*) très instruit. ●**literacy** *n* (*of country*) degré *m* d'alphabétisation; (*of person*) capacité *f* de lire et d'écrire.

literature ['lɪt(ə)rɪtʃər] *n* littérature *f*; (*pamphlets etc*) documentation *f*.

lithe [laɪð] *a* agile, souple.

litigation [lɪtɪ'geɪʃ(ə)n] *n* (*in court of law*) litige *m*.

litre ['liːtər] (*Am* liter) *n* litre *m*.

litter ['lɪtər] 1 *n* (*Br rubbish, Am garbage*) détritus *m*; (*papers*) papiers *mpl*; (*bedding for animals*) litière *f*; (*jumble, confusion*) Fig fouillis *m*; l. basket *or* bin *Br* boîte *f* à ordures.

▮ *vt* to l. (with papers *or* *Br* rubbish *or* *Am* garbage) (*street etc*) laisser traîner des papiers *or* des détritus dans; a street littered with une rue jonchée de.

2 *n* (*young animals*) portée *f*. ●**litterbug** *n* personne *f* qui jette des détritus n'importe où.

little¹ ['lɪt(ə)l] *a* (*small*) petit; the l. ones les petits; a l. bit un (petit) peu.

little² ['lɪt(ə)l] 1 *a & n* (*not much*) peu (de); l. time/money/*etc* peu de temps/d'argent/*etc*; I've l. left il m'en reste peu; she eats l. elle mange peu; to have l. to say avoir peu de chose à dire; as l. as possible le moins possible. 2 *a & n* (*some*) un peu (de); a l. money/time/*etc* un peu d'argent/de temps/ *etc*; I have a l. j'en ai un peu; the l. that I have le peu que j'ai.

▮ *adv* (*somewhat, rather*) peu; a l. heavy/*etc*

un peu lourd/*etc*; **to work**/*etc* **a l. travailler**/*etc* un peu; **it's a l. better** c'est un peu mieux; **it's l. better** (*not much*) ce n'est guère mieux; **l. by l.** peu à peu.
liturgy ['lɪtədʒɪ] *n* liturgie *f*.
live[1] [lɪv] *vi* vivre; (*reside*) habiter, vivre; **where do you l.?** où habitez-vous?; **to l. in Paris** habiter (à) Paris ▮ *vt* (*life*) mener, vivre; (*one's faith etc*) vivre pleinement; **to l. it up** *Fam* mener la grande vie.
live[2] [laɪv] 1 *a* (*electric wire*) sous tension; (*switch*) mal isolé; (*plugged in*) (*appliance*) branché; (*alive*) (*animal etc*) vivant; (*ammunition*) réel, de combat; (*bomb*) non explosé; (*coal*) ardent; **a real l. king**/*etc* un roi/*etc* en chair et en os.
2 *a & adv Rad TV* en direct; **a l. broadcast** une émission en direct; **a l. audience** le *or* un public; **a l. recording** un enregistrement public.
live down *vt* faire oublier (avec le temps) ▮ **to live off** *or* **on** *vt* (*eat*) vivre de; (*sponge on*) vivre aux crochets *or* aux dépens de (*qn*) ▮ **to live on** *vi* (*of memory etc*) survivre, se perpétuer ▮ **to live through** *vt* (*experience*) vivre (*guerre, événement*); (*survive*) survivre à (*guerre etc*); **l. through the winter** passer l'hiver ▮ **to live up to** *vt* (*one's principles*) vivre selon; (*s.o.'s expectations*) se montrer à la hauteur de.
livelihood ['laɪvlɪhʊd] *n* moyens *mpl* de subsistance; **my l.** mon gagne-pain; **to earn one's** *or* **a l.** gagner sa vie.
lively ['laɪvlɪ] *a* (-**ier**, -**iest**) (*person, style*) vif, vivant; (*street, story*) vivant; (*interest, mind, colour*) vif; (*day*) mouvementé; (*discussion, conversation*) animé; (*forceful*) (*protest, campaign*) vigoureux. ● **liveliness** *n* vivacité *f*.
liven ['laɪv(ə)n] *vt* **to l. up** (*person*) égayer; (*party*) animer ▮ *vi* **to l. up** (*of person, party*) s'animer.
liver ['lɪvər] *n* foie *m*.
livery ['lɪvərɪ] *n* (*uniform*) livrée *f*; **in l.** en livrée.
livestock ['laɪvstɒk] *n* bétail *m*.
livid ['lɪvɪd] *a* (*angry*) furieux; (*blue-grey*) (*complexion*) livide; **l. with cold** blême de froid.
living ['lɪvɪŋ] 1 *a* (*alive*) vivant; **not a l. soul** (*nobody*) personne, pas âme qui vive; **within l. memory** de mémoire d'homme; **l. or dead** mort ou vif; **the l. les vivants** *mpl*.
2 *n* (*livelihood*) vie *f*; **to make** *or* **earn a** *or* **one's l.** gagner sa vie; **to work for a l.** travailler pour vivre; **the cost of l.** le coût de la vie; **l. conditions** conditions *fpl* de vie; **a l. wage** un salaire qui permet de vivre. ● **living room** *n* salle *f* de séjour.
lizard ['lɪzəd] *n* lézard *m*.
llama ['lɑːmə] *n* (*animal*) lama *m*.
load [ləʊd] *n* (*object carried, burden*) charge *f*; (*freight*) chargement *m*, charge *f*; (*strain, weight*) poids *m*; **a l. of, loads of** (*people, money etc*) *Fam* un tas de, énormément de;

to take a l. off s.o.'s mind ôter un grand poids à qn.
▮ *vt* (*truck, gun etc*) charger (**with** de); **to l. s.o. down with** (*presents etc*) charger qn de; **to l. up** (*car, ship etc*) charger (**with** de).
▮ *vi* **to l. (up)** charger la voiture, le navire *etc*.
loaded ['ləʊdɪd] *a* (*gun, vehicle etc*) chargé; (*rich*) *Fam* plein aux as; **a l. question** une question piège; **the dice are l.** les dés sont pipés; **l. (down) with** (*debts*) accablé de.
loaf [ləʊf] 1 *n* (*pl* **loaves**) pain *m*; **French l.** baguette *f*. 2 *vi* **to l. (about)** fainéanter. ● **loafer** *n* fainéant, -ante *mf*.
loam [ləʊm] *n* (*soil*) terreau *m*.
loan [ləʊn] *n* (*money lent*) prêt *m*; (*money borrowed*) emprunt *m*; **on l. from** prêté par; **(out) on l.** (*book*) sorti; **may I have the l. of...?** puis-je emprunter...? ▮ *vt* (*lend*) prêter (**to** à).
loath [ləʊθ] *a* **l. to do** *Lit* peu disposé à faire.
loathe [ləʊð] *vt* détester (**doing** faire). ● **loathing** *n* dégoût *m*. ● **loathsome** *a* détestable.
lobby ['lɒbɪ] 1 *n* (*of hotel*) hall *m*, vestibule *m*; (*of theatre*) foyer *m*. 2 *n* (*in politics*) groupe *m* de pression, lobby *m* ▮ *vt* faire pression sur (*qn*) ▮ *vi* **to l. for sth** faire pression pour obtenir qch.
lobe [ləʊb] *n* (*of ear etc*) lobe *m*.
lobster ['lɒbstər] *n* homard *m*; (*spiny*) langouste *f*.
local ['ləʊk(ə)l] *a* local; (*regional*) régional; (*of the neighbourhood*) du *or* de quartier; (*of the region*) de la région; **are you l.?** êtes-vous du coin *or* d'ici?; **the doctor is l.** le médecin est tout près d'ici; **a l. phone call** (*within town*) une communication urbaine.
▮ *n* (*pub*) *Br Fam* bistrot *m* du coin, pub *m*; **she's a l.** elle est du coin; **the locals** (*people*) les gens du coin.
locality [ləʊ'kælɪtɪ] *n* (*neighbourhood*) environs *mpl*; (*region*) région *f*; (*place*) lieu *m*; (*site*) emplacement *m*.
localize ['ləʊkəlaɪz] *vt* (*confine*) localiser.
locally *adv* dans le coin, dans les environs; (*around here*) par ici; (*in precise place*) localement.
locate [ləʊ'keɪt] *vt* (*find*) trouver, repérer; (*pain, noise, leak*) localiser; (*situate*) situer; (*build*) construire; **to be located in Paris**/*etc* être situé à Paris/*etc*. ● **location** [-ʃ(ə)n] *n* (*site*) emplacement *m*; (*act*) repérage *m*; (*of pain etc*) localisation *f*; **on l.** (*to shoot a film*) en extérieur.
lock [lɒk] 1 *vt* (*door, car etc*) fermer à clef; **to l. the wheels** (*of vehicle*) bloquer les roues ▮ *vi* fermer à clef ▮ *n* (*on door, chest etc*) serrure *f*; (*of gun*) cran *m* de sûreté; (*turning circle of vehicle*) rayon *m* de braquage; (**anti-theft**) **l.** (*on vehicle*) antivol *m*; **under l. and key** sous clef.
2 *n* (*on canal*) écluse *f*.
3 *n* (*of hair*) mèche *f*.
lock away *vt* (*prisoner*) enfermer; (*jewels*

etc) mettre sous clef, enfermer ∎ **to lock in** *vt* (*person*) enfermer; **to l. s.o. in sth** enfermer qn dans qch ∎ **to lock out** *vt* (*person*) (*accidentally*) enfermer dehors ∎ **to lock up** *vt* (*house, car etc*) fermer à clef; (*prisoner*) enfermer; (*jewels etc*) mettre sous clef, enfermer ∎ *vi* fermer à clef.

locker ['lɒkər] *n* (*in school etc*) casier *m*; (*for luggage*) (*at station, airport etc*) casier *m* de consigne automatique; (*for clothes*) vestiaire *m* (métallique); **l. room** *Sport Am* vestiaire *m*.

locket ['lɒkɪt] *n* (*jewel*) médaillon *m*.

lockout ['lɒkaʊt] *n* (*industrial*) lock-out *m inv*.

locksmith ['lɒksmɪθ] *n* serrurier *m*.

lockup ['lɒkʌp] *a & n* **l. (garage)** *Br* box *m*.

loco ['ləʊkəʊ] *a* (*crazy*) *Sl* cinglé, fou (*f* folle).

locomotion [ləʊkə'məʊʃ(ə)n] *n* locomotion *f*.

locomotive [ləʊkə'məʊtɪv] *n* locomotive *f*.

locum ['ləʊkəm] *n* (*doctor*) *Br* remplaçant, -ante *mf*.

locust ['ləʊkəst] *n* criquet *m*, sauterelle *f*.

lodge [lɒdʒ] **1** *vt* (*person*) loger; (*valuables*) déposer (**with** chez); **to l. a complaint** porter plainte ∎ *vi* (*of bullet*) se loger (**in** dans); **to be lodging** (*accommodated*) être logé (**with** chez). **2** *n* (*house*) pavillon *m* de gardien *or* de chasse; (*of porter*) loge *f*.

lodger ['lɒdʒər] *n* (*room and meals*) pensionnaire *mf*; (*room only*) locataire *mf*.

lodging ['lɒdʒɪŋ] *n* (*accommodation*) logement *m*; **lodgings** (*Br* flat, *Am* apartment) logement *m*; (*room*) chambre *f*; **in lodgings** en meublé.

loft [lɒft] *n* (*attic*) grenier *m*.

lofty ['lɒftɪ] *a* (**-ier, -iest**) (*high, noble*) élevé; (*haughty, superior*) hautain. ● **loftiness** *n* hauteur *f*.

log [lɒg] **1** *n* (*tree trunk*) tronc *m* d'arbre; (*for fire*) bûche *f*; **l. fire** feu *m* de bois. **2** *vt* (**-gg-**) (*facts*) noter; **to l. up** (*distance*) faire, couvrir. **3** *vi* Comptr **to l. in/out** entrer/sortir. ● **logbook** *n* (*on ship*) journal *m* de bord; (*on aircraft*) carnet *m* de vol; (*of vehicle*) *Br* = carte *f* grise.

loggerheads (at) [æt'lɒgəhedz] *adv* en désaccord (**with** avec).

logic ['lɒdʒɪk] *n* logique *f*. ● **logical** *a* logique. ● **logically** *adv* logiquement.

logistics [lə'dʒɪstɪks] *n* logistique *f*.

logo ['ləʊgəʊ] *n* (*pl* **-os**) logo *m*.

loin [lɔɪn] *n* (*meat*) filet *m* (*de veau etc*); **l. chop** côte *f* première.

loincloth ['lɔɪnklɒθ] *n* pagne *m*.

loins [lɔɪnz] *npl* (*lower back, genitals*) reins *mpl*.

loiter ['lɔɪtər] *vi* traîner.

loll [lɒl] *vi* (*in armchair etc*) se prélasser.

lollipop ['lɒlɪpɒp] *n* (*Br* sweet *or Am* candy on stick) sucette *f*; (*ice on stick*) esquimau *m*; **l. man/lady** *Br* gardien *m*/gardienne *f* de passage pour piétons. ● **lolly** *n* **1** *Fam* sucette *f*; (**ice**) l. esquimau *m*. **2** (*money*) *Sl* fric *m*.

London ['lʌndən] *n* Londres *m or f* ∎ *a* (*taxi etc*) londonien. ● **Londoner** *n* Londonien, -ienne *mf*.

lone [ləʊn] *a* solitaire; **l. wolf** *Fig* solitaire *mf*.

loneliness ['ləʊnlɪnəs] *n* solitude *f*. ● **lonely** *a* (**-ier, -iest**) (*road, house, life etc*) solitaire; (*person*) seul, solitaire.

loner ['ləʊnər] *n* solitaire *mf*.

lonesome ['ləʊnsəm] *a* solitaire.

long[1] [lɒŋ] **1** *a* (**-er, -est**) long (*f* longue); **to be ten metres l.** avoir dix mètres de long, être long de dix mètres; **to be six weeks l.** durer six semaines; **how l. is...?** quelle est la longueur de...?; (*time*) quelle est la durée de...?; **a l. time** longtemps; **in the l. run** à la longue; **a l. face** une grimace; **a l. memory** une bonne mémoire; **l. jump** *Sport* saut *m* en longueur.

2 *adv* (*a long time*) longtemps; **l. before/after** longtemps avant/après; **has he been here l.?** il y a longtemps qu'il est ici?, il est ici depuis longtemps?; **how l.?** (*how much time*) combien de temps?; **how l. ago?** il y a combien de temps?; **not l.** peu de temps; **before l.** sous *or* avant peu; **no longer** ne plus; **she no longer swims** elle ne nage plus; **a bit longer** (*to wait etc*) encore un peu; **I won't be l.** je n'en ai pas pour longtemps; **don't be l.** dépêche-toi (de revenir), ne traîne pas; **at the longest** (tout) au plus; **all summer/winter l.** tout l'été/l'hiver; **l. live the queen/***etc* vive la reine/*etc*; **as l. as, so l. as** (*provided that*) pourvu que (+ *sub*); **as l. as I live** tant que je vivrai.

long[2] [lɒŋ] *vi* **to l. for sth** avoir très envie de qch; **to l. for s.o.** languir après qn; **to l. to do** avoir très envie de faire. ● **longing** *n* désir *m*, envie *f*.

long-awaited [lɒŋə'weɪtɪd] *a* tant attendu. ● **long-distance** *a* (*race*) de fond; (*phone call*) interurbain; (*flight*) long-courrier. ● **long-drawn-'out** *a* interminable. ● **long-'haired** *a* aux cheveux longs. ● **'longhand** *n* écriture *f* normale. ● **'long-life** *a* (*battery*) longue durée *inv*; (*milk*) longue conservation. ● **long-'playing** *a* **l.-playing record** 33 tours *m inv*. ● **'long-range** *a* (*forecast*) à long terme. ● **long'sighted** *a* (*person*) presbyte. ● **long'standing** *a* de longue date. ● **long'suffering** *a* très patient. ● **long-'term** *a* à long terme. ● **long'winded** *a* (*speech, speaker*) verbeux.

longevity [lɒn'dʒevɪtɪ] *n* longévité *f*.

longitude ['lɒndʒɪtjuːd] *n* longitude *f*.

longways ['lɒŋweɪz] *adv* en longueur.

loo [luː] *n* **the l.** (*toilet*) *Br Fam* le petit coin.

look [lʊk] *n* regard *m*; (*appearance*) air *m*, allure *f*; (**good**) **looks** un beau physique, la beauté; **to have a l. (at)** jeter un coup d'œil (à), regarder; **to have a l. (for)** chercher; **to have a l. (a)round** regarder; (*walk*) faire un tour; **let me have a l.** fais voir; **I like the l. of him** il me fait bonne impression, il me plaît.

lose

∎ *vti* regarder; **to l. s.o. in the face** regarder qn dans les yeux; **to l. tired/happy**/*etc* (*seem*) sembler *or* avoir l'air fatigué/heureux/*etc*; **to l. pretty/ugly** (*be*) être joli/laid; **to l. one's age** faire son âge; **l. here!** dites donc!; **you l. like** *or* **as if** *or* **as though you're tired** tu as l'air fatigué, on dirait que tu es fatigué; **it looks like** *or* **as if** *or* **as though she won't leave** elle n'a pas l'air de vouloir partir; **it looks like it** c'est probable; **to l. like a child** avoir l'air d'un enfant; **to l. like an apple** avoir l'air d'être une pomme; **you l. like my brother** (*resemble*) tu ressembles à mon frère; **it looks like rain (to me)** il me semble *or* on dirait qu'il va pleuvoir; **what does he l. like?** (*describe him*) comment est-il?; **to l. well** *or* **good** (*of person*) avoir bonne mine; **you l. good in that hat**/*etc* ce chapeau/*etc* te va très bien; **that looks bad** (*action etc*) ça fait mauvais effet.

look after *vt* (*deal with*) s'occuper de (*qch, qn*); (*sick person, hair*) soigner; (*keep safely*) garder (**for** s.o. pour qn); **to l. after oneself** (*keep healthy*) faire bien attention à soi; (*manage, cope*) se débrouiller ∎ **to look around** *vt* (*visit*) visiter ∎ *vi* (*have a look*) regarder; (*walk round*) faire un tour ∎ **to look at** *vt* regarder; (*consider*) considérer, voir; (*check*) vérifier ∎ **to look away** *vi* détourner les yeux ∎ **to look back** *vi* regarder derrière soi; (*in time*) regarder en arrière ∎ **to look down** *vi* baisser les yeux; (*from a height*) regarder en bas; **to l. down on** (*consider scornfully*) mépriser, regarder de haut ∎ **to look for** *vt* (*seek*) chercher ∎ **to look forward to** *vt* (*event*) attendre avec impatience; **to l. forward to doing** avoir hâte de faire ∎ **to look in** *vi* regarder (à l'intérieur); **to l. in on** s.o. passer voir qn ∎ **to look into** *vt* (*examine*) examiner; (*find out about*) se renseigner sur ∎ **to look on** *vi* (*watch*) regarder ∎ *vt* (*consider*) considérer (**as** comme) ∎ **to look out** *vi* (*be careful*) faire attention (**for** à); **to l. out for** *vt* (*seek*) chercher; (*watch*) guetter; **to l. (out) on to** (*of window, house etc*) donner sur ∎ **to look over** *vt* (*examine fully*) examiner, regarder de près; (*briefly*) parcourir; (*region, town*) parcourir, visiter ∎ **to look round** *vt* (*visit*) visiter ∎ *vi* (*have a look*) regarder; (*walk round*) faire un tour; (*look back*) se retourner; **to l. round for** (*seek*) chercher ∎ **to look through** *vt* = **to look over** ∎ **to look up** *vi* (*of person*) lever les yeux; (*into the air or sky*) regarder en l'air; (*improve*) (*of situation etc*) s'améliorer; **to l. up to** s.o. *Fig* respecter qn ∎ *vt* (*word*) chercher (*dans le dictionnaire etc*); **to l. s.o. up** (*visit*) passer voir qn.

-looking ['lʊkɪŋ] *suff* **pleasant-/tired-/***etc* **l.** à l'air agréable/fatigué/*etc*.

looking-glass ['lʊkɪŋglɑːs] *n* glace *f*, miroir *m*.

lookout ['lʊkaʊt] *n* (*soldier*) guetteur *m*; (*sailor*) vigie *f*; **l. (post)** observatoire *m*; (*on ship*) vigie *f*; **to be on the l.** faire le guet; **to be on the l. for** guetter; **that's your l.!** c'est ton problème!

loom [luːm] **1** *vi* **to l. (up)** (*of mountain etc*) apparaître indistinctement; (*of event etc*) paraître imminent. **2** *n* (*weaving machine*) métier *m* à tisser.

loony ['luːnɪ] *n* & *Sl* imbécile (*mf*).

loop [luːp] *n* (*in river etc, aircraft manœuvre*) boucle *f*; (*contraceptive device*) stérilet *m* ∎ *vt* **to l. the loop** (*in aircraft*) boucler la boucle.

loophole ['luːphəʊl] *n* (*in rules*) point *m* faible, lacune *f*; (*way out*) échappatoire *f*.

loose [luːs] *a* (**-er**, **-est**) (*screw, belt, knot*) desserré; (*tooth, stone*) branlant; (*page*) détaché; (*clothes*) flottant; (*hair*) dénoué; (*flesh*) flasque; (*wording, translation*) approximatif, vague; (*link*) vague; (*discipline*) relâché; (*articles for sale*) en vrac; (*cheese, tea etc*) *Br* au poids; (*woman*) *Pej* facile; **there's an animal/prisoner l.** (*having escaped*) il y a un animal échappé/un prisonnier évadé; **l. change** petite monnaie *f*; **l. covers** *Br* housses *fpl*; **l. living** vie *f* dissolue; **to come** *or* **get l.** (*of knot, screw etc*) se desserrer; (*of page*) se détacher; (*of tooth*) se mettre à bouger; **to get l.** (*of dog*) se détacher; **to set** *or* **turn l.** (*dog etc*) lâcher, libérer; **he's at a l. end** *Br*, **he's at a l. ends** *Am* il ne sait pas trop quoi faire.

∎ *n* **on the l.** (*prisoner etc*) évadé; (*animal*) échappé.

∎ *vt* (*animal*) lâcher.

loosely ['luːslɪ] *adv* (*to hang*) lâchement; (*to hold, tie*) sans serrer; (*to translate*) librement; (*to link*) vaguement.

loosen ['luːs(ə)n] *vt* (*knot, belt, screw*) desserrer; (*rope*) détendre; **to l. one's grip** relâcher son étreinte ∎ *vi* **to l. up** *Sport* faire des exercices d'assouplissement.

looseness ['luːsnəs] *n* (*of screw, machine parts*) jeu *m*.

loot [luːt] *n* butin *m*; (*money*) *Sl* fric *m* ∎ *vt* piller. ●**looting** *n* pillage *m*. ●**looter** *n* pillard, -arde *mf*.

lop [lɒp] *vt* (**-pp-**) **to l. (off)** couper.

lop-sided [lɒp'saɪdɪd] *a* (*crooked*) de travers; **to walk l.-sided** (*limp*) se déhancher.

loquacious [ləʊ'kweɪʃəs] *a* loquace.

lord [lɔːd] *n* seigneur *m*; (*British title*) lord *m*; **the L.** (*God*) le Seigneur; **L. knows if...** Dieu sait si...; **good L.!** *Fam* bon sang!; **oh L.!** *Fam* mince!; **my l.** (*to judge*) *Br* Monsieur le juge; **the House of Lords** *Br Pol* la Chambre des Lords ∎ *vt* **to l. it over** s.o. *Fam* dominer qn.

lordly ['lɔːdlɪ] *a* digne d'un grand seigneur; (*arrogant*) hautain.

lordship ['lɔːdʃɪp] *n* **Your L.** (*to judge*) *Br* Monsieur le juge.

lore [lɔːr] *n* traditions *fpl*.

lorry ['lɒrɪ] *n Br* camion *m*; (*heavy*) poids *m* lourd; **l. driver** camionneur *m*; **long-distance l. driver** routier *m*.

lose [luːz] *vt* (*pt* & *pp* **lost**) perdre; **to get lost** (*of person*) se perdre; **the ticket**/*etc* **got lost**

loss

on a perdu le billet/*etc*; **that lost us the war/our jobs** cela nous a fait perdre la guerre/notre travail; **get lost!** *Fam* fiche le camp!; **I've lost my bearings** je suis désorienté; **the clock loses six minutes a day** la pendule retarde de six minutes par jour; **to l. one's life** trouver la mort (**in** dans).
▪ *vi* perdre; **to l. out** être perdant; **to l. to s.o.** (*in contest etc*) être battu par qn. ● **losing** *a* (*number, team, horse*) perdant; **a l. battle** une bataille perdue d'avance. ● **loser** *n* (*in contest etc*) perdant, -ante *mf*; (*failure in life*) *Fam* paumé, -ée *mf*; **to be a good l.** être bon *or* beau joueur.

loss [lɒs] *n* perte *f*; **at a l.** (*confused*) perplexe; **to sell sth at a l.** vendre qch à perte; **at a l. to do sth** (*unable*) incapable de faire qch; **to be at a l. (to know) what to say** ne savoir que dire.

lost [lɒst] *pt & pp of* **lose** ▪ *a* perdu; **l. property** *Br*, **l. and found** *Am* objets *mpl* trouvés.

lot¹ [lɒt] *n* (*destiny*) sort *m*; (*batch, plot of land*) lot *m*; **to draw lots** tirer au sort; **parking l.** *Am* parking *m*; **a bad l.** (*person*) *Br Fam* un mauvais sujet.

lot² [lɒt] *n* **the l.** (*everything*) (le) tout; **the l. of you** vous tous; **a l. of, lots of** beaucoup de; **a l.** beaucoup; **quite a l.** pas mal (**of** de); **such a l.** tellement (**of** de), tant (**of** de); **what a l. of flowers/water/***etc*! regarde toutes ces fleurs/toute cette eau/*etc*!, que de fleurs/d'eau/*etc*!; **what a l.!** quelle quantité!; **what a l. of flowers/***etc* **you have!** (ce) que vous avez (beaucoup) de fleurs/*etc*!

lotion ['ləʊʃ(ə)n] *n* lotion *f*.

lottery ['lɒtərɪ] *n* loterie *f*; **l. ticket** billet *m* de loterie.

lotto ['lɒtəʊ] *n* (*game*) loto *m*.

loud [laʊd] *a* (-er, -est) (*voice, music*) fort; (*noise, cry*) grand; (*laugh*) bruyant, grand; (*gaudy*) voyant; **the radio is too l.** le son (de la radio) est trop fort ▪ *adv* (*to shout etc*) fort; **out l.** tout haut. ● **loudly** *adv* (*to speak, laugh etc*) bruyamment, fort; (*to shout*) fort. ● **loudness** *n* (*of voice etc*) force *f*; (*noise*) bruit *m*.

loudhailer [laʊd'heɪlər] *n Br* mégaphone *m*. ● **'loudmouth** *n* (*person*) *Fam* grande gueule *f*. ● **loud'speaker** *n* haut-parleur *m*; (*for speaking to crowd*) porte-voix *m inv*; (*of stereo system*) enceinte *f*.

lounge [laʊndʒ] **1** *n* (*in house, hotel*) salon *m*; *airport* **l.** salle *f* d'aéroport; **departure l.** (*in airport*) salle *f* d'embarquement; **l. suit** *Br* complet *m* veston. **2** *vi* (*loll in armchair etc*) se prélasser; **to l. about** (*idle*) paresser; (*stroll*) flâner.

louse, *pl* **lice** [laʊs, laɪs] **1** *n* (*insect*) pou *m*. **2** *n* (*person*) *Pej Sl* salaud *m*. **3** *vt* **to l. up** (*mess up*) *Sl* gâcher (*situation, projet etc*).

lousy ['laʊzɪ] *a* (-ier, -iest) (*bad*) (*food, weather etc*) *Fam* infect; **l. with** (*crammed, loaded*) *Sl* bourré de.

lout [laʊt] *n* rustre *m*. ● **loutish** *a* (*attitude*) de rustre.

lovable ['lʌvəb(ə)l] *a* adorable.

love [lʌv] **1** *n* amour *m*; **in l.** amoureux (**with** de); **they're in l.** ils s'aiment; **art is their l.** l'art est leur passion; **yes, my l.** oui mon amour; **yes, l.!** *Sl* = oui monsieur *ou* madame!
▪ *vt* aimer; (*like very much*) aimer (beaucoup), adorer (**to do, doing** faire); **give him or her my l.** (*greeting*) dis-lui bien des choses de ma part; **l. affair** liaison *f* (amoureuse); **l. life** vie *f* sentimentale.
2 *n Tennis* rien *m*, zéro *m*; **15 l.** 15 à rien, 15 zéro. ● **loving** *a* affectueux, aimant.

lovely ['lʌvlɪ] *a* (-ier, -iest) (*pleasing*) agréable, bon (*f* bonne); (*excellent*) excellent; (*pretty*) joli; (*charming*) charmant; (*kind*) gentil; **the weather's l.** il fait beau; **l. to see you!** je suis ravi de te voir!; **l. and warm/dry/***etc* bien chaud/sec/*etc*.

lover ['lʌvər] *n* (*man*) amant *m*; (*woman*) maîtresse *f*; **a l. of music/art/***etc* un amateur de musique/d'art/*etc*; **a nature l.** un amoureux de la nature.

lovesick ['lʌvsɪk] *a* amoureux.

low¹ [ləʊ] *a* (-er, -est) bas (*f* basse); (*speed, income, intelligence*) faible; (*opinion, quality*) mauvais; **she's l. on** (*money etc*) elle n'a plus beaucoup de; **to feel l.** (*depressed*) être déprimé; **in a l. voice** à voix basse; **lower inférieur**; **the lower middle class** la petite bourgeoisie.
▪ *adv* (-er, -est) bas; **to turn (down) l.** mettre plus bas; **to run l.** (*of supplies*) s'épuiser.
▪ *n Met* dépression *f*; **to reach a new l.** *or* **an all-time l.** (*of prices etc*) atteindre leur niveau le plus bas.

low² [ləʊ] *vi* (*of cattle*) meugler.

low beams [ləʊ'bi:mz] *npl* (*of vehicle*) *Am* codes *mpl*. ● **low-'calorie** *a* (*diet*) (à) basses calories. ● **low-'cost** *a* bon marché *inv*. ● **'low-cut** *a* décolleté. ● **'low-down** *a* méprisable. ● **'lowdown** *n* (*facts*) *Fam* tuyaux *mpl*. ● **low-'fat** *a* (*milk*) écrémé; (*cheese*) allégé. ● **'low-key** *a* (*discreet*) discret. ● **'lowland(s)** *n* plaine *f*. ● **low-'level** *a* bas (*f* basse). ● **'low-loader** *n* camion *m* à plateforme surbaissée. ● **'low-lying** *a* (*region etc*) bas (*f* basse). ● **'low-paid** *a* mal payé. ● **low-'salt** *a* (*food*) à faible teneur en sel.

lower ['ləʊər] *vt* baisser; **to l. s.o./sth** (*by rope*) descendre qn/qch; **to l. oneself** *Fig* s'abaisser. ● **lowering** *n* (*drop*) baisse *f*.

lowly ['ləʊlɪ] *a* (-ier, -iest) humble.

lox [lɒks] *n Am* saumon *m* fumé.

loyal ['lɔɪəl] *a* fidèle (**to** à), loyal (**to** envers). ● **loyalty** *n* fidélité *f*, loyauté *f*.

lozenge ['lɒzɪndʒ] *n* (*tablet*) pastille *f*; (*shape*) losange *m*.

LP [el'pi:] *abbr* (*long-playing record*) 33 tours *m inv*.

L-plates ['elpleɪts] *npl* (*for vehicle*) *Br* plaques *fpl* d'apprenti conducteur.

Ltd *abbr* (*Limited*) *Br Com* SARL.

lubricate ['lu:brɪkeɪt] *vt* lubrifier; (*machine,*

car wheels etc) graisser. ● **lubricant** *n* lubrifiant *m*. ● **lubrication** [-'keɪʃ(ə)n] *n* (*of machine etc*) graissage *m*.
lucid ['luːsɪd] *a* lucide. ● **lu'cidity** *n* lucidité *f*.
luck [lʌk] *n* (*chance*) chance *f*; (*good fortune*) (bonne) chance *f*, bonheur *m*; (*fate*) hasard *m*, fortune *f*; **bad l.** malchance *f*, malheur *m*; **hard l.!, tough l.!** pas de chance!; **worse l.** (*unfortunately*) malheureusement; **to be in l./out of l.** avoir/ne pas avoir de la chance.
luckily ['lʌkəlɪ] *adv* heureusement.
lucky ['lʌkɪ] *a* (**-ier, -iest**) (*person*) chanceux, heureux; (*guess, event*) heureux; **to be l.** (*of person*) avoir de la chance (**to do** de faire); **it's l. that** c'est une chance que (+ *sub*); **I've had a l. day** j'ai eu de la chance aujourd'hui; **l. charm** porte-bonheur *m inv*; **l. number/etc** chiffre *m*/*etc* porte-bonheur; **l. dog** veinard, -arde *mf*; **how l.!** quelle chance!
lucrative ['luːkrətɪv] *a* lucratif.
ludicrous ['luːdɪkrəs] *a* ridicule.
ludo ['luːdəʊ] *n* (*game*) *Br* jeu *m* des petits chevaux.
lug [lʌg] *vt* (**-gg-**) (*pull*) traîner; **to l. sth around** trimbaler qch.
luggage ['lʌgɪdʒ] *n* bagages *mpl*; **a piece of l.** un bagage; **hand l.** bagages *mpl* à main; **l. compartment** compartiment *m* à bagages; **l. van** (*on train*) *Br* fourgon *m*.
lugubrious [luː'guːbrɪəs] *a* lugubre.
lukewarm ['luːkwɔːm] *a* tiède.
lull [lʌl] **1** *n* arrêt *m*; (*in storm*) accalmie *f*. **2** *vt* (**-ll-**) apaiser; **to l. s.o. to sleep** endormir qn; **to be lulled into a false sense of security** s'endormir dans un sentiment de sécurité trompeur.
lullaby ['lʌləbaɪ] *n* berceuse *f*.
lumbago [lʌm'beɪgəʊ] *n* lumbago *m*.
lumber[1] ['lʌmbər] *n* (*timber*) bois *m* de charpente; (*junk*) *Br* bric-à-brac *m inv*. ● **lumberjack** *n* Am Can bûcheron *m*. ● **lumberjacket** *n* blouson *m*. ● **lumber-room** *n Br* débarras *m*.
lumber[2] ['lʌmbər] *vt Br Fam* **to l. s.o. with sth/s.o.** coller qch/qn à qn; **he got lumbered with the chore** il s'est appuyé la corvée.
luminous ['luːmɪnəs] *a* (*colour, paper, ink etc*) fluo *inv*; (*dial, clock*) lumineux.
lump [lʌmp] *n* morceau *m*; (*in soup*) grumeau *m*; (*bump*) bosse *f*; (*swelling*) grosseur *f*; **l. sum** somme *f* forfaitaire ▮ *vt* **l. together** réunir; *Fig Pej* mettre dans le même sac. ● **lumpy** *a* (**-ier, -iest**) (*soup etc*) grumeleux; (*surface*) bosselé; (*mattress*) rembourré avec des noyaux de pêche.
lunacy ['luːnəsɪ] *n* folie *f*, démence *f*; **it's**

(*sheer*) **l.** c'est de la folie *or* de la démence.
lunar ['luːnər] *a* lunaire; **l. module** module *m* lunaire.
lunatic ['luːnətɪk] *a* fou (*f* folle), dément ▮ *n* fou *m*, folle *f*.
lunch [lʌntʃ] *n* déjeuner *m*; **to have l.** déjeuner; **l. break, l. hour, l. time** heure *f* du déjeuner ▮ *vi* déjeuner (**on, off** de). ● **lunchbox** *n* boîte *f* à sandwichs *or* à casse-croûte.
luncheon ['lʌntʃ(ə)n] *n* déjeuner *m*; **l. meat** mortadelle *f*, saucisson *m*; **l. voucher** *Br* chèque-déjeuner *m*.
lung [lʌŋ] *n* poumon *m*; **l. cancer** cancer *m* du poumon.
lunge [lʌndʒ] *n* coup *m* en avant ▮ *vi* **to l. at s.o.** se ruer sur qn.
lurch [lɜːtʃ] **1** *vi* (*of person*) tituber; (*of ship*) faire une embardée. **2** *n* **to leave s.o. in the l.** *Fam* laisser qn en plan, laisser tomber qn.
lure [lʊər] *vt* attirer (par la ruse) (**into** dans) ▮ *n* (*attraction*) attrait *m*.
lurid ['lʊərɪd] *a* (*horrifying*) horrible, affreux; (*sensational*) à sensation; (*gaudy*) voyant; (*colour, sunset*) sanglant.
lurk [lɜːk] *vi* (*hide*) se cacher (**in** dans); (*prowl*) rôder; (*of suspicion, fear etc*) persister.
luscious ['lʌʃəs] *a* (*food etc*) appétissant.
lush [lʌʃ] **1** *a* (*vegetation*) luxuriant; (*wealthy*) (*surroundings etc*) opulent. **2** *n* (*drunkard*) *Am Sl* poivrot, -ote *mf*.
lust [lʌst] *n* (*for person, object*) convoitise *f* (**for** de); (*for power, knowledge*) soif *f* (**for** de) ▮ *vi* **to l. after** (*object, person*) convoiter; (*power, knowledge*) avoir soif de.
lustre ['lʌstər] (*Am* **luster**) *n* (*gloss*) lustre *m*.
lusty ['lʌstɪ] *a* (**-ier, -iest**) vigoureux.
lute [luːt] *n* (*musical instrument*) luth *m*.
Luxembourg ['lʌksəmbɜːg] *n* Luxembourg *m*.
luxuriant [lʌg'ʒʊərɪənt] *a* luxuriant.
luxuriate [lʌg'ʒʊərɪeɪt] *vi* (*laze about*) paresser (**in bed/etc** au lit/*etc*).
luxury ['lʌkʃərɪ] *n* luxe *m* ▮ *a* (*goods, car, home etc*) de luxe. ● **luxurious** [lʌg'ʒʊərɪəs] *a* luxueux.
lychee [laɪ'tʃiː] *n* (*fruit*) litchi *m*.
lying ['laɪɪŋ] *pres p of* **lie**[1,2] ▮ *n* le mensonge ▮ *a* (*journalist etc*) menteur.
lynch [lɪntʃ] *vt* lyncher. ● **lynching** *n* lynchage *m*.
lynx [lɪŋks] *n* (*animal*) lynx *m*.
lyre ['laɪər] *n* (*musical instrument*) *Hist* lyre *f*.
lyric ['lɪrɪk] *a* lyrique. ● **lyrics** *npl* (*of song*) paroles *fpl*. ● **lyrical** *a* (*person*) (*effusive etc*) lyrique. ● **lyricism** *n* lyrisme *m*.

M

M, m [em] n M, m m.
m abbr 1 (metre) mètre m. 2 (mile) mile m.
MA abbr = Master of Arts.
ma'am [mæm] n madame f.
mac [mæk] n (raincoat) Br Fam imper m.
macabre [mə'kɑːbrə] a macabre.
macaroni [mækə'rəʊnɪ] n macaroni(s) m(pl); **m. cheese** Br macaroni(s) au gratin.
macaroon [mækə'ruːn] n (cake) macaron m.
mace [meɪs] n (staff, rod) masse f.
Machiavellian [mækɪə'velɪən] a machiavélique.
machination [mækɪ'neɪʃ(ə)n] n machination f.
machine [mə'ʃiːn] n (apparatus, car, system etc) machine f; **change/cash m.** distributeur m de monnaie/billets; **m. code** (for computer) code m machine.
machinegun [mə'ʃiːngʌn] n (heavy) mitrailleuse f; (portable) mitraillette f ▮ vt (-nn-) mitrailler.
machinery [mə'ʃiːnərɪ] n (machines) machines fpl; (works) mécanisme m; (of organization etc) Fig rouages mpl.
machinist [mə'ʃiːnɪst] n (on sewing machine) Br piqueur, -euse mf.
macho ['mætʃəʊ] n (pl -os) macho m ▮ a (attitude etc) macho (f inv).
mackerel ['mækrəl] n (fish) maquereau m.
mackintosh ['mækɪntɒʃ] n Br imperméable m.
macro ['mækrəʊ] n (pl -os) Comptr macro-instruction f.
mad [mæd] a (madder, maddest) fou (f folle); **m.** (at s.o.) (angry) furieux (contre qn); **to be m. about** or Br **m. (keen) on** Fam (person) être fou de; (films etc) être passionné de, se passionner or s'emballer pour; **to drive s.o. m.** rendre qn fou; (irritate) énerver qn; **he drove me m. to go** Fam il m'a cassé les pieds pour que j'y aille; **to run/work/etc like m.** courir/travailler/etc comme un fou or une folle; **m. dog** chien m enragé; **m. bull** taureau m furieux.
Madagascar [mædə'gæskər] n Madagascar f.
madam ['mædəm] n (married) madame f; (unmarried) mademoiselle f.
maddening ['mæd(ə)nɪŋ] a exaspérant.
made [meɪd] pt & pp of **make**. ● **made-to-measure** a (suit etc) Br (fait) sur mesure.
Madeira [mə'dɪərə] n (island) Madère f; (wine) madère m.
madhouse ['mædhaʊs] n Fam maison f de fous. ● **madly** adv (in love, to spend money etc) follement; (desperately) désespérément. ● **madman** n (pl -men) fou m. ● **madness** n

folie f. ● **madwoman** n (pl -women) folle f.
madonna [mə'dɒnə] n Rel madone f.
maestro ['maɪstrəʊ] n (pl -os) (skilled musician) maestro m.
Mafia ['mæfɪə] n maf(f)ia f.
magazine [mægə'ziːn] n (periodical) magazine m, revue f; (TV or radio broadcast) magazine m; (of gun, slide projector) magasin m.
maggot ['mægət] n ver m, asticot m. ● **maggoty** a véreux.
magic ['mædʒɪk] n magie f ▮ a (wand etc) magique; **m. spell** sort m; **the m. word** la formule magique. ● **magical** a (atmosphere, evening etc) magique. ● **magician** [mə'dʒɪʃən] n magicien, -ienne mf.
magistrate ['mædʒɪstreɪt] n magistrat m.
magnanimous [mæg'nænɪməs] a magnanime.
magnate ['mægneɪt] n (tycoon) magnat m.
magnesium [mæg'niːzɪəm] n magnésium m.
magnet ['mægnɪt] n aimant m. ● **mag'netic** a magnétique. ● **magnetism** n magnétisme m. ● **magnetize** vt magnétiser.
magnificent [mæg'nɪfɪsənt] a magnifique. ● **magnificence** n magnificence f. ● **magnificently** adv magnifiquement.
magnify ['mægnɪfaɪ] vt (image) grossir; (sound) amplifier; (exaggerate) Fig grossir; **magnifying glass** loupe f. ● **magnification** [-'keɪʃ(ə)n] n grossissement m; (of sound) amplification f.
magnitude ['mægnɪtjuːd] n (of disaster etc) ampleur f.
magnolia [mæg'nəʊlɪə] n (tree) magnolia m.
magpie ['mægpaɪ] n (bird) pie f.
mahogany [mə'hɒgənɪ] n acajou m.
maid [meɪd] n (servant) bonne f; **old m.** Pej vieille fille f; **m. of honor** (at wedding) Am première demoiselle d'honneur.
maiden ['meɪd(ə)n] n Old-fashioned jeune fille f ▮ a (speech, flight, voyage) inaugural; **m. name** nom m de jeune fille. ● **maidenly** a Old-fashioned virginal.
mail [meɪl] n (system) poste f; (letters) courrier m ▮ a (bag etc) postal; **m. order** vente f par correspondance; **m. van** Br (vehicle) camion m des postes; (in train) fourgon m postal ▮ vt (letter) poster, mettre à la poste; **mailing list** liste f d'adresses. ● **mailbox** n Am boîte f aux or à lettres. ● **mailman** n (pl -men) Am facteur m.
maim [meɪm] vt mutiler, estropier.
main¹ [meɪn] a principal; **the m. thing is to...** l'essentiel est de...; **m. line** Rail grande ligne f; **m. road** grand-route f; **in the m.** (mostly)

en gros, dans l'ensemble.
main² [meɪn] *n* **water/gas m.** conduite *f* d'eau/de gaz; **the mains** (*electricity*) le secteur; **a mains radio** une radio secteur.
mainframe ['meɪnfreɪm] *n* **m.** (**computer**) ordinateur *m* central. ● **mainland** *n* continent *m*.
mainly ['meɪnlɪ] *adv* surtout, principalement.
mainstay ['meɪnsteɪ] *n* (*of family etc*) soutien *m*; (*of organization, policy*) pilier *m*.
● **mainstream** *n* tendance *f* dominante.
maintain [meɪn'teɪn] *vt* (*continue*) maintenir (*tradition, candidature etc*); (*vehicle, family etc*) entretenir; (*silence*) garder; **to m. law and order** faire respecter l'ordre public; **to m. that** (*assert*) affirmer *or* maintenir que.
● **maintenance** *n* (*of vehicle, road etc*) entretien *m*; (*of tradition, prices, position etc*) maintien *m*; (*alimony*) pension *f* alimentaire.
maisonette [meɪzə'net] *n* Br duplex *m*.
maître d' [meɪtrə'diː] *n* (*in restaurant*) Am maître *m* d'hôtel.
maize [meɪz] *n* (*cereal*) Br maïs *m*.
majesty ['mædʒəstɪ] *n* majesté *f*; **Your M.** (*title*) Votre Majesté. ● **ma'jestic** *a* majestueux.
major ['meɪdʒər] **1** *a* (*main, great*) & *Mus* majeur; **a m. road** une grande route. **2** *n* (*officer*) commandant *m*. **3** *n* (*subject of study in university*) *Am* dominante *f* ▌ *vi* **to m. in** se spécialiser en.
Majorca [mə'jɔːkə] *n* Majorque *f*.
majorette [meɪdʒə'ret] *n* (**drum**) **m.** majorette *f*.
majority [mə'dʒɒrɪtɪ] *n* majorité *f* (**of** de); **to be in the** *or* **a m.** être en majorité *or* majoritaire; **the m. of people** la plupart des gens ▌ *a* (*vote etc*) majoritaire.
make [meɪk] *vt* (*pt* & *pp* **made**) faire; (*tool, vehicle etc*) fabriquer; (*decision*) prendre; (*friends, salary*) se faire; (*destination*) arriver à; **to m. s.o. happy/tired/etc** rendre qn heureux/fatigué/etc; **he made ten francs on it** (*as profit*) ça lui a rapporté dix francs; **she made the train** (*did not miss*) elle a eu le train; **to m. s.o. do sth** faire faire qch à qn, obliger qn à faire qch; **to m. oneself heard** se faire entendre; **to m. oneself at home** se mettre à l'aise; **to m. sth ready** préparer qch; **to m. sth yellow** jaunir qch; **she made him her husband** elle en a fait son mari; **to m. do** (*manage*) se débrouiller (**with** avec); **to m. do with sth/s.o.** (*be satisfied with*) se contenter de qch/qn; **to m. it** (*arrive*) arriver; (*succeed*) réussir; **I m. it five o'clock** j'ai cinq heures; **what do you m. of it?** qu'en pensestu?; **I can't m. anything of it** je n'y comprends rien; **you're made (for life)** ton avenir est assuré; **to m. as if to** (*appear to*) faire mine de; **to m. believe** (*pretend*) faire semblant; **to m. believe that one is...** faire semblant d'être...; **to m. good** réussir; **to m. good a loss** compenser une perte; **to m. good the damage** réparer les dégâts; **to m. light of sth** prendre qch à la légère.

▌ *n* (*brand*) marque *f*; **of French/etc m.** de fabrication française/*etc*.
make-believe ['meɪkbəliːv] *n* **it's m.-believe** (*story etc*) c'est (de la) pure invention; **to live in a world of m.-believe** se bercer d'illusions.
make for *vi* (*go towards*) aller vers ▌ **to make off** *vi* (*run away*) se sauver ▌ **to make out** *vt* (*see*) distinguer; (*understand*) comprendre; (*decipher*) déchiffrer; (*write*) faire (*chèque, liste*); (*claim*) prétendre (**that** que); **you made me out to be stupid** tu m'as fait passer pour un idiot ▌ *vi* (*manage*) *Fam* se débrouiller ▌ **to make over** *vt* (*transfer*) céder; (*change, convert*) transformer (**into** en) ▌ **to make up** *vt* (*story*) inventer; (*put together*) faire (*collection, liste, lit etc*); (*prepare*) préparer; (*form*) former, composer; (*loss*) compenser; (*quantity*) compléter; (*quarrel*) régler; (*one's face*) maquiller ▌ *vi* **to m. (it) up** (*of friends*) se réconcilier; **to m. up for** (*loss, damage, fault*) compenser; (*lost time, mistake*) rattraper. ● **make-up** *n* (*for face*) maquillage *m*; (*of object etc*) constitution *f*; (*of person*) caractère *m*; **to wear m.-up** se maquiller; **m.-up bag** trousse *f* de maquillage.
maker ['meɪkər] *n* (*of product*) fabricant, -ante *mf*.
makeshift ['meɪkʃɪft] *n* expédient *m* ▌ *a* (*arrangement, building etc*) de fortune, provisoire.
making ['meɪkɪŋ] *n* (*manufacture*) fabrication *f*; (*of dress*) confection *f*; **history in the m.** l'histoire en train de se faire; **the makings of** les éléments *mpl* (essentiels) de; **to have the makings of a pianist/etc** avoir l'étoffe d'un pianiste/*etc*.
maladjusted [mælə'dʒʌstɪd] *a* inadapté.
malaise [mæ'leɪz] *n* malaise *m*.
malaria [mə'leərɪə] *n* malaria *f*.
Malaysia [mə'leɪzɪə] *n* Malaisie *f*.
male [meɪl] *a* (*child, animal, hormone etc*) mâle; (*clothes, sex*) masculin ▌ *n* mâle *m*.
malevolent [mə'levələnt] *a* malveillant.
● **malevolence** *n* malveillance *f*.
malfunction [mæl'fʌŋkʃ(ə)n] *n* mauvais fonctionnement *m* ▌ *vi* fonctionner mal.
malice ['mælɪs] *n* méchanceté *f*; **to bear s.o. m.** vouloir du mal à qn. ● **malicious** [mə'lɪʃəs] *a* malveillant; **m. damage** *Jur* dommage *m* causé avec intention de nuire.
● **ma'liciously** *adv* avec malveillance.
malign [mə'laɪn] *vt* (*slander*) dénigrer, médire de; **much maligned** très dénigré.
malignant [mə'lɪgnənt] *a* (*person etc*) malfaisant; **m. tumour** *or* **growth** tumeur *f* maligne. ● **malignancy** *n* Med malignité *f*.
malingerer [mə'lɪŋgərər] *n* (*pretending illness*) simulateur, -trice *mf*.
mall [mɔːl] *n* (**shopping**) **m.** (*covered, Am streets with shops*) centre *m* commercial.
malleable ['mælɪəb(ə)l] *a* malléable.
mallet ['mælɪt] *n* (*tool*) maillet *m*.
malnutrition [mælnjuː'trɪʃ(ə)n] *n* malnutri-

malpractice

tion f, sous-alimentation f.
malpractice [mæl'præktɪs] n (of doctor, lawyer) faute f professionnelle.
malt [mɔːlt] n malt m.
Malta ['mɔːltə] n Malte f. ● **Mal'tese** a maltais ▪ n Maltais, -aise mf.
mammal ['mæm(ə)l] n mammifère m.
mammoth ['mæməθ] a (large) monstre, immense ▪ n (extinct animal) mammouth m.
man [mæn] n (pl men [men]) homme m; (player in sports team) joueur m; (chess piece) pièce f; a golf m. (enthusiast) un amateur de golf; he's a Bristol m. (by birth) il est de Bristol; to be m. and wife être mari et femme; my old m. Fam (father) mon père; (husband) mon homme; yes old m.! Br Fam oui mon vieux!; the m. in the street l'homme de la rue.
▪ vt (-nn-) (be on duty at) être de service à; (ship) pourvoir d'un équipage; (fortress) armer; (guns) servir; **manned spacecraft** engin m spatial habité. ● **manfully** adv vaillamment. ● **manhood** n (period) âge m d'homme. ● **manhunt** n chasse f à l'homme. ● **man'kind** n (humanity) le genre humain. ● **manlike** a (quality) d'homme viril. ● **manly** a (-ier, -iest) viril. ● **man-'made** a artificiel; (fibre) synthétique. ● **manservant** n (pl menservants) domestique m. ● **man-to-'man** a & adv (discussion, to discuss) d'homme à homme.
manacle ['mænɪk(ə)l] n menotte f.
manage ['mænɪdʒ] vt (run) diriger (équipe, projet etc); (business, hotel etc) gérer, diriger; (handle) manier; (take) Fam prendre; (eat) Fam manger; (contribute) Fam donner; to m. to do (succeed) réussir or arriver à faire; (by being smart) se débrouiller pour faire; I'll m. it j'y arriverai.
▪ vi (succeed) y arriver; (make do) se débrouiller (with avec); to m. without sth se passer de qch; **managing director** directeur m général; **the managing director** Br le PDG. ● **manageable** a (parcel, person, car etc) maniable; (hair) souple; (feasible) (task, etc) faisable. ● **management** n (running, managers) direction f; (of property etc) gestion f; (executive staff) cadres mpl.
manager ['mænɪdʒər] n directeur m; (of shop, café) gérant m; (business) m. (of actor, boxer etc) manager m. ● **manage'ress** n directrice f; (of shop, café) gérante f.
managerial [mænə'dʒɪərɪəl] a directorial; m. job poste m de direction; the m. staff les cadres mpl.
mandarin ['mændərɪn] 1 a & n m. (orange) mandarine f. 2 n Br (high-ranking official) haut fonctionnaire m; (in political party) bonze m; (in university) Pej mandarin m.
mandate ['mændeɪt] n (authority) mandat m.
mandatory ['mændətərɪ] a obligatoire.
mane [meɪn] n crinière f.
maneuver [mə'nuːvər] n & vti Am = manoeuvre.
mangle ['mæŋg(ə)l] 1 vt (damage) mutiler. 2 n (for wringing clothes) essoreuse f.
mango ['mæŋgəʊ] n (pl -oes or -os) (fruit) mangue f.
mangy ['meɪndʒɪ] a (animal) galeux.
manhandle [mæn'hænd(ə)l] vt maltraiter.
manhole ['mænhəʊl] n trou m d'homme; m. cover plaque f d'égout.
mania ['meɪnɪə] n manie f.
maniac ['meɪnɪæk] n fou m, folle f; sex m. obsédé m sexuel.
manicure ['mænɪkjʊər] n soin m des mains ▪ vt (person) manucurer; (s.o.'s nails) faire. ● **manicurist** n manucure mf.
manifest ['mænɪfest] 1 a (plain) manifeste. 2 vt (show) manifester.
manifesto [mænɪ'festəʊ] n (pl -os or -oes) (of political party) manifeste m.
manifold ['mænɪfəʊld] a multiple.
manipulate [mə'nɪpjʊleɪt] vt manœuvrer; (facts, electors etc) Pej manipuler. ● **manipu'lation** [-'leɪʃ(ə)n] n manœuvre f; (of facts etc) Pej manipulation f (of de).
mankind [mæn'kaɪnd] n (humanity) le genre humain.
manner ['mænər] n (way) manière f; (behaviour) attitude f, comportement m; manners (social habits) manières fpl; in this m. (like this) de cette manière; all m. of toutes sortes de; to have good/bad manners être bien/mal élevé.
mannered ['mænəd] a (affected) maniéré; well-/bad-m. bien/mal élevé.
mannerism ['mænərɪz(ə)m] n Pej tic m.
manoeuvre [mə'nuːvər] (Am **maneuver**) n manœuvre f ▪ vti manœuvrer. ● **manoeuvra'bility** n (of vehicle etc) maniabilité f.
manor ['mænər] n m. (house) Br manoir m.
manpower ['mænpaʊər] n (labour) main-d'œuvre f; (soldiers etc) effectifs mpl; (effort) force f.
mansion ['mænʃ(ə)n] n (in town) hôtel m particulier; (in country) manoir m.
manslaughter ['mænslɔːtər] n Jur homicide m involontaire.
mantelpiece ['mænt(ə)lpiːs] n (shelf) cheminée f.
mantle ['mænt(ə)l] n (cloak) cape f.
manual ['mænjʊəl] 1 a (work etc) manuel. 2 n (book) manuel m.
manufacture [mænjʊ'fæktʃər] vt fabriquer ▪ n fabrication f. ● **manufacturer** n fabricant, -ante mf.
manure [mə'njʊər] n fumier m, engrais m.
manuscript ['mænjʊskrɪpt] n manuscrit m.
many ['menɪ] a & n beaucoup (de); m. things beaucoup de choses; m. came beaucoup sont venus; very m., a good or great m. un très grand nombre (de); (a good or great) m. of, (very) m. of un (très) grand nombre de; m. of them un grand nombre d'entre eux; m. times, m. a time bien des fois; m. kinds toutes sortes (de); how m.? combien (de)?; too m. trop (de); one too m. un de trop; there are too m. of them ils sont

Marxism

trop nombreux; **so m.** tant (de); **as m. books**/*etc* as autant de livres/*etc* que; **as m. as fifty**/*etc* (*up to*) jusqu'à cinquante/*etc*.
map [mæp] *n* (*of country, region etc*) carte *f*; (*plan of town, bus or train network etc*) plan *m* ▮ *vt* (**-pp-**) (*country, town etc*) faire la carte *or* le plan de; **to m. out** (*road*) faire le tracé de; (*one's day, career etc*) *Fig* organiser.
maple ['meɪp(ə)l] *n* (*tree, wood*) érable *m*.
mar [mɑːr] *vt* (**-rr-**) gâter.
marathon ['mærəθən] *n* marathon *m*.
maraud [mə'rɔːd] *vi* piller. ● **marauding** *a* pillard. ● **marauder** *n* pillard, -arde *mf*.
marble ['mɑːb(ə)l] *n* (*substance*) marbre *m*; (*toy ball*) bille *f*.
march [mɑːtʃ] *n* marche *f* (*militaire*) ▮ *vi* (*of soldiers, demonstrators*) défiler; (*walk in step*) marcher (au pas); **to m. in/out**/*etc Fig* entrer/sortir/*etc* d'un pas décidé; **to m. past** défiler; **to m. past s.o.** défiler devant qn ▮ *vt* **to m. s.o. off** *or* **away** emmener qn. ● **march-past** *n Br* défilé *m*.
March [mɑːtʃ] *n* mars *m*.
marchioness ['mɑːʃənes] *n* (*title*) marquise *f*.
mare [meər] *n* jument *f*.
margarine [mɑːdʒə'riːn] *n* margarine *f*.
marge [mɑːdʒ] *n Br Fam* margarine *f*.
margin ['mɑːdʒɪn] *n* (*of page etc*) marge *f*; **by a narrow m.** (*to win*) de justesse. ● **marginal** *a* marginal; (*unimportant*) négligeable; **m. seat** *Br Pol* siège *m* disputé. ● **marginally** *adv* très légèrement.
marguerite [mɑːgə'riːt] *n* (*daisy*) marguerite *f*.
marigold ['mærɪgəʊld] *n* (*flower*) souci *m*.
marijuana [mærɪ'wɑːnə] *n* marijuana *f*.
marina [mə'riːnə] *n* (*for pleasure boats*) marina *f*.
marinate ['mærɪneɪt] *vti Culin* mariner.
marine [mə'riːn] **1** *a* (*life, flora etc*) marin. **2** *n* (*soldier*) fusilier *m* marin, *Am* marine *m*.
marionette [mærɪə'net] *n* marionnette *f*.
marital ['mærɪt(ə)l] *a* matrimonial; (*relations*) conjugal; **m. status** situation *f* de famille.
maritime ['mærɪtaɪm] *a* (*climate, province etc*) maritime.
marjoram ['mɑːdʒərəm] *n* (*spice*) marjolaine *f*.
mark¹ [mɑːk] *n* (*symbol*) marque *f*; (*stain, trace*) trace *f*, tache *f*, marque *f*; (*token, sign*) signe *m*; (*for school exercise etc*) note *f*; (*target*) but *m*; (*model of machine, aircraft etc*) série *f*; **to make one's m.** *Fig* s'imposer; **up to the m.** (*person, work*) à la hauteur.
▮ *vt* marquer; (*exam etc*) corriger, noter; (*pay attention to*) faire attention à; **to m. time** (*of soldier etc*) marquer le pas; (*wait*) *Fig* piétiner; **m. you...!** *Br* remarquez que...!; **to m. down** (*price*) baisser; **to m. off** (*separate*) séparer; (*on list*) cocher; (*area*) délimiter; **to m. out** (*area*) délimiter; **to m. s.o. out for** désigner qn pour; **to m. up** (*price*) augmenter.

mark² [mɑːk] *n* (*currency*) mark *m*.
marked [mɑːkt] *a* (*noticeable*) marqué. ● **markedly** [-ɪdlɪ] *adv* visiblement.
marker ['mɑːkər] *n* (*pen*) marqueur *m*; (*flag etc*) marque *f*; (*bookmark*) signet *m*.
market ['mɑːkɪt] *n* marché *m*; **on the open m.** en vente libre; **on the black m.** au marché noir; **the Common M.** le Marché commun; **m. value** valeur *f* marchande; **m. price** prix *m* courant; **m. garden** *Br* jardin *m* maraîcher; **m. gardener** *Br* maraîcher, -ère *mf*.
▮ *vt* (*sell*) vendre; (*launch*) commercialiser. ● **marketing** *n* marketing *m*, vente *f*.
marketable ['mɑːkɪtəb(ə)l] *a* vendable.
marking(s) ['mɑːkɪŋz] *n(pl)* (*on animal etc*) marques *fpl*; (*on road*) signalisation *f* horizontale.
marksman ['mɑːksmən] *n* (*pl* **-men**) tireur *m* d'élite.
marmalade ['mɑːməleɪd] *n* confiture *f* d'oranges.
maroon [mə'ruːn] *a* (*colour*) bordeaux *inv*.
marooned [mə'ruːnd] *a* abandonné; (*in snowstorm etc*) bloqué (**by** par).
marquee [mɑː'kiː] *n* (*for concerts etc*) chapiteau *m*; (*awning*) *Am* marquise *f*.
marquis ['mɑːkwɪs] *n* marquis *m*.
marriage ['mærɪdʒ] *n* mariage *m*; **to be related by m. to s.o.** être parent par alliance de qn; **m. bond** lien *m* conjugal; **m. bureau** agence *f* matrimoniale; **m. certificate** extrait *m* d'acte de mariage. ● **marriageable** *a* en état de se marier.
marrow ['mærəʊ] *n* **1** (*of bone*) moelle *f*. **2** (*vegetable*) *Br* courge *f*.
marry ['mærɪ] *vt* épouser, se marier avec; **to m. s.o. (off)** (*of priest etc*) marier qn ▮ *vi* se marier. ● **married** *a* marié; (*life, state*) conjugal; **m. name** nom *m* de femme mariée; **to get m.** se marier.
marsh [mɑːʃ] *n* marais *m*, marécage *m*. ● **marshland** *n* marécages *mpl*.
marshal ['mɑːʃ(ə)l] **1** *n* (*in army*) maréchal *m*; (*in airforce*) général *m*; (*at public event*) *Br* membre *m* du service d'ordre; (*police officer*) *Am* shérif *m*. **2** *vt* (*Br* **-ll-**, *Am* **-l-**) (*gather*) rassembler (*faits, troupes*); (*lead*) mener cérémonieusement.
marshmallow [mɑːʃ'mæləʊ] *n* (*sweet food*) (pâte *f* de) guimauve *f*.
martial ['mɑːʃ(ə)l] *a* (*art, bearing etc*) martial; **m. law** loi *f* martiale.
Martian ['mɑːʃ(ə)n] *n* & *a* martien, -ienne (*mf*).
martyr ['mɑːtər] *n* martyr, -yre *mf* ▮ *vt* martyriser. ● **martyrdom** *n* martyre *m*.
marvel ['mɑːv(ə)l] *n* (*wonder*) merveille *f*; (*miracle*) miracle *m* ▮ *vi* (*Br* **-ll-**, *Am* **-l-**) s'émerveiller (**at** de) ▮ *vt* **to m. that** s'étonner de ce que (+ *sub or indic*).
marvellous ['mɑːv(ə)ləs] (*Am* **marvelous**) *a* merveilleux.
Marxism ['mɑːksɪz(ə)m] *n* marxisme *m*. ● **Marxist** *a* & *n* marxiste (*mf*).

marzipan

marzipan ['mɑːzɪpæn] *n* pâte *f* d'amandes.
mascara [mæˈskɑːrə] *n* mascara *m*.
mascot ['mæskɒt] *n* mascotte *f*.
masculine ['mæskjulɪn] *a* masculin. ●**mascu'linity** *n* masculinité *f*.
mash [mæʃ] *n* (*potatoes*) *Br* purée *f* (de pommes de terre); (*for poultry, pigs etc*) pâtée *f* ▮ *vt* **to m. (up)** (*crush*) écraser (en purée); **mashed potatoes** purée *f* (de pommes de terre).
mask [mɑːsk] *n* masque *m* ▮ *vt* (*cover, hide*) masquer (**from** à).
masochism ['mæsəkɪz(ə)m] *n* masochisme *m*. ●**masochist** *n* masochiste *mf*. ●**maso'chistic** *a* masochiste.
mason ['meɪs(ə)n] *n* (*stonemason, Freemason*) maçon *m*. ●**masonry** *n* maçonnerie *f*.
masquerade [mɑːskəˈreɪd] *vi* **to m. as** se faire passer pour ▮ *n* (*gathering, disguise*) mascarade *f*.
mass¹ [mæs] **1** *n* masse *f*; **a m. of** (*many*) une multitude de; (*pile*) un tas de, une masse de; **to be a m. of bruises** *Fam* être couvert de bleus; **masses of** des masses de; **the masses** (*people*) les masses *fpl*.
▮ *a* (*education*) des masses; (*demonstration, culture*) de masse; (*protests, departure*) en masse; (*unemployment, destruction*) massif; (*hysteria*) collectif; **m. grave** fosse *f* commune; **m. media** mass media *mpl*; **m. murderer** boucher *m*; **m. production** production *f* en série.
2 *vi* (*of troops, people*) se masser. ●**masspro'duce** *vt* fabriquer en série.
mass² [mæs] *n* (*church service*) messe *f*.
massacre ['mæsəkər] *n* massacre *m* ▮ *vt* massacrer.
massage ['mæsɑːʒ] *n* massage *m* ▮ *vt* masser; **to m. the figures** *Fig* manipuler les chiffres. ●**ma'sseur** *n* masseur *m*. ●**ma'sseuse** *n* masseuse *f*.
massive ['mæsɪv] *a* (*huge*) énorme, considérable; (*dose, vote*) massif; (*solid*) (*building etc*) massif. ●**massively** *adv* (*to increase, reduce etc*) considérablement, énormément.
mast [mɑːst] *n* (*of ship*) mât *m*; (*for TV, radio*) pylône *m*.
master ['mɑːstər] *n* maître *m*; (*teacher in secondary school*) *Br* professeur *m*; (*in primary school*) *Br* instituteur *m*, maître *m*; **a m.'s degree** une maîtrise (**in** de); **M. of Arts/Science** (*person*) Maître *m* ès lettres/sciences; **m. of ceremonies** (*presenter*) *Am* animateur, -trice *mf*; **m. card** carte *f* maîtresse; **m. copy** original *m*; **m. key** passepartout *m inv*; **m. plan** plan *m* d'action; **m. stroke** coup *m* de maître; **old m.** (*painting*) tableau *m* de maître; **I'm my own m.** je ne dépends que de moi.
▮ *vt* (*control*) maîtriser; (*subject, situation*) dominer; **she has mastered Latin/English/***etc* elle possède le latin/l'anglais/*etc*.
masterly ['mɑːstəlɪ] *a* magistral.
mastermind ['mɑːstəmaɪnd] *n* (*person*) cerveau *m* (**behind** derrière) ▮ *vt* organiser.

masterpiece ['mɑːstəpiːs] *n* chef-d'œuvre *m*.
mastery ['mɑːstərɪ] *n* maîtrise *f* (**of** de).
mastic ['mæstɪk] *n* (*for window frames etc*) mastic *m* (silicone).
masturbate ['mæstəbeɪt] *vi* se masturber. ●**masturbation** [-'beɪʃ(ə)n] *n* masturbation *f*.
mat¹ [mæt] *n* tapis *m*; (*of straw*) natte *f*; (*at door*) paillasson *m*; (*for table*) (*of fabric*) napperon *m*; (*hard*) dessous-de-plat *m inv*; **(place) m.** set *m* (de table).
mat² [mæt] *a* (*paint, paper*) mat (*f* mate).
match¹ [mætʃ] *n* (*stick*) allumette *f*; **book of matches** pochette *f* d'allumettes. ●**matchbox** *n* boîte *f* d'allumettes. ●**matchstick** *n* allumette *f*.
match² [mætʃ] *n* (*game*) match *m*; **tennis m.** partie *f* de tennis.
match³ [mætʃ] *n* (*equal*) égal, -ale *mf*; (*marriage*) mariage *m*; **to be a good m.** (*of colours, people etc*) être bien assortis; **he's a good m.** (*man to marry*) c'est un bon parti.
▮ *vt* (*of clothes, colour etc*) aller (bien) avec; (*plates etc*) assortir; (*equal*) égaler; **to m. up** (*plates etc*) assortir; **to m. (up to)** (*equal*) égaler; (*s.o.'s hopes or expectations*) répondre à; **to be well-matched** (*of colours, people etc*) être (bien) assortis, aller (bien) ensemble.
▮ *vi* (*go with each other*) être assortis, aller (bien) ensemble. ●**matching** *a* (*dress, shirt etc*) assorti.
mate [meɪt] **1** *n* (*friend*) *Br* camarade *mf*; (*of animal*) mâle *m*, femelle *f*; **builder's/electrician's/***etc* **m.** *Br* aide-maçon/-électricien/*etc* *m*. **2** *vi* (*of animals*) s'accoupler (**with** avec). **3** *n Chess* mat *m* ▮ *vt* faire or mettre mat.
material [məˈtɪərɪəl] **1** *a* (*needs, world etc*) matériel; (*important*) important; (*fact, evidence*) *Jur* pertinent. **2** *n* (*substance*) matière *f*; (*cloth*) tissu *m*; (*for book*) matériaux *mpl*; **material(s)** (*equipment*) matériel *m*; **building materials** matériaux *mpl* de construction.
materialism [məˈtɪərɪəlɪz(ə)m] *n* matérialisme *m*. ●**materialist** *n* matérialiste *mf*. ●**materia'listic** *a* matérialiste.
materialize [məˈtɪərɪəlaɪz] *vi* se matérialiser.
materially [məˈtɪərɪəlɪ] *adv* matériellement; (*well-off etc*) sur le plan matériel.
maternal [məˈtɜːn(ə)l] *a* maternel.
maternity [məˈtɜːnɪtɪ] *n* maternité *f*; **m. allowance** *or Br* **benefit** allocation *f* de maternité; **m. clothes** vêtements *mpl* de grossesse; **m. hospital, m. unit** maternité *f*; **m. leave** congé *m* de maternité.
mathematical [mæθəˈmætɪk(ə)l] *a* mathématique; **to have a m. brain** être doué pour les maths.
mathematician [mæθəməˈtɪʃ(ə)n] *n* mathématicien, -ienne *mf*.
mathematics [mæθəˈmætɪks] *n* mathématiques *fpl*. ●**maths** or *Am* **math** *n Fam* maths *fpl*.
matinée ['mætɪneɪ] *n* (*in theatre etc*) matinée *f*.

matriculation [mətrɪkjʊ'leɪʃ(ə)n] *n Univ* inscription *f*.
matrimony ['mætrɪmənɪ] *n* mariage *m*. ● **matri'monial** *a* matrimonial.
matrix, *pl* **-ices** ['meɪtrɪks, -ɪsi:z] *n Math etc* matrice *f*.
matron ['meɪtrən] *n* (*nurse*) *Br* infirmière *f* (en) chef; (*in boarding school*) *Br* infirmière *f*; (*middle-aged woman*) *Lit* mère *f* de famille, dame *f* âgée. ● **matronly** *a* (*air etc*) de mère de famille; (*mature*) mûr; (*stout*) corpulent.
matt [mæt] *a* (*paint, paper*) mat (*f* mate).
matted ['mætɪd] *a* **m. hair** cheveux *mpl* emmêlés.
matter¹ ['mætər] *n* matière *f*; (*subject, affair*) affaire *f*, question *f*; **no m.!** peu importe!; **no m. what she does** quoi qu'elle fasse; **no m. where you go** où que tu ailles; **no m. who you are** qui que vous soyez; **no m. when** quel que soit le moment; **what's the m.?** qu'est-ce qu'il y a?; **what's the m. with you?** qu'est-ce que tu as?; **there's something the m.** il y a quelque chose qui ne va pas; **there's something the m. with my leg** j'ai quelque chose à la jambe; **there's nothing the m. with him** il n'a rien.
▮ *vi* (*be important*) importer (**to s.o.** à qn); **it doesn't m. if/when/who/***etc* peu importe si/quand/qui/*etc*; **it doesn't m.!** ça ne fait rien!, peu importe!
matter² ['mætər] *n* (*pus*) pus *m*.
matter-of-fact [mætərəv'fækt] *a* (*person, manner*) terre à terre; (*voice*) neutre.
matting ['mætɪŋ] *n* (*material*) nattage *m*; **a piece of m., some m.** une natte.
mattress ['mætrəs] *n* matelas *m*.
mature [mə'tʃʊər] *a* mûr; (*cheese*) fait ▮ *vt* (*person, plan*) (faire) mûrir ▮ *vi* mûrir; (*of cheese*) se faire. ● **maturity** *n* maturité *f*.
maul [mɔ:l] *vt* (*of animal*) mutiler; (*of person*) *Fig* malmener.
Mauritius [mɔ:'rɪʃəs] *n* l'île *f* Maurice.
mausoleum [mɔ:sə'lɪəm] *n* mausolée *m*.
mauve [məʊv] *a & n* (*colour*) mauve (*m*).
maverick ['mævərɪk] *n & a Pol etc* dissident, -ente (*mf*).
mawkish ['mɔ:kɪʃ] *a* d'une sensiblerie excessive, mièvre.
maxim ['mæksɪm] *n* maxime *f*.
maximize ['mæksɪmaɪz] *vt* porter au maximum.
maximum ['mæksɪməm] *n* (*pl* **-ima** [-ɪmə] *or* **-imums**) maximum *m* ▮ *a* maximum (*f inv*), maximal.
may [meɪ] *v aux* (*pt* **might**) **1** (*possibility*) **he m. come** il peut arriver; **he might come** il pourrait arriver; **I m. or might be wrong** il se peut que je me trompe, je me trompe peut-être; **you m. or might have** tu aurais pu; **I m. or might have forgotten** je l'ai peut-être oublié; **we m. or might as well go** nous ferions aussi bien de partir; **she's afraid I m. or might get lost** elle a peur que je ne me perde.

2 (*permission*) **m. I stay?** puis-je rester?; **m. I?** vous permettez?; **you m. go** tu peux partir.
3 (*wish*) **m. you be happy** (que tu) sois heureux.
May [meɪ] *n* mai *m*; **M. Day** le premier mai.
maybe ['meɪbi:] *adv* peut-être.
mayday ['meɪdeɪ] *n* (*distress signal*) mayday *m*, SOS *m*.
mayhem ['meɪhem] *n* (*chaos*) pagaïe *f*; (*havoc*) ravages *mpl*.
mayonnaise [meɪə'neɪz] *n* mayonnaise *f*.
mayor [meər] *n* (*man, woman*) maire *m*. ● **mayoress** *n* femme *f* du maire.
maze [meɪz] *n* labyrinthe *m*.
MC [em'si:] *abbr* = **master of ceremonies**.
MD [em'di:] *n abbr* **1** (*managing director*) *Br* PDG *m*. **2** (*Doctor of Medicine*) docteur *m* en médecine.
me [mi:] *pron* me, m'; (*after prep, 'than', 'it is' etc*) moi; (**to**) **me** (*indirect*) me, m'; **she knows me** elle me connaît; **he helps me** il m'aide; **he gives (to) me** il me donne; **with me** avec moi.
meadow ['medəʊ] *n* pré *m*, prairie *f*.
meagre ['mi:gər] (*Am* **meager**) *a* maigre.
meal [mi:l] *n* **1** (*food*) repas *m*. **2** (*flour*) farine *f*.
mealy-mouthed [mi:lɪ'maʊðd] *a* mielleux.
mean¹ [mi:n] *vt* (*pt & pp* **meant** [ment]) (*signify*) vouloir dire, signifier; (*intend*) destiner (**for** à); (*result in*) entraîner; (*represent*) représenter; (*refer to*) faire allusion à; **to m. to do** (*intend*) avoir l'intention de faire, vouloir faire; **I m. it, I m. what I say** je suis sérieux; **to m. something to s.o.** (*matter*) avoir de l'importance pour qn; **it means sth to me** (*name, face*) ça me dit qch; **I didn't m. to!** je ne l'ai pas fait exprès!; **you were meant to come** vous étiez censé venir.
mean² [mi:n] *a* (**-er, -est**) (*stingy with money etc*) avare, mesquin; (*petty*) mesquin; (*nasty*) méchant; (*inferior*) misérable; **she's no m. dancer/***etc* c'est une excellente danseuse/*etc*. ● **meanness** *n* (*greed*) avarice *f*; (*nastiness*) méchanceté *f*.
mean³ [mi:n] *a* (*average*) (*distance, temperature etc*) moyen ▮ *n* (*middle position*) milieu *m*; (*average, mid-point*) *Math* moyenne *f*; **the happy m.** le juste milieu.
meander [mɪ'ændər] *vi* (*of river*) faire des méandres.
meaning ['mi:nɪŋ] *n* sens *m*, signification *f*. ● **meaningful** *a* significatif. ● **meaningless** *a* qui n'a pas de sens; (*absurd*) *Fig* insensé.
means [mi:nz] *n(pl)* (*method*) moyen(s) *m(pl)* (**to do, of doing** de faire); (*wealth*) moyens *mpl*; **by m. of a stick/***etc* au moyen d'un bâton/*etc*; **by m. of hard work/of concentration/***etc* à force de travail/de concentration/*etc*; **by all m.!** très certainement!; **by no m.** nullement; **to have independent** *or* **private m.** disposer de *or* avoir une fortune personnelle.
meant [ment] *pt & pp of* **mean¹**.

meantime ['mi:ntaɪm] *adv* & *n* (in the) m. entre-temps.
meanwhile ['mi:nwaɪl] *adv* entre-temps.
measles ['mi:z(ə)lz] *n* rougeole *f*.
measly ['mi:zlɪ] *a* (*contemptible*) *Fam* minable.
measure ['meʒər] *n* mesure *f*; (*ruler*) règle *f*; **made to m.** *Br* fait sur mesure ▌ *vt* mesurer; (*adjust, adapt*) adapter (**to** à); **to m. out** (*ingredient*) mesurer; **to m. up** (*plank etc*) mesurer ▌ *vi* **to m. up to** (*task etc*) être à la hauteur de. ● **measured** *a* (*careful*) mesuré.
measurement ['meʒəmənt] *n* (*of chest, waist etc*) tour *m*; **measurements** (*dimensions*) mesures *fpl*; **your hip/waist/***etc* **measurement(s)** votre tour de hanches/de taille/*etc*.
meat [mi:t] *n* viande *f*; (*of crab, lobster etc*) chair *f*; *Fig* substance *f*; **m. diet** régime *m* carné. ● **meatball** *n* boulette *f* (de viande). ● **meaty** *a* (-ier, -iest) (*fleshy*) charnu; (*flavour*) de viande; (*book etc*) *Fig* substantiel.
Mecca ['mekə] *n* la Mecque.
mechanic [mɪ'kænɪk] *n* mécanicien, -ienne *mf*. ● **mechanical** *a* mécanique; (*reply, gesture etc*) *Fig* machinal. ● **mechanics** *n* (*science*) mécanique *f*; **the mechanics** (*working parts*) le mécanisme.
mechanism ['mekənɪz(ə)m] *n* mécanisme *m*.
mechanize ['mekənaɪz] *vt* mécaniser.
medal ['med(ə)l] *n* médaille *f*.
medallion [mə'dæljən] *n* (*ornament, jewel*) médaillon *m*.
medallist ['medəlɪst] (*Am* **medalist**) *n* médaillé, -ée *mf*; **to be a gold/silver m.** *Sport* être médaille d'or/d'argent.
meddle ['med(ə)l] *vi* (*interfere*) se mêler (**in** de); (*tamper*) toucher (**with** à). ● **meddlesome** *a* qui se mêle de tout.
media ['mi:dɪə] *npl* **1** (**the (mass) m.**) les médias *mpl*; **m. event** événement *m* médiatique. **2** *see* **medium 2**.
mediaeval [medɪ'i:v(ə)l] *a* médiéval.
median ['mi:dɪən] *a* & *n* **m. (strip)** (*on highway*) *Am* bande *f* médiane.
mediate ['mi:dɪeɪt] *vi* servir d'intermédiaire (**between** entre). ● **mediation** [-'eɪʃ(ə)n] *n* médiation *f*. ● **mediator** *n* médiateur, -trice *mf*.
Medicaid ['medɪkeɪd] *n Am* = assistance *f* médicale aux défavorisés.
medical ['medɪk(ə)l] *a* médical; (*school, studies*) de médecine; (*student*) en médecine; **m. insurance** assurance *f* maladie ▌ *n* (*in school, army*) visite *f* médicale; (*private*) examen *m* médical.
Medicare ['medɪkeər] *n Am* = assistance *f* médicale aux personnes âgées.
medicated ['medɪkeɪtɪd] *a* **m. shampoo** shampooing *m* médical.
medication [medɪ'keɪʃ(ə)n] *n* médicaments *mpl*.
medicine ['medəsən] *n* (*substance*) médicament *m*; (*science*) médecine *f*; **alternative m.** la médecine douce; **m. cabinet, m. chest** (armoire *f* à) pharmacie *f*. ● **me'dicinal** *a* médicinal.
medieval [medɪ'i:v(ə)l] *a* médiéval.
mediocre [mi:dɪ'əʊkər] *a* médiocre. ● **mediocrity** *n* médiocrité *f*.
meditate ['medɪteɪt] *vi* méditer (**on** sur). ● **meditation** [-'teɪʃ(ə)n] *n* méditation *f*. ● **meditative** *a* méditatif.
Mediterranean [medɪtə'reɪnɪən] *a* méditerranéen ▌ *n* **the M.** la Méditerranée.
medium ['mi:dɪəm] **1** *a* (*average, middle*) moyen. **2** *n* (*pl* **media** ['mi:dɪə]) (*of thought etc*) véhicule *m*; *Biol* milieu *m*; (*for conveying data or publicity*) support *m*; **through the m. of s.o./sth** par l'intermédiaire de qn/qch; **to find a happy m.** trouver le juste milieu. **3** *n* (*person*) (*in spiritualism*) médium *m*. ● **medium-sized** *a* moyen, de taille moyenne.
medley ['medlɪ] *n* mélange *m*; (*of songs, tunes*) pot-pourri *m*.
meek [mi:k] *a* (-er, -est) doux (*f* douce).
meet [mi:t] *vt* (*pt* & *pp* **met**) (*person, team etc*) rencontrer; (*person by arrangement*) retrouver; (*pass in street, road etc*) croiser; (*fetch*) (aller *ou* venir) chercher; (*wait for*) attendre; (*debt, enemy, danger*) faire face à; (*need*) combler; (*be introduced to*) faire la connaissance de; **to arrange to m. s.o.** donner rendez-vous à qn.
▌ *vi* (*of people, teams, rivers, looks*) se rencontrer; (*of people by arrangement*) se retrouver; (*be introduced*) se connaître; (*of club, society*) se réunir; (*of trains, vehicles*) se croiser.
▌ *n Sport Am* réunion *f*; **to make a m. with s.o.** *Fam* donner rendez-vous à qn.
meeting ['mi:tɪŋ] *n* réunion *f*; (*large*) assemblée *f*; (*by chance between two people*) rencontre *f*; (*prearranged between two people*) rendez-vous *m inv*; **to be in a m.** être en conférence; **m. place** lieu *m* de réunion.
meet up *vi* (*of people*) se rencontrer; (*by arrangement*) se retrouver; **to m. up with s.o.** rencontrer qn; (*by arrangement*) retrouver qn ▌ **to meet with** *vt* (*accident, problem*) avoir; (*refusal, loss*) essuyer; (*obstacle, difficulty*) rencontrer; **to m. with s.o.** *Am* rencontrer qn; (*as arranged*) retrouver qn.
mega- ['megə] *pref* méga-.
megabyte ['megəbaɪt] *n Compt r* méga-octet *m*.
megalomania [megələʊ'meɪnɪə] *n* mégalomanie *f*. ● **megalomaniac** *n* mégalomane *mf*.
megaphone ['megəfəʊn] *n* porte-voix *m inv*.
megastar ['megəsta:r] *n* mégastar *f*.
melancholy ['melənkəlɪ] *n* mélancolie *f* ▌ *a* mélancolique.
mellow ['meləʊ] *a* (-er, -est) (*fruit*) mûr; (*colour, voice, wine*) moelleux; (*character*) mûri par l'expérience ▌ *vi* (*of person*) s'adoucir.
melodrama ['melədrɑ:mə] *n* mélodrame *m*. ● **melodra'matic** *a* mélodramatique.

melody ['melədɪ] *n* mélodie *f*. ●**me'lodic** *a* mélodique. ●**melodious** [mə'ləʊdɪəs] *a* mélodieux.
melon ['melən] *n* melon *m*.
melt [melt] *vi* fondre; **to m. away** (*of snow etc*) fondre complètement; **to m. into** (*merge into*) (*of colour etc*) se fondre dans ▍ *vt* (faire) fondre; **to m. down** (*metal object*) fondre; **melting point** point *m* de fusion; **melting pot** *Fig* creuset *m*. ●**meltdown** *n* (*of core of nuclear reactor*) fusion *f*.
member ['membər] *n* membre *m*; **M. of Parliament** *Br*, **M. of Congress** *Am* = député *m*; **she's a m. of the family** elle fait partie de la famille. ●**membership** *n* adhésion *f* (**of** à); (*number*) nombre *m* de(s) membres; (*members*) membres *mpl*; **m. (fee)** cotisation *f*.
membrane ['membreɪn] *n* membrane *f*.
memento [mə'mentəʊ] *n* (*pl* -**os** *or* -**oes**) (*object*) souvenir *m*.
memo ['meməʊ] *n* (*pl* -**os**) note *f*; **m. pad** bloc-notes *m*. ●**memorandum** [memə'rændəm] *n* (*in office etc*) note *f*; *Pol Com* mémorandum *m*.
memoirs ['memwɑːz] *npl* (*essays*) mémoires *mpl*.
memorable ['memərəb(ə)l] *a* mémorable.
memorial [mə'mɔːrɪəl] *a* (*plaque etc*) commémoratif ▍ *n* mémorial *m*, monument *m*.
memorize ['meməraɪz] *vt* apprendre par cœur.
memory ['memərɪ] *n* mémoire *f*; (*recollection*) souvenir *m*; **to the m. or in m. of** à la mémoire de.
men [men] *npl see* **man**; **the men's room** les toilettes *fpl* pour hommes. ●**menfolk** *n Old-fashioned* hommes *mpl*.
menace ['menɪs] *n* danger *m*; (*threat*) menace *f*; (*nuisance*) *Fam* plaie *f* ▍ *vt* (*threaten*) menacer. ●**menacing** *a* (*tone etc*) menaçant. ●**menacingly** *adv* (*to say*) d'un ton menaçant; (*to do*) d'une manière menaçante.
menagerie [mɪ'nædʒərɪ] *n* ménagerie *f*.
mend [mend] *vt* (*repair*) réparer; (*clothes*) raccommoder; **to m. one's ways** se corriger, s'amender ▍ *n* (*in clothes*) raccommodage *m*; **to be on the m.** (*after illness*) aller mieux.
menial ['miːnɪəl] *a* (*work etc*) inférieur.
meningitis [menɪn'dʒaɪtɪs] *n* méningite *f*.
menopause ['menəpɔːz] *n* ménopause *f*.
menstruate ['menstrʊeɪt] *vi* avoir ses règles. ●**menstruation** [-'eɪʃ(ə)n] *n* menstruation *f*.
menswear ['menzweər] *n* vêtements *mpl* pour hommes.
mental ['ment(ə)l] *a* mental; (*mad*) *Br Sl* fou (*f* folle); **m. block** blocage *m*; **m. hospital** hôpital *m* psychiatrique; **m. strain** tension *f* nerveuse. ●**mentally** *adv* mentalement; **he's m. handicapped** c'est un. handicapé mental; **she's m. ill** c'est une malade mentale.
mentality [men'tælətɪ] *n* mentalité *f*.
mention ['menʃ(ə)n] *vt* mentionner, faire mention de; **not to m....** sans parler de..., sans compter...; **don't m. it!** il n'y a pas de quoi!; **she has no savings/etc worth mentioning** elle n'a pratiquement pas d'économies/*etc* ▍ *n* mention *f*.
mentor ['mentɔːr] *n* (*adviser*) mentor *m*.
menu ['menjuː] *n* (*in restaurant*) (*for set meal*) menu *m*; (*list*) carte *f*; *Comptr* menu *m*.
MEP [emiː'piː] *n abbr* (*Member of the European Parliament*) membre *m* du Parlement européen.
mercantile ['mɜːkəntaɪl] *a* (*activity, law etc*) commercial; (*nation*) commerçant.
mercenary ['mɜːsɪnərɪ] *a* (*bassement*) intéressé ▍ *n* (*soldier*) mercenaire *m*.
merchandise ['mɜːtʃəndaɪz] *n* (*articles*) marchandises *fpl*; (*total stock*) marchandise *f*.
merchant ['mɜːtʃ(ə)nt] *n* (*trader*) négociant, -ante *mf*; (*Br shopkeeper, Am storekeeper*) commerçant, -ante *mf*; **retail m.** commerçant, -ante *mf* en détail; **wine m.** négociant, -ante *mf* en vins; (*retail*) marchand *m* de vins ▍ *a* (*Br navy, Am marine*) marchand; (*seaman*) de la marine marchande; **m. bank** *Br* banque *f* de commerce; **m. vessel** navire *m* marchand.
mercury ['mɜːkjʊrɪ] *n* mercure *m*.
merciful ['mɜːsɪfəl] *a* miséricordieux (**to** pour). ●**mercifully** *adv* (*fortunately*) *Fam* heureusement.
merciless ['mɜːsɪləs] *a* impitoyable.
mercy ['mɜːsɪ] *n* pitié *f*; (*of God*) miséricorde *f*; **to beg for m.** demander grâce; **at the m. of** à la merci de; **it's a m. that...** (*stroke of luck*) c'est une chance que...; **m. killing** euthanasie *f*.
mere [mɪər] *a* simple; (*only*) ne... que; **she's a m. child** ce n'est qu'une enfant; **it's a m. kilometre** ça ne fait qu'un kilomètre; **by m. chance** par pur hasard; **the m. sight of them** leur seule vue. ●**merely** *adv* (tout) simplement.
merge [mɜːdʒ] *vi* (*blend*) se mêler (**with** à); (*of roads*) se (re)joindre; (*of companies, banks etc*) fusionner ▍ *vt* (*unify*) unifier (*partis, systèmes etc*); (*companies etc*) & *Comptr* fusionner. ●**merger** *n Com* fusion *f*.
meridian [mə'rɪdɪən] *n* méridien *m*.
meringue [mə'ræŋ] *n* (*cake*) meringue *f*.
merit ['merɪt] *n* mérite *m*; **on its merits** (*to consider sth etc*) objectivement ▍ *vt* mériter.
mermaid ['mɜːmeɪd] *n* (*woman*) sirène *f*.
merrily ['merɪlɪ] *adv* gaiement. ●**merriment** *n* gaieté *f*, rires *mpl*.
merry ['merɪ] *a* (-**ier**, -**iest**) gai; (*drunk*) éméché; **M. Christmas** Joyeux Noël. ●**merry-go-round** *n* (*at funfair etc*) manège *m*. ●**merry-making** *n* réjouissances *fpl*.
mesh [meʃ] *n* (*of net etc*) maille *f*; (*fabric*) tissu *m* à mailles; (*of intrigue etc*) *Fig* réseau *m*; (*of circumstances*) *Fig* engrenage *m*; **wire m.** grillage *m*.
mesmerize ['mezməraɪz] *vt* hypnotiser.
mess[1] [mes] **1** *n* (*confusion*) désordre *m*, pagaïe *f*; (*muddle*) gâchis *m*; (*dirt*) saleté *f*; **in**

mess 208

a m. sens dessus dessous, en désordre; (*trouble*) dans le pétrin; (*sorry state*) dans un triste état; **to make a m. of sth** (*spoil*) gâcher qch.
2 *vt* **to m. s.o. about** (*bother, treat badly*) *Br Fam* déranger qn, embêter qn; **to m. up** (*spoil*) gâcher; (*dirty*) salir; (*room*) mettre sens dessus dessous *or* en désordre.
▮ *vi* **to m. about** *or* **around** (*have fun, waste time*) s'amuser; (*play the fool*) faire l'idiot; **to m. about** *or* **around with sth** (*fiddle with*) s'amuser avec qch. ●**mess-up** *n Br Fam* (*disorder*) gâchis *m*; (*mix-up*) confusion *f*.
mess² [mes] *n* (*room*) *Mil* mess *m inv*.
message ['mesɪdʒ] *n* message *m*.
messenger ['mesɪndʒər] *n* messager, -ère *mf*; (*in office, hotel*) coursier, -ière *mf*.
Messiah [mɪ'saɪə] *n* Messie *m*.
Messrs ['mesəz] *npl* **M. Brown** Messieurs *or* MM Brown.
messy ['mesɪ] *a* (**-ier, -iest**) (*untidy*) en désordre; (*dirty*) sale; (*confused*) (*situation, solution etc*) *Fig* embrouillé, confus.
met [met] *pt & pp of* **meet**.
metal ['met(ə)l] *n* métal *m*; **m. ladder**/*etc* échelle *f*/*etc* métallique. ●**metallic** [mə'tælɪk] *a* (*sound etc*) métallique; (*paint*) métallisé; **a m. green car** une voiture vert métallisé. ●**metalwork** *n* (*study, craft*) travail *m* des métaux; (*objects*) ferronnerie *f*.
metamorphosis, *pl* **-oses** [metə'mɔːfəsɪs, -əsiːz] *n* métamorphose *f*.
metaphor ['metəfər] *n* métaphore *f*. ●**meta'phorical** *a* métaphorique.
metaphysical [metə'fɪzɪk(ə)l] *a* métaphysique.
mete [miːt] *vt* **to m. out** (*punishment*) infliger (**to** à); **to m. out justice** rendre la justice.
meteor ['miːtɪər] *n* météore *m*. ●**mete'oric** *a* **m. rise** (*of politician, film star etc*) ascension *f* fulgurante. ●**meteorite** *n* météorite *m or f*.
meteorology [miːtɪə'rɒlədʒɪ] *n* météorologie *f*. ●**meteoro'logical** *a* météorologique.
meter¹ ['miːtər] *n* (*device*) compteur *m*; (**parking**) **m.** parcmètre *m*; **m. maid** (*for traffic*) *Br Fam & Am* contractuelle *f*; **m. man** *Am* contractuel *m*.
meter² ['miːtər] *n* (*measurement*) *Am* mètre *m*.
method ['meθəd] *n* méthode *f*. ●**me'thodical** *a* méthodique.
Methodist ['meθədɪst] *a & n Rel* méthodiste (*mf*).
methylated ['meθɪleɪtɪd] *a* **m. spirit(s)** *Br* alcool *m* à brûler. ●**meths** *n Br Fam* = methylated spirits.
meticulous [mɪ'tɪkjʊləs] *a* méticuleux. ●**meticulousness** *n* soin *m* méticuleux.
Met Office ['metɒfɪs] *n Br* = Météo *f* France.
metre ['miːtər] (*Am* **meter**) *n* mètre *m*. ●**metric** ['metrɪk] *a* métrique.
metropolis [mə'trɒpəlɪs] *n* (*chief city*) métropole *f*. ●**metro'politan** *a* métropolitain; **the M. Police** la police de Londres.

mettle ['met(ə)l] *n* courage *m*; (*spirit*) fougue *f*.
mew [mjuː] *vi* (*of cat*) miauler.
mews [mjuːz] *n* (*street*) ruelle *f*; **m. flat** *Br* appartement *m* chic (*aménagé dans une ancienne écurie*).
Mexico ['meksɪkəʊ] *n* Mexique *m*. ●**Mexican** *a* mexicain ▮ *n* Mexicain, -aine *mf*.
mezzanine ['mezəniːn] *n* **m. (floor)** entresol *m*.
miaow [miː'aʊ] *vi* (*of cat*) miauler ▮ *n* miaulement *m* ▮ *int* miaou.
mice [maɪs] *see* **mouse**.
mickey ['mɪkɪ] *n* **to take the m. out of s.o.** *Br Fam* charrier qn.
micro- ['maɪkrəʊ] *pref* micro-.
microbe ['maɪkrəʊb] *n* microbe *m*.
microchip ['maɪkrəʊtʃɪp] *n Compt r* puce *f*.
microcosm ['maɪkrəʊkɒz(ə)m] *n* microcosme *m*.
microfilm ['maɪkrəʊfɪlm] *n* microfilm *m*.
microlight ['maɪkrəʊlaɪt] *n* (*plane*) ULM *m*.
microphone ['maɪkrəfəʊn] *n* micro *m*.
microprocessor [maɪkrəʊ'prəʊsesər] *n* microprocesseur *m*.
microscope ['maɪkrəskəʊp] *n* microscope *m*. ●**micro'scopic** *a* microscopique.
microwave ['maɪkrəʊweɪv] *n* micro-onde *f*; **m. (oven)** four *m* à micro-ondes.
mid [mɪd] *a* (**in**) **m.-June** (à) la mi-juin; (**in**) **m. morning** au milieu de la matinée; **in m. air** en plein ciel;. **to be in one's m.-twenties** avoir environ vingt-cinq ans.
midday [mɪd'deɪ] *n* midi *m*; **at m.** à midi ▮ *a* (*sun, meal etc*) de midi.
middle ['mɪd(ə)l] *n* milieu *m*; (*waist*) *Fam* taille *f*; (**right**) **in the m. of** au (beau) milieu de; **in the m. of work** en plein travail; **in the m. of saying/working**/*etc* en train de dire/travailler/*etc*.
▮ *a* (*central*) du milieu; **the M. Ages** le moyen âge; **in m. age** vers la cinquantaine; **the m. class(es)** les classes moyennes; **the m. ear** l'oreille moyenne; **the M. East** le Moyen-Orient; **m. name** deuxième nom. ●**middle-'aged** *a* d'un certain âge. ●**middle-'class** *a* bourgeois. ●**middle-of-the-'road** *a* (*politics, views*) modéré; (*music, tastes*) sage.
middling ['mɪdlɪŋ] *a* moyen, passable.
midge [mɪdʒ] *n* (*fly*) moucheron *m*.
midget ['mɪdʒɪt] *n* nain *m*, naine *f* ▮ *a* (*tiny*) minuscule.
Midlands ['mɪdləndz] *npl* **the M.** les comtés *mpl* du centre de l'Angleterre.
midnight ['mɪdnaɪt] *n* minuit *f*.
midpoint ['mɪdpɔɪnt] *n* milieu *m*.
midriff ['mɪdrɪf] *n Anat* diaphragme *m*; (*belly*) *Fam* ventre *m*.
midst [mɪdst] *n* **in the m. of** (*middle*) au milieu de; **in our/their m.** parmi nous/eux.
midsummer [mɪd'sʌmər] *n* milieu *m* de l'été; (*solstice*) solstice *m* d'été.
midterm ['mɪdtɜːm] *a* **m. holidays** (*in schools*) *Br* petites vacances *fpl*.
midway [mɪd'weɪ] *a & adv* à mi-chemin.

midweek [mɪd'wiːk] *n* milieu *m* de la semaine.
Midwest [mɪd'west] *n* the M. *Am* le Middle West (américain).
midwife ['mɪdwaɪf] *n* (*pl* -wives) sage-femme *f*.
midwinter [mɪd'wɪntər] *n* milieu *m* de l'hiver; (*solstice*) solstice *m* d'hiver.
miffed [mɪft] *a* (*offended*) *Fam* vexé (by de).
might[1] [maɪt] *see* **may**.
might[2] [maɪt] *n* (*strength*) force *f*. ●**mighty** *a* (-ier, -iest) puissant; (*ocean*) vaste; (*very great*) *Fam* sacré; **high and m.** arrogant ▮ *adv* (*very*) *Am Fam* rudement.
migraine ['miːgreɪn, 'maɪgreɪn] *n* migraine *f*.
migrate [maɪ'greɪt] *vi* (*of people*) émigrer, migrer; (*of birds*) migrer. ●**migrant** ['maɪgrənt] *a* & *n* **m.** (**worker**) migrant, -ante (*mf*). ●**migration** [-ʃ(ə)n] *n* migration *f*.
mike [maɪk] *n abbr* (*microphone*) *Fam* micro *m*.
mild [maɪld] *a* (-er, -est) (*weather, taste, behaviour etc*) doux (*f* douce); (*beer, punishment*) léger; (*medicine, illness*) bénin (*f* bénigne); (*exercise*) modéré. ●**mildly** *adv* doucement; (*slightly*) légèrement; **to put it m.** pour ne pas dire plus. ●**mildness** *n* (*of weather etc*) douceur *f*; (*of beer etc*) légèreté *f*; (*of illness etc*) caractère *m* bénin.
mildew ['mɪldjuː] *n* (*on cheese etc*) moisissure *f*.
mile [maɪl] *n* mile *m*, mille *m* (= *1,6 km*); **miles** (*loosely*) = kilomètres *mpl*; **to walk for miles** marcher pendant des kilomètres; **miles better** (*much*) *Fam* bien mieux. ●**mileage** *n* (*distance*) = kilométrage *m*; **m. (per gallon)** = consommation *f* aux cent kilomètres. ●**mileometer** *n Br* = milometer. ●**milestone** *n* = borne *f* kilométrique; (*in history, one's life etc*) *Fig* jalon *m*.
militant ['mɪlɪtənt] *a* & *n* militant, -ante (*mf*).
military ['mɪlɪt(ə)rɪ] *a* militaire ▮ *n* **the m.** les militaires *mpl*; (*army*) l'armée *f*.
militate ['mɪlɪteɪt] *vi* (*of arguments etc*) militer (**against** contre, **in favour of** pour).
militia [mə'lɪʃə] *n* milice *f*. ●**militiaman** *n* (*pl* -men) milicien *m*.
milk [mɪlk] *n* lait *m*; **evaporated m.** lait *m* concentré; **m. bottle/can** bouteille *f*/boîte *f* à lait; **m. chocolate** chocolat *m* au lait; **m. diet** régime *m* lacté; **m. float** *Br* voiture *f* de laitier; **m. round** *Br* tournée *f* du laitier; **m. produce** produits *mpl* laitiers; **m. shake** milk-shake *m*.
▮ *vt* (*cow*) traire; (*exploit*) *Fig* exploiter; **to m. s.o. of sth** *Fig* soutirer qch à qn. ●**milking** *n* traite *f*.
milkman ['mɪlkmən] *n* (*pl* -men) laitier *m*.
milky ['mɪlkɪ] *a* (-ier, -iest) (*diet*) lacté; (*coffee, tea*) au lait; (*colour*) laiteux; **the M. Way** la Voie lactée.
mill [mɪl] **1** *n* moulin *m*; (*factory*) usine *f*; **cotton m.** filature *f* de coton; **paper m.** papeterie *f*; **steel m.** aciérie *f* ▮ *vt* (*grind*) moudre.

2 *vi* **to m. around** (*of crowd*) grouiller.
●**miller** *n* meunier, -ière *mf*.
millennium, *pl* -**nia** [mɪ'lenɪəm, -nɪə] *n* millénaire *m*.
millet ['mɪlɪt] *n* (*plant*) millet *m*.
milli- [mɪlɪ] *pref* milli-.
millimetre ['mɪlɪmiːtər] (*Am* **millimeter**) *n* millimètre *m*.
million ['mɪljən] *n* million *m*; **a m. men/**etc un million d'hommes/*etc*; **two m.** deux millions. ●**millio'naire** *n* millionnaire *mf*. ●**millionth** *a* & *n* millionième (*mf*).
millstone ['mɪlstəʊn] *n* **it's a m. around my neck** (*burden*) c'est un boulet que je traîne.
milometer [maɪ'lɒmɪtər] *n Br* = compteur *m* (kilométrique).
mime [maɪm] *n* (*actor*) mime *mf*; (*art*) mime *m* ▮ *vti* mimer.
mimeograph® ['mɪmɪəgræf] *vt* polycopier.
mimic ['mɪmɪk] *vt* (-ck-) imiter ▮ *n* imitateur, -trice *mf*. ●**mimicking** *or* **mimicry** *n* imitation *f*.
mimosa [mɪ'məʊzə] *n* (*tree*) mimosa *m*.
minaret [mɪnə'ret] *n* (*of mosque*) minaret *m*.
mince [mɪns] *n* (*meat*) *Br* viande *f* hachée, hachis *m* (de viande); (*dried fruit*) *Am* mélange *m* de fruits secs; **m. pie** *Br* tartelette *f* fourrée au mincemeat ▮ *vt* hacher; **not to m. matters** *or* **one's words** ne pas mâcher ses mots. ●**mincemeat** *n* (*dried fruit*) mélange *m* de fruits secs; (*meat*) *Br* viande *f* hachée, hachis *m* (de viande). ●**mincer** *n* (*machine*) hachoir *m*.
mind[1] [maɪnd] *n* esprit *m*; (*sanity*) raison *f*; (*memory*) mémoire *f*; (*head*) tête *f*; **to change one's m.** changer d'avis; **to my m.** *Br* à mon avis; **to be in two minds** (*undecided*) *Br* être irrésolu; **to make up one's m.** se décider; **it's on my m.** (*worries me*) cela me préoccupe; **to be out of one's m.** (*mad*) être fou; **to bring sth to m.** (*recall*) rappeler qch; **to bear** *or* **keep sth in m.** (*remember*) se souvenir de qch; **to have s.o./sth in m.** avoir qn/qch en vue; **to have a good m. to do sth** *Br* avoir bien envie de faire qch.
mind[2] [maɪnd] *vti* (*pay attention to*) *Br* faire attention à; (*look after*) garder, s'occuper de; (*noise, dirt etc*) être gêné par; (*one's language*) surveiller; **m. you don't fall** *Br* (*beware*) prends garde *or* fais attention de ne pas tomber; **m. you do it** *Br* n'oublie pas de le faire; **do you m. if?** (*I smoke etc*) ça vous gêne si?; (*I leave, help etc*) ça ne vous fait rien si?; **I don't m.** the sun ne me gêne pas, je ne suis pas gêné par le soleil; **I don't m.** (*care*) ça m'est égal; **I wouldn't m. a cup of tea** (*would like*) j'aimerais bien une tasse de thé; **I m. that...** ça me gêne *or* m'ennuie que...; **never m.!** (*it doesn't matter*) ça ne fait rien!, tant pis!; (*don't worry*) ne vous en faites pas!; **m. (out)!** (*watch out*) *Br* attention!; **m. you...** *Br* remarquez, ...; **m. your own business!**, **never you m.!** ça ne vous regarde pas!, mêlez-vous de ce qui vous regarde!

mind-boggling

mind-boggling ['maɪndbɒglɪŋ] *a* stupéfiant, qui confond l'imagination.
-minded ['maɪndɪd] *suff* **fair-m.** impartial; **like-m.** de même opinion.
minder ['maɪndər] *n Br (for children)* nourrice *f*; *(bodyguard) Fam* gorille *m*; **child m.** nourrice *f*.
mindful ['maɪndfəl] *a* **m. of sth/doing** attentif à qch/à faire.
mindless ['maɪndləs] *a (job, destruction etc)* stupide.
mine[1] [maɪn] *poss pron* le mien, la mienne, *pl* les mien(ne)s; **this hat is m.** ce chapeau est à moi *or* est le mien; **a friend of m.** un ami à moi, un de mes amis.
mine[2] [maɪn] **1** *n (for coal, gold etc) & Fig* mine *f* ∎ *vti* **to m. (for)** *(coal etc)* extraire. **2** *n (explosive)* mine *f* ∎ *vt (beach, bridge etc)* miner. ●**mining** *n* exploitation *f* minière ∎ *a (industry, region etc)* minier. ●**miner** *n* mineur *m*.
mineral ['mɪnərəl] *a & n* minéral (*m*); **m. water** eau *f* minérale.
minestrone [mɪnɪ'strəʊnɪ] *n* minestrone *m*.
mingle ['mɪŋg(ə)l] *vi* se mêler (**with** à); **to m. with** *(socially)* fréquenter.
mingy ['mɪndʒɪ] *a* (**-ier, -iest**) *(mean) Br Fam* radin.
mini ['mɪnɪ] *pref* mini-.
miniature ['mɪnɪtʃər] *a (tiny)* minuscule; *(train, model etc)* miniature *inv* ∎ *n* miniature *f*; **in m.** en miniature.
minibus ['mɪnɪbʌs] *n* minibus *m*. ●**minicab** *n Br* (radio-)taxi *m*.
minim ['mɪnɪm] *n (musical note) Br* blanche *f*.
minimal ['mɪnɪməl] *a* minimal.
minimize ['mɪnɪmaɪz] *vt* minimiser.
minimum ['mɪnɪməm] *n (pl* **-ima** [-ɪmə] *or* **-imums)** minimum *m* ∎ *a* minimum (*f inv*), minimal.
mining ['maɪnɪŋ] *n see* **mine**[2].
minister[1] ['mɪnɪstər] *n (politician) Br* ministre *m*; *(of religion)* pasteur *m*. ●**mini'sterial** *a Br Pol* ministériel. ●**ministry** *n Br Pol* ministère *m*; **to enter** *or* **join the m.** *Rel* devenir pasteur.
minister[2] ['mɪnɪstər] *vi* **to m. to s.o.'s needs** subvenir aux besoins de qn.
mink [mɪŋk] *n (animal, fur)* vison *m*.
minor ['maɪnər] *a (small) (detail, operation, repair etc)* petit; *Mus Rel Phil etc* mineur ∎ *n (child) Jur* mineur, -eure *mf*; **to be a m.** être mineur(e).
Minorca [mɪ'nɔːkə] *n* Minorque *f*.
minority [maɪ'nɒrɪtɪ] *n* minorité *f*; **to be in the** *or* **a m.** être en minorité *or* minoritaire ∎ *a* minoritaire.
mint [mɪnt] **1** *n (place)* Hôtel *m* de la Monnaie; **to make a m.** *(of money) Fig* faire une petite fortune ∎ *vt (money)* frapper ∎ *a* **m. stamp** timbre *m* neuf; **in m. condition** à l'état neuf. **2** *n (herb)* menthe *f*; *(Br sweet, Am candy)* bonbon *m* à la menthe; **m. tea/sauce/** *etc* thé *m*/sauce *f*/etc à la menthe.

minus ['maɪnəs] *prep (with numbers)* moins; *(without) Fam* sans; **it's m. ten (degrees)** il fait moins dix (degrés) ∎ *n* **m. (sign)** (signe *m*) moins *m*.
minute[1] ['mɪnɪt] *n* minute *f*; **this (very) m.** *(now)* tout de suite; **any m.** *(now)* d'une minute à l'autre; **m. hand** *(of clock)* grande aiguille *f*. ●**minutes** *npl (of meeting)* procès-verbal *m*.
minute[2] [maɪ'njuːt] *a (tiny)* minuscule; *(careful, exact) (examination etc)* minutieux.
minx [mɪŋks] *n (girl) Pej* diablesse *f*, chipie *f*.
miracle ['mɪrək(ə)l] *n* miracle *m*; **by some m.** par miracle. ●**mi'raculous** *a* miraculeux.
mirage ['mɪrɑːʒ] *n* mirage *m*.
mire [maɪər] *n Lit* fange *f*; *(difficult situation)* bourbier *m*.
mirror ['mɪrər] *n* miroir *m*, glace *f*; *(representation) Fig* miroir *m*; **(rear view) m.** *(of vehicle)* rétroviseur *m* ∎ *vt (reflect)* refléter.
mirth [mɜːθ] *n Lit* gaieté *f*, hilarité *f*.
misadventure [mɪsəd'ventʃər] *n (mishap)* mésaventure *f*; **death by m.** *Jur* mort *f* accidentelle.
misanthropist [mɪ'zænθrəpɪst] *n* misanthrope *mf*.
misapprehension [mɪsæprɪ'henʃ(ə)n] *n* malentendu *m*; **to be under a m.** ne pas avoir bien compris.
misappropriate [mɪsə'prəʊprɪeɪt] *vt (money)* détourner.
misbehave [mɪsbɪ'heɪv] *vi* se conduire mal; *(of child)* faire des sottises.
miscalculate [mɪs'kælkjʊleɪt] *vt* mal calculer ∎ *vi (make a mistake)* se tromper. ●**miscalculation** [-'leɪʃ(ə)n] *n* erreur *f* de calcul.
miscarriage [mɪs'kærɪdʒ] *n* **to have a m.** *(of woman)* faire une fausse couche; **m. of justice** erreur *f* judiciaire. ●**miscarry** *vi (of woman)* faire une fausse couche; *(of plan) Fig* échouer.
miscellaneous [mɪsɪ'leɪnɪəs] *a* divers.
mischief ['mɪstʃɪf] *n* espièglerie *f*; *(malice)* méchanceté *f*; **to get into m.** faire des bêtises; **full of m. = mischievous**; **to make m. for s.o.** *(trouble)* créer des ennuis à qn; **to do s.o. a m.** *(harm) Br* faire mal à qn; **a little m.** *(child) Br* un petit démon.
mischievous ['mɪstʃɪvəs] *a (naughty, playful)* espiègle, malicieux; *(malicious)* méchant.
misconception [mɪskən'sepʃ(ə)n] *n* idée *f* fausse.
misconduct [mɪs'kɒndʌkt] *n (bad behaviour)* mauvaise conduite *f*; *(bad management) Com* mauvaise gestion *f*.
misconstrue [mɪskən'struː] *vt* mal interpréter.
misdeed [mɪs'diːd] *n* méfait *m*.
misdemeanour [mɪsdɪ'miːnər] (*Am* **misdemeanor**) *n* écart *m* de conduite; *Am Jur* délit *m*.
misdirect [mɪsdɪ'rekt, -daɪ'rekt] *vt (letter)* mal adresser; *(person)* mal renseigner; *(one's energies)* mal diriger.

miser ['maɪzər] *n* avare *mf*. ● **miserly** *a* avare.

miserable ['mɪzərəb(ə)l] *a* (*wretched*) misérable; (*unhappy*) malheureux; (*awful*) affreux; (*derisory*) (*salary etc*) dérisoire. ● **miserably** *adv* (*wretchedly*) misérablement; (*to fail*) lamentablement.

misery ['mɪzərɪ] *n* (*suffering*) souffrances *fpl*; (*sadness*) tristesse *f*; (*sad person*) *Fam* grincheux, -euse *mf*; **miseries** (*misfortunes*) misères *fpl*; **his life is a m.** il est malheureux.

misfire [mɪs'faɪər] *vi* (*of plan*) rater; (*of engine*) avoir des ratés.

misfit ['mɪsfɪt] *n* (*person*) *Pej* inadapté, -ée *mf*.

misfortune [mɪs'fɔːtʃuːn] *n* malheur *m*.

misgivings [mɪs'gɪvɪŋz] *npl* (*doubts*) doutes *mpl* (**about** sur); (*fears*) craintes *fpl* (**about** à propos de).

misguided [mɪs'gaɪdɪd] *a* (*action etc*) imprudent; **to be m.** (*of person*) se tromper.

mishandle [mɪs'hænd(ə)l] *vt* (*affair, situation*) traiter avec maladresse; (*person*) s'y prendre mal avec.

mishap ['mɪshæp] *n* (*hitch*) contretemps *m*; (*accident*) mésaventure *f*.

misinform [mɪsɪn'fɔːm] *vt* mal renseigner.

misinterpret [mɪsɪn'tɜːprɪt] *vt* mal interpréter.

misjudge [mɪs'dʒʌdʒ] *vt* (*person, distance etc*) mal juger.

mislay [mɪs'leɪ] *vt* (*pt* & *pp* **mislaid**) égarer.

mislead [mɪs'liːd] *vt* (*pt* & *pp* **misled**) tromper. ● **misleading** *a* trompeur.

mismanage [mɪs'mænɪdʒ] *vt* mal administrer. ● **mismanagement** *n* mauvaise administration *f*.

misnomer [mɪs'nəʊmər] *n* (*name*) nom *m* or terme *m* impropre.

misogynist [mɪ'sɒdʒɪnɪst] *n* misogyne *mf*.

misplace [mɪs'pleɪs] *vt* (*lose*) égarer; (*trust etc*) mal placer. ● **misplaced** *a* (*remark etc*) déplacé; **m. accent** accent *m* mal placé.

misprint ['mɪsprɪnt] *n* faute *f* d'impression, coquille *f*.

mispronounce [mɪsprə'naʊns] *vt* mal prononcer.

misquote [mɪs'kwəʊt] *vt* citer inexactement.

misrepresent [mɪsreprɪ'zent] *vt* présenter sous un faux jour.

miss[1] [mɪs] *vt* (*train, target, opportunity etc*) manquer, rater; (*not see*) ne pas voir; (*not understand*) ne pas comprendre; (*one's youth, deceased person etc*) regretter; (*sth just lost*) remarquer l'absence de; **he misses Paris/her** Paris/elle lui manque; **I m. you** tu me manques; **I'm missing my wallet!** je n'ai plus. mon portefeuille!; **we'll be missed** on remarquera notre absence; **don't m. seeing this play** (*don't fail to*) ne manque pas de voir cette pièce; **to m. sth out** (*leave out*) sauter qch.

▮ *vi* manquer, rater; **to m. out** (*lose a chance*) rater l'occasion; **to m. out on** (*opportunity etc*) rater, laisser passer.

▮ *n* coup *m* manqué; **that was** *or* **we had a near m.** on l'a échappé belle; **I'll give it a m.** *Fam* (*not go*) je n'y irai pas; (*not take or drink or eat*) je n'en prendrai pas.

miss[2] [mɪs] *n* (*woman*) mademoiselle *f*; **Miss Brown** Mademoiselle *or* Mlle Brown.

misshapen [mɪs'ʃeɪp(ə)n] *a* difforme.

missile [*Br* 'mɪsaɪl, *Am* 'mɪs(ə)l] *n* (*rocket*) missile *m*; (*object thrown*) projectile *m*.

missing ['mɪsɪŋ] *a* (*absent*) absent; (*in war, after disaster*) disparu; (*object*) manquant; **there are two cups/students m.** il manque deux tasses/deux étudiants; **the m. cups** les tasses qui manquent; **nothing is m.** rien ne manque; **to go m.** disparaître.

mission ['mɪʃ(ə)n] *n* mission *f*.

missionary ['mɪʃənərɪ] *n* missionnaire *m*.

missive ['mɪsɪv] *n* (*letter*) missive *f*.

misspell [mɪs'spel] *vt* (*pt* & *pp* **-ed** *or* **misspelt**) mal écrire.

mist [mɪst] *n* (*fog*) brume *f*; (*on glass*) buée *f*
▮ *vi* **to m. over** *or* **up** s'embuer.

mistake [mɪ'steɪk] *n* erreur *f*, faute *f*; **to make a m.** se tromper, faire (une) erreur; **by m.** par erreur.

▮ *vt* (*pt* **mistook**, *pp* **mistaken**) (*meaning, intention etc*) se tromper sur; **to m. the date/place/etc** se tromper de date/de lieu/etc; **you can't m.** *or* **there's no mistaking his face/my car/etc** il est impossible de ne pas reconnaître son visage/ma voiture/etc; **to m. s.o./sth for** prendre qn/qch pour. ● **mistaken** *a* (*idea, opinion etc*) erroné; **to be m.** (*of person*) se tromper (**about** sur). ● **mistakenly** *adv* par erreur.

mister ['mɪstər] *n* *Fam* monsieur *m*.

mistletoe ['mɪs(ə)ltəʊ] *n* (*shrub*) gui *m*.

mistreat [mɪs'triːt] *vt* maltraiter.

mistress ['mɪstrɪs] *n* maîtresse *f*; (*in secondary school*) *Br* professeur *m*; (*in primary school*) *Br* institutrice *f*; **the French m.** le professeur de français.

mistrust [mɪs'trʌst] *n* méfiance *f* ▮ *vt* se méfier de. ● **mistrustful** *a* méfiant.

misty ['mɪstɪ] *a* (**-ier, -iest**) (*foggy*) brumeux; (*glass*) embué.

misunderstand [mɪsʌndə'stænd] *vti* (*pt* & *pp* **-stood**) mal comprendre. ● **misunderstanding** *n* (*disagreement, mistake*) malentendu *m*. ● **misunderstood** *a* (*person*) incompris.

misuse [mɪs'juːz] *vt* (*word, tool*) mal employer; (*power etc*) abuser de ▮ [mɪs'juːs] *n* (*of word*) emploi *m* abusif; (*of tool*) usage *m* abusif; (*of power*) abus *m*.

mite [maɪt] *n* **1** (*insect*) mite *f*. **2** (*poor*) **m.** (*child*) (pauvre) petit, -ite *mf*. **3 a m.** (*bigger etc*) (*somewhat*) *Fam* un petit peu.

mitigate ['mɪtɪgeɪt] *vt* atténuer.

mitt(en) [mɪt, 'mɪt(ə)n] *n* (*glove*) moufle *f*.

mix [mɪks] *vt* mélanger, mêler; (*cement, cake*) préparer; (*salad*) remuer; **to m. up** (*drinks, papers etc*) mélanger; (*make confused*) embrouiller (*qn*); (*mistake*) confondre (*qch, qn*) (**with** avec); **to be mixed up with**

mixed 212

s.o. (*involved*) être mêlé aux affaires de qn; **to m. s.o. up in** (*involve*) mêler qn à. ▌ *vi* se mêler; (*of colours*) s'allier; **to m. with s.o.** (*socially*) fréquenter qn; **she doesn't m. (in)** elle n'est pas sociable. ▌ *n* (*mixture*) mélange *m*.

mixed [mɪkst] *a* (*school, marriage etc*) mixte; (*results*) divers; (*nuts, chocolates etc*) assortis; **m. grill** assortiment *m* de grillades; **m. feelings** sentiments *mpl* mitigés; **I have m. feelings about that** je suis partagé au sujet de cela; **to be (all) m. up** (*of person*) être désorienté; (*of facts, account etc*) être embrouillé; **in m. company** en présence de personnes des deux sexes.

mixer ['mɪksər] *n* (*electric, for food*) mixe(u)r *m*; **to be a good m.** (*of person*) être sociable; **m. tap** *Br* (robinet *m*) mélangeur *m*.

mixture ['mɪkstʃər] *n* mélange *m*; (*for cough*) sirop *m*.

mix-up ['mɪksʌp] *n* confusion *f*.

mm *abbr* (*millimetre*) mm.

moan [moʊn] *vi* (*groan*) gémir; (*complain*) se plaindre (**to** à, **about** de, **that** que) ▌ *n* gémissement *m*; (*complaint*) plainte *f*.

moat [moʊt] *n* douve(s) *f(pl)*.

mob [mɒb] *n* (*crowd*) foule *f*, cohue *f*; (*gang, group*) bande *f*; **the m.** (*masses*) la populace; (*Mafia*) *Am Sl* la mafia ▌ *vt* (**-bb-**) (*film star, store etc*) assiéger. ● **mobster** *n Am Sl* gangster *m*.

mobile [*Br* 'moʊbaɪl, *Am* 'moʊb(ə)l] *a* mobile; (*having a car etc*) *Fam* motorisé; **m. home** mobil-home *m*; **m. library** bibliobus *m*; **m. phone** téléphone *m* portatif ▌ *n* (*Am* ['moʊbiːl]) (*ornament*) mobile *m*. ● **mo'bility** *n* mobilité *f*.

mobilize ['moʊbɪlaɪz] *vti* mobiliser. ● **mobilization** [-'zeɪʃ(ə)n] *n* mobilisation *f*.

moccasin ['mɒkəsɪn] *n* (*shoe*) mocassin *m*.

mocha [*Br* 'mɒkə, *Am* 'moʊkə] *n* moka *m*.

mock [mɒk] **1** *vt* se moquer de; (*mimic*) singer ▌ *vi* se moquer (**at** de). **2** *a* (*false*) simulé; **m. exam** examen *m* blanc. ● **mocking** *n* moquerie *f* ▌ *a* moqueur.

mockery ['mɒkəri] *n* (*act*) moquerie *f*; (*farce, parody*) parodie *f*; **to make a m. of sth** tourner qch en ridicule.

mock-up ['mɒkʌp] *n* (*model*) maquette *f*.

mod cons [mɒd'kɒnz] *abbr Fam* = **modern conveniences**.

mode [moʊd] *n* (*manner, way*) & *Comptr* mode *m*; (*fashion, vogue*) mode *f*.

model ['mɒd(ə)l] *n* (*example, representation etc*) modèle *m*; (*person posing for artist etc*) modèle *m*; (*fashion*) **m.** mannequin *m*; (*scale*) **m.** modèle *m* (réduit).

▌ *a* (*behaviour, factory, student etc*) modèle; (*car, plane etc*) modèle réduit *inv*; **m. railway** *Br*, **m. railroad** *Am* train *m* miniature.

▌ *vt* (*Br* **-ll-**, *Am* **-l-**) (*clay etc*) modeler; (*hats, dresses etc*) présenter (les modèles de); **to m. sth on** modeler qch sur; **to m. oneself on** se modeler sur.

▌ *vi* (*for fashion*) être mannequin; (*pose for artist*) poser. ● **modelling** (*Am* **modeling**) *n* (*of statues, in clay etc*) modelage *m*.

modem ['moʊdəm] *n Comptr* modem *m*.

moderate[1] ['mɒdərət] *a* (*opinion, amount success etc*) modéré; (*in speech*) mesuré ▌ *n Pol* modéré, -ée *mf*. ● **moderately** *adv* (*in moderation*) modérément; (*averagely*) moyennement.

moderate[2] ['mɒdəreɪt] *vt* (*diminish, tone down*) modérer ▌ *vi* (*of wind*) se calmer. ● **moderation** [-'reɪʃ(ə)n] *n* modération *f*; **in m.** avec modération.

modern ['mɒd(ə)n] *a* moderne; **m. languages** langues *fpl* vivantes; **m. conveniences** tout le confort moderne. ● **modernism** *n* modernisme *m*.

modernize ['mɒdənaɪz] *vt* moderniser ▌ *vi* se moderniser. ● **modernization** [-'zeɪʃ(ə)n] *n* modernisation *f*.

modest ['mɒdɪst] *a* (*person, salary, success etc*) modeste. ● **modesty** *n* (*of person*) modestie *f*; (*of request*) modération *f*; (*of salary*) modicité *f*.

modicum ['mɒdɪkəm] *n* **a m. of** un soupçon de, un petit peu de.

modify ['mɒdɪfaɪ] *vt* (*alter*) modifier; (*tone down*) modérer. ● **modification** [-'keɪʃ(ə)n] *n* modification *f* (**to** à).

modulate ['mɒdjʊleɪt] *vt* moduler. ● **modulation** [-'leɪʃ(ə)n] *n* modulation *f*.

module ['mɒdjuːl] *n* module *m*.

moggie ['mɒgɪ] *n* (*cat*) *Br Fam* minou *m*.

mogul ['moʊɡəl] *n* magnat *m*, manitou *m*.

mohair ['moʊheər] *n* mohair *m*; **m. sweater** pull *m* en mohair.

moist [mɔɪst] *a* (**-er, -est**) humide; (*clammy, sticky*) moite. ● **moisten** ['mɔɪs(ə)n] *vt* humecter.

moisture ['mɔɪstʃər] *n* humidité *f*; (*on glass*) buée *f*.

moisturize ['mɔɪstʃəraɪz] *vt* (*skin*) hydrater. ● **moisturizer** *n* (*cream*) crème *f* hydratante.

molar ['moʊlər] *n* (*tooth*) molaire *f*.

molasses [mə'læsɪz] *n* (*treacle*) *Am* mélasse *f*.

mold [moʊld] *n & vt Am* = **mould**.

mole [moʊl] *n* **1** (*on skin*) grain *m* de beauté. **2** (*animal, spy*) taupe *f*.

molecule ['mɒlɪkjuːl] *n* molécule *f*.

molest [mə'lest] *vt* (*annoy*) importuner; (*child, woman*) *Jur* attenter à la pudeur de.

mollusc ['mɒləsk] *n* mollusque *m*.

mollycoddle ['mɒlɪkɒd(ə)l] *vt* dorloter.

molt [moʊlt] *vi Am* = **moult**.

molten ['moʊlt(ə)n] *a* (*metal, rock*) en fusion.

mom [mɒm] *n Am Fam* maman *f*.

moment ['moʊmənt] *n* moment *m*, instant *m*; **this (very) m.** (*now*) à l'instant; **the m. she leaves** dès qu'elle partira; **any m. (now)** d'un moment *or* d'un instant à l'autre.

momentary ['moʊməntərɪ] *a* momentané. ● **momentarily** (*Am* [moʊmən'terɪlɪ]) *adv* (*temporarily*) momentanément; (*soon*) *Am*

tout à l'heure.
momentous [məʊ'mentəs] *a* important.
momentum [məʊ'mentəm] *n (speed)* élan *m*; **to gather** *or* **gain m.** *(of ideas etc)* gagner du terrain; *(of project)* prendre un bon rythme.
mommy ['mɒmɪ] *n Am Fam* maman *f*.
Monaco ['mɒnəkəʊ] *n* Monaco *f*.
monarch ['mɒnək] *n* monarque *m*. ● **monarchy** *n* monarchie *f*.
monastery ['mɒnəst(ə)rɪ] *n* monastère *m*.
Monday [*Br* 'mʌndɪ, *Am* -deɪ] *n* lundi *m*.
monetary ['mʌnɪt(ə)rɪ] *a* monétaire.
money ['mʌnɪ] *n* argent *m*; **paper m.** papier-monnaie *m*, billets *mpl*; **to get one's m.'s worth** en avoir pour son argent; **he gets** *or* **earns good m.** il gagne bien (sa vie); **to be in the m.** *Fam* rouler sur l'or; **m. order** mandat *m*.
moneybags ['mʌnɪbægz] *n Pej Fam* richard, -arde *mf*. ● **moneybox** *n* tirelire *f*. ● **moneychanger** *n* changeur *m*. ● **moneylender** *n* prêteur, -euse *mf* sur gages. ● **moneymaking** *a* lucratif. ● **money-spinner** *n (source of wealth) Fam* mine *f* d'or.
mongol ['mɒŋɡ(ə)l] *n & a Med Pej* mongolien, -ienne *(mf)*.
mongrel ['mʌŋɡrəl] *n (dog)* bâtard *m*.
monitor ['mɒnɪtər] **1** *n (screen, device) Comptr TV Tech etc* moniteur *m*. **2** *n (pupil) Br* chef *m* de classe. **3** *vt (radio broadcast)* écouter; *(check)* contrôler.
monk [mʌŋk] *n* moine *m*, religieux *m*.
monkey ['mʌŋkɪ] *n* singe *m*; **little m.** *(child) Fam* polisson, -onne *mf*; **m. business** *Fam* singeries *fpl*; **m. nut** *Br Fam* cacah(o)uète *f*; **m. wrench** clef *f* anglaise ▌ *vi* **to m. about** *or* **around** *Fam* faire l'idiot.
mono ['mɒnəʊ] *a (record etc)* mono *inv* ▌ *n* **in m.** en monophonie.
mono- ['mɒnəʊ] *pref* mono-.
monocle ['mɒnək(ə)l] *n* monocle *m*.
monogram ['mɒnəɡræm] *n* monogramme *m*.
monologue ['mɒnəlɒɡ] *n* monologue *m*.
mononucleosis [mɒnəʊnjuːklɪ'əʊsɪs] *n Am* mononucléose *f*, infectieuse.
monopoly [mə'nɒpəlɪ] *n* monopole *m*. ● **monopolize** *vt* monopoliser.
monosyllable ['mɒnəsɪləb(ə)l] *n* monosyllabe *m*. ● **monosyllabic** *a* monosyllabique.
monotone ['mɒnətəʊn] *n* **in a m.** sur un ton monocorde.
monotony [mə'nɒtənɪ] *n* monotonie *f*. ● **monotonous** *a* monotone.
monsoon [mɒn'suːn] *n (wind, rain)* mousson *f*.
monster ['mɒnstər] *n* monstre *m*.
monstrosity [mɒn'strɒsətɪ] *n (horror)* monstruosité *f*.
monstrous ['mɒnstrəs] *a (terrible, enormous)* monstrueux.
month [mʌnθ] *n* mois *m*.
monthly ['mʌnθlɪ] *a* mensuel; **m. payment** mensualité *f* ▌ *n (periodical)* mensuel *m* ▌ *adv (every month)* mensuellement.
Montreal [mɒntrɪ'ɔːl] *n* Montréal *m or f*.

monument ['mɒnjʊmənt] *n* monument *m*.
monumental [mɒnjʊ'ment(ə)l] *a (error, stupidity etc)* monumental; **m. mason** marbrier *m*.
moo [muː] *vi* meugler ▌ *n* meuglement *m*.
mooch [muːtʃ] **1** *vi* **to m. around** *Fam* flâner. **2** *vt* **to m. sth off s.o.** *(cadge) Am Sl* taper qch à qn.
mood [muːd] *n (of person)* humeur *f*; *(of country)* état *m* d'esprit; *Grammar* mode *m*; **in a good/bad m.** de bonne/mauvaise humeur; **to be in the m. to do** *or* **for doing** être d'humeur à faire, avoir envie de faire.
moody ['muːdɪ] *a (-ier, -iest) (bad-tempered)* de mauvaise humeur; *(changeable)* d'humeur changeante.
moon [muːn] *n* lune *f*; **full m.** pleine lune; **once in a blue m.** *(rarely)* tous les trente-six du mois; **over the m.** *(delighted) Br Fam* ravi *(about* de). ● **moonlight 1** *n* clair *m* de lune; **by m.** au clair de lune. **2** *vi Fam* travailler au noir. ● **moonlit** *a (landscape etc)* éclairé par la lune.
moonshine ['muːnʃaɪn] *n (foolish talk) Fam* balivernes *fpl*.
moor [mʊər] **1** *vt (ship)* amarrer ▌ *vi (of ship)* mouiller. **2** *n (open land)* lande *f*. ● **moorings** *npl Nau (ropes etc)* amarres *fpl*; *(place)* mouillage *m*.
moose [muːs] *n inv (animal)* élan *m*; *(Canadian)* orignal *m*.
moot [muːt] *a* **it's a m. point** c'est discutable.
mop [mɒp] *n* balai *m* (à laver), balai *m* éponge; **dish m.** lavette *f*; **m. of hair** tignasse *f* ▌ *vt (-pp-)* **to m. (up)** *(floor etc)* essuyer; **to m. up** *(liquid)* éponger; **to m. one's brow** s'essuyer le front.
mope [məʊp] *vi* **to m. about** errer *or* traîner comme une âme en peine.
moped ['məʊped] *n* mobylette® *f*, cyclomoteur *m*.
moral ['mɒrəl] *a* moral ▌ *n (of story etc)* morale *f*; **morals** *(standards)* moralité *f*, morale *f*. ● **morale** [*Br* mə'rɑːl, *Am* mə'ræl] *n* moral *m*. ● **moralist** *n* moraliste *mf*. ● **mo'rality** *n (morals)* moralité *f*. ● **moralize** *vi* moraliser. ● **morally** *adv* moralement; **m. wrong** immoral.
morass [mə'ræs] *n (mess, situation)* bourbier *m*; *(land)* marais *m*.
moratorium [mɒrə'tɔːrɪəm] *n* moratoire *m*.
morbid ['mɔːbɪd] *a* morbide. ● **morbidly** *adv (obsessed etc)* morbidement.
more [mɔːr] *a & n* plus (de) **(than** que); *(other)* d'autres; **m. cars/etc** plus de voitures/*etc*; **he has m. (than you)** il en a plus (que toi); **a few m. months** encore quelques mois, quelques mois de plus; **(some) m. tea/** *etc* encore du thé/*etc*; **(some) m. details** d'autres détails; **m. than a kilo/ten/***etc* *(with quantity, number)* plus d'un kilo/de dix/*etc*.
▌ *adv (tired, rapidly etc)* plus **(than** que); **m. and m.** de plus en plus; **m. or less** plus ou moins; **the m. he shouts the hoarse he gets** plus il crie plus il s'enroue; **she doesn't**

moreish

have any m. elle n'en a plus.
moreish ['mɔːrɪʃ] *a Br Fam* qui a un goût de revenez-y.
moreover [mɔːˈrəʊvər] *adv* de plus.
mores ['mɔːreɪz] *npl* mœurs *fpl*.
morgue [mɔːg] *n (mortuary)* morgue *f*.
moribund ['mɒrɪbʌnd] *a* moribond.
morning ['mɔːnɪŋ] *n* matin *m*; *(duration of morning)* matinée *f*; **in the m.** le matin; *(during the course of the morning)* pendant la matinée; *(tomorrow)* demain matin; **at seven in the m.** à sept heures du matin; **every Tuesday m.** tous les mardis matin; **in the early m.** au petit matin ▮ *a (newspaper etc)* du matin; **m. sickness** *(of pregnant woman)* nausées *fpl* matinales. ● **mornings** *adv Am* le matin.
Morocco [məˈrɒkəʊ] *n* Maroc *m*. ● **Moroccan** *a* marocain ▮ *n* Marocain, -aine *mf*.
moron ['mɔːrɒn] *n* crétin, -ine *mf*.
morose [məˈrəʊs] *a* morose.
morphine ['mɔːfiːn] *n* morphine *f*.
Morse [mɔːs] *n* & *a* **M. (code)** morse *m*.
morsel ['mɔːs(ə)l] *n (food)* petite bouchée *f*.
mortal ['mɔːt(ə)l] *a* & *n* mortel, -elle *(mf)*. ● **morˈtality** *n (death rate)* mortalité *f*.
mortar ['mɔːtər] *n* mortier *m*.
mortgage ['mɔːgɪdʒ] *n* prêt-logement *m*; **to take out a m.** obtenir un prêt-logement ▮ *vt (house, future)* hypothéquer.
mortician [mɔːˈtɪʃ(ə)n] *n Am* entrepreneur *m* de pompes funèbres.
mortify ['mɔːtɪfaɪ] *vt* mortifier.
mortuary ['mɔːtʃʊərɪ] *n* morgue *f*.
mosaic [məʊˈzeɪɪk] *n* mosaïque *f*.
Moscow [*Br* 'mɒskəʊ, *Am* 'mɒskaʊ] *n* Moscou *m or f*.
Moses ['məʊzɪz] *a* **M. basket** couffin *m*.
Moslem ['mɒzlɪm] *a* & *n* musulman, -ane *(mf)*.
mosque [mɒsk] *n* mosquée *f*.
mosquito [mɒˈskiːtəʊ] *n (pl* -oes) moustique *m*; **m. net** moustiquaire *f*.
moss [mɒs] *n* mousse *f (plante)*. ● **mossy** *a* moussu.
most [məʊst] *a* & *n* **the m.** *(greatest in amount etc)* le plus (de); **I have (the) m. books** j'ai le plus de livres; **I have (the) m.** j'en ai le plus; **m. (of the) books/etc** la plupart des livres/etc; **m. of the cake/etc** la plus grande partie du gâteau/etc; **m. of them** la plupart d'entre eux; **m. of it** la plus grande partie; **at (the very) m.** tout au plus; **to make the m. of sth** profiter (au maximum) de qch. ▮ *adv* (le) plus; *(very)* très, fort; **the m. beautiful** le plus beau, la plus belle (**in, of** de); **to talk (the) m.** parler le plus; **m. unhappy/grateful/etc** très malheureux/reconnaissant/etc; **m. of all** *(especially)* surtout. ● **mostly** *adv* surtout, pour la plupart.
MOT [eməʊˈtiː] *n abbr (Ministry of Transport) Br* = contrôle *m* obligatoire des véhicules de plus de trois ans.
motel [məʊˈtel] *n* motel *m*.
moth [mɒθ] *n* papillon *m* de nuit; **(clothes) m. mite** *f*. ● **moth-eaten** *a* mité. ● **mothball** *n* boule *f* de naphtaline.
mother ['mʌðər] *n* mère *f*; **M.'s Day** la fête des Mères; **m. tongue** langue *f* maternelle ▮ *vt (care for)* materner. ● **motherhood** *n* maternité *f*. ● **motherly** *a* maternel.
mother-in-law ['mʌðərɪnlɔː] *n (pl* mothers-in-law) belle-mère *f*. ● **mother-of-pearl** *n (substance)* nacre *f*. ● **mother-to-'be** *n (pl* mothers-to-be) future mère *f*.
motion ['məʊʃ(ə)n] *n (of arm etc)* mouvement *m*; *(in meeting etc)* motion *f*; **to set sth in m.** mettre qch en mouvement; **m. picture** film *m* ▮ *vti* **to m. (to) s.o. to do** faire signe à qn de faire. ● **motionless** *a* immobile.
motivate ['məʊtɪveɪt] *vt (person, decision etc)* motiver. ● **motivated** *a* motivé. ● **motivation** [-'veɪʃ(ə)n] *n* motivation *f*; *(incentive)* encouragement *m*.
motive ['məʊtɪv] *n* motif *m* (**for** de); *Jur* mobile *m* (**for** de).
motley ['mɒtlɪ] *a (collection)* hétéroclite; *(coloured)* bigarré.
motor ['məʊtər] *n (engine)* moteur *m*; *(car) Br Fam* auto *f* ▮ *a (industry, vehicle etc)* automobile; *(accident)* d'auto; **m. boat** canot *m* automobile; **m. mechanic** *Br* mécanicien-auto *m*; **m. mower** tondeuse *f* à moteur ▮ *vi (drive) Br* rouler en auto. ● **motoring** *n Br* automobilisme *m*, tourisme *m* automobile; **school of m.** *Br* auto-école *f*.
motorbike ['məʊtəbaɪk] *n Fam* moto *f*. ● **motorcade** *n* cortège *m* (officiel) *(de voitures)*. ● **motorcar** *n Br* automobile *f*. ● **motorcycle** *n* moto *f*, motocyclette *f*. ● **motorcyclist** *n* motocycliste *mf*. ● **motorist** *n Br* automobiliste *mf*. ● **motorized** *a (regiment etc)* motorisé. ● **motorway** *n Br* autoroute *f*.
mottled ['mɒt(ə)ld] *a* tacheté.
motto ['mɒtəʊ] *n (pl* -oes *or* -os) devise *f*.
mould [məʊld] *(Am* mold) **1** *n (shape)* moule *m* ▮ *vt (clay etc)* mouler; *(statue, Fig character)* modeler. **2** *n (growth, mildew)* moisissure *f*. ● **mouldy** *(Am* moldy) *a* (-ier, -iest) moisi; **to go m.** moisir.
moult [məʊlt] *(Am* molt) *vi* muer. ● **moulting** *(Am* molting) *n* mue *f*.
mound [maʊnd] *n (of earth)* tertre *m*; *(untidy pile) Fig* monceau *m*.
mount [maʊnt] **1** *n (frame for photo or slide)* cadre *m*; *(stamp hinge)* charnière *f*; *(horse)* monture *f* ▮ *vt (horse, hill, jewel, photo, demonstration etc)* monter sur, grimper à; *(stamp)* coller (dans un album) ▮ *vi* **to m. (up) (on horse)** se mettre en selle.
2 *vi (increase, rise)* monter; **to m. up** *(up)* chiffrer (**to** à); *(accumulate) (of debts, bills etc)* s'accumuler.
Mount [maʊnt] *n (= mountain in place names)* mont *m*.
mountain ['maʊntɪn] *n* montagne *f* ▮ *a (plant, shoes etc)* de montagne; **m. bike** vélo *m* tout terrain; **m. people** peuple *m* mon-

tagnard.
mountaineer [maʊntɪ'nɪər] *n* alpiniste *mf*. ● **mountaineering** *n* alpinisme *m*.
mountainous ['maʊntɪnəs] *a* montagneux.
mourn [mɔːn] *vti to* m. (for) s.o., m. the loss of s.o. pleurer (la perte de) qn; **she's mourning** elle est en deuil. ● **mourning** *n* deuil *m*; **in m.** en deuil. ● **mourner** *n* parent, -ente *mf* or ami, -ie *mf* du défunt or de la défunte.
mournful ['mɔːnfəl] *a* triste.
mouse, *pl* **mice** [maʊs, maɪs] *n* (*animal*) & *Comptr* souris *f*. ● **mousetrap** *n* souricière *f*.
mousse [muːs] *n* mousse *f* (*dessert*); (*for hair*) mousse *f* (coiffante).
moustache [*Br* mə'staːʃ, *Am* 'mʌstæʃ] *n* moustache *f*.
mousy ['maʊsɪ] *a* (**-ier, -iest**) (*hair*) *Br Pej* châtain terne; (*shy*) *Fig* timide.
mouth [maʊθ] *n* (*pl* **-s** [maʊðz]) bouche *f*; (*of dog, lion etc*) gueule *f*; (*of river*) embouchure *f*; (*of cave, harbour*) entrée *f* ‖ [maʊð] *vt Pej* dire.
mouthful ['maʊθfəl] *n* (*of food*) bouchée *f*; (*of liquid*) gorgée *f*. ● **mouthorgan** *n* harmonica *m*. ● **mouthpiece** *n* (*of musical instrument*) embouchure *f*; (*spokesperson*) porte-parole *m inv*. ● **mouthwash** *n* bain *m* de bouche. ● **mouth-watering** *a* appétissant.
movable ['muːvəb(ə)l] *a* mobile.
move [muːv] *n* mouvement *m*; (*change of house etc*) déménagement *m*; (*change of job*) changement *m* d'emploi; (*transfer of employee*) mutation *f*; (*in game*) coup *m*; (*one's turn*) tour *m*; (*act*) démarche *f*; (*step*) pas *m*; (*attempt*) tentative *f*; **to make a m.** (*leave*) se préparer à partir; (*act*) passer à l'action; **to get a m. on** *Fam* se dépêcher; **on the m.** en marche.
‖ *vt* déplacer, bouger; (*arm, leg*) remuer; (*crowd*) faire partir; (*put*) mettre; (*transport*) transporter; (*piece in game*) jouer; (*propose in debate etc*) proposer (**that** que); **to m. s.o.** (*emotionally*) émouvoir qn; (*transfer in job*) muter qn; (*incite*) pousser qn (**to do** à faire); **to m. house** déménager.
‖ *vi* bouger, remuer; (*go*) aller (**to** à); (*pass*) passer (**to** à); (*leave*) partir; (*change seats*) changer de place; (*progress*) avancer; (*act*) agir; (*play*) jouer; (*out of house etc*) déménager; **to m. to a new house/Paris/***etc* aller habiter une nouvelle maison/Paris/*etc*; **to m. into a house/***etc* emménager dans une maison/*etc*.
moveable ['muːvəb(ə)l] *a* mobile.
move about or **around** *vi* se déplacer; (*fidget*) remuer ‖ **to move along** *vi* avancer ‖ **to move away** *vi* (*go away*) s'éloigner; (*move house etc*) déménager ‖ **to move back** *vt* (*chair etc*) reculer; (*to its position*) remettre ‖ *vi* (*withdraw*) reculer; (*return*) retourner ‖ **to move down** *vt* (*take down*) descendre (*qch*) ‖ *vi* (*come down*) descendre ‖ **to move forward** *vti* avancer ‖ **to move in** *vi* (*into house etc*) emménager ‖ **to move off** *vi* (*go away*) s'éloigner; (*of vehicle*) démarrer ‖ **to move out** *vi* (*out of house etc*) déménager ‖ **to move over** *vt* pousser ‖ *vi* (*make room*) se pousser ‖ **to move up** *vi* (*on seats etc*) se pousser.
movement ['muːvmənt] *n* (*action, group, part of symphony etc*) mouvement *m*.
movie ['muːvɪ] *n* film *m*; **the movies** (*cinema*) le cinéma; **m. camera** caméra *f*; **m. star** vedette *f* (*de cinéma*); **m. theater** *Am* cinéma *m*. ● **moviegoer** *n* cinéphile *mf*.
moving ['muːvɪŋ] *a* en mouvement; (*vehicle*) en marche; (*touching*) émouvant; **m. part** (*of machine*) pièce *f* mobile; **m. stairs** escalier *m* mécanique.
mow [məʊ] *vt* (*pp* **mown** *or* **mowed**) (*field, wheat etc*) faucher; **to m. the lawn** tondre le gazon; **to m. down** (*kill etc*) *Fig* faucher. ● **mower** *n* (**lawn**) **m.** tondeuse *f* (à gazon).
Mozambique [məʊzæm'biːk] *n* Mozambique *m*.
MP [em'piː] *n abbr* (*Member of Parliament*) député *m*.
mph [empiː'eɪtʃ] *abbr* (*miles per hour*) = km/h.
Mr ['mɪstər] *n* **Mr Brown** Monsieur *or* M. Brown.
Mrs ['mɪsɪz] *n* (*married woman*) **Mrs Brown** Madame *or* Mme Brown.
Ms [mɪz] *n* (*married or unmarried woman*) **Ms Brown** Madame *or* Mme Brown.
MSc, *Am* **MS** *abbr* = *Master of Science*.
much [mʌtʃ] *a* & *n* beaucoup (de); **not m. time/money/***etc* pas beaucoup de temps/d'argent/*etc*; **not m.** pas beaucoup; **m. of sth** (*a good deal of*) une bonne partie de qch; **as m. as** (*to do, know, have etc*) autant que; **as m. wine/***etc* as autant de vin/*etc* que; **as m. as you like** autant que tu veux; **twice as m.** deux fois plus (de); **twice as m. as** deux fois plus que; **how m.?** combien (de)?; **too m.** trop (de); **so m.** tant (de), tellement (de); **I know/I shall do this m.** je sais/je ferai ceci (du moins); **this m. wine** ça de vin; **it's not m. of a garden** ce n'est pas merveilleux comme jardin; **m. the same** presque le même.
‖ *adv* **very m.** beaucoup; **not (very) m.** pas beaucoup; **she doesn't say very m.** elle ne dit pas grand-chose.
muck [mʌk] **1** *n* (*manure*) fumier *m*; (*filth*) *Fig* saleté *f*.
2 *vi* **to m. about** *or* **around** *Br Fam* (*have fun, waste time*) s'amuser; (*play the fool*) faire l'idiot; **to m. about** *or* **around with** *Br Fam* (*fiddle with*) s'amuser avec (*qch*); (*alter*) changer (*texte etc*); **to m. in** (*join in*) *Br Fam* participer, contribuer.
‖ *vt* **to m. s.o. about** *Br Fam* embêter qn, déranger qn; **to m. sth up** (*spoil*) *Br Fam* gâcher qch. ● **muck-up** *n Br Fam* gâchis *m*. ● **mucky** *a* (**-ier, -iest**) sale.
mucus ['mjuːkəs] *n* mucosités *fpl*.
mud [mʌd] *n* boue *f*. ● **muddy** *a* (**-ier, -iest**) (*water, road*) boueux; (*hands etc*) couvert de boue. ● **mudguard** *n* garde-boue *m inv*.

muddle ['mʌd(ə)l] *n* (*mix-up*) confusion *f*; (*mess*) désordre *m*; **in a m.** (*person*) désorienté; (*mind*, *ideas*) embrouillé; (*room etc*) sens dessus dessous, en désordre. ▍ *vt* (*person*, *facts etc*) embrouiller; (*papers*) mélanger. ▍ *vi* **to m. through** *Fam* se débrouiller tant bien que mal.
muff [mʌf] *n* (*for hands*) manchon *m*.
muffin ['mʌfɪn] *n* (*cake*) sorte de petite brioche; (*bread roll*) *Br* petit pain *m* au lait.
muffle ['mʌf(ə)l] *vt* (*noise*) assourdir. ● **muffled** *a* (*noise*) sourd. ● **muffler** *n* (*on vehicle*) *Am* silencieux *m*.
mug[1] [mʌɡ] *n* **1** (*for tea, coffee etc*) grande tasse *f*; (*beer*) chope *f*. **2** (*face*) *Fam* gueule *f*; **m. shot** *Sl* photo *f* (d'identité). **3** (*fool*) *Br Fam* niais, -aise *mf*.
mug[2] [mʌɡ] *vt* (**-gg-**) (*attack in street etc*) agresser, attaquer. ● **mugging** *n* agression *f*. ● **mugger** *n* agresseur *m*.
muggy ['mʌɡɪ] *a* (**-ier, -iest**) (*weather*) lourd.
mulberry ['mʌlbərɪ] *n* (*fruit*) mûre *f*.
mule [mjuːl] *n* (*male*) mulet *m*; (*female*) mule *f*.
mull [mʌl] **1** *vt* (*wine*) chauffer. **2** *vi* **to m. over** (*think over*) ruminer.
mullet ['mʌlɪt] *n* (*fish*) mulet *m*; (*red*) rouget *m*.
multi- ['mʌltɪ] *pref* multi-.
multicoloured ['mʌltɪkʌləd] *a* multicolore.
multifarious [mʌltɪ'feərɪəs] *a* divers.
multimillionaire [mʌltɪmɪljə'neər] *n* milliardaire *mf*.
multinational [mʌltɪ'næʃ(ə)nəl] *n* & *a* **m. (company)** multinationale *f*.
multiple ['mʌltɪp(ə)l] *a* multiple; **m. sclerosis** (*illness*) sclérose *f* en plaques ▍ *n* (*number*) *Math* multiple *m*.
multiplicity [mʌltɪ'plɪsɪtɪ] *n* multiplicité *f*.
multiply ['mʌltɪplaɪ] *vt* multiplier ▍ *vi* (*of animals, insects*) se multiplier. ● **multiplication** [-'keɪʃ(ə)n] *n* multiplication *f*.
multiracial [mʌltɪ'reɪʃ(ə)l] *a* multiracial.
multistorey [mʌltɪ'stɔːrɪ] (*Am* **multistoried**) *a* (*car park etc*) à étages.
multitude ['mʌltɪtjuːd] *n* multitude *f*.
mum [mʌm] **1** *n Br Fam* maman *f*. **2** *a* **to keep m.** garder le silence.
mumble ['mʌmb(ə)l] *vti* marmotter.
mumbo-jumbo [mʌmbəʊ'dʒʌmbəʊ] *n* (*gibberish*) charabia *m*.
mummy ['mʌmɪ] *n* **1** (*mother*) *Br Fam* maman *f*. **2** (*embalmed body*) momie *f*.
mumps [mʌmps] *n* oreillons *mpl*.
munch [mʌntʃ] *vti* (*chew*) mastiquer; **to m. (on)** (*eat*) *Fam* manger *or* croquer à belles dents.
mundane [mʌn'deɪn] *a* banal (*mpl* -als).
municipal [mjuː'nɪsɪp(ə)l] *a* municipal. ● **municipality** *n* municipalité *f*.
munitions [mjuː'nɪʃ(ə)nz] *npl* munitions *fpl*.
mural ['mjʊərəl] *n* fresque *f*, peinture *f* murale ▍ *a* mural.
murder ['mɜːdər] *n* meurtre *m*, assassinat *m*; **it's m.** (*dreadful*) *Fam* c'est affreux ▍ *vt* (*kill*) assassiner; (*spoil*) *Fig* massacrer. ● **murderer** *n* meurtrier, -ière *mf*, assassin *m*. ● **murderous** *a* meurtrier.
murky ['mɜːkɪ] *a* (**-ier, -iest**) obscur; (*water, business, past*) trouble; (*weather*) nuageux.
murmur ['mɜːmər] *n* murmure *m*; (*of traffic*) bourdonnement *m*; (**heart**) **m.** souffle *m* (au cœur) ▍ *vti* murmurer.
muscle ['mʌs(ə)l] *n* muscle *m* ▍ *vi* **to m. in on** (*group, meeting*) *Sl* s'introduire par la force dans *or* à. ● **muscular** *a* (*brawny*) (*arm etc*) musclé; (*tissue etc*) musculaire.
muse [mjuːz] *vi* méditer (**on** sur).
museum [mjuː'zɪəm] *n* musée *m*.
mush [mʌʃ] *n* (*soft mass of food etc*) bouillie *f*; *Fig* sentimentalité *f*. ● **mushy** *a* (**-ier, -iest**) (*food etc*) en bouillie; (*sentimental*) *Fig* à l'eau de rose.
mushroom ['mʌʃrʊm] *n* champignon *m* ▍ *vi* (*grow*) (*of buildings, towns etc*) pousser comme des champignons; (*spread*) (*of problems etc*) se multiplier.
music ['mjuːzɪk] *n* musique *f*; **m. centre** chaîne *f* stéréo compacte; **m. critic** critique *m* musical; **m. hall** music-hall *m*; **m. lover** mélomane *mf*; **canned** *or* **piped m.** musique *f* (de fond) enregistrée. ● **musical** *a* musical; **m. instrument** instrument *m* de musique; **to be (very) m.** être (très) musicien ▍ *n* (*film, play*) comédie *f* musicale. ● **musician** [-'zɪʃ(ə)n] *n* musicien, -ienne *mf*.
musk [mʌsk] *n* (*scent*) musc *m*.
Muslim ['mʊzlɪm] *a* & *n* musulman, -ane (*mf*).
muslin ['mʌzlɪn] *n* (*cotton*) mousseline *f*.
mussel ['mʌs(ə)l] *n* (*shellfish*) moule *f*.
must [mʌst] *v aux* **1** (*necessity*) **you m. obey** tu dois obéir, il faut que tu obéisses. **2** (*certainty*) **she m. be clever** elle doit être intelligente; **I m. have seen it** j'ai dû le voir; **m. you be so silly?** qu'est-ce que tu peux être bête! ▍ *n* **this is a m.** ceci est (absolument) indispensable.
mustache ['mʌstæʃ] *n Am* moustache *f*.
mustard ['mʌstəd] *n* moutarde *f*.
muster ['mʌstər] *vt* (*gather*) rassembler (*troupes, courage, forces etc*); (*sum*) réunir ▍ *vi* se rassembler.
mustn't ['mʌs(ə)nt] = **must not**.
musty ['mʌstɪ] *a* (**-ier, -iest**) (*smell, taste*) de moisi; **it smells m.**, **it's m.** ça sent le moisi.
mutant ['mjuːtənt] *n Biol* mutant *m*. ● **mutation** [-'teɪʃ(ə)n] *n Biol* mutation *f*.
mute [mjuːt] *a* (*silent*) & *Ling* muet (*f* muette) ▍ *vt* (*sound, colour*) assourdir. ● **muted** *a* (*criticism*) voilé; (*colour*) sourd.
mutilate ['mjuːtɪleɪt] *vt* mutiler. ● **mutilation** [-'leɪʃ(ə)n] *n* mutilation *f*.
mutiny ['mjuːtɪnɪ] *n* mutinerie *f* ▍ *vi* se mutiner. ● **mutinous** *a* (*troops*) mutiné.
mutter ['mʌtər] *vti* marmonner.
mutton ['mʌt(ə)n] *n* (*meat*) mouton *m*; **leg of m.** gigot *m*.
mutual ['mjuːtʃʊəl] *a* (*help, love etc*) mutuel,

myth

réciproque; (*common, shared*) (*friend etc*) commun; **m. fund** (*investment*) *Am* fonds *m* commun de placement. ●**mutually** *adv* mutuellement.

muzzle ['mʌz(ə)l] *n* (*device for dog etc*) muselière *f*; (*snout*) museau *m*; (*of gun*) gueule *f* ▮ *vt* (*animal, Fig the press etc*) museler.

muzzy ['mʌzɪ] *a* (**-ier, -iest**) (*confused*) (*person*) aux idées confuses; (*ideas etc*) confus; (*blurred*) (*outline etc*) flou.

my [maɪ] *poss a* mon, ma, *pl* mes.

myself [maɪ'self] *pron* moi-même; (*reflexive*) me, m'; (*after prep*) moi; **I wash m.** je me lave; **I think of m.** je pense à moi.

mystery ['mɪstərɪ] *n* mystère *m*. ●**my'sterious** *a* mystérieux.

mystic ['mɪstɪk] *a* & *n* mystique (*mf*). ●**mystical** *a* mystique. ●**mysticism** *n* mysticisme *m*. ●**mystique** [mɪ'stiːk] *n* (*mystery, power*) mystique *f* (**of** de).

mystify ['mɪstɪfaɪ] *vt* (*bewilder*) laisser perplexe; (*fool*) mystifier. ●**mystification** [-'keɪʃ(ə)n] *n* (*bewilderment*) perplexité *f*.

myth [mɪθ] *n* mythe *m*. ●**mythical** *a* mythique. ●**mytho'logical** *a* mythologique. ●**my'thology** *n* mythologie *f*.

N

N, n [en] *n* N, n *m*; **the nth time** la énième fois.
nab [næb] *vt* (-bb-) (*catch, arrest*) *Fam* épingler, coffrer.
naff [næf] *a Br Fam* (*stupid*) bête; (*unfashionable*) ringard.
nag [næg] *vti* (-gg-) **to n. (at) s.o.** (*pester*) harceler *or* embêter qn (**to do** pour qu'il fasse); (*find fault with*) critiquer qn. ●**nagging** *a* (*doubt, headache*) qui subsiste ▮ *n* critiques *fpl*.
nail [neɪl] **1** *n* (*of finger, toe*) ongle *m*; **n. brush** brosse *f* à ongles; **n. file** lime *f* à ongles; **n. polish**, *Br* **n. varnish** vernis *m* à ongles. **2** *n* (*metal*) clou *m* ▮ *vt* clouer; **to n. s.o.** (*nab*) *Fam* épingler qn; **to n. down** (*lid etc*) clouer.
naïve [naɪˈiːv] *a* naïf. ●**naïveté** [naɪˈiːvteɪ] *n* naïveté *f*.
naked [ˈneɪkɪd] *a* (*person*) (tout) nu; **to see sth with the n. eye** voir qch à l'œil nu; **n. flame** flamme *f* nue. ●**nakedness** *n* nudité *f*.
name [neɪm] *n* nom *m*; (*reputation*) réputation *f*; **my n. is...** je m'appelle...; **in the n. of** au nom de; **to put one's n. down for** (*school, course*) s'inscrire à; (*job, house*) demander, faire une demande pour avoir; **to call s.o. names** injurier qn; **first n., given n.** prénom *m*; **last n.** nom *m* de famille; **a good/bad n.** *Fig* une bonne/mauvaise réputation; **n. plate** plaque *f*.
▮ *vt* nommer; (*ship, street*) baptiser; (*date, price*) fixer; **to n. s.o. to do sth** nommer qn pour faire qch; **he was named** *Br* **after** *or Am* **for...** il a reçu le nom de.... ●**nameless** *a* sans nom, anonyme.
namely [ˈneɪmlɪ] *adv* (*that is*) à savoir.
namesake [ˈneɪmseɪk] *n* (*person*) homonyme *m*.
nanny [ˈnænɪ] *n* nurse *f*, bonne *f* d'enfants; (*grandmother*) *Fam* mamie *f*.
nanny-goat [ˈnænɪgəʊt] *n* chèvre *f*.
nap [næp] *n* (*sleep*) petit somme *m*; **to have** *or* **take a n.** faire un petit somme; (*after lunch*) faire la sieste ▮ *vi* (-pp-) sommeiller; **to catch s.o. napping** *Fig* prendre qn au dépourvu.
nape [neɪp] *n* **n. (of the neck)** nuque *f*.
napkin [ˈnæpkɪn] *n* (*at table*) serviette *f*; (*for baby*) *Old-fashioned Br* couche *f*. ●**nappy** *n* (*for baby*) *Br* couche *f*; **to have n. rash** avoir des rougeurs aux fesses (*dues aux couches*). ●**nappy-liner** *n Br* protège-couche *m*.
narcotic [nɑːˈkɒtɪk] *a & n* narcotique (*m*).
narrate [nəˈreɪt] *vt* raconter. ●**narrative** [ˈnærətɪv] *n* (*story*) récit *m*, narration *f*; (*art,*

act) narration *f*. ●**narrator** *n* narrateur, -trice *mf*.
narrow [ˈnærəʊ] *a* (-er, -est) étroit; (*majority*) faible, petit ▮ *vi* (*of path*) se rétrécir; **to n. down** (*of choice etc*) se limiter (**to** à) ▮ *vt* **to n. (down)** (*choice, meaning etc*) limiter. ●**narrowly** *adv* (*to miss etc*) de justesse; (*strictly*) strictement; **he n. escaped** *or* **missed being killed/etc** il a failli être tué/etc. ●**narrowness** *n* étroitesse *f*.
narrow-minded [næɹəʊˈmaɪndɪd] *a* borné. ●**narrow-mindedness** *n* étroitesse *f* (d'esprit).
nasal [ˈneɪz(ə)l] *a* nasal; (*voice*) nasillard.
nasty [ˈnɑːstɪ] *a* (-ier, -iest) (*bad*) mauvais, vilain; (*spiteful*) méchant, désagréable (**to, towards** avec); **a n. mess** *or* **muddle** un gâchis. ●**nastily** *adv* (*to behave*) méchamment; (*to rain*) horriblement. ●**nastiness** *n* (*malice*) méchanceté *f*; **n. of the weather/taste/etc** le mauvais temps/goût/etc.
nation [ˈneɪʃ(ə)n] *n* nation *f*; **United Nations** (Organisation *f* des) Nations unies.
national [ˈnæʃən(ə)l] *a* national; **n. anthem** hymne *m* national; **N. Health Service** *Br* = Sécurité *f* Sociale; **n. insurance** *Br* = assurances *fpl* sociales ▮ *n* (*citizen*) ressortissant, -ante *mf*.
nationalist [ˈnæʃənəlɪst] *n* nationaliste *mf*. ●**nationaˈlistic** *a Pej* nationaliste.
nationality [næʃəˈnælətɪ] *n* nationalité *f*.
nationalize [ˈnæʃənəlaɪz] *vt* nationaliser.
nationally [ˈnæʃənəlɪ] *adv* (*to travel, be known etc*) dans le pays (tout) entier.
nationwide [ˈneɪʃənwaɪd] *a & adv* dans le pays (tout) entier.
native [ˈneɪtɪv] *a* (*country*) natal (*mpl* -als); (*habits, costume*) du pays; (*tribe, plant*) indigène; (*charm, ability*) inné; **n. language** langue *f* maternelle; **to be an English n. speaker** parler l'anglais comme langue maternelle ▮ *n* (*formerly, non-European in colony*) indigène *mf*; **to be a n. of** être originaire *or* natif de.
Nativity [nəˈtɪvɪtɪ] *n Rel* Nativité *f*.
NATO [ˈneɪtəʊ] *n abbr* (*North Atlantic Treaty Organization*) OTAN *f*.
natter [ˈnætər] *vi Br Fam* bavarder ▮ *n Br Fam* **to have a n.** bavarder.
natural [ˈnætʃ(ə)rəl] *a* naturel; (*actor, gardener etc*) né ▮ *n* **to be a n. for** (*job etc*) *Fam* être celui qu'il faut pour, être fait pour; **he's a n.** (*as actor*) *Fam* c'est un acteur-né. ●**naturalist** *n* naturaliste *mf*. ●**naturally** *adv* (*as normal, of course*) naturellement; (*by nature*) de nature; (*with naturalness*) (*to behave etc*) avec naturel. ●**naturalness** *n* naturel *m*.

naturalize ['nætʃ(ə)rəlaɪz] vt (person) naturaliser; **to become naturalized** se faire naturaliser. ● **naturalization** [-'zeɪʃ(ə)n] n naturalisation f.

nature ['neɪtʃər] n (natural world, character) nature f; (person's disposition) naturel m; **by n.** de nature; **n. study** sciences fpl naturelles.

naturist ['neɪtʃərɪst] n naturiste mf.

naught [nɔːt] n **1** Br Math zéro m. **2** (nothing) Lit rien m.

naughty ['nɔːtɪ] a (-ier, -iest) (child) vilain, malicieux; (joke, story) osé, grivois. ● **naughtily** adv (to behave) mal; (to say) avec malice. ● **naughtiness** n mauvaise conduite f.

nausea ['nɔːzɪə] n nausée f. ● **nauseate** vt écœurer. ● **nauseating** a (disgusting) écœurant. ● **nauseous** [Br 'nɔːzɪəs, Am 'nɔːʃəs] a (smell etc) nauséabond; **to feel n.** Am (sick) avoir envie de vomir; (disgusted) être écœuré.

nautical ['nɔːtɪk(ə)l] a nautique.

naval ['neɪv(ə)l] a naval; (hospital, power) maritime; (officer) de marine.

nave [neɪv] n (of church) nef f.

navel ['neɪv(ə)l] n nombril m.

navigate ['nævɪgeɪt] vi naviguer ▮ vt (boat) diriger, piloter; (river) naviguer sur. ● **navigable** a (river) navigable; (seaworthy) (boat etc) en état de naviguer. ● **navigation** [-'geɪʃ(ə)n] n navigation f. ● **navigator** n (on aircraft, boat etc) navigateur m.

navvy ['nævɪ] n (labourer) Br terrassier m.

navy ['neɪvɪ] n marine f ▮ a **n. (blue)** bleu marine inv.

Nazi ['nɑːtsɪ] a & n Pol Hist nazi, -ie (mf).

NB [en'biː] abbr (nota bene) NB.

near [nɪər] adv (-er, -est) près; **quite n., n. at hand** tout près; **to draw n.** (s')approcher (**to** de); (of date) approcher; **n. to** près de; **to come n. to being killed**/etc faillir être tué/etc; **n. enough** (more or less) plus ou moins.

▮ prep (-er, -est) **n. (to)** près de; **n. the bed** près du lit; **to be n. (to) victory/death** frôler la victoire/la mort; **n. (to) the end** vers la fin; **to come n. s.o.** s'approcher de qn.

▮ a (-er, -est) proche; **the nearest hospital** l'hôpital le plus proche; **the nearest way** la route la plus directe; **in the n. future** dans un avenir proche; **to the nearest franc** (to calculate) à un franc près; (to round up or down) au franc supérieur or inférieur; **n. side** Aut côté m gauche, Am côté m droit.

▮ vt (approach) approcher de; **nearing completion** près d'être achevé. ● **nearness** n (in space, time) proximité f.

nearby [nɪə'baɪ] adv tout près ▮ ['nɪəbaɪ] a proche.

nearly ['nɪəlɪ] adv presque; **she (very) n. fell** elle a failli tomber; **not n. as clever**/etc que.

near-sighted [nɪə'saɪtɪd] a myope.

neat [niːt] a (-er, -est) (clothes, work) soigné, propre, net (f nette); (room) bien rangé, ordonné; (style) élégant; (pretty) Fam joli, beau (f belle); (pleasant) Fam agréable; (good) Fam super; **to drink one's whisky**/etc **n.** prendre son whisky/etc sec. ● **neatly** adv avec soin; (skilfully) habilement. ● **neatness** n netteté f; (of room) ordre m.

nebulous ['nebjʊləs] a (idea etc) flou.

necessary ['nesɪs(ə)rɪ] a nécessaire; **it's n. to do it** il est nécessaire de faire, il faut faire; **to make it n. for s.o. to do** mettre qn dans la nécessité de faire; **to do what's n.** faire le nécessaire (for pour) ▮ n **to do the n.** Fam faire le nécessaire; **the necessaries** (food etc) l'indispensable m. ● **nece'ssarily** adv **not n.** pas forcément.

necessitate [nɪ'sesɪteɪt] vt nécessiter.

necessity [nɪ'sesɪtɪ] n (obligation, need) nécessité f; (poverty) indigence f; **there's no n. for you to do that** tu n'es pas obligé de faire cela; **of n.** nécessairement; **to be a n.** être indispensable; **the (bare) necessities** le (strict) nécessaire.

neck¹ [nek] n cou m; (of dress, horse) encolure f; (of bottle) col m; **low n.** (of dress) décolleté m; **n. and n.** (in race etc) à égalité. ● **necklace** n collier m. ● **neckline** n encolure f. ● **necktie** n cravate f.

neck² [nek] vi (kiss etc) Fam se peloter.

nectarine ['nektəriːn] n (fruit) nectarine f, brugnon m.

née [neɪ] adv **n. Dupont** née Dupont.

need [niːd] **1** n (necessity, want, poverty) besoin m; **in n.** dans le besoin; **to be in n. of** avoir besoin de; **there's no n. (for you) to do that** tu n'as pas besoin de faire cela; **if n. be** si besoin est, s'il le faut.

▮ vt avoir besoin de; **you n. it** tu en as besoin, il te le faut; **it needs an army or an army is needed to do that** il faut une armée pour faire cela; **this sport needs patience** ce sport demande de la patience; **her hair needs cutting** il faut qu'elle se fasse couper les cheveux.

2 v aux **n. he wait?** est-il obligé d'attendre?, a-t-il besoin d'attendre?; **I needn't have rushed** ce n'était pas la peine de me presser; **I n. hardly say that...** je n'ai guère besoin de dire que.... ● **needy** a (-ier, -iest) nécessiteux.

needle ['niːd(ə)l] **1** n aiguille f; (of record player) saphir m. **2** vt (irritate) Fam agacer. ● **needlepoint** n tapisserie f (à l'aiguille). ● **needlework** n couture f, travaux mpl d'aiguille; (object) ouvrage m.

needless ['niːdləs] a inutile. ● **needlessly** adv inutilement.

negate [nɪ'geɪt] vt (nullify) annuler; (deny) nier. ● **negation** [-'geɪʃ(ə)n] n (denial) & Grammar négation f.

negative ['negətɪv] a négatif ▮ n (of photo) négatif m; (word, word group) négation f; (grammatical form) forme f négative; **to answer in the n.** répondre par la négative.

neglect [nɪ'glekt] vt (person, health, work etc) négliger; (garden, car etc) ne pas s'occuper de; (duty) négliger, manquer à;

negligent

(*rule*) désobéir à, méconnaître; **to n. to do** négliger de faire.
■ *n* (*of person*) manque *m* de soins (**of** envers); (*of rule*) désobéissance *f* (**of** à); (*of duty*) manquement *m* (**of** à); (*carelessness*) négligence *f*; **in a state of n.** (*garden, house etc*) mal tenu. ● **neglected** *a* (*appearance, person*) négligé; (*garden, house etc*) mal tenu; **to feel n.** sentir qu'on vous néglige.
● **neglectful** *a* négligent; **to be n. of** négliger.

negligent ['neglɪdʒənt] *a* négligent. ● **negligence** *n* négligence *f*. ● **negligently** *adv* négligemment.

negligible ['neglɪdʒəb(ə)l] *a* négligeable.

negotiate [nɪˈgəʊʃɪeɪt] **1** *vti* (*discuss*) négocier. **2** *vt* (*fence, obstacle*) franchir; (*bend*) (*in vehicle*) négocier. ● **negotiable** *a* Fin négociable. ● **negotiation** [-ˈeɪʃ(ə)n] *n* négociation *f*; **in n. with** en pourparlers avec. ● **negotiator** *n* négociateur, -trice *mf*.

Negro [ˈniːgrəʊ] *n* (*pl* **-oes**) *often Pej* (*man*) Noir *m*; (*woman*) Noire *f* ■ *a* noir; (*art, sculpture etc*) nègre.

neigh [neɪ] *vi* (*of horse*) hennir ■ *n* hennissement *m*.

neighbour [ˈneɪbər] (*Am* **neighbor**) *n* voisin, -ine *mf*. ● **neighbourhood** (*Am* **neighborhood**) *n* (*district*) quartier *m*, voisinage *m*; (*neighbours*) voisinage *m*; **in the n. of ten dollars/kilos** dans les dix dollars/kilos. ● **neighbouring** (*Am* **neighboring**) *a* voisin. ● **neighbourly** (*Am* **neighborly**) *a* (*feeling etc*) amical, de bon voisinage; **they're n.** (*people*) ils sont bons voisins.

neither [*Br* ˈnaɪðər, *Am* ˈniːðər] *adv* ni; **n....nor** ni...ni; **n. you nor me** ni toi ni moi; **he n. sings nor dances** il ne chante ni ne danse.
■ *conj* (*not either*) (ne)...non plus; **n. will I go** je n'y irai pas non plus; **n. do I, n. can I** *etc* (ni) moi non plus.
■ *a* **n. boy (came)** aucun des deux garçons (n'est venu); **on n. side** ni d'un côté ni de l'autre.
■ *pron* **n. (of them)** ni l'un(e) ni l'autre, aucun(e) (des deux).

neo- [ˈniːəʊ] *pref* néo-.

neon [ˈniːɒn] *n* (*gas*) néon *m*; **n. lighting/sign**/*etc* éclairage *m*/enseigne *f* au néon.

nephew [ˈnevjuː, ˈnefjuː] *n* neveu *m*.

nepotism [ˈnepətɪz(ə)m] *n* népotisme *m*.

nerd [nɜːd] *n* (*stupid person*) *Sl* nullard, -arde *mf*, ducon *mf*.

nerve [nɜːv] *n* nerf *m*; (*courage*) courage *m* (**to do** de faire); (*confidence*) assurance *f*; (*calm*) sang-froid *m*; (*impudence*) *Fam* culot *m* (**to do** de faire); **you get on my nerves** *Fam* tu me tapes sur les nerfs; **to have an attack of nerves** (*fear, anxiety*) avoir le trac; **she's a bundle** *or* **mass** *or* **bag of nerves** *Fam* c'est un paquet de nerfs; **to have bad nerves** être nerveux; **n. cell** cellule *f* nerveuse; **n. centre** centre *m* nerveux. ● **nerve-racking** *a* éprouvant pour les nerfs.

nervous [ˈnɜːvəs] *a* (*person*) (*tense*) nerveux; (*worried*) inquiet (**about** de); (*uneasy*) mal à l'aise; (*illness etc*) nerveux; **to be** *or* **feel n.** (*before exam, performance etc*) avoir le trac; **to have a n. breakdown** faire une dépression nerveuse. ● **nervously** *adv* nerveusement; (*worriedly*) avec inquiétude. ● **nervousness** *n* nervosité *f*; (*fear*) trac *m*.

nervy [ˈnɜːvɪ] *a* (**-ier, -iest**) *Fam* (*anxious*) nerveux; (*brash*) *Am* culotté.

nest [nest] *n* nid *m*; **n. egg** (*money saved*) pécule *m*; **n. of tables** table *f* gigogne ■ *vi* (*of bird*) (se) nicher.

nestle [ˈnes(ə)l] *vi* se pelotonner (**up to** contre); **a village nestling in** (*forest, valley etc*) un village niché dans.

net [net] **1** *n* filet *m*; **n. curtain** voilage *m* ■ *vt* (**-tt-**) (*fish*) prendre au filet. **2** *a* (*profit, weight, value etc*) net (*f* **nette**) ■ *vt* (**-tt-**) (*of person, company etc*) gagner net; **this venture netted them...** cette entreprise leur a rapporté.... ● **netting** *n* (*nets*) filets *mpl*; (*mesh*) mailles *fpl*; (*fabric*) voile *m*; (**wire**) **n.** grillage *m*.

Netherlands (the) [ðəˈneðələndz] *npl* les Pays-Bas *mpl*.

nettle [ˈnet(ə)l] *n* ortie *f*.

network [ˈnetwɜːk] *n* réseau *m*.

neuro- [ˈnjʊərəʊ] *pref* neuro-.

neurosis, *pl* **-oses** [njʊˈrəʊsɪs, -əʊsiːz] *n* névrose *f*. ● **neurotic** [-ˈrɒtɪk] *a* & *n* névrosé, -ée (*mf*).

neuter [ˈnjuːtər] **1** *a* & *n* Grammar neutre (*m*). **2** *vt* (*cat etc*) châtrer.

neutral [ˈnjuːtrəl] *a* neutre; (*policy*) de neutralité ■ *n* (*electrical wire*) neutre *m*; **in n. (gear)** (*vehicle*) au point mort. ● **neu'trality** *n* neutralité *f*. ● **neutralize** *vt* neutraliser.

never [ˈnevər] *adv* **1** (*not ever*) (ne...) jamais; **she n. lies** elle ne ment jamais; **n. in (all) my life** jamais de ma vie; **n. again** plus jamais. **2** (*not*) *Fam* **I n. did it** je ne l'ai pas fait. ● **never-'ending** *a* interminable.

nevertheless [nevəðəˈles] *adv* néanmoins, quand même.

new [njuː] *a* **1** (**-er, -est**) nouveau (*f* nouvelle); (*brand-new*) neuf (*f* neuve); **to be n. to** (*job*) être nouveau dans; (*city*) être un nouveau-venu dans, être fraîchement installé dans; **a n. boy** (*in school*) un nouveau; **a n. girl** une nouvelle; **what's n.?** *Fam* quoi de neuf?; **to break n. ground** innover; **n. look** (*of person*) nouveau look *m*; (*of company etc*) nouvelle image *f*; **it's as good as n.** c'est comme neuf; **a n.-born baby** un nouveau-né, une nouveau-née; **a n.-laid egg** *Br* un œuf du jour. **2** (*different*) **a n. glass/pen**/*etc* un autre verre/stylo/*etc*.

newcomer [ˈnjuːkʌmər] *n* nouveau-venu *m*, nouvelle-venue *f*. ● **new'fangled** *a* (*trop*) moderne. ● **new-found** *a* nouveau (*f* nouvelle). ● **newly** *adv* (*recently*) nouvellement, fraîchement; **the n.-weds** les nouveaux mariés. ● **newness** *n* (*condition*) état *m* neuf; (*novelty*) nouveauté *f*.

news [njuːz] *n* nouvelle(s) *f(pl)*; (*in the*

media) informations *fpl*, actualités *fpl*; **sports/***etc* **n.** (*newspaper column*) chronique *f or* rubrique *f* sportive/*etc*; **a piece of n.**, **some n.** une nouvelle; (*in the media*) une information; **n. agency** agence *f* de presse; **n. flash** flash *m*; **n. headlines** titres *mpl* de l'actualité; **n. stand** kiosque *m* à journaux.

newsagent ['njuːzeɪdʒənt] *n Br* marchand, -ande *mf* de journaux. ●**newsboy** *n* vendeur *m* de journaux. ●**newscaster** *n* présentateur, -trice *mf*. ●**newsdealer** *n Am* = newsagent. ●**newsletter** *n* (*of club, group etc*) bulletin *m*. ●**newspaper** *n* journal *m*. ●**newspaperman** *n* (*pl* -men) journaliste *m*. ●**newsprint** *n* papier *m* (de) journal. ●**newsreader** *n Br* présentateur, -trice *mf*. ●**newsreel** *n Cinema* actualités *fpl*. ●**newsworthy** *a* digne de faire l'objet d'un reportage. ●**newsy** *a* (-ier, -iest) (*letter etc*) *Fam* plein de nouvelles.

newt [njuːt] *n* (*animal*) triton *m*.

New Zealand [njuː'ziːlənd] *n* Nouvelle-Zélande *f* ▮ *a* néo-zélandais. ●**New Zealander** *n* Néo-Zélandais, -aise *mf*.

next [nekst] *a* prochain; (*room, house*) d'à-côté, voisin; (*following*) suivant; **n. month** (*in the future*) le mois prochain; **he returned the n. month** (*in the past*) il revint le mois suivant; **the n. day** le lendemain; **the n. morning** le lendemain matin; **within the n. ten days** d'ici (à) dix jours, dans un délai de dix jours; **this time n. week** d'ici (à) la semaine prochaine; **from one year to the n.** d'une année à l'autre; **you're n.** c'est ton tour; **n. (please)!** (au) suivant!; **the n. thing to do is...** ce qu'il faut faire ensuite c'est...; **the n. size (up)** la taille au-dessus; **to live/***etc* **n. door** habiter/*etc* à côté (**to** de); **n.-door neighbour/room** voisin *m*/pièce *f* d'à-côté.

▮ *n* (*in series etc*) suivant, -ante *mf*.

▮ *adv* (*afterwards*) ensuite, après; (*now*) maintenant; **when you come 'n.** la prochaine fois que tu viendras; **the n. best solution** la seconde solution.

▮ *prep* **n. to** (*beside*) à côté de; **n. to nothing** presque rien.

NHS [eneɪtʃ'es] *n abbr* (*National Health Service*) *Br* = Sécurité *f* Sociale.

nib [nɪb] *n* (*of pen*) plume *f*, bec *m*.

nibble ['nɪb(ə)l] *vti* (*eat*) grignoter; (*bite*) mordiller.

Nicaragua [nɪkə'rægjʊə] *n* Nicaragua *m*.

nice [naɪs] *a* (-er, -est) (*pleasant*) agréable; (*charming*) charmant, gentil (*f* gentille); (*good*) bon (*f* bonne); (*fine*) beau (*f* belle); (*pretty*) joli; (*kind*) gentil (**to** avec); (*respectable*) bien *inv*; (*subtle*) délicat; **it's n. here** c'est bien ici; **n. and easy/warm/***etc* (*very*) bien facile/chaud/*etc*. ●**nice-'looking** *a* beau (*f* belle), joli. ●**nicely** *adv* agréablement; (*kindly*) gentiment; (*well*) bien.

niceties ['naɪsətɪz] *npl* (*pleasant things*) agréments *mpl*; (*subtleties*) subtilités *fpl*.

niche [niːʃ, nɪtʃ] *n* **1** (*recess*) niche *f*. **2** (*job*) (bonne) situation *f*; (*direction*) voie *f*; **to make a n. for oneself** faire son trou; (*market*) **n.** créneau *m*.

nick [nɪk] **1** *n* (*on skin, wood*) entaille *f*; (*in blade, crockery*) brèche *f*. **2** *n* (*prison*) *Br Sl* taule *f* ▮ *vt* (*steal, arrest*) *Br Sl* piquer. **3** *n* **in the n. of time** juste à temps; **in good n.** *Br Sl* en bon état.

nickel ['nɪk(ə)l] *n* (*metal*) nickel *m*; (*coin*) *Am* pièce *f* de cinq cents.

nickname ['nɪkneɪm] *n* (*informal name*) surnom *m*; (*short form*) diminutif *m* ▮ *vt* surnommer.

nicotine ['nɪkətiːn] *n* nicotine *f*.

niece [niːs] *n* nièce *f*.

nifty ['nɪftɪ] *a* (-ier, -iest) (*stylish*) chic *inv*; (*skilful*) habile; (*fast*) rapide.

Nigeria [naɪ'dʒɪərɪə] *n* Nigéria *m*. ●**Nigerian** *a* nigérian ▮ *n* Nigérian, -ane *mf*.

niggardly ['nɪgədlɪ] *a* (*person*) avare; (*amount*) mesquin.

niggling ['nɪglɪŋ] *a* (*trifling*) insignifiant; (*irksome*) irritant; (*doubt*) persistant.

night [naɪt] *n* nuit *f*; (*evening*) soir *m*; **at n.** la nuit; **by n.** de nuit; **last n.** (*evening*) hier soir; (*night*) cette nuit, la nuit dernière; **to have an early/late n.** se coucher tôt/tard; **to have a good n.('s sleep)** bien dormir; **first n.** (*of play*) première *f*; **the last n.** (*of play*) la dernière.

▮ *a* (*work, flight etc*) de nuit; **n. life** vie *f* nocturne; **n. school** cours *mpl* du soir; **n. shift** poste *m* de nuit; (*workers*) équipe *f* de nuit; **n. watchman** veilleur *m* de nuit.

nightcap ['naɪtkæp] *n* (*drink*) boisson *f* (alcoolisée ou chaude prise avant de se coucher). ●**nightclub** *n* boîte *f* de nuit. ●**nightdress** *or* **nightgown** *or Fam* **nightie** *n* (*woman's*) chemise *f* de nuit. ●**nightfall** *n* **at n.** à la tombée de la nuit. ●**nightlight** *n* veilleuse *f*. ●**nighttime** *n* nuit *f*.

nightingale ['naɪtɪŋgeɪl] *n* rossignol *m*.

nightly ['naɪtlɪ] *adv* chaque nuit *or* soir ▮ *a* de chaque nuit *or* soir.

nightmare ['naɪtmeər] *n* cauchemar *m*.

nil [nɪl] *n* (*nothing*) & *Br Sport* zéro *m*; **the risk/result/***etc* **is n.** le risque/résultat/*etc* est nul.

Nile [naɪl] *n* **the N.** le Nil.

nimble ['nɪmb(ə)l] *a* (-er, -est) agile.

nincompoop ['nɪŋkəmpuːp] *n Fam* imbécile *mf*.

nine [naɪn] *a & n* neuf (*m*).

nineteen [naɪn'tiːn] *a & n* dix-neuf (*m*). ●**nineteenth** *a & n* dix-neuvième (*mf*).

ninety ['naɪntɪ] *a & n* quatre-vingt-dix (*m*). ●**ninetieth** *a & n* quatre-vingt-dixième (*mf*).

ninth [naɪnθ] *a & n* neuvième (*mf*); **a n.** un neuvième.

nip [nɪp] **1** *vt* (-pp-) (*pinch, bite*) pincer; **to n. sth in the bud** *Fig* étouffer qch dans l'œuf ▮ *n* pinçon *m*; **there's a n. in the air** ça pince. **2** *vi* (-pp-) **to n. round to s.o.** *Br Fam* faire un saut chez qn, courir chez qn; **to n. in/out** (*dash*) *Br Fam* entrer/sortir un instant.

nipper ['nɪpər] *n* (*child*) *Br Fam* gosse *mf*.

nipple ['nɪp(ə)l] *n* bout *m* de sein, mamelon

nippy

m; (on baby's bottle) Am tétine f.
nippy ['nɪpɪ] a **1** (-ier, -iest) (chilly) (wind etc) frais (f fraîche); **it's n.** (weather) Fam ça pince. **2 to be n.** (about it) (quick) Br Fam faire vite.
nit [nɪt] n **1** (fool) Br Fam idiot, -ote mf. **2** (of louse) lente f.
nitrogen ['naɪtrədʒən] n azote m.
nitty-gritty [nɪtɪ'grɪtɪ] n **to get down to the n.-gritty** Fam en venir au fond du problème.
nitwit ['nɪtwɪt] n (fool) Fam idiot, -ote mf.
no [nəʊ] adv & n non (m inv); no! non!; **no more than ten/a kilo/etc** pas plus de dix/d'un kilo/etc; **no less than ten/etc** pas moins de dix/etc; **no more time/etc** plus de temps/etc; **I have no more time** je n'ai plus de temps; **no more/less than you** pas plus/moins que vous; **you can do no better** tu ne peux pas faire mieux; **the noes** (in voting) les non.
▮ a aucun(e); pas de; **I've got** or **I have no idea** je n'ai aucune idée; **no child came** aucun enfant n'est venu; **I've got** or **I have no money/time/etc** je n'ai pas d'argent/de temps/etc; **I have no time to play/etc** je n'ai pas le temps de jouer/etc; **of no importance/ value/etc** sans importance/valeur/etc; **with no gloves/hat/etc on** sans gants/chapeau/etc; **there's no knowing...** impossible de savoir...; **'no smoking'** 'défense de fumer'; **no way!** Fam pas question!; **no one = nobody**.
noble ['nəʊb(ə)l] a (-er, -est) noble; (building) majestueux. ●**no'bility** n (character, class) noblesse f. ●**nobleman** n (pl -men) noble m. ●**noblewoman** n (pl -women) noble f.
nobody ['nəʊbɒdɪ] pron (ne...) personne; **n. came** personne n'est venu; **he knows n.** il ne connaît personne; **n.!** personne! ▮ n a n. une nullité.
nocturnal [nɒk'tɜːn(ə)l] a nocturne.
nod [nɒd] **1** vti (-dd-) **to n.** (one's head) faire un signe de tête, incliner la tête ▮ n signe m or inclination f de tête. **2** vi (-dd-) **to n. off** (go to sleep) s'assoupir.
noise [nɔɪz] n bruit m; (of bell, drum) son m; **to make a n.** faire du bruit.
noisy ['nɔɪzɪ] a (-ier, -iest) (person, street etc) bruyant. ●**noisily** adv bruyamment.
nomad ['nəʊmæd] n nomade mf. ●**no'madic** a nomade.
nominal ['nɒmɪn(ə)l] a (value, fee etc) nominal; (rent, salary) symbolique; (ruler) de nom.
nominate ['nɒmɪneɪt] vt (appoint) nommer, désigner; (as candidate) proposer (**for** comme candidat à). ●**nomination** [-'neɪʃ(ə)n] n (appointment) nomination f; (as candidate) proposition f de candidat. ●**nomi'nee** n (candidate) candidat m.
non- [nɒn] pref non-.
non-aligned [nɒnə'laɪnd] a (country) non-aligné.
nonchalant ['nɒnʃələnt] a nonchalant.
noncommissioned [nɒnkə'mɪʃ(ə)nd] a **n. officer** Mil sous-officier m.

non-committal [nɒnkə'mɪt(ə)l] a (answer, person) évasif.
nonconformist [nɒnkən'fɔːmɪst] a & n non-conformiste (mf).
nondescript ['nɒndɪskrɪpt] a quelconque, très ordinaire.
none [nʌn] pron aucun(e) mf; (in filling out a form) néant; **n. of them** aucun d'eux; **she has n.** (at all) elle n'en a pas (du tout); **n.** (at all) **came** pas un(e) seul(e) n'est venu(e); **n. can tell** personne ne peut le dire; **n. of the cake/ etc** pas une seule partie du gâteau/etc; **n. of the trees/etc** aucun des arbres/etc, aucun arbre/etc; **n. of it** or **this** rien (de ceci).
▮ adv **n. too hot/etc** pas tellement chaud/etc; **he's n. the happier/wiser/etc** (for it) il n'en est pas plus heureux/sage/etc; **n. the less** néanmoins. ●**nonethe'less** adv néanmoins.
nonentity [nɒ'nentɪtɪ] n (person) nullité f.
non-existent [nɒnɪg'zɪstənt] a inexistant.
non-fiction [nɒn'fɪkʃ(ə)n] n littérature f non-romanesque; (in library) ouvrages mpl généraux.
non-flammable [nɒn'flæməb(ə)l] a in-inflammable.
non-iron [nɒn'aɪən] a (shirt etc) qui ne se repasse pas.
nonplus [nɒn'plʌs] vt (-ss-) dérouter.
non-political [nɒnpə'lɪtɪk(ə)l] a apolitique.
non-profit-making [nɒn'prɒfɪtmeɪkɪŋ] (Am **non-profit**) a sans but lucratif.
nonsense ['nɒnsəns] n absurdités fpl; **that's n.** c'est absurde. ●**non'sensical** a absurde.
non-smoker [nɒn'sməʊkər] n (person) non-fumeur, -euse mf; (compartment on train) compartiment m non-fumeurs.
non-stick [nɒn'stɪk] a (pan) anti-adhésif, qui n'attache pas.
non-stop [nɒn'stɒp] a sans arrêt; (train, flight) direct ▮ adv (to work etc) sans arrêt; (to fly) sans escale.
noodles ['nuːd(ə)lz] npl nouilles fpl; (in soup) vermicelle(s) m(pl).
nook [nʊk] n coin m; **in every n. and cranny** dans tous les coins (et recoins).
noon [nuːn] n midi m; **at n.** à midi ▮ a (sun etc) de midi.
no-one ['nəʊwʌn] pron = **nobody**.
noose [nuːs] n (loop) nœud m coulant; (of hangman) corde f.
nor [nɔːr] conj ni; **neither you n. me** ni toi ni moi; **she neither drinks n. smokes** elle ne fume ni ne boit; **n. do I, n. can I** etc (ni) moi non plus; **n. will I (go)** je n'y irai pas non plus.
norm [nɔːm] n norme f.
normal ['nɔːm(ə)l] a normal ▮ n **above/below n.** au-dessus/au-dessous de la normale. ●**nor'mality** n normalité f. ●**normalize** vt normaliser. ●**normally** adv normalement.
Norman ['nɔːmən] a normand. ●**Normandy** n Normandie f.
north [nɔːθ] n nord m; **(to the) n. of** au nord de.
▮ a (coast) nord inv; (wind) du nord; **N.**

America/Africa Amérique *f*/Afrique *f* du Nord; **N. American** (*a*) nord-américain; (*n*) Nord-Américain, -aine *mf*.

■ *adv* au nord, vers le nord. ●**northbound** *a* (*traffic*) en direction du nord; (*carriageway*) Br nord *inv*. ●**north-'east** *n* & *a* nord-est *m* & *a inv*. ●**northerly** ['nɔːðəlɪ] *a* (*point*) nord *inv*; (*direction, wind*) du nord. ●**northern** ['nɔːðən] *a* (*coast*) nord *inv*; (*town*) du nord; **N. France** le Nord de la France; **N. Europe** Europe *f* du Nord; **N. Ireland** Irlande *f* du Nord. ●**northerner** *n* habitant, -ante *mf* du Nord. ●**northward(s)** *a* & *adv* vers le nord. ●**north-'west** *n* & *a* nord-ouest *m* & *a inv*.

Norway ['nɔːweɪ] *n* Norvège *f*. ●**Nor'wegian** [nɔː'wiːdʒən] *a* norvégien ■ *n* (*language*) norvégien *m*; (*person*) Norvégien, -ienne *mf*.

nose [nəʊz] *n* nez *m*; **her n. is bleeding** elle saigne du nez; **to turn one's n. up** Fig faire le dégoûté (**at** devant) ■ *vi* **to n. about** (*pry*) Fam fouiner. ●**nosebleed** *n* saignement *m* de nez. ●**nosedive** *n* (*of aircraft*) piqué *m*; (*in prices*) chute *f*.

nosey ['nəʊzɪ] *a* (-**ier**, -**iest**) indiscret, fouineur; **n. parker** Br fouineur, -euse *mf*.

nosh [nɒʃ] *vi* Fam (*have a light meal*) grignoter (entre les repas); (*eat*) Br bouffer ■ *n* Fam (*light meal*) (petit) en-cas *m*; (*food*) Br bouffe *f*.

nostalgia [nɒ'stældʒɪə] *n* nostalgie *f*. ●**nostalgic** *a* nostalgique.

nostril ['nɒstr(ə)l] *n* (*of person*) narine *f*; (*of horse*) naseau *m*.

nosy ['nəʊzɪ] *a* = **nosey**.

not [nɒt] *adv* **1** (ne...) pas; **he's n. there, he isn't there** il n'est pas là; **n. yet** pas encore; **why n.?** pourquoi pas?; **n. one reply**/*etc* pas une seule réponse/*etc*; **n. at all** pas du tout; (*after 'thank you'*) je vous en prie.

2 non; **I think/hope n.** je pense/j'espère que non; **n. guilty** non coupable; **isn't she?, don't you?** *etc* non?

notable ['nəʊtəb(ə)l] *a* (*remarkable*) notable ■ *n* (*person*) notable *m*. ●**notably** *adv* (*noticeably*) notablement; (*particularly*) notamment.

notary ['nəʊtərɪ] *n* notaire *m*.

notation [nəʊ'teɪʃ(ə)n] *n* notation *f*.

notch [nɒtʃ] **1** *n* (*in wood etc*) encoche *f*, entaille *f*; (*in belt, wheel*) cran *m*. **2** *vt* **to n. up** (*a score*) marquer; (*a victory*) enregistrer.

note [nəʊt] *n* (*written comment, tone, musical etc*) note *f*; (*summary, preface*) notice *f*; (*banknote*) Br billet *m*; (*piano key*) touche *f*; (*message, letter*) petit mot *m*; **to take (a) n. of, make a n. of** prendre note de; **actor/***etc* **of n.** acteur *m*/*etc* éminent.

■ *vt* (*take note of*) noter; (*notice*) remarquer, noter; **to n. down** (*word, remark etc*) noter. ●**notebook** *n* carnet *m*; (*for school*) cahier *m*; (*pad*) bloc-notes *m*. ●**notepad** *n* blocnotes *m*. ●**notepaper** *n* papier *m* à lettres.

noted ['nəʊtɪd] *a* (*author, actor etc*) éminent; **to be n. for one's charm/its beauty**/*etc* être connu pour son charme/sa beauté/*etc*.

noteworthy ['nəʊtwɜːðɪ] *a* notable.

nothing ['nʌθɪŋ] *pron* (ne...) rien; **he knows n.** il ne sait rien; **n. at all** rien du tout; **n. to do/eat/***etc* rien à faire/manger/*etc*; **n. big/***etc* rien de grand/*etc*; **n. much** pas grand-chose; **n. but problems/***etc* rien que des problèmes/*etc*; **I've got n. to do with it** je n'y suis pour rien; **I can do n.** (about it) je n'y peux rien; **to come to n.** (*of efforts etc*) ne rien donner; **there's n. like it** il n'y a rien de tel; **for n.** (*in vain, free of charge*) pour rien; **to have n. on** être tout nu.

■ *adv* **to look n. like s.o.** ne ressembler nullement à qn; **n. like as large/***etc* loin d'être aussi grand/*etc*.

■ *n* **a** (**mere**) **n.** (*person*) une nullité; (*thing*) un rien. ●**nothingness** *n* (*void*) néant *m*.

notice ['nəʊtɪs] *n* (*notification*) avis *m*; (*in newspaper*) annonce *f*; (*sign*) pancarte *f*, écriteau *m*; (*poster*) affiche *f*; (*review of film etc*) critique *f*; (*attention*) attention *f*; **(advance) n.** (*of departure etc*) préavis *m*; **to give s.o. (advance) n.** (*inform*) avertir qn (**of** de); **n.** (**to quit**), **n.** (**of dismissal**) congé *m*; **to give (s.o.) one's n.** (*resignation*) donner sa démission; **to take n.** faire attention (**of** à); **to bring sth to s.o.'s n.** porter qch à la connaissance de qn; **until further n.** jusqu'à nouvel ordre; **at short n.** au dernier moment; **n. board** Br tableau *m* d'affichage.

■ *vt* (*become aware of*) remarquer (*qn*); (*fact, trick, danger etc*) s'apercevoir de, remarquer; **I n. that** je m'aperçois que, je remarque que.

■ *vi* remarquer.

noticeable ['nəʊtɪsəb(ə)l] *a* visible, perceptible; **that's n.** ça se voit; **she's n.** elle se fait remarquer.

notify ['nəʊtɪfaɪ] *vt* (*inform*) avertir (**s.o. of sth** qn de qch); (*announce*) notifier (**to** à). ●**notification** [-'keɪʃ(ə)n] *n* avis *m*, annonce *f*.

notion ['nəʊʃ(ə)n] *n* (*thought*) idée *f*; (*awareness*) notion *f*; **to have some n. of** (*knowledge*) avoir quelques notions de. ●**notions** *npl* (*sewing articles*) Am mercerie *f*.

notorious [nəʊ'tɔːrɪəs] *a* (*event, person etc*) tristement célèbre; (*stupidity, criminal*) notoire. ●**notoriety** [nəʊtə'raɪətɪ] *n* (triste) notoriété *f*.

notwithstanding [nɒtwɪð'stændɪŋ] *prep* malgré ■ *adv* tout de même.

nougat [Br 'nuːgɑː, 'nʌgət] *n* nougat *m*.

nought [nɔːt] *n* Br Math zéro *m*; **noughts and crosses** (*game*) Br = morpion *m*.

noun [naʊn] *n* Grammar nom *m*.

nourish ['nʌrɪʃ] *vt* nourrir. ●**nourishing** *a* nourrissant. ●**nourishment** *n* nourriture *f*.

novel ['nɒv(ə)l] **1** *n* roman *m*. **2** *a* (*new*) nouveau (*f* nouvelle), original. ●**novelist** *n* romancier, -ière *mf*. ●**novelty** *n* (*newness, object, idea*) nouveauté *f*.

November [nəʊ'vembər] *n* novembre *m*.

novice ['nɒvɪs] *n* novice *mf* (**at** en).

now [nau] *adv* maintenant; **just n., right n.** en ce moment; **I saw her just n.** je l'ai vue à l'instant; **for n.** pour le moment; **even n.** encore maintenant; **from n. on** désormais, à partir de maintenant; **until n., up to n.** jusqu'ici, jusqu'à maintenant; **before n.** avant; **n. and then** de temps à autre; **n. hot, n. cold** tantôt chaud, tantôt froid; **n. (then)!** bon!, alors!; *(telling s.o. off)* allons!; **n. it happened that...** or il advint que.... ▌*conj* **n. (that)** maintenant que.

nowadays ['nauədeɪz] *adv* aujourd'hui, de nos jours.

noway ['nəuweɪ] *adv Am* nullement.

nowhere ['nəuweər] *adv* nulle part; **n. else** nulle part ailleurs; **it's n. I know** ce n'est pas un endroit que je connais; **n. near the house** loin de la maison; **n. near enough** loin d'être assez.

nozzle ['nɒz(ə)l] *n (of hose)* jet *m*, lance *f* (à eau); *(of syringe, tube)* embout *m*.

nth [enθ] *a* nième.

nuance ['njuːɑːns] *n (of meaning, colour etc)* nuance *f*.

nub [nʌb] *n (of problem)* cœur *m*.

nuclear ['njuːklɪər] *a* nucléaire; **n. scientist** spécialiste *mf* du nucléaire, atomiste *mf*.

nucleus, *pl* **-clei** ['njuːklɪəs, -klɪaɪ] *n* noyau *m (pl* noyaux*)*.

nude [njuːd] *a* nu ▌*n (female or male figure)* nu *m*; **in the n.** (tout) nu.

nudge [nʌdʒ] *vt (with elbow)* pousser du coude ▌*n* coup *m* de coude.

nudism ['njuːdɪz(ə)m] *n* nudisme *m*, naturisme *m*. ●**nudist** *n* nudiste *mf*, naturiste *mf* ▌*a (camp)* de nudistes, de naturistes.

nudity ['njuːdɪtɪ] *n* nudité *f*.

nugget ['nʌgɪt] *n (of gold etc)* pépite *f*.

nuisance ['njuːs(ə)ns] *n (annoyance)* embêtement *m*; *(person)* peste *f*; **that's a n.** c'est embêtant; **he's being a n., he's making a n. of himself** il nous embête, il m'embête *etc*.

null [nʌl] *a* **n. (and void)** nul (et non avenu). ●**nullify** *vt* infirmer.

numb [nʌm] *a (stiff) (hand etc)* engourdi; *Fig (with fear)* paralysé; *(with shock, horror)* hébété; **n. with cold** engourdi par le froid ▌*vt* engourdir; *Fig (of fear)* paralyser; *(of shock etc)* hébéter. ●**numbness** *n (of hand etc)* engourdissement *m*.

number ['nʌmbər] *n* nombre *m*; *(of page, house, telephone etc)* numéro *m*; **a dance/song n.** un numéro de danse/de chant; **a/any n. of** un certain/grand nombre de; **n. plate** *(of vehicle) Br* plaque *f* d'immatriculation. ▌*vt (page etc)* numéroter; *(include, count, amount to)* compter; **they n. eight** ils sont au nombre de huit. ●**numbering** *n* numérotage *m*.

numeral ['njuːm(ə)rəl] *n* chiffre *m* ▌*a* numéral.

numerate ['njuːm(ə)rət] *a (person)* qui sait compter.

numerical [njuːˈmerɪk(ə)l] *a* numérique.

numerous ['njuːmərəs] *a* nombreux.

nun [nʌn] *n* religieuse *f*.

nurse [nɜːs] **1** *n* infirmière *f*; *(for children in household)* nurse *f*; **(male) n.** infirmier *m*. **2** *vt (look after)* soigner; *(suckle)* nourrir, allaiter; *(cradle)* bercer; *(a grudge etc) Fig* nourrir; *(support, encourage) Fig* épauler *(qn)*. ●**nursing** *a* **n. mother** mère *f* qui allaite; **the n. staff** le personnel infirmier ▌*n (care)* soins *mpl*; *(job)* profession *f* d'infirmière *or* d'infirmier; **n. home** *Br* clinique *f*.

nursemaid ['nɜːsmeɪd] *n* bonne *f* d'enfants.

nursery ['nɜːsərɪ] *n (children's room)* chambre *f* d'enfants; *(for plants, trees)* pépinière *f*; **(day) n.** *(school etc)* crèche *f*, garderie *f*; **n. education** *Br* enseignement *m* de la maternelle; **n. nurse** *Br* puéricultrice *f*; **n. rhyme** chanson *f* enfantine; **n. school** école *f* maternelle.

nurture ['nɜːtʃər] *vt (educate)* éduquer.

nut¹ [nʌt] *n (fruit)* fruit *m* à coque; *(walnut)* noix *f*; *(hazelnut)* noisette *f*; *(peanut)* cacah(o)uète *f*; **Brazil/cashew n.** noix *f* du Brésil/de cajou. ●**nutcracker(s)** *n(pl)* casse-noix *m inv*. ●**nutshell** *n* coquille *f* de noix; **in a n.** *Fig* en un mot.

nut² [nʌt] *n* **1** *(for bolt)* écrou *m*. **2** *(head) Sl* caboche *f*.

nut³ [nʌt] *n (crazy person) Sl* cinglé, -ée *mf*. ●**nutcase** *n Sl* cinglé, -ée *mf*. ●**nuts** *a (crazy) Sl* cinglé **(about** de). ●**nutty** *a (-ier, -iest) Sl* cinglé.

nutmeg ['nʌtmeg] *n* muscade *f*.

nutrient ['njuːtrɪənt] *n* élément *m* nutritif.

nutrition [njuːˈtrɪʃ(ə)n] *n* nutrition *f*. ●**nutritional** *a (value etc)* nutritionnel.

nutritious [njuːˈtrɪʃəs] *a (meal, food)* nutritif.

nylon ['naɪlɒn] *n* nylon *m*; **nylons** *(stockings)* bas *mpl* nylon; **n. shirt/etc** chemise *f/etc* en nylon.

nymph [nɪmf] *n* nymphe *f*. ●**nymphoˈmaniac** *n Pej* nymphomane *f*.

O

O, o [əʊ] *n* O, o *m*.
oaf [əʊf] *n* balourd, -ourde *mf*. ● **oafish** *a* (*manners etc*) de balourd; **he's rather o.** il est un peu balourd.
oak [əʊk] *n* (*tree, wood*) chêne *m*; **o. table**/*etc* table *f*/*etc* de or en chêne.
OAP [əʊeɪ'piː] *n abbr* (*old age pensioner*) *Br* retraité, -ée *mf*.
oar [ɔːr] *n* aviron *m*, rame *f*.
oasis, *pl* **oases** [əʊ'eɪsɪs, əʊ'eɪsiːz] *n* oasis *f*.
oath [əʊθ] *n* (*pl* -s [əʊðz]) (*promise*) serment *m*; (*profanity*) juron *m*; **to take an o. to do** faire le serment de faire.
oatmeal ['əʊtmiːl] *n* farine *f* d'avoine; **o. biscuits** *Br*, **o. cookies** biscuits *mpl* à la farine d'avoine.
oats [əʊts] *npl* avoine *f*; (*porridge*) **o.** flocons *mpl* d'avoine.
obedient [ə'biːdɪənt] *a* obéissant. ● **obedience** *n* obéissance *f* (**to** à). ● **obediently** *adv* docilement.
obelisk ['ɒbəlɪsk] *n* (*monument*) obélisque *m*.
obese [əʊ'biːs] *a* obèse. ● **obesity** *n* obésité *f*.
obey [ə'beɪ] *vt* (*person, order, instructions etc*) obéir à; **to be obeyed** être obéi ▮ *vi* obéir.
obituary [ə'bɪtʃʊərɪ] *n* nécrologie *f*.
object¹ ['ɒbdʒɪkt] *n* (*thing*) objet *m*; (*aim*) but *m*, objet *m*; *Grammar* complément *m* (d'objet); **with the o. of** dans le but de; **that's no o.** (*no problem*) ça ne pose pas de problème; **price no o.** prix *m* indifférent.
object² [əb'dʒekt] *vt* **to o. to sth/s.o.** désapprouver qch/qn; **I o. to you(r) doing that** ça me gêne que tu fasses ça; **I o.!** je proteste!; **she didn't o. when...** elle n'a fait aucune objection quand... ▮ *vt* **to o. that** objecter que.
objection [əb'dʒekʃ(ə)n] *n* objection *f*; **I've got no o.** ça ne me gêne pas, je n'y vois pas d'objection or d'inconvénient.
objectionable [əb'dʒekʃ(ə)nəb(ə)l] *a* très désagréable.
objective [əb'dʒektɪv] **1** *n* (*aim, target*) objectif *m*. **2** *a* (*opinion etc*) objectif. ● **objectively** *adv* objectivement. ● **objec'tivity** *n* objectivité *f*.
objector [əb'dʒektər] *n* opposant, -ante *mf* (**to** à); **conscientious o.** objecteur *m* de conscience.
obligate ['ɒblɪgeɪt] *vt* contraindre (**to do** à faire). ● **obligation** [-'geɪʃ(ə)n] *n* obligation *f*; (*debt*) dette *f*; **under an o. to do** dans l'obligation de faire; **under an o. to s.o.** redevable à qn (**for** de).
obligatory [ə'blɪgət(ə)rɪ] *a* (*compulsory*) obligatoire; (*imposed by custom*) de rigueur.
oblige [ə'blaɪdʒ] *vt* **1** (*compel*) contraindre, obliger (**s.o. to do** qn à faire); **obliged to do** contraint à faire, obligé de faire. **2** (*help*) rendre service à, faire plaisir à (*qn*); **obliged to s.o.** reconnaissant à qn (**for** de); **much obliged!** merci infiniment! ● **obliging** *a* (*kind*) serviable, obligeant. ● **obligingly** *adv* obligeamment.
oblique [ə'bliːk] *a* (*line, angle, look etc*) oblique; (*reference, route*) indirect.
obliterate [ə'blɪtəreɪt] *vt* effacer. ● **obliteration** [-'reɪʃ(ə)n] *n* effacement *m*.
oblivion [ə'blɪvɪən] *n* oubli *m*.
oblivious [ə'blɪvɪəs] *a* inconscient (**to, of** de).
oblong ['ɒblɒŋ] *a* (*elongated*) oblong (*f* oblongue); (*rectangular*) rectangulaire ▮ *n* rectangle *m*.
obnoxious [əb'nɒkʃəs] *a* (*person, behaviour etc*) odieux; (*smell*) nauséabond.
oboe ['əʊbəʊ] *n* (*musical instrument*) hautbois *m*.
obscene [əb'siːn] *a* obscène. ● **obscenity** [əb'senətɪ] *n* obscénité *f*; **obscenities** (*rude words*) obscénités *fpl*.
obscure [əb'skjʊər] *a* (*word, reason, actor, life etc*) obscur ▮ *vt* (*hide*) cacher; (*confuse*) embrouiller, obscurcir. ● **obscurely** *adv* obscurément. ● **obscurity** *n* obscurité *f*.
obsequious [əb'siːkwɪəs] *a* obséquieux.
observance [əb'zɜːvəns] *n* (*of rule etc*) observation *f*.
observant [əb'zɜːvənt] *a* (*child etc*) observateur.
observation [ɒbzə'veɪʃ(ə)n] *n* (*observing, remark*) observation *f*; (*by police etc*) surveillance *f*; **under o.** (*hospital patient*) en observation.
observatory [əb'zɜːvət(ə)rɪ] *n* observatoire *m*.
observe [əb'zɜːv] *vt* (*notice, watch, respect*) observer; (*say*) (faire) remarquer (**that** que); **to o. the speed limit** respecter la limitation de vitesse. ● **observer** *n* observateur, -trice *mf*.
obsess [əb'ses] *vt* obséder. ● **obsession** [-ʃ(ə)n] *n* obsession *f*; **to have an o. with** or **about sth** avoir l'obsession de qch; **to have an o. with s.o.** être obsédé par qn. ● **obsessive** *a* (*memory, idea*) obsédant; (*fear*) obsessif; (*neurotic*) obsessionnel; **to be o. about sth** avoir l'obsession de qch.
obsolescent [ɒbsə'lesənt] *a* quelque peu désuet; (*word*) vieilli. ● **obsolescence** *n* built-

obsolete

in o. (*of car, appliance etc*) obsolescence *f* programmée.
obsolete ['ɒbsəli:t] *a* (*out of date, superseded*) dépassé, désuet; (*ticket*) périmé; (*machinery*) archaïque.
obstacle ['ɒbstək(ə)l] *n* obstacle *m*.
obstetrician [ɒbstə'trɪʃ(ə)n] *n* médecin *m* accoucheur.
obstetrics [əb'stetrɪks] *n* Med obstétrique *f*.
obstinate ['ɒbstɪnət] *a* (*person, resistance etc*) obstiné, opiniâtre; (*disease, pain*) rebelle, opiniâtre. ● **obstinacy** *n* obstination *f*. ● **obstinately** *adv* obstinément.
obstreperous [əb'strepərəs] *a* turbulent.
obstruct [əb'strʌkt] *vt* (*block*) boucher; (*hinder*) gêner, entraver; (*traffic*) gêner, entraver, bloquer. ● **obstruction** [-ʃ(ə)n] *n* (*act, state*) & Med Pol Sport obstruction *f*; (*obstacle*) obstacle *m*; (*in pipe*) bouchon *m*; (*traffic jam*) embouteillage *m*. ● **obstructive** *a* to be o. faire de l'obstruction.
obtain [əb'teɪn] 1 *vt* obtenir. 2 *vi* (*of practice etc*) Lit avoir cours. ● **obtainable** *a* (*available*) disponible; (*on sale*) en vente.
obtrusive [əb'tru:sɪv] *a* (*person*) importun; (*building etc*) trop en évidence.
obtuse [əb'tju:s] *a* (*angle, mind*) obtus.
obviate ['ɒbvɪeɪt] *vt* to o. the necessity *or* need to do sth éviter d'avoir à faire qch.
obvious ['ɒbvɪəs] *a* évident (that que); he's the o. man to see c'est évidemment l'homme qu'il faut voir. ● **obviously** *adv* (*evidently, of course*) évidemment; (*conspicuously*) visiblement.
occasion [ə'keɪʒ(ə)n] 1 *n* (*time, opportunity*) occasion *f*; (*event, ceremony*) événement *m*; on the o. of à l'occasion de; on o. à l'occasion; on several occasions à plusieurs reprises *or* occasions. 2 *n* (*cause*) raison *f*, occasion *f* ▮ *vt* occasionner.
occasional [ə'keɪʒənəl] *a* (*infrequent*) qu'on fait, voit *etc* de temps en temps; (*event*) qui a lieu de temps en temps; (*rain, showers*) intermittent; she drinks the o. whisky elle boit un whisky de temps en temps. ● **occasionally** *adv* de temps en temps; very o. très peu souvent, rarement.
occult [ə'kʌlt] *a* occulte ▮ *n* the o. le surnaturel.
occupant ['ɒkjʊpənt] *n* (*inhabitant*) occupant, -ante *mf*.
occupation [ɒkjʊ'peɪʃ(ə)n] *n* (*activity*) occupation *f*; (*job*) emploi *m*; (*trade*) métier *m*; (*profession*) profession *f*; the o. of (*action*) l'occupation *f* de; fit for o. (*house*) habitable. ● **occupational** *a* o. hazard (*in job*) risque *m* du métier; o. disease maladie *f* du travail; o. therapy ergothérapie *f*.
occupier ['ɒkjʊpaɪər] *n* (*of house etc*) occupant, -ante *mf*; (*of country etc*) occupant *m*.
occupy ['ɒkjʊpaɪ] *vt* (*house, time, space, post, country etc*) occuper; to keep oneself occupied s'occuper (doing à faire).
occur [ə'kɜːr] *vt* (**-rr-**) (*happen*) avoir lieu; (*be found*) se rencontrer; (*arise*) se présenter; it occurs to me that... il me vient à l'esprit que...; the idea occurred to her to... l'idée lui est venue de....
occurrence [ə'kʌrəns] *n* (*event*) événement *m*; (*existence*) existence *f*; (*of word etc*) Ling occurrence *f*.
ocean ['əʊʃ(ə)n] *n* océan *m*. ● **oceanic** [əʊʃɪ'ænɪk] *a* (*climate etc*) océanique.
o'clock [ə'klɒk] *adv* (**it's**) three o'c./*etc* (il est) trois heures/*etc*.
octagon ['ɒktəgən] *n* octogone *m*. ● **oc'tagonal** *a* octogonal.
octave ['ɒktɪv, 'ɒkteɪv] *n* Mus octave *f*.
October [ɒk'təʊbər] *n* octobre *m*.
octogenarian [ɒktəʊ'dʒɪneərɪən] *n* octogénaire *mf*.
octopus ['ɒktəpəs] *n* pieuvre *f*.
OD [əʊ'diː] *vi* to OD on heroin/*etc* prendre une overdose d'héroïne/*etc*.
odd [ɒd] *a* 1 (*strange*) bizarre, curieux; an o. size une taille peu courante.
2 (*number*) impair.
3 (*left over*) I have an o. penny il me reste un penny; a few o. stamps quelques timbres (qui restent); the o. man out, the o. one out l'exception *f*; sixty o. soixante et quelques; an o. glove/sock/*etc* un gant/une chaussette/*etc* dépareillé(e).
4 (*occasional*) qu'on fait, voit *etc* de temps en temps; to find the o. mistake trouver de temps en temps une (petite) erreur; at o. moments de temps en temps; o. jobs (*around house*) menus travaux *mpl*; o. job man Br homme *m* à tout faire. ● **oddly** *adv* bizarrement; o. enough, he was elected chose curieuse, il a été élu. ● **oddness** *n* bizarrerie *f*.
oddity ['ɒdɪtɪ] *n* (*person*) personne *f* bizarre; (*object*) curiosité *f*; oddities (*of language, situation*) bizarreries *fpl*.
oddment ['ɒdmənt] *n* Br Com fin *f* de série.
odds [ɒdz] *npl* 1 (*in betting*) cote *f*; (*chances*) chances *fpl*; we have heavy o. against us nous avons très peu de chances de réussir. 2 it makes no o. (*no difference*) Fam ça ne fait rien. 3 at o. (*in disagreement*) en désaccord (with avec). 4 o. and ends des petites choses.
ode [əʊd] *n* (*poem*) ode *f*.
odious ['əʊdɪəs] *a* détestable, odieux.
odometer [əʊ'dɒmɪtər] *n* Am compteur *m* (kilométrique).
odour ['əʊdər] (*Am* **odor**) *n* odeur *f*. ● **odourless** (*Am* **odorless**) *a* inodore.
of [əv, stressed ɒv] *prep* de, d' (de + le = du, de + les = des); of the table de la table; of the boy du garçon; of the boys des garçons; of a book d'un livre; of wood/paper/*etc* de *or* en bois/papier/*etc*; of it, of them en; she has a lot of it *or* of them elle en a beaucoup; I have ten of them j'en ai dix; there are ten of us nous sommes dix; a friend of his un ami à lui, un de ses amis; that's nice of you c'est gentil de ta part; of no value/interest/*etc* sans valeur/intérêt/*etc*; of late dernièrement, ces derniers temps; a man of fifty un homme de cinquante ans; the fifth

of June *Br* le cinq juin.

off [ɒf] **1** *adv* (*gone away*) parti; (*light, gas, radio etc*) éteint, fermé; (*Br tap, Am faucet*) fermé; (*switched off at mains*) coupé; (*detached*) détaché; (*removed*) enlevé; (*cancelled*) annulé; (*not fit to eat or drink*) mauvais; (*milk, meat*) tourné; **it's 2 km o.** c'est à 2 km (d'ici *or* de là); **to be** *or* **go o.** (*leave*) partir; **where are you o. to?** où vas-tu?; **he has his hat o.** il a enlevé son chapeau; **with his, my** *etc* **gloves o.** sans gants; **a day o.** (*holiday*) un jour de congé; **time o.** du temps libre; **I'm o. today, I have today o.** j'ai congé aujourd'hui; **the strike's o.** il n'y aura pas de grève, la grève est annulée; **5% o.** une réduction de 5%; **hands o.!** pas touche!; **on and o., o. and on** (*sometimes*) de temps à autre; **to be better o.** (*wealthier, in a better position*) être mieux.
2 *prep* (*from*) de; (*distant*) éloigné de; **to fall/etc o. the wall/ladder/etc** tomber/*etc* du mur/de l'échelle/*etc*; **to get o. the bus/etc** descendre du bus/*etc*; **to take sth o. the table/etc** prendre qch sur la table/*etc*; **to eat o. a plate** manger dans une assiette; **to keep** *or* **stay o. the grass** ne pas marcher sur les pelouses; **she's o. her food** elle ne mange plus rien; **o. Dover/etc** (*ship etc*) au large de Douvres/*etc*; **it's o. limits** c'est interdit; **the o. side** (*of vehicle*) *Br* le côté droit, *Am* le côté gauche. ● **off'beat** *a* excentrique. ● **off-'colour** (*Am* **off-'color**) *a* (*ill*) *Br* patraque; (*indecent*) scabreux. ● **off'hand** *a* (*abrupt*) brusque, impoli ▮ *adv* (*to say, know etc*) comme ça. ● **off'handedness** *n* désinvolture *f*. ● **off-licence** *n Br* magasin *m* de vins et de spiritueux. ● **off-'line** *a* (*computer*) autonome; (*printer*) déconnecté. ● **off-'load** *vt* (*vehicle etc*) décharger; **to o.-load sth onto s.o.** (*task etc*) se décharger de qch sur qn. ● **off-'peak** *a* (*traffic, crowds*) aux heures creuses; (*rate, price*) heures creuses *inv*; **o.-peak hours** heures *fpl* creuses. ● **off-'putting** *a Br Fam* rebutant. ● **off'side** *a* **to be o.** Football être hors jeu. ● **off'stage** *a & adv* dans les coulisses. ● **off-the-'peg** (*Am* **off-the-'rack**) *a* (*clothes*) de confection. ● **off-the-'wall** *a* (*crazy*) *Br* dément, démentiel. ● **off-'white** *a* blanc cassé *inv*.

offal ['ɒf(ə)l] *n* (*meat*) abats *mpl*.

offence [ə'fens] (*Am* **offense**) *n* (*crime*) délit *m*; **to take o.** s'offenser (**at** de); **to give o. (to s.o.)** offenser (qn).

offend [ə'fend] *vt* froisser, offenser (*qn*); **to o. the eye/ear** choquer la vue/l'oreille; **to be offended (at)** se froisser (de), s'offenser (de). ● **offending** *a* (*object, remark*) incriminé. ● **offender** *n* (*criminal*) délinquant, -ante *mf*; (*habitual*) récidiviste *mf*.

offense [ə'fens] *n Am* = **offence**.

offensive [ə'fensɪv] **1** *a* (*unpleasant*) choquant, repoussant; (*insulting*) (*words etc*) insultant, offensant (**to s.o.** pour qn); **o. weapon** *Jur* arme *f* offensive; **to be o. to s.o.** (*of person*) être insultant avec qn. **2** *n* (*attack*) *Mil & Fig* offensive *f*; **to be on the o.** être passé à l'offensive.

offer ['ɒfər] *n* offre *f*; **on (special) o.** (*in shop*) en promotion, en réclame; **o. of marriage** demande *f* en mariage ▮ *vt* offrir; (*opinion, remark*) proposer; **to o. to do** offrir *or* proposer de faire. ● **offering** *n* (*gift*) offrande *f*; (*act*) offre *f*; **peace o.** cadeau *m* de réconciliation.

office ['ɒfɪs] *n* **1** (*room*) bureau *m*; (*of doctor*) *Am* cabinet *m*; (*of lawyer*) étude *f*; **head o.** siège *m* central; **o. block** *Br*, **o. building** immeuble *m* de bureaux; **o. boy** garçon *m* de bureau; **o. worker** employé, -ée *mf* de bureau. **2** (*post*) fonction *f*; (*duty*) fonctions *fpl*; **to be in o.** (*of political party etc*) être au pouvoir. **3 one's good offices** (*help*) ses bons offices *mpl*.

officer ['ɒfɪsər] *n* (*in the army, navy etc*) officier *m*; (*in company, firm*) responsable *mf*, directeur, -trice *mf*; (**police**) **o.** agent *m* (de police).

official [ə'fɪʃ(ə)l] **1** *a* officiel; (*uniform*) réglementaire. **2** *n* (*person of authority*) responsable *mf*, officiel *m*; (*civil servant*) fonctionnaire *mf*; (*employee*) employé, -ée *mf*. ● **officialdom** *n* bureaucratie *f*. ● **officially** *adv* officiellement.

officiate [ə'fɪʃɪeɪt] *vi* (*preside*) présider; (*of priest etc*) officier; **to o. at a wedding** célébrer un mariage.

officious [ə'fɪʃəs] *a Pej* empressé.

offing ['ɒfɪŋ] *n* **in the o.** en perspective.

offset ['ɒfset, ɒf'set] *vt* (*pt & pp* **offset**, *pres p* **offsetting**) (*compensate for*) compenser; (*s.o.'s beauty etc by contrast*) faire ressortir.

offshoot ['ɒfʃuːt] *n* (*of organization, group etc*) ramification *f*; (*consequence*) conséquence *f*.

offshore [ɒf'ʃɔːr] *a* (*waters*) proche du littoral; **o. oil terminal** terminal *m* pétrolier en mer.

offspring ['ɒfsprɪŋ] *n* progéniture *f*.

often ['ɒf(t)ən] *adv* souvent; **how o.?** combien de fois?; **how o. do they run?** (*trains, buses etc*) il y en a tous les combien?; **once too o.** une fois de trop; **every so o.** de temps en temps.

ogle ['əʊg(ə)l] *vt Pej* reluquer.

ogre ['əʊgər] *n* ogre *m*.

oh! [əʊ] *int* oh!, ah!; (*pain*) aïe!; **oh yes!** mais oui!; **oh yes?** ah oui?, ah bon?

oik [ɔɪk] *n Br Fam* prolo *mf*.

oil [ɔɪl] *n* (*for machine, in cooking etc*) huile *f*; (*extracted from ground*) pétrole *m*; (*fuel*) mazout *m*; **to paint in oils** faire de la peinture à l'huile ▮ *a* (*industry, product*) pétrolier; (*painting, paint*) à l'huile; **o. change** (*in vehicle*) vidange *f*; **o. lamp** lampe *f* à pétrole *or* à huile; **o. refinery** raffinerie *f* de pétrole ▮ *vt* (*machine*) graisser, huiler.

oilcan ['ɔɪlkæn] *n* burette *f*. ● **oilfield** *n* gisement *m* de pétrole. ● **oilfired** *a* (*central heating*) au mazout. ● **oilskin(s)** *n(pl)* (*garment*) ciré *m*. ● **oily** *a* (**-ier, -iest**) (*substance, skin*) huileux; (*hands*) graisseux; (*food*) gras (*f*

grasse).
ointment ['ɔɪntmənt] *n* pommade *f*.
OK, okay [əʊ'keɪ] *a & adv see* **all right** ▌ *vt* (*pt & pp* OKed, okayed, *pres p* OKing, okaying) approuver.
old [əʊld] *a* (-er, -est) vieux (*f* vieille); (*former*) ancien; **how o. is he?** quel âge a-t-il?; **he's ten years o.** il a dix ans, il est âgé de dix ans; **he's older than me** il est plus âgé que moi; **an older son** un fils aîné; **the oldest son** le fils aîné; **o. enough to do** assez grand pour faire; **o. enough to marry/vote** en âge de se marier/de voter; **to get** *or* **grow old(er)** vieillir; **o. age** vieillesse *f*; **o. man** vieillard *m*, vieil homme *m*; **o. woman** vieille femme *f*; **the O. Testament** l'Ancien Testament; **the O. World** l'Ancien Monde; **any o. how** *Fam* n'importe comment.
▌ **n the o.** (*people*) les vieux *mpl*.
olden ['əʊld(ə)n] *a* **in o. days** jadis.
old-fashioned [əʊld'fæʃənd] *a* (*out-of-date*) démodé; (*person*) rétro *inv*; (*from former times*) (*customs etc*) d'autrefois.
old-timer [əʊld'taɪmər] *n* (*old man*) *Fam* vieillard *m*.
olive ['ɒlɪv] *n* (*fruit*) olive *f* ▌ *a* **o. (green)** (vert) olive *inv*; **o. oil** huile *f* d'olive; **o. tree** olivier *m*.
Olympic [ə'lɪmpɪk] *a* (*games etc*) olympique.
ombudsman ['ɒmbʊdzmən] *n* (*pl* -men) (*government official*) médiateur *m*.
omelet(te) ['ɒmlɪt] *n* omelette *f*; **cheese/***etc* **o.** omelette au fromage/*etc*.
omen ['əʊmən] *n* augure *m*.
ominous ['ɒmɪnəs] *a* de mauvais augure; (*tone*) menaçant; (*noise*) sinistre.
omit [əʊ'mɪt] *vt* (-tt-) omettre (**to do** de faire). ● **omission** [-ʃ(ə)n] *n* omission *f*.
omni- ['ɒmnɪ] *pref* omni-. ● **omnipotent** [ɒm'nɪpətənt] *a* omnipotent.
on [ɒn] *prep* **1** (*position*) sur; **on the chair** sur la chaise; **to put on (to)** mettre sur; **to look out on to** donner sur.
2 (*concerning, about*) sur; **an article on** un article sur; **to speak** *or* **talk on Dickens/***etc* parler sur Dickens/*etc*.
3 (*manner, means*) **on foot** à pied; **on the blackboard** au tableau; **on the radio** à la radio; **on the train/plane/***etc* dans le train/l'avion/*etc*; **on holiday** *Br*, **on vacation** *Am* en vacances; **to be on** (*course*) suivre; (*project*) travailler à; (*salary*) toucher; (*team, committee*) être membre de, faire partie de; **to keep** *or* **stay on** (*road, path etc*) suivre; **it's on me!** (*I'll pay*) *Fam* c'est moi qui paie!
4 (*time*) **on Monday** lundi; **on Mondays** le lundi; **on May 3rd** le 3 mai; **on the evening of May 3rd** le 3 mai au soir; **on my arrival** à mon arrivée.
5 (+ *present participle*) en; **on learning that...** en apprenant que...; **on seeing this** en voyant ceci.
▌ *adv* (*ahead*) en avant; (*in progress*) en cours; (*started*) commencé; (*lid, brake*) mis; (*light, radio*) allumé; (*gas, Br tap, Am fau-*

cet) ouvert; (*machine*) en marche; **on (and on)** sans cesse; **to play/***etc* **on** continuer à jouer/*etc*; **she has her hat on** elle a mis *or* elle porte son chapeau; **he has something/nothing on** il est habillé/tout nu; **I've got something on** (*I'm busy*) je suis pris; **the strike is on** la grève aura lieu; **what's on?** (*television*) qu'y a-t-il à la télé?; (*in theatre, Br cinema, Am movie theater*) qu'est-ce qu'on joue?; **there's a film on** on passe un film; **that's (just) not on!** *Fam* (*unacceptable*) c'est inadmissible; (*impossible*) ce n'est pas possible; **to be on at s.o.** (*pester*) *Fam* être après qn; **I've been on to him** (*on phone*) je l'ai eu au bout du fil; **to be on to s.o.** (*of police etc*) être sur la piste de qn; **from then on** à partir de là. ● **on-coming** *a* (*vehicle*) qui vient en sens inverse. ● **on-going** *a* (*project, discussions etc*) en cours. ● **on-'line** *a* (*computer*) en ligne.
once [wʌns] *adv* (*on one occasion*) une fois; (*formerly*) autrefois; **o. a month/***etc* une fois par mois/*etc*; **o. again, o. more** encore une fois; **at o.** (*immediately*) tout de suite; **all at o.** (*suddenly*) tout à coup; (*at the same time*) à la fois; **o. and for all** une fois pour toutes; **o. upon a time** (*in story*) il était une fois.
▌ *conj* une fois que. ● **once-over** *n* **to give sth the o.-over** (*quick look*) *Fam* jeter un coup d'œil à qch.
one [wʌn] *a* **1** un, une; **o. man** un homme; **o. woman** une femme; **page o.** la page un; **twenty-o.** vingt-et-un.
2 (*only*) seul; **my o. (and only) aim** mon seul (et unique) but.
3 (*same*) même; **in the o. bus** dans le même bus.
▌ *pron* **1** un, une; **do you want o.?** en veux-tu (un)?; **he's o. of us** il est des nôtres; **o. of them** l'un d'eux, l'une d'elles; **a big/small/***etc* **o.** un grand/petit/*etc*; **this book is o. that I've read** ce livre est parmi ceux que j'ai lus; **she's o.** (*a teacher, gardener etc*) elle l'est; **I'm a teacher and she's o.** too je suis professeur et elle aussi; **this o.** celui-ci, celle-ci; **that o.** celui-là, celle-là; **the o. who** *or* **which** celui *or* celle qui; **it's Paul's o.** *Br Fam* c'est celui de Paul; **it's my o.** *Br Fam* c'est à moi; **another o.** un(e) autre; **I for o.** pour ma part.
2 (*impersonal*) on; **o. knows** on sait; **it helps o.** ça nous *or* vous aide; **o.'s family** sa famille.
one-'armed [wʌn'ɑːmd] *a* (*person*) manchot. ● **one-'eyed** *a* borgne. ● **one-legged** [-'legɪd] *a* **o.-legged man** *or* **woman** unijambiste *mf*. ● **one-'liner** *n* (*joke*) bon mot *m*. ● **one-man** *a* (*business, office*) dirigé par un seul homme. ● **one-'off** *or Am* **one-of-a-'kind** *a Fam* unique, exceptionnel. ● **one-parent 'family** *n* famille *f* monoparentale. ● **one-'sided** *a* (*judgment etc*) partial; (*contest*) inégal; (*decision*) unilatéral. ● **one-time** *a* (*former*) ancien. ● **one-to-'one** *a* (*discussion*) en tête-à-tête. ● **one-track 'mind** *n* **to have a o.-track**

oppress

mind ne penser qu'à une chose. ● **one-'upmanship** *n* l'art *m* de se montrer supérieur aux autres. ● **one-'way** *a* (*street*) à sens unique; (*traffic*) en sens unique; o.-way ticket billet *m* simple.

onerous ['əʊnərəs] *a* (*task etc*) difficile; (*taxes etc*) lourd.

oneself [wʌn'self] *pron* soi-même; (*reflexive*) se, s'; **to cut o.** se couper.

onion ['ʌnjən] *n* oignon *m*.

onlooker ['ɒnlʊkər] *n* spectateur, -trice *mf*.

only ['əʊnlɪ] *a* seul; **the o. house/etc** la seule maison/etc; **the o. one** le seul, la seule; **an o. son** un fils unique.

▮ *adv* seulement, ne...que; **I o. have ten, I have ten o.** je n'en ai que dix, j'en ai dix seulement; **if o.** si seulement; **not o.** non seulement; **I have o. just seen it** je viens tout juste de le voir; **o. he knows** lui seul le sait.

▮ *conj* (*but*) *Fam* seulement; **o. I can't** seulement je ne peux pas.

onset ['ɒnset] *n* (*of disease, winter etc*) début *m*; (*of old age*) approche *f*.

onslaught ['ɒnslɔːt] *n* attaque *f*.

onto ['ɒntuː, *unstressed* 'ɒntə] *prep* = **on to**.

onus ['əʊnəs] *n inv* **the o. is on you/etc** c'est votre/etc responsabilité (**to do** de faire).

onward(s) ['ɒnwəd(z)] *adv* en avant; **from that time o.** à partir de là.

onyx ['ɒnɪks] *n* (*precious stone*) onyx *m*.

ooze [uːz] *vi* **to o. (out)** suinter ▮ *vt* (*blood etc*) laisser couler.

opal ['əʊp(ə)l] *n* (*precious stone*) opale *f*.

opaque [əʊ'peɪk] *a* opaque; (*unclear*) *Fig* obscur.

open ['əʊpən] *a* ouvert; (*site, view, road*) dégagé; (*car*) décapoté, découvert; (*meeting*) public (*f* -ique); (*competition*) ouvert à tous; (*post, job*) vacant; (*attempt, envy*) manifeste; (*question*) non résolu; (*result*) indécis; (*airline ticket*) open *inv*; **wide o.** grand ouvert; **in the o. air** en plein air; **in (the) o. country** en rase campagne; **the o. spaces** les grands espaces; **it's o. to doubt** c'est douteux; **o. to** (*criticism, attack*) exposé à; (*ideas, suggestions*) ouvert à; **I've got an o. mind on it** je n'ai pas d'opinion arrêtée là-dessus; **to leave o.** (*date*) ne pas préciser.

▮ *n* **(out) in the o.** (*outside*) en plein air; **to sleep (out) in the o.** dormir à la belle étoile; **to bring sth (out) into the o.** (*reveal*) divulguer qch.

▮ *vt* ouvrir; (*conversation*) entamer; (*legs*) écarter; **to o. out** (*newspaper*) ouvrir; **to o. up** (*door etc*) ouvrir.

▮ *vi* (*of flower, door, eyes etc*) s'ouvrir; (*of shop, office, person*) ouvrir; (*of play*) débuter; (*of film*) sortir; **the door opens** (*is opened by s.o.*) la porte s'ouvre; (*can open*) la porte ouvre; **to o. on to** (*of window etc*) donner sur; **to o. out** (*of flower etc*) s'ouvrir; (*widen*) s'élargir; **to o. up** (*of door, opportunity etc*) s'ouvrir; (*open the door*) ouvrir.

open-air [əʊpən'eər] *a* (*pool etc*) en plein air. ● **open-'heart** *a* (*operation*) à cœur ouvert. ● **open-'minded** *a* à l'esprit ouvert. ● **open-'necked** *a* (*shirt*) sans cravate. ● **open-'plan** *a* (*office etc*) sans cloisons.

opening ['əʊpənɪŋ] *n* ouverture *f*; (*of flower*) éclosion *f*; (*career prospect, trade outlet*) débouché *m*; **late(-night) o.** (*of shops etc*) nocturne *f* ▮ *a* (*time, speech*) d'ouverture; **o. night** (*of play, musical etc*) première *f*.

openly ['əʊpənlɪ] *adv* (*not secretly, frankly*) ouvertement; (*publicly*) publiquement. ● **openness** *n* (*frankness*) franchise *f*; **o. of mind** ouverture *f* d'esprit.

opera ['ɒprə] *n* opéra *m*; **o. glasses** jumelles *fpl* de théâtre. ● **ope'ratic** *a* d'opéra. ● **ope'retta** *n* opérette *f*.

operate ['ɒpəre.t] **1** *vi* (*of surgeon*) opérer (**on s.o., for** de). **2** *vi* (*of machine etc*) fonctionner; (*proceed*) opérer ▮ *vt* faire fonctionner; (*business*) gérer. ● **operating** *a* **o. costs** frais *mpl* d'exploitation; **o. theatre,** *Br*, **o. room** *Am* salle *f* d'opération; **o. wing** bloc *m* opératoire.

operation [ɒpə'reɪʃ(ə)n] *n Med Mil Math etc* opération *f*; (*working*) fonctionnement *m*; **in o.** (*machine*) en service; (*plan etc*) en vigueur; **to have an o.** se faire opérer. ● **operational** *a* opérationnel.

operative ['ɒpərətɪv] *a* (*scheme, measure, law etc*) en vigueur; *Med* opératoire ▮ *n* (*worker*) ouvrier, -ière *m*.

operator ['ɒpəreɪtər] *n* (*on phone*) standardiste *mf*; (*on machine*) opérateur, -trice *mf*; (*criminal*) escroc *m*; **tour o.** organisateur, -trice *mf* de voyages, voyagiste *m*.

opinion [ə'pɪnjən] *n* opinion *f*, avis *m*; **in my o.** à mon avis. ● **opinionated** *a* dogmatique.

opium ['əʊpɪəm] *n* opium *m*.

opponent [ə'pəʊnənt] *n* adversaire *mf*.

opportune ['ɒpətjuːn] *a* opportun.

opportunism ['ɒpətjuːnɪz(ə)m, -'tjuːnɪz(ə)m] *n* opportunisme *m*.

opportunity [ɒpə'tjuːnɪtɪ] *n* occasion *f* (**to do, of doing** de faire); **opportunities** (*prospects*) perspectives *fpl*; **equal opportunities** des chances *fpl* égales; **to take the o. to do sth** profiter de l'occasion pour faire qch.

oppose [ə'pəʊz] *vt* (*person, measure etc*) s'opposer à; (*motion, decision etc*) *Pol etc* faire opposition à. ● **opposed** *a* opposé (**to** à); **as o. to** par opposition à. ● **opposing** *a* (*team, interests etc*) opposé.

opposite ['ɒpəzɪt] *a* (*side etc*) opposé; (*house*) d'en face; **one's o. number** (*counterpart*) son homologue *mf* ▮ *adv* (*to sit etc*) en face ▮ *prep* **o. (to)** en face de ▮ *n* **the o.** le contraire, l'opposé *m*.

opposition [ɒpə'zɪʃ(ə)n] *n* opposition *f* (**to** à); **the o.** (*rival camp*) l'adversaire *m*; (*in business*) la concurrence; **he put up no/considerable o.** il n'a opposé aucune résistance/a fait preuve d'une résistance acharnée.

oppress [ə'pres] *vt* (*treat cruelly*) opprimer; (*of heat, anguish*) oppresser ▮ *n* **the op-**

opt

pressed les opprimés *mpl*. ● **oppression** [-ʃ(ə)n] *n* oppression *f*. ● **oppressive** *a* (*heat*) accablant, étouffant; (*weather*) étouffant; (*ruler etc*) oppressif; (*régime*) tyrannique. ● **oppressor** *n* oppresseur *m*.

opt [ɒpt] *vi* **to o. for sth** décider pour qch, opter pour qch; **to o. to do** choisir de faire; **to o. out** refuser de participer (**of** à).

optical ['ɒptɪk(ə)l] *a* (*instrument, illusion etc*) d'optique; (*lens, fibre, disk etc*) optique; **o. character reader** *Compt r* lecteur *m* optique.

optician [ɒp'tɪʃ(ə)n] *n* opticien, -ienne *mf*.

optimism ['ɒptɪmɪz(ə)m] *n* optimisme *m*. ● **optimist** *n* optimiste *mf*; **to be an o.** être optimiste, être un optimiste. ● **opti'mistic** *a* optimiste. ● **opti'mistically** *adv* avec optimisme.

optimum ['ɒptɪməm] *a* & *n* optimum (*m*); **the o. temperature** la température optimum. ● **optimal** *a* optimal.

option ['ɒpʃ(ə)n] *n* (*choice*) choix *m*; (*school subject*) matière *f* à option; **she has no o.** elle n'a pas le choix. ● **optional** *a* facultatif; **o. extra** (*on car etc*) option *f*, accessoire *m* en option.

opulent ['ɒpjʊlənt] *a* opulent. ● **opulence** *n* opulence *f*.

or [ɔːr] *conj* ou; **one or two** un ou deux; **he doesn't drink or smoke** il ne boit ni ne fume; **ten or so** environ dix.

oracle ['ɒrək(ə)l] *n* oracle *m*.

oral ['ɔːrəl] *a* oral ▮ *n* (*exam*) oral *m*. ● **orally** *adv* oralement; *Med* par voie orale.

orange ['ɒrɪndʒ] **1** *n* (*fruit*) orange *f*; **o. drink** boisson *f* à l'orange; **o. juice** jus *m* d'orange; **o. tree** oranger *m*. **2** *a* & *n* (*colour*) orange *a* & *m inv*. ● **orangeade** *n* orangeade *f*.

orang-outang [ɔːræŋuː'tæŋ] *n* orang-outan(g) *m*.

oration [ɔː'reɪʃ(ə)n] *n* **funeral o.** oraison *f* funèbre.

orator ['ɒrətər] *n* (*speaker*) orateur *m*. ● **oratory** *n* (*words*) rhétorique *f*.

orbit ['ɔːbɪt] *n* (*of planet etc*) orbite *f*; (*sphere of influence*) *Fig* orbite *f* ▮ *vt* (*sun etc*) graviter autour de.

orchard ['ɔːtʃəd] *n* verger *m*.

orchestra ['ɔːkɪstrə] *n* orchestre *m*; **the o.** (*seats in theater*) *Am* l'orchestre *m*. ● **or'chestral** *a* (*music*) orchestral; (*concert*) symphonique. ● **orchestrate** *vt* (*organize*) & *Mus* orchestrer.

orchid ['ɔːkɪd] *n* orchidée *f*.

ordain [ɔː'deɪn] *vt* (*priest*) ordonner; **to o. that** décréter que.

ordeal [ɔː'diːl] *n* épreuve *f*, supplice *m*.

order ['ɔːdər] *n* (*command, arrangement etc*) ordre *m*; (*purchase*) commande *f*; **in o.** (*passport etc*) en règle; (*drawer, room etc*) en ordre; **in (numerical) o.** dans l'ordre numérique; **in working o.** en état de marche; **in o. of age** par ordre d'âge; **in o. to do** pour faire; **in o. that** pour que (+ *sub*); **it's in o. to smoke**/*etc* (*allowed*) il est permis de fumer/*etc*; **out of o.** (*machine*) en panne; (*telephone*) en dérangement; **to make** or **place an o.** (*purchase*) passer une commande; **on o.** (*goods*) commandé; **money o.** mandat *m*; **postal o.** *Br* mandat *m* postal.
▮ *vt* (*command*) ordonner (**s.o. to do** à qn de faire); (*meal, goods etc*) commander; (*taxi*) appeler; **to o. s.o. around** commander qn, régenter qn.
▮ *vi* (*in café etc*) commander.

orderly ['ɔːdəlɪ] **1** *a* (*tidy*) (*room, life etc*) ordonné; (*mind*) méthodique; (*crowd*) discipliné. **2** *n* (*soldier*) planton *m*; (*in hospital*) garçon *m* de salle.

ordinal ['ɔːdɪnəl] *a* (*number*) ordinal.

ordinary ['ɔːd(ə)nrɪ] *a* (*usual*) ordinaire; (*average*) moyen; (*mediocre*) médiocre, ordinaire; **an o. individual** un simple particulier; **in o. use** d'usage courant; **in the o. course of events** en temps normal; **in the o. way** normalement; **it's out of the o.** ça sort de l'ordinaire.

ordination [ɔːdɪ'neɪʃ(ə)n] *n* (*of priest*) ordination *f*.

ordnance ['ɔːdnəns] *n* (*guns*) *Mil* artillerie *f*.

ore [ɔːr] *n* minerai *m*.

organ ['ɔːgən] *n* **1** (*in body*) organe *m*; (*newspaper*) *Fig* organe *m*. **2** (*musical instrument*) orgue *m*, orgues *fpl*; **barrel o.** orgue *m* de Barbarie. ● **organist** *n* organiste *mf*.

organic [ɔː'gænɪk] *a* organique; (*vegetables etc*) biologique.

organism ['ɔːgənɪz(ə)m] *n* organisme *m*.

organization [ɔːgənaɪ'zeɪʃ(ə)n] *n* (*arrangement, association*) organisation *f*.

organize ['ɔːgənaɪz] *vt* organiser. ● **organized** *a* (*mind, group etc*) organisé. ● **organizer** *n* (*person*) organisateur, -trice *m*; (*personal*) **o.** (*for papers etc*) (agenda *m*) organiseur *m*.

orgasm ['ɔːgæz(ə)m] *n* orgasme *m*.

orgy ['ɔːdʒɪ] *n* orgie *f*.

orient ['ɔːrɪənt] *vt Am* = **orientate**. ● **orientate** *vt Br* orienter.

Orient ['ɔːrɪənt] *n* **the O.** l'Orient *m*. ● **ori'ental** *a* oriental ▮ *n* Oriental, -ale *mf*.

orifice ['ɒrɪfɪs] *n* orifice *m*.

origin ['ɒrɪdʒɪn] *n* origine *f*.

original [ə'rɪdʒɪn(ə)l] *a* (*novel, unusual*) (*idea, artist etc*) original; (*first*) premier, originel, primitif; (*copy, version*) original; (*sin*) originel ▮ *n* (*document etc*) original *m*. ● **origi'nality** *n* originalité *f*. ● **originally** *adv* (*at first*) au départ, à l'origine; (*in a novel way*) originalement; **she comes o. from** elle est originaire de.

originate [ə'rɪdʒɪneɪt] *vi* (*begin*) prendre naissance (**in** dans); **to o. from** (*of idea etc*) émaner de; (*of person*) être originaire de ▮ *vt* être l'auteur de. ● **originator** *n* auteur *m* (**of** de).

Orkneys (The) [ðɪ'ɔːknɪz] *npl* les Orcades *fpl*.

ornament ['ɔːnəmənt] *n* (*decoration on dress etc*) ornement *m*; (*vase etc*) bibelot *m*.

● **orna'mental** *a* décoratif, ornemental. ● **ornamentation** [-'teɪʃ(ə)n] *n* ornementation *f*.
ornate [ɔː'neɪt] *a* (*style, decor etc*) (très) orné. ● **ornately** *adv* (*decorated etc*) de façon surchargée, à outrance.
orphan ['ɔːf(ə)n] *n* orphelin, -ine *mf* ▮ *a* orphelin. ● **orphaned** *a* orphelin; **he was o. by the accident** l'accident l'a rendu orphelin. ● **orphanage** *n* orphelinat *m*.
orthodox ['ɔːθədɒks] *a* orthodoxe. ● **orthodoxy** *n* orthodoxie *f*.
orthop(a)edic [ɔːθə'piːdɪk] *a* orthopédique. ● **orthop(a)edics** *n* orthopédie *f*.
Oscar ['ɒskər] *n Cinema* oscar *m*.
oscillate ['ɒsɪleɪt] *vi* osciller.
ostensibly [ɒ'stensɪblɪ] *adv* apparemment.
ostentation [ɒsten'teɪʃ(ə)n] *n* ostentation *f*. ● **ostentatious** *a* prétentieux, plein d'ostentation.
osteopath ['ɒstɪəpæθ] *n* ostéopathe *mf*.
ostracism ['ɒstrəsɪz(ə)m] *n* ostracisme *m*. ● **ostracize** *vt* proscrire, frapper d'ostracisme.
ostrich ['ɒstrɪtʃ] *n* autruche *f*.
other ['ʌðər] *a* autre; **o. doctors** d'autres médecins; **o. people** d'autres; **the o. one** l'autre *mf*; **I have no o. gloves than these** je n'ai pas d'autres gants que ceux-ci. ▮ *pron* **the o.** l'autre *mf*; (**some**) **others** d'autres; **some do, others don't** les uns le font, les autres ne le font pas; **none o. than**, **no o. than** nul autre que. ▮ *adv* **o. than** autrement que. ● **otherwise** *adv & conj* autrement ▮ *a* (*different*) (tout) autre.
OTT [əʊtiː'tiː] *a abbr* (*over the top*) (*exaggerated*) *Fam* outrancier.
otter ['ɒtər] *n* loutre *f*.
ouch! [aʊtʃ] *int* aïe!, ouille!
ought [ɔːt] *v aux* **1** (*obligation, desirability*) **you o. to leave** tu devrais partir; **I o. to have done it** j'aurais dû le faire; **he said he o. to stay** il a dit qu'il devait rester. **2** (*probability*) **it o. to be ready** ça devrait être prêt.
ounce [aʊns] *n* (*measure*) once *f* (= 28,35 g); (*bit*) *Fig* once *f* (**of** de).
our [aʊər] *poss a* notre, *pl* nos. ● **ours** *pron* le nôtre, la nôtre, *pl* les nôtres; **this book is o.** ce livre est à nous *or* est le nôtre; **a friend of o.** un ami à nous, un de nos amis. ● **our'selves** *pron* nous-mêmes; (*reflexive & after prep*) nous; **we wash o.** nous nous lavons.
oust [aʊst] *vt* évincer (**from** de).
out [aʊt] *adv* (*outside*) dehors; (*not at home etc*) sorti; (*light, fire*) éteint; (*news, secret*) connu, révélé; (*flower*) ouvert; (*book*) publié, sorti; (*finished*) fini; **to be** *or* **go o. a lot** sortir beaucoup; **he's o. in Italy** il est (parti) en Italie; **to have a day o.** sortir pour la journée; **5 km o.** (*from the shore*) à 5 km du rivage; **the sun's o.** il fait (du) soleil; **the tide's o.** la marée est basse; **you're o.** (*wrong*) tu t'es trompé; (*in game etc*) tu es éliminé (**of** de); **the trip** *or* **journey o.** l'aller *m*; **o. there** là-bas; **to be o. to win** être résolu à gagner. ▮ *prep* **o. of** (*outside*) en dehors de; (*danger, reach, water*) hors de; (*without*) sans; **o. of pity/love/etc** par pitié/amour/*etc*; **to look/jump/etc o. of the window** regarder/sauter/*etc* par la fenêtre; **to drink/take/copy o. of sth** boire/prendre/copier dans qch; **made o. of wood/etc** fait en bois/*etc*; **to make sth o. of a box/rag/etc** faire qch avec une boîte/un chiffon/*etc*; **a page o.** of une page de; **she's o. of town** elle n'est pas en ville; **5 km o. of** (*away from*) à 5 km de; **four o. of five** quatre sur cinq; **o. of the blue** de manière inattendue; **to feel o. of place** ne pas se sentir intégré; **to feel o. of it** *or* **of things** se sentir hors du coup.
● **out-and-out** ['aʊtənaʊt] *a* (*cheat, liar etc*) achevé; (*believer*) à tout crin. ● **out-of-'date** *a* (*expired*) périmé; (*old-fashioned*) démodé. ● **out-of-'doors** *adv* dehors. ● **out-of-the-'way** *a* (*place*) écarté.
outbid [aʊt'bɪd] *vt* (*pt & pp* **outbid**, *pres p* **outbidding**) **to o. s.o.** (sur)enchérir sur qn.
outboard ['aʊtbɔːd] *a* **o. motor** (*of boat*) moteur *m* hors-bord *inv*.
outbreak ['aʊtbreɪk] *n* (*of war, epidemic*) début *m*; (*of violence, pimples*) éruption *f*; (*of fever*) accès *m*; (*of hostilities*) ouverture *f*.
outbuilding ['aʊtbɪldɪŋ] *n* (*of mansion, farm*) dépendance *f*.
outburst ['aʊtbɜːst] *n* (*of anger, joy*) explosion *f*; (*of violence*) flambée *f*; (*of laughter*) éclat *m*.
outcast ['aʊtkɑːst] *n* (**social**) **o.** paria *m*.
outcome ['aʊtkʌm] *n* résultat *m*, issue *f*.
outcry ['aʊtkraɪ] *n* tollé *m*.
outdated [aʊt'deɪtɪd] *a* démodé.
outdistance [aʊt'dɪstəns] *vt* distancer.
outdo [aʊt'duː] *vt* (*pt* **outdid**, *pp* **outdone**) surpasser (**in** en).
outdoor ['aʊtdɔːr] *a* (*pool, market, life*) en plein air; (*game*) de plein air; **o. clothes** tenue *f* pour sortir. ● **out'doors** *adv* dehors.
outer ['aʊtər] *a* extérieur; **o. space** l'espace *m* (cosmique); **the o. suburbs** la grande banlieue.
outfit ['aʊtfɪt] *n* (*clothes*) costume *m*; (*for woman*) toilette *f*; (*toy*) panoplie *f* (*de pompier, cow-boy etc*); (*equipment*) équipement *m*; (*kit*) trousse *f*; (*group, gang*) *Fam* bande *f*; (*commercial company*) *Fam* boîte *f*; **sports/ski o.** tenue *f* de sport/de ski. ● **outfitter** *n Br* chemisier *m*.
outgoing ['aʊtgəʊɪŋ] *a* **1** (*minister etc*) sortant; (*mail, ship*) en partance; **o. calls** (*on phone*) appels *mpl* vers l'extérieur. **2** (*sociable*) liant, ouvert. ● **outgoings** *npl* (*expenses*) dépenses *fpl*.
outgrow [aʊt'grəʊ] *vt* (*pt* **outgrew**, *pp* **outgrown**) (*clothes*) devenir trop grand pour; (*habit*) perdre (en grandissant); **to o. s.o.** (*grow more than*) grandir plus vite que qn.

outhouse ['aʊthaʊs] n (of mansion, farm) Br dépendance f; (lavatory) Am cabinets mpl extérieurs.

outing ['aʊtɪŋ] n sortie f, excursion f.

outlandish [aʊt'lændɪʃ] a (weird) bizarre; (barbaric) barbare.

outlast [aʊt'lɑːst] vt durer plus longtemps que; (survive) survivre à.

outlaw ['aʊtlɔː] n hors-la-loi m inv ▮ vt (ban) proscrire.

outlay ['aʊtleɪ] n (expense) dépense(s) f(pl).

outlet ['aʊtlet] n (market for goods) débouché m; (for liquid, of tunnel etc) sortie f; (electrical) prise f de courant; (for feelings, energy) exutoire m, moyen m d'expression; **retail o.** point m de vente, magasin m; **factory o.** magasin m d'usine.

outline ['aʊtlaɪn] n (shape) contour m, profil m; (rough) o. (of article, plan etc) esquisse f; **the broad** or **general** or **main outline(s)** (chief features) les grandes lignes ▮ vt (plan, situation) esquisser, décrire à grands traits; (book, speech) résumer; **to be outlined against** (of tree etc) se profiler sur.

outlive [aʊt'lɪv] vt survivre à.

outlook ['aʊtlʊk] n inv (for future) perspective(s) f(pl); (point of view) perspective f (on sur), attitude f (on à l'égard de); (weather forecast) prévisions fpl.

outlying ['aʊtlaɪɪŋ] a (remote) isolé; (neighbourhood) périphérique.

outmoded [aʊt'məʊdɪd] a démodé.

outnumber [aʊt'nʌmbər] vt être plus nombreux que.

outpatient ['aʊtpeɪʃ(ə)nt] n Br malade mf en consultation externe.

outpost ['aʊtpəʊst] n avant-poste m.

output ['aʊtpʊt] n rendement m, production f; (computer data) données fpl de sortie; (computer process) sortie f.

outrage ['aʊtreɪdʒ] n (scandal) scandale m; (anger) indignation f; (crime) atrocité f; (indignity) indignité f; **bomb o.** attentat m à la bombe ▮ vt (morals) outrager; **outraged by sth** indigné de qch.

outrageous [aʊt'reɪdʒəs] a (shocking) scandaleux; (atrocious) atroce; (dress, hat etc) grotesque.

outright [aʊt'raɪt] adv (to say, tell) franchement; (completely) complètement; (to be killed) sur le coup; **to buy o.** (for cash) acheter au comptant ▮ ['aʊtraɪt] a (complete) complet; (lie, folly) pur; (refusal, rejection etc) catégorique, net (f nette); (winner) incontesté.

outset ['aʊtset] n **at the o.** au début; **from the o.** dès le départ.

outside [aʊt'saɪd] adv (au) dehors, à l'extérieur; **to go o.** sortir.

▮ prep à l'extérieur de, en dehors de; (beyond) Fig en dehors de; **o. my room** or **door** à la porte de ma chambre.

▮ n extérieur m, dehors m.

▮ ['aʊtsaɪd] a extérieur m; (bus or train seat etc) côté couloir inv; (maximum) Fig maximum; **the o. lane** (on road) Br la voie de droite, Am la voie de gauche; **an o. chance** une faible chance.

outsider [aʊt'saɪdər] n (stranger) étranger, -ère mf; (horse etc in race) outsider m.

outsize ['aʊtsaɪz] a (clothes) grande taille inv.

outskirts ['aʊtskɜːts] npl banlieue f.

outsmart [aʊt'smɑːt] vt être plus malin que.

outspoken [aʊt'spəʊk(ə)n] a (frank) franc (f franche).

outstanding [aʊt'stændɪŋ] a remarquable, exceptionnel; (problem, business) non réglé, en suspens; (debt) impayé; **work o.** travail m à faire.

outstay [aʊt'steɪ] vt **to o. one's welcome** abuser de l'hospitalité de son hôte, s'incruster.

outstretched [aʊt'stretʃt] a (arm) tendu; (wings) déployé.

outstrip [aʊt'strɪp] vt (-pp-) devancer.

out-tray ['aʊttreɪ] n (in office) corbeille f (du courrier) 'départ'.

outward ['aʊtwəd] a (sign, appearance) extérieur; (movement, look) vers l'extérieur; **o. journey** or **trip** aller m. ● **outward(s)** adv vers l'extérieur.

outweigh [aʊt'weɪ] vt (be more important than) l'emporter sur.

outwit [aʊt'wɪt] vt (-tt-) être plus malin que.

oval ['əʊv(ə)l] a & n ovale (m).

ovary ['əʊvərɪ] n (reproductive organ) ovaire m.

ovation [əʊ'veɪʃ(ə)n] n (standing) o. ovation f.

oven ['ʌv(ə)n] n four m; (hot place) Fig fournaise f; **o. glove** gant m isolant.

over ['əʊvər] prep (on) sur; (above) au-dessus de; (on the other side of) de l'autre côté de; **bridge o. the river** pont m sur le fleuve; **to jump/look/etc o. sth** sauter/regarder/etc par-dessus qch; **to fall o. the balcony/etc** tomber du balcon/etc; **she fell o. it** elle en est tombée; **o. it** (on) dessus; (above) au-dessus; **to jump o. it** sauter par-dessus; **to criticize/etc o. sth** (about) critiquer/etc à propos de qch; **an advantage o.** un avantage sur or par rapport à; **o. the radio** (on) à la radio; **o. the phone** au téléphone; **o. the holidays** (during) Br pendant les vacances; **o. ten days** (more than) plus de dix jours; **men o. sixty** les hommes de plus de soixante ans; **o. and above** en plus de; **he's o. his flu** (recovered from) il est remis de sa grippe; **all o. Spain** (everywhere in) dans toute l'Espagne, partout en Espagne; **all o. the carpet** (everywhere on) partout sur le tapis.

▮ adv (above) (par-)dessus; (finished) fini; (danger) passé; (again) encore; (too) trop; **jump o.!** sautez par-dessus!; **o. here** ici; **o. there** là-bas; **to come** or **go** or **be o.** (visit) passer; **to ask s.o. o.** inviter qn (à venir); **he's o. in Italy** il est (parti) en Italie; **she's o. from Paris** elle est venue de Paris; **all o.** (everywhere) partout; **wet all o.** tout mouillé;

it's all o.! (*finished*) c'est fini!; **she's o.** (*on the ground*) (*fallen*) elle est tombée; **a kilo or o.** (*more*) un kilo ou plus; **I have ten o.** (*left*) il m'en reste dix; **there's some bread o.** il reste du pain; **o. and o.** (**again**) (*often*) à plusieurs reprises; **to start all o.** (*again*) recommencer à zéro; **o. pleased**/*etc* trop content/*etc*.
over-abundant [əʊvərə'bʌndənt] *a* surabondant. ●**over-de'veloped** *a* trop développé. ●**over-fa'miliar** *a* trop familier. ●**over-in'dulge** *vt* (*one's desires, whims etc*) céder trop facilement à; (*person*) trop gâter. ●**over-sub'scribed** *a* (*course*) ayant trop d'inscrits.
overall 1 [əʊvər'ɔːl] *a* (*measurement, length, etc*) total; (*result, effort etc*) global ∎ *adv* globalement, dans l'ensemble. **2** ['əʊvərɔːl] *n Br* blouse *f* (de travail); *Am* = **overalls**; **overalls** (*of workman*) *Br* bleus *mpl* de travail.
overawe [əʊvər'ɔː] *vt* intimider.
overbalance [əʊvə'bæləns] *vi* basculer.
overbearing [əʊvə'beərɪŋ] *a* autoritaire.
overboard ['əʊvəbɔːd] *adv* à la mer.
overbook [əʊvə'bʊk] *vt* (*flight*) surréserver, surbooker; (*hotel*) surréserver.
overburden [əʊvə'bɜːd(ə)n] *vt* surcharger.
overcast [əʊvə'kɑːst] *a* (*sky*) couvert.
overcharge [əʊvə'tʃɑːdʒ] *vt* **to o. s.o. for sth** faire payer qch trop cher à qn.
overcoat ['əʊvəkəʊt] *n* pardessus *m*.
overcome [əʊvə'kʌm] *vt* (*pt* **overcame**, *pp* **overcome**) (*problem, disgust*) surmonter; (*shyness, enemy etc*) vaincre; **to be o. by** (*fatigue, grief*) être accablé par; (*fumes, temptation*) succomber à; **he was o. by emotion** l'émotion eut raison de lui.
overcook [əʊvə'kʊk] *vt* faire cuire trop.
overcrowded [əʊvə'kraʊdɪd] *a* (*house, country*) surpeuplé; (*bus, train*) bondé. ●**overcrowding** *n* surpeuplement *m*.
overdo [əʊvə'duː] *vt* (*pt* **overdid**, *pp* **overdone**) exagérer; (*overcook*) faire cuire trop; **to o. it** ne pas y aller doucement; **don't o. it!** vas-y doucement!
overdose ['əʊvədəʊs] *n* overdose *f*, dose *f* excessive (*de barbituriques etc*).
overdraft ['əʊvədrɑːft] *n* (*with bank*) découvert *m*. ●**over'draw** *vt* (*pt* **overdrew**, *pp* **overdrawn**) (*account*) mettre à découvert; **overdrawn account** compte *m* à découvert.
overdress [əʊvə'dres] *vi* s'habiller avec trop de recherche.
overdue [əʊvə'djuː] *a* (*train, bus etc*) en retard; (*debt*) arriéré; (*apology, thanks*) tardif.
overeat [əʊvər'iːt] *vi* manger trop.
overestimate [əʊvər'estɪmeɪt] *vt* surestimer.
overexcited [əʊvərɪk'saɪtɪd] *a* surexcité.
overfeed [əʊvə'fiːd] *vt* (*pt* & *pp* **overfed**) (*person, animal*) suralimenter.
overflow 1 [əʊvə'fləʊ] *vi* (*of river, bath etc*) déborder (**with** de); **to be overflowing with** (*of town, shop, house etc*) regorger de (*visiteurs, livres etc*). **2** ['əʊvəfləʊ] *n* (*outlet*) trop-plein *m*; (*of people, objects*) *Fig* excédent *m*.
overgrown [əʊvə'grəʊn] *a* envahi par la végétation; **o. with weeds**/*etc* envahi par les mauvaises herbes/*etc*; **you're an o. schoolgirl** *Fig Pej* tu as la mentalité d'une écolière.
overhang [əʊvə'hæŋ] *vi* (*pt* & *pp* **overhung**) faire saillie ∎ *vt* surplomber.
overhaul [əʊvə'hɔːl] *vt* (*vehicle, schedule, text etc*) réviser ∎ ['əʊvəhɔːl] *n* révision *f*.
overhead [əʊvə'hed] *adv* au-dessus ∎ ['əʊvəhed] **1** *a* (*cable, Br railway, Am railroad etc*) aérien. **2** *n Am* = **overheads**. ●**overheads** ['əʊvəhedz] *npl* (*expenses*) frais *mpl* généraux.
overhear [əʊvə'hɪər] *vt* (*pt* & *pp* **overheard**) surprendre, entendre.
overheat [əʊvə'hiːt] *vt* surchauffer ∎ *vi* (*of engine*) chauffer.
overjoyed [əʊvə'dʒɔɪd] *a* fou (*f* folle) de joie.
overland ['əʊvəlænd] *a* & *adv* par voie de terre.
overlap [əʊvə'læp] *vi* (**-pp-**) se chevaucher ∎ *vt* chevaucher ∎ ['əʊvəlæp] *n* chevauchement *m*.
overleaf [əʊvə'liːf] *adv* au verso.
overload [əʊvə'ləʊd] *vt* surcharger.
overlook [əʊvə'lʊk] *vt* **1** (*not notice*) ne pas remarquer; (*forget*) oublier; (*disregard, ignore*) passer sur. **2** (*of window, house etc*) donner sur (*parc etc*); (*of tower, fort*) dominer (*vallée, ville etc*).
overly ['əʊvəlɪ] *adv* excessivement.
overmanning [əʊvə'mænɪŋ] *n* sureffectifs *mpl*.
overmuch [əʊvə'mʌtʃ] *adv* trop, excessivement.
overnight [əʊvə'naɪt] *adv* (*during the night*) (pendant) la nuit; (*suddenly*) *Fig* du jour au lendemain; **to stay o.** passer la nuit ∎ ['əʊvənaɪt] *a* (*train, flight*) de nuit; (*stay*) d'une nuit; (*clothes*) pour une nuit; **o. bag** (petit) sac *m* de voyage; **o. stop** arrêt *m* pour la nuit.
overpass ['əʊvəpɑːs, *Am* -pæs] *n* (*bridge*) *Am* toboggan *m*.
overpopulated [əʊvə'pɒpjʊleɪtɪd] *a* surpeuplé.
overpower [əʊvə'paʊər] *vt* (*physically*) maîtriser; (*defeat*) vaincre; (*overwhelm*) *Fig* accabler. ●**overpowering** *a* (*heat, smell etc*) accablant; (*charm etc*) irrésistible.
overpriced [əʊvə'praɪst] *a* (bien) trop cher.
overrate [əʊvə'reɪt] *vt* surestimer. ●**overrated** *a* (*book, film etc*) surfait.
overreach [əʊvə'riːtʃ] *vt* **to o. oneself** trop entreprendre.
overreact [əʊvərɪ'ækt] *vi* réagir excessivement.
override [əʊvə'raɪd] *vt* (*pt* **overrode**, *pp* **overridden**) (*be more important than*) l'emporter sur; (*invalidate*) annuler; (*take no notice of*) passer outre à. ●**overriding** *a* (*importance*) primordial; (*passion*) prédominant; **my o.**

overrule

consideration (*priority*) ma priorité.
overrule [əʊvə'ruːl] *vt* (*decision etc*) annuler; (*argument, objection*) repousser, rejeter.
overrun [əʊvə'rʌn] *vt* (*pt* **overran**, *pp* **overrun**, *pres p* **overrunning**) **1** (*invade*) envahir. **2** (*go beyond*) aller au-delà de.
overseas [əʊvə'siːz] *adv* (*Africa, Japan etc*) outre-mer; (*abroad*) à l'étranger ▍ ['əʊvəsiːz] *a* (*visitor, market etc*) d'outre-mer; étranger; (*trade*) extérieur.
oversee [əʊvə'siː] *vt* (*pt* **oversaw**, *pp* **overseen**) (*work etc*) superviser, surveiller. ● **overseer** ['əʊvəsiːər] *n* (*foreman*) contremaître *m*.
overshadow [əʊvə'ʃædəʊ] *vt* (*make less important*) éclipser; (*make gloomy*) assombrir.
overshoot [əʊvə'ʃuːt] *vt* (*pt & pp* **overshot**) (*of aircraft, vehicle, train etc*) dépasser.
oversight ['əʊvəsaɪt] *n* oubli *m*, omission *f*; (*mistake*) erreur *f*.
oversimplify [əʊvə'sɪmplɪfaɪ] *vti* trop simplifier.
oversize(d) [əʊvə'saɪz(d)] *a* trop grand.
oversleep [əʊvə'sliːp] *vi* (*pt & pp* **overslept**) dormir trop longtemps, oublier de se réveiller.
overspend [əʊvə'spend] *vi* dépenser trop.
overstaffed [əʊvə'stɑːft] *a* au personnel pléthorique.
overstate [əʊvə'steɪt] *vt* exagérer.
overstay [əʊvə'steɪ] *vt* **to o. one's welcome** abuser de l'hospitalité de son hôte, s'incruster.
overstep [əʊvə'step] *vt* (**-pp-**) (*limit etc*) dépasser; **to o. one's authority** outrepasser ses pouvoirs; **to o. the mark** dépasser les bornes.
overt ['əʊvɜːt] *a* manifeste.
overtake [əʊvə'teɪk] *vt* (*pt* **overtook**, *pp* **overtaken**) dépasser; (*vehicle*) *Br* doubler, dépasser; **overtaken by nightfall/***etc* surpris par la nuit/*etc* ▍ *vi* (*in vehicle*) *Br* doubler, dépasser.
overtax [əʊvə'tæks] *vt* **1 to o. one's brain** se fatiguer la cervelle; **to o. one's strength** abuser de ses forces. **2** (*taxpayer*) surimposer.
overthrow [əʊvə'θrəʊ] *vt* (*pt* **overthrew**, *pp* **overthrown**) (*dictator, government etc*) renverser ▍ ['əʊvəθrəʊ] *n* renversement *m*.
overtime ['əʊvətaɪm] *n* heures *fpl* supplémentaires ▍ *adv* **to work o.** faire des heures supplémentaires.
overtones ['əʊvətəʊnz] *npl* (*traces, hint*) note *f*, nuance *f* (**of** de).

overture ['əʊvətjʊər] *n* (*music, gesture*) ouverture *f*.
overturn [əʊvə'tɜːn] *vi* (*of car, boat*) se retourner ▍ *vt* (*chair, table etc*) renverser; (*car, boat*) retourner; (*decision etc*) *Fig* annuler.
overweight [əʊvə'weɪt] *a* **to be o.** (*of person*) avoir des kilos en trop; (*of suitcase etc*) peser trop.
overwhelm [əʊvə'welm] *vt* (*of feelings, heat etc*) accabler; (*defeat*) écraser; (*amaze*) bouleverser. ● **overwhelmed** *a* (*overjoyed*) ravi (**by, with** de); **o. with** (*work, offers*) submergé de; **o. with grief** accablé par le chagrin; **o. by** (*kindness, gift etc*) vivement touché par. ● **overwhelming** *a* (*heat, grief etc*) accablant; (*majority, defeat*) écrasant; (*desire*) irrésistible; (*impression*) dominant; **the o. majority of people** l'écrasante majorité des gens. ● **overwhelmingly** *adv* (*to vote, reject etc*) en masse; (*utterly*) carrément.
overwork [əʊvə'wɜːk] *n* surmenage *m* ▍ *vi* se surmener ▍ *vt* surmener.
overwrought [əʊvə'rɔːt] *a* (*tense*) tendu.
owe [əʊ] *vt* (*money, respect, apology etc*) devoir (**to** à); **I'll o. it to you, I'll o. you (for) it** (*money*) je te le devrai; **to o. it to oneself to do** se devoir de faire. ● **owing 1** *a* (*money etc*) dû, qu'on doit. **2** *prep* **o. to** à cause de.
owl [aʊl] *n* hibou *m* (*pl* hiboux).
own [əʊn] **1** *a* propre; **my o. house** ma propre maison ▍ *pron* **it's my (very) o.** c'est à moi (tout seul); **a house of his o.** sa propre maison, sa maison à lui; (**all) on one's o.** (*alone*) tout seul; **to get one's o. back** se venger (**on** s.o. de qn, **for** sth de qch), prendre sa revanche (**on** s.o. sur qn, **for** sth de qch); **to come into one's o.** (*fulfil oneself*) s'épanouir.
2 *vt* (*possess*) posséder; **who owns this ball/***etc***?** à qui appartient cette balle/*etc*?
3 *vi* **to o. up** (*confess*) avouer; **to o. up to sth** avouer qch.
owner ['əʊnər] *n* propriétaire *mf*. ● **ownership** *n* possession *f*; **home o.** accession *f* à la propriété; **public o.** *Econ* nationalisation *f*.
ox, *pl* **oxen** [ɒks, 'ɒks(ə)n] *n* bœuf *m*.
oxide ['ɒksaɪd] *n Ch* oxide *m*. ● **oxidize** ['ɒksɪdaɪz] *vi* s'oxyder ▍ *vt* oxyder.
oxygen ['ɒksɪdʒ(ə)n] *n* oxygène *m*; **o. mask/tent** masque *m*/tente *f* à oxygène.
oyster ['ɔɪstər] *n* huître *f*.
oz *abbr* (*ounce*) once *f*.
ozone ['əʊzəʊn] *n Ch* ozone *m*; **o. friendly** (*product*) qui préserve la couche d'ozone; **o. layer** couche *f* d'ozone.

P

P, p [piː] *n* P, p *m*.
p [piː] *abbr Br* = **penny, pence.**
pa [pɑː] *n (father) Fam* papa *m*.
PA [piːˈeɪ] *n abbr* = **personal assistant.**
pace [peɪs] *n (speed)* pas *m*, allure *f*; *(step, measure)* pas *m*; **to keep p. with s.o.** *(follow)* suivre qn; *(in quality of work etc)* se maintenir à la hauteur de qn ∎ *vi* **to p. up and down** faire les cent pas ∎ *vt (room etc)* arpenter.
pacemaker [ˈpeɪsmeɪkər] *n (for heart)* stimulateur *m* cardiaque.
Pacific [pəˈsɪfɪk] *a (coast etc)* pacifique ∎ *n* **the P.** le Pacifique.
pacifier [ˈpæsɪfaɪər] *n (of baby) Am* sucette *f*, tétine *f*.
pacifist [ˈpæsɪfɪst] *n & a* pacifiste *(mf)*.
pacify [ˈpæsɪfaɪ] *vt (country etc)* pacifier; *(crowd, angry person, critic)* calmer; *(nervous person, fears)* apaiser.
pack¹ [pæk] *n (bundle, packet)* paquet *m*; *(rucksack)* sac *m* (à dos); *(of animal)* charge *f*; *(of soldier)* paquetage *m*; *(of hounds, wolves)* meute *f*; *(of runners)* peloton *m*; *(of thieves)* bande *f*; *(of cards)* jeu *m*; *(of lies)* tissu *m*.
pack² [pæk] *vt (fill)* remplir (**with** de); *(excessively)* bourrer; *(suitcase)* faire; *(object into box etc)* emballer; *(object into suitcase)* mettre dans sa valise; *(make into package)* empaqueter; *(crush, compress)* tasser.
∎ *vi (fill one's bags)* faire ses valises.
package [ˈpækɪdʒ] *n* paquet *m*; *(computer programs)* progiciel *m*; **p. deal** *Com* contrat *m* global, train *m* de propositions; **p. holiday** *Br* vacances *fpl* organisées; **p. tour** *Br* voyage *m* organisé ∎ *vt* emballer, empaqueter. • **packaging** *n (material, action)* emballage *m*.
pack away *vt (tidy away)* ranger ∎ **to pack down** *vt (crush, compress)* tasser ∎ **to pack in** *vt Br Fam (stop)* arrêter; *(give up)* laisser tomber *(métier, activité etc)*; **p. it in!** laisse tomber! ∎ **to pack into** *vt (cram)* entasser dans; *(put)* mettre dans ∎ *vi (crowd into)* s'entasser dans ∎ **to pack off** *vt (person) Fam* expédier ∎ **to pack up** *vt (put into box)* emballer; *(put into suitcase)* mettre dans sa valise; *(give up) Fam* laisser tomber ∎ *vi Fam (stop)* s'arrêter; *(of machine, vehicle)* tomber en rade *or* en panne.
packed [pækt] *a (bus, room etc)* bourré; **p. lunch** *Br* panier-repas *m*; **p. out** *(crowded) Br Fam* bourré.
packet [ˈpækɪt] *n* paquet *m*; *(of Br sweets, Am candies)* sachet *m*, paquet *m*; **to make/cost a p.** *Fam* faire/coûter beaucoup d'argent.
packing [ˈpækɪŋ] *n (material, action)* emballage *m*; **p. case** caisse *f* d'emballage.
pact [pækt] *n* pacte *m*.
pad [pæd] *n (wad or plug of cloth etc)* tampon *m*; *(for writing, notes etc)* bloc *m*; *(on knee) Sport* genouillère *f*; *(on leg)* jambière *f*; *(room) Sl* piaule *f*; **launch(ing) p.** aire *f* de lancement; **ink(ing) p.** tampon *m* encreur ∎ *vt (-dd-) (stuff)* rembourrer *(fauteuil etc)*; matelasser *(vêtement)*; **to p. out** *(speech, text)* délayer. • **padded** *a (armchair etc)* rembourré; *(jacket etc)* matelassé.
• **padding** *n (material)* rembourrage *m*; *(of speech, text)* délayage *m*.
paddle [ˈpæd(ə)l] **1** *vi (dip one's feet)* se mouiller les pieds; *(splash about)* barboter ∎ *n* **to have a (little) p.** se mouiller les pieds. **2** *n (pole)* pagaie *f*; **p. boat, p. steamer** bateau *m* à roues ∎ *vt* **to p. a canoe** pagayer.
• **paddling pool** *n Br (small, inflatable)* piscine *f* gonflable; *(large, purpose-built)* pataugeoire *f*.
paddock [ˈpædək] *n* enclos *m*; *(at racecourse)* paddock *m*.
paddy [ˈpædɪ] *n* **p. (field)** rizière *f*.
padlock [ˈpædlɒk] *n (on door etc)* cadenas *m*; *(on bicycle, moped)* antivol *m* ∎ *vt (door etc)* cadenasser.
p(a)ediatrician [piːdɪəˈtrɪʃ(ə)n] *n (doctor)* pédiatre *mf*. • **p(a)ediatrics** *n* pédiatrie *f*.
pagan [ˈpeɪɡən] *a & n* païen, -enne *(mf)*.
• **paganism** *n* paganisme *m*.
page [peɪdʒ] **1** *n (of book etc)* page *f*. **2** *n* **p. (boy)** *(in hotel etc)* groom *m*; *(at court) Hist* page *m*; *(at wedding)* garçon *m* d'honneur ∎ *vt* **to p. s.o.** faire appeler qn. • **pager** *n* récepteur *m* d'appel.
pageant [ˈpædʒənt] *n* grand spectacle *m* historique. • **pageantry** *n* pompe *f*, apparat *m*.
pagoda [pəˈɡəʊdə] *n* pagode *f*.
paid [peɪd] *pt & pp of* **pay** ∎ *a (assassin etc)* à gages; **to put p. to** *(hopes, plans) Br* anéantir; **to put p. to s.o.** *(ruin) Br* couler qn.
pail [peɪl] *n* seau *m*.
pain [peɪn] *n (physical)* douleur *f*; *(grief)* peine *f*; **pains** *(efforts)* efforts *mpl*; **to have a p. in one's arm** avoir mal *or* une douleur au bras; **to be in p.** souffrir; **to go to** *or* **take (great) pains to do** *(exert oneself)* se donner du mal à faire; **to go to** *or* **take (great) pains not to do** *(be careful)* prendre bien soin de ne pas faire; **to be a p. (in the neck)** *(of person) Fam* être casse-pieds.

painful

▎ *vt* (*grieve*) peiner.
painful ['peɪnfəl] *a* (*illness, operation*) douloureux; (*arm, leg*) qui fait mal, douloureux; (*distressing*) douloureux, pénible; (*difficult*) pénible; (*bad*) *Fam* affreux. ● **painfully** *adv* douloureusement; (*with difficulty*) péniblement; (*very*) *Fam* affreusement.
painkiller ['peɪnkɪlər] *n* calmant *m*; **on painkillers** sous calmants.
painless ['peɪnləs] *a* sans douleur; (*illness, operation*) indolore; (*easy*) *Fam* facile. ● **painlessly** *adv* sans douleur; (*easily*) sans effort.
painstaking ['peɪnzteɪkɪŋ] *a* (*person*) soigneux; (*work*) soigné. ● **painstakingly** *adv* avec soin.
paint [peɪnt] *n* peinture *f*; **paints** (*in box, tube*) couleurs *fpl*; **p. stripper** décapant *m* ▎ *vt* (*colour, describe*) peindre; **to p. blue**/*etc* peindre en bleu/*etc* ▎ *vi* peindre. ● **painting** *n* (*activity*) peinture *f*; (*picture*) tableau *m*, peinture *f*. ● **painter** *n* peintre *m*; **p. and decorator** *Br*, (**house**) **p.** *Am* peintre *m* décorateur.
paintbrush ['peɪntbrʌʃ] *n* pinceau *m*.
paintwork ['peɪntwɜːk] *n* (*of building, vehicle*) peinture(s) *f(pl)*.
pair [peər] *n* (*two*) paire *f*; (*man and woman*) couple *m*; **a p. of shorts** un short; **the p. of you** *Fam* vous deux ▎ *vi* **to p. off** (*of people*) former un couple.
pajama(s) [pə'dʒɑːmə(z)] *a* & *npl Am* = pyjama(s).
Pakistan [pɑːkɪ'stɑːn] *n* Pakistan *m*. ● **Pakistani** *a* pakistanais ▎ *n* Pakistanais, -aise *mf*.
pal [pæl] *n Fam* copain *m*, copine *f* ▎ *vi* (-ll-) *Br* **to p. up** devenir copains; **to p. up with s.o.** devenir copain avec qn.
palace ['pælɪs] *n* (*building*) palais *m*. ● **palatial** [pə'leɪʃ(ə)l] *a* comme un palais.
palatable ['pælətəb(ə)l] *a* (*food*) agréable; (*idea, fact etc*) acceptable.
palate ['pælɪt] *n* (*in mouth*) palais *m*.
palaver [pə'lɑːvər] *n Fam* (*fuss*) *Br* histoire(s) *f(pl)*; (*talk*) palabres *mpl*.
pale [peɪl] *a* (-er, -est) (*face, colour etc*) pâle; **p. ale** *Br* bière *f* blonde ▎ *vi* pâlir. ● **paleness** *n* pâleur *f*.
Palestine ['pæləstaɪn] *n* Palestine *f*. ● **Pale'stinian** *a* palestinien ▎ *n* Palestinien, -ienne *mf*.
palette ['pælɪt] *n* (*of artist*) palette *f*.
paling ['peɪlɪŋ] *n* (*fence*) palissade *f*.
pall [pɔːl] **1** *vi* devenir insipide *or* ennuyeux (**on** pour). **2** *n* (*of smoke*) voile *m*.
pallbearer ['pɔːlbeərər] *n* personne *f* qui aide à porter un cercueil.
pallid ['pælɪd] *a* pâle. ● **pallor** *n* pâleur *f*.
pally ['pælɪ] *a* (-ier, -iest) *Fam* copain *am*, copine *af* (**with** avec).
palm [pɑːm] **1** *n* (*of hand*) paume *f*. **2** *n* (*symbol*) palme *f*; **p. (tree)** palmier *m*; **p. (leaf)** palme *f*; **P. Sunday** les Rameaux *mpl*. **3** *vt Fam* **to p. sth off** (*pass off*) refiler qch (**on s.o.** à qn), coller qch (**on s.o.** à qn); **to p. s.o. off on s.o.** coller qn à qn.
palmist ['pɑːmɪst] *n* chiromancien, -ienne *mf*. ● **palmistry** *n* chiromancie *f*.
palpable ['pælpəb(ə)l] *a* (*obvious*) manifeste.
palpitate ['pælpɪteɪt] *vi* (*of heart*) palpiter. ● **palpitation** [-'teɪʃ(ə)n] *n* palpitation *f*; **to have** *or* **get palpitations** avoir des palpitations.
paltry ['pɔːltrɪ] *a* (-ier, -iest) (*trifling*) (*sum etc*) dérisoire; **a p. excuse/painter** (*bad*) une piètre excuse/un piètre peintre.
pamper ['pæmpər] *vt* dorloter.
pamphlet ['pæmflɪt] *n* brochure *f*.
pan [pæn] **1** *n* casserole *f*; (*for frying*) poêle *f* (à frire); (*of lavatory*) *Br* cuvette *f*. **2** *vt* (-nn-) (*criticize*) *Fam* éreinter. **3** *vi* (-nn-) **to p. out** (*succeed*) aboutir.
Pan- [pæn] *pref* pan-.
panacea [pænə'sɪə] *n* panacée *f*.
panache [pə'næʃ] *n* (*showy manner*) panache *m*.
Panama ['pænəmɑː] *n* Panama *m*.
pancake ['pænkeɪk] *n* crêpe *f*.
pancreas ['pæŋkrɪəs] *n Anat* pancréas *m*.
panda ['pændə] *n* (*animal*) panda *m*; **P. car** *Br* = voiture *f* pie *inv* (de la police).
pandemonium [pændɪ'məʊnɪəm] *n* chaos *m*; (*uproar*) tumulte *m*; (*place*) bazar *m*.
pander ['pændər] *vi* **to p. to** (*fashion, tastes etc*) sacrifier à; **to p. to s.o.** *or* **to s.o.'s desires** se plier aux désirs de qn.
pane [peɪn] *n* vitre *f*, carreau *m*.
panel ['pæn(ə)l] *n* **1** (*of door etc*) panneau *m*; (**control**) **p.** console *f*; (**instrument**) **p.** (*in aircraft, vehicle*) tableau *m* de bord. **2** (*of judges*) jury *m*; (*of experts*) groupe *m*; (*of candidates*) équipe *f*; **a p. of guests** des invités; **a p. game** (*on TV etc*) un jeu par équipes.
panelled ['pænəld] (*Am* **paneled**) *a* (*room etc*) lambrissé. ● **panelling** (*Am* **paneling**) *n* lambris *m*.
panellist ['pænəlɪst] *n* (*on TV etc*) (*guest*) invité, -ée *mf*; (*expert*) expert *m*; (*candidate*) candidat, -ate *mf*.
pangs [pæŋz] *npl* **p. of conscience** remords *mpl* (de conscience); **p. of hunger** tiraillements *mpl* d'estomac; **p. of death/jealousy** les affres *fpl* de la mort/de la jalousie.
panic ['pænɪk] *n* panique *f*; **to get into a p.** paniquer ▎ *vi* (-ck-) s'affoler, paniquer. ● **panic-stricken** *a* affolé. ● **panicky** (*person*) *a Fam* qui s'affole facilement; **to get p.** s'affoler.
panorama [pænə'rɑːmə] *n* panorama *m*. ● **panoramic** *a* panoramique.
pansy ['pænzɪ] *n* **1** (*plant*) pensée *f*. **2** (*homosexual*) *Pej* tante *f*, tapette *f*.
pant [pænt] *vi* (*gasp*) haleter.
panther ['pænθər] *n* (*animal*) panthère *f*.
panties ['pæntɪz] *npl* (*female underwear*) slip *m*; (*longer*) culotte *f*.
pantomime ['pæntəmaɪm] *n* (*show*) *Br* spectacle *m* de Noël.

pantry ['pæntrɪ] n (*larder*) garde-manger m inv; (*storeroom in hotel, ship*) office m or f.

pants [pænts] npl (*male underwear*) slip m; (*long, loose*) caleçon m; (*female underwear*) slip m; (*long*) culotte f; (*trousers*) Am pantalon m.

pantyhose ['pæntɪhəʊz] n (*tights*) Am collant(s) m(pl).

papacy ['peɪpəsɪ] n papauté f. ●**papal** a papal.

paper ['peɪpər] n papier m; (*newspaper*) journal m; (*wallpaper*) papier m peint; (*exam*) épreuve f (écrite); (*student's exercise*) copie f; (*learned article*) communication f, exposé m; **brown p.** papier m d'emballage; **to put sth down on p.** mettre qch par écrit. ∎ a (*bag etc*) en papier; (*cup, plate*) en carton; **p. clip** trombone m inv; **p. knife** coupe-papier m inv; **p. mill** papeterie f; **p. round** (*newspaper delivery*) tournée f; **p. shop** Br marchand m de journaux. ∎ vt (*room, wall*) tapisser.

paperback ['peɪpəbæk] n (*book*) livre m de poche. ●**paperboy** n livreur m de journaux. ●**paperweight** n presse-papiers m inv. ●**paperwork** n (*in office etc*) écritures fpl; (*red tape*) Pej paperasserie f.

paprika ['pæprɪkə] n paprika m.

par [pɑːr] n Golf par m; **on a p.** au même niveau (**with** que); **below p.** (*unwell*) Fam pas en forme.

para- ['pærə] pref para-.

parable ['pærəb(ə)l] n (*story*) parabole f.

paracetamol [pærəˈsiːtəmɒl] n paracétamol m; (*tablet*) comprimé m de paracétamol.

parachute ['pærəʃuːt] n parachute m; **to drop by p.** (*men, supplies*) parachuter ∎ vi descendre en parachute ∎ vt parachuter. ●**parachutist** n parachutiste mf.

parade [pəˈreɪd] **1** n (*procession*) défilé m; (*military ceremony*) parade f; **fashion p.** défilé m de mode or de mannequins; **p. ground** (*for soldiers*) terrain m de manœuvres ∎ vi (*of soldiers, demonstrators etc*) défiler; **to p. about** (*walk about*) se balader. **2** n (*display, show*) **to make a p. of** (*one's wealth etc*) faire étalage de ∎ vt faire étalage de. **3** n (*street*) Br avenue f.

paradise ['pærədaɪs] n paradis m.

paradox ['pærədɒks] n paradoxe m. ●**para'doxically** adv paradoxalement.

paraffin ['pærəfɪn] n Br pétrole m (lampant); (*wax*) Am paraffine f; **p. lamp** Br lampe f à pétrole.

paragon ['pærəg(ə)n] n **p. of virtue** modèle m de vertu.

paragraph ['pærəgrɑːf] n paragraphe m; **'new p.'** 'à la ligne'.

Paraguay ['pærəgwaɪ] n Paraguay m.

parakeet ['pærəkiːt] n (*bird*) perruche f.

parallel ['pærəlel] a (*line, road etc*) parallèle (**with, to** à); (*comparable*) parallèle, semblable (**with, to** à); **to run p. to** or **with** être parallèle à ∎ n (*comparison*) & Geog parallèle m; (*line*) Math parallèle f ∎ vt être semblable à.

paralysis [pəˈrælɪsɪs] n paralysie f. ●**paralyse** ['pærəlaɪz] vt (Am **-lyze**) paralyser. ●**para'lytic** a & n paralytique (mf).

paramedic [pærəˈmedɪk] n auxiliaire mf médical(e).

parameter [pəˈræmɪtər] n paramètre m.

paramount ['pærəmaʊnt] a **of p. importance** de la plus haute importance.

paranoia [pærəˈnɔɪə] n paranoïa f. ●**'paranoid** a & n paranoïaque (mf).

parapet ['pærəpɪt] n parapet m.

paraphernalia [pærəfəˈneɪlɪə] n attirail m.

paraphrase ['pærəfreɪz] n paraphrase f ∎ vt paraphraser.

paraplegic [pærəˈpliːdʒɪk] n paraplégique mf.

parasite ['pærəsaɪt] n (*person, organism*) parasite m.

parasol ['pærəsɒl] n (*over table, on beach*) parasol m; (*lady's*) ombrelle f.

paratrooper ['pærətruːpər] n (*soldier*) parachutiste m. ●**paratroops** npl parachutistes mpl.

parboil [pɑːˈbɔɪl] vt (*vegetables etc*) faire bouillir à demi.

parcel ['pɑːs(ə)l] **1** n colis m, paquet m; **to be part and p. of** faire partie intégrante de. **2** vt (Br **-ll-**, Am **-l-**) **to p. out** (*divide*) partager; **to p. up** faire un paquet de.

parch [pɑːtʃ] vt dessécher; **to be parched** (*thirsty*) être assoiffé; **to make s.o. parched** (*thirsty*) donner très soif à qn.

parchment ['pɑːtʃmənt] n parchemin m.

pardon ['pɑːd(ə)n] n (*by king, president etc*) grâce f; (*forgiveness*) pardon m; **general p.** amnistie f; **I beg your p.** (*apologize*) je vous prie de m'excuser; (*not hearing*) vous dites?; **p.?** (*not hearing*) comment?; **p. (me)!** (*sorry*) pardon! ∎ vt pardonner (**s.o. for sth** qch à qn); **to p. s.o.** pardonner (à) qn; (*of king etc*) gracier qn.

pare [peər] vt (*trim*) rogner; (*peel*) éplucher; **to p. down** Fig réduire, rogner.

parent ['peərənt] n père m, mère f; **one's parents** ses parents mpl, son père et sa mère; **p. company**, Br **p. firm** maison f mère. ●**parentage** n (*origin*) origine f. ●**parental** [pəˈrent(ə)l] a (*responsibility etc*) des parents, parental. ●**parenthood** n paternité f, maternité f.

parenthesis, pl **-eses** [pəˈrenθəsɪs, -əsiːz] n parenthèse f.

Paris ['pærɪs] n Paris m or f. ●**Parisian** [Br pəˈrɪzɪən, Am pəˈriːʒən] a parisien ∎ n Parisien, -ienne mf.

parish ['pærɪʃ] n (*religious*) paroisse f; (*civil*) commune f ∎ a (*church, register, hall etc*) paroissial; **p. council** conseil m municipal. ●**pa'rishioner** n paroissien, -ienne mf.

parity ['pærɪtɪ] n parité f (**with** avec, **between** entre).

park[1] [pɑːk] n (*garden*) parc m; **p. keeper** gardien, -ienne mf de parc.

park 238

park² [pɑːk] *vt* (*vehicle*) garer; (*put*) *Fam* mettre, poser ∎ *vi* (*of vehicle*) se garer; (*remain parked*) stationner. ●**parking** *n* stationnement *m*; 'no p.' 'défense de stationner'; **p. bay** *or* **area** aire *f* de stationnement; **p. light** *Br* veilleuse *f*; **p. lot** *Am* parking *m*; **p. meter** parcmètre *m*; **p. place** *or* **space** place *f* de parking; **p. ticket** contravention *f*.
parka ['pɑːkə] *n* (*coat*) parka *f or m*.
parkway ['pɑːkweɪ] *n Am* avenue *f*.
parliament ['pɑːləmənt] *n* parlement *m*; **P. Br** Parlement *m*. ●**parlia'mentary** *a* parlementaire. ●**parliamen'tarian** *n* parlementaire *mf* (expérimenté(e)).
parlour ['pɑːlər] (*Am* **parlor**) *n* (*in mansion*) (petit) salon *m*; **ice-cream p.** *Am* salon *m* de glaces; **p. game** jeu *m* de société.
parochial [pəˈrəʊkɪəl] *a* (*mentality, quarrel*) *Pej* de clocher; (*person*) *Pej* provincial, borné; *Rel* paroissial; **p. school** *Am* école *f* catholique.
parody ['pærədɪ] *n* parodie *f* ∎ *vt* parodier.
parole [pəˈrəʊl] *n* **on p.** (*prisoner*) en liberté conditionnelle.
parquet ['pɑːkeɪ] *n* **p.** (*floor*) parquet *m*.
parrot ['pærət] *n* perroquet *m*; **p. fashion** *Pej* comme un perroquet.
parry ['pærɪ] *vt* (*blow*) parer; (*question*) éluder ∎ *n* (*in fencing, boxing*) parade *f*.
parsimonious [pɑːsɪˈməʊnɪəs] *a* parcimonieux. ●**parsimoniously** *adv* avec parcimonie.
parsley ['pɑːslɪ] *n* persil *m*.
parsnip ['pɑːsnɪp] *n* panais *m*.
parson ['pɑːs(ə)n] *n* (*Protestant priest*) pasteur *m*; **the p.'s nose** (*of chicken*) *Br* le croupion.
part¹ [pɑːt] *n* partie *f*; (*of machine*) pièce *f*; (*of periodical*) fascicule *m*; (*of serial*) épisode *m*; (*role in play, film etc*) rôle *m*; (*quantity in mixture*) mesure *f*; (*in hair*) *Am* raie *f*; **to take p.** participer (**in** à); **to take s.o.'s p.** (*side*) prendre parti pour qn; **in p.** en partie; **for the most p.** dans l'ensemble; **to be a p. of** faire partie de; **on the p. of** (*on behalf of*) de la part de; **for my p.** pour ma part; **in these parts** dans ces parages; **p. exchange** reprise *f*; **to take in p. exchange** reprendre; **p. owner** copropriétaire *mf*; **p. payment** paiement *m* partiel.
∎ *adv* (*partly*) en partie; **p. American** en partie américain.
part² [pɑːt] *vt* (*separate*) séparer; (*crowd*) écarter; **to p. one's hair** se faire une raie; **to p. company with s.o.** (*leave*) quitter qn ∎ *vi* (*of friends etc*) se quitter; (*of married couple*) se séparer; **to p. with sth** (*get rid of*) se séparer de qch.
partake [pɑːˈteɪk] *vi* (*pt* **partook**, *pp* **partaken**) **to p. in** participer à; **to p. of** (*meal, food*) prendre, manger.
partial ['pɑːʃəl] *a* (*not total*) partiel; (*biased*) partial (**towards** envers); **to be p. to sth** (*fond of*) avoir un faible pour qch.

●**parti'ality** *n* (*bias*) partialité *f*; (*liking*) prédilection *f*.
participate [pɑːˈtɪsɪpeɪt] *vi* participer (**in** à). ●**participant** *n* participant, -ante *mf*. ●**partici'pation** [-ˈpeɪʃ(ə)n] *n* participation *f*.
participle [pɑːˈtɪsɪp(ə)l] *n Grammar* participe *m*.
particle ['pɑːtɪk(ə)l] *n* (*of atom, dust, name*) particule *f*; (*of truth*) grain *m*.
particular [pəˈtɪkjʊlər] *a* (*specific, special*) particulier; (*fussy, fastidious*) méticuleux; **this p. book** ce livre-ci en particulier; **in p.** en particulier; **to be p. about** (*one's work etc*) faire très attention à. ●**particulars** *npl* (*details*) détails *mpl*; (*information*) renseignements *mpl*; **s.o.'s p.** (*address etc*) les coordonnées *fpl* de qn, le nom et l'adresse de qn. ●**particularly** *adv* particulièrement.
parting ['pɑːtɪŋ] **1** *n* (*in hair*) *Br* raie *f*. **2** *n* (*separation*) séparation *f* ∎ *a* (*gift, words etc*) d'adieu.
partisan [*Br* pɑːtɪˈzæn, *Am* ˈpɑːtɪz(ə)n] *n* partisan *m*.
partition [pɑːˈtɪʃ(ə)n] **1** *n* (*of room*) cloison *f* ∎ *vt* **to p. off** cloisonner. **2** *Pol n* (*of country*) partition *f*, partage *m* ∎ *vt* (*country*) partager.
partly ['pɑːtlɪ] *adv* en partie; **p. English p. French** moitié anglais moitié français.
partner ['pɑːtnər] *n* (*in business*) associé, -ée *mf*; (*lover, spouse*) & *Sport Pol* partenaire *mf*; (*of racing driver etc*) coéquipier, -ière *mf*; (*dancing*) cavalier, -ière *mf*. ●**partnership** *n* association *f*; **to take s.o. into p.** prendre qn comme associé(e); **in p. with** en association avec.
partridge ['pɑːtrɪdʒ] *n* perdrix *f*.
part-time [pɑːtˈtaɪm] *a & adv* à temps partiel; (*half-time*) à mi-temps.
party ['pɑːtɪ] *n* **1** (*gathering*) (*formal*) réception *f*; (*with friends*) soirée *f*; (*for birthday*) fête *f*; (*with dancing, for young people*) boum *f*; **cocktail p.** cocktail *m*; **dinner p.** dîner *m*; **tea p.** thé *m*.
2 (*group*) groupe *m*; (*political*) parti *m*; (*in contract, lawsuit*) partie *f*; (*telephone caller*) correspondant, -ante *mf*; **rescue p.** équipe *f* de secours *or* de sauveteurs; **third p.** (*in insurance etc*) tiers *m*; **innocent p.** innocent, -ente *mf*; **to be (a) p. to** (*crime*) être complice de; **p. line** (*telephone line*) ligne *f* partagée; *Pol* ligne *f* du parti; **p. ticket** *Br* billet *m* collectif.
pass¹ [pɑːs] *n* (*entry permit*) laissez-passer *m inv*; (*free theatre, concert etc ticket*) billet *m* de faveur; (*season ticket*) carte *f* d'abonnement; (*over mountains*) col *m*; *Football etc* passe *f*; **to get a p.** (*in exam*) être reçu (**in French/etc** en français/*etc*); **to make a p. at s.o.** faire des avances à qn; **p. key** passe-partout *m inv*; **p. mark** (*in exam*) moyenne *f*, barre *f* d'admissibilité.
pass² [pɑːs] *vi* (*go, come, disappear*) passer (**to** à, **through** par); (*overtake in vehicle*) dé-

passer; (*in exam*) être reçu (**in French/***etc* en français/*etc*); **that'll p.** (*be acceptable*) ça ira; **he can p. for thirty** on lui donnerait trente ans.

▮ *vt* (*move, spend, give etc*) passer (**to** à); (*go past*) passer devant (*immeuble etc*); (*vehicle*) dépasser; (*exam*) être reçu à; (*candidate*) recevoir; (*opinion, judgment*) prononcer (**on** sur); (*remark*) faire; (*allow*) autoriser; (*bill, law*) (*of parliament*) voter; **to p. s.o.** (*in street*) croiser qn.

passable ['pɑːsəb(ə)l] *a* (*not bad*) passable; (*road*) praticable; (*river*) franchissable.

passage ['pæsɪdʒ] *n* (*of text, speech etc*) passage *m*; (*act of passing, way through*) passage *m*; (*of time*) écoulement *m*; (*corridor*) couloir *m*; (*by boat*) traversée *f*, passage *m*. ●**passageway** *n* (*corridor*) couloir *m*; (*alleyway, way through*) passage *m*.

pass along *vi* passer ▮ **to pass away** *vi* (*die*) mourir ▮ **to pass by** *vi* passer (à côté) ▮ *vt* (*building etc*) passer devant; **to p. by s.o.** (*in street*) croiser qn ▮ **to pass off** *vi* (*happen*) se passer ▮ *vt* **to p. oneself off as** se faire passer pour; **to p. sth off on s.o.** (*fob off*) refiler qch à qn ▮ **to pass on** *vt* (*message, illness, title etc*) transmettre (**to** à) ▮ *vi* **to p. on to** (*move on to*) passer à ▮ **to pass out** *vi* (*faint*) s'évanouir ▮ *vt* (*hand out*) distribuer (*tracts etc*) ▮ **to pass over** *vt* (*ignore*) passer sur (qch) ▮ **to pass round** *vt* (*cakes, document etc*) faire passer; (*hand out*) distribuer (*tracts etc*) ▮ **to pass through** *vi* passer ▮ **to pass up** *vt* (*chance etc*) laisser passer.

passbook ['pɑːsbʊk] *n* livret *m* de caisse d'épargne.

passenger ['pæsɪndʒər] *n* passager, -ère *mf*; (*on train*) voyageur, -euse *mf*.

passer-by [pɑːsə'baɪ] *n* (*pl* **passers-by**) passant, -ante *mf*.

passing ['pɑːsɪŋ] *a* (*vehicle etc*) qui passe; (*beauty*) passager; **p. place** aire *f* de croisement ▮ *n* (*of vehicle, visitor etc*) passage *m*; (*of time*) écoulement *m*; (*death*) disparition *f*; **in p.** en passant.

passion ['pæʃ(ə)n] *n* passion *f*; **to have a p. for** (*cars etc*) avoir la passion de, adorer. ●**passionate** *a* passionné. ●**passionately** *adv* passionnément.

passive ['pæsɪv] *a* (*not active*) passif; **p. smoking** tabagisme *m* passif; **the p. voice** *Grammar* la voix passive ▮ *n Grammar* passif *m*; **in the p.** au passif. ●**passiveness** *n* passivité *f*.

Passover ['pɑːsəʊvər] *n* (*Jewish festival*) Pâque *f*.

passport ['pɑːspɔːt] *n* passeport *m*; **p. control** le contrôle des passeports.

password ['pɑːswɜːd] *n* mot *m* de passe.

past [pɑːst] **1** *n* (*time, history*) passé *m*; **in the p.** (*formerly*) dans le temps; **it's a thing of the p.** ça n'existe plus.

▮ *a* (*gone by*) passé; (*former*) ancien; **these p. months** ces derniers mois; **that's all p.** c'est du passé; **in the p. tense** *Grammar* au passé.

2 *prep* (*in front of*) devant; (*after*) après; (*further than*) plus loin que; (*too old for*) trop vieux pour; **p. four o'clock** quatre heures passées, plus de quatre heures; **to be p. fifty** avoir cinquante ans passés; **it's p. belief** c'est incroyable; **I wouldn't put it p. him** ça ne m'étonnerait pas de lui, il en est bien capable.

▮ *adv* devant; **to go p.** passer (devant); **to run p.** passer en courant.

pasta ['pæstə] *n* (*food*) pâtes *fpl*.

paste [peɪst] **1** *n* (*mixture*) pâte *f*; (*of meat*) pâté *m*; (*of fish*) beurre *m*; (*dough*) pâte *f*; **puff p.** *Am* pâte *f* feuilletée. **2** *n* (*glue*) colle *f* (blanche) ▮ *vt* coller; **to p. up** (*notice etc*) coller, afficher.

pastel [*Br* 'pæstəl, *Am* pæ'stel] *n* pastel *m* ▮ *a* (*drawing*) au pastel; **p. shade** teinte *f* pastel *inv*.

pasteurized ['pæstəraɪzd] *a* (*milk*) pasteurisé.

pastiche [pæ'stiːʃ] *n* pastiche *m*.

pastille [*Br* 'pæstɪl, *Am* pæ'stiːl] *n* pastille *f*.

pastime ['pɑːstaɪm] *n* passe-temps *m inv*.

pastor ['pɑːstər] *n Rel* pasteur *m*. ●**pastoral** *a* pastoral; **p. duties** charges *fpl* pastorales.

pastry ['peɪstrɪ] *n* (*dough*) pâte *f*; (*cake*) pâtisserie *f*; **puff p.** *Br* pâte *f* feuilletée. ●**pastrycook** *n* pâtissier, -ière *mf*.

pasture ['pɑːstʃər] *n* pâturage *m*.

pasty 1 ['pæstɪ] *n* (*pie*) petit pâté *m* (en croûte). **2** ['peɪstɪ] *a* (**-ier, -iest**) (*complexion*) terreux.

pat [pæt] **1** *vt* (**-tt-**) (*cheek, table etc*) tapoter; (*animal*) caresser ▮ *n* petite tape; (*of animal*) caresse *f*. **2** *adv* **to answer p.** avoir la réponse toute prête; **to know sth off p.** savoir qch sur le bout du doigt.

patch [pætʃ] *n* (*for clothes*) pièce *f*; (*over eye*) bandeau *m*; (*for bicycle Br tyre or Am tire*) rustine® *f*; (*of colour*) tache *f*; (*of sky*) morceau *m*; (*of fog*) nappe *f*; (*of ice*) plaque *f*; **a cabbage/***etc* **p.** un carré de choux/*etc*; **bad p.** *Fig* mauvaise période *f*; **not to be a p. on** (*not as good as*) *Fam* (*of person*) ne pas arriver à la cheville de; (*of thing*) n'être rien à côté de.

▮ *vt* **to p. (up)** (*clothing*) rapiécer; **to p. up** (*quarrel*) régler; (*marriage*) replâtrer.

patchwork ['pætʃwɜːk] *n* patchwork *m*.

patchy ['pætʃɪ] *a* (**-ier, -iest**) inégal.

patent 1 ['peɪtənt] *a* patent, manifeste; **p. leather** cuir *m* verni. **2** ['peɪtənt, 'pætənt] *n* brevet *m* (d'invention) ▮ *vt* (*faire*) breveter. ●**patently** *adv* manifestement; **it's p. obvious** c'est absolument évident.

paternal [pə'tɜːn(ə)l] *a* paternel. ●**paternity** *n* paternité *f*.

path [pɑːθ] *n* (*pl* **-s** [pɑːðz]) sentier *m*, chemin *m*; (*in park*) allée *f*; (*of river*) cours *m*; (*of bullet, planet*) trajectoire *f*.

pathetic [pə'θetɪk] *a* pitoyable.

pathology [pə'θɒlədʒɪ] *n* pathologie *f*. ●**patho'logical** *a* pathologique.

pathos

pathos ['peɪθɒs] *n* pathétique *m*.
pathway ['pɑːθweɪ] *n* sentier *m*, chemin *m*.
patience ['peɪʃəns] *n* **1** patience *f*; **to have p.** prendre patience; **to lose p.** perdre patience (**with s.o.** avec qn); **I have no p. with him** il m'impatiente. **2** (*card game*) *Br* réussite *f*; **to play p.** faire des réussites.
patient[1] ['peɪʃ(ə)nt] *a* patient; **be p.!** sois patient! ● **patiently** *adv* patiemment.
patient[2] ['peɪʃənt] *n* (*in hospital*) malade *mf*, patient, -ente *mf*; (*on doctor's or dentist's list*) patient, -ente *mf*.
patio ['pætɪəʊ] *n* (*pl* **-os**) (*terrace*) terrasse *f*; **p. doors** *Br* porte-fenêtre *f*.
patriarch ['peɪtrɪɑːk] *n* patriarche *m*.
patriot ['pætrɪət, 'peɪtrɪət] *n* patriote *mf*. ● **patri'otic** *a* (*views, speech etc*) patriotique; (*person*) patriote. ● **patriotism** *n* patriotisme *m*.
patrol [pəˈtrəʊl] *n* patrouille *f*; **p. boat** patrouilleur *m*; **police p. car** voiture *f* de police; **p. wagon** *Am* fourgon cellulaire ▮ *vi* (-ll-) patrouiller ▮ *vt* patrouiller dans. ● **patrolman** *n* (*pl* **-men**) (*policeman*) *Am* agent *m* de police; (*repair man employed by motorists' association*) *Br* dépanneur *m*.
patron ['peɪtrən] *n* (*of artist*) protecteur, -trice *mf*; (*customer*) client, -ente *mf*; (*of theatre etc*) habitué, -ée *mf*; **patrons** (*of shop etc*) clientèle *f*; (*of theatre etc*) public *m*; **p. saint** patron, -onne *mf*.
patronage ['peɪtrənɪdʒ] *n* (*support*) patronage *m*; (*of the arts*) protection *f*; (*custom*) clientèle *f*.
patronize [*Br* 'pætrənaɪz, *Am* 'peɪtrənaɪz] *vt* **1** (*be condescending towards*) traiter (*qn*) avec condescendance. **2** (*store, hotel etc*) accorder sa clientèle à. ● **patronizing** *a* condescendant.
patter ['pætər] **1** *n* (*of footsteps*) petit bruit *m*; (*of rain, hail*) crépitement *m* ▮ *vi* (*of rain, hail*) crépiter, tambouriner. **2** *n* (*talk*) baratin *m*.
pattern ['pæt(ə)n] *n* dessin *m*, motif *m*; (*paper model for garment*) patron *m*; (*fabric sample*) échantillon *m*; *Fig* modèle *m*; (*plan*) plan *m*; (*tendency*) tendance *f*; (*method*) formule *f*; (*of a crime*) scénario *m*. ● **patterned** *a* (*dress, cloth etc*) à motifs.
paucity ['pɔːsɪtɪ] *n* pénurie *f*.
paunch [pɔːntʃ] *n* panse *f*, bedon *m*. ● **paunchy** *a* (-ier, -iest) bedonnant.
pauper ['pɔːpər] *n* pauvre *mf*, indigent, -ente *mf*.
pause [pɔːz] *n* pause *f*; (*in conversation*) silence *m* ▮ *vi* (*stop*) faire une pause; (*hesitate*) hésiter.
pave [peɪv] *vt* paver; **to p. the way for** *Fig* ouvrir la voie à. ● **paved** *a* pavé. ● **paving** *n* (*surface*) pavage *m*, dallage *m*; **p. stone** pavé *m*.
pavement ['peɪvmənt] *n* *Br* trottoir *m*; (*roadway*) *Am* chaussée *f*; (*stone*) pavé *m*.
pavilion [pəˈvɪljən] *n* (*building*) pavillon *m*.
paw [pɔː] **1** *n* patte *f* ▮ *vt* (*of animal*) donner des coups de patte à. **2** *vt* (*touch improperly*) tripoter (*qn*).
pawn [pɔːn] **1** *n* *Chess* pion *m*. **2** *vt* mettre en gage ▮ *n* **in p.** en gage. ● **pawnbroker** *n* prêteur, -euse *mf* sur gages. ● **pawnshop** *n* bureau *m* de prêteur sur gages.
pay [peɪ] *n* salaire *m*; (*of workman*) paie *f*, salaire *m*; (*of soldier*) solde *f*, paie *f*; **p. cheque** *Br* chèque *m* de règlement de salaire; **p. day** jour *m* de paie; **p. packet** enveloppe *f* de paie; (*pay*) *Fig* paie *f*; **p. phone** téléphone *m* public; **p. slip** *Br*, **p. stub** *Am* bulletin *m* or fiche *f* de paie.
▮ *vt* (*pt* & *pp* **paid**) (*person, sum*) payer; (*deposit*) verser; (*yield*) (*of investment*) rapporter; (*compliment, visit*) faire (**to** à); **to p. s.o. to do** *or* **for doing** payer qn pour faire; **to p. s.o. for sth** payer qch à qn; **to p. money into one's account** *or* **the bank** verser de l'argent sur son compte; **it pays (one) to be cautious** on a intérêt à être prudent; **to p. attention** faire *or* prêter attention (**to** à); **to p. homage** *or* **tribute to** rendre hommage à.
▮ *vi* payer; **to p. a lot** payer cher.
payable ['peɪəb(ə)l] *a* (*due*) payable; **a** *Br* **cheque** *or Am* **check p. to** un chèque à l'ordre de.
pay back *vt* (*person, loan etc*) rembourser; **I'll p. you back for this!** je te revaudrai ça! ▮ **to pay for** *vt* payer (*qch*) ▮ **to pay in** *vt* (*Br cheque, Am check*) verser (**to one's account** sur son compte) ▮ **to pay off** *vt* (*debt, person etc*) rembourser; (*in instalments*) rembourser par acomptes; (*staff, worker*) licencier; **to p. off an old score** *or* **a grudge** *Fig* régler un vieux compte ▮ *vi* (*be successful*) être payant ▮ **to pay out** *vt* (*spend*) dépenser ▮ **to pay up** *vti* payer.
paycheck ['peɪtʃek] *n* *Am* chèque *m* de règlement de salaire. ● **payoff** *n* *Fam* (*reward*) récompense *f*; (*bribe*) pot-de-vin *m*; (*settling of accounts*) règlement *m* de comptes. ● **payphone** *n* téléphone *m* public. ● **payroll** *n* **to be on the p. of** (*company, factory*) être employé par; **to have twenty workers on the p.** employer vingt ouvriers.
paying ['peɪɪŋ] *a* (*guest*) payant; (*profitable*) rentable.
payment ['peɪmənt] *n* paiement *m*; (*of deposit*) versement *m*; (*reward*) récompense *f*; **on p. of 20 francs** moyennant 20 francs.
PC [piːˈsiː] *n* *abbr* = **personal computer**.
PE [piːˈiː] *n* *abbr* (*physical education*) EPS *f*.
pea [piː] *n* pois *m*; **peas**, *Br garden or* **green peas** petits pois *mpl*; **p. soup** soupe *f* aux pois.
peace [piːs] *n* paix *f*; **p. of mind** tranquillité *f* d'esprit; **in p.** en paix; **at p.** en paix (**with** avec); **to have (some) p. and quiet** avoir la paix; **to disturb the p.** troubler l'ordre public; **to hold one's p.** garder le silence. ● **peace-keeping** *a* (*force*) de maintien de la paix; (*measure*) de pacification. ● **peace-loving** *a* pacifique.
peaceable ['piːsəb(ə)l] *a* paisible, pacifique.

peaceful ['pi:sfəl] *a* paisible, calme; (*demonstration, coexistence, purpose*) pacifique. ●**peacefully** *adv* paisiblement. ●**peacefulness** *n* paix *f*.
peach [pi:tʃ] *n* (*fruit*) pêche *f*; **p.** (**tree**) pêcher *m* ▮ *a* (*colour*) pêche *inv*.
peacock ['pi:kɒk] *n* paon *m*.
peak [pi:k] *n* (*mountain top*) sommet *m*; (*mountain*) pic *m*; (*of cap*) visière *f*; (*of fame etc*) *Fig* sommet *m*, apogée *m*; **the traffic has reached** *or* **is at its p.** la circulation est à son maximum ▮ *a* (*hours, period*) de pointe; (*demand, production*) maximum ▮ *vi* (*of sales etc*) atteindre son maximum.
peaked [pi:kt] *a* **p. cap** casquette *f*.
peaky ['pi:kɪ] *a* (**-ier, -iest**) *Br Fam* (*ill*) patraque; (*pale*) pâlot.
peal [pi:l] **1** *n* (*of laughter*) éclat *m*; (*of thunder*) roulement *m*. **2** *n* **p. of bells** carillon *m* ▮ *vi* **to p. (out)** (*of bells*) carillonner.
peanut ['pi:nʌt] *n* cacah(o)uète *f*; (*plant*) arachide *f*; **p. butter** beurre *m* de cacah(o)uètes; **to earn peanuts** (*little money*) *Fam* gagner des clopinettes; **it's worth peanuts** ça vaut des clopinettes.
pear [peər] *n* poire *f*; **p. tree** poirier *m*.
pearl [pɜ:l] *n* perle *f*; (*mother-of-pearl*) nacre *f*; **p. necklace** collier *m* de perles. ●**pearly** *a* (**-ier, -iest**) (*colour*) nacré.
peasant ['pezənt] *n* & *a* paysan, -anne (*mf*).
peashooter ['pi:ʃu:tər] *n* sarbacane *f*.
peat [pi:t] *n* tourbe *f*.
pebble ['pebəl] *n* (*stone*) caillou *m* (*pl* -oux); (*on beach*) galet *m*. ●**pebbly** *a* (*beach*) (couvert) de galets.
pecan ['pi:kæn] *n* (*nut*) *Am* noix *f* de pécan.
peck [pek] *vti* **to p. (at)** (*of bird*) picorer (*du pain etc*); donner un coup de bec à (*qn*); **to p. at one's food** (*of person*) picorer, manger du bout des dents; **the pecking order** *Fig* la hiérarchie ▮ *n* coup *m* de bec; (*kiss*) *Fam* bécot *m*.
peckish ['pekɪʃ] *a* **to be p.** (*hungry*) *Br Fam* avoir un petit creux.
peculiar [pɪ'kju:lɪər] *a* (*strange*) bizarre; (*special, characteristic*) particulier (**to** à). ●**peculi'arity** *n* (*feature*) particularité *f*; (*oddity*) bizarrerie *f*. ●**peculiarly** *adv* bizarrement; (*specially*) particulièrement.
pedal ['pedəl] *n* pédale *f*; **p. boat** pédalo *m* ▮ *vi* (*Br* -**ll-**, *Am* -**l-**) pédaler ▮ *vt* **to p. a bicycle** faire marcher un vélo; (*ride*) rouler en vélo. ●**pedalbin** *n* poubelle *f* à pédale.
pedant ['pedənt] *n* pédant, -ante *mf*. ●**pe'dantic** *a* pédant. ●**pedantry** *n* pédantisme *m*.
peddle ['pedəl] *vt* colporter; (*drugs*) faire le trafic de ▮ *vi* faire du colportage. ●**peddler** *n* (*door-to-door*) colporteur, -euse *mf*; (*in street*) camelot *m*; **drug p.** revendeur, -euse *mf* de drogues.
pedestal ['pedɪstəl] *n* (*of statue etc*) piédestal *m*; **to put s.o. on a p.** *Fig* mettre qn sur un piédestal.
pedestrian [pə'destrɪən] **1** *n* piéton *m*; **p. crossing** *Br* passage *m* pour piétons; **p. precinct** *Br* zone *f* piétonnière. **2** *a* (*speech, style*) prosaïque. ●**pedestrianize** *vt* (*street etc*) rendre piétonnier; **pedestrianized street/etc** rue *f* etc piétonne *or* piétonnière.
pediatrician [pi:dɪə'trɪʃ(ə)n] *n* (*doctor*) pédiatre *mf*.
pedigree ['pedɪgri:] *n* (*of dog, horse etc*) pedigree *m*; (*of person*) ascendance *f* ▮ *a* (*dog, horse etc*) de race.
pedlar ['pedlər] *n* (*door-to-door*) colporteur, -euse *mf*; (*in street*) camelot *m*.
pee [pi:] *n* **to go for a p.** *Fam* faire pipi.
peek [pi:k] *n* **to have a p.** = **to peek** ▮ *vi* jeter un petit coup d'œil (**at** à).
peel [pi:l] *n* (*of vegetable, fruit*) épluchure(s) *f(pl)*, pelure(s) *f(pl)*; (*orange skin*) écorce *f*; (*in food, drink*) zeste *m*; **a piece of p., some p.** une épluchure, une pelure ▮ *vt* (*apple, potato etc*) éplucher, peler; **to keep one's eyes peeled** *Fam* être vigilant; **to p. off** (*label etc*) décoller ▮ *vi* (*of sunburnt skin*) peler; (*of paint*) s'écailler; **to p. easily** (*of fruit*) se peler facilement. ●**peelings** *npl* épluchures *fpl*, pelures *fpl*. ●**peeler** *n* (*potato*) **p.** (*knife*) éplucheur *m*, couteau *m* à éplucher.
peep [pi:p] **1** *n* **to have a p.** = **to peep** ▮ *vi* jeter un petit coup d'œil (**at** à); **to p. out** se montrer; **peeping Tom** voyeur, -euse *mf*. **2** *vi* (*of bird*) pépier. ●**peephole** *n* judas *m*.
peer [pɪər] **1** *n* (*equal*) pair *m*, égal, -ale *mf*; (*noble*) pair *m*. **2** *vi* **to p. (at)** regarder attentivement (*comme pour mieux voir*); **to p. into the darkness** scruter l'obscurité. ●**peerage** *n* (*rank*) *Br* pairie *f*.
peeved [pi:vd] *a* *Fam* irrité.
peevish ['pi:vɪʃ] *a* grincheux, irritable.
peg [peg] **1** *n* (*for coat, hat etc*) patère *f*; (*for clothes*) pince *f* (à linge); (*for tent*) piquet *m*; (*wooden*) cheville *f*; (*metal*) fiche *f*; **to buy sth off the p.** *Br* acheter qch en prêt-à-porter. **2** *vt* (-**gg-**) (*prices*) stabiliser.
pejorative [pɪ'dʒɒrətɪv] *a* péjoratif.
Peking [pi:'kɪŋ] *n* Pékin *m* or *f*.
pekin(g)ese [pi:kɪ'ni:z] *n* (*dog*) pékinois *m*.
pelican ['pelɪk(ə)n] *n* (*bird*) pélican *m*; **p. crossing** *Br* passage *m* pour piétons (*avec feux à déclenchement manuel*).
pellet ['pelɪt] *n* (*of paper etc*) boulette *f*; (*for gun*) (grain *m* de) plomb *m*.
pelmet ['pelmɪt] *n* (*fabric, wood*) cantonnière *f*.
pelt [pelt] **1** *vi* **it's pelting (down)** (*raining*) il pleut à verse. **2** *vt* **to p. s.o. with** (*stones etc*) bombarder qn de. **3** *vi* **to p. along** (*run, dash*) *Fam* foncer, courir. **4** *n* (*skin*) peau *f*; (*fur*) fourrure *f*.
pelvis ['pelvɪs] *n Anat* bassin *m*.
pen [pen] **1** *n* (*fountain pen*) stylo *m* (à plume *or* à encre); (*ballpoint*) stylo *m* (à bille), stylo(-)bille *m*; (*dipped in ink*) porte-plume *m inv*; **to live by one's p.** *Fig* vivre de sa plume; **p. friend** *Br*, **p. pal** correspondant, -ante *mf*; **p. name** pseudonyme *m*; **p. nib** (bec *m* de) plume *f*; **p. pusher** *Pej*

gratte-papier *m inv* ❙ *vt* (**-nn-**) (*write*) écrire. 2 *n* (*enclosure for baby, sheep, cattle*) parc *m*.
penal ['pi:n(ə)l] *a* (*code, law etc*) pénal; (*colony*) pénitentiaire. ●**penalize** *vt* (*punish*) & *Sport* pénaliser (**for** pour); (*handicap*) désavantager.
penalty ['pen(ə)ltɪ] *n* (*prison sentence*) peine *f*; (*fine*) amende *f*; *Sport* pénalisation *f*; *Football* penalty *m*; *Rugby* pénalité *f*; **to pay the p.** *Fig* subir les conséquences.
penance ['penəns] *n* pénitence *f*.
pence [pens] *npl see* **penny**.
pencil ['pens(ə)l] *n* crayon *m*; **in p.** au crayon; **p. box** plumier *m*; **p. case** trousse *f*; **p. sharpener** taille-crayon(s) *m inv* ❙ *vt* (*Br* **-ll-**, *Am* **-l-**) crayonner; **to p. in** (*note down*) *Fig* noter provisoirement.
pendant ['pendənt] *n* (*around neck*) pendentif *m*; (*on earring, chandelier*) pendeloque *f*.
pending ['pendɪŋ] **1** *a* (*matter, business*) en suspens. **2** *prep* (*until*) en attendant.
pendulum ['pendjʊləm] *n* (*of clock*) balancier *m*, pendule *m*.
penetrate ['penɪtreɪt] *vt* (*substance*) pénétrer; (*secret, plan etc*) découvrir; (*mystery*) percer ❙ *vti* **to p.** (**into**) (*forest, group etc*) pénétrer dans. ●**penetrating** (*mind, cold etc*) pénétrant. ●**penetration** [-'treɪʃ(ə)n] *n* pénétration *f*.
penguin ['peŋgwɪn] *n* manchot *m*, pingouin *m*.
penicillin [penɪ'sɪlɪn] *n* pénicilline *f*; **to be on p.** prendre la pénicilline.
peninsula [pə'nɪnsjʊlə] *n* presqu'île *f*, péninsule *f*. ●**peninsular** *a* péninsulaire.
penis ['pi:nɪs] *n* pénis *m*.
penitent ['penɪtənt] *a* repentant, pénitent. ●**penitence** *n* pénitence *f*.
penitentiary [penɪ'tenʃərɪ] *n Am* prison *f* (centrale).
penknife ['pennaɪf] *n* (*pl* **-knives**) canif *m*.
pennant ['penənt] *n* (*flag on bicycle, boat etc*) fanion *m*.
penniless ['penɪləs] *a* sans le sou.
penny ['penɪ] *n* **1** (*pl* **pennies**) (*coin*) *Br* penny *m*; *Am Can* cent *m*; **I don't have a p.** *Fig* je n'ai pas le *or* un sou; **you won't get a p.** tu n'auras pas un sou. **2** (*pl* **pence** [pens]) (*value, currency*) *Br* penny *m*. ●**penny-pinching** *a* (*miserly*) *Fam* avare.
pension ['penʃ(ə)n] *n* pension *f*; (**retirement**) **p.** retraite *f*; **old-age p.** *Br* pension *f* de vieillesse; **to retire on a p.** toucher une retraite; **p. fund** fonds *m* de retraite; **p. scheme** régime *m* de retraite ❙ *vt* **to p. s.o. off** mettre qn à la retraite. ●**pensionable** *a* (*age*) de la retraite; (*job*) qui donne droit à une retraite. ●**pensioner** *n* pensionné, -ée *mf*; (*on retirement pension*) retraité, -ée *mf*; **old age p.** *Br* retraité, -ée *mf*.
pensive ['pensɪv] *a* pensif.
Pentagon ['pentəgən] *n* **the P.** *Am Pol* le Pentagone.
pentathlon [pen'tæθlən] *n Sport* pentathlon *m*.
Pentecost ['pentɪkɒst] *n* (*Whitsun*) *Am* Pentecôte *f*.
penthouse ['penthaʊs] *n* appartement *m* de luxe (construit sur le toit d'un immeuble).
pent-up [pent'ʌp] *a* (*feelings*) refoulé.
penultimate [pɪ'nʌltɪmət] *a* avant-dernier.
peony ['pɪənɪ] *n* (*plant*) pivoine *f*.
people ['pi:p(ə)l] *npl* (*in general*) gens *mpl or fpl*; (*specific persons*) personnes *fpl*; (*of region, town*) habitants *mpl*, gens *mpl or fpl*; **the p.** (*citizens*) le peuple; **old people's home** hospice *m* de vieillards; (*private*) maison *f* de retraite; **two p.** deux personnes; **English p.** les Anglais *mpl*; **a lot of p.** beaucoup de monde *or* de gens; **p. think that...** on pense que....
❙ *n* (*nation*) peuple *m*.
❙ *vt* (*populate*) peupler (**with** de).
pep [pep] *n Fam* dynamisme *m*; **p. talk** petit laïus *m* d'encouragement ❙ *vt* (**-pp-**) **to p. s.o. up** (*perk up*) ragaillardir qn.
pepper ['pepər] *n* poivre *m*; (*vegetable*) poivron *m* ❙ *vt* poivrer. ●**peppercorn** *n* grain *m* de poivre. ●**pepperpot** *n* poivrière *f*. ●**peppery** *a* poivré.
peppermint ['pepəmɪnt] *n* (*flavour*) menthe *f*; (*Br sweet, Am candy*) bonbon *m* à la menthe.
per [pɜ:r] *prep* par; **p. annum** par an; **p. head, p. person** par personne; **p. cent** pour cent; **50 pence p. kilo** 50 pence le kilo; **40 km p. hour** 40 km à l'heure.
perceive [pə'si:v] *vt* (*see, hear*) percevoir; (*notice*) remarquer (**that** que).
percentage [pə'sentɪdʒ] *n* pourcentage *m*.
perceptible [pə'septəb(ə)l] *a* perceptible. ●**perception** [-ʃ(ə)n] *n* perception *f* (**of** de); (*intuition*) intuition *f*. ●**perceptive** *a* (*person*) perspicace; (*study, remark*) pénétrant.
perch [pɜ:tʃ] **1** *n* (*for bird*) perchoir *m* ❙ *vi* (*of bird*) se percher, percher (**on** sur); (*of person*) *Fig* se percher, se jucher ❙ *vt* (*put*) percher. **2** *n* (*fish*) perche *f*.
percolate ['pɜ:kəleɪt] *vi* (*of liquid*) filtrer, passer (**through** par) ❙ *vt* (*coffee*) faire dans une cafetière; **percolated coffee** du vrai café. ●**percolator** *n* cafetière *f*; (*in café or restaurant*) percolateur *m*.
percussion [pə'kʌʃ(ə)n] *n Mus* percussion *f*.
peremptory [pə'remptərɪ] *a* (*tone etc*) péremptoire.
perennial [pə'renɪəl] **1** *a* (*complaint, subject etc*) perpétuel. **2** *a* (*plant*) vivace ❙ *n* plante *f* vivace.
perfect ['pɜ:fɪkt] *a* parfait ❙ *a* & *n* **p.** (*tense*) *Grammar* parfait *m* ❙ [pə'fekt] *vt* (*book, knowledge etc*) parachever, parfaire; (*technique, process*) mettre au point; (*one's French etc*) parfaire ses connaissances en. ●**perfectly** *adv* parfaitement.
perfection [pə'fekʃ(ə)n] *n* perfection *f*; (*of technique etc*) mise *f* au point (**of** de); **to p.** à la perfection. ●**perfectionist** *n* perfectionnis-

te *mf*.
perfidious [pəˈfɪdɪəs] *a Lit* perfide.
perforate [ˈpɜːfəreɪt] *vt* perforer. ● **perforation** [-ˈreɪʃ(ə)n] *n* perforation *f*.
perform [pəˈfɔːm] *vt* (*task, miracle*) accomplir; (*one's duty, a function*) remplir; (*rite*) célébrer; (*surgical operation*) pratiquer (**on** sur); (*a play, piece of music*) jouer; (*sonata*) interpréter.
▮ *vi* (*act, play*) jouer; (*sing*) chanter; (*dance*) danser; (*of circus animal*) faire un numéro; (*of machine, vehicle*) fonctionner; (*behave*) se comporter; (*in one's job*) réussir; **you performed very well!** tu as très bien fait! ● **performing** *a* (*dog, seal etc*) savant.
performance [pəˈfɔːməns] *n* **1** (*show*) (*in theatre*) représentation *f*, séance *f*; (*in concert hall, Br cinema, Am movie theater*) séance *f*. **2** (*of actor, musician etc*) interprétation *f*; (*of athlete, machine etc*) performance *f*; (*in job, of company, firm*) performances *fpl*; (*circus act*) numéro *m*; (*fuss*) *Fam* histoire(s) *f(pl)*; **the p. of one's duties** l'exercice *m* de ses fonctions.
performer [pəˈfɔːmər] *n* (*entertainer*) artiste *mf*; (*in play, of music*) interprète *mf* (**of** de).
perfume [ˈpɜːfjuːm] *n* parfum *m* ▮ [pəˈfjuːm] *vt* parfumer.
perfunctory [pəˈfʌŋktərɪ] *a* (*action*) superficiel; (*smile etc*) de commande.
perhaps [pəˈhæps] *adv* peut-être; **p. not/so** peut-être que non/que oui; **p. you will help me** peut-être que tu m'aideras.
peril [ˈperɪl] *n* péril *m*, danger *m*; **at your p.** à vos risques et péril. ● **perilous** *a* périlleux.
perimeter [pəˈrɪmɪtər] *n* périmètre *m*.
period [ˈpɪərɪəd] **1** *n* (*length of time, moment in time*) période *f*; (*historical*) époque *f*; (*time limit*) délai *m*; (*school lesson*) leçon *f*; (*full stop*) *Am Grammar* point *m*; **in the p. of a month** en l'espace d'un mois; **I refuse, p.!** *Am* je refuse, un point c'est tout! ▮ *a* (*furniture etc*) d'époque; (*costume*) de l'époque. **2** *n* (**monthly**) **period(s)** (*of woman*) règles *fpl*.
periodic [pɪərɪˈɒdɪk] *a* périodique. ● **periodical** *n* (*magazine*) périodique *m*. ● **periodically** *adv* périodiquement.
periphery [pəˈrɪfərɪ] *n* périphérie *f*. ● **peripheral** *a* (*question*) sans rapport direct (**to** avec); (*interest*) accessoire; (*neighbourhood etc*) & *Comptr* périphérique. ● **peripherals** *npl Comptr* périphériques *mpl*.
periscope [ˈperɪskəʊp] *n* périscope *m*.
perish [ˈperɪʃ] *vi* (*die*) périr; (*of food, substance*) se détériorer; **to be perished** *or* **perishing** (*of person*) *Fam* être frigorifié. ● **perishing** *a* (*cold, weather*) *Fam* glacial.
perishable [ˈperɪʃəb(ə)l] *a* (*food*) périssable. ● **perishables** *npl* denrées *fpl* périssables.
perjure [ˈpɜːdʒər] *vt* **to p. oneself** se parjurer. ● **perjurer** *n* (*person*) parjure *mf*. ● **perjury** *n* parjure *m*; **to commit p.** se parjurer.
perk [pɜːk] **1** *vi* **to p. up** (*become livelier*) reprendre du poil de la bête ▮ *vt* **to p. s.o. up** remonter qn, ragaillardir qn. **2** *n* (*in job*) *Br* avantage *m* en nature. ● **perky** *a* (**-ier, -iest**) (*cheerful*) guilleret (*f* -ette), plein d'entrain.
perm [pɜːm] *n* (*of hair*) permanente *f* ▮ *vt* **to have one's hair permed** se faire faire une permanente.
permanent [ˈpɜːmənənt] *a* permanent; (*address*) fixe; **she's p. here** (*of office worker etc*) elle est ici à titre permanent. ● **permanence** *n* permanence *f*. ● **permanently** *adv* à titre permanent.
permeable [ˈpɜːmɪəb(ə)l] *a* perméable.
permeate [ˈpɜːmɪeɪt] *vt* (*of ideas etc*) se répandre dans; **to p. (through) sth** (*of liquid etc*) pénétrer qch.
permissible [pəˈmɪsəb(ə)l] *a* permis.
permission [pəˈmɪʃ(ə)n] *n* permission *f*, autorisation *f* (**to do** de faire); **to ask (for) p.** demander la permission; **to give s.o. p.** donner la permission à qn.
permissive [pəˈmɪsɪv] *a* (*trop*) tolérant, laxiste. ● **permissiveness** *n* laxisme *m*.
permit [pəˈmɪt] *vt* (**-tt-**) permettre (**s.o. to do** à qn de faire); **weather permitting** si le temps le permet ▮ [ˈpɜːmɪt] *n* (*authorization*) permis *m*; (*entrance pass*) laissez-passer *m inv*.
permutation [pɜːmjʊˈteɪʃ(ə)n] *n* permutation *f*.
pernicious [pəˈnɪʃəs] *a* (*harmful*) & *Med* pernicieux.
pernickety [pəˈnɪkətɪ] *a Br Fam* (*precise*) pointilleux; (*demanding*) difficile (**about** sur).
peroxide [pəˈrɒksaɪd] *n* (*bleach*) eau *f* oxygénée ▮ *a* (*hair, blond*) oxygéné.
perpendicular [pɜːpənˈdɪkjʊlər] *a* & *n* perpendiculaire (*f*).
perpetrate [ˈpɜːpɪtreɪt] *vt* (*crime*) commettre, perpétrer. ● **perpetrator** *n* auteur *m*.
perpetual [pəˈpetʃʊəl] *a* perpétuel. ● **perpetually** *adv* perpétuellement. ● **perpetuate** *vt* perpétuer. ● **perpetuity** [pɜːpɪˈtjuːɪtɪ] *n* perpétuité *f*.
perplex [pəˈpleks] *vt* rendre perplexe, dérouter. ● **perplexed** *a* perplexe. ● **perplexing** *a* déroutant. ● **perplexity** *n* perplexité *f*; (*complexity*) complexité *f*.
persecute [ˈpɜːsɪkjuːt] *vt* persécuter. ● **persecution** [-ˈkjuːʃ(ə)n] *n* persécution *f*.
persevere [pɜːsɪˈvɪər] *vi* persévérer (**in** dans). ● **persevering** *a* (*persistent*) persévérant. ● **perseverance** *n* persévérance *f*.
Persian [ˈpɜːʃ(ə)n, ˈpɜːʒ(ə)n] *a* (*language, cat etc*) persan; **P. carpet** tapis *m* de Perse; **the P. Gulf** le golfe Persique ▮ *n* (*language*) persan *m*.
persist [pəˈsɪst] *vi* persister (**in doing** à faire, **in sth** dans qch). ● **persistence** *n* persistance *f*. ● **persistent** *a* (*person*) obstiné; (*fever, smell etc*) persistant; (*noise, attempts etc*) continuel. ● **persistently** *adv* (*stubbornly*) obstinément; (*continually*) continuellement.
person [ˈpɜːs(ə)n] *n* personne *f*; **in p.** en personne; **a p. to p. call** (*on telephone*) une communication avec préavis.

personable [pɜːsənəb(ə)l] *a* avenant, qui présente bien.

personal ['pɜːsən(ə)l] *a* personnel; *(application)* en personne; *(friend, hygiene)* intime; *(life)* privé; *(indiscreet)* indiscret; **p. assistant, p. secretary** secrétaire *m* particulier, secrétaire *f* particulière; **the p. column, the p. ads** les annonces *fpl* personnelles; **p. computer** ordinateur *m* personnel; **p. organizer** agenda *m* organiseur; **p. stereo** baladeur *m*.

personality [pɜːsəˈnælətɪ] *n (character, famous person)* personnalité *f*; **a television p.** une vedette de la télévision.

personalize ['pɜːsənəlaɪz] *vt* personnaliser.

personally ['pɜːsənəlɪ] *adv* personnellement; *(in person)* en personne; **don't take it p.** n'y voyez rien de personnel.

personify [pəˈsɒnɪfaɪ] *vt* personnifier. ● **personification** [-ˈkeɪʃ(ə)n] *n* personnification *f*.

personnel [pɜːsəˈnel] *n (staff)* personnel *m*; *(department)* service *m* du personnel.

perspective [pəˈspektɪv] *n (artistic & viewpoint)* perspective *f*; **in (its true) p.** *Fig* sous son vrai jour.

Perspex® ['pɜːspeks] *n Br* Plexiglas® *m*.

perspire [pəˈspaɪər] *vi* transpirer. ● **perspiration** [pɜːspəˈreɪʃ(ə)n] *n* transpiration *f*, sueur *f*.

persuade [pəˈsweɪd] *vt* persuader **(s.o. to do** qn de faire). ● **persuasion** [-3(ə)n] *n* persuasion *f*; *(creed)* religion *f*. ● **persuasive** *a (person, argument etc)* persuasif. ● **persuasively** *adv* de façon persuasive.

pert [pɜːt] *a (impertinent)* impertinent; *(lively)* plein d'entrain, gai; *(hat etc)* coquet, chic. ● **pertly** *adv* avec impertinence.

pertain [pəˈteɪn] *vi* **to p. to** *(relate)* se rapporter à; *(belong)* appartenir à.

pertinent ['pɜːtɪnənt] *a* pertinent. ● **pertinently** *adv* pertinemment.

perturb [pəˈtɜːb] *vt* troubler, perturber.

Peru [pəˈruː] *n* Pérou *m*. ● **Peruvian** *a* péruvien ∎ *n* Péruvien, -ienne *mf*.

peruse [pəˈruːz] *vt* lire (attentivement); *(skim through)* parcourir. ● **perusal** *n* lecture *f*.

pervade [pəˈveɪd] *vt* se répandre dans. ● **pervasive** *a* qui se répand partout, envahissant.

perverse [pəˈvɜːs] *a (awkward)* contrariant; *(obstinate)* entêté; *(wicked)* pervers. ● **perversion** [*Br* -ʃ(ə)n, *Am* -3(ə)n] *n* perversion *f*; *(of justice, truth)* travestissement *m*. ● **perversity** *n* esprit *m* de contradiction; *(obstinacy)* entêtement *m*; *(wickedness)* perversité *f*.

pervert [pəˈvɜːt] *vt* pervertir; *(mind)* corrompre; *(truth, justice)* travestir ∎ ['pɜːvɜːt] *n* **(sexual) p.** détraqué, -ée *mf*, pervers, -erse *mf*.

pesky ['peskɪ] *a* (**-ier, -iest**) *(troublesome) Am Fam* embêtant.

pessimism ['pesɪmɪz(ə)m] *n* pessimisme *m*.

● **pessimist** *n* pessimiste *mf*. ● **pessiˈmistic** *a* pessimiste. ● **pessiˈmistically** *adv* avec pessimisme.

pest [pest] *n* animal *m or* insecte *m* nuisible; *(person)* casse-pieds *mf inv*, peste *f*.

pester ['pestər] *vt (harass)* harceler **(with questions** de questions); **to p. s.o. to do sth/ for sth** harceler *or* tarabuster qn pour qu'il fasse qch/jusqu'à ce qu'il donne qch.

pesticide ['pestɪsaɪd] *n* pesticide *m*.

pet [pet] **1** *n* animal *m (domestique)*; *(favourite person)* chouchou, -oute *mf*; **yes (my) p.** *Fam* oui mon chou; **to have** *or* **keep a p.** avoir un animal chez soi.

∎ *a (dog, cat etc)* domestique; *(tiger etc)* apprivoisé; *(favourite)* favori *(f* -ite); **p. shop** magasin *m* d'animaux; **p. hate** *Br* bête *f* noire; **p. name** petit nom *m* (d'amitié); **p. subject** dada *m*.

2 *vt* (**-tt-**) *(fondle)* caresser; *(sexually) Fam* peloter ∎ *vi Fam* se peloter.

petal ['pet(ə)l] *n* pétale *m*.

peter ['piːtər] *vi* **to p. out** *(dry up)* tarir; *(die out)* mourir; *(run out)* s'épuiser; *(disappear)* disparaître.

petite [pəˈtiːt] *a (woman)* menue, petite et mince.

petition [pəˈtɪʃ(ə)n] *n (signatures)* pétition *f*; *(request to court of law)* requête *f*; **p. for divorce** demande *f* en divorce ∎ *vt* adresser une pétition *or* une requête à **(for sth** pour demander qch).

petrify ['petrɪfaɪ] *vt (frighten)* pétrifier de terreur; **to be petrified** être pétrifié de terreur.

petrol ['petrəl] *n Br* essence *f*; **I've run out of p.** je suis tombé en panne d'essence; **p. can** bidon *m* d'essence; **p. engine** moteur *m* à essence; **p. station** station-service *f*, poste *m* d'essence; **p. tank** réservoir *m* (d'essence).

petroleum [pəˈtrəʊlɪəm] *n* pétrole *m*.

petticoat ['petɪkəʊt] *n* jupon *m*.

petty ['petɪ] *a* (**-ier, -iest**) *(small)* petit; *(trivial)* insignifiant, menu, petit; *(mean)* mesquin; **p. cash** *(in office etc)* petite caisse *f*, menue monnaie *f*; **p. criminal** petit délinquant *m*, petit malfaiteur *m*; **p. officer** *(on ship)* second maître *m*. ● **pettiness** *n* petitesse *f*; *(triviality)* insignifiance *f*; *(meanness)* mesquinerie *f*.

petulant ['petjʊlənt] *a* irritable. ● **petulance** *n* irritabilité *f*.

petunia [pɪˈtjuːnɪə] *n (plant))* pétunia *m*.

pew [pjuː] *n* banc *m* d'église; **take a p.!** *Hum* assieds-toi!

pewter ['pjuːtər] *n* étain *m*.

phallic ['fælɪk] *a* phallique.

phantom ['fæntəm] *n* fantôme *m*.

pharmacy ['fɑːməsɪ] *n* pharmacie *f*. ● **pharmaceutical** [-ˈsjuːtɪk(ə)l] *a* pharmaceutique. ● **pharmacist** *n* pharmacien, -ienne *mf*.

pharynx ['færɪŋks] *n Anat* pharynx *m*. ● **pharynˈgitis** *n (illness)* pharyngite *f*.

phase [feɪz] *n (stage)* phase *f* ∎ *vt* **to p. sth**

in/out introduire/supprimer qch progressivement. **PhD** [piːeɪtʃ'diː] *n abbr* (*Doctor of Philosophy*) (*university degree*) doctorat *m*.
pheasant ['fezənt] *n* (*bird*) faisan *m*.
phenomenon, *pl* **-ena** [fɪ'nɒmɪnən, -ɪnə] *n* phénomène *m*. ● **phenomenal** *a* phénoménal.
phew! [fjuː] *int* (*relief*) ouf!
philanderer [fɪ'lændərər] *n* coureur *m* de jupons.
philanthropist [fɪ'lænθrəpɪst] *n* philanthrope *mf*. ● **philan'thropic** *a* philanthropique.
philately [fɪ'lætəlɪ] *n* philatélie *f*. ● **phila'telic** *a* philatélique. ● **philatelist** *n* philatéliste *mf*.
philharmonic [fɪlə'mɒnɪk] *a* (*orchestra*) philharmonique.
Philippines ['fɪlɪpiːnz] *npl* the P. les Philippines *fpl*.
philistine ['fɪlɪstaɪn] *n* béotien, -ienne *mf*, philistin *m*.
philosophy [fɪ'lɒsəfɪ] *n* philosophie *f*. ● **philosopher** *n* philosophe *mf*. ● **philo'sophical** *a* philosophique; (*stoical, resigned*) Fig philosophe. ● **philo'sophically** *adv* (*to say etc*) avec philosophie. ● **philosophize** *vi* philosopher (**on** sur).
phlegm [flem] *n* (*in throat*) glaires *fpl*; (*calmness*) Fig flegme *m*. ● **phleg'matic** *a* flegmatique.
phobia ['fəʊbɪə] *n* phobie *f*.
phone [fəʊn] *n* téléphone *m*; **on the p.** (*speaking here*) au téléphone; (*at other end*) au bout du fil; **to be on the p.** (*as subscriber*) avoir le téléphone; **p. call** coup *m* de fil ou de téléphone; **to make a p. call** téléphoner (**to** à); **p. book** annuaire *m*; **p. box** *Br*, **p. booth** cabine *f* téléphonique; **p. number** numéro *m* de téléphone.
▮ *vt* (*message*) téléphoner (**to** à); **to p. s.o. (up)** téléphoner à qn; **to p. s.o. back** rappeler qn.
▮ *vi* **to p. (up)** téléphoner; **to p. back** rappeler. ● **phonecard** *n* *Br* télécarte *f*. ● **phone-in** *n* émission *f* à ligne ouverte.
phonetic [fə'netɪk] *a* phonétique. ● **phonetics** *n* (*science*) phonétique *f*; (*words*) transcription *f* phonétique.
phoney ['fəʊnɪ] *a* (*-ier, -iest*) Fam (*jewels, writer etc*) faux (*f* fausse); (*company, excuse*) bidon *inv*; (*attitude*) de faux-jeton ▮ *n* Fam (*impostor*) imposteur *m*; (*insincere person*) faux-jeton *m*; **it's a p.** (*jewel, coin etc*) c'est du faux.
phonograph ['fəʊnəgræf] *n* Am électrophone *m*.
phosphate ['fɒsfeɪt] *n* Ch phosphate *m*.
phosphorus ['fɒsfərəs] *n* Ch phosphore *m*.
photo ['fəʊtəʊ] *n* (*pl* **-os**) photo *f*; **to take a p. of** prendre une photo de; **to have one's p. taken** se faire prendre en photo.
photocopy ['fəʊtəʊkɒpɪ] *n* photocopie *f* ▮ *vt* photocopier. ● **photocopier** *n* (*machine*) photocopieuse *f*.
photogenic [fəʊtəʊ'dʒenɪk] *a* photogénique *f*.
photograph ['fəʊtəʊgræf] *n* photographie *f* ▮ *vt* photographier ▮ *vi* **to p. well** être photogénique. ● **photographer** [fə'tɒgrəfər] *n* photographe *mf*. ● **photo'graphic** *a* photographique. ● **photography** [fə'tɒgrəfɪ] *n* (*activity*) photographie *f*.
photostat® ['fəʊtəʊstæt] *n* = **photocopy**.
phrase [freɪz] *n* (*saying*) expression *f*; (*idiom*) & Grammar locution *f* ▮ *vt* (*express*) exprimer; (*letter*) rédiger. ● **phrasing** *n* (*wording*) termes *mpl*. ● **phrasebook** *n* (*for tourists*) manuel *m* de conversation.
Phys Ed [fɪz'ed] *n abbr* (*physical education*) *Am* EPS *f*.
physical ['fɪzɪk(ə)l] *a* physique; (*object, world*) matériel; **p. examination** examen *m* médical; **p. education, p. training** éducation *f* physique. ● **physically** *adv* physiquement; **p. impossible** matériellement impossible.
physician [fɪ'zɪʃ(ə)n] *n* médecin *m*.
physics ['fɪzɪks] *n* (*science*) physique *f*. ● **physicist** *n* physicien, -ienne *mf*.
physiology [fɪzɪ'ɒlədʒɪ] *n* physiologie *f*. ● **physio'logical** *a* physiologique.
physiotherapy [fɪzɪəʊ'θerəpɪ] *n* kinésithérapie *f*. ● **physiotherapist** *n* kinésithérapeute *mf*.
physique [fɪ'ziːk] *n* (*appearance*) physique *m*; (*constitution*) constitution *f*.
piano [pɪ'ænəʊ] *n* (*pl* **-os**) piano *m*. ● **pianist** ['pɪənɪst] *n* pianiste *mf*.
piazza [pɪ'ætsə] *n* (*square*) place *f*; (*covered*) passage *m* couvert.
picayune [pɪkə'juːn] *a* (*petty*) *Am* Fam mesquin.
pick [pɪk] *n* (*choice*) choix *m*; **to take one's p.** faire son choix, choisir; **the p. of** (*best*) le meilleur de; **the p. of the bunch** le dessus du panier.
▮ *vt* (*choose*) choisir; (*flower, fruit etc*) cueillir; (*hole*) faire (**in** dans); (*pimple etc*) gratter; (*lock*) crocheter; **to p. one's nose** se mettre les doigts dans le nez; **to p. one's teeth** se curer les dents; **to p. a fight** chercher la bagarre (**with** avec); **to p. holes in** *Fig* relever les défauts de.
▮ *vi* **to p. and choose** prendre son temps pour choisir.
pick at *vt* **to p. at one's food** picorer ▮ **to pick off** *vt* (*remove*) enlever ▮ **to pick on** *vt* (*nag, blame*) s'en prendre à (*qn*) ▮ **to pick out** *vt* (*choose*) choisir; (*identify*) reconnaître, distinguer ▮ **to pick up** *vt* (*sth dropped*) ramasser; (*fallen person or chair*) relever; (*person into air, weight*) soulever; (*a cold*) attraper; (*habit, accent, speed*) prendre; (*fetch, collect*) (*passer*) prendre; (*find*) trouver; (*baby*) prendre dans ses bras; (*radio programme*) capter; (*survivor*) recueillir; (*arrest*) arrêter, ramasser; (*learn*) apprendre ▮ *vi* (*improve*) s'améliorer; (*of business, trade*) reprendre; (*of patient*) aller mieux; (*resume*) continuer.
pick(axe) (*Am* **-ax**) ['pɪk(æks)] *n* (*tool*) pioche *f*; **ice pick** pic *m* à glace.
picket ['pɪkɪt] **1** *n* (*striker*) gréviste *mf*; **p.**

pickings 246

(line) piquet *m* (de grève) ▪ *vt* (*factory*) installer des piquets de grève aux portes de. **2** *n* (*stake*) piquet *m*.
pickings ['pɪkɪŋz] *npl* (*leftovers*) restes *mpl*; (*profits*) profits *mpl*; **rich p.** jolis profits *mpl*.
pickle ['pɪk(ə)l] **1** *n* (*brine*) saumure *f*; (*vinegar*) vinaigre *m*; **pickles** (*vegetables*) Br pickles *mpl*; Am concombres *mpl*, cornichons *mpl* ▪ *vt* mariner; **pickled onion/** *etc* oignon *m*/*etc* au vinaigre. **2** *n* **in a p.** (*trouble*) Fam dans le pétrin.
pick-me-up ['pɪkmiːʌp] *n* (*drink*) Fam remontant *m*.
pickpocket ['pɪkpɒkɪt] *n* (*thief*) pickpocket *m*.
pick-up ['pɪkʌp] *n* (*person*) Pej Fam partenaire *mf* de rencontre; **p.-up** (**truck**) pick-up *m*; **p.-up point** (*for bus passengers*) point *m* de ramassage.
picky ['pɪkɪ] *a* (**-ier, -iest**) (*choosy*) Am difficile.
picnic ['pɪknɪk] *n* pique-nique *m*; **p. basket**, Br **p. hamper** panier *m* à pique-nique ▪ *vi* (**-ck-**) pique-niquer.
pictorial [pɪk'tɔːrɪəl] *a* (*in pictures*) en images; (*periodical*) illustré.
picture ['pɪktʃər] **1** *n* image *f*; (*painting*) tableau *m*, peinture *f*; (*drawing*) dessin *m*; (*photo*) photo *f*; (*film*) film *m*; (*scene*) Fig tableau *m*; **the pictures** (*movies*) Br Fam le cinéma; **to put s.o. in the p.** Fig mettre qn au courant; **p. frame** cadre *m*. **2** *vt* (*imagine*) s'imaginer (**that** que); (*remember*) revoir; (*depict*) décrire.
picturesque [pɪktʃə'resk] *a* pittoresque.
piddling ['pɪdlɪŋ] *a* Pej dérisoire.
pidgin ['pɪdʒɪn] *n* **p. (English)** pidgin *m*.
pie [paɪ] *n* (*open*) tarte *f*; (*with pastry on top*) tourte *f*; **meat p.** pâté *m* en croûte; **cottage p.** Br hachis *m* Parmentier.
piebald ['paɪbɔːld] *a* (*pony etc*) pie *inv*.
piece [piːs] *n* morceau *m*; (*of bread, paper, chocolate etc*) bout *m*, morceau *m*; (*of fabric, machine, artillery, in game*) pièce *f*; (*coin*) pièce *f*; **bits and pieces** des petites choses; **in pieces** en morceaux, en pièces; **to smash to pieces** briser en morceaux; **to take to pieces** (*machine etc*) démonter; **to come to pieces** se démonter; **to go to pieces** (*of person*) Fig craquer; **a p. of news/advice/ luck/***etc* une nouvelle/un conseil/une chance/*etc*; **in one p.** (*object*) intact; (*person*) indemne.
▪ *vt* **to p. together** (*facts*) reconstituer; (*one's life*) refaire.
piecemeal ['piːsmiːl] *adv* petit à petit ▪ *a* (*unsystematic*) peu méthodique.
piecework ['piːswɜːk] *n* travail *m* à la tâche or à la pièce.
pier [pɪər] *n* (*for walking, with entertainments*) jetée *f*; (*for landing*) appontement *m*.
pierce [pɪəs] *vt* percer (*qch*); (*of cold, bullet, sword etc*) transpercer (*qn*); **to have one's ears pierced** se faire percer les oreilles.
● **piercing** *a* (*voice, look etc*) perçant; (*wind etc*) glacial.
piety ['paɪətɪ] *n* piété *f*.
piffling ['pɪflɪŋ] *a* Fam insignifiant.
pig [pɪg] *n* cochon *m*, porc *m*; (*glutton*) goinfre *m*; (*evil person*) cochon *m* ▪ *vi* **to p. out** (*overeat*) Am Fam se goinfrer (**on** de).
● **piggish** *a* (*dirty*) sale; (*greedy*) goinfre.
● **piggy** *a* (*greedy*) Fam goinfre.
pigeon ['pɪdʒɪn] *n* pigeon *m*.
pigeonhole ['pɪdʒɪnhəʊl] *n* casier *m* ▪ *vt* (*classify, label*) classer; (*shelve*) mettre en suspens.
piggyback ['pɪgɪbæk] *n* **to give s.o. a p.** porter qn sur le dos.
piggybank ['pɪgɪbæŋk] *n* tirelire *f* (*en forme de cochon*).
pigheaded [pɪg'hedɪd] *a* obstiné.
pigment ['pɪgmənt] *n* pigment *m*.
● **pigmentation** [-'teɪʃ(ə)n] *n* pigmentation *f*.
pigsty ['pɪgstaɪ] *n* porcherie *f*.
pigtail ['pɪgteɪl] *n* (*hair*) natte *f*.
pike [paɪk] *n* **1** (*fish*) brochet *m*. **2** (*weapon*) Hist pique *f*.
pilchard ['pɪltʃəd] *n* pilchard *m* (*grosse sardine*).
pile¹ [paɪl] *n* tas *m*; (*neatly arranged*) pile *f*; (*fortune*) Fam fortune *f*; **piles of**, **a p. of** Fam beaucoup de, un tas de ▪ *vt* entasser; (*neatly*) empiler.
pile² [paɪl] *n* (*of carpet*) poils *mpl*.
pile in *vi* (*crowd into*) s'entasser dans ▪ **to pile up** *vt* entasser; (*neatly*) empiler ▪ *vi* (*accumulate*) s'accumuler.
piles [paɪlz] *npl* (*illness*) hémorroïdes *fpl*.
pile-up ['paɪlʌp] *n* (*on road*) carambolage *m*, collision *f* en chaîne.
pilfer ['pɪlfər] *vt* (*steal*) chaparder (**from s.o.** à qn). ● **pilfering** or **pilferage** *n* chapardage *m*.
pilgrim ['pɪlgrɪm] *n* pèlerin *m*. ● **pilgrimage** *n* pèlerinage *m*.
pill [pɪl] *n* pilule *f*; **to be on the p.** (*of woman*) prendre la pilule; **to go on/off the p.** se mettre à/arrêter la pilule.
pillage ['pɪlɪdʒ] *vti* piller ▪ *n* pillage *m*.
pillar ['pɪlər] *n* pilier *m*; (*of smoke*) Fig colonne *f*.
pillar-box ['pɪləbɒks] *n* Br boîte *f* aux or à lettres (*située sur le trottoir*).
pillion ['pɪljən] *adv* **to ride p.** (*on motorbike*) monter derrière.
pillory ['pɪlərɪ] *vt* (*ridicule, scorn*) mettre au pilori.
pillow ['pɪləʊ] *n* oreiller *m*. ● **pillowcase** or **pillowslip** *n* taie *f* d'oreiller.
pilot ['paɪlət] **1** *n* (*of aircraft, ship*) pilote *m* ▪ *vt* piloter ▪ *a* **p. light** (*on appliance*) voyant *m*; (*on gas* Br *cooker or* Am *stove*) veilleuse *f*. **2** *a* (*experimental*) (-)pilote; **p. scheme** projet(-)pilote *m*.
pimento [pɪ'mentəʊ] *n* (*pl* **-os**) piment *m*.
pimp [pɪmp] *n* souteneur *m*.
pimple ['pɪmp(ə)l] *n* bouton *m*. ● **pimply** *a* (**-ier, -iest**) boutonneux.
pin [pɪn] *n* épingle *f*; (*drawing pin*) Br punaise *f*; (*in machine etc*) goupille *f*; **to have**

pins and needles *Fam* avoir des fourmis (**in** dans); **p. money** argent *m* de poche. ▮ *vt* (**-nn-**) **to p.** (**on**) (*attach*) épingler (**to** sur, à); (*to wall*) punaiser (**to, on** à); **to p. one's hopes on sth/s.o.** mettre tous ses espoirs dans qch/qn; **to p. a crime/***etc* **on** (**to**) **s.o.** accuser qn d'un crime/*etc*; **to p. down** (*immobilize*) immobiliser; (*fix*) fixer; (*enemy*) clouer; **to p. s.o. down** *Fig* forcer qn à préciser ses idées; **to p. up** (*notice*) punaiser, afficher.

PIN [pɪn] *n abbr* (*personal identification number*) **P. number** *Br* code *m* confidentiel.

pinafore ['pɪnəfɔːr] *n* (*apron*) *Br* tablier *m*; (*dress*) robe *f* chasuble.

pinball ['pɪnbɔːl] *n* flipper *m*; **p. machine** flipper *m*.

pincers ['pɪnsəz] *npl* (*tool*) tenailles *fpl*.

pinch [pɪntʃ] **1** *n* (*mark*) pinçon *m*; (*of salt*) pincée *f*; **to give s.o. a p.** pincer qn; **at a p.** *Br*, **in a p.** *Am* (*if necessary*) au besoin; **to feel the p.** *Fig* souffrir (*du manque d'argent etc*) ▮ *vt* pincer ▮ *vi* (*of shoes*) faire mal. **2** *vt Br Fam* (*steal*) piquer (**from** à); (*arrest*) pincer.

pincushion ['pɪnkʊʃ(ə)n] *n* pelote *f* (à épingles).

pine [paɪn] **1** *n* (*tree, wood*) pin *m*; **p. forest** pinède *f*. **2** *vi* **to p. for** désirer vivement (retrouver), languir après; **to p. away** dépérir.

pineapple ['paɪnæp(ə)l] *n* ananas *m*.

ping [pɪŋ] *n* bruit *m* métallique. ●**pinger** *n* (*on appliance*) signal *m* sonore.

ping-pong ['pɪŋpɒŋ] *n* ping-pong *m*.

pinhead ['pɪnhed] *n* tête *f* d'épingle; **it's the size of a p.** c'est gros comme une tête d'épingle.

pink [pɪŋk] *a & n* (*colour*) rose (*m*).

pinkie ['pɪŋkɪ] *n Am* petit doigt *m*.

pinnacle ['pɪnək(ə)l] *n* (*highest point*) *Fig* apogée *m*.

pinpoint ['pɪnpɔɪnt] *vt* (*locate*) repérer; (*define*) définir.

pinstripe ['pɪnstraɪp] *a* (*suit*) rayé.

pint [paɪnt] *n* pinte *f* (*Br = 0,57 litre, Am = 0,47 litre*); **a p. of beer** = un demi.

pinta ['paɪntə] *n Br Fam* demi-litre *m* de lait.

pinup ['pɪnʌp] *n* (*girl*) pin-up *f inv*.

pioneer [paɪə'nɪər] *n* pionnier, -ière *mf* ▮ *vt* (*research, study*) entreprendre pour la première fois.

pious ['paɪəs] *a* (*person, deed*) pieux.

pip [pɪp] **1** *n* (*of fruit*) *Br* pépin *m*. **2** *n* (*on military uniform*) *Br* galon *m*, *Fam* sardine *f*. **3** *npl* **the pips** (*sound on radio etc*) *Br* le top.

pipe [paɪp] **1** *n* tuyau *m*; (*of smoker*) pipe *f*; (*musical instrument*) pipeau *m*; **the pipes** (*bagpipes*) la cornemuse; (*peace*) **p.** calumet *m* de la paix; **to smoke a p.** fumer la pipe; **p. cleaner** cure-pipe *m*; **p. dream** chimère *f*.
▮ *vt* (*water etc*) transporter par tuyaux *or* par canalisation; **piped music** musique *f* (de fond) enregistrée.
2 *vi* **to p. down** (*shut up*) *Fam* la boucler, se taire. ●**piping** *n* (*system of pipes*) canalisations *fpl*, tuyaux *mpl*; **length of p.** tuyau *m* ▮ *adv* **it's p. hot** (*soup etc*) c'est très chaud.

pipeline ['paɪplaɪn] *n* pipeline *m*; **it's in the p.** *Fig* c'est en route.

pique [piːk] *n* dépit *m*.

pirate ['paɪərət] *n* pirate *m* ▮ *a* (*radio, ship*) pirate. ●**piracy** *n* piraterie *f*. ●**pirated** *a* (*book, record, CD etc*) pirate.

Pisces ['paɪsiːz] *npl* (*sign*) les Poissons *mpl*.

pissed [pɪst] *a* (*drunk*) *Sl* rond, beurré.

pistachio [pɪ'stæʃɪəʊ] *n* (*pl* **-os**) (*fruit, flavour*) pistache *f*.

pistol ['pɪstəl] *n* pistolet *m*.

piston ['pɪst(ə)n] *n* (*of engine*) piston *m*.

pit [pɪt] **1** *n* (*hole*) trou *m*; (*mine*) mine *f*; (*quarry*) carrière *f*; (*of stomach*) creux *m*; (*in theatre*) *Br* orchestre *m*; (*in motor racing*) stand *m* de ravitaillement; **it's the pits** *Fam* c'est complètement nul. **2** *vt* (**-tt-**) **to p. oneself** *or* **one's wits against** se mesurer à. **3** *n* (*stone of fruit*) *Am* noyau *m* (*pl* noyaux); (*smaller*) pépin *m*.

pitch¹ [pɪtʃ] **1** *n Football etc* terrain *m*; (*in market*) place *f*. **2** *n* (*degree*) degré *m*; (*of voice*) hauteur *f*; (*musical*) ton *m*. **3** *vt* (*tent*) dresser; (*camp*) établir; (*ball*) lancer; **a pitched battle** (*between armies*) une bataille rangée; *Fig* une belle bagarre. **4** *vi* (*of ship*) tanguer. **5** *vi* **to p. in** (*cooperate*) *Fam* se mettre de la partie; **to p. into s.o.** attaquer qn.

pitch² [pɪtʃ] *n* (*tar*) poix *f*. ●**pitch-'black** *or* **pitch-'dark** *a* noir comme dans un four.

pitcher ['pɪtʃər] *n* cruche *f*, broc *m*.

pitchfork ['pɪtʃfɔːk] *n* fourche *f* (à foin).

pitfall ['pɪtfɔːl] *n* (*trap*) piège *m*.

pith [pɪθ] *n* (*of orange*) peau *f* blanche; (*essence*) *Fig* moelle *f*. ●**pithy** *a* (**-ier, -iest**) (*remark etc*) piquant et concis.

pitiful ['pɪtɪfəl] *a* pitoyable. ●**pitiless** *a* impitoyable.

pitta ['piːtə] *a & n* **p.** (**bread**) pita *m*.

pittance ['pɪtəns] *n* (*income*) revenu *m or* salaire *m* misérable; (*sum*) somme *f* dérisoire.

pitted ['pɪtɪd] *a* **1** (*face*) grêlé; **p. with rust** piqué de rouille. **2** (*fruit*) *Am* dénoyauté.

pitter-patter ['pɪtəpætər] *n* = **patter 1**.

pity ['pɪtɪ] *n* pitié *f*; (**what**) **a p.!** (quel) dommage!; **it's a p.** c'est *or* il est dommage (**that** que (+ *sub*), **to do** de faire); **to take** *or* **have p. on s.o.** avoir pitié de qn ▮ *vt* plaindre.

pivot ['pɪvət] *n* pivot *m* ▮ *vi* pivoter.

pixie ['pɪksɪ] *n* (*fairy*) lutin *m*.

pizza ['piːtsə] *n* pizza *f*; **p. parlour** pizzeria *f*. ●**pizzeria** [piːtsə'rɪə] *n* pizzeria *f*.

placard ['plækɑːd] *n* (*notice*) affiche *f*.

placate [*Br* plə'keɪt, *Am* 'pleɪkeɪt] *vt* calmer.

place [pleɪs] *n* endroit *m*, lieu *m*; (*house*) maison *f*; (*premises*) locaux *mpl*; (*seat, position, rank*) place *f*; **in the first p.** (*firstly*) en premier lieu; **to take p.** (*happen*) avoir lieu; **at my p., to my p.** *Fam* chez moi; **some p.** (*somewhere*) *Am* quelque part; **no p.** (*no-*

placid

where) *Am* nulle part; **all over the p.** partout; **to lose one's p.** perdre sa place; (*in book etc*) perdre sa page; **to take the p. of** remplacer; **to change** *or* **swap** *or* **trade places** changer de place; **in p. of** à la place de; **out of p.** (*remark*) déplacé; (*object*) pas à sa place; **to feel out of p.** ne pas se sentir intégré; **p. of work** lieu *m* de travail; **market p.** (*square*) place *f* du marché; **in p. marché** *m*; **in the market p.** Fin sur le marché; **p. mat** set *m* (de table); **p. setting** couvert *m*; **to set** *or* Br **lay three places** (*at the table*) mettre trois couverts.
▎ *vt* (*put, situate, invest*) & *Sport* placer; (*an order*) *Com* passer (**with** s.o. à qn); **to p. s.o.** (*remember, identify*) remettre qn; **I can't p. him** je ne le remets pas. ●**placing** *n* (*of money*) placement *m*.
placid ['plæsɪd] *a* placide.
plagiarize ['pleɪdʒəraɪz] *vt* plagier. ●**plagiarism** [-ɪzəm] *n* plagiat *m*.
plague [pleɪɡ] 1 *n* (*disease*) peste *f*; (*nuisance*) *Fam* plaie *f*. 2 *vt* (*pester, harass*) harceler (**with** de).
plaice [pleɪs] *n* (*fish*) carrelet *m*, plie *f*.
plaid [plæd] *n* (*fabric*) tissu *m* écossais.
plain¹ [pleɪn] *a* (**-er, -est**) (*clear, obvious*) clair; (*simple*) simple; (*outspoken*) franc (*f* franche); (*sheer*) (*madness etc*) pur; (*without a pattern*) uni; (*woman, man*) sans beauté; **in p. clothes** en civil; **to make it p. to s.o. that** faire comprendre à qn que; **p. speaking** franc-parler *m* ▎ *adv* (*tired etc*) tout bonnement. ●**plainly** *adv* clairement; (*frankly*) franchement. ●**plainness** *n* clarté *f*; (*simplicity*) simplicité *f*; (*of woman, man*) manque *m* de beauté.
plain² [pleɪn] *n* (*land*) plaine *f*.
plaintiff ['pleɪntɪf] *n* (*in court of law*) plaignant, -ante *mf*.
plaintive ['pleɪntɪv] *a* (*tone etc*) plaintif.
plait [plæt] *n* tresse *f*, natte *f* ▎ *vt* tresser, natter.
plan [plæn] *n* projet *m*; (*elaborate*) plan *m*; (*economic, political, of house, book etc*) plan *m*; **the best p. would be to…** le mieux serait de…; **according to p.** comme prévu; **to have no plans** (*be free*) n'avoir rien de prévu; **to change one's plans** (*decide differently*) changer d'idée; **master p.** stratégie *f* d'ensemble; **pension p.** régime *m* de retraite.
▎ *vt* (**-nn-**) (*envisage, decide on*) prévoir, projeter; (*organize*) organiser; (*prepare*) préparer; (*design*) concevoir; *Econ* planifier; **to p. to do** *or* **on doing** (*intend*) avoir l'intention de faire; **as planned** comme prévu.
▎ *vi* faire des projets; **to p. for** (*rain, disaster*) prévoir.
plane [pleɪn] 1 *n* (*aircraft*) avion *m*. 2 *n* (*tool*) rabot *m* ▎ *vt* raboter. 3 *n* **p. (tree)** platane *m*. 4 *n* (*level, surface*) & *Fig* plan *m*; **on the economic p.** sur le plan économique.
planet ['plænɪt] *n* planète *f*. ●**plane'tarium** *n* planétarium *m*. ●**planetary** *a* planétaire.
plank [plæŋk] *n* planche *f*.

planner ['plænər] *n* (*economic*) planificateur, -trice *m*; (*town*) **p.** urbaniste *mf*.
planning ['plænɪŋ] *n* (*economic*) planification *f*; (*industrial, commercial*) planning *m*, planification *f*; (*organization*) organisation *f*; **family p.** planning familial; **town p.** urbanisme *m*; **p. permission** permis *m* de construire.
plant [plɑːnt] 1 *n* plante *f*; **house p.** plante *f* verte ▎ *vt* (*flower etc*) planter; (*field etc*) planter (**with** en, de); (*bomb*) *Fig* (dé)poser; **to p. sth on s.o.** (*hide*) cacher qch sur qn. 2 *n* (*factory*) usine *f*; (*machinery*) matériel *m*; (*fixtures*) installation *f*. ●**plantation** [-'teɪʃ(ə)n] *n* (*trees, land etc*) plantation *f*.
plaque [plæk] *n* 1 (*commemorative plate*) plaque *f*. 2 (*on teeth*) plaque *f* dentaire.
plasma ['plæzmə] *n* (*in blood*) plasma *m*.
plaster ['plɑːstər] *n* (*substance*) plâtre *m*; (*sticking*) **p.** *Br* sparadrap *m*; **p. of Paris** plâtre *m* à mouler; **in p.** (*arm etc*) dans le plâtre; **p. cast** (*for broken arm etc*) plâtre *m* ▎ *vt* plâtrer; **to p. down** (*hair*) plaquer; **to p. with** (*cover*) couvrir de. ●**plastered** *a* (*drunk*) *Fam* bourré. ●**plasterer** *n* plâtrier *m*.
plastic ['plæstɪk] *a* (*object*) en plastique; (*substance, art*) plastique; **p. bag** sac *m* en plastique; **p. explosive** plastic *m*; **p. surgery** chirurgie *f* esthétique ▎ *n* plastique *m*, matière *f* plastique.
plasticine® ['plæstɪsiːn] *n* *Br* pâte *f* à modeler.
plate [pleɪt] *n* (*dish*) assiette *f*; (*metal sheet on door, on vehicle etc*) plaque *f*; (*book illustration*) gravure *f*; (*dental*) dentier *m*; **gold/silver p.** vaisselle *f* d'or/d'argent; **to have a lot on one's p.** (*work etc*) avoir du pain sur la planche; (*worries*) avoir largement son lot de soucis; **p. glass** verre *m* à vitre ▎ *vt* (*jewels, metal*) plaquer (**with** de). ●**plateful** *n* assiettée *f*, assiette *f*.
plateau ['plætəʊ] *n* (*pl* **-s** *or* **-x**) (*flat land*) plateau *m*.
platform ['plætfɔːm] *n* (*at train station*) quai *m*; (*on bus etc*) plate-forme *f*; (*for speaker etc*) estrade *f*; **p. shoes** chaussures *fpl* à semelles compensées.
platinum ['plætɪnəm] *n* (*metal*) platine *m* ▎ *a* **p. or p.-blond(e) hair** cheveux *mpl* platinés.
platitude ['plætɪtjuːd] *n* platitude *f*.
platonic [plə'tɒnɪk] *a* (*love, relationship etc*) platonique.
platoon [plə'tuːn] *n* (*of soldiers*) section *f*.
platter ['plætər] *n* (*dish*) plat *m*.
plaudits ['plɔːdɪts] *npl* (*commendation*) *Lit* applaudissements *mpl*.
plausible ['plɔːzəb(ə)l] *a* (*argument etc*) plausible; (*speaker etc*) convaincant.
play [pleɪ] *n* (*in theatre*) pièce *f* (de théâtre); (*amusement, looseness*) jeu *m*; **a p. on words** un jeu de mots; **to come into p.** entrer en jeu; **to call into p.** faire entrer en jeu.
▎ *vt* (*part, tune, card etc*) jouer; (*game*) jouer à; (*instrument*) jouer de; (*match*) disputer (**with** avec); (*team, opponent*) jouer contre;

(*record, compact disc*) passer; (*radio, tape recorder*) faire marcher; **to p. the fool** faire l'idiot; **to p. a part in doing/in sth** contribuer à faire/à qch; **to p. ball with** *Fig* coopérer avec; **to p. it cool** *Fam* garder son sang-froid. ∎ *vi* jouer (**with** avec, **at** à); (*of record player, tape recorder*) marcher; **what are you playing at?** *Fam* qu'est-ce que tu fais?

play about *or* **around** *vi* jouer, s'amuser ∎ **to play back** *vt* (*tape*) réécouter ∎ **to play down** *vt* (*reduce the importance of*) minimiser ∎ **to play on** *vt* (*piano etc*) jouer de; (*s.o.'s emotions etc*) jouer sur ∎ **to play out** *vt* (*scene, fantasy etc*) jouer; **to be played out** *Fam* (*of idea, method etc*) être périmé *or* vieux jeu *inv* ∎ **to play up** *vi* (*of child, machine etc*) *Fam* faire des siennes; **to p. up to** s.o. *Fam* faire de la lèche à qn ∎ *vt* **to p. s.o. up** *Fam* (*of child etc*) faire enrager qn; (*of bad back etc*) tracasser qn.

play-act ['pleɪækt] *vi* jouer la comédie. ●**playboy** *n* playboy *m*. ●**playgoer** *n* amateur *m* de théâtre. ●**playground** *n* (*in school*) *Br* cour *f* de récréation; (*with swings etc*) terrain *m* de jeux. ●**playgroup** *n* = **playschool**. ●**playmate** *n* camarade *mf*. ●**playpen** *n* parc *m* (pour enfants). ●**playroom** *n* (*in house*) salle *f* de jeux. ●**playschool** *n* garderie *f* (d'enfants). ●**plaything** *n* (*toy, Fig person*) jouet *m*. ●**playtime** *n* (*in school*) récréation *f*. ●**playwright** *n* dramaturge *m*.

player ['pleɪər] *n* (*in game, of instrument*) joueur, -euse *mf*; (*in theatre*) acteur *m*, actrice *f*; **clarinet/etc p.** joueur, -euse *mf* de clarinette/*etc*; **cassette/CD p.** lecteur *m* de cassettes/de CD.

playful ['pleɪfəl] *a* enjoué; (*child*) joueur. ●**playfully** *adv* (*to say*) en badinant. ●**playfulness** *n* enjouement *m*.

playing ['pleɪɪŋ] *n* jeu *m*; **p. card** carte *f* à jouer; **p. field** terrain *m* de jeux.

plc [piːelˈsiː] *abbr* (**public limited company**) *Br* SA.

plea [pliː] *n* (*request*) appel *m*; (*excuse*) excuse *f*; **to make a p. of guilty** plaider coupable.

plead [pliːd] *vi* (*in court*) plaider; **to p. with s.o. to do** implorer qn de faire; **to p. for** (*help etc*) implorer ∎ *vt* (*argue*) plaider; (*as excuse*) alléguer. ●**pleading** *n* (*requests*) prières *fpl*.

pleasant ['plezənt] *a* agréable; (*polite*) aimable, agréable (**to** avec). ●**pleasantly** *adv* agréablement. ●**pleasantness** *n* (*charm*) charme *m*; (*of person*) amabilité *f*.

pleasantries ['plezəntrɪz] *npl* (*polite remarks*) civilités *fpl*; (*jokes*) plaisanteries *fpl*.

please [pliːz] *adv* s'il vous plaît, s'il te plaît; **p. sit down** asseyez-vous, je vous prie, veuillez vous asseoir; **p. do!** bien sûr!, je vous en prie!; **'no smoking p.'** 'prière de ne pas fumer'.
∎ *vt* **to p. s.o.** plaire à qn; (*satisfy*) contenter qn; **hard to p.** difficile (à contenter), exigeant; **p. yourself!** comme tu veux!
∎ *vi* plaire; **do as you p.** fais comme tu veux; **as much** *or* **as many as you p.** autant qu'il vous plaira. ●**pleased** *a* content (**with** de, **that** que (+ *sub*), **to do** de faire); **p. to meet you!** enchanté!; **I'd be p. to!** avec plaisir! ●**pleasing** *a* agréable, plaisant.

pleasure ['pleʒər] *n* plaisir *m*; **p. boat** bateau *m* de plaisance. ●**pleasurable** *a* très agréable.

pleat [pliːt] *n* (*fold in skirt etc*) pli *m* ∎ *vt* plisser. ●**pleated** *a* (*skirt etc*) plissé.

plebiscite [*Br* ˈplebɪsɪt, *Am* -saɪt] *n* plébiscite *m*.

pledge [pledʒ] **1** *n* (*promise*) promesse *f*, engagement *m* (**to do** de faire) ∎ *vt* promettre (**to do** de faire). **2** *n* (*token, object*) gage *m* ∎ *vt* (*as security, pawn*) engager.

plenty ['plentɪ] *n* abondance *f*; **in p.** en abondance; **p. of** beaucoup de; **that's p.** (*enough*) c'est assez, ça suffit. ●**plentiful** *a* abondant.

plethora ['pleθərə] *n* (*amount*) pléthore *f*.

pleurisy ['plʊərɪsɪ] *n* (*illness*) pleurésie *f*.

pliable ['plaɪəb(ə)l] *a* souple.

pliers ['plaɪəz] *npl* (*tool*) pince(s) *f(pl)*.

plight [plaɪt] *n* (*crisis*) situation *f* critique; (**sorry**) **p.** triste situation *f*.

plimsoll ['plɪmsəʊl] *n* *Br* chaussure *f* de tennis, tennis *m*.

plinth [plɪnθ] *n* socle *m*.

plod [plɒd] *vi* (**-dd-**) **to p. (along)** (*walk etc*) avancer laborieusement; (*work*) travailler laborieusement; **to p. through** (*book*) lire laborieusement. ●**plodding** *a* (*slow*) lent; (*step*) pesant. ●**plodder** *n* (*steady worker*) bûcheur, -euse *mf*.

plonk [plɒŋk] **1** *int* (*thud*) vlan!; (*splash*) plouf! **2** *vt* **to p. sth (down)** (*drop*) *Fam* poser qch (bruyamment). **3** *n* (*wine*) *Br Sl* pinard *m*.

plot [plɒt] **1** *n* (*conspiracy*) complot *m* (**against** contre); (*story of novel, film etc*) intrigue *f* ∎ *vti* (**-tt-**) comploter (**to do** de faire). **2** *n* **p. (of land)** terrain *m*; (*patch in garden*) carré *m* de terre; **building p.** terrain *m* à bâtir. **3** *vt* (**-tt-**) **to p. (out)** (*route etc*) déterminer; (*diagram, graph*) tracer; (*one's position*) relever. ●**plotting** *n* (*conspiracies*) complots *mpl*.

plough [plaʊ] (*Am* **plow**) *n* charrue *f* ∎ *vt* (*field etc*) labourer; *Fig* **to p. money into sth** mettre *ou* investir beaucoup d'argent dans qch; **to p. money back into sth** réinvestir de l'argent dans qch ∎ *vi* labourer; **to p. into** (*crash into*) percuter; **to p. through** (*snow etc*) avancer péniblement dans; (*fence, wall*) défoncer. ●**ploughman** *n* (*pl* **-men**) laboureur *m*; **p.'s lunch** (*snack*) *Br* assiette *f* composée (*de crudités et fromage*).

plow [plaʊ] *n & vti Am* = **plough**.

ploy [plɔɪ] *n* stratagème *m*.

pluck [plʌk] **1** *vt* (*fowl*) plumer; (*flower*) cueillir; (*eyebrows*) épiler; (*string of guitar etc*) pincer. **2** *n* courage *m* ∎ *vt* **to p. up courage** s'armer de courage. ●**plucky** *a* (**-ier**,

-iest) courageux.
plug [plʌg] **1** *n* (*of Br cotton wool, Am absorbent cotton, wood etc*) tampon *m*; (*for sink or bath drainage*) bonde *f*; (*wall*) **p.** (*for screw*) cheville *f* ∎ *vt* (**-gg-**) **to p.** (**up**) (*stop up*) boucher.
2 *n* (*electrical*) fiche *f*, prise *f* (mâle); (*socket*) prise *f* de courant ∎ *vt* (**-gg-**) **to p. in** (*appliance etc*) brancher.
3 *n* (*in vehicle engine*) bougie *f*.
4 *n* (*publicity*) *Fam* battage *m* publicitaire ∎ *vt* (**-gg-**) *Fam* faire du battage publicitaire pour.
5 *vi* (**-gg-**) **to p. away** (*work*) *Fam* bosser (**at** à). ●**plughole** *n* trou *m* (du lavabo *etc*), vidange *f*.
plum [plʌm] *n* prune *f*; **a p. job** *Fam* un travail en or, un bon fromage.
plumage ['pluːmɪdʒ] *n* plumage *m*.
plumb [plʌm] **1** *vt* **to p. in** (*washing machine*) raccorder, installer. **2** *vt* **to p. the depths** (*of despair*) toucher le fond. **3** *vt* (*probe, understand*) *Lit* sonder. **4** *adv* (*crazy etc*) *Am Fam* complètement; **p. in the middle** en plein milieu.
plumber ['plʌmər] *n* plombier *m*. ●**plumbing** *n* plomberie *f*.
plume [pluːm] *n* (*feather*) plume *f*; (*on hat etc*) plumet *m*; **a p. of smoke** un panache de fumée.
plummet ['plʌmɪt] *vi* (*of prices*) dégringoler; (*of aircraft etc*) plonger.
plump [plʌmp] **1** *a* (**-er, -est**) (*person, arm etc*) potelé; (*chicken*) dodu; (*cushion, cheek*) rebondi. **2** *vi* **to p. for** (*choose*) se décider pour, choisir. ●**plumpness** *n* rondeur *f*.
plunder ['plʌndər] *vt* piller ∎ *n* (*act*) pillage *m*; (*goods*) butin *m*.
plunge [plʌndʒ] *vt* (*thrust*) plonger (*qch*) (**into** dans) ∎ *vi* (*dive*) plonger (**into** dans); (*fall*) tomber (**from** de); (*rush*) se lancer ∎ *n* (*dive*) plongeon *m*; (*fall*) chute *f*; **to take the p.** (*take on a difficult task*) sauter le pas, se jeter à l'eau; (*get married*) se marier. ●**plunger** *n* ventouse *f* (*pour déboucher un tuyau*), débouchoir *m*. ●**plunging neckline** *n* décolleté *m* plongeant.
plural ['pluərəl] *a* (*form*) pluriel; (*noun*) au pluriel ∎ *n* pluriel *m*; **in the p.** au pluriel.
plus [plʌs] *prep* plus; (*as well as*) en plus de; **two p. two** deux plus deux ∎ *a* (*factor, quantity etc*) & *El* positif; **twenty p.** vingt et quelques ∎ *n* **p.** (**sign**) (signe *m*) plus *m*; **that's a p.** c'est un plus.
plush [plʌʃ] *a* (**-er, -est**) (*splendid*) somptueux.
plutonium [pluːˈtəʊnɪəm] *n* plutonium *m*.
ply [plaɪ] **1** *vt* (*trade*) exercer; (*oar, tool*) *Lit* manier. **2** *vi* **to p. between** (*travel*) faire la navette entre. **3** *vt* **to p. s.o. with** (*whisky etc*) faire boire continuellement à qn; (*questions*) bombarder qn de.
plywood ['plaɪwʊd] *n* contre-plaqué *m*.
p.m. [piːˈem] *adv* (*afternoon*) de l'après-midi; (*evening*) du soir.

PM [piːˈem] *n abbr* (*Prime Minister*) Premier ministre *m*.
pneumatic [njuːˈmætɪk] *a* **p. drill** marteau-piqueur *m*, marteau *m* pneumatique.
pneumonia [njuːˈməʊnɪə] *n* pneumonie *f*.
poach [pəʊtʃ] **1** *vt* (*egg*) pocher. **2** *vi* (*hunt, steal*) braconner ∎ *vt* (*employee from rival company*) débaucher, piquer. ●**poaching** *n* braconnage *m*. ●**poacher** *n* **1** (*person*) braconnier *m*. **2** (*egg*) **p.** pocheuse *f*.
PO Box [piːəʊˈbɒks] *abbr* (*Post Office Box*) boîte *f* postale, BP *f*.
pocket ['pɒkɪt] *n* poche *f*; (*small area*) *Fig* petite zone *f*; (*of resistance*) poche *f*, îlot *m*; **I'm 50 francs out of p.** j'ai perdu 50 francs; **p. money/handkerchief/etc** argent *m*/mouchoir *m*/etc de poche; **p. calculator** calculatrice *f* de poche ∎ *vt* (*gain, steal*) empocher. ●**pocketbook** *n* (*notebook*) carnet *m*; (*woman's handbag*) *Am* sac *m* à main. ●**pocketful** *n* **p. of** une pleine poche de.
pockmarked ['pɒkmɑːkt] *a* (*face*) grêlé.
pod [pɒd] *n* cosse *f*.
podgy ['pɒdʒɪ] *a* (**-ier, -iest**) (*person*) rondelet (*f* -ette); (*arm etc*) dodu.
podiatrist [pəˈdaɪətrɪst] *n Am* pédicure *mf*.
podium ['pəʊdɪəm] *n* podium.*m*.
poem ['pəʊɪm] *n* poème *m*. ●**poet** *n* poète *m*. ●**po'etic** *a* poétique. ●**poetry** *n* poésie *f*.
po-faced ['pəʊfeɪst] *a* (*expression, person*) *Pej Fam* pincé.
poignant ['pɔɪnjənt] *a* poignant.
point [pɔɪnt] **1** *n* (*of knife etc*) pointe *f*; **points** (*for train*) *Br* aiguillage *m*; (*power*) **p.** *Br* prise *f* (de courant).
2 *n* (*dot, position, score, degree, question etc*) point *m*; (*decimal*) virgule *f*; (*meaning*) sens *m*; (*importance*) intérêt *m*; (*remark*) remarque *f*; **p. of view** point *m* de vue; **at this p.** (**in time**) en ce moment; **on the p. of doing** sur le point de faire; **what's the p.?** à quoi bon? (**of waiting**/*etc* attendre/*etc*); **there's no p.** (**in**) **staying**/*etc* ça ne sert à rien de rester/*etc*; **that's not the p.** il ne s'agit pas de ça; **that's beside the point** c'est à côté de la question; **to the p.** (*relevant*) pertinent; **get to the p.!** au fait!; **to make a p. of doing** prendre garde de faire; **his good points** ses qualités *fpl*; **his bad points** ses défauts *mpl*.
3 *vt* (*aim*) pointer (**at** sur); (*vehicle*) tourner (**towards** vers); **to p. the way** indiquer le chemin (**to** à); *Fig* montrer la voie (**to** à); **to p. one's finger at** montrer du doigt; **to p. out** (*show*) indiquer; (*mention*) signaler (**to** à, **that que**) ∎ *vi* (*of person*) montrer du doigt; **to p. at** *or* **to s.o./sth** (*with finger*) montrer qn/qch; **to p. to, be pointing to** (*indicate*) indiquer; **everything points to success** tout indique qu'il réussira, que nous réussirons *etc*; **to p. east** indiquer l'est; **to be pointing at** (*of gun*) être braqué sur; **to be pointing towards** (*of vehicle*) être tourné vers.
point-blank [pɔɪntˈblæŋk] *adv & a* (*to shoot, a shot*) à bout portant; (*to refuse, a refusal*) *Fig* (tout) net; (*to request, a request*) de but

en blanc.
pointed ['pɔɪntɪd] *a* pointu; *(beard)* en pointe; *(remark, criticism) Fig* pertinent; *(incisive)* mordant. ● **pointedly** *adv (to the point)* avec pertinence; *(incisively)* d'un ton mordant.
pointer ['pɔɪntər] *n (on dial etc)* index *m*; *(advice)* conseil *m*; *(clue)* indice *m*; **to be a p. to** *(possible solution etc)* laisser entrevoir.
pointless ['pɔɪntləs] *a* inutile, futile. ● **pointlessly** *adv* inutilement.
poise [pɔɪz] *n (confidence)* assurance *f*; *(composure)* calme *m*; *(grace)* grâce *f*; *(bearing)* port *m*; *(balance)* équilibre *m* ∥ *vt* tenir en équilibre. ● **poised** *a (composed)* calme; *(hanging)* suspendu; *(balanced)* en équilibre; **p. to attack**/*etc (ready)* prêt à attaquer/*etc*.
poison ['pɔɪz(ə)n] *n* poison *m*; *(of snake)* venin *m*; **p. gas** gaz *m* toxique ∥ *vt* empoisonner; **to p. s.o.'s mind** corrompre qn. ● **poisoning** *n* empoisonnement *m*.
poisonous ['pɔɪzənəs] *a (fumes, substance)* toxique; *(snake)* venimeux; *(plant)* vénéneux.
poke [pəʊk] *vt (push)* pousser *(du doigt, avec un bâton etc)*; *(touch)* toucher; *(fire)* tisonner; **to p. sth into sth** *(put, thrust)* fourrer *or* enfoncer qch dans qch; **to p. one's finger at s.o.** pointer son doigt vers qn; **to p. one's nose into sth** fourrer le nez dans qch; **to p. a hole in sth** faire un trou dans qch; **to p. one's head out of the window** passer la tête par la fenêtre; **to p. out s.o.'s eye** crever un œil à qn.
∥ *vi* pousser; **to p. about** *or* **around in** *(drawer etc)* fouiner dans.
∥ *n (jab)* (petit) coup *m*; *(shove)* poussée *f*, coup *m*.
poker ['pəʊkər] *n* **1** *(for fire)* tisonnier *m*. **2** *Cards* poker *m*.
poky ['pəʊkɪ] *a* (-ier, -iest) *(small) (house, room etc) Br* exigu (*f* -guë) et misérable; *(slow) Am* lent.
Poland ['pəʊlənd] *n* Pologne *f*. ● **Pole** *n* Polonais, -aise *mf*.
polarize ['pəʊləraɪz] *vt* polariser.
Polaroid ['pəʊlərɔɪd] *n (camera)* Polaroïd *m*.
pole [pəʊl] *n* **1** *(rod)* perche *f*; *(fixed)* poteau *m*; *(for flag)* mât *m*; **p. vaulting** *Sport* saut *m* à la perche. **2** *Geog* pôle *m*; **North/South P.** pôle Nord/Sud. ● **polar** *a* polaire; **p. bear** ours *m* blanc.
polemic [pə'lemɪk] *n* polémique *f*. ● **polemical** *a* polémique.
police [pə'liːs] *n* police *f*; **more** *or* **extra p.** des renforts *mpl* de police ∥ *a (inquiry, dog, State etc)* policier; *(protection, intervention)* de la police; **p. cadet** *Br* agent *m* de police stagiaire; **p. car** voiture *f* de police; **p. chief, chief of p.** *Am* commissaire *m* de police; **the p. department** *Am* la police; **p. force** police *f*; **p. station** commissariat *m* de police; **p. van** *Br* fourgon *m* cellulaire.
∥ *vt (city etc)* maintenir l'ordre *or* la paix dans; *(frontier)* contrôler. ● **policeman** *n (pl* -**men**) agent *m* de police. ● **policewoman** *n (pl* -**women**) femme-agent *f*.
policy ['pɒlɪsɪ] *n* **1** *(of government, organization etc)* politique *f*; *(individual course of action)* règle *f*, façon *f* d'agir; **policies** *(ways of governing)* politique *f*; **it's a matter of p.** c'est une question de principe. **2** **(insurance) p.** police *f* (d'assurance); **p. holder** assuré, -ée *mf*.
polio ['pəʊlɪəʊ] *n* polio *f*; **p. victim** polio *mf*. ● **poliomyelitis** [-maɪə'laɪtɪs] *n* poliomyélite *f*.
polish ['pɒlɪʃ] *vt (floor, table, shoes etc)* cirer; *(metal)* astiquer; *(rough surface)* polir; *(manners) Fig* raffiner; *(style) Fig* polir; **to p. off** *(food, work etc) Fam* liquider, finir (en vitesse); **to p. up one's French**/*etc* travailler son français/*etc*.
∥ *n (for shoes)* cirage *m*; *(for floor, furniture)* cire *f*; *(shine)* vernis *m*; *Fig* raffinement *m*; *(nail)* vernis *m* (à ongles); **to give sth a p.** faire briller qch.
Polish ['pəʊlɪʃ] *a* polonais ∥ *n (language)* polonais *m*.
polite [pə'laɪt] *a* (-er, -est) poli (**to, with** avec); **in p. society** dans la bonne société. ● **politely** *adv* poliment. ● **politeness** *n* politesse *f*.
politic ['pɒlɪtɪk] *a (tactful)* habile, avisé.
political [pə'lɪtɪk(ə)l] *a* politique. ● **politicize** *vt* politiser.
politician [pɒlɪ'tɪʃ(ə)n] *n* homme *m or* femme *f* politique.
politics ['pɒlɪtɪks] *n* politique *f*.
polka [*Br* 'pɒlkə, *Am* 'pəʊlkə] *n (dance)* polka *f*; **p. dot** pois *m*.
poll [pəʊl] *n (voting)* scrutin *m*, élection *f*; *(vote)* vote *m*; *(turnout)* participation *f* électorale; *(list)* liste *f* électorale; **to go to the polls** aller aux urnes; **(opinion) p.** sondage *m* (d'opinion); **50% of the p.** 50% des votants.
∥ *vt (votes)* obtenir; *(people)* sonder l'opinion de. ● **polling** *n (election)* élections *fpl*; **p. booth** isoloir *m*; **p. station** *Br*, **p. place** *Am* bureau *m* de vote.
pollen ['pɒlən] *n* pollen *m*.
pollute [pə'luːt] *vt* polluer. ● **pollutant** *n* polluant *m*. ● **pollution** [-ʃ(ə)n] *n* pollution *f*; **noise p.** pollution *f* sonore.
polo ['pəʊləʊ] *n Sport* polo *m*; **p. neck** *(sweater, neckline)* col *m* roulé.
polyester [pɒlɪ'estər] *n* polyester *m*; **p. shirt**/*etc* chemise *f*/*etc* en polyester.
Polynesia [pɒlɪ'niːʒə] *n* Polynésie *f*.
polyp ['pɒlɪp] *n (growth)* polype *m*.
polystyrene [pɒlɪ'staɪriːn] *n* polystyrène *m*.
polytechnic [pɒlɪ'teknɪk] *n Br* institut *m* universitaire de technologie, IUT *m*.
polythene ['pɒlɪθiːn] *n Br* polyéthylène *m*; **p. bag** sac *m* en plastique.
polyunsaturated [pɒlɪʌn'sætʃʊreɪtɪd] *a (oil etc)* polyinsaturé.
pomegranate ['pɒmɪɡrænɪt] *n (fruit)* grenade *f*.
pomp [pɒmp] *n* pompe *f*, faste *m*.

pompon ['pɒmpɒn] *n* (*ornament*) pompon *m*.
pompous ['pɒmpəs] *a* pompeux. ● **pom'posity** *n* emphase *f*, solennité *f*.
poncho ['pɒntʃəʊ] *n* (*pl* -os) poncho *m*.
pond [pɒnd] *n* étang *m*; (*stagnant*) mare *f*; (*artificial*) bassin *m*.
ponder ['pɒndər] *vt* **to p. (over)** sth réfléchir à qch ▪ *vi* réfléchir.
ponderous ['pɒndərəs] *a* (*heavy, slow*) pesant.
pong [pɒŋ] *n* (*stink*) *Br Sl* mauvaise odeur *f* ▪ *vi Br Sl* schlinguer, puer.
pontificate [pɒn'tɪfɪkeɪt] *vi* (*speak pompously*) pontifier (**about** sur).
pony ['pəʊnɪ] *n* poney *m*. ● **ponytail** *n* (*hair*) queue *f* de cheval.
poodle ['puːd(ə)l] *n* caniche *m*.
poof [pʊf] *n* (*homosexual*) *Br Pej Sl* pédé *m*.
pooh! [puː] *int* bah!; (*bad smell*) ça pue!
pooh-pooh [puː'puː] *vt* (*scorn*) dédaigner; (*dismiss*) se moquer de.
pool [puːl] **1** *n* (*puddle*) flaque *f*; (*of blood*) mare *f*; (*for swimming*) piscine *f*; (*pond*) étang *m*.
2 *n* (*of experience, talent*) réservoir *m*; (*of advisers etc*) équipe *f*; (*of typists*) pool *m*; (*kitty in games*) cagnotte *f*; (**football**) **pools** *Br* pronostics *mpl* (*sur les matchs de football*) ▪ *vt* (*share*) mettre en commun; (*combine*) unir.
3 *n* (*billiards*) billard *m* américain.
pooped [puːpt] *a* (*exhausted*) *Am Fam* vanné, crevé.
poor [pʊər] *a* (-er, -est) (*not rich, deserving pity*) pauvre; (*bad*) mauvais; (*inferior*) médiocre; (*meagre*) maigre; (*weak*) faible; **p. thing!** le *or* la pauvre! ▪ *n* **the p.** les pauvres *mpl*. ● **poorly 1** *adv* (*badly*) mal; (*clothed, furnished*) pauvrement. **2** *a* (*ill*) *Br* malade.
pop¹ [pɒp] **1** *int* pan! ▪ *n* (*noise*) bruit *m* sec; **to go p.** faire pan; (*of champagne bottle*) faire pop ▪ *vt* (-pp-) (*balloon etc*) crever; (*bottle top, button*) faire sauter ▪ *vi* (*burst*) crever; (*come off*) sauter; (*of ears*) se déboucher.
2 *vt* (*put*) *Fam* mettre ▪ *vi Br Fam* (*go*) **to p. in** entrer (un instant); **to p. off** partir; **to p. out** sortir (un instant); **to p. over** *or* **round** faire un saut (**to** chez); **to p. up** (*of person*) surgir, réapparaître; (*of question etc*) surgir.
pop² [pɒp] **1** *n* (*music*) pop *m* ▪ *a* (*concert, singer etc*) pop *inv*. **2** *n* (*father*) *Am Fam* papa *m*. **3** *n* (*soda*) **p.** (*drink*) *Am* soda *m*.
popcorn ['pɒpkɔːn] *n* pop-corn *m*.
pope [pəʊp] *n* pape *m*.
pop-eyed [pɒp'aɪd] *a* aux yeux écarquillés.
poplar ['pɒplər] *n* (*tree, wood*) peuplier *m*.
popper ['pɒpər] *n* (*on clothes, bags etc*) *Br* pression *f*.
poppy ['pɒpɪ] *n* (*red, wild*) coquelicot *m*; (*cultivated*) pavot *m*.
popsicle® ['pɒpsɪk(ə)l] *n* (*ice lolly*) *Am* = esquimau *m*.
popular ['pɒpjʊlər] *a* (*person, song, vote, science etc*) populaire; (*fashionable*) à la mode; **to be p. with** plaire beaucoup à. ● **popu'larity** *n* popularité *f* (**with** auprès de). ● **popularize** *vt* populariser; (*science, knowledge*) vulgariser. ● **popularly** *adv* communément.
populate ['pɒpjʊleɪt] *vt* peupler; **highly/sparsely/etc populated** très/peu/*etc* peuplé; **populated by** *or* **with** peuplé de.
population [pɒpjʊ'leɪʃ(ə)n] *n* population *f*.
populous ['pɒpjʊləs] *a* (*crowded*) populeux.
pop-up book ['pɒpʌpbʊk] *n* livre *m* en relief.
porcelain ['pɔːsəlɪn] *n* porcelaine *f*.
porch [pɔːtʃ] *n* porche *m*; (*veranda*) *Am* véranda *f*.
porcupine ['pɔːkjʊpaɪn] *n* porc-épic *m*.
pore [pɔːr] **1** *n* (*of skin*) pore *m*. **2** *vi* **to p. over** (*book, question etc*) étudier de près. ● **porous** *a* poreux.
pork [pɔːk] *n* (*meat*) porc *m*; **p. butcher** charcutier, -ière *mf*; **p. pie** pâté *m* (de porc) en croûte.
pornography [pɔː'nɒgrəfɪ] *n* (*Fam* **porn**) pornographie *f*. ● **porno'graphic** *a* pornographique, porno *f* (*inv*).
porpoise ['pɔːpəs] *n* (*sea animal*) marsouin *m*.
porridge ['pɒrɪdʒ] *n* porridge *m* (*bouillie de flocons d'avoine*); **p. oats** flocons *mpl* d'avoine.
port [pɔːt] **1** *n* (*harbour*) port *m*; **p. of call** escale *f* ▪ *a* (*authorities, installations etc*) portuaire. **2** *n* **p.** (**side**) (*left in ship or aircraft*) bâbord *m* ▪ *a* de bâbord. **3** *n* (*wine*) porto *m*.
portable ['pɔːtəb(ə)l] *a* portable, portatif.
portal ['pɔːt(ə)l] *n* portail *m*.
porter ['pɔːtər] *n* **1** (*for luggage*) porteur *m*. **2** *Br* (*doorman*) (*of hotel*) portier *m*; (*caretaker*) concierge *m*; (*of public building*) gardien, -ienne *mf*.
portfolio [pɔːt'fəʊlɪəʊ] *n* (*pl* -os) (*for documents*) serviette *f*; (*of shares etc*) & *Pol* portefeuille *m*.
porthole ['pɔːthəʊl] *n* (*in ship, aircraft*) hublot *m*.
portico ['pɔːtɪkəʊ] *n* (*pl* -oes *or* -os) (*with pillars*) portique *m*; (*of house*) porche *m*.
portion ['pɔːʃ(ə)n] *n* (*share, helping*) portion *f*; (*of train, book etc*) partie *f* ▪ *vt* **to p. out** répartir.
portly ['pɔːtlɪ] *a* (-ier, -iest) corpulent.
portrait ['pɔːtreɪt, 'pɔːtrɪt] *n* portrait *m*; **p. painter** portraitiste *mf*.
portray [pɔː'treɪ] *vt* (*describe*) représenter. ● **portrayal** *n* représentation *f*, portrait *m*.
Portugal ['pɔːtjʊg(ə)l] *n* Portugal *m*. ● **Portu'guese** *a* portugais ▪ *n* (*language*) portugais *m* ▪ *n inv* (*person*) Portugais, -aise *mf*.
pose [pəʊz] **1** *n* (*of model etc in art or photography*) & *Fig* pose *f* ▪ *vi* (*of model etc*) poser (**for** pour); **to p. as a lawyer/etc** se faire passer pour un avocat/*etc*. **2** *vt* (*question*) po-

ser. ●poser n 1 (question) Fam colle f. 2 = poseur. ●poseur [-'zɜːr] n (show-off) poseur, -euse mf.

posh [pɒʃ] a Fam (smart) chic inv; (snobbish) snob (f inv).

position [pə'zɪʃ(ə)n] n (place, posture, opinion etc) position f; (of building, town) emplacement m, position f; (job, circumstances) situation f; (customer window in bank etc) guichet m; in a p. to do sth en mesure or en position de faire qch; in a good p. to do sth bien placé pour faire qch; in p. en place, en position ▮ vt (camera, machine etc) mettre en position; (put) placer.

positive ['pɒzɪtɪv] a positif; (progress, change) réel; (order) catégorique; (tone) assuré; (sure) sûr, certain (of de, that que); p. reply (saying yes) réponse f affirmative; a p. genius Fam un vrai génie. ●positively adv (for certain) positivement; (undeniably) indéniablement; (completely) complètement; (categorically) catégoriquement; to reply p. (saying yes) répondre par l'affirmative.

possess [pə'zes] vt posséder. ●possession [-ʃ(ə)n] n (ownership) possession f; possessions (belongings) biens mpl; in p. of en possession de; to take p. of prendre possession de. ●possessor n possesseur m.

possessive [pə'zesɪv] 1 a (person, attitude etc) possessif. 2 a & n Grammar possessif m.

possibility [pɒsɪ'bɪlɪtɪ] n possibilité f; there is some p. of il y a quelques chances de; there's some p. that il est (tout juste) possible que (+ sub); she has possibilities elle promet; it's a distinct p. c'est bien possible.

possible ['pɒsəb(ə)l] a possible; it is p. (for us) to do il (nous) est possible de le faire; it is p. that il est possible que (+ sub); as far as p. autant que possible; if p. si possible; as much or as many as p. le plus possible ▮ n (person, object) Fam choix m possible.

possibly ['pɒsɪblɪ] adv 1 (perhaps) peut-être. 2 (with can, could etc) if you p. can si cela t'est possible; to do all one p. can faire tout son possible (to do pour faire); he cannot p. stay il ne peut absolument pas rester.

post¹ [pəʊst] n Br (postal system) poste f; (letters) courrier m; by p. par la poste; to catch/miss the p. avoir/manquer la levée; p. office (bureau m de) poste f; the P. Office (administration) les postes fpl, le service des postes ▮ vt (put in postbox) poster, mettre à la poste; (send) envoyer; to keep s.o. posted (informed) tenir qn au courant.

post² [pəʊst] n (job, place) poste m; (of soldier, sailor etc) poste m ▮ vt (sentry, guard) poster; (employee) Br affecter (to à). ●posting n (appointment) Br affectation f.

post³ [pəʊst] n (pole) poteau m; (of door, bed) montant m; finishing or winning p. (in race) poteau m d'arrivée ▮ vt to p. (up) (notice etc) afficher, coller.

post- [pəʊst] pref post-; p.-1800 après 1800.

postage ['pəʊstɪdʒ] n tarif m (postal), tarifs mpl (postaux) (to pour); p. stamp timbre-poste m.

postal ['pəʊstəl] a (services, district etc) postal; (inquiries) par la poste; (vote) par correspondance; p. worker employé, -ée mf des postes; p. van Br camion m des postes.

postbag ['pəʊstbæg] n Br sac m postal. ●postbox n Br boîte f aux or à lettres. ●postcard n carte f postale. ●postcode n Br code m postal. ●post-'free Br or post'paid adv franco.

postdate [pəʊst'deɪt] vt postdater.

poster ['pəʊstər] n affiche f; (for decoration) poster m.

posterior [pɒ'stɪərɪər] n (buttocks) Hum postérieur m.

posterity [pɒ'sterɪtɪ] n postérité f.

postgraduate [pəʊst'grædʒʊət] n étudiant, -ante mf de troisième cycle ▮ a (studies etc) de troisième cycle.

posthumous ['pɒstjʊməs] a (publication etc) posthume; to receive a p. award/etc recevoir un prix/etc à titre posthume. ●posthumously adv à titre posthume.

postman ['pəʊstmən] n (pl -men) facteur m. ●postmark n cachet m de la poste ▮ vt oblitérer. ●postmaster n Br receveur m (des postes). ●postmistress n Br receveuse f (des postes).

post-mortem [pəʊst'mɔːtəm] n p.-mortem (examination) autopsie f (on de).

postnatal ['pəʊstneɪt(ə)l] a (checkup etc) postnatal (mpl -als); p. depression dépression f d'après l'accouchement.

postpone [pəʊ'spəʊn] vt remettre (for de, until à), renvoyer (à plus tard). ●postponement n remise f, renvoi m.

postscript ['pəʊstskrɪpt] n post-scriptum m inv.

postulate ['pɒstjʊleɪt] vt postuler.

posture ['pɒstʃər] n (of body) posture f; Fig attitude f ▮ vi (for effect) Pej poser.

postwar ['pəʊstwɔːr] a d'après-guerre.

posy ['pəʊzɪ] n petit bouquet m (de fleurs).

pot [pɒt] 1 n pot m; (for cooking) marmite f; pots and pans casseroles fpl; jam p. pot m à confiture; to take p. luck tenter sa chance; (with food) manger à la fortune du pot; to go to p. Fam aller à la ruine; gone to p. (person, plans etc) Fam fichu ▮ vt (-tt-) mettre en pot. 2 n (drug) Fam hasch m.

potato [pə'teɪtəʊ] n (pl -oes) pomme f de terre; p. peeler (knife) éplucheur m, couteau m à éplucher; p. crisps Br, p. chips Am pommes fpl chips.

potbelly ['pɒtbelɪ] n bedaine f. ●potbellied a ventru.

potent ['pəʊtənt] a (drug, remedy etc) puissant; (drink) fort; (man) viril. ●potency n puissance f; (of man) virilité f.

potential [pə'tenʃ(ə)l] a (client, sale) éventuel; (danger, resources) pot éventuel; (leader, hero etc) en puissance ▮ n p

pothole

m; (*future promise*) *Fig* (perspectives *fpl* d')avenir *m*; **to have p.** (*of person, company etc*) avoir de l'avenir. ●**potenti'ality** *n* potentialité *f*; **potentialities** *Fig* (perspectives *fpl* d')avenir *m*. ●**potentially** *adv* potentiellement.
pothole ['pɒthəʊl] *n* (*in road*) nid *m* de poules; (*in rock*) gouffre *m*; (*cave*) caverne *f*. ●**potholer** *n Br* spéléologue *mf*. ●**potholing** *n Br* spéléologie *f*.
potion ['pəʊʃ(ə)n] *n* breuvage *m* magique; (*medicine*) potion *f*.
potshot ['pɒtʃɒt] *n* **to take a p.** faire un carton (**at** sur).
potted ['pɒtɪd] *a* **1** (*plant*) en pot; (*jam, meat*) en bocaux. **2** (*version etc*) *Br* abrégé, condensé.
potter ['pɒtər] **1** *n* (*person*) potier *m*. **2** *vi* **to p. (about)** *Br* bricoler. ●**pottery** *n* (*art*) poterie *f*; (*objects*) poteries *fpl*; **a piece of p.** une poterie.
potty ['pɒtɪ] **1** *n* pot *m* (de bébé). **2** *a* (**-ier, -iest**) (*mad*) *Br Fam* toqué.
pouch [paʊtʃ] *n* petit sac *m*; (*of kangaroo, under eyes*) poche *f*; (*for tobacco*) blague *f*.
pouf(fe) [puːf] *n* (*seat*) pouf *m*.
poultice ['pəʊltɪs] *n* (*dressing*) cataplasme *m*.
poultry ['pəʊltrɪ] *n* volaille *f*. ●**poulterer** *n* volailler *m*.
pounce [paʊns] *vi* (*leap*) sauter, bondir (**on** sur); **to p. on** (*idea*) *Fig* sauter sur; (*mistake*) se précipiter sur ▮ *n* bond *m*.
pound [paʊnd] **1** *n* (*weight*) livre *f* (= 453,6 grammes); **p. sterling** livre *f* (sterling).
2 *n* (*for cars, dogs*) fourrière *f*.
3 *vt* (*spices, nuts etc*) piler; (*meat*) attendrir; (*bombard with shells etc*) pilonner (*ville etc*); **to p. (on)** (*thump*) tambouriner sur, marteler (*table*); tambouriner à, marteler (*porte*); taper sur (*piano*); (*of sea*) battre (*bateau, falaise etc*) ▮ *vi* (*of heart*) battre à tout rompre; (*walk heavily*) marcher à pas pesants.
pour [pɔːr] *vt* (*liquid*) verser; (*wax*) couler; **to p. money into sth** investir beaucoup d'argent dans qch ▮ *vi* **it's pouring** il pleut à verse; **the pouring rain** la pluie torrentielle.
pour away *vt* (*liquid*) vider ▮ **pour down** *vi* **it's pouring down** il pleut à verse ▮ **to pour in** *vt* (*liquid*) verser ▮ *vi* (*of water, rain, sunshine*) entrer à flots; (*of people, money*) affluer ▮ **to pour off** *vt* (*liquid*) vider ▮ **to pour out** *vt* (*liquid*) verser; (*cup etc*) vider; (*one's love, heart*) *Fig* épancher ▮ *vi* (*of liquid*) couler *or* sortir à flots; (*of people*) sortir en masse (**from** de); (*of smoke*) s'échapper (**from** de).
pout [paʊt] *vti* **to p. (one's lips)** faire la moue ▮ *n* moue *f*.
poverty ['pɒvətɪ] *n* pauvreté *f*; (**extreme**) **p.** la misère. ●**poverty-stricken** *a* (*person*) indigent; (*neighbourhood, conditions*) misérable.
powder ['paʊdər] *n* poudre *f*; **p. keg** (*dangerous place*) poudrière *f*; **p. puff** houppette *f*; **p. room** toilettes *fpl* (*pour dames*) ▮ *vt* (*body, skin*) poudrer; **to p. one's face** *or*

nose se poudrer. ●**powdered** *a* (*milk, eggs*) en poudre. ●**powdery** *a* (*snow*) poudreux; (*face*) couvert de poudre.
power ['paʊər] *n* (*ability, authority*) pouvoir *m*; (*strength, nation*) & *Math Tech* puissance *f*; (*energy*) énergie *f*; (*electric current*) courant *m*; **he's a (real) p. within the company** c'est un homme de poids au sein de l'entreprise; **in p.** (*political party etc*) au pouvoir; **in one's p.** en son pouvoir; **the p. of speech** la faculté de la parole; **p. failure** *or Br* **cut** coupure *f* de courant; **p. station** *Br*, **p. plant** *Am* centrale *f* (électrique).
▮ *vt* **to be powered by** être actionné *or* propulsé par; (*gas, oil etc*) fonctionnant à.
powerboat ['paʊəbəʊt] *n* offshore *m*.
powerful ['paʊəfəl] *a* puissant. ●**powerfully** *adv* puissamment. ●**powerless** *a* impuissant (**to do** à faire).
PR [piː'ɑːr] *n abbr* = **public relations**.
practicable ['præktɪkəb(ə)l] *a* (*project, road etc*) praticable.
practical ['præktɪk(ə)l] *a* (*tool, knowledge, person etc*) pratique; **p. joke** farce *f*. ●**practi'cality** *n* (*of person*) sens *m* pratique; **the practicalities** (*of situation, scheme etc*) l'aspect *m* pratique; (*details*) les détails *mpl* pratiques.
practically ['præktɪk(ə)lɪ] *adv* (*almost*) pratiquement.
practice ['præktɪs] *n* (*exercise, way of proceeding*) pratique *f*; (*habit*) habitude *f*; (*training*) entraînement *m*; (*rehearsal*) répétition *f*; (*of profession*) exercice *m* (**of** de); (*clients*) clientèle *f*; **to be out of p.** manquer d'entraînement; **to put sth into p.** mettre qch en pratique; **in p.** (*in reality*) en pratique; **to be in p.** (*of doctor, lawyer*) exercer; (*in one's skill*) être bien entraîné; **to be in general p.** (*of doctor*) faire de la médecine générale.
practise ['præktɪs] (*Am* **practice**) *vt* (*sport, art etc*) pratiquer; (*medicine, law etc*) exercer; (*flute, piano etc*) s'exercer à; (*language*) (s'exercer à) parler (**on** avec); (*work at*) travailler (*ses maths, un discours etc*) ▮ *vi* (*of musician, sportsman etc*) s'exercer; (*of doctor, lawyer*) exercer. ●**practised** *a* (*experienced*) chevronné; (*ear, eye*) exercé. ●**practising** *a* (*Catholic etc*) pratiquant; (*doctor, lawyer*) exerçant.
practitioner [præk'tɪʃ(ə)nər] *n* praticien, -ienne *mf*; **general p.** (médecin *m*) généraliste *m*.
pragmatic [præg'mætɪk] *a* pragmatique.
prairie(s) ['preərɪ(z)] *n(pl)* (*in North America*) Prairies *fpl*.
praise [preɪz] *vt* louer (*qn*) (**for sth** de qch); **to p. s.o. for doing** *or* **having done** louer qn d'avoir fait ▮ *n* louange(s) *f(pl)*, éloge(s) *m(pl)*; **in p. of** à la louange de. ●**praiseworthy** *a* digne d'éloges.
pram [præm] *n Br* landau *m* (*pl* -aus).
prance [prɑːns] *vi* **to p. about** (*of dancer etc*) caracoler; (*strut*) se pavaner; (*go about*) *Fam* se balader.

prank [præŋk] *n* (*trick*) farce *f*, tour *m*; (*escapade*) frasque *f*.
prat [præt] *n* (*idiot*) Br Offensive Sl ducon *m*.
prattle ['præt(ə)l] *vi* jacasser.
prawn [prɔːn] *n* crevette *f* (rose), bouquet *m*.
pray [preɪ] *vi* prier; **to p. for good weather/a miracle** prier pour avoir du beau temps/pour un miracle ▮ *vt* **to p. that** prier pour que (+ *sub*); **to p. s.o. to do sth** *Lit* prier qn de faire qch.
prayer [preər] *n* prière *f*.
pre- [priː] *pref* **p.-1800** avant 1800.
preach [priːtʃ] *vti* prêcher; **to p. to s.o.** (*of priest*) & *Fig* prêcher qn; **to p. a sermon** faire un sermon. ●**preaching** *n* prédication *f*. ●**preacher** *n* prédicateur *m*.
preamble [priː'æmb(ə)l] *n* préambule *m*.
prearrange [priːə'reɪndʒ] *vt* arranger à l'avance.
precarious [prɪ'keərɪəs] *a* précaire.
precaution [prɪ'kɔːʃ(ə)n] *n* précaution *f* (**of doing** de faire); **as a p.** par précaution.
precede [prɪ'siːd] *vti* précéder; **to p. sth by sth** faire précéder qch de qch. ●**preceding** *a* précédent.
precedence ['presɪdəns] *n* (*priority*) priorité *f*; (*in rank*) préséance *f*; **to take p. over** avoir la priorité sur; (*in rank*) avoir la préséance sur.
precedent ['presɪdənt] *n* précédent *m*; **to create** *or* **set a p.** créer un précédent.
precept ['priːsept] *n* précepte *m*.
precinct ['priːsɪŋkt] *n* (*of convent, palace etc*) enceinte *f*; (*boundary*) limite *f*; (*electoral district*) *Am* circonscription *f*; (*police district*) *Am* secteur *m*; (*for shopping*) Br zone *f* piétonnière; **p. station** (*police station*) *Am* commissariat *m* de quartier.
precious ['preʃəs] **1** *a* précieux; **her p. little bike** *Iron* son cher petit vélo. **2** *adv* **p. few, p. little** *Fam* très peu (de).
precipice ['presɪpɪs] *n* (*sheer face of mountain etc*) à-pic *m inv*; (*chasm*) *Fig* précipice *m*.
precipitate [prɪ'sɪpɪteɪt] *vt* (*hasten, throw*) & *Ch* précipiter; (*reaction, trouble etc*) provoquer, déclencher. ●**precipitation** [-'teɪʃ(ə)n] *n* (*haste*) & *Ch* précipitation *f*; (*rainfall*) précipitations *fpl*.
précis ['preɪsiː, *pl* 'preɪsiːz] *n inv* précis *m*.
precise [prɪ'saɪs] *a* précis; (*person*) minutieux. ●**precisely** *adv* (*accurately, exactly*) précisément; **at 3 o'clock p.** à 3 heures précises; **p. nothing** absolument rien. ●**precision** [-ʒ(ə)n] *n* précision *f*.
preclude [prɪ'kluːd] *vt* (*prevent*) empêcher (**from doing** de faire); (*possibility*) exclure.
precocious [prɪ'kəʊʃəs] *a* (*child etc*) précoce. ●**precociousness** *n* précocité *f*.
preconceived [priːkən'siːvd] *a* préconçu. ●**preconception** [-'sepʃ(ə)n] *n* préconception *f*.
precondition [priːkən'dɪʃ(ə)n] *n* préalable *m*.

precursor [priː'kɜːsər] *n* précurseur *m*.
predate [priː'deɪt] *vt* (*precede*) précéder; (*document*, Br *cheque*, *Am* check *etc*) antidater.
predator ['predətər] *n* (*animal*) prédateur *m*. ●**predatory** *a* (*animal, person*) rapace.
predecessor ['priːdɪsesər] *n* prédécesseur *m*.
predicament [prɪ'dɪkəmənt] *n* situation *f* fâcheuse.
predicate ['predɪkət] *n* *Grammar* prédicat *m*.
predict [prɪ'dɪkt] *vt* prédire. ●**predictable** *a* prévisible. ●**prediction** [-ʃ(ə)n] *n* prédiction *f*.
predispose [priːdɪ'spəʊz] *vt* prédisposer (**to do** à faire). ●**predisposition** [-pə'zɪʃ(ə)n] *n* prédisposition *f*.
predominant [prɪ'dɒmɪnənt] *a* prédominant. ●**predominance** *n* prédominance *f*. ●**predominantly** *adv* (*almost all*) pour la plupart, en majorité.
predominate [prɪ'dɒmɪneɪt] *vi* prédominer (**over** sur).
pre-eminent [priː'emɪnənt] *a* prééminent. ●**pre-eminently** *adv* suprêmement.
pre-empt [priː'empt] *vt* (*decision, plans etc*) devancer.
preen [priːn] *vt* (*feathers*) lisser; **to p. itself** (*of bird*) se lisser les plumes; **she's preening herself** (*grooming herself*) elle se bichonne.
prefab ['priːfæb] *n* Br Fam maison *f* préfabriquée. ●**pre'fabricate** *vt* préfabriquer.
preface ['prefɪs] *n* préface *f* ▮ *vt* (*speech etc*) faire précéder (**with** de).
prefect ['priːfekt] *n* (*in school*) Br élève *mf* chargé(e) de la discipline; (*French official*) préfet *m*.
prefer [prɪ'fɜːr] *vt* (**-rr-**) **1** préférer (**to** à), aimer mieux (**to** que); **to p. to do** préférer faire, aimer mieux faire. **2 to p. charges** (*in court of law*) porter plainte (**against** contre).
preferable ['prefərəb(ə)l] *a* préférable (**to** à). ●**preferably** *adv* de préférence.
preference ['prefərəns] *n* préférence *f* (**for** pour); **in p. to** de préférence à. ●**pre-fe'rential** *a* (*terms, price etc*) préférentiel; **p. treatment** traitement *m* de faveur.
prefix ['priːfɪks] *n* *Grammar* préfixe *m*.
pregnant ['pregnənt] *a* (*woman*) enceinte; (*animal*) pleine; **five months p.** enceinte de cinq mois. ●**pregnancy** *n* (*of woman*) grossesse *f*; **p. test** test *m* de grossesse.
prehistoric [priːhɪ'stɒrɪk] *a* préhistorique.
prejudge [priː'dʒʌdʒ] *vt* (*question*) préjuger de; (*person*) juger d'avance.
prejudice ['predʒədɪs] *n* (*personal bias*) préjugé *m*, parti pris; (*people's attitude*) préjugés *mpl*; (*harm*) *Jur* préjudice *m*; **to be full of p.** être plein de préjugés.
▮ *vt* (*person*) prévenir (**against** contre); (*success, chances etc*) porter préjudice à, nuire à. ●**prejudiced** *a* (*idea*) partial; **she's p.** elle a des préjugés *or* un préjugé (**against** contre); (*on a particular issue*) elle est de

preliminary

parti pris. ●**preju'dicial** *a* (*harmful*) *Jur* préjudiciable.
preliminary [prɪ'lɪmɪnərɪ] *a* (*speech, inquiry, exam etc*) préliminaire. ●**preliminaries** *npl* préliminaires *mpl*.
prelude ['prelju:d] *n* prélude *m* (**to** à) ▮ *vt* préluder à.
premarital [pri:'mærɪt(ə)l] *a* avant le mariage.
premature [*Br* 'premətʃʊər, *Am* pri:mə'tʊər] *a* prématuré. ●**prematurely** *adv* prématurément; (*born*) avant terme.
premeditate [pri:'medɪteɪt] *vt* préméditer. ●**premeditation** [-'teɪʃ(ə)n] *n* préméditation *f*.
premier [*Br* 'premɪər, *Am* prɪ'mɪər] **1** *n* Premier ministre *m*. **2** *a* (*foremost*) (*tout*) premier.
première [*Br* 'premɪeər, *Am* prɪ'mjeər] *n* (*of play, film*) première *f*.
premise ['premɪs] *n Phil* prémisse *f*.
premises ['premɪsɪz] *npl* locaux *mpl*; **on the p.** sur les lieux; **off the p.** hors des lieux.
premium ['pri:mɪəm] *n* (*bonus*) *Fin* prime *f*; (**insurance**) **p.** prime *f* (d'assurance); **to be at a p.** (*rare*) être (une) denrée rare; **p. bond** *Br* bon *m* à lots.
premonition [*Br* premə'nɪʃ(ə)n, *Am* pri:mə'nɪʃ(ə)n] *n* pressentiment *m*, prémonition *f*.
prenatal [pri:'neɪt(ə)l] *a Am* prénatal (*mpl* -als).
preoccupy [pri:'ɒkjʊpaɪ] *vt* (*worry*) préoccuper; **to be preoccupied** être préoccupé (**with** de). ●**preoccupation** [-'peɪʃ(ə)n] *n* préoccupation *f*; **a p. with money/success/***etc* une obsession de l'argent/de la réussite/*etc*.
prep [prep] *a* **p. school** *Br* école *f* primaire privée; *Am* école *f* secondaire privée ▮ *n* (*school homework*) devoirs *mpl*.
pre-packed [pri:'pækt] *a* (*meat, vegetables etc*) pré-emballé.
prepaid [pri:'peɪd] *a* (*reply*) payé.
preparation [prepə'reɪʃ(ə)n] *n* préparation *f*; **preparations** préparatifs *mpl* (**for** de).
preparatory [prə'pærət(ə)rɪ] *a* préparatoire; **p. school** = prep school.
prepare [prɪ'peər] *vt* préparer (**sth for** qch pour, **s.o. for** qn à); **to p. to do** se préparer à faire ▮ *vi* **to p. for** (*journey, occasion*) faire des préparatifs pour; (*get dressed up for*) se préparer pour; (*exam*) préparer. ●**prepared** *a* (*ready*) prêt, disposé (**to do** à faire); **to be p. for sth** (*expect*) s'attendre à qch.
preposition [prepə'zɪʃ(ə)n] *n* préposition *f*.
prepossessing [pri:pə'zesɪŋ] *a* avenant, sympathique.
preposterous [prɪ'pɒstərəs] *a* absurde.
prep school ['prepsku:l] *n see* prep.
prerecorded [pri:rɪ'kɔ:dɪd] *a* (*message etc*) enregistré à l'avance; **p. broadcast** (*on radio or television*) émission *f* en différé.
prerequisite [pri:'rekwɪzɪt] *n* (condition *f*) préalable *m*.
prerogative [prɪ'rɒgətɪv] *n* prérogative *f*.

Presbyterian [prezbɪ'tɪərɪən] *a* & *n Rel* presbytérien, -ienne (*mf*).
preschool ['pri:sku:l] *a* (*age, activities etc*) préscolaire.
prescribe [prɪ'skraɪb] *vt* (*of doctor*) prescrire. ●**prescribed** *a* (*textbook*) (inscrit) au programme. ●**prescription** [-ʃ(ə)n] *n* (*for medicine*) ordonnance *f*; (*order*) prescription *f*; **on p.** sur ordonnance.
presence ['prezəns] *n* présence *f*; **in the p. of** en présence de; **p. of mind** présence *f* d'esprit.
present[1] ['prezənt] **1** *a* (*not absent*) présent (**at** à, **in** dans); **those p.** les personnes présentes. **2** *a* (*year, state etc*) actuel, présent; (*being considered*) (*matter, request etc*) présent; (*job, house etc*) actuel; **the p. tense** le présent ▮ *n* **the p.** (*time, tense*) le présent; **for the p.** pour le moment; **at p.** à présent. **3** *n* (*gift*) cadeau *m*. ●**presently** *adv* (*soon*) tout à l'heure; (*now*) à présent. ●**present-'day** *a* actuel.
present[2] [prɪ'zent] *vt* (*show, introduce, compère etc*) présenter (**to** à); (*concert, film etc*) donner; (*proof*) fournir; **to p. s.o. with** (*gift*) offrir à qn; (*prize*) remettre à qn. ●**presentable** *a* (*person, appearance etc*) présentable. ●**presenter** *n* présentateur, -trice *mf*.
presentation [prezən'teɪʃ(ə)n] *n* présentation *f*; (*of prize*) remise *f*.
preservation [prezə'veɪʃ(ə)n] *n* conservation *f*.
preservative [prɪ'zɜ:vətɪv] *n* (*in food*) agent *m* de conservation.
preserve [prɪ'zɜ:v] **1** *vt* (*keep, maintain*) conserver; (*fruit etc*) mettre en conserve; **to p. from** (*protect*) préserver de. **2** *n* **preserve(s)** (*jam*) confiture *f*. **3** *n* (*sphere*) domaine *m*.
preserver [prɪ'zɜ:vər] *n* **life p.** *Am* gilet *m* de sauvetage.
preside [prɪ'zaɪd] *vi* présider; **to p. over** or **at a meeting** présider une réunion.
presidency ['prezɪdənsɪ] *n* présidence *f*.
president ['prezɪdənt] *n* président, -ente *mf*. ●**presi'dential** [prezɪ'denʃ(ə)] *a* présidentiel.
press[1] [pres] *n* **1** (*newspapers*) presse *f*; (*printing company*) imprimerie *f*; (**printing**) **p.** presse *f*; **p. conference/campaign/***etc* conférence *f*/campagne *f*/etc de presse. **2** (*machine for pressing trousers, gluing etc*) presse *f*; (*for making wine*) pressoir *m*.
press[2] [pres] *vt* (*button, doorbell etc*) appuyer sur; (*tube, lemon*) presser; (*hand*) serrer; (*clothes*) repasser; (*demand, insist on*) insister sur; **to p. a claim** renouveler une réclamation; **to p. s.o. to do sth** (*urge*) presser qn de faire qch; **to p. charges** (*in court of law*) engager des poursuites (**against** contre). ▮ *vi* (*with finger*) appuyer (**on** sur); (*of weight*) faire pression (**on** sur); **time presses** le temps presse.
▮ *n* **to give sth a p.** (*Br trousers, Am pants etc*) repasser qch.
press down *vt* (*button etc*) appuyer sur ▮ **to**

press for *vt* (*demand*) insister pour obtenir (qch) ▮ **to press on** *vi* (*carry on*) continuer (**with** sth qch).
pressed [prest] *a* (*busy*) débordé; **to be hard p.** (*in difficulties*) être en difficultés; (*busy*) être débordé; **to be p. for time/money** être à court d'argent/de temps.
pressgang ['presgæŋ] *vt* **to p. s.o.** faire pression sur qn (**into doing** pour qu'il fasse).
● **press-stud** *n Br* bouton-pression *m*.
● **press-up** *n* (*exercise*) pompe *f*.
pressing ['presɪŋ] 1 *a* (*urgent*) pressant. 2 *n* (*ironing*) repassage *m*.
pressure ['preʃər] *n* pression *f*; **the p. of work** le surmenage; **p. cooker** cocotte-minute *f*; **p. gauge** (*for Br tyres, Am tires*) manomètre *m*; **p. group** groupe *m* de pression; **under p.** (*to confess etc*) sous la contrainte; (*worker, to work*) sous pression ▮ *vt* **to p. s.o.** faire pression sur qn (**to do, into doing** pour qu'il fasse).
pressurize ['preʃəraɪz] *vt* (*aircraft etc*) pressuriser; **pressurized cabin** cabine *f* pressurisée; **to p. s.o.** faire pression sur qn (**to do, into doing** pour qu'il fasse).
prestige [pre'stiːʒ] *n* prestige *m*. ● **prestigious** [*Br* pre'stɪdʒəs, *Am* -'stiːdʒəs] *a* prestigieux.
presume [prɪ'zjuːm] *vt* (*suppose*) présumer (**that** que); **to p. to do** (*venture*) *Lit* se permettre de faire. ● **presumably** *adv* (*you'll come etc*) je présume que. ● **presumption** [-'zʌmpʃ(ə)n] *n* (*supposition, bold attitude*) présomption *f*.
presumptuous [prɪ'zʌmptʃʊəs] *a* présomptueux.
presuppose [priːsə'pəʊz] *vt* présupposer (**that** que).
pretence [prɪ'tens] (*Am* **pretense**) *n* (*sham*) feinte *f*; (*claim, affectation*) prétention *f*; (*pretext*) prétexte *m*; **to make a p. of doing sth** feindre qch/de faire qch; **on** *or* **under false pretences** sous des prétextes fallacieux.
pretend [prɪ'tend] *vt* (*make believe*) faire semblant (**to do** de faire, **that** que); (*claim, maintain*) prétendre (**to do** faire, **that** que) ▮ *vi* faire semblant; **to p. to** (*throne, title*) *Lit* prétendre à.
pretension [prɪ'tenʃ(ə)n] *n* (*claim, vanity*) prétention *f*.
pretentious [prɪ'tenʃəs] *a* prétentieux.
pretext ['priːtekst] *n* prétexte *m*; **on the p. of/that** sous prétexte de/que.
pretty ['prɪtɪ] 1 *a* (-ier, -iest) joli. 2 *adv Fam* (*rather, quite*) assez; **p. well, p. much, p. nearly** (*almost*) pratiquement, à peu de chose près.
prevail [prɪ'veɪl] *vi* (*be prevalent*) prédominer; (*win*) prévaloir (**against** contre); **to p. (up)on s.o.** (*persuade*) persuader qn (**to do** de faire). ● **prevailing** *a* (*most common*) courant; (*most important*) prédominant; (*situation*) actuel; (*wind*) dominant.
prevalent ['prevələnt] *a* courant, répandu.

● **prevalence** *n* fréquence *f*; (*predominance*) prédominance *f*.
prevaricate [prɪ'værɪkeɪt] *vi* user de faux-fuyants.
prevent [prɪ'vent] *vt* empêcher (**from doing** de faire). ● **preventable** *a* évitable. ● **prevention** [-ʃ(ə)n] *n* prévention *f*. ● **preventive** *a* préventif.
preview ['priːvjuː] *n* (*of film, painting*) avant-première *f*; (*overall view*) *Fig* aperçu *m*.
previous ['priːvɪəs] *a* précédent; **to have p. experience** avoir une expérience préalable; **she's had a p. job** elle a déjà eu un emploi ▮ *adv* **p. to** avant. ● **previously** *adv* avant, précédemment.
prewar ['priːwɔːr] *a* d'avant-guerre.
prey [preɪ] *n* proie *f*; **to be (a) p. to** être en proie à; **bird of p.** rapace *m*, oiseau *m* de proie ▮ *vi* **to p. on** (*of animal*) faire sa proie de; (*of person*) abuser de; **to p. on s.o.'s mind** (*worry*) tracasser qn.
price [praɪs] *n* (*of object, success etc*) prix *m*; **to pay a high p. for sth** payer cher qch; *Fig* payer chèrement qch; **he wouldn't do it at any p.** il ne le ferait à aucun prix ▮ *a* (*control, war, rise etc*) des prix; **p. list** tarif *m* ▮ *vt* mettre un prix à; **it's priced at £5** ça coûte cinq livres.
priceless ['praɪsləs] *a* (*jewel, help etc*) inestimable; (*amusing*) (*joke etc*) *Fam* impayable.
pricey ['praɪsɪ] *a* (-ier, -iest) *Fam* cher, hors de prix.
prick [prɪk] *vt* (*jab*) piquer (**with** avec); (*burst*) crever; **to p. up one's ears** dresser l'oreille ▮ *n* (*act, mark, pain*) piqûre *f*.
prickle ['prɪk(ə)l] *n* (*of animal*) piquant *m*; (*of plant*) piquant *m*, épine *f*. ● **prickly** *a* (-ier, -iest) (*plant*) piquant, épineux; (*beard*) piquant; (*animal*) hérissé; (*subject*) *Fig* épineux; (*person*) *Fig* irritable.
pride [praɪd] *n* (*satisfaction*) fierté *f*; (*exaggerated*) orgueil *m*; (*self-respect*) amour-propre *m*, orgueil *m*; **to take p. in** (*person, work etc*) être fier de; (*look after*) prendre soin de; **to take p. in doing sth** mettre (toute) sa fierté à faire qch; **to be s.o.'s p. and joy** être la fierté de qn; **to have p. of place** avoir la place d'honneur ▮ *vt* **to p. oneself on sth/on doing** s'enorgueillir de qch/de faire.
priest [priːst] *n* prêtre *m*. ● **priesthood** *n* (*function*) sacerdoce *m*; **to enter the p.** se faire prêtre. ● **priestly** *a* sacerdotal.
prig [prɪg] *n* hypocrite *mf*, pharisien, -ienne *mf*. ● **priggish** *a* suffisant.
prim [prɪm] *a* (primmer, primmest) **p. (and proper)** (*affected*) bégueule, guindé; (*seemly*) convenable; (*neat*) impeccable.
primacy ['praɪməsɪ] *n* primauté *f*.
primarily [*Br* 'praɪmərəlɪ, *Am* praɪ'merɪlɪ] *adv* essentiellement.
primary ['praɪmərɪ] *a* (*main, basic*) principal, premier; *Pol Geol etc* primaire; **of p.**

primate

importance de première importance; **p. education** enseignement *m* primaire; **p. school** *Br* école *f* primaire ▮ *n* (*election*) *Am* primaire *f*.
primate ['praɪmeɪt] *n* (*mammal*) primate *m*.
prime [praɪm] **1** *a* (*reason etc*) principal; (*quality*) premier; (*example, condition*) excellent, parfait; (*meat*) de premier choix; **of p. importance** de première importance; **P. Minister** Premier ministre *m*; **p. number** nombre *m* premier. **2** *n* **in the p. of life** dans la force de l'âge. **3** *vt* (*gun, pump*) amorcer; (*surface*) apprêter. ●**primer** *n* **1** (*book*) premier livre *m*. **2** (*paint*) apprêt *m*.
primeval [praɪˈmiːv(ə)l] *a* primitif.
primitive ['prɪmɪtɪv] *a* (*society, conditions, art etc*) primitif. ●**primitively** *adv* (*to live*) dans des conditions primitives.
primrose ['prɪmrəʊz] *n* (*plant*) primevère *f* (jaune).
prince [prɪns] *n* prince *m*. ●**princely** *a* princier. ●**prin'cess** *n* princesse *f*.
principal ['prɪnsɪp(ə)l] **1** *a* (*main*) principal. **2** *n* (*of school*) directeur, -trice *mf*; (*of university*) président, -ente *mf*. ●**principally** *adv* principalement.
principality [prɪnsɪˈpælətɪ] *n* principauté *f*.
principle ['prɪnsɪp(ə)l] *n* principe *m*; **in p.** en principe; **on p.** par principe.
print [prɪnt] *n* (*of finger, foot etc*) empreinte *f*; (*letters*) caractères *mpl*; (*engraving*) gravure *f*, estampe *f*; (*fabric, textile design*) imprimé *m*; (*photo*) épreuve *f*; (*ink*) encre *m*; **in p.** (*book*) disponible (en librairie); **out of p.** (*book*) épuisé.
▮ *vt* (*book etc*) imprimer; (*photo*) tirer; (*write*) écrire en caractères d'imprimerie; **to p. 100 copies of a book**/*etc* tirer un livre/*etc* à 100 exemplaires; **to have a book printed** publier un livre; **to p. out** (*of computer*) imprimer. ●**printed** *a* imprimé; **p. matter or papers** imprimés *mpl*. ●**printing** *n* (*action*) impression *f*; (*technique, art*) imprimerie *f*; (*of photo*) tirage *m*; **p. press** presse *f*.
printable ['prɪntəb(ə)l] *a* **not p.** (*word etc*) *Fig* obscène.
printer ['prɪntər] *n* (*of computer*) imprimante *f*; (*person*) imprimeur *m*. ●**print-out** *n* (*of computer*) sortie *f* sur imprimante.
prior ['praɪər] *a* précédent, antérieur; (*experience*) préalable ▮ *adv* **p. to sth** avant qch; **p. to doing sth** avant de faire qch.
priority [praɪˈɒrɪtɪ] *n* priorité *f* (**over** sur).
priory ['praɪərɪ] *n Rel* prieuré *m*.
prise [praɪz] *vt* **to p. open/off** (*box, lid*) *Br* ouvrir/enlever (en faisant levier).
prism ['prɪz(ə)m] *n* prisme *m*.
prison ['prɪz(ə)n] *n* prison *f*; **in p.** en prison ▮ *a* (*life, system etc*) pénitentiaire; (*camp*) de prisonniers; **p. officer** gardien, -ienne *mf* de prison. ●**prisoner** *n* prisonnier, -ière *mf*; **to take s.o. p.** faire qn prisonnier.
prissy ['prɪsɪ] *a* (**-ier, -iest**) bégueule.
pristine ['prɪstiːn] *a* (*condition*) parfait; (*primitive*) primitif.

privacy ['praɪvəsɪ, *Br* 'prɪvəsɪ] *n* intimité *f*; (*solitude*) solitude *f*; (*quiet place*) coin *m* retiré; (*secrecy*) secret *m*; **to give s.o. some p.** laisser qn seul.
private ['praɪvɪt] **1** *a* privé; (*lesson, car etc*) particulier; (*report, letter*) confidentiel; (*personal*) personnel; (*dinner, wedding etc*) intime; **a p. citizen** un simple particulier; **p. detective, p. investigator, *Fam* p. eye** détective *m* privé; **p. parts** parties *fpl* génitales; **p. place** coin *m* retiré; **p. secretary** secrétaire *m* particulier, secrétaire *f* particulière; **p. tutor** professeur *m* particulier, précepteur *m*; **to be a very p. person** aimer la solitude.
▮ *n* **in p.** (*not publicly*) en privé; (*to have dinner, get married etc*) dans l'intimité.
2 *n* (*soldier*) (simple) soldat *m*.
privately ['praɪvɪtlɪ] *adv* (*in private*) en privé; (*in one's heart of hearts*) intérieurement, en son for intérieur; (*personally*) à titre personnel; (*to have dinner, get married etc*) dans l'intimité; (*owned*) (*company, house etc*) appartenant à un particulier; **to be p. educated** (*go to private school*) aller dans le privé; **to be treated p.** = se faire soigner par un médecin non conventionnel.
privatize ['praɪvətaɪz] *vt* privatiser. ●**privatization** [-'zeɪʃ(ə)n] *n* privatisation *f*.
privet ['prɪvɪt] *n* (*bush*) troène *m*.
privilege ['prɪvɪlɪdʒ] *n* privilège *m*. ●**privileged** *a* privilégié; **to be p. to do sth** avoir le privilège de faire qch.
privy ['prɪvɪ] *a* **to be p. to sth** avoir connaissance de qch.
prize[1] [praɪz] *n* prix *m*; (*in lottery*) lot *m*; **the first p.** (*in lottery*) le gros lot ▮ *a* (*essay, animal etc*) primé; **a p. fool**/*etc Hum* un parfait idiot/*etc*. ●**prize-giving** *n* distribution *f* des prix. ●**prize-winner** *n* lauréat, -ate *mf*; (*in lottery*) gagnant, -ante *mf*. ●**prize-winning** *a* (*essay, animal etc*) primé; (*ticket*) gagnant.
prize[2] [praɪz] *vt* (*value*) priser; **this is my most prized possession** c'est mon bien le plus précieux.
prize[3] [praɪz] *vt Br* = **prise**.
pro [prəʊ] *n* (*professional*) *Fam* pro *mf*.
pro- [prəʊ] *pref* pro-.
probable ['prɒbəb(ə)l] *a* probable (**that** que); (*convincing*) vraisemblable. ●**proba'bility** *n* probabilité *f*; **in all p.** selon toute probabilité. ●**probably** *adv* probablement, vraisemblablement.
probation [prəˈbeɪʃ(ə)n] *n* **on p.** (*criminal*) en liberté surveillée, sous contrôle judiciaire; (*employee in job*) à l'essai; **p. officer** responsable *mf* des délinquants mis en liberté surveillée. ●**probationary** *a* (*period*) (*in job etc*) d'essai; (*of criminal*) de liberté surveillée.
probe [prəʊb] *n* (*inquiry*) enquête *f* (**into** dans); (*device*) sonde *f* ▮ *vt* (*investigate*) sonder (*conscience, plaie etc*); (*examine*) examiner (*situation, causes etc*) ▮ *vi* (*investigate*) faire des recherches; (*poke one's nose into*) fouiner; **to p. into** (*origins, s.o.'s past etc*)

profuse

sonder. ●**probing** *a* (*question etc*) pénétrant.
problem ['prɒbləm] *n* problème *m*; **he's got a drug/a drink p.** c'est un drogué/un alcoolique; **you've got a smoking p.** tu fumes beaucoup trop; **no p.!** *Am Fam* pas de problème!; **to have a p. doing** avoir du mal à faire; **p. child** enfant *mf* difficile *or* caractériel(le); **p. family** famille *f* à problèmes.
problematic [prɒblə'mætɪk] *a* problématique; **it's p. whether** il est douteux que (+ *sub*).
procedure [prə'siːdʒər] *n* procédure *f*.
proceed [prə'siːd] *vi* (*go*) avancer, aller; (*act*) procéder; (*continue*) continuer; (*of debate*) se poursuivre; **to p. to** (*next question etc*) passer à; **to p. with** (*task etc*) continuer; **to p. to do** (*start*) se mettre à faire.
proceedings [prə'siːdɪŋz] *npl* (*events*) événements *mpl*; (*meeting*) séance *f*; (*discussions*) débats *mpl*; (*minutes of meeting*) actes *mpl*; **to take (legal) proceedings** intenter un procès (**against** contre).
proceeds ['prəʊsiːdz] *npl* (*profits from sale etc*) produit *m*, bénéfices *mpl*.
process ['prəʊses] **1** *n* (*method*) procédé *m* (**for** *or* **of doing** pour faire); (*chemical, scientific, economic, political etc*) processus *m*; **in p.** (*work etc*) en cours; **in the p. of doing sth** en train de faire qch. **2** *vt* (*food, data etc*) traiter; (*examine*) examiner; (*photo*) développer; **processed cheese** = fromage *m* fondu. ●**processing** *n* traitement *m*; (*of photo*) développement *m*; **data** *or* **information p.** informatique *f*.
procession [prə'seʃ(ə)n] *n* cortège *m*, défilé *m*.
processor ['prəʊsesər] *n* (*in computer*) processeur *m*; **food p.** robot *m* (ménager); **word p.** machine *f* à *or* de traitement de texte.
proclaim [prə'kleɪm] *vt* proclamer (**that** que); **to p. s.o. king** proclamer qn roi. ●**proclamation** [prɒklə'meɪʃ(ə)n] *n* proclamation *f*.
procrastinate [prə'kræstɪneɪt] *vi* tergiverser, temporiser. ●**procrastination** [-'neɪʃ(ə)n] *n* tergiversations *fpl*.
procreate ['prəʊkrɪeɪt] *vt* procréer. ●**procreation** [-'eɪʃ(ə)n] *n* procréation *f*.
procure [prə'kjʊər] *vt* obtenir; **to p. sth (for oneself)** se procurer qch; **to p. sth for s.o.** procurer qch à qn.
prod [prɒd] *vti* (**-dd-**) **to p. (at)** pousser (*du coude, avec un bâton etc*); **to p. s.o. into doing sth** *Fig* pousser qn à faire qch ▮ *n* (*petit*) coup *m*; (*shove*) poussée *f*.
prodigal ['prɒdɪg(ə)l] *a* (*son etc*) prodigue.
prodigious [prə'dɪdʒəs] *a* prodigieux.
prodigy ['prɒdɪdʒɪ] *n* prodige *m*; **child p., infant p.** enfant *mf* prodige.
produce[1] [prə'djuːs] *vt* (*manufacture, yield etc*) produire; (*bring out, show*) sortir (*pistolet, mouchoir etc*); (*passport, proof*) présenter; (*profit*) rapporter; (*cause*) provoquer, produire; (*publish*) publier; (*film*) produire; (*theatre or television play*) mettre en scène; (*radio programme*) réaliser; (*baby*) donner naissance à; **oil-producing country** pays *m* producteur de pétrole.
▮ *vi* (*of factory etc*) produire. ●**producer** *n* (*of goods, film*) producteur, -trice *mf*; *Theatre TV* metteur *m* en scène; *Radio* réalisateur, -trice *mf*.
produce[2] [*Br* 'prɒdjuːs, *Am* 'prəʊduːs] *n* (*agricultural*) produits *mpl*.
product ['prɒdʌkt] *n* (*article, creation etc*) & *Math* produit *m*.
production [prə'dʌkʃ(ə)n] *n* production *f*; (*of play*) mise *f* en scène; *Radio* réalisation *f*; **to work on the p. line** travailler à la chaîne.
productive [prə'dʌktɪv] *a* (*land, meeting, efforts etc*) productif. ●**produc'tivity** *n* productivité *f*.
profane [prə'feɪn] *a* (*sacrilegious*) sacrilège; (*secular*) profane ▮ *vt* (*dishonour*) profaner.
profanities [prə'fænɪtɪz] *npl* (*swear words*) grossièretés *fpl*; (*blasphemies*) blasphèmes *mpl*.
profess [prə'fes] *vt* (*opinion, disgust etc*) professer; **to p. to be** prétendre être. ●**professed** *a* (*anarchist etc*) déclaré.
profession [prə'feʃ(ə)n] *n* profession *f*; **by p.** de profession.
professional [prə'feʃən(ə)l] *a* professionnel; (*man, woman*) qui exerce une profession libérale; (*army*) de métier; (*diplomat*) de carrière; (*piece of work*) de professionnel ▮ *n* professionnel, -elle *mf*; (*lawyer, doctor etc*) membre *m* des professions libérales. ●**professionalism** *n* professionnalisme *m*. ●**professionally** *adv* professionnellement; (*to perform, play*) en professionnel; (*to meet s.o.*) dans le cadre de son travail.
professor [prə'fesər] *n* *Br* professeur *m* (d'université); *Am* enseignant, -ante *mf* d'université. ●**profe'ssorial** *a* professoral.
proffer ['prɒfər] *vt* offrir.
proficient [prə'fɪʃ(ə)nt] *a* compétent (**in** en). ●**proficiency** *n* compétence *f*.
profile ['prəʊfaɪl] *n* (*of person, object*) profil *m*; **in p.** de profil; **to keep a low p.** *Fig* garder un profil bas. ●**profiled** *a* **to be p. against** se profiler sur.
profit ['prɒfɪt] *n* profit *m*, bénéfice *m*; **to sell at a p.** vendre à profit; **p. margin** marge *f* bénéficiaire; **p. motive** recherche *f* du profit ▮ *vi* **to p. by** *or* **from sth** tirer profit de qch. ●**profit-making** *a* à but lucratif; **non** *or* **not p.-making** sans but lucratif.
profitable ['prɒfɪtəb(ə)l] *a* (*commercially*) rentable; (*worthwhile*) *Fig* rentable, profitable. ●**profita'bility** *n* rentabilité *f*. ●**profitably** *adv* avec profit.
profiteer [prɒfɪ'tɪər] *n* *Pej* profiteur, -euse *mf* ▮ *vi* *Pej* faire des profits malhonnêtes.
profound [prə'faʊnd] *a* (*silence, remark etc*) profond. ●**profoundly** *adv* profondément. ●**profundity** *n* profondeur *f*.
profuse [prə'fjuːs] *a* abondant; **p. in praise/compliments/***etc* prodigue d'éloges/de

progeny

compliments/*etc.* ●**profusely** *adv* (*to bleed*) abondamment; (*to flow, grow*) à profusion; (*to thank*) avec effusion; **to apologize p.** se répandre en excuses. ●**profusion** [-ʒ(ə)n] *n* profusion *f*; **in p.** à profusion.
progeny ['prɒdʒɪnɪ] *n* progéniture *f*.
program[1] ['prəʊɡræm] *n* (*of computer*) programme *m*; **computer p.** programme *m* informatique ▮ *vt* (**-mm-**) (*computer*) programmer. ●**programming** *n* (**computer**) **p.** programmation *f*. ●**programmer** *n* (**computer**) **p.** programmeur, -euse *mf*.
programme, *Am* **program**[2] ['prəʊɡræm] *n* programme *m*; (*broadcast*) émission *f* ▮ *vt* (*machine, Br video, Am VCR etc*) programmer (**to do** pour faire); (*person*) *Fig* conditionner.
progress ['prəʊɡres] *n* progrès *m(pl)*; **to make (good) p.** faire des progrès; (*when driving, walking etc*) bien avancer; **in p.** en cours ▮ [prə'ɡres] *vi* (*advance, improve*) progresser; (*of story, meeting*) se dérouler.
progression [prə'ɡreʃ(ə)n] *n* progression *f*.
progressive [prə'ɡresɪv] *a* (*gradual*) progressif; (*company, ideas, political party*) progressiste. ●**progressively** *adv* progressivement.
prohibit [prə'hɪbɪt] *vt* interdire (**s.o. from doing** à qn de faire); **we're prohibited from leaving**/*etc* il nous est interdit de partir/*etc*. ●**prohibition** [prəʊɪ'bɪʃ(ə)n] *n* prohibition *f*.
prohibitive [prə'hɪbɪtɪv] *a* (*price, measure etc*) prohibitif.
project[1] ['prɒdʒekt] *n* (*plan*) projet *m* (**for sth** pour qch; **to do, for doing** pour faire); (*undertaking*) entreprise *f*; (*at school*) étude *f*; (*housing*) **p.** (*for workers*) *Am* cité *f* (ouvrière). ●**projected** *a* (*planned*) prévu.
project[2] [prə'dʒekt] *vt* (*throw, show etc*) projeter ▮ *vi* (*jut out*) faire saillie.
projection [prə'dʒekʃ(ə)n] *n* projection *f*; (*projecting object*) saillie *f*. ●**projectionist** *n* projectionniste *mf*. ●**projector** *n* (*for films or slides*) projecteur *m*.
proletarian [prəʊlə'teərɪən] *n* prolétaire *mf* ▮ *a* (*class*) prolétarien; (*outlook*) de prolétaire. ●**proletariat** *n* prolétariat *m*.
proliferate [prə'lɪfəreɪt] *vi* proliférer. ●**proliferation** [-'reɪʃ(ə)n] *n* prolifération *f*.
prolific [prə'lɪfɪk] *a* (*author etc*) prolifique.
prologue ['prəʊlɒɡ] *n* prologue *m* (**to** de, à).
prolong [prə'lɒŋ] *vt* prolonger.
prom [prɒm] *n abbr* (**promenade**) **1** (*at seaside*) *Br* promenade *f*. **2** (*dance*) *Am* bal *m* d'étudiants. ●**proms** *npl abbr* (**promenade concerts**) *Br* concerts-promenade *mpl*.
promenade [prɒmə'nɑːd] *n* (*at seaside & leisurely stroll*) promenade *f*; (*gallery in theatre*) promenoir *m*.
prominent ['prɒmɪnənt] *a* (*person*) important, marquant; (*nose*) proéminent; (*chin, tooth*) saillant; (*role*) majeur, important; (*striking*) frappant, remarquable; (*conspicuous*) (bien) en vue. ●**prominence** *n* (*importance*) importance *f*. ●**prominently**

adv (*displayed, placed etc*) bien en vue.
promiscuous [prə'mɪskjʊəs] *a* (*person*) qui mène une vie très libre; (*behaviour*) immoral. ●**promiscuity** [prɒmɪs'kjuːətɪ] *n* liberté *f* de mœurs; (*of behaviour*) immoralité *f*.
promise ['prɒmɪs] *n* promesse *f*; **to show (great) p.**, **be full of p.** (*hope*) être très prometteur ▮ *vt* promettre (**s.o. sth, sth to s.o.** qch à qn; **to do** de faire; **that que**) ▮ *vi* **I p.!** je te le promets!; **p.?** promis? ●**promising** *a* (*situation etc*) prometteur (*f* -euse); (*person*) qui promet; **that looks p.** ça s'annonce bien.
promote [prə'məʊt] *vt* (*product, research, idea etc*) promouvoir; (*good health, awareness*) favoriser; **to p. s.o.** (*in job*) donner de l'avancement à qn, promouvoir qn; **promoted (to) manager/general**/*etc* promu directeur/général/*etc*. ●**promoter** *n Sport* organisateur, -trice *mf*; (*instigator*) promoteur, -trice *mf*; **sales p.** promoteur, -trice *mf* de ventes. ●**promotion** [-ʃ(ə)n] *n* (*of person*) avancement *m*, promotion *f*; (*of sales, research etc*) promotion *f*.
prompt[1] [prɒmpt] *a* (*speedy*) rapide; (*punctual*) à l'heure, ponctuel; **p. to act** prompt à agir ▮ *adv* **at 8 o'clock p.** à 8 heures pile. ●**promptly** *adv* rapidement; (*punctually*) ponctuellement; **to pay p.** payer sans tarder. ●**promptness** *n* rapidité *f*; (*readiness to act*) promptitude *f*; (*punctuality*) ponctualité *f*.
prompt[2] [prɒmpt] **1** *vt* (*urge*) inciter, pousser (qn) (**to do** à faire); (*cause*) provoquer. **2** *vt* (*actor*) souffler (son rôle) à. **3** *n* (*message*) *Comptr* message-guide *m*. ●**prompting** *n* (*urging*) incitation *f*. ●**prompter** *n* (*in theatre*) souffleur, -euse *mf*.
prone [prəʊn] *a* **1 p. to** (*illnesses, accidents etc*) prédisposé à; **to be p. to do sth** avoir tendance à faire qch. **2** (*lying flat*) sur le ventre.
prong [prɒŋ] *n* (*of fork*) dent *f*.
pronoun ['prəʊnaʊn] *n Grammar* pronom *m*. ●**pro'nominal** *a* pronominal.
pronounce [prə'naʊns] *vt* (*say, articulate, declare*) prononcer ▮ *vi* (*articulate*) prononcer; (*give judgment*) se prononcer (**on** sur). ●**pronouncement** *n* déclaration *f*. ●**pronunciation** [prənʌnsɪ'eɪʃ(ə)n] *n* prononciation *f*.
pronto ['prɒntəʊ] *adv* (*at once*) *Fam* illico.
proof [pruːf] *n* **1** (*evidence*) preuve(s) *f(pl)*; (*of book, photo*) épreuve *f*; (*of drink*) teneur *f* en alcool. **2** *a* **p. against** (*material*) à l'épreuve de (*feu, acide etc*); (*person*) **I p.** à l'abri de (*tentation, attentat etc*). ●**proofreader** *n* correcteur, -trice *mf* (d'épreuves).
prop [prɒp] *n* **1** (*for wall, tunnel etc*) étai *m*; (*for clothes line*) perche *f*; (*person*) *Fig* soutien *m* ▮ *vt* (**-pp-**) **to p. up** (*ladder etc*) appuyer (**against** contre); (*one's head*) caler; (*wall*) étayer; (*help*) *Fig* soutenir (qn). **2** *n* **prop(s)** (*in theatre*) accessoire(s) *m(pl)*.
propaganda [prɒpə'ɡændə] *n* propagande *f*. ●**propagandist** *n* propagandiste *mf*.
propagate ['prɒpəɡeɪt] *vt* propager ▮ *vi* se

propager.
propel [prə'pel] *vt* (**-ll-**) *(drive, hurl)* propulser. ● **propeller** *n (of aircraft, ship etc)* hélice *f*.
propensity [prə'pensɪtɪ] *n* propension *f* (**for** sth à qch, **to do** à faire).
proper ['prɒpər] *a (suitable, respectable)* convenable; *(correct) (behaviour, dress)* correct, convenable; *(right)* bon *(f* bonne); *(downright) Br* véritable; *(noun, meaning)* propre; **the p. address/method/***etc* *(right)* la bonne adresse/méthode/*etc*; **in the p. way** comme il faut; **the village/***etc* **p.** le village/*etc* proprement dit. ● **properly** *adv* comme il faut, convenablement, correctement; *(completely) Fam* vraiment; **very p.** *(rightly)* à juste titre.
property ['prɒpətɪ] **1** *n (building etc)* propriété *f*; *(possessions, land)* biens *mpl*, propriété *f* ▮ *a (market, crisis, speculator etc)* immobilier; *(tax)* foncier; **p. company** société *f* immobilière; **p. owner** propriétaire *m* foncier. **2** *n (of substance etc)* propriété *f*. ● **propertied** *a* **p. class** classe *f* possédante; **p. people** les possédants *mpl*.
prophecy ['prɒfɪsɪ] *n* prophétie *f*. ● **prophesy** [-ɪsaɪ] *vti* prophétiser; **to p. that** prédire que.
prophet ['prɒfɪt] *n* prophète *m*.
prophetic [prə'fetɪk] *a* prophétique.
proponent [prə'pəʊnənt] *n (of cause etc)* défenseur *m*, partisan *m*.
proportion [prə'pɔːʃ(ə)n] *n (ratio)* proportion *f*; *(portion)* partie *f*; *(amount)* pourcentage *m*; **proportions** *(size)* dimensions *fpl*, proportions *fpl*; **in p.** en proportion (**to** de); **out of p.** hors de proportion (**to** avec) ▮ *vt* proportionner (**to** à); **well** *or* **nicely proportioned**, bien proportionné. ● **proportional** *or* **proportionate** *a* proportionnel (**to** à).
proposal [prə'pəʊz(ə)l] *n* proposition *f*; *(of marriage)* demande *f* (en mariage). ● **proposition** [prɒpə'zɪʃ(ə)n] *n (offer, suggestion etc)* proposition *f*; *(matter)* affaire *f*.
propose [prə'pəʊz] *vt (suggest)* proposer (**to** à, **that** que (+ *sub*)); **to p. to do, p. doing** *(intend)* se proposer de faire ▮ *vi* faire une demande (en mariage) (**to** à).
propound [prə'paʊnd] *vt (theory, idea etc)* proposer.
proprietor [prə'praɪətər] *n* propriétaire *mf*. ● **proprietary** *a (article, goods)* de marque déposée; **p. name** marque *f* déposée.
propriety [prə'praɪətɪ] *n (behaviour)* bienséance *f*; *(of conduct, remark)* justesse *f*; **to observe the proprieties** observer les bienséances.
propulsion [prə'pʌlʃ(ə)n] *n* propulsion *f*.
pros [prəʊz] *npl* **the p. and cons** le pour et le contre.
prosaic [prəʊ'zeɪɪk] *a* prosaïque.
proscribe [prəʊ'skraɪb] *vt* proscrire.
prose [prəʊz] *n* prose *f*; *(translation) Br* thème *m*; **French p.** (**translation**) thème *m* français.
prosecute ['prɒsɪkjuːt] *vt* poursuivre (en justice) (**for stealing/***etc* pour vol/*etc*). ● **prosecution** [-'kjuːʃ(ə)n] *n (in court)* poursuites *fpl*; **the p.** *(lawyers)* = le ministère public. ● **prosecutor** *n* **(public) p.** *Jur* procureur *m*.
prospect[1] ['prɒspekt] *n (idea, outlook)* perspective *f* **(of doing** de faire); *(possibility)* possibilité *f*, perspective *f* **(of sth** de qch); **(future) prospects** perspectives *fpl* d'avenir; **it has prospects** c'est prometteur; **she has prospects** elle a de l'avenir. ● **pro'spective** *a (possible)* éventuel; *(future)* futur.
prospect[2] [prə'spekt] *vi* **to p. for** *(gold, oil etc)* chercher ▮ *vt (land)* prospecter. ● **prospecting** *n* prospection *f*. ● **prospector** *n* prospecteur, -trice *mf*.
prospectus [prə'spektəs] *n (publicity leaflet)* prospectus *m*; *(for university) Br* guide *m* (de l'étudiant).
prosper ['prɒspər] *vi* prospérer. ● **pro'sperity** *n* prospérité *f*. ● **prosperous** *a (wealthy)* riche, prospère; *(thriving)* prospère.
prostate ['prɒsteɪt] *n* **p. (gland)** prostate *f*.
prostitute ['prɒstɪtjuːt] *n (woman)* prostituée *f*; **male p.** prostitué *m* ▮ *vt* **to p. oneself** se prostituer. ● **prostitution** [-'tjuːʃ(ə)n] *n* prostitution *f*.
prostrate ['prɒstreɪt] *a (prone)* sur le ventre; *(worshipper, servant)* prosterné; *(submissive)* soumis; *(exhausted)* prostré ▮ [prɒ'streɪt] *vt* **to p. oneself** se prosterner (**before** devant).
protagonist [prəʊ'tægənɪst] *n* protagoniste *mf*.
protect [prə'tekt] *vt* protéger (**from** de, **against** contre); *(interests)* sauvegarder. ● **protection** [-ʃ(ə)n] *n* protection *f*. ● **protective** *a (clothes, screen etc)* de protection; *(person, attitude etc)* protecteur (*f* -trice) (**to, towards** envers); *(barrier etc) Econ* protecteur (*f* -trice); **to be too** *or* **over p. towards** *(child)* surprotéger. ● **protector** *n* protecteur, -trice *mf*.
protein ['prəʊtiːn] *n* protéine *f*.
protest ['prəʊtest] *n* protestation *f* (**against** contre); **in p.** en signe de protestation (**at** contre); **under p.** contre son gré; **p. meeting/***etc* réunion *f*/*etc* de protestation ▮ [prə'test] *vt* protester (**that** que); *(one's innocence)* protester de ▮ *vi* protester (**against** contre); *(of students, demonstrators etc)* contester. ● **protester** *n (student etc)* contestataire *mf*.
Protestant ['prɒtɪstənt] *a* & *n* protestant, -ante (*mf*). ● **Protestantism** *n* protestantisme *m*.
protocol ['prəʊtəkɒl] *n* protocole *m*.
prototype ['prəʊtəʊtaɪp] *n* prototype *m*.
protracted [prə'træktɪd] *a (stay, lunch etc)* prolongé.
protractor [prə'træktər] *n (for measuring)* rapporteur *m*.
protrude [prə'truːd] *vi* dépasser; *(of tooth)* avancer; *(of balcony, cliff etc)* faire saillie. ● **protruding** *a (chin, veins, eyes)* saillant; *(tooth)* qui avance.
proud [praʊd] *a* (**-er, -est**) *(honoured,*

prove

pleased) fier (**of** de, **to do** de faire); (*superior to others, arrogant*) orgueilleux. ● **proudly** *adv* fièrement; (*arrogantly*) orgueilleusement.

prove [pruːv] *vt* prouver (**that** que); **to p. oneself** faire ses preuves ▮ *vi* **to p. (to be) difficult**/*etc* s'avérer difficile/*etc*. ● **proven** *a* (*method etc*) éprouvé.

proverb ['prɒvɜːb] *n* proverbe *m*. ● **pro'verbial** *a* proverbial.

provide [prə'vaɪd] **1** *vt* (*supply*) fournir (**s.o. with sth** qch à qn); (*give*) donner, offrir (**to** à); **to p. s.o. with sth** (*equip*) pourvoir qn de qch.
▮ *vi* **to p. for s.o.** (*s.o.'s needs*) pourvoir aux besoins de qn; (*s.o.'s future*) assurer l'avenir de qn; **to p. for sth** (*make allowance for*) prévoir qch.
2 *vt* **to p. that** (*stipulate*) (*of contract etc*) stipuler que. ● **provided** *conj* **p. (that)** pourvu que (+ *sub*). ● **providing** *conj* **p. (that)** pourvu que (+ *sub*).

providence ['prɒvɪdəns] *n* providence *f*.

provident ['prɒvɪdənt] *a* (*person*) prévoyant; **p. society** *Br* société *f* de prévoyance.

province ['prɒvɪns] *n* province *f*; (*field of knowledge*) *Fig* domaine *m*, compétence *f*; **the provinces** la province; **in the provinces** en province. ● **pro'vincial** *a & n* provincial, -ale (*mf*).

provision [prə'vɪʒ(ə)n] *n* (*supply*) provision *f*; (*clause*) disposition *f*; **the p. of** (*supplying*) la fourniture de; **to make p. for = to provide for.**

provisional [prə'vɪʒən(ə)l] *a* provisoire. ● **provisionally** *adv* provisoirement.

proviso [prə'vaɪzəʊ] *n* (*pl* -os) stipulation *f*.

provocation [prɒvə'keɪʃ(ə)n] *n* provocation *f*.

provocative [prə'vɒkətɪv] *a* (*person, remark etc*) provocant; (*thought-provoking*) qui donne à penser.

provoke [prə'vəʊk] *vt* (*annoy*) agacer; (*rouse, challenge*) provoquer (*qn*) (**to do, into doing** à faire); (*cause*) provoquer (*réaction, accident etc*). ● **provoking** *a* (*annoying*) agaçant.

prow [praʊ] *n* (*of ship*) proue *f*.

prowess ['praʊəs] *n* (*bravery*) courage *m*; (*skill*) talent *m*.

prowl [praʊl] *vi* **to p. (around)** rôder ▮ *n* **to be on the p.** rôder. ● **prowler** *n* rôdeur, -euse *mf*.

proximity [prɒk'sɪmɪtɪ] *n* proximité *f*.

proxy ['prɒksɪ] *n* **by p.** par procuration.

prude [pruːd] *n* prude *f*. ● **prudery** *n* pruderie *f*. ● **prudish** *a* prude.

prudent ['pruːdənt] *a* prudent. ● **prudence** *n* prudence *f*. ● **prudently** *adv* prudemment.

prune [pruːn] **1** *n* (*dried plum*) pruneau *m*. **2** *vt* (*tree, bush etc*) tailler, élaguer; (*speech etc*) *Fig* élaguer. ● **pruning** *n* (*of tree etc*) taille *f*; **p. shears** sécateur *m*.

pry [praɪ] **1** *vi* être indiscret; **to p. into** (*meddle*) se mêler de; (*s.o.'s reasons etc*) chercher à découvrir. **2** *vt* **to p. open** *Am* forcer (en faisant levier). ● **prying** *a* (*habits, person etc*) indiscret.

PS [piː'es] *abbr* (*postscript*) P.-S.

psalm [sɑːm] *n* psaume *m*.

pseud [sjuːd] *n* *Br Fam* bêcheur, -euse *mf*.

pseudo- ['sjuːdəʊ] *pref* pseudo-.

pseudonym ['sjuːdənɪm] *n* pseudonyme *m*.

psyche ['saɪkɪ] *n* (*mind*) psyché *f*, structure *f* mentale.

psychiatry [saɪ'kaɪətrɪ] *n* psychiatrie *f*. ● **psychi'atric** *a* psychiatrique. ● **psychiatrist** *n* psychiatre *mf*.

psychic ['saɪkɪk] *a* (méta)psychique; **I'm not p.** *Fam* je ne suis pas devin ▮ *n* (*person*) médium *m*.

psycho- ['saɪkəʊ] *pref* psycho-. ● **psychoa'nalysis** *n* psychanalyse *f*. ● **psycho'analyst** *n* psychanalyste *mf*.

psychology [saɪ'kɒlədʒɪ] *n* psychologie *f*. ● **psycho'logical** *a* psychologique. ● **psychologist** *n* psychologue *mf*.

psychopath ['saɪkəʊpæθ] *n* psychopathe *mf*.

psychosis, *pl* **-oses** [saɪ'kəʊsɪs, -əʊsiːz] *n* psychose *f*.

psychosomatic [saɪkəʊsə'mætɪk] *a* psychosomatique.

PTO *abbr* (*please turn over*) TSVP.

pub [pʌb] *n Br* pub *m*.

puberty ['pjuːbətɪ] *n* puberté *f*.

pubic ['pjuːbɪk] *a* **p. hair** les poils *mpl* du pubis.

public ['pʌblɪk] *a* public (*f* -ique); (*library, swimming pool etc*) municipal; **to make a p. protest** protester publiquement; **in the p. eye** très en vue; **p. building** édifice *m* public; **p. company** société *f* par actions; **p. corporation** société *f* nationalisée; **p. figure** personnalité *f* connue; **p. house** *Br* pub *m*; **p. life** la vie publique, les affaires *fpl* publiques; **p. opinion** opinion *f* publique; **p. relations** relations *fpl* publiques; **p. school** *Br* école *f* privée; *Am* école *f* publique; **p. television** *Am* la télévision éducative.
▮ *n* public *m*; **in p.** en public; **a member of the p.** un simple particulier; **the sporting**/*etc* **p.** les amateurs *mpl* de sport/*etc*.

publican ['pʌblɪk(ə)n] *n Br* patron, -onne *mf* d'un pub.

publication [pʌblɪ'keɪʃ(ə)n] *n* (*book etc*) publication *f*; **the p. of** (*publishing*) la publication de.

publicity [pʌb'lɪsɪtɪ] *n* publicité *f*.

publicize ['pʌblɪsaɪz] *vt* (*make known*) rendre public; (*advertise*) faire de la publicité pour.

publicly ['pʌblɪklɪ] *adv* publiquement; **p. owned company** entreprise *f* nationalisée.

public-spirited [pʌblɪk'spɪrɪtɪd] *a* **to be p.-spirited** avoir le sens civique.

publish ['pʌblɪʃ] *vt* (*news, results etc*) publier; (*book, author*) éditer, publier; **'published weekly'** 'paraît toutes les semaines'. ● **publishing** *n* (*profession*) édition *f*; **the p. of** la publication de. ● **publisher** *n* éditeur,

-trice *mf*.
puck [pʌk] *n* (*in ice hockey*) palet *m*.
pucker ['pʌkər] *vt* **to p. (up)** (*brow, lips*) plisser ∎ *vi* **to p. (up)** se plisser.
pudding ['pudɪŋ] *n* pudding *m*; (*dessert*) *Br* dessert *m*; **black p.** *Br* boudin *m*; **Christmas p.** pudding *m*; **rice p.** riz *m* au lait.
puddle ['pʌd(ə)l] *n* flaque *f* (d'eau).
pudgy ['pʌdʒɪ] *a* (**-ier, -iest**) = **podgy**.
puerile [*Br* 'pjʊəraɪl, *Am* 'pjʊərəl] *a* puérile.
Puerto Rico [pwɜːtəʊ'riːkəʊ] *n* Porto Rico *f*.
puff [pʌf] *n* (*of smoke*) bouffée *f*; (*of wind, air*) bouffée *f*, souffle *m*; **to have run out of p.** *Fam* être à bout de souffle ∎ *vi* (*blow, pant*) souffler; (**at** (*cigar*) tirer sur ∎ *vt* (*smoke etc*) souffler (**into** dans); **to p. out** (*cheeks etc*) gonfler. • **puffy** *a* (**-ier, -iest**) (*swollen*) gonflé.
puke [pjuːk] *vi* (*vomit*) *Sl* dégueuler.
pukka ['pʌkə] *a Br Fam* authentique.
pull [pʊl] *n* (*attraction*) attraction *f*; (*force*) force *f*; (*influence*) influence *f*; **to give sth a p.** tirer qch.
∎ *vt* (*draw, tug*) tirer; (*tooth*) arracher; (*stopper*) enlever; (*trigger*) appuyer sur; (*muscle*) se claquer; **to p. sth apart** *or* **to bits** *or* **to pieces** mettre qch en pièces; **to p. a face** faire la moue; **to (get s.o. to) p. strings** *Fig* se faire pistonner.
∎ *vi* (*tug*) tirer; (*go, move*) aller; **to p. at** *or* **on sth** tirer (sur) qch.
pull along *vt* (*drag*) traîner (**to** jusqu'à) ∎ **to pull away** *vt* (*move*) éloigner; (*snatch*) arracher (**from** à) ∎ *vi* (*in vehicle*) démarrer; **to p. away from** s'éloigner de ∎ **to pull back** *vi* (*withdraw*) se retirer ∎ *vt* retirer; (*curtains*) ouvrir ∎ **to pull down** *vt* (*lower*) baisser; (*knock down*) faire tomber; (*demolish*) démolir, abattre ∎ **to pull in** *vt* (*drag into room etc*) faire entrer (de force); (*rope*) ramener; (*stomach*) rentrer; (*crowd*) attirer ∎ *vi* (*arrive*) arriver; (*stop in vehicle*) se garer; **to p. into the station** (*of train*) entrer en gare ∎ **to pull off** *vt* (*remove*) enlever; (*plan, deal etc*) *Fig* mener à bien; **to p. it off** (*be successful*) réussir son coup ∎ **to pull on** *vt* (*boots etc*) mettre ∎ **to pull out** *vt* (*tooth, hair etc*) arracher; (*cork, pin etc*) enlever (**from** de); (*from pocket, bag etc*) tirer, sortir (**from** de); (*troops*) retirer ∎ *vi* (*move out in vehicle to overtake*) déboîter; (*leave*) (*of train, person etc*) partir; (*withdraw*) se retirer (**from** *or* **of the negotiations/***etc*) des négociations/*etc*) ∎ **to pull over** *vt* (*drag*) traîner (*qch, qn*) (**to** jusqu'à); (*knock down*) faire tomber ∎ *vi* (*in vehicle*) se ranger (sur le côté) ∎ **to pull round** *vi* (*recover from illness*) se remettre ∎ **to pull through** *vi* (*survive illness etc*) s'en tirer ∎ **to pull oneself together** *vt* se ressaisir ∎ **to pull up** *vt* (*socks, Br blind, Am shade etc*) remonter; (*haul up*) hisser; (*plant, tree etc*) arracher; (*stop*) arrêter ∎ *vi* (*in vehicle*) s'arrêter. • **pull-up** *n* (*exercise on bars or rings*) traction *f*.
pulley ['pʊlɪ] *n* poulie *f*.

pullout ['pʊlaʊt] *n* (*in newspaper etc*) supplément *m* détachable.
pullover ['pʊləʊvər] *n* pull(-over) *m*.
pulp [pʌlp] *n* (*of fruit etc*) pulpe *f*; (*for paper*) pâte *f* à papier; **in a p.** (*crushed*) en bouillie.
pulpit ['pʊlpɪt] *n* (*in church*) chaire *f*.
pulsate [pʌl'seɪt] *vi* produire des pulsations, battre; (*vibrate*) vibrer. • **pulsation** [-ʃ(ə)n] *n* (*heartbeat etc*) pulsation *f*.
pulse [pʌls] *n Med* pouls *m*; (*beating*) pulsation *f*; (*vibration*) vibration *f*. • **pulses** *npl* (*plant seeds*) graines *fpl* de légumineuse.
pulverize ['pʌlvəraɪz] *vt* (*grind, defeat*) pulvériser.
pumice ['pʌmɪs] *n* **p. (stone)** pierre *f* ponce.
pump [pʌmp] **1** *n* pompe *f*; **petrol p.** *Br*, **gas p.** *Am* pompe *f* à essence; (**petrol**) **p. attendant** *Br* pompiste *mf* ∎ *vt* pomper; (*blood round body*) faire circuler; (*money, resources*) *Fig* injecter (**into** dans); **to p. s.o.** (**for information**) tirer les vers du nez à qn; **to p. in** (*liquid etc*) refouler (à l'aide d'une pompe); **to p. out** (*liquid etc*) pomper (**of** de); **to p. air into, p. up** (*mattress etc*) gonfler ∎ *vi* pomper; (*of heart*) battre. **2** *n* (*shoe*) (*for sports*) tennis *m*; (*for dancing*) escarpin *m*.
pumpkin ['pʌmpkɪn] *n* potiron *m*; **p. pie** *Am* tarte *f* au potiron.
pun [pʌn] *n* calembour *m*.
punch[1] [pʌntʃ] *n* (*blow*) coup *m* de poing; (*force, vigour*) *Fig* punch *m*; **to pack a p.** *Boxing & Fig* avoir du punch; **p. line** (*of joke*) astuce *f* finale ∎ *vt* (*person*) donner un coup de poing à; (*s.o.'s nose etc*) donner un coup de poing sur; (*ball etc*) frapper d'un coup de poing. • **punch-up** *n Br Fam* bagarre *f*.
punch[2] [pʌntʃ] *n* (*for paper*) perforeuse *f*; (*for tickets*) poinçonneuse *f*; **p. card** carte *f* perforée ∎ *vt* (*ticket*) poinçonner; (*with date*) composter; (*paper, card*) perforer; **to p. a hole in sth** faire un trou dans qch.
punch[3] [pʌntʃ] *n* (*drink*) punch *m*.
Punch [pʌntʃ] *n* **P. and Judy show** = guignol *m*.
punctilious [pʌŋk'tɪlɪəs] *a* pointilleux.
punctual ['pʌŋktʃʊəl] *a* (*arriving on time*) à l'heure; (*regularly on time*) ponctuel, exact. • **punctu'ality** *n* ponctualité *f*, exactitude *f*. • **punctually** *adv* (*on time*) à l'heure; (*regularly*) ponctuellement.
punctuate ['pʌŋktʃʊeɪt] *vt* ponctuer (**with** de). • **punctuation** [-'eɪʃ(ə)n] *n* ponctuation *f*; **p. mark** signe *m* de ponctuation.
puncture ['pʌŋktʃər] *n* (*in tyre*) crevaison *f*; **to have a p.** crever ∎ *vt* (*burst*) crever (*pneu, ballon etc*); (*pierce*) piquer (*peau, papier etc*) ∎ *vi* (*of Br tyre, Am tire*) crever.
pundit ['pʌndɪt] *n* expert *m*, ponte *m*.
pungent ['pʌndʒənt] *a* âcre, piquant. • **pungency** *n* âcreté *f*.
punish ['pʌnɪʃ] *vt* punir (**for sth** de qch, **for doing** *or* **having done** pour avoir fait); (*treat*

punishable

roughly) *Fig* malmener (*adversaire etc*). ● **punishing** *a* (*tiring*) éreintant.
punishable ['pʌnɪʃəb(ə)l] *a* punissable (**by** de).
punishment ['pʌnɪʃmənt] *n* punition *f*, châtiment *m*; **capital p.** peine *f* capitale; **as (a) p. for** en punition de; **to take a (lot of) p.** (*damage*) *Fig* en encaisser.
punitive ['pjuːnɪtɪv] *a* (*measure etc*) punitif.
punk [pʌŋk] **1** *n* **p. (rock)** (*music*) le punk (rock); **p. (rocker)** (*fan*) punk *mf* ▎ *a* punk *inv.* **2** *n* (*hoodlum*) *Am Fam* voyou *m*.
punnet ['pʌnɪt] *n* (*of strawberries*) *Br* barquette *f*.
punt [pʌnt] **1** *n* barque *f* (à fond plat). **2** *vi* (*bet*) *Br Fam* parier. ● **punting** *n* canotage *m*. ● **punter** *n Br* **1** (*gambler*) parieur, -euse *mf*. **2** (*customer*) *Fam* client, -ente *mf*.
puny ['pjuːnɪ] *a* (-**ier**, -**iest**) (*sickly*) chétif; (*small*) petit; (*effort*) faible.
pup [pʌp] *n* (*dog*) chiot *m*.
pupil ['pjuːp(ə)l] *n* **1** (*in school*) élève *mf*. **2** (*of eye*) pupille *f*.
puppet ['pʌpɪt] *n* marionnette *f*; **p. show** spectacle *m* de marionnettes ▎ *a* (*government, leader*) fantoche.
puppy ['pʌpɪ] *n* (*dog*) chiot *m*.
purchase ['pɜːtʃɪs] *n* (*bought article*) achat *m*; **the p. of** (*buying*) l'achat *m* de ▎ *vt* acheter (**from s.o.** à qn, **for s.o.** à *or* pour qn); **purchasing power** pouvoir *m* d'achat. ● **purchaser** *n* acheteur, -euse *mf*.
pure [pjʊər] *a* (-**er**, -**est**) pur.
purée ['pjʊəreɪ] *n* purée *f*.
purely ['pjʊəlɪ] *adv* (*only*) strictement; **p. and simply** purement et simplement.
purgatory ['pɜːɡətrɪ] *n* purgatoire *m*.
purge [pɜːdʒ] *n Pol* purge *f* ▎ *vt* (*rid*) purger (**of** de); (*political group*) épurer.
purify ['pjʊərɪfaɪ] *vt* purifier. ● **purification** [-'keɪʃ(ə)n] *n* purification *f*. ● **purifier** *n* (*for water*) épurateur *m*; (*for air*) purificateur *m*.
purist ['pjʊərɪst] *n* puriste *mf*.
puritan ['pjʊərɪt(ə)n] *n* & *a* puritain, -aine (*mf*). ● **puri'tanical** *a* puritain.
purity ['pjʊərɪtɪ] *n* pureté *f*.
purl [pɜːl] *n* (*knitting stitch*) maille *f* à l'envers.
purple ['pɜːp(ə)l] *a* violet (*f* -ette); **to go** *or* **turn p.** (*with anger*) devenir pourpre; (*with shame*) devenir cramoisi ▎ *n* violet *m*.
purport [pɜː'pɔːt] *vt* **to p. to be** (*claim*) prétendre être.
purpose ['pɜːpəs] *n* **1** (*aim*) but *m*; **for this p.** dans ce but; **on p.** exprès; **to no p.** inutilement; **to serve no p.** ne servir à rien; **for (the) purposes of** pour les besoins de. **2** (*determination, willpower*) résolution *f*; **to have a sense of p.** être résolu. ● **purpose-'built** *a* construit spécialement.
purposeful ['pɜːpəsfəl] *a* (*determined*) résolu. ● **purposefully** *adv* dans un but précis; (*resolutely*) résolument.
purposely ['pɜːpəslɪ] *adv* exprès.
purr [pɜːr] *vi* ronronner ▎ *n* ronron(nement) *m*.

purse [pɜːs] **1** *n* (*for coins*) porte-monnaie *m inv*; (*handbag*) *Am* sac *m* à main. **2** *vt* **to p. one's lips** pincer les lèvres.
purser ['pɜːsər] *n* (*on ship*) commissaire *m* du bord.
pursue [pə'sjuː] *vt* (*chase, seek, continue*) poursuivre (*animal, voleur, enquête, but etc*); (*fame, pleasure*) rechercher; (*course of action*) suivre. ● **pursuer** *n* poursuivant, -ante *mf*. ● **pursuit** *n* (*of person, glory etc*) poursuite *f*; (*activity, pastime*) occupation *f*; **to go in p. of s.o./sth** se mettre à la poursuite de qn/qch.
purveyor [pə'veɪər] *n* (*of goods*) fournisseur *m*.
pus [pʌs] *n* pus *m*.
push [pʊʃ] *n* (*shove*) poussée *f*; (*energy*) *Fig* dynamisme *m*; (*campaign*) campagne *f*; (*effort*) gros effort *m*; **to give s.o./sth a p.** pousser qn/qch; **to give s.o. the p.** (*dismiss*) *Br Fam* flanquer qn à la porte.
▎ *vt* pousser (**to, as far as** jusqu'à); (*button*) appuyer sur; (*lever*) abaisser; (*product*) pousser la vente de; (*viewpoint etc*) mettre en avant; (*drugs*) *Fam* revendre; **to p. sth into/between** (*thrust*) enfoncer *or* fourrer qch dans/entre; **to p. s.o. into doing** (*urge*) pousser qn à faire; **to p. sth off the table** faire tomber qch de la table (en le poussant); **to p. s.o. off a cliff** pousser qn du haut d'une falaise; **to be pushing forty**/*etc Fam* friser la quarantaine/*etc*.
▎ *vi* pousser; (*on button etc*) appuyer (**on** sur).
push about *or* **around** *vt* (*bully*) *Fam* marcher sur les pieds à (qn) ▎ **to push aside** *vt* (*person, objection etc*) écarter ▎ **to push away** *or* **back** *vt* repousser; (*curtains*) ouvrir ▎ **to push down** *vt* (*button*) appuyer sur; (*lever*) abaisser ▎ **to push for** *vt* faire pression pour obtenir (*qch*) ▎ **to push in** *vi* (*in Br queue, Am line*) *Fam* resquiller ▎ **to push off** *vi* (*leave*) *Fam* filer; **p. off!** *Fam* fiche le camp! ▎ **to push on** *vi* (*go on*) continuer (**with sth** qch); (*in journey*) poursuivre sa route ▎ **to push over** *vt* (*knock over*) renverser ▎ **to push through** *vt* (*law*) faire adopter ▎ *vti* **to p. (one's way) through** se frayer un chemin (**a crowd**/*etc* à travers une foule/*etc*) ▎ **to push up** *vt* (*lever, sleeve, collar etc*) relever; (*increase*) augmenter, relever (*prix etc*).
pushbike ['pʊʃbaɪk] *n Br Fam* vélo *m*. ● **push-button** *n* bouton *m*; (*of phone*) touche *f*; **p.-button phone** téléphone *m* à touches; **p.-button controls/operation** commande *f*/fonctionnement *m* automatique. ● **pushchair** *n Br* poussette *f* (pliante). ● **pushover** *n* **to be a p.** (*easy*) *Fam* être facile, être du gâteau. ● **push-up** *n* (*exercise*) *Am* pompe *f*.
pushed [pʊʃt] *a* **to be p. (for time)** (*rushed, busy*) être très bousculé.
pusher ['pʊʃər] *n* (*of drugs*) revendeur,

python

-euse *mf* (de drogue).
pushy ['puʃɪ] *a* (-ier, -iest) *Pej* (*self-assertive*) arrogant; (*in job*) arriviste.
puss(y) ['pʊs(ɪ)] *n* (*cat*) minou *m*, minet *m*.
put [pʊt] *vt* (*pt* & *pp* **put**, *pres p* **putting**) mettre; (*money, savings*) placer (**into** dans); (*problem, argument*) présenter (**to** à); (*question*) poser (**to** à); (*say*) dire; (*estimate*) évaluer (**at** à); **to p. pressure on sth/s.o.** faire pression sur qch/qn; **to p. a mark on sth** faire une marque sur qch; **to p. it bluntly** pour parler franc.
put across *vt* (*message, idea etc*) communiquer (**to** à) ∎ **to put aside** *vt* (*money, object*) mettre de côté ∎ **to put away** *vt* (*in its place*) ranger (*livre, voiture etc*); **to p. s.o. away** (*criminal*) mettre qn en prison; (*insane person*) enfermer qn ∎ **to put back** *vt* (*replace, postpone*) remettre; (*telephone receiver*) raccrocher; (*progress, clock, date*) retarder ∎ **to put by** *vt* (*money*) mettre de côté ∎ **to put down** *vt* (*on floor, table etc*) poser; (*passenger*) déposer; (*a deposit*) verser; (*revolt*) réprimer; (*write down*) inscrire; (*attribute*) attribuer (**to** à); (*kill*) faire piquer (*chien etc*) ∎ **to put forward** *vt* (*clock, meeting, argument*) avancer; (*opinion*) exprimer; (*candidate*) proposer (**for** à) ∎ **to put in** *vt* (*sth into box etc*) mettre dedans; (*insert*) introduire; (*add*) ajouter; (*install*) installer; (*present*) présenter; (*application, request*) faire; (*enrol*) inscrire (*qn*) (**for** à); (*spend*) passer (*une heure etc*) (**doing** à faire) ∎ *vi* **to p. in for** (*job etc*) faire une demande de; **to p. in at** (*of ship etc*) faire escale à ∎ **to put off** *vt* (*postpone*) renvoyer (à plus tard); (*passenger*) déposer; (*gas, radio*) fermer; (*dismay*) déconcerter; **to p. s.o. off** (*dissuade*) dissuader qn (**doing** de faire); (*disgust*) dégoûter qn (**sth** de qch); **to p. s.o. off doing** (*disgust*) ôter à qn l'envie de faire ∎ **to put on** *vt* (*clothes, shoe etc*) mettre; (*weight, accent*) prendre; (*film, play*) jouer; (*gas, radio*) mettre, allumer; (*record, cassette*) passer; (*clock*) avancer; **to p. s.o. on** (*tease*) *Am* faire marcher qn; **she p. me on to you** elle m'a donné votre adresse; **p. me on to him!** (*on phone*) passez-le-moi! ∎ **to put out** *vt* (*take outside*) sortir; (*arm, leg*) étendre; (*hand*) tendre; (*tongue*) tirer; (*gas, light*) éteindre, fermer; (*bother, inconvenience*) déranger; (*upset*) déconcerter; (*issue*) publier; (*dislocate*) démettre ∎ **to put through** *vt* (*on phone*) passer (*qn*) (**to** à) ∎ **to put together** *vt* (*separate objects*) mettre ensemble; (*assemble*) assembler; (*compose*) composer; (*prepare*) préparer; (*collection*) faire ∎ **to put up** *vi* (*stay*) descendre (**at a hotel** à un hôtel) ∎ *vt* (*lift*) lever; (*window*) remonter; (*tent, statue, barrier, ladder*) dresser; (*flag*) hisser; (*building*) construire; (*umbrella*) ouvrir; (*picture, poster*) mettre; (*price, sales, numbers*) augmenter; (*resistance, plea, suggestion*) offrir; (*candidate*) proposer (**for** à); (*guest*) loger; **p.-up job** *Fam* coup *m* monté ∎ **to put up with** *vt* (*tolerate*) supporter (*qch, qn*).
putrid ['pju:trɪd] *a* putride. ● **putrify** *vi* se putréfier.
putt [pʌt] *n Golf* putt *m*. ● **putting** *n Golf* putting *m*; **p. green** green *m*.
putter ['pʌtər] *vi* **to p. around** *Am* bricoler.
putty ['pʌtɪ] *n* mastic *m* (*pour vitres*).
put-you-up ['pʊtju:ʌp] *n Br* canapé-lit *m*, convertible *m*.
puzzle ['pʌz(ə)l] *n* mystère *m*, énigme *f*; (*jigsaw*) puzzle *m*; (*game fitting boxes etc together*) casse-tête *m inv* ∎ *vt* laisser perplexe; **to p. out why/when/etc** essayer de comprendre pourquoi/quand/*etc*.
∎ *vi* **to p. over** (*problem, event*) se creuser la tête sur. ● **puzzled** *a* perplexe. ● **puzzling** *a* (*curious*) curieux; (*suprising*) surprenant.
PVC [pi:vi:'si:] *n* (*plastic*) PVC *m*; **P. belt/etc** ceinture *f/etc* en PVC.
pygmy ['pɪgmɪ] *n* pygmée *m*.
pyjama [pɪ'dʒɑ:mə] *a* (*jacket etc*) *Br* de pyjama. ● **pyjamas** *npl Br* pyjama *m*; **a pair of p.** un pyjama; **to be in (one's) p.** être en pyjama.
pylon ['paɪlən] *n* pylône *m*.
pyramid ['pɪrəmɪd] *n* pyramide *f*.
Pyrenees [pɪrə'ni:z] *npl* **the P.** les Pyrénées *fpl*.
Pyrex® ['paɪreks] *n* Pyrex® *m*; **P. dish/etc** plat *m/etc* en Pyrex.
python ['paɪθən] *n* (*snake*) python *m*.

Q

Q, q [kjuː] *n* Q, q *m*.
quack [kwæk] **1** *n* (*of duck*) coin-coin *m inv*. **2** *a* & *n* q. (*doctor*) charlatan *m*.
quad(rangle) ['kwɒd(ræŋg(ə)l)] *n* (*of college, school*) *Br* cour *f*.
quadruped ['kwɒdruped] *n* quadrupède *m*.
quadruple [kwɒ'druːp(ə)l] *vti* quadrupler.
quadruplets [kwɒ'druːplɪts] (*Fam* **quads** [kwɒdz]) *npl* quadruplés, -ées *mfpl*.
quaff [kwɒf] *vt* (*drink*) avaler.
quagmire ['kwægmaɪər] *n* bourbier *m*.
quail [kweɪl] *n* (*bird*) caille *f*.
quaint [kweɪnt] *a* (**-er, -est**) (*picturesque*) pittoresque; (*old-fashioned*) vieillot (*f* -otte); (*odd*) bizarre. ● **quaintness** *n* pittoresque *m*; (*old-fashionedness*) caractère *m* vieillot; (*oddness*) bizarrerie *f*.
quake [kweɪk] *n Fam* tremblement *m* de terre ▌*vi* trembler (**with** de).
Quaker ['kweɪkər] *n* quaker, -eresse *mf*.
qualification [kwɒlɪfɪ'keɪʃ(ə)n] *n* **1** (*diploma*) diplôme *m*. **2** (*competence*) compétence *f*; (*professional background*) formation *f*; **qualifications** (*skills for job etc*) qualités *fpl* nécessaires (**for** pour, **to do** pour faire). **3** (*reservation*) réserve *f*.
qualify ['kwɒlɪfaɪ] **1** *vi* obtenir son diplôme (**as a doctor/etc** de médecin/etc); *Sport* se qualifier (**for** pour); **to q. for** (*post*) remplir les conditions requises pour ▌*vt* (*make competent*) & *Sport* qualifier (*qn*) (**for sth** pour qch, **to do** pour faire).
2 *vt* (*modify*) faire des réserves à; (*opinion, statement*) nuancer; *Grammar* qualifier. ● **qualified** *a* (*able*) qualifié (**to do** pour faire); (*doctor etc*) diplômé; (*success*) limité; (*opinion*) nuancé; (*support*) conditionnel. ● **qualifying** *a* **q. exam** examen *m* d'entrée; **q. round** *Sport* épreuve *f* éliminatoire.
quality ['kwɒlɪtɪ] *n* qualité *f*; **q. product/etc** produit *m/etc* de qualité. ● **qualitative** *a* qualitatif.
qualms [kwaːmz] *npl* (*scruples*) scruples *mpl*; (*anxieties*) inquiétudes *fpl*.
quandary ['kwɒndrɪ] *n* **in a q.** bien embarrassé; **to be in a q. about what to do** ne pas savoir quoi faire.
quantify ['kwɒntɪfaɪ] *vt* quantifier.
quantity ['kwɒntɪtɪ] *n* quantité *f*; **in q.** (*to purchase etc*) en grande(s) quantité(s); **q. surveyor** métreur *m* (vérificateur). ● **quantitative** *a* quantitatif.
quarantine ['kwɒrəntiːn] *n* (*for animal etc*) quarantaine *f* ▌*vt* mettre en quarantaine.
quarrel ['kwɒrəl] *n* dispute *f*, querelle *f*; **to pick a q.** chercher des histoires (**with s.o.** à

qn) ▌*vi* (*Br* **-ll-**, *Am* **-l-**) se disputer, se quereller (**with** avec); **to q. with sth** trouver à redire à qch. ● **quarrelling** or *Am* **quarreling** *n* (*quarrels*) disputes *fpl*, querelles *fpl*. ● **quarrelsome** *a* querelleur.
quarry ['kwɒrɪ] *n* **1** (*excavation to extract stone etc*) carrière *f*. **2** (*prey*) proie *f*.
quart [kwɔːt] *n* litre *m* (*mesure approximative*) (*Br = 1,14 litres, Am = 0,95 litre*).
quarter¹ ['kwɔːtər] *n* quart *m*; (*money*) *Am Can* quart *m* de dollar; (*division of year*) trimestre *m*; (*of fruit, moon*) quartier *m*; **to divide sth into quarters** diviser qch en quatre; **q. (of a) pound** quart *m* de livre; **a q. past nine** *Br*, **a q. after nine** *Am* neuf heures et *or* un quart; **a q. to nine** neuf heures moins le quart; **from all quarters** de toutes parts.
quarter² ['kwɔːtər] *n* (*district*) quartier *m*; **quarters** (*circles*) milieux *mpl*; (**living**) **quarters** logement(s) *m(pl)*; (*of soldier*) quartier(s) *m(pl)* ▌*vt* (*troops*) cantonner.
quarterfinal [kwɔːtə'faɪn(ə)l] *n Sport* quart *m* de finale.
quarterly ['kwɔːtəlɪ] *a* (*magazine, payment etc*) trimestriel ▌*adv* trimestriellement ▌*n* publication *f* trimestrielle.
quartet(te) [kwɔː'tet] *n* (*music, players*) quatuor *m*; (*jazz*) q. quartette *m*.
quartz [kwɔːts] *n* quartz *m* ▌*a* (*watch, clock etc*) à quartz.
quash [kwɒʃ] *vt* (*rebellion etc*) réprimer; (*legal verdict*) casser.
quasi- ['kweɪzaɪ] *pref* quasi-.
quaver ['kweɪvər] **1** *n* (*musical note*) *Br* croche *f*. **2** *vi* (*of voice etc*) chevroter ▌*n* chevrotement *m*.
quay [kiː] *n* (*for boats*) quai *m*. ● **quayside** *n* **on the q.** sur le quai, sur les quais.
queasy ['kwiːzɪ] *a* (**-ier, -iest**) **to feel** *or* **be q.** avoir mal au cœur. ● **queasiness** *n* mal *m* au cœur.
Quebec [kwɪ'bek] *n* le Québec.
queen [kwiːn] *n* reine *f*; *Chess Cards* dame *f*; **the q. mother** la reine mère.
queer ['kwɪər] *a* (**-er, -est**) (*odd*) bizarre; (*dubious*) louche; (*ill*) *Br Fam* patraque ▌*n* (*homosexual*) *Offensive Sl* pédé *m*.
quell [kwel] *vt* (*revolt etc*) réprimer.
quench [kwentʃ] *vt* (*fire*) éteindre; **to q. one's thirst** se désaltérer.
querulous ['kwerʊləs] *a* (*complaining*) grognon (*f* -onne).
query ['kwɪərɪ] *n* question *f*; (*doubt*) doute *m* ▌*vt* (*ask about*) poser des questions sur.
quest [kwest] *n* quête *f* (**for** de); **in q. of** en quête de.

question ['kwestʃ(ə)n] *n* question *f*; **there is some q. of it** il en est question; **there's no q. of it, it's out of the q.** c'est hors de question, il n'en est pas question; **without q.** incontestable(ment); **in q.** en question, dont il s'agit; **q. mark** point *m* d'interrogation; **q. master** (*on television, radio etc*) animateur, -trice *mf*.
▮ *vt* interroger (**about** sur); (*doubt*) mettre en question; **to q. whether** douter que (+ *sub*).
● **questioning** *a* (*look etc*) interrogateur ▮ *n* interrogation *f*.

questionable ['kwestʃ(ə)nəb(ə)l] *a* douteux, discutable.

questionnaire [kwestʃ(ə)'neər] *n* questionnaire *m*.

queue [kju:] *n Br* (*of people*) queue *f*; (*of cars*) file *f*; **to form a q., stand in a q.** faire la queue ▮ *vi* **to q. (up)** *Br* faire la queue (**for the bus/***etc*) pour le bus/*etc*).

quibble ['kwɪb(ə)l] *vi* ergoter, discuter (**over** sur). ● **quibbling** *n* ergotage *m*.

quiche [ki:ʃ] *n* (*tart*) quiche *f*.

quick [kwɪk] **1** *a* (**-er, -est**) rapide; **q. to react** prompt à réagir; **be q.!** fais vite!; **to have a q. shower/meal/***etc* se doucher/manger/*etc* en vitesse; **to be a q. worker** travailler vite ▮ *adv* (**-er, -est**) vite; **as q. as a flash** en un clin d'œil. **2** *n* **to cut s.o. to the q.** blesser qn au vif. ● **quick-'tempered** *a* irascible. ● **quick-'witted** *a* à l'esprit vif.

quicken ['kwɪk(ə)n] *vt* accélérer ▮ *vi* s'accélérer.

quickie ['kwɪkɪ] *n* (*drink*) *Fam* pot *m* (*pris en vitesse*).

quickly ['kwɪklɪ] *adv* vite.

quicksands ['kwɪksændz] *npl* sables *mpl* mouvants.

quid [kwɪd] *n inv Br Fam* livre *f* (sterling).

quiet ['kwaɪət] *a* (**-er, -est**) (*silent, still, peaceful*) tranquille, calme; (*machine, vehicle*) silencieux; (*gentle*) (*person, temperament etc*) doux (*f* douce); (*not loud*) (*voice, music*) doux (*f* douce); (*sound*) léger, doux (*f* douce); (*private*) (*ceremony etc*) intime; (*colour*) discret; **to be** *or* **keep q.** (*shut up*) se taire; (*make no noise*) ne pas faire de bruit; **q.!** silence!; **to keep q. about sth, keep sth q.** ne pas parler de qch; **on the q.** (*secretly*) *Fam* en cachette.
▮ *vt* calmer (*qn*).

quieten ['kwaɪət(ə)n] *vt* **to q. (down)** *Br* calmer (*qn*) ▮ *vi* **to q. down** *Br* se calmer.

quietly ['kwaɪətlɪ] *adv* tranquillement; (*gently, not loudly*) doucement; (*silently*) silencieusement; (*secretly*) en cachette; (*discreetly*) discrètement. ● **quietness** *n* tranquillité *f*.

quill [kwɪl] *n* (*pen*) plume *f* (d'oie).

quilt [kwɪlt] *n* édredon *m*; (**continental**) **q.** (*duvet*) *Br* couette *f* ▮ *vt* (*pad*) matelasser; (*stitch*) piquer.

quintessence [kwɪn'tesəns] *n* quintessence *f*.

quintet(te) [kwɪn'tet] *n* quintette *m*.

quintuplets [*Br* kwɪn'tju:plɪts, *Am* -'tʌplɪts] (*Fam* **quins** [kwɪnz], *Am* **quints** [kwɪnts]) *npl* quintuplés, -ées *mfpl*.

quip [kwɪp] *n* (*remark*) boutade *f* ▮ *vi* (**-pp-**) faire des boutades ▮ *vt* dire sur le ton de la boutade.

quirk [kwɜ:k] *n* bizarrerie *f*; (*of fate etc*) caprice *m*. ● **quirky** *a* (**-ier, -iest**) (*odd*) bizarre; (*temperamental*) capricieux.

quit [kwɪt] *vt* (*pt & pp* **quit** *or* **quitted**, *pres p* **quitting**) (*leave*) quitter; **to q. doing** arrêter de faire ▮ *vi* (*give up*) abandonner; (*resign*) démissionner.

quite [kwaɪt] *adv* (*entirely*) tout à fait; (*really*) vraiment; (*rather*) assez; **q. another matter** une tout autre affaire *or* question; **q. a genius** un véritable génie; **q. good** (*not bad*) pas mal (du tout); **q. (so)!** exactement!; **I q. understand** je comprends très bien *or* tout à fait; **q. a lot** pas mal (**of** de); **q. a (long) time ago** il y a pas mal de temps.

quits [kwɪts] *a* quitte (**with** envers); **to call it q.** en rester là.

quiver ['kwɪvər] *vi* (*of person*) frémir (**with** de); (*of voice*) trembler; (*of flame*) vaciller, trembler.

quiz [kwɪz] *n* (*pl* **quizzes**) (*test*) test *m*; (*riddle*) devinette *f*; **q. (programme)** (*on television or radio*) jeu(-concours) *m* ▮ *vt* (**-zz-**) questionner. ● **quizmaster** *n* TV Radio animateur, -trice *mf*.

quizzical ['kwɪzɪk(ə)l] *a* (*mocking*) narquois; (*perplexed*) perplexe.

quorum ['kwɔ:rəm] *n* quorum *m*.

quota ['kwəʊtə] *n* quota *m*.

quotation [kwəʊ'teɪʃ(ə)n] *n* citation *f*; (*estimate*) devis *m*; (*on Stock Exchange*) cote *f*; **q. marks** guillemets *mpl*; **in q. marks** entre guillemets.

quote [kwəʊt] *vt* citer; (*reference number*) rappeler; (*price*) indiquer; (*price on Stock Exchange*) coter ▮ *vi* **to q. from** (*author, book*) citer ▮ *n* = **quotation**; **in quotes** entre guillemets.

quotient ['kwəʊʃ(ə)nt] *n* quotient *m*.

R

R, r [ɑːr] *n* R, r *m*.
rabbi ['ræbaɪ] *n* rabbin *m*; **chief r.** grand rabbin.
rabbit ['ræbɪt] *n* lapin *m*.
rabble ['ræb(ə)l] *n* (*crowd*) cohue *f*; **the r.** *Pej* la populace.
rabies ['reɪbiːz] *n* (*disease*) rage *f*. ●**rabid** ['ræbɪd] *a* (*dog*) enragé; (*communist etc*) *Fig* fanatique.
raccoon [rə'kuːn] *n* (*animal*) raton *m* laveur.
race[1] [reɪs] *n* (*contest*) course *f* ▮ *vt* (*horse*) faire courir; (*engine*) emballer; **to r. (against** *or* **with)** s.o. faire une course avec qn ▮ *vi* (*run*) courir; (*of engine*) s'emballer; (*of pulse*) battre à tout rompre. ●**racing** *n* courses *fpl*; **r. car/bicycle** voiture *f*/vélo *m* de course; **r. driver** coureur *m* automobile.
race[2] [reɪs] *n* (*group*) race *f* ▮ *a* (*prejudice etc*) racial; **r. relations** rapports *mpl* entre les races.
racecar ['reɪskɑːr] *n Am* voiture *f* de course. ●**racecourse** *n* champ *m* de courses. ●**racegoer** *n* turfiste *mf*. ●**racehorse** *n* cheval *m* de course. ●**racetrack** *n* (*for horses*) *Am* champ *m* de courses; (*for cars, bicycles*) *Br* piste *f*.
racial ['reɪʃəl] *a* racial. ●**racialism** *n* racisme *m*.
racism ['reɪsɪz(ə)m] *n* racisme *m*. ●**racist** *a* & *n* raciste (*mf*).
rack [ræk] **1** *n* (*for bottles, letters, records etc*) casier *m*; (*for drying dishes*) égouttoir *m*; (*set of shelves*) étagère *f*; (**luggage**) **r.** (*on bus, train etc*) filet *m* à bagages; (*on bicycle*) porte-bagages *m inv*; (**roof**) **r.** (*of car*) galerie *f*; (**drying**) **r.** séchoir *m* à linge.
2 *vt* **to r. one's brains** se creuser la cervelle.
3 *n* **to go to r. and ruin** (*of building*) tomber en ruine; (*of person*) aller à la ruine; (*of health*) se délabrer.
racket ['rækɪt] *n* **1** (*for tennis etc*) raquette *f*. **2** (*din*) vacarme *m*. **3** (*crime*) racket *m*; (*scheme*) combine *f*; **the drug(s) r.** le trafic de (la) drogue.
racketeer [rækɪ'tɪər] *n* racketteur *m*. ●**racketeering** *n* racket *m*.
racoon [rə'kuːn] *n* (*animal*) raton *m* laveur.
racy ['reɪsɪ] *a* (**-ier, -iest**) (*description, style etc*) piquant; (*suggestive*) osé.
radar ['reɪdɑːr] *n* radar *m*; **r. control/trap**/*etc* contrôle *m*/piège *m*/*etc* radar *inv*; **r. operator** radariste *mf*.
radiant ['reɪdɪənt] *a* (*person, face etc*) rayonnant (**with** de), radieux; (*sun*) radieux. ●**radiance** *n* (*of face etc*) éclat *m*, rayonnement *m*; (*of sun*) éclat *m*. ●**radiantly** *adv* (*to shine*) avec éclat; **r. happy** rayonnant de joie.
radiate ['reɪdɪeɪt] *vt* (*emit*) dégager (*chaleur, lumière etc*); (*joy*) *Fig* rayonner de ▮ *vi* (*of heat, lines*) rayonner (**from** de). ●**radiation** [-'eɪʃ(ə)n] *n* (*of heat etc*) rayonnement *m* (**of** de); (*radioactivity*) radiation *f*; (*rays*) irradiation *f*; **r. sickness** mal *m* des rayons.
radiator ['reɪdɪeɪtər] *n* (*of central heating, vehicle*) radiateur *m*.
radical ['rædɪk(ə)l] *a* radical ▮ *n* (*person*) *Pol* radical, -ale *mf*.
radio ['reɪdɪəʊ] *n* (*pl* **-os**) radio *f*; **on** *or* **over the r.** à la radio; **car r.** autoradio *m*; **r. set** poste *m* (de) radio; **r. operator** radio *m*; **r. wave** onde *f* hertzienne ▮ *vt* (*message*) transmettre (par radio) (**to** à); **to r.** s.o. appeler qn par radio. ●**radio-con'trolled** *a* radioguidé.
radioactive [reɪdɪəʊ'æktɪv] *a* radioactif. ●**radioac'tivity** *n* radioactivité *f*.
radiographer [reɪdɪ'ɒɡrəfər] *n* (*technician*) radiologue *mf*. ●**radiography** *n* radiographie *f*. ●**radiologist** *n* (*doctor*) radiologue *mf*. ●**radiology** *n* radiologie *f*.
radish ['rædɪʃ] *n* radis *m*.
radius, *pl* **-dii** ['reɪdɪəs, -dɪaɪ] *n* (*of circle*) rayon *m*; **within a r. of 10 km** dans un rayon de 10 km.
RAF [ɑːreɪ'ef] *n abbr* (*Royal Air Force*) armée *f* de l'air (britannique).
raffia ['ræfɪə] *n* raphia *m*.
raffle ['ræf(ə)l] *n* tombola *f*.
raft [rɑːft] *n* (*boat*) radeau *m*.
rafter ['rɑːftər] *n* (*beam*) chevron *m*.
rag [ræɡ] *n* **1** (*piece of old clothing*) haillon *m*, loque *f*; (*for dusting etc*) chiffon *m*; **in rags** (*clothes*) en loques; (*person*) en haillons; **r.-and-bone man** *Br Old-fashioned* chiffonnier *m*. **2** (*newspaper*) torchon *m*. **3** (*university procession*) *Br* carnaval *m* d'étudiants (*au profit d'œuvres de charité*).
ragamuffin ['ræɡəmʌfɪn] *n* va-nu-pieds *m inv*.
rage [reɪdʒ] *n* (*of person*) rage *f*; (*of sea*) furie *f*; **to fly into a r.** se mettre en rage; **to be all the r.** (*of fashion etc*) faire fureur ▮ *vi* (*be angry*) rager; (*of storm, battle*) faire rage. ●**raging** *a* (*storm, fever*) violent; **a r. fire** un grand incendie; **in a r. temper** furieux.
ragged ['ræɡɪd] *a* (*clothes*) en loques; (*person*) en haillons; (*edge*) irrégulier.
rah-rah ['rɑːrɑː] *a* **r. skirt** jupette *f* à volants.
raid [reɪd] *n* (*military*) raid *m*; (*by police*) descente *f*; (*by thieves*) hold-up *m inv*; **air r.** raid aérien, attaque *f* aérienne ▮ *vt* faire

un raid *or* une descente *or* un hold-up dans; (*of aircraft*) attaquer; (*fridge, Br larder etc*) Fam dévaliser. ● **raider** *n* (*criminal*) malfaiteur *m*; **raiders** (*soldiers*) commando *m*.
rail [reɪl] 1 *n* (*for train*) rail *m*; **by r.** (*to travel*) par le train; (*to send*) par chemin de fer; **to go off the rails** (*of train*) dérailler ▮ *a* (*ticket*) de chemin de fer; (*network*) ferroviaire; (*strike*) des cheminots. 2 *n* (*rod on balcony*) balustrade *f*; (*on stairs, for spotlight*) rampe *f*; (*curtain rod*) tringle *f*; (**towel**) **r.** Br porte-serviettes *m inv*.
railcard ['reɪlkɑːd] *n* carte *f* de chemin de fer.
railing ['reɪlɪŋ] *n* (*of balcony*) balustrade *f*; **railings** (*fence*) grille *f*.
railroad ['reɪlrəʊd] *n Am* = **railway**; **r. track** voie *f* ferrée.
railway ['reɪlweɪ] *Br n* (*system*) chemin *m* de fer; (*track*) voie *f* ferrée ▮ *a* (*ticket*) de chemin de fer; (*timetable, employee etc*) des chemins de fer; (*network, company*) ferroviaire; **r. carriage** voiture *f*; **r. line** (*route*) ligne *f* de chemin de fer; (*track*) voie *f* ferrée; **r. station** gare *f*. ● **railwayman** *n Br* (*pl* -**men**) cheminot *m*.
rain [reɪn] *n* pluie *f*; **in the r.** sous la pluie ▮ *vi* pleuvoir; **to r. down** (*of blows, bullets*) pleuvoir; **it's raining** il pleut.
rainbow ['reɪnbəʊ] *n* arc-en-ciel *m*. ● **rain check** *n* **I'll give you a r. check** (*for invitation*) *Am Fam* j'accepterai volontiers à une date ultérieure. ● **raincoat** *n* imper(méable) *m*. ● **raindrop** *n* goutte *f* de pluie. ● **rainfall** *n* (*amount*) précipitations *fpl*; (*shower*) chute *f* de pluie. ● **rainforest** *n* forêt *f* tropicale (humide). ● **rainproof** *a* imperméable. ● **rainstorm** *n* trombe *f* d'eau. ● **rainwater** *n* eau *f* de pluie. ● **rainy** *a* (-**ier**, -**iest**) pluvieux; **the r. season** la saison des pluies.
raise [reɪz] *vt* (*lift*) lever; (*sth heavy*) (sou)lever; (*child, family, animal, voice, statue*) élever; (*crops*) cultiver; (*salary, price*) augmenter, relever; (*temperature*) faire monter; (*question, protest*) soulever; (*taxes, blockade*) lever; **to r. a smile/a laugh** (*in others*) faire sourire/rire; **to r. s.o.'s hopes** faire naître les espérances de qn; **to r. money** réunir des fonds; **to r. a loan** obtenir un prêt.
▮ *n* (*pay rise*) *Am* augmentation *f* (de salaire).
raisin ['reɪz(ə)n] *n* raisin *m* sec.
rake [reɪk] *n* râteau *m* ▮ *vt* (*garden*) ratisser; **to r.** (**up**) (*leaves*) ratisser, ramasser (avec un râteau); **to r. in** (*money*) *Fam* ramasser à la pelle; **to r. through** (*drawers, papers*) fouiller dans; **to r. up the past** remuer le passé. ● **rake-off** *n Fam* ristourne *f*.
rally ['rælɪ] *vt* (*unite, win over*) rallier (**to** à); **to r. support** rallier des partisans (**for** autour de); **to r. one's strength** *Fig* reprendre ses forces ▮ *vi* se rallier (**to** à); (*recover*) reprendre ses forces; (*of share prices*) se raffermir, se redresser; **to r. round (s.o.)**

(*help*) venir en aide (à qn); **rallying point** point *m* de ralliement ▮ *n* (*political*) rassemblement *m*; (*car race*) rallye *m*; (*of share prices*) raffermissement *m*, redressement *m*.
ram [ræm] 1 *n* (*animal*) bélier *m*. 2 *vt* (-**mm**-) (*vehicle*) emboutir; (*ship*) heurter; **to r. sth into sth** enfoncer qch dans qch.
RAM [ræm] *n abbr Compt* = **random access memory**.
ramble ['ræmb(ə)l] 1 *n* (*hike*) randonnée *f* ▮ *vi* faire une randonnée *or* des randonnées. 2 *vi* **to r. on** (*talk at length*) discourir. ● **rambler** *n* promeneur, -euse *mf*.
rambling ['ræmblɪŋ] 1 *a* (*house*) construit sans plan; (*spread out*) vaste; (*rose etc*) grimpant. 2 *a* (*speech*) décousu ▮ *npl* **ramblings** divagations *fpl*.
ramification [ræmɪfɪ'keɪʃ(ə)n] *n* ramification *f*.
ramp [ræmp] *n* (*slope for wheelchair etc*) rampe *f* (d'accès); (*in garage*) pont *m* (de graissage); (*stairs for aircraft*) passerelle *f*; '**r.**' (*road sign*) *Br* 'dénivellation'.
rampage ['ræmpeɪdʒ] *n* **to go on the r.** (*of crowd*) se déchaîner; (*loot*) se livrer au pillage.
rampant ['ræmpənt] *a* **to be r.** (*of crime, disease etc*) sévir.
rampart ['ræmpɑːt] *n* rempart *m*.
ramshackle ['ræmʃæk(ə)l] *a* délabré.
ran [ræn] *pt of* **run**.
ranch [ræntʃ] *n Am* ranch *m*; **r. house** maison *f* genre bungalow (sur sous-sol).
rancid ['rænsɪd] *a* rance.
rancour ['ræŋkər] (*Am* **rancor**) *n* rancœur *f*.
random ['rændəm] *n* **at r.** au hasard ▮ *a* (*choice*) fait au hasard; (*sample*) prélevé au hasard; (*pattern*) irrégulier; **r. access** *Compt* accès *m* aléatoire; **r. access memory** *Compt* mémoire *f* vive; **r. check** (*by police*) contrôle-surprise *m*.
randy ['rændɪ] *a* (-**ier**, -**iest**) *Br Fam* excité.
rang [ræŋ] *pt of* **ring**².
range [reɪndʒ] 1 *n* (*of gun, voice etc*) portée *f*; (*of singer's voice*) étendue *f*; (*of aircraft, ship*) rayon *m* d'action; (*of colours, prices, products*) gamme *f*; (*of sizes*) choix *m*; (*of temperature*) variations *fpl*; (*sphere*) *Fig* champ *m*, étendue *f* ▮ *vi* (*vary*) varier (**from** de, **to** à); (*extend*) s'étendre; (*roam*) errer, rôder.
2 *n* (*of mountains*) chaîne *f*; (*grassland*) *Am* prairie *f*.
3 *n* (*stove*) *Am* cuisinière *f*.
4 *n* (**shooting** *or* **rifle**) **r.** (*at funfair*) stand *m* de tir; (*outdoors*) champ *m* de tir.
ranger ['reɪndʒər] *n* (**forest**) **r.** garde *m* forestier.
rank [ræŋk] 1 *n* (*position, class*) rang *m*; (*military grade*) grade *m*, rang *m*; **the r. and file** (*workers etc*) la base; **the ranks** (*men in army, numbers*) les rangs *mpl* (**of** de); **taxi r.** *Br* station *f* de taxi ▮ *vti* **to r. among** compter parmi. 2 *a* (-**er**, -**est**) (*smell*) fétide; (*vegeta-*

rankle

tion) luxuriant. **3** *a* (*thorough*) (*stupidity etc*) absolu.
rankle ['ræŋk(ə)l] *vi* **it rankles (with me)** je l'ai sur le cœur.
ransack ['rænsæk] *vt* (*search*) fouiller; (*plunder*) saccager.
ransom ['ræns(ə)m] *n* (*money*) rançon *f*; **to hold s.o. to r.** rançonner qn ▮ *vt* (*redeem*) racheter.
rant [rænt] *vi* **to r. (and rave)** tempêter (at contre).
rap [ræp] **1** *n* petit coup *m* sec ▮ *vi* (-pp-) frapper (at à) ▮ *vt* **to r. s.o. over the knuckles** taper sur les doigts de qn. **2** *n* **r. (music)** (*musique f*) rap *m*.
rapacious [rə'peɪʃəs] *a* (*greedy*) rapace.
rape [reɪp] *vt* violer ▮ *n* viol *m*. ●**rapist** *n* violeur *m*.
rapid ['ræpɪd] *a* rapide. ●**ra'pidity** *n* rapidité *f*. ●**rapidly** *adv* rapidement.
rapids ['ræpɪdz] *npl* (*of river*) rapides *mpl*.
rapport [ræ'pɔːr] *n* (*understanding*) rapport *m*.
rapt [ræpt] *a* (*attention*) profond.
rapture ['ræptʃər] *n* extase *f*; **to go into raptures** s'extasier (about sur). ●**rapturous** *a* (*welcome*, *applause*) enthousiaste.
rare [reər] *a* **1** (-er, -est) rare; (*first-rate*) *Fam* fameux; **it's r. for her to do it** il est rare qu'elle le fasse. **2** (*meat*) bleu; (*medium*) **r.** saignant. ●**rarely** *adv* rarement. ●**rareness** *n* rareté *f*. ●**rarity** *n* (*quality*, *object*) rareté *f*.
rarebit ['reəbɪt] *n* **Welsh r.** *Br* toast *m* chaud au fromage.
rarefied ['reərɪfaɪd] *a* raréfié.
raring ['reərɪŋ] *a* **r. to start**/*etc* impatient de commencer/*etc*.
rascal ['rɑːsk(ə)l] *n* coquin, -ine *mf*. ●**rascally** *a* (*child etc*) coquin; (*habit*, *trick etc*) de coquin.
rash [ræʃ] **1** *n* (*on skin*) (*red patches*) rougeurs *fpl*; (*spots*) (éruption *f* de) boutons *mpl*; **to come out in a r.** faire une éruption de boutons. **2** *a* (-er, -est) irréfléchi. ●**rashly** *adv* sans réfléchir. ●**rashness** *n* irréflexion *f*.
rasher ['ræʃər] *n* *Br* tranche *f* de lard.
rasp [rɑːsp] *n* (*file*) râpe *f*.
raspberry ['rɑːzbərɪ] *n* (*fruit*) framboise *f*; **r. (bush)** framboisier *m*.
rasping ['rɑːspɪŋ] *a* (*voice*) âpre; (*sound*) grinçant.
Rastafarian [ræstə'feərɪən] *n* & *a* rasta(fari) (*mf*) *inv*.
rat [ræt] **1** *n* rat *m*; **r. poison** mort-aux-rats *f*; **the r. race** *Fig* la course au bifteck, la jungle. **2** *vi* (-tt-) **to r. on** *Fam* (*denounce*) cafarder sur; (*desert*) lâcher; (*promise etc*) manquer à.
rate [reɪt] **1** *n* (*level*, *percentage*) taux *m*; (*speed*) vitesse *f*; (*price*) tarif *m*; **the rates** (*former tax on housing*) *Br* les impôts *mpl* locaux; **exchange/interest/***etc* **r.** taux *m* de change/d'intérêt/*etc*; **insurance rates** primes *fpl* d'assurance; **postage** or **postal r.** tarif *m* postal; **r. of flow** débit *m*; **at the r. of** à une vitesse de; (*amount*) à raison de; **at this r.** (*slow speed*) à ce train-là; **at any r.** en tout cas; **the success r.** (*chances*) les chances *fpl* de succès; (*candidates*) le pourcentage de reçus.
2 *vt* (*evaluate*) évaluer; (*regard*) considérer (as comme); (*deserve*) mériter; **to r. highly** apprécier (beaucoup); **to be highly rated** être très apprécié. ●**ratepayer** *n* (*formerly*) *Br* contribuable *mf*.
rather ['rɑːðər] *adv* (*preferably*, *quite*) plutôt; **I'd r. stay** j'aimerais mieux *or* je préférerais rester (than que); **I'd r. you came** j'aimerais mieux *or* je préférerais que vous veniez; **r. than leave/***etc* plutôt que de partir/*etc*; **r. more tired/***etc* un peu plus fatigué/*etc* (than que); **it's r. nice** c'est bien.
ratify ['rætɪfaɪ] *vt* ratifier. ●**ratification** [-'keɪʃ(ə)n] *n* ratification *f*.
rating ['reɪtɪŋ] *n* (*classification*) classement *m*; (*wage etc level*) indice *m*; **credit r.** (*of company*, *person*) degré *m* or réputation *f* de solvabilité; **the ratings** (*of television programme*) l'indice *m* d'écoute.
ratio ['reɪʃɪəʊ] *n* (*pl* -os) proportion *f*.
ration [*Br* 'ræʃ(ə)n, *Am* 'reɪʃ(ə)n] *n* ration *f*; **rations** (*food*) vivres *mpl* ▮ *vt* rationner; **I was rationed to...** ma ration était (de)..., j'avais droit à.... ●**rationing** *n* rationnement *m*.
rational ['ræʃən(ə)l] *a* (*thought*, *method etc*) rationnel; (*person*) raisonnable. ●**rationalize** *vt* (*organize*) rationaliser; (*explain*) justifier. ●**rationally** *adv* (*to behave etc*) raisonnablement.
rattle ['ræt(ə)l] **1** *n* (*baby's toy*) hochet *m*; (*of sports fan*) crécelle *f*.
2 *n* petit bruit *m* (sec); (*of keys etc*) cliquetis *m*; (*of gunfire*) crépitement *m* ▮ *vi* faire du bruit; (*of window*) trembler; (*of bottles*) cliqueter; (*of gunfire*) crépiter ▮ *vt* (*shake*) secouer; (*window*) faire trembler; (*keys*) faire cliqueter.
3 *vt* **to r. s.o.** (*make nervous*) *Fam* ébranler qn; **to r. off** (*poem etc*) *Fam* débiter (à toute vitesse).
rattlesnake ['ræt(ə)lsneɪk] *n* serpent *m* à sonnette.
ratty ['rætɪ] *a* (-ier, -iest) **1** (*shabby*) *Am Fam* minable. **2 to get r.** (*annoyed*) *Br Fam* prendre la mouche.
raucous ['rɔːkəs] *a* (*noisy*, *rowdy*) bruyant.
raunchy ['rɔːntʃɪ] *a* (-ier, -iest) (*joke etc*) *Am Fam* cochon (*f* -onne), salé.
ravage ['rævɪdʒ] *vt* ravager. ●**ravages** *npl* (*of old age*, *time etc*) ravages *mpl*.
rave [reɪv] *vi* (*talk nonsense*) divaguer; (*rage*) tempêter (at contre); **to r. about s.o./sth** (*enthuse*) ne pas tarir d'éloges sur qn/qch ▮ *a* **r. review** *Fam* critique *f* dithyrambique. ●**raving** *a* **to be a r. lunatic**, **be r. mad** être fou furieux. ●**ravings** *npl* (*wild talk*) divagations *fpl*.
raven ['reɪv(ə)n] *n* corbeau *m*.
ravenous ['rævənəs] *a* (*appetite*) vorace; **I'm**

r. j'ai une faim de loup.
ravine [rə'viːn] n ravin m.
ravioli [rævɪ'əʊlɪ] n ravioli(s) mpl.
ravish ['rævɪʃ] vt (rape) Lit violenter.
ravishing ['rævɪʃɪŋ] a (beautiful) ravissant. ●**ravishingly** adv r. beautiful d'une beauté ravissante.
raw [rɔː] a (-er, -est) (vegetable etc) cru; (sugar, data) brut; (skin) écorché; (wound) à vif; (immature) inexpérimenté; (weather) rigoureux; r. edge bord m coupé; r. material matière f première; to get a r. deal Fam être mal traité.
Rawlplug® ['rɔːlplʌg] n Br cheville f.
ray [reɪ] n 1 (of light, sun etc) rayon m; (of hope) Fig lueur f. 2 (fish) raie f.
rayon ['reɪɒn] n rayonne f ▮ a en rayonne.
raze [reɪz] vt to r. (to the ground) (destroy) raser.
razor ['reɪzər] n rasoir m; r. blade lame f de rasoir.
Rd abbr = road.
re [riː] prep Com en référence à.
re- [riː, rɪ] pref ré-, re-, r-.
reach [riːtʃ] vt (place, aim, distant object etc) atteindre, arriver à; (gain access to) accéder à; (of letter) parvenir à (qn); (contact) joindre (qn); to r. a conclusion arriver à or parvenir à une conclusion; to r. s.o. (over) sth (hand over) passer qch à qn; to r. out one's arm (é)tendre le bras.
▮ vi (extend) s'étendre (to à); (of voice) porter; to r. (out) (with arm) (é)tendre le bras (for pour prendre).
▮ n portée f; Boxing allonge f; within r. of à portée de; (near) à proximité de; within (easy) r. (object) à portée de main; (shops) facilement accessible.
react [rɪ'ækt] vi réagir (against contre, to à). ●**reaction** [-ʃ(ə)n] n réaction f.
reactionary [rɪ'ækʃ(ə)nərɪ] a & n réactionnaire (mf).
reactor [rɪ'æktər] n réacteur m (nucléaire).
read [riːd] vt (pt & pp read [red]) lire; (of meter) relever; (of instrument) indiquer; to r. French/history/etc (at British university) faire des études de français/d'histoire/etc ▮ vi lire; to r. well (of text) se lire bien; to r. to s.o. faire la lecture à qn ▮ n to have a r. Fam faire un peu de lecture; this book is a good r. Fam ce livre est agréable à lire. ●**readable** a (handwriting, book etc) lisible.
read about vt lire quelque chose sur (qn, qch) ▮ **to read back** vt relire ▮ **to read for** vt (university degree) Br préparer ▮ **to read out** vt lire (qch) (à haute voix) ▮ **to read over** vt relire ▮ **to read through** vt (skim) parcourir ▮ **to read up (on)** vt (study) étudier.
readdress [riːə'dres] vt (letter) faire suivre.
reader ['riːdər] n lecteur, -trice mf; (book) livre m de lecture. ●**readership** n lecteurs mpl, public m.
readily ['redɪlɪ] adv (willingly) volontiers; (easily) facilement. ●**readiness** n empressement m (to do à faire); in r. for sth prêt pour qch.
reading ['riːdɪŋ] n lecture f; (of meter) relevé m; (by instrument) indication f; (variant) variante f; it's light/heavy r. c'est facile/difficile à lire; r. book/room livre m/salle f de lecture; r. glasses lunettes fpl pour lire; r. lamp (on desk) lampe f de bureau; (at bedside) lampe f de chevet; r. matter choses fpl à lire.
readjust [riːə'dʒʌst] vt (instrument) régler; (salary) réajuster ▮ vi (of person) se réadapter (to à). ●**readjustment** n réglage m; (of salary) réajustement m; (of person) réadaptation f.
read-only [riːd'əʊnlɪ] a r.-only memory Comptr mémoire f morte.
ready ['redɪ] a (-ier, -iest) prêt (to do à faire, for sth à or pour qch); (quick) Fig prompt (to do à faire); to get sth/s.o. r. préparer qch/qn; to get r. se préparer (for sth à or pour qch, to do à faire); r. cash, r. money argent m liquide ▮ n to be at the r. être tout prêt. ●**ready-'cooked** a tout cuit. ●**ready-'made** a (article, food etc) tout fait; r.-made clothes le prêt-à-porter; to wear r.-made clothes s'habiller en prêt-à-porter. ●**ready-to-wear** a r.-to-wear clothes le prêt-à-porter m inv.
real [rɪəl] a vrai, véritable; (world, fact etc) réel; in r. life dans la réalité; in r. terms dans la pratique; it's the r. thing Fam c'est du vrai de vrai; r. estate Am immobilier m ▮ adv Fam vraiment; r. stupid vraiment bête ▮ n for r. Fam pour de vrai.
realism ['rɪəlɪz(ə)m] n réalisme m. ●**realist** n réaliste mf. ●**rea'listic** a réaliste. ●**rea'listically** adv avec réalisme.
reality [rɪ'ælətɪ] n réalité f; in r. en réalité.
realize ['rɪəlaɪz] vt 1 (know) se rendre compte de, réaliser; (understand) comprendre (that que); to r. that (know) se rendre compte que. 2 (carry out) réaliser (projet etc); (convert into cash) réaliser (actif, bénéfices); (achieve) atteindre (prix). ●**realization** [-'zeɪʃ(ə)n] n 1 (awareness) (prise f de) conscience f. 2 (of plan, assets etc) réalisation f.
really ['rɪəlɪ] adv vraiment; is it r. true? est-ce bien vrai?
realm [relm] n (kingdom) royaume m; (of science etc) Fig domaine m; (of dreams etc) monde m.
realtor ['rɪəltər] n Am agent m immobilier.
ream [riːm] n (of paper) rame f.
reap [riːp] vt (field, crop) moissonner; (profits etc) Fig récolter.
reappear [riːə'pɪər] vi réapparaître.
reappraisal [riːə'preɪz(ə)l] n réévaluation f.
rear [rɪər] 1 n (back part) arrière m; (of military column) queue f; in or at the r. à l'arrière (of de); from the r. par derrière ▮ a arrière inv, de derrière. 2 vt (family, animals etc) élever; (one's head) relever. 3 vi to r. (up) (of horse) se cabrer. ●**rearguard** n arrière-garde f. ●**rear-view 'mirror** n (in vehicle) rétroviseur m.

rearrange

rearrange [riːəˈreɪndʒ] *vt* (*hair, room*) réarranger; (*plans*) changer.

reason [ˈriːz(ə)n] *n* (*cause, sense*) raison *f*; **the r. for/why** *or* **that...** la raison de/pour laquelle...; **for no r.** sans raison; **that stands to r.** c'est logique, cela va sans dire; **within r.** avec modération; **to do everything within r. to...** faire tout ce qu'il est raisonnable de faire pour...; **to have every r. to believe/***etc* avoir tout lieu de croire/*etc*.
∎ *vi* raisonner; **to r. with s.o.** raisonner qn.
∎ *vt* **to r. that** calculer que. ● **reasoning** *n* raisonnement *m*.

reasonable [ˈriːzənəb(ə)l] *a* raisonnable.
● **reasonably** *adv* (*to behave etc*) raisonnablement; (*fairly, rather*) assez; **r. fit** en assez bonne forme.

reassure [riːəˈʃʊər] *vt* rassurer. ● **reassuring** *a* rassurant. ● **reassurance** *n* réconfort *m*.

reawaken [riːəˈweɪk(ə)n] *vt* (*interest etc*) réveiller. ● **reawakening** *n* réveil *m*.

rebate [ˈriːbeɪt] *n* (*discount on purchase*) ristourne *f*; (*refund*) remboursement *m* (partiel); (*tax refund*) remboursement *m* d'un trop-perçu d'impôt; (*reduction of tax*) dégrèvement *m* fiscal.

rebel [ˈreb(ə)l] *n* rebelle *mf*; (*against parents etc*) révolté, -ée *mf* ∎ *a* (*camp, chief, attack etc*) des rebelles ∎ [rɪˈbel] *vi* (**-ll-**) se révolter, se rebeller (**against** contre). ● **rebellion** [rɪˈbeljən] *n* révolte *f*, rébellion *f*.
● **re'bellious** *a* (*child etc*) rebelle.

rebirth [ˈriːbɜːθ] *n* renaissance *f*.

rebound [rɪˈbaʊnd] *vi* (*of ball*) rebondir; (*of stone*) ricocher; (*of lies, action etc*) *Fig* retomber (**on s.o.** sur qn) ∎ [ˈriːbaʊnd] *n* rebond *m*; (*of stone*) ricochet *m*; **to marry s.o. on the r.** épouser qn à cause d'une déception amoureuse.

rebuff [rɪˈbʌf] *vt* repousser ∎ *n* rebuffade *f*.

rebuild [riːˈbɪld] *vt* (*pt & pp* **rebuilt**) reconstruire.

rebuke [rɪˈbjuːk] *vt* réprimander ∎ *n* réprimande *f*.

rebuttal [rɪˈbʌt(ə)l] *n* réfutation *f*.

recalcitrant [rɪˈkælsɪtrənt] *a* récalcitrant.

recall [rɪˈkɔːl] *vt* (*remember*) se rappeler (**that** que, **doing** avoir fait); (*call back*) rappeler; **to r. sth to s.o.** rappeler qch à qn ∎ *n* (*calling back*) rappel *m*; **beyond r.** irrévocable; **my powers of r.** (*memory*) ma mémoire.

recant [rɪˈkænt] *vi* se rétracter.

recap [rɪˈkæp] *vti* (**-pp-**) récapituler ∎ [ˈriːkæp] *n* récapitulation *f*. ● **reca'pitulate** *vti* récapituler. ● **recapitulation** [-ˈleɪʃ(ə)n] *n* récapitulation *f*.

recapture [riːˈkæptʃər] *vt* (*prisoner etc*) reprendre; (*rediscover*) retrouver; (*recreate*) recréer ∎ *n* (*of prisoner*) arrestation *f*.

recede [rɪˈsiːd] *vi* (*into the distance*) s'éloigner; (*of floods*) baisser. ● **receding** *a* (*forehead*) fuyant; **his hair(line) is r.** son front se dégarnit.

receipt [rɪˈsiːt] *n* (*for payment, object left etc*) reçu *m* (**for** de); (*for letter, parcel*) récépissé *m*, accusé *m* de réception; **receipts** (*takings, money received*) recettes *fpl*; **to acknowledge r.** accuser réception (**of** de); **on r. of** dès réception de.

receive [rɪˈsiːv] *vt* recevoir; (*stolen goods*) receler. ● **receiving** *n* (*of stolen goods*) recel *m*.

receiver [rɪˈsiːvər] *n* **1** (*of phone*) combiné *m*; (*radio*) récepteur *m*; **to pick up** *or* **lift the r.** (*of phone*) décrocher. **2** (*of stolen goods*) receleur, -euse *mf*; (*in bankruptcy*) *Br* administrateur *m* judiciaire. ● **receivership** *n* **to go into r.** être placé en règlement judiciaire.

recent [ˈriːsənt] *a* récent; **in r. months** ces mois-ci. ● **recently** *adv* récemment; **as r. as** pas plus tard que.

receptacle [rɪˈseptək(ə)l] *n* récipient *m*.

reception [rɪˈsepʃ(ə)n] *n* (*party, welcome, of radio etc*) réception *f*; **r. (desk)** réception *f*; **r. room** salle *f* de séjour. ● **receptionist** *n* secrétaire *mf*, réceptionniste *mf*.

receptive [rɪˈseptɪv] *a* réceptif (**to an idea/***etc* à une idée/*etc*); **r. to s.o.** compréhensif envers qn.

recess [*Br* rɪˈses, *Am* ˈriːses] *n* **1** (*Br holiday, Am vacation*) vacances *fpl*; (*between classes in school*) *Am* récréation *f*. **2** (*alcove*) renfoncement *m*; (*nook*) & *Fig* recoin *m*.

recession [rɪˈseʃ(ə)n] *n* (*economic*) récession *f*.

recharge [riːˈtʃɑːdʒ] *vt* (*battery*) recharger.
● **rechargeable** *a* (*battery*) rechargeable.

recipe [ˈresɪpɪ] *n* (*for food*) & *Fig* recette *f* (**for sth** de qch, **for doing** pour faire).

recipient [rɪˈsɪpɪənt] *n* (*of award, honour*) récipiendaire *m*.

reciprocal [rɪˈsɪprək(ə)l] *a* réciproque.

reciprocate [rɪˈsɪprəkeɪt] *vt* (*compliment*) retourner; (*gesture*) faire à son tour ∎ *vi* (*do the same*) en faire autant.

recital [rɪˈsaɪt(ə)l] *n* (*of music*) récital *m*.

recite [rɪˈsaɪt] *vt* (*poem etc*) réciter; (*list*) énumérer. ● **recitation** [resɪˈteɪʃ(ə)n] *n* récitation *f*.

reckless [ˈrekləs] *a* (*rash*) imprudent. ● **recklessly** *adv* imprudemment.

reckon [ˈrek(ə)n] *vt* (*calculate*) calculer; (*count*) compter; (*consider*) considérer; (*think*) penser (**that** que) ∎ *vi* calculer; compter; **to r. with** (*take into account*) compter avec (*qch, qn*); (*deal with*) avoir affaire à (*qn*); **to r. on/without sth/s.o.** compter sur/sans qch/qn; **to r. on doing** compter *or* penser faire. ● **reckoning** *n* calcul(s) *m(pl)*.

reclaim [rɪˈkleɪm] *vt* **1** (*ask for back*) réclamer; (*luggage at airport*) récupérer. **2** (*land*) mettre en valeur; (*from sea*) assécher ∎ *n* **'baggage r.'** (*in airport*) 'récupération des bagages'.

recline [rɪˈklaɪn] *vi* (*of person*) être allongé; (*of head*) être appuyé ∎ *vt* (*head*) appuyer (**on** sur). ● **reclining seat** *n* siège *m* à dossier

inclinable *or* réglable.
recluse [rɪ'kluːs] *n* reclus, -use *mf*.
recognition [rekəg'nɪʃ(ə)n] *n* reconnaissance *f*; **to change beyond** *or* **out of all r.** devenir méconnaissable; **to gain r.** être reconnu.
recognize ['rekəgnaɪz] *vt* reconnaître (**by** à, **that** que). ● **recognizable** *a* reconnaissable.
recoil [rɪ'kɔɪl] *vi* reculer (**from doing** à l'idée de faire, **from sth** à la vue de qch).
recollect [rekə'lekt] *vt* se souvenir de; **to r. that** se souvenir que ∎ *vi* se souvenir. ● **recollection** [-'lekʃ(ə)n] *n* souvenir *m*.
recommend [rekə'mend] *vt* (*praise, support, advise*) recommander (**to** à, **for** pour); **to r. s.o. to do** recommander à qn de faire. ● **recommendation** [-'deɪʃ(ə)n] *n* recommandation *f*.
recompense ['rekəmpens] *vt* (*reward*) récompenser ∎ *n* récompense *f*.
reconcile ['rekənsaɪl] *vt* (*person*) réconcilier (**with, to** avec); (*opinions, facts etc*) concilier; **to r. oneself to sth** se résigner à qch. ● **reconciliation** [-sɪlɪ'eɪʃ(ə)n] *n* réconciliation *f*.
reconditioned [riːkən'dɪʃ(ə)nd] *a* (*engine*) refait (à neuf).
reconnaissance [rɪ'kɒnɪsəns] *n* Mil reconnaissance *f*. ● **reconnoitre** [rekə'nɔɪtər] (*Am* **reconnoiter**) *vt* (*land, enemy troops*) reconnaître.
reconsider [riːkən'sɪdər] *vt* reconsidérer ∎ *vi* revenir sur sa décision.
reconstruct [riːkən'strʌkt] *vt* (*crime*) reconstituer.
record 1 ['rekɔːd] *n* (*disc*) disque *m*; **r. library** discothèque *f*; **r. player** électrophone *m*.
2 *n* (*best performance*) Sport etc record *m*; **r. holder** détenteur, -trice *mf* du record ∎ *a* (*time, number, quantity etc*) record *inv*; **in r. time** en un temps record; **a r. high** (*of unemployment etc*) un nouveau record, son niveau le plus élevé; **a r. low** son niveau le plus bas.
3 *n* (*report*) rapport *m*; (*register*) registre *m*; (*recording on tape etc*) enregistrement *m*; (*mention*) mention *f*; (*note*) note *f*; (*background*) antécédents *mpl*; (*case history*) dossier *m*; (*police*) **r.** casier *m* judiciaire; (**public**) **records** archives *fpl*; **to make** *or* **keep a r. of sth** noter qch; **on r.** (*fact, event*) attesté; **the highest figures on r.** les chiffres les plus élevés jamais enregistrés; **off the r.** à titre confidentiel; **their safety r.** leurs résultats *mpl* en matière de sécurité.
4 [rɪ'kɔːd] *vt* (*on tape etc, in register etc*) enregistrer; (*in diary*) noter; (*relate*) rapporter (**that**) ∎ *vi* (*on tape etc, of tape recorder etc*) enregistrer.
recorded [rɪ'kɔːdɪd] *a* enregistré; (*prerecorded*) (*TV programme*) en différé; (*fact*) attesté; **letter sent (by) r. delivery** *Br* = lettre *f* avec avis de réception.
recorder [rɪ'kɔːdər] *n* (*musical instrument*) flûte *f* à bec; (**tape**) **r.** magnétophone *m*; **video r.** magnétoscope *m*.

recording [rɪ'kɔːdɪŋ] *n* enregistrement *m*.
recount 1 [rɪ'kaʊnt] *vt* (*relate*) raconter. **2** ['riːkaʊnt] *n* (*of votes*) nouveau dépouillement *m* du scrutin.
recoup [rɪ'kuːp] *vt* (*loss*) récupérer.
recourse ['riːkɔːs] *n* recours *m*; **to have r. to** avoir recours à.
recover [rɪ'kʌvər] **1** *vt* (*get back*) retrouver, récupérer. **2** *vi* (*from illness, shock, surprise etc*) se remettre (**from** de); (*of economy, country, the Stock Market*) se redresser; (*of currency, sales*) remonter. ● **recovery** *n* **1** (*from illness*) guérison *f*, rétablissement *m*; (*of economy, Stock Market*) redressement *m*; **she's making a good r.** elle est en bonne voie de guérison. **2** **the r. of sth** (*getting back*) la récupération de qch; **r. vehicle** *Br* dépanneuse *f*.
recreate [riːkrɪ'eɪt] *vt* recréer.
recreation [rekrɪ'eɪʃ(ə)n] *n* récréation *f*; **r. ground** terrain *m* de jeux. ● **recreational** *a* (*activity etc*) de loisir.
recrimination [rɪkrɪmɪ'neɪʃ(ə)n] *n* (*accusation*) contre-accusation *f*.
recruit [rɪ'kruːt] *n* recrue *f* ∎ *vt* recruter; **to r. s.o. to do** (*persuade*) embaucher qn pour faire. ● **recruitment** *n* recrutement *m*.
rectangle ['rektæŋg(ə)l] *n* rectangle *m*. ● **rec'tangular** *a* rectangulaire.
rectify ['rektɪfaɪ] *vt* rectifier. ● **rectification** [-ɪ'keɪʃ(ə)n] *n* rectification *f*.
rector ['rektər] *n* (*priest*) pasteur *m* (anglican); (*of Scottish university*) président *m*.
rectum ['rektəm] *n* rectum *m*.
recuperate [rɪ'kuːpəreɪt] *vi* récupérer (ses forces) ∎ *vt* récupérer. ● **recuperation** [-'reɪʃ(ə)n] *n* (*after illlness*) rétablissement *m*.
recur [rɪ'kɜːr] *vi* (**-rr-**) (*of event*) se reproduire; (*of illness*) réapparaître; (*of theme*) revenir. ● **recurrence** [rɪ'kʌrəns] *n* répétition *f*; (*of illness*) réapparition *f*. ● **recurrent** *a* fréquent.
recycle [riː'saɪk(ə)l] *vt* (*material*) recycler.
red [red] *a* (**redder, reddest**) rouge; (*hair*) roux (*f* rousse); **to turn** *or* **go r.** rougir; **R. Cross** Croix-Rouge *f*; **R. Indian** Peau-Rouge *mf*; **r. light** (*traffic light*) feu *m* rouge; **the r.-light district** le quartier des prostituées; **r. tape** *Fig* paperasserie *f* (administrative).
∎ *n* (*colour*) rouge *m*; **in the r.** (*company*) dans le rouge, en déficit; (*account, person*) dans le rouge, à découvert. ● **red-'faced** *a* *Fig* rouge de confusion. ● **red-'handed** *adv* **to be caught r.-handed** être pris en flagrant délit. ● **red-'hot** *a* brûlant.
redcurrant [red'kʌrənt] *n* groseille *f*.
redden ['red(ə)n] *vti* rougir. ● **reddish** *a* rougeâtre; (*hair*) carotte *inv*. ● **redness** *n* rougeur *f*; (*of hair*) rousseur *f*.
redecorate [riː'dekəreɪt] *vt* (*room etc*) refaire ∎ *vi* refaire la peinture et les papiers.
redeem [rɪ'diːm] *vt* (*restore to favour, buy back, free*) racheter; (*debt, loan*) rembourser; (*convert into cash*) réaliser; **redeeming feature** bon point *m*. ● **redemption**

redeploy

[rɪ'dempʃ(ə)n] n rachat m; (of debt etc) remboursement m; (of asset) réalisation f; Rel rédemption f.
redeploy [riːdɪ'plɔɪ] vt (staff) réorganiser; (troops) redéployer.
redhead ['redhed] n roux m, rousse f.
redirect [riːdaɪ'rekt] vt (mail) faire suivre.
redo [riː'duː] vt (pt **redid**, pp **redone**) (exercise, house etc) refaire.
redolent ['redələnt] a a r. of (suggestive) Lit évocateur (f -trice) de.
redress [rɪ'dres] n to seek r. demander réparation (**for** de).
reduce [rɪ'djuːs] vt réduire (**to** à, **by** de); (temperature) faire baisser; **at a reduced price** (ticket) à prix réduit; (goods) à prix réduit, au rabais. ● **reduction** [rɪ'dʌkʃ(ə)n] n réduction f; (of temperature) baisse f; (discount) réduction f, rabais m.
redundant [rɪ'dʌndənt] a (not needed) de trop, superflu; **to make r.** (worker) Br mettre au chômage, licencier. ● **redundancy** n (of worker) Br licenciement m; **compulsory r.** licenciement m sec; **voluntary r.** départ m volontaire; **r. pay(ment)** or **money** indemnité f de licenciement.
re-echo [riː'ekəʊ] vi résonner ▌ vt (sound) répercuter; Fig répéter.
reed [riːd] n 1 (plant) roseau m. 2 (of clarinet etc) anche f ▌ a (instrument) à anche.
re-educate [riː'edjʊkeɪt] vt (criminal, limb) rééduquer.
reef [riːf] n récif m, écueil m.
reek [riːk] vi puer; **to r. of sth** (smell, Fig suggest) puer qch ▌ n puanteur f.
reel [riːl] 1 n (of thread, film) bobine f; (film itself) bande f; (of hose) dévidoir m; (for fishing line) moulinet m. 2 vi (stagger) chanceler; (of mind) chavirer; (of head) tourner. 3 vt **to r. off** (rattle off from memory) débiter (à toute vitesse).
re-elect [riːɪ'lekt] vt réélire.
re-entry [riː'entrɪ] n (of spacecraft) rentrée f.
re-establish [riːɪ'stæblɪʃ] vt rétablir.
ref [ref] n abbr (referee) Sport Fam arbitre m.
refectory [rɪ'fektərɪ] n réfectoire m.
refer [rɪ'fɜːr] vi (-rr-) **to r. to** (mention) faire allusion à; (speak of) parler de; (apply to) s'appliquer à; (consult) se reporter à ▌ vt **to r. sth to s.o.** (submit) soumettre qch à qn; **to r. s.o. to** (article, office etc) renvoyer qn à.
referee [refə'riː] n (in Football Boxing etc) arbitre m; (for job applicant etc) répondant, -ante mf ▌ vt (game, contest etc) arbitrer.
reference ['refərəns] n (in book etc, recommendation for job applicant) référence f; (indirect) allusion f (**to** à); (mention) mention f (**to** de); (connection) rapport m (**to** avec); **with** or **in r. to** concernant; **with** or **in r. to your letter** Com suite à votre lettre; **terms of r.** (of person, investigating body) compétence f; (of law) étendue f; **r. book** ouvrage m de référence.
referendum [refə'rendəm] n référendum m.
refill [riː'fɪl] vt remplir (à nouveau); (lighter, pen etc) recharger ▌ ['riːfɪl] n recharge f; **a r.** (drink) un autre verre.
refine [rɪ'faɪn] vt (oil, sugar, manners) raffiner; (metal, ore) affiner; (technique, machine) perfectionner ▌ vi **to r. upon** raffiner sur. ● **refined** a (person, manners etc) raffiné. ● **refinement** n (of person) raffinement m; (of sugar, oil) raffinage m; (of technique) perfectionnement m; **refinements** (technical improvements) améliorations fpl.
● **refinery** n raffinerie f.
refit [riː'fɪt] vt (-tt-) (ship) remettre en état ▌ n remise f en état.
reflate [riː'fleɪt] vt (economy) relancer.
reflect [rɪ'flekt] 1 vt (light, image etc) refléter, réfléchir; (kindness etc) Fig refléter; **to be reflected** (of light etc) se refléter; **to r. sth on s.o.** (credit, honour) faire rejaillir qch sur qn ▌ vi **to r. on s.o., be reflected on s.o.** (of prestige, honour etc) rejaillir sur qn; **to r. badly on s.o.** nuire à l'image de qn; **to r. well on s.o.** profiter à l'image de qn. 2 vi (think) réfléchir (**on** à) ▌ vt **to r. that** penser que.
reflection [rɪ'flekʃ(ə)n] n 1 (image) & Fig reflet m; (reflecting) réflexion f (**of** de). 2 (thought, criticism) réflexion (**on** sur); **on r.** tout bien réfléchi.
reflector [rɪ'flektər] n réflecteur m.
reflex ['riːfleks] n & a réflexe (m); **r. action** réflexe m.
reflexion [rɪ'flekʃ(ə)n] n Br = **reflection**.
reflexive [rɪ'fleksɪv] a (verb) réfléchi.
refloat [riː'fləʊt] vt (ship, company) renflouer.
reform [rɪ'fɔːm] n réforme f; **r. school** Am centre m d'éducation surveillée ▌ vt réformer; (person, conduct) corriger ▌ vi (of person) se réformer. ● **reformer** n réformateur, -trice mf.
reformatory [rɪ'fɔːmət(ə)rɪ] n Am = **reform school**.
refrain [rɪ'freɪn] 1 vi s'abstenir (**from doing** de faire). 2 n (of song) & Fig refrain m.
refresh [rɪ'freʃ] vt (of bath, drink) rafraîchir; (of sleep, rest) délasser; **to r. oneself** (drink) se rafraîchir; **to r. one's memory** se rafraîchir la mémoire. ● **refreshing** a (drink, bath etc) rafraîchissant; (sleep) réparateur; (pleasant) agréable; (original) nouveau (f nouvelle).
refresher course [rɪ'freʃəkɔːs] n cours m de recyclage.
refreshments [rɪ'freʃmənts] npl (drinks) rafraîchissements mpl; (snacks) petites choses fpl à grignoter.
refrigerate [rɪ'frɪdʒəreɪt] vt (food) conserver au frais, réfrigérer. ● **refrigerator** n réfrigérateur m.
refuel [riː'fjʊəl] vi (Br -ll-, Am -l-) (of aircraft) se ravitailler ▌ vt (aircraft) ravitailler.
refuge ['refjuːdʒ] n refuge m; **to take r.** se réfugier (**in** dans).
refugee [refjʊ'dʒiː] n réfugié, -ée mf.
refund [rɪ'fʌnd] vt rembourser ▌ ['riːfʌnd] n remboursement m.

refurbish [riːˈfɜːbɪʃ] *vt* remettre à neuf.

refusal [rɪˈfjuːz(ə)l] *n* refus *m*.

refuse¹ [rɪˈfjuːz] *vt* refuser (s.o. sth qch à qn, to do de faire) ▌*vi* refuser.

refuse² [ˈrefjuːs] *n Br* (*rubbish*) ordures *fpl*, détritus *m*; (*industrial waste materials*) déchets *mpl*; **r. collector** éboueur *m*; **r. dump** dépôt *m* d'ordures.

refute [rɪˈfjuːt] *vt* réfuter.

regain [rɪˈgeɪn] *vt* (*lost ground, favour*) regagner; (*health, sight*) retrouver; **to r. one's strength** retrouver *or* reprendre ses forces; **to r. consciousness** reprendre connaissance; **to r. possession of** reprendre possession de.

regal [ˈriːg(ə)l] *a* royal, majestueux.

regalia [rɪˈgeɪlɪə] *npl* insignes *mpl* (royaux).

regard [rɪˈgɑːd] *vt* (*consider*) considérer, regarder; (*concern*) regarder, concerner; **as regards** en ce qui concerne ▌*n* considération *f* (**for** pour); **to have (a) high r. for s.o.** estimer qn; **without r. to** sans égard pour; **with r. to** en ce qui concerne; **to give** *or* **send one's regards to s.o.** transmettre son meilleur souvenir à qn. ● **regarding** *prep* en ce qui concerne.

regardless [rɪˈgɑːdləs] *a* **r. of** (*the danger etc*) sans tenir compte de ▌*adv* (*all the same*) quand même.

regatta [rɪˈgætə] *n* régate(s) *f(pl)*.

regency [ˈriːdʒənsɪ] *n* régence *f*. ● **regent** *n* régent, -ente *mf*; **prince r.** prince *m* régent.

regenerate [rɪˈdʒenəreɪt] *vt* régénérer.

reggae [ˈregeɪ] *n* (*music*) reggae *m* ▌*a* (*group, musician etc*) reggae *inv*.

régime [reɪˈʒiːm] *n* (*political etc*) régime *m*.

regiment [ˈredʒɪmənt] *n* régiment *m*. ● **regi'mental** *a* (*march etc*) du régiment. ● **regimentation** [-ˈteɪʃ(ə)n] *n* discipline *f* excessive.

region [ˈriːdʒ(ə)n] *n* région *f*; **in the r. of** (*about*) *Fig* environ, **in the r. of £50** dans les 50 livres, environ 50 livres. ● **regional** *a* régional.

register [ˈredʒɪstər] *n* registre *m*; (*in school*) cahier *m* d'appel; **electoral r.** liste *f* électorale; **to take the r.** (*of teacher*) faire l'appel. ▌*vt* (*birth, death*) déclarer; (*record, note*) enregistrer; (*vehicle*) immatriculer; (*express*) exprimer; (*indicate*) indiquer; (*letter, package*) recommander; (*realize*) *Fam* réaliser. ▌*vi* (*enrol*) s'inscrire (**for a course** à un cours); (*in hotel*) signer le registre; **it hasn't registered (with me)** *Fam* je n'ai pas encore réalisé ça. ● **registered** *a* (*member*) inscrit; (*letter, package*) recommandé; **r. trademark** marque *f* déposée; **to send by r.** *Br* post *or Am* mail envoyer en recommandé; **r. unemployed** *Br* inscrit au chômage; **to be r. disabled** être invalide titulaire d'une carte.

registrar [redʒɪˈstrɑːr] *n Br* officier *m* de l'état civil; (*in university*) secrétaire *m* général.

registration [redʒɪˈstreɪʃ(ə)n] *n* (*enrolment*) inscription *f*; (*of complaint etc*) enregistrement *f*; **r. (number)** (*of vehicle*) *Br* numéro *m* d'immatriculation; **r. document** (*of vehicle*) *Br* = carte *f* grise.

registry [ˈredʒɪstrɪ] *a & n* **r. (office)** *Br* bureau *m* de l'état civil; **to get married in a r. office** se marier civilement *or* à la mairie.

regress [rɪˈgres] *vi* régresser.

regret [rɪˈgret] *vt* (**-tt-**) regretter (**doing, to do** de faire; **that** que (+ *sub*)); **I r. to hear that...** je suis désolé d'apprendre que... ▌*n* regret *m*. ● **regretfully** *adv* **r., I...** à mon grand regret, je....

regrettable [rɪˈgretəb(ə)l] *a* regrettable (**that** que (+ *sub*)). ● **regrettably** *adv* malheureusement; (*poor, ill etc*) fâcheusement.

regroup [riːˈgruːp] *vi* se regrouper ▌*vt* regrouper.

regular [ˈregjʊlər] *a* (*steady, even*) régulier; (*surface*) uni; (*usual*) habituel; (*price, size*) normal; (*listener, reader*) fidèle; (*staff*) permanent; (*fool, slave etc*) *Fam* vrai; **a r. guy** *Am Fam* un chic type ▌*n* (*in bar etc*) habitué, -ée *mf*; (*soldier*) régulier *m*. ● **regu'larity** *n* régularité *f*. ● **regularly** *adv* régulièrement.

regulate [ˈregjʊleɪt] *vt* régler. ● **regulation** [-ˈleɪʃ(ə)n] *n* **1 regulations** (*rules*) règlement *m*; **r. uniform/etc** uniforme *m/etc* réglementaire. **2** (*regulating*) réglage *m*.

rehabilitate [riːhəˈbɪlɪteɪt] *vt* (*in public esteem*) réhabiliter; (*drug addict, alcoholic*) désintoxiquer; (*wounded soldier, disabled person etc*) réadapter. ● **rehabilitation** [-ˈteɪʃ(ə)n] *n* (*of drug addict etc*) désintoxication *f*; (*of soldier etc*) réadaptation *f*.

rehash [riːˈhæʃ] *vt* (*text*) *Pej* remanier ▌[ˈriːhæʃ] *n* **it's a r.** c'est du réchauffé.

rehearse [rɪˈhɜːs] *vt* (*a play, piece of music etc*) répéter; (*prepare*) *Fig* préparer ▌*vi* répéter. ● **rehearsal** *n* (*of play etc*) répétition *f*.

reign [reɪn] *n* règne *m*; **in** *or* **during the r. of** sous le règne de ▌*vi* régner (**over** sur).

reimburse [riːɪmˈbɜːs] *vt* rembourser (**for** de). ● **reimbursement** *n* remboursement *m*.

rein [reɪn] **1** *n* **to give free r. to** donner libre cours à. **2** *vt* **to r. in expenses** limiter les dépenses.

reindeer [ˈreɪndɪər] *n inv* renne *m*.

reinforce [riːɪnˈfɔːs] *vt* renforcer (**with** de); **reinforced concrete** béton *m* armé. ● **reinforcement** *n* renforcement *m* (**of** de); **reinforcements** (*troops*) renforts *mpl*.

reins [reɪnz] *npl* (*for horse*) rênes *fpl*; (*for baby*) bretelles *fpl* de sécurité (avec laisse).

reinstate [riːɪnˈsteɪt] *vt* réintégrer. ● **reinstatement** *n* réintégration *f*.

reissue [riːˈɪʃjuː] *vt* (*book*) rééditer.

reiterate [riːˈɪtəreɪt] *vt* (*say again*) réitérer.

reject [rɪˈdʒekt] *vt* (*offer, assumption etc*) rejeter; (*candidate, goods etc*) refuser; (*transplant*) *Med* rejeter ▌[ˈriːdʒekt] *n* (*article*) article *m* de rebut; **r. article** article *m* de deuxième choix; **r. shop** *Br* solderie *f*. ● **rejection** [rɪˈdʒekʃ(ə)n] *n* rejet *m*; (*of candidate etc*) refus *m*; *Med* rejet *m*.

rejoice [rɪˈdʒɔɪs] *vi* (*celebrate*) faire la fête;

rejoin

(*be delighted*) se réjouir (**over** *or* **at sth** de qch, **in doing** de faire). ● **rejoicing(s)** *n(pl)* réjouissance(s) *f(pl)*.
rejoin [rɪ'dʒɔɪn] **1** *vt* (*join up with*) rejoindre. **2** *vi* (*retort*) répliquer.
rejuvenate [rɪ'dʒuːvəneɪt] *vt* rajeunir.
rekindle [riː'kɪnd(ə)l] *vt* rallumer.
relapse [rɪ'læps] *n* (*of sick person*) rechute *f* ∎ *vi* rechuter; **to r. into** *Fig* retomber dans.
relate [rɪ'leɪt] **1** *vt* (*narrate*) raconter (**that** que); (*report*) rapporter (**that** que). **2** *vt* (*connect*) établir un rapport entre (*faits etc*); **to r. sth to** (*link*) rattacher qch à ∎ *vi* **to r. to** (*apply to*) se rapporter à; (*get along with*) s'entendre *or* communiquer avec. ● **related** *a* (*linked*) lié (**to** à); (*languages, styles*) apparentés; **to be r. to s.o.** (*by family*) être parent de qn.
relation [rɪ'leɪʃ(ə)n] *n* (*relative*) parent, -ente *mf*; (*relationship*) rapport *m*, relation *f* (**between** entre, **with** avec); **what r. are you to him?** quel est ton lien de parenté avec lui?; **international**/*etc* **relations** relations *fpl* internationales/*etc*; **sexual relations** rapports *mpl* sexuels.
relationship [rɪ'leɪʃ(ə)nʃɪp] *n* (*in family*) lien(s) *m(pl)* de parenté; (*relations*) relations *fpl*, rapports *mpl*; (*connection*) rapport *m*; **in r. to** relativement à.
relative ['relətɪv] **1** *n* (*person*) parent, -ente *mf*. **2** *a* relatif (**to** à); (*qualities etc of two or more people*) respectif; **r. to** (*compared to*) relativement à; **to be r. to** (*depend on*) être fonction de. ● **relatively** *adv* relativement.
relax [rɪ'læks] **1** *vt* (*person, mind*) détendre; ∎ *vi* se détendre; **r.!** (*calm down*) du calme! **2** *vt* (*grip, pressure etc*) relâcher; (*restrictions, control, principles*) assouplir. ● **relaxed** *a* (*person, atmosphere*) décontracté, détendu. ● **relaxing** *a* (*bath etc*) délassant.
relaxation [riːlæk'seɪʃ(ə)n] *n* **1** (*rest, recreation*) détente *f*; (*of body*) décontraction *f*. **2** (*of grip etc*) relâchement *m*; (*of restrictions etc*) assouplissement *m*.
relay ['riːleɪ] *n* relais *m*; **in relays** par relais; **r. (race)** course *f* de relais ∎ *vt* (*message etc*) (*by radio*) retransmettre; (*by letter etc*) *Fig* transmettre (**to** à).
release [rɪ'liːs] *vt* (*free*) libérer (**from** de); (*bomb, s.o.'s hand*) lâcher; (*spring*) déclencher; (*brake*) desserrer; (*film, record*) sortir; (*news, facts*) publier; (*smoke, trapped person*) dégager; (*tension*) éliminer.
∎ *n* (*of prisoner*) libération *f*; (*of film, book*) sortie *f* (**of** de); (*film*) nouveau film *m*; (*record*) nouveau disque *m*; (*relief*) *Fig* délivrance *f*; (*psychological*) défoulement *m*; **a merciful** *or* **happy r.** (*s.o.'s death*) une délivrance; **press r.** communiqué *m* de presse; **to be on general r.** (*of film*) *Br* passer dans toutes les salles.
relegate ['relɪgeɪt] *vt* reléguer (**to** à); **to be relegated** (*of team*) *Br* descendre en division inférieure, subir une relégation.
relent [rɪ'lent] *vi* (*change one's mind*) revenir sur sa décision; (*be swayed*) se laisser fléchir.
relentless [rɪ'lentləs] *a* implacable.
relevant ['relavant] *a* (*apt*) pertinent (**to** à); (*fitting*) approprié; (*useful*) utile; (*significant*) important; **that's not r.** ça n'a rien à voir. ● **relevance** *n* pertinence *f* (**to** à); (*significance*) intérêt *m*; (*connection*) rapport *m* (**to** avec).
reliable [rɪ'laɪəb(ə)l] *a* (*person, information, company etc*) fiable, sérieux, sûr; (*machine*) fiable. ● **relia'bility** *n* (*of person*) sérieux *m*, fiabilité *f*; (*of machine, information, company etc*) fiabilité *f*. ● **reliably** *adv* **to be r. informed that** tenir de source sûre que.
reliance [rɪ'laɪəns] *n* (*dependence*) dépendance *f* (**on** de); (*trust*) confiance *f* (**on** en). ● **reliant** *a* **to be r. on** (*dependent*) dépendre de; (*trusting*) avoir confiance en.
relic ['relɪk] *n* relique *f*; **relics** (*of the past*) vestiges *mpl*.
relief [rɪ'liːf] *n* (*from pain etc*) soulagement *m* (**from** à); (*help, supplies*) secours *m*; (*in art*) & *Geog* relief *m*; **tax r.** dégrèvement *m*; **to be on r.** *Am* recevoir l'aide sociale ∎ *a* (*train, bus etc*) supplémentaire; (*work, troops etc*) de secours; **r. road** *Br* route *f* de délestage.
relieve [rɪ'liːv] *vt* (*pain, suffering etc*) soulager; (*boredom*) dissiper; (*situation*) remédier à; (*take over from*) relayer (*qn*); (*help*) secourir, soulager; **to r. s.o. of sth** (*rid*) débarrasser qn de qch; **to r. s.o. of his post** relever qn de ses fonctions; **to r. congestion in** (*street etc*) décongestionner; **to r. oneself** (*go to the lavatory*) *Hum Fam* se soulager.
religion [rɪ'lɪdʒ(ə)n] *n* religion *f*. ● **religious** *a* religieux; (*war, book*) de religion. ● **religiously** *adv* religieusement.
relinquish [rɪ'lɪŋkwɪʃ] *vt* (*give up*) abandonner; (*let go*) lâcher.
relish ['relɪʃ] *n* (*seasoning*) assaisonnement *m*; (*liking, taste*) goût *m* (**for** pour); (*pleasure*) plaisir *m*; **to eat with r.** manger de bon appétit ∎ *vt* (*food etc*) savourer; (*like*) aimer (**doing** faire).
reload [rɪ'ləʊd] *vt* (*gun, camera*) recharger.
relocate [*Br* riːləʊ'keɪt, *Am* riːˈləʊkeɪt] *vi* (*move to new place*) déménager; **to r. in** *or* **to** s'installer à.
reluctant [rɪ'lʌktənt] *a* (*greeting, gift, promise*) accordé sans enthousiasme *or* à contrecœur; **to be r. (to do)** être peu enthousiaste (pour faire); **a r. teacher**/*etc* un professeur/*etc* malgré lui. ● **reluctance** *n* manque *m* d'enthousiasme, répugnance *f* (**to do** à faire). ● **reluctantly** *adv* sans enthousiasme, à contrecœur.
rely [rɪ'laɪ] *vi* **to r. (up)on** (*count on*) compter sur; (*be dependent on*) dépendre de.
remain [rɪ'meɪn] **1** *vi* rester. **2** *npl* **remains** restes *mpl*; **mortal r.** dépouille *f* mortelle. ● **remaining** *a* qui reste(nt).
remainder [rɪ'meɪndər] **1** *n* reste *m*; **the r.** (*remaining people*) les autres *mfpl*; **the r. of the girls** les autres filles. **2** *n* (*book*) invendu

rental

m soldé ∎ *vt* (*book*) solder; **remaindered bookshop** solderie *f* de livres.
remand [rɪ'mɑ:nd] *vt* **to r. (in custody)** (*in prison*) placer en détention préventive ∎ *n* **on r.** en détention préventive; **r. centre** *Br* centre *m* de détention préventive.
remark [rɪ'mɑ:k] *n* remarque *f* ∎ *vt* (faire) remarquer (**that que**) ∎ *vi* **to r. on** faire des remarques sur. ●**remarkable** *a* remarquable (**for** par). ●**remarkably** *adv* remarquablement.
remarry [ri:'mærɪ] *vi* se remarier.
remedial [rɪ'mi:dɪəl] *a* (*measure*) de redressement; (*treatment*) thérapeutique; **r. class** cours *m* de rattrapage; **r. exercises** (*for handicapped people*) gymnastique *f* corrective.
remedy ['remɪdɪ] *vt* remédier à ∎ *n* remède *m* (**for** contre, à, de).
remember [rɪ'membər] *vt* se souvenir de, se rappeler; (*commemorate*) commémorer; **to r. that/doing** se rappeler que/d'avoir fait; **to r. to do** (*not forget to do*) penser à faire; **r. me to him** *or* **her!** rappelle-moi à son bon souvenir! ∎ *vi* se souvenir, se rappeler. ●**remembrance** *n* (*memory*) souvenir *m*; **in r. of** en souvenir de; **R. Day** *Br Can* = l'Armistice *m*.
remind [rɪ'maɪnd] *vt* rappeler (**s.o. of sth** qch à qn, **s.o. that** à qn que); **to r. s.o. to do** faire penser à qn à faire; **that** *or* **which reminds me!** à propos! ●**reminder** *n* (*of event & letter*) rappel *m*; (*note to do sth*) pensebête *m*; (*souvenir*) souvenir *m*; **it's a r. (for him** *or* **her) that...** c'est pour lui rappeler *or* faire penser que...; **to give s.o. a r. to do sth** faire penser à qn à faire qch, rappeler à qn de faire qch.
reminisce [remɪ'nɪs] *vi* raconter *or* se rappeler ses souvenirs (**about** de). ●**reminiscences** *npl* réminiscences *fpl*.
reminiscent [remɪ'nɪsənt] *a* **r. of** qui rappelle.
remiss [rɪ'mɪs] *a* négligent.
remission [rɪ'mɪʃ(ə)n] *n* (*in prison sentence*) remise *f* (de peine); (*forgiveness*) *Rel* rémission *f*.
remit [rɪ'mɪt] *vt* (**-tt-**) (*money*) envoyer.
remittance [rɪ'mɪtəns] *n* (*sum*) paiement *m*.
remnant ['remnənt] *n* (*remaining part*) reste *m*; (*trace*) vestige *m*; (*of fabric*) coupon *m*; (*oddment*) fin *f* de série.
remodel [ri:'mɒd(ə)l] *vt* (*Br* **-ll-**, *Am* **-l-**) remodeler (**on** sur).
remonstrate ['remənstreɪt] *vi* **to r. with s.o.** faire des remontrances à qn.
remorse [rɪ'mɔ:s] *n* remords *m(pl)* (**for** pour); **to show r.** faire preuve de remords; **without r.** sans remords; (*cruelly*) sans pitié. ●**remorseless** *a* implacable. ●**remorselessly** *adv* (*to hit etc*) implacablement.
remote [rɪ'məʊt] *a* (**-er**, **-est**) **1** (*far-off*) lointain, éloigné; (*isolated*) isolé; (*aloof*) *Fig* distant; **r. from** loin de; **r. control** télécommande *f*. **2** (*slight*) petit, vague; **not the remotest idea** pas la moindre idée. ●**remotely** *adv* (*slightly*) un peu, vaguement; (*situated*) au loin; **not r. aware/***etc* nullement conscient/*etc*. ●**remoteness** *n* éloignement *m*; (*isolation*) isolement *m*; (*aloofness*) *Fig* attitude *f* distante.
remould ['ri:məʊld] *n Br* pneu *m* rechapé.
removable [rɪ'mu:vəb(ə)l] *a* (*lining etc*) amovible.
removal [rɪ'mu:v(ə)l] *n* enlèvement *m*; (*of furniture*) *Br* déménagement *m*; (*of obstacle etc*) suppression *f*; **r. man** *Br* déménageur *m*; **r. van** *Br* camion *m* de déménagement.
remove [rɪ'mu:v] *vt* (*clothes, stain etc*) enlever (**from s.o.** à qn, **from sth** de qch); (*withdraw*) retirer; (*lead away*) emmener (**to** à); (*furniture*) *Br* déménager; (*obstacle, threat, word*) supprimer; (*fear, doubt*) dissiper; (*employee*) renvoyer; (**far**) **removed from** loin de.
remover [rɪ'mu:vər] *n* (*for make-up*) démaquillant *m*; (*for nail polish*) dissolvant *m*; (*for paint*) décapant *m*; (*for stains*) détachant *m*.
remunerate [rɪ'mju:nəreɪt] *vt* rémunérer. ●**remuneration** [-'reɪʃ(ə)n] *n* rémunération *f*.
renaissance [rə'neɪsəns] *n* (*in art etc*) renaissance *f*.
rename [ri:'neɪm] *vt* (*street etc*) rebaptiser; (*file*) *Comptr* renommer.
render ['rendər] *vt* (*give, make*) rendre; (*piece of music*) interpréter; **to r. assistance to s.o.** prêter main-forte à qn. ●**rendering** *n* (*musical*) interprétation *f*; (*translation*) traduction *f*.
rendez-vous ['rɒndɪvu:, *pl* -vu:z] *n inv* rendez-vous *m inv*.
renegade ['renɪɡeɪd] *n* renégat, -ate *mf*.
reneg(u)e [rɪ'ni:ɡ, *Br* rɪ'neɪɡ] *vi* **to r. on** (*promise etc*) revenir sur.
renew [rɪ'nju:] *vt* renouveler; (*resume*) reprendre; (*library book*) renouveler le prêt de. ●**renewed** *a* (*efforts*) renouvelés; (*attempt*) nouveau (*f* nouvelle); **with r. vigour/***etc* avec un regain de vigueur/*etc*.
renewable [rɪ'nju:əb(ə)l] *a* (*passport, energy etc*) renouvelable.
renewal [rɪ'nju:əl] *n* renouvellement *m*; (*resumption*) reprise *f*; (*of strength*) regain *m*.
renounce [rɪ'naʊns] *vt* (*give up*) renoncer à; (*disown*) renier.
renovate ['renəveɪt] *vt* (*house*) rénover, restaurer; (*painting*) restaurer. ●**renovation** [-'veɪʃ(ə)n] *n* rénovation *f*; (*of painting*) restauration *f*.
renown [rɪ'naʊn] *n* renommée *f*. ●**renowned** *a* renommé (**for** pour).
rent [rent] *n* (*for house etc*) loyer *m*; **r. collector** encaisseur *m* de loyers ∎ *vt* louer; **to r. out** louer; **rented car** voiture *f* de location ∎ *vi* **this house/***etc* **rents at £100 per week** cette maison/*etc* se loue à 100 livres par semaine. ●**rent-'free** *adv* sans payer de loyer ∎ *a* gratuit.
rental ['rent(ə)l] *n* (*of television, car etc*)

renunciation 278

(prix *m* de) location *f*; (*of telephone*) abonnement *m*.
renunciation [rɪnʌnsɪ'eɪʃ(ə)n] *n* (*giving up*) renonciation *f* (**of** à); (*disowning*) reniement *m* (**of** de).
reopen [riː'əʊpən] *vti* rouvrir. ●**reopening** *n* réouverture *f*.
reorganize [riː'ɔːgənaɪz] *vt* (*company, schedule etc*) réorganiser.
rep [rep] *n Fam* représentant, -ante *mf* de commerce.
repaid [riː'peɪd] *pt & pp* of **repay**.
repair [rɪ'peər] *n* réparer *f*; **beyond r.** irréparable; **in good/bad r.** en bon/mauvais état; **'road under r.'** *Br* 'travaux'; **r. man** réparateur *m*; **r. woman** réparatrice *f*.
reparation [repə'reɪʃ(ə)n] *n* réparation *f* (**for** de); **reparations** (*money from defeated country*) réparations *fpl*.
repartee [repɑː'tiː] *n* (*sharp reply*) repartie *f*.
repatriate [riː'pætrɪeɪt] *vt* rapatrier.
repay [riː'peɪ] *vt* (*pt & pp* **repaid**) (*pay back*) rembourser; (*kindness*) payer de retour; (*reward*) récompenser (**for** de). ●**repayment** *n* remboursement *m*, récompense *f*.
repeal [rɪ'piːl] *vt* (*law*) abroger ▮ *n* abrogation *f*.
repeat [rɪ'piːt] *vt* répéter (**that** que); (*promise, threat*) réitérer; (*class*) redoubler; **to r. oneself** *or* **itself** se répéter ▮ *vi* répéter; **r. after me** répétez après moi; **I r., you're wrong** je le répète, vous avez tort; **to r. on s.o.** (*of food*) *Fam* revenir à qn ▮ *n* (*on TV, radio*) rediffusion *f*; **r. performance** *f* (*of play*) deuxième représentation *f*. ●**repeated** *a* (*attempts etc*) répétés; (*efforts*) renouvelés. ●**repeatedly** *adv* de nombreuses fois, à maintes reprises.
repel [rɪ'pel] *vt* (**-ll-**) repousser. ●**repellent** *a* repoussant ▮ *n* **insect r.** crème *f* anti-insecte.
repent [rɪ'pent] *vi* se repentir (**of** de). ●**repentance** *n* repentir *m*. ●**repentant** *a* repentant.
repercussions [riːpə'kʌʃ(ə)nz] *npl* répercussions *fpl* (**on** sur).
repertoire ['repətwɑːr] *n Theatre & Fig* répertoire *m*. ●**repertory** *n Theatre & Fig* répertoire *m*; **r. (theatre)** théâtre *m* de répertoire.
repetition [repɪ'tɪʃ(ə)n] *n* répétition *f*. ●**repetitious** *or* **re'petitive** *a* répétitif.
replace [rɪ'pleɪs] *vt* (*take the place of*) remplacer (**by**, **with** par); (*put back*) remettre, replacer; **to r. the receiver** (*of phone*) raccrocher. ●**replacement** *n* (*substitution*) remplacement *m* (**of** de); (*person*) remplaçant, -ante *mf*; (*machine part*) pièce *f* de rechange.
replay ['riːpleɪ] *n Sport* match *m* rejoué *f*; **(instant** *or* **action) r.** (*on TV*) répétition *f* immédiate (au ralenti) ▮ [riː'pleɪ] *vt* (*on tape recorder etc*) repasser (*cassette*).
replenish [rɪ'plenɪʃ] *vt* (*refill*) remplir (de nouveau) (**with** de); (*renew*) renouveler.
replete [rɪ'pliːt] *a Lit* **r. with** rempli de; **r. (with food)** rassasié.
replica ['replɪkə] *n* copie *f* exacte.
reply [rɪ'plaɪ] *vti* répondre (**to** à, **that** que) ▮ *n* réponse *f*; **in r.** en réponse (**to** à).
report [rɪ'pɔːt] *n* (*account*) rapport *m*; (*of meeting*) compte rendu *m*; (*in media*) reportage *m*; (*rumour*) rumeur *f*; (*of gun*) détonation *f*; (*school*) *Br*, **r. card** *Am* bulletin *m* (scolaire); **government r.** rapport *m* du gouvernement; **weather r.** prévisions *fpl* météorologiques.
▮ *vt* (*give account of*) rapporter, rendre compte de; (*announce*) annoncer (**that** que); (*notify*) signaler (**to** à); (*denounce*) dénoncer (**to** à); (*in newspaper*) faire un reportage sur (*événement etc*).
▮ *vi* faire un rapport (**on** sur); (*of journalist*) faire un reportage (**on** sur); (*go*) se présenter (**to** à, **to s.o.** chez qn, **for work** au travail). ●**reported** *a* **r. speech** *Grammar* discours *m* indirect; **it is r. that** on dit que; **to be r. missing** être porté disparu. ●**reportedly** *adv* à ce qu'on dit. ●**reporting** *n* (*of journalist*) reportage *m*. ●**reporter** *n* reporter *m*.
repose [rɪ'pəʊz] *n Lit* repos *m*.
repository [rɪ'pɒzɪtərɪ] *n* dépôt *m*.
repossess [riːpə'zes] *vt* (*house, car etc*) reprendre possession de.
reprehensible [reprɪ'hensəb(ə)l] *a* répréhensible.
represent [reprɪ'zent] *vt* représenter. ●**representation** [-'teɪʃ(ə)n] *n* représentation *f*; **representations** (*complaints*) remontrances *fpl*.
representative [reprɪ'zentətɪv] *a* représentatif (**of** de) ▮ *n* représentant, -ante *mf*; *Pol Am* député *m*.
repress [rɪ'pres] *vt* (*feeling, anger, tears*) réprimer, refouler; (*uprising*) mater; (*rebels*) mater; **to be repressed** (*frustrated*) être refoulé. ●**repression** [-ʃ(ə)n] *n* répression *f*. ●**repressive** *a* (*régime etc*) répressif; (*measures*) de répression.
reprieve [rɪ'priːv] *n* (*for condemned prisoner*) commutation *f*; (*temporary*) sursis *m*; *Fig* répit *m*, sursis *m* ▮ *vt* accorder une commutation *or* un sursis *or Fig* un répit à.
reprimand ['reprɪmɑːnd] *n* réprimande *f* ▮ *vt* réprimander.
reprint ['riːprɪnt] *n* (*reissue*) réimpression *f* ▮ [riː'prɪnt] *vt* réimprimer.
reprisal [rɪ'praɪz(ə)l] *n* **reprisals** représailles *fpl*; **as a r. for, in r. for** en représailles de.
reproach [rɪ'prəʊtʃ] *n* (*blame*) reproche *m*; (*shame*) honte *f*; **beyond r.** sans reproche ▮ *vt* reprocher (**s.o. for sth** qch à qn). ●**reproachful** *a* réprobateur. ●**reproachfully** *adv* d'un ton *or* d'un air réprobateur.
reprocess [riː'prəʊses] *vt* retraiter; **reprocessing plant** usine *f* de retraitement.
reproduce [riːprə'djuːs] *vt* reproduire ▮ *vi* (*of animals, plants etc*) se reproduire. ●**reproduction** [-'dʌkʃ(ə)n] *n* (*of sound, docu-*

ment etc) & *Biol Bot* reproduction *f*. ●**reproductive** *a* reproducteur.
reproof [rɪˈpruːf] *n Lit* réprobation *f*.
reptile [ˈreptaɪl] *n* reptile *m*.
republic [rɪˈpʌblɪk] *n* république *f*. ●**republican** *a* & *n* républicain, -aine (*mf*).
repudiate [rɪˈpjuːdɪeɪt] *vt* (*behaviour, violence etc*) condamner; (*offer*) repousser; (*accusation*) rejeter; (*spouse, idea*) répudier.
repugnant [rɪˈpʌɡnənt] *a* répugnant; **he's r. to me** il me répugne. ●**repugnance** *n* répugnance *f* (**for** pour).
repulse [rɪˈpʌls] *vt* repousser. ●**repulsion** [-ʃ(ə)n] *n* répulsion *f*. ●**repulsive** *a* (*face, person etc*) repoussant.
reputable [ˈrepjʊtəb(ə)l] *a* de bonne réputation. ●**repute** [rɪˈpjuːt] *n* réputation *f*; **of r.** de bonne réputation. ●**reˈputed** *a* to be r. to be être réputé pour être, passer pour être. ●**reˈputedly** *adv* à ce qu'on dit.
reputation [repjʊˈteɪʃ(ə)n] *n* réputation *f*; **to have a r. for being frank/***etc* **or for frankness/***etc* avoir la réputation d'être franc/*etc*.
request [rɪˈkwest] *n* demande *f* (**for** de); **on r.** sur demande; **at s.o.'s r.** à la demande de qn; **by popular r.** à la demande générale; **r. stop** (*for bus*) *Br* arrêt *m* facultatif ▌ *vt* demander (**sth from** *or* **of s.o.** qch à qn, **s.o. to do** à qn de faire).
requiem [ˈrekwɪəm] *n* requiem *m inv*.
require [rɪˈkwaɪər] *vt* (*of thing*) (*necessitate*) demander; (*demand*) exiger; (*of person*) avoir besoin de (*qch, qn*); (*staff, employee*) rechercher; **to r. sth of s.o.** (*order*) exiger qch de qn; **to r. s.o. to do sth** exiger de qn qu'il fasse qch; (*ask*) demander à qn de faire qch; **if required** s'il le faut; **the required qualities/***etc* les qualités *fpl/etc* qu'il faut; **required condition** condition *f* requise. ●**requirement** *n* (*need*) exigence *f*; (*condition*) condition *f* (requise).
requisite [ˈrekwɪzɪt] **1** *a* nécessaire. **2** *n* (*for travel etc*) article *m*; **toilet requisites** articles *mpl* or nécessaire *m* de toilette.
requisition [rekwɪˈzɪʃ(ə)n] *vt* réquisitionner ▌ *n* réquisition *f*.
reroute [riːˈruːt] *vt* (*aircraft etc*) dérouter.
rerun [ˈriːrʌn] *n* (*of film*) reprise *f*; (*of TV programme*) rediffusion *f*.
resale [ˈriːseɪl] *n* revente *f*.
resat [riːˈsæt] *pt* & *pp* of **resit**.
reschedule [*Br* riːˈʃedjuːl, *Am* riːˈskedjuːl] *vt* (*meeting etc*) déplacer.
rescind [rɪˈsɪnd] *vt Jur* annuler; (*law*) abroger.
rescue [ˈreskjuː] *vt* (*save*) sauver; (*set free*) délivrer (**from** de); (*in action*) sauvetage *m* (**of** de); (*help, troops etc*) secours *mpl*; **to go/come to s.o.'s r.** aller/venir au secours de qn; **to the r.** à la rescousse ▌ *a* (*team, operation, attempt*) de sauvetage. ●**rescuer** *n* sauveteur *m*.
research [rɪˈsɜːtʃ] *n* recherches *fpl* (**on, into** sur); **some r.** des recherches, de la recherche; **a piece of r.** (*work*) un travail de recherche ▌ *vi* faire des recherches (**on, into** sur). ●**researcher** *n* chercheur, -euse *mf*.
resemble [rɪˈzemb(ə)l] *vt* ressembler à. ●**resemblance** *n* ressemblance *f* (**to** avec).
resent [rɪˈzent] *vt* (*be angry about*) s'indigner de, ne pas aimer; (*be bitter about*) éprouver de l'amertume à l'égard de; **I r. that** ça m'indigne. ●**resentful** *a* **to be r.** éprouver de l'amertume. ●**resentment** *n* amertume *f*, ressentiment *m*.
reservation [rezəˈveɪʃ(ə)n] *n* **1** (*booking*) réservation *f*; (*doubt etc*) réserve *f*; **to make a r.** réserver; **do you have a r.?** avez-vous réservé? **2** (*land for Indians, animals*) *Am* réserve *f*; **central r.** (*on road*) *Br* terre-plein *m*.
reserve [rɪˈzɜːv] **1** *vt* (*room, decision etc*) réserver; (*right*) se réserver; (*one's strength*) ménager; **to r. one's strength** ménager ses forces ▌ *n* (*reticence*) réserve *f*.
2 *n* (*land, stock*) réserve *f*; **r.** (*player*) (*in team*) remplaçant, -ante *mf*; **the reserves** (*troops*) les réserves *fpl*; **foreign exchange reserves** réserves *fpl* en devises; **nature r.** réserve *f* naturelle; **in r.** en réserve; **r. tank** (*of vehicle, aircraft*) réservoir *m* de secours. ●**reserved** *a* (*person, room*) réservé.
reservoir [ˈrezəvwɑːr] *n* (*of water etc*) & *Fig* réservoir *m*.
resettle [riːˈset(ə)l] *vt* (*refugees*) implanter.
reshape [riːˈʃeɪp] *vt* (*industry etc*) réorganiser.
reshuffle [riːˈʃʌf(ə)l] *n* (*cabinet*) **r.** remaniement *m* (ministériel) ▌ *vt Pol* remanier.
reside [rɪˈzaɪd] *vi* résider.
residence [ˈrezɪdəns] *n* (*home*) résidence *f*; (*of students*) foyer *m*; **to take up r.** s'installer; **in r.** (*doctor*) sur place; (*students on campus*) *Br* sur le campus; (*in halls of residence*) *Br* rentrés; **r. permit** *Br* permis *m* de séjour.
resident [ˈrezɪdənt] **1** *n* habitant, -ante *mf*; (*of hotel*) pensionnaire *mf*; (*foreigner*) résident, -ente *mf* ▌ *a* résidant, qui habite sur place; (*doctor, nurse*) à demeure; (*population*) fixe; (*correspondent*) permanent; **to be r. in London** résider à Londres. **2** *n* (*doctor*) *Am* interne *mf*.
residential [rezɪˈdenʃ(ə)l] *a* (*neighbourhood etc*) résidentiel.
residue [ˈrezɪdjuː] *n* résidu *m*. ●**residual** [rɪˈzɪdjʊəl] *a* (*pain, doubt*) qui subsiste.
resign [rɪˈzaɪn] *vt* (*one's post*) démissionner de; (*right, claim*) abandonner; **to r. oneself to sth/to doing** se résigner à qch/à faire ▌ *vi* démissionner (**from** de); **to r. from one's job** démissionner. ●**resigned** *a* (*person, attitude etc*) résigné.
resignation [rezɪɡˈneɪʃ(ə)n] *n* (*from job*) démission *f*; (*attitude*) résignation *f*.
resilient [rɪˈzɪlɪənt] *a* élastique; (*person*) *Fig* résistant. ●**resilience** *n* élasticité *f*; *Fig* résistance *f*.
resin [ˈrezɪn] *n* résine *f*.

resist

resist [rɪˈzɪst] *vt* (*attack, attacker etc*) résister à; **to r. doing sth** se retenir de faire qch; **she can't r. cakes** elle ne peut pas résister devant des gâteaux; **he can't r. her** (*indulgence*) il ne peut rien lui refuser; (*charm*) il ne peut pas résister à son charme ∎ *vi* résister. ● **resistance** *n* résistance *f* (**to** à). ● **resistant** *a* résistant (**to** à); **r. to** (*virus etc*) rebelle à.

resit [riːˈsɪt] *vt* (*pt & pp* **resat**, *pres p* **resitting**) (*exam*) *Br* repasser.

resolute [ˈrezəluːt] *a* résolu. ● **resolutely** *adv* résolument. ● **resolution** [-ˈluːʃ(ə)n] *n* résolution *f*.

resolve [rɪˈzɒlv] *vt* (*problem etc*) résoudre; **to r. to do sth** résoudre de faire qch; **to r. that** résoudre que; **to be resolved to do sth** être résolu à faire qch ∎ *n* résolution *f*.

resonant [ˈrezənənt] *a* (*voice*) réson(n)ant; **to be r. with** résonner de. ● **resonance** *n* résonance *f*.

resort [rɪˈzɔːt] **1** *vi* **to r. to sth** (*turn to*) avoir recours à qch; **to r. to doing sth** en venir à faire qch; **to r. to drink** se rabattre sur la boisson ∎ *n* (*recourse*) recours *m* (**to** à); **as a last r., in the last r.** en dernier ressort; **without r. to** sans recourir à. **2** *n* (*Br holiday or Am vacation*) **r. station** *f* de vacances; **seaside r.** *Br*, **beach r.** *Am* station *f* balnéaire; **ski r.** station *f* de ski.

resound [rɪˈzaʊnd] *vi* résonner (**with** de); *Fig Lit* avoir du retentissement. ● **resounding** *a* (*success, victory, noise*) retentissant.

resource [rɪˈsɔːs, rɪˈzɔːs] *n* (*expedient, recourse*) ressource *f*; **resources** (*wealth, means*) ressources *fpl*. ● **resourceful** *a* (*person, scheme*) ingénieux. ● **resourcefulness** *n* ingéniosité *f*, ressource *f*.

respect [rɪˈspekt] *n* respect *m* (**for** pour, de); (*aspect*) égard *m*; **with r. to, in r. of** en ce qui concerne; **with all due r.** sans vouloir vous vexer ∎ *vt* respecter. ● **respectability** *n* respectabilité *f*.

respectable [rɪˈspektəb(ə)l] *a* (*honourable, sizeable, quite good*) respectable; (*satisfying*) (*results, score etc*) honnête; (*clothes, behaviour*) convenable. ● **respectably** *adv* (*to dress etc*) convenablement; (*rather well*) passablement.

respectful [rɪˈspektfəl] *a* respectueux (**to** envers, **of** de). ● **respectfully** *adv* respectueusement.

respective [rɪˈspektɪv] *a* respectif. ● **respectively** *adv* respectivement.

respiration [respɪˈreɪʃ(ə)n] *n* respiration *f*; **artificial r.** respiration *f* artificielle.

respite [ˈrespɪt, *Br* ˈrespaɪt] *n* répit *m*.

resplendent [rɪˈsplendənt] *a* *Lit* resplendissant.

respond [rɪˈspɒnd] *vi* répondre (**to** à); **to r. to treatment** bien réagir *or* réagir positivement au traitement. ● **response** *n* réponse *f*; **in r. to** en réponse à.

responsible [rɪˈspɒnsəb(ə)l] *a* responsable (**for** de, **to s.o.** devant qn); (*job*) à responsa-

bilités; **who's r. for...?** qui est chargé de...?, qui s'occupe de...? ● **responsibility** *n* responsabilité *f*. ● **responsibly** *adv* de façon responsable.

responsive [rɪˈspɒnsɪv] *a* (*reacting*) qui réagit bien; (*alert*) éveillé; (*attentive*) qui fait attention; **r. to** (*kindness*) sensible à; (*suggestion*) réceptif à. ● **responsiveness** *n* (bonne) réaction *f*.

respray [riːˈspreɪ] *vt* (*vehicle*) repeindre.

rest[1] [rest] *n* (*relaxation*) repos *m*; (*support*) support *m*; **to have** *or* **take a r.** se reposer; **to set** *or* **put s.o.'s mind at r.** tranquilliser qn; **to come to r.** (*of ball etc*) s'immobiliser; (*of bird, eyes*) se poser (**on** sur); **r. home** maison *f* de repos; **r. room** *Am* toilettes *fpl*.
∎ *vi* (*relax*) se reposer; (*be buried*) reposer; **to r. on** (*of argument, roof*) reposer sur; **I won't r. till** je n'aurai de cesse que (+ *sub*); **to be resting on sth** (*of hand etc*) être posé sur qch; **a resting place** un lieu de repos.
∎ *vt* (*lean*) appuyer, poser (**on** sur); (*base*) fonder (**on** sur); (*eyes etc*) reposer; (*horse etc*) laisser reposer.

rest[2] [rest] *n* (*remainder*) reste *m* (**of** de); **the r.** (*others*) les autres *mfpl*; **the r. of the men**/*etc* les autres hommes/*etc* ∎ *vi* (*remain*) **r. assured** soyez assuré (**that** que); **it rests with you to do** il vous incombe de faire.

restaurant [ˈrestərɒnt] *n* restaurant *m*; **r. car** (*in train*) *Br* wagon-restaurant *m*.

restful [ˈrestfəl] *a* reposant.

restitution [restɪˈtjuːʃ(ə)n] *n* (*compensation for damage*) réparation *f*; **to make r. of sth** restituer qch.

restive [ˈrestɪv] *a* (*person, horse*) rétif.

restless [ˈrestləs] *a* agité. ● **restlessly** *adv* avec agitation. ● **restlessness** *n* agitation *f*.

restore [rɪˈstɔːr] *vt* (*give back*) rendre (**to** à); (*order, peace, rights*) rétablir; (*building, painting*) restaurer; **to r. s.o. to** (*former condition, power etc*) ramener qn à. ● **restoration** [restəˈreɪʃ(ə)n] *n* (*of building etc*) restauration *f*; (*of order, peace etc*) rétablissement *m*.

restrain [rɪˈstreɪn] *vt* (*person*) retenir, maîtriser; (*crowd, anger, tears*) contenir, retenir; (*curb*) contenir (*inflation etc*); **to r. s.o. from doing** retenir qn de faire; **to r. oneself** se retenir, se maîtriser. ● **restrained** *a* (*feelings*) contenu; (*tone*) mesuré. ● **restraint** *n* (*moderation*) retenue *f*, mesure *f*; (*restriction*) contrainte *f*; **wage r.** limitation *f* des salaires.

restrict [rɪˈstrɪkt] *vt* limiter, restreindre (**to** à). ● **restricted** *a* (*space, use*) restreint; (*sale*) contrôlé. ● **restriction** [-ʃ(ə)n] *n* restriction *f*, limitation *f* (**on** à). ● **restrictive** *a* restrictif.

result [rɪˈzʌlt] *n* (*outcome, success*) résultat *m*; **as a r.** en conséquence; **as a r. of** par suite de ∎ *vi* résulter (**from** de); **to r. in** (*lead to*) aboutir à (*échec, désespoir etc*).

resume [rɪˈzjuːm] *vti* (*begin or take again*) reprendre; **to r. doing** se remettre à faire. ● **resumption** [rɪˈzʌmpʃ(ə)n] *n* reprise *f*.

résumé [ˈrezjʊmeɪ] *n* (*summary*) résumé *m*;

reverend

Am curriculum vitae *m inv*.
resurface [riː'sɜːfɪs] *vt* (*road*) refaire le revêtement de.
resurgence [rɪ'sɜːdʒəns] *n* réapparition *f*.
resurrect [rezə'rekt] *vt* (*custom, memory etc*) ressusciter. ● **resurrection** [-ʃ(ə)n] *n* résurrection *f*.
resuscitate [rɪ'sʌsɪteɪt] *vt Med* r(é)animer (*qn*). ● **resuscitation** [-'teɪʃ(ə)n] *n* r(é)animation *f*.
retail ['riːteɪl] *n* (vente *f* au) détail *m* ∎ *a* (*price, shop etc*) de détail ∎ *vi* se vendre (au détail) (**at** à) ∎ *vt* vendre (au détail), détailler ∎ *adv* (*to sell*) au détail. ● **retailer** *n* détaillant *m*.
retain [rɪ'teɪn] *vt* (*freshness, heat, hope etc*) conserver; (*hold back, remember*) retenir. ● **retainer** *n* (*fee*) acompte *m*, avance *f*. ● **retention** [rɪ'tenʃ(ə)n] *n* (*memory*) mémoire *f*; **the r. of** (*heat etc*) la conservation de. ● **retentive** *a* (*memory*) fidèle.
retaliate [rɪ'tælɪeɪt] *vi* riposter (**against s.o.** contre qn, **against an attack** à une attaque). ● **retaliation** [-'eɪʃ(ə)n] *n* riposte *f*, représailles *fpl*; **in r. for** en représailles de.
retarded [rɪ'tɑːdɪd] *a* (**mentally**) **r.** arriéré.
retch [retʃ] *vi* avoir un *or* des haut-le-cœur.
rethink [riː'θɪŋk] *vt* (*pt & pp* **rethought**) repenser.
reticent ['retɪsənt] *a* réticent. ● **reticence** *n* réticence *f*.
retina ['retɪnə] *n* (*of eye*) rétine *f*.
retire [rɪ'taɪər] **1** *vi* (*from work*) prendre sa retraite ∎ *vt* mettre (*qn*) à la retraite. **2** *vi* (*withdraw*) se retirer (**from** de, **to** à); (*go to bed*) aller se coucher. ● **retired** *a* (*no longer working*) retraité. ● **retiring** *a* **1** (*official, president etc*) sortant; **r. age** l'âge *m* de la retraite. **2** (*reserved*) réservé.
retirement [rɪ'taɪəmənt] *n* retraite *f*; **on** (**my**) **r.** dès mon départ à la *or* en retraite; **r. age** l'âge *m* de la retraite.
retort [rɪ'tɔːt] *vt* rétorquer ∎ *n* réplique *f*.
retrace [rɪ'treɪs] *vt* (*past event*) se remémorer, reconstituer; **to r. one's steps** revenir sur ses pas, rebrousser chemin.
retract [rɪ'trækt] **1** *vt* (*statement etc*) rétracter ∎ *vi* (*of person*) se rétracter. **2** *vt* (*claws, undercarriage etc*) rentrer. ● **retraction** [-ʃ(ə)n] *n* (*of statement*) rétractation *f*.
retrain [riː'treɪn] *vi* se recycler ∎ *vt* recycler. ● **retraining** *n* recyclage *m*.
retread ['riːtred] *n* pneu *m* rechapé.
retreat [rɪ'triːt] *n* (*withdrawal*) retraite *f*; (*place*) refuge *m* ∎ *vi* se retirer (**from** de); (*of troops etc*) battre en retraite.
retrial [riː'traɪəl] *n* Jur nouveau procès *m*.
retribution [retrɪ'bjuːʃ(ə)n] *n* châtiment *m*.
retrieve [rɪ'triːv] *vt* (*recover*) récupérer; (*rescue*) sauver (**from** de); (*loss, error*) réparer; (*data*) *Comptr* récupérer; (*honour*) rétablir. ● **retrieval** *n* récupération *f* (**of** de); **information r.** recherche *f* documentaire; *Comptr* recherche *f* de données. ● **retriever** *n* (*dog*) chien *m* d'arrêt.

retro- ['retrəʊ] *pref* rétro-.
retroactive [retrəʊ'æktɪv] *a* (*pay increase etc*) avec effet rétroactif.
retrograde ['retrəʊgreɪd] *a* rétrograde.
retrospect ['retrəspekt] *n* **in r.** rétrospectivement.
retrospective [retrə'spektɪv] **1** *a* (*law, effect*) rétroactif. **2** *n* (*of film director, artist*) rétrospective *f*.
retune [riː'tjuːn] *vi* **to r. to** (*a different radio station or wavelength*) régler la radio sur.
return [rɪ'tɜːn] *vi* (*come back*) revenir; (*go back*) retourner; (*go back home*) rentrer; **to r. to** (*subject*) revenir à.
∎ *vt* (*give back*) rendre; (*put back*) remettre; (*bring back*) rapporter; (*send back*) renvoyer; (*profit*) rapporter; (*greeting*) répondre à; (*candidate in election*) élire; **'r. to sender'** 'retour à l'envoyeur'; **to r. s.o.'s phone call** rappeler qn.
∎ *n* retour *m*; (*on investment*) rendement *m*, rapport *m*; **returns** (*profits*) bénéfices *mpl*; (*results*) *Pol etc* résultats *mpl*; **r.** (**ticket**) *Br* (billet *m* d')aller et retour *m*; **tax r.** déclaration *f* de revenus; **many happy returns of the day**)! bon anniversaire!; **in r.** (*exchange*) en échange (**for** de).
∎ *a* (*trip, flight etc*) (de) retour; **r. match**, **r. game** match *m* retour. ● **returnable** *a* (*bottle*) consigné.
reunion [riː'juːnɪən] *n* réunion *f*. ● **reu'nite** *vt* réunir; **to be reunited with s.o.** retrouver qn; **to r. s.o. with s.o.** faire se retrouver qn et qn; **the whole family were reunited** tous les membres de la famille se sont retrouvés.
re-use [riː'juːz] *vt* réutiliser.
rev [rev] *n* (*of car engine*) *Fam* tour *m*; **r. counter** compte-tours *m inv* ∎ *vt* (**-vv-**) **to r.** (**up**) (*engine*) *Fam* faire ronfler.
Rev [rev] *abbr* Reverend.
revamp [riː'væmp] *vt* (*method, play etc*) remanier.
reveal [rɪ'viːl] *vt* (*make known*) révéler (**that** que); (*make visible*) laisser voir. ● **revealing** *a* (*sign etc*) révélateur.
revel ['rev(ə)l] *vi* (*Br* **-ll-**, *Am* **-l-**) faire la fête; **to r. in sth** se délecter de qch. ● **revelling** (*Am* **reveling**) or **revelry** *n* festivités *fpl*. ● **reveller** (*Am* **reveler**) *n* noceur, -euse *mf*.
revelation [revə'leɪʃ(ə)n] *n* révélation *f*.
revenge [rɪ'vendʒ] *n* vengeance *f*; *Sport* revanche *f*; **to have** *or* **get one's r.** se venger (**on s.o.** de qn, **on s.o. for sth** de qch sur qn); **in r.** pour se venger ∎ *vt* venger.
revenue ['revənjuː] *n* (*income*) revenu *m*; **the R.** *Br* le fisc, le service des impôts.
reverberate [rɪ'vɜːbəreɪt] *vi* (*of sound*) se répercuter; (*have an effect*) (*of news etc*) avoir des répercussions.
revere [rɪ'vɪər] *vt* révérer.
reverence ['revərəns] *n* révérence *f*.
reverend ['rev(ə)rənd] *a* **r. father** *Rel* révérend père *m* ∎ *n* **R. Smith** (*Anglican*) le révérend Smith; (*Catholic*) l'abbé *m* Smith;

reverent

(*Jewish*) le rabbin Smith.
reverent ['revərənt] *a* respectueux.
reversal [rɪ'vɜːsəl] *n* (*of situation*) renversement *m*; (*of policy, opinion*) revirement *m*; **r. (of fortune)** revers *m* (de fortune).
reverse [rɪ'vɜːs] *a* (*opposite*) contraire; (*image*) inverse; **in r. order** dans l'ordre inverse; **r. side** (*of coin etc*) revers *m*; (*of paper*) verso *m*.
▌ *n* contraire *m*; (*of coin, fabric etc*) revers *m*; (*of paper*) verso *m*; (*setback*) *Fig* revers *m*; **in r. (gear)** (*when driving*) en marche arrière.
▌ *vt* (*situation*) renverser; (*order, policy*) inverser; (*decision*) annuler; (*bucket etc*) retourner; **to r. the charges** (*when phoning*) *Br* téléphoner en PCV.
▌ *vti Br* **to r. (the car)** faire marche arrière; **to r. in/out** rentrer/sortir en marche arrière; **to r. into a tree**/*etc* rentrer dans un arbre/*etc* en faisant marche arrière; **reversing lights** *Br* feux *mpl* de recul.
reversible [rɪ'vɜːsəb(ə)l] *a* (*fabric etc*) réversible.
revert [rɪ'vɜːt] *vi* **to r. to** revenir à; (*of situation*) retourner à.
review [rɪ'vjuː] **1** *vt* (*book, film etc*) faire la critique de; (*troops, one's life*) passer en revue; (*situation*) réexaminer; (*salary, opinion*) réviser ▌ *n* (*of book, film etc*) critique *f*; (*of troops*) revue *f*; (*of salary, opinion*) révision *f*. **2** *n* (*magazine*) revue *f*. ● **reviewer** *n* critique *m*.
revile [rɪ'vaɪl] *vt* invectiver.
revise [rɪ'vaɪz] *vt* (*opinion, notes, text*) réviser ▌ *vi* (*for exam*) réviser (**for** pour). ● **revision** [rɪ'vɪʒ(ə)n] *n* révision *f*.
revitalize [riː'vaɪt(ə)laɪz] *vt* revitaliser.
revival [rɪ'vaɪvəl] *n* (*of custom, business, play*) reprise *f*; (*of country*) essor *m*; (*of faith, fashion, the arts*) renouveau *m*.
revive [rɪ'vaɪv] *vt* (*unconscious person, memory, conversation*) ranimer; (*dying person*) réanimer; (*custom, fashion, plan*) ressusciter; (*hope, interest*) faire renaître ▌ *vi* (*of unconscious person*) reprendre connaissance; (*of country, dying person*) ressusciter; (*of hope, interest*) renaître.
revoke [rɪ'vəʊk] *vt* (*decision*) annuler; (*contract*) révoquer.
revolt [rɪ'vəʊlt] **1** *n* révolte *f* ▌ *vi* (*rebel*) se révolter (**against** contre). **2** *vt* (*disgust*) révolter. ● **revolting** *a* dégoûtant; (*injustice*) révoltant.
revolution [revə'luːʃ(ə)n] *n* révolution *f*. ● **revolutionary** *a & n* révolutionnaire (*mf*). ● **revolutionize** *vt* révolutionner.
revolve [rɪ'vɒlv] *vi* tourner (**around** autour de). ● **revolving** *a* **r. chair** fauteuil *m* pivotant; **r. door(s)** (porte *f* à) tambour *m*.
revolver [rɪ'vɒlvər] *n* revolver *m*.
revue [rɪ'vjuː] *n* (*theatrical*) revue *f*.
revulsion [rɪ'vʌlʃ(ə)n] *n* **1** (*disgust*) dégoût *m*; **to have a sense of r.** être rempli de dégoût. **2** (*change*) revirement *m*.

reward [rɪ'wɔːd] *n* récompense *f* (**for** de) ▌ *vt* récompenser (**s.o. for sth** qn de *or* pour qch). ● **rewarding** *a* (*worthwhile*) qui (en) vaut la peine; (*satisfying*) satisfaisant; (*financially*) rémunérateur.
rewind [riː'waɪnd] *vt* (*pt & pp* **rewound**) (*tape*) rembobiner ▌ *vi* (*of tape*) se rembobiner.
rewire [riː'waɪər] *vt* (*house etc*) refaire l'installation électrique de.
rewrite [riː'raɪt] *vt* (*pt* **rewrote**, *pp* **rewritten**) récrire; (*edit*) réécrire.
rhapsody ['ræpsədɪ] *n* rhapsodie *f*.
rhesus ['riːsəs] *n* rhésus *m*; **r. positive/negative** rhésus positif/négatif.
rhetoric ['retərɪk] *n* rhétorique *f*. ● **rhe'torical** *a* **r. question** question *f* de pure forme.
rheumatism ['ruːmətɪz(ə)m] *n* rhumatisme *m*; **to have r.** avoir des rhumatismes. ● **rheu'matic** *a* (*pain*) rhumatismal; (*person*) rhumatisant.
Rhine [raɪn] *n* **the R.** le Rhin.
rhinoceros [raɪ'nɒsərəs] *n* rhinocéros *m*.
rhododendron [rəʊdə'dendrən] *n* rhododendron *m*.
Rhône [rəʊn] *n* **the R.** le Rhône.
rhubarb ['ruːbɑːb] *n* rhubarbe *f*.
rhyme [raɪm] *n* rime *f*; (*poem*) vers *mpl* ▌ *vi* rimer (**with** avec).
rhythm ['rɪð(ə)m] *n* rythme *m*. ● **rhythmic(al)** *a* rythmique.
rib [rɪb] *n* (*bone*) côte *f*; **to have a broken r.** avoir une côte cassée.
ribald ['rɪb(ə)ld] *a Lit* grivois.
ribbon ['rɪbən] *n* ruban *m*; **to tear to ribbons** mettre en lambeaux.
rice [raɪs] *n* riz *m*; **brown r.** riz complet. ● **ricefield** *n* rizière *f*.
rich [rɪtʃ] *a* (**-er**, **-est**) (*person, food etc*) riche; (*profits*) gros; **r. in vitamins**/*etc* riche en vitamines/*etc* ▌ *n* **the r.** les riches *mpl*. ● **riches** *npl* richesses *fpl*. ● **richly** *adv* (*illustrated, dressed etc*) richement; (*deserved*) amplement. ● **richness** *n* richesse *f*.
rick [rɪk] *vt* **to r. one's back** se tordre le dos.
rickets ['rɪkɪts] *npl* (*disease*) rachitisme *m*.
rickety ['rɪkɪtɪ] *a* (*furniture*) branlant.
rickshaw ['rɪkʃɔː] *n* pousse(-pousse) *m inv*.
ricochet ['rɪkəʃeɪ] *vi* ricocher ▌ *n* ricochet *m*.
rid [rɪd] *vt* (*pt & pp* **rid**, *pres p* **ridding**) débarrasser (**of** de); **to get r. of**, **r. oneself of** débarrasser de. ● **riddance** *n* **good r.!** *Fam* bon débarras!
ridden ['rɪd(ə)n] *pp of* **ride**.
-ridden ['rɪd(ə)n] *suff* **debt-r.** criblé de dettes; **disease-r.** en proie à la maladie.
riddle ['rɪd(ə)l] **1** *n* (*puzzle*) énigme *f*. **2** *vt* cribler (**with** de); **riddled with** (*bullets, holes, mistakes*) criblé de; (*corruption*) en proie à; (*criminals*) plein de; (*cancer*) rongé par.
ride [raɪd] *n* (*on bicycle, by car etc*) promenade *f*; (*distance*) trajet *m*; (*in taxi*) course *f*; (*on merry-go-round*) tour *m*; **to go for a (car) r.** faire une promenade (en voiture); **to**

give s.o. **a r.** (*in a car*) emmener qn en voiture; **to have a r. on** (*bicycle*) monter sur; **to take s.o. for a r.** (*deceive*) *Fam* mener qn en bateau.

▮ *vi* (*pt* **rode**, *pp* **ridden**) aller (à bicyclette, à moto, à cheval *etc*) (**to** à); **to r., go riding** (*on horse*) monter (à cheval); **to be riding in a car** être en voiture; **to r. up** (*of skirt*) remonter.

▮ *vt* (*a particular horse*) monter; (*distance*) faire (à cheval *etc*); **to r. a horse** *or* **horses** (*go riding*) monter à cheval; **I was riding (on) a bicycle/donkey** j'étais à bicyclette/à dos d'âne; **to know how to r. a bicycle** savoir faire de la bicyclette; **to r. a bicycle to** aller à bicyclette à; **may I r. your bicycle?** puis-je monter sur ta bicyclette?; **to r. s.o.** (*annoy*) *Am Fam* harceler qn.

rider ['raɪdər] *n* **1** (*on horse*) cavalier, -ière *mf*; (*cyclist*) cycliste *mf*. **2** (*to document*) annexe *f*; **to add a r. to** (*statement*) apporter une nuance *or* une précision à.

ridge [rɪdʒ] *n* (*of roof, mountain*) arête *f*.

ridicule ['rɪdɪkjuːl] *n* ridicule *m*; **to hold up to r.** tourner en ridicule; **object of r.** objet *m* de risée ▮ *vt* tourner en ridicule, ridiculiser.

ridiculous [rɪ'dɪkjʊləs] *a* ridicule.

riding ['raɪdɪŋ] *n* (*horse*) **r.** équitation *f*; **r. boots** bottes *fpl* de cheval; **r. school** école *f* d'équitation, manège *m*.

rife [raɪf] *a* (*widespread*) répandu.

riffraff ['rɪfræf] *n* racaille *f*.

rifle ['raɪf(ə)l] **1** *n* fusil *m*, carabine *f*. **2** *vt* (*drawers, pockets etc*) vider; **to r. through** (*search through*) fouiller dans (*papiers etc*).

rift [rɪft] *n* (*in political party*) scission *f*; (*disagreement*) désaccord *m*; (*crack in rock etc*) fissure *f*.

rig [rɪg] **1** *n* (**oil**) **r.** derrick *m*; (*at sea*) plateforme *f* pétrolière. **2** *vt* (**-gg-**) (*result, election etc*) *Pej* truquer; **to r. up** (*equipment*) installer; (*meeting etc*) *Fam* arranger. **3** *vt* (**-gg-**) **to r. out** (*dress*) *Br Fam* habiller. ●**rig-out** *n Br Fam* tenue *f*.

rigging ['rɪgɪŋ] *n* (*ropes on ship*) gréement *m*.

right[1] [raɪt] **1** *a* (*correct*) bon (*f* bonne), exact, juste; (*fair*) juste; **r. angle** *Math* angle *m* droit; **to be r.** (*of person*) avoir raison (**to do** de faire); **it's the r. road** c'est la bonne route, c'est bien la route; **the r. choice/time/** *etc* le bon choix/moment/*etc*; **it's the r. time** (*accurate*) c'est l'heure exacte; **the clock is r.** la pendule est à l'heure; **he's the r. man** c'est l'homme qu'il faut; **the r. thing to do** la meilleure chose à faire; **it's not r. to steal** ce n'est pas bien de voler; **it doesn't look r.** il y a quelque chose qui ne va pas; **things will come r.** *Fam* ça s'arrangera; **to put r.** (*error*) corriger, rectifier; (*fix*) arranger; **to put s.o. r.** (*inform*) éclairer qn, détromper qn; **r.!** bien!; **that's r.** c'est ça, c'est exact.

▮ *adv* (*straight*) (tout) droit; (*correctly*) juste; (*well*) bien; **she did r.** elle a bien fait; **r. round** tout autour (**sth** de qch); **r. behind** juste derrière; **r. here** ici même; **r. away, r. now** tout de suite; **the R. Honourable...** (*address of Member of Parliament etc*) *Br* le Très Honorable....

▮ *n* **to be in the r.** avoir raison; **r. and wrong** le bien et le mal.

▮ *vt* (*error, wrong, boat, car*) redresser.

2 all r. *see* **all right**.

right[2] [raɪt] *a* (*not left*) (*hand, side etc*) droit ▮ *adv* à droite ▮ *n* droite *f*; **on** *or* **to the r.** à droite (**of** de). ●**right-hand** *a* à *or* de droite; **on the r.-hand side** à droite (**of** de); **r.-hand man** bras *m* droit. ●**right-'handed** *a* (*person*) droitier. ●**right-wing** *a* (*views, government etc*) de droite.

right[3] [raɪt] *n* (*claim, entitlement*) droit *m* (**to do** de faire); **to have a r. to sth** avoir droit à qch; **he's famous in his own r.** il est luimême célèbre; **to have the r. of way** (*on road*) avoir la priorité; **human rights** les droits *mpl* de l'homme.

righteous ['raɪtʃəs] *a* (*person*) vertueux; (*cause, indignation*) juste.

rightful ['raɪtfəl] *a* légitime. ●**rightfully** *adv* légitimement.

rightly ['raɪtlɪ] *adv* (*to guess etc*) bien, correctement; (*justifiably*) à juste titre; **r. or wrongly** à tort ou à raison.

rigid ['rɪdʒɪd] *a* rigide. ●**ri'gidity** *n* rigidité *f*. ●**rigidly** *adv* **r. opposed to** rigoureusement opppposé à.

rigmarole ['rɪgmərəʊl] *n* (*process*) procédure *f* compliquée.

rigour ['rɪgər] (*Am* **rigor**) *n* rigueur *f*. ●**rigorous** *a* rigoureux.

rile [raɪl] *vt* (*annoy*) *Fam* agacer.

rim [rɪm] *n* (*of cup etc*) bord *m*; (*of wheel*) jante *f*; (*of spectacles*) monture *f*.

rind [raɪnd] *n* (*of cheese*) croûte *f*; (*of bacon*) couenne *f*; (*of melon, lemon*) écorce *f*.

ring[1] [rɪŋ] *n* (*for curtain, in gym etc*) anneau *m*; (*for finger*) anneau *m*; (*for finger with jewel*) bague *f*; (*of people, chairs*) cercle *m*; (*of smoke, for napkin*) rond *m*; (*gang*) bande *f*; (*at circus*) piste *f*; *Boxing* ring *m*; (*burner on stove*) brûleur *m*; **diamond r.** bague *f* de diamants; **to have rings under one's eyes** avoir les yeux cernés; **r. road** *Br* route *f* de ceinture; (*on motorway*) périphérique *m*.

▮ *vt* **to r.** (**round**) (*surround*) entourer (**with** de); (*item on list etc*) encadrer.

ring[2] [rɪŋ] *n* (*sound*) sonnerie *f*; **there's a r. on sonne**; **to give s.o. a r.** (*phone call*) passer un coup de fil à qn; **it has a r. of truth (about it)** cela a un accent de vérité.

▮ *vi* (*pt* **rang**, *pp* **rung**) (*of bell, phone, person etc*) sonner; (*of sound, words*) retentir; (*of ears*) bourdonner; (*make a phone call*) téléphoner; **to r. for s.o.** sonner qn.

▮ *vt* sonner; **to r. s.o.** (*on phone*) téléphoner à qn; **to r. the bell** sonner; **to r. the doorbell** sonner à la porte; **that rings a bell** *Fam* ça me rappelle quelque chose. ●**ringing** *a* **r. tone** (*on phone*) *Br* sonnerie *f* ▮ *n* (*of bell*) sonnerie *f*; **a r. in one's ears** un bourdonne-

ring back 284

ment dans les oreilles.
ring back *vi* (*phone*) rappeler ∎ *vt* **to r. s.o. back** rappeler qn ∎ **to ring in** *vt* (*the New Year*) carillonner ∎ **to ring off** *vi* (*after phoning*) raccrocher ∎ **to ring out** *vi* (*of bell*) sonner; (*of sound*) retentir ∎ **to ring up** *vi* (*phone*) téléphoner ∎ *vt* **to r. s.o. up** téléphoner à qn.
ringleader ['rɪŋli:dər] *n Pej* (*of gang*) chef *m* de bande; (*of rebellion etc*) meneur, -euse *mf*.
ringlet ['rɪŋlɪt] *n* (*curl*) anglaise *f*.
rink [rɪŋk] *n* (*for ice-skating*) patinoire *f*; (*for roller-skating*) skating *m*.
rinse [rɪns] *vt* rincer; **to r. one's hands** (*remove soap*) se rincer les mains; (*wash*) se passer les mains à l'eau; **to r. out** rincer ∎ *n* rinçage *m*; (*hair colouring*) shampooing *m* colorant; **to give sth a r.** rincer qch.
riot ['raɪət] *n* (*uprising*) émeute *f*; (*fighting*) bagarres *fpl*; (*demonstration*) manifestation *f* violente; **a r. of colour** *Fig* une orgie de couleurs; **to run r.** (*of crowd*) se déchaîner; **the r. police** = les CRS *mpl* ∎ *vi* (*rise up*) faire une émeute; (*fight*) se bagarrer. ●**rioting** *n* émeutes *fpl*; (*fighting*) bagarres *fpl*. ●**rioter** *n* émeutier, -ière *mf*; (*vandal*) casseur *m*; (*demonstrator*) manifestant, -ante *mf* violent(e).
riotous ['raɪətəs] *a* (*crowd etc*) tapageur; (*children's play etc*) plein d'exubérance; **r. living** vie *f* dissolue.
rip [rɪp] *vt* (**-pp-**) déchirer; **to r. off** (*button etc*) arracher (**from** de); **to r. s.o. off** (*deceive*) *Fam* rouler qn; **to r. sth off** (*steal*) *Am Fam* faucher qch; **to r. out** (*telephone etc*) arracher (**from** de); **to r. sth up** déchirer qch ∎ *vi* (*of fabric*) se déchirer; **the explosion ripped through the building** l'explosion souffla tout dans le bâtiment ∎ *n* déchirure *f*. ●**rip-off** *n Fam* **it's a r.-off** c'est du vol organisé, c'est de l'arnaque.
ripe [raɪp] *a* (**-er, -est**) mûr; (*cheese*) fait. ●**ripen** *vti* mûrir. ●**ripeness** *n* maturité *f*.
ripple ['rɪp(ə)l] *n* (*on water*) ride *f*; (*of laughter*) *Fig* cascade *f* ∎ *vi* (*of water*) se rider.
rise [raɪz] *vi* (*pt* **rose**, *pp* **risen**) (*of temperature, balloon, price etc*) monter, s'élever; (*in society*) s'élever; (*of hope*) grandir; (*of sun, theatre curtain, wind*) se lever; (*of dough*) lever; (*get up from chair or bed*) se lever; **to r. in price** augmenter de prix; **to r. to the surface** remonter à la surface; **the river rises in...** le fleuve prend sa source dans...; **to r. (up)** (*rebel*) se soulever (**against** contre); **to r. to power** accéder au pouvoir; **to r. from the dead** ressusciter; **to r. to the occasion** se montrer à la hauteur de la situation.
∎ *n* (*in price, pressure etc*) hausse *f* (**in** de); (*of curtain in theatre*) lever *m*; (*in river*) crue *f*; (*of leader*) *Fig* ascension *f*; (*of technology, industry*) essor *m*; (*to power*) accession *f*; (*slope in ground*) montée *f*; (*hill*) éminence *f*; **his r. to fame** son ascension vers la gloire; (**pay**) **r.** *Br* augmentation *f* (de salaire); **to give r. to sth** donner lieu à qch.
riser ['raɪzər] *n* **early r.** lève-tôt *mf inv*; **late r.** lève-tard *mf inv*.
rising ['raɪzɪŋ] *n* (*of curtain in theatre*) lever *m*; (*revolt*) soulèvement *m*; (*of river*) crue *f* ∎ *a* (*sun*) levant (*number*) croissant; (*tide*) montant; (*artist, politician etc*) d'avenir; **the r. generation** la nouvelle génération; **r. prices** la hausse des prix.
risk [rɪsk] *n* risque *m* (**of doing** de faire, **in doing** à faire); **at r.** (*person*) en danger; (*job*) menacé; **at your own r.** à tes risques et périls ∎ *vt* (*one's life, an accident etc*) risquer; **she won't r. leaving** (*take the risk*) elle ne se risquera pas à partir; **let's r. it** risquons le coup. ●**riskiness** *n* risques *mpl*. ●**risky** *a* (**-ier, -iest**) (*full of risks*) risqué.
rissole ['rɪsəʊl] *n Br Culin* croquette *f*.
rite [raɪt] *n* rite *m*; **the last rites** (*for dying person*) *Rel* les derniers sacrements *mpl*. ●**ritual** *a & n* rituel (*m*).
ritzy ['rɪtsɪ] *a* (**-ier, -iest**) *Fam* luxueux, classe *inv*.
rival ['raɪv(ə)l] *a* (*company etc*) rival; (*forces, claim etc*) opposé ∎ *n* rival, -ale *mf* ∎ *vt* (*Br* **-ll-**, *Am* **-l-**) (*compete with*) rivaliser avec (**in** de); (*equal*) égaler (**in** en). ●**rivalry** *n* rivalité *f* (**between** entre).
river ['rɪvər] *n* (*small*) rivière *f*; (*flowing into sea*) fleuve *m*; (*of lava, tears etc*) *Fig* fleuve *m*; **the R. Thames** la Tamise ∎ *a* (*port, navigation etc*) fluvial; **r. bank** rive *f*; **r. bed** lit *m* de rivière ou de fleuve. ●**riverside** *a & n* (**by the**) **r.** au bord de l'eau.
rivet ['rɪvɪt] *n* (*pin for metal*) rivet *m* ∎ *vt* riveter; (*eyes*) *Fig* fixer (**on** sur); **to be riveted to the TV set** être cloué devant la télé. ●**riveting** *a* (*story etc*) fascinant.
Riviera [rɪvɪ'eərə] *n* **the (French) R.** la Côte d'Azur.
roach [rəʊtʃ] *n* (*cockroach*) *Am* cafard *m*.
road [rəʊd] *n* route *f* (**to** qui va à); (*small*) chemin *m*; (*in town*) rue *f*; (*roadway*) chaussée *f*; (*path*) *Fig* voie *f*, chemin *m*, route *f* (**to** de); **A-r.** *Br* = route *f* nationale; **B-r.** *Br* = route *f* départementale; **the Paris r.** la route de Paris; **across** *or* **over the r.** (*building etc*) en face; **by r.** par la route; **get out of the r.!** ne reste pas sur la chaussée! ∎ *a* (*map, safety*) routier; (*accident*) de la route; **r. hog** *Fam* chauffard *m*; **to have r. sense** (*of pedestrian, child*) avoir conscience des dangers de la rue; (*of driver*) avoir un bon sens de la conduite; **r. sign** panneau *m* (routier *or* de signalisation); **r. works** *Br*, **r. work** *Am* travaux *mpl*.
roadblock ['rəʊdblɒk] *n* barrage *m* routier. ●**roadside** *a & n* (**by the**) **r.** au bord de la route. ●**roadway** *n* chaussée *f*. ●**roadworthy** *a* (*vehicle*) en état de marche.
roam [rəʊm] *vt* parcourir ∎ *vi* errer, rôder; **to r. (about) the streets** (*of child, dog etc*) traîner dans les rues.
roar [rɔːr] *vi* (*of lion, wind, engine*) rugir; (*of person, crowd*) hurler; (*of thunder*) gronder;

to r. with laughter éclater de rire; **to r. past** (*of truck etc*) passer dans un bruit de tonnerre ∎ *vt* **to r. (out)** (*threat, order etc*) hurler ∎ *n* (*of lion etc*) rugissement *m*; (*of person etc*) hurlement *m*; (*of thunder*) grondement *m*. ● **roaring** *n* = **roar** ∎ *a* **a r. fire** une belle flambée; **a r. success** un succès fou; **to do a r. trade** vendre beaucoup (**in** de).

roast [rəust] *vt* rôtir; (*coffee*) griller ∎ *vi* (*of meat*) rôtir; **we're roasting here** *Fam* on rôtit ici ∎ *n* (*meat*) rôti *m* ∎ *a* (*chicken etc*) rôti; **r. beef** rosbif *m*.

rob [rɒb] *vt* (**-bb-**) (*person*) voler; (*shop, bank, house*) dévaliser; (*by breaking in*) cambrioler; (*hold up*) attaquer; **to r. s.o. of sth** voler qch à qn; (*deprive*) priver qn de qch. ● **robber** *n* voleur, -euse *mf*. ● **robbery** *n* vol *m*; **it's daylight r.!** c'est du vol organisé; **armed r.** vol *m* à main armée.

robe [rəub] *n* (*dressing gown*) robe *f* de chambre; (*of priest, judge etc*) robe *f*.

robin ['rɒbɪn] *n* (*bird*) rouge-gorge *m*.

robot ['rəubɒt] *n* robot *m*. ● **ro'botics** *n* robotique *f*.

robust [rəu'bʌst] *a* robuste.

rock[1] [rɒk] **1** *vt* (*baby, boat*) bercer, balancer; (*branch, cradle*) balancer; (*violently*) (*of explosion etc*) secouer (*bâtiment etc*) ∎ *vi* (*sway gently*) se balancer; (*of building, ground*) trembler. **2** *n* (*music*) rock *m*.

rock[2] [rɒk] *n* (*substance*) roche *f*; (*boulder, rock face*) rocher *m*; (*stone*) *Am* pierre *f*; **a stick of r.**, **some r.** (*sweet*) *Br* un bâton de sucre d'orge; **r. face** paroi *f* rocheuse; **on the rocks** (*whisky*) avec des glaçons; (*marriage*) en pleine débâcle. ● **rock-'bottom** *n* point *m* le plus bas; **he has reached the r.-bottom** il a touché le fond ∎ *a* (*prices*) les plus bas, très bas. ● **rock-climbing** *n* varappe *f*.

rockery ['rɒkərɪ] *n* (*in garden*) rocaille *f*.

rocket ['rɒkɪt] *n* fusée *f* ∎ *vi* (*of prices*) monter en flèche.

rocking chair ['rɒkɪŋtʃeər] *n* fauteuil *m* à bascule. ● **rocking horse** *n* cheval *m* à bascule.

rocky ['rɒkɪ] *a* (**-ier, -iest**) **1** (*road*) rocailleux; (*hill*) rocheux. **2** (*furniture etc*) branlant.

rod [rɒd] *n* (*wooden*) baguette *f*; (*metal*) tige *f*; (*of curtain*) tringle *f*; (*for fishing*) canne *f* (à pêche).

rode [rəud] *pt of* **ride**.

rodent ['rəudənt] *n* (*animal*) rongeur *m*.

rodeo [*Br* 'rəudɪəu, *Am* rəu'deɪəu] *n* (*pl* -os) *Am* rodéo *m*.

roe [rəu] *n* **1** (*eggs*) œufs *mpl* de poisson. **2 r. (deer)** chevreuil *m*.

rogue [rəug] *n* (*dishonest*) crapule *f*; (*mischievous*) coquin, -ine *mf*. ● **roguish** *a* (*smile etc*) coquin.

role [rəul] *n* rôle *m*.

roll [rəul] *n* (*of paper etc*) rouleau *m*; (*small bread loaf*) petit pain *m*; (*of fat, flesh*) bourrelet *m*; (*of drum, thunder*) roulement *m*; (*list of names etc*) liste *f*; (*of ship*) roulis *m*; **r. of film** (*rouleau m de*) pellicule *f*; **to have a r. call** faire l'appel; **r. neck** (*neckline, sweater*) col *m* roulé.

∎ *vi* (*of ball, ship etc*) rouler; (*of person, animal*) se rouler; **to r. into a ball** (*of animal*) se rouler en boule; **to be rolling in money, be rolling in it** *Fam* rouler sur l'or.

∎ *vt.* rouler (*qch, qn*). ● **rolling** *a* (*ground, gait*) onduleux.

roll down *vt* (*car window etc*) baisser; (*slope*) descendre (en roulant) ∎ **to roll in** *vi* *Fam* (*flow in*) affluer; (*of person*) s'amener ∎ **to roll on** *vt* (*paint, stocking*) mettre ∎ *vi Fam* **r. on tonight!** vivement ce soir! ∎ **to roll out** *vt* (*dough*) étaler ∎ **to roll over** *vi* (*many times*) se rouler; (*once*) se retourner ∎ *vt* retourner ∎ **to roll up** *vt* (*map, cloth*) rouler; (*sleeve, Br trousers, Am pants*) retrousser ∎ *vi* (*arrive*) *Fam* s'amener; **to r. up into a ball** (*of animal*) se rouler en boule.

roller ['rəulər] *n* (*for hair, painting etc*) rouleau *m*; **r. coaster** (*at funfair*) montagnes *fpl* russes. ● **roller-skate** *n* patin *m* à roulettes ∎ *vi* faire du patin à roulettes.

rollicking ['rɒlɪkɪŋ] **1** *a* joyeux (et bruyant). **2** *n* **to give s.o. a r.** (*tell off*) *Br Fam* engueuler qn.

rolling pin ['rəulɪŋpɪn] *n* rouleau *m* à pâtisserie.

roly-poly [rəulɪ'pəulɪ] *a Fam* grassouillet (*f* -ette).

ROM [rɒm] *n abbr Comptr* = **read-only memory**.

Roman ['rəumən] **1** *a & n* romain, -aine (*mf*). **2** *a & n* **R. Catholic** catholique (*mf*).

romance [rəu'mæns] *n* **1** (*love*) amour *m*; (*affair*) aventure *f* amoureuse; (*story*) histoire *f or* roman *m* d'amour; (*charm*) poésie *f*. **2** *a* **R. language** langue *f* romane.

Romania [rəu'meɪnɪə] *n* Roumanie *f*. ● **Romanian** *a* roumain ∎ *n* (*language*) roumain *m*; (*person*) Roumain, -aine *mf*.

romantic [rəu'mæntɪk] *a* (*of love, tenderness etc*) romantique; (*fanciful, imaginary*) romanesque ∎ *n* (*person*) romantique *mf*. ● **romantically** *adv* (*to behave*) de façon romantique. ● **romanticism** *n* romantisme *m*.

romp [rɒmp] *vi* s'ébattre (bruyamment); **to r. through an exam** avoir un examen les doigts dans le nez ∎ *n* ébats *mpl*.

rompers ['rɒmpəz] *npl* (*for baby*) barboteuse *f*.

roof [ru:f] *n* (*of building, vehicle*) toit *m*; (*of tunnel, cave*) voûte *f*; **r. of the mouth** voûte *f* du palais; **r. rack** (*of car*) galerie *f*. ● **roofing** *n* toiture *f*. ● **rooftop** *n* toit *m*.

rook [rʊk] *n* **1** (*bird*) corneille *f*. **2** *Chess* tour *f*.

rookie ['rʊkɪ] *n* (*new recruit*) *Fam* bleu *m*.

room [ru:m, rʊm] *n* **1** (*in house etc*) pièce *f*; (*bedroom*) chambre *f*; (*large, public*) salle *f*; **men's r., ladies' r.** *Am* toilettes *fpl*; **one's rooms** son appartement *m*; **in rooms** en meublé. **2** (*space*) place *f* (**for** pour); (**some**)

r. de la place; **there's r. for doubt** le doute est permis; **no r. for doubt** aucun doute possible. ●**rooming house** *n Am* maison *f* de rapport. ●**roommate** *n* camarade *mf* de chambre. ●**roomy** *a* (**-ier, -iest**) spacieux; (*clothes*) ample.

roost [ruːst] *vi* (*of bird*) se percher ▮ *n* perchoir *m*.

rooster ['ruːstər] *n* coq *m*.

root [ruːt] **1** *n* (*of plant etc*) & *Math* racine *f*; (*origin*) *Fig* origine *f*; (*cause*) cause *f*; **to pull up by the root(s)** déraciner; **to take r.** (*of plant, Fig person*) prendre racine; **roots** (*of person*) *Fig* racines *fpl*; **to find one's roots** retrouver ses racines; **to put down** (**new**) **roots** (*of person*) s'enraciner; **r. beer** = boisson *f* gazeuse aux extraits végétaux; **r. cause** cause *f* première ▮ *vt* **to r. out** (*destroy*) extirper ▮ *vi* (*of plant cutting*) s'enraciner.

2 *vi* **to r. about** *or* **around for sth** fouiller pour trouver qch.

3 *vi* **to r. for** (*cheer, support*) *Fam* encourager. ●**rooted** *a* **deeply r.** bien enraciné (**in** dans); **r. to the spot** (*immobile*) cloué sur place. ●**rootless** *a* sans racines.

rope [rəʊp] *n* corde *f*; (*on ship*) cordage *m*; **to know the ropes** *Fam* être au courant ▮ *vt* (*tie*) lier; **to r. s.o. in** (*force to help*) *Fam* embrigader qn (**to do** pour faire); **to r. off** (*of police etc*) interdire l'accès de.

rop(e)y ['rəʊpɪ] *a* (**-ier, -iest**) *Br Fam* (*thing*) minable; (*person*) patraque.

rosary ['rəʊzərɪ] *n Rel* chapelet *m*.

rose¹ [rəʊz] *n* **1** (*flower*) rose *f*; (*colour*) rose *m*; **r. bush** rosier *m*. **2** (*of watering can*) pomme *f*. ●**rosebud** *n* bouton *m* de rose.

rose² [rəʊz] *pt of* **rise**.

rosé ['rəʊzeɪ] *n* (*wine*) rosé *m*.

rosemary ['rəʊzmərɪ] *n* (*plant, herb*) romarin *m*.

rosette [rəʊ'zet] *n* (*prize*) *Sport* cocarde *f*; (*rose-shaped badge*) rosette *f*.

roster ['rɒstər] *n* (*duty*) **r.** liste *f* (de service).

rostrum ['rɒstrəm] *n* tribune *f*; (*for winning sportsman or sportswoman*) podium *m*.

rosy ['rəʊzɪ] *a* (**-ier, -iest**) (*pink*) rose; (*future*) *Fig* tout en rose.

rot [rɒt] *n* pourriture *f*; (*nonsense*) *Br Fam* inepties *fpl* ▮ *vti* (**-tt-**) **to r.** (**away**) pourrir.

rota ['rəʊtə] *n* liste *f* (de service).

rotary ['rəʊtərɪ] *a* rotatif; **r. clothes dryer** (*washing line*) *Br* séchoir *m* parapluie ▮ *n* (*for traffic*) *Am* sens *m* giratoire. ●**rotation** [-'teɪʃ(ə)n] *n* rotation *f*; **in r.** à tour de rôle.

rotate [rəʊ'teɪt] *vi* tourner ▮ *vt* faire tourner; (*crops*) alterner.

rote [rəʊt] *n* **by r.** machinalement.

rotten ['rɒt(ə)n] *a* (*decayed*) (*fruit etc*) pourri; (*bad*) *Fam* moche; (*filthy*) *Fam* sale; (*corrupt*) pourri; **to feel r.** (*ill*) être mal fichu. ●**rottenness** *n* pourriture *f*. ●**rotting** *a* (*meat, fruit etc*) qui pourrit.

rotund [rəʊ'tʌnd] *a* (*round*) rond; (*plump*) rondelet (*f* -ette).

rouble ['ruːb(ə)l] (*Am* **ruble**) *n* (*currency*) rouble *m*.

rouge [ruːʒ] *n* rouge *m* (à joues).

rough¹ [rʌf] *a* (**-er, -est**) (*surface*) rugueux, rude; (*plank, bark*) rugueux; (*ground*) inégal, accidenté; (*rocky*) rocailleux; (*climate, task, life, manners*) rude; (*sound*) âpre, rude; (*coarse*) grossier; (*brutal*) brutal; (*neighbourhood, weather*) mauvais; (*sea*) agité; (*justice*) *Br* sommaire; (*diamond*) brut; **a r. child** (*unruly*) un enfant dur; **in a r. voice** d'une voix rude; **to feel r.** (*ill*) *Br Fam* être mal fichu; **r. and ready** (*conditions, solution*) grossier (mais adéquat).

▮ *adv* **to sleep/live r.** *Br* coucher/vivre à la dure; **to play r.** jouer brutalement.

▮ *n* (*violent man*) *Fam* voyou *m*.

▮ *vt* **to r. it** *Fam* vivre à la dure; **to r. s.o. up** *Fam* malmener qn; **to r. up s.o.'s hair** ébouriffer les cheveux de qn. ●**rough-and-'tumble** *n* (*fight*) mêlée *f*; (*of s.o.'s life*) remue-ménage *m inv*. ●**roughen** *vt* rendre rude. ●**roughly**¹ *adv* (*not gently*) rudement; (*coarsely*) grossièrement; (*brutally*) brutalement. ●**roughness** *n* (*of surface, manners etc*) rudesse *f*; (*of ground*) inégalité *f*; (*coarseness*) grossièreté *f*; (*brutality*) brutalité *f*.

rough² [rʌf] *a* (**-er, -est**) (*calculation, figure, terms etc*) approximatif; **r. guess, r. estimate** approximation *f*; **r. book** *Br* cahier *m* de brouillon; **r. copy, r. draft** brouillon *m*; **r. paper** du papier brouillon; **a r. plan** l'ébauche *f* d'un projet ▮ *vt* **to r. out** (*plan*) ébaucher. ●**roughly**² *adv* (*approximately*) à peu (de choses) près.

roughage ['rʌfɪdʒ] *n* (*in food*) fibres *fpl* (alimentaires).

roulette [ruː'let] *n* roulette *f*.

round [raʊnd] **1** *adv* autour; **all r., right r.** tout autour; **to go r. to s.o.'s** passer chez qn; **to ask s.o. r.** inviter qn chez soi; **he'll be r.** il passera; **r. here** par ici; **the long way r.** le chemin le plus long.

▮ *prep* autour de; **r. about** (*approximately*) environ; **r. (about) midday** vers midi, à environ midi; **to go r. a corner** tourner un coin; **to go r. the world** faire le tour du monde.

2 *a* (**-er, -est**) rond; **r. trip** *Am* aller (et) retour *m*.

3 *n* (*slice*) *Br* tranche *f*; (*sandwich*) *Br* sandwich *m*; (*in competition, election*) manche *f*; (*of golf*) partie *f*; *Boxing* round *m*; (*of drinks, visits*) tournée *f*; **to be on one's round(s), do one's round(s)** (*of milkman*) faire sa tournée; (*of doctor*) faire ses visites; (*of policeman*) faire sa ronde; **delivery r.** livraisons *fpl*, tournée *f*; **r. of applause** salve *f* d'applaudissements; **r. of ammunition** cartouche *f*, balle *f*.

4 *vt* **to r. a corner** (*in car*) prendre un virage; **to r. off** (*meal, speech etc*) terminer (**with** par); **to r. up** (*gather*) rassembler; (*price*) arrondir au chiffre supérieur.

rule

●**round-'shouldered** a voûté, aux épaules rondes.
roundabout ['raʊndəbaʊt] 1 a (method, route etc) indirect, détourné. 2 n Br (at funfair) manège m; (road junction) rond-point m (à sens giratoire).
rounded ['raʊndɪd] a arrondi. ●**roundness** n rondeur f.
rounders ['raʊndəz] npl sorte de baseball.
roundup ['raʊndʌp] n (of criminals) rafle f.
rouse [raʊz] vt (awaken) éveiller; **roused (to anger)** en colère; **to r. s.o. to action** inciter qn à agir. ●**rousing** a (welcome) enthousiaste; (speech) vibrant; (music) allègre.
rout [raʊt] n (defeat) déroute f ∎ vt mettre en déroute.
route 1 [ruːt] n itinéraire m; (of aircraft) route f; **sea r.** route f maritime; **bus r.** ligne f d'autobus ∎ vt (train etc) fixer l'itinéraire de. **2** [raʊt] n (delivery round) Am tournée f.
routine [ruːˈtiːn] 1 n (habit) routine f; (computer program) sous-programme m, routine f; **one's daily r.** (in office etc) son travail journalier; **the daily r.** (monotony) le train-train quotidien; **as a matter of r.** de façon systématique ∎ a (inquiry, work etc) de routine; Pej routinier. 2 n (on stage) numéro m.
rove [rəʊv] vi errer ∎ vt parcourir. ●**roving** a (life) nomade; (ambassador) itinérant.
row¹ [rəʊ] 1 n (line) rang m, rangée f; (one behind another) file f; **two days in a r.** deux jours de suite or d'affilée. 2 vi (in boat) ramer ∎ vt (boat) faire aller à la rame; (person) transporter en canot ∎ n **to go for a r.** canoter; **r. boat** Am bateau m à rames. ●**rowing** n canotage m; (as sport) aviron m; **r. boat** Br bateau m à rames.
row² [raʊ] n Fam (noise) vacarme m; (quarrel) dispute f ∎ vi Fam se disputer (**with** avec).
rowdy ['raʊdɪ] a (-ier, -iest) chahuteur (et brutal) ∎ n (person) Fam voyou m.
royal ['rɔɪəl] a royal; **R. Air Force** armée f de l'air (britannique) ∎ npl **the royals** Fam la famille royale. ●**royalist** a & n royaliste (mf). ●**royally** adv (to treat) royalement.
●**royalty 1** n (persons) personnages mpl royaux. 2 npl **royalties** (from book) droits mpl d'auteur; (from invention, on oil) royalties fpl.
rpm [ɑːpiːˈem] abbr (revolutions per minute) Aut tours/minute mpl.
Rt Hon Br Pol abbr **Right Honourable** (see **right¹**).
rub [rʌb] vt (-bb-) frotter; (person) frictionner, frotter; (polish) astiquer; **to r. shoulders with** Fig côtoyer, coudoyer; **to r. s.o. up** Br or **r. s.o.** Am **the wrong way** prendre qn à rebrousse-poil ∎ vi frotter ∎ n (massage) friction f; **to give sth a r.** frotter qch; (polish) astiquer qch.
rub away vt (mark) effacer; (tears) essuyer ∎ **to rub down** vt (person) frictionner; (wood, with sandpaper) poncer ∎ **to rub in** vt (cream) faire pénétrer (en massant); **to r. it in** Pej Fam retourner le couteau dans la plaie ∎ **to rub off** vt (mark) effacer ∎ vi (of mark) partir; (of manners etc) Fig déteindre (**on** s.o. sur qn) ∎ **to rub out** vt (mark) effacer.
rubber ['rʌbər] n (substance) caoutchouc m; (eraser) Br gomme f; (for blackboard) Br brosse f (pour tableau); (contraceptive) Am Sl capote f; **r. stamp** tampon m. ●**rubber-'stamp** vt Pej approuver (sans discuter). ●**rubbery** a caoutchouteux.
rubbing alcohol ['rʌbɪŋælkəhɒl] n Am alcool m à 90°.
rubbish ['rʌbɪʃ] 1 n Br (waste) ordures fpl, détritus mpl; (industrial) déchets mpl; (junk) saleté(s) f(pl); (nonsense) Fig idioties fpl, absurdités fpl; **that's r.** (absurd) c'est absurde; (worthless) ça ne vaut rien; **r. bin** poubelle f; **r. dump** décharge f (publique), dépôt m d'ordures; (in garden) tas m d'ordures; (untidy place) dépotoir m. 2 vt **to r. s.o./sth** (criticize) Fam dénigrer qn/qch.
rubbishy ['rʌbɪʃɪ] a (book, film etc) nul; (goods) de mauvaise qualité.
rubble ['rʌb(ə)l] n décombres mpl.
rubella [ruːˈbelə] n rubéole f.
ruble ['ruːb(ə)l] n (currency) Am rouble m.
ruby ['ruːbɪ] n (gem) rubis m.
rucksack ['rʌksæk] n sac m à dos.
ruckus ['rʌkəs] n (uproar) Fam chahut m.
rudder ['rʌdər] n gouvernail m.
ruddy ['rʌdɪ] a (-ier, -iest) 1 (complexion) coloré. 2 (bloody) Br Sl fichu.
rude [ruːd] a (-er, -est) (impolite) impoli (**to** envers); (coarse, insolent) grossier (**to** envers); (indecent) obscène; (shock) violent. ●**rudely** adv impoliment; (coarsely) grossièrement. ●**rudeness** n impolitesse f; (coarseness) grossièreté f; (indecency) obscénité f.
rudiments ['ruːdɪmənts] npl rudiments mpl. ●**rudi'mentary** a rudimentaire.
rueful ['ruːfəl] a Lit triste.
ruffian ['rʌfɪən] n voyou m.
ruffle ['rʌf(ə)l] 1 vt (hair) ébouriffer; (water) troubler; **to r. s.o.** (offend) froisser qn. 2 n (frill) ruche f.
rug [rʌg] n carpette f, petit tapis m; (over knees) plaid m; **(bedside) r.** descente f de lit.
rugby ['rʌgbɪ] n **r.** (football) rugby m. ●**rugger** n Br Fam rugby m.
rugged ['rʌgɪd] a (surface) rugueux, rude; (terrain, coast) accidenté; (person, features, manners) rude; (determination) Fig farouche.
ruin ['ruːɪn] n (destruction, rubble, building etc) ruine f; **in ruins** (building) en ruine ∎ vt (health, country, person etc) ruiner; (clothes) abîmer; (effect, meal, party etc) gâter. ●**ruined** a (person, country) ruiné; (building) en ruine. ●**ruinous** a ruineux.
rule [ruːl] 1 n (principle) règle f; (regulation) règlement m; (custom) coutume f; (authority) autorité f; Pol gouvernement m; **against the** Br **rules** or Am **rule** contraire au règle-

ruler

ment; **as a (general) r.** en règle générale; **it's the** or **a r. that** il est de règle que (+ *sub*). ■ *vt* (*country*) gouverner; (*decide*) (*of judge, referee etc*) décider (**that** que); **to r. s.o.** (*dominate*) mener qn; **to r. sth out** (*exclude*) exclure qch.
■ *vi* (*of king etc*) régner (**over** sur); (*of judge*) statuer (**against** contre, **on** sur).
2 *n* (*for measuring*) règle *f*. ● **ruled** *a* (*paper*) réglé, ligné. ● **ruling** *a* (*passion, fear etc*) dominant; **the r. class** la classe dirigeante; **the r. party** *Pol* le parti au pouvoir ■ *n* (*of judge, referee etc*) décision *f*.
ruler ['ruːlər] *n* **1** (*for measuring*) règle *f*. **2** (*king, queen etc*) souverain, -aine *mf*; (*political leader*) dirigeant, -ante *mf*.
rum [rʌm] *n* rhum *m*.
Rumania [ruːˈmeɪnɪə] *see* **Romania**.
rumble [ˈrʌmb(ə)l] *vi* (*of train, thunder, gun*) gronder; (*of stomach*) gargouiller ■ *n* grondement *m*; (*of stomach*) gargouillement *m*.
ruminate [ˈruːmɪneɪt] *vi* **to r. over** (*scheme etc*) ruminer.
rummage [ˈrʌmɪdʒ] *vi* **to r.** (**about**) farfouiller. ● **rummage sale** *n* (*used clothes etc*) *Am* vente *f* de charité.
rumour [ˈruːmər] (*Am* **rumor**) *n* bruit *m*, rumeur *f*. ● **rumoured** *a* **it is r. that** on dit que.
rump [rʌmp] *n* (*of horse*) croupe *f*; (*of fowl*) croupion *m*; **r. steak** rumsteck *m*.
rumple [ˈrʌmp(ə)l] *vt* (*clothes*) chiffonner.
rumpus [ˈrʌmpəs] *n* (*noise*) *Fam* chahut *m*, vacarme *m*.
run [rʌn] *n* (*series*) série *f*; (*period*) période *f*; (*running*) course *f*; (*outing*) tour *m*; (*journey*) parcours *m*, trajet *m*; (*rush*) ruée *f* (**on** sur); (*trend*) tendance *f*; (*for skiing*) piste *f*; (*in cricket, baseball*) point *m*; *Cards* suite *f*; (*in stocking etc*) maille *f* filée; **to go for a r.** (*aller*) faire une course à pied; (*in vehicle*) (aller) faire un tour; **on the r.** (*prisoner etc*) en fuite; **to have the r. of** (*house etc*) avoir à sa disposition; **in the long r.** à la longue, avec le temps; **to have the runs** *Fam* avoir la diarrhée.
■ *vi* (*pt* **ran**, *pp* **run**, *pres p* **running**) courir; (*flee*) fuir; (*of river, nose, pen, Br tap or Am faucet*) couler; (*of colour in washing*) déteindre; (*of ink*) baver; (*melt*) fondre; (*of play, film*) se jouer; (*of contract*) être valide; (*last*) durer; (*pass*) passer; (*function*) (*of machine*) marcher; (*idle*) (*of engine*) tourner; (*of stocking, tights*) filer; **to r. down/in/out/** *etc* descendre/entrer/sortir/*etc* en courant; **to r. for president** être candidat à la présidence; **to r. with blood** ruisseler de sang; **to r. between** (*of bus etc*) faire le service entre; **to go running** (*as sport*) faire du jogging; **the road runs to...** la route va à...; **the river runs into the sea** le fleuve se jette dans la mer; **it runs into a hundred pounds** ça va chercher dans les cent livres; **it runs in the family** ça tient de famille.
■ *vt* (*risk*) courir; (*marathon etc*) courir, prendre part à; (*horse*) faire courir; (*temperature, errand*) faire; (*machine*) faire fonctionner; (*engine*) faire tourner; (*drive*) conduire; (*furniture, goods*) transporter (**to** à); (*business, country etc*) diriger; (*courses, events*) organiser; (*film, play*) présenter; (*house*) tenir; (*computer program*) exécuter; (*newspaper article*) publier (**on** sur); (*bath*) faire couler; (*blockade*) forcer; **to r. a race** prendre part à une course; **to r. one's hand over** passer la main sur; **to r. one's eye over** jeter un coup d'œil à *or* sur; **to r. its course** (*of illness etc*) suivre son cours; **to r. 5 km** (*as sport*) faire 5 km de course à pied; **to r. a car** avoir une voiture.
run about *or* **around** *vi* courir çà et là; (*wander about*) se balader ■ **to run across** *vt* (*meet*) tomber sur (*qn*) ■ **to run along** *vi* **r. along!** filez! ■ **to run away** *vi* (*flee*) s'enfuir, se sauver (**from** de) ■ **to run back** *vt* (*person in vehicle*) ramener (**to** à) ■ **to run down** *vt* (*pedestrian*) renverser; (*knock over and kill*) écraser; (*belittle*) *Fig* dénigrer; (*restrict*) limiter peu à peu ■ **to run in** *vt* (*vehicle*) *Br* roder; **to r. s.o. in** (*of police*) *Br Fam* arrêter qn ■ **to run into** *vt* (*meet*) tomber sur; (*crash into*) (*of vehicle, train etc*) percuter; **to r. into debt** s'endetter ■ **to run off** *vi* (*flee*) s'enfuir (**with** avec) ■ *vt* (*print*) tirer ■ **to run out** *vi* (*of stocks*) s'épuiser; (*of lease*) expirer; (*of time*) manquer; **to r. out of time/money** manquer de temps/d'argent; **we've r. out of coffee** on n'a plus de café; **I've r. out of** *Br* **petrol** *or Am* **gas** je suis tombé en panne d'essence ■ *vt* **to r. s.o. out of** (*chase*) chasser qn de ■ **to run over** *vi* (*of liquid*) déborder ■ *vt* (*kill pedestrian*) écraser; (*knock down pedestrian*) renverser; (*notes, text*) revoir ■ **to run round** *vt* (*surround*) entourer ■ **to run through** *vt* (*recap*) revoir ■ **to run up** *vt* (*debts, bill*) laisser s'accumuler.
runaway [ˈrʌnəweɪ] *n* fugitif, -ive *mf* ■ *a* (*car, horse*) emballé; (*Br lorry, Am truck*) fou (*f* folle); (*inflation*) galopant; (*wedding*) clandestin; (*victory*) qu'on remporte haut la main.
run-down [rʌnˈdaʊn] *a* (*weak, tired*) à plat; (*district etc*) miteux, délabré.
rung[1] [rʌŋ] *n* (*of ladder*) barreau *m*.
rung[2] [rʌŋ] *pp of* **ring**[2].
runner [ˈrʌnər] *n* (*athlete*) coureur *m*; **r. bean** *Br* haricot *m* (grimpant).
runner-up [rʌnəˈrʌp] *n* (*in race etc*) second, -onde *mf*.
running [ˈrʌnɪŋ] *n* course *f*; (*of machine*) fonctionnement *m*; (*of business, country*) direction *f*; **to be in/out of the r.** être/ne plus être dans la course ■ *a* **six days/***etc* **r.** six jours/*etc* de suite; **r. water** eau *f* courante; **a r. battle with** (*cancer, landlord etc*) une lutte continuelle avec; **to give a r. commentary (of)** (*on TV etc*) faire un commentaire simultané *or* en direct (de); **r. costs** (*of factory etc*) frais *mpl* d'exploitation; (*of car*) dépenses *fpl* courantes.

runny ['rʌnɪ] *a* (**-ier**, **-iest**) (*cream, sauce etc*) liquide; (*nose*) qui coule; **r. omelet(te)** omelette *f* baveuse.
run-of-the-mill [rʌnəvðə'mɪl] *a* ordinaire.
run-up ['rʌnʌp] *n* **in the r.-up to** (*elections etc*) dans la période qui précède.
runway ['rʌnweɪ] *n* (*for aircraft*) piste *f* (d'envol); (*for fashion parade*) *Am* podium *m*.
rupture ['rʌptʃər] *n* (*hernia*) hernie *f*; **the r. of** (*breaking*) la rupture de ▮ *vt* rompre; **to r. oneself** se donner une hernie.
rural ['rʊərəl] *a* rural.
ruse [ru:z] *n* (*trick*) ruse *f*.
rush¹ [rʌʃ] *vi* (*move fast, throw oneself*) se précipiter, se ruer (**at** sur, **towards** vers); (*of blood*) affluer (**to** à); (*hurry*) se dépêcher (**to do** de faire); (*of vehicle*) foncer; **to r. out** partir en vitesse.
▮ *vt* (*attack*) *Mil* foncer sur (*l'ennemi*); **to r. s.o.** (*hurry*) bousculer qn; **to r. s.o. to hospital** *or Am* **the hospital** transporter qn d'urgence à l'hôpital; **to r. (through) sth** (*job, meal, order etc*) faire, manger, envoyer *etc* qch en vitesse; **to be rushed into** (*decision, answer etc*) être forcé à prendre, donner *etc*.
▮ *n* ruée *f* (**for** vers, **on** sur); (*confusion*) bousculade *f*; (*hurry*) hâte *f*; (*of orders*) avalanche *f*; **to be in a r.** être pressé (**to do** de faire); **to leave/etc in a r.** partir/*etc* en vitesse; **the gold r.** la ruée vers l'or; **the r. hour** l'heure *f* d'affluence; **a r. job** un travail d'urgence.
rush² [rʌʃ] *n* (*plant*) jonc *m*; **the rushes** les joncs.
rusk [rʌsk] *n Br* biscotte *f*.
russet ['rʌsɪt] *a* brun roux *inv*.
Russia ['rʌʃə] *n* Russie *f*. ● **Russian** *a* russe ▮ *n* (*language*) russe *m*; (*person*) Russe *mf*.
rust [rʌst] *n* rouille *f* ▮ *vi* (se) rouiller. ● **rustproof** *a* inoxydable. ● **rusty** *a* (**-ier**, **-iest**) (*metal, Fig athlete, memory etc*) rouillé.
rustic ['rʌstɪk] *a* rustique.
rustle ['rʌs(ə)l] **1** *vi* (*of leaves*) bruire; (*of skirt*) froufrouter ▮ *n* bruissement *m*; (*of skirt*) frou-frou *m*. **2** *vt* **to r. up** *Fam* (*prepare*) préparer (*repas etc*); **to r. up support** (*find*) se trouver des partisans. **3** *vt* (*steal*) *Am* voler (*du bétail etc*). ● **rustler** *n* (*thief*) *Am* voleur *m* de bétail.
rut [rʌt] *n* ornière *f*; **to be in a r.** *Fig* être encroûté.
rutabaga [ru:tə'beɪgə] *n* (*swede*) *Am* rutabaga *m*.
ruthless ['ru:θləs] *a* (*attack, person etc*) impitoyable, cruel; (*in taking decisions*) très ferme. ● **ruthlessly** *adv* (*mercilessly*) impitoyablement. ● **ruthlessness** *n* cruauté *f*.
rye [raɪ] *n* seigle *m*; **r. bread** pain *m* de seigle.

S

S, s [es] *n* S, s *m*.
Sabbath ['sæbəθ] *n* (*Jewish*) sabbat *m*; (*Christian*) dimanche *m*.
sabbatical [sə'bætɪk(ə)l] *a* (*university year, term etc*) sabbatique. ∎ *n* **to be on s.** être en congé sabbatique.
sabotage ['sæbətɑːʒ] *n* sabotage *m* ∎ *vt* saboter. ● **saboteur** [-'tɜːr] *n* saboteur, -euse *mf*.
sabre ['seɪbər] (*Am* **saber**) *n* (*sword*) sabre *m*.
saccharin ['sækərɪn] *n* saccharine *f*.
sachet ['sæʃeɪ] *n* (*of lavender etc*) sachet *m*; (*of shampoo*) dosette *f*.
sack [sæk] **1** *n* (*bag*) sac *m*. **2** *vt* (*dismiss from one's job*) *Fam* virer, renvoyer ∎ *n Fam* **to get the s.** se faire virer; **to give s.o. the s.** virer qn. **3** *vt* (*town etc*) mettre à sac, saccager. ● **sacking** *n* **1** (*cloth*) toile *f* à sac. **2** (*dismissal*) *Fam* renvoi *m*.
sacrament ['sækrəmənt] *n Rel* sacrement *m*.
sacred ['seɪkrɪd] *a* (*holy*) sacré.
sacrifice ['sækrɪfaɪs] *n* sacrifice *m* ∎ *vt* sacrifier (**to** à, **for** pour).
sacrilege ['sækrɪlɪdʒ] *n* sacrilège *m*. ● **sacrilegious** *a* sacrilège.
sacrosanct ['sækrəʊsæŋkt] *a Iron* sacrosaint.
sad [sæd] *a* (**sadder, saddest**) triste. ● **sadden** *vt* attrister. ● **sadly** *adv* tristement; (*unfortunately*) malheureusement; (*very*) (*inadequate etc*) très. ● **sadness** *n* tristesse *f*.
saddle ['sæd(ə)l] *n* selle *f*; **to be in the s.** (*in control*) *Fig* tenir les rênes ∎ *vt* (*horse*) seller; **to s. s.o. with sth/s.o.** (*debt, relative etc*) *Fam* coller qch/qn à qn. ● **saddlebag** *n* sacoche *f*.
sadism ['seɪdɪz(ə)m] *n* sadisme *m*. ● **sadist** *n* sadique *mf*. ● **sa'distic** *a* sadique.
sae [eseɪ'iː] *abbr Br* = stamped addressed envelope, *Am* = self-addressed envelope.
safari [sə'fɑːrɪ] *n* safari *m*; **to be** *or* **go on s.** faire un safari.
safe¹ [seɪf] *a* (**-er, -est**) (*person*) en sécurité; (*equipment, toy, animal*) sans danger; (*place, investment, method*) sûr; (*bridge, ladder*) solide; (*prudent*) prudent; (*winner*) assuré, garanti; **s. (and sound)** sain et sauf; **it's s. to go out** on peut sortir sans danger; **the safest thing (to do) is...** le plus sûr est de...; **s. from** à l'abri de; **to be on the s. side** pour plus de sûreté; **in s. hands** en mains sûres; **s. journey!** bon voyage!; **s. sex** rapports *mpl* (sexuels) protégés. ● **safe-'conduct** *n* sauf-conduit *m*. ● **safe-deposit** *n* (*bank vault*) salle *f* des coffres. ● **safekeeping** *n* **to give s.o. sth for s.** donner qch à qn pour qu'il le garde en sécurité.
safe² [seɪf] *n* (*for money etc*) coffre-fort *m*.

safeguard ['seɪfgɑːd] *n* sauvegarde *f* (**against** contre) ∎ *vt* sauvegarder.
safely ['seɪflɪ] *adv* (*without accident*) sans accident; (*in a safe place*) en lieu sûr, en sûreté; (*securely*) (*locked etc*) solidement; (*without risk*) sans risque, sans danger.
safety ['seɪftɪ] *n* sécurité *f*; (*solidity*) solidité *f*; (*salvation*) salut *m* ∎ *a* (*belt, device, screen, margin*) de sécurité; (*pin, razor, chain, valve*) de sûreté; **s. curtain** (*in theatre*) rideau *m* de fer; **s. net** (*in circus*) filet *m* de sécurité; (*safeguard*) *Fig* filet *m*; **s. precaution** mesure *f* de sécurité.
saffron ['sæfrən] *n* safran *m*.
sag [sæg] *vi* (**-gg-**) (*of roof, ground, bed*) s'affaisser; (*of breasts*) tomber; (*of cheeks*) pendre; (*of knees, Fig interest rates, prices*) fléchir. ● **sagging** *a* (*roof, ground, bed*) affaissé; (*breasts*) tombant.
saga ['sɑːgə] *n* (*story*) saga *f*; (*bad sequence of events*) *Fig* feuilleton *m*.
sage [seɪdʒ] *n* **1** (*plant, herb*) sauge *f*. **2** (*wise man*) sage *m*.
Sagittarius [sædʒɪ'teərɪəs] *n* (*sign*) le Sagittaire.
sago ['seɪgəʊ] *n* (*cereal*) sagou *m*.
Sahara [sə'hɑːrə] *n* **the S. (desert)** le Sahara.
said [sed] *pt* & *pp* of **say**.
sail [seɪl] *vi* (*navigate*) naviguer; (*leave*) partir; (*as sport*) faire de la voile; (*glide*) *Fig* glisser; **to s. into port** entrer au port; **to s. round the world/an island** faire le tour du monde/d'une île en bateau; **to s. through an exam** *Fig* réussir un examen haut la main; **to s. through one's** *Br* **driving licence** *or Am* **driver's license** obtenir son permis de conduire haut la main.
∎ *vt* (*boat*) piloter; (*seas*) parcourir.
∎ *n* voile *f*; (*trip*) tour *m* en bateau; **to set s.** (*of boat*) partir (**for** à destination de). ● **sailing** *n* navigation *f*; (*sport*) voile *f*; (*departure*) départ *m*; (*crossing*) traversée *f*; **s. boat** *Br* voilier *m*.
sailboard ['seɪlbɔːd] *n* planche *f* (à voile). ● **sailboat** *n Am* voilier *m*.
sailor ['seɪlər] *n* marin *m*, matelot *m*.
saint [seɪnt] *n* saint *m*, sainte *f*; **S. John** saint Jean; **s.'s day** fête *f* (de saint). ● **saintly** *a* (**-ier, -iest**) saint.
sake [seɪk] *n* **for my/your/his/***etc* **s.** pour moi/toi/lui/*etc*; **for your father's s.** pour (l'amour de) ton père; **for your own s.** pour ton bien; **(just) for the s. of eating/***etc* simplement pour manger/*etc*; **for heaven's** *or* **God's s.** pour l'amour de Dieu.
salacious [sə'leɪʃəs] *a* obscène.

salad ['sæləd] *n* (*dish of vegetables, fruit etc*) salade *f*; **s. bowl** saladier *m*; **s. cream** *Br* mayonnaise *f*; **s. dressing** sauce *f* de salade.
salamander ['sæləmændər] *n* (*lizard*) salamandre *f*.
salami [sə'lɑːmɪ] *n* salami *m*.
salary ['sælərɪ] *n* (*professional*) traitement *m*; (*wage*) salaire *m*. ● **salaried** *a* (*person, staff*) qui perçoit un traitement.
sale [seɪl] *n* vente *f*; **sale(s)** (*at reduced prices*) soldes *mpl*; **in a** *or* **the s., Am on s.** (*cheaply*) en solde; **on s.** (*available*) en vente; **(up) for s.** à vendre; **to put up for s.** mettre en vente; **s. price** prix *m* de solde; **sales check** *or* **slip** *Am* reçu *m*. ● **saleable** (*Am* **salable**) *a* vendable. ● **salesclerk** *n Am* vendeur, -euse *mf*. ● **salesman** *n* (*pl* **-men**) (*in shop*) vendeur *m*; (*Br* travelling *or Am* traveling) **s.** représentant *m* (de commerce). ● **saleswoman** *n* (*pl* **-women**) vendeuse *f*; (*who travels*) représentante *f* (de commerce).
salient ['seɪlɪənt] *a* (*point, fact*) marquant.
saliva [sə'laɪvə] *n* salive *f*. ● **'salivate** *vi* saliver.
sallow ['sæləʊ] *a* (**-er, -est**) jaunâtre.
sally ['sælɪ] *vi* **to s. forth** *Hum* sortir allégrement.
salmon ['sæmən] *n* saumon *m*.
salmonella [sælmə'nelə] *n* (*poisoning*) salmonellose *f*.
salon ['sælɒn] *n* **beauty/hairdressing s.** salon *m* de beauté/de coiffure.
saloon [sə'luːn] *n* (*car*) *Br* berline *f*; (*on ship*) salon *m*; (*bar*) *Am* bar *m*; **s. bar** (*of pub*) *Br* salle *f* chic.
salt [sɔːlt] *n* sel *m*; **bath salts** sels *mpl* de bain; **s. mine** mine *f* de sel; **s. water** eau *f* salée; **s.-water fish** poisson *m* de mer ▌ *vt* saler. ● **saltbeef** *n* bœuf *m* salé. ● **saltcellar** *n Br* salière *f*. ● **salt-'free** *a* sans sel. ● **saltshaker** *n Am* salière *f*. ● **salty** *a* (**-ier, -iest**) *a* salé.
salubrious [sə'luːbrɪəs] *a* salubre.
salutary [*Br* 'sæljʊtərɪ, *Am* -erɪ] *a* salutaire.
salute [sə'luːt] *n* (*of soldier*) salut *m*; (*of guns*) salve *f* ▌ *vt* (*greet*) & *Mil* saluer ▌ *vi* (*of soldier*) faire un salut.
salvage ['sælvɪdʒ] *vt* (*save*) sauver (**from de**); (*old iron etc to be used again*) récupérer ▌ *n* (*objects saved*) objets *mpl* sauvés (*d'un naufrage etc*); (*salvaging*) sauvetage *m* (**of** de); (*of old iron etc*) récupération *f* (**of** de); **s. operation/etc** opération *f*/etc de sauvetage.
salvation [sæl'veɪʃ(ə)n] *n* salut *m*; **the S. Army** l'armée *f* du Salut.
same [seɪm] *a* même; **the (very) s. house as** (exactement) la même maison que ▌ *pron* **the s.** le même, la même, *pl* les mêmes; **the s. (thing)** la même chose; **it's all the s. to me** ça m'est égal; **all** *or* **just the s.** tout de même; **to do the s.** en faire autant. ● **sameness** *n* (*monotony*) monotonie *f*.
sample ['sɑːmp(ə)l] *n* échantillon *m*; (*of blood*) prélèvement *m* ▌ *vt* (*wine, cheese etc*) goûter, déguster; (*product, recipe etc*) essayer; (*army life, prison life etc*) goûter de. ● **sampling** *n* (*of wine*) dégustation *f*.
sanatorium [sænə'tɔːrɪəm] *n Br* sanatorium *m*.
sanctify ['sæŋktɪfaɪ] *vt* sanctifier.
sanctimonious [sæŋktɪ'məʊnɪəs] *a* (*person, manner*) tartuffe.
sanction ['sæŋkʃ(ə)n] *n* (*approval, punishment*) sanction *f* ▌ *vt* (*approve*) sanctionner.
sanctity ['sæŋktətɪ] *n* sainteté *f*.
sanctuary [*Br* 'sæŋktʃʊərɪ, *Am* -erɪ] *n* (*refuge*) & *Pol* asile *m*; (*for animals*) réserve *f*; (*holy place or area*) sanctuaire *m*.
sand [sænd] *n* sable *m*; **the sands** (*beach*) la plage ▌ *vt* (*road*) sabler; **to s. (down)** (*wood etc*) poncer. ● **sander** *n* (*machine*) ponceuse *f*.
sandbag ['sændbæg] *n* sac *m* de sable. ● **sandbank** *n* banc *m* de sable. ● **sandbox** *n Am* bac *m* à sable. ● **sandcastle** *n* château *m* de sable. ● **sandpaper** *n* papier *m* de verre ▌ *vt* (*wood etc*) poncer. ● **sandpit** *n Br* bac *m* à sable. ● **sandstone** *n* (*rock*) grès *m*. ● **sandstorm** *n* tempête *f* de sable.
sandal ['sænd(ə)l] *n* sandale *f*.
sandwich ['sænwɪdʒ] **1** *n* sandwich *m*; **cheese/etc s.** sandwich au fromage/*etc*; **hero** *or* **submarine s.** *Am* gros sandwich *m* coupé dans une baguette; **s. bar** *Br* snack-bar *m* (qui ne vend que des sandwichs); **s. course** *Br* formation *f* professionnelle en alternance. **2** *vt* **to s. (in)** (*fit in*) intercaler; **sandwiched in between** (*caught*) coincé entre.
sandy *a* **1** (**-ier, -iest**) (*beach*) de sable; (*road, ground*) sablonneux; (*water*) sableux. **2** (*hair*) blond roux *inv*.
sane [seɪn] *a* (**-er, -est**) (*person*) sain (d'esprit); (*idea, attitude*) raisonnable.
sang [sæŋ] *pt of* **sing**.
sanguine ['sæŋgwɪn] *a* (*hopeful*) optimiste.
sanitarium [sænɪ'teərɪəm] *n Am* sanatorium *m*.
sanitary [*Br* 'sænɪtərɪ, *Am* -erɪ] *a* (*fittings, conditions*) sanitaire; (*clean*) hygiénique; **s. towel** *Br*, **s. napkin** *Am* serviette *f* hygiénique.
sanitation [sænɪ'teɪʃ(ə)n] *n* hygiène *f* (publique); (*plumbing etc*) installations *fpl* sanitaires; **s. department** *Am* service *m* de collecte des ordures ménagères.
sanity ['sænɪtɪ] *n* (*of person*) santé *f* mentale; (*reason*) raison *f*.
sank [sæŋk] *pt of* **sink**².
Santa Claus ['sæntəklɔːz] *n* le père Noël.
sap [sæp] **1** *n* (*of tree, plant*) sève *f*. **2** *vt* (**-pp-**) (*weaken*) miner (*énergie etc*).
sapphire ['sæfaɪər] *n* (*jewel, needle*) saphir *m*.
sarcasm ['sɑːkæz(ə)m] *n* sarcasme *m*. ● **sar'castic** *a* sarcastique.
sardine [sɑː'diːn] *n* sardine *f*.
Sardinia [sɑː'dɪnɪə] *n* Sardaigne *f*.
sardonic [sɑː'dɒnɪk] *a* sardonique.

sash [sæʃ] n **1** (*on dress*) ceinture *f*; (*of mayor etc*) écharpe *f*. **2 s. window** fenêtre *f* à guillotine.
sat [sæt] *pt* & *pp of* **sit**.
Satan ['seɪt(ə)n] *n* Satan *m*. ●**sa'tanic** *a* satanique.
satchel ['sætʃ(ə)l] *n* cartable *m*.
satellite ['sætəlaɪt] *n* satellite *m*; **s.** (**country**) pays *m* satellite; **s. dish** (*for TV programmes*) antenne *f* satellite *or* parabolique; **s. TV** télévision *f* par satellite; **s. picture** (*showing weather patterns*) animation *f* satellite.
satiate ['seɪʃɪeɪt] *vt* rassasier.
satin ['sætɪn] *n* satin *m*; **s. dress/etc** robe *f/etc* de *or* en satin.
satire ['sætaɪər] *n* satire *f* (**on** contre). ●**sa'tirical** *a* satirique. ●**satirist** *n* écrivain *m* satirique. ●**satirize** *vt* faire la satire de.
satisfaction [sætɪs'fækʃ(ə)n] *n* satisfaction *f*. ●**satisfactory** *a* satisfaisant.
satisfy ['sætɪsfaɪ] *vt* satisfaire (*qn*); (*convince, persuade*) persuader (*qn*) (**that** que); (*demand, condition*) satisfaire à; **to s. oneself that** s'assurer que; **to s. oneself of sth** *or* **as to sth** s'assurer de qch; **to be satisfied** (**with**) être satisfait (de) ▮ *vi* donner satisfaction. ●**satisfying** *a* satisfaisant; (*meal, food*) substantiel.
satsuma [sæt'su:mə] *n* (*fruit*) satsuma *f*.
saturate ['sætʃəreɪt] *vt* (*soak*) tremper; (*fill*) saturer (**with** de). ●**saturation** [-'reɪʃ(ə)n] *n* saturation *or f*; **to reach s. point** commencer à saturer *or* à être saturé.
Saturday [*Br* 'sætədɪ, *Am* -deɪ] *n* samedi *m*.
sauce [sɔ:s] *n* **1** sauce *f*; **tomato s.** sauce tomate; **s. boat** saucière *f*. **2** (*impudence*) *Fam* toupet *m*. ●**saucy** *a* (**-ier, -iest**) (*impudent*) impertinent; (*smart*) (*hat etc*) *Fam* coquet.
saucepan ['sɔ:spən] *n* casserole *f*.
saucer ['sɔ:sər] *n* soucoupe *f*.
Saudi Arabia [*Br* saʊdɪə'reɪbɪə, *Am* sɔ:dɪə'reɪbɪə] *n* Arabie *f* Séoudite.
sauerkraut ['saʊəkraʊt] *n* choucroute *f*.
sauna ['sɔ:nə] *n* sauna *m*.
saunter ['sɔ:ntər] *vi* flâner.
sausage ['sɒsɪdʒ] *n* (*cooked, for cooking*) saucisse *f*; (*dried, for slicing*) saucisson *m*; **s. roll** *Br* (*sorte de*) friand *m*.
sauté ['səʊteɪ] *a* (*potatoes etc*) sauté ▮ *vt* *Culin* faire sauter.
savage ['sævɪdʒ] *a* (*fierce*) féroce; (*brutal, cruel*) brutal, sauvage; (*primitive*) sauvage ▮ *n* (*brute*) sauvage *mf* ▮ *vt* (*of animal, critic etc*) attaquer (férocement). ●**savagery** *n* (*cruelty*) sauvagerie *f*.
save¹ [seɪv] *vt* (*rescue*) sauver (**from** de); (*keep*) garder, réserver; (*money, time*) économiser, épargner; *Comptr* sauvegarder; (*stamps*) collectionner; (*problems, trouble*) éviter; **to s. s.o. from doing sth** (*prevent*) empêcher qn de faire qch; **that will s. him** *or* **her** (**the bother of**) **going** ça lui évitera d'y aller; **to s. up** (*money*) économiser.
▮ *vi* **to s.** (**up**) faire des économies (**for sth, to buy sth**) pour (s')acheter qch).
▮ *n* In *Football* arrêt *m*. ●**saving** *n* (*of time, money*) économie *f*, épargne *f* (**of** de); (*rescue*) sauvetage *m*; (*thrifty habit*) l'épargne *f*; **savings** (*money*) économies *fpl*; **savings account** compte *m* d'épargne; **savings bank** caisse *f* d'épargne.
save² [seɪv] *prep* (*except*) sauf.
saveloy ['sævəlɔɪ] *n* *Br* cervelas *m*.
saviour ['seɪvjər] (*Am* **savior**) *n* sauveur *m*.
savour ['seɪvər] (*Am* **savor**) *vt* savourer ▮ *n* (*taste, interest*) saveur *f*. ●**savoury** (*Am* **savory**) *a* (*food*) (*tasty*) savoureux; (*not sweet*) salé; (*tasty*) savoureux; **not very s.** (*neighbourhood etc*) *Fig* peu recommandable.
saw¹ [sɔ:] *n* scie *f* ▮ *vt* (*pt* **sawed**, *pp* **sawn** *or* **sawed**) scier; **to s. off** scier; **a** *Br* **sawn-off** *or* **Am sawed-off shotgun** un fusil à canon scié. ●**sawdust** *n* sciure *f*. ●**sawmill** *n* scierie *f*.
saw² [sɔ:] *pt of* **see¹**.
saxophone ['sæksəfəʊn] *n* saxophone *m*.
say [seɪ] *vt* (*pt* & *pp* **said** [sed]) dire (**to** à, **that** que); (*prayer*) faire, dire; (*of dial, watch etc*) marquer; **to s. again** répéter; **it is said that...** on dit que...; **what do you s. to a walk?** que dirais-tu d'une promenade?; (**let's**) **s. tomorrow** disons demain; **to s. the least** c'est le moins que l'on puisse dire; **to s. nothing of...** sans parler de...; **that's to s.** c'est-à-dire que.
▮ *vi* dire; **you don't s.!** *Fam* sans blague!; **I s.!** *Old-fashioned Br* dites donc!; **s.!** *Am Fam* dis donc!; **that goes without saying** ça va sans dire.
▮ *n* **to have one's s.** dire ce que l'on a à dire, s'exprimer; **to have no s.** ne pas avoir voix au chapitre (**in** pour); **to have a lot of s.** avoir beaucoup d'influence.
saying ['seɪɪŋ] *n* dicton *m*, proverbe *m*.
scab [skæb] *n* **1** (*of wound*) croûte *f*. **2** (*blackleg*) *Fam* jaune *m*.
scaffold ['skæfəld] *n* (*gallows*) échafaud *m*; (*for construction work*) échafaudage *m*. ●**scaffolding** *n* échafaudage *m*.
scald [skɔ:ld] *vt* (*burn, cleanse*) ébouillanter; (*sterilize*) stériliser ▮ *n* brûlure *f*.
scale [skeɪl] **1** *n* (*of map, wages etc*) échelle *f*; (*of numbers*) série *f*; (*in music*) gamme *f*; **s. of charges** tarif *m*; **on a small/large s.** sur une petite/grande échelle; **s. drawing** dessin *m* à l'échelle; **s. model** modèle *m* réduit ▮ *vt* **to s. down** réduire (proportionnellement).
2 *n* (*on fish*) écaille *f*; (*dead skin*) squame *f*; (*on teeth*) tartre *m* ▮ *vt* (*teeth*) détartrer.
3 *vt* (*climb*) escalader (*mur etc*).
scales [skeɪlz] *npl* (*for weighing*) balance *f*; (**bathroom**) **s.** pèse-personne *m*; (**baby**) **s.** pèse-bébé *m*.
scallion ['skæljən] *n* (*onion*) *Am* oignon *m* vert.
scallop ['skɒləp] *n* coquille *f* Saint-Jacques.
scalp [skælp] *n* cuir *m* chevelu ▮ *vt* (*cut off too much hair from*) *Fig Hum* tondre (*qn*).
scalpel ['skælp(ə)l] *n* bistouri *m*, scalpel *m*.

scam [skæm] *n* (*swindle*) *Fam* escroquerie *f*, arnaque *f*.
scamp [skæmp] *n* coquin, -ine *mf*.
scamper ['skæmpər] *vi* **to s. off** *or* **away** détaler.
scampi ['skæmpɪ] *npl* scampi *mpl*.
scan [skæn] **1** *vt* (**-nn-**) (*look at briefly*) parcourir (des yeux); (*scrutinize*) scruter; (*poetry*) scander; (*of radar*) balayer. **2** *n* **to have a s.** (*of pregnant woman*) passer une échographie.
scandal ['skænd(ə)l] *n* (*disgrace*) scandale *m*; (*gossip*) médisances *fpl*; **to cause a s.** (*of book, film etc*) causer un scandale; (*of conduct, attitude etc*) faire (du) scandale. ● **scandalize** *vt* scandaliser. ● **scandalous** *a* scandaleux.
Scandinavia [skændɪ'neɪvɪə] *n* Scandinavie *f*. ● **Scandinavian** *a* scandinave ▮ *n* Scandinave *mf*.
scanner ['skænər] *n* (*using X-rays*) & *Comptr* scanner *m*; (*using ultrasound*) appareil *m* d'échographie.
scant [skænt] *a* (*meal, amount*) insuffisant; **s. attention/regard** peu d'attention/de cas. ● **scantily** *adv* insuffisamment; **s. dressed** à peine *or* légèrement vêtu. ● **scanty** *a* (**-ier, -iest**) insuffisant; (*bikini etc*) minuscule.
scapegoat ['skeɪpɡəʊt] *n* bouc *m* émissaire.
scar [skɑːr] *n* cicatrice *f* ▮ *vt* (**-rr-**) marquer d'une cicatrice; (*of experience etc*) *Fig* marquer; **to be scarred for life** *Fig* être marqué à vie.
scarce [skeəs] *a* (**-er, -est**) (*food, book, people etc*) rare; **to make oneself s.** disparaître, débarrasser le plancher. ● **scarceness** *or* **scarcity** *n* (*shortage*) pénurie *f*; (*rarity*) rareté *f*.
scarcely ['skeəslɪ] *adv* à peine; **he s. talks** il parle à peine, il ne parle guère; **s. anything** presque rien; **s. ever** presque jamais.
scare [skeər] *n* peur *f*; **to give s.o. a s.** faire peur à qn; **bomb s.** alerte *f* à la bombe ▮ *vt* faire peur à; **to s. off** (*person*) faire fuir; (*animal*) effaroucher. ● **scared** *a* effrayé; **to be s.** (**stiff**) avoir (très) peur.
scarecrow ['skeəkrəʊ] *n* épouvantail *m*.
scaremonger ['skeəmʌŋɡər] *n* alarmiste *mf*.
scarf [skɑːf] *n* (*pl* **scarves**) (*long*) écharpe *f*; (*square, for women*) foulard *m*.
scarlet ['skɑːlət] *a* écarlate; **s. fever** scarlatine *f*.
scary ['skeərɪ] *a* (**-ier, -iest**) *Fam* **it's s.** *Fam* ça fait peur.
scathing ['skeɪðɪŋ] *a* (*remark etc*) acerbe; **to be s. about** critiquer de façon acerbe.
scatter ['skætər] *vt* (*disperse*) disperser (*foule, nuages etc*); (*throw or dot about*) éparpiller (*papiers etc*); (*spread*) répandre ▮ *vi* (*of crowd*) se disperser. ● **scattering** *n* **a s. of houses/etc** quelques maisons/*etc* dispersées.
scatterbrain ['skætəbreɪn] *n* écervelé, -ée *mf*.
scatty ['skætɪ] *a* (**-ier, -iest**) *Br Fam* écervelé.

scavenge ['skævɪndʒ] *vi* fouiller dans les ordures (**for** pour trouver). ● **scavenger** *n* clochard, -arde *mf* (qui fait les poubelles).
scenario [sɪ'nɑːrɪəʊ] *n* (*pl* **-os**) (*of film*) & *Fig* scénario *m*.
scene [siːn] *n* (*setting, fuss, part of play or film*) scène *f*; (*of crime, accident*) lieu *m*; (*incident*) incident *m*; (*situation*) situation *f*; (*view*) vue *f*; **behind the scenes** (*in theatre*) & *Fig* dans les coulisses; **on the s.** sur les lieux; **to make** *or* **create a s.** faire une scène (à qn).
scenery ['siːnərɪ] *n* paysage *m*, décor *m*; (*for play or film*) décor(s) *m*(*pl*).
scenic ['siːnɪk] *a* (*beauty*) pittoresque; **the s. route** la route touristique.
scent [sent] *n* ˌfragrance, perfume*) parfum *m*; (*animal's track*) & *Fig* piste *f*; **to throw the police/***etc* **off the s.** dérouter la police/*etc* ▮ *vt* (*room, handkerchief etc*) parfumer (**with** de); (*smell, sense*) flairer.
sceptic ['skeptɪk] (*Am* **skeptic**) *a* & *n* sceptique (*mf*). ● **sceptical** *a* sceptique. ● **scepticism** *n* scepticisme *m*.
sceptre ['septər] (*Am* **scepter**) *n* sceptre *m*.
schedule [*Br* 'ʃedjuːl, *Am* 'skedjʊl] *n* (*of work etc*) programme *m*; (*timetable*) horaire *m*; (*list*) liste *f*; **to be on s.** (*on time*) être à l'heure; (*up to date*) être à jour; **to be ahead of s.** être en avance; **to be behind s.** (*of person, train*) avoir du retard; **according to s.** comme prévu.
▮ *vt* (*to plan*) prévoir; (*event*) fixer le programme *or* l'horaire de. ● **scheduled** *a* (*planned*) prévu; (*service, flight, train etc*) régulier; **s. stop** arrêt *m* normal *or* régulier; **she's s. to leave at 8** elle doit partir à 8 h.
scheme [skiːm] *n* (*plan*) plan *m* (**to do** pour faire); (*idea*) idée *f*; (*dishonest trick*) combine *f*, manœuvre *f*; (*arrangement*) arrangement *m*; (*for profit-sharing, earning bonuses etc*) système *m* ▮ *vi* manœuvrer. ● **scheming** *a* intrigant ▮ *n* *Pej* machinations *fpl*. ● **schemer** *n* intrigant, -ante *mf*.
schizophrenic [skɪtsə'frenɪk] *a* & *n* schizophrène (*mf*).
scholar ['skɒlər] *n* érudit, -ite *mf*; (*specialist*) spécialiste *mf*; (*grant holder*) boursier, -ière *mf*. ● **scholarly** *a* érudit, savant. ● **scholarship** *n* érudition *f*; (*grant*) bourse *f* (d'études). ● **scho'lastic** *a* scolaire.
school [skuːl] *n* école *f*; (*teaching, lessons*) classe *f*; (*college*) *Am Fam* université *f*; (*within university*) institut *m*, département *m*; **in** *or* **at s.** à l'école; **secondary s.** *Br*, **high s.** *Am* établissement *m* d'enseignement secondaire; **public s.** *Br* école *f* privée; *Am* école publique; **s. of motoring** *Br* auto-école *f*; **summer s.** cours *mpl* d'été *or* de vacances.
▮ *a* (*year, book, equipment etc*) scolaire; **s. bag** cartable *m*; **s. bus** car *m* scolaire; **s. fees** frais *mpl* de scolarité; **s. hours** les heures *fpl* de classe; **s. yard** *Am* cour *f* (de récréation). ● **schooling** *n* (*learning*) instruction *f*; (*attendance*) scolarité *f*.

schoolboy

schoolboy ['sku:lbɔɪ] *n* écolier *m*. ●**schoolchildren** *npl* écoliers *mpl*. ●**schooldays** *npl* années *fpl* d'école. ●**schoolfriend** *n* camarade *mf* de classe. ●**schoolgirl** *n* écolière *f*. ●**schoolhouse** *n* école *f*. ●**school-'leaver** *n* Br jeune *mf* qui a terminé ses études secondaires. ●**schoolmaster** *n* Br (*primary*) instituteur *m*; (*secondary*) professeur *m*. ●**schoolmate** *n* camarade *mf* de classe. ●**schoolmistress** *n* Br (*primary*) institutrice *f*; (*secondary*) professeur *m*. ●**schoolroom** *n* salle *f* de classe. ●**schoolteacher** *n* (*primary*) instituteur, -trice *mf*; (*secondary*) professeur *m*.

schooner ['sku:nər] *n* (*ship*) goélette *f*.

sciatica [saɪ'ætɪkə] *n* (*pain*) sciatique *f*.

science ['saɪəns] *n* science *f*; **to study s.** étudier les sciences; **s. subject** matière *f* scientifique; **s. teacher** professeur *m* de sciences; **s. fiction** science-fiction *f*. ●**scien'tific** *a* scientifique. ●**scientist** *n* scientifique *mf*, savant *m*.

sci-fi ['saɪfaɪ] *n* Fam science-fiction *f*.

Scilly Isles ['sɪlɪaɪlz] *npl* **the S. Isles** les Sorlingues *fpl*.

scintillating ['sɪntɪleɪtɪŋ] *a* (*conversation, wit*) brillant.

scissors ['sɪzəz] *npl* ciseaux *mpl*; **a pair of s.** une paire de ciseaux.

sclerosis [sklɪ'rəʊsɪs] *n* (*disease*) sclérose *f*; **multiple s.** sclérose en plaques.

scoff [skɒf] **1** *vi* **to s. at s.o./sth** se moquer de qn/qch. **2** *vti* (*eat*) Br Fam bouffer.

scold [skəʊld] *vt* gronder, réprimander (**for doing** pour avoir fait). ●**scolding** *n* réprimande *f*; **to get a s.** se faire gronder.

scone [skəʊn, skɒn] *n* Br petit pain *m* au lait.

scoop [sku:p] *n* (*shovel*) pelle *f* (à main); (*spoon-shaped for food*) cuillère *f*; (*in newspaper*) exclusivité *f*; **at one s.** d'un seul coup ▌ *vt* (*prizes*) rafler; **to s. out** (*hollow out*) évider; (*melon etc*) préparer; **to s. up** ramasser (avec une pelle *or* une cuillère).

scoot [sku:t] *vi* (*rush, leave*) Fam filer.

scooter ['sku:tər] *n* (*child's*) trottinette *f*; (*motorcycle*) scooter *m*.

scope [skəʊp] *n* (*range*) étendue *f*; (*of mind*) envergure *f*; (*competence*) compétence(s) *f(pl)*; (*limits*) limites *fpl*; **s. for sth/for doing** (*opportunity*) des possibilités *fpl* de qch/de faire; **the s. of one's activity** le champ de ses activités.

scorch [skɔ:tʃ] *vt* (*linen, grass etc*) roussir ▌ *n* **s.** (**mark**) brûlure *f* légère. ●**scorching** *a* (*day*) torride; (*sun, sand*) brûlant. ●**scorcher** *n* Fam journée *f* torride.

score[1] [skɔ:r] *n* (*in sport*) score *m*; (*at cards*) marque *f*; (*music*) partition *f*; (*of film*) musique *f*; **to have a s. to settle (with s.o.)** Fig avoir un compte à régler (avec qn); **on that s.** (*in that respect*) à cet égard.

▌ *vt* (*point, goal*) marquer; (*exam mark*) avoir; (*success*) remporter; (*piece of music*) adapter, arranger (**for** pour).

▌ *vi* marquer un point *or* un but; (*count points*) marquer les points. ●**scoreboard** *n* (*in competition*) tableau *m* d'affichage. ●**scorer** *n* (*player who scores*) marqueur *m*.

score[2] [skɔ:r] *n* **a s.** (*twenty*) vingt; **a s. (of)** (*about twenty*) une vingtaine (**de**); **scores of** Fig un grand nombre de.

score[3] [skɔ:r] *vt* **1** (*cut*) rayer; (*paper, wood*) marquer. **2 to s. off** *or* **out** (*delete*) rayer.

scorn [skɔ:n] *vt* mépriser ▌ *n* mépris *m*. ●**scornful** *a* méprisant; **to be s. of** mépriser. ●**scornfully** *adv* avec mépris.

Scorpio ['skɔ:pɪəʊ] *n* (*sign*) le Scorpion.

scorpion ['skɔ:pɪən] *n* scorpion *m*.

Scot [skɒt] *n* Écossais, -aise *mf*. ●**Scotland** *n* Écosse *f*. ●**Scotsman** *n* (*pl* **-men**) Écossais *m*. ●**Scotswoman** *n* (*pl* **-women**) Écossaise *f*. ●**Scottish** *a* écossais.

scotch [skɒtʃ] **1** *a* **s. tape**® *Am* scotch® *m*. **2** *vt* (*rumour*) étouffer; (*attempt*) faire échouer.

Scotch [skɒtʃ] *n* (*whisky*) scotch *m*.

scot-free [skɒt'fri:] *adv* sans être puni.

scoundrel ['skaʊndr(ə)l] *n* vaurien *m*.

scour ['skaʊər] *vt* (*pan*) récurer; (*streets etc*) Fig parcourir (**for** à la recherche de). ●**scourer** *n* tampon *m* à récurer.

scourge [skɜ:dʒ] *n* fléau *m*.

scout [skaʊt] **1** *n* (*soldier*) éclaireur *m*; (**boy**) **s.** scout *m*, éclaireur *m*; **girl s.** *Am* éclaireuse *f*; **s. camp** camp *m* scout. **2** *vi* **to s. round** (*look for*) chercher. ●**scouting** *n* scoutisme *m*.

scowl [skaʊl] *vi* se renfrogner; **to s. at s.o.** regarder qn d'un air mauvais. ●**scowling** *a* renfrogné.

Scrabble® ['skræb(ə)l] *n* Scrabble® *m*.

scraggy ['skrægɪ] *a* (**-ier, -iest**) (*bony*) maigrichon, osseux; (*unkempt*) débraillé.

scram [skræm] *vi* (**-mm-**) Fam filer.

scramble ['skræmb(ə)l] **1** *vi* **to s.** for se ruer vers; **to s. up** (*climb*) grimper; **to s. through** traverser avec difficulté ▌ *n* ruée *f* (**for** vers). **2** *vt* (*egg*) brouiller; **scrambled eggs** œufs *mpl* brouillés. **3** *vt* (*radio message*) brouiller.

scrap [skræp] **1** *n* (*piece*) petit morceau *m* (**of** de); (*of information, news*) fragment *m*; **scraps** (*food*) restes *mpl*; **not a s. of** (*truth, good sense etc*) pas un brin de; **s. paper** (papier *m*) brouillon *m*.

2 *n* (*metal*) ferraille *f*; **to sell for s.** vendre à la casse; **s. heap** tas *m* de feraille; **s. yard** casse *f*; **s. dealer, s. merchant** marchand *m* de ferraille; **s. metal, s. iron** ferraille *f*; **to be on the s. heap** Fig n'être plus bon à rien ▌ *vt* (**-pp-**) (*get rid of*) se débarrasser de; (*vehicle*) mettre à la ferraille; (*plan, idea*) Fig abandonner.

3 *n* Fam (*fight*) bagarre *f*; **to get into a s. with s.o.** en venir aux mains avec qn; (*argument*) avoir des mots avec qn.

scrapbook ['skræpbʊk] *n* album *m* (*pour collages etc*).

scrape [skreɪp] *vt* racler, gratter; (*skin, knee etc*) érafler ▌ *vi* **to s. against sth** (*rub*) frotter contre qch ∎ *n* (*on skin*) éraflure *f*; (*sound*) raclement *m*; **to get into a s.** *Fam* s'attirer des ennuis. ● **scraping** *n* (*of butter etc*) mince couche *f*; **scrapings** (*of wood, dirt etc*) raclures *fpl*. ● **scraper** *n* racloir *m*.

scrape along *vi* (*manage financially*) se débrouiller ∎ **to scrape away** *or* **off** *vt* (*mud etc*) racler ∎ **to scrape through** *vti* **to s. through (an exam)** réussir (un examen) de justesse ∎ **to scrape together** *vt* (*money, people*) réunir (difficilement).

scratch [skrætʃ] *n* (*mark, injury*) éraflure *f*; (*on glass*) rayure *f*; **to have a s.** (*scratch oneself*) *Fam* se gratter; **to start from s.** (re)partir de zéro; **it isn't up to s.** ce n'est pas au niveau; **he isn't up to s.** il n'est pas à la hauteur.

∎ *vt* (*arm etc that itches*) gratter; (*skin, furniture, wall etc*) érafler; (*glass*) rayer; (*with claw*) griffer; (*one's name*) graver (**on** sur).

∎ *vi* (*relieve an itch*) se gratter; (*of cat etc*) griffer; (*of pen*) gratter, accrocher.

scrawl [skrɔːl] *vt* gribouiller ∎ *n* gribouillis *m*.

scrawny ['skrɔːnɪ] *a* (**-ier, -iest**) (*bony*) maigrichon (*f* -onne), osseux.

scream [skriːm] *vti* crier, hurler; **to s. at s.o.** crier après qn; **to s. with pain**/*etc* hurler de douleur/*etc* ∎ *n* cri *m* (perçant).

screech [skriːtʃ] *vi* (*cry*) crier, hurler; (*of Br tyres, Am tires*) grincer; (*of brakes*) hurler ∎ *n* cri *m*; grincement *m*; hurlement *m*.

screen [skriːn] **1** *n* (*of TV set, computer etc*) & *Fig* écran *m*; (*of data*) *Comptr* page-écran *f*; (*folding*) **s.** paravent *m*; **on s.** *Comptr* à l'écran.

2 *vt* (*hide*) cacher (**from s.o.** à qn); (*protect*) protéger (**from** de); (*a film*) projeter; (*visitors, documents*) filtrer; (*for cancer etc*) faire subir un test de dépistage à (*qn*) (**for** pour); **to s. off** (*hide*) cacher. ● **screening** *n* (*of film*) projection *f*; (*selection*) tri *m*; (*medical examination*) (test *m* de) dépistage *m*.

screenplay ['skriːnpleɪ] *n* (*of film*) scénario *m*.

screw [skruː] *n* vis *f* ∎ *vt* visser (**to** à); **to s. down** *or* **on** visser; **to s. off** dévisser; **to s. up** (*paper*) chiffonner; (*mess up*) *Sl* gâcher; **to s. up one's eyes** plisser les yeux; **to s. one's face up** grimacer. ● **screwball** *n* & *a Am Fam* cinglé, -ée (*mf*). ● **screwdriver** *n* tournevis *m*. ● **screwy** *a* (**-ier, -iest**) (*idea, person etc*) farfelu.

scribble ['skrɪb(ə)l] *vti* griffonner ∎ *n* griffonnage *m*.

scribe [skraɪb] *n* scribe *m*.

scrimmage ['skrɪmɪdʒ] *n Am Football* mêlée *f*.

script [skrɪpt] *n* (*of film*) scénario *m*; (*of play*) texte *m*; (*in exam*) copie *f*; (*system of writing*) écriture *f*; (*handwriting*) script *m*. ● **scriptwriter** *n* (*for films*) scénariste *mf*, dialoguiste *mf*; (*for TV or radio*) dialoguiste *mf*.

Scripture(s) ['skrɪptʃə(z)] *n*(*pl*) *Rel* Écriture *f* (sainte), (Saintes) Écritures *fpl*.

scroll [skrəʊl] **1** *n* rouleau *m* (de parchemin); (*book*) manuscrit *m*. **2** *vi* (*of text*) *Comptr* défiler ∎ *vt* (*text*) *Comptr* faire défiler.

scrooge [skruːdʒ] *n* (*miser*) avare *m*, harpagon *m*.

scrounge [skraʊndʒ] *vt* (*meal*) se faire payer (**off** *or* **from s.o.** par qn); (*steal*) piquer (**off** *or* **from s.o.** à qn); **to s. money off** *or* **from s.o.** taper qn ∎ *vi* vivre en parasite; (*beg*) quémander; **to s. around for sth** *Pej* essayer de mettre la main sur qch. ● **scrounger** *n* parasite *m*.

scrub [skrʌb] **1** *vt* (**-bb-**) (*surface*) nettoyer (à la brosse), frotter; (*potato etc*) frotter; (*pan*) récurer, frotter; (*cancel*) *Fam* annuler; **to s. off** (*remove*) enlever (à la brosse *or* en frottant); **to s. out** (*erase*) *Fig* effacer ∎ *vi* (*scrub floors*) frotter les planchers; **scrubbing brush** brosse *f* dure ∎ *n* **to give sth a s.** nettoyer qch (à la brosse), frotter qch; **s. brush** *Am* brosse *f* dure. **2** *n* (*land*) broussailles *fpl*.

scruff [skrʌf] *n* **1 by the s. of the neck** par la peau du cou. **2** (*person*) *Fam* individu *m* débraillé. ● **scruffy** *a* (**-ier, -iest**) (*untidy*) débraillé; (*dirty*) malpropre.

scrum [skrʌm] *n Rugby* mêlée *f*.

scrumptious ['skrʌmpʃəs] *a Fam* (*cake, apple etc*) super bon, fameux.

scruple ['skruːp(ə)l] *n* scrupule *m*. ● **scrupulous** *a* scrupuleux. ● **scrupulously** *adv* (*conscientiously*) scrupuleusement; (*completely*) (*clean, honest etc*) absolument.

scrutinize ['skruːtɪnaɪz] *vt* scruter. ● **scrutiny** *n* examen *m* minutieux.

scuba ['skuːbə] *n* scaphandre *m* autonome; **s. diver** plongeur, -euse *mf*; **s. diving** la plongée sous-marine.

scuff [skʌf] *vt* **to s. (up)** (*scrape*) érafler (*chaussure*).

scuffle ['skʌf(ə)l] *n* bagarre *f*.

scullery ['skʌlərɪ] *n Br* arrière-cuisine *f*.

sculpt [skʌlpt] *vti* sculpter. ● **sculptor** *n* sculpteur *m*. ● **sculptress** *n* femme *f* sculpteur. ● **sculpture** *n* (*art, object*) sculpture *f* ∎ *vti* sculpter.

scum [skʌm] *n* **1** (*on liquid*) écume *f*. **2** *Pej* (*people*) racaille *f*; (*person*) salaud *m*; **the s. of society** la lie de la société.

scupper ['skʌpər] *vt* (*plan*) *Br Fam* saboter.

scurf [skɜːf] *n* (*dandruff*) pellicules *fpl*.

scurrilous ['skʌrɪləs] *a* (*criticism, attack*) haineux, violent et grossier.

scurry ['skʌrɪ] *vi* (*rush*) se précipiter, courir; **to s. off** décamper.

scurvy ['skɜːvɪ] *n* (*disease*) scorbut *m*.

scuttle ['skʌt(ə)l] **1** *vt* (*ship*) saborder. **2** *vi* **to s. off** filer.

scuzzy ['skʌzɪ] *a* (**-ier, -iest**) (*dirty*) *Am Sl* cradingue, cracra *inv*.

scythe [saɪð] *n* faux *f*.

sea [siː] *n* mer *f*; **(out) at s.** en mer; **by s.** par mer; **by** *or* **beside the s.** au bord de la mer; **to be all at s.** *Fig* nager complètement ∎ *a*

seaboard

(*level, breeze*) de la mer; (*water, fish*) de mer; (*air, salt*) marin; (*battle, power*) naval (*mpl* -als); (*route*) maritime; **s. bed, s. floor** fond *m* de la mer; **s. lion** otarie *f*; **s. voyage** voyage *m* par mer.
seaboard ['siːbɔːd] *n* littoral *m*. ● **seafarer** *n* marin *m*. ● **seafood** *n* fruits *mpl* de mer. ● **seafront** *n* Br front *m* de mer. ● **seagull** *n* mouette *f*. ● **seaman** *n* (*pl* -men) marin *m*. ● **seaplane** *n* hydravion *m*. ● **seaport** *n* port *m* de mer. ● **seashell** *n* coquillage *m*. ● **seashore** *n* bord *m* de la mer. ● **seasick** *a* **to be s.** avoir le mal de mer. ● **seasickness** *n* mal *m* de mer. ● **seaside** *n* Br bord *m* de la mer; **s. town/hotel/***etc* ville *f*/hôtel *m*/*etc* au bord de la mer. ● **seaway** *n* route *f* maritime. ● **seaweed** *n* algue(s) *f*(*pl*). ● **seaworthy** *a* (*ship*) en état de naviguer.
seal [siːl] **1** *n* (*animal*) phoque *m*.
2 *n* (*mark, design*) sceau *m*; (*of wax on document etc*) cachet *m* (de cire); (*rubber, putty blob for sealing*) joint *m*; (*on medicine bottle etc to make tamper-proof*) bague *f* or bande *f* de garantie ▮ *vt* (*document, container*) sceller; (*stick down*) cacheter (*enveloppe etc*); (*block*) boucher (*tuyau etc*); (*make airtight*) fermer hermétiquement; **to s. s.o.'s fate** décider du sort de qn; **to s. off a house/district/***etc* (*of police, troops*) interdire l'accès d'une maison/d'un quartier/*etc*.
seam [siːm] *n* (*in cloth etc*) couture *f*; (*of coal, quartz etc*) veine *f*.
seamy ['siːmɪ] *a* (-ier, -iest) **the s. side** côté peu reluisant (**of** de).
séance ['seɪɑːns] *n* séance *f* de spiritisme.
search [sɜːtʃ] *n* (*quest*) recherche *f* (**for** de); (*of person, place*) fouille *f*; **in s. of** à la recherche de; **to do a s. for sth** Comptr rechercher qch; **s. and replace** Comptr recherche *f* et remplacement; **s. party** équipe *f* de secours.
▮ *vt* (*person, place*) fouiller (**for** pour trouver); (*study*) examiner (*document etc*); **to s. (through) one's papers/etc for sth** chercher qch dans ses papiers/*etc*; **to s. a file** Comptr examiner or consulter un fichier; **to s. a file for sth** rechercher qch dans un fichier.
▮ *vi* chercher; **to s. for sth** chercher qch. ● **searching** *a* (*look*) pénétrant; (*examination*) minutieux.
searchlight ['sɜːtʃlaɪt] *n* projecteur *m*.
season ['siːz(ə)n] **1** *n* saison *f*; **in the peak s., in (the) high s.** en pleine or haute saison; **in the low** or **off s.** en basse saison; **a Truffaut s.** (*series of films*) un cycle Truffaut; **the festive s.** la période des fêtes; **'s.'s greetings'** 'meilleurs vœux'; **s. ticket** carte *f* d'abonnement.
2 *vt* (*food*) assaisonner; **highly seasoned dish** plat *m* relevé; **highly seasoned food** la cuisine relevée. ● **seasoning** *n* Culin assaisonnement *m*.
seasonable ['siːzənəb(ə)l] *a* (*weather*) de saison.
seasonal ['siːzən(ə)l] *a* (*work, change etc*) saisonnier.
seasoned ['siːzənd] *a* (*worker etc*) expérimenté; (*soldier*) aguerri.
seat [siːt] *n* (*for sitting, centre, in parliament*) siège *m*; (*on train, bus*) banquette *f*; (*in theatre, Br cinema or Am movie theater*) fauteuil *m*; (*place*) place *f*; (*of Br trousers, Am pants*) fond *m*; **to take** or **have a s.** s'asseoir; **to be in the hot s.** (*in difficult position*) Fig être sur la sellette; **s. belt** ceinture *f* de sécurité.
▮ *vt* (*at table*) placer (*qn*); (*on one's lap*) asseoir (*qn*); **the room seats 50** la salle a 50 places (assises); **be seated!** asseyez-vous! ● **seated** *a* (*sitting*) assis. ● **seating** *n* (*seats*) places *fpl* assises; **the s. arrangements** la disposition des places; **s. capacity** nombre *m* de places assises; **s. plan** plan *m* de table.
-seater ['siːtər] *suff* **two-s.** (*car*) voiture *f* à deux places.
secateurs [sekə'tɜːz] *npl* Br sécateur *m*.
secede [sɪ'siːd] *vi* faire sécession. ● **secession** [sɪ'seʃ(ə)n] *n* sécession *f*.
secluded [sɪ'kluːdɪd] *a* (*remote*) isolé. ● **seclusion** [-ʒ(ə)n] *n* solitude *f*.
second¹ ['sekənd] *a* deuxième, second; **every s. week** une semaine sur deux; **in s. (gear)** (*vehicle*) en seconde; **s. to none** sans pareil; **to be s. in command** commander en second.
▮ *adv* (*to say*) deuxièmement; **to come s.** (*in sport etc*) se classer deuxième; **the s. biggest** le deuxième en ordre de grandeur; **the s. richest country** le deuxième pays le plus riche; **my s. best (choice)** mon deuxième choix.
▮ *n* (*person, object*) deuxième *mf*, second, -onde *mf*; **Louis the S.** Louis Deux; **seconds** (*goods*) articles *mpl* de second choix.
▮ *vt* (*motion, proposal*) appuyer. ● **second-'class** *a* (*ticket on train etc*) de seconde (classe); (*mail*) non urgent; (*product*) de qualité inférieure. ● **second-'rate** *a* médiocre. ● **secondly** *adv* deuxièmement.
second² ['sekənd] *n* (*part of minute*) seconde *f*; **s. hand** (*of clock, watch*) trotteuse *f*.
second³ [sɪ'kɒnd] *vt* (*employee*) Br détacher (**to** à). ● **secondment** *n* Br détachement *m*; **on s.** en (position de) détachement (**to** à).
secondary ['sekəndərɪ] *a* secondaire; **s. school** Br établissement *m* d'enseignement secondaire.
secondhand [sekənd'hænd] **1** *a & adv* (*not new*) d'occasion. **2** *a* (*report, news etc*) de seconde main.
secondly ['sekəndlɪ] *adv* see **second¹**.
secondment [sɪ'kɒndmənt] *n* Br see **second³**.
secrecy ['siːkrəsɪ] *n* (*discretion, silence*) secret *m*; **in s.** en secret.
secret ['siːkrɪt] *a* secret ▮ *n* secret *m*; **in s.** en secret; **it's an open s.** c'est le secret de Polichinelle. ● **secretly** *adv* secrètement, en secret.
secretary [Br 'sekrət(ə)rɪ, Am -erɪ] *n* secrétaire *mf*; **Foreign S.** Br, **S. of State** Am =

ministre *m* des Affaires étrangères. ●**se-cre'tarial** *a* (*work, post*) de secrétaire, de secrétariat; (*school*) de secrétariat. ●**se-cre'tariat** *n* (*in international organization*) secrétariat *m*.
secrete [sɪˈkriːt] *vt* (*of gland, animal etc*) sécréter. ●**secretion** [-ʃ(ə)n] *n* sécrétion *f*.
secretive [ˈsiːkrətɪv] *a* (*person*) cachottier; (*organization*) qui a le goût du secret; **to be s. about sth** être très discret sur qch. ●**secretively** *adv* (très) discrètement.
sect [sekt] *n* secte *f*. ●**sec'tarian** *a* & *n Pej* sectaire (*mf*).
section [ˈsekʃ(ə)n] *n* (*of town, country, book etc*) partie *f*; (*of road, forest etc*) section *f*, partie *f*; (*of machine, furniture*) élément *m*; (*department*) section *f*; (*in store*) rayon *m*; **the sports**/*etc* **s.** (*of newspaper*) la page des sports/*etc* **▮** *vt* **to s. off** (*separate*) séparer.
sector [ˈsektər] *n* secteur *m*.
secular [ˈsekjʊlər] *a* (*teaching etc*) laïque; (*music, art*) profane.
secure [sɪˈkjʊər] **1** *a* (*person, valuables*) en sûreté, en sécurité; (*place*) sûr; (*solid, firm*) solide; (*door, window*) bien fermé; (*certain*) assuré; **s. from** à l'abri de; **(emotionally) s.** sécurisé; **I feel s. knowing that...** je suis tranquille car je sais que... **▮** *vt* (*fasten*) attacher; (*window etc*) bien fermer; (*success, s.o.'s future etc*) *Fig* assurer; **to s. sth against** (*protect*) protéger qch de.
2 *vt* (*obtain*) procurer (**sth for s.o.** qch à qn); **to s. sth (for oneself)** se procurer qch. ●**securely** *adv* (*firmly*) solidement; (*safely*) en sûreté.
security [sɪˈkjʊərətɪ] *n* **1** sécurité *f*; (*for loan, bail*) caution *f*; **job s.** sécurité *f* de l'emploi; **to tighten s.** renforcer les mesures de sécurité; **s. firm** société *f* de surveillance; **s. guard** agent *m* de sécurité; (*transferring money*) convoyeur *m* de fonds; **she's a s. risk** elle constitue un risque *or* un danger pour la sécurité. **2 securities** (*stocks, bonds etc*) titres *mpl*, valeurs *fpl*.
sedan [sɪˈdæn] *n* (*saloon*) *Am* berline *f*.
sedate [sɪˈdeɪt] **1** *a* calme. **2** *vt* mettre sous calmants. ●**sedation** [-ʃ(ə)n] *n* **under s.** sous calmants.
sedative [ˈsedətɪv] *n* calmant *m*.
sedentary [ˈsedəntərɪ] *a* sédentaire.
sediment [ˈsedɪmənt] *n* sédiment *m*.
sedition [səˈdɪʃ(ə)n] *n* sédition *f*. ●**seditious** *a* séditieux.
seduce [sɪˈdjuːs] *vt* séduire. ●**seducer** *n* séducteur, -trice *mf*. ●**seduction** [sɪˈdʌkʃ(ə)n] *n* séduction *f*. ●**seductive** *a* (*person, offer etc*) séduisant.
see[1] [siː] *vti* (*pt* **saw**, *pp* **seen**) voir; **we'll s. on verra (bien); I s.!** je vois!; **I can s. (clearly)** j'y vois clair; **I saw him run(ning)** je l'ai vu courir; **to s. reason** entendre raison; **to s. the joke** comprendre la plaisanterie; **s. who it is** va voir qui c'est; **s. you (later)!** à tout à l'heure!; **s. you (soon)!** à bientôt!; **to s. that** voir que; (*take care that*) veiller à ce que (+ *sub*); (*check*) s'assurer que (+ *indic*).
see[2] [siː] *n* (*of bishop*) siège *m* (épiscopal).
see about *vt* (*deal with*) s'occuper de; (*consider*) songer à **▮ to see in** *vt* **to s. in the New Year** fêter la Nouvelle Année **▮ to see off** *vt* accompagner (*qn*) (*à la gare etc*) **▮ to see out** *vt* raccompagner (*qn*) **▮ to see through** *vt* (*task*) mener à bonne fin; **to s.s.o. through** (*be enough for s.o.*) suffire à qn; **to s. through s.o.** deviner le jeu de qn **▮ to see to** *vt* (*deal with*) s'occuper de (*qch, qn*); (*mend*) réparer (*qch*); **to s. to it that** (*take care that*) veiller à ce que (+ *sub*); (*check*) s'assurer que (+ *indic*); **to s. s.o. to** (*accompany*) raccompagner qn à.
seed [siːd] *n* graine *f*; (*in grape*) pépin *m*; (*source*) *Fig* germe; *Tennis* tête *f* de série; **seed(s)** (*for sowing*) graines *fpl*; **to go to s.** (*of lettuce etc*) monter en graine. ●**seedbed** *n* (*for plants*) semis *m*; (*of rebellion etc*) *Fig* foyer *m*. ●**seedling** *n* (*plant*) semis *m*.
seedy [ˈsiːdɪ] *a* (**-ier, -iest**) miteux. ●**seediness** *n* aspect *m* miteux.
seeing [ˈsiːɪŋ] *conj* **s. (that)** vu que.
seek [siːk] *vt* (*pt* & *pp* **sought**) chercher (**to do** à faire); (*ask for*) demander (**from** à); **to s.** (*after*) rechercher; **to s. out** aller trouver.
seem [siːm] *vi* sembler (**to do** faire); **it seems that...** (*impression*) il semble que... (+ *sub or indic*); (*rumour*) il paraît que... (+ *indic*); **it seems to me that...** il me semble que... (+ *indic*); **we s. to know each other** il me semble qu'on se connaît; **I can't s. to do it** je n'arrive pas à le faire.
seeming [ˈsiːmɪŋ] *a* apparent. ●**seemingly** *adv* apparemment.
seemly [ˈsiːmlɪ] *a* convenable.
seen [siːn] *pp* of **see**[1].
seep [siːp] *vi* (*ooze*) suinter; **to s. into** s'infiltrer dans; **to s. through** filtrer à travers. ●**seepage** *n* (*oozing*) suintement *m*; (*infiltration*) infiltration(s) *f(pl)* (**into** dans); (*leak*) fuite *f*.
seersucker [ˈsɪəsʌkər] *n* seersucker *m*.
seesaw [ˈsiːsɔː] *n* (jeu *m* de) bascule *f*.
seethe [siːð] *vi* **to s. with anger** bouillir de colère; **to s. with people** (*swarm*) grouiller de monde.
see-through [ˈsiːθruː] *a* (*dress etc*) transparent.
segment [ˈsegmənt] *n* segment *m*; (*of orange*) quartier *m*.
segregate [ˈsegrɪgeɪt] *vt* séparer; (**racially**) **segregated** (*school*) où se pratique la ségrégation raciale. ●**segregation** [-ˈgeɪʃ(ə)n] *n* ségrégation *f*.
Seine [seɪn] *n* **the S.** la Seine.
seize [siːz] **1** *vt* saisir; (*power, land*) s'emparer de **▮** *vi* **to s. (up)on** (*offer etc*) saisir. **2** *vi* **to s. up** (*of engine*) (se) gripper.
seizure [ˈsiːʒər] *n* (*of goods, property*) saisie *f*; (*attack of illness*) crise *f*, attaque *f*; **s. of power** prise *f* de pouvoir.
seldom [ˈseldəm] *adv* rarement.

select

select [sɪ'lekt] vt choisir (**from** parmi); (*candidates, players, pupils etc*) sélectionner ▮ a (*chosen*) choisi; (*exclusive*) sélect, chic inv. ● **selection** [-ʃ(ə)n] n sélection f.

selective [sɪ'lektɪv] a (*memory, recruitment etc*) sélectif; **to be s.** (*of person*) opérer un choix; (*choosy*) être difficile (**about sth** sur qch).

self [self] n (pl **selves**) **the s.** *Phil Psy* le moi; **he's back to his old s.** *Fam* il est redevenu lui-même. ● **self-addressed 'envelope** n enveloppe f timbrée à votre adresse. ● **self-a'ssurance** n assurance f. ● **self-a'ssured** a sûr de soi. ● **self-'catering** a Br où l'on fait la cuisine soi-même. ● **self-'centred** (*Am* -'**centered**) a égocentrique. ● **self-'cleaning** a (*oven*) autonettoyant. ● **self-con'fessed** a (*liar*) de son propre aveu. ● **self-'confidence** n assurance f. ● **self-'confident** a sûr de soi. ● **self-'conscious** a gêné. ● **self-'consciousness** n gêne f. ● **self-con'tained** a (*Br flat, Am apartment*) indépendant. ● **self-con'trol** n maîtrise f de soi. ● **self-de'feating** a qui a un effet contraire à celui qui est recherché. ● **self-de'fence** n (*Am* -**defense**) n *Jur* légitime défense f; **in s.-defence** en légitime défense. ● **self-de'nial** n abnégation f. ● **self-determi'nation** n autodétermination f. ● **self-'discipline** n autodiscipline f. ● **self-em'ployed** a qui travaille à son compte. ● **self-es'teem** n amour-propre m. ● **self-'evident** a évident, qui va de soi. ● **self-ex'planatory** a qui tombe sous le sens, qui se passe d'explication. ● **self-'governing** a autonome. ● **self-im'portant** a suffisant. ● **self-in'dulgent** a qui ne se refuse rien. ● **self-'interest** n intérêt m (personnel). ● **self-made** a **to be s.-made** avoir réussi tout seul or par soi-même. ● **self-o'pinionated** a entêté. ● **self-'pity** n **to feel self-pity** s'apitoyer sur son propre sort. ● **self-'portrait** n autoportrait m. ● **self-po'ssessed** a assuré. ● **self-raising** or *Am* **self-rising 'flour** n farine f avec levure. ● **self-re'liant** a indépendant. ● **self-re'spect** n amour-propre m. ● **self-re'specting** a qui se respecte. ● **self-'righteous** a trop content de soi. ● **self-'sacrifice** n abnégation f. ● **self-'satisfied** a content de soi. ● **self-'service** n & a libre-service (m inv). ● **self-starter** n (*person*) personne f prête à prendre des initiatives. ● **self-'styled** a (*leader etc*) soi-disant. ● **self-su'fficient** a indépendant, qui a son indépendance. ● **self-su'pporting** a (*business, person*) financièrement indépendant. ● **self-'taught** a autodidacte.

selfish ['selfɪʃ] a égoïste; (*motive*) intéressé. ● **selfless** a désintéressé. ● **selfishness** n égoïsme m.

selfsame ['selfseɪm] a même.

sell [sel] vt (pt & pp **sold**) vendre; (*idea etc*) *Fig* faire accepter; **she sold it to me for twenty pounds** elle me l'a vendu vingt livres ▮ vi (*of product*) se vendre; (*of idea etc*) *Fig* être accepté. ● **sell-by date** n (*on product*) date f limite de vente. ● **selling price** n prix m de vente.

sell back vt revendre ▮ **to sell off** vt liquider ▮ **to sell out** vt **to have** or **be sold out of sth** n'avoir plus de qch; **this book is sold out** ce livre est épuisé ▮ **to sell up** vi (*sell one's house*) vendre sa maison; (*sell one's business*) vendre son affaire.

seller ['selər] n vendeur, -euse mf. ● **sellout** n **1 it was a s.** (*of play, film etc*) tous les billets ont été vendus. **2** (*betrayal*) trahison f.

sellotape® ['seləteɪp] *Br* n scotch® m ▮ vt scotcher.

semantic [sɪ'mæntɪk] a sémantique. ● **semantics** n sémantique f.

semaphore ['seməfɔːr] n (*system*) signaux mpl à bras; (*signalling device*) sémaphore m.

semblance ['sembləns] n semblant m.

semen ['siːmən] n sperme m.

semester [sɪ'mestər] n (*university term*) semestre m.

semi- ['semɪ] *pref* semi-, demi-. ● **semiauto'matic** a semi-automatique. ● **semibreve** [-briːv] n (*musical note*) *Br* ronde f. ● **semicircle** n demi-cercle m. ● **semi'circular** a semi-circulaire. ● **semicolon** n point-virgule m. ● **semi-'conscious** a à demi conscient. ● **semide'tached** a **s. house** *Br* maison f jumelle. ● **semi'final** n (*in competition etc*) demi-finale f. ● **semiskilled** a **s. worker** ouvrier m spécialisé. ● **semi(trailer)** n (*truck*) *Am* semi-remorque f.

seminar ['semɪnɑːr] n (*university class*) séminaire m.

seminary ['semɪnərɪ] n *Rel* séminaire m.

Semite [*Br* 'siːmaɪt, *Am* 'semaɪt] n Sémite mf. ● **Se'mitic** a sémite; (*language*) sémitique.

semolina [seməˈliːnə] n semoule f.

senate ['senɪt] n *Pol* sénat m; **the S.** *Am etc* le Sénat. ● **senator** n *Pol* sénateur m.

send [send] vt (pt & pp **sent**) envoyer (**to** à); **to s. s.o. for sth/s.o.** envoyer qn chercher qch/qn; **to s. s.o. crazy** or **mad** rendre qn fou; **to s. s.o. packing** *Fam* envoyer promener qn. ● **sender** n expéditeur, -trice mf; '**return to s.**' 'retour à l'expéditeur'.

send away vt envoyer (**to** à); (*dismiss*) renvoyer (*qn*) ▮ vi **to s. away for** commander (par courrier) ▮ **to send back** vt renvoyer ▮ **to send for** vt (*doctor etc*) faire venir, envoyer chercher; (*meal etc*) envoyer chercher; (*by mail*) commander (par courrier) ▮ **to send in** vt (*form, invoice etc*) envoyer; (*person into room etc*) faire entrer; (*troops*) envoyer ▮ **to send off** vt (*letter etc*) envoyer (**to** à); (*expel*) renvoyer (*joueur etc*) du terrain ▮ vi **to s. off for sth** commander qch (par courrier) ▮ **to send on** vt (*letter, luggage etc*) faire suivre ▮ **to send out** vt (*invitation etc*) envoyer; (*heat, sound, light*) émettre; (*from room etc*) faire sortir (*qn*) ▮ vi **to send out for** (*meal etc*) envoyer chercher ▮ **to send up** vt (*luggage, price etc*) faire monter; (*rocket, balloon*) lancer;

serve

(*mock*) *Br Fam* parodier (*qn*, *qch*).
send-off ['sendɒf] *n* **to give s.o. a s.-off** *Fam* faire des adieux chaleureux à qn.
send-up ['sendʌp] *n Br Fam* parodie *f*.
senile ['si:naɪl] *a* gâteux, sénile. ● **se'nility** *n* gâtisme *m*, sénilité *f*.
senior ['si:nɪər] *a* (*older*) plus âgé; (*position, rank, executive*) supérieur; **s. teacher/partner** professeur *m*/associé *m* principal; **to be s.o.'s s., be s. to s.o.** être plus âgé que qn; (*in rank, status*) être au-dessus de qn; **Brown s.** Brown père; **s. citizen** personne *f* âgée; **s. year** (*in school, college*) *Am* dernière année *f*.
▮ *n* aîné, -ée *mf*; (*in school*) grand, grande *mf*; (*in last year of school or college*) *Am* étudiant, -ante *mf* de dernière année; *Sport* senior *mf*. ● **seni'ority** *n* (*in service*) ancienneté *f*; (*in rank*) supériorité *f*; (*in age*) priorité *f* d'âge.
sensation [sen'seɪʃ(ə)n] *n* sensation *f*. ● **sensational** *a* (*event*) qui fait sensation; (*newspaper, film etc*) à sensation; (*terrific*) *Fam* sensationnel.
sense [sens] *n* (*faculty, awareness, meaning*) sens *m*; **s. of smell** l'odorat *m*; **s. of hearing** (le sens de) l'ouïe *f*; **a s. of shame/etc** un sentiment de honte/etc; **a s. of warmth/pleasure** une sensation de chaleur/plaisir; **a s. of direction** le sens de l'orientation; **a s. of time** la notion de l'heure; **to have a s. of humour** avoir de l'humour, avoir le sens de l'humour; **to have (good) s.** avoir du bon sens; **to have the s. to do sth** avoir l'intelligence de faire qch; **to bring s.o. to his senses** ramener qn à la raison; **to make s.** (*of story, action etc*) avoir un sens, tenir debout; **to make s. of** comprendre.
▮ *vt* sentir (intuitivement) (**that** que); (*have a foreboding of*) pressentir.
senseless ['sensləs] *a* (*stupid, meaningless*) insensé; (*unconscious*) sans connaissance. ● **senselessness** *n* stupidité *f*.
sensibility [sensɪ'bɪlətɪ] *n* sensibilité *f*; **sensibilities** (*touchiness*) susceptibilité *f*.
sensible ['sensəb(ə)l] *a* (*wise*) raisonnable, sensé; (*clothes, shoes*) pratique.
sensitive ['sensɪtɪv] *a* (*responsive, painful*) sensible; (*delicate*) (*skin, question etc*) délicat; (*touchy*) susceptible (**about** à propos de); **to be s. to** (*the cold, light etc*) être sensible à. ● **sensi'tivity** *n* sensibilité *f*; (*touchiness*) susceptibilité *f*.
sensor ['sensər] *n* détecteur *m*.
sensory ['sensərɪ] *a* (*organ*) sensoriel.
sensual ['senʃʊəl] *a* (*bodily, sexual*) sensuel. ● **sensu'ality** *n* sensualité *f*. ● **sensuous** *a* (*pleasing, refined*) sensuel. ● **sensuously** *adv* avec sensualité. ● **sensuousness** *n* sensualité *f*.
sent [sent] *pt* & *pp of* **send**.
sentence ['sentəns] **1** *n* (*words*) phrase *f*. **2** *n* (*punishment, in prison*) peine *f*; (*conviction*) condamnation *f*; **to pass s.** prononcer une condamnation (**on s.o.** contre qn); **to serve a s.** purger une peine ▮ *vt* (*convicted criminal*) prononcer une condamnation contre; **to s. s.o. to 3 years (in prison)/to death** condamner qn à 3 ans de prison/à mort.
sentiment ['sentɪmənt] *n* sentiment *m*. ● **senti'mental** *a* sentimental. ● **sentimen'tality** *n* sentimentalité *f*.
sentry ['sentrɪ] *n* sentinelle *f*; **s. box** guérite *f*; **to be on s. duty** être de faction.
separate ['sepərət] *a* (*distinct*) séparé; (*independent*) indépendant; (*different*) différent; (*individual*) particulier ▮ ['sepəreɪt] *vt* séparer (**from** de) ▮ *vi* (*become detached*) se séparer (**from** de); (*of husband and wife*) se séparer. ● **'separately** *adv* séparément. ● **separation** [sepə'reɪʃ(ə)n] *n* séparation *f*.
separates ['sepərəts] *npl* (*garments*) coordonnés *mpl*.
separatist ['sepərətɪst] *n* séparatiste *mf*.
September [sep'tembər] *n* septembre *m*.
septic ['septɪk] *a* (*wound*) infecté; **to turn** *or* **go s.** s'infecter; **s. tank** fosse *f* septique.
sequel ['si:kwəl] *n* suite *f*.
sequence ['si:kwəns] *n* (*order*) ordre *m*; (*series*) succession *f*; *Comptr Mus Cards* séquence *f*; **film s.** séquence de film; **in s.** dans l'ordre, successivement.
sequin ['si:kwɪn] *n* paillette *f*.
Serb [sɜ:b] *a* serbe ▮ *n* Serbe *mf*. ● **Serbia** *n* Serbie *f*.
serenade [serə'neɪd] *n* sérénade *f* ▮ *vt* donner une *or* la sérénade à.
serene [sə'ri:n] *a* serein. ● **serenity** *n* sérénité *f*.
sergeant ['sɑ:dʒənt] *n* (*in the army, air force*) sergent *m*; (*in the police force*) brigadier *m*.
serial ['sɪərɪəl] *n* (*story, film*) feuilleton *m*; **s. number** (*on appliance etc*) numéro de série; (*on Br banknote, Am bill*) numéro *m*. ● **serialize** *vt* (*in newspaper etc*) publier en feuilleton; (*on television or radio*) adapter en feuilleton.
series ['sɪəri:z] *n inv* série *f*; (*book collection*) collection *f*.
serious ['sɪərɪəs] *a* sérieux; (*illness, mistake, tone*) grave, sérieux; (*damage*) important; **s. money** *Fam* de grosses sommes *fpl* d'argent. ● **seriously** *adv* sérieusement; (*ill, damaged*) gravement; **to take s.o./sth s.** prendre qn/qch au sérieux. ● **seriousness** *n* sérieux *m*; (*of illness, situation etc*) gravité *f*; (*of damage*) importance *f*; **in all s.** sérieusement.
sermon ['sɜ:mən] *n* sermon *m*.
serpent ['sɜ:pənt] *n* serpent *m*.
serrated [sə'reɪtɪd] *a* (*knife*) à dents (de scie).
serum ['sɪərəm] *n* sérum *m*.
servant ['sɜ:vənt] *n* (*in house etc*) domestique *mf*; (*person who serves*) *Fig* serviteur *m*; **public s.** fonctionnaire *mf*.
serve [sɜ:v] *vt* (*master, cause etc*) servir; (*at table, in shop etc*) servir (**to s.o.** à qn, **s.o. with sth** qch à qn); (*of train, bus etc*) desservir (*un village, quartier etc*); (*supply*

service

with electricity etc) alimenter; **to s. an apprenticeship** faire un apprentissage; **to s. a sentence** (*in prison*) purger une peine; **to s. a summons on s.o.** *Jur* remettre une assignation à qn; **it serves its purpose** ça fait l'affaire; **(it) serves you right!** *Fam* ça t'apprendra!; **to s. up** or **out a meal**/*etc* servir un repas/*etc*.
▪ *vi* servir (**as de**); **to s. on** (*committee, jury etc*) être membre de; **that serves to show**/*etc* ça sert à montrer/*etc*.
▪ *n Tennis* service *m*. • **server** *n* **cake s.** pelle *f* à tarte; **salad servers** couvert *m* à salade.

service ['sɜːvɪs] *n* (*serving, help, dishes etc*) & *Mil Rel Tennis* service *m*; (*machine or vehicle repair*) révision *f*; **to be of s.** to être utile à, rendre service à; **the (armed) services** les forces *fpl* armées; **s. (charge)** (*in restaurant*) service *m*; **s. department** (*workshop*) atelier *m*; **s. area** (*on motorway*) *Br* aire *f* de service; **s. station** station-service *f*. ▪ *vt* (*machine, vehicle*) réviser. • **servicing** *n* (*of machine, vehicle*) révision *f*.

serviceable ['sɜːvɪsəb(ə)l] *a* (*usable*) utilisable; (*useful*) commode; (*durable*) solide.

serviceman ['sɜːvɪsmən] *n* (*pl* -men) *n* militaire *m*.

serviette [sɜːvɪ'et] *n Br* serviette *f* (de table).

servile ['sɜːvaɪl] *a* servile.

serving ['sɜːvɪŋ] *n* (*of food*) portion *f*; **s. dish** plat *m* (de service).

session ['seʃ(ə)n] *n* (*meeting, period*) séance *f*; (*in university*) année *f* ou trimestre *m* universitaire; *Am* semestre *m* universitaire; **the parliamentary s.** la session parlementaire.

set [set] **1** *n* (*of keys, needles, tools etc*) jeu *m*; (*of stamps, numbers*) série *f*; (*of people*) groupe *m*; (*of facts, laws*) & *Math* ensemble *m*; (*of books*) collection *f*; (*of dishes*) service *m*; (*of Br tyres, Am tires*) train *m*; (*kit*) trousse *f*; (*scenery of play or film*) décor *m*, scène *f*; (*stage for play or film*) plateau *m*; (*hairstyle*) mise *f* en plis; *Tennis* set *m*; **film s.** plateau *m* de tournage; **television** *or* **TV s.** téléviseur *m*; **radio s.** poste *m* de radio; **tea s.** service *m* à thé; **chess s.** (*pieces*) jeu *m* d'échecs; **construction s.** jeu *m* de construction; **painting s.** boîte *f* de couleurs *or* de peinture; **a s. of teeth** une rangée de dents, une denture; **the skiing/racing s.** le monde du ski/des courses; **s. theory** *Math* la théorie des ensembles.

2 *a* (*time, price etc*) fixe; (*lunch*) à prix fixe; (*school book etc*) au programme; (*speech*) préparé à l'avance; (*in one's habits*) régulier; (*situated*) situé; **s. phrase** expression *f* consacrée; **a s. purpose** un but déterminé; **s. menu** le plat du jour; **to be dead s. against** être absolument opposé à; **to be s. on doing** être résolu à faire; **to be s. on sth** vouloir qch à tout prix; **all s.** (*ready*) prêt (**to do** pour faire); **to be s. back from the road**/*etc* (*of house etc*) être en retrait de la route/*etc*.

3 *vt* (*pt & pp* **set**, *pres p* **setting**) (*put*) mettre, poser; (*date, limit etc*) fixer; (*mechanism, clock*) régler; (*alarm clock*) mettre (**for** pour); (*arm etc in plaster*) plâtrer; (*task*) donner (**for s.o.** à qn); (*trap*) tendre (**for** à); (*problem*) poser; (*diamond*) monter; **to s. a (new) record** établir un (nouveau) record; **to s. a precedent** créer un précédent; **to have one's hair s.** se faire faire une mise en plis; **to s. loose** (*dog*) lâcher (**on** contre); **to s. s.o. crying**/*etc* faire pleurer/*etc* qn.
▪ *vi* (*of sun*) se coucher; (*of Br jelly, Am jello*®) prendre; (*of bone*) se ressouder.

set about *vt* (*begin*) se mettre à (*travail, lecture etc*); **to s. about doing sth** se mettre à faire qch ▪ **to set back** *vt* (*in time*) retarder (*qn*); (*cost*) *Fam* coûter (à *qn*) ▪ **to set down** *vt* (*object*) déposer ▪ **to. set in** *vi* (*start*) commencer; (*arise*) surgir ▪ **to set off** *vt* (*bomb*) faire exploser; (*mechanism*) déclencher; (*beauty, complexion*) *Fig* rehausser; **to s. s.o. off crying**/*etc* faire pleurer/*etc* qn ▪ *vi* (*leave*) partir ▪ **to set out** *vt* (*display, explain*) exposer (**to** à); (*arrange*) disposer ▪ *vi* (*leave*) partir; **to s. out to do** to entreprendre de faire ▪ **to set up** *vt* (*tent, statue*) dresser; (*table etc*) installer; (*business*) créer, monter; (*meeting*) organiser; (*government*) établir; (*school*) fonder; (*inquiry*) ouvrir; **to s. s.o. up in business** lancer qn dans les affaires ▪ *vi* **to s. up in business** monter une affaire ▪ **to set upon** *vt* (*attack*) attaquer (*qn*).

setback ['setbæk] *n* (*hitch*) revers *m*; (*in recovery of sick person*) rechute *f*.

setsquare ['setskweər] *n* (*for drawing*) *Br* équerre *f*.

settee [se'tiː] *n* canapé *m*.

setter ['setər] *n* chien *m* couchant.

setting ['setɪŋ] *n* (*surroundings*) cadre *m*; (*of sun*) coucher *m*; (*of diamond*) monture *f*.

settle ['set(ə)l] *vt* (*decide, arrange, pay*) régler; (*date*) fixer; (*place in position*) placer; (*person*) installer (*dans son lit etc*); (*nerves*) calmer; (*land*) coloniser; **let's s. things** arrangeons les choses; **that's (all) settled** (*decided*) c'est décidé ou réglé.
▪ *vi* (*live*) s'installer, s'établir; (*of dust*) se déposer; (*of bird*) se poser; (*of snow*) tenir; **to s. into an armchair**/*etc* s'installer dans un fauteuil/*etc*; **to s. into one's job** s'habituer à son travail; **to s. with s.o.** régler qn; **may I s.?** (*pay*) puis-je régler? • **settled** *a* (*weather, period*) stable; (*habits*) régulier.

settle down *vi* (*in chair or house*) s'installer; (*calm down*) (*of nerves etc*) se calmer; (*in one's lifestyle*) se ranger; **to s. down into an armchair**/*etc* s'installer dans un fauteuil/*etc*; **to s. down in one's job** s'habituer à son travail; **to s. down to** (*get used to*) s'habituer à; **to s. down to work/to a task** se mettre au travail/à un travail ▪ **to settle for** *vt* accepter, se contenter de ▪ **to settle in** *vi* (*become established*) s'installer ▪ **to settle up** *vi* (*pay*) régler; **to s. up with s.o.** régler qn.

settlement ['set(ə)lmənt] *n* (*agreement*)

accord *m*; (*payment*) règlement *m*; (*colony*) colonie *f*.
settler ['setlər] *n* colon *m*.
set-to [set'tu:] *n* (*pl* -os) (*quarrel*) *Br Fam* prise *f* de bec.
setup ['setʌp] *n Fam* situation *f*.
seven ['sev(ə)n] *a* & *n* sept (*m*). ● **seventh** *a* & *n* septième (*mf*).
seventeen ['sev(ə)nti:n] *a* & *n* dix-sept (*m*). ● **seven'teenth** *a* & *n* dix-septième (*mf*).
seventy ['sev(ə)ntı] *a* & *n* soixante-dix (*m*); s.-one soixante et onze. ● **seventieth** *a* & *n* soixante-dixième (*mf*).
sever ['sevər] *vt* sectionner, couper; (*relations*) *Fig* rompre. ● **severance** *n* (*of relations*) rupture *f*; s. pay indemnité *f* de licenciement.
several ['sev(ə)rəl] *a* & *pron* plusieurs (*of* d'entre).
severe [sə'vɪər] *a* (*tone, judge etc*) sévère; (*winter, training*) rigoureux; (*test*) dur; (*injury*) grave; (*blow, pain*) violent; (*cold, frost*) intense; (*overwork*) excessif; to have a s. cold avoir un gros rhume; to be s. with s.o. être sévère envers qn. ● **severely** *adv* (*to criticize, punish etc*) sévèrement; (*damaged, wounded*) gravement; to be s. **handicapped** *or* **disabled** souffrir d'un handicap sévère. ● **se'verity** *n* sévérité *f*; (*of winter etc*) rigueur *f*; (*of injury*) gravité *f*; (*of blow etc*) violence *f*.
sew [səʊ] *vti* (*pt* sewed, *pp* sewn [səʊn] *or* sewed) coudre; to s. on (*button*) (re)coudre; to s. up (*tear*) (re)coudre. ● **sewing** *n* couture *f*; s. **machine** machine *f* à coudre.
sewage ['su:ɪdʒ] *n* eaux *fpl* d'égout, eaux *fpl* usées. ● **sewer** ['su:ər] *n* égout *m*.
sewn [səʊn] *pp of* sew.
sex [seks] *n* (*gender, sexuality*) sexe *m*; (*activity*) relations *fpl* sexuelles; the **opposite** s. l'autre sexe; to have s. with s.o. coucher avec qn ▮ *a* (*education, life, act etc*) sexuel; s. **appeal** sex-appeal *m*; s. **maniac** obsédé, -ée *mf* sexuel(le); s. **symbol** sex-symbol *m*. ● **sexist** *a* & *n* sexiste (*mf*).
sextet [sek'stet] *n* sextuor *m*.
sexual ['seksjʊəl] *a* sexuel. ● **sexu'ality** *n* sexualité *f*. ● **sexy** *a* (-ier, -iest) (*book, clothes, person*) sexy *inv*; (*aroused*) qui a envie (de faire l'amour).
Seychelles [seɪ'ʃelz] *npl* the S. les Seychelles *fpl*.
sh! [ʃ] *int* chut! [ʃyt].
shabby ['ʃæbɪ] *a* (-ier, -iest) (*room etc*) minable; (*town*) miteux; (*person*) pauvrement vêtu; (*mean*) *Fig* mesquin. ● **shabbily** *adv* (*dressed*) pauvrement. ● **shabbiness** *n* aspect *m* minable; (*meanness*) *Fig* mesquinerie *f*.
shack [ʃæk] 1 *n* cabane *f*. 2 *vi* to s. **up with** s.o. *Pej Fam* se coller avec qn.
shackles ['ʃæk(ə)lz] *npl* chaînes *fpl*.
shade [ʃeɪd] *n* ombre *f*; (*of colour*) ton *m*, nuance *f*; (*of opinion, meaning*) nuance *f*; (*of lamp*) abat-jour *m inv*; **window** s. *Am* store *m*; **in the** s. à l'ombre; **a** s. **faster**/

taller/*etc* (*slightly*) un rien plus vite/plus grand/*etc* ▮ *vt* (*of tree*) ombrager; (*protect*) abriter (**from** de); to s. **in** (*drawing*) ombrer. ● **shady** *a* (-ier, -iest) (*place*) ombragé; (*person, business, scheme etc*) *Fig* louche.
shadow ['ʃædəʊ] 1 *n* ombre *f*. 2 *a Br Pol* s. **cabinet** cabinet *m* fantôme; **the S. Education Secretary** le *or* la porte-parole de l'opposition sur les questions de l'éducation. 3 *vt* to s. s.o. (*follow*) filer qn. ● **shadowy** *a* (-ier, -iest) (*form etc*) obscur, vague.
shaft [ʃɑ:ft] *n* 1 (*of tool*) manche *m*; (*in machine*) arbre *m*; s. **of light** trait *m* de lumière. 2 (*of mine*) puits *m*; (*of Br lift, Am elevator*) cage *f*.
shaggy ['ʃægɪ] *a* (-ier, -iest) (*hair, beard*) broussailleux; (*dog, sheep etc*) à longs poils.
shake¹ [ʃeɪk] *vt* (*pt* shook, *pp* shaken) (*move up and down*) secouer; (*bottle, fist*) agiter; (*belief, resolution etc*) *Fig* ébranler; (*upset*) bouleverser, secouer; to s. **the windows** (*of shock*) ébranler les vitres; to s. **one's head** (*say no*) secouer la tête; to s. **hands with** s.o. serrer la main à qn; **we shook hands** nous nous sommes serré la main; to s. **off** (*dust etc*) secouer; (*cough, infection, pursuer*) *Fig* se débarrasser de; to s. **up** (*organization*) réorganiser, restructurer; to s. s.o. **up** (*disturb, rouse to action*) secouer qn; to s. **sth out of** sth (*remove*) secouer qch de qch; s. **yourself out of it!** *Fam* secoue-toi!
▮ *vi* (*of person, windows, voice etc*) trembler (**with** de).
▮ *n* secousse *f*; to **give sth a** s. secouer qch; **with a** s. **of his head** en secouant la tête; **in two shakes** (*soon*) *Fam* dans une minute. ● **shake-up** *n Fig* réorganisation *f*, restructuration *f*.
shake² [ʃeɪk] *n* (*milkshake*) milk-shake *m*.
shaky ['ʃeɪkɪ] *a* (-ier, -iest) (*trembling*) tremblant; (*ladder, table, chair etc*) branlant; (*memory, health*) chancelant; (*on one's legs, in a language*) mal assuré.
shall [ʃæl, *unstressed* ʃəl] *v aux* 1 (*future*) I s. **come, I'll come** je viendrai; **we** s. **not come, we shan't come** nous ne viendrons pas. 2 (*question*) s. **I leave?** veux-tu que je parte?; s. **we leave?** on part? 3 (*order*) **he** s. **do it if I order it** il devra le faire si je l'ordonne.
shallot [ʃə'lɒt] *n* (*onion*) *Br* échalote *f*.
shallow ['ʃæləʊ] *a* (-er, -est) (*water, river etc*) peu profond; (*argument, person etc*) *Fig Pej* superficiel ▮ *npl* **the shallows** (*of river*) le bas-fond. ● **shallowness** *n* manque *m* de profondeur; *Fig Pej* caractère *m* superficiel.
sham [ʃæm] *n* (*pretence*) comédie *f*, feinte *f*; (*person*) imposteur *m*; to **be a** s. (*of jewel*) être faux; **it's a** s.! (*election promises etc*) c'est du bidon! ▮ *a* (*false*) faux (*f* fausse); (*illness, emotion*) feint ▮ *vt* (-mm-) feindre ▮ *vi* **he's** (**only**) **shamming** il fait semblant.
shambles ['ʃæmb(ə)lz] *n* désordre *m*, pagaille *f*; to **be a** s. être en pagaille; to **make a** s. **of** (*room etc*) mettre en pagaille; (*one's*

shame

life, *an exercise etc*) rater.
shame [ʃeɪm] *n* (*feeling, disgrace*) honte *f*; **it's a s.** c'est dommage (**to do** de faire); **it's a s. (that)** c'est dommage que (+ *sub*); **what a s.!** (quel) dommage!; **to put s.o. to s.** faire honte à qn ▎*vt* (*disgrace, make ashamed*) faire honte à. ●**shamefaced** *a* (*embarrassed*) honteux; (*bashful*) *Lit* timide.
shameful [ˈʃeɪmfəl] *a* honteux. ●**shamefully** *adv* honteusement.
shameless [ˈʃeɪmləs] *a* (*brazen*) effronté; (*indecent*) impudique. ●**shamelessly** *adv* sans la moindre gêne.
shammy [ˈʃæmɪ] *n* **s. (leather)** *Fam* peau *f* de chamois.
shampoo [ʃæmˈpuː] *n* shampooing *m* ▎*vt* (*carpet*) shampooiner; **to s. s.o.'s hair** faire un shampooing à qn.
shandy [ˈʃændɪ] *n* (*beer*) *Br* panaché *m*.
shan't [ʃɑːnt] = **shall not**.
shanty¹ [ˈʃæntɪ] *n* (*hut*) baraque *f*. ●**shantytown** *n* bidonville *f*.
shanty² [ˈʃæntɪ] *n* **sea s.** chanson *f* de marins.
shape [ʃeɪp] *n* forme *f*; **in (good) s.** (*fit*) en (pleine) forme; **to be in good/bad s.** (*of vehicle, house etc*) être en bon/mauvais état; (*of business*) marcher bien/mal; **to take s.** (*of plan, book etc*) prendre forme; (*progress wall*) avancer; **in the s. of a pear/bell/***etc* en forme de poire/cloche/*etc*.
▎*vt* (*fashion*) façonner (**into** en); (*one's life*) *Fig* déterminer.
▎*vi* **to s. up** (*of plans*) prendre (bonne) tournure, s'annoncer bien; (*of pupil, wrongdoer*) s'y mettre, s'appliquer; (*of patient*) faire des progrès. ●**-shaped** *suff* **pears.**/*etc* en forme de poire/*etc*. ●**shapeless** *a* (*object*) informe. ●**shapely** *a* (**-ier, -iest**) (*woman, legs*) bien tourné.
share [ʃeər] *n* part *f* (**of,** **in** de); (*in company*) *Fin* action *f*; **one's (fair) s. of sth** sa part de qch; **to do one's (fair) s.** fournir sa part d'efforts; **stocks and shares** *Fin* valeurs *fpl* (boursières).
▎*vt* (*meal, joy, opinion etc*) partager (**with** avec); (*characteristic*) avoir en commun; **to s. sth out** (*distribute*) partager *or* répartir qch (**among** entre).
▎*vi* partager; **to s. in sth** avoir sa part de qch. ●**shareholder** *n* (*investor*) actionnaire *mf*.
shark [ʃɑːk] *n* (*fish*) requin *m*; (*crook*) *Fig* requin *m*.
sharp [ʃɑːp] **1** *a* (**-er, -est**) (*knife, blade etc*) tranchant; (*pointed*) pointu; (*point, voice*) aigu (*f* -**uë**); (*pace, mind*) vif; (*pain*) aigu (*f* -**uë**), vif; (*bend, change*) brusque; (*taste*) piquant; (*words, wind, tone*) âpre; (*eyesight, cry*) perçant; (*clear, distinct*) (*picture, difference etc*) net (*f* nette); (*lawyer, businessman etc*) *Pej* peu scrupuleux; **she's very s.** (*has a sharp mind*) elle a l'esprit vif; **to have s. eyes, be s.-eyed** avoir la vue perçante; **s. practice** *Pej* procédé(s) *m(pl)* malhonnête(s).

▎*adv* **to stop s.** s'arrêter net; **five o'clock/***etc* **s.** cinq heures/*etc* pile; **s. right/left** tout de suite à droite/à gauche.
2 *n Mus* dièse *m*.
sharpen [ˈʃɑːp(ə)n] *vt* (*knife*) aiguiser; (*pencil*) tailler. ●**sharpener** *n* (*for pencils*) taille-crayon(s) *m inv*; (*for blades*) aiguisoir *m*.
sharply [ˈʃɑːplɪ] *adv* (*suddenly*) brusquement; (*harshly*) vivement; (*clearly*) nettement. ●**sharpness** *n* (*of blade*) tranchant *m*; (*of picture*) netteté *f*.
sharpshooter [ˈʃɑːpʃuːtər] *n* tireur *m* d'élite.
shatter [ˈʃætər] *vt* (*door, arm etc*) fracasser; (*glass*) faire voler en éclats; (*career, health*) briser; (*person, hopes*) anéantir ▎*vi* (*smash*) se fracasser; (*of glass*) voler en éclats. ●**shattered** *a* (*exhausted*) anéanti. ●**shattering** *a* (*defeat*) accablant; (*news, experience*) bouleversant.
shave [ʃeɪv] *vt* (*person, head*) raser; **to s. off one's beard/***etc* se raser la barbe/*etc* ▎*vi* se raser ▎*n* **to have a s.** se raser; **to have a close s.** *Fig* l'échapper belle. ●**shaving** *n* (*strip of wood etc*) copeau *m*; **he dislikes s.** il n'aime pas se raser; **s. brush** blaireau *m*; **s. cream, s. foam** crème *f* à raser. ●**shaven** *a* rasé (de près). ●**shaver** *n* rasoir *m* électrique.
shawl [ʃɔːl] *n* châle *m*.
she [ʃiː] *pron* elle; **s. wants** elle veut; **she's a happy woman** c'est une femme heureuse; **if I were s.** si j'étais elle; **s. and I** elle et moi ▎*n Fam* femelle *f*; **it's a s.** (*baby*) c'est une fille; **she-bear** ourse *f*.
sheaf [ʃiːf] *n* (*pl* **sheaves**) (*of corn*) gerbe *f*; (*of paper*) liasse *f*.
shear [ʃɪər] *vt* tondre ▎*npl* **shears** cisaille(s) *f(pl)*; **pruning shears** sécateur *m*. ●**shearing** *n* tonte *f*.
sheath [ʃiːθ] *n* (*pl* -**s** [ʃiːðz]) (*container*) fourreau *m*, gaine *f*; (*contraceptive*) préservatif *m*.
shed [ʃed] **1** *n* (*in garden*) abri *m* (de jardin); (*for goods or machines*) hangar *m*; **bicycle s.** abri *m* or remise *f* à vélos; **tool s.** cabane *f* à outils. **2** *vt* (*pt* & *pp* **shed,** *pres p* **shedding**) (*lose*) perdre; (*tears, blood*) verser, répandre; (*warmth etc*) répandre; (*get rid of*) se défaire de; (*clothes*) enlever; **to s. light on sth** *Fig* éclairer qch.
she'd [ʃiːd] = **she had** & **she would**.
sheen [ʃiːn] *n* lustre *m*.
sheep [ʃiːp] *n inv* mouton *m*. ●**sheepdog** *n* chien *m* de berger. ●**sheepskin** *n* peau *f* de mouton; **s. jacket** veste *f* en (peau de) mouton.
sheepish [ˈʃiːpɪʃ] *a* penaud. ●**sheepishly** *adv* d'un air penaud.
sheer [ʃɪər] **1** *a* (*luck, madness etc*) pur; (*impossibility etc*) absolu; **it's s. hard work** ça demande du travail; **by s. determination/ hard work** à force de détermination/de travail. **2** *a* (*cliff*) à pic ▎*adv* (*to rise*) à pic. **3** *a* (*fabric*) très fin.

shock

sheet [ʃiːt] *n* (*on bed*) drap *m*; (*of paper etc*) feuille *f*; (*of glass, ice*) plaque *f*; (*dust cover*) housse *f*; (*canvas*) bâche *f*; **s. metal** tôle *f*.

sheikh [ʃeɪk] *n* scheik *m*, cheik *m*.

shelf [ʃelf] *n* (*pl* **shelves**) étagère *f*, rayon *m*; (*in shop*) rayon *m*; (*on cliff*) saillie *f*; **set of shelves** étagères *fpl*, rayonnages *mpl*; **to be sold off the s.** être en vente dans tous les magasins.

shell [ʃel] **1** *n* (*of egg, snail, nut etc*) coquille *f*; (*of tortoise, turtle, crab, lobster*) carapace *f*; (*seashell*) coquillage *m*; (*of peas*) cosse *f*; (*of building*) carcasse *f* ▮ *vt* (*peas*) écosser; (*nut, shrimp*) décortiquer. **2** *n* (*explosive*) obus *m* ▮ *vt* (*town etc*) bombarder. **3** *vt* **to s. out a lot of money** *Fam* sortir *or* allonger pas mal d'argent. ● **shelling** *n* (*with explosives*) bombardement *m*. ● **shell suit** *n* survêtement *m*.

shellfish ['ʃelfɪʃ] *n inv* (*lobster, crab, shrimp*) crustacé *m*; (*mollusc*) coquillage *m* ▮ *npl* (*pl*); (*oysters etc*) fruits *mpl* de mer.

shelter ['ʃeltər] *n* (*place, protection*) abri *m*; **to take s.** se mettre à l'abri (**from** de); **to seek s.** chercher un abri ▮ *vt* abriter (**from** de); (*criminal*) protéger ▮ *vi* s'abriter. ● **sheltered** *a* (*place*) abrité; **to have led** *or* **had a s. life** avoir eu une vie très protégée.

shelve [ʃelv] *vt* (*postpone*) laisser en suspens.

shelving ['ʃelvɪŋ] *n* (*shelves*) rayonnage(s) *m(pl)*; **s. unit** (*set of shelves*) étagère *f*.

shepherd ['ʃepəd] **1** *n* berger *m*; **s.'s pie** *Br* hachis *m* Parmentier. **2** *vt* **to s. s.o. in** faire entrer qn; **to s. s.o. around** piloter qn. ● **shepherdess** *n* bergère *f*.

sherbet ['ʃɜːbət] *n* (*powder*) *Br* poudre *f* acidulée; (*water ice*) *Am* sorbet *m*.

sheriff ['ʃerɪf] *n Am* shérif *m*.

sherry ['ʃerɪ] *n* sherry *m*, xérès *m*.

Shetlands (The) [ðəˈʃetləndz] *npl* les îles *fpl* Shetland.

shh! [ʃ] *int* chut! [ʃyt].

shield [ʃiːld] *n* bouclier *m*; (*on coat of arms*) écu *m*; (*protective screen, protection against sun, heat etc*) écran *m* ▮ *vt* protéger (**from** de).

shift [ʃɪft] *n* (*change*) changement *m* (**of, in** de); (*period of work*) poste *m*; (*workers*) équipe *f*; (**standard**) **gear s.** (*on vehicle*) *Am* levier *m* de vitesse; **s. work** travail *m* en équipe; **s. key** (*on computer, typewriter*) touche-majuscules *f*.
▮ *vt* (*move*) bouger, déplacer; (*arm, leg, head etc*) bouger; (*stain*) enlever; (*employee*) muter (**to** à); **to s. places** changer de place; **to s. the responsibility/blame on to s.o.** rejeter la responsabilité/faute sur qn; **to s. gear(s)** (*in vehicle*) *Am* changer de vitesse; **to s. the scenery** (*of stage play*) changer le décor.
▮ *vi* bouger; (*of heavy object*) se déplacer; (*of views*) changer; (*pass*) passer (**to** à); (*go*) aller (**to** à); **to s. to** (*new town etc*) déménager à; **to s. along** avancer; **to s. over** *or* **up** se pousser. ● **shifting** *a* (*views*) changeant.

shiftless ['ʃɪftləs] *a* (*apathetic*) mou (*f* molle); (*lazy*) paresseux.

shifty ['ʃɪftɪ] *a* (**-ier, -iest**) (*sly*) sournois; (*dubious*) louche.

shilly-shally ['ʃɪlɪʃælɪ] *vi* hésiter.

shimmer ['ʃɪmər] *vi* chatoyer, miroiter ▮ *n* chatoiement *m*, miroitement *m*.

shin [ʃɪn] *n* tibia *m*; **s. pad** (*of hockey player etc*) jambière *f*.

shindig ['ʃɪndɪg] *n Fam* nouba *f*.

shine [ʃaɪn] *vi* (*pt & pp* **shone** [*Br* ʃɒn, *Am* ʃəʊn]) (*of sun, light, shoes etc*) & *Fig* briller; **the light/sun is shining in my eyes** la lumière/le soleil me tape dans les yeux; **the light is shining on the table** la lumière éclaire la table; **to s. with joy** (*of face*) rayonner de joie; (*of eyes*) briller de joie ▮ *vt* (*polish*) faire briller; **to s. a light** *or Br* **torch** *or Am* **flashlight** (**on sth**) éclairer (qch); **s. your light!** éclairez! ▮ *n* (*on shoes, cloth*) brillant *m*; (*on metal etc*) éclat *m*. ● **shining** *a* (*bright, polished*) brillant; **a shining example of** un bel exemple de.

shingle ['ʃɪŋg(ə)l] *n* (*on beach*) galets *mpl*; (*on roof*) bardeau *m*.

shingles ['ʃɪŋg(ə)lz] *n* (*disease*) zona *m*.

shiny ['ʃaɪnɪ] *a* (**-ier, -iest**) (*bright, polished*) brillant; (*clothes, through wear*) lustré.

ship [ʃɪp] *n* navire *m*, bateau *m*; **by s.** en bateau ▮ *vt* (**-pp-**) (*send*) expédier (par mer); (*transport*) transporter (par mer); (*load on board*) embarquer (**on to** sur). ● **shipping** *n* (*traffic*) navigation *f*; (*ships*) navires *mpl*; **s. agent** agent *m* maritime; **s. line** compagnie *f* de navigation.

shipbuilding ['ʃɪpbɪldɪŋ] *n* construction *f* navale. ● **shipmate** *n* camarade *m* de bord. ● **shipment** *n* (*goods*) cargaison *f*, chargement *m*. ● **shipowner** *n* armateur *m*. ● **shipshape** *a & adv* en ordre. ● **shipwreck** *n* naufrage *m*. ● **shipwrecked** *a* naufragé; **to be s.** faire naufrage. ● **shipyard** *n* chantier *m* naval.

shire [ʃaɪər] *n Br* comté *m*.

shirk [ʃɜːk] *vt* (*duty*) se dérober à; (*work*) éviter de faire ▮ *vi* tirer au flanc. ● **shirker** *n* tire-au-flanc *m inv*.

shirt [ʃɜːt] *n* chemise *f*; (*of woman*) chemisier *m*; (*of sportsman*) maillot *m*. ● **shirtfront** *n* plastron *m*. ● **shirtsleeves** *npl* (**one's**) **s.** en bras de chemise.

shiver ['ʃɪvər] *vi* frissonner (**with** de) ▮ *n* frisson *m*; **to give s.o. the shivers** (*creeps*) donner le frisson à qn. ● **shivery** *a* **to be s.** (*from the cold*) être frissonnant, frissonner; (*from a fever*) être fiévreux.

shoal [ʃəʊl] *n* (*of fish*) banc *m*.

shock [ʃɒk] *n* (*emotional, physical*) choc *m*; (*impact, medical condition*) choc *m*; (*of explosion*) secousse *f*; (**electric**) **s.** décharge *f* (électrique) (**from sth** en touchant qch); **a feeling of s.** un sentiment d'horreur; **to be suffering from s.** *or* **in a state of s.** être en état de choc; **to come as a s. to s.o.** stupéfier

shoddy

qn. ▮ *a* (*tactics, troops*) de choc; **s. wave** onde *f* de choc; **s. effect/image/result/etc** effet *m*/image *f*/résultat *m*/-choc *inv*; **s. absorber** (*in vehicle etc*) amortisseur *m*.

▮ *vt* (*offend*) choquer; (*surprise*) stupéfier; (*disgust*) dégoûter. ●**shocking** *a* affreux; (*outrageous*) scandaleux; (*indecent*) choquant. ●**shockingly** *adv* (*extremely, badly*) affreusement. ●**shocker** *n* **to be a s.** *Fam* être affreux *or* horrible. ●**shockproof** *a* résistant au choc.

shoddy ['ʃɒdɪ] *a* (**-ier, -iest**) (*goods etc*) de mauvaise qualité. ●**shoddily** *adv* (*made, done*) mal.

shoe [ʃuː] *n* chaussure *f*, soulier *m*; (*for horse*) fer *m*; (*brake*) **s.** (*in vehicle*) sabot *m* (de frein); **in your shoes** *Fig* à ta place; **s. polish** cirage *m*; **s. repair shop** cordonnerie *f* ▮ *vt* (*pt & pp* **shod**) (*horse*) ferrer. ●**shoehorn** *n* chausse-pied *m*. ●**shoelace** *n* lacet *m*. ●**shoemaker** *n* fabricant *m* de chaussures; (*cobbler*) cordonnier *m*. ●**shoeshop** *n* magasin *m* de chaussures. ●**shoestring** *n* **on a s.** *Fig* avec peu d'argent (en poche).

shone [Br ʃɒn, Am ʃəʊn] *pt & pp of* **shine**.

shoo [ʃuː] *vt* **to s.** (**away**) chasser ▮ *int* ouste!

shook [ʃʊk] *pt of* **shake**¹.

shoot¹ [ʃuːt] *vt* (*pt & pp* **shot**) (*kill*) tuer (d'un coup de feu), abattre *or* (*wound*) blesser (d'un coup de feu); (*execute*) fusiller; (*hunt*) chasser; (*gun*) tirer un coup de; (*bullet*) tirer; (*missile, Fig glance, questions*) lancer (**at** à); (*film, scene*) tourner; **to s. s.o. dead** tuer qn d'un coup de feu, abattre qn.

▮ *vi* (*with gun, bow etc*) tirer (**at** sur); *Football etc* shooter. ●**shooting** *n* (*shots*) coups *mpl* de feu; (*murder*) meurtre *m*; (*execution*) fusillade *f*; (*of film, scene*) tournage *m*; (*hunting*) chasse *f*. ●**shoot-out** *n* *Fam* fusillade *f*.

shoot² [ʃuːt] *n* (*on plant*) pousse *f*.

shoot ahead *vi* (*move fast*) avancer à toute vitesse ▮ **to shoot away** *vi* (*of vehicle, person etc*) partir à toute vitesse ▮ **to shoot back** *vi* (*return fire*) riposter (à des coups de feu) ▮ **to shoot down** *vt* (*aircraft*) abattre ▮ **to shoot off** *vi* (*of vehicle, person etc*) partir à toute vitesse ▮ **to shoot out** *vi* (*spurt out*) jaillir ▮ **to shoot up** *vi* (*of price*) monter en flèche; (*grow*) pousser vite; (*spurt*) jaillir; (*of rocket*) s'élever.

shop [ʃɒp] **1** *n* magasin *m*; (*small*) boutique *f*; (*workshop*) atelier *m*; **at the baker's s.** à la boulangerie, chez le boulanger; **s. assistant** *Br* vendeur, -euse *mf*; **s. floor** (*workers*) *Br* ouvriers *mpl*; **s. front** *Br* devanture *f*; **s. steward** *Br* délégué, -ée *mf* syndical(e); **s. window** vitrine *f*.

▮ *vi* (**-pp-**) faire ses courses (**at** chez); **to s. around** comparer les prix.

2 *vt* (**-pp-**) **to s. s.o.** *Br Fam* dénoncer qn (à la police *etc*). ●**shopping** *n* (*goods*) achats *mpl*; **to go s.** faire des courses *or* commissions; **to do one's s.** faire ses courses *or* commissions.

▮ *a* (*street, district*) commerçant; **s. bag/basket** sac *m*/panier *m* à provisions; **s. centre** centre *m* commercial; **s. list** liste *f* de commissions *or* de courses. ●**shopper** *n* (*customer*) client, -ente *mf*; (*bag*) *Br* sac *m* à provisions; **lots of shoppers** beaucoup de gens qui font leurs courses.

shopkeeper ['ʃɒpkiːpər] *n* commerçant, -ante *mf*. ●**shoplifter** *n* voleur, -euse *mf* à l'étalage. ●**shoplifting** *n* vol *m* à l'étalage. ●**shopsoiled** *or Am* **shopworn** *a* défraîchi.

shore [ʃɔːr] **1** *n* (*of sea, lake*) rivage *m*; (*coast*) côte *f*, bord *m* de (la) mer; (*beach*) plage *f*; **on s.** (*passenger*) à terre. **2** *vt* **to s. up** (*wall etc*) étayer; (*company, economy*) *Fig* consolider.

shorn [ʃɔːn] *a* (*head*) tondu; **s. of** (*stripped of*) *Lit* dénué de.

short [ʃɔːt] *a* (**-er, -est**) court; (*person, distance*) petit; (*syllable*) bref (*f* brève); (*impatient, curt*) brusque; **a s. time** *or* **while ago** il y a peu de temps; **to be s. of money/time** être à court d'argent/de temps; **we're s. of ten men** il nous manque dix hommes; **money/time is s.** l'argent/le temps manque; **in a s. time** *or* **while** dans un petit moment; **a s. time** *or* **while ago** il y a peu de temps; **I'll stay for a s. time** *or* **while** je resterai un petit moment; **s. of** (*except*) sauf; (*before*) avant; **not far s. of** pas loin de; **s. of a miracle** à moins d'un miracle; **to be s. for** (*of name*) être l'abréviation *or* le diminutif de; **in s.** bref; **s. list** (*of applicants*) *Br* liste *f* de candidats retenus.

▮ *adv* **to cut s.** (*hair*) couper court; (*visit etc*) raccourcir; (*person*) couper la parole à; **to go** *or* **get** *or* **run s. of** manquer de; **to get** *or* **run s.** manquer; **to stop s.** s'arrêter net.

▮ *n El* court-circuit *m*; (**a pair of**) **shorts** un short; (*boxer*) **shorts** caleçon *m*. ●**short cut** *n* raccourci *m*.

shortage ['ʃɔːtɪdʒ] *n* manque *m*, pénurie *f*; (*crisis*) crise *f*.

shortbread ['ʃɔːtbred] *n* sablé *m*. ●**short-'change** *vt* (*buyer*) ne pas rendre juste à. ●**short-'circuit** *n El* court-circuit *m* ▮ *vt El & Fig* court-circuiter ▮ *vi* (*of current*) *El* se mettre en court-circuit. ●**shortcoming** *n* défaut *m*. ●**shortfall** *n* manque *m*. ●**shorthand** *n* sténo *f*; **in s.** en sténo; **s. typist** sténodactylo *f*. ●**short'handed** *a* à court de personnel. ●**short-'lived** *a* de courte durée, éphémère. ●**short'sighted** *a* myope; (*in one's judgments*) *Fig* myope, imprévoyant. ●**short'sightedness** *n* myopie *f*; *Fig* myopie *f*, imprévoyance *f*. ●**short-'sleeved** *a* à manches courtes. ●**short-'staffed** *a* à court de personnel. ●**short-'tempered** *a* irascible. ●**short-'term** *a* à court terme. ●**short-time 'working** *n Br* chômage *m* partiel.

shorten ['ʃɔːt(ə)n] *vt* (*dress, text, visit etc*) raccourcir.

shortening ['ʃɔːt(ə)nɪŋ] *n* (*cooking fat*) *Br*

matière f grasse.
shortly ['ʃɔːtlɪ] *adv* (*soon*) bientôt; s. before/after peu avant/après.
shortness ['ʃɔːtnəs] *n* (*of person*) petitesse f; (*of hair, stick, legs*) manque *m* de longueur.
shorts [ʃɔːts] *npl* (**a pair of**) s. un short; (**boxer**) s. caleçon *m*.
shot [ʃɒt] *pt & pp* **shoot**[1] *n* (*from gun*) coup *m*; (*bullet*) balle *f*; (*with camera*) prise *f* de vues; (*injection*) *Med* piqûre *f*; **to be a good s.** (*of person*) être bon tireur; **to have a s. at** (**doing**) **sth** essayer de faire qch; **it's a long s.** (*attempt*) c'est un coup à tenter; **big s.** (*important person*) *Fam* gros bonnet *m*; **like a s.** (*at once*) illico; **to be s. of s.o./sth** (*rid of*) *Fam* être débarrassé de qn/qch. ● **shotgun** *n* fusil *m* (de chasse).
should [ʃʊd, *unstressed* ʃəd] *v aux* **1** (= ought to) **you s. do it** vous devriez le faire; **I s. have stayed** j'aurais dû rester; **that s. be Paul** ça doit être Paul. **2** (= *would*) **I s. like to stay** j'aimerais bien rester; **I s. like to** j'aimerais bien; **I s. hope so** j'espère bien; **it's strange** (**that**) **she s. say no** il est étrange qu'elle dise non. **3** (*possibility*) **if he s. come, s. he come** s'il vient.
shoulder ['ʃəʊldər] **1** *n* épaule *f*; **to have round shoulders** avoir le dos voûté, être voûté; (**hard**) **s.** (*of motorway*) *Br* bas-côté *m*, accotement *m* stabilisé; **s. bag** sac *m* à bandoulière; **s. blade** omoplate *f*; **s.-length hair** cheveux *mpl* mi-longs; **s. pad** (*on jacket*) épaulette *f*; **s. strap** (*on dress etc*) bretelle *f*. **2** *vt* (*responsibility*) endosser, assumer.
shout [ʃaʊt] *n* cri *m*; **to give s.o. a s.** appeler qn ▮ *vi* **to s.** (**out**) crier; **to s. to s.o. to do sth** crier à qn de faire qch; **to s. at s.o.** (*scold*) crier après qn ▮ *vt* **to s.** (**out**) (*insult etc*) crier; **to s. down** (*speaker*) huer. ● **shouting** *n* (*shouts*) cris *mpl*.
shove [ʃʌv] *n* poussée *f*; **to give a s.** (**to**) pousser ▮ *vt* pousser; (*put*) *Fam* fourrer; **to s. sth into sth** enfoncer *or* fourrer qch dans qch; **to s. s.o. around** *Fam* commander qn, régenter qn ▮ *vi* pousser; **to s. off** (*leave*) *Fam* ficher le camp, filer; **to s. over** (*move over*) *Fam* se pousser.
shovel ['ʃʌv(ə)l] *n* pelle *f* ▮ *vt* (**-ll-,** *Am* **-l-**) (*snow*) enlever à la pelle; (*grain etc*) pelleter; **to s. up** *or* **away** (*snow*) enlever à la pelle; **to s. up** (*leaves*) ramasser à la pelle; **to s. sth into sth** *Fam* fourrer qch dans qch.
show [ʃəʊ] *n Theatre TV* spectacle *m*; *Cinema* séance *f*; (*exhibition*) exposition *f*; (*of force, friendship etc*) démonstration *f*; (*pretence*) semblant *m* (**of** de); (*ostentation*) parade *f* (**of** de); **the Boat/Motor S.** *Br* le Salon de la Navigation/de l'Automobile; **film s.** séance *f* de cinéma; **horse s.** concours *m* hippique; **on s.** (*painting etc*) exposé; **to give a good s.** (*of sportsman, musician, actor etc*) *Br* jouer bien; **good s.!** bravo!; **it's** (**just**) **for s.** c'est pour l'effet; **to make a s. of** (*one's wealth*) faire parade de; **to make a s. of being angry** faire semblant d'être en colère; **s. business** le monde du spectacle; **s. flat** *Br* appartement *m* témoin.
▮ *vt* (*pt* **showed**, *pp* **shown**) montrer (**to** à, **that** que); (*in exhibition*) exposer; (*film*) passer, donner; (*indicate*) indiquer, montrer; **to s. s.o. to the door** reconduire qn; **it** (**just**) **goes to s. that...** ça (dé)montre (bien) que...; **I'll s. him!** *Fam* je vais lui apprendre!
▮ *vi* (*be visible*) se voir; (*of film*) passer; 'now showing' (*film*) 'à l'affiche' (**at** à).
show around *vt* **to s. s.o. around** faire visiter qn; **she was shown around the house** on lui a fait visiter la maison ▮ **to show in** *vt* (*visitor*) faire entrer ▮ **to show off** *vt* (*display*) *Pej* étaler (*richesses etc*); (*highlight*) faire valoir ▮ *vi Pej* crâner. ● **show-off** *n Pej* crâneur, -euse *mf*. ▮ **to show out** *vt* (*visitor*) reconduire ▮ **to show round** *vt* = **show around** ▮ **to show up** *vt* (*embarrass, humiliate*) mettre (*qn*) dans l'embarras; (*fault etc*) faire ressortir ▮ *vi* (*stand out*) ressortir (**against** contre); (*of error etc*) être visible; (*of person*) *Fam* arriver, s'amener.
showcase ['ʃəʊkeɪs] *n* vitrine *f*. ● **showdown** *n* confrontation *f*, conflit *m*. ● **showgirl** *n* (*in chorus etc*) girl *f*. ● **showjumping** *n Sport* jumping *m*. ● **showmanship** *n* art *m* de la mise en scène. ● **showpiece** *n* modèle *m* du genre. ● **showroom** *n* (*for cars etc*) salle *f* d'exposition.
shower ['ʃaʊər] *n* (*bathing, device*) douche *f*; (*of rain*) averse *f*; (*of blows*) déluge *m*; (*party*) *Am* réception *f* (*pour la remise de cadeaux*); **to have** *or* **take a s.** prendre une douche ▮ *vt* **to s. s.o. with** (*gifts, abuse etc*) couvrir qn de. ● **showery** *a* pluvieux.
showing ['ʃəʊɪŋ] *n* (*film show*) séance *f*, projection *f*; (*of team, player*) performance *f*.
shown [ʃəʊn] *pp of* **show**.
showy ['ʃəʊɪ] *a* (**-ier, -iest**) (*colour, hat*) voyant; (*person*) prétentieux.
shrank [ʃræŋk] *pt of* **shrink 1**.
shrapnel ['ʃræpn(ə)l] *n* éclats *mpl* d'obus.
shred [ʃred] *n* lambeau *m*; **not a s. of truth** *Fig* pas un grain de vérité; **not a s. of evidence** pas la moindre preuve ▮ *vt* (**-dd-**) mettre en lambeaux; (*cabbage, carrots*) râper. ● **shredder** *n Culin* râpe *f*; (*in office*) destructeur *m* de documents.
shrew [ʃruː] *n* (*woman*) *Pej* mégère *f*.
shrewd [ʃruːd] *a* (**-er, -est**) (*person, plan*) astucieux. ● **shrewdly** *adv* astucieusement. ● **shrewdness** *n* astuce *f*.
shriek [ʃriːk] *n* cri *m* (aigu) ▮ *vi* crier; **to s. with pain/laughter** hurler de douleur/de rire.
shrift [ʃrɪft] *n* **to get short s.** être traité sans ménagement.
shrill [ʃrɪl] *a* (**-er, -est**) aigu (*f* -uë), strident.
shrimp [ʃrɪmp] *n* crevette *f* (*grise*); (*small person*) *Pej* nabot, -ote *mf*; (*child*) *Pej* puce *f*.
shrine [ʃraɪn] *n* (*place of worship*) lieu *m* saint; (*tomb*) châsse *f*.

shrink [ʃrɪŋk] 1 vi (pt **shrank** or Am **shrunk**, pp **shrunk** or **shrunken**) (of clothes) rétrécir; (of aging person) se tasser; (of audience, amount etc) diminuer; **to s. from an obligation/etc** reculer devant une obligation/etc; **to s. from doing sth** reculer devant l'idée de faire qch ▮ vt rétrécir. 2 n (person) Am Hum psy(chiatre) m. ● **shrinkage** n rétrécissement m; (of audience etc) diminution f. ● **shrink-wrapped** a emballé sous pellicule plastique.

shrivel ['ʃrɪv(ə)l] vi (Br -ll-, Am -l-) **to s. (up)** se ratatiner ▮ vt **to s. (up)** ratatiner.

shroud [ʃraʊd] n linceul m; **a s. of mystery** Fig un voile de mystère ▮ vt **shrouded in mist** enseveli or enveloppé sous la brume; **shrouded in mystery** Fig enveloppé de mystère.

Shrove Tuesday [Br ʃrəʊv'tjuːzdɪ, Am -deɪ] n Mardi m gras.

shrub [ʃrʌb] n arbuste m. ● **shrubbery** n massif m d'arbustes.

shrug [ʃrʌg] vt (-gg-) **to s. one's shoulders** hausser les épaules; **to s. off** (dismiss) écarter (dédaigneusement) ▮ n haussement m d'épaules; **with a s. of his shoulders** en haussant les épaules.

shrunk(en) [ʃrʌŋk(ən)] pp of **shrink** 1.

shudder ['ʃʌdər] vi (of person) frémir (with de); (of machine etc) vibrer; **I s. to think of it** je n'ose pas y penser ▮ n frémissement m; (of machine etc) vibration f.

shuffle ['ʃʌf(ə)l] 1 vt (cards) battre. 2 vti **to s. (one's feet)** traîner les pieds.

shun [ʃʌn] vt (-nn-) fuir, éviter.

shunt [ʃʌnt] vt (train, Fig conversation) aiguiller (**on to** sur); **we were shunted (to and fro)** Fam on nous a baladés (**from office to office/etc** de bureau en bureau/etc).

shush! [ʃʊʃ] int chut! [ʃyt].

shut [ʃʌt] vt (pt & pp **shut**, pp **shutting**) fermer; **to s. one's finger in a door**/etc se prendre le doigt dans une porte/etc ▮ vi (of door etc) se fermer; (of shop, museum etc) fermer; **the door doesn't s.** la porte ne ferme pas. ● **shutdown** n (of factory etc) fermeture f.

shut away vt (lock away) enfermer ▮ **shut down** vt fermer ▮ vi (of shop) fermer (définitivement) ▮ **to shut in** vt (lock in) enfermer ▮ **to shut off** vt (gas etc) fermer; (engine) arrêter; (isolate) isoler ▮ **to shut out** vt (light) empêcher d'entrer; (view) boucher; (exclude) exclure (**of, from** de); **to s. s.o. out** (lock out accidentally) enfermer qn dehors ▮ **to shut up** vt (house etc) fermer; (lock up) enfermer (personne, objet précieux etc); (silence) Fam faire taire (qn) ▮ vi (be quiet) Fam se taire.

shutter ['ʃʌtər] n (on window) volet m; (of shop) rideau m (métallique); (of camera) obturateur m.

shuttle ['ʃʌt(ə)l] n (bus, train, plane etc) navette f; **space s.** navette spatiale; **s. service** navette ▮ vi faire la navette ▮ vt (by bus, train, plane etc) transporter.

shuttlecock ['ʃʌt(ə)lkɒk] n (in badminton) volant m.

shy [ʃaɪ] a (-er, -est) timide; **to be s. of doing sth** avoir peur de faire qch ▮ vi **to s. away from s.o./from doing sth** reculer devant qn/à l'idée de faire qch; **you're always shying away!** tu te défiles tout le temps! ● **shyness** n timidité f.

Siamese [saɪə'miːz] a **S. cat** chat m siamois; **S. twins** frères mpl siamois, sœurs fpl siamoises.

sibling ['sɪblɪŋ] n frère m, sœur f.

Sicily ['sɪsɪlɪ] n Sicile f. ● **Si'cilian** a sicilien ▮ n Sicilien, -ienne mf.

sick [sɪk] a (-er, -est) (ill) malade; (mind) malsain; (humour) noir; (cruel) sadique; (perverted) détraqué; **to be s.** (vomit) vomir; **to be off** or **away s., to be on s. leave** être en congé de maladie; **to feel s.** avoir mal au cœur; **to be s. (and tired) of sth/s.o.** Fam en avoir marre de qch/qn; **he makes me s.** Fam il m'écœure ▮ n (vomit) Br Fam vomi m; **the s.** (sick people) les malades mpl ▮ vi **to s.(up)** (vomit) Br Fam vomir ▮ vt **to s. sth up** Br Fam vomir qch. ● **sickbay** n infirmerie f. ● **sickbed** n lit m de malade.

sicken ['sɪkən] 1 vt écœurer. 2 vi **to be sickening for** (illness) Br couver; **you must be sickening for something** tu dois couver quelque chose. ● **sickening** a écœurant.

sickly ['sɪklɪ] a (-ier, -iest) maladif; (pale, faint) pâle; (taste) écœurant.

sickness ['sɪknɪs] n (illness) maladie f; (vomiting) vomissement(s) m(pl); **motion s.** (in car etc) mal m de la route; **s. benefit** Br prestations fpl d'assurance-maladie.

side [saɪd] n côté m; (of hill, animal) flanc m; (of road, river) bord m; (of beef) quartier m; (of question) aspect m; (of character) aspect m, facette f; (team) équipe f; (political party) parti m; **the right s.** (of fabric) l'endroit m; **the wrong s.** (of fabric) l'envers m; **at** or **by the s. of** (nearby) à côté de; **at** or **by my s.** à côté de moi, à mes côtés; **s. by s.** l'un à côté de l'autre; **to move to one's.** s'écarter; **on this s.** de ce côté; **on the other s.** de l'autre côté; **another s.** (TV channel) une autre chaîne; **it's on the big/etc s.** Fam c'est plutôt grand/etc; **to take sides with s.o.** se ranger du côté de qn; **she's on our s.** elle est de notre côté or avec nous; **to change sides** changer de camp; **to do sth on the s.** (as an extra) faire qch en plus; (illegally) faire qch au noir; **to make money on the s.** gagner des à-côtés; (illegally) travailler au noir.

▮ a (lateral) latéral; (view, glance) de côté; (street) transversal; (effect, issue) secondaire. ▮ vi **to s. with s.o.** se ranger du côté de qn. ● **sided** suff **ten-s.** à dix côtés.

sideboard ['saɪdbɔːd] n buffet m. ● **sideboards** npl (hair) Br pattes fpl. ● **sideburns** npl (hair) Am pattes fpl. ● **sidecar** n side-car m. ● **sidekick** n Fam associé, -ée mf. ● **side-**

light *n* (*on vehicle*) *Br* veilleuse *f*. ● **sideline** *n* (*activity*) activité *f* secondaire; (*around playing field*) ligne *f* de touche. ● **sidesaddle** *adv* **to ride s.** monter en amazone. ● **sidestep** *vt* (**-pp-**) éviter. ● **sidetrack** *vt* **to get sidetracked** s'écarter du sujet. ● **sidewalk** *n Am* trottoir *m*. ● **sideways** *adv* (*to look, walk etc*) de côté ▌ **a a s. look/move/**etc un regard/mouvement/*etc* de côté.

siding ['saɪdɪŋ] *n Rail* voie *f* de garage.

sidle ['saɪd(ə)l] *vi* **to s. up to s,o.** s'approcher furtivement de qn.

siege [siːdʒ] *n* (*by soldiers, police etc*) siège *m*; **to lay s. to** faire le siège de, assiéger.

siesta [sɪ'estə] *n* sieste *f*; **to take** or **have a s.** faire la sieste.

sieve [sɪv] *n* tamis *m*; (*for liquids*) passoire *f*; (*with coarse mesh for stones etc*) crible *m* ▌ *vt* tamiser. ● **sift** *vt* (*flour etc*) tamiser; (*stones etc*) cribler; **to s. out the truth** *Fig* dégager la vérité ▌ *vi* **to s. through** (*papers etc*) examiner (à la loupe).

sigh [saɪ] *n* soupir *m* ▌ *vi* soupirer; **to s. with relief** pousser un soupir de soulagement ▌ *vt* **'yes', she sighed** 'oui', soupira-t-elle.

sight [saɪt] *n* vue *f*; (*thing seen*) spectacle *m*; (*on gun*) mire *f*; **to lose s. of** perdre de vue; **to catch s. of** apercevoir; **to come into s.** apparaître; **at first s.** à première vue; **by s.** de vue; **on** or **at s.** à vue; **in s.** (*target, end, date etc*) en vue; **out of s.** (*hidden*) caché; (*no longer visible*) disparu; **to disappear out of s.** or **from s.** disparaître; **keep out of s.!** ne te montre pas!; **he hates the s. of me** il ne peut pas me voir; **it's a lovely s.** c'est beau à voir; **the (tourist) sights** les attractions *fpl* touristiques; **to set one's sights on** (*job etc*) viser; **a s. longer/**etc *Fam* bien plus long/*etc*. ▌ *vt* (*land*) apercevoir. ● **sighted** *a* qui voit, clairvoyant. ● **sighting** *n* **to make a s. of** voir.

sightseer ['saɪtsiːər] *n* touriste *mf*. ● **sightseeing** *n* **to go s., do some s.** faire du tourisme *m*.

sightly ['saɪtlɪ] *a* **not very s.** pas très beau à voir.

sign [saɪn] **1** *n* signe *m*; (*notice*) panneau *m*; (*over shop, inn*) enseigne *f*; **no s. of** aucune trace de; **to use s. language** parler par signes; **call s.** *Radio* indicatif *m* d'appel.

2 *vt* (*put one's signature to*) signer; **to s. sth away** or **over** céder qch (**to** à); **to s. on** or **up** (*worker, soldier*) engager.

▌ *vi* signer; **to s. for** (*letter*) signer le reçu de; **to s. in** (*in hotel etc*) signer le registre; **to s. off** (*say goodbye*) dire au revoir; **to s. on** (*on the dole*) *Br* s'inscrire au chômage; **to s. on** or **up** (*of soldier, worker*) s'engager; (*for course*) s'inscrire.

signal ['sɪgnəl] *n* signal *m*; **busy s.** (*on telephone*) *Am* sonnerie *f* 'occupé'; **traffic signals** *nous mpl* de circulation; **call s.** indicatif *m* d'appel; **s. box** *Br*, **s. tower** *Am Rail* poste *m* d'aiguillage ▌ *vt* (*Br* **-ll-**, *Am* **-l-**) (*be a sign of*) indiquer; (*arrival etc*) signaler (**to** à); (*message*) communiquer (**to** à) ▌ *vi* faire des signaux; (*of driver, with indicators*) mettre son clignotant; **to s. (to) s.o. to do sth** faire signe à qn de faire qch. ● **signalman** *n* (*pl* **-men**) *Rail* aiguilleur *m*.

signature ['sɪgnətʃər] *n* signature *f*; **s. tune** indicatif *m* (musical). ● **signatory** *n* signataire *mf*.

signet ring ['sɪgnɪtrɪŋ] *n* chevalière *f*.

significant [sɪg'nɪfɪkənt] *a* (*important, large*) important; (*meaningful*) significatif. ● **significance** *n* (*meaning*) signification *f*; (*importance*) importance *f*. ● **significantly** *adv* (*appreciably*) sensiblement; **s., he...** fait significatif, il....

signify ['sɪgnɪfaɪ] *vt* (*mean*) signifier (**that** que); (*make known*) indiquer, signifier (**to** à).

signpost ['saɪnpəʊst] *n* poteau *m* indicateur ▌ *vt* flécher.

Sikh [siːk] *a* sikh ▌ *n* sikh, -e *mf*.

silence ['saɪləns] *n* silence *m*; **in s.** en silence ▌ *vt* faire taire. ● **silencer** *n* (*on car, gun*) silencieux *m*.

silent ['saɪlənt] *a* silencieux; (*film, anger*) muet (*f* muette); **to keep** or **be s.** garder le silence (**about** sur). ● **silently** *adv* silencieusement.

silhouette [sɪluː'et] *n* silhouette *f*. ● **silhouetted** *a* **to be s. against** se profiler contre.

silicon ['sɪlɪkən] *n* silicium *m*; **s. chip** puce *f* de silicium.

silicone ['sɪlɪkəʊn] *n* silicone *f*.

silk [sɪlk] *n* soie *f*. **s. dress/**etc robe *f*/*etc* de or en soie. ● **silky** *a* (**-ier, -iest**) soyeux.

sill [sɪl] *n* (*of window*) rebord *m*.

silly ['sɪlɪ] *a* (**-ier, -iest**) bête, idiot; **to do something s.** faire une bêtise; **to laugh oneself s.** mourir de rire; **s. fool,** *Br Fam* **s. billy** idiot, -ote *mf* ▌ *adv* (*to act, behave*) bêtement. ● **silliness** *n* bêtise *f*.

silo ['saɪləʊ] *n* (*pl* **-os**) silo *m*.

silt [sɪlt] *n* vase *f*.

silver ['sɪlvər] *n* argent *m*; (*plates etc*) argenterie *f*; **£5 in s.** *Br* 5 livres en pièces d'argent ▌ *a* (*spoon etc*) en argent, d'argent; (*hair, colour*) argenté; **s. jubilee** vingt-cinquième anniversaire *m* (*d'un événement*); **s. paper** *Br* papier *m* d'argent; **s. plate** argenterie *f*. ● **silver-'plated** *a* plaqué argent. ● **silversmith** *n* orfèvre *m*. ● **silverware** *n* argenterie *f*. ● **silvery** *a* (*colour*) argenté.

similar ['sɪmɪlər] *a* semblable (**to** à). ● **si'milarity** *n* ressemblance *f* (**between** entre, **to** avec). ● **similarly** *adv* de la même façon; (*likewise*) de même.

simile ['sɪmɪlɪ] *n* (*comparison*) comparaison *f*.

simmer ['sɪmər] *vi* (*of vegetables etc*) mijoter, cuire à feu doux; (*of water*) frémir; (*of revolt, hatred etc*) couver; **to s. with rage** bouillir de rage; **to s. down** (*calm down*) *Fam* se calmer ▌ *vt* (*vegetables etc*) faire cuire à feu doux; (*water*) laisser frémir.

simper ['sɪmpər] *vi* sourire niaisement; (*in*

simple

affected manner) minauder. ● **simpering** *a* (*person*) au sourire niais; minaudier.
simple ['sɪmp(ə)l] *a* (**-er, -est**) (*plain, basic, easy etc*) simple. ● **simple-'minded** *a* simple d'esprit. ● **simple-'mindedness** *n* simplicité *f* d'esprit. ● **simpleton** *n* nigaud, -aude *mf*. ● **sim'plicity** *n* simplicité *f*.
simplify ['sɪmplɪfaɪ] *vt* simplifier. ● **simplification** [-'keɪʃ(ə)n] *n* simplification *f*.
simplistic [sɪm'plɪstɪk] *a* simpliste.
simply ['sɪmplɪ] *adv* (*plainly, merely*) simplement; (*absolutely*) absolument.
simulate ['sɪmjʊleɪt] *vt* simuler.
simultaneous [*Br* sɪməl'teɪnɪəs, *Am* saɪməl'teɪnɪəs] *a* simultané. ● **simultaneously** *adv* simultanément.
sin [sɪn] *n* péché *m* ▌ *vi* (**-nn-**) pécher.
since [sɪns] **1** *prep* (*in time*) depuis; **s. my departure** depuis mon départ ▌ *conj* depuis que; **s. she's been here** depuis qu'elle est ici; **it's a year s. I saw him** ça fait un an que je ne l'ai pas vu ▌ *adv* (*ever*) **s.** depuis. **2** *conj* (*because*) puisque.
sincere [sɪn'sɪər] *a* sincère. ● **sincerely** *adv* sincèrement; **yours s.** *Br*, **sincerely** *Am* (*in letter*) *Com* veuillez croire à mes sentiments dévoués. ● **sin'cerity** *n* sincérité *f*.
sinew ['sɪnjuː] *n Anat* tendon *m*.
sinful ['sɪnfəl] *a* (*guilt-provoking*) (*act etc*) coupable; (*shocking*) (*waste etc*) scandaleux; **he's s.** c'est un pécheur; **that's s.** c'est un péché.
sing [sɪŋ] *vti* (*pt* **sang**, *pp* **sung**) chanter; **to s. up** chanter plus fort. ● **singing** *n* (*of bird & musical technique*) chant *m*; (*way of singing*) façon *f* de chanter ▌ **s. lesson/teacher** leçon *f*/professeur *m* de chant. ● **singer** *n* chanteur, -euse *mf*.
Singapore [sɪŋɡə'pɔːr] *n* Singapour *m*.
singe [sɪndʒ] *vt* (*cloth*) roussir; (*hair*) brûler; **to s. s.o.'s hair** (*at hairdresser's*) faire un brûlage à qn.
single ['sɪŋɡ(ə)l] *a* (*only one*) seul; (*room, bed*) pour une personne; (*unmarried*) célibataire; **not a s. book**/*etc* pas un seul livre/*etc*; **every s. day** tous les jours sans exception; **s. ticket** *Br* billet *m* simple; **s. parent** père *m* or mère *f* célibataire; **s.-parent family** famille *f* monoparentale; **s. party** *Pol* parti *m* unique; **s. European market** marché *m* unique européen.
▌ *n* (*ticket*) *Br* aller *m* (simple); (*record*) 45 tours *m inv*; **singles** *Tennis* simples *mpl*; **singles bar** bar *m* pour célibataires.
▌ *vt* **to s. out** (*choose*) choisir.
single-breasted [sɪŋɡ(ə)l'brestɪd] *a* (*jacket*) droit. ● **single-decker** *n* (*bus*) autobus *m* sans impériale. ● **single-handed** *a* sans aide. ● **single-minded** *a* (*person*) résolu, qui n'a qu'une idée en tête. ● **single-mindedly** *adv* résolument. ● **single-sex 'school** *n Br* école *f* non mixte.
singlet ['sɪŋɡlɪt] *n* (*garment*) *Br* maillot *m* de corps.
singly ['sɪŋɡlɪ] *adv* (*one by one*) un à un.

singsong ['sɪŋsɒŋ] *n* **to get together for a s.** se réunir pour chanter.
singular ['sɪŋɡjʊlər] **1** *a* (*unusual*) singulier. **2** *a* (*form*) singulier; (*noun*) au singulier ▌ *n* singulier *m*; **in the s.** au singulier.
sinister ['sɪnɪstər] *a* sinistre.
sink¹ [sɪŋk] *n* (*in kitchen*) évier *m*; (*washbasin*) lavabo *m*.
sink² [sɪŋk] *vi* (*pt* **sank**, *pp* **sunk**) (*of ship, person etc*) couler; (*of water level, sun, price*) baisser; (*collapse, subside*) s'affaisser; **my heart sank** j'ai eu un pincement de cœur; **to s. (down) into** (*mud*) s'enfoncer dans; (*armchair*) s'affaler; **to s. in** (*of ink, water etc*) pénétrer; (*of fact, idea etc*) *Fam* rentrer (dans le crâne); **has that sunk in?** *Fam* as-tu compris ça?
▌ *vt* (*ship*) couler; (*well*) creuser; **to s. a knife**/*etc* **into sth** enfoncer un couteau/*etc* dans qch; **to s. money into a company**/*etc* investir de l'argent dans une société/*etc*; **a sinking feeling** un serrement de cœur.
sinner ['sɪnər] *n* pécheur *m*, pécheresse *f*.
sinuous ['sɪnjʊəs] *a* sinueux.
sinus ['saɪnəs] *n Anat* sinus *m inv*. ● **sinusitis** [saɪnə'saɪtəs] *n* sinusite *f*; **to have s.** avoir *or* faire de la sinusite.
sip [sɪp] *vt* (**-pp-**) boire à petites gorgées ▌ *n* (*mouthful*) petite gorgée *f*; (*drop*) goutte *f*.
siphon ['saɪfən] *n* siphon *m* ▌ *vt* **to s. off** (*money*) (*draw off*) éponger; (*illegally*) détourner; (*liquid, Br petrol, Am gas*) siphonner.
sir [sɜːr] *n* monsieur *m*; **S. Walter Raleigh** (*title*) sir Walter Raleigh.
siren ['saɪərən] *n* (*of factory etc*) sirène *f*.
sirloin ['sɜːlɔɪn] *n* (*beef*) aloyau *m*.
sissy ['sɪsɪ] *n* (*boy, man*) *Fam* femmelette *f*.
sister ['sɪstər] *n* sœur *f*; (*nurse*) infirmière *f* en chef. ● **sister-in-law** *n* (*pl* **sisters-in-law**) belle-sœur *f*. ● **sisterly** *a* fraternel.
sit [sɪt] *vi* (*pp & pt* **sat**, *pres p* **sitting**) s'asseoir; (*for artist*) poser (**for** pour); (*of assembly etc*) siéger, être en séance; **to s. at home** rester chez soi; **to be sitting** (*of person, cat etc*) être assis; **to be sitting on its perch** (*of bird*) être sur son perchoir; **she was sitting reading, she sat reading** elle était assise à lire ▌ *vt* (*child on chair etc*) asseoir; (*exam*) *Br* se présenter à.
sit around *vi* (*hang around*) traîner; (*do nothing*) ne rien faire ▌ **to sit back** *vi* (*in chair*) se caler; (*rest*) se reposer; (*do nothing*) ne rien faire ▌ **to sit down** *vi* s'asseoir; **to be sitting down** être assis ▌ *vt* **to s. s.o. (down)** asseoir qn ▌ **to sit for** *vt* (*exam*) *Br* se présenter à ▌ **to sit in on** *vt* (*lecture etc*) assister à ▌ **to sit on** *vt* (*jury etc*) être membre de; (*fact etc*) *Fam* garder pour soi ▌ **to sit out** *vt* (*event, dance*) ne pas prendre part à; (*film*) rester jusqu'au bout de ▌ **to sit through** *vt* (*film etc*) rester jusqu'au bout de ▌ **to sit up** *vi* **to s. up (straight)** s'asseoir (bien droit); **to s. up waiting for s.o.** (*at night*) ne pas se coucher en attendant qn.

sit-down ['sɪtdaʊn] *a* **s.-down meal** repas *m* servi à table; **s.-down strike** grève *f* sur le tas.

site [saɪt] *n* (*position*) emplacement *m*; (*archeological*) site *m*; (**building**) **s.** chantier *m*; **launch(ing) s.** aire *f* de lancement ▮ *vt* (*building*) placer.

sit-in ['sɪtɪn] *n* (*protest*) sit-in *m inv*.

sitter ['sɪtər] *n* (*for child*) baby-sitter *mf*.

sitting ['sɪtɪŋ] *n* séance *f*; (*for one's portrait*) séance *f* de pose; (*in restaurant*) service *m* ▮ *a* (*committee etc*) en séance; **s. duck** Fam victime *f* facile; **s. tenant** locataire *mf* en possession des lieux. ●**sitting room** *n* salon *m*.

situate ['sɪtʃʊeɪt] *vt* situer; **to be situated** être situé. ●**situation** [-'eɪʃ(ə)n] *n* situation *f*.

six [sɪks] *a & n* six (*m*). ●**sixth** *a & n* sixième (*mf*); (**lower**) **s. form** *Br Sch* = classe *f* de première; (**upper**) **s. form** *Br Sch* = classe *f* terminale; **a s.** (*fraction*) un sixième.

sixteen [sɪk'stiːn] *a & n* seize (*m*). ●**sixteenth** *a & n* seizième (*mf*).

sixty ['sɪkstɪ] *a & n* soixante (*m*). ●**sixtieth** *a & n* soixantième (*mf*).

size [saɪz] **1** *n* (*of person, animal, clothes etc*) taille *f*; (*measurements*) dimensions *fpl*; (*of egg, fruit*) grosseur *f*; (*of packet*) taille *f*, grosseur *f*; (*of book*) grandeur *f*, format *m*; (*of town, damage, problem*) importance *f*, étendue *f*; (*of sum*) montant *m*, importance *f*; (*of shoes, gloves*) pointure *f*; (*of shirt*) encolure *f*; **hip/chest s.** tour *m* de hanches/de poitrine; **it's the s. of...** c'est grand comme.... **2** *n* (*glue*) colle *f*. **3** *vt* **to s. up** (*person*) jauger; (*situation*) évaluer.

sizeable ['saɪzəb(ə)l] *a* assez grand *or* gros.

sizzle ['sɪz(ə)l] *vi* grésiller. ●**sizzling** *a* **s. (hot)** brûlant.

skate[1] [skeɪt] *n* patin *m* ▮ *vi* patiner. ●**skating** *n* patinage *m*; **to go s.** faire du patinage; **s. rink** (*ice-skating*) patinoire *f*; (*roller-skating*) skating *m*. ●**skateboard** *n* planche *f* à roulettes. ●**skater** *n* patineur, -euse *mf*.

skate[2] [skeɪt] *n* (*fish*) raie *f*.

skedaddle [skɪ'dæd(ə)l] *vi Fam* déguerpir.

skein [skeɪn] *n* (*of yarn*) écheveau *m*.

skeleton ['skelɪt(ə)n] *n* squelette *m* ▮ *a* (*crew, staff*) (réduit au) minimum, squelettique; **s. key** passe-partout *m inv*.

skeptic ['skeptɪk] *a & n Am* = **sceptic**.

sketch [sketʃ] *n* (*drawing*) croquis *m*, esquisse *f*; (*comic play*) sketch *m*; **a rough s. of the situation/etc** un résumé rapide de la situation/*etc* ▮ *vt* **to s. (out)** (*idea, view etc*) exposer brièvement; **to s. in** (*details*) ajouter ▮ *vi* faire un *ou* des croquis. ●**sketchbook** *n* cahier *m* de croquis. ●**sketchy** *a* (**-ier, -iest**) incomplet, superficiel.

skew [skjuː] *n* **on the s.** de travers.

skewer ['skjʊər] *n* (*for meat etc*) broche *f*; (*for kebab*) brochette *f*.

ski [skiː] *n* (*pl* **skis**) ski *m*; **s. boot** chaussure *f* de ski; **s. jump** (*slope*) tremplin *m*; (*jump*) saut *m* à skis; **s. lift** remonte-pente *m*; **s. mask** *Am* cagoule *f*, passe-montagne *m*; **s. pants** fuseau *m*; **s. run** piste *f* de ski; **s. téléski** *m*; **s. wax** fart *m* ▮ *vi* (*pt* **skied** [skiːd], *pres p* **skiing**) faire du ski. ●**skiing** *n* (*sport*) ski *m* ▮ *a* (*school, clothes etc*) de ski; **s. holiday** *Br*, **s. vacation** *Am* vacances *fpl* de neige *or* aux sports d'hiver. ●**skier** *n* skieur, -euse *mf*.

skid [skɪd] **1** *vi* (**-dd-**) (*of vehicle*) déraper; **to s. into sth** déraper et heurter qch ▮ *n* dérapage *m*. **2** *a* **s. row** *Am* quartier *m* de clochards *or* de squats.

skill [skɪl] *n* habileté *f*, adresse *f* (**at** à); (*technique*) technique *f*; **one's skills** (*aptitudes*) ses compétences *fpl*. ●**skilful** *or Am* **skillful** *a* habile (**at doing** à faire, **at sth** en qch). ●**skilled** *a* habile (**at doing** à faire, **at sth** en qch); (*worker*) qualifié; (*work*) de spécialiste, de professionnel.

skillet ['skɪlɪt] *n Am* poêle *f* (à frire).

skim [skɪm] **1** *vt* (**-mm-**) (*milk*) écrémer; (*soup*) écumer; **skimmed milk** lait *m* écrémé. **2** *vti* (**-mm-**) **to s. (over)** (*surface*) effleurer; **to s. through** (*book*) parcourir.

skimp [skɪmp] *vi* (*on food, fabric etc*) lésiner (**on** sur). ●**skimpy** *a* (**-ier, -iest**) (*clothes*) étriqué; (*meal*) insuffisant.

skin [skɪn] *n* peau *f*; **he has thick s.** *Fig* c'est un dur; **s. cancer** cancer *m* de la peau; **s. diving** plongée *f* sous-marine; **s. test** cuti-(-réaction) *f* ▮ *vt* (**-nn-**) (*fruit*) peler; (*animal*) écorcher. ●**skin-'deep** *a* superficiel. ●**skin-'tight** *a* moulant, collant.

skinflint ['skɪnflɪnt] *n* avare *mf*.

skinhead ['skɪnhed] *n Br* skin(head) *m*.

skinny ['skɪnɪ] *a* (**-ier, -iest**) maigre.

skint [skɪnt] *a* (*penniless*) *Br Fam* fauché.

skip[1] [skɪp] **1** *vi* (**-pp-**) (*hop about*) sautiller; (*with rope*) *Br* sauter à la corde; **to s. off** (*leave*) *Fam* filer; **skipping rope** *Br* corde *f* à sauter ▮ *n* petit saut *m*. **2** *vt* (**-pp-**) (*miss, omit*) sauter (*repas, classe, paragraphe etc*); **to s. classes** (*miss school*) sécher les cours; **s. it!** (*forget it*) *Fam* laisse tomber!

skip[2] [skɪp] *n* (*container for rubbish*) *Br* benne *f*.

skipper ['skɪpər] *n* (*of ship, team*) capitaine *m*.

skirmish ['skɜːmɪʃ] *n* accrochage *m*.

skirt [skɜːt] **1** *n* jupe *f*. **2** *vt* **to s. round** (*by-pass, go round*) contourner. ●**skirting board** *n* (*on wall*) *Br* plinthe *f*.

skit [skɪt] *n* (*play*) pièce *f* satirique; **a s. on** une parodie de.

skittish ['skɪtɪʃ] *a* (*person*) frivole; (*temperamental*) capricieux.

skittle ['skɪt(ə)l] *n Br* quille *f*; **skittles** (*game*) jeu *m* de quilles; **to play skittles** jouer aux quilles.

skive [skaɪv] *vi Br Fam* (*shirk*) tirer au flanc; **to s. off** (*slip away*) se défiler. ●**skiver** *n Br Fam* tire-au-flanc *m inv*.

skivvy ['skɪvɪ] *n Br Pej Fam* bonne *f* à tout faire, bon(n)iche *f*.

skulk [skʌlk] *vi* rôder (furtivement).
skull [skʌl] *n* crâne *m*. ●**skullcap** *n* calotte *f*.
skunk [skʌŋk] *n* (*animal*) mouffette *f*; (*person*) *Pej* salaud *m*.
sky [skaɪ] *n* ciel *m*. ●**sky-blue** *a* bleu ciel *inv*. ●**skydiving** *n* parachutisme *m* (en chute libre). ●**sky-'high** *a* (*prices*) exorbitant. ●**skylark** *n* alouette *f*. ●**skylight** *n* lucarne *f*. ●**skyline** *n* (*outline of buildings*) ligne *f* d'horizon. ●**skyrocket** *vi* (*of prices*) *Fam* monter en flèche. ●**skyscraper** *n* gratte-ciel *m inv*.
slab [slæb] *n* (*of concrete etc*) bloc *m*; (*thin, flat*) plaque *f*; (*of chocolate*) tablette *f*, plaque *f*; (*of meat*) tranche *f* épaisse; (*paving stone*) dalle *f*.
slack [slæk] *a* (-er, -est) (*knot, spring*) lâche; (*discipline, security*) relâché, lâche; (*grip*) faible, mou (*f* molle); (*business*) calme; (*careless, negligent*) négligent; (*worker, student*) peu sérieux; **s. periods** (*weeks etc*) périodes *fpl* creuses; (*hours*) heures *fpl* creuses; **to be s.** (*of rope*) avoir du mou; (*in office etc*) être calme ▮ *vi* **to s. off** (*in effort*) se relâcher.
slacken ['slæk(ə)n] *vi* **to s. (off)** (*in effort*) se relâcher; (*of production, demand, speed, enthusiasm*) diminuer ▮ *vt* **to s. (off)** (*rope*) relâcher; (*pace, effort*) ralentir.
slacker ['slækər] *n* (*person*) *Fam* flemmard, -arde *mf*.
slackly ['slækli] *adv* (*loosely*) lâchement. ●**slackness** *n* (*of person*) négligence *f*; (*of discipline*) relâchement *m*; (*of rope*) mou *m*; (*of trade*) stagnation *f*.
slacks [slæks] *npl* pantalon *m*.
slag [slæg] **1** *n* (*immoral woman*) *Offensive Br Sl* salope *f*, traînée *f*. **2** *vt* **to s. s.o. off** (*criticize*) *Br Sl* débiner qn, casser du sucre sur le dos de qn.
slagheap ['slæghi:p] *n* (*near mine*) terril *m*; (*near steelworks*) crassier *m*.
slain [sleɪn] *pp of* **slay**.
slake [sleɪk] *vt* (*thirst*) étancher.
slalom ['slɑːləm] *n* (*ski race*) slalom *m*.
slam [slæm] **1** *vt* (-mm-) (*door, lid*) claquer; (*hit*) frapper violemment; **to s. (down)** (*put down*) poser violemment; **to s. on the brakes** écraser le frein, freiner à bloc ▮ *vi* (*of door*) claquer ▮ *n* claquement *m*. **2** *vt* (-mm-) (*criticize*) *Fam* critiquer (avec virulence).
slander ['slɑːndər] *n* diffamation *f*, calomnie *f* ▮ *vt* diffamer, calomnier.
slang [slæŋ] *n* argot *m* ▮ *a* (*word etc*) d'argot, argotique; **s. expression** expression *f* argotique. ●**slanging match** *n* *Br Fam* engueulade *f*.
slant [slɑːnt] *n* inclinaison *f*; (*point of view*) *Fig* angle *m* (**on** sur); (*bias*) *Fig* parti-pris *m*; **on a s.** penché; (*roof*) en pente ▮ *vi* (*of roof*) être en pente; (*of writing*) pencher ▮ *vt* (*writing*) faire pencher; (*news*) *Fig* présenter de façon partiale. ●**slanted** *or* **slanting** *a* penché; (*roof*) en pente.
slap [slæp] **1** *n* tape *f*, claque *f*; (*on face*) gifle *f* ▮ *vt* (-pp-) (*person*) donner une tape à; **to s. s.o.'s face** gifler qn; **to s. s.o.'s bottom** donner une fessée à qn. **2** *vt* (-pp-) (*put*) mettre, flanquer; **to s. on** (*apply*) appliquer à la va-vite; (*add*) ajouter. **3** *adv* **s. in the middle** *Fam* en plein milieu.
slapdash ['slæpdæʃ] *a* (*person*) négligent; (*task*) fait à la va-vite ▮ *adv* (*carelessly*) à la va-vite.
slaphappy [slæp'hæpɪ] *a Fam* (*negligent*) je-m'en-fichiste; (*carefree*) insouciant.
slapstick ['slæpstɪk] *a & n* **s. (comedy)** grosse farce *f*.
slap-up ['slæpʌp] *a* **s.-up meal** *Br Fam* gueuleton *m*.
slash [slæʃ] **1** *vt* (*cut with blade etc*) taillader, entailler; (*sever*) trancher ▮ *n* entaille *f*, taillade *f*. **2** *vt* (*reduce*) réduire radicalement; (*prices*) écraser.
slat [slæt] *n* (*in Br blind, Am shade*) lamelle *f*.
slate [sleɪt] **1** *n* ardoise *f*. **2** *vt* (*book etc*) *Br Fam* critiquer, démolir.
slaughter ['slɔːtər] *vt* (*people*) massacrer; (*animal*) abattre ▮ *n* massacre *m*; (*of animal*) abbatage *m*. ●**slaughterhouse** *n* abattoir *m*.
Slav [slɑːv] *a* slave ▮ *n* Slave *mf*. ●**Sla'vonic** *a* (*language*) slave.
slave [sleɪv] *n* esclave *mf*; **the s. trade** *Hist* la traite des noirs; **s. driver** *Fig Pej* négrier *m* ▮ *vi* **to s. (away)** se crever (au travail), bosser comme une bête; **to s. away doing sth** s'escrimer à faire qch. ●**slavery** *n* esclavage *m*. ●**slavish** *a* servile.
slaver ['slævər] *vi* (*dribble*) baver (**over** sur) ▮ *n* bave *f*.
slay [sleɪ] *vt* (*pt* **slew**, *pp* **slain**) *Lit* tuer.
sleazy ['sliːzɪ] *a* (-ier, -iest) *Fam* (*bar room, affair etc*) sordide.
sledge [sledʒ] (*Am* **sled** [sled]) *n Br* luge *f*; (*horse-drawn*) traîneau *m*.
sledgehammer ['sledʒhæmər] *n* masse *f*.
sleek [sliːk] *a* (-er, -est) (*smooth*) lisse; (*shiny*) brillant; (*manner*) *Pej* onctueux.
sleep [sliːp] *n* sommeil *m*; **to have a s., to get some s.** dormir; **to send s.o. to s.** endormir qn; **to go** *or* **get to s.** s'endormir; **to go to s.** (*of arm, foot, hand*) *Fam* s'engourdir.
▮ *vi* (*pt & pp* **slept**) dormir; (*spend the night*) coucher; **s. tight** *or* **well!** dors bien!; **I'll s. on it** *Fig* je déciderai demain, la nuit portera conseil.
▮ *vt* **this room sleeps six** on peut coucher *or* loger six personnes dans cette chambre; **to s. it off** *Fam*, **s. off a hangover** cuver son vin. ●**sleeping** *a* (*asleep*) endormi; **s. bag** sac *m* de couchage; **s. car** wagon-lit *m*; **s. pill** somnifère *m*; **s. quarters** chambre(s) *f(pl)*, dortoir *m*.
sleeper ['sliːpər] *n* **1 to be a light/sound s.** avoir le sommeil léger/lourd. **2** *Br Rail* (*on track*) traverse *f*; (*bed in train*) couchette *f*; (*train*) train *m* couchettes. ●**sleepiness** *n see* **sleepy**. ●**sleepless** *a* (*night*) d'insomnie; (*hours*) sans sommeil.

sleepwalker ['sli:pwɔ:kər] *n* somnambule *mf*. ● **sleepwalking** *n* somnambulisme *m*.

sleepy ['sli:pɪ] *a* (**-ier**, **-iest**) (*town*, *voice etc*) endormi; **to be s.** (*of person*) avoir sommeil. ● **sleepiness** *n* torpeur *f*.

sleet [sli:t] *n* neige *f* fondue; (*sheet of ice*) *Am* verglas *m* ▌ *vi* **it's sleeting** il tombe de la neige fondue.

sleeve [sli:v] *n* (*of shirt etc*) manche *f*; (*of record*) pochette *f*; **to have something up one's s.** (*surprise*, *idea etc*) avoir quelque chose en réserve; **long-/short-sleeved** à manches longues/courtes.

sleigh [sleɪ] *n* traîneau *m*.

sleight [slaɪt] *n* **s. of hand** prestidigitation *f*.

slender ['slendər] *a* (*person*) mince, svelte; (*neck*, *hand*) fin; (*small*, *feeble*) *Fig* faible.

slept [slept] *pt* & *pp* of **sleep**.

sleuth [slu:θ] *n* (*detective*) *Hum* (fin) limier *m*.

slew [slu:] **1** *n* **a s. of** *Am Fam* un tas de, une tapée de. **2** *pt of* **slay**.

slice [slaɪs] *n* tranche *f*; (*portion*) *Fig* partie *f*, part *f* ▌ *vt* **to s. (up)** couper (en tranches); **to s. off** (*cut off*) couper.

slick [slɪk] **1** *a* (**-er**, **-est**) (*glib*) qui a la parole facile; (*manner*) mielleux; (*film*, *book*) bien fait mais superficiel; (*cunning*) astucieux; (*smooth*, *slippery*) lisse. **2** *n* **oil s.** nappe *f* de pétrole; (*large*) marée *f* noire.

slide [slaɪd] *n* (*in playground*) toboggan *m*; (*on ice*) glissoire *f*; (*for hair*) barrette *f*; *Phot* diapositive *f*; (*of microscope*) lamelle *f*, lame *f*; (*act of sliding*) glissade *f*; (*in value etc*) (légère) baisse *f*.

▌ *vi* (*pt* & *pp* **slid**) glisser; **to s. into a room/***etc* se glisser dans une pièce/*etc*.

▌ *vt* (*letter etc*) (into dans); (*table*, *chair etc*) faire glisser. ● **sliding** *a* (*door*, *panel*) coulissant; **s. roof** toit *m* ouvrant; **s. scale** (*in making calculations*) échelle *f* mobile.

slight [slaɪt] **1** *a* (**-er**, **-est**) (*noise*, *mistake*, *breeze etc*) léger, petit; (*chance*) faible; (*person*, *figure*) mince; (*slim*) mince; (*frail*) frêle; **the slightest thing** la moindre chose; **not in the slightest** pas le moins du monde. **2** *vt* (*offend*) offenser; (*ignore*) bouder ▌ *n* affront *m* (**on** à). ● **slighting** *a* (*remark*) désobligeant.

slightly ['slaɪtlɪ] *adv* légèrement, un peu; **to know s.o. s.** connaître qn un peu; **s. built** fluet (*f* fluette).

slim [slɪm] *a* (**slimmer**, **slimmest**) mince ▌ *vi* (**-mm-**) *Br* maigrir. ● **slimmer** *n* *Br* personne *f* qui suit un régime amaigrissant. ● **slimming** *a Br* **s. diet** régime *m* amaigrissant; **s. food** aliment *m* qui ne fait pas grossir. ● **slimness** *n* minceur *f*.

slime [slaɪm] *n* boue *f* (visqueuse); (*of snail*) bave *f*. ● **slimy** *a* (**-ier**, **-iest**) (*muddy*) boueux; (*sticky*, *Fig* smarmy) visqueux.

sling [slɪŋ] **1** *n* (*weapon*) fronde *f*; (*toy*) lance-pierres *m inv*; (*for injured arm*) écharpe *f*; **in a s.** en écharpe. **2** *vt* (*pt* & *pp* **slung**) (*throw*) jeter, lancer; (*hang*) suspendre; **to s. away** *or* **out** (*throw out*) *Fam* balancer. ● **slingshot** *n* *Am* lance-pierres *m inv*.

slip [slɪp] **1** *n* (*mistake*) erreur *f*; (*woman's undergarment*) combinaison *f*; **a s. of paper** (*bit*) un bout de papier; (*for filing*) une fiche de papier; **a s. (of the tongue)** un lapsus; **to give s.o. the s.** fausser compagnie à qn; **s. road** (*to or from motorway*) *Br* bretelle *f* (d'accès *or* de sortie).

2 *vi* (**-pp-**) glisser; (*of popularity*, *ratings*) *Fam* baisser; **to let s.** (*chance*, *oath*, *secret*) laisser échapper.

▌ *vt* (*slide*) glisser (**to** à, **into** dans); **it slipped her notice** ça lui a échappé; **it slipped his mind** ça m'est sorti de l'esprit; **to have a slipped** *Br* **disc** *or Am* **disk** avoir une hernie discale.

slip along *vi* **to s. along to s.o.'s** faire un saut chez qn ▌ **to slip away** *vi* (*escape*) s'esquiver ▌ **to slip back** *vi* retourner furtivement ▌ **to slip in** *vi* (*enter*) entrer furtivement ▌ **to slip into** *vt* (*room etc*) se glisser dans; (*bathrobe etc*) mettre, passer; (*habit*) prendre ▌ **to slip off** *vt* (*coat etc*) enlever ▌ **to slip on** *vt* (*coat etc*) mettre ▌ **to slip out** *vi* (*leave*) sortir furtivement; (*for a moment*) sortir (un instant); (*of secret*) s'éventer ▌ **to slip over** *vi* **to s. over to s.o.'s** faire un saut chez qn ▌ **to slip past** *vt* (*guard*) passer sans être vu de ▌ **to slip through** *vi* (*of error*) ne pas être remarqué ▌ *vt* **to s. through the crowd** se faufiler parmi la foule ▌ **to slip up** *vi* (*make a mistake*) *Fam* gaffer.

slipcover ['slɪpkʌvər] *n* *Am* housse *f*.

slipover ['slɪpəʊvər] *n* *Br* pull *m* sans manches.

slipper ['slɪpər] *n* pantoufle *f*.

slippery ['slɪpərɪ] *a* glissant.

slipshod ['slɪpʃɒd] *a* (*negligent*) négligent; (*slovenly*) négligé.

slip-up ['slɪpʌp] *Fam* gaffe *f*, erreur *f*.

slipway ['slɪpweɪ] *n* cale *f* de lancement.

slit [slɪt] *n* (*opening*) fente *f*; (*cut*) coupure *f* ▌ *vt* (*pt* & *pp* **slit**, *pres p* **slitting**) (*cut*) couper; (*tear*) déchirer; **to s. open** (*sack*) éventrer.

slither ['slɪðər] *vi* glisser; (*of snake*) se couler.

sliver ['slɪvər] *n* (*of wood*) éclat *m*; (*of cheese etc*) fine tranche *f*.

slob [slɒb] *n* *Fam* (*lazy person*) gros fainéant *m*; (*dirty person*) porc *m*.

slobber ['slɒbər] *vi* (*of dog*, *baby etc*) baver (**over** sur); **to s. over s.o.** (*kiss*) *Fam* faire des mamours à qn ▌ *n* bave *f*.

sloe [sləʊ] *n* (*fruit*) prunelle *f*.

slog [slɒg] *Br* **1** *n* **a** (**hard**) **s.** (*effort*) un gros effort; (*work*) un travail dur ▌ *vi* (**-gg-**) **to s.** (**away**) bosser, trimer. **2** *vt* (**-gg-**) (*ball*, *person*) donner un grand coup à.

slogan ['sləʊgən] *n* slogan *m*.

slop [slɒp] *n* **slops** eaux *fpl* sales ▌ *vi* (**-pp-**) **to s. (over)** (*spill*) se répandre ▌ *vt* répandre.

slope [sləʊp] *n* pente *f*; (*of mountain*)

sloppy

versant *m*; (*for skiing*) piste *f*; (*slant of handwriting, pipe etc*) inclinaison *f* ▎ *vi* (*of ground, roof etc*) être en pente; (*of handwriting*) pencher; **to s. down** (*of path etc*) descendre en pente. ●**sloping** *a* (*roof etc*) en pente; (*handwriting*) penché.

sloppy ['slɒpɪ] *a* (**-ier**, **-iest**) (*work, appearance*) négligé; (*person*) négligent; (*sentimental*) sentimental; (*wet*) détrempé; (*watery*) liquide.

slosh [slɒʃ] *vt* (*pour, spill*) *Fam* renverser, répandre ▎ *vi* **to s. about** (*walk in water, mud etc*) patauger; (*splash in bath etc*) barboter. ●**sloshed** *a* (*drunk*) *Br Fam* bourré.

slot [slɒt] *n* (*slit*) fente *f*; (*groove*) rainure *f*; (*in radio or TV programme*) créneau *m*; **s. machine** (*for vending*) distributeur *m* automatique; (*for gambling*) machine *f* à sous ▎ *vt* (**-tt-**) (*insert*) insérer (**into** dans) ▎ *vi* s'insérer (**into** dans).

sloth [sləʊθ] *n Lit* paresse *f*.

slouch [slaʊtʃ] **1** *vi* ne pas se tenir droit; (*have a stoop*) avoir le dos voûté; (*in chair*) se vautrer (**in** dans); **to be slouching over one's desk/etc** être penché sur son bureau/etc ▎ *n* (*posture*) mauvaise tenue *f*; **with a s.** (*to walk*) en traînant les pieds; (*stooped*) le dos voûté. **2** *a* (*person*) lourdaud, -aude *mf*; (*lazy*) paresseux, -euse *mf*; **he's no s.** il n'est pas empoté.

Slovakia [sləʊ'vækɪə] *n* Slovaquie *f*.

Slovenia [sləʊ'viːnɪə] *n* Slovénie *f*.

slovenly ['slʌvənlɪ] *a* négligé. ●**slovenliness** *n* (*of dress*) négligé *m*; (*carelessness*) négligence *f*.

slow [sləʊ] *a* (**-er**, **-est**) lent; (*business*) calme; (*party, event*) ennuyeux; **at (a) s. speed** à vitesse réduite; **to be a s. walker** marcher lentement; **to be s.** (*of clock, watch*) retarder; **to be five minutes s.** retarder de cinq minutes; **to be s. to act** *or* **in acting** être lent à agir; **in s. motion** au ralenti ▎ *adv* lentement ▎ *vt* **to s. down** *or* **up** ralentir; (*delay*) retarder ▎ *vi* **to s. down** *or* **up** ralentir. ●**slowly** *adv* lentement; (*bit by bit*) peu à peu. ●**slowness** *n* lenteur *f*.

slowcoach ['sləʊkəʊtʃ] *n Br Fam* tortue *f*, lambin, -ine *mf*. ●**slow-down** *n* ralentissement *m*; **s.-down** (*strike*) *Am* grève *f* perlée. ●**slow-'moving** *a* (*vehicle etc*) lent. ●**slowpoke** *n Am Fam* tortue *f*, lambin, -ine *mf*.

sludge [slʌdʒ] *n* gadoue *f*.

slue [sluː] *n Am Fam* = **slew 1**.

slug [slʌg] **1** *n* (*mollusc*) limace *f*. **2** *n* (*bullet*) *Am Sl* pruneau *m*. **3** *Am Fam vt* (**-gg-**) (*hit*) frapper ▎ *n* coup *m*, marron *m*.

sluggish ['slʌgɪʃ] *a* (*person*) (*lethargic*) amorphe, sans énergie; (*slow*) (*machine etc*) peu nerveux; (*business*) peu actif.

sluice [sluːs] *n* **s.** (**gate**) vanne *f*.

slum [slʌm] *n* (*house*) taudis *m*; **the slums** les quartiers *mpl* pauvres; **s. district** quartier *m* pauvre; **s. dwelling** taudis *m* ▎ *vt* (**-mm-**) **to s. it** *Fam* (*have lean times*) manger de la vache enragée; (*mix with bad company*) s'encanailler. ●**slummy** *a* (**-ier**, **-iest**) sordide, pauvre.

slumber ['slʌmbər] *n Lit* sommeil *m*.

slump [slʌmp] **1** *n* baisse *f* soudaine (**in** de); (*in prices*) effondrement *m*; *Econ* crise *f* ▎ *vi* (*decrease*) baisser; (*of prices*) s'effondrer. **2** *vi* **to s. into** (*armchair etc*) s'affaisser dans.

slung [slʌŋ] *pt & pp of* **sling 2**.

slur [slɜːr] **1** *vt* (**-rr-**) (*word*) prononcer indistinctement; **to s. one's words** manger ses mots ▎ **to speak with a s.** manger ses mots. **2** *n* (*insult*) insulte *f*; **to cast a s. on s.o.'s reputation** porter atteinte à la réputation de qn. ●**slurred** *a* (*speech*) indistinct.

slush [slʌʃ] *n* (*snow*) neige *f* fondue; (*mud*) gadoue *f*; **s. fund** *Pol Fam* caisse *f* noire. ●**slushy** *a* (**-ier**, **-iest**) (*road*) couvert de neige fondue.

slut [slʌt] *n Pej* (*immoral woman*) salope *f*, traînée *f*; (*untidy woman*) souillon *f*.

sly [slaɪ] *a* (**-er**, **-est**) (*deceitful*) sournois; (*cunning, crafty*) rusé ▎ *n* **on the s.** en cachette. ●**slyly** *adv* sournoisement; (*in secret*) en cachette.

smack [smæk] **1** *n* claque *f*; gifle *f*; fessée *f* ▎ *vt* (*hit*) donner une claque à; **to s. s.o.'s face** gifler qn; **to s. s.o.('s bottom)** donner une fessée à qn. **2** *adv* **s. in the middle** *Fam* en plein milieu. **3** *vi* **to s. of** (*be suggestive of*) avoir des relents de. ●**smacking** *n* fessée *f*.

small [smɔːl] *a* (**-er**, **-est**) petit; **in the s. hours** au petit matin; **s. change** petite monnaie *f*; **s. talk** menus propos *mpl* ▎ *adv* (*to cut, chop*) menu ▎ *n* **the s. of the back** le creux *m* des reins. ●**smallness** *n* petitesse *f*. ●**small-minded** *a* à l'esprit étroit. ●**small-mindedness** *n* étroitesse *f* d'esprit. ●**small-scale** *a Fig* peu important. ●**small-time** *a* (*crook, dealer etc*) petit, sans grande envergure.

smallholding ['smɔːlhəʊldɪŋ] *n Br* petite ferme *f*.

smallpox ['smɔːlpɒks] *n* petite vérole *f*.

smarmy ['smɑːmɪ] *a* (**-ier**, **-iest**) *Pej Fam* visqueux, mielleux.

smart[1] [smɑːt] *a* (**-er**, **-est**) (*in appearance*) élégant; (*clever*) intelligent; (*astute*) astucieux; (*quick*) rapide; **s. aleck** *Fam* je-sais-tout *mf inv*; **s. card** carte *f* à puce *or* à mémoire.

smart[2] [smɑːt] *vi* (*sting*) brûler, faire mal.

smarten ['smɑːt(ə)n] *vt* **to s. up** (*room etc*) embellir ▎ *vti* **to s. (oneself) up** (*make oneself spruce*) se faire beau, s'arranger.

smartly ['smɑːtlɪ] *adv* (*dressed*) avec élégance; (*quickly*) en vitesse; (*cleverly*) avec intelligence; (*astutely*) astucieusement. ●**smartness** *n* élégance *f*; (*cleverness*) intelligence *f*.

smash [smæʃ] *vt* (*break*) briser; (*shatter*) fracasser; (*record*) pulvériser; (*enemy*) écraser; **to s. s.o.'s face (in)** *Fam* casser la gueule à qn ∎ *vi* se briser ∎ *n* (*accident*) collision *f*; (*noise*) fracas *m*; (*blow*) coup *m*; **s. hit** *Fam* succès *m* fou. ● **smash-and-grab raid** *n Br* = vol *m* commis en défonçant une vitrine. ● **smash-up** *n* collision *f*.

smash down *or* **in** *vt* (*door*) enfoncer ∎ **to smash into** *vt* (*of vehicle*) (r)entrer dans (*lampadaire etc*) ∎ **to smash up** *vt* (*vehicle*) esquinter; (*room*) démolir tout dans.

smashing ['smæʃɪŋ] *a* (*wonderful*) *Br Fam* formidable. ● **smasher** *n* **to be a (real) s.** *Br Fam* être formidable.

smattering ['smætərɪŋ] *n* **a s. of French/***etc* quelques notions *fpl* de français/*etc*.

smear [smɪər] *vt* (*coat*) enduire (**with** de); (*stain*) tacher (**with** de); (*smudge*) faire une trace sur ∎ *n* (*mark*) trace *f*; (*stain*) tache *f*; **s. test** *Med* frottis *m* (vaginal); **a s. on s.o.'s reputation/***etc* (*attack*) une atteinte à la réputation/*etc* de qn; **s. campaign** campagne *f* de diffamation; **s. tactics** utilisation *f* systématique de la diffamation.

smell [smel] *n* odeur *f*; (*sense of*) **s.** odorat *m* ∎ *vt* (*pt* & *pp* **smelled** *or* **smelt**) sentir; (*of animal*) flairer ∎ *vi* (*stink*) sentir (mauvais); (*have a smell*) avoir une odeur; **to s. of smoke/***etc* sentir la fumée/*etc*; **smelling salts** sels *mpl*. ● **smelly** *a* (**-ier, -iest**) **to be s.** sentir (mauvais).

smelt[1] [smelt] *pt* & *pp* of **smell**.

smelt[2] [smelt] *vt* (*ore*) fondre; **smelting works** fonderie *f*.

smidgen ['smɪdʒən] *n* **a s.** (*a little*) *Am Fam* un brin (**of** de).

smile [smaɪl] *n* sourire *m* ∎ *vi* sourire (**at s.o.** à qn, **at sth** de qch). ● **smiling** *a* souriant.

smirk [smɜːk] *n* (*smug*) sourire *m* suffisant; (*scornful*) sourire *m* goguenard.

smith [smɪθ] *n* (*blacksmith*) forgeron *m*.

smithereens [smɪðə'riːnz] *npl* **to smash sth to s.** briser qch en mille morceaux.

smitten ['smɪt(ə)n] *a Hum* **to be s. with s.o.** (*in love with*) être épris de qn; **to be s. with sth/s.o.** (*enthusiastic about*) être emballé par qch/qn.

smock [smɒk] *n* blouse *f*.

smog [smɒg] *n* brouillard *m* épais, smog *m*.

smoke [sməʊk] *n* fumée *f*; **to have a s.** fumer une cigarette *etc*; **s. detector** *or* **alarm** détecteur *m* de fumée; **s. screen** *Fig* écran *m or* rideau *m* de fumée.

∎ *vt* (*cigarette etc*) fumer; **to s. out** (*room etc*) enfumer; **smoked salmon/***etc* saumon *m/etc* fumé.

∎ *vi* fumer; **'no smoking'** 'défense de fumer'; **smoking compartment** (*on train*) compartiment *m* fumeurs. ● **smokeless** *a* **s. fuel** combustible *m* non polluant. ● **smoker** *n* fumeur, -euse *mf*; (*train compartment*) compartiment *m* fumeurs. ● **smokestack** *n* cheminée *f* (d'usine). ● **smoky** *a* (**-ier, -iest**) (*room, air*) enfumé; (*ceiling, wall*) noirci de fumée; **it's s. here** il y a de la fumée ici.

smooth [smuːð] *a* (**-er, -est**) (*surface, skin etc*) lisse; (*road*) à la surface égale; (*move-ment*) régulier, sans à-coups; (*flight*) agréable; (*cream*) onctueux; (*sea*) calme; (*person, manners*) *Pej* doucereux; **the s. running of** (*machine, service, business etc*) la bonne marche de ∎ *vt* **to s. down** (*hair, sheet, paper*) lisser; **to s. out** (*paper, sheet, dress etc*) lisser; (*crease*) faire disparaître; **to s. out** *or* **over** (*problems etc*) *Fig* aplanir. ● **smoothly** *adv* (*to land, pass off*) en douceur. ● **smoothness** *n* aspect *m* lisse; (*of road*) surface *f* égale.

smother ['smʌðər] *vt* **1** (*stifle*) étouffer. **2 to s. sth with sth** (*cover*) couvrir qch de qch; **to s. s.o. with kisses** *Fig* couvrir qn de baisers.

smoulder ['sməʊldər] (*Am* **smolder**) *vi* (*of fire*, *Fig passion etc*) couver.

smudge [smʌdʒ] *n* tache *f*, bavure *f* ∎ *vt* (*paper etc*) faire des taches sur, salir.

smug [smʌg] *a* (**smugger, smuggest**) (*smile etc*) béat; (*person*) content de soi, suffisant. ● **smugly** *adv* avec suffisance.

smuggle ['smʌg(ə)l] *vt* passer (en fraude); **smuggled goods** contrebande *f*. ● **smuggling** *n* contrebande *f*. ● **smuggler** *n* contrebandier, -ière *mf*.

smut [smʌt] *n inv* (*obscenity*) cochonneries *fpl*. ● **smutty** *a* (**-ier, -iest**) (*joke etc*) cochon.

snack [snæk] *n* (*meal*) casse-croûte *m inv*; **snacks** (*things to eat*) petites choses *fpl* à grignoter; (*Br sweets*, *Am candies*) friandises *fpl*; **to eat a s.** *or* **snacks** grignoter; **s. bar** snack(-bar) *m*.

snafu [snæ'fuː] *n* (*confusion*) *Sl* embrouillamini *m*.

snag [snæg] *n* **1** (*hitch*) inconvénient *m*, problème *m*, os *m*. **2** (*in cloth*) accroc *m*.

snail [sneɪl] *n* escargot *m*; **at a s.'s pace** comme une tortue.

snake [sneɪk] *n* (*reptile*) serpent *m*; **snakes and ladders** (*game*) le jeu de l'oie ∎ *vi* (*of river*) serpenter. ● **snakebite** *n* morsure *f* de serpent.

snap [snæp] **1** *vt* (**-pp-**) (*break*) casser (avec un bruit sec); (*fingers, whip*) faire claquer; **to s. up a bargain** sauter sur une occasion ∎ *vi* se casser net; (*of whip*) claquer; (*of person*) *Fig* parler sèchement (**at** à); **to s. off** (*break off*) se casser; **s. out of it!** *Fam* secoue-toi! ∎ *n* bruit *m* sec, claquement *m*; (*photo*) photo *f*; **s. (fastener)** pression *f*; **cold s.** (*weather*) coup *m* de froid.

2 *a* (*sudden*) soudain, brusque; **to make a s. decision** décider sans réfléchir.

snapdragon ['snæpdrægən] *n* (*flower*) gueule-de-loup *f*.

snappy ['snæpɪ] *a* (**-ier, -iest**) (*pace*) vif; **make it s.!** *Fam* dépêche-toi!

snapshot ['snæpʃɒt] *n* photo *f*, instantané *m*.

snare [sneər] *n* piège *m*.

snarl [snɑːl] *vi* gronder (en montrant les dents) ∎ *n* grondement *m*. ● **snarl-up** *n* (*traffic jam*) *Fam* embouteillage *m*; (*confusion*) *Fam* pagaille *f*.

snatch [snætʃ] *vt* saisir (d'un geste vif);

snatches

(*some rest, a meal etc*) *Fig* (réussir à) prendre; **to s. sth from s.o.** arracher qch à qn ‖ *n* **wages s.** (*theft*) vol *m* de l'argent de la paie.
snatches ['snætʃɪz] *npl* (*bits*) fragments *mpl* (of de).
snazzy ['snæzɪ] *a* (**-ier, -iest**) *Fam* (*flashy*) tapageur; (*smart*) élégant.
sneak [sniːk] **1** *vi* (*pt* & *pp Am* **sneaked** *or* **snuck**) **to s. in/out** entrer/sortir furtivement; **to s. off** s'esquiver ‖ *a* **a s. attack** une attaque-surprise; **to have a s. preview of a film**/*etc* voir un film/*etc* en avant-première. **2** *n* (*telltale*) *Br Fam* rapporteur, -euse *mf* ‖ *vi* **to s. on s.o.** (*of child*) *Br Fam* rapporter sur qn. ●**sneaking** *a* (*suspicion*) vague; (*desire*) secret. ●**sneaky** *a* (**-ier, -iest**) (*sly*) *Fam* sournois.
sneaker ['sniːkər] *n* (*shoe*) (chaussure *f* de) tennis *m*.
sneer [snɪər] *vi* ricaner; **to s. at** se moquer de ‖ *n* ricanement *m*.
sneeze [sniːz] *n* éternuement *m* ‖ *vi* éternuer. ●**sneezy** *a* (**-ier, -iest**) **to be s.** ne pas arrêter d'éternuer.
snicker ['snɪkər] *n* & *vi Am* = **snigger**.
snide [snaɪd] *a* (*remark etc*) sarcastique.
sniff [snɪf] *vt* renifler; (*of dog*) flairer, renifler; **to glue sniffer de la colle; to s. out a bargain** *Fig* flairer une bonne affaire ‖ *vi* **to s. (at)** renifler ‖ *n* reniflement *m*; **to give a s.** renifler; **to take a s. at sth** renifler qch.
sniffle ['snɪf(ə)l] *vi* renifler ‖ *n* **to have a s.** *or* **the sniffles** *Fam* avoir un petit rhume.
snigger ['snɪgər] *vi* ricaner ‖ *n* (petit) ricanement *m*. ●**sniggering** *n* ricanement(s) *m(pl)*.
snip [snɪp] *n* (*bargain*) *Br Fam* bonne affaire *f*; (*piece*) petit bout *m* (coupé); **to make a s. couper** ‖ *vt* (**-pp-**) **to s. (off)** couper.
sniper ['snaɪpər] *n Mil* tireur *m* embusqué *or* isolé.
snippet ['snɪpɪt] *n* (*of conversation*) bribe *f*.
snivel ['snɪv(ə)l] *vi* (*Br* **-ll-**, *Am* **-l-**) pleurnicher. ●**snivelling** (*Am* **sniveling**) *a* pleurnicheur.
snob [snɒb] *n* snob *mf*. ●**snobbery** *n* snobisme *m*. ●**snobbish** *a* snob *inv*.
snook [snuːk] *n* **to cock a s.** faire un pied de nez (**at s.o.** à qn).
snooker ['snuːkər] *n* snooker *m* (*sorte de jeu de billard*).
snoop [snuːp] *vi* fourrer son nez partout; **to s. on s.o.** (*spy on*) espionner qn.
snooty ['snuːtɪ] *a* (**-ier, -iest**) *Fam* snob *inv*.
snooze [snuːz] *n* petit somme *m*; **to have a s.** faire un petit somme ‖ *vi* faire un petit somme.
snore [snɔːr] *vi* ronfler ‖ *n* ronflement *m*. ●**snoring** *n* ronflements *mpl*.
snorkel ['snɔːk(ə)l] *n* (*for underwater swimming*) tuba *m* ‖ *vi* (*Br* **-ll-**, *Am* **-l-**) faire de la plongée (avec un tuba).
snort [snɔːt] *vi* (*grunt*) grogner; (*sniff*) renifler; (*of horse*) renâcler ‖ *n* (*grunt*) grognement *m*.
snot [snɒt] *n Fam* morve *f*. ●**snotty** *a* (**-ier,**

-iest) *Fam* (*nose*) qui coule; (*handkerchief*) plein de morve; (*child*) morveux. ●**snotty-nosed** *a Fam* morveux.
snout [snaʊt] *n* museau *m*.
snow [snəʊ] *n* neige *f*; **s. tyres** *Br*, **s. tires** *Am* pneus *mpl* neige ‖ *vi* neiger; **it's snowing** il neige ‖ *vt* **to be snowed in** être bloqué par la neige; **to be snowed under with work** *Fig* être submergé de travail.
snowball ['snəʊbɔːl] *Fig n* boule *f* de neige ‖ *vi* (*increase*) faire boule de neige. ●**snowbound** *a* bloqué par la neige. ●**snow-capped** *a* (*mountain*) enneigé. ●**snowdrift** *n* congère *f*. ●**snowdrop** *n* (*flower*) perce-neige *m or f inv*. ●**snowfall** *n* chute *f* de neige. ●**snowflake** *n* flocon *m* de neige. ●**snowman** *n* (*pl* **-men**) bonhomme *m* de neige. ●**snowmobile** *n* motoneige *f*. ●**snowplough** *or Am* **snowplow** *n* chasse-neige *m inv*. ●**snowshoe** *n* raquette *f*. ●**snowstorm** *n* tempête *f* de neige. ●**snowy** *a* (**-ier, -iest**) (*weather, hills, day etc*) neigeux.
snub [snʌb] **1** *n* rebuffade *f* ‖ *vt* (**-bb-**) (*offer etc*) rejeter; **to s. s.o.** snober qn. **2** *a* **s. nose** nez *m* retroussé.
snuff [snʌf] **1** *vt* **to s. (out)** (*candle*) moucher. **2** *n* tabac *m* à priser. ●**snuffbox** *n* tabatière *f*.
snuffle ['snʌf(ə)l] *vi* & *n* = **sniffle**.
snug [snʌg] *a* (**snugger, snuggest**) (*house etc*) douillet (*f* -ette), confortable; (*garment*) bien ajusté; **we're s. in this armchair** on est bien dans ce fauteuil; **s. in bed** bien au chaud dans son lit.
snuggle ['snʌg(ə)l] *vi* **to s. up to s.o.** se pelotonner contre qn.
so [səʊ] **1** *adv* (*to such a degree*) si, tellement (**that** que); (*thus*) ainsi, comme ça; **so that** (*purpose*) pour que (+ *sub*); (*result*) si bien que (+ *indic*); **so as to do** pour faire; **I think so je le pense**, je pense que oui; **do so!** faites-le!; **if so** si oui; **is that so?** c'est vrai?; **so am I, so do I** *etc* moi aussi; **so much** (*to work, sing etc*) tant, tellement (**that** que); **so much courage**/*etc* tant *or* tellement de courage/*etc* (**that** que); **so many** tant, tellement; **so many books**/*etc* tant *or* tellement de livres/*etc* (**that** que); **so very fast**/*etc* vraiment si vite/*etc*; **ten or so** environ dix; **and so on et ainsi de suite**; **so long!** *Fam* au revoir! **2** *conj* (*therefore*) donc; (*in that case*) alors; **so what?** et alors? ●**So-and-so** *n* **Mr So-and-so** Monsieur Un tel. ●**so-'called** *a* prétendu, soi-disant *inv*. ●**so-so** *a Fam* comme ci comme ça.
soak [səʊk] *vt* (*drench*) tremper (qn); (*washing, food*) faire tremper; **to be soaked through** *or* **to the skin** être trempé jusqu'aux os; **to s. up** absorber ‖ *vi* (*of washing etc*) tremper; **to s. in** (*of liquid*) s'infiltrer ‖ *n* **to give sth a s.** faire tremper qch. ●**soaked** *a* (*person*) trempé (jusqu'aux os). ●**soaking** *a* & *adv* **s. (wet)** trempé ‖ *n* **to get a s.** se faire tremper; **to give sth a s.** faire tremper qch.
soap [səʊp] *n* savon *m*; **s. opera** feuilleton *m*

(télé) à l'eau de rose; **s. powder** lessive *f* ‖ *vt* **to s. (down)** savonner. ● **soapflakes** *npl* savon *m* en paillettes. ● **soapsuds** *npl* mousse *f* de savon. ● **soapy** *a* (**-ier, -iest**) *a* savonneux.

soar [sɔːr] *vi* (*of bird etc*) s'élever; (*of price*) monter (en flèche); (*of hope*) *Fig* grandir.

sob [sɒb] *n* sanglot *m* ‖ *vi* (**-bb-**) sangloter. ● **sobbing** *n* (*sobs*) sanglots *mpl*.

sober ['səʊbər] **1** *a* **he's s.** (*not drunk*) il n'est pas ivre ‖ *vti* **to s. up** dessoûler. **2** *a* (*serious*) sérieux, sensé; (*style, meal*) sobre. ● **soberly** *adv* sobrement.

soccer ['sɒkər] *n* football *m*.

sociable ['səʊʃəb(ə)l] *a* (*person*) sociable, aimable (**to**, avec); (*evening*) amical. ● **sociably** *adv* (*to act, reply*) aimablement.

social ['səʊʃəl] *a* social; **s. club** club *m*; **s. evening** soirée *f*; **s. gathering** réunion *f* mondaine; **to have a good s. life** sortir beaucoup; **s. science(s)** sciences *fpl* humaines; **s. security** (*aid*) aide *f* sociale; (*retirement pension*) *Am* pension *f* de retraite; **s. services, S. Security** = Sécurité *f* sociale; **Department of S. Security** *Br* = ministère *m* de la Santé et de la Sécurité sociale; **s. worker** assistant, -ante *mf* social(e) ‖ *n* (*gathering*) réunion *f* (amicale).

socialism ['səʊʃəlɪz(ə)n] *n* socialisme *m*. ● **socialist** *a* & *n* socialiste (*mf*).

socialite ['səʊʃəlaɪt] *n* mondain, -aine *mf*.

socialize ['səʊʃəlaɪz] *vi* (*mix*) se mêler aux autres; (*talk*) bavarder (**with** avec).

socially ['səʊʃəlɪ] *adv* socialement; (*to meet s.o., behave*) en société.

society [sə'saɪətɪ] *n* (*community, club, companionship etc*) société *f*; (*school or university club*) club *m* ‖ *a* (*wedding, news etc*) mondain.

sociology [səʊsɪ'ɒlədʒɪ] *n* sociologie *f*. ● **socio'logical** *a* sociologique. ● **sociologist** *n* sociologue *mf*.

sock [sɒk] **1** *n* chaussette *f* **2** *vt* *Sl* (*hit*) flanquer *or* coller un marron à (*qn*); **he socked me on the jaw** il m'a flanqué *or* collé un marron dans la figure.

socket ['sɒkɪt] *n* (*of electric plug*) *Br* prise *f* de courant; (*of lamp*) *Br* douille *f*; (*of eye*) orbite *f*; (*of bone*) cavité *f*.

sod [sɒd] *n* (*turf*) *Am* gazon *m*.

soda ['səʊdə] *n* **1** *Ch* soude *f*; **bicarbonate of s., baking s.** bicarbonate *m* de soude; **washing s.** cristaux *mpl* de soude. **2 s. (water)** eau *f* gazeuse; **s. (pop)** *Am* soda *m*.

sodden ['sɒd(ə)n] *a* (*ground*) détrempé.

sodium ['səʊdɪəm] *n* *Ch* sodium *m*.

sofa ['səʊfə] *n* canapé *m*, divan *m*; **s. bed** canapé-lit *m*.

soft [sɒft] *a* (**-er, -est**) (*gentle, not stiff*) doux (*f* douce); (*butter, ground, paste, snow*) mou (*f* molle); (*wood, heart, colour*) tendre; (*flabby*) flasque, mou (*f* molle); (*easy*) facile; (*indulgent*) indulgent; (*cowardly*) *Fam* poltron; (*stupid*) *Fam* ramolli; **it's too s.** (*radio etc*) ce n'est pas assez fort; **s. drink** boisson *f* non alcoolisée; **s. drugs** drogues *fpl* douces; **s. water** eau *f* douce *or* non calcaire. ● **soft-'boiled** *a* (*egg*) à la coque.

soften ['sɒf(ə)n] *vt* (*object*) ramollir; (*colour, light, voice*) adoucir ‖ *vi* se ramollir; (*of colour etc*) s'adoucir.

softie ['sɒftɪ] *n* *Fam* sentimental, -ale *mf*; (*weakling*) mauviette *f*.

softly ['sɒftlɪ] *adv* doucement. ● **softness** *n* douceur *f*; (*of butter, ground, paste etc*) mollesse *f*.

software ['sɒftweər] *n inv* (*of computer*) logiciel *m*; **s. package** progiciel *m*.

soggy ['sɒgɪ] *a* (**-ier, -iest**) (*ground*) détrempé; (*bread, Br biscuit, Am cookie*) ramolli.

soil [sɔɪl] **1** *n* (*earth*) sol *m*, terre *f*. **2** *vt* (*dirty*) salir ‖ *vi* (*of fabric etc*) se salir.

solar ['səʊlər] *a* solaire; **s. power** énergie *f* solaire.

sold [səʊld] *pt* & *pp* of **sell**.

solder [*Br* 'sɒldər, *Am* 'sɒdər] *vt* souder ‖ *n* soudure *f*.

soldier ['səʊldʒər] **1** *n* soldat *m*, militaire *m*. **2** *vi* **to s. on** persévérer.

sole [səʊl] **1** *n* (*of shoe*) semelle *f*; (*of foot*) plante *f* ‖ *vt* (*shoe*) ressemeler. **2** *a* (*only*) seul, unique; (*exclusive*) (*rights, representative, responsibility*) exclusif; **s. trader** = entreprise *f* individuelle. **3** *n* (*fish*) sole *f*; **lemon s.** limande *f*. ● **solely** *adv* uniquement; **you're s. to blame** tu es seul coupable.

solemn ['sɒləm] *a* (*formal*) solennel; (*serious*) grave. ● **so'lemnity** *n* solennité *f*; gravité *f*. ● **solemnly** *adv* (*to promise*) solennellement; (*to say*) gravement.

solicit [sə'lɪsɪt] *vt* (*seek*) solliciter ‖ *vi* (*of prostitute*) racoler.

solicitor [sə'lɪsɪtər] *n* (*for wills etc*) *Br* notaire *m*.

solid ['sɒlɪd] *a* (*car, character, meal, state etc*) solide; (*wall, ball*) plein; (*gold, rock*) massif; (*crowd, mass*) compact; **s. line** ligne *f* continue; **frozen s.** entièrement gelé; **ten days s.** dix jours d'affilée ‖ *n* *Ch* solide *m*; **solids** (*foods*) aliments *mpl* solides; **the baby is on solids** le bébé a commencé à manger des aliments solides. ● **so'lidify** *vi* se solidifier. ● **so'lidity** *n* solidité *f*. ● **solidly** *adv* (*built etc*) solidement; (*to support, vote*) en masse.

solidarity [sɒlɪ'dærətɪ] *n* solidarité *f* (**with** avec).

soliloquy [sə'lɪləkwɪ] *n* monologue *m*.

solitary ['sɒlɪtərɪ] *a* (*lonely, alone*) solitaire; (*only*) seul; **s. confinement** (*in prison*) isolement *m* (cellulaire); **to be in s. confinement** être mis en isolement, être isolé. ● **solitude** *n* solitude *f*.

solo ['səʊləʊ] *n* (*pl* **-os**) *Mus* solo *m* ‖ *a* (*guitar, violin etc*) solo *inv* ‖ *adv* (*to play, sing*) en solo; (*to fly*) en solitaire. ● **soloist** *n* *Mus* soliste *mf*.

solstice ['sɒlstɪs] *n* solstice *m*.

soluble ['sɒljʊb(ə)l] *a* (*substance, problem*)

solution

soluble.
solution [sə'lu:ʃ(ə)n] *n* **1** (*to problem etc*) solution *f* (**to** de). **2** (*liquid*) solution *f*.
solve [sɒlv] *vt* (*problem etc*) résoudre. ●**solveable** *a* soluble.
solvent ['sɒlvənt] **1** *a* (*financially*) solvable. **2** *n Ch* (dis)solvant *m*; **s. abuse** usage *m* de solvants hallucinogènes. ●**solvency** *n* (*of company etc*) solvabilité *f*.
Somalia [sə'mɑ:lɪə] *n* Somalie *f*.
sombre ['sɒmbər] *a* sombre, triste.
some [sʌm] *a* **1** (*amount, number*) du, de la, des; **s. wine** du vin; **s. glue** de la colle; **s. water** de l'eau; **s. dogs** des chiens; **s. pretty flowers** de jolies fleurs.
2 (*unspecified*) un, une; **s. man (or other)** un homme (quelconque); **s. charm/time/***etc* (*a certain amount of*) un certain charme/temps/*etc*; **I have s. anxiety** j'ai une certaine inquiétude *or* quelque inquiétude; **s. other way** un autre moyen, quelque autre moyen; **that's s. book!** *Fam* ça, c'est un livre!
3 (*a few*) quelques; (*in contrast to others*) certains; **s. days ago** il y a quelques jours; **s. people think that...** certaines personnes *or* certains pensent que..., il y a des gens qui pensent que....
▮ *pron* **1** (*number*) quelques-un(e)s, certain(e)s (**of** de, d'entre).
2 (*a certain quantity*) en; **I want s.** j'en veux; **do you have s.?** en as-tu?; **s. of it is over** il en reste un peu *or* une partie.
▮ *adv* (*about*) quelque; **s. ten years** quelque dix ans.
somebody ['sʌmbɒdɪ] *pron* = **someone**.
●**someday** *adv* un jour. ●**somehow** *adv* (*in some way*) d'une manière ou d'une autre; (*for some reason*) on ne sait pourquoi. ●**someone** *pron* quelqu'un; **at s.'s house** chez qn; **s. small/***etc* quelqu'un de petit/*etc*. ●**someplace** *adv Am* quelque part. ●**something** *pron* quelque chose; **s. awful/***etc* quelque chose d'affreux/*etc*; **s. of a liar/***etc* un peu menteur/*etc* ▮ *adv* **she plays s. like...** elle joue un peu comme...; **it was s. awful** c'était vraiment affreux. ●**sometime 1** *adv* un jour; **s. in May/***etc* au cours du mois de mai/*etc*; **s. before his departure** avant son départ. **2** *a* (*former*) ancien. ●**sometimes** *adv* quelquefois, parfois. ●**somewhat** *adv* quelque peu, assez. ●**somewhere** *adv* quelque part; **s. about fifteen** (*approximately*) environ quinze.
somersault ['sʌməsɔ:lt] *n* (*on ground*) culbute *f*; (*in air*) saut *m* périlleux ▮ *vi* faire la *or* une culbute; (*in air*) faire un saut périlleux.
son [sʌn] *n* fils *m*. ●**son-in-law** *n* (*pl* sons-in-law) beau-fils *m*, gendre *m*.
sonar ['səʊnɑ:r] *n* sonar *m*.
sonata [sə'nɑ:tə] *n* (*music*) sonate *f*.
song [sɒŋ] *n* chanson *f*; (*of bird*) chant *m*. ●**songbook** *n* recueil *m* de chansons.
sonic ['sɒnɪk] *a* **s. boom** bang *m* (supersonique).

sonnet ['sɒnɪt] *n* (*poem*) sonnet *m*.
soon [su:n] *adv* (-er, -est) (*in a short time*) bientôt; (*quickly*) vite; (*early*) tôt; **he s. forgot about it** il l'oublia vite, il ne tarda pas à l'oublier; **s. after** peu après; **as s. as she leaves** aussitôt qu'elle partira; **no sooner had he spoken than...** à peine avait-il parlé que...; **I'd sooner leave** je préférerais partir; **I'd just as s. leave** j'aimerais autant partir; **sooner or later** tôt ou tard.
soot [sʊt] *n* suie *f*. ●**sooty** *a* (-ier, -iest) couvert de suie.
soothe [su:ð] *vt* (*pain, nerves, person*) calmer. ●**soothing** *a* (*ointment, words etc*) calmant.
sophisticated [sə'fɪstɪkeɪtɪd] *a* (*person, taste*) raffiné; (*machine, method, technology etc*) sophistiqué.
sophomore ['sɒfəmɔ:r] *n Am* étudiant, -ante *mf* de seconde année.
soporific [sɒpə'rɪfɪk] *a* (*substance, speech etc*) soporifique.
sopping ['sɒpɪŋ] *a & adv* **s. (wet)** trempé.
soppy ['sɒpɪ] *a* (-ier, -iest) *Br Fam* (*silly*) idiot, bête; (*sentimental*) sentimental.
soprano [sə'prɑ:nəʊ] *n* (*pl* -os) (*singer*) soprano *mf*; (*voice*) soprano *m*.
sorbet ['sɔ:beɪ] *n* (*water ice*) sorbet *m*.
sorcerer ['sɔ:sərər] *n* sorcier *m*.
sordid ['sɔ:dɪd] *a* (*act, street etc*) sordide.
sore [sɔ:r] *a* (-er, -est) (*painful*) douloureux; (*angry*) *Am* fâché (**at** contre); **she has a s. throat** elle a mal à la gorge; **he's still s.** (*in pain*) il a encore mal; **it's a s. point** *Fig* c'est un sujet délicat ▮ *n* (*wound*) plaie *f*. ●**sorely** *adv* (*tempted, regretted*) très; **it's s. needed** on en a grand besoin. ●**soreness** *n* (*pain*) douleur *f*.
sorrow ['sɒrəʊ] *n* chagrin *m*, peine *f*. ●**sorrowful** *a* triste.
sorry ['sɒrɪ] *a* (-ier, -iest) (*sight, state etc*) triste; **to be s.** (*regret*) être désolé, regretter (**to do** de faire); **I'm s. she can't come** je regrette qu'elle ne puisse pas venir; **I'm s. about the delay** excusez-moi de ce retard, je suis désolé de ce retard; **s.!** pardon!; **to say s.** demander pardon (**to** à); **to feel** *or* **be s. for s.o.** plaindre qn.
sort¹ [sɔ:t] *n* espèce *f*, sorte *f*, genre *m*; **a s. of** une sorte *or* espèce de; **all sorts of** toutes sortes de; **what s. of drink/***etc* **is it?** qu'est-ce que c'est comme boisson/*etc*?, c'est quel genre de boisson/*etc*?; **he's a good s.** *Br Fam* c'est un brave type; **s. of sad/***etc* (*somewhat*) plutôt triste/*etc*.
sort² [sɔ:t] *vt* (*papers etc*) trier; **to s. out** (*classify, select*) trier; (*separate*) séparer (**from** de); (*arrange*) arranger; (*tidy*) ranger; (*problem*) régler; **to s. s.o. out** *Br Fam* (*punish*) faire voir à qn; (*beat*) donner une raclée à qn ▮ *vi* **to s. through** (*letters etc*) trier; **sorting office** (*for mail*) *Br* centre *m* de tri. ●**sorter** *n* (*person*) trieur, -euse *mf*.
SOS [esəʊ'es] *n abbr* (save our souls) SOS *m*.

soufflé ['su:fleɪ] *n Culin* soufflé *m*.
sought [sɔ:t] *pt* & *pp of* **seek**.
soul [səʊl] *n* âme *f*; **not a living s.** (*nobody*) personne, pas âme qui vive; **a good s.** *Fig* un brave type; **s. mate** âme *f* sœur. ● **soul-destroying** *a* abrutissant. ● **soul-searching** *n* examen *m* de conscience.
sound[1] [saʊnd] *n* son *m*; (*noise*) bruit *m*; **I don't like the s. of it** ça ne me plaît pas du tout; **s. archives** phonothèque *f*; **s. barrier** mur *m* du son; **s. bite** petite phrase *f* (*de politicien etc*); **s. effects** bruitage *m*; **s. engineer** ingénieur *m* du son; **s. recording** enregistrement *m* sonore; **s. wave** onde *f* sonore.
▌ *vt* (*bell, alarm etc*) sonner; (*bugle, horn*) sonner de; (*letter, syllable etc*) prononcer; **to s. one's horn** (*in vehicle*) klaxonner.
▌ *vi* (*of trumpet, bugle etc*) retentir, sonner; (*seem*) sembler; **to s. like** sembler être; (*resemble*) ressembler à; **it sounds like** *or* **as if** il semble que (+ *sub or indic*); **to s. off** (*about sth*) *Pej* (*boast*) se vanter (de qch); (*complain*) rouspéter (à propos de qch).
sound[2] [saʊnd] *a* (**-er, -est**) (*healthy*) sain; (*good, reliable*) (*construction, argument, quality, lungs etc*) solide; (*instinct, investment*) sûr; (*advice*) sensé; **a s. beating** une bonne correction; **it's s. sense** c'est du bon sens ▌ *adv* **s. asleep** profondément endormi. ● **soundly** *adv* (*asleep, to sleep*) profondément; (*reasoned*) solidement; (*beaten*) complètement. ● **soundness** *n* (*of mind*) santé *f*; (*of argument etc*) solidité *f*.
sound[3] [saʊnd] *vt* (*test, measure*) sonder; **to s. s.o. out** sonder qn (**about** sur).
soundproof ['saʊndpru:f] *a* insonorisé ▌ *vt* insonoriser.
soundtrack ['saʊndtræk] *n* (*of film etc*) bande *f* sonore.
soup [su:p] *n* soupe *f*, potage *m*; **s. dish** *or* **plate** assiette *f* creuse; **to be in the s.** (*in trouble*) *Fam* être dans le pétrin.
sour ['saʊər] *a* (**-er, -est**) aigre; (*milk*) tourné; **to turn s.** (*of wine*) s'aigrir; (*of milk*) tourner; (*of friendship*) se détériorer; (*of conversation*) tourner au vinaigre ▌ *vi* (*of temper*) s'aigrir.
source [sɔ:s] *n* (*origin*) source *f*; **s. of energy** source d'énergie.
south [saʊθ] *n* sud *m*; (**to the**) **s. of** au sud de.
▌ *a* (*coast*) sud *inv*; (*wind*) du sud; **S. America/Africa** Amérique *f*/Afrique *f* du Sud; **S. American** (*a*) sud-américain; (*n*) Sud-Américain, -aine *mf*; **S. African** (*a*) sud-africain; (*n*) Sud-Africain, -aine *mf*.
▌ *adv* au sud, vers le sud. ● **southbound** *a* (*traffic*) en direction du sud; (*carriageway*) *Br* sud *inv*. ● **south-'east** *n* & *a* sud-est *m* & *a inv*. ● **southerly** ['sʌðəlɪ] *a* (*point*) sud *inv*; (*direction, wind*) du sud. ● **southern** ['sʌðən] *a* (*town*) du sud; (*coast*) sud *inv*; **S. Italy** le Sud de l'Italie; **S. Africa** Afrique *f* australe. ● **southerner** ['sʌðənər] *n* habitant, -ante *mf* du Sud. ● **southward(s)** *a* & *adv* vers le sud.
● **south-'west** *n* & *a* sud-ouest *m* & *a inv*.
souvenir [su:və'nɪər] *n* (*object*) souvenir *m*.
sovereign ['sɒvrɪn] *n* souverain, -aine *mf* ▌ *a* (*State, authority*) souverain; (*rights*) de souveraineté. ● **sovereignty** *n* souveraineté *f*.
Soviet ['səʊvɪət] *a* soviétique; **the S. Union** (*former State*) l'Union *f* soviétique.
sow[1] [saʊ] *n* (*pig*) truie *f*.
sow[2] [səʊ] *vt* (*pt* **sowed**, *pp* **sowed** *or* **sown**) (*seeds, doubt etc*) semer; (*land*) ensemencer (**with** de).
soya ['sɔɪə] *n* **s.** (**bean**) *Br* graine *f* de soja. ● **soybean** *n Am* graine *f* de soja.
sozzled ['sɒz(ə)ld] *a* (*drunk*) *Sl* bourré.
spa [spa:] *n* (*town*) station *f* thermale; (*spring*) source *f* minérale.
space [speɪs] *n* (*gap, emptiness, atmosphere*) espace *m*; (*period*) période *f*; (*for parking*) place *f*; **blank s.** espace *m*, blanc *m*; **outer s.** l'espace cosmique; **to take up s.** (*room*) prendre de la place; **in the s. of two hours/** *etc* en l'espace de deux heures/*etc*; **s. bar** (*on keyboard, typewriter*) barre *f* d'espacement; **s. heater** (*electric*) radiateur *m* ▌ *a* (*voyage, capsule etc*) spatial ▌ *vt* **to s. out** espacer. ● **spacing** *n* **in double/single spacing** (*to type*) à double/simple interligne. ● **spaceman** *n* (*pl* **-men**) astronaute *m*. ● **spaceship** *n or* **spacecraft** *n inv* engin *m* spatial. ● **spacesuit** *n* combinaison *f* spatiale. ● **spacewoman** *n* (*pl* **-women**) astronaute *f*.
spacious ['speɪʃəs] *a* spacieux, grand. ● **spaciousness** *n* grandeur *f*.
spade [speɪd] *n* **1** (*for garden*) bêche *f*; (*of child*) pelle *f*. **2 spade(s)** *Cards* pique *m*. ● **spadework** *n Fig* travail *m* préparatoire; (*around problem or case*) débroussaillage *m*.
spaghetti [spə'getɪ] *n* spaghetti(s) *mpl*.
Spain [speɪn] *n* Espagne *f*.
span [spæn] *n* (*of arch*) portée *f*; (*of wings*) envergure *f*; (*of life*) *Fig* durée *f* ▌ *vt* (-**nn**-) (*of bridge etc*) enjamber (*rivière etc*); (*in time*) *Fig* couvrir, embrasser.
Spaniard ['spænjəd] *n* Espagnol, -ole *mf*. ● **Spanish** *a* espagnol ▌ *n* (*language*) espagnol *m*. ● **Spanish-A'merican** *a* hispano-américain ▌ *n* Hispano-Américain, -aine *mf*.
spaniel ['spænjəl] *n* épagneul *m*.
spank [spæŋk] *vt* donner une fessée à ▌ *n* **to give s.o. a s.** donner une fessée à qn. ● **spanking** *n* fessée *f*.
spanner ['spænər] *n Br* (*tool*) clef *f* (à écrous); **adjustable s.** clef *f* à molette.
spar [spa:r] *vi* (*of boxer*) s'entraîner (**with** s.o. avec qn).
spare[1] [speər] **1** *a* (*extra, surplus*) de *or* en trop; (*clothes, Br tyre, Am tire*) de rechange; (*wheel*) de secours; (*available*) disponible; (*bed, room*) d'ami; **s. time** loisirs *mpl* ▌ *n* **s.** (**part**) (*for vehicle, machine etc*) pièce *f* détachée.
2 *vt* (*do without*) se passer de (*qn, qch*); (*efforts, s.o.'s feelings*) ménager; **to s. s.o.** (*not kill*) épargner qn; **to s. s.o.'s life** épargner la vie à qn; **to s. s.o. sth** (*grief, de-*

spare 318

tails etc) épargner qch à qn; (*time*) accorder qch à qn; (*money*) donner qch à qn; **I can't s. the time** je n'ai pas le temps; **five to s.** (*extra*) cinq de trop.

spare² [speər] *a* (*lean*) maigre.

sparing ['speərɪŋ] *a* **her s. use of** l'usage modéré qu'elle fait de; **to be s. with the butter**/*etc* ménager le beurre/*etc*. ● **sparingly** *adv* (*to use sth etc*) avec modération.

spark [spɑːk] **1** *n* étincelle *f*. **2** *vt* **to s. off** (*cause*) provoquer (*dispute etc*). ● **spark(ing) plug** *n* (*for vehicle*) bougie *f*.

sparkle ['spɑːk(ə)l] *vi* (*of diamond, star etc*) étinceler, scintiller ❚ *n* éclat *m*. ● **sparkling** *a* (*wine, water*) pétillant.

sparrow ['spærəʊ] *n* moineau *m*.

sparse [spɑːs] *a* clairsemé. ● **sparsely** *adv* (*populated, wooded etc*) peu; **s. furnished** à peine meublé.

spartan ['spɑːtən] *a* spartiate, austère.

spasm ['spæzəm] *n* (*of muscle*) spasme *m*; (*of coughing, jealousy etc*) Fig accès *m*. ● **spas'modic** *a* (*pain etc*) spasmodique; *Fig* intermittent.

spastic ['spæstɪk] *n* handicapé, -ée *mf* moteur.

spat [spæt] *pp* & *pp of* **spit 1**.

spate [speɪt] *n* **a s. of orders**/*etc* une avalanche de commandes/*etc*.

spatter ['spætər] *vt* (*clothes, person etc*) éclabousser (**with** de) ❚ *vi* **to s. over s.o.** (*of mud etc*) éclabousser qn.

spatula ['spætjʊlə] *n* spatule *f*.

spawn [spɔːn] *n* (*of fish etc*) frai *m* ❚ *vi* frayer ❚ *vt* (*bring about*) *Fig* engendrer.

speak [spiːk] *vi* (*pt* **spoke**, *pp* **spoken**) parler (**about, of** de); (*formally, in assembly*) prendre la parole; **so to s.** pour ainsi dire; **that speaks for itself** c'est évident; **to s. well of s.o.**/**sth** dire du bien de qn/qch; **nothing to s. of** pas grand-chose; **Bob speaking!** (*on the telephone*) Bob à l'appareil!; **that's spoken for** c'est pris *or* réservé; **to s. out** *or* **up** (*boldly*) parler (franchement); **to s. up** (*more loudly*) parler plus fort.

❚ *vt* (*language*) parler; (*say*) dire; **to s. one's mind** dire ce que l'on pense. ● **speaking** *n* **public s.** l'art *m* oratoire ❚ *a* **to be on s. terms with s.o.** parler à qn; **English-/French-speaking** qui parle anglais/français, anglophone/francophone.

speaker ['spiːkər] *n* (*public*) orateur *m*; (*in dialogue*) interlocuteur, -trice *mf*; (*loudspeaker*) haut-parleur *m*; (*of stereo system*) enceinte *f*; **to be a Spanish**/**a bad**/*etc* **s.** parler espagnol/mal/*etc*.

spear [spɪər] *n* lance *f*. ● **spearhead** *vt* (*attack*) être le fer de lance de; (*campaign*) mener.

spearmint ['spɪəmɪnt] *n* (*plant*) menthe *f* (verte) ❚ *a* (*Br sweet, Am candy*) à la menthe; (*flavour*) de menthe; (*chewing-gum*) mentholé.

spec [spek] *n* **on s.** (*as a gamble*) *Br Fam* à tout hasard.

special ['speʃəl] *a* spécial; (*care, attention*) (tout) particulier; (*favourite*) préféré; (*measures*) *Pol* extraordinaire; **by s. delivery** (*letter etc*) *Br* par exprès ❚ *n* **today's s.** (*in restaurant*) le plat du jour.

specialist ['speʃəlɪst] *n* spécialiste *mf* (**in** de) ❚ *a* (*dictionary, knowledge*) technique, spécialisé. ● **speci'ality** *n* *Br* spécialité *f*.

specialize ['speʃəlaɪz] *vi* se spécialiser (**in** dans). ● **specialized** *a* spécialisé.

specially ['speʃəlɪ] *adv* (*specifically*) spécialement; (*particularly*) particulièrement; (*on purpose*) (tout) spécialement.

specialty ['speʃəltɪ] *n* *Am* spécialité *f*.

species ['spiːʃiːz] *n inv* espèce *f*.

specific [spə'sɪfɪk] *a* précis, explicite; *Phys Ch* spécifique. ● **specifically** *adv* (*purposely*) expressément; (*exactly*) précisément; (*particularly*) spécifiquement.

specify ['spesɪfaɪ] *vt* spécifier (**that** que). ● **specification** [-'keɪʃ(ə)n] *n* spécification *f*; **specifications** (*of car, machine etc*) caractéristiques *fpl*.

specimen ['spesɪmɪn] *n* (*example, person*) spécimen *m*; (*of blood*) prélèvement *m*; (*of urine*) échantillon *m*; **s. signature** spécimen *m* de signature; **s. copy** (*of book etc*) spécimen *m*.

specious ['spiːʃəs] *a* spécieux.

speck [spek] *n* (*stain*) petite tache *f*; (*of dust*) grain *m*; (*dot*) point *m*.

speckled ['spek(ə)ld] *a* tacheté.

specs [speks] *npl Fam* lunettes *fpl*.

spectacle ['spektək(ə)l] *n* (*sight*) spectacle *m*. ● **spectacles** *npl* (*glasses*) lunettes *fpl*.

spectacular [spek'tækjʊlər] *a* spectaculaire. ● **spectacularly** *adv* de façon spectaculaire.

spectator [spek'teɪtər] *n* *Sport etc* spectateur, -trice *mf*.

spectre ['spektər] *n* (*menacing image*) spectre *m* (**of** de).

spectrum, *pl* **-tra** ['spektrəm, -trə] *n* *Phys* spectre *m*; (*range*) *Fig* gamme *f*.

speculate ['spekjʊleɪt] *vi* (*financially, philosophically*) spéculer; **to s. about** (*make guesses*) s'interroger sur (*les motivations de qn etc*) ❚ *vt* **to s. that** (*guess*) conjecturer que. ● **speculation** [-'leɪʃ(ə)n] *n* *Fin Phil* spéculation *f*; (*guessing*) conjectures *fpl* (**about** sur). ● **speculator** *n* *Fin* spéculateur, -trice *mf*. ● **speculative** *a Fin Phil* spéculatif; **that's s.** (*guesswork*) c'est hypothétique.

sped [sped] *pt* & *pp of* **speed 1**.

speech [spiːtʃ] *n* (*talk, lecture*) discours *m* (**on, about** sur); (*power of language*) parole *f*; (*diction*) élocution *f*; (*spoken language of group*) langage *m*; **a short s.** une allocution *f*; **freedom of s.** liberté *f* d'expression; **part of s.** catégorie *f* grammaticale; **direct**/**indirect s.** *Grammar* discours *m* direct/indirect. ● **speechless** *a* muet (*f* muette) (**with** de).

speed [spiːd] **1** *n* (*rate of movement*) vitesse *f*; (*swiftness*) rapidité *f*; **s. limit** (*on road*) limite *f* de vitesse; **at top** *or* **full s.** à toute vitesse ❚ *vt* (*pt* & *pp* **sped**) **to s. sth up** accé-

spittle

lérer qch ▮ *vi* to s. up (*of person*) aller plus vite; (*of pace*) s'accélérer; **to s. past** passer à toute vitesse (sth devant qch). **2** *vi* (*pt & pp* **speeded**) (*drive too fast*) aller trop vite. ● **speeding** *n* (*in vehicle*) excès *m* de vitesse.
speedboat ['spiːdbəʊt] *n* vedette *f*.
● **spee'dometer** *n* (*in vehicle*) Br compteur *m* (de vitesse). ● **speedway** *n* Sport piste *f* de vitesse pour motos; (*for cars*) Am autodrome *m*.
speedy ['spiːdɪ] *a* (**-ier, -iest**) rapide. ● **speedily** *adv* rapidement.
spell[1] [spel] *n* (*magic*) charme *m*, sortilège *m*; (*curse*) sort *m*; Fig charme *m*; **to be under a s.** être envoûté. ● **spellbound** *a* (*audience etc*) captivé.
spell[2] [spel] *n* (*period*) (courte) période *f*; (*while, moment*) moment *m*; **s. of duty** tour *m* de service; **cold s.** vague *f* de froid.
spell[3] [spel] *vt* (*pt & pp* **spelled** *or* **spelt**) (*write*) écrire; (*say aloud one letter at a time*) épeler; (*of letters*) former (*mot*); (*mean*) Fig signifier; **to be able to s.** savoir l'orthographe; **how is it spelled** *or* **spelt?** comment cela s'écrit-il?; **to s. out** expliquer clairement; (*word one letter at a time*) épeler. ● **spelling** *n* orthographe *f*; **s. mistake** *or* **error** faute *f* d'orthographe. ● **spellchecker** *n* Compt vérificateur *m* orthographique.
spend [spend] **1** *vt* (*pt & pp* **spent**) (*money*) dépenser (**on** pour) ▮ *vi* dépenser. **2** *vt* (*pt & pp* **spent**) (*time etc*) passer (**on sth** sur qch, **doing** à faire); (*energy, care etc*) consacrer (**on sth** à qch, **doing** à faire). ● **spending** *n* dépenses *fpl*; **s. money** argent *m* de poche. ● **spender** *n* **to be a big s.** dépenser beaucoup. ● **spendthrift** *n* **to be a s.** être dépensier.
spent [spent] *pt & pp of* **spend** ▮ *a* (*used*) utilisé; (*energy*) épuisé; **s. bullet** douille *f* vide.
sperm [spɜːm] *n* (*pl* **sperm** *or* **sperms**) sperme *m*.
spew [spjuː] *vt* vomir.
sphere [sfɪər] *n* (*of influence, action etc*) & Geom Pol sphère *f*; (*of music, poetry etc*) domaine *m*; **the social s.** le domaine social.
● **spherical** ['sferɪk(ə)l] *a* sphérique.
sphinx [sfɪŋks] *n* sphinx *m*.
spice [spaɪs] *n* épice *f*; (*interest etc*) Fig piment *m* ▮ *vt* (*food*) épicer; **to s. (up)** (*add interest to*) pimenter (*récit etc*). ● **spicy** *a* (**-ier, -iest**) (*food*) (*story etc*) Fig pimenté.
spick-and-span [spɪkən'spæn] *a* (*clean*) impeccable.
spider ['spaɪdər] *n* araignée *f*; **s.'s web** toile *f* d'araignée.
spiel [ʃpiːl] *n* Fam baratin *m*.
spike [spaɪk] *n* (*of metal*) pointe *f* ▮ *vt* (*pierce*) transpercer. ● **spiky** *a* (**-ier, -iest**) *a* (*stem, stick etc*) garni de pointes; (*hair*) tout hérissé.
spill [spɪl] *vt* (*pt & pp* **spilled** *or* **spilt**) (*liquid*) renverser, répandre (**on, over** sur); **to s. the beans** Fam vendre la mèche ▮ *vi* se renverser, se répandre.

spill out *vt* (*empty*) vider (*café, verre etc*) ▮ *vi* (*of coffee etc*) se renverser (**on, over** sur) ▮ **to spill over** *vi* (*of liquid*) déborder.
spin [spɪn] *n* (*motion*) tour *m*; (*car ride*) petit tour *m*; (*on washing machine*) essorage *m*; **s. dryer** essoreuse *f* ▮ *vt* (*pt & pp* **spun**, *pres p* **spinning**) (*wheel, top*) faire tourner; (*web, yarn, wool etc*) filer (**into** en); (*washing*) essorer; (*story*) Fig débiter; **to s. out** (*speech etc*) faire durer ▮ *vi* (*of spinner, spider*) filer; **to s. (round)** (*of dancer, wheel, top, planet etc*) tourner; (*of head, room*) Fig tourner; (*of vehicle*) faire un tête-à-queue. ● **spinning** *n* (*by hand*) filage *m*; (*process*) Tech filature *f*; **s. top** toupie *f*; **s. wheel** rouet *m*.
spinach [Br 'spɪnɪdʒ, Am -ɪtʃ] *n* (*plant*) épinard *m*; (*food*) épinards *mpl*.
spindle ['spɪnd(ə)l] *n* Tex fuseau *m*.
spindly ['spɪndlɪ] *a* (**-ier, -iest**) (*legs, arms*) grêle.
spin-dry ['spɪndraɪ] *vt* essorer. ● **spin dryer** *n* essoreuse *f*.
spine [spaɪn] *n* (*backbone*) colonne *f* vertébrale; (*spike of animal or plant*) épine *f*.
● **spinal** *a* **s. column** colonne *f* vertébrale; **s. cord** moelle *f* épinière; **s. injury** blessure *f* à la colonne vertébrale. ● **spineless** *a* Fig mou (*f* molle), faible.
spin-off ['spɪnɒf] *n* avantage *m* inattendu; (*of process, book etc*) dérivé *m*.
spinster ['spɪnstər] *n* célibataire *f*; Pej vieille fille *f*.
spiral ['spaɪərəl] **1** *n* spirale *f* ▮ *a* en spirale; (*staircase*) en colimaçon. **2** *vi* (Br **-ll-,** Am **-l-**) (*of prices*) monter en flèche.
spire ['spaɪər] *n* (*of church*) flèche *f*.
spirit ['spɪrɪt] **1** *n* (*soul, ghost etc*) esprit *m*; (*courage*) Fig courage *m*, vigueur *f*; **spirits** (*drink*) alcool *m*, spiritueux *mpl*; **spirit(s)** (*morale*) moral *m*; (*liquid for fuel, cleansing etc*) alcool *m*; **in good spirits** de bonne humeur; **that's the right s.** c'est l'attitude qu'il faut ▮ *a* (*lamp*) à alcool; **s. level** niveau *m* à bulle (d'air).
2 *vt* **to s. away** (*person*) faire disparaître mystérieusement; (*steal*) Hum subtiliser.
● **spirited** *a* (*campaign, attack*) vigoureux; (*person, remark*) fougueux.
spiritual ['spɪrɪtʃʊəl] *a* (*life etc*) & Rel spirituel ▮ *n* (**Negro**) **s.** (negro-)spiritual *m*. ● **spiritualism** *n* spiritisme *m*. ● **spiritualist** *n* spirite *mf*.
spit [spɪt] **1** *n* (*on ground etc*) crachat *m*; (*in mouth*) salive *f* ▮ *vi* (*pt & pp* **spat** *or* **spit**, *pres p* **spitting**) cracher; (*splutter*) (*of fat, fire*) crépiter ▮ *vt* cracher; **to s. out** (re)cracher; **to be the spitting image of s.o.** être le portrait (tout craché) de qn. **2** *n* (*for meat*) broche *f*.
spite [spaɪt] **1** *n* **in s. of** malgré; **in s. of the fact that** (*although*) bien que (+ *sub*). **2** *n* (*dislike*) rancune *f* ▮ *vt* (*annoy*) contrarier.
● **spiteful** *a* méchant. ● **spitefully** *adv* méchamment.
spittle ['spɪt(ə)l] *n* crachat *m*; (*in mouth*) sa-

splash

live *f*.
splash [splæʃ] *vt* (*spatter*) éclabousser (**with** de, **over** sur); (*spill*) répandre.
▌ *vi* (*of mud, ink etc*) faire des éclaboussures; (*of waves*) clapoter; **to s. over sth/s.o.** éclabousser qch/qn; **to s. (about)** (*in river, mud*) patauger; (*in bath*) barboter; **to s. out** (*spend money*) *Fam* claquer de l'argent.
▌ *n* (*splashing*) éclaboussement *m*; (*of colour*) *Fig* tache *f*; **s. (mark)** éclaboussure *f*; **s.!** plouf!
spleen [spli:n] *n Anat* rate *f*.
splendid ['splendɪd] *a* (*wonderful, rich, beautiful etc*) splendide. ● **splendour** (*Am* **splendor**) *n* splendeur *f*.
splint [splɪnt] *n* (*for broken arm etc*) attelle *f*.
splinter ['splɪntər] *n* (*of wood etc*) éclat *m*; (*in finger*) écharde *f*; **s. group** *Pol* groupe *m* dissident.
split [splɪt] *n* fente *f*; (*tear*) déchirure *f*; (*of couple*) rupture *f*; (*in political party etc*) scission *f*; **to do the splits** (*in gymnastics*) faire le grand écart; **one's s.** (*share*) *Fam* sa part.
▌ *vt* (*pt & pp* **split**, *pres p* **splitting**) (*break apart*) fendre; (*tear*) déchirer; **to s. (up)** (*group*) diviser; (*money, work*) partager (**between** entre); **to s. one's head open** s'ouvrir la tête; **to s. one's sides (laughing)** se tordre (de rire); **to s. hairs** (*make trivial distinctions*) couper les cheveux en quatre.
▌ *vi* se fendre; (*tear*) se déchirer; **to s. (up)** (*of group*) se diviser (**into** en); **to s. off** (*become loose*) se détacher (**from** de); **to s. up** (*because of disagreement*) (*of couple, friends etc*) se séparer; (*of lovers*) rompre; (*disperse*) (*of crowd*) se disperser.
▌ *a* **a s. second** une fraction de seconde; **s.-level house** maison *f* à deux niveaux; **s.-level apartment** duplex *m*.
splitting ['splɪtɪŋ] *a* **to have a s. headache** avoir un mal de tête épouvantable.
split-up ['splɪtʌp] *n* (*of couple*) séparation *f*, rupture *f*.
splodge [splɒdʒ] *or* **splotch** [splɒtʃ] *n* (*mark*) tache *f*.
splurge [splɜ:dʒ] *vi* (*spend money*) *Fam* claquer de l'argent.
splutter ['splʌtər] *vi* (*spit*) (*of person*) crachoter; (*of sparks, fat*) crépiter; (*stammer*) bredouiller.
spoil [spɔɪl] *vt* (*pt & pp* **spoilt** *or* **spoiled**) (*make unpleasant or less good*) gâter; (*damage, ruin*) abîmer; (*pleasure, life*) gâcher, gâter; (*pamper*) gâter (*qn*). ● **spoilsport** *n* rabat-joie *m inv*.
spoils [spɔɪlz] *npl* (*rewards*) butin *m*.
spoke[1] [spəʊk] *n* (*of wheel*) rayon *m*.
spoke[2] [spəʊk] *pt of* **speak**. ● **spoken** *pp of* **speak** ▌ *a* (*language etc*) parlé; **to be softly s.** avoir la voix douce. ● **spokesman** (*pl* -**men**) *or* **spokesperson** *or* **spokesperson** *or* **spokeswoman** (*pl* -**women**) *n* porte-parole *m inv* (**for, of** de).

sponge [spʌndʒ] **1** *n* éponge *f*; **s. bag** *Br* trousse *f* de toilette; **s. cake** gâteau *m* de Savoie ▌ *vt* **to s. down/off** laver/enlever à l'éponge; **to s. oneself down** se laver à l'éponge. **2** *vi* **to s. off** *or* **on s.o.** *Fam* vivre aux crochets de qn ▌ *vt* **to s. sth off s.o.** *Fam* taper qn de qch. ● **sponger** *n Fam* parasite *m*. ● **spongy** *a* (**-ier, -iest**) spongieux.
sponsor ['spɒnsər] *n* (*of appeal, advertiser etc*) personne *f* assurant le patronage (**of** de); (*for membership*) parrain *m*, marraine *f*; (*for loan*) garant, -ante *mf*; *Sport* sponsor *m* ▌ *vt* (*appeal etc*) patronner; (*member, company*) parrainer; (*match, sportsman etc*) sponsoriser. ● **sponsorship** *n* patronage *m*; (*of member etc*) parrainage *m*; *Sport* sponsoring *m*.
spontaneous [spɒn'teɪnɪəs] *a* spontané. ● **spontaneity** [spɒntə'neɪətɪ] *n* spontanéité *f*. ● **spontaneously** *adv* spontanément.
spoof [spu:f] *n* (*parody*) *Fam* parodie *f* (**on** de); **s. thriller** parodie *f* de film à suspense.
spooky ['spu:kɪ] *a* (**-ier, -iest**) *Fam* qui donne le frisson.
spool [spu:l] *n* bobine *f*.
spoon [spu:n] *n* cuillère *f*. ● **spoonfeed** *vt* (*pt & pp* **spoonfed**) (*help*) *Fig* mâcher le travail à. ● **spoonful** *n* cuillerée *f*.
sporadic [spə'rædɪk] *a* sporadique; **s. fighting** échauffourées *fpl*; **s. shooting** des tirs *mpl* sporadiques. ● **sporadically** *adv* sporadiquement.
sport[1] [spɔ:t] *n* sport *m*; **a (good) s.** (*person*) *Fam* un chic type; **to play s.** *Br*, **play sports** *Am* faire du sport; **sports club** club *m* sportif; **sports car/jacket/ground** voiture *f*/veste *f*/terrain *m* de sport; **sports results** résultats *mpl* sportifs. ● **sporting** *a* (*attitude, conduct, person etc*) sportif; **that's s. of you** *Fig* c'est chic de ta part.
sport[2] [spɔ:t] *vt* (*wear*) arborer.
sportsman ['spɔ:tsmən] *n* (*pl* -**men**) sportif *m*. ● **sportsmanlike** *a* sportif. ● **sportsmanship** *n* sportivité *f*. ● **sportswear** *n* vêtements *mpl* de sport. ● **sportswoman** (*pl* -**women**) *n* sportive *f*. ● **sporty** *a* (**-ier, -iest**) sportif.
spot[1] [spɒt] *n* (*stain, mark*) tache *f*; (*dot*) point *m*; (*polka dot*) pois *m*; (*pimple*) bouton *m*; (*place*) endroit *m*, coin *m*; (*in TV show etc*) numéro *m*; (*advertising*) spot *m or* message *m* publicitaire; (*drop*) goutte *f*; **a s. of** (*bit*) *Fam* un peu de; **to have a soft s. for s.o.** avoir un faible pour qn; **on the s.** sur place, sur les lieux; (*at once*) sur le coup; **to be in a (tight) s.** (*difficulty*) être dans le pétrin; (*accident*) **black s.** (*on road*) *Br* point *m* noir; **blind s.** (*in vehicle*) angle *m* mort; **bright s.** *Fig* point *m* positif; **s. cash** argent *m* comptant; **s. check** contrôle *m* au hasard *or* à l'improviste.
spot[2] [spɒt] *vt* (**-tt-**) (*notice*) apercevoir, remarquer.
spotless ['spɒtləs] *a* (*clean*) impeccable. ● **spotlessly** *adv* **s. clean** impeccable.
spotlight ['spɒtlaɪt] *n* (*lamp*) (*in theatre*) projecteur *m*; (*for photography etc*) spot *m*;

squander

to be in the s. (*film star etc*) être sous le feu des projecteurs.
spot-on [spɒt'ɒn] *a Br Fam* tout à fait exact.
spotted ['spɒtɪd] *a* (*fur*) tacheté; (*dress etc*) à pois; (*stained*) taché.
spotty ['spɒtɪ] *a* (**-ier, -iest**) 1 (*face, person etc*) boutonneux. 2 (*patchy*) *Am* inégal.
spouse [spaʊs, spaʊz] *n* époux *m*, épouse *f*.
spout [spaʊt] 1 *n* (*of teapot, jug etc*) bec *m*; **to be up the s.** (*of hopes, plan etc*) *Br Sl* être fichu. 2 *vi* **to s. (out)** (*of liquid*) jaillir. 3 *vt* (*say*) *Pej* débiter.
sprain [spreɪn] *n* foulure *f*, entorse *f*; **to s. one's ankle/wrist** se fouler la cheville/le poignet.
sprang [spræŋ] *pt of* **spring**[1].
sprawl [sprɔːl] *vi* (*of town, person etc*) s'étaler; **to be sprawling** être étalé ▮ *n* **the urban s.** les banlieues *fpl* tentaculaires.
● **sprawling** *a* (*city*) tentaculaire.
spray [spreɪ] 1 *n* (*can, device*) bombe *f*, vaporisateur *m*; (*water drops*) (nuage *m* de) gouttelettes *fpl*; (*from sea*) embruns *mpl*; **hair s.** laque *f* à cheveux ▮ *vt* (*liquid, surface*) vaporiser; (*plant, crops*) arroser, traiter; (*car etc*) peindre à la bombe. 2 *n* (*of flowers*) petit bouquet *m*.
spread [spred] *vt* (*pt & pp* spread) (*stretch, open out*) étendre; (*legs, fingers*) écarter; (*distribute, strew*) répandre, étaler (**over** sur); (*paint, payment, visits, cards*) étaler; (*fear, knowledge*) répandre; (*news*) propager, répandre; (*germs, illness*) propager; **to s. out** étendre; (*fingers etc*) écarter; (*objects*) répandre, étaler; (*payments, visits etc*) étaler; (*people*) disperser.
▮ *vi* (*of fire, town, fog*) s'étendre; (*of epidemic*) se propager; (*of news*) se propager, se répandre; (*of fear*) se répandre; **to s. out** (*of people*) se disperser.
▮ *n* (*of fire, germs, ideas etc*) propagation *f*; (*of wealth*) répartition *f*; (*paste for sandwiches etc*) pâte *f* (à tartiner); (*meal*) festin *m*; **cheese s.** fromage *m* à tartiner. ● **spread-'eagled** *a* bras et jambes écartés. ● **spreadsheet** *n* Comptr tableur *m*.
spree [spriː] *n* **to go on a spending s.** faire des achats extravagants.
sprig [sprɪg] *n* (*branch of heather etc*) brin *m*; (*of parsley*) bouquet *m*.
sprightly ['spraɪtlɪ] *a* (**-ier, -iest**) alerte.
● **sprightliness** *n* vivacité *f*.
spring[1] [sprɪŋ] *n* (*metal device*) ressort *m*; (*leap*) bond *m* ▮ *vi* (*pt* **sprang**, *pp* **sprung**) (*leap*) bondir; **to s. to mind** venir à l'esprit; **to s. into action** passer à l'action; **to s. from** (*stem from*) provenir de; **to s. up** (*appear*) surgir ▮ *vt* (*news*) annoncer brusquement (**on** à); (*surprise*) faire (**on** à); **to s. a leak** (*of boat*) commencer à faire eau. ● **springboard** *n* tremplin *m*. ● **springy** *a* (**-ier, -iest**) élastique.
spring[2] [sprɪŋ] *n* (*season*) printemps *m*; **in (the) s.** au printemps; **s. onion** *Br* oignon *m* vert. ● **spring-'cleaning** *n* nettoyage *m* de printemps. ● **springlike** *a* printanier.
● **springtime** *n* printemps *m*.
spring[3] [sprɪŋ] *n* (*of water*) source *f*; **s. water** eau *f* de source.
sprinkle ['sprɪŋk(ə)l] *vt* (*sand etc*) répandre (**on, over** sur); **to s. with water, s. water on** asperger d'eau, arroser; **to s. with** (*sugar, salt, flour*) saupoudrer de. ● **sprinkling** *n* **a s. of customers**/*etc* (*a few*) quelques (rares) clients/*etc*. ● **sprinkler** *n* (*in garden*) arroseur *m*.
sprint [sprɪnt] *n* (*race*) sprint *m* ▮ *vi* (*run*) sprinter. ● **sprinter** *n* sprinter *m*, sprinteuse *f*.
sprite [spraɪt] *n* (*fairy*) lutin *m*.
sprout [spraʊt] 1 *vi* (*of seed, bulb etc*) germer, pousser; **to s. up** (*grow*) pousser vite; (*appear*) surgir ▮ *vt* (*leaves*) pousser; (*beard, whiskers*) *Fig* laisser pousser. 2 *n* (**Brussels**) **s.** chou *m* de Bruxelles.
spruce[1] [spruːs] *a* (**-er, -est**) (*neat*) pimpant, net (*f* nette) ▮ *vt* **to s. oneself up** se faire beau (*or f* belle).
spruce[2] [spruːs] *n* (*tree*) épicéa *m*.
sprung [sprʌŋ] *pp of* **spring**[1] ▮ *a* (*mattress, seat*) à ressorts.
spry [spraɪ] *a* (**spryer, spryest**) (*old person etc*) alerte.
spud [spʌd] *n* (*potato*) *Fam* patate *f*.
spun [spʌn] *pt & pp of* **spin.**
spur [spɜːr] *n* (*of horse rider*) éperon *m*; (*stimulus*) *Fig* aiguillon *m*; **to do sth on the s. of the moment** faire qch sur un coup de tête ▮ *vt* (**-rr-**) **to s. s.o. on** (*urge on*) aiguillonner qn.
spurious ['spjʊərɪəs] *a* faux (*f* fausse).
spurn [spɜːn] *vt* rejeter (avec mépris).
spurt [spɜːt] *vi* (*gush out*) (*of liquid*) jaillir; (*rush*) (*of person, animal*) foncer (**to** vers); **to s. out** (*of liquid*) jaillir ▮ *n* (*of liquid*) jaillissement *m*; (*of energy*) sursaut *m*; **a s. of activity/effort** un regain d'activité/d'effort; **to put on a s.** (*rush to place, in one's work etc*) foncer.
spy [spaɪ] *n* espion, -onne *mf* ▮ *a* (*story, film etc*) d'espionnage; **s. hole** (*peephole*) judas *m*; **s. ring** réseau *m* d'espionnage ▮ *vi* espionner; **to s. on s.o.** espionner qn ▮ *vt* (*notice*) *Lit* apercevoir. ● **spying** *n* espionnage *m*.
squabble ['skwɒb(ə)l] *vi* se chamailler (**over** à propos de) ▮ *n* chamaillerie *f*. ● **squabbling** *n* chamailleries *fpl*.
sq *a abbr* (*square*) carré.
squad [skwɒd] *n* (*group of policemen, soldiers etc*) escouade *f*; (*sports team*) équipe *f*; **the riot s.** la brigade anti-émeute; **s. car** *Br* voiture *f* de police.
squadron ['skwɒdrən] *n* Mil escadron *m*; Nau Av escadrille *f*.
squalid ['skwɒlɪd] *a* sordide. ● **squalor** *n* conditions *fpl* sordides.
squall [skwɔːl] *n* (*of wind*) rafale *f*.
squander ['skwɒndər] *vt* (*money, time etc*) gaspiller; **to s. one's savings on clothes/on a**

square 322

motorcycle gaspiller ses économies en vêtements/dans une moto.
square ['skweər] *n* carré *m*; (*on chessboard, graph paper etc*) case *f*; (*in town*) place *f*; (*drawing implement*) *Br* équerre *f*; **to start from s.** one repartir à zéro; **to be back to s. one** se retrouver à la case départ.

▌ *a* carré; (*in order, settled*) *Fig* en ordre; (*honest*) honnête; (*meal*) solide; **a s. meal** un repas solide; **we're (all) s.** (*quits*) *Fam* nous sommes quittes.

▌ *vt* (*settle*) mettre en ordre, régler; (*arrange*) arranger; (*number*) *Math* mettre au carré; (*reconcile*) faire cadrer.

▌ *vi* (*tally*) cadrer (**with** avec); **to s. up to** faire face à. ● **squarely** *adv* (*honestly*) honnêtement; (*exactly*) tout à fait; **to look at s.o. s. in the eye(s)** *or* **in the face** regarder qn bien en face.

squash [skwɒʃ] **1** *vt* (*crush*) écraser; (*squeeze*) serrer ▌ *n* **lemon/orange s.** *Br* (*concentrated*) sirop *m* de citron/d'orange; (*diluted*) citronnade *f*/orangeade *f*. **2** *n* (*game*) squash *m*. **3** *n* (*vegetable*) *Am* courge *f*. ● **squashy** *a* (**-ier, -iest**) (*soft*) mou (*f* molle).

squat [skwɒt]. **1** *vi* (**-tt-**) **to s.** (**down**) s'accroupir; **to be squatting** (**down**) être accroupi. **2** *a* (*short and thick*) trapu. **3** *n* (*house*) squat *m*. ● **squatter** *n* squatter *m*.

squawk [skwɔːk] *vi* pousser des cris rauques ▌ *n* cri *m* rauque.

squeak [skwiːk] *vi* (*of door*) grincer; (*of shoe*) craquer; (*of mouse*) faire couic ▌ *n* grincement *m*; (*of shoe*) craquement *m*; (*of mouse*) couic *m*. ● **squeaky** *a* (**-ier, -iest**) (*door*) grinçant; (*shoe*) qui craque.

squeal [skwiːl] *vi* pousser des cris aigus; (*of Br tyres, Am tires*) crisser ▌ *n* cri *m* aigu; crissement *m*. **2** *vi* **to s. on s.o.** (*inform on*) *Fam* balancer qn.

squeamish ['skwiːmɪʃ] *a* facilement dégoûté, bien délicat.

squeegee ['skwiːdʒiː] *n* raclette *f* (à vitres).

squeeze [skwiːz] *vt* (*press*) presser; (*hand, arm, person*) serrer; **to s. the toothpaste** presser le tube de dentifrice; **to s. sth out of s.o.** (*information, secret etc*) arracher qch à qn; **to s. sth into sth** faire rentrer qch dans qch; **to s. (out)** (*juice etc*) faire sortir (**from** de).

▌ *vi* **to s. through/into/**etc (*force oneself*) se glisser par/dans/*etc*; **to s. in** trouver un peu de place; **to s. up** se serrer (**against** contre).

▌ *n* to give sth a s. presser qch; **to give s.o.'s hand/arm a s.** serrer la main/le bras à qn; **to give s.o. a s.** serrer qn dans ses bras; **it's a tight s.** il y a peu de place; **credit s.** *Fin* restrictions *fpl* de crédit. ● **squeezer** *n* **lemon s.** presse-citron *m inv*.

squelch [skweltʃ] **1** *vi* patauger (*en faisant floc-floc*). **2** *vt* (*silence*) *Fam* réduire (qn) au silence.

squid [skwɪd] *n* (*mollusc*) calmar *m*.

squiggle ['skwɪg(ə)l] *n* gribouillis *m*; (*line*) ligne *f* onduleuse.

squint [skwɪnt] *n* (*eye disorder*) strabisme *m*; **to have a s.** loucher ▌ *vi* loucher; (*in the sunlight etc*) plisser les yeux.

squire ['skwaɪər] *n Br* propriétaire *m* terrien.

squirm [skwɜːm] *vi* (*wriggle*) se tortiller; **to s. in pain** se tordre de douleur.

squirrel [*Br* 'skwɪrəl, *Am* 'skwɜːrəl] *n* écureuil *m*.

squirt [skwɜːt] **1** *vt* (*liquid*) faire gicler ▌ *vi* gicler ▌ *n* giclée *f*, jet *m*. **2** *n* **little s.** (*person*) *Fam* petit morveux *m*.

Sri Lanka [sriː'læŋkə] *n* Sri Lanka *m or f*.

St *abbr* **1** = Street. **2** = Saint.

stab [stæb] *vt* (**-bb-**) (*with knife etc*) poignarder; **to s. s.o. to death** tuer qn d'un coup *or* de coups de couteau *or* de poignard ▌ *n* **s.** (**wound**) coup *m* (de couteau *or* de poignard). ● **stabbing** *n* **there has been a s.** quelqu'un a été poignardé; **a s. pain** une douleur lancinante.

stability [stə'bɪlɪtɪ] *n* stabilité *f*; **mental s.** équilibre *m*.

stabilize ['steɪbɪlaɪz] *vt* stabiliser ▌ *vi* se stabiliser. ● **stabilizer** *n* (*in racing car etc*) stabilisateur *m*.

stable¹ ['steɪb(ə)l] *a* (**-er, -est**) stable; **mentally s.** (*person*) bien équilibré.

stable² ['steɪb(ə)l] *n* écurie *f*; **s. boy** lad *m*.

stack [stæk] **1** *n* (*heap*) tas *m*; **stacks of** (*lots of*) *Fam* un *or* des tas de ▌ *vt* **to s.** (**up**) entasser. **2** *n* **chimney s.** (*of factory etc*) tuyau *m* de cheminée. **3** *npl* **the stacks** (*in library*) la réserve *f*.

stadium ['steɪdɪəm] *n Sport* stade *m*.

staff [stɑːf] *n* personnel *m*; (*of school, university*) professeurs *mpl*; (*of army*) état-major *m*; **to be on the s.** faire partie du personnel; **a member of (the) s., s. member** (*in office*) un(e) employé, -ée; (*in school*) un professeur; **chief of s.** *Mil* chef *m* d'état-major; **s. meeting** (*in school, university*) *Br* conseil *m* des professeurs; **s. room** (*in school etc*) *Br* salle *f* des professeurs ▌ *vt* pourvoir en personnel. **2** *n* (*stick*) *Lit* bâton *m*.

stag [stæg] *n* cerf *m*; **s. party** réunion *f* entre hommes.

stage¹ [steɪdʒ] *n* (*platform in theatre*) scène *f*; **the s.** (*profession*) le théâtre; **on s.** sur (la) scène; **s. door** entrée *f* des artistes; **to have s. fright** avoir le trac ▌ *vt* (*play*) monter; *Fig* organiser, effectuer; **it was staged** (*not real*) c'était un coup monté. ● **stage-hand** *n* machiniste *m*. ● **stage-manager** *n* régisseur *m*.

stage² [steɪdʒ] *n* (*phase*) stade *m*, étape *f*; (*of journey*) étape *f*; (*of track, road*) section *f*; **in (easy) stages** (*to travel*) par étapes; (*to pay*) en plusieurs fois; **at an early s.** au début (**of** de); **at this s. in the work** à ce stade des travaux; **at this s.** (*at this moment*) à l'heure qu'il est.

stagecoach ['steɪdʒkəʊtʃ] *n Hist* diligence *f*.

stagger ['stægər] **1** *vi* (*reel*) chanceler. **2** *vt* (*Br holidays, Am vacation etc*) étaler, échelonner. **3** *vt* **to s. s.o.** (*shock, amaze*) stupé-

fier qn. ● **staggering** *a* stupéfiant.
stagnant ['stægnənt] *a* stagnant. ● **stag'nation** *vi* stagner. ● **stagnation** [-'neɪʃ(ə)n] *n* stagnation *f*.
staid [steɪd] *a* posé, sérieux.
stain [steɪn] **1** *vt* (*mark, make dirty*) tacher (**with** de) ▌ *n* tache *f*; **s. remover** détachant *m*. **2** *vt* (*colour*) teinter (*du bois*); **stained glass window** vitrail *m* (*pl* vitraux) ▌ *n* (*colouring for wood*) teinture *f* (à bois); **a Br tin** *or* **Am can of s.** un bidon de teinture. ● **stainless steel** *n* acier *m* inoxydable, inox *m*; **s.-steel knife**/*etc* couteau *m*/*etc* en inox.
stair [steər] *n* **a s.** (*step*) une marche; **the stairs** (*staircase*) l'escalier *m*; **s. carpet** tapis *m* d'escalier. ● **staircase or stairway** *n* escalier *m*.
stake [steɪk] **1** *n* (*post*) pieu *m*; (*for plant*) tuteur *m*; **to be burned at the s.** *Hist* mourir sur le bûcher ▌ *vt* **to s.** (**out**) (*land*) jalonner, délimiter; **to s. one's claim to sth** revendiquer qch. **2** *n* (*betting*) enjeu *m*; (*investment*) investissement *m*; **to have a s. in a company** (*interest*) posséder un intérêt *or* des intérêts dans une société; **at s.** en jeu; **there's a lot at s.** l'enjeu est considérable ▌ *vt* (*bet*) jouer (**on** sur).
stale [steɪl] *a* (**-er, -est**) (*bread*) rassis (*f* rassie); (*food*) pas frais (*f* fraîche); (*beer*) éventé; (*air*) vicié; (*smell*) de renfermé; (*news*) *Fig* vieux (*f* vieille); (*joke*) usé, vieux; (*artist*) manquant d'invention. ● **staleness** *n* (*of food*) manque *m* de fraîcheur.
stalemate ['steɪlmeɪt] *n Chess* pat *m*; *Fig* impasse *f*.
stalk [stɔːk] **1** *n* (*of plant*) tige *f*, queue *f*; (*of fruit*) queue *f*. **2** *vt* (*animal, criminal*) traquer. **3** *vi* **to s. out** (*walk proudly*) sortir d'un air digne; (*angrily*) sortir en colère.
stall [stɔːl] **1** *n* (*in market*) *Br* étal *m*, éventaire *m*; (*for newspapers, flowers*) *Br* kiosque *m*; (*in stable*) stalle *f*; **the stalls** (*in cinema, theatre*) *Br* l'orchestre *m*. **2** *vi* (*of car engine*) caler ▌ *vt* (*engine, car*) caler. **3** *vi* **to s. (for time)** chercher à gagner du temps.
stallion ['stæljən] *n* (*horse*) étalon *m*.
stalwart ['stɔːlwət] *a* (*suppporter*) brave, fidèle ▌ *n* (*follower*) fidèle *mf*.
stamina ['stæmɪnə] *n* vigueur *f*, résistance *f*.
stammer ['stæmər] *vi* bégayer ▌ *vt* **to s. out** (*excuse etc*) bégayer ▌ *n* bégaiement *m*; **to have a s.** être bègue.
stamp [stæmp] **1** *n* (*for postage, instrument*) timbre *m*; (*mark*) cachet *m*, timbre *m*; **the s. of success/etc** *Fig* la marque de la réussite/*etc*; **to be given the s. of approval** être approuvé; **men of your s.** les hommes de votre trempe; **s. collecting** philatélie *f*.

▌ *vt* (*document*) tamponner, timbrer; (*letter*) timbrer; (*metal*) estamper; **to s. sth on sth** (*affix*) apposer qch sur qch; **to s. out** (*rebellion, evil*) écraser; (*disease*) éradiquer ▌ **stamped addressed envelope** *Br*, **stamped self-addressed envelope** *Am* enveloppe *f* timbrée à votre adresse. **2** *vti* **to s.** (**one's feet**) taper *or* frapper des pieds; **stamping ground** *Fam* lieu *m* favori.
stampede [stæm'piːd] *n* fuite *f* précipitée; (*rush*) ruée *f* ▌ *vi* fuir en désordre; (*rush*) se ruer.
stance [stɑːns] *n* position *f*.
stand [stænd] *n* (*position*) position *f*; (*support*) support *m*; (*at exhibition*) stand *m*; (*for spectators at sporting event*) tribune *f*; (*witness*) **s.** (*in court*) *Am* barre *f*; **to make a s., take one's s.** prendre position (**against** contre); **news/flower s.** (*in street*) kiosque *m* à journaux/à fleurs; **hat s.** portemanteau *m*; **music s.** pupitre *m* à musique.

▌ *vt* (*pt & pp* **stood**) (*pain, journey etc*) supporter; (*put straight*) mettre (debout); **to s. a chance** avoir une chance; **I can't s. him** je ne ne peux pas le supporter; **I can't s. it** je ne supporte pas ça; **to s. s.o. sth** (*pay for*) *Br* payer qch à qn.

▌ *vi* être *or* se tenir (debout); (*get up*) se lever; (*remain*) rester (debout); (*be situated*) se trouver; (*be*) être; (*of object, argument*) reposer (**on** sur); **to leave to s.** (*liquid*) laisser reposer; **to s. to lose sth/s.o.** risquer de perdre qch/qn.
stand about *or* **around** *vi* (*in street etc*) traîner ▌ **to stand aside** *vi* s'écarter ▌ **to stand back** *vi* reculer ▌ **to stand by** *vi* (*do nothing*) rester là (sans rien faire); (*be ready*) être prêt (à partir *or* à intervenir *etc*) ▌ *vt* (*one's opinion etc*) s'en tenir à; (*friend etc*) rester fidèle à ▌ **to stand down** *vi* (*withdraw*) se désister ▌ **to stand for** *vt* (*mean*) signifier; (*represent*) représenter; (*be candidate for*) *Br* être candidat à (*présidence etc*); (*put up with*) supporter ▌ **to stand in for** *vt* (*replace*) remplacer ▌ **to stand out** *vi* (*be visible or conspicuous*) ressortir (**against** sur) ▌ **to stand over** *vt* (*watch closely*) surveiller (*qn*) ▌ **to stand up** *vt* mettre debout; **to s. s.o. up** *Fam* poser un lapin à qn ▌ *vi* (*get up*) se lever ▌ **to stand up for** *vt* (*defend*) défendre ▌ **to stand up to** *vt* (*resist*) résister à; (*defend oneself against*) tenir tête à (*qn*).
standard[1] ['stændəd] **1** *n* (*norm*) norme *f*, critère *m*; (*level*) niveau *m*; (*of weight, gold*) étalon *m*; **standards (of behaviour)** principes *mpl*; **s. of living, living standards** niveau *m* de vie; **to be** *or* **come up to s.** (*of person*) être à la hauteur; (*of work etc*) être au niveau.

▌ *a* (*average*) ordinaire, courant; (*model, size*) standard *inv*; (*weight*) étalon *inv*; (*dictionary, book*) classique; **s. lamp** *Br* lampadaire *m*. ● **standardize** *vt* standardiser.
standard[2] ['stændəd] *n* (*flag*) étendard *m*.
standby ['stændbaɪ] *n* (*pl* **-bys**) **on s.** prêt à partir *or* à intervenir *etc* ▌ *a* (*battery etc*) de réserve; (*plane ticket*) sans garantie.
stand-in ['stændɪn] *n* remplaçant, -ante *mf* (**for** de); (*actor, actress*) doublure *f* (**for** de).
standing ['stændɪŋ] *a* debout *inv*; (*committee, offer, army*) permanent; **s. room**

stand-offish

places *fpl* debout; **s. order** (*in bank*) *Br* virement *m* automatique; **it's a s. joke** c'est un sujet de plaisanterie ▎ *n* (*reputation*) réputation *f*; (*social, professional*) rang *m*; (*financial*) situation *f*; **a friendship/**etc **of six years'** s. (*duration*) une amitié/*etc* qui dure depuis six ans; **of long s.** de longue date.

stand-offish [stænd'ɒfɪʃ] *a* (*person*) distant, froid.

standpoint ['stændpɔɪnt] *n* point *m* de vue.

standstill ['stændstɪl] *n* **to bring sth to a s.** immobiliser qch; **to come to a s.** s'immobiliser; **at a s.** immobile; (*negotiations, industry*) paralysé.

stand-up ['stændʌp] *a* **s.-up comic** *or* **comedian** comique *m* (de scène).

stank [stæŋk] *pt of* **stink**.

stanza ['stænzə] *n* strophe *f*.

staple ['steɪp(ə)l] **1** *a* (*basic*) de base; **s. food** *or* **diet** nourriture *f* de base. **2** *n* (*for paper etc*) agrafe *f* ▎ *vt* agrafer. ●**stapler** *n* (*for paper etc*) agrafeuse *f*.

star [stɑːr] *n* étoile *f*; (*famous person*) vedette *f*, star *f*; **shooting s.** étoile *f* filante; **s. part** rôle *m* principal; **the Stars and Stripes, the S.-Spangled Banner** (*flag of the United States*) la bannière étoilée; **four-s.** (*petrol*) *Br* du super ▎ *vi* (*-rr-*) (*of actor, actress*) être la vedette (**in** de) ▎ *vt* (*of film*) avoir (qn) pour vedette.

starboard ['stɑːbəd] *n* (*right side in ship or aircraft*) tribord *m* ▎ *a* de tribord.

starch [stɑːtʃ] *n* (*for stiffening*) amidon *m*; (*in food*) fécule *f*; **starches** (*foods*) féculents *mpl* ▎ *vt* amidonner. ●**starchy** *a* (**-ier**, **-iest**) (*formal*) (*manner, person etc*) guindé; **s. food(s)** féculents *mpl*.

stardom ['stɑːdəm] *n* célébrité *f*.

stare [steər] *n* regard *m* (fixe) ▎ *vi* **to s. at s.o./sth** fixer qn/qch (du regard) ▎ *vt* **to s. s.o. in the face** dévisager qn.

starfish ['stɑːfɪʃ] *n* étoile *f* de mer.

stark [stɑːk] *a* (**-er**, **-est**) (*place*) désolé; (*austere*) austère; (*fact, reality*) brutal; **to be in s. contrast to** contraster nettement avec; **the s. truth** la vérité toute nue ▎ *adv* **s. naked** complètement nu. ●**starkers** *a Br Sl* complètement nu, à poil.

starling ['stɑːlɪŋ] *n* étourneau *m*.

starlit ['stɑːlɪt] *a* (*night*) étoilé.

starry ['stɑːrɪ] *a* (**-ier**, **-iest**) (*sky, night*) étoilé. ●**starry-'eyed** *a* (*naïve*) ingénu, naïf.

start[1] [stɑːt] *n* commencement *m*, début *m*; (*of race*) départ *m*; (*lead in race, competition etc*) avance *f* (**on** sur); **to make a s.** commencer; **for a s.** pour commencer; **from the s.** dès le début.

▎ *vt* commencer; (*bottle, cake, packet*) entamer, commencer; (*fashion, campaign, offensive*) lancer; (*engine, vehicle*) mettre en marche; (*business*) fonder; **to s. a war** provoquer une guerre; **to s. a fire** (*deliberately*) (*in grate etc*) allumer un feu; (*accidentally*) provoquer un incendie; **to s. doing** *or* **to do** commencer *or* se mettre à faire.

▎ *vi* commencer (**with sth** par qch, **by doing** par faire); (*of vehicle*) démarrer; (*leave*) partir (**for** pour); (*in job*) débuter; **to s. with** (*firstly*) pour commencer; **starting from now/ten francs/**etc à partir de maintenant/dix francs/*etc*. ●**starting** *a* (*point, line*) de départ; **s. post** (*in race*) ligne *f* de départ.

start[2] [stɑːt] *vi* (*be startled, jump*) sursauter ▎ *n* sursaut *m*; **to give s.o. a s.** faire sursauter qn.

start back *vi* (*return*) repartir ▎ **to start off** *vi* (*leave*) partir (**for** pour); (*in job*) débuter ▎ *vt* **to s. s.o. off on a career** lancer qn dans une carrière ▎ **to start on** *vt* commencer (qch); **to s. s.o. on a career** lancer qn dans une carrière ▎ **to start out** *vi* = **start off** ▎ **to start up** *vt* (*engine, vehicle*) mettre en marche; (*business*) fonder ▎ *vi* (*of engine, vehicle*) démarrer.

starter ['stɑːtər] *n* (*device in vehicle*) démarreur *m*; (*course of meal*) hors-d'œuvre *m inv*, entrée *f*; (*soup*) potage *m*; (*runner*) partant; (*official in race*) starter *m*; **for starters** (*firstly*) *Fam* pour commencer.

startle ['stɑːt(ə)l] *vt* (*make jump*) faire sursauter; (*alarm*) *Fig* alarmer; (*surprise*) surprendre.

starvation [stɑː'veɪʃ(ə)n] *n* faim *f* ▎ *a* (*wage, ration etc*) de famine; **to be on a s. diet** (*to lose weight*) être à la diète.

starve [stɑːv] *vi* (*suffer*) souffrir de la faim; **to s. (to death)** mourir de faim; **I'm starving!** (*hungry*) je meurs de faim! ▎ *vt* (*make suffer*) faire souffrir de la faim; (*deprive*) *Fig* priver (**of** de); **to s. s.o. (to death)** laisser qn mourir de faim.

stash [stæʃ] *vt* **to s. away** *Fam* (*hide*) cacher; (*save up*) mettre de côté.

state[1] [steɪt] **1** *n* (*condition*) état *m*; (*pomp*) apparat *m*; **not in a (fit) s. to...**, **in no (fit) s. to...** hors d'état de...; **in (quite) a s.** (*bad shape*) dans un drôle d'état; **to lie in s.** (*of body*) être exposé.

2 *n* S. (*nation etc*) État *m*; **the States** *Fam* les États-Unis *mpl* ▎ *a* (*secret, document*) d'État; (*control, security*) de l'État; (*school, education*) *Br* public; **s. visit** voyage *m* officiel; **S. Department** *Am* Département *m* d'État. ●**stateless** *a* apatride; **s. person** apatride *mf*. ●**state-'owned** *a* étatisé.

state[2] [steɪt] *vt* déclarer (**that** que); (*opinion*) formuler; (*problem*) exposer; (*time, date*) fixer.

stately ['steɪtlɪ] *a* (**-ier**, **-iest**) majestueux; **s. home** *Br* château *m*.

statement ['steɪtmənt] *n* déclaration *f*; (*in court*) déposition *f*; (**bank**) **s., s. of account** relevé *m* de compte.

state-of-the-art [steɪtəvðɪ'ɑːt] *a* (*technology etc*) de pointe; (*up-to-date*) (*computer, television etc*) dernier cri *inv*.

statesman ['steɪtsmən] *n* (*pl* **-men**) homme *m* d'État. ●**statesmanship** *n* diplomatie *f*.

static ['stætɪk] *a* statique ▎ *n* (*noise on the radio etc*) parasites *mpl*.

station ['steɪʃ(ə)n] *n* (*for trains*) gare *f*; (*underground*) station *f*; (*position*) & *Mil* poste *m*; (*social*) rang *m*; (*police*) commissariat *m or* poste *m* (de police); **space/observation/radio**/*etc* **s.** station *f* spatiale/d'observation/de radio/*etc*; **bus** *or Br* **coach s.** gare *f* routière; **service** *or Br* **petrol** *or Am* **gas s.** station-service *f*; **s. wagon** (*car*) *Am* break *m* ∎ *vt* (*position*) placer, poster; **to be stationed at/in** (*of troops*) être en garnison à/en. ●**stationmaster** *n Rail* chef *m* de gare.

stationary ['steɪʃən(ə)rɪ] *a* (*motionless*) (*vehicle*) à l'arrêt; (*person*) immobile.

stationer ['steɪʃ(ə)nər] *n* papetier, -ière *mf*; **s.'s (shop)** papeterie *f*. ●**stationery** *n* (*articles*) articles *mpl* de bureau; (*paper*) papier *m*.

statistic [stə'tɪstɪk] *n* (*fact*) statistique *f*; **statistics** (*science*) la statistique. ●**statistical** *a* statistique.

statue ['stætʃuː] *n* statue *f*. ●**statu'esque** *a* (*beauty, woman etc*) sculptural.

stature ['stætʃər] *n* (*height*) stature *f*, taille *f*; (*importance*) *Fig* envergure *f*.

status ['steɪtəs] *n* (*position*) situation *f*; (*legal, official*) statut *m*; (*prestige*) standing *m*, prestige *m*; **s. symbol** marque *f* de standing; **s. quo** statu quo *m inv*.

statute ['stætʃuːt] *n* (*law*) loi *f*; **statutes** (*of institution, club*) statuts *mpl*. ●**statutory** *a* (*right, duty etc*) statutaire; **s. holiday** *Br* fête *f* légale.

staunch [stɔːntʃ] *a* (**-er, -est**) loyal, fidèle. ●**staunchly** *adv* loyalement.

stave [steɪv] **1** *vt* **to s. off** (*disaster, danger*) conjurer; **to s. off hunger** tromper la faim; **to s. off s.o.'s attempt to do sth** retarder qn dans sa tentative de faire qch. **2** *n Mus* portée *f*.

stay [steɪ] **1** *n* (*visit*) séjour *m* ∎ *vi* (*remain*) rester; (*reside*) loger; (*visit*) séjourner; **to s. put** ne pas bouger. **2** *vt* (*hunger*) tromper. ●**stay-at-home** *n* & *a Pej* casanier, -ière (*mf*). ●**staying power** *n* endurance *f*.

stay away *vi* (*keep one's distance*) ne pas s'approcher (**from** de); **to s. away from** (*school, a meeting etc*) ne pas aller à ∎ **to stay behind** *vi* rester en arrière ∎ **to stay in** *vi* (*at home*) rester à la maison; (*of nail, screw, tooth etc*) tenir ∎ **to stay out** *vi* (*outside*) rester dehors; (*not come home*) ne pas rentrer; **to s. out of sth** (*not interfere in*) ne pas se mêler de qch; (*avoid*) éviter qch ∎ **to stay up** *vi* (*at night*) ne pas se coucher; (*of fence etc*) tenir; **to s. up late** se coucher tard ∎ **to stay with s.o.** (*plan, idea etc*) ne pas lâcher.

St Bernard [*Br* sənt'bɜːnəd, *Am* seɪntbə'nɑːd] *n* (*dog*) saint-bernard *m*.

stead [sted] *n* **to stand s.o. in good s.** être bien utile à qn; **in s.o.'s s.** à la place de qn.

steadfast ['stedfɑːst] *a* (*intention etc*) ferme.

steady ['stedɪ] *a* (**-ier, -iest**) (*firm, stable*) stable; (*hand*) sûr, assuré; (*progress, speed, demand*) régulier; (*nerves*) solide; (*staid*) sérieux; **a s. boyfriend** un petit ami; **a s. flood** *or* **stream of insults**/*etc* un flot ininterrompu d'insultes/*etc*; **to be s.** (**on one's feet**) être solide sur ses jambes.
∎ *adv* **to go s. with s.o.** *Fam* sortir avec qn.
∎ *vt* (*chair etc*) maintenir (en place); (*hand*) assurer; (*nerves*) calmer; (*wedge, prop up*) caler; **to s. oneself** (*stop oneself falling*) reprendre son aplomb. ●**steadily** *adv* (*to walk*) d'un pas assuré; (*gradually*) progressivement; (*regularly*) régulièrement; (*continuously*) sans arrêt. ●**steadiness** *n* stabilité *f*; (*of progress etc*) régularité *f*.

steak [steɪk] *n* (*beef*) steak *m*, bifteck *m*; **stewing s.** bœuf *m* à pot-au-feu; **s. and chips** *Br* steak *m* frites; **s. and kidney pie** *Br* tourte *f* aux rognons et à la viande de bœuf. ●**steakhouse** *n* grill(-room) *m*.

steal[1] [stiːl] *vti* (*pt* **stole**, *pp* **stolen**) voler (**from s.o.** à qn).

steal[2] [stiːl] *vi* (*pt* **stole**, *pp* **stolen**) **to s. in/out** entrer/sortir furtivement. ●**stealth** [stelθ] *n* **by s.** furtivement. ●**stealthy** *a* (**-ier, -iest**) furtif.

steam [stiːm] *n* vapeur *f*; (*on glass*) buée *f*; **to let off s.** (*unwind*) *Fam* décompresser, se défouler; **s. engine/iron** locomotive *f*/fer *m* à vapeur ∎ *vt* (*food*) cuire à la vapeur; **to get steamed up** (*of glass*) se couvrir de buée; (*of person*) *Fam* s'énerver ∎ *vi* (*of kettle etc*) fumer; **to s. up** (*of glass*) se couvrir de buée. ●**steamer** *n* (*boat m* à) vapeur *m*; (*ocean liner*) paquebot *m*; (*for food*) = haut *m* de couscoussier.

steamroller ['stiːmrəʊlər] *n* rouleau *m* compresseur.

steamship ['stiːmʃɪp] *n* (bateau *m* à) vapeur *m*; (*ocean liner*) paquebot *m*.

steamy ['stiːmɪ] *a* (**-ier, -iest**) humide; (*window*) embué; (*love affair, relationship etc*) brûlant.

steel [stiːl] **1** *n* acier *m*; **s. industry** sidérurgie *f*. **2** *vt* **to s. oneself** s'armer de courage; **to s. oneself against failure**/*etc* s'endurcir contre l'échec/*etc*. ●**steelworks** *n* aciérie *f*.

steep [stiːp] **1** *a* (**-er, -est**) (*stairs, slope etc*) raide; (*hill, path*) escarpé; (*price*) *Fig* excessif. **2** *vt* (*soak*) tremper (**in** dans); **steeped in** (*history, prejudice etc*) *Fig* imprégné de. ●**steeply** *adv* (*to rise*) en pente raide; (*of prices*) *Fig* excessivement.

steeple ['stiːp(ə)l] *n* clocher *m*.

steeplechase ['stiːp(ə)ltʃeɪs] *n* (*race*) steeple(-chase) *m*.

steeplejack ['stiːp(ə)ldʒæk] *n* réparateur *m* de cheminées *or* de clochers.

steer [stɪər] *vt* (*vehicle, person*) diriger, piloter (**towards** vers); (*ship, boat*) diriger, gouverner ∎ *vi* (*of person*) (*in ship, boat*) tenir le gouvernail, gouverner; (*in vehicle*) tenir le volant; **to s. towards** faire route vers; **to s. clear of s.o./sth** éviter qn/qch. ●**steering** *n* (*in vehicle*) direction *f*; **s. wheel** volant *m*.

stem [stem] **1** *n* (*of plant etc*) tige *f*; (*of glass*) pied *m*. **2** *vt* (**-mm-**) (*stop*) arrêter,

stench

contenir; **to s. the flow** or **tide of** (*refugees etc*) endiguer le flot de. **3** *vi* (**-mm-**) **to s. from** provenir de.
stench [stentʃ] *n* puanteur *f*.
stencil ['stens(ə)l] *n* (*metal, plastic*) pochoir *m*; (*paper, for typing*) stencil *m* ▮ *vt* (*Br* -**ll**-, *Am* -**l**-) (*notes etc*) polycopier.
stenographer [stə'nɒgrəfər] *n Am* sténodactylo *f*. ● **stenography** *n Am* sténographie *f*.
step [step] *n* (*movement, sound*) pas *m*; (*of stairs*) marche *f*; (*on train, bus*) marchepied *m*; (*doorstep*) pas *m* de la porte; (*action*) *Fig* mesure *f*; (**flight of**) **steps** (*indoors*) escalier *m*; (*outdoors*) perron *m*; (**pair of**) **steps** (*ladder*) *Br* escabeau *m*; **s. by s.** pas à pas; **to keep in s.** marcher au pas; **to be in s. with** (*of opinions etc*) *Fig* être en accord avec.
▮ *vi* (**-pp-**) (*walk*) marcher (**on** sur); **s. this way!** (venez) par ici!.
step aside *vi* s'écarter ▮ **to step back** *vi* reculer ▮ **to step down** *vi* descendre (**from** de); (*withdraw*) *Fig* se retirer ▮ **to step forward** *vi* faire un pas en avant ▮ **to step in** *vi* (*enter*) entrer; (*into car*) monter; (*intervene*) *Fig* intervenir ▮ **to step into** *vt* (*car etc*) monter dans ▮ **to step off** *vt* (*chair etc*) descendre de ▮ **to step out** *vi* (*of car etc*) descendre (**of** de) ▮ **to step over** *vt* (*obstacle*) enjamber ▮ **to step up** *vt* (*increase*) augmenter, intensifier; (*speed up*) activer.
stepbrother ['stepbrʌðər] *n* demi-frère *m*. ● **stepdaughter** *n* belle-fille *f*. ● **stepfather** *n* beau-père *m*. ● **stepmother** *n* belle-mère *f*. ● **stepsister** *n* demi-sœur *f*. ● **stepson** *n* beau-fils *m*.
stepladder ['steplædər] *n* escabeau *m*.
stepping-stone ['stepɪŋstəʊn] *n* (*in career etc*) tremplin *m* (**to** pour arriver à).
stereo ['steriəʊ] *n* (*pl* -os) (*hi-fi, record player*) chaîne *f* (stéréo *inv*); (*sound*) stéréo(phonie) *f*; (*personal*) *s.* baladeur *m*; **in s.** en stéréo ▮ *a* (*record etc*) stéréo *inv*; (*broadcast*) en stéréo. ● **stereo'phonic** *a* stéréophonique.
stereotype ['steriətaɪp] *n* stéréotype *m*. ● **stereotyped** *a* stéréotypé.
sterile [*Br* 'steraɪl, *Am* 'sterəl] *a* stérile. ● **ste'rility** *n* stérilité *f*.
sterilize ['sterəlaɪz] *vt* stériliser. ● **sterilization** [-'zeɪʃ(ə)n] *n* stérilisation *f*.
sterling ['stɜːlɪŋ] *n* (*currency*) *Br* livre(s) *f(pl)* sterling *inv*; **the pound s.** la livre sterling *inv* ▮ *a* (*silver*) fin; (*quality, person*) *Fig* sûr.
stern [stɜːn] **1** *a* (**-er**, **-est**) sévère. **2** *n* (*of ship*) arrière *m*.
steroid ['stɪərɔɪd] *n* stéroïde *m*.
stethoscope ['steθəskəʊp] *n* stéthoscope *m*.
stetson ['stetsən] *n Am* chapeau *m* à larges bords.
stevedore ['stiːvədɔːr] *n* docker *m*.
stew [stjuː] *n* ragoût *m*; **to be in a s.** *Fig* être dans le pétrin; **s. pot, s. pan** cocotte *f* ▮ *vt* (*meat*) faire *or* cuire en ragoût; (*fruit*) faire cuire; **stewed fruit** compote *f* ▮ *vi* cuire.

● **stewing** *a* (*pears, apples etc*) à cuire.
steward ['stjuːəd] *n* (*on plane, ship*) steward *m*; (*in college, club etc*) intendant *m* (*préposé au ravitaillement*); **shop s.** *Br* délégué, -ée *mf* syndical(e). ● **stewar'dess** *n* (*on plane*) hôtesse *f*.
stick¹ [stɪk] *n* (*piece of wood, chalk, dynamite etc*) bâton *m*; (*for walking*) canne *f*; (*branch*) branche *f*; **in the sticks** (*countryside*) *Pej Fam* à la cambrousse; **to give s.o. some s.** (*scold*) *Br Fam* engueuler qn.
stick² [stɪk] *vt* (*pt* & *pp* **stuck**) (*glue*) coller; (*put*) *Fam* mettre, fourrer, coller; (*tolerate*) *Fam* supporter; **to s. sth into sth** fourrer *or* planter *or* enfoncer qch dans qch.
▮ *vi* coller, adhérer (**to** à); (*of food in pan*) attacher (**to** dans); (*of drawer etc*) se coincer, se bloquer, être coincé *or* bloqué; (*remain*) *Fam* rester; **to s. to the facts** (*confine oneself to*) s'en tenir aux faits. ● **sticking plaster** *n Br* sparadrap *m*.
stick around *vi* (*hang around*) *Fam* rester dans les parages ▮ **to stick by** *vt* rester fidèle à (**qn**) ▮ **to stick down** *vt* (*envelope, stamp etc*) coller; (*put down*) *Fam* poser, coller ▮ **to stick on** *vt* (*stamp, label etc*) coller; (*hat, coat etc*) mettre ▮ **to stick out** *vt* (*tongue*) tirer; (*head or arm from window etc*) *Fam* sortir; **to s. it out** (*resist*) *Fam* tenir le coup ▮ *vi* (*of petticoat, balcony etc*) dépasser; (*of tooth*) avancer ▮ **to stick up** *vt* (*notice*) coller, afficher; (*hand*) *Fam* lever ▮ **to stick up for** *vt* défendre (**qn, qch**).
sticker ['stɪkər] *n* (*label*) autocollant *m*.
stickler ['stɪklər] *n* **to be a s. for** (*rules, discipline, details etc*) être intransigeant sur.
stick-on ['stɪkɒn] *a* (*label*) adhésif.
stick-up ['stɪkʌp] *n Fam* hold-up *m inv*.
sticky ['stɪkɪ] *a* (**-ier**, **-iest**) collant, poisseux; (*label*) adhésif; (*problem, matter*) *Fig* difficile.
stiff [stɪf] *a* (**-er**, **-est**) raide; (*leg, joint*) ankylosé; (*brush, paste*) dur; (*person*) *Fig* guindé, froid; (*difficult*) difficile; (*price*) élevé; (*whisky*) bien tassé; **to have a s. neck** avoir le torticolis; **to feel s.** être courbaturé *or* courbatu; **to be bored s.** *Fam* s'ennuyer à mourir; **frozen s.** *Fam* complètement gelé.
stiffen ['stɪf(ə)n] *vt* raidir ▮ *vi* se raidir.
stiffly ['stɪflɪ] *adv* (*coldly*) *Fig* froidement. ● **stiffness** *n* raideur *f*; (*hardness*) dureté *f*.
stifle ['staɪf(ə)l] *vt* (*feeling, person etc*) étouffer ▮ *vi* **it's stifling** on étouffe.
stigma ['stɪgmə] *n* (*moral stain*) flétrissure *f*; **there's no s. attached to...** il n'y a aucune honte à.... ● **stigmatize** *vt* (*denounce*) dénoncer, stigmatiser; **to s. s.o. as** dénoncer qn (publiquement) comme.
stile [staɪl] *n* (*between fields etc*) échalier *m*.
stiletto [stɪ'letəʊ] *a* **s. heel** *Br* talon *m* aiguille.
still¹ [stɪl] *adv* encore, toujours; (*even*) encore; (*nevertheless*) tout de même; **better s., s. better** encore mieux.
still² [stɪl] *a* (**-er**, **-est**) (*not moving*) immo-

bile; (*calm*) calme, tranquille; (*drink*) *Br* non gazeux; **to keep** *or* **stand** *or* **lie s.** rester tranquille; **s. life** (*painting, drawing*) nature *f* morte ∎ *n* (*photo of film*) photo *f* (*tirée d'un film*); **in the s. of the night** dans le silence de la nuit. ● **stillborn** (*baby*) a mort-né. ● **stillness** *n* immobilité *f*; (*calm*) calme *m*.

still³ [stɪl] *n* (*for making alcohol*) alambic *m*.

stilt [stɪlt] *n* (*pole*) échasse *f*.

stilted ['stɪltɪd] *a* (*speech, person etc*) guindé.

stimulate ['stɪmjʊleɪt] *vt* stimuler. ● **stimulant** *n* (*drug etc*) stimulant *m*. ● **stimulation** [-'leɪʃ(ə)n] *n* stimulation *f*. ● **stimulus,** *pl* **-li** [-laɪ] *n* (*encouragement*) stimulant *m*; (*physiological*) stimulus *m*.

sting [stɪŋ] *vt* (*pt* & *pp* **stung**) (*of insect, ointment, wind etc*) piquer; (*of remark*) *Fig* blesser ∎ *vi* piquer ∎ *n* piqûre *f*; (*insect's organ*) dard *m*. ● **stinging** *a* (*pain, remark etc*) cuisant.

stingy ['stɪndʒɪ] *a* (**-ier, -iest**) avare, mesquin; **to be s. with** (*money, praise*) être avare de; (*food, wine*) être mesquin sur. ● **stinginess** *n* avarice *f*.

stink [stɪŋk] *n* puanteur *f*; **to cause** *or* **make a s.** (*trouble*) *Fam* faire du foin ∎ *vi* (*pt* **stank** *or* **stunk**, *pp* **stunk**) puer; (*of book, film etc*) *Fam* être infect; **to s. of smoke/***etc* empester la fumée/*etc* ∎ *vt* **to s. out** (*room etc*) empester. ● **stinking** *a Fam* infect, sale. ● **stinker** *n Fam* (*person*) sale type *m*; (*question, task etc*) vacherie *f*.

stint [stɪnt] **1** *n* (*period*) période *f* de travail; (*share*) part *f* de travail. **2** *vi* **to s. on** (*food, money etc*) lésiner sur.

stipend ['staɪpend] *n* (*allowance for clergyman*) traitement *n*.

stipulate ['stɪpjʊleɪt] *vt* stipuler (**that** que). ● **stipulation** [-'leɪʃ(ə)n] *n* stipulation *f*.

stir [stɜːr] *n* agitation *f*; **to give one's coffee/** *etc* **a s.** remuer son café/*etc*; **to cause** *or* **create a s.** *Fig* faire du bruit.

∎ *vt* (**-rr-**) (*coffee, leaves etc*) remuer; (*excite*) *Fig* exciter; (*incite*) inciter (**s.o. to do** qn à faire); **to s. oneself** (*make an effort*) se secouer; **to s. up** (*memory*) réveiller; **to s. up trouble** (*of anarchist etc*) provoquer des troubles; (*in family etc*) semer la zizanie; **to s. up trouble for s.o.** attirer les ennuis à qn; **to s. up hatred** attiser les haines.

∎ *vi* (*move*) remuer, bouger. ● **stirring** *a* (*speech etc*) émouvant.

stirrup ['stɪrəp] *n* étrier *m*.

stitch [stɪtʃ] *n* point *m*; (*in knitting*) maille *f*; (*in wound*) point *m* de suture; **a s. (in one's side)** (*pain*) un point de côté; **to be in stitches** *Fam* se tordre (de rire) ∎ *vt* **to s. (up)** (*sew up*) coudre; (*repair*) recoudre; (*wound*) suturer.

stoat [stəʊt] *n* (*animal*) hermine *f*.

stock [stɒk] *n* (*supply*) provision *f*, stock *m*, réserve *f*; (*of knowledge, jokes*) mine *f*; *Fin* valeurs *fpl*, titres *mpl*; (*family, descent*) souche *f*; (*soup*) bouillon *m*; (*cattle*) bétail *m*; **stocks and shares** *Fin* valeurs *fpl*, titres *mpl*; **the stocks** *Hist* le pilori; **in s.** (*goods*) en magasin, en stock, disponible; **out of s.** (*goods*) épuisé, non disponible; **to take s.** *Fig* faire le point (**of** de); **s. reply/size** réponse *f*/taille *f* courante; **s. phrase** expression *f* toute faite; **the S. Exchange** *or* **Market** la Bourse.

∎ *vt* (*sell*) vendre; (*keep in store*) stocker; **to s. (up)** (*shop*) approvisionner; (*fridge, Br cupboard etc*) remplir; **well-stocked** (*shop*) bien approvisionné; (*fridge etc*) bien rempli.

∎ *vi* **to s. up** (*renew one's supplies of food etc*) s'approvisionner (**with** de, en).

stockade [stɒ'keɪd] *n* palissade *f*.

stockbroker ['stɒkbrəʊkər] *n* agent *m* de change. ● **stockcar** *n* stock-car *m*. ● **stockholder** *n Fin* actionnaire *mf*. ● **stockist** *n* dépositaire *mf*, stockiste *m*. ● **stockpile** *vt* stocker, amasser. ● **stockroom** *n* réserve *f*, magasin *m*. ● **stocktaking** *n Br Com* inventaire *m*.

stocking ['stɒkɪŋ] *n* (*garment*) bas *m*.

stocky ['stɒkɪ] *a* (**-ier, -iest**) trapu.

stodge [stɒdʒ] *n* (*food*) *Fam* étouffe-chrétien *m inv*. ● **stodgy** *a* (**-ier, -iest**) *Fam* (*food*) lourd, indigeste; (*person, style*) *Fig* compassé.

stoic ['stəʊɪk] *a* & *n* stoïque (*mf*). ● **stoical** *a* stoïque. ● **stoicism** *n* stoïcisme *m*.

stoke [stəʊk] *vt* (*fire*) entretenir; (*furnace*) alimenter; (*engine*) chauffer. ● **stoker** *n* (*of boiler, engine*) chauffeur *m*.

stole¹ [stəʊl] *n* (*shawl*) étole *f*.

stole², **stolen** [stəʊl, 'stəʊl(ə)n] *pt* & *pp* of **steal**¹,².

stolid ['stɒlɪd] *a* (*manner, person*) impassible.

stomach ['stʌmək] **1** *n* (*for digestion*) estomac *m*; (*front of body*) ventre *m*. **2** *vt* (*put up with*) supporter. ● **stomach-ache** *n* mal *m* de ventre; **to have a s.-ache** avoir mal au ventre.

stone [stəʊn] *n* pierre *f*; (*pebble*) caillou *m*; (*in fruit*) noyau *m*; (*in kidney*) calcul *m*; (*weight*) *Br* = 6,348 *kg*; **it's a stone's throw away** *Fig* c'est à deux pas d'ici ∎ *vt* lancer des pierres sur, lapider; (*fruit*) dénoyauter. ● **stonemason** *n* tailleur *m* de pierre, maçon *m*.

stone- [stəʊn] *pref* complètement. ● **stone-'broke** *a Am Sl* fauché. ● **stone-'cold** *a* complètement froid. ● **stone-'dead** *a* raide mort. ● **stone-'deaf** *a* sourd comme un pot.

stoned [stəʊnd] *a* (*high on drugs*) *Fam* camé, défoncé (**on** à).

stony ['stəʊnɪ] *a* **1** (**-ier, -iest**) (*path etc*) cailouteux, pierreux. **2 s. broke** (*penniless*) *Br Sl* fauché.

stooge [stuːdʒ] *n* (*actor*) comparse *mf*; (*flunkey*) *Pej* larbin *m*; (*dupe*) *Pej* pigeon *m*.

stood [stʊd] *pt* & *pp* of **stand**.

stool [stuːl] *n* tabouret *m*.

stoop [stuːp] **1** *n* **to have a s.** être voûté ∎ *vi* se baisser; **to s. to doing/to sth** *Fig* s'abaisser à faire/à qch. **2** *n* (*in front of house*) *Am*

stop

perron *m*.
stop [stɒp] *n* (*place, halt*) arrêt *m*, halte *f*; (*for plane, ship*) escale *f*; (**full**) **s.** *Br Grammar* point *m*; **bus s.** arrêt *m* d'autobus; **to put a s. to sth** mettre fin à qch; **to make a s.** (*of vehicle etc*) s'arrêter; (*of plane*) faire escale; **to bring to a s.** (*vehicle etc*) arrêter; **to come to a s.** (*of vehicle etc*) s'arrêter; **without a s.** sans arrêt; **s. light** (*on vehicle*) *Br* (feu *m*) stop *m*; **s. sign** (*on road*) stop *m*.
▌*vt* (-pp-) arrêter; (*end*) mettre fin à; (*Br cheque, Am check*) faire opposition à; **to s. s.o./sth (from) doing** (*prevent*) empêcher qn/qch de faire.
▌*vi* s'arrêter; (*of pain, conversation etc*) cesser; (*stay*) rester; **to s. eating/***etc* s'arrêter de manger/*etc*; **to s. snowing/***etc* cesser de neiger/*etc*.
stop by *vi* (*visit*) passer (**s.o.'s** chez qn) ▌ **to stop off** *or* **over** *vi* (*on journey*) s'arrêter ▌ **to stop up** *vt* (*sink, pipe, leak etc*) boucher.
stopcock ['stɒpkɒk] *n Br* robinet *m* d'arrêt. ● **stopgap** *n* bouche-trou *m* ▌ *a* (*solution etc*) intérimaire. ● **stopoff** *n* halte *f*; (*break in plane journey*) escale *f*. ● **stopover** *n* halte *f*, arrêt *m*; (*break in plane journey*) escale *f*; **to make a s.** faire halte; (*of plane*) faire escale. ● **stop-press** *n* (*informations fpl de*) dernière heure *f*. ● **stopwatch** *n* chronomètre *m*.
stoppage ['stɒpɪdʒ] *n* (*in work*) arrêt *m* de travail; (*strike*) débrayage *m*; (*in pay*) *Br* retenue *f*; (*blockage*) obstruction *f*.
stopper ['stɒpər] *n* bouchon *m*.
store [stɔːr] *n* (*supply*) provision *f*; (*of information, jokes etc*) *Fig* mine *f*; (*warehouse, depot*) entrepôt *m*; (*shop*) *Br* grand magasin *m*, *Am* magasin *m*; (*computer memory*) mémoire *f*; **department s.** grand magasin *m*; **to have sth in s. for s.o.** (*surprise*) réserver qch à qn; **to keep sth in s.** garder qch en réserve; **to set great s. by sth** attacher une grande importance à qch.
▌*vt* (*in warehouse etc*) stocker; (*furniture*) entreposer; (*for future use*) mettre en réserve; (*file away*) ranger, classer; (*in memory*) *Compt* mettre en mémoire. ● **storage** *n* emmagasinage *m*; (*for future use*) mise *f* en réserve; **s. space** *or* **room** espace *m* de rangement; **s. capacity** *Compt* capacité *f* de mémoire.
store away *vt* (*put away, file away*) ranger; (*furniture*) entreposer ▌ **to store up** *vt* (*in warehouse etc*) stocker; (*for future use*) mettre en réserve.
storekeeper ['stɔːkiːpər] *n* (*shopkeeper*) *Am* commerçant, -ante *mf*; (*warehouseman*) *Br* magasinier *m*.
storeroom ['stɔːruːm] *n* (*in house*) débarras *m*; (*in office, shop*) réserve *f*.
storey ['stɔːrɪ] *n* (*of building*) *Br* étage *m*.
stork [stɔːk] *n* cigogne *f*.
storm [stɔːm] **1** *n* (*weather*) tempête *f*; (*thunderstorm*) orage *m*; **s. cloud** nuage *m* orageux; **a s. of protest** *Fig* une tempête de protestations; **to cause a s.** provoquer un tollé général. **2** *vt* (*attack*) (*of soldiers, police etc*) prendre d'assaut. **3** *vi* **to s. out** (*angrily*) sortir comme une furie. ● **stormy** *a* (-**ier**, -**iest**) (*weather, meeting etc*) orageux; (*wind*) d'orage.
story[1] ['stɔːrɪ] *n* histoire *f*; (*newspaper article*) article *m*; **s. (line)** (*plot*) intrigue *f*; **short s.** *Liter* nouvelle *f*, conte *m*; **fairy s.** conte *m* de fées. ● **storybook** *n* livre *m* d'histoires. ● **storyteller** *n* conteur, -euse *mf*; (*liar*) *Fam* menteur, -euse *mf*.
story[2] ['stɔːrɪ] *n* (*of building*) *Am* étage *m*.
stout [staʊt] **1** *a* (-**er**, -**est**) (*person*) corpulent; (*stick, volume*) épais (*f* épaisse); (*shoes*) solide. **2** *n* (*beer*) *Br* bière *f* brune. ● **stoutness** *n* corpulence *f*.
stove [stəʊv] *n* (*for cooking*) cuisinière *f*; (*solid fuel*) fourneau *m*; (*portable*) réchaud *m*; (*for heating*) poêle *m*.
stow [stəʊ] **1** *vt* (*cargo*) arrimer; **to s. away** (*put away*) ranger. **2** *vi* **to s. away** (*on ship etc*) voyager clandestinement. ● **stowaway** *n* (*on ship etc*) passager, -ère *mf* clandestin(e).
straddle ['strædəl] *vt* (*chair, fence*) se mettre *or* être à califourchon sur; (*step over, span*) enjamber; (*line in road*) (*of vehicle*) chevaucher.
straggle ['strægəl] *vi* (*stretch*) s'étendre (en désordre); (*trail*) traîner (en désordre); **to s. in** entrer par petits groupes. ● **straggler** *n* traînard, -arde *mf*.
straight [streɪt] *a* (-**er**, -**est**) droit; (*hair*) raide; (*route*) direct; (*tidy*) en ordre; (*frank*) franc (*f* franche); (*refusal*) net (*f* nette); (*actor, role*) sérieux; **let's get or I want to get this s.** comprenons-nous bien; **to keep a s. face** garder son sérieux; **to put** *or* **set s.** (*tidy*) ranger.
▌*n* **the s.** (*on race track etc*) la ligne droite.
▌*adv* (*to walk etc*) droit; (*directly*) tout droit, directement; (*to drink gin, whisky etc*) sec; **s. away** (*at once*) tout de suite; **s. out, s. off** sans hésiter; **s. opposite** juste en face; **s. ahead** *or* **on** (*to walk etc*) tout droit; **to look s. ahead** regarder droit devant soi.
straightaway [streɪtə'weɪ] *adv* (*at once*) tout de suite.
straighten ['streɪtən] *vt* **to s.(out)** (*wire etc*) redresser; **to s. (up)** (*tie, hair, room*) arranger; **to s. things out** (*put the situation right*) arranger les choses.
straight-faced [streɪt'feɪst] *a* impassible.
straightforward [streɪt'fɔːwəd] *a* (*easy, clear*) simple; (*frank*) franc (*f* franche).
strain [streɪn] **1** *n* tension *f*; (*tiredness*) fatigue *f*; (*mental stress*) tension *f* nerveuse; (*effort*) effort *m* ▌ *vt* (*rope, wire*) tendre excessivement; (*muscle*) se froisser; (*ankle, wrist*) se fouler; (*eyes*) fatiguer; (*voice*) forcer; (*rope, wire*) tendre excessivement; (*patience, friendship etc*) *Fig* mettre à l'épreuve; **to s. one's ears** (*to hear*) tendre l'oreille; **to s. one's back** se faire mal au dos; **to s. oneself** (*hurt oneself*) se faire mal; (*tire oneself*) se fatiguer ▌ *vi* fournir un effort (**to do** pour

faire). **2** *vt* (*soup etc*) passer; (*vegetables*) égoutter. **3** *n* (*breed*) lignée *f*; (*of virus*) souche *f*; (*streak*) tendance *f*. ●**strains** *npl* (*of music*) accents *mpl* (**of** de).

strained [streɪnd] *a* (*relations*) tendu; (*muscle*) froissé; (*ankle, wrist*) foulé; (*laugh*) forcé.

strainer ['streɪnər] *n* passoire *f*.

strait [streɪt] *n* **1 strait(s)** *Geog* détroit *m*. **2 in financial straits** dans l'embarras.

straitjacket ['streɪtdʒækɪt] *n* camisole *f* de force.

straitlaced [streɪt'leɪst] *a* collet monté *inv*.

strand [strænd] *n* (*of wool etc*) brin *m*; (*of hair*) mèche *f*; (*of story*) Fig fil *m*.

stranded ['strændɪd] *a* (*person, vehicle*) en rade.

strange [streɪndʒ] *a* (**-er, -est**) (*odd*) étrange, bizarre; (*unknown*) inconnu; (*new*) nouveau (*f* nouvelle); **to feel s.** (*in a new place*) se sentir dépaysé. ●**strangely** *adv* étrangement; **s. (enough) she...** chose étrange elle.... ●**strangeness** *n* étrangeté *f*.

stranger ['streɪndʒər] *n* (*unknown*) inconnu, -ue *mf*; (*outsider*) étranger, -ère *mf*; **he's a s. here** il n'est pas d'ici; **she's a s. to me** elle m'est inconnue.

strangle ['stræŋg(ə)l] *vt* étrangler. ●**strangler** *n* étrangleur, -euse *mf*.

stranglehold ['stræŋg(ə)lhəʊld] *n* emprise *f* totale (**on** sur).

strap [stræp] *n* sangle *f*, courroie *f*; (*on dress*) bretelle *f*; (*on watch*) bracelet *m*; (*on sandal*) lanière *f* ∥ *vt* (**-pp-**) **to s.** (**down** *or* **in**) attacher (avec une sangle *or* une courroie); **to s. s.o. in** (*with seat belt*) attacher qn avec une ceinture de sécurité.

strapping ['stræpɪŋ] *a* (*well-built*) robuste.

stratagem ['strætədʒəm] *n* stratagème *m*.

strategy ['strætədʒɪ] *n* stratégie *f*. ●**strategic** [strə'tiːdʒɪk] *a* stratégique.

stratum, *pl* **-ta** ['strɑːtəm, -tə] *n* couche *f*.

straw [strɔː] *n* paille *f*; (*drinking*) **s.** paille *f*; **that's the last s.!** c'est le comble!

strawberry [*Br* 'strɔːbərɪ, *Am* -berɪ] *n* fraise *f* ∥ *a* (*flavour, ice cream*) à la fraise; (*jam*) de fraises; (*tart*) aux fraises.

stray [streɪ] *a* (*animal, bullet*) perdu; **a few s. cars**/*etc* quelques rares voitures/*etc*; **a s. car**/*etc* une voiture/*etc* isolée ∥ *n* animal *m* perdu ∥ *vi* s'égarer; **to s. from** (*subject, path*) s'écarter de; **don't s. too far** ne t'éloigne pas.

streak [striːk] *n* (*line*) raie *f*; (*of light*) filet *m*; (*of colour*) strie *f*; (*of paint*) traînée *f*; (*trace*) Fig trace *f*; (*tendency*) tendance *f*; **grey**/*etc* **streaks** (*in hair*) mèches *fpl* grises/*etc*; **to have a mad s.** avoir une tendance à la folie; **my literary s.** ma fibre littéraire. ●**streaked** *a* (*marked*) strié, zébré; (*stained*) taché (**with** de). ●**streaky** *a* (**-ier, -iest**) strié; (*bacon*) *Br* pas trop maigre.

stream [striːm] *n* (*brook*) ruisseau *m*; (*current*) courant *m*; (*flow*) flot *m*; (*in school*) *Br* classe *f* (de niveau); **a steady s. of visitors/cars/insults**/*etc* un flot ininterrompu de visiteurs/de voitures/d'insultes/*etc* ∥ *vi* ruisseler (**with** de); **to s. in** (*of sunlight, people etc*) entrer à flots.

streamer ['striːmər] *n* (*paper*) serpentin *m*; (*banner*) banderole *f*.

streamline ['striːmlaɪn] *vt* (*work, method etc*) rationaliser. ●**streamlined** *a* (*shape*) aérodynamique; (*industry, production etc*) rationalisé.

street [striːt] *n* rue *f*; **s. door** porte *f* d'entrée; **s. lamp, s. light** lampadaire *m*; **s. map, s. plan** plan *m* des rues; **s. cred** *Sl* look *m* branché; **to have s. cred** *Sl* être branché; **that's (right) up my s.** *Br Fam* c'est dans mes cordes; **she's streets ahead** *Br Fam* elle est très en avance (**of** sur). ●**streetcar** *n* (*tram*) *Am* tramway *m*. ●**streetwise** *a Fam* averti, malin (*f* -igne).

strength [streŋθ] *n* force *f*; (*health, energy*) forces *fpl*; (*of wood, fabric etc*) solidité *f*; **on the s. of** *Fig* en vertu de; **in** *or* **at full s.** (*of troops etc*) au (grand) complet. ●**strengthen** *vt* (*building, position etc*) renforcer, consolider; (*body, soul, limb*) fortifier.

strenuous ['strenjʊəs] *a* (*effort etc*) vigoureux, énergique; (*work*) ardu; (*active*) actif; (*tiring*) fatigant. ●**strenuously** *adv* énergiquement.

strep [strep] *a* **s. throat** *Am* forte angine *f*.

stress [stres] *n* (*pressure*) pression *f*; (*mental*) stress *m*, tension *f* (nerveuse); (*emphasis*) & *Grammar* accent *m*; (*on metal, structure etc*) tension *f*; **under s.** (*person*) stressé, sous pression; (*relationship*) tendu ∥ *vt* insister sur; (*word*) accentuer; **to s. that** souligner que. ●**stressful** *a* stressant. ●**stress-related** *a* **to be s.-related** être dû au stress.

stretch [stretʃ] *vt* (*rope, neck*) tendre; (*shoe, rubber*) étirer; (*meaning*) Fig forcer; **to s. (out)** (*arm, leg*) étendre, allonger; **to s. (out) one's arm** (*reach out*) tendre le bras (**to take** pour prendre); **to s. one's legs** *Fig* se dégourdir les jambes; **to s. s.o.** *Fig* exiger un effort de qn; **to be (fully) stretched** (*of budget etc*) être tiré au maximum; **to s. out** (*visit, stay, debate etc*) prolonger.

∥ *vi* (*of person, elastic*) s'étirer; (*of influence etc*) s'étendre; **to s. (out)** (*of rope, plain etc*) s'étendre.

∥ *n* (*area, duration*) étendue *f*; (*period of time*) période *f*; (*of road*) tronçon *m*, partie *f*; (*route, trip*) trajet *m*; **ten**/*etc* **hours at a s.** dix/*etc* heures d'affilée; **for a long s. of time** (pendant) longtemps; **to do a three-year s.** (*in prison*) *Fam* faire trois ans de prison; **socks**/*etc* chaussettes *fpl*/*etc* extensibles; **s. nylon** nylon *m* stretch *inv*. ●**stretchmarks** *npl* (*on body*) vergetures *fpl*.

stretcher ['stretʃər] *n* brancard *m*.

strew [struː] *vt* (*pt* **strewed**, *pp* **strewed** *or* **strewn**) (*scatter*) répandre; **strewn with** (*covered*) jonché de.

stricken ['strɪk(ə)n] *a* (*town, region etc*)

strict

(*with disaster*) sinistré; **s. with panic** frappé de panique; **s. with illness** atteint de maladie.
strict [strɪkt] *a* (**-er, -est**) (*severe, absolute*) strict. ●**strictly** *adv* strictement; **s. forbidden** formellement interdit. ●**strictness** *n* sévérité *f*.
stride [straɪd] *n* (grand) pas *m*, enjambée *f*; **to make great strides** *Fig* faire de grands progrès ▌*vi* (*pt* **strode**) **to s. across** *or* **over** enjamber; **to s. along/out/***etc* avancer/sortir/*etc* à grands pas; **to s. up and down a room** arpenter une pièce.
strident ['straɪdənt] *a* strident.
strife [straɪf] *n inv* conflit(s) *m*(*pl*).
strike [straɪk] **1** *n* (*military attack*) raid *m* (aérien); **an oil s.** (*discovery*) la découverte d'un gisement de pétrole ▌*vt* (*pt & pp* **struck**) (*hit, impress*) frapper; (*collide with*) heurter; (*beat*) battre; (*a blow*) donner; (*a match*) frotter; (*gold, Fig problem etc*) trouver; (*coin*) frapper; **to s. the time** (*of clock*) sonner l'heure; **to s. a bargain** conclure un accord; **to s. a balance** trouver l'équilibre; **to s. oil** trouver du pétrole; **it strikes me that** il me semble que (+ *indic*); **it strikes me as possible** cela me semble être possible; **how did it s. you?** quelle impression ça t'a fait? ▌*vi* (*attack*) attaquer.
2 *n* (*of workers*) grève *f*; **to go (out) on s.** se mettre en grève (**for** pour obtenir, **against** pour protester contre) ▌*vi* (*pt & pp* **struck**) (*of workers*) faire grève. ●**strikebound** *a* paralysé par la grève *or* les grèves.
strike at *vt* (*attack*) attaquer ▌**to strike back** *vi* (*retaliate*) riposter ▌**to strike down** *vt* (*of illness etc*) terrasser (*qn*); (*of disaster*) abattre (*qn*) ▌**to strike off** *vt* (*from list*) rayer (**from** de); **to be struck off** (*of doctor*) être radié ▌**to strike out** *vi* (*hit out*) donner des coups ▌**to strike up** *vt* **to s. up a friendship** lier amitié (**with** avec qn).
striker ['straɪkər] *n* (*worker*) gréviste *mf*; *Football* buteur *m*.
striking ['straɪkɪŋ] *a* (*impressive*) frappant. ●**strikingly** *adv* (*beautiful, intelligent etc*) extraordinairement.
string [strɪŋ] *n* ficelle *f*; (*of anorak, apron etc*) cordon *m*; (*of violin, racket etc*) corde *f*; (*of onions, Fig insults*) chapelet *m*; (*of vehicles, people*) file *f*; (*of questions etc*) série *f*; **s. of pearls** collier *m* de perles; **s. of beads** collier *m*; (*for praying*) chapelet *m*; **to pull strings** *Fig* faire jouer ses relations; **to pull strings for s.o.** pistonner qn.
▌*a* (*instrument, quartet*) à cordes; **s. bean** haricot *m* vert.
▌*vt* (*pt & pp* **strung**) (*beads*) enfiler; **to s. up** (*hang up*) suspendre.
▌*vi* **to s. along** (*follow*) *Fam* suivre; **to s. along with s.o.** *Fam* suivre qn. ●**stringed** *a* (*musical instrument*) à cordes.
stringent ['strɪndʒ(ə)nt] *a* rigoureux. ●**stringency** *n* rigueur *f*.
stringy ['strɪŋɪ] *a* (**-ier, -iest**) (*meat etc*) filandreux.
strip [strɪp] **1** *n* (*piece*) bande *f*; (*of water*) bras *m*; (**thin**) **s.** (*of metal etc*) lamelle *f*; **landing s.** piste *f or* terrain *m* d'atterrissage; **s. cartoon, comic s.** bande *f* dessinée; **s. lighting** *Br* éclairage *m* au néon *or* fluorescent.
2 *vt* (**-pp-**) (*undress*) déshabiller; (*bed*) défaire; (*deprive*) dépouiller (**of** de); (**to s. (down)**) (*machine*) démonter; **to s. off** (*remove*) enlever ▌*vi* **to s. (off)** (*get undressed*) se déshabiller. ●**stripper** *n* (*woman*) stripteaseuse *f*; (*paint*) **s.** décapant *m*. ●**strip'tease** *n* strip-tease *m*.
stripe [straɪp] *n* rayure *f*; (*on military uniform*) galon *m*. ●**striped** *a* rayé (**with** de). ●**stripy** *a* (*fabric, pattern etc*) rayé.
strive [straɪv] *vi* (*pt* **strove**, *pp* **striven**) s'efforcer (**to do** de faire, **for** d'obtenir).
strobe [strəʊb] *a* **s. lighting** éclairage *m* stroboscopique.
strode [strəʊd] *pt of* **stride**.
stroke [strəʊk] *n* (*movement*) coup *m*; (*of pen, genius*) trait *m*; (*of brush*) touche *f*; (*on clock*) coup *m*; (*caress*) caresse *f*; (*illness*) coup *m* de sang, attaque *f*; (*swimming*) **s.** nage *f*; **at a s.** d'un coup; **a s. of luck** un coup de chance; **you haven't done a s.** (**of work**) tu n'as rien fait; **heat s.** (*sunstroke*) insolation *f*; **four-s. engine** moteur *m* à quatre temps ▌*vt* (*beard, cat etc*) caresser.
stroll [strəʊl] *n* promenade *f* ▌*vi* se promener, flâner; **to s. in/***etc* entrer/*etc* sans se presser. ●**strolling** *a* (*musician etc*) ambulant.
stroller ['strəʊlər] *n* (*for baby*) *Am* poussette *f*.
strong [strɒŋ] *a* (**-er, -est**) fort; (*shoes, chair, nerves etc*) solide; (*interest*) vif; (*measures*) énergique; (*supporter*) ardent; **they were sixty s.** ils étaient au nombre de soixante ▌*adv* **to be going s.** aller toujours bien. ●**strongly** *adv* (*to protest, defend*) énergiquement; (*to advise, remind, desire*) fortement; **s. built** solide; **to feel s. that** avoir la forte impression que.
strongarm ['strɒŋɑːm] *a* **s. tactics** la manière forte. ●**strongbox** *n* coffre-fort *m*. ●**stronghold** *n* bastion *m*. ●**strongroom** *n* salle *f* des coffres. ●**strong-'willed** *a* résolu.
strove [strəʊv] *pt of* **strive**.
struck [strʌk] *pt & pp of* **strike 1, 2**.
structure ['strʌktʃər] *n* structure *f*; (*of building*) gros œuvre *m*; (*building itself*) construction *f*. ●**structural** *a* structural; (*building defect*) de construction; **s. damage** (*to building*) dommage *m* au gros œuvre.
struggle ['strʌg(ə)l] *n* (*fight*) lutte *f* (**to do** pour faire); (*effort*) effort *m*; **to put up a s.** résister; **to have a s. doing** *or* **to do sth** avoir du mal à faire qch.
▌*vi* (*fight*) lutter, se battre (**with** avec); (*resist*) résister; (*move about wildly*) se débattre; **to be struggling** (*financially*) avoir du mal; **to s. to do** (*try hard*) s'efforcer de faire;

stylish

to s. out of sortir péniblement de; **to s. into** entrer péniblement dans; **to s. along** or **on** se débrouiller; **a struggling lawyer**/*etc* un avocat/*etc* qui a du mal à débuter.

strum [strʌm] *vt* (-mm-) (*guitar etc*) gratter de.

strung [strʌŋ] *pt* & *pp of* **string** ∎ *a* **s. out** (*things, people*) espacés; (*washing*) étendu; **people were s. out along the route** les gens étaient installés de loin en loin le long de la route.

strut [strʌt] **1** *vi* (-tt-) **to s.** (**about** *or* **around**) se pavaner. **2** *n* (*wood or metal support*) étai *m*.

stub [stʌb] **1** *n* (*of pencil, cigarette etc*) bout *m*; (*counterfoil of ticket, Br cheque, Am check*) talon *m* ∎ *vt* (-bb-) **to s. out** (*cigarette*) écraser. **2** *vt* (-bb-) **to s. one's toe** se cogner le doigt de pied (**on, against** contre).

stubble ['stʌb(ə)l] *n* (*on face*) barbe *f* de plusieurs jours.

stubborn ['stʌbən] *a* (*person*) entêté, opiniâtre; (*manner, efforts etc*) opiniâtre; (*cough*) rebelle, persistant. ● **stubbornly** *adv* opiniâtrement. ● **stubbornness** *n* entêtement *m*; opiniâtreté *f*; persistance *f*.

stubby ['stʌbɪ] *a* (-ier, -iest) (*finger etc*) gros (*f* grosse) et court, épais (*f* épaisse); (*person*) trapu.

stucco ['stʌkəʊ] *n* (*pl* -os *or* -oes) (*plaster*) stuc *m*.

stuck [stʌk] *pt* & *pp of* **stick**[2] ∎ *a* (*caught, jammed*) coincé; **s. in bed/indoors** cloué au lit/chez soi; **I'm s.** (*unable to carry on*) je ne sais pas quoi faire *or* dire *etc*; **I'm s. for an answer** je ne sais que répondre; **to be s. with sth/s.o.** se farcir qch/qn.

stuck-up [stʌˈkʌp] *a Fam* prétentieux, snob *inv*.

stud [stʌd] *n* **1** (*on football boot etc*) crampon *m*; (*earring*) clou *m* d'oreille; (**collar**) **s.** bouton *m* de col. **2** (*farm*) haras *m*; (*horses*) écurie *f*; (*stallion*) étalon *m*; (*virile man*) *Fam* mâle *m*. ● **studded** *a* (*boots, Br tyres, Am tires*) clouté; **s. with** (*covered*) *Fig* constellé de, parsemé de.

student ['stju:dənt] *n* (*in university*) étudiant, -ante *mf*; (*in school*) élève *mf*; **music/etc s.** étudiant, -ante en musique/*etc* ∎ *a* (*life, protest*) étudiant; (*restaurant, residence, grant*) universitaire.

studied ['stʌdɪd] *a* (*deliberate*) étudié.

studio ['stju:dɪəʊ] *n* (*pl* -os) (*of painter etc*) & *Cinema TV etc* studio *m*; **s. audience** public *m* (présent dans le studio); **s. couch** canapé-lit *m*; **s. flat** *Br*, **s. apartment** *Am* studio *m*.

studious ['stju:dɪəs] *a* (*person*) studieux. ● **studiously** *adv* (*carefully*) avec soin. ● **studiousness** *n* application *f*.

study ['stʌdɪ] *n* étude *f*; (*office*) bureau *m* ∎ *vt* (*learn, observe*) étudier ∎ *vi* étudier; **to s. to be a doctor**/*etc* faire des études pour devenir médecin/*etc*; **to s. for an exam** préparer un examen.

stuff [stʌf] **1** *n Fam* (*thing*) truc *m*, chose *f*; (*substance*) substance *f*; (*things*) trucs *mpl*, choses *fpl*; (*possessions*) affaires *fpl*; **s. (and nonsense)** idioties *fpl*, sottises *fpl*; **this s.'s good, it's good s.** c'est bon (ça).

2 *vt* (*cram, fill*) bourrer (**with** de); (*cushion, armchair etc*) rembourrer (**with** avec); (*animal*) empailler; (*put, thrust*) fourrer (**into** dans); (*chicken etc*) colmater; **my nose is stuffed (up)** j'ai le nez bouché. ● **stuffing** *n* (*padding*) bourre *f*; (*for chicken etc*) farce *f*.

stuffy ['stʌfɪ] *a* (-ier, -iest) (*room etc*) mal aéré; (*formal*) (*person, manner*) compassé; (*old-fashioned*) (*person, ideas etc*) vieux jeu *inv*; **it smells s.** ça sent le renfermé.

stumble ['stʌmb(ə)l] *vi* trébucher (**over** sur, **against** contre); **to s. across** *or* **on** (*find*) tomber sur; **stumbling block** (*obstacle*) pierre *f* d'achoppement (**to** sur la voie de).

stump [stʌmp] *n* (*of tree*) souche *f*; (*of limb*) moignon *m*; (*of pencil*) bout *m*; *Cricket* piquet *m*.

stumped ['stʌmpt] *a* **to be s. by sth** (*baffled*) ne pas savoir que penser de qch.

stun [stʌn] *vt* (-nn-) (*with a punch etc*) étourdir; (*animal*) assommer; (*amaze*) *Fig* stupéfier. ● **stunned** *a* (*amazed*) stupéfait (**by** par). ● **stunning** *a* (*news*) stupéfiant; (*terrific*) *Fam* sensationnel; **to deal a s. blow to** porter un coup terrible à.

stung [stʌŋ] *pt* & *pp of* **sting**.

stunk [stʌŋk] *pt* & *pp of* **stink**.

stunt [stʌnt] **1** *n* (*feat*) tour *m* (de force); (*in film*) cascade *f*; (*trick, ruse*) truc *m*; **publicity s.** coup *m* de pub; **s. man** (*in film*) cascadeur *m*; **s. woman** cascadeuse *f*. **2** *vt* (*growth*) retarder. ● **stunted** *a* (*person*) rabougri.

stupefy ['stju:pɪfaɪ] *vt* (*of drink etc*) abrutir; (*amaze*) *Fig* stupéfier.

stupendous [stju:'pendəs] *a* prodigieux.

stupid ['stju:pɪd] *a* stupide, bête; **to do/say a s. thing** faire/dire une stupidité *or* une sottise; **s. fool, s. idiot** idiot, -ote *mf*. ● **stu'pidity** *n* stupidité *f*. ● **stupidly** *adv* stupidement, bêtement.

stupor ['stju:pər] *n* (*daze*) stupeur *f*.

sturdy ['stɜ:dɪ] *a* (-ier, -iest) (*person, shoe etc*) robuste. ● **sturdiness** *n* robustesse *f*.

sturgeon ['stɜ:dʒ(ə)n] *n* (*fish*) esturgeon *m*.

stutter ['stʌtər] *vi* bégayer ∎ *n* bégaiement *m*; **to have a s.** être bègue.

sty [staɪ] *n* (*for pigs*) porcherie *f*.

sty(e) [staɪ] *n* (*on eye*) orgelet *m*.

style [staɪl] *n* style *m*; (*fashion*) mode *f*; (*design of dress etc*) modèle *m*; (*of hair*) coiffure *f*; (*sort*) genre *m*; **to have s.** avoir de la classe; **in s.** (*in superior manner*) de la meilleure façon possible; (*to live, travel*) dans le luxe ∎ *vt* (*design*) créer; **to s. s.o.'s hair** coiffer qn; **he styles himself...** *Pej* il se fait appeler.... ● **styling** *n* (*cutting of hair*) coupe *f*.

stylish ['staɪlɪʃ] *a* chic *inv*, élégant. ● **stylishly** *adv* élégamment.

stylist ['staɪlɪst] *n* (*hair*) s. coiffeur, -euse *mf*.
stylistic [staɪ'lɪstɪk] *a* de style, stylistique.
stylized ['staɪlaɪzd] *a* stylisé.
stylus ['staɪləs] *n* (*of record player*) saphir *m*, pointe *f* de lecture.
suave [swɑːv] *a* (*-er, -est*) (*polite, urbane*) courtois; *Pej* doucereux.
sub- [sʌb] *pref* sous-, sub-.
subconscious [sʌb'kɒnʃəs] *a* & *n* subconscient (*m*). ● **subconsciously** *adv* inconsciemment.
subcontract [sʌbkən'trækt] *vt* sous-traiter. ● **subcontractor** *n* sous-traitant *m*.
subdivide [sʌbdɪ'vaɪd] *vt* subdiviser (**into** en). ● **subdivision** [-'vɪʒ(ə)n] *n* subdivision *f*.
subdue [səb'djuː] *vt* (*country, people*) soumettre, assujettir; (*feelings*) maîtriser. ● **subdued** *a* (*light*) atténué; (*voice, tone*) bas (*f* basse); (*reaction*) faible; (*person*) qui manque d'entrain.
subheading ['sʌbhedɪŋ] *n* sous-titre *m*.
subject[1] ['sʌbdʒɪkt] *n* **1** (*matter*) & *Grammar* sujet *m*; (*at school, university*) matière *f*; **s. matter** (*topic*) sujet *m*; (*content*) contenu *m*. **2** (*citizen*) ressortissant, -ante *mf*; (*of monarch*) sujet, -ette *mf*; (*person etc in experiment*) sujet *m*; **she's a British s.** c'est une sujette britannique.
subject[2] ['sʌbdʒekt] *a* (*tribe etc*) soumis; **to be s. to** (*prone to*) être sujet à (*maladie etc*); (*ruled by*) être soumis à (*loi, règle etc*); **it's s. to my agreement/your abiding by the rules** (*conditional upon*) c'est sous réserve de mon accord/de ton respect des règles; **prices are s. to change** les prix peuvent être modifiés ▋ [səb'dʒekt] *vt* soumettre (**to** à); (*expose*) exposer (**to** à). ● **subjection** [-ʃ(ə)n] *n* soumission *f* (**to** à).
subjective [səb'dʒektɪv] *a* subjectif. ● **subjectively** *adv* subjectivement. ● **subjec'tivity** *n* subjectivité *f*.
subjugate ['sʌbdʒʊgeɪt] *vt* subjuguer.
subjunctive [səb'dʒʌŋktɪv] *n* *Grammar* subjonctif *m*.
sublet [sʌb'let] *vt* (*pt* & *pp* **sublet**, *pres p* **subletting**) sous-louer.
sublimate ['sʌblɪmeɪt] *vt* (*one's feelings*) sublimer.
sublime [sə'blaɪm] *a* sublime; (*indifference, stupidity*) suprême ▋ *n* sublime *m*; **to go from the s. to the ridiculous** passer du sublime au grotesque.
submachine-gun [sʌbmə'ʃiːngʌn] *n* mitraillette *f*.
submarine ['sʌbməriːn] *n* sous-marin *m*.
submerge [səb'mɜːdʒ] *vt* (*flood, overwhelm*) submerger; (*immerse*) immerger (**in** dans) ▋ *vi* (*of submarine*) s'immerger.
submit [səb'mɪt] *vt* (**-tt-**) soumettre (**to** à); **I s. that** (*in court of law*) je suggère que ▋ *vi* se soumettre (**to** à). ● **submission** [-ʃ(ə)n] *n* soumission *f* (**to** à). ● **submissive** *a* (*person*) soumis; (*attitude*) de soumission. ● **submissively** *adv* avec soumission.
subnormal [sʌb'nɔːm(ə)l] *a* (*temperature*) au-dessous de la normale; **educationally s.** *Old-fashioned Pej* arriéré.
subordinate [sə'bɔːdɪnət] *a* subalterne; **s. to** subordonné à; **s. clause** *Grammar* proposition *f* subordonnée ▋ *n* subordonné, -ée *mf* ▋ [sə'bɔːdɪneɪt] *vt* subordonner (**to** à). ● **subordination** [-'neɪʃ(ə)n] *n* subordination *f* (**to** à).
subpoena [səb'piːnə] *Jur vt* (*witness*) citer ▋ *n* (*summons*) citation *f*.
sub-post office [sʌb'pəʊstɒfɪs] *n* *Br* petit bureau *m* de poste.
subscribe [səb'skraɪb] *vi* (*pay money*) cotiser (**to** à); **to s. to** (*take out subscription*) s'abonner à (*journal etc*); (*be a subscriber*) être abonné à (*journal etc*); (*fund, idea*) souscrire à ▋ *vt* (*money*) donner (**to** à). ● **subscriber** *n* (*to newspaper etc, telephone user*) abonné, -ée *mf*. ● **subscription** [-'skrɪpʃ(ə)n] *n* (*to newspaper etc*) abonnement *m*; (*to fund, idea*) souscription *f*; (*to club etc*) cotisation *f*.
subsequent ['sʌbsɪkwənt] *a* postérieur (**to** à); **our s. problems** les problèmes que nous avons eus par la suite; **s. to** (*as a result of*) consécutif à. ● **subsequently** *adv* par la suite.
subservient [səb'sɜːvɪənt] *a* obséquieux; **to be s. to** (*a slave to*) être sous la dépendance de.
subside [səb'saɪd] *vi* (*of ground, building*) s'affaisser; (*of wind, flood, fever*) baisser; (*of threat, danger*) se dissiper. ● **sub'sidence** *n* (*of ground*) affaissement *m*.
subsidiary [*Br* səb'sɪdɪərɪ, *Am* -erɪ] *a* accessoire; **s. subject** (*in university*) *Br* matière *f* secondaire ▋ *n* (*company*) filiale *f*.
subsidize ['sʌbsɪdaɪz] *vt* subventionner. ● **subsidy** *n* subvention *f*.
subsist [səb'sɪst] *vi* (*of person, doubts etc*) subsister. ● **subsistence** *n* subsistance *f*.
substance ['sʌbstəns] *n* substance *f*; (*firmness*) solidité *f*; **a man/woman of s.** un homme/une femme riche.
substantial [səb'stænʃ(ə)l] *a* important, considérable; (*meal*) copieux. ● **sub'stantially** *adv* considérablement, beaucoup; **s. true/etc** (*to a great extent*) en grande partie vrai/*etc*; **s. different** très différent.
substandard [sʌb'stændəd] *a* de qualité inférieure.
substantiate [səb'stænʃɪeɪt] *vt* prouver, justifier.
substitute ['sʌbstɪtjuːt] *n* (*thing*) produit *m* de remplacement; (*person*) remplaçant, -ante *mf* (**for** de); **s. teacher** suppléant, -ante *mf*; **there's no s. for...** rien ne peut remplacer... ▋ *vt* **to s. sth/s.o. for** substituer qch/qn à, remplacer qch/qn par ▋ *vi* **to s. for s.o.** remplacer qn. ● **substitution** [-'tjuːʃ(ə)n] *n* substitution *f*.
subterranean [sʌbtə'reɪnɪən] *a* souterrain.
subtitle ['sʌbtaɪt(ə)l] *n* (*of film*) sous-titre *m* ▋ *vt* (*film*) sous-titrer.
subtle ['sʌt(ə)l] *a* (*-er, -est*) subtil. ● **subtlety**

n subtilité *f*. ● **subtly** *adv* subtilement.
subtotal [sʌb'təut(ə)l] *n* sous-total *m*, total *m* partiel.
subtract [səb'trækt] *vt* soustraire (**from** de). ● **subtraction** [-ʃ(ə)n] *n* soustraction *f*.
subtropical [sʌb'trɒpɪk(ə)l] *a* subtropical.
suburb ['sʌbɜːb] *n* banlieue *f*; **the suburbs** la banlieue; **in the suburbs** en banlieue. ● **su'burban** *a* (*train, house etc*) de banlieue; (*accent*) de la banlieue, banlieusard; **that town is (quite) s.** cette ville fait (très) banlieue. ● **su'burbia** *n* la banlieue; **in s.** en banlieue.
subversive [səb'vɜːsɪv] *a* subversif. ● **subversion** [*Br* -ʃ(ə)n, *Am* -ʒ(ə)n] *n* subversion *f*. ● **subvert** *vt* (*system etc*) bouleverser; (*person*) corrompre.
subway ['sʌbweɪ] *n* (*under a road etc*) *Br* passage *m* souterrain; (*railroad*) *Am* métro *m*.
succeed [sək'siːd] **1** *vi* réussir (**in doing** à faire, **in sth** dans qch). **2** *vt* **to s. s.o.** (*follow*) succéder à qn ❚ *vi* **to s. to the throne** succéder à la couronne. ● **succeeding** *a* (*in past*) suivant; (*in future*) futur; (*consecutive*) consécutif.
success [sək'ses] *n* succès *m*, réussite *f*; **to make a s. of sth** réussir qch; **he was a s.** il a eu du succès; **it was a s.** c'était réussi; **her s. in the exam** sa réussite à l'examen; **s. story** réussite *f* complète ou exemplaire.
successful [sək'sesfəl] *a* (*effort, venture etc*) couronné de succès, réussi; (*outcome*) heureux; (*company, businessman*) prospère; (*candidate in exam*) admis, reçu; (*candidate in election*) élu; (*writer, film etc*) à succès; **to be s.** réussir (**in** dans, **in an exam** à un examen, **in doing** à faire). ● **successfully** *adv* avec succès.
succession [sək'seʃ(ə)n] *n* succession *f*; **in s.** successivement; **ten days in s.** (*one after the other*) dix jours consécutifs; **in rapid s.** coup sur coup. ● **successive** *a* (*governments etc*) successif; **ten s. days** dix jours consécutifs. ● **successor** *n* successeur *m* (**of, to** de).
succinct [sək'sɪŋkt] *a* succinct.
succulent ['sʌkjulənt] *a* succulent.
succumb [sə'kʌm] *vi* (*yield*) succomber (**to** à).
such [sʌtʃ] *a* (*of this or that kind*) tel, telle; **s. a car/etc** une telle voiture/*etc*; **s. happiness/noise/etc** (*so much*) tant *ou* tellement de bonheur/bruit/*etc*; **there's no s. thing** ça n'existe pas; **I said no s. thing** je n'ai rien dit de tel; **s. as** comme, tel que; **s. and s.** tel ou tel.
❚ *adv* (*so very*) si; (*in comparisons*) aussi; **s. long trips** de si longs voyages; **s. a large helping** une si grosse portion; **s. a kind woman as you** une femme aussi gentille que vous.
❚ *pron* **happiness/etc as s.** le bonheur/*etc* en tant que tel; **s. was my idea** telle était mon idée. ● **suchlike** *pron* & *a* **...and s.** ...et autres; **... and (other) s. tasty things...** et autres choses succulentes.
suck [sʌk] *vt* sucer; (*of baby*) téter (*lait, biberon etc*); **to s. up** (*with straw, pump*) aspirer; **to s. up** *or* **in** (*absorb*) absorber ❚ *vi* (*of baby*) téter; **to s. at** (*pencil etc*) sucer; **to s. at its mother's breast** (*of baby*) téter sa mère.
sucker ['sʌkər] *n* **1** (*rubber pad*) ventouse *f*. **2** (*fool*) *Fam* pigeon *m*, dupe *f*.
suckle ['sʌk(ə)l] *vt* (*of woman*) allaiter ❚ *vi* (*of baby*) téter.
suction ['sʌkʃ(ə)n] *n* succion *f*; **s. pad** *or* **cup, s. disc** *Br*, **s. disk** *Am* ventouse *f*.
Sudan [suː'dɑːn, -'dæn] *n* Soudan *m*.
sudden ['sʌd(ə)n] *a* soudain, subit; **all of a s.** tout à coup. ● **suddenly** *adv* tout à coup, subitement; **to die s.** mourir subitement. ● **suddenness** *n* soudaineté *f*.
suds [sʌdz] *npl* mousse *f* de savon.
sue [suː] *vt* poursuivre (en justice) ❚ *vi* engager des poursuites (judiciaires).
suede [sweɪd] *n* daim *m*; **s. coat/shoes/etc** manteau *m*/chaussures *fpl* de daim.
suet ['suːɪt] *n* graisse *f* de rognon.
suffer ['sʌfər] *vi* souffrir (**from** de); **to s. from pimples/the flu** avoir des boutons/la grippe; **your work/etc will s.** ton travail/*etc* s'en ressentira ❚ *vt* (*loss, damage, defeat etc*) subir; (*pain*) ressentir; (*tolerate*) souffrir (*affront etc*). ● **suffering** *n* souffrance(s) *f(pl)*. ● **sufferer** *n* (*from misfortune*) victime *f*; **AIDS s.** malade *mf ou* victime *f* du SIDA; **asthma s.** asthmatique *mf*.
suffice [sə'faɪs] *vi* suffire.
sufficient [sə'fɪʃ(ə)nt] *a* (*quantity, number*) suffisant; **s. money/etc** (*enough*) suffisamment d'argent/*etc*; **to have s.** en avoir suffisamment. ● **sufficiently** *adv* suffisamment.
suffix ['sʌfɪks] *n Grammar* suffixe *m*.
suffocate ['sʌfəkeɪt] *vti* suffoquer, étouffer. ● **suffocation** [-'keɪʃ(ə)n] *n Med* étouffement *m*, asphyxie *f*; **to die of s.** mourir asphyxié *ou* étouffé.
suffrage ['sʌfrɪdʒ] *n* (*right to vote*) suffrage *m*; **universal s.** le suffrage universel.
suffused [sə'fjuːzd] *a* **s. with light/tears** baigné de lumière/larmes.
sugar ['ʃugər] *n* sucre *m*; **lump s.** sucre en morceaux; **brown s.** sucre brun; **s. beet/cane/tongs** betterave *f*/canne *f*/pince *f* à sucre; **s. bowl** sucrier *m*; **s. industry** industrie *f* sucrière ❚ *vt* (*tea etc*) sucrer. ● **sugar-free** *a* sans sucre. ● **sugary** *a* (*taste, tone*) sucré.
suggest [sə'dʒest] *vt* (*propose*) suggérer, proposer (**to** à, **doing** de faire, **that** que (+ *sub*)); (*evoke, imply*) suggérer; (*hint*) *Pej* insinuer. ● **suggestion** [-tʃ(ə)n] *n* suggestion *f*, proposition *f*; (*evocation*) suggestion *f*; *Pej* insinuation *f*. ● **suggestive** *a* (*word, gesture etc*) suggestif; **to be s. of** suggérer.
suicide ['suːɪsaɪd] *n* suicide *m*; **to commit s.** se suicider. ● **sui'cidal** *a* suicidaire.
suit[1] [suːt] **1** *n* (*man's*) costume *m*, complet *m*; (*woman's*) tailleur *m*; **flying/diving/ski s.** combinaison *f* de vol/plongée/ski. **2** *n* (*law-*

suit

suit) procès *m*. **3** *n Cards* couleur *f*.
suit² [suːt] *vt* (*please, be acceptable to*) convenir à; (*of dress, colour etc*) aller (bien) à; (*adapt*) adapter (**to** à); **it suits me to stay** ça m'arrange de rester; **s. yourself!** comme tu voudras!; **suited to** (*job, activity*) fait pour; (*appropriate to*) qui convient à; **to be well suited** (*of couple etc*) être bien assorti.
suitability [suːtəˈbɪlətɪ] *n* (*of remark etc*) à-propos *m*; (*of person*) aptitudes *fpl* (**for** pour); **I'm not sure of its s.** (*date etc*) je ne sais pas si ça convient.
suitable [ˈsuːtəb(ə)l] *a* qui convient (**for** à), convenable (**for** pour); (*dress, colour*) qui va (bien); (*example*) approprié; (*socially acceptable*) convenable. ● **suitably** *adv* convenablement.
suitcase [ˈsuːtkeɪs] *n* valise *f*.
suite [swiːt] *n* (*rooms*) suite *f*; (*furniture*) mobilier *m*; **bedroom s.** (*furniture*) chambre *f* à coucher; **dining room s.** salle *f* à manger; **bathroom s.** meubles *mpl* de salle de bain.
suitor [ˈsuːtər] *n* soupirant *m*.
sulfur [ˈsʌlfər] *n Am* soufre *m*.
sulk [sʌlk] *vi* bouder. ● **sulky** *a* (**-ier, -iest**) boudeur.
sullen [ˈsʌlən] *a* maussade. ● **sullenly** *adv* d'un air maussade.
sully [ˈsʌlɪ] *vt Lit* souiller.
sulphur [ˈsʌlfər] (*Am* **sulfur**) *n* soufre *m*.
sultan [ˈsʌltən] *n* sultan *m*.
sultana [sʌlˈtɑːnə] *n* raisin *m* (de Smyrne).
sultry [ˈsʌltrɪ] *a* (**-ier, -iest**) (*heat*) étouffant; *Fig* sensuel.
sum [sʌm] **1** *n* (*amount of money, total*) somme *f*; (*calculation*) calcul *m*; **sums** (*arithmetic*) le calcul; **s. total** résultat *m*. **2** *vt* (**-mm-**) **to s. up** (*facts etc*) récapituler, résumer; (*text*) résumer; (*situation*) évaluer; (*person*) jauger ▮ *vi* **to s. up** récapituler. ● **summing-'up** *n* (*pl* **summings-up**) résumé *m*.
summarize [ˈsʌməraɪz] *vt* résumer ▮ *vi* récapituler. ● **summary** *n* résumé *m* ▮ *a* (*brief*) sommaire.
summer [ˈsʌmər] *n* été *m*; **in (the) s.** en été; **Indian s.** été indien *or* de la Saint-Martin ▮ *a* d'été; **s. camp** *Am* colonie *f* de vacances; **s. holidays** *Br*, **s. vacation** *Am* grandes vacances *fpl*. ● **summerhouse** *n* pavillon *m* (de gardien). ● **summertime** *n* été *m*; **in (the) s.** en été. ● **summery** *a* (*weather, temperature etc*) estival; (*dress, day etc*) d'été.
summit [ˈsʌmɪt] *n* (*of mountain, power etc*) sommet *m*; (*meeting*) *Pol* rencontre *f* au sommet; **s. conference/meeting** *Pol* conférence *f*/rencontre *f* au sommet.
summon [ˈsʌmən] *vt* (*call*) appeler; (*meeting, s.o. to meeting*) convoquer (**to** à); **to s. s.o. to do sth** sommer qn de faire qch; **to s. up courage/strength** rassembler son courage/ses forces.
summons [ˈsʌmənz] *n* (*to appear in court*) assignation *f* ▮ *vt* assigner.
sump [sʌmp] *n* (*in car engine*) *Br* carter *m* (à huile).
sumptuous [ˈsʌmptʃʊəs] *a* somptueux. ● **sumptuousness** *n* somptuosité *f*.
sun [sʌn] *n* soleil *m*; **in the s.** au soleil; **the sun is shining** il fait (du) soleil ▮ *vt* (**-nn-**) **to s. oneself** se chauffer au soleil.
sunbaked [ˈsʌnbeɪkt] *a* brûlé par le soleil. ● **sunbathe** *vi* prendre un bain de soleil. ● **sunbeam** *n* rayon *m* de soleil. ● **sunbed** *n* lit *m* à ultraviolets. ● **sunblock** *n* (*cream*) écran *m* total. ● **sunburn** *n* (*tan*) bronzage *m*; (*soreness*) coup *m* de soleil. ● **sunburnt** *a* (*tanned*) bronzé; (*having sore skin*) brûlé par le soleil. ● **sundial** *n* cadran *m* solaire. ● **sundown** *n* coucher *m* du soleil. ● **sundrenched** *a* (*beach etc*) brûlé par le soleil. ● **sunflower** *n* tournesol *m*. ● **sunglasses** *npl* lunettes *fpl* de soleil. ● **sunhat** *n* chapeau *m* de soleil. ● **sunlamp** *n* lampe *f* à bronzer *or* à rayons ultraviolets. ● **sunlight** *n* (lumière *f* du) soleil *m*. ● **sunlit** *a* ensoleillé. ● **sun lotion** *n* crème *f* solaire. ● **sun lounge** *n* (*in house*) véranda *f*. ● **sunrise** *n* lever *m* du soleil. ● **sunroof** *n* (*in car*) toit *m* ouvrant. ● **sunset** *n* coucher *m* du soleil. ● **sunshade** *n* (*on table*) parasol *m*; (*portable*) ombrelle *f*. ● **sunshine** *n* soleil *m*. ● **sunspot** *n* (*resort*) *Br* lieu *m* de vacances au soleil. ● **sunstroke** *n* insolation *f*. ● **suntan** *n* bronzage *m*; **s. lotion/oil** crème *f*/huile *f* solaire. ● **suntanned** *a* bronzé. ● **sunup** *n Am* lever *m* du soleil.
sundae [ˈsʌndeɪ] *n* glace *f* aux fruits.
Sunday [*Br* ˈsʌndɪ, *Am* -deɪ] *n* dimanche *m*; **S. school** *n* catéchisme *m*; **in one's S. best** dans ses habits du dimanche, endimanché.
sundry [ˈsʌndrɪ] *a* divers ▮ **in all and s.** tout le monde. ● **sundries** *npl Com* articles *mpl* divers.
sung [sʌŋ] *pp* de **sing**.
sunk [sʌŋk] *pp* de **sink²** ▮ *a* **I'm s.** *Fam* je suis fichu. ● **sunken** *a* (*rock, treasure etc*) submergé; (*eyes*) cave.
sunny [ˈsʌnɪ] *a* (**-ier, -iest**) (*day etc*) ensoleillé; **it's s.** il fait (du) soleil; **s. periods** *or* **intervals** éclaircies *fpl*.
super [ˈsuːpər] *a Fam* super, sensationnel.
super- [ˈsuːpər] *pref* super-.
superannuation [suːpərænjʊˈeɪʃ(ə)n] *n* (*money*) *Br* cotisations *fpl* (pour la) retraite.
superb [suːˈpɜːb] *a* superbe.
supercilious [suːpəˈsɪlɪəs] *a* hautain.
superficial [suːpəˈfɪʃ(ə)l] *a* superficiel. ● **superficially** *adv* superficiellement.
superfluous [suːˈpɜːflʊəs] *a* superflu.
superglue [ˈsuːpəgluː] *n* colle *f* extra-forte.
superhuman [suːpəˈhjuːmən] *a* surhumain.
superimpose [suːpərɪmˈpəʊz] *vt* superposer (**on** à).
superintendent [suːpərɪnˈtendənt] *n* (*in police force*) commissaire *m*; (*manager*) responsable *mf*, directeur, -trice *mf*; **police s.** commissaire *m* de police.
superior [suːˈpɪərɪər] *a* supérieur (**to** à); (*goods*) de qualité supérieure ▮ *n* (*person*) supérieur, -eure *mf*. ● **superi'ority** *n* supé-

riorité *f*.
superlative [suː'pɜːlətɪv] *a* sans pareil ‖ *a* & *n Grammar* superlatif (*m*).
superman ['suːpəmæn] *n* (*pl* -men) surhomme *m*.
supermarket ['suːpəmɑːkɪt] *n* supermarché *m*.
supernatural [suːpə'nætʃ(ə)rəl] *a* & *n* surnaturel (*m*).
superpower ['suːpəpaʊər] *n Pol* superpuissance *f*.
supersede [suːpə'siːd] *vt* supplanter, remplacer.
supersonic [suːpə'sɒnɪk] *a* supersonique.
superstar ['suːpəstɑːr] *n* (*in films*) superstar *f*.
superstition [suːpə'stɪʃ(ə)n] *n* superstition *f*. ●**superstitious** *a* superstitieux.
supertanker ['suːpətæŋkər] *n* pétrolier *m* géant.
supervise ['suːpəvaɪz] *vt* (*person, work*) surveiller; (*office, research*) diriger. ●**supervision** [-'vɪʒ(ə)n] *n* (*of person etc*) surveillance *f*; (*of office etc*) direction *f*. ●**supervisor** *n* surveillant, -ante *mf*; (*in office*) chef *m* de service; (*in store*) chef *m* de rayon; (*in university*) *Br* directeur, -trice *mf* de thèse. ●**super'visory** *a* (*post*) de surveillant(e).
supine [suː'paɪn] *a Lit* étendu sur le dos.
supper ['sʌpər] *n* dîner *m*, souper *m*; (*late-night*) souper *m*; **to have s.** dîner, souper.
supple ['sʌp(ə)l] *a* souple. ●**suppleness** *n* souplesse *f*.
supplement ['sʌplɪmənt] *n* (*addition, part of newspaper*) supplément *m* (**to** à) ‖ ['sʌplɪment] *vt* compléter; **to s. one's income** arrondir ses fins de mois. ●**supple'mentary** *a* supplémentaire.
supplier [sə'plaɪər] *n Com* fournisseur *m*; '**obtainable from your usual s.**' 'disponible chez votre fournisseur habituel'.
supply [sə'plaɪ] *vt* (*provide*) fournir; (*with gas, electricity, water*) alimenter (**with** en); (*equip*) équiper, pourvoir (**with** de); **to s. a need** subvenir à un besoin; **to s. s.o. with sth, s. sth to s.o.** (*goods, facts etc*) fournir qch à qn.
‖ *n* (*stock*) provision *f*, réserve *f*; **supplies** (*equipment*) matériel *m*; **the s. of** (*act*) la fourniture de; **the s. of gas/electricity/water to** l'alimentation *f* en gaz/électricité/eau de; (**food**) **supplies** vivres *mpl*; (**office**) **supplies** fournitures *fpl* (de bureau); **s. and demand** l'offre *f* et la demande; **to be in short s.** manquer; **s. ship/train** navire *m*/train *m* ravitailleur; **s. teacher** *Br* suppléant, -ante *mf*. ●**supplying** *n* (*provision*) fourniture *f*; (*feeding*) alimentation *f*.
support [sə'pɔːt] *vt* (*bear weight of*) supporter, soutenir; (*help, encourage*) soutenir, appuyer; (*theory, idea*) appuyer; (*be in favour of*) être en faveur de; (*family, wife, husband etc*) subvenir aux besoins de; (*endure*) supporter.

‖ *n* (*help, encouragement*) soutien *m*, appui *m*; (*object*) support *m*; **means of s.** moyens *mpl* de subsistance; **income s.** *Br* allocation *f* d'aide sociale; **in s. of** (*person*) en faveur de; (*evidence, theory*) à l'appui de; **s. tights** (*for varicose veins*) bas *mpl* à varices. ●**supporting** *a* (*role in play or film*) secondaire; (*actor*) qui a un rôle secondaire.
supporter [sə'pɔːtər] *n* partisan *m*; *Football etc* supporter *m*.
supportive [sə'pɔːtɪv] *a* **to be s. of s.o.** soutenir qn, être d'un grand soutien à qn; **she's very s.** elle me soutient, elle (m')est d'un grand soutien.
suppose [sə'pəʊz] *vti* supposer (**that** que); **I'm supposed to work** *or* **be working** (*ought*) je suis censé travailler; **he's s. to be rich** on le dit riche; **I s. (so)** je pense; **I don't s. so, I s. not** je ne pense pas; **you're tired, I s.** vous êtes fatigué, je suppose; **s.** *or* **supposing we go** (*suggestion*) si nous partions; **s.** *or* **supposing (that) you're right** supposons que tu aies raison. ●**supposed** *a* prétendu, soi-disant *inv*; **the s. advantages/etc** les prétendus *or* soi-disant avantages/*etc*. ●**supposedly** [-ɪdlɪ] *adv* soi-disant; **he went away, s. to get help** il est parti soi-disant pour chercher de l'aide. ●**supposition** *n* [sʌpə'zɪʃ(ə)n] supposition *f*.
suppository [*Br* sə'pɒzɪtərɪ, *Am* -ɔːrɪ] *n Med* suppositoire *m*.
suppress [sə'pres] *vt* (*abuse etc*) supprimer; (*feelings*) réprimer; (*scandal, yawn, revolt, information*) étouffer. ●**suppression** [-ʃ(ə)n] *n* suppression *f*; (*of feelings*) répression *f*; (*of scandal etc*) étouffement *m*. ●**suppressor** *n* (*electrical device*) dispositif *m* antiparasite.
supreme [suː'priːm] *a* suprême. ●**supremacy** *n* suprématie *f* (**over** sur).
supremo [suː'priːməʊ] *n* (*pl* -os) *Br Fam* grand chef *m*.
surcharge ['sɜːtʃɑːdʒ] *n* (*extra charge*) supplément *m*; (*on stamp*) surcharge *f*; (*tax*) surtaxe *f*.
sure [ʃʊər] *a* (-er, -est) sûr (**of** de, **that** que); **she's s. to accept** c'est sûr qu'elle acceptera; **it's s. to snow** il va sûrement neiger; **to make s. of sth** s'assurer de qch; **for s.** à coup sûr, pour sûr; **s.!**, *Fam* **s. thing!** bien sûr!; **s. enough** (*in effect*) en effet; **it s. is cold** *Am* il fait vraiment froid; **be s. to do it!** ne manquez pas de le faire! ●**surefire** *a Fam* infaillible. ●**surely** *adv* (*certainly*) sûrement; **s. he didn't refuse?** (*I think, I hope*) il n'a tout de même pas refusé?
surety ['ʃʊərətɪ] *n* caution *f*.
surf [sɜːf] *n* (*foam*) ressac *m*. ●**surfboard** *n* planche *f* (de surf). ●**surfing** *n Sport* surf *m*; **to go s.** faire du surf.
surface ['sɜːfɪs] *n* surface *f*; **s. area** superficie *f*; **s. mail** courrier *m* par voie(s) de surface; **on the s.** (*of water*) à la surface; (*of table, wood etc*) en surface; (*to all appearances*) *Fig* en apparence ‖ *vt* (*road*) revêtir ‖ *vi* (*of swimmer etc*) remonter à la surface; (*of*

surfeit *person, thing etc*) *Fam* réapparaître.
surfeit ['sɜːfɪt] *n* (*excess*) excès *m* (**of** de).
surge [sɜːdʒ] *n* (*of enthusiasm etc*) vague *f*; (*of anger, pride*) bouffe *f*; (*rise*) (*of prices etc*) montée *f*; (*in electrical current*) surtension *f* ▮ *vi* (*of crowd, hatred*) déferler; (*of prices etc*) monter (soudainement); **to s. forward** (*of person*) se lancer en avant.
surgeon ['sɜːdʒ(ə)n] *n* chirurgien *m*. ● **surgery** *n* (*doctor's office*) *Br* cabinet *m*; (*period, sitting*) consultation *f*; (*science*) chirurgie *f*; **to have** *or* **undergo s.** avoir une opération (**for** pour). ● **surgical** *a* chirurgical; **s. appliance** appareil *m* orthopédique; **s. spirit** *Br* alcool *m* à 90°.
surly ['sɜːlɪ] *a* (**-ier, -iest**) bourru. ● **surliness** *n* air *m* bourru.
surmise [sə'maɪz] *vt* conjecturer (**that** que).
surmount [sə'maʊnt] *vt* (*overcome, be on top of*) surmonter.
surname ['sɜːneɪm] *n* nom *m* de famille.
surpass [sə'pɑːs] *vt* surpasser (**in** en).
surplus ['sɜːpləs] *n* surplus *m* ▮ *a* (*goods*) en surplus; **some s. material/etc** (*left over*) un surplus de tissu/*etc*; **s. stock** surplus *m*.
surprise [sə'praɪz] *n* surprise *f*; **to give s.o. a s.** faire une surprise à qn; **to take s.o. by s.** prendre qn au dépourvu; **s. visit/result/etc** visite *f*/résultat *m* inattendu(e) ▮ *vt* (*astonish*) étonner, surprendre; (*come upon*) surprendre. ● **surprised** *a* surpris (**that** que (+ *sub*), **at sth** de qch, **at seeing/etc** de voir/etc); **I'm s. at his stupidity** sa bêtise m'étonne *or* me surprend; **I'm s. to see you** je suis surpris de te voir. ● **surprising** *a* surprenant. ● **surprisingly** *adv* étonnamment; **s. (enough) he...** chose étonnante il....
surrealistic [səriə'lɪstɪk] *a* (*strange*) *Fig* surréaliste.
surrender [sə'rendər] **1** *vi* (*give oneself up*) se rendre (**to** à); **to s. to the police** se livrer à la police ▮ *n* (*of soldiers etc*) capitulation *f*, reddition *f*. **2** *vt* (*hand over*) remettre, rendre (**to** à); (*right, claim*) renoncer à.
surreptitious [sʌrəp'tɪʃəs] *a* subreptice.
surrogate ['sʌrəgət] *n* substitut *m*; **s. mother** mère *f* porteuse.
surround [sə'raʊnd] *vt* entourer (**with** de); (*of army, police*) encercler; **surrounded by** entouré de. ● **surrounding** *a* environnant. ● **surroundings** *npl* (*of town etc*) environs *mpl*; (*setting*) cadre *m*.
surveillance [sɜː'veɪləns] *n* (*of prisoner etc*) surveillance *f*.
survey [sə'veɪ] *vt* (*look at*) regarder; (*review*) passer en revue; (*house etc*) inspecter; (*land*) arpenter ▮ ['sɜːveɪ] *n* (*investigation*) enquête *f*; (*of opinion*) sondage *m*; (*of house etc*) inspection *f*; **a (general) s. of** une vue générale de. ● **sur'veying** *n* arpentage *m*. ● **sur'veyor** *n* (*of land*) (arpenteur *m*) géomètre *m*; (*of house etc*) expert *m*.
survive [sə'vaɪv] *vi* (*of person, custom etc*) survivre ▮ *vt* survivre à (**qn, qch**). ● **survival** *n* (*act*) survie *f*; (*relic*) vestige *m*. ● **survivor** *n* survivant, -ante *mf*.
susceptible [sə'septəb(ə)l] *a* (*sensitive*) sensible (**to** à); **s. to colds/etc** (*prone to*) prédisposé aux rhumes/*etc*. ● **suscepti'bility** *n* sensibilité *f*; (*to colds etc*) prédisposition *f*; **susceptibilities** susceptibilité(s) *f(pl)*.
suspect ['sʌspekt] *n* & *a* suspect, -ecte (*mf*) ▮ [sə'spekt] *vt* soupçonner (**s.o. of sth** qn de qch, **s.o. of doing** qn d'avoir fait); (*question, doubt*) suspecter, douter de (*l'honnêté de qn etc*); **yes, I s.** oui, j'imagine.
suspend [sə'spend] *vt* **1** (*hang*) suspendre (**from** à). **2** (*stop, postpone, dismiss*) suspendre; (*pupil*) renvoyer; (*passport etc*) retirer (provisoirement); **suspended sentence** *Jur* condamnation *f* avec sursis.
suspender [sə'pendər] *n* (*for stocking*) *Br* jarretelle *f*; **suspenders** (*for Br trousers, Am pants*) *Am* bretelles *fpl*; **s. belt** *Br* porte-jarretelles *m inv*.
suspension [sə'penʃ(ə)n] *n* **1** (*of vehicle etc*) suspension *f*; **s. bridge** pont *m* suspendu. **2** (*stopping*) suspension *f*; (*of passport etc*) retrait *m* (provisoire).
suspense [sə'spens] *n* attente *f* (angoissée); (*in film, book etc*) suspense *m*; **in s.** (*person, Fig matter*) en suspens.
suspicion [sə'spɪʃ(ə)n] *n* soupçon *m*; **to arouse s.** éveiller les soupçons; **with s.** (*distrust*) avec méfiance; **to be under s.** être considéré comme suspect.
suspicious [sə'spɪʃəs] *a* (*person*) soupçonneux, méfiant; (*behaviour*) suspect; **s.(-looking)** (*suspect*) suspect; **to be s. of** *or* **about** (*distrust*) se méfier de. ● **suspiciously** *adv* (*to behave etc*) d'une manière suspecte; (*to consider etc*) avec méfiance.
suss [sʌs] *vt Br Fam* **to s. out** (*situation*) piger; **I can't s. out this machine** je ne pige pas comment cette machine marche.
sustain [sə'steɪn] *vt* (*effort, theory*) soutenir; (*weight*) supporter; (*with food*) nourrir; (*life*) maintenir; (*damage, loss, attack*) subir; (*injury*) recevoir. ● **sustainable** *a* (*growth rate etc*) qui peut être maintenu.
sustenance ['sʌstənəns] *n* (*food*) nourriture *f*; (*quality*) valeur *f* nutritive.
swab [swɒb] *n* (*pad for wound*) tampon *m*; (*specimen of fluid*) prélèvement *m*.
swagger ['swægər] *vi* (*walk*) parader ▮ *n* démarche *f* fanfaronne.
swallow ['swɒləʊ] **1** *vt* avaler; **to s. down** *or* **up** avaler; **to s. up** (*savings etc*) *Fig* engloutir ▮ *vi* avaler. **2** *n* (*bird*) hirondelle *f*.
swam [swæm] *pt of* **swim**.
swamp [swɒmp] *n* marécage *m*, marais *m* ▮ *vt* (*flood, overwhelm*) submerger (**with** de). ● **swampy** *a* (**-ier, -iest**) marécageux.
swan [swɒn] *n* cygne *m*.
swank [swæŋk] *vi* (*show off*) *Fam* crâner, fanfaronner.
swap [swɒp] *n* échange *m*; **swaps** (*stamps etc*) doubles *mpl* ▮ *vt* (**-pp-**) échanger (**for** contre); **to s. seats** *or* **places** changer de place ▮ *vi* échanger.

swarm [swɔːm] *n* (*of bees, people etc*) essaim *m* ▮ *vi* (*of streets, insects, people etc*) fourmiller (**with** de); **to s. in** (*of people*) entrer en foule.

swarthy ['swɔːðɪ] *a* (**-ier, -iest**) (*dark*) basané.

swastika ['swɒstɪkə] *n* (*Nazi emblem*) croix *f* gammée.

swat [swɒt] *vt* (**-tt-**) (*fly etc*) écraser.

sway [sweɪ] *vi* se balancer, osciller ▮ *vt* balancer; (*person, public opinion etc*) *Fig* influencer ▮ *n* balancement *m*; *Fig* influence *f*.

swear ['sweər] *vt* (*pt* **swore**, *pp* **sworn**) (*promise*) jurer (**to do** de faire, **that** que); **to s. an oath** prêter serment; **to s. s.o. to secrecy** faire jurer le silence à qn; **sworn enemies** ennemis *mpl* jurés ▮ *vi* (*take an oath*) jurer (**to sth de qch**); (*curse*) jurer, pester (**at** contre); **she swears by this lotion/her plumber/***etc* elle ne jure que par cette lotion/son plombier/*etc*.
●**swearword** *n* gros mot *m*, juron *m*.

sweat [swet] *n* sueur *f*; **s. shirt** sweat-shirt *m* ▮ *vi* (*of person*) transpirer, suer; (*of wall etc*) suer (**with** de); **I'm sweating** je suis en sueur ▮ *vt* **to s. out** (*a cold*) se débarrasser de (*en transpirant*).

sweater ['swetər] *n* (*garment*) pull *m*.

sweatshop ['swetʃɒp] *n* = atelier *m* où les ouvriers sont exploités.

sweaty ['swetɪ] *a* (**-ier, -iest**) (*shirt etc*) plein de sueur; (*hand*) moite; (*person*) (tout) en sueur, (tout) en nage.

swede [swiːd] *n* (*vegetable*) *Br* rutabaga *m*.

Swede [swiːd] *n* Suédois, -oise *mf*. ●**Sweden** *n* Suède *f*. ●**Swedish** *a* suédois ▮ *n* (*language*) suédois *m*.

sweep [swiːp] *n* (*with broom*) coup *m* de balai; (*movement*) *Fig* (large) mouvement *m*; (*curve*) courbe *f*; **at one s.** (*at one go*) d'un seul coup; **to make a clean s.** (*get rid of*) faire table rase (**of** de); (*victory*) remporter une victoire totale ▮ *vt* (*pt & pp* **swept**) (*with broom*) balayer; (*chimney*) ramoner; (*river*) draguer ▮ *vi* balayer.

sweep along *vt* (*carry off*) emporter ▮ **to sweep aside** *vt* (*dismiss*) écarter (*objection etc*) ▮ **to sweep away** *vt* (*leaves etc*) balayer; (*carry off*) emporter ▮ **to sweep in** *vi* (*of person*) entrer rapidement or majestueusement ▮ **to sweep off** *vt* **to s. s.o. off** (*take away*) emmener qn (**to** à); **to s. s.o. off his or her feet** éblouir or conquérir qn ▮ **to sweep out** *vt* (*room etc*) balayer ▮ **to sweep through** *vt* (*of fear etc*) saisir (*groupe etc*); (*of disease etc*) ravager (*pays etc*) ▮ **to sweep up** *vt* (*dust, floor etc*) balayer ▮ *vi* balayer.

sweeping ['swiːpɪŋ] *a* (*gesture*) large; (*change*) radical; (*statement*) trop général.

sweepstake ['swiːpsteɪk] *n* (*lottery*) sweepstake *m*.

sweet [swiːt] *a* (**-er, -est**) (*not sour*) doux (*f* douce); (*tea, coffee, cake etc*) sucré; (*child, house, cat*) mignon (*f* mignonne), gentil (*f* -ille); (*sound, smile*) doux (*f* douce); (*pleasant*) agréable; (*kind*) aimable; **to have a s. tooth** aimer les sucreries; **s. corn** *Br* maïs *m*; **s. pea** pois *m* de senteur; **s. potato** patate *f* douce; **s. shop** *Br* confiserie *f*; **s. talk** *Fam* cajoleries *fpl*, douceurs *fpl*.
▮ *n* (*candy*) *Br* bonbon *m*; (*dessert*) *Br* dessert *m*; **my s.!** (*darling*) mon ange!
●**sweet-smelling** *a* **to be s.-smelling** sentir bon.

sweetbread ['swiːtbred] *n* ris *m* de veau *or* d'agneau.

sweeten ['swiːt(ə)n] *vt* (*tea, coffee etc*) sucrer; *Fig* (*offer, task*) rendre plus alléchant; (*person*) amadouer. ●**sweetener** *n* (*for tea etc*) édulcorant *m*.

sweetheart ['swiːthɑːt] *n* petit ami *m*, petite amie *f*; **my s.!** (*darling*) mon ange!

sweetie ['swiːtɪ] *n* (*darling*) *Fam* chéri, -ie *mf*.

sweetly ['swiːtlɪ] *adv* (*kindly*) aimablement; (*agreeably*) agréablement; (*softly*) doucement. ●**sweetness** *n* douceur *f*; (*taste*) goût *m* sucré.

swell[1] [swel] *vi* (*pt* **swelled**, *pp* **swollen** *or* **swelled**) (*of hand, leg etc*) enfler; (*of wood*) gonfler; (*of sails*) se gonfler; (*of river, numbers*) grossir; **to s. up** (*of hand etc*) enfler ▮ *vt* (*river, numbers*) grossir. ●**swelling** *n* (*on body*) enflure *f*.

swell[2] [swel] **1** *n* (*of sea*) houle *f*. **2** *a* (*very good*) *Am Fam* formidable.

swelter ['sweltər] *vi* étouffer. ●**sweltering** *a* étouffant; **it's s. on** étouffe.

swept [swept] *pp of* **sweep**.

swerve [swɜːv] *vi* (*of vehicle*) faire une embardée; (*while running etc*) faire un écart.

swift [swɪft] **1** *a* (**-er, -est**) rapide; **to be s. to act** être prompt à agir. **2** *n* (*bird*) martinet *m*. ●**swiftly** *adv* rapidement. ●**swiftness** *n* rapidité *f*.

swig [swɪg] *n* (*of beer etc*) lampée *f*; **to take a s.** avaler *or* boire une lampée.

swill [swɪl] *vt* (*beer etc*) *Fam* boire, siffler; **to s.** (**out** *or* **down**) laver (à grande eau).

swim [swɪm] *n* baignade *f*; **to go for a s.** se baigner, nager.
▮ *vi* (*pt* **swam**, *pp* **swum**, *pres p* **swimming**) nager; (*as sport*) faire de la natation; (*of head, room*) *Fig* tourner; **to go swimming** aller nager; **to s. away** se sauver (à la nage).
▮ *vt* (*river*) traverser à la nage; (*length, crawl etc*) nager. ●**swimming** *n* natation *f*; **s. cap** bonnet *m* de bain; **s. costume** *Br* maillot *m* de bain; **s. pool**, *Br* **s. baths** piscine *f*; **s. trunks** slip *m* de bain; (*longer*) caleçon *m* de bain. ●**swimmer** *n* nageur, -euse *mf*. ●**swimsuit** *n* maillot *m* de bain.

swindle ['swɪnd(ə)l] *n* escroquerie *f* ▮ *vt* escroquer; **to s. s.o. out of money** escroquer de l'argent à qn. ●**swindler** *n* escroc *m*.

swine [swaɪn] *n inv* (*person*) *Pej* salaud *m*.

swing [swɪŋ] *n* (*in playground etc*) balançoire *f*; (*movement*) balancement *m*; (*of pendulum*) oscillation *f*; (*in opinion*) revirement *m*; (*rhythm*) rythme *m*; **to be in full s.** (*of party etc*) battre son plein; **to get into the s.**

swingeing

of things *Fam* se mettre dans le bain; **s. door** *Br* porte *f* de saloon.
▮ *vi* (*pt & pp* **swung**) (*sway*) se balancer; (*of pendulum*) osciller; (*turn*) virer; **to s. round** (*turn suddenly*) virer, tourner; (*of person*) se retourner (vivement); (*of vehicle in collision*) faire un tête-à-queue; **to s. into action** passer à l'action.
▮ *vt* (*arms, legs etc*) balancer; (*axe*) brandir; (*influence*) *Fam* influencer; **to s. round** (*car etc*) faire tourner. ● **swinging** *a Fam* (*trendy*) dans le vent; (*lively*) plein de vie; (*music*) entraînant; **s. door** *Am* porte *f* de saloon.

swingeing ['swɪndʒɪŋ] *a* **s. cuts/increases** *Br* des réductions *fpl*/augmentations *fpl* considérables.

swipe [swaɪp] **1** *vti* **to s. (at)** (*hit*) (essayer de) frapper (*qn, qch*) ▮ *n* grand coup *m*. **2** *vt* **to s. sth** (*steal*) *Fam* piquer qch (**from** s.o. à qn).

swirl [swɜːl] *vi* tourbillonner ▮ *n* tourbillon *m*.

swish [swɪʃ] **1** *a* (*posh*) *Fam* rupin, chic. **2** *vi* (*of whip etc*) siffler; (*of fabric*) froufrouter ▮ *n* (*of whip*) sifflement *m*; (*of fabric*) froufrou *m*.

Swiss [swɪs] *a* suisse; **S. roll** (*cake*) *Br* gâteau *m* roulé ▮ *n inv* Suisse *m*, Suissesse *f*; **the S.** les Suisses *mpl*.

switch [swɪtʃ] *n* (*electrical*) bouton *m* (électrique), interrupteur *m*; (*change*) changement *m* (**in** de); (*reversal*) revirement *m* (**in** de); **light s.** bouton *m* (électrique).
▮ *vt* (*money, employee etc*) transférer (**to** à); (*support, affection*) reporter (**to** sur, **from** de); (*exchange*) échanger (**for** contre); **to s. buses/***etc* changer de bus/*etc*; **to s. places** *or* **seats** changer de place.
▮ *vi* **to s. to** (*change to*) passer à. ● **switchback** *n* (*at funfair*) montagnes *fpl* russes. ● **switchblade** *n Am* couteau *m* à cran d'arrêt. ● **switchboard** *n Tel* standard *m*; **s. operator** standardiste *mf*.

switch off *vt* (*lamp, gas, radio etc*) éteindre; (*engine*) arrêter; (*electricity*) couper; **to s. itself off** (*of heating etc*) s'éteindre tout seul ▮ *vi* (*switch off light, radio etc*) éteindre ▮ **to switch on** *vt* (*lamp, gas, radio etc*) mettre, allumer; (*computer, iron etc*) allumer; (*engine*) mettre en marche ▮ *vi* (*switch on light, radio etc*) allumer ▮ **to switch over** *vi* (*change TV channels*) changer de chaîne; **to s. over to** (*change to*) passer à.

Switzerland ['swɪtsələnd] *n* Suisse *f*.

swivel ['swɪv(ə)l] *vi* (*Br* **-ll-**, *Am* **-l-**) **to s. (round)** (*of chair etc*) pivoter ▮ *a* **s. chair** fauteuil *m* pivotant.

swollen ['swəʊl(ə)n] *pp of* **swell¹** ▮ *a* (*leg etc*) enflé; (*stomach*) gonflé.

swoon [swuːn] *vi Lit* se pâmer.

swoop [swuːp] **1** *vi* **to s. (down) on** (*of bird*) fondre sur **2** *n* (*of police*) descente *f* ▮ *vi* faire une descente (**on** dans).

swop [swɒp] *n, vt & vi* = **swap**.

sword [sɔːd] *n* épée *f*. ● **swordfish** *n* espadon *m*.

swore, sworn [swɔːr, swɔːn] *pt & pp of* **swear**.

swot [swɒt] *vti* (**-tt-**) **to s. (up)** (*study*) *Br Fam* potasser, bûcher; **to s. (up) for an exam** potasser *or* bûcher un examen; **to s. up on a subject** potasser *or* bûcher un sujet ▮ *n Br Pej Fam* bûcheur, -euse *mf*.

swum [swʌm] *pp of* **swim**.

swung [swʌŋ] *pt & pp of* **swing**.

sycamore ['sɪkəmɔːr] *n* (*maple*) sycomore *m*; (*plane tree*) *Am* platane *m*.

sycophant ['sɪkəfænt] *n Lit* flagorneur, -euse *mf*.

syllable ['sɪləb(ə)l] *n* syllabe *f*.

syllabus ['sɪləbəs] *n* programme *m* (scolaire *or* universitaire).

symbol ['sɪmb(ə)l] *n* symbole *m*. ● **sym'bolic** *a* symbolique. ● **symbolism** *n* symbolisme *m*. ● **symbolize** *vt* symboliser.

symmetry ['sɪmətrɪ] *n* symétrie *f*. ● **sy'mmetrical** *a* symétrique.

sympathetic [sɪmpə'θetɪk] *a* (*showing pity*) compatissant; (*understanding*) compréhensif; **s. to s.o./sth** (*favourable*) bien disposé à l'égard de qn/qch. ● **sympathetically** *adv* avec compassion; avec compréhension.

sympathize ['sɪmpəθaɪz] *vi* **I s. (with you)** (*pity*) je suis désolé (pour vous); (*understanding*) je vous comprends. ● **sympathizer** *n Pol* sympathisant, -ante *mf*.

sympathy ['sɪmpəθɪ] *n* (*pity*) compassion *f*; (*understanding*) compréhension *f*; (*when someone dies*) condoléances *fpl*; (*solidarity*) solidarité *f* (**for** avec); (*political*) **sympathies** tendances *fpl* (politiques); **to be in s. with, have s. with** (*workers in dispute*) être du côté de; **to be in s. with s.o.'s opinion** être en accord avec les opinions de qn.

symphony ['sɪmfənɪ] *n* symphonie *f* ▮ *a* (*orchestra, concert*) symphonique. ● **sym'phonic** *a* symphonique.

symposium [sɪm'pəʊzɪəm] *n* symposium *m*.

symptom ['sɪmptəm] *n Med & Fig* symptôme *m*; **to be s.-free** ne pas présenter de symptômes. ● **sympto'matic** *a* symptomatique (**of** de).

synagogue ['sɪnəgɒg] *n* synagogue *f*.

synchronize ['sɪŋkrənaɪz] *vt* synchroniser.

syndicate ['sɪndɪkət] *n* (*of businessmen*) syndicat *m*.

syndrome ['sɪndrəʊm] *n Med & Fig* syndrome *m*.

synod ['sɪnəd] *n* (*church council*) synode *m*.

synonym ['sɪnənɪm] *n* synonyme *m*. ● **sy'nonymous** *a* synonyme (**with** de).

synopsis, *pl* **-opses** [sɪ'nɒpsɪs, -ɒpsiːz] *n* résumé *m*, synopsis *m*; (*of film*) synopsis *m*.

syntax ['sɪntæks] *n* (*grammar*) syntaxe *f*.

synthesis, *pl* **-theses** ['sɪnθəsɪs, -θəsiːz] *n* synthèse *f*.

synthetic [sɪn'θetɪk] *a* synthétique.

syphilis ['sɪfɪlɪs] *n* syphilis *f*.

syphon ['saɪfən] *n & vt* = **siphon**.

Syria ['sɪrɪə] *n* Syrie *f*. ● **Syrian** *a* syrien ▮ *n* Syrien, -ienne *mf*.

syringe [sə'rɪndʒ] *n* seringue *f*.
syrup ['sɪrəp] *n* sirop *m*; **(golden) s.** (*treacle*) *Br* mélasse *f* (raffinée). ●**syrupy** *a* sirupeux.
system ['sɪstəm] *n* (*structure, network etc*) & *Anat Comptr etc* système *m*; (*human body*) organisme *m*; (*order*) méthode *f*; **to get sth out of one's s.** *Fam* se libérer de qch; (*anger etc*) extérioriser qch; **the digestive s.** l'appareil *m* digestif; **the immune s.** le système immunitaire; **operating s.** *Comptr* système *m* d'exploitation; **s. disk** *Comptr* disque *m* système; **s. software** *Comptr* logiciel *m* système *or* d'exploitation; **systems analyst** analyste-programmeur, -euse *mf*.
systematic [sɪstə'mætɪk] *a* systématique. ●**systematically** *adv* systématiquement.

T

T, t [tiː] *n* T, t *m*. ● **T-junction** *n* (*of roads*) *Br* intersection *f* en T. ● **T-shirt** *n* tee-shirt *m*, T-shirt *m*.

ta! [tɑː] *int Br Sl* merci!

tab [tæb] *n* **1** (*cloth etc flap*) patte *f*; (*label*) étiquette *f*; (*loop*) attache *f*; **to keep tabs on s.o.** *Fam* surveiller qn (de près). **2** (*bill*) *Am* addition *f*; **to pick up the t.** (*for meal etc*) régler l'addition. **3** (*on computer, typewriter*) tabulateur *m*; **t. key** touche *f* de tabulation.

tabby ['tæbɪ] *a* **t. cat** chat *m* tigré, chatte *f* tigrée.

table¹ ['teɪb(ə)l] *n* **1** (*furniture*) table *f*; **bedside/card/operating t.** table de nuit/de jeu/d'opération; **to set** *or Br* **lay/clear the t.** mettre/débarrasser la table; (**sitting**) **at the t.** à table; **t. top** dessus *m* de table; **t. wine** vin *m* de table.
2 (*list*) table *f*; **t. of contents** table des matières. ● **tablecloth** *n* nappe *f*. ● **tablemat** *n* (*of cloth*) napperon *m*; (*hard*) dessous-de-plat *m inv*. ● **tablespoon** *n* = cuillère *f* à soupe. ● **tablespoonful** *n* = cuillerée *f* à soupe.

table² ['teɪb(ə)l] *vt* (*motion etc*) *Br* présenter; (*postpone*) *Am* ajourner.

tablet ['tæblɪt] *n* **1** (*pill*) comprimé *m*. **2** (*inscribed stone*) plaque *f*.

tabloid ['tæblɔɪd] *n* (*newspaper*) quotidien *m* populaire (*de petit format*).

taboo [tə'buː] *a & n* tabou (*m*).

tabulator ['tæbjʊleɪtər] *n* (*of computer, typewriter*) tabulateur *m*; **t. key** touche *f* de tabulation.

tacit ['tæsɪt] *a* tacite. ● **tacitly** *adv* tacitement.

taciturn ['tæsɪtɜːn] *a* taciturne.

tack [tæk] **1** *n* (*nail*) petit clou *m*, semence *f*; (*thumbtack*) *Am* punaise *f*; **to get down to brass tacks** *Fig* en venir aux faits ▮ *vt* **to t. (down)** clouer. **2** *n* (*stitch*) point *m* de bâti ▮ *vt* **to t. (down** *or* **on)** bâtir; **to t. on** (*add*) *Fig* (r)ajouter. **3** *vi* (*of ship*) louvoyer ▮ *n* (*course of action*) *Fig* voie *f*.

tackle ['tæk(ə)l] **1** *n* (*gear*) matériel *m*, équipement *m*. **2** *vt* (*task, problem etc*) s'attaquer à; (*thief etc*) saisir (à bras-le-corps); *Rugby* plaquer; *Football* tacler ▮ *n* *Rugby* plaquage *m*; *Football* tacle *m*.

tacky ['tækɪ] *a* (**-ier, -iest**) **1** (*wet, sticky*) pas sec (*f* sèche), collant. **2** *Fam* (*in appearance*) (*clothes, person etc*) moche; (*attitude, remark etc*) de mauvais goût.

taco ['tækəʊ] *n* (*pl* **-os**) *Am* crêpe *f* de maïs farcie.

tact [tækt] *n* tact *m*. ● **tactful** *a* (*remark etc*) plein de tact, diplomatique; **to be t.** (*of person*) avoir du tact. ● **tactfully** *adv* avec tact. ● **tactless** *a* (*person, remark etc*) qui manque de tact. ● **tactlessly** *adv* sans tact.

tactic ['tæktɪk] *n* **a t.** une tactique; **tactics** la tactique. ● **tactical** *a* tactique.

tactile ['tæktaɪl] *a* tactile.

tadpole ['tædpəʊl] *n* têtard *m*.

taffy ['tæfɪ] *n* (*toffee*) *Am* caramel *m* (*dur*).

tag [tæg] **1** *n* (*label*) étiquette *f*; (*end piece*) bout *m* ▮ *vt* (**-gg-**) **to t. sth on** (*add*) *Fam* rajouter qch (**to** à). **2** *vi* (**-gg-**) **to t. along** (*follow*) suivre; **may I t. along (with you)?** est-ce que je peux venir (avec vous)?

Tahiti [tɑː'hiːtɪ] *n* Tahiti *m*.

tail [teɪl] **1** *n* (*of animal etc*) queue *f*; (*of shirt*) pan *m*; **tails** (*outfit*) queue-de-pie *f*, habit *m*; **the t. end** (*of film etc*) la fin (**of** de); (*of cloth, string etc*) le bout (**of** de); **heads or tails?** pile ou face? **2** *vt* (*follow*) suivre, filer. **3** *vi* **to t. off** (*lessen*) diminuer. **4** *vi* **the traffic is tailing back (for miles)** *Br* ça bouchonne (sur des kilomètres).

tailback ['teɪlbæk] *n* (*of traffic*) *Br* bouchon *m*. ● **tailcoat** *n* queue-de-pie *f*. ● **tailgate** *n* (*of car*) *Br* hayon *m* ▮ *vt* **to t. s.o.** (*in vehicle*) *Am* coller au pare-chocs de qn. ● **taillight** *n* (*of vehicle*) *Am* feu *m* arrière *inv*.

tailor ['teɪlər] *n* (*person*) tailleur *m* ▮ *vt* (*garment*) façonner; (*adjust*) *Fig* adapter (**to, to suit** à). ● **tailor-'made** *a* fait sur mesure; **t.-made for** (*specially designed*) conçu pour; (*suited*) fait pour. ● **tailored** *a* **t. shirt** chemise *f* cintrée.

tainted ['teɪntɪd] *a* (*air*) pollué; (*food*) gâté; (*reputation, system etc*) *Fig* souillé.

Taiwan ['taɪwɑːn] *n* Taiwan *m or f*.

take [teɪk] *vt* (*pt* **took**, *pp* **taken**) prendre; (*prize*) remporter; (*exam*) passer; (*choice*) faire; (*contain*) contenir; (*subtract*) *Math* soustraire (**from** de); (*tolerate*) supporter; (*bring*) amener (*qn*) (**to** à); (*by car*) conduire (*qn*) (**to** à); (*escort*) accompagner (*qn*) (**to** à); (*lead away*) emmener (*qn*) (**to** à); (*of road*) mener (*qn*) (**to** à); **to t. sth to s.o.** (ap)porter qch à qn; **to t. s.o. (out) to the theatre/etc** emmener qn au théâtre/*etc*; **to t. sth with one** emporter qch; **to t. s.o. home** (*on foot, by car etc*) ramener qn; **it takes an army/courage/etc** (*requires*) il faut une armée/du courage/*etc* (**to do** pour faire); **I took an hour to do it** *or* **over it** j'ai mis une heure à le faire, ça m'a pris une heure pour le faire; **I t. it that** je présume que.

▮ *n* (*recording of film*) prise *f* de vue(s).

▮ *vi* (*be successful*) (*of vaccination, fire etc*)

prendre. **take after** *vt* to t. after s.o. (*be like*) ressembler à qn ∎ **to take along** *vt* (*object*) emporter; (*person*) emmener ∎ **to take apart** *vt* (*machine*) démonter ∎ **to take away** *vt* (*thing*) emporter; (*person*) emmener; (*remove*) enlever (**from** à); (*subtract*) Math soustraire (**from** de) ∎ **to take back** *vt* reprendre; (*return*) rapporter; (*statement*) retirer; (*accompany*) ramener (*qn*) (**to** à) ∎ **to take down** *vt* (*object*) descendre; (*notes*) prendre ∎ **to take in** *vt* (*chair, car etc*) rentrer; (*orphan*) recueillir; (*skirt*) reprendre; (*distance*) couvrir; (*include*) inclure, englober; (*understand*) comprendre; (*deceive*) *Fam* rouler ∎ **to take off** *vt* (*remove*) enlever; (*train, bus*) supprimer; (*lead away*) emmener; (*mimic*) imiter; (*deduct*) Math déduire (**from** de) ∎ *vi* (*of aircraft*) décoller ∎ **to take on** *vt* (*work, staff, passenger, shape*) prendre ∎ **to take out** *vt* (*chair, from pocket etc*) sortir; (*stain*) enlever; (*tooth*) arracher; (*insurance policy, patent*) prendre; **to take s.o. out to the theatre**/*etc* emmener qn au théâtre/*etc*; **to t. it out on s.o.** *Fam* passer sa colère sur qn. ∎ **to take over** *vt* (*be responsible for the running of*) prendre la direction de (*compagnie, équipe, pays*); (*buy out*) racheter (*compagnie*); (*overrun*) envahir; **to t. over s.o.'s job** remplacer qn ∎ *vi* (*relieve*) prendre la relève (**from** de); (*succeed*) prendre la succession (**from** de); (*of dictator, general etc*) prendre le pouvoir ∎ **to take round** *vt* (*bring*) apporter (*qch*) (**to** à); amener (*qn*) (**to** à); (*distribute*) distribuer; (*visitor*) faire visiter ∎ **to take to** *vt* **to t. to doing** se mettre à faire; **I didn't t. to him/it** il/ça ne m'a pas plu ∎ **to take up** *vt* (*carry up*) monter; (*continue*) reprendre; (*space, time*) prendre; (*offer*) accepter; (*hobby*) se mettre à; (*hem*) raccourcir ∎ *vi* **to t. up with s.o.** se lier avec qn.

take-away ['teɪkəweɪ] *Br a* (*meal*) à emporter ∎ *n* (*shop*) café *m* ou restaurant *m* qui fait des plats à emporter; (*meal*) plat *m* à emporter. ● **takeoff** *n* (*of aircraft*) décollage *m* ● **take-out** *a* & *n Am* = **take-away**. ● **take-over** *n* (*of company*) rachat *m*; *Pol* prise *f* de pouvoir.

taken ['teɪk(ə)n] *a* (*seat*) pris; (*impressed*) impressionné (**with, by** par); **to be t. ill** tomber malade.

taking ['teɪkɪŋ] *n* (*capture of town etc*) prise *f*; **takings** (*money*) recette *f*.

talc [tælk] *n* = **talcum powder**. ● **talcum** ['tælkəm] *a* **t. powder** talc *m*.

tale [teɪl] *n* (*story*) conte *m*; (*account, report*) récit *m*; (*lie*) histoire *f*; **to tell tales** rapporter (**on s.o.** sur qn).

talent ['tælənt] *n* talent *m*; (*talented people*) talents *mpl*; **to have a t. for** avoir du talent pour. ● **talented** *a* doué, talentueux.

talisman ['tælɪzmən] *n* (*pl* -**mans**) talisman *m*.

talk [tɔːk] *n* (*words*) propos *mpl*; (*gossip*) bavardage(s) *m(pl)*; (*conversation*) conversation *f* (**about** à propos de); (*lecture*) exposé *m* (**on** sur); (*informal*) causerie *f* (**on** sur); (*interview*) entretien *m*; **talks** (*negotiations*) pourparlers *mpl*; **to have a t. with s.o.** parler avec qn; **there's t. of...** on parle de.... ∎ *vi* parler (**to** à; **with** avec; **about, of** de); (*chat*) bavarder; **to t. down to s.o.** parler à qn comme à un inférieur. ∎ *vt* (*nonsense*) dire; **to t. politics** parler politique; **to t. s.o. into doing/out of doing** persuader qn de faire/de ne pas faire; **to t. sth over** discuter (de) qch; **to t. s.o. round** persuader qn. ● **talking** *a* **t. film** film *m* parlant ∎ *n* **to do the t.** parler. ● **talking-to** *n* **to give s.o. a t.-to** passer un savon à qn.

talkative ['tɔːkətɪv] *a* bavard.

talker ['tɔːkər] *n* causeur, -euse *mf*; **she's a good t.** elle parle bien.

tall [tɔːl] *a* (**-er, -est**) (*person*) grand; (*tree, house etc*) haut; **how t. are you?** combien mesures-tu?; **a t. story** *Fig* une histoire invraisemblable *or* à dormir debout. ● **tallness** *n* (*of person*) grande taille *f*; (*of building etc*) hauteur *f*.

tallboy ['tɔːlbɔɪ] *n Br* grande commode *f*.

tally ['tælɪ] *vi* correspondre (**with** à).

talon ['tælən] *n* (*bird's claw*) serre *f*.

tambourine [tæmbə'riːn] *n* tambourin *m*.

tame [teɪm] *a* (**-er, -est**) (*animal, bird*) apprivoisé; (*person*) *Fig* docile; (*book, play*) fade ∎ *vt* (*animal, bird*) apprivoiser; (*lion, Fig passion*) dompter.

tamper ['tæmpər] *vi* **to t. with** (*lock, car etc*) (essayer de) forcer; (*machine etc*) toucher à; (*text*) altérer. ● **tamper-proof** *a* (*lock*) inviolable; (*jar*) à fermeture de sécurité; **t.-proof seal** fermeture *f* de sécurité.

tampon ['tæmpɒn] *n* tampon *m* (périodique).

tan [tæn] **1** *n* (*suntan*) bronzage *m* ∎ *vti* (**-nn-**) bronzer. **2** *a* (*colour*) marron clair *inv*. **3** *vt* (**-nn-**) (*hide*) tanner.

tandem ['tændəm] *n* **1** (*bicycle*) tandem *m*. **2 in t.** (*to work etc*) en tandem; **in t. with** (*at the same time as*) parallèlement à.

tang [tæŋ] *n* (*taste*) saveur *f* piquante; (*smell*) odeur *f* piquante. ● **tangy** *a* (**-ier, -iest**) piquant.

tangent ['tændʒənt] *n* (*line*) Math tangente *f*; **to go off at a t.** s'éloigner du sujet.

tangerine [tændʒə'riːn] *n* mandarine *f*.

tangible ['tændʒəb(ə)l] *a* tangible.

tangle ['tæŋg(ə)l] *n* enchevêtrement *m*; **to get into a t.** (*of rope*) s'enchevêtrer; (*of hair*) s'emmêler; (*of person*) *Fig* se mettre dans une situation pas possible. ● **tangled** *a* enchevêtré; (*hair*) emmêlé; **to get t.** = **to get into a tangle**.

tango ['tæŋgəʊ] *n* (*pl* -**os**) tango *m*.

tank [tæŋk] *n* **1** (*for storing liquid or gas*) réservoir *m*; (*vat*) cuve *f*; (**fish**) **t.** aquarium *m*. **2** (*military vehicle*) char *m*, tank *m*. **3** *vi* **to t. up on** (*snacks, Br sweets, Am candy etc*) se remplir le ventre de.

tankard ['tæŋkəd] *n* (*beer mug*) *Br* chope *f*.

tanker ['tæŋkər] *n* (*truck*) camion-citerne *m*; (**oil**) **t.** (*ship*) pétrolier *m*.
Tannoy® ['tænɔɪ] *n* **over the T.** *Br* au(x) haut-parleur(s).
tantalizing ['tæntəlaɪzɪŋ] *a* (irrésistiblement) tentant. ● **tantalizingly** *adv* d'une manière tentante.
tantamount ['tæntəmaʊnt] *a* **it's t. to** cela équivaut à.
tantrum ['tæntrəm] *n* colère *f*; **to have a t.** (*of child*) faire une colère.
Tanzania [tænzə'nɪə] *n* Tanzanie *f*.
tap [tæp] **1** *n* (*for water*) *Br* robinet *m*; **on t.** *Fig* disponible. **2** *vti* (**-pp-**) (*hit*) frapper légèrement, tapoter ▪ *n* petit coup *m*; **t. dancing** claquettes *fpl*. **3** *vt* (**-pp-**) (*phone*) placer sur table d'écoute. **4** *vt* (**-pp-**) (*resources*) exploiter.
tape [teɪp] **1** *n* ruban *m*; (**sticky** *Br or* **adhesive**) **t.** ruban adhésif; (*bandage*) sparadrap *m*; **t. measure** mètre *m* (à) ruban ▪ *vt* (*stick*) coller (*avec du ruban adhésif*). **2** *n* (*for sound or video recording*) bande *f* (magnétique *or* vidéo); **t. recorder** magnétophone *m*; **t. deck** platine *f* cassette ▪ *vt* (*film*, *music*, *voice etc*) enregistrer; (*event*) faire une cassette de ▪ *vi* enregistrer.
taper ['teɪpər] **1** *vi* (*of fingers etc*) s'effiler; **to t. off** *Fig* diminuer. **2** *n* (*candle*) bougie *f* longue et fine; *Rel* cierge *m*. ● **tapered** *a* (*Br trousers*, *Am pants*) à bas étroits. ● **tapering** *a* (*fingers*) fuselé.
tapestry ['tæpəstrɪ] *n* tapisserie *f*.
tapeworm ['teɪpwɜːm] *n* ver *m* solitaire.
tapioca [tæpɪ'əʊkə] *n* tapioca *m*.
tar [tɑːr] *n* goudron *m* ▪ *vt* (**-rr-**) goudronner.
tarantula [tə'ræntjʊlə] *n* (*pl* **-as**) tarentule *f*.
tardy ['tɑːdɪ] *a* (**-ier**, **-iest**) (*belated*) tardif; (*slow*) lent.
target ['tɑːgɪt] *n* cible *f*; (*objective*) objectif *m*; **t. date** date *f* fixée ▪ *vt* (*campaign*, *product etc*) destiner (**at** à); (*age group etc*) viser.
tariff ['tærɪf] *n* (*tax*) tarif *m* douanier; (*price list*) *Br* tarif *m*.
tarmac ['tɑːmæk] *n* (*on road*) *Br* macadam *m* (goudronné); (*runway*) piste *f*.
tarnish ['tɑːnɪʃ] *vt* ternir.
tarpaulin [tɑː'pɔːlɪn] *n* bâche *f* (goudronnée); (*plastic sheet*) bâche *f* en plastique.
tarragon ['tærəgən] *n* (*herb*) estragon *m*.
tarry ['tærɪ] *vi* (*remain*) *Lit* rester.
tart [tɑːt] **1** *n* (*pie*) (*open*) tarte *f*; (*with pastry on top*) tourte *f*. **2** *a* (**-er**, **-est**) (*sour*, *acid*) (*taste*, *Fig remark*) aigre. **3** *n* (*prostitute*) *Br Pej Fam* poule *f*. **4** *vt* **to t. up** *Br Pej Fam* (*decorate*) embellir; (*dress*) attifer. ● **tartness** *n* (*of taste*, *Fig remark*) aigreur *f*.
tartan ['tɑːt(ə)n] *n* tartan *m* ▪ *a* (*skirt etc*) écossais.
tartar ['tɑːtər] **1** *a* **t. sauce** sauce *f* tartare. **2** *n* (*on teeth*) tartre *m*.
task [tɑːsk] *n* travail *m*, tâche *f*; **to take s.o. to t.** prendre qn à partie; **t. force** *Mil* détachement *m* spécial; *Pol* commission *f* spéciale.
tassel ['tæs(ə)l] *n* (*on clothes etc*) gland *m*.
taste [teɪst] *n* goût *m*; (*general idea*) *Fig* idée *f*, aperçu *m*; **to get a t. for** prendre goût à; **in good/bad t.** de bon/mauvais goût; **to have a t. of sth** goûter qch ▪ *vt* (*eat*, *drink*, *enjoy*) goûter; (*try*, *sample*) goûter à; (*make out the taste of*) sentir (le goût de); (*experience*) goûter de ▪ *vi* **to t. of** *or* **like sth** avoir un goût de qch; **to t. delicious/***etc* avoir un goût délicieux/*etc*; **how does it t.?** comment le trouves-tu? ● **taste bud** *n* papille *f* gustative.
tasteful ['teɪstfəl] *a* de bon goût. ● **tastefully** *adv* avec goût. ● **tasteless** *a* (*food etc*) sans goût; (*joke etc*) *Fig* de mauvais goût. ● **tasty** *a* (**-ier**, **-iest**) savoureux.
tat [tæt] *see* **tit 1**.
ta-ta! [tæ'tɑː] *int Br Sl* au revoir!
tattered ['tætəd] *a* (*clothes*) en lambeaux; (*person*) déguenillé. ● **tatters** *npl* **in t.** (*clothes*) en lambeaux.
tattoo [tæ'tuː] **1** *n* (*pl* **-oos**) (*on arm*, *body etc*) tatouage *m*; **to get a t.** se faire tatouer ▪ *vt* tatouer. **2** *n* (*pl* **-oos**) *Mil* spectacle *m* militaire.
tatty ['tætɪ] *a* (**-ier**, **-iest**) (*clothes etc*) *Br Fam* miteux.
taught [tɔːt] *pt* & *pp of* **teach**.
taunt [tɔːnt] *vt* railler ▪ *n* raillerie *f*. ● **taunting** *a* railleur.
Taurus ['tɔːrəs] *n* (*sign*) le Taureau.
taut [tɔːt] *a* (*rope*, *wire etc*, *Fig person etc*) tendu.
tavern ['tævən] *n* taverne *f*.
tawdry ['tɔːdrɪ] *a* (**-ier**, **-iest**) *Pej* tape-à-l'œil *inv*.
tawny ['tɔːnɪ] *a* (*colour*) fauve; **t. owl** (*chouette f*) hulotte *f*.
tax¹ [tæks] *n* (*on goods*) taxe *f*, impôt *m*; (**income**) **t.** impôts *mpl* (sur le revenu); **road t.** *Br* taxe *f* sur les automobiles ▪ *a* fiscal; **t. collector** percepteur *m*; **t. relief** dégrèvement *m* (d'impôt); (**road**) **t. disc** *Br* = vignette *f* (automobile) ▪ *vt* (*person*) imposer; (*goods*) taxer. ● **taxable** *a* imposable. ● **taxation** [tæk'seɪʃ(ə)n] *n* (*taxes*) impôts *mpl*; (*act*) imposition *f*; **the burden of t.** le poids de l'impôt. ● **tax-free** *a* exempt d'impôts. ● **taxman** *n* (*pl* **-men**) *Br Fam* percepteur *m*. ● **taxpayer** *n* contribuable *mf*.
tax² [tæks] *vt* (*s.o.'s patience etc*) mettre à l'épreuve; (*tire*) fatiguer. ● **taxing** *a* (*journey etc*) éprouvant.
taxi ['tæksɪ] **1** *n* taxi *m*; **t. cab** taxi *m*; **t. rank** *Br*, **t. stand** *Am* station *f* de taxis. **2** *vi* (*of aircraft*) rouler au sol.
TB [tiː'biː] *n* tuberculose *f*.
tea [tiː] *n* thé *m*; (*snack*) *Br* goûter *m*; (*evening meal*) *Br* repas *m* du soir; **high t.** *Br* goûter *m* (dînatoire); **to have t.** prendre le thé; (*afternoon snack*) goûter; **t. break** *Br* pause-thé *f*; **t. chest** caisse *f* (à thé); **t. cloth**

television

(*for drying dishes*) torchon *m*; **t. party** thé *m*; **t. set** service *m* à thé; **t. strainer** passoire *f* à thé; **to sit at the t. table** s'asseoir à la table mise pour le thé *or* le repas du soir; **t. towel** *Br* torchon *m*.
teabag ['ti:bæg] *n* sachet *m* de thé. ●**teacup** *n* tasse *f* à thé. ●**tealeaf** *n* (*pl* **-leaves**) feuille *f* de thé. ●**teapot** *n* théière *f*. ●**tearoom** *n* salon *m* de thé. ●**teashop** *n Br* salon *m* de thé. ●**teaspoon** *n* petite cuillère *f*. ●**teaspoonful** *n* cuillerée *f* à café. ●**teatime** *n* l'heure *f* du thé.
teach [ti:tʃ] *vt* (*pt & pp* **taught**) apprendre (s.o. sth qch à qn, **that** que); (*in school, at university etc*) enseigner (s.o. sth qch à qn); **to t.** s.o. (**how**) **to do** apprendre à qn à faire; **to t. school** *Am* enseigner; **to t. oneself sth** apprendre qch tout seul ▮ *vi* enseigner. ●**teaching** *n* enseignement *m* ▮ *a* (*staff*) enseignant; (*method, material*) pédagogique; **t. hospital** *Br* centre *m* hospitalo-universitaire; **the t. profession** l'enseignement *m*; (*teachers*) le corps enseignant; **t. qualification** diplôme *m* permettant d'enseigner; **the t. staff** le personnel enseignant.
teacher ['ti:tʃər] *n* professeur *m*; (*in Br primary or Am elementary school*) instituteur, -trice *mf*.
teak [ti:k] *n* (*wood*) teck *m*; **a t. sideboard**/*etc* un buffet/*etc* en teck.
team [ti:m] *n* équipe *f*; (*of horses, oxen*) attelage *m*; **t. mate** coéquipier, -ière *mf* ▮ *vi* **to t. up** faire équipe (**with** s.o. avec qn). ●**teamster** *n Am* routier *m*. ●**teamwork** *n* collaboration *f*.
tear[1] [teər] **1** *n* déchirure *f* ▮ *vt* (*pt* **tore**, *pp* **torn**) (*rip*) déchirer; (*snatch*) arracher (**from** s.o. à qn); **torn between** être tiraillé entre; **to t. s.o. away from sth** arracher qn à qch; **to t. down** (*house etc*) démolir; **to t. off** *or* **out** (*remove with force*) arracher; (*receipt, counterfoil, stamp etc*) détacher; **to t. up** déchirer ▮ *vi* (*of cloth etc*) se déchirer. **2** *vi* (*pt* **tore**, *pp* **torn**) **to t. along/away** *or* **off** (*rush*) aller/partir à toute vitesse.
tear[2] [tɪər] *n* larme *f*; **in tears** en larmes; **close to** *or* **near (to) tears** au bord des larmes. ●**tearful** *a* (*eyes, voice*) larmoyant; (*person*) en larmes. ●**tearfully** *adv* en pleurant. ●**teargas** *n* gaz *m* lacrymogène.
tearaway ['teərəweɪ] *n Br Fam* casse-cou *m*.
tease [ti:z] *vt* taquiner; (*harshly*) tourmenter ▮ *n* (*person*) taquin, -ine *mf*. ●**teasing** *a* (*remark etc*) taquin, -ine *mf*. ●**teaser** *n* **1** (*person*) taquin, -ine *mf*. **2** (*question*) *Fam* colle *f*.
teat [ti:t] *n* (*of animal, Br of baby's bottle*) tétine *f*.
technical ['teknɪk(ə)l] *a* technique. ●**technicality** *n* (*detail*) détail *m* technique. ●**technically** *adv* techniquement; *Fig* théoriquement, en principe.
technician [tek'nɪʃ(ə)n] *n* technicien, -ienne *mf*.
technique [tek'ni:k] *n* technique *f*.
technocrat ['teknəkræt] *n* technocrate *m*.

technology [tek'nɒlədʒɪ] *n* technologie *f*; **the latest t.** la technologie la plus avancée; **alternative t.** les technologies douces. ●**techno'logical** *a* technologique.
teddy ['tedɪ] *n* **t. (bear)** ours *m* (en peluche).
tedious ['ti:dɪəs] *a* fastidieux. ●**tediousness** *or* **tedium** *n* ennui *m*.
teem [ti:m] *vi* **1** (*swarm*) grouiller (**with** de). **2 to t. (with rain)** pleuvoir à torrents. ●**teeming** *a* **1** (*crowd, street etc*) grouillant. **2 t. rain** pluie *f* torrentielle.
teenage ['ti:neɪdʒ] *a* (*boy, girl, behaviour*) adolescent; (*fashion, magazine etc*) pour adolescents. ●**teenager** *n* adolescent, -ente *mf*. ●**teens** *npl* **to be in one's t.** être adolescent.
teeny (weeny) ['ti:nɪ('wi:nɪ)] *a* (*tiny*) *Fam* minuscule.
tee-shirt ['ti:ʃɜ:t] *n* tee-shirt *m*.
teeter ['ti:tər] *vi* (*be unsteady*) chanceler; **to t. on the brink of ruin/disaster** *Fig* être à deux doigts de la ruine/du désastre.
teeth [ti:θ] *see* **tooth**.
teethe [ti:ð] *vi* faire ses dents. ●**teething** *n* dentition *f*; **t. ring** anneau *m* de dentition; **t. troubles** *Fig* difficultés *fpl* de mise en route.
teetotal [ti:'təʊt(ə)l] *a* **to be t.** ne pas boire d'alcool. ●**teetotaller** (*Am* **teetotaler**) *n* personne *f* qui ne boit pas d'alcool.
tele- ['telɪ] *pref* télé-.
telecommunications [telɪkəmju:nɪ'keɪʃ(ə)nz] *npl* télécommunications *fpl*.
telegram ['telɪgræm] *n* télégramme *m*.
telegraph ['telɪgrɑ:f] *a* **t. pole/wire** poteau *m*/fil *m* télégraphique.
Telemessage® ['telɪmesɪdʒ] *n* (*in UK*) = télégramme *m* (téléphoné).
telepathy [tə'lepəθɪ] *n* télépathie *f*.
telephone ['telɪfəʊn] *n* téléphone *m*; **to be on the t.** (*speaking*) être au téléphone ▮ *a* (*call, line, message etc*) téléphonique; **t. booth**, *Br* **t. box** cabine *f* téléphonique; **t. directory** annuaire *m* du téléphone; **t. number** numéro *m* de téléphone ▮ *vi* téléphoner à qn ▮ *vt* (*message*) téléphoner (**to** à); **to t. s.o.** téléphoner à qn. ●**te'lephonist** *n Br* standardiste *mf*.
telephoto ['telɪfəʊtəʊ] *a* **t. lens** téléobjectif *m*.
teleprinter ['telɪprɪntər] *n Br* téléscripteur *m*.
telescope ['telɪskəʊp] *n* télescope *m*. ●**tele'scopic** *a* (*umbrella, Br aerial, Am antenna*) télescopique.
teletext ['telɪtekst] *n* télétexte *m*.
teletypewriter [telɪ'taɪpraɪtər] *n Am* téléscripteur *m*.
televise ['telɪvaɪz] *vt* retransmettre à la télévision, téléviser.
television [telɪ'vɪʒ(ə)n] *n* télévision *f*; **on (the) t.** à la télévision; **to watch (the) t.** regarder la télévision ▮ *a* (*programme, screen etc*) de télévision; (*interview, report etc*) télévisé; **t. set** téléviseur *m*, poste *m* de télévision.

telex ['teleks] *n* (*service, message*) télex *m* ▮ *vt* envoyer par télex.

tell [tel] *vt* (*pt & pp* **told**) dire (s.o. sth qch à qn, **that** que); (*story*) raconter; (*distinguish*) distinguer (**from** de); (*know*) savoir; (*predict*) prédire (*l'avenir*); **to t. s.o. to do sth** dire à qn de faire qch; **to know how to t. the time** *or Am* **t. time** savoir lire l'heure; **to t. the difference** voir la différence (**between** entre); **to t. s.o. off** (*scold*) *Fam* disputer qn, gronder qn. ▮ *vi* dire; (*have an effect*) avoir un effet; (*know*) savoir; **to t. of** *or* **about sth/s.o.** parler de qch/qn; **to t. on s.o.** *Fam* rapporter sur qn.

teller ['telər] *n* (**bank**) **t.** guichetier, -ière *mf* (*de banque*).

telling ['telɪŋ] *a* (*smile etc*) révélateur; (*blow*) efficace.

telltale ['telteɪl] *a* **t. sign** signe *m* révélateur; **t. mark** trace *f* révélatrice. ▮ *n Fam* rapporteur, -euse *mf*.

telly ['telɪ] *n Br Fam* télé *f*; **on the t.** à la télé.

temerity [tə'merɪtɪ] *n* témérité *f*.

temp [temp] *n* (*secretary etc*) *Br Fam* intérimaire *mf* ▮ *vi Br Fam* faire de l'intérim.

temper ['tempər] **1** *n* (*mood, nature*) humeur *f*; (*anger*) colère *f*; **to lose one's t.** se mettre en colère; **in a bad t.** de mauvaise humeur; **to have a** (**bad** *or* **an awful**) **t.** avoir un caractère de cochon. **2** *vt* (*moderate*) tempérer (*son enthousiasme etc*). **3** *vt* (*steel*) tremper.

temperament ['temp(ə)rəmənt] *n* tempérament *m*. ● **tempera'mental** *a* (*person, machine etc*) capricieux; (*inborn*) inné.

temperance ['temp(ə)rəns] *n* (*in drink*) tempérance *f*.

temperate ['tempərət] *a* (*climate etc*) tempéré.

temperature ['temp(ə)rətʃər] *n* température *f*; **to have a t.** avoir *or* faire de la température *or* de la fièvre.

tempest ['tempɪst] *n Lit* tempête *f*. ● **tem'pestuous** *a* (*meeting etc*) orageux.

template ['templət, -pleɪt] *n* (*of plastic, metal etc*) patron *m*.

temple ['temp(ə)l] *n* **1** (*religious building*) temple *m*. **2** *Anat* tempe *f*.

tempo ['tempəʊ] *n* (*pl* **-os**) (*of life, work etc*) rythme *m*; *Mus* tempo *m*.

temporal ['temp(ə)rəl] *a* temporel.

temporary [*Br* 'temp(ə)rərɪ, *Am* -erɪ] *a* provisoire; (*job, worker*) temporaire; (*secretary*) intérimaire. ● **temporarily** *adv* provisoirement.

tempt [tempt] *vt* tenter; **tempted to do** tenté de faire; **to t. s.o. to do** persuader qn de faire. ● **tempting** *a* tentant. ● **temptingly** *adv* d'une manière tentante; **the cake looked t. delicious** le gâteau avait l'air délicieux et il était bien tentant. ● **temptation** [-'teɪʃ(ə)n] *n* tentation *f*.

ten [ten] *a & n* dix (*m*).

tenable ['tenəb(ə)l] *a* (*argument*) défendable; **the post is t. for three years** ce poste peut être occupé pendant trois ans.

tenacious [tə'neɪʃəs] *a* tenace. ● **tenacity** *n* ténacité *f*.

tenant ['tenənt] *n* locataire *nmf*. ● **tenancy** *n* (*lease*) location *f*; (*period*) occupation *f*.

tend [tend] **1** *vi* **to t. to do** avoir tendance à faire; **to t. towards** incliner vers. **2** *vt* (*look after*) s'occuper de. ● **tendency** *n* tendance *f* (**to do** à faire).

tendentious [ten'denʃəs] *a Pej* tendancieux.

tender[1] ['tendər] *a* (*soft, delicate, loving*) tendre; (*painful*) sensible. ● **tenderly** *adv* tendrement. ● **tenderness** *n* tendresse *f*; (*pain*) (petite) douleur *f*; (*of meat*) tendreté *f*.

tender[2] ['tendər] **1** *vt* (*offer*) offrir; **to t. one's resignation** donner sa démission. **2** *n* **to be legal t.** (*of money*) avoir cours. **3** *n* (*for services etc*) soumission *f* (**for** pour).

tendon ['tendən] *n Anat* tendon *m*.

tenement ['tenəmənt] *n* immeuble *m* (de rapport) (*Am* dans un quartier pauvre).

tenet ['tenɪt] *n* principe *m*.

tenfold ['tenfəʊld] *a* **t. increase** augmentation *f* par dix ▮ *adv* **to increase t.** (se) multiplier par dix.

tenner ['tenər] *n Br Fam* billet *m* de dix livres.

tennis ['tenɪs] *n* tennis *m*; **table t.** tennis de table; **t. court** court *m* (de tennis), tennis *m*.

tenor ['tenər] *n* **1** (*sense, course*) sens *m* général. **2** *Mus* ténor *m*.

tenpin ['tenpɪn] *a* **t. bowling** *Br* bowling *m*. ● **tenpins** *npl* quilles *fpl* ▮ *n sing* bowling *m*.

tense [tens] **1** *a* (**-er, -est**) (*person, muscle, situation*) tendu ▮ *vt* tendre, crisper ▮ *vi* **to t.** (**up**) (*of person, face*) se crisper. **2** *n* (*of verb*) temps *m*; **in the present/future t.** au présent/futur. ● **tenseness** *n* tension *f*. ● **tension** [-ʃ(ə)n] *n* tension *f*.

tent [tent] *n* tente *f*; **t. peg** *Br* piquet *m* de tente; **t. pole** *Br*, **t. stake** *Am* mât *m* de tente.

tentacle ['tentək(ə)l] *n* tentacule *m*.

tentative ['tentətɪv] *a* (*not definite*) provisoire; (*hesitant*) timide. ● **tentatively** *adv* provisoirement; (*hesitantly*) timidement.

tenterhooks ['tentəhʊks] *npl* **to be on t.** (*anxious*) être sur des charbons ardents.

tenth [tenθ] *a & n* dixième (*mf*); **a t.** un dixième.

tenuous ['tenjʊəs] *a* (*link, suspicion etc*) ténu.

tenure ['tenjər] *n* (*in job*) période *f* de jouissance; (*job security*) *Am* titularisation *f*.

tepid ['tepɪd] *a* (*liquid*) & *Fig* tiède.

term [tɜːm] *n* (*word*) terme *m*; (*period*) période *f*; (*duration*) durée *f*; (*of school or university year*) *Br* trimestre *m*; (*semester*) *Am* semestre *m*; **terms** (*conditions*) conditions *fpl*; (*prices*) prix *mpl*; **t.** (**of office**) *Pol* mandat *m*; **t. of abuse** insulte *f*; **to be on good/bad terms** être en bons/mauvais termes (**with s.o.** avec qn); **to be on close terms** être intime (**with** avec); **to buy sth on easy terms**

acheter qch avec facilités de paiement *or* à crédit; **in terms of** (*speaking of*) sur le plan de; **in real terms** dans la pratique; **to come to terms with** (*situation etc*) faire face à; (*person*) tomber d'accord avec; **in the long/short/medium t.** à long/court/moyen terme; **at (full) t.** (*baby*) à terme.

▮ *vt* (*name, call*) appeler; **this might be termed a catastrophe** on pourrait appeler ça une catastrophe.

terminal ['tɜːmɪn(ə)l] **1** *n* (*electronic*) terminal *m*; (*in electric circuit*) borne *f*; **computer t.** terminal *m* d'ordinateur; **(air) t.** aérogare *f*; **(bus) t.** gare *f* routière; **(oil) t.** terminal *m* (pétrolier). **2** *a* (*patient, illness*) incurable; **in its t. stage** (*illness*) en phase terminale. ●**terminally** *adv* **t. ill** (*patient*) incurable.

terminate ['tɜːmɪneɪt] *vt* mettre fin à; (*contract*) résilier; (*pregnancy*) interrompre ▮ *vi* se terminer. ●**termination** [-'neɪʃ(ə)n] *n* fin *f*; (*of contract*) résiliation *f*; (*of pregnancy*) interruption *f*.

terminology [tɜːmɪ'nɒlədʒɪ] *n* terminologie *f*.

terminus ['tɜːmɪnəs] *n* terminus *m*.

termite ['tɜːmaɪt] *n* (*insect*) termite *m*.

terrace ['terɪs] *n* (*next to house, on hill*) terrasse *f*; (*houses*) *Br* maisons *fpl* en bande; **the terraces** (*at football ground*) *Br* les gradins *mpl*. ●**terrace** *or* **terraced house** *n Br* maison *f* attenante aux maisons voisines.

terracota [terə'kɒtə] *n* terre *f* cuite.

terrain [tə'reɪn] *n Mil Geol* terrain *m*.

terrestrial [tə'restrɪəl] *a* terrestre.

terrible ['terəb(ə)l] *a* affreux, terrible. ●**terribly** *adv* (*badly, very*) affreusement.

terrier ['terɪər] *n* (*dog*) terrier *m*.

terrific [tə'rɪfɪk] *a* (*excellent, very great*) *Fam* formidable, terrible. ●**terrifically** *adv Fam* (*extremely*) terriblement; (*extremely well*) terriblement bien.

terrify ['terɪfaɪ] *vt* terrifier; **to be terrified of** avoir très peur de. ●**terrifying** *a* terrifiant. ●**terrifyingly** *adv* épouvantablement.

territory ['terɪtərɪ] *n* territoire *m*. ●**terr'itorial** *a* territorial; **the T. Army** *Br* l'armée *f* territoriale.

terror ['terər] *n* terreur *f*; (*child*) *Fam* polisson, -onne *mf*; **you little t.!** petit polisson!, petite polissonne! ●**terrorism** *n* terrorisme *m*. ●**terrorist** *n* & *a* terroriste (*mf*). ●**terrorize** *vt* terroriser.

terry(cloth) ['terɪ(klɒθ)] *n* tissu-éponge *m*.

terse [tɜːs] *a* laconique.

tertiary ['tɜːʃərɪ] *a* (*sector etc*) tertiaire; **t. education** enseignement *m* postscolaire.

Terylene® ['terəliːn] *n Br* tergal® *m*.

test [test] *vt* (*try*) essayer; (*product, machine*) tester; (*pupil*) interroger; (*of doctor*) examiner (*les yeux etc*); (*analyse*) analyser (*le sang etc*); (*courage, nerves etc*) *Fig* éprouver.

▮ *n* (*trial*) essai *m*; (*of product*) test *m*; (*of s.o.'s knowledge*) *Sch Univ* interrogation *f*, test *m*; (*by doctor*) examen *m*; (*of blood etc*) analyse *f*; (*of courage etc*) *Fig* épreuve *f*; **eye t.** examen *m* de la vue; **driving t.** (examen *m* du) permis *m* de conduire.

▮ *a t.* **pilot/flight** pilote *m*/vol *m* d'essai; **t. drive** *or* **run** essai *m* sur route; **t. case** *Jur* affaire-test *f*; **t. match** *Cricket etc* match *m* international; **t. tube** éprouvette *f*; **t. tube baby** bébé *m* éprouvette.

testament ['testəmənt] *n* (*proof, tribute*) témoignage *m*; (*will*) testament *m*; **the Old/New T.** *Rel* l'Ancien/le Nouveau Testament.

testicle ['testɪk(ə)l] *n Anat* testicule *m*.

testify ['testɪfaɪ] *vi* (*in court etc*) témoigner (**against** contre); **to t. to sth** (*of person, event etc*) témoigner de qch ▮ *vt* **to t. that** (*in court etc*) témoigner que. ●**testi'monial** *n* références *fpl*, recommandation *f*. ●**testimony** *n* témoignage *m*.

testy ['testɪ] *a* (**-ier, -iest**) irritable.

tetanus ['tetənəs] *n* (*disease*) tétanos *m*.

tetchy ['tetʃɪ] *a* (**-ier, -iest**) irritable.

tête-à-tête [teɪtɑː'teɪt] *n* tête-à-tête *m inv*.

tether ['teðər] **1** *vt* (*fasten*) attacher. **2** *n* **at the end of one's t.** à bout (de nerfs).

text [tekst] *n* texte *m*. ●**textbook** *n* manuel *m* (scolaire).

textile ['tekstaɪl] *a* & *n* textile (*m*).

texture ['tekstʃər] *n* (*of fabric, cake etc*) texture *f*; (*of paper, wood*) grain *m*.

Thai [taɪ] *a* thaïlandais ▮ *n* Thaïlandais, -aise *mf*. ●**Thailand** *n* Thaïlande *f*.

Thames [temz] *n* **the T.** la Tamise.

than [ðən, *stressed* ðæn] *conj* **1** que; **happier t.** plus heureux que; **less happy t.** moins heureux que; **he has more/less t. you** il en a plus/moins que toi; **she has fewer oranges t. plums** elle a moins d'oranges que de prunes. **2** (*with numbers*) de; **more t. six** plus de six.

thank [θæŋk] *vt* remercier (**for** **sth** de qch, **for doing** d'avoir fait); **t. you** merci (**for sth** pour *or* de qch, **for doing** d'avoir fait); **no, t. you** (non) merci; **t. God, t. heavens, t. goodness** Dieu merci.

▮ *npl* remerciements *mpl*; **(many) thanks!** merci (beaucoup)!; **thanks to** (*because of*) grâce à.

thankful ['θæŋkfəl] *a* reconnaissant (**for** de); **to be t.** that être bien heureux que (+ *sub*). ●**thankfully** *adv* (*gratefully*) avec reconnaissance; (*fortunately*) heureusement. ●**thankless** *a* ingrat.

Thanksgiving [θæŋks'gɪvɪŋ] *n* **T. (day)** (*holiday*) *US Can* jour *m* d'action de grâce(s).

that [ðət, *stressed* ðæt] **1** *conj* que; **to say t.** dire que.

2 *rel pron* (*subject*) qui; (*object*) que; (*with prep*) lequel, laquelle, *pl* lesquel(le)s; **the boy t. left** le garçon qui est parti; **the book t. I read** le livre que j'ai lu; **the carpet t. I put it on** le tapis sur lequel je l'ai mis; **the house t. she told me about** la maison dont elle m'a parlé; **the day/morning t. she arrived** le jour/matin où elle est arrivée.

3 *dem a* (*pl see* **those**) ce, cet (*before vowel or mute h*), cette; (*opposed to 'this'*) ... + -là; **t. day** ce jour; ce jour-là; **t. man** cet

thatch

homme; cet homme-là; **t. girl** cette fille; cette fille-là.
4 *dem pron* (*pl see* **those**) ça, cela; ce; **t. (one)** celui-là *m*, celle-là *f*; **give me t.** donne-moi ça *or* cela; **I prefer t. (one)** je préfère celui-là; **before t.** avant ça *or* cela; **t.'s right** c'est juste; **who's t.?** qui est-ce?; **t.'s the house** c'est la maison; (*pointing*) voilà la maison; **what do you mean by t.?** qu'entends-tu par là?; **t. is (to say)...** c'est-à-dire....
5 *adv* (*so*) *Fam* si; **not t. good** pas si bon; **t. high** (*pointing*) haut comme ça; **t. much** (*to cost, earn etc*) (au)tant que ça.
thatch [θætʃ] *n* chaume *m*. ● **thatched** *a* (*roof*) de chaume; **t. cottage** chaumière *f*.
thaw [θɔː] *n* dégel *m* ▮ *vi* dégeler; (*of snow, ice*) fondre; (*of food*) décongeler; **it's thawing** ça dégèle; **to t. (out)** (*of person*) *Fig* se dégeler ▮ *vt* (*ice*) dégeler, faire fondre; (*snow*) faire fondre; **to t. (out)** (*food*) (faire) décongeler.
the [ðə, *before vowel* ði, *stressed* ðiː] *def art* le, l', la, *pl* les; **t. roof** le toit; **t. man** l'homme; **t. moon** la lune; **t. orange** l'orange; **t. boxes** les boîtes; **the smallest** le plus petit; **of t., from t.** du, de l', de la, *pl* des; **to t., at t.** au, à l', à la, *pl* aux; **Elizabeth t. Second** Élisabeth Deux; **Catherine t. Great** Catherine la Grande.
theatre [ˈθɪətər] (*Am* **theater**) *n* (*place, art*) & *Mil* théâtre *m*; (*operating*) **t.** (*in hospital*) *Br* salle *f* d'opération; **t. of operations** *Mil* théâtre *m* des opérations. ● **theatregoer** *n* amateur *m* de théâtre. ● **the'atrical** *a* théâtral; **t. company** troupe *f* de théâtre.
theft [θeft] *n* vol *m*.
their [ðeər] *poss a* leur, *pl* leurs; **t. house** maison *f*. ● **theirs** [ðeəz] *poss pron* le leur, la leur, *pl* les leurs; **this book is t.** ce livre est à eux *or* est le leur; **a friend of t.** un ami à eux.
them [ðəm, *stressed* ðem] *pron* les; (*after prep, 'than', 'it is'*) eux *mpl*, elles *fpl*; **(to)** (*indirect*) leur; **I see t.** je les vois; **I give (to) t.** je leur donne; **with t.** avec eux, avec elles; **ten of t.** dix d'entre eux *or* elles; **all of t. came** tous sont venus, toutes sont venues; **I like all of t.** je les aime tous *or* toutes.
theme [θiːm] *n* thème *m*; **t. music** musique *f* (de film); **t. song** *or* **tune** chanson *f* (de film); **t. park** parc *m* (de loisirs) à thème.
themselves [ðemˈselvz] *pron* eux-mêmes *mpl*, elles-mêmes *fpl*; (*reflexive*) se, s'; (*after prep etc*) eux *mpl*, elles *fpl*; **they wash t.** ils *or* elles se lavent; **they think of t.** ils pensent à eux, elles pensent à elles.
then [ðen] **1** *adv* (*at that time*) à cette époque-là, alors; (*just a moment ago*) à ce moment-là; (*next*) ensuite, puis; **from t. on** dès lors; **before t.** avant cela; **until t.** jusque-là, jusqu'alors ▮ *a* **the t. mayor**/*etc* le maire/*etc* d'alors. **2** *conj* (*therefore*) donc, alors.
theology [θɪˈɒlədʒɪ] *n* théologie *f*. ● **theoˈlogical** *a* théologique. ● **theoˈlogian** *n* théologien *m*.
theorem [ˈθɪərəm] *n* théorème *m*.
theory [ˈθɪərɪ] *n* théorie *f*; **in t.** en théorie. ● **theorize** *vi* développer *or* échafauder une théorie. ● **theoˈretical** *a* théorique. ● **theoˈretically** *adv* théoriquement. ● **theorist** *n* théoricien, -ienne *mf*.
therapy [ˈθerəpɪ] *n* thérapeutique *f*. ● **theraˈpeutic** *a* thérapeutique. ● **therapist** *n* thérapeute *mf*.
there [ðeər] *adv* là; (*down or over*) **t.** là-bas; **on t.** là-dessus; **she'll be t.** elle sera là, elle y sera; **t. is, t. are** il y a; (*pointing*) voilà; **t. he is** le voilà; **t. she is** la voilà; **t. they are** les voilà; **that man t.** cet homme-là; **t.** (*you are*)! (*take this*) tenez!; **t., (t,) don't cry!** allons, allons, ne pleure pas! ● **thereaˈbout(s)** *adv* par là; (*in amount*) à peu près. ● **thereˈafter** *adv* après cela. ● **thereby** *adv* de ce fait. ● **therefore** *adv* donc. ● **thereuˈpon** *adv* sur cela.
thermal [ˈθɜːm(ə)l] *a* (*underwear*) en thermolactyl®; (*energy, unit*) thermique.
thermometer [θəˈmɒmɪtər] *n* thermomètre *m*.
thermonuclear [θɜːməʊˈnjuːklɪər] *a* thermonucléaire.
Thermos® [ˈθɜːməs] *n* (*pl* -es) **T.** (*Br* **flask** *or Am* **bottle**) thermos® *m or f inv*.
thermostat [ˈθɜːməstæt] *n* thermostat *m*.
thesaurus [θɪˈsɔːrəs] *n* dictionnaire *m* de synonymes.
these [ðiːz] **1** *dem a* (*sing see* **this**) ces; (*opposed to 'those'*) ... + -ci; **t. men** ces hommes; **ces hommes-ci. 2** *dem pron* (*sing see* **this**) **t. (ones)** ceux-ci *mpl*, celles-ci *fpl*; **t. are my friends** ce sont mes amis.
thesis, *pl* **theses** [ˈθiːsɪs, ˈθiːsiːz] *n* thèse *f*.
they [ðeɪ] *pron* **1** ils *mpl*, elles *fpl*; (*stressed*) eux *mpl*, elles *fpl*; **t. go** ils vont, elles vont; **t. are doctors** ce sont des médecins. **2** (*people in general*) on; **t. say** on dit. ● **they'd** = **they had** & **they would**. ● **they'll** = **they will**.
thick [θɪk] *a* (**-er, -est**) épais (*f* épaisse); (*stupid*) *Fam* lourd; **to be t.** (*of friends*) *Fam* être très liés ▮ *adv* (*to spread*) en couche épaisse; (*to grow*) dru ▮ *n* **in the t. of battle** au cœur de la bataille. ● **thickly** *adv* (*to spread*) en couche épaisse; (*to grow*) dru; **t. populated/wooded** très peuplé/boisé.
thicken [ˈθɪk(ə)n] *vt* épaissir ▮ *vi* (*of fog etc*) s'épaissir; (*of cream, sauce etc*) épaissir. ● **thickness** *n* épaisseur *f*.
thicket [ˈθɪkɪt] *n* (*trees*) fourré *m*.
thickset [θɪkˈset] *a* (*person*) trapu. ● **thick-skinned** *a* (*person*) peu sensible, dur.
thief [θiːf] *n* (*pl* **thieves**) voleur, -euse *mf*; **stop t.!** au voleur! ● **thieve** *vti* voler. ● **thieving** *a* voleur ▮ *n* vol *m*.
thigh [θaɪ] *n* cuisse *f*. ● **thighbone** *n* fémur *m*.
thimble [ˈθɪmb(ə)l] *n* dé *m* (à coudre).
thin [θɪn] *a* (**thinner, thinnest**) (*slice, paper etc*) mince; (*person, leg*) maigre, mince;

(*soup*) peu épais (*f* épaisse); (*crowd, hair*) clairsemé; (*powder*) fin; (*excuse, profit*) *Fig* maigre, mince ∎ *adv* (*to spread*) en couche mince; (*to cut*) en tranches minces ∎ *vt* (-nn-) **to t. (down)** (*paint etc*) diluer ∎ *vi* **to t. out** (*of crowd, mist*) s'éclaircir. ●**thinly** *adv* (*to spread*) en couche mince; (*to cut*) en tranches minces; **t. disguised** à peine déguisé; **t. populated/wooded** peu peuplé/boisé. ●**thinness** *n* minceur *f*; (*of person, leg etc*) maigreur *f*.

thing [θɪŋ] *n* chose *f*; **one's things** (*belongings, clothes*) ses affaires *fpl*; **it's a funny t.** c'est drôle; **poor little t.!** pauvre petit!; **that's (just) the t.** voilà (exactement) ce qu'il faut; **how are things?**, *Fam* **how's things?** comment (ça) va?; **I'll think things over** j'y réfléchirai; **for one t...., and for another t.** d'abord...et ensuite; **the tea things** *Br* (*set*) le service à thé; (*dishes*) la vaisselle. ●**thingamabob** *or Br* **thingummy** *n Fam* truc *m*, machin *m*.

think [θɪŋk] *vi* (*pt & pp* **thought**) penser (**about, of** à); **to t. (carefully)** réfléchir (**about, of** à); **to t. of doing** penser *or* songer à faire; **to t. highly of, a lot about** penser beaucoup de bien de; **she doesn't t. much of it** ça ne lui dit pas grand-chose; **to t. better of it** se raviser; **I can't t. of it** je n'arrive pas à m'en souvenir.

∎ *vt* penser (**that** que); **I t. so** je pense *or* crois que oui; **what do you t. of him?** que penses-tu de lui?; **I thought it difficult** je l'ai trouvé difficile; **to t. out** (*plan, method etc*) élaborer, concevoir; (*reply*) réfléchir sérieusement à; **to t. sth over** réfléchir à qch; **to t. sth through** réfléchir à qch sous tous les angles; **to t. sth up** (*invent*) inventer qch, avoir l'idée de qch.

∎ *n* **to have a t.** *Fam* réfléchir (**about** à); **t. tank** comité *m* d'experts. ●**thinking** *a* **t. person** personne *f* intelligente ∎ *n* (*opinion*) opinion *f*; **to my t.** à mon avis. ●**thinker** *n* penseur, -euse *mf*.

thinner [θɪnər] *n* (*for paint etc*) diluant *m*.

thin-skinned [θɪn'skɪnd] *a* (*person*) susceptible, chatouilleux.

third [θɜːd] *a* troisième; **t. person** *or* **party tiers** *m*; **t.-party insurance** assurance *f* au tiers; **the T. World** le Tiers-Monde *m* ∎ *n* troisième *mf*; *a* (*fraction*) un tiers ∎ *adv* **to come t.** (*in race etc*) se classer troisième. ●**thirdly** *adv* troisièmement.

third-class [θɜːd'klɑːs] *a* de troisième classe; **t.-class degree** *Br* = licence *f* avec mention passable. ●**third-rate** *a* (très) inférieur.

thirst [θɜːst] *n* soif *f* (**for** de). ●**thirsty** *a* (**-ier, -iest**) *a* to be *or* feel t. avoir soif; **to make s.o. t.** donner soif à qn; **to be t. for** (*power etc*) *Fig* être assoiffé de.

thirteen [θɜː'tiːn] *a & n* treize (*m*). ●**thirteenth** *a & n* treizième (*mf*).

thirty [θɜːtɪ] *a & n* trente (*m*). ●**thirtieth** *a & n* trentième (*mf*).

this [ðɪs] **1** *dem a* (*pl see* **these**) ce, cet (*before vowel or mute h*), cette; (*opposed to 'that'*) ... + -ci; **t. book** ce livre; ce livre-ci; **t. man** cet homme; cet homme-ci; **t. photo** cette photo; cette photo-ci. **2** *dem pron* (*pl see* **these**) ceci; ce; **t. (one)** celui-ci *m*, celle-ci *f*; **give me t.** donne-moi ceci; **I prefer t. (one)** je préfère celui-ci; **before t.** avant ceci; **who's t.?** qui est-ce?; **t. is Paul** c'est Paul; (*pointing*) voici Paul. **3** *adv* (*so*) **t. high** (*pointing*) haut comme ceci; **t. far** (*until now*) jusqu'ici.

thistle [θɪs(ə)l] *n* chardon *m*.

thorax [θɔːræks] *n Anat* thorax *m*.

thorn [θɔːn] *n* épine *f*. ●**thorny** *a* (**-ier, -iest**) (*bush*, *Fig problem etc*) épineux.

thorough [θʌrə] *a* (*careful, painstaking*) minutieux, consciencieux; (*knowledge, examination*) approfondi; (*liar, rogue*) parfait; (*disaster*) complet; **to give sth a t. washing/cleaning/etc** laver/nettoyer/*etc* qch à fond. ●**thoroughly** *adv* (*completely*) tout à fait; (*carefully*) avec minutie; (*to know, clean, wash etc*) à fond. ●**thoroughness** *n* minutie *f*; (*depth*) profondeur *f*.

thoroughbred [θʌrəbred] *n* (*horse*) pur-sang *m inv*.

thoroughfare [θʌrəfeər] *n* (*street*) artère *f*, rue *f*; **'no t.'** *Br* 'passage interdit'.

those [ðəʊz] **1** *dem a* (*sing see* **that**) ces; (*opposed to 'these'*) ... + -là; **t. men** ces hommes; ces hommes-là. **2** *dem pron* (*sing see* **that**) **t. (ones)** ceux-là *mpl*, celles-là *fpl*; **t. are my friends** ce sont mes amis.

though [ðəʊ] **1** *conj* (**even**) **t.** bien que (+ *sub*); **as t.** comme si; **strange t. it may seem** si étrange que cela puisse paraître. **2** *adv* (*however*) pourtant, tout de même.

thought [θɔːt] *pt & pp of* **think** ∎ *n* pensée *f*; (*idea*) idée *f*, pensée *f*; (*careful*) réflexion *f*; **without (a) t. for** sans penser à; **to have second thoughts** changer d'avis; **on second thoughts** *Br*, **on second t.** *Am* à la réflexion.

thoughtful [θɔːtfəl] *a* (*considerate, kind*) gentil, attentionné, prévenant; (*pensive*) pensif; (*serious*) sérieux. ●**thoughtfully** *adv* (*considerately*) gentiment. ●**thoughtfulness** *n* gentillesse *f*, prévenance *f*.

thoughtless [θɔːtləs] *a* (*towards others*) pas très gentil; (*absent-minded*) étourdi. ●**thoughtlessly** *adv* (*inconsiderately*) pas très gentiment; (*absent-mindedly*) étourdiment.

thousand [θaʊzənd] *a & n* mille *a & m inv*; **a t. pages** mille pages; **two t. pages** deux mille pages; **thousands of** des milliers de; **they came in their thousands** ils sont venus par milliers.

thrash [θræʃ] **1** *vt* **to t. s.o.** donner une correction à qn; (*defeat*) écraser qn; **to t. out** (*plan etc*) élaborer (à force de discussions). **2** *vi* **to t. around** *or* **about** (*struggle*) se débattre. ●**thrashing** *n* (*beating*) correction *f*.

thread [θred] *n* (*yarn*) & *Fig* fil *m*; (*of screw*) pas *m* ∎ *vt* (*needle, beads*) enfiler; **to t. one's way** se faufiler (**through the crowd/etc** parmi la foule/*etc*). ●**threadbare** *a* élimé, râpé.

threat [θret] *n* menace *f*; **to be a t.** to constituer une menace pour. ●**threaten** *vi* menacer ▌*vt* menacer (**to do** de faire, **with sth** de qch). ●**threatening** *a* menaçant. ●**threateningly** *adv* (*to say etc*) d'un ton menaçant.

three [θriː] *a* & *n* trois (*m*); **t.-piece suite** *Br* canapé *m* et deux fauteuils. ●**three-'D** *a* (*film*) en 3-D. ●**three-di'mensional** *a* à trois dimensions. ●**threefold** *a* triple ▌*adv* **to increase t.** tripler. ●**three-point 'turn** *n Aut* demi-tour *m* en trois manœuvres. ●**three-quarters** *n sing* **t.-quarters (of)** les trois quarts *mpl* (de); **it's t.-quarters full** c'est aux trois quarts plein. ●**threesome** *n* groupe *m* de trois personnes. ●**three-way** *a* (*division*) en trois; (*conversation*) à trois. ●**three-'wheeler** *n* (*tricycle*) tricycle *m*; (*car*) voiture *f* à trois roues.

thresh [θreʃ] *vt* (*wheat etc*) battre.

threshold ['θreʃhəʊld] *n* seuil *m*; **pain t.** seuil *m* de résistance à la douleur.

threw [θruː] *pt of* **throw**.

thrift [θrɪft] *n* (*virtue*) économie *f*. ●**thrifty** *a* (**-ier**, **-iest**) économe.

thrill [θrɪl] *n* frisson *m*, émotion *f*; **to get a t. out of doing** prendre plaisir à faire qch ▌*vt* (*delight*) réjouir; (*excite*) faire frissonner. ●**thrilled** *a* ravi (**with sth** de qch, **to do** de faire). ●**thrilling** *a* passionnant. ●**thriller** *n* film *m or* roman *m* à suspense.

thrive [θraɪv] *vi* (*of business, person, plant etc*) prospérer; **he *or* she thrives on hard work** le travail lui profite. ●**thriving** *a* prospère, florissant.

throat [θrəʊt] *n* gorge *f*; **to have a sore/scratchy t.** avoir mal/un peu mal à la gorge. ●**throaty** *a* (*voice*) rauque; (*person*) à la voix rauque.

throb [θrɒb] *vi* (**-bb-**) (*of heart*) palpiter; (*of engine*) vrombir; (*vibrate*) vibrer; **my finger is throbbing** mon doigt me fait des élancements ▌*n* (*of heart*) palpitation *f*; (*of engine*) vrombissement *m*; (*in finger*) élancement *m*.

throes [θrəʊz] *npl* **in the t. of** au milieu de; (*illness, crisis*) en proie à; **in the t. of doing** en train de faire.

thrombosis [θrɒm'bəʊsɪs] *n Med* thrombose *f*; (*coronary*) infarctus *m*.

throne [θrəʊn] *n* trône *m*.

throng [θrɒŋ] *n Lit* foule *f* ▌*vi* (*rush*) affluer ▌*vt* (*station, street etc*) se presser dans; **it was thronged with people** c'était noir de monde.

throttle ['θrɒt(ə)l] **1** *n* (*of motorcycle etc*) poignée *f* des gaz; (*of aircraft etc*) commande *f* des gaz. **2** *vt* (*strangle*) étrangler.

through [θruː] *prep* (*place*) à travers; (*time*) pendant; (*means*) par; (*thanks to*) grâce à; **t. the window/door** par la fenêtre/porte; **to go *or* get t.** (*forest etc*) traverser; (*hole etc*) passer par; (*wall etc*) passer à travers; **to speak t. one's nose** parler du nez; **Tuesday t. Saturday** *Am* de mardi à samedi.
▌*adv* à travers; **to go t.** (*cross*) traverser; (*pass*) passer; **to let t.** laisser passer; **to be t.** (*finished*) *Am* avoir fini; **we're t.** (*it's over between us*) *Am* c'est fini entre nous; **I'm t. with the book** *Am* je n'ai plus besoin du livre; **all *or* right t.** (*to the end*) jusqu'au bout; **t. to *or* till** jusqu'à; **French t. and t.** français jusqu'au bout des ongles; **I'll put you t.** (**to him**) (*on telephone*) je vous le passe.
▌*a* (*train, traffic, ticket*) direct; **'no t. road'** (*no exit*) *Br* 'voie sans issue'.

throughout ['θruːaʊt] *prep* **t. the neighbourhood/etc** dans tout le quartier/etc; **t. the day/etc** (*time*) pendant toute la journée/etc ▌*adv* (*everywhere*) partout; (*all the time*) tout le temps.

throughway ['θruːweɪ] *n Am* = **thruway**.

throw [θrəʊ] *n* (*of stone etc*) jet *m*; *Sport* lancer *m*; (*of dice*) coup *m*; (*turn*) tour *m* ▌*vt* (*pt* **threw**, *pp* **thrown**) jeter (**to, at**); (*stone, ball*) lancer, jeter; (*hurl*) projeter; (*of horse*) désarçonner (*qn*); (*party, reception*) donner; (*baffle*) *Fam* dérouter.

throw away *vt* (*unwanted object*) jeter; (*waste, ruin*) *Fig* gâcher ▌ **to throw back** *vt* (*ball*) renvoyer (**to** à); (*one's head*) rejeter en arrière ▌ **to throw in** *vt* (*include as extra*) *Fam* donner en prime ▌ **to throw off** *vt* (*get rid of*) se débarrasser de ▌ **to throw out** *vt* (*unwanted object*) jeter; (*suggestion*) repousser; (*expel*) mettre (*qn*) à la porte; (*distort*) fausser (*calcul etc*) ▌ **to throw over** *vt* (*abandon*) abandonner ▌ **to throw up** *vt Fam* (*job*) laisser tomber; (*food*) rendre ▌ *vi* (*vomit*) *Fam* dégobiller.

throwaway ['θrəʊəweɪ] *a* (*disposable*) jetable, à jeter.

thrush [θrʌʃ] *n* **1** (*bird*) grive *f*. **2** (*infection*) muguet *m*.

thrust [θrʌst] *n* (*push, lunge, stab etc*) coup *m*; (*of argument*) poids *m*; (*dynamism*) allant *m* ▌*vt* (*pt* & *pp* **thrust**) (*push*) pousser (avec force); (*put*) mettre; **to t. sth into sth** (*stick, knife, pin etc*) enfoncer qch dans qch; **to t. aside** (*reject*) écarter (brusquement) (*qch, qn*); **to t. sth/s.o. (up)on s.o.** *Fig* imposer qch/qn à qn.

thruway ['θruːweɪ] *n Am* autoroute *f*.

thud [θʌd] *n* bruit *m* sourd.

thug [θʌg] *n* voyou *m*.

thumb [θʌm] *n* pouce *m*; **with a t. index** (*book*) à onglets ▌*vt* **to t. (through)** (*book etc*) feuilleter; **to t. a lift *or* a ride** *Fam* faire du stop. ●**thumbtack** *n Am* punaise *f*.

thump [θʌmp] *vt* (*person*) frapper, cogner sur; (*table, keyboard etc*) taper sur; **to t. one's head** (*on door etc*) se cogner la tête (**on** contre) ▌*vi* frapper, cogner (**on** sur); (*of heart*) battre à grands coups ▌*n* (*grand*) coup *m*; (*noise*) bruit *m* sourd. ●**thumping** *a* (*huge, great*) *Fam* énorme.

thunder ['θʌndər] *n* tonnerre *m* ▌*vi* (*of guns, Fig person*) tonner; **it's thundering** (*weather*) il tonne; **to t. past** (*of train, truck etc*) passer (vite) dans un bruit de tonnerre. ●**thunderbolt** *n* coup *m* de foudre; (*event*)

Fig coup *m* de tonnerre. ●**thunderclap** *n* coup *m* de tonnerre. ●**thunderstorm** *n* orage *m*. ●**thunderstruck** *a* (*astonished*) *Lit* abasourdi.

Thursday [*Br* ˈθɜːzdɪ, *Am* -deɪ] *n* jeudi *m*.

thus [ðʌs] *adv* ainsi.

thwart [θwɔːt] *vt* (*plan, person*) contrecarrer.

thyme [taɪm] *n* (*herb*) thym *m*.

thyroid [ˈθaɪrɔɪd] *a* & *n* *Anat* thyroïde (*f*); **t. complaint** maladie *f* de la thyroïde.

tiara [tɪˈɑːrə] *n* (*woman's crown*) diadème *m*.

Tibet [tɪˈbet] *n* Tibet *m*.

tic [tɪk] *n* (*in face, limbs*) tic *m*.

tick [tɪk] **1** *n* (*of clock*) tic-tac *m* ❙ *vi* faire tic-tac; **to t. over** (*of engine, business, factory*) *Br* tourner au ralenti. **2** *Br n* (*mark on list etc*) coche *f*, = croix *f* ❙ *vt* **to t. (off)** (*on list etc*) cocher; **to t. s.o. off** (*reprimand*) *Fam* passer un savon à qn. **3** *n* (*moment*) *Br Fam* instant *m*. **4** *n* (*insect*) tique *f*. **5** *adv* **on t.** (*on credit*) *Br Fam* à crédit. ●**ticking** *n* (*of clock*) tic-tac *m*; **to give s.o. a t.-off** *Br Fam* passer un savon à qn.

ticket [ˈtɪkɪt] *n* billet *m*; (*for bus, Br underground, Am subway, cloakroom etc*) ticket *m*; (*for library*) carte *f*; (*fine for parking, speeding etc*) *Fam* contravention *f*, contredanse *f*; (*list of candidates*) *Am Pol* liste *f*; (**price**) *f*. étiquette *f*; **t. collector** contrôleur, -euse *mf*; **t. holder** personne *f* munie d'un billet; **t. office** guichet *m*; **t. scalper** *Am*, **t. tout** *Br* revendeur, -euse (*en fraude*).

tickle [ˈtɪk(ə)l] *vt* chatouiller; (*amuse*) *Fig* amuser ❙ *n* chatouillement *m*. ●**ticklish** *a* (*person*) chatouilleux; (*garment, fabric*) qui chatouille; (*problem*) *Fig* délicat.

tick-tack-toe [tɪktækˈtəʊ] *n Am* morpion *m*.

tidal [ˈtaɪd(ə)l] *a* (*river*) qui a une marée; **t. wave** raz-de-marée *m inv*; (*in public opinion etc*) *Fig* vague *f* de fond.

tidbit [ˈtɪdbɪt] *n* (*food*) *Am* bon morceau *m*.

tiddlywinks [ˈtɪdlɪwɪŋks] *n* jeu *m* de puce.

tide [taɪd] **1** *n* marée *f*; **against the t.** (*to swim etc*) & *Fig* à contre-courant; **the rising t. of discontent** le mécontentement grandissant. **2** *vt* **to t. s.o. over** (*help out*) dépanner qn. ●**tidemark** *n* (*on neck etc*) *Br Fig Hum* ligne *f* de crasse.

tidings [ˈtaɪdɪŋz] *npl Lit* nouvelles *fpl*.

tidy [ˈtaɪdɪ] *a* (**-ier, -iest**) (*place, toys etc*) bien rangé; (*clothes, hair*) soigné; (*person*) (*methodical*) ordonné; (*in appearance*) soigné; **a t. sum** *or* **amount** *Fam* une jolie *or* bonne somme; **to make t.** ranger ❙ *vt* **to t. sth** (**up** *or* **away**) ranger qch; **to t. out** (*drawer etc*) vider; **to t. oneself up** s'arranger ❙ *vi* **to t. up** ranger. ●**tidily** *adv* (*to put away etc*) soigneusement, avec soin. ●**tidiness** *n* (bon) ordre *m*; (*care*) soin *m*.

tie [taɪ] *n* (*around neck*) cravate *f*; (*string, strap etc*) & *Fig* lien *m*, attache *f*; (*on railroad track*) *Am* traverse *f*; *Sport* égalité *f* de points; (*drawn match*) match *m* nul ❙ *vt* (*fasten*) attacher, lier (**to** à); (*a knot*) faire (**in** à); (*shoe*) lacer; (*link*) lier (**to** à) ❙ *vi Sport* finir à égalité de points; *Football* faire match nul; (*in race*) être ex aequo.

tie down *vt* attacher; **to t. s.o. down to** (*date, place etc*) obliger qn à accepter ❙ **to tie in** *vi* (*be linked*) être lié; **to t. in with** (*tally with*) se rapporter à ❙ **to tie up** *vt* (*person, dog etc*) attacher; (*bind hand and foot*) ligoter; (*package*) ficeler; (*money*) *Fig* immobiliser; **to be tied up** (*linked*) être lié (**with** avec); (*busy*) *Fam* être occupé.

tier [tɪər] *n* (*of seats*) gradin *m*; (*of cake*) étage *m*.

tie-up [ˈtaɪʌp] *n* (*link*) lien *m*; (*traffic jam*) *Am Fam* bouchon *m*.

tiff [tɪf] *n* petite querelle *f*.

tiger [ˈtaɪɡər] *n* tigre *m*. ●**tigress** *n* tigresse *f*.

tight [taɪt] *a* (**-er, -est**) (*clothes fitting too closely*) (trop) étroit, (trop) serré; (*skin-tight*) ajusté, collant; (*drawer, lid*) dur; (*knot, screw*) serré; (*rope, wire*) raide; (*control*) strict; (*schedule*) serré; (*with money*) *Fam* avare; (*drunk*) *Fam* gris; **a t. spot** *or* **corner** *Fam* une situation difficile; **it's a t. squeeze** il y a juste la place.

❙ *adv* (*to hold, shut*) bien; (*to squeeze*) fort; **sleep t.!** dors bien!; **to sit t.** ne pas bouger. ●**tightly** *adv* (*to hold*) bien; (*to squeeze*) fort; **t. knit** (*close*) très uni. ●**tightness** *n* (*of garment*) étroitesse *f*; (*of control*) rigueur *f*; (*of rope*) tension *f*.

tighten [ˈtaɪt(ə)n] *vt* **to t. (up)** (*bolt etc*) (res)serrer; (*rope*) tendre; (*security*) *Fig* renforcer ❙ *vi* **to t. up on** se montrer plus strict à l'égard de.

tightfisted [taɪtˈfɪstɪd] *a* avare. ●**tight-fitting** *a* (*garment*) ajusté. ●**ˈtightrope** *n* corde *f* raide. ●**ˈtightwad** *n* (*miser*) *Am Fam* grippe-sou *m*.

tights [taɪts] *npl* (*garment*) *Br* collant(s) *mpl*; (**support**) **t.** (*for varicose veins*) bas *mpl* à varices.

tile [taɪl] *n* (*on roof*) tuile *f*; (*on wall or floor*) carreau *m* ❙ *vt* (*wall, floor*) carreler. ●**tiled** *a* (*roof*) de tuiles; (*wall, floor*) carrelé. ●**tiler** *n* carreleur *m*.

till [tɪl] **1** *prep* & *conj* = **until**. **2** *n* (*for money*) *Br* caisse *f* (enregistreuse); **t. receipt** ticket *m* de caisse. **3** *vt* (*land*) cultiver.

tiller [ˈtɪlər] *n* (*of boat*) barre *f*.

tilt [tɪlt] *vti* pencher ❙ *n* inclinaison *f*; **(at) full t.** à toute vitesse.

timber [ˈtɪmbər] *n* (*wood*) *Br* bois *m* (de construction); (*trees*) arbres *mpl* ❙ *a* (*house etc*) *Br* de *or* en bois. ●**timberyard** *n Br* entrepôt *m* de bois.

time [taɪm] *n* temps *m*; (*point in time*) moment *m*; (*period in history*) époque *f*; (*on clock*) heure *f*; (*occasion*) fois *f*; *Mus* mesure *f*; **in (the course of) t.**, **with (the passage of) t.** avec le temps; **it's t. (to do)** il est temps (de faire); **I have no t. to play/***etc* je n'ai pas le temps de jouer/*etc*; **I have no t. to waste** je n'ai pas de temps à perdre; **some of the t.** (*not always*) une partie du temps; **most of the t.** la plupart du temps; **all of the t.** tout

le temps; **in a year's t.** dans un an; **a long t.** longtemps; **a short t.** peu de temps, un petit moment; **full-t.** à plein temps; **part-t.** à temps partiel; **to have a good** *or* **a nice t.** (*fun*) s'amuser (bien); **to have a hard t. doing** avoir du mal à faire; **to have t. off** avoir du temps libre; **in no t. (at all)** en un rien de temps; **(just) in t.** (*to arrive*) à temps (**for sth** pour qch, **to do** pour faire); **in my t.** (*formerly*) de mon temps; **from t. to t.** de temps en temps; **what t. is it?** quelle heure est-il?; **the right** *or* **exact t.** l'heure *f* exacte; **on t.** à l'heure; **at the same t.** en même temps (**as que**); (*simultaneously*) à la fois; **for the t. being** pour le moment; **at the** *or* **that t.** à ce moment-là; **at the present t.** à l'heure actuelle; **at times** parfois, par moments; **at one t.** à un moment donné; **this t. tomorrow** demain à cette heure-ci; (**the**) **next t. you come** la prochaine fois que tu viendras; (**the**) **last t.** la dernière fois; **one at a t.** un à un; **t. and (time) again** bien des fois, à plusieurs reprises; **ten times ten** dix fois dix; **t. bomb** bombe *f* à retardement; **t. lag** (*between events*) décalage *m*; **t. limit** délai *m*; **t. switch** = **timer**; **t. zone** fuseau *m* horaire.
▮ *vt* (*sportsman, worker etc*) chronométrer; (*activity, programme*) minuter; (*choose the time of*) choisir le moment de; (*to plan*) prévoir. ●**time-consuming** *a* qui prend du temps. ●**time-honoured** *a* consacré (par l'usage). ●**time-share** *n* multipropriété *f*.
timeless ['taɪmləs] *a* éternel.
timely ['taɪmlɪ] *a* à propos. ●**timeliness** *n* à-propos *m*.
timer ['taɪmər] *n* (*device*) minuteur *m*, compte-minutes *m inv*; (*sand-filled*) sablier *m*; (*built into appliance*) programmateur *m*; (*plugged into socket*) prise *f* programmable; (*to control lighting*) minuterie *f*.
timescale ['taɪmskeɪl] *n* période *f*.
timetable ['taɪmteɪb(ə)l] *n* horaire *m*; (*in school*) emploi *m* du temps.
timid ['tɪmɪd] *a* (*afraid*) craintif, timoré; (*shy*) timide. ●**timidly** *adv* timidement.
timing ['taɪmɪŋ] *n* (*of sportsman etc*) *n* chronométrage *m*; (*of activity etc*) minutage *m*; (*judgment of artist etc*) rythme *m*; **the t. of** (*time*) le moment choisi pour; **what (good) t.!** quelle synchronisation.
tin [tɪn] *n* (*metal*) étain *m*; (*coated steel or iron*) fer-blanc *m*; (*can*) *Br* boîte *f*; **cake t.** moule *m* à gâteaux; **t. can** boîte *f* (en fer-blanc); **t. opener** ouvre-boîtes *m inv*; **t. soldier** soldat *m* de plomb. ●**tinfoil** *n* papier *m* d'alu(minium).
tinge [tɪndʒ] *n* teinte *f*. ●**tinged** *a* **t. with** (*pink etc*) teinté de; (*jealousy etc*) *Fig* empreint de.
tingle ['tɪŋg(ə)l] *vi* picoter; **it's tingling** ça me picote. ●**tingly** *a* **t. feeling** sensation *f* de picotement.
tinker ['tɪŋkər] *vi* **to t. (about** *or* **around) with** bricoler.

tinkle ['tɪŋk(ə)l] *vi* tinter ▮ *n* tintement *m*; **to give s.o. a t.** (*phone s.o.*) *Br Fam* passer un coup de fil à qn.
tinned [tɪnd] *a Br* **t. pears/salmon/etc** poires *fpl*/saumon *m*/etc en boîte; **t. food** conserves *fpl*.
tinny ['tɪnɪ] *a* (**-ier, -iest**) (*sound*) métallique; (*vehicle, machine*) de mauvaise qualité.
tinplate ['tɪnpleɪt] *n* fer-blanc *m*.
tinsel ['tɪns(ə)l] *n* guirlandes *fpl* de Noël.
tint [tɪnt] *n* teinte *f*; (*for hair*) shampooing *m* colorant. ●**tinted** *a* (*paper, glass*) teinté; **t. glasses** verres *mpl* teintés.
tiny ['taɪnɪ] *a* (**-ier, -iest**) tout petit.
tip¹ [tɪp] **1** *n* (*end*) bout *m*; (*pointed*) pointe *f*. **2** *n* (*money*) pourboire *m* ▮ *vt* (*waiter etc*) donner un pourboire à. **3** *n* (*advice*) conseil *m*; (*information in betting on horses etc*) tuyau *m*; **to get a t.-off** se faire tuyauter ▮ *vt* (-pp-) **to t. a horse/**etc donner un cheval/*etc* gagnant; **to t. off** (*police*) prévenir. **4** *n Br* (*rubbish dump*) décharge *f*; **this room is a real t.** *Fam* cette pièce est un vrai dépotoir.
tip² [tɪp] *vt* (-pp-) **to t. (up** *or* **over)** (*tilt*) pencher, incliner; (*overturn*) faire basculer; **to t. (out)** (*liquid, load*) déverser (**into** dans) ▮ *vi* **to t. (up** *or* **over)** (*tilt*) pencher; (*overturn*) basculer.
tip-off ['tɪpɒf] *n see* **tip**¹ 3.
tipped [tɪpt] *a* **t. cigarette** cigarette *f* (à bout) filtre.
tipple ['tɪp(ə)l] *vi* (*drink*) *Fam* picoler.
tipsy ['tɪpsɪ] *a* (**-ier, -iest**) (*drunk*) éméché, gai.
tiptoe ['tɪptəʊ] *n* **on t.** sur la pointe des pieds ▮ *vi* marcher sur la pointe des pieds; **to t. into/out of a room** entrer dans une pièce/sortir d'une pièce sur la pointe des pieds.
tiptop ['tɪptɒp] *a Fam* excellent.
tirade [taɪ'reɪd] *n* diatribe *f*.
tire¹ ['taɪər] *vt* fatiguer; **to t. s.o. out** (*exhaust*) épuiser qn ▮ *vi* se fatiguer. ●**tired** *a* fatigué; **to be t. of sth/s.o./doing** en avoir assez de qch/de qn/de faire; **to get t. of doing** se lasser de faire. ●**tiring** *a* fatigant. ●**tiredness** *n* fatigue *f*. ●**tireless** *a* infatigable. ●**tiresome** *a* ennuyeux.
tire² ['taɪər] *n Am* pneu *m* (*pl* pneus).
tissue ['tɪʃuː] *n* (*handkerchief*) mouchoir *m* en papier, kleenex® *m*; *Biol* tissu *m*; **t. (paper)** papier *m* de soie.
tit [tɪt] *n* **1 to give t. for tat** rendre coup pour coup. **2** (*bird*) mésange *f*.
titbit ['tɪtbɪt] *n* (*food*) *Br* bon morceau *m*.
titillate ['tɪtɪleɪt] *vt* exciter.
title ['taɪt(ə)l] *n* (*name, claim*) & *Sport* titre *m*; **t. deed** titre *m* de propriété; **t. role** (*in film, play*) rôle *m* principal ▮ *vt* (*film*) intituler, titrer. ●**titled** *a* (*person*) titré. ●**title-holder** *n Sport* détenteur, -trice *mf* d'un titre.
titter ['tɪtər] *vi* rire bêtement.
tittle-tattle ['tɪt(ə)ltæt(ə)l] *n Fam* commérages *mpl*.
T-junction ['tiːdʒʌŋkʃ(ə)n] *n* (*of roads*) *Br*

intersection *f* en T.
to [tə, stressed tuː] *prep* **1** à; (*towards*) vers; (*of attitude, feelings*) envers; (*right up to*) jusqu'à; **give it to him** *or* **her** donne-le-lui; **to town** en ville; **to France** en France; **to Portugal** au Portugal; **to the butcher('s)**/*etc* chez le boucher/*etc*; **the road to London** la route de Londres; **the train to Paris** le train pour Paris; **kind/cruel**/*etc* **to s.o.** gentil/cruel/*etc* pour *or* envers qn; **from bad to worse** de mal en pis; **it's ten (minutes) to one** il est une heure moins dix; **ten to one** (*proportion*) dix contre un; **one person to a room** une personne par chambre.
2 (*with infinitive*) to say/jump/*etc* dire/sauter/*etc*; **(in order) to do** pour faire; **she tried to** elle a essayé; **wife**/*etc*-**to-be** future femme *f*/*etc*.
3 (*with adjective*) de; à; **happy**/*etc* **to do** heureux/*etc* de faire; **it's easy/difficult**/*etc* **to do** c'est facile/difficile/*etc* à faire.
▌ *adv* **to push the door** to fermer la porte; **to go** *or* **walk to and fro** aller et venir.
toad [təʊd] *n* crapaud *m*.
toadstool ['təʊdstuːl] *n* champignon *m* (vénéneux).
toast [təʊst] **1** *n* (*bread*) pain *m* grillé; **piece** *or* **slice of t.** tranche *f* de pain grillé, toast *m* ▌ *vt* (*bread*) (faire) griller. **2** *n* (*drink*) toast *m* ▌ *vt* (*person*) porter un toast à; (*success, event*) arroser. ● **toaster** *n* grille-pain *m inv*.
tobacco [təˈbækəʊ] *n* (*pl* -os) tabac *m*; **t. store** *Am* (bureau *m* de) tabac *m*. ● **tobacconist** *n* buraliste *mf*; **t.'s (shop)** *Br* (bureau *m* de) tabac *m*.
toboggan [təˈbɒɡən] *n* luge *f*.
today [təˈdeɪ] *adv* & *n* aujourd'hui (*m*).
toddle ['tɒd(ə)l] *vi* **to t. off** (*leave*) *Br Hum Fam* se sauver.
toddler ['tɒdlər] *n* enfant *mf* (en bas âge).
toddy ['tɒdɪ] *n* (*hot*) **t.** grog *m*.
to-do [təˈduː] *n* (*fuss*) *Fam* histoire *f*.
toe [təʊ] **1** *n* orteil *m*; **on one's toes** *Fig* vigilant. **2** *vt* **to t. the line** (*respect the rules*) se soumettre; **to t. the party line** respecter la ligne du parti. ● **toenail** *n* ongle *m* du pied.
toffee ['tɒfɪ] *n Br* caramel *m* (*dur*); **t. apple** pomme *f* d'amour. ● **toffee-nosed** *a Br Fam* crâneur (*f* -euse).
together [təˈɡeðər] *adv* ensemble; (*at the same time*) en même temps; **t. with** avec. ● **togetherness** *n* (*of group*) camaraderie *f*; (*of husband and wife*) intimité *f*.
togs [tɒɡz] *npl* (*clothes*) *Sl* nippes *fpl*.
toil [tɔɪl] *n* labeur *m* ▌ *vi* travailler dur.
toilet ['tɔɪlɪt] *n* (*room*) *Br* toilettes *fpl*; (*bowl, seat*) cuvette *f* or siège *m* des toilettes; **to go to the t.** *Br* aller aux toilettes; **t. flush** chasse *f* d'eau; **t. paper** papier *m* hygiénique; **t. requisites** articles *mpl* de toilette; **t. roll** rouleau *m* de papier hygiénique; **t. soap/water** savon *m*/eau *f* de toilette. ● **toiletries** *npl* articles *mpl* de toilette. ● **toilet-trained** *a* (*child*) propre.
token ['təʊkən] *n* (*metal Br disc or Am disk*) jeton *m*; (*voucher*) bon *m*; (*sign, symbol*) témoignage *m*; **gift t.** *Br* chèque-cadeau *m*; **book t.** *Br* chèque-livre *m*; **record t.** *Br* chèque-disque *m* ▌ *a* symbolique.
told [təʊld] *pt* & *pp of* **tell** ▌ *adv* **all t.** (*taken together*) en tout.
tolerable ['tɒlərəb(ə)l] *a* (*bearable*) tolérable; (*fairly good*) passable. ● **tolerably** *adv* (*fairly, fairly well*) passablement.
tolerant ['tɒlərənt] *a* tolérant (**of** à l'égard de). ● **tolerance** *n* tolérance *f*. ● **tolerantly** *adv* avec tolérance.
tolerate ['tɒləreɪt] *vt* tolérer.
toll [təʊl] **1** *n* (*fee*) péage *m*; **t. road/bridge**/*etc* route *f*/pont *m*/*etc* à péage. **2** *n* **the death t.** le nombre de morts, le bilan en vies humaines; **to take a heavy t.** (*of accident etc*) faire beaucoup de victimes. **3** *vi* (*of bell*) sonner. ● **tollfree** *a* **t. number** (*on telephone*) *Am* = numéro *m* vert ▌ *adv* (*to call*) *Am* gratuitement.
tomato [*Br* təˈmɑːtəʊ, *Am* təˈmeɪtəʊ] *n* (*pl* -oes) tomate *f*.
tomb [tuːm] *n* tombeau *m*. ● **tombstone** *n* pierre *f* tombale.
tomboy ['tɒmbɔɪ] *n* (*girl*) garçon *m* manqué.
tomcat ['tɒmkæt] *n* matou *m*.
tome [təʊm] *n* (*book*) tome *m*.
tomfoolery [tɒmˈfuːlərɪ] *n* niaiserie(s) *f*(*pl*).
tomorrow [təˈmɒrəʊ] *adv* & *n* demain (*m*); **t. morning/evening** demain matin/soir; **the day after t.** après-demain; **a week from t.**, *Br* **a week t.** demain en huit.
ton [tʌn] *n* tonne *f* (*Br = 1016 kg, Am = 907 kg*); **metric t.** tonne *f* (*= 1000 kg*); **tons of** (*lots of*) *Fam* des tonnes de.
tone [təʊn] *n* ton *m*; (*of telephone, radio*) tonalité *f*; **the engaged t.** (*on telephone*) *Br* la sonnerie 'occupé'; **in that t.** sur ce ton; **to set the t.** donner le ton; **she's t.-deaf** elle n'a pas d'oreille ▌ *vt* **to t. down** atténuer; **to t. up** (*muscles, skin*) tonifier ▌ *vi* **to t. in** (*blend in*) s'harmoniser (**with** avec).
tongs [tɒŋz] *npl* pinces *fpl*; **sugar t.** pince *f* à sucre; **curling t.** fer *m* à friser.
tongue [tʌŋ] *n* langue *f*; (*language*) *Lit* langue *f*; **t. in cheek** ironique(ment). ● **tongue-tied** *a* muet (*f* muette) (et gêné).
tonic ['tɒnɪk] *n* (*medicine*) fortifiant *m*; **t. (water)** eau *f* gazeuse (tonique); **gin and t.** gin-tonic *m*.
tonight [təˈnaɪt] *adv* & *n* (*this evening*) ce soir (*m*); (*during the night*) cette nuit (*f*).
tonne [tʌn] *n* (*metric*) tonne *f*. ● **tonnage** *n* tonnage *m*.
tonsil ['tɒns(ə)l] *n* amygdale *f*. ● **tonsillectomy** *n* opération *f* des amygdales. ● **tonsillitis** [tɒnsəˈlaɪtəs] *n* **to have t.** avoir une angine *or* une amygdalite.
too [tuː] *adv* **1** (*excessively*) trop; **t. tired to play** trop fatigué pour jouer; **t. hard to solve** trop difficile à résoudre; **t. much, t. many** trop; **t. much salt**/*etc* trop de sel/*etc*; **t. many people**/*etc* trop de gens/*etc*; **one t. many** un de trop; **it's only t. true** ce n'est que trop

took

vrai. **2** (*also*) aussi; (*moreover*) en plus.
took [tʊk] *pt of* **take**.
tool [tu:l] *n* outil *m*; **t. bag, t. kit** trousse *f* à outils.
toot [tu:t] *vti* **to t. (the horn)** *Aut* klaxonner.
tooth, *pl* **teeth** [tu:θ, ti:θ] *n* dent *f*; **front t.** dent de devant; **back t.** molaire *f*; **milk/ wisdom t.** dent de lait/de sagesse; **t. decay** carie *f* dentaire; **to have a sweet t.** aimer les sucreries; **long in the t.** (*old*) *Hum* chenu, vieux.
toothache ['tu:θeɪk] *n* mal *m* de dents; **to have a t.** avoir mal aux dents. ● **toothbrush** *n* brosse *f* à dents. ● **tooth comb** *n* **to go through sth with a fine-t. comb** passer qch au peigne fin. ● **toothpaste** *n* dentifrice *m*. ● **toothpick** *n* cure-dent *m*.
top[1] [tɒp] *n* (*of mountain, tower, tree*) sommet *m*; (*of wall, ladder, page, dress*) haut *m*; (*of table, box, surface*) dessus *m*; (*of list*) tête *f*; (*of water*) surface *f*; (*of car*) toit *m*; (*of bottle, tube*) bouchon *m*, (*bottle cap*) capsule *f*; (*of saucepan*) couvercle *m*, (*of pen*) capuchon *m*; **pyjama t.** haut *m* or veste *f* de pyjama; (**at the**) **t. of the class** le premier de la classe; **on t. of** sur; (*in addition to*) *Fig* en plus de; **on t.** (*in bus etc*) en haut; **from t. to bottom** de fond en comble; **the big t.** (*circus*) le chapiteau; **over the t.** *Fam see* **OTT**.
▮ *a* (*drawer, shelf*) du haut, premier; (*step, layer*) dernier; (*upper*) supérieur; (*in rank, exam*) premier; (*chief*) principal; (*best*) meilleur; (*great, distinguished*) éminent; (*maximum*) maximum; **on the t. floor** au dernier étage; **in t. gear** (*vehicle*) en quatrième vitesse; **at t. speed** à toute vitesse; **t. copy** original *m*; **t. hat** (chapeau *m*) haut-de-forme *m*. ● **top-'flight** *a Fam* excellent. ● **top-'heavy** *a* trop lourd du haut. ● **top-level** *a* (*talks etc*) au sommet. ● **top-'notch** *a Fam* excellent. ● **top-'ranking** *a* (*official*) haut placé. ● **top-'secret** *a* ultra-secret.
top[2] [tɒp] *vt* (**-pp-**) (*exceed*) dépasser; **to t. up** *Br* (*glass etc*) remplir (de nouveau); (*coffee, tea, oil in car etc*) remettre; **and to t. it all...** et pour comble...; **topped with cream** nappé de crème; **topped with cherries** décoré de cerises. ● **topping** *n* (*of pizza*) garniture *f*; **with a t. of cream** nappé de crème.
top[3] [tɒp] *n* (*spinning*) toupie *f*.
topaz ['təʊpæz] *n* (*gem*) topaze *f*.
topic ['tɒpɪk] *n* sujet *m*. ● **topical** *a* d'actualité. ● **topi'cality** *n* actualité *f*.
topless ['tɒpləs] *a* (*woman*) aux seins nus.
topography [təˈpɒɡrəfɪ] *n* topographie *f*.
topping ['tɒpɪŋ] *n see* **top**[2].
topple ['tɒp(ə)l] *vi* **to t. (over)** tomber ▮ *vt* **to t. sth (over)** faire tomber qch.
topside ['tɒpsaɪd] *n* (*of beef*) *Br* gîte *m*.
topsy-turvy [tɒpsɪ'tɜ:vɪ] *a* & *adv* sens dessus dessous [sādsydsy].
torch [tɔ:tʃ] *n* (*electric*) *Br* lampe *f* électrique; (*flame*) torche *f*, flambeau *m*. ● **torchlight** *n* **by t.** à la lumière des flambeaux or des torches ▮ **a t. procession** retraite *f* aux flambeaux.
tore [tɔ:r] *pt of* **tear**[1].
torment [tɔ:'ment] *vt* (*annoy*) agacer; (*make suffer*) tourmenter ▮ ['tɔ:ment] *n* tourment *m*.
tornado [tɔ:'neɪdəʊ] *n* (*pl* **-oes**) tornade *f*.
torpedo [tɔ:'pi:dəʊ] *n* (*pl* **-oes**) torpille *f*; **t. boat** torpilleur *m* ▮ *vt* torpiller.
torrent ['tɒrənt] *n* torrent *m*. ● **torrential** [tə'renʃ(ə)l] *a* **t. rain** pluie *f* torrentielle.
torrid ['tɒrɪd] *a* (*love affair etc*) brûlant, passionné; (*climate, weather*) torride.
torso ['tɔ:səʊ] *n* (*pl* **-os**) torse *m*.
tortoise ['tɔ:təs] *n* tortue *f*. ● **tortoiseshell** *a* (*comb etc*) en écaille; (*spectacles*) à monture d'écaille.
tortuous ['tɔ:tʃʊəs] *a* (*road etc*) sinueux; (*mind*) tortueux.
torture ['tɔ:tʃər] *n* torture *f*, supplice *m*; **it's (sheer) t.!** *Fig* quel supplice! ▮ *vt* torturer. ● **torturer** *n* tortionnaire *m*.
Tory ['tɔ:rɪ] *Pol n* tory *m* ▮ *a* tory *inv*.
toss [tɒs] *vt* (*throw*) jeter, lancer (**to** à); **to t. s.o. about** (*of boat, vehicle*) ballotter qn, faire tressauter qn; **to t. a coin** jouer à pile ou face; **to t. a pancake** retourner une crêpe; **to t. back one's head** rejeter sa tête en arrière.
▮ *vi* **to t. (about), t. and turn** (*in one's sleep*) se tourner et se retourner; **let's t. up, let's t. (up) for it** jouons-le à pile ou face.
▮ *n* **with a t. of the head** d'un mouvement brusque de la tête. ● **toss-up** *n* **it's a t.-up whether he leaves or stays** *Fam* il y a autant de chances pour qu'il parte que pour qu'il reste.
tot [tɒt] **1** *n* (**tiny**) **t.** petit(e) enfant *mf*. **2** *vt* (**-tt-**) **to t. up** (*total*) *Fam* additionner. **3** *n* **a t. of whisky**/*etc Br* un doigt *or* un fond de whisky/*etc*.
total ['təʊt(ə)l] **1** *a* total; **the t. sales** le total des ventes ▮ *n* total *m*; **in t.** au total ▮ *vt* (*Br* **-ll-**, *Am* **-l-**) (*of debt, invoice*) s'élever à; **to t. (up)** (*find the total of*) totaliser; **the total is $9** ça fait neuf dollars en tout. **2** *vt* (*Am* **-l-**) (*car etc*) *Am Fam* bousiller; **to be totaled** être une véritable épave. ● **totally** *adv* totalement.
totalitarian [təʊtælɪ'teərɪən] *a Pol* totalitaire.
tote [təʊt] **1** *n Br Sport Fam* pari *m* mutuel. **2** *vt* (*gun*) porter. ● **tote bag** *n Am* fourre-tout *m inv*.
toto ['təʊtəʊ] **in t.** *adv* intégralement.
totter ['tɒtər] *vi* chanceler.
touch [tʌtʃ] *n* (*contact*) contact *m*; (*sense*) toucher *m*; (*of painter*) touche *f*; *Football Rugby* touche *f*; **a t. of** (*small amount*) un petit peu de, un soupçon de; **to put the finishing touches to** mettre la dernière touche à; **to be in t. with** (*person*) être en contact avec; (*situation*) être au courant de; **to be out of t. with** ne plus être en contact avec; (*situation*) ne plus être au courant de; **to get in t.** se mettre en contact (**with** avec); **we**

lost t. on s'est perdu de vue; **it's t. and go whether he'll live** (*uncertain*) ce n'est pas sûr du tout qu'il survivra.
▮ *vt* toucher; (*interfere with, eat*) toucher à; (*move emotionally*) toucher; (*equal*) Fig égaler; **I don't t. the stuff** (*beer etc*) je n'en bois jamais.
▮ *vi* (*of lines, hands, ends etc*) se toucher; **don't t.!** n'y ou ne touche pas!; **he's always touching** c'est un touche-à-tout. ● **touched** *a* (*emotionally*) touché (**by** de); (*crazy*) Fam cinglé. ● **touching** *a* (*story etc*) touchant. **touch down** *vi* (*of aircraft*) atterrir ▮ **to touch on** *vt* (*subject*) aborder ▮ **to touch up** *vt* (*photo etc*) retoucher.

touchdown ['tʌtʃdaʊn] *n* (*of aircraft*) atterrissage *m*; *Rugby Am Football* essai *m*.

touchline ['tʌtʃlaɪn] *n Football Rugby* (ligne *f* de) touche *f*.

touchy ['tʌtʃɪ] *a* (**-ier, -iest**) (*sensitive*) susceptible (**about** à propos de).

tough [tʌf] *a* (**-er, -est**) (*hard*) (*meat etc*) dur; (*sturdy*) solide; (*strong*) fort; (*difficult, harsh*) difficile, dur; (*relentless*) acharné; (*businessman*) dur en affaires; **t. guy** dur *m*; **t. luck!** *Fam* pas de chance!, quelle déveine!
▮ *n* (*tough guy*) *Old-fashioned Fam* dur *m*. ● **toughen** *vt* (*body, person*) endurcir; (*reinforce*) renforcer. ● **toughness** *n* dureté *f*; (*sturdiness*) solidité *f*; (*strength*) force *f*.

toupee ['tu:peɪ] *n* postiche *m*.

tour [tʊər] *n* (*journey*) voyage *m*; (*visit*) visite *f*; (*by artist, team etc*) tournée *f*; (*on bicycle, on foot*) randonnée *f*; (**package**) **t.** voyage *m* organisé; **to be on t.** être en voyage; (*of artist etc*) être en tournée; **a t. of** (*France*) un voyage en; (*by artist etc*) une tournée en; (*on bicycle etc*) une randonnée en ▮ *vt* visiter; (*of artist etc*) être en tournée en *or* dans *etc*. ● **touring** *n* tourisme *m*; **to go t.** faire du tourisme.

tourism ['tʊərɪz(ə)m] *n* tourisme *m*. ● **tourist** *n* touriste *mf* ▮ *a* (*region etc*) touristique; **t. class** *Av etc* classe *f* touriste *inv*; **t. office** syndicat *m* d'initiative. ● **touristy** *a Pej Fam* (trop) touristique.

tournament ['tʊənəmənt] *n Sport & Hist* tournoi *m*.

tousled ['taʊz(ə)ld] *a* (*hair*) ébouriffé.

tout [taʊt] *vi* racoler; **to t. for** (*customers*) racoler ▮ *n* racoleur, -euse *mf*; **ticket t.** *Br* revendeur, -euse *mf* (en fraude) de billets.

tow [təʊ] *vt* (*car, boat*) remorquer; (*caravan, trailer*) tracter; **to t. away** (*vehicle*) (*by police etc*) emmener à la fourrière ▮ **'on t.'** *Br*, **'in t.'** *Am* 'en remorque'; **t. truck** (*breakdown lorry*) *Am* dépanneuse *f*. ● **towpath** *n* chemin *m* de halage. ● **towrope** *n* (câble *m* de) remorque *f*.

toward(s) [*Br* tə'wɔ:d(z), *Am* tɔ:d(z)] *prep* vers; (*of feelings*) envers; **cruel/***etc* **to s.o.** cruel/*etc* envers qn; **money t. sth** de l'argent pour (acheter) qch.

towel ['taʊəl] *n* serviette *f* (de toilette); (*for dishes*) torchon *m*; **t. rail** *Br*, **t. rack** *Am* porte-serviettes *m inv*. ● **towelling** *or Am* **toweling** *n* tissu-éponge *m*; (**kitchen**) **t.** *Am* essuie-tout *m inv*.

tower ['taʊər] *n* tour *f*; **t. block** *Br* tour *f*, immeuble *m*; **ivory t.** *Fig* tour *f* d'ivoire ▮ *vi* **to t. above** *or* **over** dominer. ● **towering** *a* très haut.

town [taʊn] *n* ville *f*; **in t.**, (**in)to t.** en ville; **out of t.** en province; **country t.** bourg *m*; **t. centre** centre-ville *m*; **t. clerk** *Br Hist* secrétaire *mf* de mairie; **t. council** *Br* conseil *m* municipal; **t. hall** *Br* mairie *f*; **t. planner** *Br* urbaniste *mf*; **t. planning** *Br* urbanisme *m*. ● **township** *n* (*in South Africa*) commune *f* (noire).

toxic ['tɒksɪk] *a* toxique; **t. waste** déchets *mpl* toxiques. ● **toxin** *n* toxine *f*.

toy [tɔɪ] *n* jouet *m*; **soft t.** (jouet *m* en) peluche *f* ▮ *a* (*gun*) d'enfant; (*house, car, train*) miniature *inv* ▮ *vi* **to t. with** (*idea etc*) caresser. ● **toyshop** *n* magasin *m* de jouets.

trace [treɪs] *n* trace *f* (**of** de); **to vanish** *or* **disappear without (a) t.** disparaître sans laisser de traces ▮ *vt* (*draw*) tracer; (*with tracing paper*) (dé)calquer; (*find*) retrouver (la trace de); (*follow*) suivre (la piste de); (**to** à); (*relate*) retracer; **to t. (back) to** (*one's family, ancestry*) faire remonter jusqu'à. ● **tracing** *n* (*drawing*) calque *m*; **t. paper** papier-calque *m inv*.

track [træk] *n* (*of animal, suspect*) piste *f*, trace *f*; (*of audio tape, sports stadium*) piste *f*; (*for trains*) voie *f*; (*path*) chemin *m*, piste *f*; (*of rocket*) trajectoire *f*; (*of record*) plage *f*; *Am Sch* classe *f* (de niveau); (*racetrack*) *Am* champ *m* de courses; **the tracks** (*of wheels*) les traces *fpl*; **to keep t. of** suivre; **to lose t. of** (*friend*) perdre de vue; (*argument*) perdre le fil de; **to make tracks** *Fam* se sauver; **to be on the right t.** être sur la bonne voie *or* piste; **off the beaten t.** (*remote*) loin des sentiers battus; **t. event** *Sport* épreuve *f* sur piste; **t. record** (*of person, company etc*) *Fig* antécédents *mpl*.
▮ *vt* **to t. (down)** (*find*) retrouver, dépister; (*pursue*) traquer. ● **tracker** *a* **t. dog** chien *m* policier. ● **tracking shot** *n* **to do a t. shot** *Cinema* faire une travelling. ● **track shoes** *npl Am* baskets *mpl*, tennis *mpl*. ● **tracksuit** *n* survêtement *m*.

tract [trækt] *n* (*stretch of land*) étendue *f*.

traction ['trækʃ(ə)n] *n Tech* traction *f*.

tractor ['træktər] *n* tracteur *m*.

trade [treɪd] *n* commerce *m*; (*job*) métier *m*; (*exchange*) échange *m* ▮ *a* (*fair, balance, route*) commercial; (*price*) de (demi-)gros; (*secret*) de fabrication, commercial; (*barrier*) douanier; **t. union** *Br* syndicat *m*; **t. unionist** *Br* syndicaliste *mf* ▮ *vi* faire du commerce (**with** avec); **to t. in** (*sugar etc*) faire le commerce de ▮ *vt* (*exchange*) échanger (**for** contre); **to t. sth in** (*old article*) faire reprendre qch. ● **trade-in** *n Com* reprise *f*. ● **trade-off** *n* (*compromise*) compromis *m*.

trademark ['treɪdmɑ:k] *n* marque *f* de fabri-

trader 354

que; **(registered) t.** marque déposée.
trader ['treɪdər] n (shopkeeper) Br commerçant, -ante mf, marchand, -ande mf; **(street) t.** Br vendeur, -euse mf de rue. ● **tradesman** n (pl -men) Br commerçant m.
trading ['treɪdɪŋ] n commerce m ▌ a (port, debts, activity etc) commercial; (nation) commerçant; **t. estate** Br zone f industrielle.
tradition [trə'dɪʃ(ə)n] n tradition f. ● **tra'ditional** a traditionnel. ● **traditionalist** n traditionaliste mf. ● **traditionally** adv traditionnellement.
traffic ['træfɪk] **1** n (on road) circulation f; (air, sea, rail) trafic m; **heavy or busy t.** beaucoup de circulation; **heavy t.** (vehicles) poids mpl lourds; **t. circle** Am rond-point m; **t. cone** Br cône m de chantier; **t. island** refuge m (pour piétons); **t. jam** embouteillage m; **t. lights** feux mpl (de signalisation); (when red) feu m rouge; **t. sign** panneau m de signalisation.
2 n (trade) Pej trafic m (**in** de); **the drug t.** le trafic de la drogue or des stupéfiants ▌ vi (**-ck-**) trafiquer (**in** de). ● **trafficker** n Pej trafiquant, -ante m.
tragedy ['trædʒədɪ] n (situation, drama etc) tragédie f. ● **tragic** a tragique. ● **tragically** adv tragiquement.
trail [treɪl] n (of smoke, blood, powder etc) traînée f; (track) piste f, trace f; (path) sentier m; **in its t.** dans son sillage ▌ vt (drag) traîner; (caravan) tracter; (follow) suivre (la piste de) ▌ vi (on the ground etc) traîner; (of plant) ramper; **to t. (behind)** (lag behind) traîner. ● **trailer** n **1** (for car) remorque f; (caravan) Am caravane f; (camper) Am camping-car m. **2** (advertisement for film etc) bande f annonce.
train [treɪn] **1** n (engine, transport) train m; (underground) rame f; **to go or come by t.** prendre le train; **t. set** (toy) petit train m.
2 n (procession) file f; (of events) suite f; (of dress) traîne f; **my t. of thought** le fil de ma pensée.
3 vt (teach, develop) former (**to do** à faire); Sport entraîner; (animal, child) dresser (**to do** à faire); (ear) exercer; **to t. oneself to do** s'entraîner à faire ▌ vi recevoir une formation (**as a doctor/**etc de médecin/etc); Sport s'entraîner.
4 vt **to t. sth on s.o./sth** (aim) braquer qch sur qn/qch. ● **trained** a (skilled) qualifié; (nurse, engineer etc) diplômé; (animal) dressé; (ear) exercé. ● **training** n formation f; Sport entraînement m; (of animal) dressage m; **to be in t.** Sport s'entraîner; **(teachers') t. college** Br école f normale.
trainee [treɪ'niː] n & a stagiaire (mf).
trainer ['treɪnər] n (of athlete, racehorse) entraîneur m; (of dog, lion etc) dresseur m; **trainers** (shoes) Br baskets mpl, tennis mpl.
traipse [treɪps] vi Fam **to t. around** (tiredly) traîner les pieds; (wander) se balader; **to t. in** se pointer, se ramener.
trait [treɪt] n (of character) trait m.

traitor ['treɪtər] n traître m.
trajectory [trə'dʒektərɪ] n trajectoire f.
tram [træm] n tram(way) m.
tramp [træmp] **1** n (vagrant) Br clochard, -arde mf; (woman) Pej traînée f. **2** vi (walk) marcher d'un pas lourd; (hike) marcher à pied ▌ vt (streets etc) parcourir ▌ n (sound) pas lourds mpl; **to go for a t.** (hike) faire une randonnée f.
trample ['træmp(ə)l] vti **to t. sth (underfoot)**, **t. on sth** piétiner qch.
trampoline [træmpə'liːn] n trampoline m.
trance [trɑːns] n **to be in a t.** être en transe; **to go into a t.** entrer en transe.
tranquil ['træŋkwɪl] a tranquille. ● **tran'quillity** n tranquillité f. ● **tranquillizer** (Am **tranquilizer**) n (drug) tranquillisant m.
trans- [træns, trænz] pref trans-.
transact [træn'zækt] vt (business) traiter. ● **transaction** [-ʃ(ə)n] n (in bank etc) opération f; (on Stock Market) transaction f; **the t. of business** la conduite des affaires.
transatlantic [trænzət'læntɪk] a transatlantique.
transcend [træn'send] vt transcender. ● **transcendent** a transcendant.
transcribe [træn'skraɪb] vt transcrire. ● **'transcript** n (document) transcription f. ● **transcription** [-'skrɪpʃ(ə)n] n transcription f.
transept ['trænsept] n (in church) transept m.
transfer [træns'fɜːr] vt (**-rr-**) (employee, prisoner, goods etc) transférer (**to** à); (political power) faire passer (**to** à); **to t. the charges** Br téléphoner en PCV ▌ vi (of employee, prisoner etc) être transféré (**to** à) ▌ ['trænsfɜːr] n transfert m (**to** à); (of political power) passation f; (picture, design) Br décalcomanie f; **bank or credit t.** virement m (bancaire). ● **trans'ferable** a **not t.** (on ticket) strictement personnel.
transform [træns'fɔːm] vt transformer (**into** en). ● **transformation** [-fə'meɪʃ(ə)n] n transformation f. ● **transformer** n El transformateur m.
transfusion [træns'fjuːʒ(ə)n] n **(blood) t.** transfusion f (sanguine).
transgress [trænz'gres] vi (sin) pécher. ● **transgression** [-ʃ(ə)n] n péché m, faute f.
transient ['trænzɪənt] a (ephemeral) transitoire.
transistor [træn'zɪstər] n (device) transistor m; **t. (radio)** transistor m.
transit ['trænzɪt] n transit m; **in t.** en transit; **t. lounge** (in airport) Br salle f de transit.
transition [træn'zɪʃ(ə)n] n transition f. ● **transitional** a (government etc) de transition.
transitive ['trænsɪtɪv] a Grammar transitif.
transitory ['trænzɪtərɪ] a transitoire.
translate [træns'leɪt] vt traduire (**from** de, **into** en). ● **translation** [-ʃ(ə)n] n traduction f; (into mother tongue) Sch version f; (from

tremble

mother tongue) *Sch* thème *m*. ●**translator** *n* traducteur, -trice *mf*.
transmit [trænz'mɪt] *vt* (**-tt-**) (*send*, *pass*) transmettre ▮ *vti* (*broadcast*) émettre. ●**transmission** [-ʃ(ə)n] *n* transmission *f*; (*broadcast*) émission *f*. ●**transmitter** *n Radio TV* émetteur *m*.
transparent [træns'pærənt] *a* transparent. ●**transparency** *n* transparence *f*; (*photographic slide*) *Br* diapositive *f*.
transpire [træn'spaɪər] *vi* (*of secret etc*) s'ébruiter; (*happen*) *Fam* arriver; **it transpired that...** il s'est avéré que....
transplant [træns'plɑːnt] *vt* (*plant*) transplanter; (*organ*) (*surgically*) greffer, transplanter ▮ ['trænsplɑːnt] *n* (*surgical*) greffe *f*, transplantation *f*.
transport [træn'spɔːt] *vt* transporter ▮ ['trænspɔːt] *n* transport *m* (**of** de); (**means of**) **t.** moyen *m* de transport; **public t.** les transports en commun; **do you have t.?** es-tu motorisé?; **t. café** *Br* routier *m*. ●**transportation** [-'teɪʃ(ə)n] *n* transport *m*; (*means*) moyen *m* de transport; **do you have t.?** es-tu motorisé?
transpose [træns'pəʊz] *vt* transposer. ●**transposition** [-pə'zɪʃ(ə)n] *n* transposition *f*.
transvestite [trænz'vestaɪt] *n* travesti *m*.
trap [træp] *n* piège *m*; **t. door** trappe *f*; **to have a big t.** (*mouth*) *Sl* avoir une grande gueule; **shut your t.!** *Sl* ta gueule! ▮ *vt* (**-pp-**) (*animal*) prendre (au piège); (*jam*, *corner*) coincer; (*cut off by snow etc*) bloquer (**by** par); **to t. one's finger** se coincer le doigt (**in** dans). ●**trapper** *n* (*hunter*) trappeur *m*.
trapeze [trə'piːz] *n* (*in circus*) trapèze *m*; **t. artist** trapéziste *mf*.
trappings ['træpɪŋz] *npl* signes *mpl* extérieurs.
trash [træʃ] *n* (*nonsense*) bêtises *fpl*; (*junk*) bric-à-brac *m* inv; (*waste*) *Am* ordures *fpl*; (*riffraff*) *Am* racaille *f*. ●**trashcan** *n Am* poubelle *f*. ●**trashy** *a* (**-ier**, **-iest**) (*book*, *film etc*) qui ne vaut rien; (*goods*) de camelote.
trauma ['trɔːmə, 'traʊmə] *n* (*shock*) traumatisme *m*. ●**trau'matic** *a* traumatisant. ●**traumatize** *vt* traumatiser.
travel ['træv(ə)l] *vi* (*Br* **-ll-**, *Am* **-l-**) (*on journey*) voyager; (*move*, *go*) aller, se déplacer ▮ *vt* (*country*, *distance*, *road*) parcourir ▮ *n* **travel(s)** voyages *mpl*; **on one's travels** en voyage; **t. agency/agent** agence *f*/agent *m* de voyages; **t. book** (*account*) récit *m* de voyage(s); **t. brochure** dépliant *m* touristique; (*guide*) guide *m* touristique; **t. insurance** assurance *f* voyage. ●**travelled** (*Am* **traveled**) *a* **to be well or widely t.** avoir beaucoup voyagé. ●**travelling** (*Am* **traveling**) *n* voyages *mpl* ▮ *a* (*bag*, *clothes etc*) de voyage; (*expenses*) de déplacement; (*musician*, *circus*) ambulant.
traveller ['trævələr] (*Am* **traveler**) *n* voyageur, -euse *mf*; **traveller's cheque** *Br*, **traveler's check** *Am* chèque *m* de voyage.
travelogue ['trævəlɒg] (*Am* **travelog**) *n* (*book*) récit *m* de voyages.
travelsickness ['trævəlsɪknɪs] *n* (*in car*) mal *m* de la route; (*in aircraft*) mal *m* de l'air.
travesty ['trævəstɪ] *n* parodie *f*; **it was a t. of justice** ce fut une parodie de justice.
trawler ['trɔːlər] *n* (*ship*) chalutier *m*.
tray [treɪ] *n* plateau *m*; (*for office correspondence*) corbeille *f*; **baking t.** plaque *f* de four.
treacherous ['tretʃ(ə)rəs] *a* (*road*, *conditions*) très dangereux; (*journey*) parsemé d'embûches; (*person*, *action*) traître. ●**treacherously** *adv* (*to act etc*) traîtreusement; (*dangerously*) dangereusement. ●**treachery** *n* traîtrise *f*.
treacle ['triːk(ə)l] *n Br* mélasse *f*.
tread [tred] *vi* (*pt* **trod**, *pp* **trodden**) (*walk*) marcher (**on** sur); (*proceed*) *Fig* avancer ▮ *vt* (*path*) parcourir; **to t. sth into a carpet** étaler qch (avec les pieds) sur un tapis; **to t. the soil of one's native country** fouler le sol de sa patrie ▮ *n* (*step of stairs*) marche *f*; (*of Br tyre*, *Am tire*) bande *f* de roulement; (*footstep*) pas *m*.
treadmill ['tredmɪl] *n Pej Fig* routine *f*.
treason ['triːz(ə)n] *n* trahison *f*.
treasure ['treʒər] *n* trésor *m*; **she's a real t.** *Fig* c'est une vraie perle; **t. hunt** chasse *f* au trésor ▮ *vt* (*value*) tenir à, priser; (*keep*) conserver (précieusement). ●**treasurer** *n* trésorier, -ière *mf*. ●**Treasury** *n* **the T.** *Br Pol* = le ministère des Finances.
treat [triːt] **1** *vt* (*person*, *product etc*) traiter; (*patient*, *illness*) soigner, traiter; (*consider*) considérer (**as** comme); **to t. sth/s.o. with care** prendre soin de qch/qn; **to t. s.o. like a child/thief** traiter qn comme un enfant/un voleur; **to t. s.o. to sth** offrir qch à qn. **2** *n* (**special**) **t.** petit extra *m*, gâterie *f*; (*meal*) régal *m*; **to give s.o. a (special) t.** donner une surprise à qn; **it was a t. (for me) to do it** ça m'a fait plaisir de le faire.
treatment ['triːtmənt] *n* (*behaviour*) & *Med* traitement *m*; **his t. of her** la façon dont il la traite *or* la traitait *etc*; **rough t.** mauvais traitements *mpl*.
treatise ['triːtɪːz] *n* (*book*) traité *m* (**on** de).
treaty ['triːtɪ] *n* (*between countries*) traité *m*.
treble ['treb(ə)l] *a* triple; **t. clef** *Mus* clef *f* de sol; **t. voice** *Mus* voix *f* de soprano ▮ *vti* tripler ▮ *n* le triple; **it's t. the price** c'est le triple du prix.
tree [triː] *n* arbre *m*; **Christmas t.** arbre *m or* sapin *m* de Noël; **family t.** arbre *m* généalogique. ●**tree-lined** *a* bordé d'arbres. ●**treetop** *n* cime *f* (d'un arbre). ●**tree-trunk** *n* tronc *m* d'arbre.
trek [trek] *vi* (**-kk-**) cheminer *or* voyager (péniblement); *Sport* marcher à pied; (*go*) *Fam* traîner ▮ *n* voyage *m* (pénible); *Sport* randonnée *f*; (*distance*) *Fam* tirée *f*.
trellis ['trelɪs] *n* treillage *m*, treillis *m*.
tremble ['tremb(ə)l] *vi* (*of person*, *voice etc*) trembler (**with** de). ●**tremor** *n* tremblement

tremendous

m; **(earth) t.** secousse *f* (sismique).
tremendous [trə'mendəs] *a* **(huge)** énorme; *(dreadful)* terrible; *(wonderful)* formidable, terrible. ●**tremendously** *adv* (*enormously*) énormément; (*wonderfully*) formidablement.
trench [trentʃ] *n* tranchée *f*. ●**trenchcoat** *n* trench(-coat) *m*.
trend [trend] *n* tendance *f* **(towards** à); **the t.** *(fashion)* la mode; **to set a** *or* **the t.** donner le ton, lancer une *or* la mode. ●**trendy** *a* **(-ier, -iest)** *(person, clothes, topic etc) Fam* à la mode, dans le vent.
trepidation [trepɪ'deɪʃ(ə)n] *n* inquiétude *f*.
trespass ['trespəs] *vi* s'introduire sans autorisation **(on, upon** dans); **'no trespassing'** 'entrée interdite'.
tresses ['tresɪz] *npl Lit* chevelure *f*.
trestle ['tres(ə)l] *n* tréteau *m*.
trial ['traɪəl] *n (in court)* procès *m*; *(test)* essai *m*; *(ordeal)* épreuve *f*; **t. of strength** épreuve de force; **to go** *or* **be on t., stand t.** être jugé, passer en jugement; **to put s.o. on t.** juger qn; **by t. and error** par tâtonnements ▮ *a (period, flight etc)* d'essai; *(offer)* à l'essai; **t. run** *(of new product etc)* période *f* d'essai.
triangle ['traɪæŋg(ə)l] *n* triangle *m*; *(setsquare) Am* équerre *f*. ●**tri'angular** *a* triangulaire.
tribe [traɪb] *n* tribu *f*. ●**tribal** *a* tribal. ●**tribesman** *n (pl* -men) membre d'une *or* de la tribu.
tribulations [trɪbju'leɪʃ(ə)nz] *npl* **(trials and) t.** tribulations *fpl*.
tribunal [traɪ'bjuːn(ə)l] *n* commission *f*; *(military)* tribunal *m*.
tributary [*Br* 'trɪbjʊtərɪ, *Am* -erɪ] *n* affluent *m*.
tribute ['trɪbjuːt] *n* hommage *m*, tribut *m*; **to pay t. to** rendre hommage à.
trick [trɪk] *n (joke, deception, of conjurer etc)* tour *m*; *(clever method)* astuce *f*; *(habit)* manie *f*; **to play a t. on s.o.** jouer un tour à qn; **card t.** tour *m* de cartes; **that will do the t.** *Fam* ça fera l'affaire; **she never misses a t.** *Fam* rien ne lui échappe; **t. photo** photo *f* truquée; **t. question** question-piège *f* ▮ *vt (deceive)* tromper, attraper; **to t. s.o. into doing sth** amener qn à faire qch par la ruse. ●**trickery** *n* ruse *f*.
trickle ['trɪk(ə)l] *n (of liquid)* filet *m*; **a t. of** *(letters, people etc) Fig* un petit nombre de ▮ *vi (flow)* couler (lentement), dégouliner, s'écouler lentement; **to t. in** *(of letters, people etc) Fig* arriver en petit nombre.
tricky ['trɪkɪ] *a* **(-ier, -iest)** *(problem etc)* difficile, délicat; *(person)* rusé.
tricycle ['traɪsɪk(ə)l] *n* tricycle *m*.
trier ['traɪər] *n* **to be a t.** être persévérant.
trifle ['traɪf(ə)l] **1** *n (insignificant thing, money)* bagatelle *f* ▮ *adv* **a t. small/too much/***etc* un tantinet petit/trop/*etc* ▮ *vi* **to t. with** *(s.o.'s feelings)* jouer avec; *(person)* plaisanter avec. **2** *n (dessert) Br* diplomate *m*. ●**trifling** *a* insignifiant.
trigger ['trɪgər] *n (of gun)* gâchette *f* ▮ *vt* **to t. (off)** *(start, cause)* déclencher. ●**trigger-happy** *a (gunman etc)* qui a la gâchette facile.
trilby ['trɪlbɪ] *n* **t. (hat)** *Br* chapeau *m* mou.
trilingual [traɪ'lɪŋgwəl] *a* trilingue.
trilogy ['trɪlədʒɪ] *n* trilogie *f*.
trim [trɪm] **1** *a* **(trimmer, trimmest)** *(neat)* soigné, net *(f* nette); *(slim)* svelte ▮ *n* **in t.** *(fit)* en (bonne) forme. **2** *n (cut)* légère coupe *f*; *(haircut)* coupe *f* de rafraîchissement; **to have a t.** se faire rafraîchir les cheveux ▮ *vt* **(-mm-)** couper (un peu); *(fingernail, edge)* rogner; *(hair)* rafraîchir. **3** *n (on garment)* garniture *f*; *(on car)* garnitures *fpl* ▮ *vt* **(-mm-) to t. sth with** *(lace etc)* orner qch de. ●**trimmings** *npl* garniture(s) *f(pl)*; *(extras) Fig* accessoires *mpl*.
Trinity ['trɪnɪtɪ] *n* **the T.** *(union) Rel* la Trinité.
trinket ['trɪŋkɪt] *n* colifichet *m*.
trio ['triːəʊ] *n (pl* -os) *(group)* & *Mus* trio *m*.
trip [trɪp] **1** *n (journey)* voyage *m*; *(outing)* excursion *f*; **to take a t. to** *(shops etc)* aller à. **2** *n (stumble)* faux pas *m* ▮ *vi* **(-pp-) to t.** **(over** *or* **up)** trébucher; **to t. over sth** trébucher contre qch ▮ *vt* **to t. s.o. up** faire trébucher qn. **3** *vi* **(-pp-)** *(walk gently)* marcher d'un pas léger.
tripe [traɪp] *n* **1** *(food)* tripes *fpl*. **2** *(nonsense) Fam* bêtises *fpl*.
triple ['trɪp(ə)l] *a* triple ▮ *vti* tripler. ●**triplets** *npl (children)* triplés, -ées *mfpl*.
triplicate ['trɪplɪkət] *n* **in t.** en trois exemplaires.
tripod ['traɪpɒd] *n* trépied *m*.
tripper ['trɪpər] *n* **day t.** *Br* excursionniste *mf*.
trite [traɪt] *a* banal *(mpl* -als). ●**triteness** *n* banalité *f*.
triumph ['traɪʌmf] *n* triomphe *m* **(over** sur) ▮ *vi* triompher **(over** de). ●**tri'umphal** *a* triomphal. ●**tri'umphant** *a (team, army, gesture)* triomphant; *(success, welcome, return)* triomphal. ●**tri'umphantly** *adv* triomphalement.
trivia ['trɪvɪə] *npl* vétilles *fpl*. ●**trivial** *a (unimportant)* insignifiant; *(trite)* banal *(mpl* -als). ●**trivi'ality** *n* insignifiance *f*; *(triteness)* banalité *f*; **trivialities** banalités *fpl*. ●**trivialize** *vt (make unimportant)* minimiser.
trod, trodden [trɒd, 'trɒd(ə)n] *pt* & *pp* of tread.
trolley ['trɒlɪ] *n (for luggage) Br* chariot *m*; *(in supermarket) Br* caddie® *m*; *(for shopping) Br* poussette *f* (de marché); *(trolleybus)* trolley *m*; **(tea) t.** *Br* table *f* roulante; *(for tea urn)* chariot *m*; **(t. car)** *Am* tramway *m*. ●**trolleybus** *n* trolleybus *m*.
trombone [trɒm'bəʊn] *n (musical instrument)* trombone *m*.
troop [truːp] *n* bande *f*; *(group of soldiers)* troupe *f*; **the troops** *(army, soldiers)* les troupes *fpl*, la troupe ▮ *vi* **to t. in/out/***etc* entrer/sortir/*etc* en masse. ●**trooping** *n* **t. the colour** *Br* le salut du drapeau. ●**trooper** *n*

try on

(state) t. *Am* membre *m* de la police montée.
trophy ['trəʊfɪ] *n* coupe *f*, trophée *m*.
tropic ['trɒpɪk] *n* tropique *m*; **in the tropics** sous les tropiques. ● **tropical** *a* tropical.
trot [trɒt] *n* (*of horse*) trot *m*; **on the t.** (*one after another*) *Fam* de suite ▮ *vi* (**-tt-**) trotter; **to t. off** *or* **along** (*leave*) *Br Hum Fam* se sauver ▮ *vt* **to t. out** (*say*) *Fam* débiter.
trouble ['trʌb(ə)l] *n* (*difficulty*) ennuis *m(pl)*; (*bother, effort*) peine *f*, mal *m*; (*inconvenience*) dérangement *m*; **trouble(s)** (*social unrest, illness*) & *Med* troubles *mpl*; **to be in t.** avoir des ennuis; **to get into t.** s'attirer des ennuis (**with** avec); **the t. (with you) is...** l'ennui (avec toi) c'est que...; **to go to the t. of doing, take the t. to do** se donner la peine *or* le mal de faire; **I didn't put her to any t.** je ne l'ai pas dérangée; **to find the t.** trouver le problème; **a spot of t.** *Br* un petit problème; **a t. spot** (*region in turmoil*) un point chaud; **it's one of the world's t. spots** c'est un point chaud du globe.
▮ *vt* (*inconvenience*) déranger, ennuyer; (*worry, annoy*) ennuyer; (*hurt*) faire mal à; (*grieve*) peiner; **to t. to do** se donner la peine de faire; **to t. oneself** se déranger. ● **troubled** *a* (*worried*) inquiet; (*period*) agité. ● **trouble-free** *a* (*machine, vehicle*) qui ne tombe jamais en panne, fiable.
troublemaker ['trʌb(ə)lmeɪkər] *n* (*in school*) élément *m* perturbateur; (*political*) fauteur *m* de troubles.
troubleshooter ['trʌb(ə)lʃuːtər] *n Tech* dépanneur *m*, expert *m*; *Pol* conciliateur, -trice *mf*; (*in firm*) expert *m* en gestion d'entreprise.
troublesome ['trʌb(ə)ls(ə)m] *a* ennuyeux, gênant; (*leg etc*) qui fait mal.
trough [trɒf] *n* **1** (*for drinking*) abreuvoir *m*; (*for feeding*) auge *f*. **2 t. of low pressure** *Met* dépression *f*.
trounce [traʊns] *vt* (*defeat*) écraser.
troupe [truːp] *n* (*of actors etc*) troupe *f*.
trousers ['traʊzəz] *npl Br* pantalon *m*; **a pair of t., some t.** un pantalon; (*short*) **t.** culottes *fpl* courtes. ● **trouser leg** *n* jambe *f* de pantalon.
trousseau ['truːsəʊ] *n* (*pl* **-eaux** *or* **-eaus** [-əʊz]) (*of bride*) trousseau *m*.
trout [traʊt] *n* truite *f*.
trowel ['traʊəl] *n* (*for cement or plaster*) truelle *f*; (*for plants*) déplantoir *m*.
truant ['truːənt] *n* (*pupil, shirker*) absentéiste *mf*; **to play t.** sécher (la classe), faire l'école buissonnière. ● **truancy** *n Sch* absentéisme *m* scolaire.
truce [truːs] *n Mil* trêve *f*.
truck [trʌk] *n* **1** (*lorry*) camion *m*; *Br Rail* wagon *m* plat; **t. driver** camionneur *m*; (*long-distance*) routier *m*; **t. stop** (*restaurant*) *Am* routier *m*. **2 t. farmer** *Am* maraîcher, -ère *mf*. ● **trucker** *n Am* (*for goods*) transporteur *m* routier; (*driver*) camionneur *m*, routier *m*.

truculent ['trʌkjʊlənt] *a* agressif.
trudge [trʌdʒ] *vi* marcher d'un pas pesant.
true [truː] *a* (**-er, -est**) vrai; (*accurate*) exact; (*genuine*) vrai, véritable; **t. to** (*promise, person etc*) fidèle à; **t. to life** conforme à la réalité; **to come t.** se réaliser; **to hold t.** (*of argument etc*) valoir (**for** pour); **too t.!** *Fam* ah, ça oui! ● **truly** *adv* vraiment; (*faithfully*) fidèlement; **well and t.** bel et bien; **yours t.** (*in letter*) je vous prie d'agréer l'expression de mes sentiments distingués; **yours t.** (*myself*) *Fam Hum* votre (humble) serviteur.
truffle ['trʌf(ə)l] *n* (*mushroom*) truffe *f*.
truism ['truːɪz(ə)m] *n* lapalissade *f*.
trump [trʌmp] *n* **1** *Cards* atout *m*; **t. card** (*advantage*) *Fig* atout *m*. **2** *vt* **to t. up** (*charge, reason*) inventer (de toutes pièces).
trumpet ['trʌmpɪt] *n* trompette *f*; **t. player** trompettiste *mf*.
truncate [trʌŋ'keɪt] *vt* tronquer.
truncheon ['trʌntʃ(ə)n] *n* (*weapon*) matraque *f*.
trundle ['trʌnd(ə)l] *vti* **to t. along** rouler bruyamment.
trunk [trʌŋk] *n* (*of tree, body*) tronc *m*; (*of elephant*) trompe *f*; (*case*) malle *f*; (*of vehicle*) *Am* coffre *m*; **trunks** (*for swimming*) (*briefs*) slip *m* de bain; (*shorts*) caleçon *m* de bain; **t. call** *Old-fashioned Br Tel* communication *f* interurbaine; **t. road** *Br* route *f* nationale.
truss [trʌs] **1** *vt* **to t. (up)** (*prisoner etc*) ligoter. **2** *n* (*belt, bandage*) bandage *m* herniaire.
trust [trʌst] *n* (*faith*) confiance *f* (**in** en); (*financial group*) trust *m*; *Jur* fidéicommis *m*; **to take sth on t.** accepter qch de confiance ▮ *vt* (*person, judgment*) avoir confiance en, se fier à; (*instinct, promise*) se fier à; **to t. s.o. with sth, to t. sth to s.o.** confier qch à qn; **to t. s.o. to do sth** (*rely on, expect*) compter sur qn pour faire qch; **I t. that** (*hope*) j'espère que ▮ *vi* **to t. in s.o.** avoir confiance en qn, se fier à qn; **to t. to luck** *or* **chance** se fier au hasard. ● **trusted** *a* (*friend, method etc*) éprouvé. ● **trusting** *a* confiant.
trustee [trʌs'tiː] *n* (*of school*) administrateur -trice *mf*; *Jur* fidéicommissaire *m*.
trustworthy ['trʌstwɜːðɪ] *a* digne de confiance, sûr.
truth [truːθ] *n* (*pl* **-s** [truːðz]) vérité *f*; **there's some t. in...** il y a du vrai dans.... ● **truthful** *a* (*statement etc*) véridique, vrai; (*person*) sincère. ● **truthfully** *adv* sincèrement.
try [traɪ] **1** *vt* (*attempt, sample, use*) essayer; (*s.o.'s patience etc*) mettre à l'épreuve; **to t. doing** *or* **to do** essayer de faire; **to t. one's hand at** s'essayer à; **to t. one's luck** tenter sa chance ▮ *vi* essayer (**for sth** d'obtenir qch); **to t. hard** faire un gros effort; **t. and come!** essaie de venir! ▮ *n* (*attempt*) & *Rugby* essai *m*; **to have a t.** essayer; **at (the) first t.** du premier coup.
2 *vt* (*person*) (*in court*) juger (**for theft**/*etc* pour vol/*etc*). ● **trying** *a* éprouvant, pénible.
try on *vt* (*clothes, shoes*) essayer ▮ **to try out**

tsar

vt (*car, method, recipe etc*) essayer; (*person*) mettre à l'essai.
tsar [zɑ:r] *n* tsar *m*.
T-shirt ['ti:ʃɜ:t] *n* tee-shirt *m*, T-shirt *m*.
tub [tʌb] *n* (*basin*) baquet *m*; (*bath*) baignoire *f*; (*for ice cream*) Br pot *m*; (*for flower, bush*) Br bac *m*.
tuba ['tju:bə] *n* (*musical instrument*) tuba *m*.
tubby ['tʌbɪ] *a* (-ier, -iest) *Fam* grassouillet (*f* -ette).
tube [tju:b] *n* tube *m*; (*underground railway*) Br Fam métro *m*; (*of Br tyre, Am tire*) chambre *f* à air. ●**tubing** *n* (*tubes*) tubes *mpl*. ●**tubular** *a* tubulaire. ●**tubeless** *a* t. Br **tyre** *or* Am **tire** pneu *m* sans chambre.
tuberculosis [tju:bɜ:kjʊ'ləʊsɪs] *n* tuberculose *f*.
TUC [ti:ju:'si:] *n abbr* (*Trades Union Congress*) Br = confédération *f* des syndicats britanniques.
tuck [tʌk] **1** *vt* (*put*) mettre; **to t. away** ranger; (*hide*) cacher; **to t. in** (*shirt, blanket*) rentrer; (*person in bed*) border; **to t. up** (*sleeves*) remonter. **2** *n* (*fold in garment*) rempli *m*. **3** *vi* Br Fam **to t. in** (*eat*) manger; **to t. into** (*meal*) attaquer ∎ *n* **t. shop** (*in school*) Br boutique *f* à provisions.
Tuesday [Br 'tju:zdɪ, Am -deɪ] *n* mardi *m*.
tuft [tʌft] *n* (*of hair, grass*) touffe *f*.
tug [tʌɡ] *vt* (-gg-) (*pull*) tirer ∎ *vi* tirer (**at, on** sur) ∎ *n* **to give sth a t.** tirer (sur) qch. ●**tug(boat)** *n* remorqueur *m*.
tuition [tju:'ɪʃ(ə)n] *n* (*teaching*) enseignement *m*; (*lessons*) leçons *fpl*; (*fee*) frais *mpl* de scolarité.
tulip ['tju:lɪp] *n* tulipe *f*.
tumble ['tʌmb(ə)l] **1** *vi* **to t.** (**down** *or* **over**) (*fall*) dégringoler; (*backwards*) tomber à la renverse ∎ *n* (*fall*) dégringolade *f*. **2** *vi* Br Sl (*understand*) **to t. to sth** réaliser qch; **then I tumbled** enfin j'ai réalisé *or* pigé. ●**tumble dryer** *or* **drier** *n* Br sèche-linge *m inv*.
tumbledown ['tʌmb(ə)ldaʊn] *a* délabré.
tumbler ['tʌmblər] *n* (*drinking glass*) gobelet *m*.
tummy ['tʌmɪ] *n Fam* ventre *m*; **to have a t. ache** avoir mal au ventre.
tumour ['tju:mər] (*Am* **tumor**) *n* tumeur *f*.
tumult ['tju:mʌlt] *n* tumulte *m*. ●**tu'multuous** *a* tumultueux.
tuna ['tju:nə] *n* **t.** (**fish**) thon *m*.
tune [tju:n] *n* (*melody*) air *m*; **in t.** (*instrument*) accordé; **out of t.** (*instrument*) désaccordé; **to be** *or* **sing in t./out of t.** chanter juste/faux; **in t. with** (*harmony*) Fig en accord avec; **to the t. of £50** d'un montant de 50 livres, dans les 50 livres ∎ *vt* **to t.** (**up**) (*instrument*) accorder; (*engine*) régler ∎ *vi* **to t. in (to)** *Radio TV* se mettre à l'écoute (de), écouter. ●**tuning** *n* (*of engine*) réglage *m*; **t. fork** *Mus* diapason *m*.
tuneful ['tju:nfəl] *a* mélodieux.
tuner ['tju:nər] *n* (*on radio*) bouton *m* de réglage.
tunic ['tju:nɪk] *n* tunique *f*.

Tunisia [tju:'nɪzɪə] *n* Tunisie *f*. ●**Tunisian** *a* tunisien ∎ *n* Tunisien, -ienne *mf*.
tunnel ['tʌn(ə)l] *n* tunnel *m*; (*in mine*) galerie *f*; **the Channel T.** le tunnel sous la Manche ∎ *vi* (Br -ll-, Am -l-) percer un tunnel (**into** dans).
turban ['tɜ:bən] *n* turban *m*.
turbine [Br 'tɜ:baɪn, Am 'tɜ:bɪn] *n* turbine *f*.
turbulence ['tɜ:bjʊləns] *n* (*in air, social unrest*) turbulences *fpl*.
turbulent ['tɜ:bjʊlənt] *a* (*person etc*) turbulent.
tureen [Br tjʊ'ri:n, Am tə'ri:n] *n* (**soup**) **t.** soupière *f*.
turf [tɜ:f] **1** *n* (*grass*) gazon *m*; **piece of t.** motte *f* de gazon; **the t.** (*horseracing*) le turf; **t. accountant** Br bookmaker *m*. **2** *vt* **to t. out** (*get rid of*) Br Fam jeter dehors.
turgid ['tɜ:dʒɪd] *a* (*style, language*) ampoulé.
turkey ['tɜ:kɪ] *n* dindon *m*, dinde *f*; (*as food*) dinde *f*.
Turkey ['tɜ:kɪ] *n* Turquie *f*. ●**Turk** *n* Turc *m*, Turque *f*. ●**Turkish** *a* turc (*f* turque); **T. bath/coffee** bain *m*/café *m* turc; **T. delight** (*Br sweet, Am candy*) loukoum *m* ∎ *n* (*language*) turc *m*.
turmoil ['tɜ:mɔɪl] *n* confusion *f*, trouble *m*; **in t.** (*country etc*) en ébullition.
turn [tɜ:n] *n* (*movement, in game etc*) tour *m*; (*in road*) tournant *m*; (*of events, mind*) tournure *f*; (*feeling of illness*) Br crise *f*; (*shock*) Br choc *m*; (*theatrical act*) numéro *m*; **t. of phrase** tour *m or* tournure *f* (de phrase); **to take turns** se relayer; **in t.** à tour de rôle; **by turns** tour à tour; **in** (**one's**) **t.** à son tour; **it's your t.** (**to play**) c'est à toi *or* (à ton tour de jouer); **to do s.o. a good t.** rendre service à qn; **the t. of the century** le début *or* la fin du siècle.

∎ *vt* tourner; (*mechanically*) faire tourner; (*mattress, pancake*) retourner; **to turn s.o./sth into** (*change*) changer *or* transformer qn/qch en; **to t. sth red/yellow** rougir/jaunir qch; **to t. sth on s.o.** (*aim*) braquer qch sur qn; **she has turned twenty** elle a vingt ans passés; **it has turned seven** il est sept heures passées; **it turns my stomach** cela me soulève le cœur.

∎ *vi* (*of wheel, driver etc*) tourner; (*turn head or body*) se (re)tourner (**towards** vers); (*become*) devenir; **to t. red/yellow** rougir/jaunir; **to t. to** (*question, adviser etc*) se tourner vers; **to t. into** (*change*) se changer *or* se transformer en.

turn against *vt* (*person, one's country*) se retourner contre ∎ **to turn around** *vi* (*of person*) se retourner ∎ **to turn away** *vt* (*eyes*) détourner (**from** de); (*person*) renvoyer ∎ *vi* (*stop facing*) se détourner, détourner les yeux ∎ **to turn back** *vt* (*bed sheet, corner of page*) replier; (*person*) renvoyer; (*clock*) reculer (**to** jusqu'à) ∎ *vi* (*return*) retourner sur ses pas ∎ **to turn down** *vt* (*gas, radio etc*) baisser; (*fold down*) rabattre; (*refuse*) refuser (*qn, offre etc*) ∎ **to turn in** *vt* (*hand in*) rendre (**to** à); (*prisoner etc*) *Fam* livrer (à la police) ∎ *vi* (*go to bed*) *Fam* se coucher ∎ **to turn off** *vt* (*light, radio etc*) éteindre; (*Br tap, Am faucet*) fermer; (*machine*) arrêter ∎ *vi* (*in vehicle*) tourner ∎ **to turn on** *vt* (*light, radio etc*) mettre, allumer; (*Br tap, Am faucet*) ouvrir; (*machine*) mettre en marche; **to t. s.o. on** (*sexually*) *Fam* exciter qn ∎ *vi* **to t. on s.o.** (*attack*) attaquer qn ∎ **to turn out** *vt* (*light*) éteindre; (*contents of box etc*) vider (**from** de); (*produce*) produire ∎ *vi* (*of crowds*) venir; (*happen*) se passer; **it turns out that** il s'avère que; **she turned out to be...** elle s'est révélée être... ∎ **to turn over** *vt* (*page*) tourner ∎ *vi* (*of vehicle, person etc*) se retourner; (*of car engine*) tourner au ralenti ∎ **to turn round** *vt* (*head, object*) tourner; (*vehicle*) faire faire demi-tour à ∎ *vi* (*of person*) se retourner; (*in vehicle*) faire demi-tour ∎ **to turn up** *vt* (*radio, light etc*) mettre plus fort; (*collar*) remonter; (*unearth, find*) déterrer; **a turned-up nose** un nez retroussé ∎ *vi* (*arrive*) arriver; (*be found*) être retrouvé.

turncoat ['tɜ:nkəʊt] *n* renégat, -at *mf*.
turner ['tɜ:nər] *n* (*workman*) tourneur *m*.
turning ['tɜ:nɪŋ] *n* (*street*) *Br* petite rue *f*; (*bend in road*) tournant *m*; **t. circle** *Br Aut* rayon *m* de braquage; **t. point** (*in time*) tournant *m*.
turnip ['tɜ:nɪp] *n* navet *m*.
turn-off ['tɜ:nɒf] *n* (*in road*) embranchement *m*. ● **turnout** *n* (*people*) assistance *f*; (*at polls*) participation *f*. ● **turnover** *n* (*sales*) *Com* chiffre *m* d'affaires; (*of stock*) *Com* rotation *f*; **staff t.** (*starting and leaving*) la rotation du personnel; **apple t.** *Br* chausson *m* (aux pommes).
turnpike ['tɜ:npaɪk] *n Am* autoroute *f* à péage.
turnstile ['tɜ:nstaɪl] *n* (*gate*) tourniquet *m*.
turntable ['tɜ:nteɪb(ə)l] *n* (*of record player*) platine *f*.
turnup ['tɜ:nʌp] *n* (*on trousers*) *Br* revers *m*.
turpentine ['tɜ:pəntaɪn] (*Br Fam* **turps** [tɜ:ps]) *n* térébenthine *f*.
turquoise ['tɜ:kwɔɪz] *a* turquoise *inv*.
turret ['tʌrɪt] *n* tourelle *f*.
turtle ['tɜ:t(ə)l] *n* tortue *f* de mer; (*living on land*) *Am* tortue *f*. ● **turtledove** *n* tourterelle *f*. ● **turtleneck** *a* (*sweater*) à col roulé ∎ *n* col *m* roulé.
tusk [tʌsk] *n* (*of elephant*) défense *f*.
tussle ['tʌs(ə)l] *n* bagarre *f*.
tutor ['tju:tər] *n* professeur *m* particulier, répétiteur, -trice *mf*; (*in British university*) directeur, -trice *mf* d'études; (*in American university*) assistant, -ante *mf* ∎ *vt* donner des cours particuliers à. ● **tu'torial** *n Univ* = travaux *mpl* dirigés.
tut-tut! [tʌt'tʌt] *int* allons donc!
tuxedo [tʌk'si:dəʊ] *n* (*pl* **-os**) *Am* smoking *m*.
TV [ti:'vi:] *n* télé *f*; **on TV** à la télé.
twaddle ['twɒd(ə)l] *n* fadaises *fpl*.

twang [twæŋ] *n* son *m* vibrant; (**nasal**) **t.** nasillement *m* ∎ *vi* (*of wire etc*) vibrer.
twee [twi:] *a* (*fussy*) *Br* maniéré.
tweed [twi:d] *n* tweed *m*; **t. jacket**/*etc* veste *f*/*etc* en tweed.
tweezers ['twi:zəz] *npl* pince *f* à épiler.
twelve [twelv] *a* & *n* douze (*m*). ● **twelfth** *a* & *n* douzième (*mf*).
twenty ['twentɪ] *a* & *n* vingt (*m*). ● **twentieth** *a* & *n* vingtième (*mf*).
twerp [twɜ:p] *n Br Fam* crétin, -ine *mf*.
twice [twaɪs] *adv* deux fois; **t. as heavy**/*etc* deux fois plus lourd/*etc*; **t. a month**/*etc*, **t. monthly**/*etc* deux fois par mois/*etc*.
twiddle ['twɪd(ə)l] *vti* **to t. (with) sth** (*pencil, knob etc*) tripoter qch; **to t. one's thumbs** se tourner les pouces.
twig [twɪg] **1** *n* (*of branch*) brindille *f*. **2** *vti* (**-gg-**) (*understand*) *Br Sl* piger.
twilight ['twaɪlaɪt] *n* crépuscule *m*.
twin [twɪn] *n* jumeau *m*, jumelle *f*; **identical t.** vrai jumeau, vraie jumelle; **t. brother** frère *m* jumeau; **t. sister** sœur *f* jumelle; **t. beds** lits *mpl* jumeaux; **t. town** ville *f* jumelée ∎ *vt* (**-nn-**) (*town*) jumeler. ● **twinning** *n* jumelage *m*.
twine [twaɪn] **1** *n* (*string*) ficelle *f*. **2** *vi* (*twist*) s'enlacer (**round** autour de).
twinge [twɪndʒ] *n* **a t. (of pain)** un élancement; **a t. of remorse** un pincement de remords.
twinkle ['twɪŋk(ə)l] *vi* (*of star*) scintiller; (*of eye*) pétiller ∎ *n* scintillement *m*; (*in eye*) pétillement *m*.
twirl [twɜ:l] *vi* tournoyer ∎ *vt* faire tournoyer; (*moustache*) tortiller.
twist [twɪst] *vt* (*wire, arm etc*) tordre; (*roll*) enrouler (**round** autour de); (*weave together*) entortiller; (*knob*) tourner; (*truth etc*) *Fig* déformer; **to t. one's ankle** se tordre la cheville; **to t. s.o.'s arm** *Fig* forcer la main à qn; **to t. off** (*lid*) dévisser.
∎ *vi* (*wind*) s'entortiller (**round sth** autour de qch); (*of road, river*) serpenter.
∎ *n* torsion *f*; (*turn*) tour *m*; (*in rope*) entortillement *m*; (*bend in road*) tournant *m*; (*of lemon*) zeste *m*; (*in story*) *Fig* coup *m* de théâtre; (*in event*) *Fig* tournure *f*; **a road full of twists** une route qui fait des zigzags. ● **twisted** *a* (*ankle, wire,* Fig *mind*) tordu. ● **twister** *n* **tongue t.** mot *m or* expression *f* imprononçable.
twit [twɪt] *n Br Fam* idiot, -ote *mf*.
twitch [twɪtʃ] **1** *n* (*nervous*) tic *m* ∎ *vi* (*of person*) avoir un tic; (*of muscle*) se convulser. **2** *n* (*jerk*) secousse *f*.
twitter ['twɪtər] *vi* (*of bird*) pépier ∎ *n* pépiement *m*.
two [tu:] *a* & *n* deux (*m*). ● **two-cycle** *n Am* = **two-stroke**. ● **two-'faced** *a* *Fig* hypocrite. ● **two-'legged** *a* bipède. ● **two-piece** *n* (*woman's suit*) tailleur *m*; (*swimsuit*) deux-pièces *m inv*. ● **two-'seater** *n* (*car*) voiture *f* à deux places. ● **two-stroke** *n* **t.-stroke (engine)** *Br* deux-temps *m inv*. ● **two-way** *a* **t.-way traffic**

twofold

circulation *f* dans les deux sens; **t.-way radio** émetteur-récepteur *m*.
twofold ['tu:fəʊld] *a* double ▌ *adv* **to increase t.** doubler.
twosome ['tu:səm] *n* couple *m*.
tycoon [taɪ'ku:n] *n* magnat *m*.
type¹ [taɪp] *n* **1** (*sort*) genre *m*, sorte *f*, type *m*; (*example*) type *m*; **blood t.** groupe *m* sanguin. **2** (*print*) caractères *mpl*; **in large t.** en gros caractères. ●**typeface** *n* (œil *m* de) caractère *m*. ●**typeset** *vt* (*pt & pp* **-set**, *pres p* **-setting**) composer. ●**typesetter** *n* compositeur, -trice *mf*.
type² [taɪp] *vti* (*write*) taper (à la machine) ▌ *vt* **to t. in** (*on computer*) entrer au clavier; **to t. out** (*letter*) taper. ●**typing** *n* dactylo(graphie) *f*; **a page of t.** une page dactylographiée; **t. error** faute *f* de frappe. ●**typewriter** *n* machine *f* à écrire. ●**typewritten** *a* dactylographié. ●**typist** *n* dactylo *f*.
typhoid ['taɪfɔɪd] *n* **t. (fever)** typhoïde *f*.
typhoon [taɪ'fu:n] *n* (*storm*) typhon *m*.
typical ['tɪpɪk(ə)l] *a* typique (**of** de); (*customary*) habituel; **that's t. (of him)!** c'est bien lui! ●**typically** *adv* typiquement; (*as usual*) comme d'habitude. ●**typify** *vt* être typique de; (*symbolize*) représenter.
typo ['taɪpəʊ] *n* (*pl* **-os**) (*misprint*) *Fam* coquille *f*.
tyranny ['tɪrənɪ] *n* tyrannie *f*. ●**ty'rannical** *a* tyrannique. ●**tyrant** ['taɪərənt] *n* tyran *m*.
tyre ['taɪər] *n Br* pneu *m* (*pl* pneus); **t. pressure** pression *f* des pneus; **t. pressure gauge** manomètre *m*.

U

U, u [juː] *n* U, u *m*. ●**U-turn** *n* (*in vehicle*) demi-tour *m*; (*change of policy etc*) *Fig* volte-face *f inv*.
ubiquitous [juːˈbɪkwɪtəs] *a* omniprésent.
udder [ˈʌdər] *n* (*of cow etc*) pis *m*.
UFO [juːefˈəʊ, ˈjuːfəʊ] *n* (*pl* **-Os**) *abbr* (*unidentified flying object*) OVNI *m*.
ugh! [əː(h)] *int* pouah!
Uganda [juːˈgændə] *n* Ouganda *m*.
ugly [ˈʌglɪ] *a* (**-ier, -iest**) laid, vilain. ●**ugliness** *n* laideur *f*.
UK [juːˈkeɪ] *abbr* = **United Kingdom**.
Ukraine [juːˈkreɪn] *n* the U. l'Ukraine *f*.
ulcer [ˈʌlsər] *n* ulcère *m*. ●**ulcerated** *a* ulcéré.
ulterior [ʌlˈtɪərɪər] *a* **u. motive** arrière-pensée *f*.
ultimate [ˈʌltɪmət] *a* (*final, last*) ultime; (*definitive*) définitif; (*basic*) fondamental; (*authority*) suprême. ●**ultimately** *adv* (*finally*) à la fin; (*fundamentally*) en fin de compte; (*subsequently*) à une date ultérieure.
ultimatum [ʌltɪˈmeɪtəm] *n* ultimatum *m*; **to give s.o. au u.** lancer un ultimatum à qn.
ultra- [ˈʌltrə] *pref* ultra-.
ultramodern [ʌltrəˈmɒdən] *a* ultramoderne.
ultrasound [ˈʌltrəsaʊnd] *n* (*scan, technique*) échographie *f*; (*vibration*) ultrason *m*; **to have au u.** *Fam* passer une échographie.
ultraviolet [ʌltrəˈvaɪələt] *a* ultraviolet (*f* -ette).
umbilical [ʌmˈbɪlɪk(ə)l] *a* **u. cord** cordon *m* ombilical.
umbrage [ˈʌmbrɪdʒ] *n* **to take u.** *Lit* se froisser (**at** de).
umbrella [ʌmˈbrelə] *n* parapluie *m*; (*for sun*) parasol *m*; **u. stand** porte-parapluies *m inv*.
umpire [ˈʌmpaɪər] *Sport n* arbitre *m* ▌ *vt* arbitrer.
umpteen [ʌmpˈtiːn] *a* **u. times**/*etc* (*many*) *Fam* je ne sais combien de fois/*etc*. ●**umpteenth** *a Fam* énième.
un- [ʌn] *pref* in-, peu, non, sans.
UN [juːˈen] *abbr* = **United Nations**.
unabashed [ʌnəˈbæʃt] *a* nullement déconcerté.
unabated [ʌnəˈbeɪtɪd] *a* **to continue u.** (*of rain, war etc*) continuer avec la même intensité.
unable [ʌnˈeɪb(ə)l] *a* **to be u. to do** être incapable de faire; **he's u. to swim** il ne sait pas nager.
unabridged [ʌnəˈbrɪdʒd] *a* intégral.
unacceptable [ʌnəkˈseptəb(ə)l] *a* inacceptable; **it's u. that** il est inacceptable que (+ *sub*).

unaccompanied [ʌnəˈkʌmpənɪd] *a* (*person*) non accompagné; (*singing*) sans accompagnement.
unaccountable [ʌnəˈkaʊntəb(ə)l] *a* inexplicable. ●**unaccountably** *adv* inexplicablement.
unaccounted [ʌnəˈkaʊntɪd] *a* **to be (still) u. for** rester introuvable.
unaccustomed [ʌnəˈkʌstəmd] *a* inaccoutumé; **to be u. to sth/to doing** ne pas être habitué à qch/à faire.
unadulterated [ʌnəˈdʌltəreɪtɪd] *a* pur.
unaided [ʌnˈeɪdɪd] *adv* (*to walk etc*) sans aide.
un-American [ʌnəˈmerɪk(ə)n] *a* (*disloyal*) antiaméricain.
unanimity [juːnəˈnɪmɪtɪ] *n* unanimité *f*. ●**unanimous** [juːˈnænɪməs] *a* unanime. ●**u'nanimously** *adv* à l'unanimité.
unappetizing [ʌnˈæpɪtaɪzɪŋ] *a* peu appétissant.
unapproachable [ʌnəˈprəʊtʃəb(ə)l] *a* (*person*) inabordable.
unarmed [ʌnˈɑːmd] *a* (*person*) non armé; **u. combat** combat *m* à mains nues.
unashamed [ʌnəˈʃeɪmd] *a* (*person*) sans honte; (*look, curiosity etc*) non dissimulé; **she's u. about it** elle n'en a pas honte. ●**unashamedly** [-ɪdlɪ] *adv* sans aucune honte.
unassailable [ʌnəˈseɪləb(ə)l] *a* (*argument, reputation*) inattaquable.
unassuming [ʌnəˈsjuːmɪŋ] *a* modeste.
unattached [ʌnəˈtætʃt] *a* (*independent, not married*) libre.
unattainable [ʌnəˈteɪnəb(ə)l] *a* (*aim, goal*) inaccessible.
unattended [ʌnəˈtendɪd] *adv* **to leave sth/a child u.** laisser qch/un enfant sans surveillance.
unattractive [ʌnəˈtræktɪv] *a* (*idea, appearance etc*) peu attrayant; (*ugly*) laid; (*character*) peu sympathique.
unauthorized [ʌnˈɔːθəraɪzd] *a* non autorisé.
unavailable [ʌnəˈveɪləb(ə)l] *a* (*person, funds*) qui n'est pas disponible; (*article in shop etc*) épuisé; **to be u. for comment** (*of politician etc*) rester injoignable.
unavoidable [ʌnəˈvɔɪdəb(ə)l] *a* inévitable. ●**unavoidably** *adv* inévitablement; (*delayed*) pour une raison indépendante de sa volonté.
unaware [ʌnəˈweər] *a* **to be u. of sth** ignorer qch; **to be u. that** ignorer que. ●**unawares** *adv* **to catch s.o. u.** prendre qn au dépourvu.
unbalanced [ʌnˈbælənst] *a* (*mind, person*) déséquilibré.
unbearable [ʌnˈbeərəb(ə)l] *a* insupportable.

unbeatable

- **unbearably** *adv* insupportablement.
- **unbeatable** [ʌn'biːtəb(ə)l] *a* imbattable.
- **unbeaten** *a* (*player*) invaincu; (*record*) non battu.
- **unbeknown(st)** [ʌnbɪ'nəʊn(st)] *a* u. to s.o. à l'insu de qn.
- **unbelievable** [ʌnbɪ'liːvəb(ə)l] *a* incroyable.
- **unbelieving** *a* incrédule.
- **unbend** [ʌn'bend] *vi* (*pt & pp* **unbent**) (*relax*) se détendre. ● **unbending** *a* (*person, attitude etc*) inflexible.
- **unbias(s)ed** [ʌn'baɪəst] *a* impartial.
- **unblock** [ʌn'blɒk] *vt* (*sink etc*) déboucher.
- **unbolt** [ʌn'bəʊlt] *vt* (*door*) déverrouiller.
- **unborn** [ʌn'bɔːn] *a* u. child enfant *mf* à naître.
- **unbounded** [ʌn'baʊndɪd] *a* (*enthusiasm, joy*) sans borne(s).
- **unbreakable** [ʌn'breɪkəb(ə)l] *a* incassable. ● **unbroken** *a* (*intact*) intact; (*continuous*) continu; (*record*) non battu.
- **unbridled** [ʌn'braɪd(ə)ld] *a* (*passion etc*) débridé.
- **unburden** [ʌn'bɜːd(ə)n] *vt* **to u. oneself** (*reveal feelings etc*) s'épancher (**to** auprès de).
- **unbutton** [ʌn'bʌt(ə)n] *vt* déboutonner.
- **uncalled-for** [ʌn'kɔːldfɔːr] *a* déplacé, injustifié.
- **uncanny** [ʌn'kænɪ] *a* (**-ier, -iest**) étrange, mystérieux.
- **unceasing** [ʌn'siːsɪŋ] *a* incessant. ● **unceasingly** *adv* sans cesse.
- **unceremoniously** [ʌnserɪ'məʊnɪəslɪ] *adv* (*to treat s.o.*) sans ménagement; (*to show s.o. out*) brusquement.
- **uncertain** [ʌn'sɜːt(ə)n] *a* incertain (**about, of** de); **it's u. whether** *or* **that** il n'est pas certain que (+ *sub*); **I'm u. whether to stay (or not)** je ne sais pas très bien si je dois rester (ou pas). ● **uncertainty** *n* incertitude *f*.
- **unchanged** [ʌn'tʃeɪndʒd] *a* inchangé. ● **unchanging** *a* immuable.
- **uncharitable** [ʌn'tʃærɪtəb(ə)l] *a* peu charitable.
- **unchecked** [ʌn'tʃekt] *adv* (*to spread etc*) sans que rien ne soit fait.
- **uncivil** [ʌn'sɪv(ə)l] *a* impoli, incivil.
- **uncivilized** [ʌn'sɪvɪlaɪzd] *a* barbare.
- **unclaimed** [ʌn'kleɪmd] *a* (*Br luggage, Am baggage*) non réclamé.
- **uncle** ['ʌŋk(ə)l] *n* oncle *m*.
- **unclear** [ʌn'klɪər] *a* (*meaning*) qui n'est pas clair; (*result*) incertain; **it's u. whether...** on ne sait pas très bien si....
- **uncomfortable** [ʌn'kʌmftəb(ə)l] *a* (*chair, house etc*) pas très confortable, peu confortable; (*heat, experience etc*) désagréable; (*feeling*) troublant; (*silence*) gêné; **she feels** *or* **is u.** (*uneasy*) elle est gênée (**about** de).
- **uncommitted** [ʌnkə'mɪtɪd] *a* peu impliqué (**to one's work**/*etc* dans son travail/*etc*); (*politically*) non engagé.
- **uncommon** [ʌn'kɒmən] *a* rare. ● **uncommonly** *adv* (*very*) extraordinairement; **not u.** (*fairly often*) assez souvent.
- **uncommunicative** [ʌnkə'mjuːnɪkətɪv] *a* peu communicatif.
- **uncomplicated** [ʌn'kɒmplɪkeɪtɪd] *a* simple.
- **uncompromising** [ʌn'kɒmprəmaɪzɪŋ] *a* intransigeant.
- **unconcerned** [ʌnkən'sɜːnd] *a* (*indifferent*) indifférent (**by, with** à); (*not anxious*) imperturbable.
- **unconditional** [ʌnkən'dɪʃ(ə)nəl] *a* (*offer etc*) inconditionnel; (*surrender*) sans condition.
- **unconfirmed** [ʌnkən'fɜːmd] *a* non confirmé.
- **uncongenial** [ʌnkən'dʒiːnɪəl] *a* (*place, atmosphere etc*) peu agréable; (*person*) antipathique.
- **unconnected** [ʌnkə'nektɪd] *a* (*facts, events etc*) sans rapport (**with** avec).
- **unconscious** [ʌn'kɒnʃəs] *a* (*person*) sans connaissance; (*desire*) inconscient; **u. of** (*unaware of*) inconscient de ▮ *n* **the u.** *Psy* l'inconscient *m*. ● **unconsciously** *adv* inconsciemment.
- **uncontrollable** [ʌnkən'trəʊləb(ə)l] *a* (*emotion, laughter*) irrépressible. ● **uncontrollably** *adv* (*to laugh, sob*) sans pouvoir s'arrêter.
- **unconventional** [ʌnkən'venʃ(ə)nəl] *a* peu conventionnel; (*person*) anticonformiste.
- **unconvinced** [ʌnkən'vɪnst] *a* **to be** *or* **remain u.** ne pas être convaincu (**of** de). ● **unconvincing** *a* peu convaincant.
- **uncooked** [ʌn'kʊkt] *a* cru.
- **uncooperative** [ʌnkəʊ'ɒp(ə)rətɪv] *a* peu coopératif.
- **uncork** [ʌn'kɔːk] *vt* (*bottle*) déboucher.
- **uncouple** [ʌn'kʌp(ə)l] *vt* (*Br railway carriage, Am railroad car etc*) dételer.
- **uncouth** [ʌn'kuːθ] *a* grossier.
- **uncover** [ʌn'kʌvər] *vt* (*conspiracy, saucepan etc*) découvrir.
- **unctuous** ['ʌŋktʃʊəs] *a* (*insincere*) onctueux.
- **uncut** [ʌn'kʌt] *a* (*film, play, version*) intégral; (*diamond*) brut.
- **undamaged** [ʌn'dæmɪdʒd] *a* (*goods*) en bon état.
- **undated** [ʌn'deɪtɪd] *a* (*Br cheque, Am check etc*) non daté.
- **undaunted** [ʌn'dɔːntɪd] *a* nullement découragé.
- **undecided** [ʌndɪ'saɪdɪd] *a* (*person*) indécis (**about** sur); **I'm u. whether to do it or not** je n'ai pas décidé si je le ferai ou non.
- **undefeated** [ʌndɪ'fiːtɪd] *a* invaincu.
- **undeniable** [ʌndɪ'naɪəb(ə)l] *a* incontestable.
- **under** ['ʌndər] *prep* sous; (*less than*) moins de; (*according to*) selon; **children u. nine** les enfants de moins de *or* enfants au-dessous de neuf ans; **u. the circumstances** dans les circonstances; **u. there** là-dessous; **u. it** dessous; **u. (the command of) s.o.** sous les ordres de qn; **u. (the terms of) an agreement** selon un accord (**with** avec); **u. age** mineur; **u. discussion/repair** en discussion/réparation; **to be u. way** (*in progress*) être en cours; (*on the way*) être en route; **to get u. way** (*of campaign etc*) démarrer; **to be u. the impression that** avoir l'impression que ▮ *adv* au-

dessous.
under- ['ʌndər] *pref* sous-.
undercarriage ['ʌndəkærɪdʒ] *n* (*of aircraft*) train *m* d'atterrissage.
undercharge [ʌndə'tʃɑːdʒ] *vt* **I** undercharged him (**for it**) je ne (le) lui ai pas fait payer assez.
underclothes ['ʌndəkləʊðz] *npl* sous-vêtements *mpl*.
undercoat ['ʌndəkəʊt] *n* (*of paint*) couche *f* de fond.
undercooked [ʌndə'kʊkt] *a* pas assez cuit.
undercover [ʌndə'kʌvər] *a* (*agent, operation etc*) secret.
undercurrent ['ʌndəkʌrənt] *n* (*in sea*) courant *m* (sous-marin); **an u. of discontent**/*etc* un mécontentement/*etc* sous-jacent.
undercut [ʌndə'kʌt] *vt* (*pt & pp* **undercut**, *pres p* **undercutting**) (*of competitor*) vendre moins cher que (*qn*).
underdeveloped [ʌndədɪ'veləpt] *a* (*country, region*) sous-développé; (*limb etc*) pas assez développé.
underdog ['ʌndədɒg] *n* (*politically, socially*) opprimé, -ée *mf*; (*likely loser*) perdant, -ante *mf* probable.
underdone [ʌndə'dʌn] *a* (*food*) pas assez cuit; (*steak*) saignant.
underestimate [ʌndər'estɪmeɪt] *vt* sous-estimer.
underfed [ʌndə'fed] *a* sous-alimenté.
underfoot [ʌndə'fʊt] *adv* sous les pieds; **to trample sth u.** piétiner qch.
undergo [ʌndə'gəʊ] *vt* (*pt* **underwent**, *pp* **undergone**) subir.
undergraduate [ʌndə'grædʒʊət] *n* étudiant, -ante *mf* (de licence).
undeground ['ʌndəgraʊnd] *a* souterrain; (*secret*) Fig clandestin **I** *n* (*railway*) Br métro *m*; (*organization*) Pol résistance *f* **I** [ʌndə'graʊnd] *adv* sous terre; **to go u.** (*of fugitive etc*) Fig passer dans la clandestinité.
undergrowth ['ʌndəgrəʊθ] *n* sous-bois *m inv*.
underhand [ʌndə'hænd] *a* (*dishonest*) sournois.
underlie [ʌndə'laɪ] *vt* (*pt* **underlay**, *pp* **underlain**, *pres p* **underlying**) sous-tendre. ● **underlying** *a* (*basic*) fondamental; (*hidden*) profond.
underline [ʌndə'laɪn] *vt* (*word, text etc, Fig idea, fact etc*) souligner.
underling ['ʌndəlɪŋ] *n Pej* subalterne *mf*.
undermanned [ʌndə'mænd] *a* (*office etc*) à court de personnel.
undermine [ʌndə'maɪn] *vt* (*society, building, strength etc*) miner, saper.
underneath [ʌndə'niːθ] *prep* sous **I** *adv* (en) dessous; **the book u.** le livre d'en dessous **I** *n* **the u. (of)** le dessous (de).
undernourished [ʌndə'nʌrɪʃt] *a* sous-alimenté.
underpants ['ʌndəpænts] *npl* (*male underwear*) slip *m*; (*loose, long*) caleçon *m*.
underpass ['ʌndəpɑːs] *n* (*for pedestrians*) passage *m* souterrain; (*for vehicles*) passage *m* inférieur.
underpay [ʌndə'peɪ] *vt* sous-payer. ● **underpaid** *a* sous-payé.
underpriced [ʌndə'praɪst] *a* **it's u.** le prix est trop bas, c'est bradé.
underprivileged [ʌndə'prɪvɪlɪdʒd] *a* défavorisé **I** *n* **the u.** les défavorisés *mpl*.
underrate [ʌndə'reɪt] *vt* sous-estimer.
underscore [ʌndə'skɔːr] *vt* (*emphasize*) souligner (*fait etc*).
underseal ['ʌndəsiːl] *vt* (*vehicle*) traiter contre la rouille.
undersecretary [ʌndə'sekrət(ə)rɪ] *n Pol* sous-secrétaire *mf*.
undershirt ['ʌndəʃɜːt] *n Am* maillot *m* de corps.
underside ['ʌndəsaɪd] *n* **the u. (of)** le dessous (de).
undersigned ['ʌndəsaɪnd] *a* soussigné; **I the u.** je soussigné(e).
undersized [ʌndə'saɪzd] *a* trop petit.
underskirt ['ʌndəskɜːt] *n* jupon *m*.
understaffed [ʌndə'stɑːft] *a* à court de personnel.
understand [ʌndə'stænd] *vti* (*pt & pp* **understood**) comprendre; **I u. that** (*hear*) je crois comprendre que, il paraît que; **I've been given to u. that** on m'a fait comprendre que. ● **understanding** *n* (*act, faculty*) compréhension *f*; (*agreement*) accord *m*, entente *f*; (*sympathy*) entente *f*; **on the u. that** à condition que (+ *sub*) **I** *a* (*person*) compréhensif. ● **understood** *a* (*agreed*) entendu; (*implied*) sous-entendu.
understandable [ʌndə'stændəb(ə)l] *a* compréhensible. ● **understandably** *adv* naturellement.
understatement ['ʌndəsteɪtmənt] *n* euphémisme *m*.
understudy ['ʌndəstʌdɪ] *n* (*actor, actress*) doublure *f*.
undertake [ʌndə'teɪk] *vt* (*pt* **undertook**, *pp* **undertaken**) (*task etc*) entreprendre; (*responsibility*) assumer; **to u. to do** entreprendre *or* se charger de faire. ● **undertaking** *n* (*task*) entreprise *f*; (*promise*) promesse *f*; **to give an u.** promettre (**that** que).
undertaker ['ʌndəteɪkər] *n* entrepreneur *m* de pompes funèbres.
undertone ['ʌndətəʊn] *n* **in an u.** à mi-voix; **an u. of** (*criticism, sadness etc*) Fig une nuance de.
undervalue [ʌndə'væljuː] *vt* sous-évaluer; **it's undervalued at ten pounds** ça vaut plus que dix livres.
underwater [ʌndə'wɔːtər] *a* sous-marin **I** *adv* sous l'eau.
underwear ['ʌndəweər] *n* sous-vêtements *mpl*.
underweight [ʌndə'weɪt] *a* (*person*) qui ne pèse pas assez; (*goods*) d'un poids insuffisant.
underworld ['ʌndəwɜːld] *n* **the u.** (*criminals*) le milieu, la pègre.

undesirable [ʌndɪ'zaɪərəb(ə)l] *a* peu souhaitable (**that** que (+ *sub*)); (*person*) indésirable ∎ *n* (*person*) indésirable *mf*.

undetected [ʌndɪ'tektɪd] *a* (*crime etc*) non découvert; **to go u.** (*of crime etc*) ne pas être découvert; (*of person, gesture, joke etc*) passer inaperçu.

undies ['ʌndɪz] *npl* (*female underwear*) *Fam* dessous *mpl*.

undignified [ʌn'dɪgnɪfaɪd] *a* qui manque de dignité.

undisciplined [ʌn'dɪsɪplɪnd] *a* indiscipliné.

undiscovered [ʌndɪ'skʌvəd] *a* **to remain u.** (*of crime, body etc*) ne pas être découvert.

undisputed [ʌndɪ'spju:tɪd] *a* incontesté.

undistinguished [ʌndɪ'stɪŋgwɪʃt] *a* médiocre.

undisturbed [ʌndɪ'stɜ:bd] *a* **to leave s.o. u.** ne pas déranger qn.

undivided [ʌndɪ'vaɪdɪd] *a* **my u. attention** toute mon attention.

undo [ʌn'du:] *vt* (*pt* **undid**, *pp* **undone**) défaire; (*bound person*) détacher; (*hands*) détacher, délier; (*a wrong*) réparer. ● **undoing** *n* (*downfall*) perte *f*, ruine *f*. ● **undone** *a* **to come u.** (*of knot etc*) se défaire; **to leave u.** (*work etc*) ne pas faire.

undoubted [ʌn'daʊtɪd] *a* indubitable. ● **undoubtedly** *adv* sans aucun doute, indubitablement.

undreamt-of [ʌn'dremtɒv] *a* insoupçonné.

undress [ʌn'dres] *vi* se déshabiller ∎ *vt* déshabiller; **to get undressed** se déshabiller.

undrinkable [ʌn'drɪŋkəb(ə)l] *a* imbuvable.

undue [ʌn'dju:] *a* excessif. ● **unduly** *adv* excessivement.

undulating ['ʌndjʊleɪtɪŋ] *a* (*movement*) onduleux; (*countryside*)-vallonné.

undying [ʌn'daɪɪŋ] *a* (*love etc*) éternel.

unearned [ʌn'ɜ:nd] *a* **u. income** rentes *fpl*.

unearth [ʌn'ɜ:θ] *vt* (*from ground*) déterrer; (*discover*) *Fig* dénicher, déterrer.

unearthly [ʌn'ɜ:θlɪ] *a* sinistre, mystérieux; **at an u. hour** *Fam* à une heure impossible.

uneasy [ʌn'i:zɪ] *a* (*peace, situation*) précaire; (*silence*) gêné; **to be** *or* **feel u.** (*ill at ease*) être mal à l'aise, être gêné; (*worried*) être inquiet.

uneatable [ʌn'i:təb(ə)l] *a* (*bad*) immangeable; (*poisonous*) non comestible.

uneconomic(al) [ʌni:kə'nɒmɪk((ə)l)] *a* peu économique.

uneducated [ʌn'edʒʊkeɪtɪd] *a* (*person*) inculte; (*accent*) populaire.

unemotional [ʌnɪ'məʊʃən(ə)l] *a* (*person, attitude*) impassible; (*speech*) sans passion.

unemployed [ʌnɪm'plɔɪd] *a* au chômage, sans travail ∎ *n* **the u.** les chômeurs *mpl*. ● **unemployment** *n* chômage *m*; **u. benefit** *Br* allocation *f* de chômage.

unending [ʌn'endɪŋ] *a* interminable.

unenthusiastic [ʌnɪnθju:zɪ'æstɪk] *a* peu enthousiaste.

unenviable [ʌn'envɪəb(ə)l] *a* peu enviable.

unequal [ʌn'i:kwəl] *a* inégal; **to be u. to** (*task*) ne pas être à la hauteur de. ● **unequalled** *a* (*incomparable*) inégalé.

unequivocal [ʌnɪ'kwɪvək(ə)l] *a* sans équivoque. ● **unequivocally** *adv* sans équivoque.

unerring [ʌn'ɜ:rɪŋ] *a* infaillible.

unethical [ʌn'eθɪk(ə)l] *a* immoral.

uneven [ʌn'i:v(ə)n] *a* inégal.

uneventful [ʌnɪ'ventfəl] *a* (*trip, life etc*) sans histoires.

unexceptionable [ʌnɪk'sepʃ(ə)nəb(ə)l] *a* irréprochable.

unexpected [ʌnɪk'spektɪd] *a* inattendu. ● **unexpectedly** *adv* à l'improviste; (*suddenly*) subitement; (*unusually*) exceptionnellement.

unexplained [ʌnɪk'spleɪnd] *a* inexpliqué.

unfailing [ʌn'feɪlɪŋ] *a* (*optimism, courage, support etc*) inébranlable; (*supply*) inépuisable.

unfair [ʌn'feər] *a* injuste (**to s.o.** envers qn); (*competition*) déloyal. ● **unfairly** *adv* injustement. ● **unfairness** *n* injustice *f*.

unfaithful [ʌn'feɪθfəl] *a* infidèle (**to** à).

unfamiliar [ʌnfə'mɪlɪər] *a* inconnu, peu familier; **to be u. with sth** ne pas connaître qch.

unfashionable [ʌn'fæʃ(ə)nəb(ə)l] *a* (*subject etc*) démodé; (*restaurant, district etc*) peu chic *inv*, ringard; **it's u. to do** il n'est pas de bon ton de faire.

unfasten [ʌn'fɑ:s(ə)n] *vt* défaire.

unfavourable (*Am* **unfavorable**) [ʌn'feɪv(ə)rəb(ə)l] *a* défavorable.

unfeeling [ʌn'fi:lɪŋ] *a* insensible.

unfinished [ʌn'fɪnɪʃt] *a* inachevé; **to have some u. business** avoir une affaire à régler.

unfit [ʌn'fɪt] *a* (*unwell*) en mauvaise santé; (*in bad shape*) pas en forme; (*unsuitable*) impropre (**for sth** à qch, **to do** à faire); (*unworthy*) indigne (**for sth** de qch, **to do** de faire); (*incapable*) inapte (**for sth** à qch, **to do** à faire); **u. for human consumption** impropre à la consommation.

unflagging [ʌn'flægɪŋ] *a* (*optimism, zeal*) inlassable; (*interest*) soutenu.

unflappable [ʌn'flæpəb(ə)l] *a* *Br Fam* imperturbable.

unflattering [ʌn'flæt(ə)rɪŋ] *a* peu flatteur.

unflinching [ʌn'flɪntʃɪŋ] *a* (*fearless*) intrépide.

unfold [ʌn'fəʊld] *vt* déplier; (*wings*) déployer; (*ideas, plan*) *Fig* exposer ∎ *vi* (*of story, view*) se dérouler.

unforeseeable [ʌnfɔ:'si:əb(ə)l] *a* imprévisible. ● **unforeseen** *a* imprévu.

unforgettable [ʌnfə'getəb(ə)l] *a* inoubliable.

unforgivable [ʌnfə'gɪvəb(ə)l] *a* impardonnable.

unfortunate [ʌn'fɔ:tʃ(ə)nət] *a* malheureux; (*event*) fâcheux; **you were u.** tu n'as pas eu de chance. ● **unfortunately** *adv* malheureusement.

unfounded [ʌn'faʊndɪd] *a* (*rumour, argument etc*) sans fondement.

unfreeze [ʌn'fri:z] *vt* (*pt* **unfroze**, *pp* **unfro-**

zen (*funds etc*) dégeler.
unfriendly [ʌn'frendlɪ] *a* froid, peu aimable (**to** avec). ● **unfriendliness** *n* froideur *f*.
unfulfilled [ʌnfʊl'fɪld] *a* (*desire*) insatisfait; (*plan, dream*) non réalisé; (*condition*) non rempli.
unfurl [ʌn'fɜːl] *vt* (*flag etc*) déployer.
unfurnished [ʌn'fɜːnɪʃt] *a* non meublé.
ungainly [ʌn'geɪnlɪ] *a* (*clumsy*) gauche.
unglued [ʌn'gluːd] *a* **to come u.** (*confused etc*) *Am Fam* perdre les pédales, s'affoler.
ungodly [ʌn'gɒdlɪ] *a* (*sinful*) impie; **at an u. hour** *Fam* à une heure impossible.
ungrammatical [ʌngrə'mætɪk(ə)l] *a* non grammatical.
ungrateful [ʌn'greɪtfəl] *a* ingrat.
unguarded [ʌn'gɑːdɪd] *a* **in an u. moment** dans un moment d'inattention.
unhappy [ʌn'hæpɪ] *a* (**-ier, -iest**) (*sad*) malheureux, triste; (*worried*) inquiet; **u. with** *or* **about sth** (*not pleased*) mécontent de qch; **he's u. about doing it** ça le dérange de le faire. ● **unhappily** *adv* (*unfortunately*) malheureusement. ● **unhappiness** *n* tristesse *f*.
unharmed [ʌn'hɑːmd] *a* (*person*) indemne, sain et sauf.
unhealthy [ʌn'helθɪ] *a* (**-ier, -iest**) (*person*) en mauvaise santé; (*climate, place, job*) malsain; (*lungs*) malade.
unheard-of [ʌn'hɜːdɒv] *a* (*unprecedented*) inouï.
unheeded [ʌn'hiːdɪd] *a* **it went u.** on n'en a pas tenu compte.
unhelpful [ʌn'helpfəl] *a* (*person*) peu serviable *or* obligeant; (*advice*) peu utile.
unhinge [ʌn'hɪndʒ] *vt* (*person, mind*) déséquilibrer.
unholy [ʌn'həʊlɪ] *a* (**-ier, -iest**) impie; (*din*) *Fam* de tous les diables.
unhook [ʌn'hʊk] *vt* (*picture, curtain*) décrocher; (*dress*) dégrafer.
unhoped-for [ʌn'həʊptfɔːr] *a* inespéré.
unhurried [ʌn'hʌrɪd] *a* (*movement*) lent; (*stroll, journey*) fait sans hâte.
unhurt [ʌn'hɜːt] *a* indemne, sain et sauf.
unhygienic [ʌnhaɪ'dʒiːnɪk] *a* pas très hygiénique.
unicorn ['juːnɪkɔːn] *n* licorne *f*.
unidentified [ʌnaɪ'dentɪfaɪd] *a* **u. flying object** objet *m* volant non identifié.
uniform ['juːnɪfɔːm] **1** *n* uniforme *m*. **2** *a* (*regular*) uniforme; (*temperature*) constant. ● **uniformed** *a* (*police officer etc*) en uniforme. ● **uni'formity** *n* uniformité *f*. ● **uniformly** *adv* uniformément.
unify ['juːnɪfaɪ] *vt* unifier. ● **unification** [-ɪ'keɪʃ(ə)n] *n* unification *f*.
unilateral [juːnɪ'lætərəl] *a* unilatéral.
unimaginable [ʌnɪ'mædʒɪnəb(ə)l] *a* inimaginable. ● **unimaginative** *a* (*person, plan etc*) qui manque d'imagination.
unimpaired [ʌnɪm'peəd] *a* intact.
unimportant [ʌnɪm'pɔːtənt] *a* peu important.
uninformative [ʌnɪn'fɔːmətɪv] *a* peu instructif.
uninhabitable [ʌnɪn'hæbɪtəb(ə)l] *a* inhabitable. ● **uninhabited** *a* inhabité.
uninhibited [ʌnɪn'hɪbɪtɪd] *a* (*person*) sans complexes.
uninitiated [ʌnɪ'nɪʃɪeɪtɪd] *n* **the u.** les profanes *mpl*, les non-initiés.
uninjured [ʌn'ɪndʒəd] *a* indemne ∥ *n* **the u.** les personnes *fpl* indemnes.
uninspiring [ʌnɪn'spaɪərɪŋ] *a* (*subject etc*) pas très inspirant.
unintelligible [ʌnɪn'telɪdʒəb(ə)l] *a* inintelligible.
unintentional [ʌnɪn'tenʃ(ə)nəl] *a* involontaire.
uninterested [ʌn'ɪntrɪstɪd] *a* indifférent (**in** à). ● **uninteresting** *a* (*book etc*) peu intéressant, inintéressant; (*person*) fastidieux.
uninterrupted [ʌnɪntə'rʌptɪd] *a* ininterrompu.
uninvited [ʌnɪn'vaɪtɪd] *adv* (*to arrive*) sans invitation. ● **uninviting** *a* peu attrayant.
union ['juːnɪən] *n* union *f*; (*Br trade or Am labor union*) syndicat *m* ∥ *a* syndical; (*Br trade or Am labor*) **u. member** syndiqué, -ée *mf*; **the U. Jack** le drapeau britannique. ● **unionist** *n* *Br* trade u., *Am* labor u. (*union member*) syndiqué, -ée *mf*; (*official*) syndicaliste *mf*. ● **unionize** *vt* syndiquer.
unique [juː'niːk] *a* unique. ● **uniquely** *adv* exceptionnellement.
unisex ['juːnɪseks] *a* (*clothes etc*) unisexe.
unison ['juːnɪs(ə)n] *n* **in u.** à l'unisson (**with** de).
unit ['juːnɪt] *n* unité *f*; (*of furniture etc*) élément *m*; (*system*) bloc *m*; (*group, team*) groupe *m*; **psychiatric/heart u.** service *m* de psychiatrie/cardiologie; **research u.** centre *m* de recherche; **u. trust** *Br Fin* fonds *m* commun de placement.
unite [juː'naɪt] *vt* unir; (*country, party*) unifier; **United Kingdom** Royaume-Uni *m*; **United Nations** (Organisation *f* des) Nations unies *fpl*; **United States (of America)** États-Unis *mpl* (d'Amérique) ∥ *vi* (*of students etc*) s'unir.
unity ['juːnətɪ] *n* (*cohesion*) unité *f*; (*harmony*) *Fig* harmonie *f*.
universal [juːnɪ'vɜːs(ə)l] *a* universel. ● **universally** *adv* universellement.
universe ['juːnɪvɜːs] *n* univers *m*.
university [juːnɪ'vɜːsɪtɪ] *n* université *f*; **to go to u.** aller à l'université; **at u.** *Br* à l'université ∥ *a* (*teaching, town, restaurant etc*) universitaire; (*student, teacher*) d'université.
unjust [ʌn'dʒʌst] *a* injuste.
unjustified [ʌn'dʒʌstɪfaɪd] *a* injustifié.
unkempt [ʌn'kempt] *a* (*appearance*) négligé; (*hair*) mal peigné.
unkind [ʌn'kaɪnd] *a* peu gentil (**to s.o.** avec qn); (*nasty*) méchant (**to s.o.** avec qn). ● **unkindly** *adv* méchamment.
unknowingly [ʌn'nəʊɪŋlɪ] *adv* inconsciemment.

unknown [ʌnˈnəʊn] *a* inconnu; **u. to me, he had left** il était parti, ce que j'ignorais ▌ *n* (*person*) inconnu, -ue *mf*; **the u.** Phil l'inconnu *m*; **u. (quantity)** Math & Fig inconnue *f*.

unlawful [ʌnˈlɔːfəl] *a* illégal.

unleaded [ʌnˈledɪd] *a* (*Br petrol, Am gasoline*) sans plomb.

unleash [ʌnˈliːʃ] *vt* (*force etc*) déchaîner.

unless [ʌnˈles] *conj* à moins que (+ *sub*); **u. she comes** à moins qu'elle ne vienne; **u. you work harder, you'll fail** à moins de travailler plus dur, vous échouerez.

unlicensed [ʌnˈlaɪsənst] *a* **u. premises** Br établissement *m* sans licence de débit de boissons.

unlike [ʌnˈlaɪk] *a* différent ▌ *prep* **u. me, she...** à la différence de moi *or* contrairement à moi, elle...; **he's (very) u. his father** il n'est pas (du tout) comme son père; **that's u. him** ça ne lui ressemble pas.

unlikely [ʌnˈlaɪklɪ] *a* peu probable, improbable; (*unbelievable*) incroyable; (*implausible*) invraisemblable; **she's u. to win** il est peu probable qu'elle gagne. ●**unlikelihood** *n* improbabilité *f*.

unlimited [ʌnˈlɪmɪtɪd] *a* illimité.

unlisted [ʌnˈlɪstɪd] *a* (*phone number*) Am sur la liste rouge, qui ne figure pas à l'annuaire.

unload [ʌnˈləʊd] *vt* décharger.

unlock [ʌnˈlɒk] *vt* ouvrir (*avec une clef*).

unlucky [ʌnˈlʌkɪ] *a* (-**ier**, -**iest**) (*person*) malchanceux; (*number, colour etc*) qui porte malheur; **you're u.** tu n'as pas de chance. ●**unluckily** *adv* malheureusement.

unmade [ʌnˈmeɪd] *a* (*bed*) défait.

unmanageable [ʌnˈmænɪdʒəb(ə)l] *a* (*child*) difficile; (*hair*) difficile à coiffer; (*package, large book, size etc*) peu maniable.

unmanned [ʌnˈmænd] *a* (*spacecraft*) inhabité; (*ship*) sans équipage.

unmarked [ʌnˈmɑːkt] *a* (*not blemished*) sans marque; **u. police car** Br voiture *f* banalisée.

unmarried [ʌnˈmærɪd] *a* célibataire.

unmask [ʌnˈmɑːsk] *vt* démasquer.

unmentionable [ʌnˈmenʃ(ə)nəb(ə)l] *a* dont il ne faut pas parler; (*unpleasant*) innommable.

unmercifully [ʌnˈmɜːsɪf(ə)lɪ] *adv* sans pitié.

unmistakable [ʌnmɪˈsteɪkəb(ə)l] *a* (*obvious*) indubitable; (*face, voice etc*) facilement reconnaissable.

unmitigated [ʌnˈmɪtɪɡeɪtɪd] *a* (*disaster*) absolu; (*folly*) pur.

unmoved [ʌnˈmuːvd] *a* **to be u.** (*feel no emotion*) être impassible (**by** devant), ne pas être ému (**by** par); (*be unconcerned*) être indifférent (**by** à).

unnamed [ʌnˈneɪmd] *a* (*person*) anonyme.

unnatural [ʌnˈnætʃ(ə)rəl] *a* (*not normal*) pas naturel; (*crime*) contre nature; (*affected*) qui manque de naturel. ●**unnaturally** *adv* **not u.** naturellement.

unnecessary [ʌnˈnesəs(ə)rɪ] *a* inutile; (*superfluous*) superflu.

unnerve [ʌnˈnɜːv] *vt* déconcerter, désarçonner.

unnoticed [ʌnˈnəʊtɪst] *a* **to go u.** passer inaperçu.

unobstructed [ʌnəbˈstrʌktɪd] *a* (*road, view*) dégagé.

unobtainable [ʌnəbˈteɪnəb(ə)l] *a* impossible à obtenir.

unobtrusive [ʌnəbˈtruːsɪv] *a* discret.

unoccupied [ʌnˈɒkjʊpaɪd] *a* (*house, person*) inoccupé; (*seat*) libre.

unofficial [ʌnəˈfɪʃ(ə)l] *a* officieux; (*visit*) privé; (*strike*) sauvage. ●**unofficially** *adv* à titre officieux.

unorthodox [ʌnˈɔːθədɒks] *a* peu orthodoxe.

unpack [ʌnˈpæk] *vt* (*suitcase*) défaire; (*goods, belongings, contents*) déballer; **to u. a comb/etc from** sortir un peigne/*etc* de ▌ *vi* défaire sa valise; (*take out goods*) déballer.

unpaid [ʌnˈpeɪd] *a* (*bill, sum*) impayé; (*work, worker*) bénévole; (*leave*) non payé.

unpalatable [ʌnˈpælətəb(ə)l] *a* désagréable, déplaisant.

unparalleled [ʌnˈpærəleld] *a* sans égal.

unperturbed [ʌnpəˈtɜːbd] *a* nullement déconcerté.

unplanned [ʌnˈplænd] *a* (*visit, baby etc*) imprévu.

unpleasant [ʌnˈplezənt] *a* désagréable (**to s.o.** avec qn). ●**unpleasantness** *n* caractère *m* désagréable (**of** de); (*quarrel*) petite querelle *f*.

unplug [ʌnˈplʌɡ] *vt* (-**gg**-) (*appliance etc*) débrancher; (*unblock*) déboucher.

unpopular [ʌnˈpɒpjʊlər] *a* peu populaire, impopulaire; **to be u. with s.o.** ne pas plaire à qn.

unprecedented [ʌnˈpresɪdentɪd] *a* sans précédent.

unpredictable [ʌnprɪˈdɪktəb(ə)l] *a* imprévisible; (*weather*) indécis.

unprepared [ʌnprɪˈpeəd] *a* (*meal, room etc*) non préparé; (*speech*) improvisé; **to be u. for sth** (*not expect*) ne pas s'attendre à qch.

unprepossessing [ʌnpriːpəˈzesɪŋ] *a* peu avenant.

unpretentious [ʌnprɪˈtenʃəs] *a* sans prétention.

unprincipled [ʌnˈprɪnsɪp(ə)ld] *a* sans scrupules.

unprofessional [ʌnprəˈfeʃ(ə)nəl] *a* (*person, behaviour*) pas très professionnel.

unprovoked [ʌnprəˈvəʊkt] *a* **u. attack** agression *f* injustifiée.

unpublished [ʌnˈpʌblɪʃt] *a* (*text, writer*) inédit.

unpunished [ʌnˈpʌnɪʃt] *a* **to go u.** rester impuni.

unqualified [ʌnˈkwɒlɪfaɪd] *a* **1** (*teacher etc*) non diplômé; **he's u. to do it** il n'est pas qualifié pour faire. **2** (*support*) sans réserve; (*success, rogue, liar*) parfait.

unquestionable [ʌnˈkwestʃ(ə)nəb(ə)l] *a* incontestable. ●**unquestionably** *adv* in-

unthinkable

contestablement.
unravel [ʌn'ræv(ə)l] *vt* (*Br* -ll-, *Am* -l-) (*threads etc*) démêler; (*mystery*) *Fig* éclaircir.
unreal [ʌn'rɪəl] *a* irréel. ● **unrea'listic** *a* peu réaliste.
unreasonable [ʌn'ri:z(ə)nəb(ə)l] *a* (*person, attitude etc*) qui n'est pas raisonnable; (*price*) excessif; **it's u. to do** ce n'est pas raisonnable de faire.
unrecognizable [ʌnrekəg'naɪzəb(ə)l] *a* méconnaissable.
unrelated [ʌnrɪ'leɪtɪd] *a* (*facts etc*) sans rapport (**to** avec); **we're u.** il n'y a aucun lien de parenté entre nous.
unrelenting [ʌnrɪ'lentɪŋ] *a* (*person*) implacable; (*effort*) acharné; **the u. pace of work** le rythme soutenu du travail.
unreliable [ʌnrɪ'laɪəb(ə)l] *a* (*person*) peu sûr, peu sérieux; (*machine*) peu fiable.
unrelieved [ʌnrɪ'li:vd] *a* (*constant*) constant; (*colour*) uniforme; (*monotony*) absolu.
unremarkable [ʌnrɪ'mɑ:kəb(ə)l] *a* médiocre.
unrepeatable [ʌnrɪ'pi:təb(ə)l] *a* (*offer*) unique.
unrepentant [ʌnrɪ'pentənt] *a* impénitent; **the murderer was u.** le meurtrier n'a montré aucun remords.
unreservedly [ʌnrɪ'zɜ:vɪdlɪ] *adv* sans réserve.
unrest [ʌn'rest] *n* agitation *f*, troubles *mpl*.
unrestricted [ʌnrɪ'strɪktɪd] *a* illimité; **u. access** libre accès *m* (**to** à).
unrewarding [ʌnrɪ'wɔ:dɪŋ] *a* ingrat; (*financially*) peu rémunérateur.
unripe [ʌn'raɪp] *a* (*fruit*) vert, pas mûr.
unrivalled [ʌn'raɪvəld] (*Am* **unrivaled**) *a* hors pair.
unroll [ʌn'rəʊl] *vt* dérouler **|** *vi* se dérouler.
unruffled [ʌn'rʌf(ə)ld] *a* (*person*) calme.
unruly [ʌn'ru:lɪ] *a* (**-ier, -iest**) indiscipliné.
unsafe [ʌn'seɪf] *a* (*place, machine etc*) dangereux; (*person*) en danger; (*conviction*) peu solide juridiquement; **u. sex** rapports *mpl* sexuels non protégés.
unsaid [ʌn'sed] *a* **to leave sth u.** passer qch sous silence.
unsaleable [ʌn'seɪləb(ə)l] *a* invendable.
unsatisfactory [ʌnsætɪs'fækt(ə)rɪ] *a* peu satisfaisant. ● **un'satisfied** *a* insatisfait; **u. with** peu satisfait de.
unsavoury [ʌn'seɪv(ə)rɪ] (*Am* **unsavory**) *a* (*person, place etc*) répugnant.
unscathed [ʌn'skeɪðd] *a* indemne.
unscheduled [*Br* ʌn'ʃedju:ld, *Am* ʌn'skedjʊld] *a* **u. stop** (*on train, at place etc*) arrêt *m* non prévu.
unscrew [ʌn'skru:] *vt* dévisser.
unscrupulous [ʌn'skru:pjʊləs] *a* (*person, act*) peu scrupuleux.
unseemly [ʌn'si:mlɪ] *a* inconvenant.
unseen [ʌn'si:n] **1** *a* (*unnoticed*) inaperçu. **2** *n* (*translation*) *Br Sch Univ* version *f*.
unselfish [ʌn'selfɪʃ] *a* (*person, motive etc*) désintéressé.

unsettle [ʌn'set(ə)l] *vt* (*person*) troubler. ● **unsettled** *a* (*weather, situation*) instable; (*in one's mind*) troublé; (*in a job*) mal à l'aise.
unshakeable [ʌn'ʃeɪkəb(ə)l] *a* (*person, faith etc*) inébranlable.
unshaven [ʌn'ʃeɪv(ə)n] *a* pas rasé.
unsightly [ʌn'saɪtlɪ] *a* laid, disgracieux.
unskilled [ʌn'skɪld] *a*-inexpert; (*work*) de manœuvre; **u. worker** ouvrier, -ière *mf* non qualifié(e), manœuvre *m*.
unsociable [ʌn'səʊʃəb(ə)l] *a* peu sociable.
unsocial [ʌn'səʊʃəl] *a* **to work u. hours** travailler en dehors des heures de bureau.
unsolved [ʌn'sɒlvd] *a* (*problem*) non résolu; (*mystery*) inexpliqué; (*crime*) dont l'auteur n'est pas connu.
unsophisticated [ʌnsə'fɪstɪkeɪtɪd] *a* simple.
unsound [ʌn'saʊnd] *a* (*construction etc*) peu solide; (*method*) peu sûr; (*decision*) peu judicieux; **he is of u. mind** il n'a pas toute sa raison.
unspeakable [ʌn'spi:kəb(ə)l] *a* (*horrible*) innommable.
unspecified [ʌn'spesɪfaɪd] *a* indéterminé.
unsporting [ʌn'spɔ:tɪŋ] *a* déloyal.
unstable [ʌn'steɪb(ə)l] *a* instable.
unsteady [ʌn'stedɪ] *a* (*hand, voice, step etc*) mal assuré; (*table, ladder etc*) instable. ● **unsteadily** *adv* (*to walk*) d'un pas mal assuré.
unstinting [ʌn'stɪntɪŋ] *a* (*generosity*) sans bornes; (*praise*) sans réserve.
unstoppable [ʌn'stɒpəb(ə)l] *a* qu'on ne peut (pas) arrêter.
unstuck [ʌn'stʌk] *a* **to come u.** (*of stamp etc*) se décoller; (*fail*) (*of person*) *Br Fam* se planter.
unsuccessful [ʌnsək'sesfəl] *a* (*attempt etc*) vain, infructueux; (*outcome, candidate*) malheureux; (*application*) non retenu; **to be u.** ne pas réussir (**in doing** à faire); (*of book, film, artist etc*) ne pas avoir de succès. ● **unsuccessfully** *adv* en vain, sans succès.
unsuitable [ʌn'su:təb(ə)l] *a* qui ne convient pas (**for** à); (*example*) peu approprié; (*manners, clothes*) peu convenable. ● **unsuited** *a* **u. to** (*job, activity*) peu fait pour; **they're u.** (**to each other**) ils ne sont pas compatibles.
unsupervised [ʌn'su:pəvaɪzd] *adv* (*to play etc*) sans surveillance.
unsure [ʌn'ʃʊər] *a* incertain (**of, about** de).
unsuspecting [ʌnsə'spektɪŋ] *a* qui ne se doute de rien.
unswerving [ʌn'swɜ:vɪŋ] *a* (*loyalty etc*) inébranlable.
unsympathetic [ʌnsɪmpə'θetɪk] *a* incompréhensif; **u. to** indifférent à.
untangle [ʌn'tæŋg(ə)l] *vt* (*rope, hair etc*) démêler.
untapped [ʌn'tæpt] *a* (*resources*) inexploité.
untenable [ʌn'tenəb(ə)l] *a* (*position, argument*) indéfendable.
unthinkable [ʌn'θɪŋkəb(ə)l] *a* impensable, inconcevable; **it's u. that** c'est impensable *or* inconcevable que (+ *sub*).

untidy [ʌnˈtaɪdɪ] *a* (**-ier, -iest**) (*clothes, hair*) peu soigné; (*room*) en désordre; (*person*) (*unmethodical*) désordonné; (*in appearance*) peu soigné. ●**untidily** *adv* sans soin.

untie [ʌnˈtaɪ] *vt* (*person, hands*) détacher; (*knot, parcel*) défaire.

until [ʌnˈtɪl] *prep* jusqu'à; **u. then** jusque-là; **I didn't come u. Monday** (*in the past*) je ne suis venu que lundi; **not u. tomorrow**/*etc* (*in the future*) pas avant demain/*etc* ▮ *conj* jusqu'à ce que (+ *sub*); **u. she comes** jusqu'à ce qu'elle vienne, en attendant qu'elle vienne; **do nothing u. I come** (*before*) ne fais rien avant que j'arrive.

untimely [ʌnˈtaɪmlɪ] *a* (*moment, question etc*) inopportun; (*death*) prématuré.

untiring [ʌnˈtaɪ(ə)rɪŋ] *a* infatigable.

untold [ʌnˈtəʊld] *a* (*wealth, quantity etc*) incalculable.

untoward [ʌntəˈwɔːd] *a* fâcheux, malencontreux.

untranslatable [ʌntrænsˈleɪtəb(ə)l] *a* intraduisible.

untroubled [ʌnˈtrʌb(ə)ld] *a* (*calm*) calme.

untrue [ʌnˈtruː] *a* faux (*f* fausse). ●**untruth** *n* contre-vérité *f*. ●**untruthful** *a* (*person*) menteur; (*statement*) mensonger.

unusable [ʌnˈjuːzəb(ə)l] *a* inutilisable.

unused 1 [ʌnˈjuːzd] *a* (*new*) neuf (*f* neuve); (*not in use*) inutilisé. **2** [ʌnˈjuːst] *a* **u. to sth/to doing** peu habitué à qch/à faire.

unusual [ʌnˈjuːʒʊəl] *a* exceptionnel, rare; (*strange*) étrange. ●**unusually** *adv* exceptionnellement.

unveil [ʌnˈveɪl] *vt* dévoiler. ●**unveiling** *n* (*ceremony*) inauguration *f*.

unwanted [ʌnˈwɒntɪd] *a* (*useless*) dont on n'a pas besoin, superflu; (*child*) non désiré.

unwarranted [ʌnˈwɒrəntɪd] *a* injustifié.

unwavering [ʌnˈweɪv(ə)rɪŋ] *a* (*belief etc*) inébranlable.

unwelcome [ʌnˈwelkəm] *a* (*news, fact*) fâcheux; (*gift, visit*) inopportun; (*person*) importun.

unwell [ʌnˈwel] *a* indisposé.

unwieldy [ʌnˈwiːldɪ] *a* (*package etc*) encombrant.

unwilling [ʌnˈwɪlɪŋ] *a* **he's u. to do** il ne veut pas faire, il est peu disposé à faire. ●**unwillingly** *adv* à contrecœur.

unwind [ʌnˈwaɪnd] **1** *vt* (*pt & pp* **unwound**) (*thread etc*) dérouler ▮ *vi* se dérouler. **2** *vi* (*relax*) *Fam* décompresser.

unwise [ʌnˈwaɪz] *a* imprudent. ●**unwisely** *adv* imprudemment.

unwitting [ʌnˈwɪtɪŋ] *a* involontaire. ●**unwittingly** *adv* involontairement.

unworkable [ʌnˈwɜːkəb(ə)l] *a* (*idea etc*) impraticable.

unworthy [ʌnˈwɜːðɪ] *a* indigne (**of**).

unwrap [ʌnˈræp] *vt* (**-pp-**) ouvrir, défaire.

unwritten [ʌnˈrɪt(ə)n] *a* (*agreement*) tacite, verbal.

unyielding [ʌnˈjiːldɪŋ] *a* (*person*) inflexible.

unzip [ʌnˈzɪp] *vt* (**-pp-**) ouvrir (la fermeture éclair® de).

up [ʌp] *adv* en haut; (*in the air*) en l'air; (*of sun, hand*) levé; (*out of bed*) levé, debout; (*of building*) construit; (*finished*) fini; **to come** *or* **go up** monter; **the road is u.** *Br* la route est en travaux; **prices are up** les prix ont augmenté (**by** de); **the level is up** (*of river etc*) le niveau a monté (**by** de); **up there** là-haut; **up above** au-dessus; **up on the roof** sur le toit; **further** *or* **higher up** plus haut; **up to** (*as far as*) jusqu'à; (*task*) *Fig* à la hauteur de; **to be up to doing** (*able*) être de taille à faire; (*in a position to*) être à même de faire; **it's up to you to do it** c'est à toi de le faire; **that's** *or* **it's up to you** ça dépend de toi; **where are you up to?** (*in book etc*) où en es-tu?; **what are you up to?** *Fam* que fais-tu?; **what's up?** (*what's the matter?*) *Fam* qu'est-ce qu'il y a?; **time's up** c'est l'heure; **halfway up** (*on hill etc*) à mi-chemin; **to walk up and down** marcher de long en large; **to be well up in** (*versed in*) *Fam* s'y connaître en; **to be up against** (*confront*) être confronté à; **up (with) the workers**/*etc*! *Fam* vive(nt) les travailleurs/*etc*! ▮ *prep* (*a hill*) en haut de; (*a tree*) dans; (*a ladder*) sur; **to go up** (*hill, stairs*) monter; **to live up the street** habiter plus loin dans la rue; **halfway up the hill** à mi-côte.

▮ *npl* **to have ups and downs** avoir des hauts et des bas.

▮ *vt* (**-pp-**) (*increase*) *Fam* augmenter.

up-and-coming [ʌpəndˈkʌmɪŋ] *a* plein d'avenir. ●**upbeat** *a* (*optimistic, cheerful*) *Fam* optimiste. ●**upbringing** *n* éducation *f*. ●**upcoming** *a Am* imminent. ●**upˈdate** *vt* mettre à jour. ●**upˈgrade** *vt* (*job*) revaloriser; (*person*) promouvoir. ●**upˈhill 1** *adv* **to go u.** monter. **2** [ˈʌphɪl] *a* (*struggle, task*) pénible. ●**upˈhold** *vt* (*pt & pp* **upheld**) maintenir. ●**upkeep** *n* entretien *m*. ●**uplift** [ʌpˈlɪft] *vt* élever ▮ [ˈʌplɪft] *n* élévation *f* spirituelle. ●**upmarket** *a Br* (*car, furniture etc*) haut de gamme; (*neighbourhood, accent*) très chic *inv*; (*person, crowd*) BCBG *inv*. ●**upright 1** *a & adv* (*straight*) droit ▮ *n* (*post*) montant *m*. **2** *a* (*honest*) droit. ●**uprising** *n* insurrection *f*. ●**upˈroot** *vt* (*plant, person*) déraciner. ●**upside ˈdown** *adv* à l'envers; **to turn u. down** (*room*) tout chambouler dans; (*plans etc*) *Fig* chambouler. ●**upˈstairs** [ʌpˈsteəz] *adv* en haut; **to go u.** monter (l'escalier) ▮ [ˈʌpsteəz] *a* (*people, room*) du dessus. ●**upˈstream** *adv* en amont. ●**upsurge** *n* (*of interest*) recrudescence *f*; (*of anger*) accès *m*. ●**uptake** *n* **to be quick on the u.** comprendre vite. ●**upˈtight** *a Fam* (*tense*) crispé; (*angry*) en colère. ●**up-to-ˈdate** *a* moderne; (*information*) à jour; (*well-informed*) au courant (**on** de). ●**upturn** *n* (*improvement*) amélioration *f* (**in** de); (*rise*) hausse *f* (**in** de). ●**upˈturned** *a* (*nose*) retroussé. ●**upward** *a* (*movement*) ascendant; (*path*) qui monte; (*trend*) à la hausse. ●**upwards** *adv* vers le haut; **from**

utter

five francs u. à partir de cinq francs; **u. of fifty** cinquante et plus.
upheaval [ʌpˈhiːv(ə)l] *n* bouleversement *m*.
upholster [ʌpˈhəʊlstər] *vt* (*pad*) rembourrer; (*cover*) recouvrir. ●**upholsterer** *n* tapissier *m*. ●**upholstery** *n* (*padding*) rembourrage *m*; (*covering*) revêtement *m*; (*in car*) garniture *f*.
upon [əˈpɒn] *prep* sur.
upper [ˈʌpər] 1 *a* supérieur; **u. class** aristocratie *f*; **to have/get the u. hand** avoir/prendre le dessus; **u. circle** *Br Theatre* deuxième balcon *m*. 2 *n* (*of shoe*) dessus *m*, empeigne *f*. ●**upper-ˈclass** *a* aristocratique. ●**uppermost** *a* (*highest*) le plus haut; **to be u.** (*on top*) être en dessus; (*in importance*) être de la plus haute importance.
uppity [ˈʌpɪtɪ] *a Fam* arrogant.
uproar [ˈʌprɔːr] *n* vacarme *m*, tapage *m*.
upset [ʌpˈset] *vt* (*pt & pp* **upset**, *pres p* **upsetting**) (*knock over, spill*) renverser; (*plans, stomach, routine etc*) déranger; **to u. s.o.** (*make sad*) faire de la peine à qn, peiner qn; (*offend*) vexer qn; (*aggravate*) exaspérer qn ▌ *a* peiné; (*offended*) vexé; (*aggravated*) exaspéré; **to have an u. stomach** avoir l'estomac dérangé. ▌ [ˈʌpset] *n* (*in plans etc*) dérangement *m* (**in** de); (*grief*) peine *f*; **to have a stomach u.** avoir l'estomac dérangé.
upshot [ˈʌpʃɒt] *n* résultat *m*.
upstart [ˈʌpstɑːt] *n Pej* parvenu, -ue *mf*.
upstate [ʌpˈsteɪt] *a Am* du nord (*d'un État*); **u. New York** le nord de l'État de New York ▌ *adv* **to go u.** aller vers le nord (*d'un État*).
uranium [jʊˈreɪnɪəm] *n* uranium *m*.
urban [ˈɜːbən] *a* urbain.
urbane [ɜːˈbeɪn] *a* courtois, urbain.
urchin [ˈɜːtʃɪn] *n* polisson, -onne *mf*.
urge [ɜːdʒ] *vt* **to u. s.o. to do** (*advise*) conseiller vivement à qn de faire; **to u. on** (*person, team etc*) encourager ▌ *n* forte envie *f*, besoin *m*.
urgency [ˈɜːdʒənsɪ] *n* urgence *f*; (*of tone, request etc*) insistance *f*. ●**urgent** *a* urgent, pressant; (*tone*) insistant; (*letter*) urgent. ●**urgently** *adv* d'urgence; (*insistently*) avec insistance.
urinal [jʊˈraɪn(ə)l] *n* urinoir *m*.
urine [ˈjʊ(ə)rɪn] *n* urine *f*. ●**urinate** *vi* uriner.
urn [ɜːn] *n* urne *f*; (*for coffee or tea*) fontaine *f*.
Uruguay [ˈjʊərəgwaɪ] *n* Uruguay *m*.
us [əs, *stressed* ʌs] *pron* nous; (**to**) **us** (*indirect*) nous; **she sees us** elle nous voit; **he gives (to) us** il nous donne; **with us** avec nous; **all of us** nous tous; **let's** *or* **let us eat!** mangeons!
US [juːˈes] *abbr* = United States.
USA [juːesˈeɪ] *abbr* = United States of America.
usage [ˈjuːsɪdʒ] *n* (*custom*) & *Ling* usage *m*.
use [juːs] *n* emploi *m*, usage *m*; (*way of using*) emploi *m*, utilisation *f* (*d'une machine etc*); (*usefulness*) utilité *f*; **to have the u. of** avoir l'usage de; **to make u. of** se servir de; **in u.** en usage; **not in u., out of u.** hors d'usage; **ready for u.** prêt à l'emploi; **to be of u.** être utile, servir; **it's no u. crying/etc** ça ne sert à rien de pleurer/*etc*; **what's the u. of worrying/etc?** à quoi bon s'inquiéter/*etc*?, à quoi ça sert de s'inquiéter/*etc*?; **I have no u. for it** je n'en ai pas l'usage, qu'est-ce que je ferais de ça?; **he's no u.** (*hopeless*) il est nul. ▌ [juːz] *vt* se servir de, utiliser, employer (**as** comme; **to do, for doing** pour faire); **it's used to do** *or* **for doing** ça sert à faire; **it's used as** ça sert de; **I u. it to clean** je m'en sers pour nettoyer, ça me sert à nettoyer; **to u. (up)** (*fuel etc*) consommer; (*supplies*) épuiser; (*money*) dépenser. ●**use-by date** *n* (*on product*) date *f* limite d'utilisation.
used 1 [juːzd] *a* (*secondhand*) d'occasion; (*stamp*) oblitéré. 2 [juːst] *v aux* **I u. to sing/** *etc* avant, je chantais/*etc*; **she u. to jog every Sunday** elle faisait du jogging tous les dimanches ▌ *a* **to be u. to doing** (*accustomed*) être habitué à qch/à faire; **to get u. to sth/s.o.** s'habituer à qch/qn.
useful [ˈjuːsfəl] *a* utile (**to** à); **to come in u.** être utile; **to make oneself u.** se rendre utile. ●**usefulness** *n* utilité *f*. ●**useless** *a* inutile; (*unusable*) inutilisable; (*person*) nul, incompétent.
user [ˈjuːzər] *n* (*of road, train, telephone etc*) usager *m*; (*of machine, dictionary*) utilisateur, -trice *mf*. ●**user-friendly** *a Compu* convivial.
usher [ˈʌʃər] *n* (*in church or theatre*) placeur *m*; (*in law court*) huissier *m* ▌ *vt* **to u. in** faire entrer (*qn*); (*period etc*) *Fig* inaugurer. ●**usheˈrette** *n* (*in Br cinema, Am movie theater etc*) ouvreuse *f*.
USSR [juːeseɑːr] *n abbr* (*Union of Soviet Socialist Republics*) (*former State*) URSS *f*.
usual [ˈjuːʒʊəl] *a* habituel, normal; **as u.** comme d'habitude; **it's her u. practice** c'est son habitude ▌ *n* **the u.** (*food, excuse etc*) *Fam* la même chose que d'habitude. ●**usually** *adv* d'habitude.
usurer [ˈjuːʒərər] *n* usurier, -ière *mf*.
usurp [juːˈzɜːp] *vt* usurper.
utensil [juːˈtens(ə)l] *n* ustensile *m*; **kitchen u.** ustensile de cuisine.
uterus [ˈjuːt(ə)rəs] *n Anat* utérus *m*.
utilitarian [juːtɪlɪˈteərɪən] *a* utilitaire.
utility [juːˈtɪlətɪ] *n* (**public**) **u.** service *m* public; **u. room** pièce *f* servant de buanderie et de débarras; **u. software** *Compu* utilitaire *m*; **u. vehicle** véhicule *m* utilitaire.
utilize [ˈjuːtɪlaɪz] *vt* utiliser. ●**utilization** [-ˈzeɪʃ(ə)n] *n* utilisation *f*.
utmost [ˈʌtməʊst] *a* **the u. ease/***etc* (*greatest*) la plus grande facilité/*etc*; **the u. danger/ limit/***etc* (*extreme*) un danger/une limite/*etc* extrême ▌ *n* **to do one's u.** faire tout son possible (**to do** pour faire).
utopia [juːˈtəʊpɪə] *n* (*perfect place*) utopie *f*. ●**utopian** *a* utopique.
utter [ˈʌtər] 1 *a* complet, total; (*folly, lie*)

U-turn

pur; (*idiot, scoundrel, liar*) parfait; **it's u. nonsense** c'est complètement absurde. **2** *vt* (*cry, sigh*) pousser; (*word*) dire; (*threat*) proférer. ●**utterance** *n* (*remark etc*) déclaration *f*; *Ling* énoncé *m*; **to give u. to** exprimer.
●**utterly** *adv* complètement.

U-turn ['juːtɜːn] *n* (*in vehicle*) demi-tour *m*; (*change of policy etc*) *Fig* volte-face *f inv*.

V

V, v [viː] *n* V, v *m*. ● **V.-neck** *a* (*sweater etc*) à col en V ▮ *n* col *m* en V.
vacant ['veɪkənt] *a* (*room, seat*) libre; (*post*) vacant; (*look*) vague, dans le vide; '**situations v.**' (*in newspaper*) *Br* 'offres *fpl* d'emploi'. ● **vacancy** *n* (*post*) poste *m* vacant; (*room*) chambre *f* libre; '**no vacancies**' (*in hotel*) 'complet'. ● **vacantly** *adv* **to gaze v.** regarder dans le vide.
vacate [*Br* və'keɪt, *Am* 'veɪkeɪt] *vt* quitter.
vacation [veɪ'keɪʃ(ə)n] *n Am* vacances *fpl*; **to be/go/go away on v.** être/aller/partir en vacances. ● **vacationer** *n Am* vacancier, -ière *mf*.
vaccinate ['væksɪneɪt] *vt* vacciner. ● **vaccination** [-'neɪʃ(ə)n] *n* vaccination *f*. ● **vaccine** [væk'siːn] *n* vaccin *m*.
vacillate ['væsɪleɪt] *vi* (*hesitate*) hésiter.
vacuum ['vækjʊ(ə)m] *n* vide *m*; **v. cleaner** aspirateur *m*; **v. flask** *Br* thermos® *m or f inv* ▮ *vt* (*room*) passer l'aspirateur dans; (*carpet etc*) passer l'aspirateur sur. ● **vacuum-packed** *a* emballé sous vide.
vagabond ['vægəbɒnd] *n* vagabond, -onde *mf*.
vagary ['veɪgərɪ] *n* caprice *m*.
vagina [və'dʒaɪnə] *n* vagin *m*.
vagrant ['veɪgrənt] *n Jur* vagabond, -onde *mf*. ● **vagrancy** *n Jur* vagabondage *m*.
vague [veɪg] *a* (-er, -est) vague; (*outline, memory, photo*) flou; **I haven't got the vaguest idea** je n'en ai pas la moindre idée; **he was v. (about it)** il est resté vague. ● **vaguely** *adv* vaguement.
vain [veɪn] *a* (-er, -est) **1** (*attempt, hope*) vain; **in v.** en vain; **her efforts were in v.** ses efforts ont été inutiles. **2** (*conceited*) vaniteux. ● **vainly** *adv* (*in vain*) vainement.
valentine ['væləntaɪn] *n* (*card*) carte *f* de la Saint-Valentin; (**Saint**) **V.'s Day** la Saint-Valentin.
valet ['vælɪt, 'væleɪ] *n* valet *m* de chambre.
valiant ['væljənt] *a* courageux. ● **valour** (*Am* **valor**) *n* bravoure *f*.
valid ['vælɪd] *a* (*ticket, motive etc*) valable. ● **validate** *vt* valider. ● **va'lidity** *n* validité *f*; (*of argument*) justesse *f*.
valley ['vælɪ] *n* vallée *f*.
valuable ['væljʊəb(ə)l] *a* (*object*) de (grande) valeur; (*help, time etc*) *Fig* précieux ▮ *npl* **valuables** objets *mpl* de valeur.
value ['væljuː] *n* valeur *f*; **to be of great/little v.** (*of object*) valoir cher/peu (cher); **it's good v. (for money)** ça a un bon rapport qualité/prix; **v. added tax** *Br* taxe *f* à la valeur ajoutée ▮ *vt* (*appreciate*) attacher de la valeur à; (*assess*) évaluer. ● **valuation** [-'eɪʃ(ə)n] *n* (*by expert*) expertise *f*; (*assessment*) évaluation *f*. ● **valuer** *n* expert *m*.
valve [vælv] *n* (*of machine, car*) soupape *f*; (*in radio*) lampe *f*; (*of Br tyre, Am tire*) valve *f*; (*of heart*) valvule *f*.
vampire ['væmpaɪər] *n* vampire *m*.
van [væn] *n* (*small*) camionnette *f*, fourgonnette *f*; (*large*) camion *m*; (**guard's**) **v.** (*on train*) *Br* fourgon *m*.
vandal ['vænd(ə)l] *n* vandale *mf*. ● **vandalism** *n* vandalisme *m*. ● **vandalize** *vt* saccager.
vanguard ['vængɑːd] *n* **in the v. of** (*progress etc*) à l'avant-garde de.
vanilla [və'nɪlə] *n* vanille *f* ▮ *a* (*ice cream*) à la vanille; **v. flavour** parfum *m* vanille.
vanish ['vænɪʃ] *vi* disparaître; **to v. into thin air** se volatiliser.
vanity ['vænɪtɪ] *n* vanité *f*; **v. case** vanity *m inv*.
vanquish ['væŋkwɪʃ] *vt* vaincre.
vantage point ['vɑːntɪdʒpɔɪnt] *n* (*place*) (bon) point *m* de vue; (*point of view*) point *m* de vue, angle *m*.
vapour ['veɪpər] (*Am* **vapor**) *n* vapeur *f*; (*on glass*) buée *f*.
variable ['veərɪəb(ə)l] *a* variable.
variance ['veərɪəns] *n* **at v.** en désaccord (**with** avec).
variant ['veərɪənt] *a* différent ▮ *n* variante *f*.
variation [veərɪ'eɪʃ(ə)n] *n* variation *f*.
varicose ['værɪkəʊs] *a* **v. veins** varices *fpl*.
variety [və'raɪətɪ] *n* **1** (*diversity*) variété *f*; **a v. of opinions/reasons/etc** (*many*) diverses opinions/raisons/etc; **a v. of articles/products** toute une gamme d'articles/de produits. **2** (*entertainment*) variétés *fpl*; **v. show** spectacle *m* de variétés.
various ['veərɪəs] *a* divers. ● **variously** *adv* diversement.
varnish ['vɑːnɪʃ] *vt* vernir ▮ *n* vernis *m*; **nail v.** vernis *m* à ongles.
vary ['veərɪ] *vti* varier (**from** de). ● **varied** *a* varié. ● **varying** *a* variable.
vase [*Br* vɑːz, *Am* veɪs] *n* vase *m*.
vasectomy [və'sektəmɪ] *n* vasectomie *f*.
Vaseline® ['væsəliːn] *n* vaseline *f*.
vast [vɑːst] *a* vaste, immense. ● **vastly** *adv* (*very*) infiniment, extrêmement. ● **vastness** *n* immensité *f*.
vat [væt] *n* cuve *f*.
VAT [viːeɪ'tiː, væt] *n abbr* (*value added tax*) *Br* TVA *f*.
Vatican ['vætɪkən] *n* **the V.** le Vatican.
vaudeville ['vɔːdəvɪl] *n* (*entertainment*) *Am* variétés *fpl*; **v. show** spectacle *m* de variétés.

vault

vault [vɔːlt] 1 *n* (*in bank*) salle *f* des coffres; (*tomb*) caveau *m*; (*roof*) voûte *f*; (*cellar*) cave *f*. 2 *vti* (*jump*) sauter.
VCR [viːsiːˈɑːr] *n abbr* (*video cassette recorder*) magnétoscope *m*.
VD [viːˈdiː] *n abbr* (*venereal disease*) maladie *f* vénérienne, MST *f*; **VD clinic** (*in hospital*) *Br* service *m* de vénérologie.
VDU [viːdiːˈjuː] *n abbr* (*visual display unit*) moniteur *m*.
veal [viːl] *n* (*meat*) veau *m*.
veer [vɪər] *vi* (*of car*) virer; (*of wind*) tourner; (*of road*) décrire un virage; **to v. off the road** quitter la route.
vegan [ˈviːgən] *n* végétaliste *mf*.
vegeburger [ˈvedʒɪbɜːgər] *n* burger *m* végétarien.
vegetable [ˈvedʒtəb(ə)l] *n* légume *m*; **v. garden** (jardin *m*) potager *m*; **v. kingdom** règne *m* végétal; **v. oil** huile *f* végétale. ● **vegeˈtarian** *a* & *n* végétarien, -ienne (*mf*). ● **vegetation** [-ˈteɪʃ(ə)n] *n* végétation *f*.
vegetate [ˈvedʒɪteɪt] *vi* (*of person*) *Pej* végéter.
vehement [ˈviːəmənt] *a* (*feeling, speech*) véhément; (*attack*) violent. ● **vehemently** *adv* avec véhémence; (*to attack*) violemment.
vehicle [ˈviːɪk(ə)l] *n* véhicule *m*; **heavy goods v.** *Br* poids *m* lourd.
veil [veɪl] *n* (*covering*) & *Fig* voile *m* ▮ *vt* (*face, truth etc*) voiler. ● **veiled** *a* (*criticism, woman etc*) voilé.
vein [veɪn] *n* (*in body or rock*) veine *f*; (*in leaf*) nervure *f*; (*mood*) *Fig* esprit *m*.
Velcro® [ˈvelkrəʊ] *n* Velcro® *m*.
vellum [ˈveləm] *n* (*paper, skin*) vélin *m*.
velocity [vəˈlɒsɪtɪ] *n* vélocité *f*.
velvet [ˈvelvɪt] *n* velours *m* ▮ *a* de velours. ● **velvety** *a* velouté.
vendetta [venˈdetə] *n* vendetta *f*.
vending machine [ˈvendɪŋməʃiːn] *n* distributeur *m* automatique.
vendor [ˈvendər] *n* vendeur, -euse *mf*.
veneer [vəˈnɪər] *n* (*wood*) placage *m*; (*appearance*) *Fig* vernis *m*.
venerable [ˈven(ə)rəb(ə)l] *a* vénérable. ● **venerate** *vt* vénérer.
venereal [vəˈnɪərɪəl] *a* (*disease etc*) vénérien.
venetian [vəˈniːʃ(ə)n] *a* **v. blind** store *m* vénitien.
Venezuela [veneˈzweɪlə] *n* Venezuela *m*.
vengeance [ˈvendʒəns] *n* vengeance *f*; **with a v.** (*to work, study etc*) furieusement; (*to rain, catch up etc*) pour de bon.
venison [ˈvenɪs(ə)n] *n* venaison *f*.
venom [ˈvenəm] *n* (*poison*) & *Fig* venin *m*. ● **venomous** *a* (*speech, snake etc*) venimeux.
vent [vent] 1 *n* (*hole*) orifice *m*; (*for air*) bouche *f* d'aération; (*in jacket*) fente *f*. 2 *n* **to give v. to** (*feeling etc*) donner libre cours à ▮ *vt* (*one's anger*) décharger (**on** sur).
ventilate [ˈventɪleɪt] *vt* (*tunnel, workshop etc*) ventiler; (*bedroom etc*) aérer. ● **ventilation** [-ˈleɪʃ(ə)n] *n* (*of tunnel*) ventilation *f*; (*of bedroom etc*) aération *f*. ● **ventilator** (*in wall etc*) ventilateur *m*; (*for sick person*) respirateur *m* artificiel.
ventriloquist [venˈtrɪləkwɪst] *n* ventriloque *mf*.
venture [ˈventʃər] *n* entreprise *f* (risquée); **my v. into** mon incursion *f* dans ▮ *vt* (*opinion*) hasarder; **to v. to do** (*dare*) oser faire ▮ *vi* s'aventurer, se risquer (**into** dans).
venue [ˈvenjuː] *n* lieu *m* de rencontre *or* de rendez-vous.
veranda(h) [vəˈrændə] *n* véranda *f*.
verb [vɜːb] *n* verbe *m*. ● **verbal** *a* (*promise, skill etc*) verbal.
verbatim [vɜːˈbeɪtɪm] *a* & *adv* mot pour mot.
verbose [vɜːˈbəʊs] *a* (*person, text*) verbeux.
verdict [ˈvɜːdɪkt] *n* verdict *m*.
verdigris [ˈvɜːdɪgrɪs] *n* vert-de-gris *m inv*.
verge [vɜːdʒ] *n* (*of road*) *Br* accotement *m*, bord *m*; **on the v. of ruin/tears/etc** au bord de la ruine/des larmes/*etc*; **on the v. of a discovery** à la veille d'une découverte; **on the v. of doing sth** sur le point de faire qch ▮ *vi* **to v.** on friser, frôler; (*of colour*) tirer sur.
verger [ˈvɜːdʒər] *n* (*church official*) bedeau *m*.
verify [ˈverɪfaɪ] *vt* vérifier; (*passport*) contrôler. ● **verification** [-ˈkeɪʃ(ə)n] *n* vérification *f*; (*of passport*) contrôle *m*.
veritable [ˈverɪtəb(ə)l] *a* véritable.
vermicelli [vɜːmɪˈselɪ] *n* (*pasta*) vermicelle(s) *m*(*pl*).
vermin [ˈvɜːmɪn] *n* (*animals*) animaux *mpl* nuisibles; (*insects, people*) vermine *f*.
vermouth [ˈvɜːməθ] *n* vermouth *m*.
vernacular [vəˈnækjʊlər] *n* (*of region*) dialecte *m*.
versatile [*Br* ˈvɜːsətaɪl, *Am* ˈvɜːsət(ə)l] *a* (*mind*) souple; (*tool, computer, material*) polyvalent; **he's v.** il a des talents variés, il est polyvalent. ● **versaˈtility** *n* souplesse *f*; **his v.** la variété de ses talents.
verse [vɜːs] *n* (*part of song*) couplet *m*; (*of poem*) strophe *f*; (*poetry*) poésie *f*; (*of Bible*) verset *m*; **in v.** en vers.
versed [vɜːst] *a* (**well**) **v. in** versé dans.
version [*Br* ˈvɜːʃ(ə)n, *Am* ˈvɜːʒ(ə)n] *n* version *f*.
versus [ˈvɜːsəs] *prep* contre.
vertebra, *pl* **-ae** [ˈvɜːtɪbrə, -iː] *n* vertèbre *f*.
vertical [ˈvɜːtɪk(ə)l] *a* vertical ▮ *n* verticale *f*. ● **vertically** *adv* verticalement.
vertigo [ˈvɜːtɪgəʊ] *n* (*fear of falling*) vertige *m*.
verve [vɜːv] *n* fougue *f*.
very [ˈverɪ] 1 *adv* très; **I'm v. hot** j'ai très chaud; **v. much** beaucoup; **the v. first** le tout premier; **at the v. least/most** tout au moins/plus; **at the v. latest** au plus tard. 2 *a* (*actual*) même; **his v. brother** son frère même; **at the v. end** (*of play, book etc*) tout à la fin; **to the v. end** jusqu'au bout.
vespers [ˈvespəz] *npl* (*church service*) vêpres *fpl*.

vessel ['ves(ə)l] n (ship) vaisseau m; (receptacle) récipient m; (for blood, sap etc) vaisseau m.

vest [vest] n tricot m or maillot m de corps; (woman's) chemise f (américaine); (waistcoat) Am gilet m.

vested ['vestɪd] a **v. interests** Pol etc intérêts(s) m(pl); **she's got a v. interest in** Fig elle est directement intéressée dans.

vestige ['vestɪdʒ] n vestige m; **not a v. of truth/good sense** pas un grain de vérité/de bon sens.

vestry ['vestrɪ] n (in church) sacristie f.

vet [vet] **1** n vétérinaire mf. **2** vt (-tt-) Br (document) examiner de près; (candidate) se renseigner à fond sur. ● **veteri'narian** n Am vétérinaire mf. ● **veterinary** a vétérinaire; **v. surgeon** Br vétérinaire mf.

veteran ['vet(ə)rən] n vétéran m; (war) v. ancien combattant m ▮ a v. **golfer**/etc golfeur/etc expérimenté.

veto ['viːtəʊ] n (pl -oes) (refusal) veto m inv; (power) droit m de veto ▮ vt mettre or opposer son veto à.

vex [veks] vt contrarier, fâcher; **vexed question** question f controversée.

VHF [viːeɪtʃ'ef] n abbr (very high frequency) **on VHF** en VHF, sur modulation de fréquence.

via [Br 'vaɪə, Am 'vɪə] prep via, par.

viable ['vaɪəb(ə)l] a (plan, company, baby etc) viable. ● **via'bility** n viabilité f.

viaduct ['vaɪədʌkt] n viaduc m.

vibrant ['vaɪbrənt] a (person) plein de vie or d'énergie; (speech) vibrant; (colour) vif; **a city v. with activity** une ville palpitante d'activité.

vibrate [vaɪ'breɪt] vi vibrer. ● **vibration** [-'breɪʃ(ə)n] n vibration f. ● **vibrator** n vibromasseur m.

vicar ['vɪkər] n (in Church of England) pasteur m. ● **vicarage** n presbytère m.

vicarious [vɪ'keərɪəs] a (emotion) ressenti indirectement. ● **vicariously** adv (to experience sth) indirectement.

vice [vaɪs] n **1** (depravity) vice m; (fault) vice m, défaut m; **v. squad** brigade f des mœurs. **2** (tool) Br étau m.

vice- [vaɪs] pref vice-. ● **vice-'chancellor** n (of British university) président m.

vice versa [vaɪs(ɪ)'vɜːsə] adv vice versa.

vicinity [və'sɪnɪtɪ] n environs mpl; **in the v. of** (place, Fig amount) aux environs de.

vicious ['vɪʃəs] a (spiteful) méchant; (violent) brutal; **v. circle** cercle m vicieux; **v. dog** chien m (très) méchant. ● **viciously** adv (spitefully) méchamment; (violently) brutalement. ● **viciousness** n (spite) méchanceté f; (violence) brutalité f.

vicissitudes [vɪ'sɪsɪtjuːdz] npl vicissitudes fpl.

victim ['vɪktɪm] n victime f; **to be the v. of** être victime de; **to fall v. to** (disease etc) contracter; (s.o.'s charms etc) succomber à; **the accident victims** les victimes de l'accident.

victimize ['vɪktɪmaɪz] vt persécuter. ● **victimization** [-'zeɪʃ(ə)n] n persécution f.

victor ['vɪktər] n Old-fashioned vainqueur m.

Victorian [vɪk'tɔːrɪən] a victorien ▮ n Victorien, -ienne mf.

victory ['vɪktərɪ] n victoire f. ● **vic'torious** a victorieux.

video ['vɪdɪəʊ] n (cassette) cassette f; **v. cassette** vidéocassette f; **v. (recorder)** magnétoscope m; **on v.** sur cassette; **to make a v. of** faire une cassette de ▮ a (game, camera etc) vidéo inv ▮ vt (event) faire une (vidéo)cassette de; (TV programme) enregistrer au magnétoscope. ● **videodisk** n vidéodisque m. ● **videotape** n bande f vidéo.

vie [vaɪ] vi (pres p **vying**) rivaliser (**with** avec).

Vienna [vɪ'enə] n Vienne m or f.

Vietnam [Br vjet'næm, Am -'nɑːm] n Viêt Nam m. ● **Vietna'mese** a vietnamien ▮ n Vietnamien, -ienne mf.

view [vjuː] n vue f; (opinion) opinion f, avis m; **to come into v.** apparaître; **in full v. of everyone** à la vue de tous; **in my v.** (opinion) à mon avis; **on v.** (exhibit) exposé; **in v. of** (considering) compte tenu de, étant donné; **with a v. to doing** afin de faire ▮ vt (regard) considérer; (house) visiter. ● **viewer** n **1** TV téléspectateur, -trice mf. **2** (for slides) visionneuse f. ● **viewfinder** n (in camera) viseur m. ● **viewpoint** n point m de vue.

vigil ['vɪdʒɪl] n veille f; (over sick person or corpse) veillée f.

vigilant ['vɪdʒɪlənt] a vigilant. ● **vigilance** n vigilance f.

vigilante [vɪdʒɪ'læntɪ] n Pej membre m d'une milice privée.

vigour ['vɪgər] (Am **vigor**) n vigueur f. ● **vigorous** a (person, speech etc) vigoureux.

vile [vaɪl] a (**-er**, **-est**) (base) infâme, vil; (unpleasant) abominable.

vilify ['vɪlɪfaɪ] vt diffamer.

villa ['vɪlə] n grande maison f; (Br holiday or Am vacation home) maison f de vacances.

village ['vɪlɪdʒ] n village m. ● **villager** n villageois, -oise mf.

villain ['vɪlən] n (scoundrel) canaille f; (in story or play) méchant m, traître m. ● **villainous** a infâme. ● **villainy** n infamie f.

vindicate ['vɪndɪkeɪt] vt justifier. ● **vindication** [-'keɪʃ(ə)n] n justification f.

vindictive [vɪn'dɪktɪv] a vindicatif.

vine [vaɪn] n (grapevine) vigne f; **v. grower** viticulteur m. ● **vineyard** ['vɪnjəd] n vignoble m.

vinegar ['vɪnɪgər] n vinaigre m.

vintage ['vɪntɪdʒ] **1** n (year) année f. **2** a (wine) de grand cru; (car) d'époque; (film) classique; (good) Fig bon; **it's v. Shaw**/etc c'est du meilleur Shaw/etc.

vinyl ['vaɪn(ə)l] n vinyle m; **v. seats**/etc sièges mpl/etc en vinyle.

viola [vɪ'əʊlə] n (musical instrument) alto m.

violate ['vaɪəleɪt] vt (agreement etc) violer.

violence

- **violation** [-'leɪʃ(ə)n] *n* violation *f*.
- **violence** ['vaɪələns] *n* violence *f*. ● **violent** *a* violent; **a v. dislike** une aversion vive (**of** pour). ● **violently** *adv* violemment; **to be v. sick** (*vomit*) *Br* être pris de violents vomissements.
- **violet** ['vaɪələt] **1** *a* (*colour*) violet (*f* -ette) ▮ *n* violet *m*. **2** *n* (*plant*) violette *f*.
- **violin** [vaɪə'lɪn] *n* violon *m*; **v. concerto**/*etc* concerto *m*/*etc* pour violon. ● **violinist** *n* violoniste *mf*.
- **VIP** [vi:aɪ'pi:] *n abbr* (*very important person*) personnage *m* de marque.
- **viper** ['vaɪpər] *n* vipère *f*.
- **viral** ['vaɪrəl] *a* (*infection, disease etc*) viral.
- **virgin** ['vɜːdʒɪn] *n* vierge *f*; **to be a v.** (*of woman, man*) être vierge ▮ *a* (*territory, forest etc*) vierge; **v. snow** neige *f* d'une blancheur virginale. ● **vir'ginity** *n* virginité *f*; **to lose one's v.** perdre sa virginité.
- **Virgo** ['vɜːgəʊ] *n* (*sign*) la Vierge.
- **virile** [*Br* 'vɪraɪl, *Am* 'vɪrəl] *a* viril. ● **vi'rility** *n* virilité *f*.
- **virtual** ['vɜːtʃʊəl] *a* **1 it was a v. failure**/*etc* ce fut en fait un échec/*etc*. **2** *Phys Comptr* virtuel; **v. reality** réalité *f* virtuelle. ● **virtually** *adv* (*in fact*) en fait; (*almost*) pratiquement.
- **virtue** ['vɜːtʃuː] *n* **1** (*goodness, chastity*) vertu *f*; (*advantage*) mérite *m*, avantage *m*. **2 by** or **in v. of** en raison de. ● **virtuous** *a* vertueux.
- **virtuoso,** *pl* **-si** [vɜːtʃʊ'əʊsəʊ, -siː] *n* virtuose *mf*. ● **virtuosity** [-'ɒsɪtɪ] *n* virtuosité *f*.
- **virulent** ['vɪrʊlənt] *a* virulent. ● **virulence** *n* virulence *f*.
- **virus** ['vaɪ(ə)rəs] *n Med Comptr* virus *m*; **to come down with a v.** attraper un virus; **v. infection** infection *f* virale.
- **visa** ['viːzə] *n* visa *m*.
- **Visa**® ['viːzə] *n* **V. (card)** carte *f* Visa®.
- **vis-à-vis** [viːzɑ'viː] *prep* vis-à-vis de.
- **viscount** ['vaɪkaʊnt] *n* vicomte *m*. ● **viscountess** *n* vicomtesse *f*.
- **viscous** ['vɪskəs] *a* visqueux.
- **vise** [vaɪs] *n* (*tool*) *Am* étau *m*.
- **visible** ['vɪzəb(ə)l] *a* visible. ● **visi'bility** *n* visibilité *f*. ● **visibly** *adv* visiblement.
- **vision** ['vɪʒ(ə)n] *n* (*eyesight, foresight etc*) vision *f*; **a man/a woman of v.** *Fig* un homme/ une femme qui voit loin. ● **visionary** *a* & *n* visionnaire (*mf*).
- **visit** ['vɪzɪt] *n* (*call, tour*) visite *f*; (*stay*) séjour *m* ▮ *vt* (*place*) visiter; **to visit s.o.** (*call on*) rendre visite à qn; (*stay with*) faire un séjour chez qn ▮ *vi* être en visite (*Am* **with** chez). ● **visiting** *visits fpl*; **to go v.** aller en visites; **v. hours**/*Br* **card** heures *fpl*/carte *f* de visite. ● **visitor** *n* visiteur, -euse *mf*; (*guest*) invité, -ée *mf*; (*in hotel*) client, -ente *mf*.
- **visor** ['vaɪzər] *n* (*of helmet*) visière *f*.
- **vista** ['vɪstə] *n* (*view of place etc*) vue *f*; (*of future*) *Fig* perspective *f*.
- **visual** ['vɪʒʊəl] *a* visuel; **v. aid** (*in teaching*) support *m* visuel. ● **visualize** *vt* (*imagine*) se représenter; (*foresee*) envisager.
- **vital** ['vaɪt(ə)l] *a* essentiel; **it's v. that** il est essentiel que (+ *sub*); **of v. importance** d'importance capitale; **v. statistics** (*of woman*) mensurations *fpl*. ● **vitally** *adv* (*importance*) extrêmement.
- **vitality** [vaɪ'tælɪtɪ] *n* vitalité *f*.
- **vitamin** [*Br* 'vɪtəmɪn, *Am* 'vaɪtəmɪn] *n* vitamine *f*; **v. tablet** comprimé *m* de vitamines.
- **vitriol** ['vɪtrɪəl] *n* (*acid, Fig bitter speech*) vitriol *m*. ● **vitri'olic** *a* (*attack, speech etc*) au vitriol.
- **viva** ['vaɪvə] *n* (*oral examination*) *Br Univ Fam* (examen *m*) oral *m*.
- **vivacious** [vɪ'veɪʃəs] *a* plein d'entrain.
- **vivid** ['vɪvɪd] *a* (*imagination, recollection etc*) vif; (*description*) vivant. ● **vividly** *adv* (*to describe*) de façon vivante; **to remember sth v.** avoir un vif souvenir de qch.
- **vivisection** [vɪvɪ'sekʃ(ə)n] *n* vivisection *f*.
- **vixen** ['vɪksən] *n* (*fox*) renarde *f*.
- **V-neck** [viː'nek] *a* (*sweater etc*) à col en V ▮ *n* col *m* en V.
- **vocabulary** [*Br* və'kæbjʊlərɪ, *Am* -erɪ] *n* vocabulaire *m*.
- **vocal** ['vəʊk(ə)l] *a* (*cords, music*) vocal; (*outspoken, noisy, critical*) qui se fait entendre. ● **vocalist** *n* chanteur, -euse *mf*.
- **vocation** [vəʊ'keɪʃ(ə)n] *n* vocation *f*. ● **vocational** *a* professionnel; **v. course** cours *m* de formation professionnelle; **v. school** établissement *m* d'enseignement professionnel; **v. training** formation *f* professionnelle.
- **vociferous** [və'sɪf(ə)rəs] *a* bruyant.
- **vodka** ['vɒdkə] *n* vodka *f*.
- **vogue** [vəʊg] *n* vogue *f*; **in v.** en vogue.
- **voice** [vɔɪs] *n* voix *f*; **at the top of one's v.** à tue-tête ▮ *vt* (*opinion, feeling etc*) formuler, exprimer.
- **void** [vɔɪd] **1** *n* vide *m* ▮ **a v. of** (*lacking in*) *Lit* dépourvu de. **2** *a* (*not valid*) (*contract etc*) nul.
- **volatile** [*Br* 'vɒlətaɪl, *Am* 'vɒlət(ə)l] *a* (*person*) versatile, changeant; (*situation*) explosif.
- **volcano** [vɒl'keɪnəʊ] *n* (*pl* **-oes**) volcan *m*. ● **volcanic** [-'kænɪk] *a* volcanique.
- **volition** [və'lɪʃ(ə)n] *n* **of one's own v.** de son propre gré.
- **volley** ['vɒlɪ] *n* (*of gunfire*) salve *f*; (*of blows*) volée *f*; (*of insults*) *Fig* bordée *f*; *Tennis* volée *f*. ● **volleyball** *n Sport* volley(-ball) *m*.
- **volt** [vəʊlt] *n El* volt *m*. ● **voltage** *n* voltage *m*.
- **volume** ['vɒljuːm] *n* (*book, capacity, loudness*) volume *m*; **v. control** (*on TV, radio*) bouton *m* de (réglage du) volume. ● **voluminous** [və'luːmɪnəs] *a* volumineux.
- **voluntary** [*Br* 'vɒlənt(ə)rɪ, *Am* -erɪ] *a* volontaire; (*unpaid*) bénévole. ● **voluntarily** *adv* volontairement; (*on an unpaid basis*) bénévolement.
- **volunteer** [vɒlən'tɪər] *n* volontaire *mf* ▮ *vi* se proposer (**for sth** pour qch, **to do** pour

voluptuous [vəˈlʌptʃʊəs] *a* voluptueux, sensuel.
vomit [ˈvɒmɪt] *vti* vomir ▮ *n* (*matter*) vomi *m*.
voracious [vəˈreɪʃəs] *a* (*appetite, reader etc*) vorace.
vote [vəʊt] *n* vote *m*; (*right to vote*) droit *m* de vote; **to win votes** gagner des voix; **v. of no confidence** *or* **of censure** motion *f* de censure; **v. of thanks** discours *m* de remerciement ▮ *vt* (*funds, bill etc*) voter; (*person*) élire; **to be voted president/***etc* être élu président/*etc* ▮ *vi* voter; **to v.** *Br* **Labour/** *Am* **Democrat/***etc* voter travailliste/ démocrate/*etc*. ● **voting** *n* (*of funds etc*) vote *m* (**of** de); (*polling*) scrutin *m*. ● **voter** *n* (*elector*) électeur, -trice *mf*.
vouch [vaʊtʃ] *vi* **to v. for s.o./sth** répondre de qn/qch.
voucher [ˈvaʊtʃər] *n Br* (*for meals, gift etc*) chèque *m*; (*for price reduction*) bon *m* de réduction.
vow [vaʊ] *n* vœu *m* ▮ *vt* (*obedience etc*) jurer (**to** à); **to v. to do** jurer de faire, faire le vœu de faire.
vowel [ˈvaʊəl] *n* voyelle *f*.
voyage [ˈvɔɪɪdʒ] *n* voyage *m* (par mer).
vulgar [ˈvʌlɡər] *a* vulgaire. ● **vulˈgarity** *n* vulgarité *f*.
vulnerable [ˈvʌln(ə)rəb(ə)l] *a* vulnérable. ● **vulneraˈbility** *n* vulnérabilité *f*.
vulture [ˈvʌltʃər] *n* vautour *m*.

W

W, w [ˈdʌb(ə)ljuː] *n* W, w *m*.
wacky [ˈwækɪ] *a* (-ier, -iest) *Fam* farfelu.
wad [wɒd] *n* (*of papers*, *Br banknotes*, *Am bills etc*) liasse *f*; (*of cloth*, *Br cotton wool*, *Am absorbent cotton*) tampon *m*.
waddle [ˈwɒd(ə)l] *vi* (*of duck*, *Fig person*) se dandiner.
wade [weɪd] *vi* **to w. through** (*mud, water etc*) patauger dans; (*book etc to the very end*) *Fig* venir péniblement à bout de; **I'm wading through this book** j'avance péniblement dans ce livre. ●**wading pool** *n Am* (*inflatable*) piscine *f* gonflable; (*purpose-built*) pataugeoire *f*.
wafer [ˈweɪfər] *n* 1 (*biscuit*) gaufrette *f*; *Rel* hostie *f*. 2 *Comptr* tranche *f*.
waffle [ˈwɒf(ə)l] 1 *n* (*talk*) *Br Fam* blabla *m*, verbiage *m* ▪ *vi Br Fam* parler pour ne rien dire, blablater. 2 *n* (*cake*) gaufre *f*.
waft [wɒft] *vi* (*of smell etc*) flotter.
wag [wæg] 1 *vt* (-gg-) (*tail, finger*) remuer, agiter ▪ *vi* (*of tail*) remuer; **tongues are wagging** *Pej* on en jase, les langues vont bon train. 2 *n* (*joker*) farceur, -euse *mf*.
wage [weɪdʒ] 1 *n* **wage(s)** salaire *m*, paie *f*; **a living w.** un salaire qui permet de vivre; **w. claim** *or* **demand** revendication *f* salariale; **w. earner** salarié, -ée *mf*; (*breadwinner*) soutien *m* de famille; **w. freeze** blocage *m* des salaires; **w. increase** *or Br* **rise** augmentation *f* de salaire; **w. packet** *Br* (*envelope*) enveloppe *f* de paie; (*net pay*) paie *f*.
2 *vt* (*campaign*) mener; **to w. war** faire la guerre (**on** à).
wager [ˈweɪdʒər] *n* pari *m* ▪ *vt* parier (**that** que).
waggle [ˈwæg(ə)l] *vti* remuer.
wag(g)on [ˈwægən] *n* (*of train*) *Br* wagon *m* (de marchandises); (*horse-drawn*) chariot *m*; **to be on the w.** (*no longer drinking*) *Fam* être au régime sec.
waif [weɪf] *n* enfant *mf* abandonné(e).
wail [weɪl] *vi* (*cry out, complain*) gémir; (*of siren*) hurler ▪ *n* gémissement *m*; (*of siren*) hurlement *m*.
waist [weɪst] *n* taille *f*; **stripped to the w.** torse nu, nu jusqu'à la ceinture. ●**waistband** *n* (*part of garment*) ceinture *f*. ●**waistcoat** [ˈweɪskəʊt] *n Br* gilet *m*. ●**waistline** *n* taille *f*.
wait [weɪt] 1 *n* attente *f*; **to lie in w. (for)** guetter ▪ *vi* attendre; **to w. for s.o./sth** attendre qn/qch; **w. till** *or* **until I've gone**, **w. for me to go** attends que je sois parti; **to keep s.o. waiting** faire attendre qn; **w. and see!** attends voir!; **I can't w. to do it** j'ai hâte de le faire.
2 *vi* (*serve*) **to w. at table** servir à table; **to w. on s.o.** servir qn. ●**waiting** *n* attente *f*; **'no w.'** (*street sign*) *Br* 'arrêt interdit' ▪ *a* **w. list/room** liste *f*/salle *f* d'attente.
wait about *or* **around** *vi* attendre; **to w. about** *or* **around for s.o./sth** attendre qn/qch ▪ **to wait behind** *vi* rester ▪ **to wait up** *vi* veiller; **to w. up for s.o.** attendre le retour de qn avant de se coucher.
waiter [ˈweɪtər] *n* garçon *m* (de café), serveur *m*; **w.!** garçon! ●**waitress** *n* serveuse *f*; **w.!** mademoiselle!
waive [weɪv] *vt* (*renounce*) renoncer à, abandonner; **to w. a requirement (for s.o.)** dispenser qn d'une condition requise.
wake[1] [weɪk] *vi* (*pt* woke, *pp* woken) **to w. (up)** se réveiller; **to w. up to** (*fact etc*) prendre conscience de ▪ *vt* **to w. (up)** réveiller. ●**waking** *a* **to spend one's waking hours working/etc** passer ses journées à travailler/*etc*.
wake[2] [weɪk] *n* 1 (*of ship*) & *Fig* sillage *m*; **in the w. of** *Fig* dans le sillage de, à la suite de. 2 (*beside dead person*) veillée *f* mortuaire.
waken [ˈweɪkən] *vi Lit* éveiller ▪ *vi Lit* s'éveiller.
Wales [weɪlz] *n* pays *m* de Galles; **the Prince of W.** le prince de Galles.
walk [wɔːk] *n* promenade *f*; (*shorter*) (petit) tour *m*; (*way of walking*) démarche *f*; (*pace*) pas *m*; (*path*) allée *f*, chemin *m*; **to go for a w., take a w.** faire une promenade; (*shorter*) faire un (petit) tour; **to take for a w.** (*child etc*) emmener se promener; (*baby, dog*) promener; **five minutes' w. (away)** à cinq minutes à pied; **from all walks of life** *Fig* de toutes conditions sociales.
▪ *vi* marcher; (*stroll*) se promener; (*go on foot*) aller à pied; **w.!** (*don't run*) ne cours pas!
▪ *vt* (*distance*) faire à pied; (*streets*) (par)courir; (*take for a walk*) promener (*bébé, chien*); **to w. s.o. to** (*station etc*) accompagner qn à; **to w. s.o. home** raccompagner qn (chez lui). ●**walking** *n* marche *f* (à pied) ▪ *a* **a w. corpse/dictionary** (*person*) *Fig* un cadavre/dictionnaire ambulant; **at a w. pace** au pas. ●**walking stick** *n* canne *f*.
walk away *vi* s'éloigner, partir (**from** de); **to w. away with sth** (*steal*) *Fam* faucher qch ▪ **to walk in** *vi* entrer; **to w. into a tree/etc** rentrer dans un arbre/*etc*; **to w. into a trap** tomber dans un piège ▪ **to walk off** *vi* = **walk away** ▪ **to walk out** *vi* (*leave*) partir; (*of*

workers) *Br* se mettre en grève; **to w. out on s.o.** (*desert*) laisser tomber qn, abandonner qn ▮ **to walk over** *vi* **to w. over to** (*go up to*) s'approcher de. ● **walker** ['wɔːkər] *n* marcheur, -euse *mf*; (*for pleasure*) promeneur, -euse *mf*. ● **walkout** *n* (*strike*) grève *f* surprise; (*from meeting*) départ *m* (en signe de protestation). ● **walkover** *n* (*in contest etc*) victoire *f* facile. ● **walkway** *n* **moving w.** trottoir *m* roulant.

walkie-talkie [wɔːkɪ'tɔːkɪ] *n* talkie-walkie *m*.

Walkman® ['wɔːkmən] *n* (*pl* **Walkmans**) baladeur *m*.

wall [wɔːl] *n* mur *m*; (*of cabin, tunnel, stomach etc*) paroi *f*; **a. w. of ice** *Fig* une muraille de glace; **a. w. of smoke** *Fig* un rideau de fumée; **to go to the w.** (*of company*) *Fig* faire faillite ▮ *a* (*map etc*) mural ▮ *vt* **to w. up** (*door etc*) murer. ● **walled** *a* **w. city** ville *f* fortifiée. ● **wallflower** *n* (*plant*) giroflée *f*; **to be a w.** (*at dance*) faire tapisserie. ● **wallpaper** *n* papier *m* peint ▮ *vt* tapisser. ● **wall-to-wall 'carpet(ing)** *n* moquette *f*.

wallet ['wɒlɪt] *n* portefeuille *m*.

wallop ['wɒləp] *vt* (*hit*) *Fam* taper sur ▮ *n* (*blow*) *Fam* grand coup *m*.

wallow ['wɒləʊ] *vi* **to w. in the mud**/*Fig* **in vice**/*etc* se vautrer dans la boue/*Fig* le vice/*etc*.

wally ['wɒlɪ] *n Br Fam* (*idiot*) andouille *f*; **you w.!** espèce d'andouille!

walnut ['wɔːlnʌt] *n* (*nut*) noix *f*; (*tree, wood*) noyer *m*.

walrus ['wɔːlrəs] *n* (*animal*) morse *m*.

waltz [*Br* wɔːls, *Am* wɒlts] *n* valse *f* ▮ *vi* valser.

wan [wɒn] *a* (*pale*) *Lit* pâle.

wand [wɒnd] *n* (**magic**) **w.** baguette *f* (magique).

wander ['wɒndər] *vi* (*of thoughts*) vagabonder; (*of person*) (*roam*) errer, vagabonder; (*stroll*) flâner; **to w. from** (*path, Fig subject*) s'écarter de; **to w. in/out/***etc* (*go or come leisurely*) entrer/sortir/*etc* (tranquillement); **my mind's wandering** je suis distrait ▮ *vt* **to w. the streets** errer dans les rues. ● **wandering** *a* (*life, tribe*) vagabond, nomade ▮ *npl* **my wanderings** mes vagabondages *mpl*. ● **wanderer** *n* vagabond, -onde *mf*.

wander about *or* **around** *vi* (*roam*) errer, vagabonder; (*stroll*) flâner ▮ **to wander off** *vi* (*go away*) s'éloigner; **to w. off the path**/*Fig* **the subject** s'écarter du chemin/*Fig* du sujet.

wane [weɪn] *vi* (*of moon, fame, strength etc*) décroître ▮ *n* **to be on the w.** (*of fame etc*) décroître, être en déclin.

wangle ['wæŋg(ə)l] *vt Br Fam* (*obtain*) se débrouiller pour obtenir; (*avoiding payment*) carotter (**from** à).

want [wɒnt] *vt* vouloir (**to do** faire); (*ask for*) demander (*qn*); (*need*) avoir besoin de; **I w. him to go** je veux qu'il parte; **you w. to try** (*should*) *Br* tu devrais essayer; **you're wanted on the phone** on vous demande au téléphone; **'situations wanted'** (*in newspaper*) *Br* 'demandes *fpl* d'emploi'. ▮ *vi* **not to w. for sth** (*not lack*) ne pas manquer de qch. ▮ *n* (*lack*) manque *m* (**of** de); (*poverty*) besoin *m*; **for w. of** par manque de; **for w. of money/time** faute d'argent/de temps; **for w. of anything better** faute de mieux; **your wants** (*needs*) tes besoins *mpl*. ● **wanted** *a* (*criminal, man*) recherché par la police; **to feel w.** sentir qu'on vous aime. ● **wanting** *a* (*inadequate*) insuffisant; **to be w.** (*lacking, missing*) manquer (**in** de).

wanton ['wɒntən] *a* (*gratuitous*) gratuit; (*immoral*) *Old-fashioned* impudique.

war [wɔːr] *n* guerre *f*; **at w.** en guerre (**with** avec); **to go to w.** entrer en guerre (**with** avec); **to declare w.** déclarer la guerre (**on** à) ▮ *a* (*wound, crime, criminal, zone etc*) de guerre; **w. memorial** monument *m* aux morts.

warble ['wɔːb(ə)l] *vi* (*of bird*) gazouiller.

ward[1] [wɔːd] *n* **1** (*in hospital*) salle *f*. **2** (*child*) *Jur* pupille *mf*. **3** (*electoral division*) *Br* circonscription *f* électorale.

ward[2] [wɔːd] *vt* **to w. off** (*blow, anger*) détourner; (*danger, illness*) éviter.

warden ['wɔːd(ə)n] *n* (*of Br institution, Am prison*) directeur, -trice *mf*; (*of park*) *Br* gardien, -ienne *mf*; (**traffic**) **w.** *Br* contractuel, -elle *mf*.

warder ['wɔːdər] *n Br* gardien *m* (de prison).

wardrobe ['wɔːdrəʊb] *n* (*Br cupboard, Am closet*) penderie *f*; (*clothes*) garde-robe *f*.

warehouse, *pl* **-ses** ['weəhaʊs, -zɪz] *n* entrepôt *m*.

wares [weəz] *npl* marchandises *fpl*.

warfare ['wɔːfeər] *n* guerre *f*. ● **warhead** *n* (*of missile*) ogive *f*.

warily ['weərɪlɪ] *adv* avec précaution.

warlike ['wɔːlaɪk] *a* guerrier.

warm [wɔːm] *a* (**-er, -est**) chaud; (*iron, oven*) moyen; (*welcome, thanks etc*) *Fig* chaleureux; **to be** *or* **feel w.** avoir chaud; **it's (nice and) w.** (*of weather*) il fait (agréablement) chaud; **to get w.** (*of person, room etc*) se réchauffer; (*of food, water*) chauffer.
▮ *vt* **to w. (up)** (*person, food etc*) réchauffer; (*car engine*) faire chauffer.
▮ *vi* **to w. up** (*of person, room, engine*) se réchauffer; (*of food, water*) chauffer; (*of discussion*) *Fig* s'échauffer; **to w. to s.o.** *Fig* se prendre de sympathie pour qn. ● **warm-'hearted** *a* chaleureux. ● **warming** *n* **global w.** réchauffement *m* de la planète. ● **warmly** *adv* (*to wrap up etc*) chaudement; (*to welcome, thank etc*) *Fig* chaleureusement. ● **warmth** *n* chaleur *f*.

warmonger ['wɔːmʌŋgər] *n* fauteur *m* de guerre.

warn [wɔːn] *vt* avertir, prévenir (**that** que); **to w. s.o. against** *or* **off sth** mettre qn en garde contre qch; **to w. s.o. against doing** conseiller à qn de ne pas faire. ● **warning** *n* avertissement *m*; (*advance notice*) (pré)avis *m*; (*device*) alarme *f*, alerte *f*; **without w.**

sans prévenir; **gale/storm w.** avis *m* de coup de vent/de tempête; **a word or note of w.** une mise en garde; **w. light** (*on appliance*) voyant *m* lumineux; (**hazard**) **w. lights** *Br Aut* feux *mpl* de détresse; **w. triangle** triangle *m* de présignalisation.

warp [wɔːp] **1** *vt* (*wood etc*) voiler; (*judgment, person etc*) *Fig* pervertir; **a warped mind** un esprit tordu; **a warped account** un récit déformé ▮ *vi* (*of door etc*) se voiler. **2** *n Tex* chaîne *f*.

warpath ['wɔːpɑːθ] *n* **to be on the w.** (*angry*) *Fam* être d'humeur massacrante.

warrant ['wɒrənt] **1** *n Jur* mandat *m*; **I have a w. for your arrest** j'ai un mandat d'arrêt contre vous; **search w.** mandat de perquisition. **2** *vt* (*justify*) justifier; **I w. you that...** (*declare confidently*) je vous assure que.... ● **warranty** *n Com* garantie *f*; **under w.** sous garantie.

warren ['wɒrən] *n* (**rabbit**) **w.** garenne *f*.

warring ['wɔːrɪŋ] *a* (*countries etc*) en guerre; (*ideologies etc*) *Fig* en conflit.

warrior ['wɒrɪər] *n* guerrier, -ière *mf*.

Warsaw ['wɔːsɔː] *n* Varsovie *m or f*.

warship ['wɔːʃɪp] *n* navire *m* de guerre.

wart [wɔːt] *n* verrue *f*.

wartime ['wɔːtaɪm] *n* **in w.** en temps de guerre.

wary ['weərɪ] *a* (**-ier, -iest**) prudent; **to be w. of s.o./sth** se méfier de qn/qch; **to be w. of doing sth** hésiter beaucoup à faire qch.

was [wəz, *stressed* wɒz] *see* be.

wash [wɒʃ] *n* (*clothes*) lessive *f*; (*rough water from ship*) sillage *m*; **to have a w.** se laver; **to give sth a w.** laver qch; **to do the w.** *Am* faire la lessive; **in the w.** à la lessive ▮ *vt* laver; (*flow over*) (*of sea etc*) baigner (*côte etc*); **to w. one's hands** se laver les mains (*Fig of sth* de qch); **to be washed ashore** (*of driftwood etc*) être rejeté sur le rivage ▮ *vi* (*have a wash*) se laver.

washable ['wɒʃəb(ə)l] *a* lavable.

wash away (*stain*) faire partir (en lavant); **to w. s.o./sth away** (*of sea etc*) emporter qn/qch ▮ *vi* (*of stain*) partir (au lavage) ▮ **to wash down** *vt* (*vehicle, deck*) laver à grande eau; (*food*) arroser (**with** de) ▮ **to wash off** *vti* = **wash away** ▮ **to wash out** *vt* (*bowl, cup etc*) laver; (*stain*) faire partir (en lavant) ▮ *vi* (*of stain*) partir (au lavage) ▮ **to wash up** *vt* (*dishes, forks etc*) *Br* laver ▮ *vi* (*do the dishes*) *Br* faire la vaisselle; (*have a wash*) *Am* se laver.

washbasin ['wɒʃbeɪs(ə)n] *n Br* lavabo *m*. ● **washcloth** *n Am* gant *m* de toilette.

washed-out [wɒʃt'aʊt] *a* (*tired*) *Fam* lessivé. ● **washed-'up** *a* (**all**) **w.-up** (*person, plan*) *Fam* fichu.

washer ['wɒʃər] *n* (*ring*) rondelle *f*, joint *m*.

washing ['wɒʃɪŋ] *n* (*act*) lavage *m*; (*clothes*) lessive *f*, linge *m*; **to do the w.** faire la lessive; **w. line** corde *f* à linge; **w. machine** machine *f* à laver; **w. powder** *Br* lessive *f*. ● **washing-up** *n Br* vaisselle *f*; **to do the w.-up** faire la vaisselle; **w.-up liquid** produit *m* pour la vaisselle.

washout ['wɒʃaʊt] *n Fam* (*event etc*) fiasco *m*; (*person*) nullité *f*. ● **washroom** *n Am* toilettes *fpl*.

wasp [wɒsp] *n* guêpe *f*.

wastage ['weɪstɪdʒ] *n* gaspillage *m*; (*losses*) pertes *fpl*; **some w.** (*of goods, staff etc*) déchet.

waste [weɪst] *n* gaspillage *m*; (*of time*) perte *f*; (*Br rubbish, Am garbage*) déchets *mpl*; **wastes** (*land*) étendue *f* déserte; **w. disposal unit** *Br* broyeur *m* d'ordures; **w. material** or **products** déchets *mpl*; **w. ground** (*in town*) *Br* terrain *m* vague; **w. land** (*uncultivated*) terres *fpl* incultes; (*in town*) terrain *m* vague; **w. paper** vieux papiers *mpl*; **w. pipe** tuyau *m* d'évacuation.

▮ *vt* (*money, food etc*) gaspiller; (*time, opportunity*) perdre; **to w. one's time on frivolities/***etc* gaspiller son temps en frivolités/*etc*, perdre son temps à des frivolités/*etc*; **to w. one's life** gâcher sa vie.

▮ *vi* **to w. away** dépérir. ● **wasted** *a* (*effort*) inutile; (*body etc*) émacié.

wastebin ['weɪstbɪn] *n* (*in kitchen*) poubelle *f*.

wasteful ['weɪstfəl] *a* (*person*) gaspilleur; (*process*) peu économique.

wastepaper ['weɪstpeɪpər] *n* vieux papiers *mpl*; **w. basket** corbeille *f* (à papier).

watch [wɒtʃ] **1** *n* (*small clock*) montre *f*. **2** *n* (*over suspect, baby etc*) surveillance *f*; (*on ship*) quart *m*; **to keep (a) w. over or on s.o./sth** surveiller qn/qch; **to keep a close w. on** surveiller de près; **to keep w.** faire le guet; **to be on the w. (for)** guetter ▮ *vt* regarder; (*observe*) observer; (*suspect, baby, luggage etc*) surveiller; (*be careful of*) faire attention à ▮ *vi* regarder; **to w. (out) for sth/s.o.** (*wait for*) guetter qch/qn; **to w. out** (*take care*) faire attention (**for** à); **w. out!** attention!; **to w. over** surveiller.

watchdog ['wɒtʃdɒg] *n* chien *m* de garde.

watchful ['wɒtʃfəl] *a* vigilant.

watchmaker ['wɒtʃmeɪkər] *n* horloger, -ère *mf*. ● **watchman** *n* (*pl* **-men**) **night w.** veilleur *m* de nuit. ● **watchstrap** *n* bracelet *m* de montre. ● **watchtower** *n* tour *f* de guet.

water ['wɔːtər] *n* eau *f*; **by w.** en bateau; **under w.** (*road, field etc*) inondé; (*to swim*) sous l'eau; **at high w.** à marée haute; **hard/ soft w.** eau *f* calcaire/douce; **it doesn't hold w.** (*of theory etc*) *Fig* ça ne tient pas debout; **in hot w.** *Fig* dans le pétrin; **w. cannon** lance *f* à eau; **w. heater** chauffe-eau *m inv*; **w. ice** *Br* sorbet *m*; **w. lily** nénuphar *m*; **w. main** conduite *f* d'eau; **w. pistol** pistolet *m* à eau; **w. polo** *Sport* water-polo *m*; **w. power** énergie *f* hydraulique; **w. rates** *Br* taxes *fpl* sur l'eau; **w. skiing** ski *m* nautique; **w. tank** réservoir *m* d'eau; **w. tower** château *m* d'eau; **w. wings** manchons *mpl* (de natation).

▮ *vt* (*plant etc*) arroser; **to w. down** (*wine etc*) couper (d'eau); (*text etc*) édulcorer.

wear

▮ *vi* (*of eyes*) larmoyer; **it makes his mouth w.** ça lui fait venir l'eau à la bouche. ●**watering** *n* (*of plant etc*) arrosage *m*. ●**watering can** *n* arrosoir *m*.
watercolour ['wɔːtəkʌlər] (*Am* **-color**) *n* (*picture*) aquarelle *f*; (*paint*) couleur *f* pour aquarelle. ●**watercress** *n* cresson *m* (de fontaine). ●**waterfall** *n* chute *f* d'eau. ●**waterfront** *n* (*at seaside*) front *m* de mer; (*at docks*) quais *mpl*. ●**waterhole** *n* (*in desert*) point *m* d'eau. ●**waterline** *n* (*on ship*) ligne *f* de flottaison. ●**waterlogged** *a* délavé. ●**watermark** *n* (*in paper*) filigrane *m*. ●**watermelon** *n* pastèque *f*. ●**waterproof** *a* (*material*) imperméable. ●**water-repellent** *a* déperlant. ●**watershed** *n* (*turning point*) tournant *m* (décisif). ●**watertight** *a* (*container etc*) étanche. ●**waterway** *n* voie *f* navigable. ●**waterworks** *n* (*place*) station *f* hydraulique.
watery ['wɔːtəri] *a* (*soup etc*) trop liquide; (*colour*) délavé; (*eyes*) larmoyant; **w. tea** *or* **coffee** de la lavasse.
watt [wɒt] *n El* watt *m*.
wave [weɪv] *n* (*of sea*) vague *f*; (*in hair*) ondulation *f*; (*sign*) signe *m* (de la main); *Radio Phys* onde *f*; (*of enthusiasm, protests etc*) *Fig* vague *f*; **medium/short w.** *Radio* ondes *fpl* moyennes/courtes; **long w.** *Radio* grandes ondes, ondes longues; **shock w.** (*from bomb blast etc*) & *Fig* onde *f* de choc.
▮ *vi* (*with hand*) faire signe (de la main); (*of flag*) flotter; **to w. to s.o.** (*greet*) saluer qn de la main.
▮ *vt* (*arm, flag etc*) agiter; (*s.o.'s hair*) onduler; **to w. s.o. on** faire signe à qn d'avancer; **to w. aside** (*objection etc*) écarter. ●**waveband** *n Radio* bande *f* de fréquence. ●**wavelength** *n Radio* & *Fig* longueur *f* d'onde; **on the same w.** *Fig* sur la même longueur d'onde.
waver ['weɪvər] *vi* (*of person, flame etc*) vaciller.
wavy ['weɪvɪ] *a* (**-ier, -iest**) (*line*) onduleux; (*hair*) ondulé.
wax [wæks] **1** *n* cire *f*; (*for ski*) fart *m* ▮ *vt* cirer; (*ski*) farter; (*car*) lustrer ▮ *a* (*candle, doll etc*) de cire; **w. paper** (*for wrapping etc*) *Am* papier *m* paraffiné. **2** *vi* (*of moon*) croître. **3** *vi* **to w. lyrical/merry** (*become*) *Lit* se faire lyrique/gai. ●**waxworks** *npl* (*place*) musée *m* de cire; (*dummies*) moulages *mpl* de cire.
way¹ [weɪ] *n* (*path, road*) chemin *m* (**to** de); (*direction*) sens *m*, direction *f*; (*distance*) distance *f*; **all the w., the whole w.** (*to talk etc*) pendant tout le chemin; **this w.** par ici; **that w.** par là; **which w.?** par où?; **to lose one's w.** se perdre; **I'm on my w.** (*coming*) j'arrive; (*going*) je pars; **to make one's w. towards** se diriger vers; **he made his w. out/home** il est sorti/rentré; **the w. there** l'aller *m*; **the w. back** le retour; **the w. in** l'entrée *f*; **the w. out** la sortie; **a w. out of** (*problem etc*) *Fig* une solution à; **the w. is clear** *Fig* la voie est libre; **across the w.** en face; **on the w.** en route (**to** pour); **by w. of** (*via*) par; (*as*) *Fig* comme; **out of the w.** (*isolated*) isolé; **to go out of one's w. to do sth** se donner du mal pour faire qch; **by the w....** *Fig* à propos...; **to be** *or* **stand in s.o.'s w.** être sur le chemin de qn; **she's in my w.** (*hindrance*) *Fig* elle me gêne; **to get out of the w., make w.** s'écarter; **to give w.** céder; (*in vehicle*) *Br* céder le passage *or* la priorité (**to** à); **a long w.** (*away or off*) très loin; **it's the wrong w. up** c'est dans le mauvais sens; **do it the other w. round** fais le contraire.
▮ *adv* (*behind etc*) très loin; **w. ahead** très en avance (**of** sur).
way² [weɪ] *n* (*manner*) façon *f*; (*means*) moyen *m*; (*condition*) état *m*; (*habit*) habitude *f*; (*particular*) égard *m*; **one's ways** (*behaviour*) ses manières *fpl*; **to get one's own w.** obtenir ce qu'on veut; **(in) this w.** de cette façon; **in a w.** (*to some extent*) dans un certain sens; **w. of life** mode *m* de vie, façon *f* de vivre; **no w.!** (*certainly not*) *Fam* pas question!; **w. to go!** *Am SI* c'est géant!
wayfarer ['weɪfeərər] *n* voyageur, -euse *mf*.
waylay [weɪ'leɪ] *vt* (*pt & pp* **-laid**) (*attack*) attaquer par surprise; (*stop*) *Fig* arrêter au passage.
way-out [weɪ'aʊt] *a Fam* extraordinaire.
wayside ['weɪsaɪd] *n* **by the w.** au bord le la route.
wayward ['weɪwəd] *a* rebelle, capricieux.
WC [dʌb(ə)ljuː'siː] *n* w-c *mpl*.
we [wiː] *pron* **1** nous; **we go** nous allons; **we teachers** nous autres professeurs; **we are right — not you** (*stressed*) nous, nous avons raison — pas vous. **2** (*indefinite*) on; **we never know** on ne sait jamais; **we all make mistakes** tout le monde peut se tromper.
weak [wiːk] *a* (**-er, -est**) faible; (*tea, coffee*) léger; **to have a w. stomach/kidneys/***etc* avoir l'estomac/les reins/*etc* fragiles(s). ●**weakly** *adv* faiblement. ●**weakness** *n* faiblesse *f*; (*of stomach etc*) fragilité *f*; (*fault*) point *m* faible; **a w. for** (*liking*) un faible pour.
weaken ['wiːkən] *vt* affaiblir ▮ *vi* faiblir.
weakling ['wiːklɪŋ] *n* (*in body*) mauviette *f*; (*in character*) faible *mf*.
weak-willed ['wiːkwɪld] *a* faible, mou (*f* molle).
weal [wiːl] *n* (*wound on skin*) marque *f*, zébrure *f*.
wealth [welθ] *n* (*money, natural resources*) richesse(s) *f*(*pl*); **a w. of** (*abundance*) *Fig* une profusion de. ●**wealthy** *a* (**-ier, -iest**) riche ▮ *n* **the w.** les riches *mpl*.
wean [wiːn] *vt* (*baby*) sevrer.
weapon ['wepən] *n* arme *f*. ●**weaponry** *n* armements *mpl*.
wear [weər] **1** *vt* (*pt* **wore**, *pp* **worn**) (*have on body*) porter; (*put on*) mettre; **to have nothing to w.** n'avoir rien à se mettre; **to w. a strange look/smile** *Fig* avoir un drôle d'air/de sourire ▮ *n* **men's/sports w.** vêtements *mpl* pour hommes/de sport; **evening w.** tenue *f*

wear away

de soirée.
2 *vt* (*pt* **wore**, *pp* **worn**) (*material, Fig patience etc*) user ▮ *vi* (*last*) faire de l'usage, durer; (*become worn*) s'user ▮ *n* (*use*) usage *m*; **w. (and tear)** usure *f*. ●**wearing** *a* (*tiring*) épuisant.

wear away *vt* (*clothes, Fig patience etc*) user ▮ *vi* (*of material*) s'user; (*of colours, ink*) s'effacer ▮ **to wear down** *vt* = **wear out** ▮ **to wear off** *vi* (*of colour, Fig pain etc*) disparaître, passer ▮ **to wear on** *vi* (*of time*) passer ▮ **to wear out** *vt* (*clothes, Fig patience etc*) user; **to w. s.o. out** épuiser qn ▮ *vi* (*of clothes etc*) s'user; (*of patience*) Fig s'épuiser.

weary ['wɪərɪ] *a* (**-ier, -iest**) (*tired*) fatigué, *Lit* las (*f* lasse) (**of doing** de faire); (*tiring*) fatigant; (*look, smile*) las (*f* lasse) ▮ *vi* **to w. of** se lasser de. ●**wearily** *adv* avec lassitude. ●**weariness** *n* lassitude *f*.

weasel ['wi:z(ə)l] *n* belette *f*.

weather ['weðər] *n* temps *m*; **what's the w. like?** quel temps fait-il?; **in (the) hot w.** par temps chaud; **under the w.** (*ill*) patraque ▮ *a* **w. chart/conditions/station/***etc* carte *f* conditions/*fpl* station *f*/etc météorologique(s); **w. forecast** prévisions *fpl* météorologiques, météo *f*; **w. report** (bulletin *m*) météo *f*; **w. vane** girouette *f* ▮ *vt* (*storm, hurricane etc*) essuyer; (*crisis*) Fig surmonter. ●**weather-beaten** *a* (*face, person*) tanné, hâlé. ●**weathercock** *n* girouette *f*. ●**weatherman** *n* (*pl* **-men**) (*on TV or radio*) Fam présentateur *m* météo.

weave [wi:v] *vt* (*pt* **wove**, *pp* **woven**) (*cloth, Fig plot*) tisser; (*basket, garland*) tresser ▮ *vi* Tex tisser; **to w. in and out of** (*crowd, cars etc*) Fig se faufiler entre ▮ *n* (*style*) tissage *m*. ●**weaving** *n* tissage *m*. ●**weaver** *n* tisserand, -ande *mf*.

web [web] *n* (*of spider*) toile *f*; (*of lies*) Fig tissu *m*. ●**webbed** *a* (*foot*) palmé. ●**webbing** *n* (*in chair*) sangles *fpl*.

wed [wed] *vt* (**-dd-**) (*marry*) épouser; (*qualities etc*) Fig allier (**to** à) ▮ *vi* se marier. ●**wedded** *a* (*bliss, life*) conjugal.

we'd [wi:d] = **we had** & **we would**.

wedding ['wedɪŋ] *n* mariage *m*; **golden/silver w.** noces *fpl* d'or/d'argent ▮ *a* (*cake*) de noces; (*anniversary, present*) de mariage; (*dress*) de mariée; **his or her w. day** le jour de son mariage; **w. ring** Br, **w. band** Am alliance *f*.

wedge [wedʒ] *n* (*under wheel, table etc*) cale *f*; (*for splitting*) coin *m*; **w. heel** (*of shoe*) semelle *f* compensée ▮ *vt* (*wheel, table etc*) caler; (*push*) enfoncer (**into** dans); **wedged (in) between** (*caught, trapped*) coincé entre.

wedlock ['wedlɒk] *n* **born out of w.** illégitime.

Wednesday [Br 'wenzdɪ, Am -deɪ] *n* mercredi *m*.

wee [wi:] *a* (*tiny*) Fam tout petit.

weed [wi:d] *n* (*plant*) mauvaise herbe *f*; (*weak person*) Fam mauviette *f*; **w. killer** désherbant *m* ▮ *vti* désherber ▮ *vt* **to w. out** Fig éliminer (**from** de). ●**weedy** *a* (**-ier, -iest**) (*person*) Fam maigre et chétif.

week [wi:k] *n* semaine *f*; **the w. before last** pas la semaine dernière, celle d'avant; **the w. after next** pas la semaine prochaine, celle d'après; **tomorrow w.** Br, **a w. tomorrow** Br, **a w. from tomorrow** Am demain en huit. ●**weekday** *n* jour *m* de semaine, jour *m* ouvrable.

weekend [Br wi:k'end, Am 'wi:kend] *n* week-end *m*; **at** or **on** or **over the w.** ce week-end, pendant le week-end.

weekly ['wi:klɪ] *a* hebdomadaire ▮ *adv* toutes les semaines ▮ *n* (*magazine*) hebdomadaire *m*.

weep [wi:p] *vi* (*pt* & *pp* **wept**) pleurer; (*of wound*) suinter; **to w. for s.o.** pleurer qn ▮ *vt* (*tears*) pleurer. ●**weeping willow** *n* saule *m* pleureur.

weewee ['wi:wi:] *n* Fam pipi *m*; **to do** or **have a w.** faire pipi.

weft [weft] *n* Tex trame *f*.

weigh [weɪ] *vt* peser; **to w. sth/s.o. down** (*with load etc*) surcharger qch/qn (**with** de); **to w. down a branch/***etc* (*of fruit*) faire plier une branche/*etc*; **to be weighed down by** (*of branch etc*) plier sous le poids de; **weighed down with worry/***etc* Fig accablé de soucis/*etc*; **to w. up** (*goods, chances etc*) peser ▮ *vi* peser; **it's weighing on my mind** ça me tracasse; **to w. down on s.o.** (*of worries etc*) accabler qn. ●**weighing-machine** *n* balance *f*.

weight [weɪt] *n* poids *m*; **by w.** au poids; **to put on w.** grossir; **to lose w.** maigrir; **to carry w.** (*of argument etc*) Fig avoir du poids (**with** pour); **to pull one's w.** (*do one's share*) faire sa part du travail ▮ *vt* **to w. sth (down)** (*hold down*) faire tenir qch avec un poids; **to w. sth/s.o. down with sth** (*overload*) surcharger qch/qn de qch. ●**weight lifter** *n* haltérophile *mf*. ●**weight lifting** *n* haltérophilie *f*.

weighting ['weɪtɪŋ] *n* Br (*on salary*) indemnité *f* de résidence; **London w.** indemnité de résidence pour Londres.

weightless ['weɪtləs] *a* (*in space*) en état d'apesanteur. ●**weightlessness** *n* apesanteur *f*.

weighty ['weɪtɪ] *a* (**-ier, -iest**) (*heavy*) lourd; (*argument, subject*) Fig de poids.

weir [wɪər] *n* (*across river*) barrage *m*.

weird [wɪəd] *a* (**-ier, -iest**) (*odd*) bizarre; (*eerie*) mystérieux.

welcome ['welkəm] *a* (*pleasant*) agréable; (*timely*) opportun; **to be w.** (*warmly received, of person*) être bien reçu; **w.!** bienvenue!; **w. back!** bienvenue!; **you're always w.** vous êtes toujours le *or* la bienvenu(e); **to make s.o. (feel) w.** faire bon accueil à qn; **to feel w.** se sentir bien accueilli; **I don't feel w.** je me sens de trop; **you're w.!** (*after 'thank you'*) il n'y a pas de quoi!; **a coffee/a break would be w.** un café/une pause ne ferait pas de mal; **to be w. to do** (*free*) être libre de faire; **you're w. to (take** *or* **use) my bike** mon vélo est à ta disposition; **you're w. to it!** *Iron* grand bien vous fasse! ▮ *n* accueil *m*; **to extend a w. to s.o.** (*greet*) souhaiter la bienvenue à qn. ▮ *vt* accueillir; (*warmly*) faire bon accueil à; (*be glad of*) se réjouir de; **I w. you!** (*say welcome to you*) je vous souhaite la bienvenue! ● **welcoming** *a* (*smile etc*) accueillant; (*speech, words*) de bienvenue.

weld [weld] *vt* **to w. (together)** souder; (*groups etc*) *Fig* unir ▮ *n* (*joint*) soudure *f*. ● **welding** *n* soudure *f*. ● **welder** *n* soudeur *m*.

welfare ['welfeər] *n* (*physical, material*) bien-être *m*; (*spiritual*) santé *f*; (*public aid*) aide *f* sociale; **public w.** (*good*) le bien public; **to be on w.** *Am Fam* percevoir des allocations; **the W. state** (*in Great Britain*) l'État-providence *m*; **w. work** assistance *f* sociale.

well[1] [wel] **1** *n* (*for water*) puits *m*; (*of stairs, Br lift, Am elevator*) cage *f*; (*oil*) **w.** puits de pétrole. **2** *vi* **to w. up** (*rise*) monter.

well[2] [wel] *adv* (**better, best**) bien; **to do w.** (*succeed*) réussir; **you'd do w. to refuse** tu ferais bien de refuser; **w. done!** bravo!; **I, you, she** *etc* **might (just) as w. have left** il valait mieux partir, autant valait partir; **it's just as w. that** (*lucky*) heureusement que...; **as w.** (*also*) aussi; **as w. as** aussi bien que; **as w. as two cats, he has...** en plus de deux chats, il a....

▮ *a* **she's w.** (*healthy*) elle va bien; **he's not a w. man** ce n'est un homme malade; **to get w.** se remettre; **all's w.** tout va bien; **that's all very w., but...** tout ça c'est très joli, mais....

▮ *int* eh bien!; **w., w.!** (*surprise*) tiens, tiens!; **huge, w., quite big** énorme, enfin, assez grand.

we'll [wi:l] = **we will** *or* **we shall**.

well-behaved [welbɪ'heɪvd] *a* sage. ● **well-'being** *n* bien-être *m*. ● **well-'built** *a* (*person, car*) solide. ● **well-'founded** *a* bien fondé. ● **well-'heeled** *a* (*rich*) *Fam* nanti. ● **well-in'formed** *a* (*person, newspaper*) bien informé. ● **well-'known** *a* (*bien*) connu. ● **well-'mannered** *a* bien élevé. ● **well-'meaning** *a* bien intentionné. ● **well-nigh** *adv* presque. ● **well-'off** *a* riche, aisé. ● **well-'read** *a* instruit. ● **well-'spoken** *a* (*person*) qui a un accent cultivé, qui parle bien. ● **well-'thought-of** *a* hautement considéré. ● **well-thought-out** *a* bien conçu. ● **well-'timed** *a* opportun. ● **well-to-'do** *a* riche, aisé. ● **well-'tried** *a* (*method*) éprouvé. ● **well-'trodden** *a* (*path*) battu. ● **well-wishers** *npl* admirateurs, -trices *mfpl*. ● **well-woman clinic** *n Br* centre *m* de dépistage gynécologique. ● **well-'worn** *a* (*clothes, carpet*) usagé.

wellington ['welɪŋtən] *n* **w. (boot)** *Br* botte *f* de caoutchouc. ● **welly** *n Br Fam* botte *f* de caoutchouc.

welsh [welʃ]-*vi* **to w. on** (*debt, promise*) ne pas honorer.

Welsh [welʃ] *a* gallois; **W. rabbit** *or* **rarebit** (*grilled cheese*) *Br* toast *m* au fromage ▮ *n* (*language*) gallois *m*; **the W.** (*people*) les Gallois *mpl*. ● **Welshman** *n* (*pl* **-men**) Gallois *m*. ● **Welshwoman** *n* (*pl* **-women**) Galloise *f*.

wench [wentʃ] *n Old-fashioned Hum* jeune fille *f*.

wend [wend] *vt* **to w. one's way** s'acheminer (**to** vers).

went [went] *pt of* **go 1**.

wept [wept] *pt of* **weep**.

were [wər, *stressed* wɜːr] *see* **be**.

werewolf ['weəwʊlf] *n* (*pl* **-wolves**) loup-garou *m*.

west [west] *n* ouest *m*; (**to the**) **w. of** à l'ouest de; **the W.** *Pol* l'Occident *m*.

▮ *a* (*coast*) ouest *inv*; (*wind*) d'ouest; **W. Africa** Afrique *f* occidentale; **W. Indian** (*a*) antillais; (*n*) Antillais, -aise *mf*; **the W. Indies** les Antilles *fpl*; **the W. Country** *Br* le sud-ouest de l'Angleterre.

▮ *adv* à l'ouest, vers l'ouest. ● **westbound** *a* (*traffic*) en direction de l'ouest; (*carriageway*) *Br* ouest *inv*. ● **westerly** *a* (*point*) ouest *inv*; (*direction*) de l'ouest; (*wind*) d'ouest. ● **western** *a* (*coast*) ouest *inv*; (*culture etc*) *Pol* occidental; **W. Europe** Europe *f* de l'Ouest ▮ *n* (*film*) western *m*. ● **westerner** *n* habitant, -ante *mf* de l'Ouest; *Pol* occidental, -ale *mf*. ● **westernize** *vt* occidentaliser. ● **westward(s)** *a* & *adv* vers l'ouest.

wet [wet] *a* (**wetter, wettest**) mouillé; (*damp, rainy*) humide; (*day, month*) de pluie; '**w. paint**' 'peinture fraîche'; **the ink is w.** l'encre est fraîche; **to be w. through** être trempé; **to get w.** se mouiller; **it's w.** (*raining*) il pleut; **he's w.** (*weak-willed*) *Fam* c'est une lavette; **w. blanket** *Fig* rabat-joie *m inv*; **w. nurse** nourrice *f*; **w. suit** combinaison *f* de plongée ▮ *n* **the w.** (*rain*) la pluie; (*damp*) l'humidité *f* ▮ *vt* (-**tt**-) mouiller. ● **wetness** *n* humidité *f*.

we've [wi:v] = **we have**.

whack [wæk] *n* (*blow*) grand coup *m* ▮ *vt* donner un grand coup à. ● **whacked** *a* **w. (out)** (*tired*) *Br Fam* claqué. ● **whacking** *a* (*big*) *Br Fam* énorme.

whale [weɪl] *n* baleine *f*. ● **whaling** *n* pêche *f* à la baleine.

wham! [wæm] *int* vlan!

wharf [wɔːf] *n* (*pl* **wharfs** *or* **wharves**) (*for ships*) quai *m*.

what [wɒt] **1** *a* quel, quelle, *pl* quel(le)s; **w. book?** quel livre?; **w. a fool/etc!** quel idiot/*etc*!; **I know w. book it is** je sais quel livre c'est; **w. little she has** le peu qu'elle a.

2 *pron* (*in questions*) qu'est-ce qui; (*object*) (qu'est-ce) que; (*after prep*) quoi; **w.'s happening?** qu'est-ce qui se passe?; **w. does he do?** qu'est-ce qu'il fait?, que fait-il?; **w. is it?** qu'est-ce que c'est?; **w.'s that book?** c'est quoi ce livre?; **w.!** (*surprise*) quoi!, comment!; **w.'s it called?** comment ça s'appelle?; **w. for?** pourquoi?; **w. about me/***etc***?** et moi/*etc*?; **w. about leaving/***etc***?** si on partait/*etc*?

3 *pron* (*indirect, relative*) (*subject*) ce qui; (*object*) ce que; **I know w. will happen/w.**

whatever

she'll do je sais ce qui arrivera/ce qu'elle fera; **w. happens is...** ce qui arrive c'est que...; **w. I need** ce dont j'ai besoin.

whatever ['wɒt'evər] *a* **w. (the) mistake**/*etc* (*no matter what*) quelle que soit l'erreur/*etc*; **of w. size** de n'importe quelle taille; **no chance. w.** pas la moindre chance; **nothing w.** rien du tout ▌ *pron* (*no matter what*) quoi que (+ *sub*); **w. you do** quoi que tu fasses; **w. happens** quoi qu'il arrive; **do w. is important** fais tout ce qui est important; **do w. you want** fais tout ce que tu veux.

what's-it ['wɒtsɪt] *n* (*thing*) *Fam* machin *m*.

whatsoever [wɒtsəʊ'evər] *a* & *pron* = **whatever**.

wheat [wiːt] *n* blé *m*, froment *m*. ● **wheatgerm** *n* germes *mpl* de blé.

wheedle ['wiːd(ə)l] *vt* **to w. s.o.** enjôler qn (**into doing** pour qu'il fasse); **to w. sth out of s.o.** obtenir qch de qn par la flatterie.

wheel [wiːl] **1** *n* roue *f*; **at the w.** (*of vehicle*) au volant; (*of boat*) à la barre; **w. clamp** (*for vehicle*) sabot *m* (de Denver) ▌ *vt* (*bicycle etc*) pousser ▌ *vi* (*turn*) tourner. **2** *vi* **to w. and deal** *Fam* faire des combines. ● **wheelbarrow** *n* brouette *f*. ● **wheelchair** *n* fauteuil *m* roulant.

wheeze [wiːz] **1** *vi* respirer bruyamment. **2** *n* (*scheme*) *Br Fam* combine *f*. ● **wheezy** *a* (-**ier**, -**iest**) poussif.

whelk [welk] *n* (*mollusc*) buccin *m*.

when [wen] *adv* quand ▌ *conj* quand, lorsque; (*whereas*) alors que; **w. I finish, w. I've finished** quand j'aurai fini; **w. I saw him or w. I'd seen him, I left** après l'avoir vu, je suis parti; **the day/moment w.** le jour/ moment où; **I talked about w....** j'ai parlé de l'époque où....

whenever [wen'evər] *conj* (*at whatever time*) quand; (*each time that*) chaque fois que.

where [weər] *adv* où; **w. are you from?** d'où êtes-vous? ▌ *conj* (là) où; (*whereas*) alors que; **I found it w. she'd left it** je l'ai trouvé là où elle l'avait laissé; **the place/house w.** l'endroit/la maison où; **I went to w. he was** je suis allé à l'endroit où il était; **that's w. you'll find it** c'est là que tu le trouveras. ● **whereabouts** *adv* où (donc) ▌ *n* **his w.** l'endroit *m* où il est. ● **where'as** *conj* alors que. ● **where'by** *adv* par quoi. ● **where'upon** *adv* sur quoi. ● **'wherewithal** *n* **to have the w. to do sth** avoir de quoi faire qch.

wherever [weər'evər] *conj* **w. you go** (*everywhere*) partout où tu iras, où que tu ailles; **I'll go w. you like** (*anywhere*) j'irai (là) où vous voudrez.

whet [wet] *vt* (-**tt**-) (*appetite, desire etc*) aiguiser.

whether ['weðər] *conj* si; **I don't know w. to leave** je ne sais pas si je dois partir; **w. she does it or not** qu'elle le fasse ou non; **w. now or tomorrow** que ce soit maintenant ou demain; **it's doubtful w.** il est douteux que (+ *sub*).

which [wɪtʃ] **1** *a* (*in questions etc*) quel, quelle, *pl* quel(le)s; **w. hat?** quel chapeau?; **in w. case** auquel cas.

2 *rel pron* (*subject*) qui; (*object*) que; (*after prep*) lequel, laquelle, *pl* lesquel(le)s; (*after clause*) (*subject*) ce qui; (*object*) ce que; **the house w. is old** la maison qui est vieille; **the book w. I like** le livre que j'aime; **the table w. I put it on** la table sur laquelle je l'ai mis; **the film of w. she was speaking** le film dont *or* duquel elle parlait; **she's ill, w. is sad** elle est malade, ce qui est triste; **he lies, w. I don't like it mmm**, ce que je n'aime pas; **after w.** (*whereupon*) après quoi.

3 *pron* **w. (one)** (*in questions*) lequel, laquelle, *pl* lesquel(le)s; **w. (one) of us?** lequel *or* laquelle d'entre nous or de nous?; **w. (ones) are the best of the books?** quels sont les meilleurs de ces livres?

4 *pron* **w. (one)** (*the one that*) (*subject*) celui qui, celle qui, *pl* ceux qui, celles qui; (*object*) celui que *etc*; **show me w. (one) is red** montrez-moi celui *or* celle qui est rouge; **I know w. (ones) you want** je sais ceux *or* celles que vous désirez.

whichever [wɪtʃ'evər] *a* & *pron* **w. book**/*etc* **or w. of the books**/*etc* **you buy** quel que soit le livre/*etc* que tu achètes; **take w. books or w. of the books interest you** prenez les livres qui vous intéressent; **take w. (one) you like** prends celui *or* celle que tu veux; **w. (ones) remain** ceux *or* celles qui restent.

whiff [wɪf] *n* (*puff*) bouffée *f*; (*smell*) odeur *f*.

while [waɪl] *conj* (*when*) pendant que; (*although*) bien que (+ *sub*); (*as long as*) tant que; (*whereas*) tandis que; **w. eating**/*etc* (*in the course of*) en mangeant/*etc* ▌ *n* **a w.** un moment, quelque temps; **all the w.** tout le temps ▌ *vt* **to w. away the time** passer le temps (**doing** à faire). ● **whilst** [waɪlst] *conj Br* = **while**.

whim [wɪm] *n* caprice *m*; **on a w.** sur un coup de tête.

whimper ['wɪmpər] *vi* (*of dog, person*) gémir faiblement; (*snivel*) pleurnicher ▌ *n* faible gémissement *m*; **without a w.** (*complaint*) sans se plaindre.

whimsical ['wɪmzɪk(ə)l] *a* (*look, idea*) bizarre; (*person*) fantasque, capricieux.

whine [waɪn] *vi* (*of dog, person etc*) gémir; (*complain*) *Fig* se plaindre ▌ *n* gémissement *m*; (*complaint*) plainte *f*.

whip [wɪp] *n* fouet *m*; (*person*) *Br Pol* chef *m* de file ▌ *vt* (-**pp**-) (*person, eggs etc*) fouetter; (*defeat*) *Fam* dérouiller; **whipped cream** crème *f* fouettée ▌ *vi* (*rush*) aller à toute vitesse. ● **whip-round** *n Br Fam* collecte *f*.

whip off *vt* (*take off*) *Fam* enlever brusquement ▌ **to whip out** *vt* (*from pocket etc*) *Fam* sortir brusquement (**from** de) ▌ **to whip round** *vi* (*rush*) faire un saut (**to s.o.'s** chez qn) ▌ **to whip up** *vt* (*interest etc*) susciter; (*eggs etc*) fouetter; (*meal*) *Fam* préparer rapidement.

whirl [wɜːl] *vi* **to w. (round)** tourbillonner,

tournoyer; (*of spinning top*) tourner ▌ *vt* to w. (round) faire tourbillonner; (*spinning top*) faire tourner ▌ *n* tourbillon *m*. ●whirlpool *n* tourbillon *m*; w. bath *Am* bain *m* à remous. ●whirlwind *n* tourbillon *n* (de vent).

whirr [wɜːr] *vi* (*of engine, insect wing*) vrombir; (*of spinning top*) ronronner ▌ *n* vrombissement *m*; (*of spinning top*) ronronnement *m*.

whisk [wɪsk] 1 *n* (*for eggs etc*) fouet *m* ▌ *vt* fouetter. 2 *vt* to w. away *or* off (*tablecloth etc*) enlever rapidement; (*person*) emmener rapidement; (*chase away*) chasser.

whiskers ['wɪskəz] *npl* (*of cat*) moustaches *fpl*; (*beard*) barbe *f*; (*Br* moustache, *Am* mustache) moustache *f*; (*side*) w. favoris *mpl*.

whisky, *Am* whiskey ['wɪskɪ] *n* whisky *m*.

whisper ['wɪspər] *vti* chuchoter; to w. sth to s.o. chuchoter qch à l'oreille de qn; w. to me! chuchote à mon oreille! ▌ *n* chuchotement *m*; (*rumour*) *Fig* rumeur *f*, bruit *m*.

whist [wɪst] *n Br* (*card game*) whist *m*; w. drive tournoi *m* de whist.

whistle ['wɪs(ə)l] *n* sifflement *m*; (*object*) sifflet *m*; to blow the *or* one's w. siffler, donner un coup de sifflet; to give a w. siffler ▌ *vti* siffler; to w. for (*dog, taxi*) siffler.

Whit [wɪt] *a* W. Sunday *Br* dimanche *m* de Pentecôte.

white [waɪt] *a* (-er, -est) blanc (*f* blanche); to go *or* turn w. blanchir; w. coffee *Br* café *m* au lait; w. elephant *Fig* objet *m or* projet *m etc* inutile; w. lie pieux mensonge *m*; w. man blanc *m*; w. woman blanche *f*; w. spirit white-spirit *m* ▌ *n* (*colour, of egg, of eye*) blanc *m*; (*person*) blanc *m*, blanche *f*. ●white-collar 'worker *n* employé, -ée *mf* de bureau. ●whiten *vti* blanchir. ●whiteness *n* blancheur *f*. ●whitewash *n* (*for walls etc*) badigeon *m* ▌ *vt* (*wall etc*) badigeonner; (*person*) *Fig* blanchir; (*events, s.o.'s faults*) camoufler.

whiting ['waɪtɪŋ] *n inv* (*fish*) merlan *m*.

Whitsun ['wɪts(ə)n] *n Br* la Pentecôte.

whittle ['wɪt(ə)l] *vt* to w. down (*wood*) tailler; (*price etc*) *Fig* rogner.

whizz [wɪz] 1 *vi* (*rush*) aller à toute vitesse; to w. past *or* by passer à toute vitesse; to w. through the air (*of bullet, spear etc*) fendre l'air. 2 *a* w. kid *Fam* petit prodige *m*.

who [huː] *pron* qui; w. did it? qui (est-ce qui) a fait ça?; the woman w. la femme qui; w. did you see? tu as vu qui?; w. were you talking to? à qui est-ce que tu parlais?

whoever [huː'evər] *pron* (*no matter who*) (*subject*) qui que ce soit qui; (*object*) qui que ce soit que; w. has seen this (*anyone who*) quiconque a *or* celui qui a vu cela; w. you are qui que vous soyez; this man, w. he is cet homme, quel qu'il soit; w. did that? qui donc a fait ça?

whodunit [huː'dʌnɪt] *n* (*detective story*) *Fam* polar *m*.

whole [həʊl] *a* entier (*f* entière); (*intact*) intact; the w. time tout le temps; the w. apple toute la pomme, la pomme (tout) entière; the w. truth toute la vérité; the w. world le monde entier; the w. lot le tout; w. food aliment *m* complet; to swallow sth w. avaler qch tout rond ▌ *n* (*unit*) tout *m*; (*total*) totalité *f*; the w. of the village le village (tout) entier, tout le village; the w. of the night toute la nuit; on the w., as a w. dans l'ensemble. ●whole-'hearted *a or* whole-'heartedly *adv* sans réserve. ●wholemeal *or Am* wholewheat *a* (*bread*) complet.

wholesale ['həʊlseɪl] *n* to deal in w. faire de la vente en gros ▌ *a* (*price etc*) de gros; (*destruction etc*) *Fig* en masse; w. business *or* trade commerce *m* de gros ▌ *adv* (*to buy or sell one article*) au prix de gros; (*in bulk*) en gros; (*to destroy etc*) *Fig* en masse. ●wholesaler *n* grossiste *mf*.

wholesome ['həʊlsəm] *a* (*food, climate etc*) sain.

wholly ['həʊlɪ] *adv* entièrement.

whom [huːm] *pron* (*object*) que; (*in questions and after prep*) qui; w. did she see? qui a-t-elle vu?; the man w. you know l'homme que tu connais; with w. avec qui; of w. dont.

whooping cough ['huːpɪŋkɒf] *n* coqueluche *f*.

whoops! [wʊps] *int* (*apology etc*) oups!

whopping ['wɒpɪŋ] *a* (*big*) *Fam* énorme. ●whopper *n Fam* chose *f* énorme.

whore [hɔːr] *n* (*prostitute*) putain *f*.

whose [huːz] *poss pron & a* à qui, de qui; w. book is this?, w. is this book? à qui est ce livre?; w. daughter are you? de qui es-tu la fille?; the woman w. book I have la femme dont *or* de qui j'ai le livre; the man w. mother I spoke to l'homme à la mère de qui j'ai parlé.

why [waɪ] 1 *adv* pourquoi; w. not? pourquoi pas? ▌ *conj* the reason w. they... la raison pour laquelle ils... ▌ *npl* the whys and wherefores le pourquoi et le comment. 2 *int* (*surprise*) eh bien!, tiens!

wick [wɪk] *n* (*of candle, lighter, oil lamp*) mèche *f*.

wicked ['wɪkɪd] *a* (*evil*) méchant; (*mischievous*) malicieux. ●wickedly *adv* méchamment; (*mischievously*) malicieusement. ●wickedness *n* méchanceté *f*.

wicker ['wɪkər] *n* osier *m*; w. basket panier *m* d'osier; w. chair fauteuil *m* en osier. ●wickerwork *n* (*objects*) vannerie *f*.

wicket ['wɪkɪt] *n* (*cricket stumps*) guichet *m*.

wide [waɪd] *a* (-er, -est) large; (*ocean, desert*) vaste; (*choice, variety, knowledge*) grand; to be three metres w. avoir trois mètres de large.

▌ *adv* (*to open*) tout grand; (*to fall, shoot*) loin du but; ●wide-'awake *a* (*alert, not sleeping*) éveillé. ●widely *adv* (*to travel*) beaucoup; (*to broadcast, spread*) largement; w. different très différent; it's w. thought *or* believed that... on pense généralement que.... ●widen *vt* élargir ▌ *vi* s'élargir.

widespread

●**wideness** n largeur f.
widespread ['waɪdspred] a (très) répandu.
widow ['wɪdəʊ] n veuve f. ●**widowed** a **to be w.** (of man) devenir veuf; (of woman) devenir veuve; **her w. uncle** son oncle qui est veuf. ●**widower** n veuf m.
width [wɪdθ] n largeur f.
wield [wiːld] vt (brandish) brandir (bâton etc); (handle) manier (outil etc); **to w. power** Fig exercer le pouvoir.
wife [waɪf] n (pl **wives**) femme f, épouse f. ●**wife-to-be** n future femme f or épouse f.
wig [wɪg] n perruque f.
wiggle ['wɪg(ə)l] vt agiter; **to w. one's hips** tortiller des hanches ▮ vi (of worm etc) se tortiller; (of tail) remuer.
wild [waɪld] a (-er, -est) (animal, flower, region etc) sauvage; (idea, life) fou (f folle); (look) farouche; (angry) furieux (**with** contre); **w. with joy/anger/etc** fou de joie/colère/etc; **I'm not w. about it** (plan etc) Fam ça ne m'emballe pas; **to be w. about s.o.** (very fond of) être dingue de qn; **to grow w.** (of plant) pousser à l'état sauvage; **to run w.** (of animals) courir en liberté; (of crowd) se déchaîner; **the W. West** Am le Far West ▮ npl **the wilds** les régions fpl sauvages. ●**wildcard character** n Comptr caractère m joker. ●**wildcat 'strike** n grève f sauvage. ●**wild-'goose chase** n fausse piste f. ●**wildlife** n faune f, animaux mpl sauvages.
wilderness ['wɪldənəs] n désert m; (overgrown garden etc) jungle f.
wildly ['waɪldlɪ] adv (madly) follement; (violently) violemment.
wile [waɪl] n ruse f, artifice m.
wilful ['wɪlfəl] (Am **willful**) a (intentional, obstinate) volontaire. ●**wilfully** adv volontairement.
will[1] [wɪl] v aux **he will come, he'll come** (future tense) il viendra (**won't he?** n'est-ce pas?); **you will not come, you won't come** tu ne viendras pas (**will you?** n'est-ce pas?); **w. you have a tea?** veux-tu prendre un thé?; **w. you be quiet!** veux-tu te taire!; **I w.!** (yes) oui!; **it won't open** ça ne veut pas s'ouvrir, ça ne s'ouvre pas.
will[2] [wɪl] **1** vt (intend, wish) Old-fashioned vouloir (**that** que (+ sub)); **to w. oneself to do** faire un effort de volonté pour faire ▮ n volonté f; **ill w.** mauvaise volonté; **free w.** libre arbitre m; **of one's own free w.** de son plein gré; **against one's w.** à contrecœur; **at w.** (to leave etc) quand on veut; (to choose) à volonté. **2** n (legal document) testament m.
willing ['wɪlɪŋ] a (helper, worker) de bonne volonté; (help, advice etc) spontané; **to be w. to do** être disposé or prêt à faire, vouloir bien faire ▮ n **to show w.** faire preuve de bonne volonté. ●**willingly** adv (with pleasure) volontiers; (voluntarily) volontairement. ●**willingness** n (goodwill) bonne volonté f; **her w. to do** (enthusiasm) son empressement m à faire.

willow ['wɪləʊ] n (tree, wood) saule m.
willowy ['wɪləʊɪ] a (person) gracile, svelte.
willpower ['wɪlpaʊər] n volonté f.
willy-nilly [wɪlɪ'nɪlɪ] adv bon gré mal gré, de gré ou de force.
wilt [wɪlt] vi (of plant) dépérir; (of enthusiasm etc) Fig décliner.
wily [waɪlɪ] a (-**ier**, -**iest**) rusé.
wimp [wɪmp] n (weakling) Fam femmelette f, mauviette f.
win [wɪn] n (victory) victoire f ▮ vi (pt & pp **won**, pres p **winning**) gagner ▮ vt (money, race etc) gagner; (prize) gagner, remporter; (victory) remporter; (fame) acquérir; (friends) se faire; **to w. s.o. over** or Br **round** gagner qn (**to** à). ●**winning** a (number, horse etc) gagnant; (team) victorieux; (goal) décisif; (smile) engageant ▮ npl **winnings** gains mpl.
wince [wɪns] vi faire une grimace (de douleur, dégoût etc); **without wincing** sans sourciller.
winch [wɪntʃ] n treuil m ▮ vt **to w. (up)** hisser au treuil.
wind[1] [wɪnd] n vent m; (breath) souffle m; **to have w.** (in stomach) avoir des gaz; **to get w. of sth** entendre parler de qch; **there's something in the w.** Fig il y a quelque chose dans l'air; **w. instrument** Mus instrument m à vent ▮ vt **to w. s.o.** (of blow etc) couper le souffle à qn. ●**windbreak** n (fence, trees) brise-vent m inv. ●**windcheater** or Am **windbreaker** n blouson m, coupe-vent m inv. ●**windfall** n (piece of fruit) fruit m abattu par le vent; (unexpected money) Fig aubaine f. ●**windmill** n moulin m à vent. ●**windpipe** n trachée f. ●**windscreen** or Am **windshield** n (of vehicle) pare-brise m inv; **w. wiper** essuie-glace m inv. ●**windsurfer** n (person) véliplanchiste mf; (board) planche f à voile. ●**windsurfing** n **to go w.** faire de la planche à voile. ●**windswept** a (street etc) balayé par les vents. ●**windy** a (-**ier**, -**iest**) **it's w.** (of weather) il y a du vent; **w. day** jour m de grand vent; **w. place** endroit m plein de vent.
wind[2] [waɪnd] vt (pt & pp **wound**) (roll) enrouler (**round** autour de); (clock) remonter ▮ vi (of river, road) serpenter. ●**winding** a (road etc) sinueux; (staircase) tournant. ●**winder** n (of watch) remontoir m.
wind down [waɪnd] vt (car window) baisser ▮ vi (relax) Fam se détendre ▮ **to wind up** vt (clock) remonter; (meeting, speech etc) terminer; **to w. s.o. up** (annoy) Br Fam faire marcher qn ▮ vi (end up) finir (**doing** par faire); **to w. up with sth/s.o.** se retrouver avec qch/qn.
window ['wɪndəʊ] n fenêtre f; (pane) vitre f, carreau m; (in vehicle or train) vitre f; (in shop) vitrine f; (counter) guichet m; **French w.** Br porte-fenêtre f; **w. box** jardinière f; **w. cleaner** Br, **w. washer** Am laveur, -euse mf de carreaux; **w. dresser** étalagiste mf; **w. ledge** Br = **windowsill**; **to go w. shopping** faire du lèche-vitrines. ●**windowpane** n vitre

f, carreau *m*. ●**windowsill** *n* (*inside*) appui *m* de (la) fenêtre; (*outside*) rebord *m* de (la) fenêtre.

windy ['wɪndɪ] *a see* **wind**¹.

wine [waɪn] *n* vin *m*; **w. bar/bottle** bar *m*/bouteille *f* à vin; **w. cellar** cave *f* (à vin); **w. grower** viticulteur *m*; **w. list** carte *f* des vins; **w. taster** dégustateur, -trice *mf* de vins; **w. tasting** dégustation *f* de vins; **w. waiter** sommelier *m* ▮ *vt* **to w. and dine s.o.** offrir à dîner et à boire à qn. ●**wineglass** *n* verre *m* à vin. ●**wine-growing** *a* viticole.

wing [wɪŋ] *n* aile *f*; **the wings** (*in theatre*) les coulisses *fpl*; **to take s.o. under one's w.** *Fig* prendre qn sous son aile. ●**winged** *a* ailé. ●**winger** *n Football etc* ailier *m*. ●**wingspan** *n* envergure *f*.

wink [wɪŋk] *vi* faire un clin d'œil (**at, to** à); (*of light*) clignoter ▮ *n* clin *m* d'œil.

winkle ['wɪŋk(ə)l] *n* (*sea animal*) bigorneau *m*.

winner ['wɪnər] *n* (*of contest etc*) gagnant, -ante *mf*; (*of argument, fight*) vainqueur *m*; **that idea/etc is a w.** *Fam* c'est une idée/*etc* en or. ●**winning** *a & npl see* **win**.

winter ['wɪntər] *n* hiver *m*; **in (the) w.** en hiver; **a w.'s day** un jour d'hiver ▮ *a* d'hiver. ●**wintertime** *n* hiver *m*. ●**wintry** *a* hivernal; **w. day** jour *m* d'hiver.

wipe [waɪp] *vt* essuyer; **to w. one's feet/hands** s'essuyer les pieds/les mains; **to w. away** *or* **off** *or* **up** (*liquid*) essuyer; **to w. out** (*clean*) essuyer; (*destroy*) anéantir; (*erase*) effacer ▮ *vi* **to w. up** (*dry the dishes*) essuyer la vaisselle ▮ *n* **to give sth a w.** donner un coup de torchon *or* d'éponge à qch. ●**wiper** *n* (*for Br windscreen, Am windshield*) essuie-glace *m inv*.

wire ['waɪər] *n* fil *m*; **w. mesh** *or* **netting** grillage *m* ▮ *vt* **to w. (up)** (*house*) faire l'installation électrique de; **to w. sth (up) to sth** (*connect electrically*) relier qch à qch; **to w. a hall (up) for sound** sonoriser une salle. ●**wiring** *n* (*system*) installation *f* électrique; (*wires*) fils *mpl* électriques.

wirecutters ['waɪəkʌtəz] *npl* pince *f* coupante.

wireless ['waɪələs] *n* (*set*) *Old-fashioned Br* TSF *f*, radio *f*.

wiry ['waɪərɪ] *a* (**-ier, -iest**) maigre et nerveux.

wisdom ['wɪzdəm] *n* (*knowledge*) sagesse *f*; (*advisability*) prudence *f*; **w. tooth** dent *f* de sagesse.

wise [waɪz] *a* (**-er, -est**) (*in knowledge*) sage; (*advisable*) prudent; (*learned*) savant; **to put s.o. w./be w. to** *Fam* mettre qn/être au courant de; **w. guy** *Fam* gros malin *m*. ●**wisecrack** *n Fam* (*joke*) astuce *f*; (*sarcastic remark*) sarcasme *m*. ●**wisely** *adv* prudemment.

-wise [waɪz] *suff* (*with regard to*) **money/***etc* **-wise** question argent/*etc*.

wish [wɪʃ] *vt* souhaiter, vouloir (**to do** faire); **I w. (that) you could help me/could have helped me** je voudrais que/j'aurais voulu que vous m'aidiez; **I w. I hadn't done that** je regrette d'avoir fait ça; **if you w.** si tu veux; **I w. you (a) happy birthday/(good) luck** je vous souhaite (un) bon anniversaire/bonne chance; **I w. I could** si seulement je pouvais. ▮ *vi* **to w. for sth** souhaiter qch; **I wished for him to recover quickly** j'ai souhaité qu'il se rétablisse vite; **as you w.** comme vous voulez.

▮ *n* (*specific*) souhait *m*, vœu *m*; (*general*) désir *m*; **the w. for sth/to do** le désir de qch/de faire; **best wishes, all good wishes** (*on greeting card*) meilleurs vœux *mpl*; (*in letter*) amitiés *fpl*, bien amicalement; **send him my best wishes** fais-lui mes amitiés. ●**wishbone** *n* fourchette *f*, lunette *f*. ●**wishful** *a* **it's w. thinking (on your part)** tu rêves, tu prends tes désirs pour la réalité.

wishy-washy ['wɪʃɪwɒʃɪ] *a* (*taste, colour*) fade, fadasse.

wisp [wɪsp] *n* (*of smoke*) volute *f*; (*of hair*) fine mèche *f*; (*of straw*) brin *m*; **a (mere) w. of a girl** *Hum* une fillette toute menue.

wisteria [wɪ'stɪərɪə] *n* (*plant*) glycine *f*.

wistful ['wɪstfəl] *a* mélancolique et rêveur. ●**wistfully** *adv* d'un ton rêveur, avec mélancolie.

wit [wɪt] *n* **1** (*humour*) esprit *m*; (*person*) homme *m or* femme *f* d'esprit. **2** **wit(s)** (*intelligence*) intelligence *f*; **he didn't have the w. to do it** il n'a pas eu l'intelligence de le faire; **to be at one's wits'** *or* **wit's end** ne plus savoir que faire.

witch [wɪtʃ] *n* sorcière *f*. ●**witchcraft** *n* sorcellerie *f*. ●**witch-hunt** *n Pol etc* chasse *f* aux sorcières.

with [wɪð] *prep* **1** avec; **come w. me** viens avec moi; **w. no hat/gloves/***etc* sans chapeau/gants/*etc*; **I'll be right w. you** je suis à vous dans une seconde; **I'm w. you** (*I understand*) *Fam* je te suis; **to be w. it** (*up-to-date*) *Fam* être dans le vent.

2 (*at the house, flat etc of*) chez; **she's staying w. me** elle loge chez moi; **it's a habit w. me** *Fig* c'est une habitude chez moi.

3 (*cause*) de; **to jump w. joy** sauter de joie; **to be ill w. measles** être malade de la rougeole.

4 (*instrument, means*) avec; de; **to write w. a pen** écrire avec un *or* au stylo; **to walk w. a stick** marcher avec une canne; **to fill w.** remplir de; **satisfied w.** satisfait de; **w. my own eyes** de mes propres yeux; **w. two hands** à deux mains.

5 (*description*) à; **a woman w. blue eyes** une femme aux yeux bleus.

6 (*despite*) malgré; **w. all his faults** malgré tous ses défauts.

withdraw [wɪð'drɔː] *vt* (*pt* **withdrew**, *pp* **withdrawn**) (*person, money, troops, claim etc*) retirer (**from** de) ▮ *vi* (*of person, troops, candidate etc*) se retirer (**from** de). ●**withdrawn** *a* (*person*) renfermé. ●**withdrawal** *n* retrait *m*; **to suffer from w. symptoms** (*of*

wither ['wɪðər] *vi* (*of plant etc*) se flétrir ‖ *vt* flétrir. ● **withered** *a* (*plant*) flétri; (*limb*) atrophié; (*old man etc*) desséché. ● **withering** *a* (*look*) foudroyant; (*remark*) cinglant.

withhold [wɪð'həʊld] *vt* (*pt & pp* **withheld**) (*permission, help etc*) refuser (**from** à); (*decision*) différer; (*money*) retenir (**from** de); (*information etc*) cacher (**from** à).

within [wɪ'ðɪn] *adv* à l'intérieur ‖ *prep* (*place, box etc*) à l'intérieur de, dans; **w. 10km (of)** (*less than*) à moins de 10 km (de); (*inside an area of*) dans un rayon de 10 km (de); **w. a month** (*to return etc*) avant un mois; (*to finish sth*) en moins d'un mois; (*to pay*) sous un mois; **it's w. my means** c'est dans (les limites de) mes moyens; **to live w. one's means** vivre selon ses moyens; **w. sight** en vue.

without [wɪ'ðaʊt] *prep* sans; **w. a tie/etc** sans cravate/etc; **w. doing** sans faire; **to do w. sth/s.o.** se passer de qch/qn.

withstand [wɪð'stænd] *vt* (*pt & pp* **withstood**) résister à.

witness ['wɪtnɪs] *n* (*person*) témoin *m*; (*testimony*) témoignage *m*; **to bear w. to** témoigner de; **w. box** *Br*, **w. stand** *Am* barre *f* (des témoins) ‖ *vt* (*accident etc*) être (le) témoin de; (*document*) signer (pour attester l'authenticité de).

witty ['wɪtɪ] *a* (**-ier, -iest**) spirituel. ● **witticism** *n* bon mot *m*, mot *m* d'esprit. ● **wittiness** *n* esprit *m*.

wives [waɪvz] *see* **wife**.

wizard ['wɪzəd] *n* magicien *m*; (*genius*) *Fig* génie *m*, as *m*. ● **wizardry** *n* *Fig* génie *m*.

wizened ['wɪz(ə)nd] *a* ratatiné.

wobble ['wɒb(ə)l] *vi* (*of chair etc*) branler, être bancal; (*of cyclist, pile etc*) osciller; (*of Br jelly, Am jello*®, *leg*) trembler; (*of wheel*) tourner de façon irrégulière. ● **wobbly** *a* (*table, chair etc*) branlant, bancal (*mpl* -als); (*tooth*) branlant; **to be w. = to wobble**.

woe [wəʊ] *n* malheur *m*. ● **woeful** *a* triste.

wok [wɒk] *n* (*pan for cooking*) wok *m*.

woke, woken [wəʊk, 'wəʊkən] *pt & pp of* **wake**[1].

wolf [wʊlf] **1** *n* (*pl* **wolves**) loup *m*; **w. whistle** sifflement *m* admiratif (*au passage d'une femme*). **2** *vt* **to w. (down)** (*food*) engloutir.

woman, *pl* **women** ['wʊmən, 'wɪmɪn] *n* femme *f*; **young w.** jeune femme; **she's a London w.** c'est une Londonienne; **w. doctor** femme *f* médecin; **women drivers** les femmes *fpl* au volant; **w. friend** amie *f*; **w. teacher** professeur *m* femme; **women's** (*clothes, attitudes etc*) féminin; **women's rights** droits *mpl* des femmes *or* de la femme. ● **womanhood** *n* (*quality*) féminité *f*; **to reach w.** devenir (une) femme. ● **womanizer** *n* *Pej* coureur *m* (de femmes *or* de jupons). ● **womanly** *a* féminin.

womb [wuːm] *n* utérus *m*.

women ['wɪmɪn] *see* **woman**.

won [wʌn] *pt & pp of* **win**.

wonder ['wʌndər] **1** *n* (*marvel*) merveille *f*, miracle *m*; (*feeling*) émerveillement *m*; **in w.** (*to watch etc*) émerveillé; (**it's**) **no w.** ce n'est pas étonnant (**that** que (+ *sub*)); **it's a w. she wasn't killed** c'est un miracle qu'elle n'ait pas été tuée; **to work wonders** (*of medicine etc*) faire merveille ‖ *vi* (*marvel*) s'étonner (**at** de) ‖ *vt* **I w. that** je *or* ça m'étonne que (+ *sub*).

2 *vt* (*ask oneself*) se demander (**if** si, **why** pourquoi) ‖ *vi* (*ask oneself questions*) s'interroger (**about** au sujet de, sur); **I was just wondering** je réfléchissais.

wonderful ['wʌndəfəl] *a* (*excellent, astonishing*) merveilleux. ● **wonderfully** *adv* (*beautiful, hot etc*) merveilleusement; (*to do, work etc*) à merveille.

wonky ['wɒŋkɪ] *a* (**-ier, -iest**) *Br Fam* (*table etc*) bancal (*mpl* -als); (*hat, picture*) de travers.

won't [wəʊnt] = **will not**.

woo [wuː] *vt* (*woman*) faire la cour à, courtiser; (*voters etc*) chercher à plaire à.

wood [wʊd] *n* (*material, forest*) bois *m*. ● **woodcut** *n* gravure *f* sur bois. ● **wooded** *a* (*valley etc*) boisé. ● **wooden** *a* de *or* en bois; (*manner, dancer, actor etc*) *Fig* raide. ● **woodland** *n* région *f* boisée. ● **woodlouse** *n* (*pl* **-lice**) cloporte *m*. ● **woodpecker** *n* (*bird*) pic *m*. ● **woodwind** *n* **the w.** (*musical instruments*) les bois *mpl*. ● **wood pigeon** *n* (*pigeon*) ramier *m*. ● **woodwork** *n* (*school subject*) menuiserie *f*. ● **woodworm** *n* (*larvae*) vers *mpl* (du bois); **it has w.** c'est vermoulu. ● **woody** *a* (**-ier, -iest**) (*hill etc*) boisé; (*stem etc*) ligneux.

wool [wʊl] *n* laine *f*; **w. cloth/garment** tissu *m*/vêtement *m* de laine; **the w. industry** l'industrie *f* lainière; **w. shop** magasin *m* de laines. ● **woollen** (*Am* **woolen**) *a* (*dress etc*) en *or* de laine; **the w. industry** l'industrie lainière ‖ *npl* **woollens** *Br*, **woolens** *Am* (*garments*) lainages *mpl*. ● **woolly** *a* (**-ier, -iest**) laineux; (*unclear*) *Fig* nébuleux ‖ *n* (*garment*) *Br Fam* lainage *m*.

word [wɜːd] *n* mot *m*; (*spoken*) parole *f*, mot *m*; (*promise*) parole *f*; (*command*) ordre *m*; (*news*) nouvelles *fpl*; **words** (*of song etc*) paroles *fpl*; **to have a w. with s.o.** (*speak to*) parler à qn; (*advise, criticize*) avoir un mot avec qn; **to keep one's w.** tenir sa promesse; **in other words** autrement dit; **w. for w.** (*to report sth*) mot pour mot; (*to translate sth*) mot à mot; **by w. of mouth** de vive voix; **I have no w. from** je suis sans nouvelles de; **to send w. that...** faire savoir que...; **to leave w. that...** faire dire que...; **the last w. in** (*latest development*) le dernier cri en matière de; **w. processing** traitement *m* de texte; **w. processor** machine *f* à *or* de traitement de texte.

‖ *vt* (*express*) formuler, rédiger. ● **wording** *n* termes *mpl*. ● **wordy** *a* (**-ier, -iest**) verbeux.

wore [wɔːr] *pt of* **wear**.

work [wɜːk] *n* travail *m*; (*product, book etc*)

œuvre *f*, ouvrage *m*; (*building or repair work*) travaux *mpl*; **to be at w.** travailler; **hard w.** travail *m* dur; **it's h. work (doing that)** c'est très dur (de faire ça); **farm w.** travaux *mpl* agricoles; **out of w.** au chômage; **a day off w.** un jour de congé *or* de repos; **he's off w.** il n'est pas allé travailler; **the works** (*of clock etc*) le mécanisme; **gas works** (*factory*) *Br* usine *f* à gaz; **w. force** main-d'œuvre *f*; **a heavy w. load** beaucoup de travail; **w. permit** permis *m* de travail; **w. station** poste *m* de travail.
❙ *vi* travailler; (*of machine etc*) marcher, fonctionner; (*of drug*) agir; **to w. loose** (*of knot, screw*) se desserrer; (*of tooth*) se mettre à branler; **to w. towards** (*result, agreement, aim*) travailler à.
❙ *vt* (*person*) faire travailler; (*machine*) faire marcher; (*mine*) exploiter; (*miracle*) faire; (*metal, wood etc*) travailler.
workable ['wɜːkəb(ə)l] *a* (*plan, idea etc*) praticable.
workaholic [wɜːkə'hɒlɪk] *n Fam* bourreau *m* de travail. ● **workbench** *n* établi *m*. ● **workday** *n Am* = working day. ● **workman** *n* (*pl* -men) ouvrier *m*. ● **workmanship** *n* maîtrise *f*, travail *m*. ● **'workmate** *n Br* camarade *mf* de travail. ● **'workout** *n Sport* séance *f* d'entraînement *m*. ● **'workroom** *n* salle *f* de travail. ● **workshop** *n* (*place, study course*) atelier *m*. ● **'work-shy** *a Br* peu enclin au travail. ● **work-to-'rule** *n Br* grève *f* du zèle.
work at *vt* (*improve*) travailler (*son français etc*) ❙ **to work off** *vt* (*debt*) payer en travaillant; (*excess fat*) se débarrasser de (par l'exercice); (*one's anger*) passer ❙ **to work on** *vt* (*book, problem*) travailler à; (*improve*) travailler (*son français etc*); (*principle etc*) se baser sur ❙ **to work out** *vi* (*succeed*) marcher; (*do exercises*) s'entraîner; **it works out at 50 francs** ça fait 50 francs ❙ *vt* (*calculate*) calculer; (*problem*) résoudre; (*scheme, plan*) préparer; (*understand*) comprendre ❙ **to work up to w.** up an appetite s'ouvrir l'appétit; **to w. up enthusiasm** s'enthousiasmer (**for** pour); **to w. one's way up** (*rise socially etc*) faire du chemin; **to get worked up** s'énerver ❙ *vi* **it works up to** (*climax*) ça tend vers; **to w. up to sth** en venir à qch.
worker ['wɜːkər] *n* travailleur, -euse *mf*; (*manual*) ouvrier, -ière *mf*; (**office**) **w.** employé, -ée *mf* (de bureau); **blue-collar w.** col *m* bleu.
working ['wɜːkɪŋ] *a* (*day, clothes etc*) de travail; **w. population** population *f* active; **a w. wife** une femme qui travaille; **Monday is a w. day** *Br* on travaille le lundi, lundi est un jour ouvré; **w. class** classe *f* ouvrière; **in w. order** en état de marche ❙ *npl* **the workings of** (*clock etc*) le mécanisme de. ● **working-'class** *a* ouvrier.
world [wɜːld] *n* monde *m*; **all over the w.** dans le monde entier; **the richest/etc in the world** le *or* la plus riche/etc du monde; **to think the w. of** penser énormément de bien de; **it did me the** *or* **a w. of good** ça m'a drôlement fait du bien; **why in the w....?** pourquoi diable...?; **out of this w.** (*wonderful*) *Fam* formidable.
❙ *a* (*war, production etc*) mondial; (*champion, record*) du monde; **the W. Cup Football** la Coupe du Monde. ● **world-'famous** *a* de renommée mondiale. ● **worldly** *a* (*pleasures*) de ce monde; (*person*) qui a l'expérience du monde. ● **world'wide** *a* universel, mondial ❙ *adv* dans le monde entier.
worm [wɜːm] **1** *n* ver *m*. **2** *vt* **to w. one's way into** s'insinuer dans; **to w. sth out of s.o.** soutirer qch à qn. ● **worm-eaten** *a* (*wood*) vermoulu; (*fruit*) véreux.
worn [wɔːn] *pp of* **wear** ❙ *a* (*clothes, Br tyre, Am tire etc*) usé. ● **worn-'out** *a* (*object*) complètement usé; (*person*) épuisé.
worry ['wʌrɪ] *n* souci *m*; **to be a w.** faire du souci (**to s.o.** à qn) ❙ *vi* s'inquiéter (**about sth** de qch, **about s.o.** pour qn) ❙ *vt* inquiéter; **to w. oneself sick** se ronger les sangs. ● **worried** *a* inquiet (**about** au sujet de); **to be w. sick** se ronger les sangs. ● **worrying** *a* (*news etc*) inquiétant. ● **worrier** *n* anxieux, -euse *mf*.
● **worryguts** *or Am* **worrywart** *n Fam* anxieux, -euse *mf*.
worse [wɜːs] *a* pire, plus mauvais (**than** que); **to get w.** se détériorer; **he's getting w.** (*in health*) il va de plus en plus mal; (*in behaviour*) il se conduit de plus en plus mal.
❙ *adv* plus mal (**than** que); **I could do w.** je pourrais faire pire; **from bad to w.** de mal en pis; **she's w. off** (**than before**) sa situation est pire qu'avant; (*financially*) elle est encore plus pauvre qu'avant.
❙ *n* **there's w.** (**to come**) il y a pire encore; **a change for the w.** une détérioration.
worsen ['wɜːs(ə)n] *vi* (*of illness, situation etc*) empirer; **your chances are worsening** tes chances se détériorent ❙ *vt* empirer.
worship ['wɜːʃɪp] *n* culte *m*; **his W. the Mayor** *Br* Monsieur le Maire ❙ *vt* (-**pp**-) (*person, god*) adorer; (*money*) *Pej* avoir le culte de ❙ *vi* (*pray*) faire ses dévotions (**at** à). ● **worshipper** *n* (*in church*) fidèle *mf*; (*of person, money etc*) adorateur, -trice *mf*.
worst [wɜːst] *a* pire, plus mauvais ❙ *adv* (**the**) **w.** le plus mal; **to come off w.** (*in struggle etc*) avoir le dessous ❙ *n* **the w.** (**one**) (*object, person*) le *or* la pire, le *or* la plus mauvais(e); **the w.** (**thing**) **is that...** le pire c'est que...; **at** (**the**) **w.** au pire; **to be at its w.** (*of crisis etc*) avoir atteint son paroxysme; **the situation is at its w.** la situation est on ne peut plus mauvaise; **to get the w. of it** (*in struggle etc*) avoir le dessous; **the w. is yet to come** on n'a pas encore vu le pire.
worsted ['wʊstɪd] *n Tex* laine *f* peignée.
worth [wɜːθ] *n* valeur *f*; **to buy 50 pence w. of chocolates** acheter pour cinquante pence de chocolats ❙ *a* **to be w. sth** valoir qch; **how much** *or* **what is it w.?** ça vaut combien?; **it's w. a great deal** *or* **a lot** (*be valuable*,

important) avoir beaucoup de valeur; **the film's (well) w. seeing** le film vaut la peine *or Fam* le coup d'être vu; **it's w. (one's) while** ça (en) vaut la peine *or Fam* le coup; **it's w. (while) waiting** ça vaut la peine *or Fam* le coup d'attendre. ●**worthless** *a* qui ne vaut rien.

worthwhile [wɜːθˈwaɪl] *a* (*book, film etc*) qui vaut la peine d'être lu, vu *etc*; (*activity*) qui (en) vaut la peine; (*plan, contribution*) valable; (*cause*) louable; (*satisfying*) qui donne des satisfactions.

worthy [ˈwɜːðɪ] *a* (**-ier, -iest**) (*person*) digne; (*cause, act*) louable; **to be w. of sth/s.o.** être digne de qch/qn ▌ *n* (*person*) notable *m*.

would [wʊd, *unstressed* wəd] *v aux* **1** (*past tense of 'will'*) (=*conditional tense in French*) **I w. stay, I'd stay** je resterais; **he w. have done it** il l'aurait fait; **I said she'd come** j'ai dit qu'elle viendrait. **2** (*willingness, ability etc*) **w. you help me, please?** voulez-vous m'aider, s'il vous plaît?; **she wouldn't help me** elle n'a pas voulu m'aider; **w. you like some tea?** voudriez-vous (prendre) du thé?; **the wound wouldn't heal** la blessure ne voulait pas cicatriser. **3** (*habit*) (= *used to*) **I w. see her every day** je la voyais chaque jour. ●**would-be** *a* (*musician etc*) soi-disant *inv*.

wound[1] [wuːnd] *vt* (*hurt*) blesser; **the wounded** les blessés *mpl* ▌ *n* blessure *f*.

wound[2] [waʊnd] *pt* & *pp* of **wind**[2].

wove, woven [wəʊv, ˈwəʊv(ə)n] see **weave**.

wow! [waʊ] *int Fam* oh là là!

WP [dʌb(ə)ljuːˈpiː] *n abbr* **word processor**.

wrangle [ˈræŋg(ə)l] *n* dispute *f* ▌ *vi* se disputer.

wrap [ræp] *vt* (**-pp-**) **to w. (up)** envelopper; (*parcel*) emballer; **wrapped up in** (*engrossed*) *Fig* absorbé par ▌ *vti* **to w. (oneself) up** (*dress warmly*) se couvrir ▌ *n* (*shawl*) châle *m*; (*cape*) pèlerine *f*; **plastic w.** *Am* film *m* plastique. ●**wrapping** *n* (*action, material*) emballage *m*; **w. paper** papier *m* d'emballage. ●**wrapper** *n* (*of Br sweet, Am candy*) papier *m*; (*of book*) jaquette *f*.

wrath [rɒθ] *n Lit* courroux *m*.

wreak [riːk] *vt* **to w. vengeance on** se venger de; **to w. havoc on** ravager.

wreath [riːθ] *n* (*pl* **-s** [riːðz]) (*of flowers*) (*on head, for funeral etc*) couronne *f*.

wreck [rek] *n* (*ship*) épave *f*; (*sinking*) naufrage *m*; (*train etc*) train *m etc* accidenté; (*person*) épave *f* (humaine); **to be a nervous w.** être à bout de nerfs ▌ *vt* (*break, destroy*) détruire; (*ship*) provoquer le naufrage de; (*spoil*) *Fig* gâcher; (*career, hopes etc*) *Fig* briser, détruire. ●**wreckage** *n* (*of plane, train etc*) débris *mpl*. ●**wrecker** *n* **1** (*truck*) *Am* dépanneuse *f*. **2** (*destructive child*) brise-fer *m inv*.

wren [ren] *n* (*bird*) roitelet *m*.

wrench [rentʃ] *vt* **1** *n* (*tool*) *Am* clef *f* (à écrous); (**adjustable**) **w.** clef à molette; **monkey w.** clef anglaise. **2** (*tug at*) tirer sur; (*twist*) tordre; **to w. sth from s.o.** arracher qch à qn ▌ *n* mouvement *m* de torsion; (*emotional distress*) *Fig* déchirement *m*.

wrest [rest] *vt* **to w. sth from s.o.** arracher qch à qn.

wrestle [ˈres(ə)l] *vi* lutter (**with s.o.** avec qn); **to w. with a problem/***etc* *Fig* se débattre avec un problème/*etc*. ●**wrestling** *n* (*sport*) lutte *f*; (**all-in**) **w.** (*with relaxed rules*) catch *m*. ●**wrestler** *n* lutteur, -euse *mf*; (*in all-in wrestling*) catcheur, -euse *mf*.

wretch [retʃ] *n* (*unfortunate person*) malheureux, -euse *mf*; (*rascal*) misérable *mf*. ●**wretched** [-ɪd] *a* (*poor, pitiful*) misérable; (*dreadful*) affreux; (*annoying*) maudit.

wriggle [ˈrɪg(ə)l] *vi* to w. (**about**) se tortiller; (*of fish*) frétiller; **to w. out of** (*difficulty, task etc*) esquiver ▌ *vt* (*toes, fingers*) tortiller.

wring [rɪŋ] *vt* (*pt & pp* **wrung**) **to w. (out)** (*clothes by hand*) tordre; (*water*) faire sortir; **I'll w. your neck** *Fig* je vais te tordre le cou; **to w. sth out of s.o.** *Fig* arracher qch à qn; **to be wringing wet** (*of person*) être trempé jusqu'aux os; (*of garment*) être (trempé) à tordre.

wrinkle [ˈrɪŋk(ə)l] *n* (*on skin*) ride *f*; (*in cloth or paper*) pli *m* ▌ *vt* (*skin*) rider; (*cloth, paper*) plisser ▌ *vi* (*of skin*) se rider; (*of cloth etc*) faire des plis.

wrist [rɪst] *n* poignet *m*. ●**wristwatch** *n* montre *f*.

writ [rɪt] *n* acte *m* judiciaire; **to issue a w. against s.o.** assigner qn (en justice).

write [raɪt] *vti* (*pt* **wrote**, *pp* **written**) écrire. ●**write-off** *n* **to be a (complete) w.-off** (*of vehicle*) *Br* être une véritable épave. ●**write-protected** *a* (*diskette*) *Compt* protégé (en écriture). ●**write-up** *n* (*report in newspaper*) compte rendu *m*.

write away for *vt* (*details etc*) écrire pour demander ▌ **to write back** *vi* répondre ▌ **to write down** *vt* noter ▌ **to write in** *vi Radio TV* écrire (**for information/***etc* pour demander des renseignements/*etc*) ▌ **to write off** (*debt*) passer aux profits et pertes; **to w. off for** = **write away for** ▌ **to write out** *vt* (*list, Br cheque, Am check etc*) écrire; (*copy*) recopier ▌ **to write up** *vt* (*notes, diary*) mettre à jour; **to w. up for** = **write away for**.

writer [ˈraɪtər] *n* auteur *m* (**of** de); (*literary*) écrivain *m*.

writhe [raɪð] *vi* (*in pain etc*) se tordre.

writing [ˈraɪtɪŋ] *n* (*handwriting*) écriture *f*; (*literature*) littérature *f*; **writings** (*of author*) écrits *mpl*; **to put sth (down) in w.** mettre qch par écrit; **there's some w.** (*on page*) il y a quelque chose d'écrit; **w. desk** secrétaire *m*; **w. pad** (*for letters etc*) bloc *m* de papier à lettres; (*for notes*) bloc-notes *m*; **w. paper** papier *m* à lettres.

written [ˈrɪt(ə)n] *pp* of **write**.

wrong [rɒŋ] *a* (*sum, idea etc*) faux, fausse), erroné; (*direction, time etc*) mauvais; (*unfair*) injuste; **to be w.** (*of person*) avoir tort (**to do** de faire); (*mistaken*) se tromper; **it's w. to swear/***etc* (*morally*) c'est mal de jurer/*etc*; **it's the w. road** ce n'est pas la bonne route, c'est la mauvaise route; **you're the w. man** (*for job etc*) tu n'es pas l'homme qu'il faut; **the clock's w.** la pendule n'est pas à l'heure; **something's w.** quelque chose ne va pas; **something's w. with the phone/TV/***etc* le téléphone/la télévision/*etc* ne marche pas bien; **something's w. with her arm/leg/***etc* elle a quelque chose au bras/à la jambe/*etc*; **nothing's w.** tout va bien; **what's w. with you?** qu'est-ce que tu as?; **the w. way round** *or* **up the w. way** à l'envers; **to rub s.o. up the w. way** *Fig* prendre qn à rebrousse-poil. ▮ *adv* mal; **to go w.** (*of plan*) mal tourner; (*of vehicle, machine*) tomber en panne; (*of clock, watch, camera*) se détraquer; (*of person*) se tromper; **to get the date/day/***etc* **w.** se tromper de date/de jour/*etc*; **to get the w. number** (*on phone*) se tromper de numéro. ▮ *n* (*injustice*) injustice *f*; (*evil*) mal *m*; **to be in the w.** être dans son tort, avoir tort; **right and w.** le bien et le mal. ▮ *vt* faire (du) tort à (*qn*). ●**wrongdoer** *n* (*criminal*) malfaiteur *m*. ●**wrongful** *a* (*accusation etc*) injustifié; **w. arrest** arrestation *f* arbitraire. ●**wrongfully** *adv* à tort. ●**wrongly** *adv* (*incorrectly*) (*to inform, translate etc*) mal; (*to suspect, accuse, condemn, claim etc*) à tort.

wrote [rəʊt] *pt of* **write**.

wrought [rɔːt] *a* **w. iron** fer *m* forgé. ●**wrought-'iron** *a* (*gate etc*) en fer forgé.

wrung [rʌŋ] *pt & pp of* **wring**.

wry [raɪ] *a* (**wryer, wryest**) (*comment, smile etc*) ironique; **to pull a w. face** grimacer. ●**wryly** *adv* d'un air ironique.

X

X, x [eks] *n* X, x *m*.

xenophobia [*Br* zenəˈfəʊbɪə, *Am* ziːnəʊ-] *n* xénophobie *f*.

Xerox® [ˈzɪərɒks] *n* photocopie *f* ▮ *vt* photocopier.

Xmas [ˈkrɪsməs] *n Fam* Noël *m*.

X-ray [ˈeksreɪ] *n* (*photo*) radio(graphie) *f*; (*beam*) rayon *m* X; **to have an X-ray** passer une radio; **X-ray examination** examen *m* radioscopique ▮ *vt* (*person, organ etc*) radiographier.

xylophone [ˈzaɪləfəʊn] *n* xylophone *m*.

Y

Y, y [waɪ] *n* Y, y *m*.

yacht [jɒt] *n* yacht *m*. ●**yachting** *n* yachting *m*.

yank [jæŋk] *vt Fam* tirer d'un coup sec; **to y. sth off** *or* **out** arracher qch ▮ *n Fam* coup *m* sec.

Yank(ee) [ˈjæŋk(ɪ)] *n Fam* Ricain, -aine *mf*, *Pej* Amerloque *mf*.

yap [jæp] *vi* (**-pp-**) (*of dog*) japper; (*jabber*) *Fam* jacasser.

yard [jɑːd] *n* **1** (*of house, farm, school, prison etc*) cour *f*; (*for storage*) dépôt *m*, chantier *m*; (*garden*) *Am* jardin *m* (à l'arrière d'une maison); (*builder's* y. *Br* chantier *m* de construction. **2** (*measure*) yard *m* (= 91,44 cm). ●**yardstick** *n* (*criterion*) critère *m*; **the y. against which...** le critère selon lequel....

yarn [jɑːn] *n* **1** (*thread*) fil *m*. **2** (*tale*) *Fam* longue histoire *f*.

yawn [jɔːn] *vi* bâiller ▮ *n* bâillement *m*. ●**yawning** *a* (*gulf etc*) béant.

yeah [jeə] *adv* (*yes*) *Fam* ouais.

year [jɪər] *n* an *m*, année *f*; (*of wine*) année *f*; **school/tax/***etc* **y.** année *f* scolaire/fiscale/*etc*; **this y.** cette année; **in the y. 1995** en (l'an) 1995; **he's ten years old** il a dix ans; **New Y. Nouvel An, Nouvelle Année; y. in y. out** une année après l'autre; **New Year's Day** le jour de l'An; **New Year's Eve** la Saint-Sylvestre. ●**yearbook** *n* annuaire *m*. ●**yearly** *a* annuel ▮ *adv* annuellement; **twice y.** deux fois par an.

yearn [jɜːn] *vi* **to y. for s.o.** languir après qn; **to y. for sth** avoir très envie de qch; **to y. to do** avoir très envie de faire. ●**yearning** *n* (*desire*) grande envie *f* (**for** de, **to do** de); (*nostalgia*) nostalgie *f*.

yeast [jiːst] *n* levure *f*.

yell [jel] *vti* **to y. (out)** hurler; **to y. at s.o.** (*scold*) crier après qn ▮ *n* hurlement *m*.

yellow [ˈjeləʊ] **1** *a & n* (*colour*) jaune (*m*) ▮ *vi* jaunir. **2** *a* (*cowardly*) *Fam* froussard. ●**yellowish** *a* jaunâtre.

yelp [jelp] *vi* (*of dog*) japper ▮ *n* jappement *m*.

Yemen [ˈjemən] *n* Yémen *m*.

yen [jen] *n* **1** (*desire*) grande envie *f* (**for** de, **to do** de faire). **2** (*currency*) yen *m*.

yes [jes] *adv* oui; (*contradicting negative question*) si; **aren't you coming? — y. (I am)!** tu ne viens pas? — si! ▮ *n* oui *m inv*.

yesterday [*Br* ˈjestədɪ, *Am* -deɪ] *adv & n* hier (*m*); **y. morning/evening** hier matin/soir; **the day before y.** avant-hier.

yet [jet] **1** *adv* encore; (*already*) déjà; **she hasn't come** (as) **y.** elle n'est pas encore venue; **has he come y.?** est-il déjà arrivé?; **the best y.** le meilleur jusqu'ici; **y. more complicated** (*even more*) encore plus compliqué; **not (just) y.**, *Br* **not y. awhile** pas pour l'instant. **2** *conj* (*nevertheless*) pourtant.

yew [ju:] *n* (*tree, wood*) if *m*.
Yiddish ['jɪdɪʃ] *n* & *a* yiddish (*m*).
yield [ji:ld] *n* (*of farm etc*) rendement *m*; (*profit*) rapport *m* ▌ *vt* (*produce*) produire, rendre; (*profit*) rapporter; (*give up*) céder (**to à**) ▌ *vi* (*surrender, give way*) céder (**to à**); (*of tree, land etc*) rendre; **'y.'** (*road sign*) *Am* 'cédez la priorité or le passage'.
yippee! [jɪ'pi:] *int Fam* hourra!
yob(bo) ['jɒb(əʊ)] *n* (*pl* **yob(bo)s**) *Br Fam Pej* loubar(d) *m*.
yoga ['jəʊɡə] *n* yoga *m*.
yog(h)urt [*Br* 'jɒɡət, *Am* 'jəʊɡɜ:t] *n* yaourt *m*.
yoke [jəʊk] *n* (*for oxen*) & *Fig* joug *m*.
yokel ['jəʊk(ə)l] *n Pej* plouc *m*.
yolk [jəʊk] *n* jaune *m* (d'œuf).
yonder ['jɒndər] *adv Lit* là-bas.
you [ju:] *pron* **1** (*polite form singular*) vous; (*familiar form singular*) tu; (*polite and familiar form plural*) vous; (*object*) te, t'; *pl* vous; (*after prep, 'than', 'it is'*) vous; toi; *pl* vous; (**to**) **y.** (*indirect*) vous; te, t'; *pl* vous; **y. are** vous êtes; **tu es**; **I see y.** je vous vois; je te vois; **I give it to y.** je vous le donne; je te le donne; **with y.** avec vous; avec toi; **y. teachers** vous autres professeurs; **y. idiot!** espèce d'imbécile!
2 (*indefinite*) on; (*object*) vous; te, t'; *pl* vous; **y. never know** on ne sait jamais; **it surprises y.** cela vous surprend; cela te surprend. ●**you'd** = **you had** & **you would**. ●**you'll** = **you will**.
young [jʌŋ] *a* (**-er, -est**) jeune; **my young(er) brother** mon (frère) cadet; **my young(er) sister** ma (sœur) cadette; **her youngest brother** le cadet de ses frères; **my youngest sister** la cadette de mes sœurs; **the youngest son/daughter** le cadet/la cadette ▌ *n* (*of animals*) petits *mpl*; **the y.** (*people*) les jeunes *mpl*; **she's my youngest** (*daughter*) c'est ma petite dernière. ●**young-looking** *a* qui a l'air jeune. ●**youngster** *n* jeune *mf*.
your [jɔ:r] *poss a* (*polite form singular, polite and familiar form plural*) votre, *pl* vos; (*familiar singular*) ton, ta, *pl* tes; (*one's*) son, sa, *pl* ses.
yours [jɔ:z] *poss pron* le vôtre, la vôtre, *pl* les vôtres; (*familiar singular*) le tien, la tienne, *pl* les tien(ne)s; **this book is y.** ce livre est à vous *or* est le vôtre; ce livre est à toi *or* est le tien; **a friend of y.** un ami à vous; un ami à toi.
yourself [jɔ:'self] *pron* (*polite form*) vous-même; (*familiar form*) toi-même; (*reflexive*) vous; te, t'; (*after prep*) vous; toi; **you wash y.** vous vous lavez; tu te laves. ●**yourselves** *pron pl* vous-mêmes; (*reflexive* & *after prep*) vous.
youth [ju:θ] *n* (*pl* **-s** [ju:ðz]) (*age, young people*) jeunesse *f*; (*young man*) jeune *m*; **y. club** maison *f* des jeunes. ●**youthful** *a* (*person*) jeune; (*quality, smile etc*) juvénile, jeune. ●**youthfulness** *n* jeunesse *f*.
you've [ju:v] = **you have**.
yoyo ['jəʊjəʊ] *n* (*pl* **-os**) yo-yo *m inv*.
yucky ['jʌkɪ] *a Fam* dégueulasse.
yummy ['jʌmɪ] *a* (**-ier, -iest**) *Fam* délicieux.
yuppie ['jʌpɪ] *n* jeune cadre *m* dynamique, jeune loup *m*.

Z

Z, z [*Br* zed, *Am* zi:] *n* Z, z *m*.
zany ['zeɪnɪ] *a* (**-ier, -iest**) (*idea, person etc*) farfelu.
zap [zæp] *vt Compir* effacer. ●**zapper** *n* (*for TV channels*) télécommande *f*.
zeal [zi:l] *n* zèle *m*. ●**zealous** ['zeləs] *a* zélé. ●**zealously** *adv* avec zèle.
zebra ['zi:brə, *Br* 'zebrə] *n* zèbre *m*; **z. crossing** *Br* passage *m* pour piétons.
zenith ['zenɪθ] *n* zénith *m*.
zero ['zɪərəʊ] *n* (*pl* **-os**) zéro *m*; **z. hour** (*for military operation*) *Fig* l'heure H.
zest [zest] *n* **1** (*enthusiasm*) entrain *m*; (*spice*) *Fig* piquant *m*; **z. for living** appétit *m* de vivre. **2** (*of lemon, orange*) zeste *m*.
zigzag ['zɪɡzæɡ] *n* zigzag *m* ▌ *a* & *adv* en zigzag ▌ *vi* (**-gg-**) zigzaguer.
Zimbabwe [zɪm'bɑ:bweɪ] *n* Zimbabwe *m*.
zinc [zɪŋk] *n* (*metal*) zinc *m*.
zip [zɪp] **1** *n* (*fastener*) *Br* fermeture *f* éclair®; **z. pocket** poche *f* à fermeture éclair® ▌ *vt* (**-pp-**) **to z.** (**up**) fermer (avec une fermeture éclair®). **2** *n* (*vitality*) *Fam* entrain *m* ▌ *vi* (**-pp-**) (*go quickly*) aller comme l'éclair. **3** *a* **z. code** *Am* code *m* postal. ●**zipper** *n Am* fermeture *f* éclair®.
zit [zɪt] *n* (*pimple*) *Am Fam* bouton *m*.
zither ['zɪðər] *n* cithare *f*.
zodiac ['zəʊdɪæk] *n* zodiaque *m*; **sign of the z.** signe *m* du zodiaque.
zombie ['zɒmbɪ] *n* (*spiritless person*) *Fam* robot *m*, zombie *m*.
zone [zəʊn] *n* zone *f*; (*division of city*) secteur *m*; **time z.** fuseau *m* horaire. ●**zoning** *n* (*in city planning*) *Am* zonage *m*.
zonked [zɒŋkt] *a* **z.** (**out**) *Sl* (*exhausted*) vanné; (*on drugs*) défoncé.
zoo [zu:] *n* (*pl* **zoos**) zoo *m*; **z. keeper** gardien, -ienne *mf* de zoo. ●**zoological** [zu:ə'lɒdʒɪk(ə)l] *a* zoologique. ●**zoology** [zu:'ɒlədʒɪ] *n* zoologie *f*.
zoom [zu:m] **1** *vi* (*rush*) se précipiter; **to z. past** passer comme un éclair. **2** *n* **z. lens** zoom *m* ▌ *vi* **to z. in** (*with camera*) faire un zoom, zoomer (**on** sur).
zucchini [zu:'ki:nɪ] *n* (*pl* **-ni** *or* **-nis**) *Am* courgette *f*.
zwieback ['zwi:bæk] *n* (*rusk*) *Am* biscotte *f*.

FRENCH VERB CONJUGATIONS

Regular Verbs

	-ER Verbs	**-IR Verbs**	**-RE Verbs**
Infinitive	*donn/er*	*fin/ir*	*vend/re*
1 Present	je donne	je finis	je vends
	tu donnes	tu finis	tu vends
	il donne	il finit	il vend
	nous donnons	nous finissons	nous vendons
	vous donnez	vous finissez	vous vendez
	ils donnent	ils finissent	ils vendent
2 Imperfect	je donnais	je finissais	je vendais
	tu donnais	tu finissais	tu vendais
	il donnait	il finissait	il vendait
	nous donnions	nous finissions	nous vendions
	vous donniez	vous finissiez	vous vendiez
	ils donnaient	ils finissaient	ils vendaient
3 Past historic	je donnai	je finis	je vendis
	tu donnas	tu finis	tu vendis
	il donna	il finit	il vendit
	nous donnâmes	nous finîmes	nous vendîmes
	vous donnâtes	vous finîtes	vous vendîtes
	ils donnèrent	ils finirent	ils vendirent
4 Future	je donnerai	je finirai	je vendrai
	tu donneras	tu finiras	tu vendras
	il donnera	il finira	il vendra
	nous donnerons	nous finirons	nous vendrons
	vous donnerez	vous finirez	vous vendrez
	ils donneront	ils finiront	ils vendront
5 Subjunctive	je donne	je finisse	je vende
	tu donnes	tu finisses	tu vendes
	il donne	il finisse	il vende
	nous donnions	nous finissions	nous vendions
	vous donniez	vous finissiez	vous vendiez
	ils donnent	ils finissent	ils vendent
6 Imperative	donne	finis	vends
	donnons	finissons	vendons
	donnez	finissez	vendez
7 Present participle	donnant	finissant	vendant
8 Past participle	donné	fini	vendu

Note The conditional is formed by adding the following endings to the infinitive: -ais, -ais, -ait, -ions, -iez, -aient. Final 'e' is dropped in infinitives ending '-re'.

SPELLING ANOMALIES OF -ER VERBS

Verbs in **-ger** (eg **manger**) take an extra e before endings beginning with o or a: *Present* je mange, nous mangeons; *Imperfect* je mangeais, nous mangions; *Past historic* je mangeai, nous mangeâmes; *Present participle* mangeant. Verbs in **-cer** (eg **commencer**) change c to ç before endings beginning with o or a: *Present* je commence, nous commençons; *Imperfect* je commençais, nous commencions; *Past historic* je commençai, nous commençâmes; *Present participle* commençant. Verbs containing mute e in their penultimate syllable fall into two groups. In the first (eg **mener, peser, lever**), e becomes è before an unpronounced syllable in the present and subjunctive, and in the future and conditional tenses (eg je mène, ils mèneront). The second group contains most verbs ending in **-eler** and **-eter** (eg **appeler, jeter**). These verbs change l to **ll** and t to **tt** before an unpronounced syllable (eg j'appelle, ils appelleront; je jette, ils jetteront). However, the following verbs in **-eler** and **-eter** fall into the first group in which e changes to è before mute e (eg je modèle, ils modèleront; j'achète, ils achèteront): **ciseler, déceler, démanteler, geler, marteler, modeler, peler, receler; acheter, crocheter, fureter, haleter.** Derived verbs (eg **dégeler, racheter**) are conjugated in the same way. Verbs containing e acute in their penultimate syllable change é to è before the unpronounced endings of the present and subjunctive only (eg je cède but je céderai). Verbs in **-yer** (eg **essuyer**) change y to i before an unpronounced syllable in the present and subjunctive, and in the future and conditional tenses (eg j'essuie, ils essuieront). In verbs in **-ayer** (eg **balayer**), y may be retained before mute e (eg je balaie or balaye, ils balaieront or balayeront).

IRREGULAR VERBS

Listed below are those verbs considered to be the most useful. Forms and tenses not given are fully derivable, such as the third person singular of the present tense which is normally formed by substituting 't' for the final 's' of the first person singular, eg 'crois' becomes 'croit', 'dis' becomes 'dit'. Note that the endings of the past historic fall into three categories, the 'a' and 'i' categories shown at *donner*, and at *finir* and *vendre*, and the 'u' category which has the following endings: -us, -ut, -ûmes, -ûtes, -urent. Most of the verbs listed below form their past historic with 'u'. The imperfect may usually be formed by adding -ais, -ait, -ions, -iez, -aient to the stem of the first person plural of the present tense, eg 'je buvais' etc may be derived from 'nous buvons' (stem 'buv-' and ending '-ons'); similarly, the present participle may generally be formed by substituting -ant for -ons (eg buvant). The future may usually be formed by adding -ai, -as, -a, -ons, -ez, -ont to the infinitive or to an infinitive without final 'e' where the ending is -re (eg conduire). The imperative usually has the same forms as the second persons singular and plural and first person plural of the present tense.

1 = Present 2 = Imperfect 3 = Past historic 4 = Future
5 = Subjunctive 6 = Imperative 7 = Present participle
8 = Past participle n = nous v = vous † verbs conjugated with être only.

abattre	*like* **battre**
absoudre	1 j'absous, n absolvons 2 j'absolvais 3 j'absolus (*rarely used*) 5 j'absolve 7 absolvant 8 absous, absoute
†**s'abstenir**	*like* **tenir**
abstraire	1 j'abstrais, n abstrayons 2 j'abstrayais 3 *none* 5 j'abstraie 7 abstrayant 8 abstrait
accourir	*like* **courir**
accroître	*like* **croître** *except* 8 accru

Irregular French Verbs

accueillir	*like* **cueillir**
acquérir	1 j'acquiers, n acquérons 2 j'acquérais 3 j'acquis 4 j'acquerrai 5 j'acquière 7 acquérant 8 acquis
adjoindre	*like* **joindre**
admettre	*like* **mettre**
advenir	*like* **venir** (*but third person only*)
†aller	1 je vais, tu vas, il va, n allons, v allez, ils vont 4 j'irai 5 j'aille, n allions, ils aillent 6 va, allons, allez (*but note* vas-y)
apercevoir	*like* **recevoir**
apparaître	*like* **connaître**
appartenir	*like* **tenir**
apprendre	*like* **prendre**
asseoir	1 j'assieds, il assied, n asseyons, ils asseyent 2 j'asseyais 3 j'assis 4 j'assiérai 5 j'asseye 7 asseyant 8 assis
astreindre	*like* **atteindre**
atteindre	1 j'atteins, n atteignons, ils atteignent 2 j'atteignais 3 j'atteignis 4 j'atteindrai 5 j'atteigne 7 atteignant 8 atteint
avoir	1 j'ai, tu as, il a, n avons, v avez, ils ont 2 j'avais 3 j'eus 4 j'aurai 5 j'aie, il ait, n ayons, ils aient 6 aie, ayons, ayez 7 ayant 8 eu
battre	1 je bats, il bat, n battons 5 je batte
boire	1 je bois, n buvons, ils boivent 2 je buvais 3 je bus 5 je boive, n buvions 7 buvant 8 bu
bouillir	1 je bous, n bouillons, ils bouillent 2 je bouillais 3 *not used* 5 je bouille 7 bouillant
braire	(*defective*) 1 il brait, ils braient 4 il braira, ils brairont
circonscrire	*like* **écrire**
circonvenir	*like* **tenir**
clore	*like* **éclore**
combattre	*like* **battre**
commettre	*like* **mettre**
comparaître	*like* **connaître**
complaire	*like* **plaire**
comprendre	*like* **prendre**
compromettre	*like* **mettre**
concevoir	*like* **recevoir**
conclure	1 je conclus, n concluons, ils concluent 5 je conclue
concourir	*like* **courir**
conduire	1 je conduis, n conduisons 3 je conduisis 5 je conduise 8 conduit
confire	*like* **suffire**
connaître	1 je connais, il connaît, n connaissons 3 je connus 5 je connaisse 7 connaissant 8 connu
conquérir	*like* **acquérir**
consentir	*like* **mentir**
construire	*like* **conduire**
contenir	*like* **tenir**
contraindre	*like* **craindre**
contredire	*like* **dire** *except* 1 v contredisez
convaincre	*like* **vaincre**
convenir	*like* **tenir**
corrompre	*like* **rompre**
coudre	1 je couds, il coud, n cousons, ils cousent 3 je cousis 5 je couse 7 cousant 8 cousu
courir	1 je cours, n courons 3 je courus 4 je courrai 5 je coure 8 couru

(iii)

Irregular French Verbs

couvrir	1 je couvre, n couvrons 2 je couvrais 5 je couvre 8 couvert
craindre	1 je crains, n craignons, ils craignent 2 je craignais 3 je craignis 4 je craindrai 5 je craigne 7 craignant 8 craint
croire	1 je crois, n croyons, ils croient 2 je croyais 3 je crus 5 je croie, n croyions 7 croyant 8 cru
croître	1 je crois, il croît, n croissons 2 je croissais 3 je crûs 5 je croisse 7 croissant 8 crû, crue
cueillir	1 je cueille, n cueillons 2 je cueillais 4 je cueillerai 5 je cueille 7 cueillant
cuire	1 je cuis, n cuisons 2 je cuisais 3 je cuisis 5 je cuise 7 cuisant 8 cuit
débattre	*like* **battre**
décevoir	*like* **recevoir**
déchoir	(*defective*) 1 je déchois 2 *none* 3 je déchus 4 je déchoirai 6 *none* 7 *none* 8 déchu
découdre	*like* **coudre**
découvrir	*like* **couvrir**
décrire	*like* **écrire**
décroître	*like* **croître** *except* 8 décru
†**se dédire**	*like* **dire**
déduire	*like* **conduire**
défaillir	1 je défaille, n défaillons 2 je défaillais 3 je défaillis 5 je défaille 7 défaillant 8 défailli
défaire	*like* **faire**
démentir	*like* **mentir**
démettre	*like* **mettre**
†**se départir**	*like* **mentir**
dépeindre	*like* **atteindre**
déplaire	*like* **plaire**
déteindre	*like* **atteindre**
détenir	*like* **tenir**
détruire	*like* **conduire**
†**devenir**	*like* **tenir**
†**se dévêtir**	*like* **vêtir**
devoir	1 je dois, n devons, ils doivent 2 je devais 3 je dus 4 je devrai 5 je doive, n devions 6 *not used* 7 devant 8 dû, due, *pl* dus, dues
dire	1 je dis, n disons, v dites 2 je disais 3 je dis 5 je dise 7 disant 8 dit
disconvenir	*like* **tenir**
disjoindre	*like* **joindre**
disparaître	*like* **connaître**
dissoudre	*like* **absoudre**
distraire	*like* **abstraire**
dormir	*like* **mentir**
†**échoir**	(*defective*) 1 il échoit 2 *none* 3 il échut, ils échurent 4 il échoira 6 *none* 7 échéant 8 échu
éclore	1 il éclôt, ils éclosent 8 éclos
éconduire	*like* **conduire**
écrire	1 j'écris, n écrivons 2 j'écrivais 3 j'écrivis 5 j'écrive 7 écrivant 8 écrit
élire	*like* **lire**
émettre	*like* **mettre**
émouvoir	*like* **mouvoir** *except* 8 ému
enclore	*like* **éclore**

(iv)

Irregular French Verbs

encourir	*like* **courir**
endormir	*like* **mentir**
enduire	*like* **conduire**
enfreindre	*like* **atteindre**
†s'enfuir	*like* **fuir**
enjoindre	*like* **joindre**
†s'enquérir	*like* **acquérir**
†s'ensuivre	*like* **suivre** (*but third person only*)
entreprendre	*like* **prendre**
entretenir	*like* **tenir**
entrevoir	*like* **voir**
entrouvrir	*like* **couvrir**
envoyer	4 j'enverrai
†s'éprendre	*like* **prendre**
équivaloir	*like* **valoir**
éteindre	*like* **atteindre**
être	1 je suis, tu es, il est, n sommes, v êtes, ils sont 2 j'étais 3 je fus 4 je serai 5 je sois, n soyons, ils soient 6 sois, soyons, soyez 7 étant 8 été
étreindre	*like* **atteindre**
exclure	*like* **conclure**
extraire	*like* **abstraire**
faillir	(*defective*) 3 je faillis 4 je faillirai 8 failli
faire	1 je fais, n faisons, v faites, ils font 2 je faisais 3 je fis 4 je ferai 5 je fasse 7 faisant 8 fait
falloir	(*impersonal*) 1 il faut 2 il fallait 3 il fallut 4 il faudra 5 il faille 6 *none* 7 *none* 8 fallu
feindre	*like* **atteindre**
foutre	1 je fous, n foutons 2 je foutais 3 *none* 5 je foute 7 foutant 8 foutu
frire	(*defective*) 1 je fris, tu fris, il frit 4 je frirai (*rare*) 6 fris (*rare*) 8 frit (*for other persons and tenses use* faire frire)
fuir	1 je fuis, n fuyons, ils fuient 2 je fuyais 3 je fuis 5 je fuie 7 fuyant 8 fui
geindre	*like* **atteindre**
haïr	1 je hais, il hait, n haïssons
inclure	*like* **conclure**
induire	*like* **conduire**
inscrire	*like* **écrire**
instruire	*like* **conduire**
interdire	*like* **dire** *except* 1 v interdisez
interrompre	*like* **rompre**
intervenir	*like* **tenir**
introduire	*like* **conduire**
joindre	1 je joins, n joignons, ils joignent 2 je joignais 3 je joignis 4 je joindrai 5 je joigne 7 joignant 8 joint
lire	1 je lis, n lisons 2 je lisais 3 je lus 5 je lise 7 lisant 8 lu
luire	*like* **nuire**
maintenir	*like* **tenir**
maudire	1 je maudis, n maudissons 2 je maudissais 3 je maudis 4 je maudirai 5 je maudisse 7 maudissant 8 maudit
méconnaître	*like* **connaître**
médire	*like* **dire** *except* 1 v médisez
mentir	1 je mens, n mentons 2 je mentais 5 je mente 7 mentant

Irregular French Verbs

mettre	1 je mets, n mettons 2 je mettais 3 je mis 5 je mette 7 mettant 8 mis
moudre	1 je mouds, il moud, n moulons 2 je moulais 3 je moulus 5 je moule 7 moulant 8 moulu
†**mourir**	1 je meurs, n mourons, ils meurent 2 je mourais 3 je mourus 4 je mourrai 5 je meure, n mourions 7 mourant 8 mort
mouvoir	1 je meus, n mouvons, ils meuvent 2 je mouvais 3 je mus (*rare*) 4 je mouvrai 5 je meuve, n mouvions 8 mû, mue, *pl* mus, mues
†**naître**	1 je nais, il naît, n naissons 2 je naissais 3 je naquis 4 je naîtrai 5 je naisse 7 naissant 8 né
nuire	1 je nuis, n nuisons 2 je nuisais 3 je nuisis 5 je nuise 7 nuisant 8 nui
obtenir	*like* **tenir**
offrir	*like* **couvrir**
omettre	*like* **mettre**
ouvrir	*like* **couvrir**
paître	(*defective*) 1 il paît 2 il paissait 3 *none* 4 il paîtra 5 il paisse 7 paissant 8 *none*
paraître	*like* **connaître**
parcourir	*like* **courir**
parfaire	*like* **faire** except *present tense, infinitive and past participle only*
†**partir**	*like* **mentir**
†**parvenir**	*like* **tenir**
peindre	*like* **atteindre**
percevoir	*like* **recevoir**
permettre	*like* **mettre**
plaindre	*like* **craindre**
plaire	1 je plais, il plaît, n plaisons 2 je plaisais 3 je plus 5 je plaise 7 plaisant 8 plu
pleuvoir	(*impersonal*) 1 il pleut 2 il pleuvait 3 il plut 4 il pleuvra 5 il pleuve 6 *none* 7 pleuvant 8 plu
poindre	(*defective*) 1 il point 4 il poindra 8 point
poursuivre	*like* **suivre**
pourvoir	*like* **voir** except 3 je pourvus *and* 4 je pourvoirai
pouvoir	1 je peux *or* je puis, tu peux, il peut, n pouvons, ils peuvent 2 je pouvais 3 je pus 4 je pourrai 5 je puisse 6 *not used* 7 pouvant 8 pu
prédire	*like* **dire** except 1 v prédisez
prendre	1 je prends, il prend, n prenons, ils prennent 2 je prenais 3 je pris 5 je prenne 7 prenant 8 pris
prescrire	*like* **écrire**
pressentir	*like* **mentir**
prévaloir	*like* **valoir** except 5 je prévale
prévenir	*like* **tenir**
prévoir	*like* **voir** except 4 je prévoirai
produire	*like* **conduire**
promettre	*like* **mettre**
promouvoir	*like* **mouvoir** except 8 promu
proscrire	*like* **écrire**
†**provenir**	*like* **tenir**
rabattre	*like* **battre**
rassèoir	*like* **asseoir**
réapparaître	*like* **connaître**
recevoir	1 je reçois, n recevons, ils reçoivent 2 je recevais 3 je reçus

Irregular French Verbs

	4 je recevrai 5 je reçoive, n recevions, ils reçoivent 7 recevant 8 reçu
reconduire	*like* conduire
reconnaître	*like* connaître
reconquérir	*like* acquérir
reconstruire	*like* conduire
recoudre	*like* coudre
recourir	*like* courir
recouvrir	*like* couvrir
récrire	*like* écrire
recueillir	*like* cueillir
†redevenir	*like* tenir
redire	*like* dire
réduire	*like* conduire
réécrire	*like* écrire
réélire	*like* lire
refaire	*like* faire
rejoindre	*like* joindre
relire	*like* lire
reluire	*like* nuire
remettre	*like* mettre
†renaître	*like* naître
rendormir	*like* mentir
renvoyer	*like* envoyer
†se repaître	*like* paître
reparaître	*like* connaître
†repartir	*like* mentir
repeindre	*like* atteindre
repentir	*like* mentir
reprendre	*like* prendre
reproduire	*like* conduire
résoudre	1 je résous, n résolvons 2 je résolvais 3 je résolus 5 je résolve 7 résolvant 8 résolu
ressentir	*like* mentir
resservir	*like* mentir
ressortir	*like* mentir
restreindre	*like* atteindre
retenir	*like* tenir
retransmettre	*like* mettre
†revenir	*like* tenir
revêtir	*like* vêtir
revivre	*like* vivre
revoir	*like* voir
rire	1 je ris, n rions 2 je riais 3 je ris 5 je rie, n riions 7 riant 8 ri
rompre	*regular except* 1 il rompt
rouvrir	*like* couvrir
satisfaire	*like* faire
savoir	1 je sais, n savons, il savent 2 je savais 3 je sus 4 je saurai 5 je sache 6 sache, sachons, sachez 7 sachant 8 su
séduire	*like* conduire
sentir	*like* mentir
servir	*like* mentir
sortir	*like* mentir
souffrir	*like* couvrir

Irregular French Verbs

soumettre	*like* **mettre**
sourire	*like* **rire**
souscrire	*like* **écrire**
soustraire	*like* **abstraire**
soutenir	*like* **tenir**
†se souvenir	*like* **tenir**
subvenir	*like* **tenir**
suffire	1 je suffis, n suffisons 2 je suffisais 3 je suffis 5 je suffise 7 suffisant 8 suffi
suivre	1 je suis, n suivons 2 je suivais 3 je suivis 5 je suive 7 suivant 8 suivi
surprendre	*like* **prendre**
†survenir	*like* **tenir**
survivre	*like* **vivre**
taire	1 je tais, n taisons 2 je taisais 3 je tus 5 je taise 7 taisant 8 tu
teindre	*like* **atteindre**
tenir	1 je tiens, n tenons, ils tiennent 2 je tenais 3 je tins, tu tins, il tint, n tînmes, v tîntes, ils tinrent 4 je tiendrai 5 je tienne 7 tenant 8 tenu
traduire	*like* **conduire**
traire	*like* **abstraire**
transcrire	*like* **écrire**
transmettre	*like* **mettre**
transparaître	*like* **connaître**
tressaillir	*like* **défaillir**
vaincre	1 je vaincs, il vainc, n vainquons 2 je vainquais 3 je vainquis 5 je vainque 7 vainquant 8 vaincu
valoir	1 je vaux, il vaut, n valons 2 je valais 3 je valus 4 je vaudrai 5 je vaille 6 *not used* 7 valant 8 valu
†venir	*like* **tenir**
vêtir	1 je vêts, n vêtons 2 je vêtais 5 je vête 7 vêtant 8 vêtu
vivre	1 je vis, n vivons 2 je vivais 3 je vécus 5 je vive 7 vivant 8 vécu
voir	1 je vois, n voyons 2 je voyais 3 je vis 4 je verrai 5 je voie, n voyions 7 voyant 8 vu
vouloir	1 je veux, il veut, n voulons, ils veulent 2 je voulais 3 je voulus 4 je voudrai 5 je veuille 6 veuille, veuillons, veuillez 7 voulant 8 voulu

VERBES ANGLAIS IRRÉGULIERS

Infinitif	Prétérit	Participe passé
arise	arose	arisen
awake	awoke	awoken
be	was, were	been
bear	bore	borne
beat	beat	beaten
become	became	become
begin	began	begun
bend	bent	bent
bet	bet, betted	bet, betted
bid	bade, bid	bidden, bid
bind	bound	bound
bite	bit	bitten
bleed	bled	bled
blow	blew	blown
break	broke	broken
breed	bred	bred
bring	brought [brɔ:t]	brought
broadcast	broadcast	broadcast
build	built	built
burn	burnt, burned	burnt, burned
burst	burst	burst
buy	bought [bɔ:t]	bought
cast	cast	cast
catch	caught [kɔ:t]	caught
choose	chose	chosen
cling	clung	clung
come	came	come
cost	cost	cost
creep	crept	crept
cut	cut	cut
deal	dealt [delt]	dealt
dig	dug	dug
dive	dived, *Am* dove [dəʊv]	dived
do	did	done
draw	drew	drawn
dream	dreamed, dreamt [dremt]	dreamed, dreamt
drink	drank	drunk
drive	drove	driven
dwell	dwelt	dwelt
eat	ate [*Br* et, *Am* eɪt]	eaten
fall	fell	fallen
feed	fed	fed
feel	felt	felt
fight	fought [fɔ:t]	fought
find	found	found
flee	fled	fled
fling	flung	flung
fly	flew	flown
forbid	forbade, forbad	forbidden
forecast	forecast	forecast

Verbes anglais irréguliers

Infinitif	Prétérit	Participe passé
foresee	foresaw	foreseen
forget	forgot	forgotten
forgive	forgave	forgiven
forsake	forsook (*rare*)	forsaken
freeze	froze	frozen
get	got	got, *Am* gotten
give	gave	given
go	went	gone
grind	ground	ground
grow	grew	grown
hang	hung, hanged	hung, hanged
have	had	had
hear	heard [hɜ:d]	heard
hide	hid	hidden
hit	hit	hit
hold	held	held
hurt	hurt	hurt
keep	kept	kept
kneel	knelt, kneeled	knelt, kneeled
know	knew	known
lay	laid	laid
lead	led	led
lean	leant [lent], leaned	leant, leaned
leap	leapt [lept], leaped	leapt, leaped
learn	learnt, learned	learnt, learned
leave	left	left
lend	lent	lent
let	let	let
lie	lay	lain
light	lit, lighted	lit, lighted
lose	lost	lost
make	made	made
mean	meant [ment]	meant
meet	met	met
mislay	mislaid	mislaid
mislead	misled	misled
mistake	mistook	mistaken
misunderstand	misunderstood	misunderstood
mow	mowed	mown, mowed
outdo	outdid	outdone
overcome	overcame	overcome
overdo	overdid	overdone
overtake	overtook	overtaken
pay	paid	paid
put	put	put
quit	quit, quitted	quit, quitted
read	read [red]	read
redo	redid	redone
rewind	rewound	rewound
rid	rid	rid
ride	rode	ridden
ring	rang	rung
rise	rose	risen

Verbes anglais irréguliers

Infinitif	Prétérit	Participe passé
run	ran	run
saw	sawed	sawn, sawed
say	said [sed]	said
see	saw	seen
seek	sought [sɔ:t]	sought
sell	sold	sold
send	sent	sent
set	set	set
sew	sewed	sewn, sewed
shake	shook [ʃʊk]	shaken
shed	shed	shed
shine	shone [Br ʃɒn, Am ʃəʊn]	shone
shoot	shot	shot
show	showed	shown, showed
shrink	shrank	shrunk, shrunken
shut	shut	shut
sing	sang	sung
sink	sank	sunk
sit	sat	sat
sleep	slept	slept
slide	slid	slid
sling	slung	slung
slit	slit	slit
smell	smelt, smelled	smelt, smelled
sow	sowed	sown, sowed
speak	spoke	spoken
speed	sped, speeded	sped, speeded
spell	spelt, spelled	spelt, spelled
spend	spent	spent
spill	spilt, spilled	spilt, spilled
spin	spun	spun
spit	spat, spit	spat, spit
split	split	split
spoil	spoilt, spoiled	spoilt, spoiled
spread	spread	spread
spring	sprang	sprung
stand	stood [stʊd]	stood
steal	stole	stolen
stick	stuck	stuck
sting	stung	stung
stink	stank, stunk	stunk
stride	strode	stridden (*rare*)
strike	struck	struck
string	strung	strung
strive	strove	striven
swear	swore	sworn
sweep	swept	swept
swell	swelled	swollen, swelled
swim	swam	swum
swing	swung	swung
take	took [tʊk]	taken
teach	taught [tɔ:t]	taught
tear	tore	torn

Verbes anglais irréguliers

Infinitif	Prétérit	Participe passé
tell	told	told
think	thought [θɔːt]	thought
throw	threw	thrown
thrust	thrust	thrust
tread	trod	trodden
undergo	underwent	undergone
understand	understood	understood
undertake	undertook	undertaken
upset	upset	upset
wake	woke	woken
wear	wore	worn
weave	wove	woven
weep	wept	wept
win	won [wʌn]	won
wind	wound [waʊnd]	wound
withdraw	withdrew	withdrawn
withhold	withheld	withheld
withstand	withstood	withstood
wring	wrung	wrung
write	wrote	written

A

A, a [α] *nm* A, a.
a [a] *voir* **avoir**.
à [a] *prép* (à+**le** = **au** [o], à+**les** = **aux** [o]) **1** (*direction*: *lieu*) to; (*temps*) till, to; **aller à Paris** to go to Paris; **de 3 à 4 h** from 3 till *ou* to 4 (o'clock).
2 (*position*: *lieu*) at, in; (*surface*) on; (*temps*) at; **être au bureau/à la ferme/au jardin/à Paris** to be at *ou* in the office/on *ou* at the farm/in the garden/in Paris; **à la maison** at home; **à l'horizon** on the horizon; **à 8 h** at 8 (o'clock); **à mon arrivée** on (my) arrival; **à lundi!** see you (on) Monday!
3 (*description*) **l'homme à la barbe** the man with the beard; **verre à liqueur** liqueur glass.
4 (*attribution*) **donner/prêter qch à qn** to give/lend sth to s.o., give/lend s.o. sth.
5 (*devant inf*) **apprendre à lire** to learn to read; **travail à faire** work to do; **maison à vendre** house for sale; **'à louer'** *Br* 'to let', *Am* 'to rent'; **prêt à partir** ready to leave.
6 (*appartenance*) **c'est (son livre) à lui** it's his (book); **c'est à vous de** (*décider*, *protester etc*) it's up to you to; (*lire*, *jouer etc*) it's your turn to; **à toi!** your turn!
7 (*prix*) for; **pain à 2F** loaf for 2F.
8 (*poids*) by; **vendre au kilo** to sell by the kilo.
9 (*vitesse*) **100 km à l'heure** 100 km an *ou* per hour.
10 (*moyen*, *manière*) **à bicyclette** by bicycle; **à la main** by hand; **à pied** on foot; **au crayon** with a pencil, in pencil; **à l'encre** in ink; **au galop** at a gallop; **à la française** in the French style *ou* way; **deux à deux** two by two.
11 (*appel*) **au voleur!** (stop) thief!; **au feu!** (there's a) fire!
abaisser [abese] *vt* to lower; **a. qn** to humiliate s.o. ▮ **s'abaisser** *vpr* (*barrière*) to lower; (*température*) to drop; **s'a. à faire** to stoop to doing. ●**abaissement** [-ɛsmã] *nm* (*chute*) drop.
abandon [abɑ̃dɔ̃] *nm* abandonment; desertion; (*de droit*) surrender; (*de sportif*) withdrawal; (*naturel*) abandon; (*confiance*) lack of restraint; **à l'a.** in a neglected state.
abandonner [abɑ̃dɔne] *vt* (*travail*, *tentative*) to give up, abandon; (*endroit*, *animal*) to desert, abandon; (*droit*) to surrender ▮ *vi* to give up; (*sportif*) to withdraw ▮ **s'abandonner** *vpr* (*se confier*) to open up; (*se détendre*) to let oneself go; **s'a. à** to give oneself up to, abandon oneself to.
abasourdir [abazurdir] *vt* to stun, astound.
abat-jour [abaʒur] *nm inv* lampshade.
abats [aba] *nmpl* offal; (*de volaille*) giblets.
abattant [abatɑ̃] *nm* leaf, flap.
abattis [abati] *nmpl* giblets.
abattoir [abatwar] *nm* slaughterhouse.
abattre* [abatr] *vt* (*mur*) to knock down; (*arbre*) to cut down, fell; (*personne*, *gros gibier*) to shoot; (*vache etc*) to slaughter; (*animal blessé*) to put down; (*avion*) to shoot down; (*déprimer*) *Fig* to demoralize; (*épuiser*) *Fig* to exhaust.
▮ **s'abattre** *vpr* (*tomber*) to collapse; (*oiseau*) to swoop down (**sur** on); **s'a. sur** (*pluie*) to come down on; (*tempête*) to hit. ●**abattage** *nm* (*d'arbre*) felling; (*de vache etc*) slaughter(ing). ●**abattement** *nm* (*faiblesse*) exhaustion; (*désespoir*) dejection.
abattu, -ue [abaty] *a* (*triste*) dejected, demoralized; (*faible*) in poor shape, at a low ebb.
abbaye [abei] *nf* abbey.
abbé [abe] *nm* (*chef d'abbaye*) abbot; (*prêtre*) priest. ●**abbesse** *nf* abbess.
abcès [apsɛ] *nm* abscess.
abdiquer [abdike] *vti* to abdicate. ●**abdication** *nf* abdication.
abdomen [abdɔmɛn] *nm* stomach, abdomen. ●**abdominal, -e, -aux** *a* abdominal. ●**abdominaux** *nmpl* (*muscles*) abdominal muscles.
abeille [abɛj] *nf* bee.
aberrant, -ante [aberɑ̃, -ɑ̃t] *a* (*idée etc*) ludicrous, absurd. ●**aberration** *nf* (*égarement*) aberration; (*idée*) ludicrous idea; **dire des aberrations** to talk sheer nonsense.
abhorrer [abɔre] *vt* to abhor, loathe.
abîme [abim] *nm* abyss, chasm, gulf.
abîmer [abime] *vt* to spoil, damage ▮ **s'abîmer** *vpr* to get spoilt; **s'a. dans ses pensées** *Litt* to lose oneself in one's thoughts.
abject, -e [abʒɛkt] *a* abject, despicable.
abjurer [abʒyre] *vti* to abjure.
ablation [ablɑsjɔ̃] *nf* (*d'organe*) removal.
ablutions [ablysjɔ̃] *nfpl* ablutions.
abnégation [abnegɑsjɔ̃] *nf* self-sacrifice, abnegation.
aboiement [abwamã] *nm voir* **aboyer**.
abois (aux) [ozabwa] *adv* at bay.
abolir [abɔlir] *vt* to abolish. ●**abolition** *nf* abolition.
abominable [abɔminabl] *a* terrible. ●**abominablement** *adv* terribly.
abondant, -ante [abɔ̃dɑ̃, -ɑ̃t] *a* plentiful, abundant. ●**abondamment** *adv* abundantly. ●**abondance** *nf* abundance (**de** of); **une a. de** plenty of, an abundance of; **en a.** in abundance; **années d'a.** years of plenty.

abonné

●**abonder** *vi* to abound (**en** in).
abonné, -ée [abɔne] *nmf* (*à un journal, au téléphone*) subscriber; (*de train, d'un théâtre*) & *Sport* season ticket holder; (*du gaz etc*) consumer. ●**abonnement** *nm* subscription; (**carte d'**)**a.** (*de train, de théâtre*) season ticket. ●**s'abonner** *vpr* (*à un journal etc*) to subscribe, take out a subscription (**à** to); *Rail Théâtre etc* to buy a season ticket.
abord [abɔr] *nm* **1** (*accès*) **d'un a. facile** easy to approach. **2** (*vue*) **au premier a.** at first sight. ●**abordable** *a* (*prix, marchandises*) affordable; (*personne*) approachable.
abord (d') [dabɔr] *adv* (*avant tout*) first; (*au début*) (at) first.
aborder [abɔrde] *vi* to land ∎ *vt* (*personne*) to approach, accost; (*lieu*) to approach, reach; (*problème*) to tackle, approach; (*attaquer*) to board (*ship*); (*heurter*) to run foul of (*ship*). ●**abordage** *nm* (*d'un bateau*) (*assaut*) boarding; (*accident*) collision.
abords [abɔr] *nmpl* (*environs*) surroundings; **aux a. de** around, nearby.
aborigène [abɔriʒɛn] *a* & *nm* aboriginal.
aboutir [abutir] *vi* to succeed; **a. à** to end at, lead to, end up in; **n'a. à rien** to come to nothing. ●**aboutissants** *nmpl voir* **tenants**. ●**aboutissement** *nm* (*résultat*) outcome; (*succès*) success.
aboyer [abwaje] *vi* to bark. ●**aboiement** *nm* bark; **aboiements** barking.
abrasif, -ive [abrazif, -iv] *a* & *nm* abrasive.
abréger [abreʒe] *vt* (*récit*) to shorten, abridge; (*mot*) to abbreviate. ●**abrégé** *nm* summary; **en a.** (*phrase*) in shortened form; (*mot*) in abbreviated form.
abreuver [abrœve] *vt* (*cheval*) to water ∎ **s'abreuver** *vpr* to drink. ●**abreuvoir** *nm* (*lieu*) watering place; (*récipient*) drinking trough.
abréviation [abrevjasjɔ̃] *nf* abbreviation.
abri [abri] *nm* shelter; **a. (de jardin)** (garden) shed; **à l'a. de** (*vent*) sheltered from; (*besoin*) safe from; **sans a.** homeless.
Abribus® [abribys] *nm* bus shelter.
abricot [abriko] *nm* apricot. ●**abricotier** *nm* apricot tree.
abriter [abrite] *vt* (*protéger*) to shelter; (*loger*) to house ∎ **s'abriter** *vpr* to (take) shelter.
abroger [abrɔʒe] *vt* to repeal.
abrupt, -e [abrypt] *a* (*pente, versant etc*) steep, sheer, abrupt; (*personne*) abrupt.
abrutir [abrytir] *vt* **a. qn** (*travail, télévision etc*) to turn s.o. into a vegetable; (*alcool*) to stupefy s.o.; (*propagande*) to brutalize s.o. ●**abruti, -ie** *nmf* idiot ∎ *a* idiotic.
absence [apsɑ̃s] *nf* absence. ●**absent, -ente** *a* (*personne*) absent, away; (*chose*) missing; **air a.** faraway look ∎ *nmf* absentee. ●**absentéisme** *nm* absenteeism. ●**s'absenter** *vpr* to go away.
abside [apsid] *nf* (*d'une église*) apse.
absolu, -ue [apsɔly] *a* absolute. ●**absolument** *adv* absolutely.

absolution [apsɔlysjɔ̃] *nf* absolution.
absorber [apsɔrbe] *vt* to absorb; (*manger*) to eat; (*médicament*) to take. ●**absorbant, -ante** *a* (*papier*) absorbent; (*travail, lecture*) absorbing. ●**absorption** *nf* absorption.
absoudre* [apsudr] *vt Rel Jur etc* to absolve.
abstenir* (s') [sapstənir] *vpr* (*ne pas voter*) to abstain; **s'a. de qch/de faire** to refrain from sth/from doing. ●**abstention** *nf Pol* abstention.
abstinence [apstinɑ̃s] *nf* abstinence.
abstraire* [apstrɛr] *vt* to abstract. ●**abstrait, -aite** *a* abstract. ●**abstraction** *nf* abstraction; **faire a. de** to disregard, leave aside.
absurde [apsyrd] *a* absurd ∎ *nm* absurd. ●**absurdité** *nf* absurdity; **dire des absurdités** to talk nonsense.
abus [aby] *nm* abuse, misuse (**de** of); (*de nourriture*) over-indulgence (**de** in); (*injustice*) abuse; **a. d'alcool** alcohol abuse; **a. de tabac** excessive smoking. ●**abuser 1** *vi* to go too far; **a. de** (*situation, personne*) to take unfair advantage of; (*autorité*) to abuse, misuse; (*friandises etc*) to over-indulge in. **2 s'abuser** *vpr* to be mistaken.
abusif, -ive [abyzif, -iv] *a* excessive; **emploi a.** *Ling* improper use, misuse. ●**abusivement** *adv* (*employer un mot*) improperly.
acabit [akabi] *nm* **de cet a.** *Péj* of that ilk *ou* sort.
acacia [akasja] *nm* (*arbre*) acacia.
académie [akademi] *nf* academy; (*administration scolaire*) = (regional) education authority. ●**académicien, -ienne** *nmf* académicien. ●**académique** *a* academic.
acajou [akaʒu] *nm* mahogany; **cheveux a.** auburn hair.
acariâtre [akarjɑtr] *a* cantankerous.
accablement [akabləmɑ̃] *nm* dejection.
accabler [akable] *vt* to overwhelm (**de** with); **a. d'injures** to heap insults upon; **accablé de dettes** (over)burdened with debt; **accablé de chaleur** overcome by heat; **chaleur accablante** oppressive heat.
accalmie [akalmi] *nf* lull.
accaparer [akapare] *vt* to monopolize; (*personne*) *Fam* to take up all the time of.
accéder [aksede] *vi* **a. à** (*lieu*) to reach, have access to; (*pouvoir, trône, demande*) to accede to.
accélérer [akselere] *vi* (*dans un véhicule*) to accelerate ∎ *vt* (*travaux etc*) to speed up; (*allure, pas*) to quicken, speed up. ●**s'accélérer** *vpr* to speed up. ●**accélérateur** *nm* (*pédale etc*) accelerator. ●**accélération** *nf* acceleration; (*des travaux etc*) speeding up.
accent [aksɑ̃] *nm* accent; (*sur une syllabe*) stress; **mettre l'a. sur** to stress ∎ **accentuation** *nf* accentuation. ●**accentuer** *vt* to emphasize, accentuate, stress ∎ **s'accentuer** *vpr* to become more pronounced.
accepter [aksɛpte] *vt* to accept; **a. de faire** to agree to do. ●**acceptable** *a* acceptable. ●**acceptation** *nf* acceptance.

acception [aksɛpsjɔ̃] *nf* sense, meaning.
accès [aksɛ] *nm* 1 access (à to); 'a. interdit' 'no entry'; **les a. de** (*routes*) the approaches to. 2 (*de folie, colère, toux*) fit; (*de fièvre*) bout, attack. ● **accessible** *a* accessible; (*personne*) approachable. ● **accession** *nf* accession (à to); (*à un traité*) adherence; **a. à la propriété** home ownership.
accessoire [akseswar] *a* secondary. ● **accessoires** *nmpl* (*de théâtre*) props; (*de voiture etc*) accessories; **a. de toilette** toilet requisites, toiletries.
accident [aksidɑ̃] *nm* accident; **a. d'avion/de train** plane/train crash; **par a.** by accident, by chance. ● **accidenté, -ée** *a* (*terrain*) uneven; (*région*) hilly; (*voiture*) damaged (in an accident) ∎ *nmf* accident victim, casualty. ● **accidentel, -elle** *a* accidental. ● **accidentellement** *adv* accidentally, unintentionally.
acclamer [aklame] *vt* to cheer, acclaim. ● **acclamations** *nfpl* cheers.
acclimater [aklimate] *vt*, **s'acclimater** *vpr* Br to acclimatize, Am acclimate. ● **acclimatation** *nf* Br acclimatization, Am acclimation.
accointances [akwɛ̃tɑ̃s] *nfpl* (*relations*) Péj contacts.
accolade [akɔlad] *nf* (*embrassade*) embrace; (*signe*) Typ bracket.
accoler [akɔle] *vt* to place (side by side) (à against).
accommoder [akɔmɔde] *vt* to adapt; (*assaisonner*) to prepare; **s'a. à** to adapt (oneself) to; **s'a. de** to make the best of. ● **accommodant, -ante** *a* accommodating, easy to please. ● **accommodement** *nm* arrangement, compromise.
accompagner [akɔ̃paɲe] *vt* (*personne*) to go *ou* come with, accompany, escort; (*chose, musicien*) to accompany; **s'a. de** to be accompanied by, go with. ● **accompagnateur, -trice** *nmf* (*musical*) accompanist; (*de touristes etc*) guide. ● **accompagnement** *nm* Mus accompaniment.
accomplir [akɔ̃plir] *vt* to carry out, fulfil, accomplish. ● **accompli, -ie** *a* accomplished. ● **accomplissement** *nm* fulfilment.
accord [akɔr] *nm* agreement; (*harmonie*) harmony; (*musical*) chord; **être d'a.** to agree, be in agreement (**avec** with); **d'a.!** all right!
accordéon [akɔrdeɔ̃] *nm* accordion; **en a.** (*chaussette etc*) wrinkled.
accorder [akɔrde] *vt* (*donner*) to grant; (*instrument*) to tune; (*verbe, adjectif*) to make agree ∎ **s'accorder** *vpr* (*s'entendre*) to get along; (*mots*) to agree (**avec** with).
accoster [akɔste] *vt* to accost; (*navire, quai etc*) to come alongside ∎ *vi* Nau to berth.
accotement [akɔtmɑ̃] *nm* roadside, shoulder, Br verge.
accoucher [akuʃe] *vi* to give birth (**de** to) ∎ *vt* (*enfant*) to deliver. ● **accouchement** *nm* delivery. ● **accoucheur** *nm* (*médecin*) a. obstetrician.

accouder (s') [sakude] *vpr* **s'a. à** *ou* **sur** to lean on (*with one's elbows*). ● **accoudoir** *nm* armrest.
accoupler [akuple] *vt* (*roues, bœufs etc*) to couple (à to) ∎ **s'accoupler** *vpr* (*animaux*) to mate (à with). ● **accouplement** *nm* coupling; (*d'animaux*) mating.
accourir* [akurir] *vi* to come running, run over.
accoutrement [akutrəmɑ̃] *nm* Péj garb, dress.
accoutumer [akutyme] *vt* to accustom. ● **s'accoutumer** *vpr* to get accustomed (à to); **comme à l'accoutumée** as usual. ● **accoutumance** *nf* familiarization (à with); (*dépendance*) Méd addiction.
accréditer [akredite] *vt* (*ambassadeur*) to accredit; (*rumeur*) to lend credence to.
accroc [akro] *nm* (*déchirure*) tear; (*difficulté*) hitch, snag.
accrocher [akrɔʃe] *vt* (*déchirer*) to catch; (*fixer*) to hook; (*suspendre*) to hang up (*on a hook*); (*heurter*) to hit, knock ∎ *vi* (*affiche etc*) to grab one's attention ∎ **s'accrocher** *vpr* (*ne pas céder*) to persevere; (*se disputer*) Fam to clash; **s'a. à** (*se cramponner etc*) to cling to; (*s'écorcher*) to catch oneself on. ● **accrochage** *nm* (*de véhicules*) minor collision, knock; (*friction*) Fam clash. ● **accrocheur, -euse** *a* (*personne*) tenacious; (*affiche etc*) eyecatching, catchy.
accroître* [akrwatr] *vt* to increase ∎ **s'accroître** *vpr* to increase, grow. ● **accroissement** *nm* increase; growth.
accroupir (s') [sakrupir] *vpr* to squat *ou* crouch (down). ● **accroupi, -ie** *a* squatting, crouching.
accueil [akœj] *nm* welcome, reception. ● **accueillir*** *vt* to receive, welcome, greet. ● **accueillant, -ante** *a* welcoming.
acculer [akyle] *vt* **a. qn à qch** to drive s.o. to *ou* against sth.
accumuler [akymyle] *vt*, **s'accumuler** *vpr* to pile up, accumulate. ● **accumulateur** *nm* accumulator, battery. ● **accumulation** *nf* accumulation.
accuser [akyze] *vt* (*dénoncer*) to accuse; (*rendre responsable*) to blame (**de** for); (*révéler*) to show; (*faire ressortir*) to bring out; **a. réception** to acknowledge receipt (**de** of); **a. le coup** to stagger under the blow. ● **accusé, -ée 1** *nmf* **l'a.** the accused; (*cour d'assises*) the defendant. **2** *a* (*trait etc*) prominent. ● **accusateur, -trice** *a* (*regard*) accusing; (*document*) incriminating ∎ *nmf* accuser. ● **accusation** *nf* accusation; (*au tribunal*) charge.
acerbe [asɛrb] *a* bitter, caustic.
acéré, -ée [asere] *a* sharp.
acétate [acetat] *nm* acetate. ● **acétique** *a* acetic.
achalandé, -ée [aʃalɑ̃de] *a* **bien a.** (*magasin*) well-stocked.
acharner (s') [saʃarne] *vpr* **s'a. sur** (*attaquer*) to set upon, lay into; **s'a. contre**

achat

(*poursuivre*) to pursue (relentlessly); **s'a. à faire** to struggle to do, try desperately to do. ●**acharné, -ée** *a* (*effort, travail*) relentless; (*combat*) fierce, furious ∎ *nmf* (*du jeu etc*) fanatic. ●**acharnement** *nm* (*au travail*) (stubborn) determination; (*dans un combat*) fury.
achat [aʃa] *nm* purchase; **achats** shopping.
acheminer [aʃmine] *vt* to dispatch ∎ **s'acheminer** *vpr* to proceed (**vers** towards).
acheter [aʃte] *vti* to buy, purchase; **a. à qn** (*vendeur*) to buy from s.o.; (*pour qn*) to buy for s.o. ●**acheteur, -euse** *nmf* buyer, purchaser; (*dans un magasin*) shopper.
achever [aʃve] *vt* to finish (off); **a. de faire qch** (*personne*) to finish doing sth; **a. qn** (*tuer*) to finish s.o. off ∎ **s'achever** *vpr* to end, finish. ●**achèvement** *nm* completion.
achoppement [aʃɔpmã] *nm* **pierre d'a.** stumbling block.
acide [asid] *a* acid, sour ∎ *nm* acid. ●**acidité** *nf* acidity.
acier [asje] *nm* steel. ●**aciérie** *nf* steelworks.
acné [akne] *nf* acne.
acolyte [akɔlit] *nm* *Péj* confederate, associate.
acompte [akɔ̃t] *nm* part payment, deposit.
à-côté [akote] *nm* (*d'une question*) side issue; **à-côtés** (*gains*) little extras.
à-coup [aku] *nm* jerk, jolt; **sans à-coups** smoothly; **par à-coups** in fits and starts.
acoustique [akustik] *a* acoustic ∎ *nf* acoustics.
acquérir* [akerir] *vt* (*acheter*) to purchase; (*obtenir*) to acquire, gain; **s'a. une réputation/***etc* to win a reputation/*etc*; **être acquis à** (*idée, parti*) to be a supporter of. ●**acquéreur** *nm* purchaser. ●**acquis** *nm* experience. ●**acquisition** *nf* (*achat*) purchase; (*de connaissances etc*) acquisition.
acquiescer [akjese] *vi* to acquiesce (**à** to). ●**acquiescement** *nm* acquiescence.
acquit [aki] *nm* receipt; **'pour a.'** 'paid'; **par a. de conscience** to ease one's conscience.
acquitter [akite] *vt* (*dette*) to clear, pay; (*accusé*) to acquit; **s'a. de** (*devoir, promesse*) to discharge; **s'a. envers qn** to repay s.o. ●**acquittement** *nm* (*d'un accusé*) acquittal; (*de dette*) payment.
âcre [akr] *a* bitter, acrid, pungent.
acrobate [akrɔbat] *nmf* acrobat. ●**acrobatie(s)** [-basi] *nf(pl)* acrobatics. ●**acrobatique** *a* acrobatic.
acrylique [akrilik] *a* & *nm* acrylic.
acte [akt] *nm* (*action*) act, deed; (*de pièce de théâtre*) act; **un a. de courage/bonté/***etc* an act of courage/kindness/*etc*; **un a. terroriste** a terrorist action *ou* act; **a. de naissance** birth certificate; **prendre a. de** to take note of.
acteur, -trice [aktœr, -tris] *nmf* actor, actress.
actif, -ive [aktif, -iv] *a* active ∎ *nm* *Grammaire* active; (*d'une entreprise*) assets; **à son a.** to one's credit; (*vols, meurtres*) *Hum* to one's name.
action [aksjɔ̃] *nf* action; (*en Bourse*) share. ●**actionnaire** *nmf* shareholder.
actionner [aksjɔne] *vt* to set in motion, activate, actuate.
activer [aktive] *vt* (*accélérer*) to speed up; **a. le feu** (*avec un tisonnier*) to stoke up the fire; (*en soufflant*) to fan the fire ∎ **s'activer** *vpr* to bustle about; (*se dépêcher*) *Fam* to get a move on.
activiste [aktivist] *nmf* activist.
activité [aktivite] *nf* activity; **en a.** (*personne*) fully active; (*volcan*) active.
actuaire [aktɥɛr] *nmf* actuary.
actualité [aktɥalite] *nf* (*d'un problème*) topicality; (*événements*) current events; **actualités** (*télévisées*) news; **d'a.** topical.
actuel, -elle [aktɥɛl] *a* (*présent*) present; (*contemporain*) topical. ●**actuellement** *adv* at present, at the present time.
acuité [akɥite] *nf* (*de douleur*) acuteness; (*de vision*) keenness.
acupuncture [akypɔ̃ktyr] *nf* acupuncture. ●**acupuncteur, -trice** *nmf* acupuncturist.
adage [adaʒ] *nm* (*maxime*) adage.
adapter [adapte] *vt* to adapt; (*ajuster*) to fit (**à** to); **s'a. à** (*s'habituer*) to adapt to, adjust to; (*tuyau etc*) to fit. ●**adaptable** *a* adaptable. ●**adaptateur, -trice** *nmf* adapter. ●**adaptation** *nf* adjustment; (*de roman, pièce*) adaptation.
additif [aditif] *nm* additive.
addition [adisjɔ̃] *nf* addition; (*au restaurant*) *Br* bill, *Am* check. ●**additionner** *vt* to add (**à** to); (*nombres*) to add up.
adepte [adɛpt] *nmf* follower.
adéquat, -ate [adekwa, -at] *a* appropriate.
adhérer [adere] *vi* **a. à** (*coller*) to stick to; (*s'inscrire*) to join; (*pneu*) to grip (*road*). ●**adhérence** *nf* (*de pneu*) grip. ●**adhérent, -ente** *nmf* member.
adhésif, -ive [adezif, -iv] *a* adhesive, sticky ∎ *nm* adhesive. ●**adhésion** *nf* membership; (*accord*) support.
adieu, -x [adjø] *int* & *nm* farewell, goodbye.
adipeux, -euse [adipø, -øz] *a* (*tissu*) fatty; (*visage*) fat.
adjacent, -ente [adʒasɑ̃, -ɑ̃t] *a* (*maison, angles etc*) adjacent.
adjectif [adʒɛktif] *nm* adjective.
adjoindre* [adʒwɛ̃dr] *vt* (*associer*) to appoint (*s.o.*) as an assistant (**à** to); (*ajouter*) to add; **s'a. qn** to appoint s.o. ●**adjoint, -ointe** *nmf* & *a* assistant; **a. au maire** deputy mayor.
adjudant [adʒydɑ̃] *nm* warrant officer.
adjuger [adʒyʒe] *vt* (*accorder*) to award (*prize etc*); **s'a. qch** *Fam* to grab sth for oneself.
adjurer [adʒyre] *vt* to beseech, entreat.
admettre* [admɛtr] *vt* (*laisser entrer, accueillir*) to admit; (*reconnaître*) to admit, acknowledge (**que** that); (*autoriser, tolérer*) to allow; (*supposer*) to admit, suppose; (*candidat*) to pass; **être admis à** (*examen*) to have passed.
administrer [administre] *vt* (*gérer, donner*) to administer. ●**administrateur, -trice** *nmf*

administrator. ●**administratif, -ive** *a* administrative. ●**administration** *nf* administration; **l'A.** (*service public*) government service, the Civil Service.
admirer [admire] *vt* to admire. ●**admirable** *a* admirable. ●**admirateur, -trice** *nmf* admirer. ●**admiratif, -ive** *a* admiring. ●**admiration** *nf* admiration.
admissible [admisibl] *a* (*tolérable*) acceptable, admissible; (*après un concours*) eligible (à for). ●**admission** *nf* admission.
adolescent, -ente [adɔlesɑ̃, -ɑ̃t] *nmf* adolescent, teenager ‖ *a* teenage. ●**adolescence** *nf* adolescence, *Fam* teens.
adonner (s') [sadɔne] *vpr* **s'a. à** (*boisson*) to take to; (*étude*) to devote oneself to.
adopter [adɔpte] *vt* to adopt. ●**adoptif, -ive** *a* (*fils, patrie*) adopted. ●**adoption** *nf* adoption; **suisse d'a.** Swiss by adoption.
adorer [adɔre] *vt* (*dieu etc*) to worship; (*chose, personne*) to love, adore; **a. faire** to love *ou* adore doing. ●**adorable** *a* adorable. ●**adoration** *nf* worship, adoration; **être en a. devant** to worship, love, adore.
adosser [adose] *vt* **a. qch à** to lean sth back against; **s'a. à** to lean back against.
adoucir [adusir] *vt* (*voix, traits etc*) to soften; (*boisson*) to sweeten; (*chagrin*) to mitigate, ease ‖ **s'adoucir** *vpr* (*temps*) to turn milder; (*caractère*) to mellow. ●**adoucissement** *nm* **a. de la température** milder weather.
adrénaline [adrenalin] *nf* adrenalin(e).
adresse [adrɛs] *nf* **1** (*domicile*) address. **2** (*habileté*) skill. ●**adresser** *vt* (*lettre*) to send; (*compliment, remarque etc*) to address; (*coup*) to direct, aim; (*personne*) to direct (à to); **a. la parole à** to speak to; **s'a. à** to speak to; (*aller trouver*) to go and see; (*bureau*) to inquire at; (*être destiné à*) to be aimed at.
Adriatique [adriatik] *nf* **l'A.** the Adriatic.
adroit, -oite [adrwa, -wat] *a* skilful, clever.
adulation [adylasjɔ̃] *nf* adulation.
adulte [adylt] *nmf* adult, grown-up ‖ *a* (*personne, animal, attitude etc*) adult; **être a.** to be an adult *ou* a grown-up.
adultère [adyltɛr] *a* adulterous ‖ *nm* adultery.
advenir* [advənir] *v imp* to occur; **a. de** (*devenir*) to become of; **advienne que pourra** come what may.
adverbe [advɛrb] *nm* adverb. ●**adverbial, -e, -aux** *a* adverbial.
adversaire [advɛrsɛr] *nmf* opponent, adversary. ●**adverse** *a* opposing.
adversité [advɛrsite] *nf* adversity.
aérer [aere] *vt* (*chambre, classe etc*) to air (out), ventilate; (*lit*) to air (out) ‖ **s'aérer** *vpr Fam* to get some air. ●**aéré, -ée** *a* (*pièce etc*) airy; (*texte*) nicely spaced, uncluttered. ●**aération** *nf* ventilation.
aérien, -ienne [aerjɛ̃, -jɛn] *a* (*transport, attaque etc*) air; (*photo*) aerial; (*câble*) overhead; (*léger*) airy; **ligne aérienne** airline.
aérobic [aerɔbik] *nf* aerobics.

aéro-club [aerɔklœb] *nm* flying club. ●**aérodrome** *nm* aerodrome. ●**aérodynamique** *a* streamlined, aerodynamic. ●**aérogare** *nf* air terminal. ●**aéroglisseur** *nm* hovercraft. ●**aérogramme** *nm* air letter. ●**aéromodélisme** *nm* model aircraft building and flying. ●**aéronautique** *nf* aeronautics. ●**aéronavale** *nf* = *Br* Fleet Air Arm, = *Am* Naval Air Force. ●**aéroport** *nm* airport. ●**aéroporté, -ée** *a* airborne. ●**aérosol** *nm* aerosol.
affable [afabl] *a* affable.
affaiblir [afeblir] *vt*, **s'affaiblir** *vpr* to weaken.
affaire [afɛr] *nf* (*question*) matter, affair; (*marché*) deal; (*firme*) concern, business; (*scandale*) affair; (*procès*) case; **affaires** (*commerce*) business; (*d'intérêt public, personnel*) affairs; (*effets*) belongings, things; **avoir a. à** to have to deal with; **c'est mon a.** that's my business *ou* affair *ou* concern; **faire une bonne a.** to get a good deal, get a bargain; **ça fera l'a.** that will do nicely; **c'est toute une a.** (*histoire*) it's quite a business.
affairer (s') [safere] *vpr* to run *ou* bustle about, busy oneself. ●**affairé, -ée** *a* busy.
affaisser (s') [safese] *vpr* (*personne*) to collapse; (*plancher*) to cave in, give way; (*sol*) to subside, sink. ●**affaissement** [afɛsmɑ̃] *nm* (*du sol*) subsidence.
affaler (s') [safale] *vpr* to flop down, collapse.
affamé, -ée [afame] *a* starving; **a. de** (*gloire etc*) hungry for.
affecter [afɛkte] *vt* (*nommer à un poste*) to post; (*destiner*) to earmark, assign; (*feindre, émouvoir*) to affect. ●**affecté, -ée** *a* (*manières, personne*) affected. ●**affectation** *nf* (*de fonctionnaire etc*) posting; (*de somme etc*) assignment; (*simulation*) affectation.
affectif, -ive [afɛktif, -iv] *a* emotional.
affection [afɛksjɔ̃] *nf* (*attachement*) affection; (*maladie*) ailment. ●**affectionner** *vt* to be fond of. ●**affectionné, -ée** *a* loving.
affectueux, -euse [afɛktɥø, -øz] *a* affectionate, loving.
affermir [afɛrmir] *vt* (*autorité*) to strengthen; (*muscles*) to tone up; (*voix*) to steady.
affiche [afiʃ] *nf* notice; (*publicitaire etc*) poster; *Th* (play) bill. ●**afficher** *vt* (*avis, affiche etc*) to put up, stick *ou* post up; (*concert, réunion etc*) to put up a notice about; (*sentiment*) *Péj* to display; *Ordinat* to display (*message*). ●**affichage** *nm* (bill-)posting; *Ordinat* display; '**a. interdit**' 'stick no bills'; **panneau d'a.** *Br* hoarding, *Am* billboard.
affilée (d') [dafile] *adv* (*à la suite*) in a row, at a stretch.
affiler [afile] *vt* to sharpen.
affilier (s') [safilje] *vpr* **s'a. à** to join, become affiliated to. ●**affiliation** *nf* affiliation.
affiner [afine] *vt* to refine.
affinité [afinite] *nf* affinity.
affirmatif, -ive [afirmatif, -iv] *a* (*ton*) assertive, positive; (*proposition*) affirmative; **il a été a.** he was quite positive ‖ *nf* **répondre par l'affirmative** to reply in the affirmative.

affirmer

affirmer [afirme] *vt* to assert; (*proclamer solennellement*) to affirm. ●**affirmation** *nf* assertion.

affleurer [aflœre] *vi* to appear on the surface.

affliger [aflige] *vt* to distress; **affligé de** stricken *ou* afflicted with.

affluence [aflyɑ̃s] *nf* crowd; **heure(s) d'a.** rush hour(s).

affluent [aflyɑ̃] *nm* tributary.

affluer [aflye] *vi* (*sang*) to flow, rush; (*gens*) to flock. ●**afflux** *nm* flow; (*arrivée*) influx.

affoler [afɔle] *vt* to drive crazy; (*effrayer*) to terrify ▮ **s'affoler** *vpr* to panic. ●**affolant, -ante** *a* terrifying. ●**affolement** *nm* panic.

affranchir [afrɑ̃ʃir] *vt* (*timbrer*) to stamp (*letter*); (*émanciper*) to free. ●**affranchissement** *nm* tarifs d'a. postage.

affréter [afrete] *vt* (*avion*) to charter; (*navire*) to freight.

affreux, -euse [afrø, -øz] *a* horrible, dreadful, awful. ●**affreusement** *adv* dreadfully, awfully.

affriolant, -ante [afriɔlɑ̃, ɑ̃t] *a* enticing.

affront [afrɔ̃] *nm* insult, affront; **faire un a. à** to insult.

affronter [afrɔ̃te] *vt* to confront, face; (*mauvais temps, difficultés etc*) to brave. ●**affrontement** *nm* confrontation.

affubler [afyble] *vt* Péj to dress, rig out (**de** in).

affût [afy] *nm* à l'a. de Fig on the lookout for.

affûter [afyte] *vt* (*outil*) to sharpen, grind.

Afghanistan [afganistɑ̃] *nm* Afghanistan.

afin [afɛ̃] *prép* a. de (+ *inf*) in order to ▮ *conj* a. que (+ *sub*) so that.

Afrique [afrik] *nf* Africa. ●**africain, -aine** *a* African ▮ *nmf* **A.**, **Africaine** African.

agacer [agase] *vt* (*personne*) to irritate, annoy. ●**agacement** *nm* irritation.

âge [ɑʒ] *nm* age; **quel â. as-tu?** how old are you?; **avant l'â.** before one's time; **d'un certain â.** middle-aged; **d'un â. avancé** elderly; **l'â. adulte** adulthood; **la force de l'â.** the prime of life; **le moyen â.** the Middle Ages. ●**âgé, -ée** *a* old, elderly; â. de six ans six years old; un enfant â. de six ans a six-year-old child.

agence [aʒɑ̃s] *nf* agency; (*succursale*) branch office; **a. immobilière** *Br* estate agent's office, *Am* real estate office.

agencer [aʒɑ̃se] *vt* to arrange; **bien agencé** (*maison etc*) well laid-out; (*phrase*) well put-together. ●**agencement** *nm* (*de maison etc*) layout.

agenda [aʒɛ̃da] *nm Br* diary, *Am* datebook.

agenouiller (s') [saʒnuje] *vpr* to kneel (down); **être agenouillé** to be kneeling (down).

agent [aʒɑ̃] *nm* agent; **a. (de police)** policeman; **a. de change** stockbroker; **a. immobilier** *Br* estate agent, *Am* real estate agent.

aggloméré [aglɔmere] *nm* (*bois*) chipboard, fibreboard.

agglomérer (s') [saglɔmere] *vpr* (*s'entasser*) to conglomerate. ●**agglomération** *nf* conglomeration; (*habitations*) built-up area; (*ville*) town.

aggraver [agrave] *vt* to worsen, make worse; (*peine*) *Jur* to increase ▮ **s'aggraver** *vpr* to worsen, get worse. ●**aggravation** *nf* worsening.

agile [aʒil] *a* agile, nimble. ●**agilité** *nf* agility, nimbleness.

agir [aʒir] **1** *vi* to act; **a. auprès de** to intercede with. **2 s'agir** *v imp* **il s'agit d'argent/etc** it's a question *ou* matter of money/etc, it concerns money/etc; **de quoi s'agit-il?** what is it?, what's it about?; **il s'agit de se dépêcher/etc** we have to hurry/etc. ●**agissant, -ante** *a* active, effective. ●**agissements** *nmpl Péj* dealings.

agitation [aʒitɑsjɔ̃] *nf* (*de la mer*) roughness; (*d'une personne*) restlessness; (*nervosité*) agitation; (*de la rue*) bustle; (*politique*) unrest.

agiter [aʒite] *vt* (*remuer*) to stir; (*secouer*) to shake; (*brandir*) to wave; (*troubler*) to agitate; (*discuter*) to debate ▮ **s'agiter** *vpr* (*enfant*) to fidget; (*peuple*) to stir. ●**agité, -ée** *a* (*mer*) rough; (*personne*) restless, agitated; (*enfant*) fidgety, restless. ●**agitateur, -trice** *nmf* (*political*) agitator.

agneau, -x [aɲo] *nm* lamb.

agonie [agɔni] *nf* death throes; **être à l'a.** to be suffering the pangs of death. ●**agoniser** *vi* to be dying.

agrafe [agraf] *nf* hook; (*pour papiers*) staple. ●**agrafer** *vt* to fasten, do up, hook; (*papiers*) to staple. ●**agrafeuse** *nf* stapler.

agrandir [agrɑ̃dir] *vt* to enlarge; (*grossir*) to magnify ▮ **s'agrandir** *vpr* to expand, grow. ●**agrandissement** *nm* (*de ville*) expansion; (*de maison*) extension; (*de photo*) enlargement.

agréable [agreabl] *a* pleasant, agreeable, nice. ●**agréablement** [-əmɑ̃] *adv* pleasantly.

agréer [agree] *vt* to accept; **veuillez a. l'expression de mes salutations distinguées** (*dans une lettre*) *Br* yours faithfully, *Am* sincerely. ●**agréé, -ée** *a* (*fournisseur, centre*) approved.

agrégation [agregɑsjɔ̃] *nf* competitive examination for recruitment of lycée teachers. ●**agrégé, -ée** *nmf* teacher who has passed the *agrégation*.

agrément [agremɑ̃] *nm* (*attrait*) charm; (*accord*) assent; **voyage d'a.** pleasure trip. ●**agrémenter** *vt* to embellish; **a. un récit d'anecdotes** to pepper a story with anecdotes.

agrès [agrɛ] *nmpl* (*de voilier*) tackle, rigging; (*de gymnastique*) *Br* apparatus, *Am* equipment.

agresser [agrese] *vt* to attack; (*dans la rue etc, pour voler*) to mug. ●**agresseur** *nm* attacker; (*dans la rue etc*) mugger; (*dans un conflit*) aggressor. ●**agression** *nf* attack; (*dans la rue etc*) mugging; (*d'un État*) aggression.

agressif, -ive [agrɛsif, -iv] *a* aggressive. ●**agressivité** *nf* aggressiveness.
agricole [agrikɔl] *a* (*ouvrier*, *machine*) farm; (*peuple*) agricultural, farming; **travaux agricoles** farm work.
agriculteur [agrikyltœr] *nm* farmer. ●**agriculture** *nf* farming, agriculture.
agripper [agripe] *vt* to clutch, grip; **s'a. à** to cling to, clutch, grip.
agronomie [agrɔnɔmi] *nf* agronomics.
agrumes [agrym] *nmpl* citrus fruit(s).
aguerri, -ie [ageri] *a* seasoned, hardened.
aguets (aux) [ozagɛ] *adv* on the lookout.
aguicher [agiʃe] *vt* to tease, excite. ●**aguichant, -ante** *a* enticing.
ah! [a] *int* ah!, oh!
ahurir [ayrir] *vt* (*étonner*) to astound, bewilder; **avoir l'air ahuri** to look astounded *ou* utterly bewildered. ●**ahuri, -ie** *nmf* idiot.
ai [e] *voir* **avoir**.
aide [ɛd] *nf* help, assistance, aid; **à l'a. de** with the help *ou* aid of ‖ *nmf* (*personne*) assistant; **a. familiale** *Br* home help, *Am* mother's helper. ●**aide-électricien** *nm* electrician's *Br* mate *ou* *Am* helper. ●**aide-mémoire** *nm inv* (*livre scolaire*) handbook (*of facts etc*). ●**aide-soignante** *nf Br* nursing auxiliary, *Am* nurse's aid.
aider [ede] *vt* to help, assist, aid (**à faire** to do); **s'a. de** to make use of.
aïe! [aj] *int* ouch!, ow!
aie(s), aient [ɛ] *voir* **avoir**.
aïeul, -e [ajœl] *nmf Litt* grandfather, grandmother.
aïeux [ajø] *nmpl Litt* forefathers, forebears.
aigle [ɛgl] *nm* eagle.
aiglefin [ɛgləfɛ̃] *nm* haddock.
aigre [ɛgr] *a* (*acide*) sour; (*voix*, *vent*, *parole*) sharp, cutting. ●**aigre-doux, -douce** *a* bittersweet. ●**aigreur** *nf* sourness; (*de ton*) sharpness; **aigreurs** heartburn.
aigrette [ɛgrɛt] *nf* (*de plumes*) tuft.
aigrir (s') [segrir] *vpr* (*vin*) to turn sour; (*caractère*) to sour. ●**aigri, -ie** [egri] *a* (*personne*) embittered, bitter.
aigu, -uë [egy] *a* (*douleur*, *crise etc*) acute; (*dents*) sharp, pointed; (*voix*) shrill.
aiguille [egɥij] *nf* (*à coudre*, *de pin*) needle; (*de montre*) hand; (*de balance*) pointer; **a. (rocheuse)** peak.
aiguiller [egɥije] *vt* (*train*) *Br* to shunt, *Am* switch; (*personne*) *Fig* to steer, direct. ●**aiguillage** *nm* (*de voie ferrée*) *Br* points, *Am* switches. ●**aiguilleur** *nm Rail* signalman; **a. du ciel** air traffic controller.
aiguillon [egɥijɔ̃] *nm* (*dard*) sting; (*stimulant*) spur. ●**aiguillonner** *vt* to spur (on).
aiguiser [eg(ɥ)ize] *vt* (*affiler*) to sharpen; (*appétit*) to whet.
ail [aj] *nm* garlic.
aile [ɛl] *nf* wing; (*de moulin*) sail; (*d'automobile*) *Br* wing, *Am* fender; **battre de l'a.** to be in a bad way; **d'un coup d'a.** (*avion*) in continuous flight. ●**ailé, -ée** [ele] *a* winged. ●**aileron** *nm* (*de requin*) fin; (*d'avion*) aileron; (*d'oiseau*) wing tip. ●**ailier** [elje] *nm Football* wing(er).
aille(s), aillent [aj] *voir* **aller**[1].
ailleurs [ajœr] *adv* somewhere else, elsewhere; **partout a.** everywhere else; **d'a.** (*du reste*) besides, anyway; **par a.** (*en outre*) moreover; (*autrement*) otherwise.
ailloli [ajɔli] *nm* garlic mayonnaise.
aimable [ɛmabl] *a* (*gentil*) kind; (*sympathique*) likeable, amiable; (*agréable*) pleasant. ●**aimablement** [-əmɑ̃] *adv* kindly.
aimant[1] [ɛmɑ̃] *nm* magnet. ●**aimanter** *vt* to magnetize.
aimant[2]**, -ante** [ɛmɑ̃, -ɑ̃t] *a* loving.
aimer [eme] *vt* to love; **a. (bien)** (*apprécier*) to like, be fond of; **a. faire** to like doing *ou* to do; **j'aimerais qu'il vienne** I would like him to come; **a. mieux** to prefer; **j'aime(rais) mieux qu'elle reste** I'd prefer *ou* I'd rather she stayed; **ils s'aiment** they're in love.
aine [ɛn] *nf* groin.
aîné, -ée [ene] *a* (*de deux frères etc*) elder, older; (*de plus de deux*) eldest, oldest ‖ *nmf* (*enfant*) elder *ou* older (child); eldest *ou* oldest (child); **c'est mon a.** he's my senior.
ainsi [ɛ̃si] *adv* (*comme ça*) (in) this *ou* that way, thus; (*alors*) so; **a. que** as well as; **et a. de suite** and so on; **pour a. dire** so to speak.
air [ɛr] *nm* **1** air; **prendre l'a.** to get some (fresh) air; **en plein a.** in the open (air), outdoors; **en l'a.** (*jeter*) (up) in(to) the air; (*paroles*, *menaces*) empty; (*projets*) uncertain, (up) in the air; **ficher** *ou* **flanquer en l'a.** *Fam* (*jeter*) to chuck away; (*gâcher*) to mess up, upset; **dans l'a.** (*grippe*, *idées*) about, around.
2 (*expression*) look, appearance; **avoir l'a.** (*fatigué etc*) to look, seem; **avoir l'a. d'un professeur**/*etc* to look like a teacher/*etc*; **avoir l'a. de dire la vérité**/*etc* to look as if one is telling the truth/*etc*; **a. de famille** family likeness.
3 (*mélodie*) tune; **a. d'opéra** aria.
aire [ɛr] *nf* (*de stationnement etc*) & *Géom* area; (*d'oiseau*) eyrie; **a. de lancement** launching site; **a. d'atterrissage** landing place *ou* strip; **a. de jeux** (children's) play area; **a. de repos** (*sur autoroute*) rest area.
airelle [ɛrɛl] *nf Br* bilberry, *Am* blueberry.
aisance [ɛzɑ̃s] *nf* (*facilité*) ease; (*prospérité*) easy circumstances, affluence.
aise [ɛz] *nf* **à l'a.** (*dans un vêtement etc*) comfortable; (*dans une situation*) at ease; (*fortune*) comfortably off; **aimer ses aises** to like one's comforts; **mal à l'a.** uncomfortable, ill at ease. ●**aisé, -ée** [eze] *a* (*fortune*) comfortably off; (*naturel*) free and easy; (*facile*) easy. ●**aisément** *adv* easily.
aisselle [ɛsɛl] *nf* armpit.
ait [ɛ] *voir* **avoir**.
ajonc(s) [aʒɔ̃] *nm(pl)* gorse, furze.
ajouré, -ée [aʒure] *a* (*dentelle etc*) openwork.
ajourner [aʒurne] *vt* to postpone, adjourn. ●**ajournement** *nm* postponement, adjourn-

ajout [aʒu] *nm* addition. ●**ajouter** *vti* to add (à to); **s'a. à** to add to.
ajuster [aʒyste] *vt* (*pièce, salaires*) to adjust; (*coiffure*) to arrange; (*coup*) to aim; **a. à** (*adapter*) to fit to. ●**ajusté, -ée** *a* (*serré*) close-fitting. ●**ajustement** *nm* adjustment. ●**ajusteur** *nm* (*ouvrier*) fitter.
alaise [alɛz] *nf* (waterproof) undersheet.
alambic [alɑ̃bik] *nm* still.
alambiqué, -ée [alɑ̃bike] *a* convoluted.
alanguir [alɑ̃gir] *vt* to make languid.
alarme [alarm] *nf* (*signal, inquiétude*) alarm; **jeter l'a.** to cause alarm; **a. antivol/d'incendie** burglar/fire alarm. ●**alarmer** *vt* to alarm; **s'a.** to become alarmed at.
Albanie [albani] *nf* Albania. ●**albanais, -aise** *a* Albanian ∎ *nmf* A., **Albanaise** Albanian.
albâtre [albɑtr] *nm* alabaster.
albatros [albatros] *nm* albatross.
albinos [albinos] *nmf & a inv* albino.
album [albɔm] *nm* (*de timbres etc*) album; (*de dessins*) sketchbook.
alcali [alkali] *nm* alkali. ●**alcalin, -ine** *a* alkaline.
alchimie [alʃimi] *nf* alchemy.
alcool [alkɔl] *nm* alcohol; (*spiritueux*) spirits; **a. à 90%** *Br* surgical spirit, *Am* rubbing alcohol; **a. à brûler** *Br* methylated spirit(s), *Am* wood alcohol; **lampe à a.** spirit lamp. ●**alcoolique** *a & nmf* alcoholic. ●**alcoolisée** *af* **boisson a.** alcoholic drink. ●**alcoolisme** *nm* alcoholism. ●**alcootest®** *nm* breath test; (*appareil*) breathalyzer.
alcôve [alkov] *nf* alcove.
aléas [alea] *nmpl* hazards, risks. ●**aléatoire** *a* (*résultat*) uncertain; (*sélection, nombre*) random; (*accès*) *Ordinat* random.
alentour [alɑ̃tur] *adv* round about, around; **d'a.** surrounding. ●**alentours** *nmpl* surroundings, vicinity; **aux a. de** in the vicinity of.
alerte [alɛrt] **1** *a* (*leste*) agile, spry; (*éveillé*) alert. **2** *nf* alarm; **en état d'a.** on the alert; **a. aérienne** air-raid warning. ●**alerter** *vt* to warn, alert.
alezan, -ane [alzɑ̃, -an] *a & nmf* (*cheval*) chestnut.
algarade [algarad] *nf* (*dispute*) altercation.
algèbre [alʒɛbr] *nf* algebra. ●**algébrique** *a* algebraic.
Alger [alʒe] *nm ou f* Algiers.
Algérie [alʒeri] *nf* Algeria. ●**algérien, -ienne** *a* Algerian ∎ *nmf* A., **Algérienne** Algerian.
algue(s) [alg] *nf(pl)* seaweed.
alias [aljas] *adv* alias.
alibi [alibi] *nm* alibi.
aliéner [aljene] *vt* to alienate; **s'a. qn** to alienate s.o. ●**aliéné, -ée** *nmf* insane person; *Péj* lunatic. ●**aliénation** *nf* alienation; *Méd* derangement.
aligner [aliɲe] *vt* to line up, align; **les a.** *Arg* to fork out, pay up ∎ **s'aligner** *vpr* (*personnes*) to fall into line, line up; (*dirigeant*) to align oneself; (*gouvernement, pays*) to align itself (**sur** with). ●**alignement** *nm* alignment.

aliment [alimɑ̃] *nm* food. ●**alimentaire** *a* (*ration, industrie etc*) food; **produits alimentaires** foods. ●**alimentation** *nf* (*action*) feeding; (*en eau, électricité etc*) supply(ing); (*régime*) diet, nutrition; (*nourriture*) food; **magasin d'a.** grocer's, grocery store. ●**alimenter** *vt* (*nourrir*) to feed; (*fournir*) to supply (**en** with); (*débat, feu*) to fuel.
alinéa [alinea] *nm* paragraph.
alité, -ée [alite] *a* bedridden.
allaiter [alete] *vti* (*femme*) to (breast)feed (*baby*); (*animal*) to suckle.
allant [alɑ̃] *nm* drive, energy, zest.
allécher [aleʃe] *vt* to tempt, entice.
allée [ale] *nf* (*de parc etc*) path; (*bordée d'arbres*) walk, avenue; (*de cinéma, supermarché etc*) aisle; (*devant une maison*) drive(way); **allées et venues** comings and goings, running about.
allégation [alegasjɔ̃] *nf* assertion, allegation.
alléger [aleʒe] *vt* to make lighter, alleviate. ●**allégé, -ée** *a* (*fromage etc*) low-fat.
allégorie [alegɔri] *nf* allegory.
allègre [alɛgr] *a* gay, lively, cheerful. ●**allégresse** *nf* gladness, rejoicing.
alléguer [alege] *vt* (*excuse*) to put forward.
alléluia [aleluja] *nm* hallelujah.
Allemagne [almaɲ] *nf* Germany. ●**allemand, -ande** *a* German ∎ *nmf* A., **Allemande** German ∎ *nm* (*langue*) German.
aller[1]* [ale] **1** *vi* (*aux* **être**) to go; (*montre etc*) to work, go; **a. à** (*convenir à*) to suit; **a. avec** (*vêtement*) to go with, match; **a. bien/mieux** (*personne*) to be well/better; **va voir!** go and see!; **comment vas-tu?, (comment) ça va?** how are you?; **ça va!** all right!, fine!; **ça va (comme ça)!** that's enough!; **allez-y** go on, go ahead; **j'y vais** I'm coming; **allons (donc)!** come on!, come off it!; **allez! au lit!** come on *ou* go on, (to) bed!; **ça va de soi** that's obvious.
2 *v aux* (*futur proche*) **il va savoir/venir/***etc* he'll know/come/*etc*, he's going to know/come/*etc*; **il va partir** he's about to leave, he's going to leave.
3 s'en aller [sɑ̃nale] *vpr* to go away; (*tache*) to come out.
aller[2] [ale] *nm* outward journey; **a. (simple)** *Br* single (ticket), *Am* one-way (ticket); **a. (et) retour** *Br* return (ticket), *Am* round-trip (ticket).
allergie [alɛrʒi] *nf* allergy. ●**allergique** *a* allergic (**à** to).
alliage [aljaʒ] *nm* alloy.
alliance [aljɑ̃s] *nf* (*anneau*) wedding ring; (*de pays*) alliance; *Rel* covenant; (*mariage*) marriage.
allier [alje] *vt* (*associer*) to combine (**à** with); (*pays*) to ally (**à** with) ∎ **s'allier** *vpr* (*couleurs*) to combine; (*pays*) to become allied (**à** with, **to**); **s'a. à** (*famille*) to ally oneself with. ●**allié, -ée** *nmf* ally.
alligator [aligatɔr] *nm* alligator.
allô [alo] *int Tél* hello!, hullo!, hallo!

allocation [alɔkasjɔ̃] *nf* (*somme*) allowance, benefit; **a. (de) chômage** unemployment benefit; **a. (de) logement** housing benefit, = rent allowance; **allocations familiales** child benefit.

allocution [alɔkysjɔ̃] *nf* (short) speech, address.

allonger [alɔ̃ʒe] *vt* (*bras*) to stretch out; (*jupe*) to lengthen; (*sauce*) to thin ▍ *vi* (*jours*) to get longer ▍ **s'allonger** *vpr* to stretch out. ● **allongé, -ée** *a* (*étiré*) elongated.

allouer [alwe] *vt* to allocate.

allumer [alyme] *vt* (*feu, pipe etc*) to light; (*électricité, radio*) to turn *ou* switch on; (*désir, colère*) Fig to arouse, kindle ▍ **s'allumer** *vpr* (*lumière, lampe*) to come on; (*yeux*) Fig to light up; (*feu, guerre*) to flare up. ● **allumage** *nm* lighting; (*de véhicule*) ignition. ● **allume-gaz** *nm inv* gas lighter. ● **allumeuse** *nf* (*femme*) teaser.

allumette [alymɛt] *nf* match.

allure [alyr] *nf* (*vitesse*) pace; (*de véhicule*) speed; (*démarche*) gait, walk; (*maintien*) bearing; (*air*) look; **allures** (*conduite*) ways.

allusion [alyzjɔ̃] *nf* reference, allusion; (*voilée*) hint; **faire a. à** to refer *ou* allude to; (*en termes voilés*) to hint at.

almanach [almana] *nm* almanac.

aloi [alwa] *nm* **de bon a.** genuine, worthy.

alors [alɔr] *adv* (*en ce cas-là*) so, then; (*en ce temps-là*) then; **a. que** (*lorsque*) when; (*tandis que*) whereas; **et a.?** so what?; **a., tu viens?** are you coming then?, are you coming or what?

alouette [alwɛt] *nf* (sky)lark.

alourdir [alurdir] *vt* to weigh down ▍ **s'alourdir** *vpr* to become heavy *ou* heavier. ● **alourdi, -ie** *a* heavy.

aloyau [alwajo] *nm* sirloin.

alpaga [alpaga] *nm* (*tissu*) alpaca.

alpage [alpaʒ] *nm* mountain pasture. ● **Alpes** *nfpl* **les A.** the Alps. ● **alpestre** *ou* **alpin, -ine** *a* alpine.

alphabet [alfabɛ] *nm* alphabet. ● **alphabétique** *a* alphabetical. ● **alphabétiser** *vt* to teach to read and write.

alpinisme [alpinism] *nm* mountaineering. ● **alpiniste** *nmf* mountaineer.

altercation [alterkasjɔ̃] *nf* altercation.

altérer [altere] *vt* **1** (*denrée, santé*) to impair, spoil; (*voix, vérité*) to distort; (*monnaie, texte*) to falsify. **2** (*donner soif à*) to make thirsty ▍ **s'altérer** *vpr* (*santé, relations*) to deteriorate. ● **altération** *nf* deterioration, change (**de** in); (*de visage*) distortion.

alternatif, -ive [alternatif, -iv] *a* alternating. ● **alternative** *nf* alternative; **des alternatives de** (*joie et de tristesse etc*) alternate periods of. ● **alternativement** *adv* alternately.

alterner [alterne] *vti* to alternate. ● **alterné, -ée** *a* alternate. ● **alternance** *nf* alternation.

altesse [altɛs] *nf* (*titre*) Highness.

altier, -ière [altje, -jɛr] *a* haughty.

altitude [altityd] *nf* height, altitude.

alto [alto] *nm* (*instrument de musique*) viola.

aluminium [alyminjɔm] *nm Br* aluminium, *Am* aluminum; **papier (d')a.**, *Fam* **papier (d')alu** tinfoil.

alunir [alynir] *vi* to land on the moon.

alvéole [alveɔl] *nf* (*de ruche*) cell; (*dentaire*) socket. ● **alvéolé, -ée** *a* honeycombed.

amabilité [amabilite] *nf* kindness; **faire des amabilités à** to show kindness to.

amadouer [amadwe] *vt* to coax, persuade.

amaigrir [amegrir] *vt* to make thin(ner); **régime amaigrissant** *Br* slimming diet, *Am* weight reduction diet. ● **amaigri, -ie** *a* thin(ner). ● **amaigrissement** *nm* (*de malade*) weight loss; (*volontaire*) dieting, *Br* slimming.

amalgame [amalgam] *nm* (*mélange*) mixture, combination. ● **amalgamer** *vt*, **s'amalgamer** *vpr* to blend, mix, combine.

amande [amɑ̃d] *nf* almond.

amant [amɑ̃] *nm* lover.

amarre [amar] *nf* (*mooring*) rope, hawser; **amarres** moorings. ● **amarrer** *vt* (*bateau*) to moor; (*corde, paquet etc*) to secure, make fast.

amas [amɑ] *nm* heap, pile. ● **amasser** *vt* to pile up; (*fortune, argent*) to amass; (*preuves*) to amass, gather ▍ **s'amasser** *vpr* to pile up; (*gens*) to gather.

amateur [amatœr] *nm* (*d'art*) lover; (*sportif*) amateur; (*acheteur*) *Fam* taker; **d'a.** (*talent*) amateur; (*travail*) *Péj* amateurish; **une équipe a.** an amateur team. ● **amateurisme** *nm Sport* amateurism; *Péj* amateurishness.

amazone [amazɔn] *nf* horsewoman; **monter en a.** to ride sidesaddle.

ambages (sans) [sɑ̃zɑ̃baʒ] *adv* to the point, in plain language.

ambassade [ɑ̃basad] *nf* embassy. ● **ambassadeur, -drice** *nmf* ambassador.

ambiance [ɑ̃bjɑ̃s] *nf* atmosphere. ● **ambiant, -ante** *a* surrounding.

ambigu, -uë [ɑ̃bigy] *a* ambiguous. ● **ambiguïté** [-gɥite] *nf* ambiguity.

ambitieux, -euse [ɑ̃bisjø, -øz] *a* ambitious. ● **ambition** *nf* ambition. ● **ambitionner** *vt* to aspire to; **il ambitionne de faire/d'être** his ambition is to do/be.

ambre [ɑ̃br] *nm* (*jaune*) amber; (*gris*) ambergris.

ambulance [ɑ̃bylɑ̃s] *nf* ambulance. ● **ambulancier, -ière** *nmf* ambulance driver.

ambulant, -ante [ɑ̃bylɑ̃, -ɑ̃t] *a* travelling, itinerant; **marchand a.** (street) hawker.

âme [ɑm] *nf* soul; **je n'ai pas rencontré â. qui vive** I didn't meet a (living) soul; **état d'â.** state of mind; **â. sœur** soul mate; **â. damnée** evil genius, henchman; **avoir charge d'âmes** to be responsible for human life.

améliorer [ameljɔre] *vt*, **s'améliorer** *vpr* to improve. ● **amélioration** *nf* improvement.

amen [amɛn] *adv* amen.

aménager [amenaʒe] *vt* (*arranger, installer*) to fit out, *Br* fit up (**en** as); (*bateau*) to fit out; (*transformer*) to convert (**en** into); (*construire*) to set up; (*ajuster*) to adjust; (*région*,

amende

ville) to develop. ●**aménagement** *nm* fitting out; conversion; setting up; adjustment; development.
amende [amɑ̃d] *nf* fine; **infliger une a. à** to impose a fine on; **faire a. honorable** to make an apology.
amender [amɑ̃de] *vt* (*texte de loi*) to amend; (*terre*) to improve ‖ **s'amender** *vpr* to mend *ou* improve one's ways.
amener [amne] *vt* to bring; (*causer*) to bring about ‖ **s'amener** *vpr Fam* to come along.
amenuiser (s') [samənɥize] *vpr* to grow smaller, dwindle.
amer, -ère [amɛr] *a* bitter. ●**amèrement** *adv* bitterly.
Amérique [amerik] *nf* America; **A. du Nord/du Sud** North/South America. ●**américain, -aine** *a* American ‖ *nmf* **A., Américaine** American.
amerrir [amerir] *vi* to make a sea landing; (*cabine spatiale*) to splash down.
amertume [amɛrtym] *nf* bitterness.
améthyste [ametist] *nf* amethyst.
ameublement [amœbləmɑ̃] *nm* furniture.
ameuter [amøte] *vt* (*soulever*) to stir up; (*attrouper*) to gather, muster; (*voisins*) to bring out ‖ **s'ameuter** *vpr* to gather, muster.
ami, -ie [ami] *nmf* friend; (*de la nature, des livres etc*) lover (**de** of); **petit a.** boyfriend; **petite amie** girlfriend ‖ *a* friendly.
amiable (à l') [alamjabl] *a* amicable ‖ *adv* amicably.
amiante [amjɑ̃t] *nm* asbestos.
amical, -e, -aux [amikal, -o] *a* friendly. ●**amicalement** *adv* in a friendly manner.
amicale [amikal] *nf* association.
amidon [amidɔ̃] *nm* starch. ●**amidonner** *vt* to starch.
amincir [amɛ̃sir] *vt* to make thin(ner) ‖ *vi* (*personne*) to grow slim ‖ **s'amincir** *vpr* to become thinner.
amiral, -aux [amiral, -o] *nm* admiral. ●**amirauté** *nf* admiralty.
amitié [amitje] *nf* friendship; (*amabilité*) kindness; **amitiés** kind regards; **prendre qn en a.** to take a liking to s.o.
ammoniac [amɔnjak] *nm* (*gaz*) ammonia. ●**ammoniaque** *nf* (*liquide*) ammonia.
amnésie [amnezi] *nf* amnesia. ●**amnésique** *a* amnesic.
amniocentèse [amnjosɛ̃tɛz] *nf* amniocentesis.
amnistie [amnisti] *nf* amnesty.
amocher [amɔʃe] *vt Arg* to mess up, bash.
amoindrir [amwɛ̃drir] *vt*, **s'amoindrir** *vpr* to decrease, diminish.
amollir [amɔlir] *vt* to soften; (*affaiblir*) to weaken.
amonceler [amɔ̃sle] *vt*, **s'amonceler** *vpr* to pile up. ●**amoncellement** [-sɛlmɑ̃] *nm* heap, pile.
amont (en) [ɑ̃namɔ̃] *adv* upstream.
amoral, -e, -aux [amɔral, -o] *a* amoral.
amorce [amɔrs] *nf* (*début*) start; (*de pêcheur*) bait; (*détonateur*) fuse, detonator;

(*de pistolet d'enfant*) cap. ●**amorcer** *vt* to start; (*hameçon*) to bait; (*pompe*) to prime. ●**s'amorcer** *vpr* to start.
amorphe [amɔrf] *a* listless, apathetic.
amortir [amɔrtir] *vt* (*coup*) to cushion, absorb; (*bruit*) to deaden; (*dette*) to pay off; (*achat*) to recoup the costs on. ●**amortissement** *nm* (*d'un emprunt*) redemption. ●**amortisseur** *nm* (*de véhicule*) shock absorber.
amour [amur] *nm* love; (*liaison*) romance, love; (*Cupidon*) Cupid; **pour l'a. de** for the sake of; **mon a.** my darling, my love. ●**amour-propre** *nm* self-respect, self-esteem. ●**s'amouracher** *vpr Péj* to become infatuated (**de** with). ●**amoureux, -euse** *nmf* lover ‖ *a* (*de personne*) in love; **a. de qn** in love with s.o.; **a. de la gloire**/*etc Litt* enamoured of glory/*etc*.
amovible [amɔvibl] *a* removable, detachable.
ampère [ɑ̃pɛr] *nm Él* amp(ere).
amphi [ɑ̃fi] *nm* (*à l'université*) *Fam* lecture hall.
amphibie [ɑ̃fibi] *a* amphibious ‖ *nm* amphibian.
amphithéâtre [ɑ̃fiteatr] *nm* (*romain*) amphitheatre; (*à l'université*) lecture hall.
ample [ɑ̃pl] *a* (*vêtement*) full, ample, roomy; (*provision*) full; (*vues*) broad. ●**amplement** *adv* amply, fully; **a. suffisant** ample. ●**ampleur** *nf* (*de robe*) fullness; (*importance, étendue*) scale, extent; **prendre de l'a.** (*maladie etc*) to grow.
amplifier [ɑ̃plifje] *vt* (*son, courant*) to amplify; (*accroître*) to develop; (*exagérer*) to magnify ‖ **s'amplifier** *vpr* (*bruit etc*) to increase. ●**amplificateur** *nm* amplifier. ●**amplification** *nf* (*extension*) increase.
amplitude [ɑ̃plityd] *nf* (*d'un désastre etc*) magnitude.
ampoule [ɑ̃pul] *nf* (*électrique*) (light) bulb; (*aux pieds etc*) blister; (*de médicament*) phial.
ampoulé, -ée [ɑ̃pule] *a* (*style etc*) turgid.
amputer [ɑ̃pyte] *vt* **1** (*membre*) to amputate; **a. qn de la jambe**/*etc* to amputate s.o.'s leg/*etc*. **2** (*texte*) to cut, curtail (**de** by). ●**amputation** *nf* **1** (*de membre*) amputation. **2** (*de texte*) (drastic) cut (**de** in).
amuse-gueule [amyzgœl] *nm inv* cocktail snack, appetizer.
amuser [amyze] *vt* (*divertir*) to amuse, entertain; (*occuper*) to divert the attention of ‖ **s'amuser** *vpr* to enjoy oneself, have fun; (*en chemin*) to dawdle, loiter; **s'a. avec** to play with; **s'a. à faire** to amuse oneself doing. ●**amusant, -ante** *a* amusing. ●**amusement** *nm* amusement; (*jeu*) game.
amygdales [amidal] *nfpl* tonsils.
an [ɑ̃] *nm* year; **il a dix ans** he's ten (years old); **par a.** (*dix fois etc*) per year; **bon a., mal a.** taking the good and bad years together; **Nouvel A.** New Year.
anachronisme [anakrɔnism] *nm* anachro-

nism.
anagramme [anagram] *nf* anagram.
analogie [analɔʒi] *nf* analogy. ●**analogue** *a* similar ∎ *nm* analogue.
analphabète [analfabɛt] *a* & *nmf* illiterate. ●**analphabétisme** *nm* illiteracy.
analyse [analiz] *nf* analysis; **a. grammaticale** parsing; **a. du sang/d'urine** blood/urine test. ●**analyser** *vt* to analyse; (*phrase*) to parse. ●**analytique** *a* analytic(al).
ananas [anana(s)] *nm* pineapple.
anarchie [anarʃi] *nf* anarchy. ●**anarchique** *a* anarchic. ●**anarchiste** *nmf* anarchist ∎ *a* anarchistic.
anathème [anatɛm] *nm Rel* anathema.
anatomie [anatɔmi] *nf* anatomy. ●**anatomique** *a* anatomical.
ancestral, -e, -aux [ɑ̃sɛstral, -o] *a* ancestral.
ancêtre [ɑ̃sɛtr] *nm* ancestor.
anche [ɑ̃ʃ] *nf* (*de clarinette etc*) reed.
anchois [ɑ̃ʃwa] *nm* anchovy.
ancien, -ienne [ɑ̃sjɛ̃, -jɛn] *a* (*vieux*) old; (*meuble*) antique; (*qui n'est plus*) former, ex-, old; (*antique*) ancient; (*dans une fonction*) senior; **a. élève** *Br* old boy, *Am* alumnus; **a. combattant** *Br* ex-serviceman, *Am* veteran.
∎ *nmf* (*par l'âge*) elder; (*dans une fonction*) senior; **les anciens** (*auteurs, peuples*) the ancients. ●**anciennement** *adv* formerly. ●**ancienneté** *nf* age; (*dans une fonction*) seniority.
ancre [ɑ̃kr] *nf* anchor; **jeter l'a.** to (cast) anchor; **lever l'a.** to weigh anchor. ●**ancrer** *vt* 1 (*navire*) to anchor; **être ancré** to be anchored *ou* at anchor. 2 (*idée, sentiment*) to root, fix; **ancré dans** rooted in.
Andorre [ɑ̃dɔr] *nf* Andorra.
andouille [ɑ̃duj] *nf* 1 (*idiot*) nitwit; **espèce d'a.!** *Fam* (you) nitwit! 2 (*charcuterie*) sausage (*made from chitterlings*).
âne [ɑn] *nm* (*animal*) donkey, ass; (*personne*) *Péj* ass; **bonnet d'â.** *Br* dunce's cap, *Am* dunce cap.
aneantir [aneɑ̃tir] *vt* to annihilate, wipe out, destroy ∎ **s'anéantir** *vpr* to vanish. ●**anéanti, -ie** *a* (*épuisé*) exhausted; (*stupéfait*) dismayed; (*accablé*) overwhelmed. ●**anéantissement** *nm* annihilation; (*abattement*) dejection.
anecdote [anɛkdɔt] *nf* anecdote. ●**anecdotique** *a* anecdotal.
anémie [anemi] *nf* an(a)emia. ●**anémique** *a* an(a)emic. ●**s'anémier** *vpr* to become an(a)emic.
anémone [anemɔn] *nf* anemone.
ânerie [ɑnri] *nf* stupidity; (*action etc*) stupid thing. ●**ânesse** *nf* she-ass.
anesthésie [anɛstezi] *nf* an(a)esthesia; **a. générale/locale** general/local an(a)esthetic. ●**anesthésier** *vt* to an(a)esthetize. ●**anesthésique** *nm* an(a)esthetic.
anfractuosité [ɑ̃fraktyozite] *nf* crevice, cleft.
ange [ɑ̃ʒ] *nm* angel; **être aux anges** to be in seventh heaven. ●**angélique** *a* angelic.

angélus [ɑ̃ʒelys] *nm* (*prière*) angelus.
angine [ɑ̃ʒin] *nf* sore throat; **a. de poitrine** angina (pectoris).
anglais, -aise [ɑ̃glɛ, -ɛz] *a* English ∎ *nmf* **A., Anglaise** Englishman, Englishwoman; **les A.** the English ∎ *nm* (*langue*) English ∎ *af* **filer à l'anglaise** *Br* to take French leave, slip away, abscond.
angle [ɑ̃gl] *nm* (*point de vue*) & *Géom* angle; (*coin de rue*) corner.
Angleterre [ɑ̃glətɛr] *nf* England.
anglican, -ane [ɑ̃glikɑ̃, -an] *a* & *nmf* Anglican.
anglicisme [ɑ̃glisism] *nm* Anglicism. ●**angliciste** *nmf* English specialist.
anglo- [ɑ̃glo] *préf* Anglo-. ●**anglo-normand, -ande** *a* Anglo-Norman; **îles a.-normandes** Channel Islands. ●**anglophile** *a* & *nmf* anglophile. ●**anglophone** *a* English-speaking ∎ *nmf* English speaker. ●**anglo-saxon, -onne** *a* & *nmf* Anglo-Saxon.
angoisse [ɑ̃gwas] *nf* (great) anxiety, anguish, distress. ●**angoissant, -ante** *a* distressing. ●**angoissé, -ée** *a* (*personne*) distressed, in anguish; (*geste, cri*) anguished.
angora [ɑ̃gɔra] *nm* (*laine*) angora; **pull/etc en a.** angora sweater/*etc*.
anguille [ɑ̃gij] *nf* eel.
angulaire [ɑ̃gylɛr] *a* **pierre a.** cornerstone. ●**anguleux, -euse** *a* (*visage*) angular.
anicroche [anikrɔʃ] *nf* hitch, snag.
animal, -aux [animal, -o] *nm* animal; (*personne mal élevée*) brute, animal ∎ *a* (*règne, graisse etc*) animal.
animateur, -trice [animatœr, -tris] *nmf* (*de télévision*) *Br* compere, *Am* master of ceremonies, emcee; (*de club*) leader, organizer; (*d'entreprise*) driving force, spirit.
animer [anime] *vt* (*débat, groupe*) to lead; (*soirée*) to liven up, enliven; (*mécanisme*) to drive; (*inspirer, faire agir*) (*espoir, ambition, sentiment*) to drive, spur on, animate (*s.o.*); **a. la course** *Sport* to set the pace; **la joie/l'enthousiasme qui animait son regard** *ou* **son visage** the joy/enthusiasm which made his face light up.
∎ **s'animer** *vpr* (*rue etc*) to come to life; (*yeux*) to light up, brighten up. ●**animé, -ée** *a* (*rue, réunion*) lively; (*conversation*) lively, animated; (*doué de vie*) animate. ●**animation** *nf* (*des rues*) activity; (*de réunion*) liveliness; (*de visage*) brightness; *Cinéma* animation.
animosité [animozite] *nf* animosity.
anis [ani(s)] *nm* (*boisson, parfum*) aniseed; **boisson/etc à l'a.** aniseed drink/*etc*. ●**anisette** *nf* (*liqueur*) anisette.
ankylose [ɑ̃kiloz] *nf* stiffening. ●**s'ankyloser** *vpr* to stiffen up. ●**ankylosé, -ée** *a* stiff.
annales [anal] *nfpl* annals.
anneau, -x [ano] *nm* ring; (*de chaîne*) link.
année [ane] *nf* year; **bonne a.!** Happy New Year!
annexe [anɛks] *nf* (*bâtiment*) annex(e) ∎ *a* (*pièces*) appended; **bâtiment a.** annex(e).

annihiler

●**annexer** *vt* (*pays*) to annex; (*document*) to append. ●**annexion** *nf* annexation.
annihiler [aniile] *vt* to destroy, annihilate.
anniversaire [aniverser] *nm* (*d'événement*) anniversary; (*de naissance*) birthday ▮ *a* (*date*) anniversary.
annonce [anɔ̃s] *nf* (*avis*) announcement; (*publicitaire*) advertisement; (*indice*) sign; **petites annonces** classified advertisements, *Br* small ads. ●**annoncer** *vt* (*signaler*) to announce, report; (*vente*) to advertise; (*être l'indice de*) to indicate, be a sign of; **a. le printemps** to herald spring; **s'a.** **pluvieux/difficile**/*etc* to look like being rainy/difficult/*etc*. ●**annonceur** *nm* (*à la radio, télévision*) announcer; (*publicitaire*) advertiser.
Annonciation [anɔ̃sjasjɔ̃] *nf* Annunciation.
annoter [anɔte] *vt* to annotate. ●**annotation** *nf* annotation.
annuaire [anɥɛr] *nm* yearbook; (*téléphonique*) phone book, directory.
annuel, -elle [anɥɛl] *a* annual, yearly. ●**annuellement** *adv* annually. ●**annuité** *nf* annual *Br* instalment *ou Am* installment.
annulaire [anyler] *nm* ring *ou* third finger.
annuler [anyle] *vt* (*visite etc*) to cancel; (*mariage*) to annul; (*jugement*) to quash ▮ **s'annuler** *vpr* to cancel each other out. ●**annulation** *nf* cancellation; (*de mariage*) annulment; (*de jugement*) quashing.
anodin, -ine [anɔdɛ̃, -in] *a* harmless; (*remède*) ineffectual.
anomalie [anɔmali] *nf* (*bizarrerie*) anomaly; (*difformité*) abnormality.
ânon [anɔ̃] *nm* baby donkey.
ânonner [anɔne] *vt* (*en hésitant*) to stumble through; (*d'une voix monotone*) to drone out (*poem etc*).
anonymat [anɔnima] *nm* anonymity; **garder l'a.** to remain anonymous. ●**anonyme** *a* & *nmf* anonymous (person).
anorak [anɔrak] *nm* anorak.
anorexie [anɔrɛksi] *nf* anorexia. ●**anorexique** *a* & *nmf* anorexic.
anormal, -e, -aux [anɔrmal, -o] *a* abnormal; (*enfant*) educationally subnormal.
ANPE [aɛnpeø] *nf abrév* (*agence nationale pour l'emploi*) employment office, = *Br* Jobcentre.
anse [ɑ̃s] *nf* 1 (*de tasse, panier etc*) handle. 2 (*baie*) cove.
antagonisme [ɑ̃tagɔnism] *nm* antagonism. ●**antagoniste** *a* antagonistic ▮ *nmf* antagonist.
antan (d') [dɑ̃tɑ̃] *a Litt* of long ago.
antarctique [ɑ̃tarktik] *a* antarctic ▮ *nm* **l'A.** the Antarctic, Antarctica.
antécédent [ɑ̃tesedɑ̃] *nm Grammaire* antecedent; **antécédents** past history.
antenne [ɑ̃tɛn] *nf* (*de radio etc*) *Br* aerial, *Am* antenna; (*d'insecte*) antenna, feeler; **a. chirurgicale** (*pour les accidentés de la route*) emergency medical unit; **sur** *ou* **à l'a.** on the air; **passer à l'a.** to come on the air.
antérieur, -e [ɑ̃terjœr] *a* (*précédent*) former, previous, earlier; (*placé devant*) front **membre a.** forelimb; **a. à** prior to. ●**antérieurement** *adv* previously. ●**antériorité** *n*, precedence.
anthologie [ɑ̃tɔlɔʒi] *nf* anthology.
anthropologie [ɑ̃trɔpɔlɔʒi] *nf* anthropology.
anthropophage [ɑ̃trɔpɔfaʒ] *nm* cannibal. ●**anthropophagie** *nf* cannibalism.
antiaérien, -ienne [ɑ̃tiaerjɛ̃, -jɛn] *a* **canon a.** antiaircraft gun; **abri a.** air-raid shelter.
antiatomique [ɑ̃tiatɔmik] *a* **abri a.** fallout shelter.
antibiotique [ɑ̃tibjɔtik] *nm* antibiotic; **sous antibiotiques** on antibiotics.
antibrouillard [ɑ̃tibrujar] *a* & *nm* (**phare**) **a.** fog lamp.
anticancéreux, -euse [ɑ̃tikɑ̃serø, -øz] *a* **centre a.** cancer hospital.
antichambre [ɑ̃tiʃɑ̃br] *nf* antechamber.
antichoc [ɑ̃tiʃɔk] *a inv* shockproof.
anticiper [ɑ̃tisipe] *vti* **a.** (**sur**) to anticipate. ●**anticipé, -ée** *a* (*retraite etc*) early; (*paiement*) advance; **avec mes remerciements anticipés** thanking you in advance. ●**anticipation** *nf* anticipation; **par a.** in advance; **d'a.** (*roman, film etc*) science-fiction.
anticlérical, -e, -aux [ɑ̃tiklerikal, -o] *a* anticlerical.
anticonformiste [ɑ̃tikɔ̃fɔrmist] *a* & *nmf* nonconformist.
anticonstitutionnel, -elle [ɑ̃tikɔ̃stitysjɔnɛl] *a* unconstitutional.
anticorps [ɑ̃tikɔr] *nm* antibody.
anticyclone [ɑ̃tisiklon] *nm* anticyclone.
antidater [ɑ̃tidate] *vt* to backdate, antedate.
antidémocratique [ɑ̃tidemɔkratik] *a* undemocratic.
antidérapant, -ante [ɑ̃tiderapɑ̃, -ɑ̃t] *a* (*surface etc*) non-skid.
antidote [ɑ̃tidɔt] *nm* antidote.
antigel [ɑ̃tiʒɛl] *nm* antifreeze.
Antilles [ɑ̃tij] *nfpl* **les A.** the West Indies. ●**antillais, -aise** *a* West Indian ▮ *nmf* **A.**, Antillaise West Indian.
antilope [ɑ̃tilɔp] *nf* antelope.
antimite [ɑ̃timit] *nm* **de l'a.** mothballs.
antiparasite [ɑ̃tiparazit] *a* **dispositif a.** (*de moteur etc*) suppressor.
antipathie [ɑ̃tipati] *nf* antipathy. ●**antipathique** *a* unpleasant; **elle m'est a.** I find her unpleasant.
antipodes [ɑ̃tipɔd] *nmpl* **aux a.** (*partir*) to the antipodes; **aux a. de** at the opposite end of the world from; (*la vérité, la réalité*) *Fig* poles apart from.
antique [ɑ̃tik] *a* ancient. ●**antiquaire** *nmf* antique dealer. ●**antiquité** *nf* (*temps, ancienneté*) antiquity; (*objet ancien*) antique; **antiquités** (*monuments etc*) antiquities.
antirabique [ɑ̃tirabik] *a* (anti-)rabies.
antirouille [ɑ̃tiruj] *a inv* antirust.
antisémite [ɑ̃tisemit] *a* anti-Semitic. ●**antisémitisme** *nm* anti-Semitism.
antiseptique [ɑ̃tisɛptik] *a* & *nm* antiseptic.
antisudoral, -aux [ɑ̃tisydɔral, -o] *nm* anti-

perspirant.
antithèse [ɑ̃titɛz] *nf* antithesis.
antituberculeux, -euse [ɑ̃tityberkylø, -øz] *a* (*vaccin etc*) tuberculosis.
antivol [ɑ̃tivɔl] *nm* anti-theft lock *ou* device.
antonyme [ɑ̃tɔnim] *nm* antonym.
antre [ɑ̃tr] *nm* (*de lion etc*) den.
anus [anys] *nm* anus.
Anvers [ɑ̃vɛr(s)] *nm ou f* Antwerp.
anxiété [ɑ̃ksjete] *nf* anxiety. ● **anxieux, -euse** *a* anxious ▌ *nmf* worrier.
août [u(t)] *nm* August. ● **aoûtien, -ienne** [ausjɛ̃, -jɛn] *nmf* August *Br* holidaymaker *ou Am* vacationer.
apaiser [apeze] *vt* (*personne*) to calm, pacify; (*scrupules, faim*) to appease; (*douleur*) to soothe; (*craintes*) to calm, allay ▌ **s'apaiser** *vpr* (*personne, colère*) to calm down; (*tempête, douleur*) to die down. ● **apaisant, -ante** *a* (*propos etc*) soothing. ● **apaisements** *nmpl* reassurances.
apanage [apanaʒ] *nm* privilege, monopoly (**de** of).
aparté [aparte] *nm Théâtre* aside; (*dans une réunion*) private exchange; **en a.** in private.
apartheid [apartɛd] *nm* apartheid.
apathie [apati] *nf* apathy. ● **apathique** *a* apathetic, listless.
apatride [apatrid] *nmf* stateless person.
apercevoir* [apɛrsəvwar] *vt* to see; (*brièvement*) to catch a glimpse of; (*comprendre*) to perceive; **s'a. de** to realize, notice; **s'a. que** to realize *ou* notice that. ● **aperçu** *nm* overall view, general outline; (*intuition*) insight.
apéritif [aperitif] *nm* aperitif. ● **apéro** *nm Fam* aperitif.
apesanteur [apəzɑ̃tœr] *nf* weightlessness.
à-peu-près [apøprɛ] *nm inv* vague approximation.
apeuré, -ée [apœre] *a* frightened, scared.
aphone [afɔn] *a* voiceless; **je suis a. aujourd'hui** I've lost my voice today.
aphorisme [afɔrism] *nm* aphorism.
aphrodisiaque [afrɔdizjak] *nm* & *a* aphrodisiac.
aphte [aft] *nm* mouth ulcer. ● **aphteuse** *af* **fièvre a.** foot-and-mouth disease.
apiculture [apikyltyr] *nf* beekeeping. ● **apiculteur, -trice** *nmf* beekeeper.
apitoyer [apitwaje] *vt* to move (to pity); **s'a. sur** to pity. ● **apitoiement** *nm* pity, commiseration.
aplanir [aplanir] *vt* (*terrain*) to level; (*difficulté*) to iron out, smooth out.
aplatir [aplatir] *vt* to flatten (out) ▌ **s'aplatir** *vpr* (*s'étendre*) to lie flat; (*s'humilier*) to grovel; (*tomber*) *Fam* to fall flat on one's face; **s'a. contre** to flatten oneself against. ● **aplati, -ie** *a* flat. ● **aplatissement** *nm* (*état*) flatness.
aplomb [aplɔ̃] *nm* self-possession, self-assurance; *Péj* impudence; **d'a.** (*meuble etc*) level, straight; (*personne*) (*sur ses jambes*) steady; (*bien portant*) in good shape; **tomber d'a.** (*soleil*) to beat down.
apocalypse [apɔkalips] *nf* apocalypse; **d'a.** (*vision etc*) apocalyptic. ● **apocalyptique** *a* apocalyptic.
apogée [apɔʒe] *nm* (*de la lune etc*) apogee; (*de règne, carrière etc*) *Fig* peak, apogee.
apolitique [apɔlitik] *a* apolitical.
Apollon [apɔlɔ̃] *nm* Apollo.
apologie [apɔlɔʒi] *nf* defence, vindication. ● **apologiste** *nmf* apologist.
apoplexie [apɔplɛksi] *nf* apoplexy. ● **apoplectique** *a* apoplectic.
apostolat [apɔstɔla] *nm* (*prosélytisme*) proselytism; (*mission*) calling. ● **apostolique** *a* apostolic.
apostrophe [apɔstrɔf] *nf* **1** (*signe*) apostrophe. **2** (*interpellation*) sharp *ou* rude remark. ● **apostropher** *vt* to shout at.
apothéose [apɔteoz] *nf* final triumph, apotheosis.
apôtre [apotr] *nm* apostle.
apparaître* [aparɛtr] *vi* (*se montrer, sembler*) to appear.
apparat [apara] *nm* pomp; **tenue**/*etc* **d'a.** ceremonial *ou* formal dress/*etc*.
appareil [aparɛj] *nm* (*instrument, machine etc*) apparatus; (*électrique*) appliance; (*téléphonique*) telephone; (*avion*) aircraft; (*digestif etc*) *Anat* system; (*législatif etc*) *Fig* machinery; **a.** (*photo*) camera; **a.** (*auditif*) hearing aid; **a.** (*dentaire*) brace; **qui est à l'a.?** (*au téléphone*) who's speaking?
appareiller [apareje] **1** *vi* (*navire*) to get under way. **2** *vt* (*assortir*) to match (up).
apparence [aparɑ̃s] *nf* appearance; (*vestige*) semblance; **en a.** outwardly; **sous l'a. de** under the guise of; **sauver les apparences** to keep up appearances. ● **apparemment** [-amɑ̃] *adv* apparently. ● **apparent, -ente** *a* apparent; (*très visible*) conspicuous.
apparenter (s') [saparɑ̃te] *vpr* (*ressembler*) to be similar *ou* akin (**à** to). ● **apparenté, -ée** *a* (*semblable*) similar; (*allié*) related.
appariteur [aparitœr] *nm Univ Br* porter, *Am* = janitor.
apparition [aparisjɔ̃] *nf* appearance; (*fantôme*) apparition.
apartement [apartəmɑ̃] *nm Br* flat, *Am* apartment.
appartenir* [apartənir] **1** *vi* to belong (**à** to); **il ne vous appartient pas de le critiquer** it's not your responsibility *ou* job to criticize him. **2 s'appartenir** *vpr* to be one's own master. ● **appartenance** *nf* membership (**à** of).
appât [apɑ] *nm* (*amorce*) bait; (*attrait*) lure. ● **appâter** *vt* (*attirer*) to lure.
appauvrir [apovrir] *vt* to make poorer, impoverish ▌ **s'appauvrir** *vpr* to become poorer *ou* impoverished. ● **appauvrissement** *nm* impoverishment.
appel [apɛl] *nm* (*cri, attrait etc*) call; (*demande pressante & en justice*) appeal; (*recrutement*) *Mil* call-up; **a. téléphonique** telephone call; **faire l'a.** (*à l'école*) to take the register; *Mil* to have a roll call; **faire a. à** to appeal to, call upon; (*nécessiter*) to call for.
appeler [aple] *vt* (*personne, nom etc*) to call;

appendice

(*en criant*) to call out to; (*recruter*) *Mil* to call up; (*nécessiter*) to call for; **a. à l'aide** to call for help; **en a.** à to appeal to; **il est appelé à de hautes fonctions**/*etc* he is marked out for high office/*etc*; **être appelé à témoigner**/*etc* to be called upon to give evidence/*etc*.
▌ **s'appeler** *vpr* to be called; **il s'appelle Paul** his name is Paul. ● **appelé** *nm Mil* conscript.
● **appellation** *nf* (*nom*) term; **a. contrôlée** guaranteed vintage (*trade name guaranteeing quality of wine*).

appendice [apɛ̃dis] *nm* (*du corps, de livre*) appendix; (*d'animal*) appendage. ● **appendicite** *nf* appendicitis.

appentis [apɑ̃ti] *nm* (*bâtiment*) lean-to, shed.

appesantir (s') [sapəzɑ̃tir] *vpr* to become heavier; **s'a. sur** (*sujet*) to dwell upon.

appétit [apeti] *nm* appetite (**de** for); **mettre qn en a.** to whet s.o.'s appetite; **bon a.!** enjoy your meal! ● **appétissant, -ante** *a* appetizing.

applaudir [aplodir] *vti* to applaud, clap; **a. à** (*approuver*) to applaud. ● **applaudissements** *nmpl* applause.

applicable [aplikabl] *a* applicable. ● **application** *nf* (*action, soin*) application; **mettre en a.** (*loi, décision*) to put into effect.

applique [aplik] *nf* wall lamp.

appliquer [aplike] *vt* to apply (**à** to); (*surnom, baiser, gifle*) to give (**à** to); (*loi, décision*) to put into effect; **s'a. à** (*un travail*) to apply oneself to; **s'a. à faire** to take pains to do; **cette décision**/*etc* **s'applique à...** (*concerne*) this decision/*etc* applies to....
● **appliqué, -ée** *a* (*travailleur*) painstaking; (*sciences*) applied.

appoint [apwɛ̃] *nm* contribution; **faire l'a.** to give the correct money *ou* change.

appointements [apwɛ̃tmɑ̃] *nmpl* salary.

appontement [apɔ̃tmɑ̃] *nm* landing stage.

apport [apɔr] *nm* contribution.

apporter [apɔrte] *vt* to bring.

apposer [apoze] *vt* (*sceau, signature*) to affix. ● **apposition** *nf Grammaire* apposition.

apprécier [apresje] *vt* (*aimer, percevoir*) to appreciate; (*évaluer*) to assess, estimate (*distance etc*). ● **appréciable** *a* appreciable. ● **appréciation** *nf* (*opinion de professeur*) comment (**sur** on); (*de distance etc*) assessment.

appréhender [apreɑ̃de] *vt* (*craindre*) to dread (**de faire** doing); (*arrêter*) to arrest, apprehend. ● **appréhension** *nf* (*crainte*) anxiety, apprehension (**de** about).

apprendre* [aprɑ̃dr] *vti* (*étudier*) to learn; (*événement, fait*) to hear of, learn of; (*nouvelle*) to hear; **a. à faire** to learn to do; **a. qch à qn** (*enseigner*) to teach s.o. sth; (*informer*) to tell s.o. sth; **a. à qn à faire** to teach s.o. to do; **a. que** to learn that; (*être informé*) to hear that.

apprenti, -ie [aprɑ̃ti] *nmf* apprentice; (*débutant*) novice. ● **apprentissage** *nm* apprenticeship; (*d'une langue*) learning (**de** of); **faire l'a. de** *Fig* to learn the experience of (*suffering, love etc*).

apprêter (s') [saprete] *vpr* to get ready, prepare (**à faire** to do).

apprivoiser [aprivwaze] *vt* to tame ▌ **s'apprivoiser** *vpr* to become tame. ● **apprivoisé, -ée** *a* tame.

approbation [aprobasjɔ̃] *nf* approval. ● **approbateur, -trice** *a* approving.

approchable [aprɔʃabl] *a* (*personne*) approachable.

approche [aprɔʃ] *nf* approach.

approcher [aprɔʃe] *vt* (*chaise etc*) to bring up, draw up (**de** to, close to); (*personne*) to come *ou* get close to, approach. ▌ *vi* to draw near(er), get close(r) (**de** to), approach. **s'approcher** *vpr* to come *ou* get near(er) (**de** to); **il s'est approché de moi** he came up to me. ● **approchant, -ante** *a* similar. ● **approché, -ée** *a* approximate.

approfondir [aprɔfɔ̃dir] *vt* (*trou, puits etc*) to dig deeper; (*question, idée*) to go into thoroughly; (*mystère*) to plumb the depths of.
● **approfondi, -ie** *a* (*étude, examen etc*) thorough. ● **approfondissement** *nm* deepening; (*examen*) thorough examination.

approprié, -ée [aproprije] *a* appropriate.

approprier (s') [saproprije] *vpr* **s'a. qch** to take sth, help oneself to sth.

approuver [apruve] *vt* (*autoriser*) to approve; (*apprécier*) to approve of.

approvisionner [aprɔvizjɔne] *vt* (*ville etc*) to supply (with provisions); (*magasin*) to stock ▌ **s'approvisionner** *vpr* to get one's supplies (**de, en** of). ● **approvisionnements** *nmpl* stocks, supplies.

approximatif, -ive [aproksimatif, -iv] *a* approximate. ● **approximativement** *adv* approximately. ● **approximation** *nf* approximation.

appui [apɥi] *nm* support; (*pour coude etc*) rest; (*de fenêtre*) sill; **à hauteur d'a.** breast-high.

appuyer [apɥije] *vt* (*soutenir*) to support (*candidate etc*); **a. qch sur/contre** (*poser*) to rest *ou* lean sth on/against; (*presser*) to press sth on/against; **s'a. sur** to lean on, rest on; (*compter*) to rely on; (*se baser*) to base oneself on.
▌ *vi* **a. sur** (*bouton, levier etc*) to press; (*mot, argument*) to stress; (*être posé sur*) to rest on.

âpre [ɑpr] *a* harsh, rough; **a. au gain** grasping.

après [aprɛ] **1** *prép* (*temps*) after; (*espace*) beyond; **a. un an** after a year; **a. le pont** beyond the bridge; **a. coup** afterwards, after the event; **a. tout** after all; **a. quoi** after which; **a. avoir mangé** after eating; **a. qu'il t'a vu** after he saw you; **jour a. jour** day after day ▌ *adv* after(wards); **l'année d'a.** the following year; **et a.?** and then what?; (*et alors*) so what? **2** *prép* **d'a.** (*selon*) according to.

après-demain [aprɛdmɛ̃] *adv* the day after tomorrow. ● **après-guerre** *nm* post-war period; **d'a.-guerre** post-war. ●**après-midi** nm ou f inv afternoon. ●**après-rasage** nm aftershave (lotion). ●**après-shampooing** nm (hair) conditioner. ●**après-ski** nm ankle boot, snow boot.

a priori [aprijɔri] adv at the very outset, without going into the matter ▌ nm inv Phil premiss; (préjugé) prejudice.

à-propos [aprɔpo] nm timeliness, aptness.

apte [apt] a suited (à to), capable (à of). ●**aptitude** nf aptitude, capacity (à, pour for); **avoir des aptitudes pour qch** to have an aptitude for sth.

aquarelle [akwarɛl] nf watercolour.

aquarium [akwarjɔm] nm aquarium.

aquatique [akwatik] a aquatic.

aqueduc [akdyk] nm aqueduct.

aquilin [akilɛ̃] am **nez a.** aquiline nose.

arabe [arab] a (peuple etc) Arab; (langue etc) Arabic; **chiffres arabes** Arabic numerals; **désert a.** Arabian desert ▌ nmf **A.** Arab ▌ nm (langue) Arabic. ●**Arabie** nf Arabia; **A. Séoudite** Saudi Arabia.

arabesque [arabɛsk] nf arabesque.

arable [arabl] a arable.

arachide [araʃid] nf peanut, groundnut.

araignée [arɛɲe] nf spider.

arbalète [arbalɛt] nf crossbow.

arbitraire [arbitrɛr] a arbitrary.

arbitre [arbitr] nm Football Boxe referee; Tennis umpire; (d'un litige) arbitrator; (maître absolu) arbiter; **libre a.** free will. ●**arbitrer** vt to referee; to umpire; to arbitrate. ●**arbitrage** nm refereeing; umpiring; arbitration.

arborer [arbɔre] vt (insigne, vêtement) to sport, display.

arbre [arbr] nm tree; (de transmission) shaft, axle. ●**arbrisseau**, -**x** nm shrub. ●**arbuste** nm (small) shrub, bush.

arc [ark] nm (arme) bow; (voûte) arch; (de cercle) arc; **tir à l'a.** archery. ●**arcade** nf arch(way); **arcades** arcade, arches; **l'a. sourcilière** the arch of the eyebrows.

arc-boutant [arkbutɑ̃] nm (pl arcs-boutants) flying buttress. ●**s'arc-bouter** vpr **s'a. à** ou **contre** to support ou brace oneself against.

arceau, -**x** [arso] nm (de voûte) arch.

arc-en-ciel [arkɑ̃sjɛl] nm (pl arcs-en-ciel) rainbow.

archaïque [arkaik] a archaic.

archange [arkɑ̃ʒ] nm archangel.

arche [arʃ] nf (voûte) arch; **l'a. de Noé** Noah's ark.

archéologie [arkeɔlɔʒi] nf arch(a)eology. ●**archéologique** a arch(a)eological. ●**archéologue** nmf arch(a)eologist.

archer [arʃe] nm archer, bowman.

archet [arʃɛ] nm (de violon etc) bow.

archétype [arketip] nm archetype.

archevêque [arʃəvɛk] nm archbishop.

archicomble [arʃikɔ̃bl] a jam-packed.

archipel [arʃipɛl] nm archipelago.

archiplein, -**pleine** [arʃiplɛ̃, -plɛn] a chock-full, Br chock-a-block.

architecte [arʃitɛkt] nm architect. ●**architecture** nf architecture.

archives [arʃiv] nfpl archives, records. ●**archiviste** nmf archivist.

arctique [arktik] a arctic ▌ nm **l'A.** the Arctic.

ardent, -**ente** [ardɑ̃, -ɑ̃t] a (actif, passionné) ardent, fervent; (empressé) eager; (soleil) scorching. ●**ardemment** [-amɑ̃] adv eagerly, fervently. ●**ardeur** nf (énergie) enthusiasm, fervour, ardour; (chaleur) Litt heat.

ardoise [ardwaz] nf slate.

ardu, -**ue** [ardy] a (travail etc) arduous.

are [ar] nm (mesure) = 100 square metres.

arène [arɛn] nf (pour taureaux) bullring; (romaine, politique) arena; **arènes** bullring; (romaines) amphitheatre.

arête [arɛt] nf (de poisson) bone; (de cube, dé etc) edge, ridge; (de montagne) ridge.

argent [arʒɑ̃] nm (métal) silver; (monnaie) money; **a. comptant** ou **liquide** cash. ●**argenté**, -**ée** a (plaqué) silver-plated; (couleur) silvery. ●**argenterie** nf silverware.

Argentine [arʒɑ̃tin] nf Argentina. ●**argentin**, -**ine** a Argentinian ▌ nmf **A.**, **Argentine** Argentinian.

argile [arʒil] nf clay. ●**argileux**, -**euse** a clayey.

argot [argo] nm slang. ●**argotique** a (terme) slang; (texte, discours) full of slang, slangy.

arguer [argɥe] vi **a. de qch** to put forward sth as an argument. ●**argumentation** nf arguments, argumentation. ●**argumenter** vi to argue.

argument [argymɑ̃] nm argument.

argus [argys] nm guide to secondhand cars.

arguties [argysi] nfpl specious arguments, quibbling.

aride [arid] a arid, barren.

aristocrate [aristɔkrat] nmf aristocrat. ●**aristocratie** [-asi] nf aristocracy. ●**aristocratique** a aristocratic.

arithmétique [aritmetik] nf arithmetic ▌ a arithmetical.

arlequin [arləkɛ̃] nm harlequin.

armateur [armatœr] nm shipowner.

armature [armatyr] nf (charpente) framework; (de lunettes, tente) frame.

arme [arm] nf weapon; **armes** weapons, arms; **a. à feu** firearm; **prendre les armes** to take up arms; **à armes égales** on equal terms. ●**armes** nfpl (d'une ville etc) (coat of) arms.

armée [arme] nf army; **a. de l'air** air force; **a. active**/**de métier** regular/professional army.

armer [arme] vt (personne etc) to arm (**de** with); (fusil) to cock; (appareil photo) to wind on; (navire) to equip; (béton) to reinforce ▌ **s'armer** vpr to arm oneself (**de** with). ●**armement(s)** nm(pl) arms.

armistice [armistis] nm armistice.

armoire [armwar] nf (penderie) Br wardrobe, Am closet; **a. à pharmacie** medicine chest ou cabinet.

armoiries [armwari] nfpl (coat of) arms.

armure [armyr] *nf* armour.
armurier [armyrje] *nm* gunsmith.
arôme [arom] *nm* (*goût*) flavour; (*odeur*) (pleasant) smell, aroma. ●**aromate** *nm* spice. ●**aromatique** *a* aromatic.
arpenter [arpɑ̃te] *vt* (*terrain*) to survey; (*trottoir etc*) to pace up and down. ●**arpenteur** *nm* (land) surveyor.
arqué, -ée [arke] *a* (*nez, sourcil etc*) arched, curved; (*jambes*) bandy.
arrache-pied (d') [daraʃpje] *adv* relentlessly, steadfastly.
arracher [araʃe] *vt* (*clou, dent etc*) to pull out; (*cheveux, page*) to tear out, pull out; (*plante*) to pull up; (*masque*) to tear off, pull off; **a. qch à qn** to snatch sth from s.o.; (*aveu, argent, promesse*) to force sth out of s.o.; **a. un bras à qn** (*obus etc*) to blow s.o.'s arm off; **a. qn de son lit** to drag s.o. out of bed. ●**arrachage** *nm* (*de plante*) pulling up.
arraisonner [arezɔne] *vt* (*navire*) to board and examine.
arranger [arɑ̃ʒe] *vt* (*chambre, visite, cheveux etc*) to fix up, arrange; (*voiture, texte etc*) to put right; (*différend*) to settle, *Br* sort out; **a. qn** (*maltraiter*) *Fam* to give s.o. a going-over; **je vais a. ça** I'll fix that; **ça m'arrange** that suits me (fine).
▌**s'arranger** *vpr* (*se mettre d'accord*) to come to an agreement *ou* arrangement; (*finir bien*) to turn out fine; (*se réparer*) to be put right; **s'a. pour faire** to arrange to do, manage to do. ●**arrangeant, -ante** *a* accommodating. ●**arrangement** *nm* arrangement.
arrestation [arɛstɑsjɔ̃] *nf* arrest.
arrêt [arɛ] *nm* (*halte, endroit*) stop; (*action*) stopping; (*de tribunal*) decree; **a. du cœur** cardiac arrest; **temps d'a.** pause; **à l'a.** stationary; **a. de travail** (*grève*) stoppage; (*congé*) sick leave; **sans a.** constantly, non-stop.
arrêté¹ [arete] *nm* order, decision.
arrêté², -ée [arete] *a* (*projet*) fixed; (*volonté*) firm.
arrêter [arete] *vt* to stop; (*appréhender*) to arrest; (*regard, date*) to fix; (*plan*) to draw up ▌ *vi* to stop; **il n'arrête pas de critiquer/etc** he's always criticizing/etc, he doesn't stop criticizing/etc ▌ **s'arrêter** *vpr* to stop; **s'a. de faire** to stop doing.
arrhes [ar] *nfpl* (*acompte*) deposit.
arrière [arjɛr] **1** *adv* **en a.** (*marcher, tomber etc*) backwards; (*rester*) behind; (*regarder*) back, behind; **en a. de qn/qch** behind s.o./sth ▌ *nm* (*de maison etc*) back, rear; **à l'a.** in *ou* at the back ▌ *a inv* (*siège etc*) back, rear; **faire marche a.** to reverse, back. **2** *nm Football* (full) back.
arriéré, -ée [arjere] **1** *a* (*enfant*) (mentally) retarded; (*idée*) backward. **2** *nm* (*dette*) arrears.
arrière-boutique [arjɛrbutik] *nm* back room (*of a shop*). ●**arrière-garde** *nf* rearguard. ●**arrière-goût** *nm* aftertaste. ●**arrière-grand-mère** *nf* great-grand-mother. ●**arrière-grand-père** *nm* (*pl* **arrière-grands-pères**) great-grand-father. ●**arrière-pays** *nm* hinterland. ●**arrière-pensée** *nf* ulterior motive ●**arrière-plan** *nm* background. ●**arrière-saison** *nf* end of season, (late) *Br* autumn *ou Am* fall. ●**arrière-train** *nm* hindquarters.
arrimer [arime] *vt* (*fixer*) to rope down.
arriver [arive] *vi* (*aux être*) (*venir*) to arrive, come; (*survenir*) to happen; (*réussir*) to succeed; **a. à** (*atteindre*) to reach; **a. à faire** to manage to do, succeed in doing; **a. à qn** to happen to s.o.; **il m'arrive d'oublier/etc** I (sometimes) forget/etc, I happen (sometimes) to forget/etc; **en a. à faire** to get to the point of doing. ●**arrivant, -ante** *nmf* new arrival. ●**arrivée** *nf* arrival; (*ligne, poteau*) (winning) post. ●**arrivage** *nm* consignment. ●**arriviste** *nmf Péj* social climber.
arrogant, -ante [arɔgɑ̃, -ɑ̃t] *a* arrogant. ●**arrogance** *nf* arrogance.
arroger (s') [sarɔʒe] *vpr* (*droit etc*) to assume (falsely).
arrondir [arɔ̃dir] *vt* (*somme, chiffre, angle, jupe*) to round off; (*rendre rond*) to make round (*pebble etc*). ●**arrondi, -ie** *a* rounded.
arrondissement [arɔ̃dismɑ̃] *nm* (*d'une ville*) district.
arroser [aroze] *vt* (*terre*) to water; (*repas*) to wash down; (*succès*) to drink to. ●**arrosage** *nm* watering; (*d'une réussite etc*) *Fam* celebration. ●**arrosoir** *nm* watering can.
arsenal, -aux [arsənal, -o] *nm* (*naval*) dockyard; (*quantité d'armes*) & *Fig* arsenal.
arsenic [arsənik] *nm* arsenic.
art [ar] *nm* art; **film/critique d'a.** art film/critic; **arts ménagers** home economics, domestic science.
artère [artɛr] *nf* (*veine*) artery; (*rue*) main road. ●**artériel, -ielle** *a* arterial.
artichaut [artiʃo] *nm* artichoke; **fond d'a.** artichoke heart.
article [artikl] *nm* (*de presse, de commerce*) & *Grammaire* article; (*dans un contrat, catalogue*) item; **a. de fond** feature (article); **articles de toilette** toiletries; **articles de voyage** travel goods; **à l'a. de la mort** at death's door.
articuler [artikyle] *vt* (*mot etc*) to articulate ▌ **s'articuler** *vpr* (*membre*) to articulate; (*idées etc*) to connect. ●**articulation** *nf* **1** (*de membre*) joint; **a. (du doigt)** knuckle. **2** (*prononciation*) articulation.
artifice [artifis] *nm* trick, contrivance; **feu d'a.** (*spectacle*) firework display, fireworks.
artificiel, -ielle [artifisjɛl] *a* artificial. ●**artificiellement** *adv* artificially.
artillerie [artijri] *nf* artillery. ●**artilleur** *nm* gunner.
artisan [artizɑ̃] *nm* craftsman, artisan. ●**artisanal, -e, -aux** *a* **métier a.** craftsman's trade; **objet a.** object made by craftsmen. ●**artisanat** *nm* (*métier*) craftsman's trade; (*classe*) artisan class.
artiste [artist] *nmf* artist; (*acteur, musicien*) performer, artist. ●**artistique** *a* artistic.

as [ɑs] *nm* (*carte, champion*) ace; **a. du volant/de la mécanique** brilliant *ou* crack driver/mechanic/*etc*.
ascendant [asɑ̃dɑ̃] *a* ascending, upward ▮ *nm* ascendancy, power; **ascendants** ancestors. ●**ascendance** *nf* ancestry.
ascenseur [asɑ̃sœr] *nm Br* lift, *Am* elevator.
ascension [asɑ̃sjɔ̃] *nf* ascent; **l'A.** Ascension Day.
ascète [asɛt] *nmf* ascetic. ●**ascétique** *a* ascetic. ●**ascétisme** *nm* asceticism.
Asie [azi] *nf* Asia. ●**Asiate** *nmf* Asian. ●**asiatique** *a* Asian ▮ *nmf* A. Asian.
asile [azil] *nm* (*abri*) refuge, shelter; (*pour vieillards*) home; **a. (d'aliénés)** *Péj* (lunatic) asylum; **a. politique** (political) asylum; **a. de paix** haven of peace.
aspect [aspɛ] *nm* (*air*) appearance; (*vue*) sight; (*perspective*) & *Grammaire* aspect.
asperger [aspɛrʒe] *vt* (*par jeu ou accident*) to splash (**de** with); (*pour humecter*) to spray, sprinkle (**de** with); **s'a. de parfum** to spray oneself with perfume.
asperges [aspɛrʒ] *nfpl* asparagus.
aspérité [asperite] *nf* bump, uneven bit.
asphalte [asfalt] *nm* asphalt.
asphyxie [asfiksi] *nf* suffocation. ●**asphyxier** *vt* to suffocate, asphyxiate ▮ **s'asphyxier** *vpr* to suffocate; (*volontairement*) to suffocate oneself.
aspic [aspik] *nm* (*vipère*) asp.
aspirant [aspirɑ̃] *nm* (*candidat*) candidate.
aspirateur [aspiratœr] *nm* vacuum cleaner, *Br* hoover®; **passer (à) l'a.** to vacuum, hoover.
aspirer [aspire] **1** *vt* (*liquide*) to suck up; (*respirer*) to breathe in, inhale. **2** *vi* **a. à** (*bonheur, gloire etc*) to aspire to. ●**aspiré, -ée** *a* (*son, lettre*) aspirate(d). ●**aspiration** *nf* suction; inhaling; (*ambition*) aspiration.
aspirine [aspirin] *nf* aspirin.
assagir (s') [sasaʒir] *vpr* to settle down.
assaillir [asajir] *vt* to attack; **a. de** (*questions etc*) to assail with. ●**assaillant** *nm* attacker, assailant.
assainir [asenir] *vt* (*purifier*) to clean up; (*marché, économie etc*) to stabilize.
assaisonner [asɛzɔne] *vt* to season. ●**assaisonnement** *nm* seasoning.
assassin [asasɛ̃] *nm* murderer; (*d'homme politique etc*) assassin. ●**assassinat** *nm* murder; assassination. ●**assassiner** *vt* to murder; (*homme politique etc*) to assassinate.
assaut [aso] *nm* onslaught, attack, assault; **prendre d'a.** to (take by) storm.
assécher [aseʃe] *vt* to drain.
assemblée [asɑ̃ble] *nf* (*personnes réunies*) gathering; (*réunion*) meeting; (*parlement*) assembly; (*de fidèles*) congregation.
assembler [asɑ̃ble] *vt* to put together, assemble ▮ **s'assembler** *vpr* to gather, assemble. ●**assemblage** *nm* (*montage*) assembly; (*réunion d'objets*) collection.
asséner [asene] *vt* (*coup*) to deal, strike.

assentiment [asɑ̃timɑ̃] *nm* assent, consent.
asseoir* [aswar] *vt* (*personne*) to sit (down), seat (**sur** on); (*fondations*) to lay; (*autorité, réputation*) to establish; **a. une théorie/***etc* **sur** to base a theory/*etc* on ▮ **s'asseoir** *vpr* to sit (down).
assermenté, -ée [asɛrmɑ̃te] *a* (*témoin etc*) sworn.
assertion [asɛrsjɔ̃] *nf* assertion.
asservir [asɛrvir] *vt* to enslave. ●**asservissement** *nm* enslavement.
assez [ase] *adv* enough; **a. de pain/de gens/***etc* enough bread/people/*etc*; **j'en ai a.** I've had enough (**de** of); **a. grand/intelligent/***etc* (*suffisamment*) big/clever/*etc* enough (**pour faire** to do); **a. fatigué/***etc* (*plutôt*) fairly *ou* rather *ou* quite tired/*etc*.
assidu, -ue [asidy] *a* (*toujours présent*) regular; (*appliqué*) diligent, assiduous; **a. auprès de qn** attentive to s.o. ●**assiduité** *nf* (*d'élève etc*) regularity; **assiduités** (*empressement*) attentiveness. ●**assidûment** *adv* diligently, assiduously.
assiéger [asjeʒe] *vt* (*ville*) to besiege; (*magasin, vedette, guichet*) to mob, crowd round; (*importuner*) to pester, harry; **assiégé de** (*demandes*) besieged with; (*maux*) beset by. ●**assiégeant, -ante** *nm* besieger.
assiette [asjɛt] *nf* **1** (*récipient*) plate; **a. anglaise** *Culin Br* (assorted) cold meats, *Am* cold cuts. **2** (*à cheval*) seat; **il n'est pas dans son a.** he's feeling out of sorts. ●**assiettée** *nf* plateful.
assigner [asiɲe] *vt* (*attribuer*) to assign (*task etc*) (**à** to); (*en justice*) to summon, subpoena. ●**assignation** *nf Jur* subpoena, summons.
assimiler [asimile] *vt* (*comprendre, absorber*) to assimilate ▮ **s'assimiler** *vpr* (*immigrants*) to assimilate, become assimilated (**à** with). ●**assimilation** *nf* assimilation.
assis, -ise[1] [asi, -iz] (*pp de* **asseoir**) *a* sitting (down), seated; (*situation*) stable, secure; **rester a.** to remain seated; **place assise** seat (*on bus etc*).
assise[2] [asiz] *nf* (*base*) foundation; **assises** (*cour*) assizes; (*d'un parti etc*) congress; **cour d'assises** court of assizes.
assistance [asistɑ̃s] *nf* **1** (*assemblée*) audience; (*nombre de personnes présentes*) attendance, turnout. **2** (*aide*) assistance; **l'A. (publique)** the Welfare Service; **enfant de l'A.** child in care.
assister [asiste] **1** *vt* (*aider*) to help, assist. **2** *vi* **a. à** (*réunion, cours etc*) to attend, be present at; (*accident*) to witness. ●**assistant, -ante** *nmf* assistant; **les assistants** (*spectateurs*) the members of the audience; (*témoins*) the onlookers; **assistant(e) social(e)** social worker; **assistante maternelle** *Br* child minder, *Am* baby-sitter.
association [asɔsjasjɔ̃] *nf* association; (*amitié, alliance*) partnership, association.
associer [asɔsje] *vt* to associate (**à** with); **a. qn à** (*ses travaux, une affaire*) to involve s.o.

assoiffé

in; (*profits*) to give s.o. a share in ▮ **s'associer** *vpr* to join forces, form an association; **s'a. à** (*collaborer*) to associate with; **s'a.** (*aux vues ou au chagrin de qn*) to share; (*s'harmoniser*) to combine with. ● **associé, -ée** *nmf* partner, associate ▮ *a* associate.

assoiffé, -ée [aswafe] *a* thirsty (**de** for).

assombrir [asɔ̃brir] *vt* (*obscurcir*) to darken; (*attrister*) to cast a cloud over, fill with gloom ▮ **s'assombrir** *vpr* (*ciel, visage, avenir*) to cloud over.

assommer [asɔme] *vt* (*personne*) to knock unconscious; (*animal*) to stun, brain; (*ennuyer*) to bore stiff. ● **assommant, -ante** *a* tiresome, boring.

assomption [asɔ̃psjɔ̃] *nf Rel* Assumption.

assortir [asɔrtir] *vt*, **s'assortir** *vpr* to match. ● **assorti, -ie** *a* **1 bien a.** (*magasin*) well-stocked. **2** (*objet semblable*) matching; **fromages/etc assortis** assorted cheeses/*etc*; **époux bien assortis** well-matched couple. ● **assortiment** *nm* assortment.

assoupir [asupir] *vt* (*personne*) to make drowsy; (*douleur, sentiment etc*) *Fig* to dull ▮ **s'assoupir** *vpr* to doze off; (*douleur*) *Fig* to subside. ● **assoupi, -ie** *a* (*personne*) drowsy. ● **assoupissement** *nm* drowsiness.

assouplir [asuplir] *vt* (*étoffe, muscles*) to make supple; (*corps*) to limber up; (*caractère*) to soften; (*règles*) to ease, relax. ● **assouplissement** *nm* **exercices d'a.** limbering-up exercises.

assourdir [asurdir] *vt* (*personne*) to deafen; (*son*) to muffle. ● **assourdissant, -ante** *a* deafening.

assouvir [asuvir] *vt* to appease, satisfy.

assujettir [asyʒetir] *vt* (*soumettre*) to subject (**à** to); (*peuple*) to subjugate; (*fixer*) to secure; **s'a. à** to subject oneself to, submit to. ● **assujettissant, -ante** *a* (*travail*) exacting. ● **assujettissement** *nm* subjection; (*contrainte*) constraint.

assumer [asyme] *vt* (*tâche, rôle*) to assume, take on; (*emploi*) to take up, assume.

assurance [asyrɑ̃s] *nf* (*aplomb*) (self-)assurance; (*promesse*) assurance; (*contrat*) insurance; **a. au tiers/tous risques** third-party/comprehensive insurance; **assurances sociales** *Br* = national insurance, *Am* = social security.

assurer [asyre] *vt* (*par un contrat*) to insure; (*travail etc*) to carry out; (*rendre sûr*) *Br* to ensure, *Am* insure (*success etc*); (*fixer*) to secure; **a. à qn que** to assure s.o. that; **a. qn de qch, a. qch à qn** to assure s.o. of sth.

▮ **s'assurer** *vpr* (*par un contrat*) to insure oneself, get insured (**contre** against); **s'a. l'aide/etc de qn** (*se procurer*) to secure s.o.'s help/*etc*; **s'a. que/de** to make sure that/of. ● **assuré, -ée** *a* (*succès*) assured, certain; (*pas*) firm, secure; (*air*) (self-)assured, (self-)confident ▮ *nmf* policyholder, insured person. ● **assurément** *adv* certainly, assuredly. ● **assureur** *nm* insurer.

astérisque [asterisk] *nm* asterisk.

asthme [asm] *nm* asthma. ● **asthmatique** *a & nmf* asthmatic.

asticot [astiko] *nm Br* maggot, *Am* worm.

asticoter [astikɔte] *vt* (*agacer*) *Fam* to bug.

astiquer [astike] *vt* to polish.

astre [astr] *nm* star.

astreindre* [astrɛ̃dr] *vt* **a. qn à** (*discipline*) to compel s.o. to accept; **a. qn à faire** to compel s.o. to do. ● **astreignant, -ante** *a* exacting. ● **astreinte** *nf* constraint.

astrologie [astrɔlɔʒi] *nf* astrology. ● **astrologique** *a* astrological. ● **astrologue** *nm* astrologer.

astronaute [astrɔnot] *nmf* astronaut. ● **astronautique** *nf* space travel.

astronomie [astrɔnɔmi] *nf* astronomy. ● **astronome** *nm* astronomer. ● **astronomique** *a* astronomical.

astuce [astys] *nf* (*pour faire qch*) knack, trick; (*invention*) gadget; (*plaisanterie*) clever joke, wisecrack; (*jeu de mots*) pun; (*finesse*) astuteness; **les astuces du métier** the tricks of the trade. ● **astucieux, -euse** *a* clever, astute.

atelier [atəlje] *nm* (*d'ouvrier etc*) workshop; (*de peintre*) studio.

atermoyer [atɛrmwaje] *vi* to procrastinate.

athée [ate] *a* atheistic ▮ *nmf* atheist. ● **athéisme** *nm* atheism.

athénée [atene] *nm* (*lycée belge*) *Br* secondary school, *Am* high school.

Athènes [atɛn] *nm ou f* Athens.

athlète [atlɛt] *nmf* athlete. ● **athlétique** *a* athletic. ● **athlétisme** *nm* athletics.

atlantique [atlɑ̃tik] *a* Atlantic ▮ *nm* **l'A.** the Atlantic.

atlas [atlɑs] *nm* atlas.

atmosphère [atmɔsfɛr] *nf* atmosphere. ● **atmosphérique** *a* atmospheric.

atome [atom] *nm* atom. ● **atomique** [atɔmik] *a* (*énergie etc*) atomic; **bombe a.** atom *ou* atomic bomb.

atomiser [atɔmize] *vt* (*liquide*) to spray; (*région*) to destroy (*by atomic weapons*). ● **atomiseur** *nm* spray.

atone [atɔn] *a* (*personne*) (*sans énergie*) lifeless; (*regard*) vacant.

atours [atur] *nmpl Hum* finery.

atout [atu] *nm* trump (card); (*avantage*) *Fig* asset, trump card; **l'a. est cœur** hearts are trumps.

âtre [ɑtr] *nm* (*foyer*) hearth.

atroce [atrɔs] *a* atrocious; (*crime*) heinous, atrocious. ● **atrocité** *nf* (*cruauté*) atrociousness; **atrocités** (*horreurs*) atrocities.

atrophie [atrɔfi] *nf* atrophy. ● **atrophié, -ée** *a* (*jambe etc*) atrophied.

attabler (s') [satable] *vpr* to sit down at the table. ● **attablé, -ée** *a* (*seated*) at the table.

attache [ataʃ] *nf* (*objet*) attachment, fastening; **attaches** (*liens*) links.

attaché-case [ataʃekɛz] *nm* attaché case.

attachement [ataʃmɑ̃] *nm* (*affection*) attachment (**à** to).

attacher [ataʃe] *vt* (*lier*) to tie (up), attach (à to); (*boucler*, *fixer*) to fasten; **a. de l'importance/de la valeur à qch** to attach great importance/value to sth; **cette obligation m'attache à lui** this obligation binds me to him; **s'a. à** (*se lier*) to become attached to (*s.o.*); (*se consacrer*) to apply oneself to (*task, project etc*); (*adhérer*) to stick to.
▌ *vi* (*en cuisant*) to stick. ●**attachant, -ante** *a* (*enfant etc*) likeable; (*roman*) appealing. ●**attaché, -ée 1** *nmf* (*de presse, diplomatique etc*) attaché. **2** *a* **être a. à** (*ami etc*) to be attached to; **nous sommes attachés** we're very attached (to each other).
attaque [atak] *nf* attack; **a. aérienne** air raid; **d'a.** in tip-top shape, on top form.
attaquer [atake] *vt*, **s'a. à** to attack; (*difficulté, sujet*) to tackle ▌ *vi* to attack. ●**attaquant, -ante** *nmf* attacker.
attarder (s') [satarde] *vpr* (*en chemin*) to dawdle, loiter; (*chez qn*) to linger (on), stay on; **s'a. sur** *ou* **à** (*détails etc*) to linger over; **s'a. derrière qn** to lag behind s.o. ●**attardé, -ée** *a* (*enfant etc*) backward; (*passant*) late.
atteindre* [atɛ̃dr] *vt* (*parvenir à*) to reach; (*cible*) to hit; (*idéal*) to achieve, attain; (*blesser*) to hit, wound; (*toucher*) to affect; (*offenser*) to hurt, wound; **être atteint de** (*maladie*) to be suffering from.
atteinte [atɛ̃t] *nf* attack; **porter a. à** to attack, undermine; **a. à** (*honneur*) slur on; **hors d'a.** (*objet, personne*) out of reach; (*réputation*) unassailable.
atteler [atle] *vt* (*bêtes*) to harness, hitch up; (*remorque*) to hook up; **s'a. à** (*travail etc*) to apply oneself to. ●**attelage** *nm* (*crochet*) hook (*for towing*); (*bêtes*) team.
attenant, -ante [atnã, -ãt] *a* **a.** (**à**) adjoining.
attendre [atãdr] *vt* (*personne, train etc*) to wait for, *Litt* await; (*escompter*) to expect (**de** of, from); **elle attend un bébé** she's expecting a baby; **le bonheur/***etc* **qui vous attend** the happiness/*etc* that awaits you; **a. que qn vienne** to wait for s.o. to come, wait until s.o. comes; **a. d'être informé** to wait to be informed.
▌ *vi* to wait; **faire a. qn** to keep s.o. waiting; **se faire a.** (*réponse, personne etc*) to be a long time coming; **attends voir!** *Fam* let me see!; **en attendant** meanwhile; **en attendant que** (+ *sub*) until.
▌ **s'attendre** *vpr* **s'a. à qch/à faire qch** to expect sth/to do sth; **s'a. à ce que qn fasse qch** to expect s.o. to do sth. ●**attendu, -ue 1** *a* (*avec joie*) eagerly-awaited; (*prévu*) expected. **2** *prép* considering; **a. que** considering that.
attendrir [atãdrir] *vt* **1** (*émouvoir*) to move **2** (*viande*) to tenderize ▌ **s'attendrir** *vpr* to be moved (**sur** by). ●**attendri, -ie** *a* compassionate. ●**attendrissant, -ante** *a* moving. ●**attendrissement** *nm* compassion.
attentat [atãta] *nm* attempt on s.o.'s life, murder attempt; (*contre un principe etc*) crime, outrage (à against); **a. (à la bombe)** (bomb) attack. ●**attenter** *vi* **a. à** (*la vie de qn*) to make an attempt on; *Fig* to attack, undermine.
attente [atãt] *nf* (*temps*) wait(ing); (*espérance*) expectation(s); **une a. prolongée** a long wait; **contre toute a.** against all expectations; **être dans l'a. de** to be waiting for; **salle d'a.** waiting room.
attentif, -ive [atãtif, -iv] *a* (*personne*) attentive; (*travail, examen*) careful; **a. à** (*ses devoirs etc*) mindful of; (*l'orthographe, la ponctuation*) careful about; **a. à plaire/***etc* anxious to please/*etc*. ●**attentivement** *adv* attentively.
attention [atãsjɔ̃] *nf* attention; **attentions** (*égards*) consideration; **faire** *ou* **prêter a. à** (*écouter, remarquer*) to pay attention to; **faire a. à** (*prendre garde*) to be careful of; **faire a. (à ce) que** (+ *sub*) to be careful that; **a.!** watch out!, look out!, be careful!; **a. à la voiture!** watch out for the car!, *Br* mind the car! ●**attentionné, -ée** *a* considerate.
atténuer [atenɥe] *vt* to mitigate, attenuate; **circonstances atténuantes** extenuating circumstances ▌ **s'atténuer** *vpr* (*douleur, tempête etc*) to subside.
atterrer [atere] *vt* to dismay.
atterrir [aterir] *vi* (*avion*) to land. ●**atterrissage** *nm* landing; **a. forcé** crash *ou* emergency landing.
attester [ateste] *vt* to testify to; **a. que** to testify that. ●**attestation** *nf* (*document*) declaration, certificate.
attifer [atife] *vt Fam Péj* to dress up, rig out.
attirail [atiraj] *nm* (*équipement*) *Fam* gear.
attirance [atirãs] *nf* attraction (**pour** for).
attirer [atire] *vt* (*faire venir*) to attract, draw; (*plaire à*) to attract; (*attention*) to attract, catch; **a. l'attention de qn sur** to draw s.o.'s attention to; **a. qch à qn** (*ennuis etc*) to bring s.o. sth; (*gloire etc*) to win *ou* earn s.o. sth; **a. sur soi** (*colère de qn*) to bring down upon oneself; **a. qn dans** (*coin, piège*) to lure s.o. into.
▌ **s'attirer** *vpr* (*ennuis etc*) to bring upon oneself; (*sympathie de qn*) to win. ●**attirant, -ante** *a* attractive.
attiser [atize] *vt* (*feu*) to poke; (*sentiment*) *Fig* to rouse.
attitré, -ée [atitre] *a* (*représentant*) appointed; (*marchand*) regular.
attitude [atityd] *nf* attitude; (*maintien*) bearing.
attraction [atraksjɔ̃] *nf* (*force, centre d'intérêt*) attraction; **attractions** (*manèges etc*) attractions, rides.
attrait [atrɛ] *nm* attraction.
attrape [atrap] *nf* (*objet*) trick. ●**attrape-nigaud** *nm* (*ruse*) trick.
attraper [atrape] *vt* (*ballon, maladie, voleur, train etc*) to catch; (*accent, contravention etc*) to pick up; **se laisser a.** (*duper*) to get taken in *ou* tricked; **se faire a.** (*gronder*) *Fam* to get a telling-off. ●**attrapade** *nf* (*gronderie*)

attrayant

Fam telling-off.
attrayant, -ante [atrɛjɑ̃, -ɑ̃t] *a* attractive.
attribuer [atribɥe] *vt* (*donner*) to assign (*role, funds etc*) (**à** to); (*décerner*) to award (*prize etc*) (**à** to); (*imputer, reconnaître*) to attribute, ascribe (*responsibility etc*) (**à** to). ●**attribuable** *a* attributable. ●**attribution** *nf* assignment; (*de prix*) awarding; **attributions** (*compétence*) powers.
attribut [atriby] *nm* (*adjectif*) predicate adjective; (*caractéristique*) attribute.
attrister [atriste] *vt* to sadden.
attrouper [atrupe] *vt*, **s'attrouper** *vpr* to gather. ●**attroupement** *nm* (disorderly) crowd.
au [o] *voir* à.
aubaine [oben] *nf* (**bonne**) **a.** stroke of good luck, godsend.
aube [ob] *nf* dawn; **dès l'a.** at the crack of dawn.
aubépine [obepin] *nf* hawthorn.
auberge [obɛrʒ] *nf* inn; **a. de jeunesse** youth hostel. ●**aubergiste** *nmf* innkeeper.
aubergine [obɛrʒin] *nf Br* aubergine, *Am* eggplant.
aucun, -une [okœ̃, -yn] *a* no, not any; **il n'a a. talent** he has no talent, he doesn't have any talent; **a. professeur n'est venu** no teacher has come ▮ *pron* none, not any; **il n'en a a.** he has none (at all), he doesn't have any (at all); **a. d'entre nous** none of us; **a. des deux** neither of the two; **plus qu'a.** more than any(one); **d'aucuns** some (people). ●**aucunement** *adv* not at all.
audace [odas] *nf* (*courage*) daring, boldness; (*impudence*) audacity; **audaces** (*de style etc*) daring innovations. ●**audacieux, -euse** *a* daring, bold.
au-dedans, au-dehors, au-delà [odədɑ̃, odəɔr, odəla] *voir* dedans *etc.*
au-dessous [odəsu] *adv* (*à l'étage inférieur*) downstairs; (*moins*) below, under ▮ *prép* **au-d. de** (*arbre etc*) below, under, beneath; (*âge, prix*) under; (*température*) below; **au-d. de sa tâche** not up to *ou* unequal to one's task.
au-dessus [odəsy] *adv* (*à l'étage supérieur*) upstairs; (*d'une pile*) on top; (*prix, température*) above, over ▮ *prép* **au-d. de** above; (*âge, température, prix*) over; (*posé sur*) on top of.
au-devant de [odəvɑ̃də] *prép* **aller au-d. de** (*personne*) to go to meet; (*danger*) to court; (*désirs de qn*) to anticipate.
audible [odibl] *a* audible.
audience [odjɑ̃s] *nf* (*entretien*) audience; (*de tribunal*) hearing.
audio [odjo] *a inv* (*cassette etc*) audio. ●**audiophone** *nm* hearing aid. ●**audio-visuel, -elle** *a* audio-visual.
auditeur, -trice [oditœr, -tris] *nmf* (*de la radio*) listener; **les auditeurs** the audience; **a. libre** (*à l'université*) auditor (*student allowed to attend classes but not to sit examinations*).
audition [odisjɔ̃] *nf* (*ouïe*) hearing; (*séance musicale*) recital; (*d'acteurs*) audition; (*de témoins*) examination. ●**auditionner** *vti* to audition. ●**auditoire** *nm* audience. ●**auditorium** *nm* concert hall; (*studio*) recording studio (*for recitals*).
auge [oʒ] *nf* (feeding) trough.
augmenter [ɔgmɑ̃te] *vt* to increase (**de** by); (*salaire, prix, impôt*) to raise, increase, put up; **a. qn** to give s.o. a *Br* rise *ou Am* raise ▮ *vi* to increase (**de** by); (*prix, population*) to rise, go up, increase. ●**augmentation** *nf* increase (**de** in, **of**); **a. de salaire** *Br* (pay) rise, *Am* raise; **a. de prix** price rise *ou* increase.
augure [ɔgyr] *nm* (*présage*) omen; (*devin*) oracle; **être de bon/mauvais a.** to be a good/bad omen. ●**augurer** *vt* to augur, predict.
aujourd'hui [oʒurdɥi] *adv* today; (*actuellement*) nowadays, today; **a. en quinze** two weeks from today; **jusqu'à a.** to this very day; **les problèmes/etc d'a.** today's problems/*etc*, the problems/*etc* of today.
aumône [omon] *nf* alms; **faire l'a. à** to give alms to.
aumônier [omonje] *nm* chaplain.
auparavant [oparavɑ̃] *adv* (*avant*) before(hand); (*d'abord*) first.
auprès de [oprɛdə] *prép* (*assis, situé etc*) by, close to, next to; (*en comparaison de*) compared to; **agir a. du ministre**/*etc* to use one's influence with the minister/*etc*; **accès a. de qn** access to s.o.
auquel [okɛl] *voir* lequel.
aura, aurait *etc* [ora, orɛ] *voir* avoir.
auréole [ɔreɔl] *nf* (*de saint etc*) halo; (*laissée par une tache*) ring.
auriculaire [ɔrikylɛr] *nm* **l'a.** the little finger.
aurore [ɔrɔr] *nf* dawn, daybreak.
ausculter [ɔskylte] *vt* (*malade*) to examine (*with a stethoscope*); (*cœur*) to listen to.
auspices [ɔspis] *nmpl* **sous les a. de** under the auspices of.
aussi [osi] *adv* **1** (*comparaison*) as; **a. lourd**/*etc* **que** as heavy/*etc* as. **2** (*également*) too, also, as well; **moi a.** so do, can, am *etc* I; **bien que** as well as. **3** (*tellement*) so; **un repas a. délicieux** such a delicious meal, so delicious a meal. **4** *conj* (*donc*) therefore.
aussitôt [osito] *adv* immediately, at once; **a. que** as soon as; **a. levé, il partit** as soon as he was up, he left; **a. dit, a. fait** no sooner said than done.
austère [ɔstɛr] *a* austere. ●**austérité** *nf* austerity.
austral, -e, *mpl* **-als** [ɔstral] *a* southern.
Australie [ɔstrali] *nf* Australia. ●**australien, -ienne** *a* Australian ▮ *nmf* **A., Australienne** Australian.
autant [otɑ̃] *adv* **1 a. de...que** (*quantité*) as much...as; (*nombre*) as many...as; **il a a. d'argent/de pommes que vous** he has as much money/as many apples as you. **2 a. de** (*tant de*) so much; (*nombre*) so many; **je n'ai jamais vu a. d'argent/de pommes** I've never seen so much money/so many apples; **pourquoi manges-tu a.?** why

are you eating so much? **3 a.** que (*lire, souffrir etc*) as much as; **il lit a. que vous/que possible** he reads as much as you/as possible; **il n'a jamais souffert a.** he's never suffered as *ou* so much; **a. que je sache** as far as I know; **d'a. (plus) que** all the more (so) since; **d'a. moins que** even less since; **a. avouer/etc** we, you *etc* might as well confess/*etc*; **en faire/dire a.** to do/say the same; **j'aimerais a. aller au musée** I'd just as soon go to the museum.

autel [otɛl] *nm* altar.

auteur [otœr] *nm* (*de livre*) author, writer; (*de chanson*) composer; (*de procédé*) originator; (*de crime*) perpetrator; (*d'accident*) cause; **droit d'a.** copyright; **droits d'a.** royalties.

authenticité [otɑ̃tisite] *nf* authenticity. ● **authentifier** *vt* to authenticate. ● **authentique** *a* genuine, authentic.

autiste [otist] *ou* **autistique** *a* autistic.

auto [oto] *nf* car; **autos tamponneuses** bumper cars, dodgems.

auto- [oto] *préf* self-.

autobiographie [otobjɔgrafi] *nf* autobiography. ● **autobiographique** *a* autobiographical.

autobus [otobys] *nm* bus.

autocar [otokar] *nm* bus, *Br* coach.

autochtone [otɔktɔn] *a* & *nmf* native.

autocollant, -ante [otokɔlɑ̃, -ɑ̃t] *a* (*enveloppe, timbre etc*) self-seal ∎ *nm* sticker.

autocrate [otokrat] *nm* autocrat. ● **autocratique** *a* autocratic.

autocuiseur [otokɥizœr] *nm* pressure cooker.

autodéfense [otodefɑ̃s] *nf* self-defence.

autodestruction [otodɛstryksjɔ̃] *nf* self-destruction.

autodidacte [otodidakt] *a* & *nmf* self-taught (person).

autodrome [otodrom] *nm* racetrack, *Br* motor-racing track.

auto-école [otoekɔl] *nf* driving school, *Br* school of motoring.

autographe [otograf] *nm* autograph.

automate [ɔtɔmat] *nm* automaton. ● **automation** *nf* automation. ● **automatisation** *nf* automation. ● **automatiser** *vt* to automate.

automatique [ɔtɔmatik] *a* automatic. ● **automatiquement** *adv* automatically.

automitrailleuse [otomitrajøz] *nf Br* armoured *ou Am* armored car.

automne [otɔn] *nm* autumn, *Am* fall. ● **automnal, -e, -aux** *a* autumnal.

automobile [otomobil] *nf* car, *Br* motorcar, *Am* automobile; **l'a., le sport a.** motoring; **Salon de l'a.** *Br* Motor Show, *Am* Auto Show; **canot a.** motor boat. ● **automobiliste** *nmf* motorist.

autonome [otonɔm] *a* (*région etc*) autonomous, self-governing; (*personne*) *Fig* independent; (*ordinateur*) standalone. ● **autonomie** *nf* autonomy.

autopsie [ɔtɔpsi] *nf* autopsy, post-mortem.

autoradio [otoradjo] *nm* car radio.

autorail [otoraj] *nm* railcar.

autoriser [ɔtɔrize] *vt* (*permettre*) to permit (**à faire** to do); (*donner une autorité à*) to authorize (**à faire** to do). ● **autorisé, -ée** *a* (*qualifié*) authoritative. ● **autorisation** *nf* permission, authorization.

autorité [ɔtɔrite] *nf* authority; **faire a.** (*livre etc*) to be authoritative. ● **autoritaire** *a* authoritarian.

autoroute [otorut] *nf Br* motorway, *Am* highway, *Am* freeway.

auto-stop [otostɔp] *nm* hitchhiking; **faire de l'a.** to hitchhike. ● **auto-stoppeur, -euse** *nmf* hitchhiker.

autour [otur] *adv* around, round; **tout a.** all around *ou* round ∎ *prép* **a. de** around, round; (*environ*) around, round about.

autre [otr] *a* & *pron* other; **un a. livre** another book; **un a.** another (one); **d'autres** others; **d'autres médecins/livres/etc** other doctors/books/*etc*; **as-tu d'autres questions?** have you any other *ou* further questions?; **qn/personne/rien d'a.** s.o./no one/nothing else; **a. chose/part** something/somewhere else; **qui/quoi d'a.?** who/what else?; **l'un l'a., les uns les autres** each other; **l'un et l'a.** both (of them); **l'un ou l'a.** either (of them); **ni l'un ni l'a.** neither (of them); **les uns...les autres** some...others; **nous/vous autres Anglais** we/you English; **d'un moment à l'a.** any moment (now); **...et d'autres** ...and so on.

autrefois [otrəfwa] *adv* in the past, long ago, in times gone by.

autrement [otrəmɑ̃] *adv* (*différemment*) differently; (*sinon*) otherwise; (*plus*) far more (**que** than); **pas a. satisfait/etc** not particularly satisfied/*etc*.

Autriche [otriʃ] *nf* Austria. ● **autrichien, -ienne** *a* Austrian ∎ *nmf* A., Autrichienne Austrian.

autruche [otryʃ] *nf* ostrich.

autrui [otrɥi] *pron* others, other people.

auvent [ovɑ̃] *nm* (*de tente, magasin*) awning, canopy.

aux [o] *voir* à.

auxiliaire [ɔksiljɛr] *a* (*verbe, machine, troupes etc*) auxiliary ∎ *nm* (*verbe*) auxiliary ∎ *nmf* (*aide*) helper, auxiliary.

auxquels, -elles [okɛl] *voir* lequel.

av. *abrév* avenue.

avachir (s') [savaʃir] *vpr* (*soulier, personne*) to become flabby *ou* limp.

avait [avɛ] *voir* avoir.

aval (en) [ɑ̃naval] *adv* downstream (**de** from).

avalanche [avalɑ̃ʃ] *nf* avalanche; (*de lettres etc*) flood, avalanche.

avaler [avale] *vt* to swallow; (*livre*) *Fig* to devour; **a. ses mots** to mumble ∎ *vi* to swallow; **j'ai avalé de travers** it went down the wrong way.

avance [avɑ̃s] *nf* (*marche, acompte*) advance; (*de coureur, chercheur etc*) lead;

avances (*diplomatiques*) overtures; (*à une femme*) advances; **à l'a., d'a., par a.** in advance; **en a.** (*arriver, partir*) early; (*avant l'horaire prévu*) ahead (of time); (*dans son développement*) ahead, in advance; (*montre etc*) fast; **en a. sur** (*qn, son époque etc*) ahead of, in advance of; **avoir une heure d'a.** (*train etc*) to be an hour early.

avancé, -ée [avɑ̃se] *a* (*âge, enfant, état etc*) advanced; (*saison*) well advanced.

avancée [avɑ̃se] *nf* projection, overhang.

avancement [avɑ̃smɑ̃] *nm* (*de personne*) promotion; (*de travail*) progress.

avancer [avɑ̃se] *vt* (*date, réunion*) to bring forward; (*main, chaise, pion*) to move forward; (*travail*) to speed up; (*argent, thèse*) to advance; (*montre*) to put forward.

▮ *vi* (*personne, véhicule etc*) to move forward, advance; (*travail*) to progress, advance; (*faire saillie*) to jut out (**sur** over); **a. de cinq minutes** (*montre*) to be five minutes fast; **alors, ça avance?** is everything progressing well?; **ça n'avance à rien de pleurer**/*etc* it's no help crying/*etc*.

▮ **s'avancer** *vpr* to move forward, advance; (*faire saillie*) to jut out; **elle s'avança vers moi** she came *ou* moved towards me.

avanie [avani] *nf* affront, insult.

avant [avɑ̃] *prép* before; **a. de voir** before seeing; **a. qu'il (ne) parte** before he leaves; **a. huit jours** within a week; **a. tout** above all; **a. toute chose** first and foremost; **a. peu** before long.

▮ *adv* before; **en a.** (*mouvement*) forward; (*en tête*) ahead; **en a. de** in front of; **bien a. dans** (*creuser etc*) very deep(ly) into; **la nuit d'a.** the night before.

▮ *nm* (*de navire, voiture etc*) front; (*joueur*) *Football* forward; **à l'a.** in (the) front; **monter à l'a.** to get *ou* go in (the) front.

▮ *a inv* (*pneu etc*) front.

avantage [avɑ̃taʒ] *nm* advantage; (*bénéfice*) *Fin* benefit; **tu as a. à le faire** it's worth your while to do it; **tirer a. de** to benefit from; **avantages en nature** fringe benefits. ●**avantager** *vt* (*favoriser*) to favour; (*faire valoir*) to show off to advantage.

avantageux, -euse [avɑ̃taʒø, -øz] *a* (*prix etc*) worthwhile, attractive; (*flatteur*) flattering; *Péj* conceited; **a. pour qn** advantageous to s.o.

avant-bras [avɑ̃brɑ] *nm inv* forearm. ●**avant-centre** *nm* (*joueur*) centre-forward. ●**avant-coureur** *am* **un signe a.-coureur de qch** a sign heralding sth. ●**avant-dernier, -ière** *a & nmf* last but one. ●**avant-garde** *nf* (*d'armée*) advance guard; **d'a.-garde** (*idée, film etc*) avant-garde. ●**avant-goût** *nm* foretaste. ●**avant-guerre** *nm ou f* pre-war period; **d'a.-guerre** pre-war. ●**avant-hier** [avɑ̃tjɛr] *adv* the day before yesterday. ●**avant-première** *nf* preview. ●**avant-propos** *nm inv* foreword. ●**avant-veille** *nf* **l'a.-veille (de)** two days before.

avare [avar] *a* miserly; **a. de** (*compliments etc*) sparing of ▮ *nmf* miser. ●**avarice** *nf* miserliness, avarice.

avarie(s) [avari] *nf(pl)* damage. ●**avarié, -ée** *a* (*aliment*) rotting, rotten.

avatar [avatar] *nm Péj Fam* misadventure.

avec [avɛk] *prép* with; (*envers*) to(wards); **méchant/aimable**/*etc* **a. qn** nasty/kind/*etc* to s.o.; **a. ça qu'est-ce que je vous sers?** what else can I bring you?; **et a. ça?** (*dans un magasin*) anything else? ▮ *adv* **il est venu a.** (*son chapeau etc*) *Fam* he came with it.

avenant, -ante [avnɑ̃, -ɑ̃t] *a* (*visage etc*) pleasing, attractive ▮ *nm* **à l'a.** in keeping (**de** with).

avènement [avɛnmɑ̃] *nm* **l'a. de** the coming *ou* advent of; (*roi*) the accession of.

avenir [avnir] *nm* future; **à l'a.** (*désormais*) in future; **d'a.** (*personne, métier*) with future prospects.

aventure [avɑ̃tyr] *nf* adventure; (*en amour*) affair; **à l'a.** (*marcher etc*) aimlessly; **dire la bonne a. à qn** to tell s.o.'s fortune; **tenter l'a.** to try one's luck. ●**aventurer** *vt* to risk; (*remarque*) to venture; (*réputation*) to risk ▮ **s'aventurer** *vpr* to venture (**sur** on to, **à faire** to do). ●**aventureux, -euse** *a* (*personne, vie*) adventurous; (*risqué*) risky. ●**aventurier, -ière** *nmf* adventurer.

avenue [avny] *nf* avenue.

avérer (s') [savere] *vpr* (*juste etc*) to prove (to be); **il s'avère que** it turns out that. ●**avéré, -ée** *a* (*fait etc*) established.

averse [avɛrs] *nf* shower, downpour.

aversion [avɛrsjɔ̃] *nf* aversion (**pour** to).

avertir [avɛrtir] *vt* (*mettre en garde, menacer*) to warn; (*informer*) to notify, inform. ●**averti, -ie** *a* (*public etc*) informed. ●**avertissement** *nm* warning; (*dans un livre*) foreword. ●**avertisseur** *nm* (*klaxon*®) horn; **a. d'incendie** fire alarm.

aveu, -x [avø] *nm* confession; **passer aux aveux** to make a confession; **de l'a. de** by the admission of.

aveugle [avœgl] *a* blind; **devenir aveugle** to go blind ▮ *nmf* blind man, blind woman; **les aveugles** the blind. ●**aveuglément** [-emɑ̃] *adv* blindly.

aveugler [avœgle] *vt* (*éblouir*) & *Fig* to blind. ●**aveuglement** [-əmɑ̃] *nm* (*égarement*) complete lack of judgment.

aveuglette (à l') [alavœglɛt] *adv* blindly; **chercher qch à l'a.** to grope for sth.

aviateur, -trice [avjatœr, -tris] *nmf* airman, airwoman. ●**aviation** *nf* (*industrie, science*) aviation; (*armée de l'air*) air force; (*avions*) aircraft *inv*; **l'a.** (*activité*) flying; **base d'a.** air base.

avide [avid] *a* (*d'argent*) greedy (**de** for); **a. d'apprendre**/*etc* (*désireux*) eager to learn/*etc*. ●**avidement** *adv* greedily. ●**avidité** *nf* greed.

avilir [avilir] *vt* to degrade, debase.

avion [avjɔ̃] *nm* plane, aircraft *inv*, *Br* aeroplane, *Am* airplane; **a. à réaction** jet; **a. de chasse** fighter (plane); **a. de ligne** airliner;

par a. (*lettre*) airmail; **en a., par a.** (*voyager*) by plane, by air; **aller en a.** to fly, go by plane *ou* by air (**à** to).
aviron [avirɔ̃] *nm* oar; **l'a.** (*sport*) rowing; **faire de l'a.** to row; **champion d'a.** rowing champion.
avis [avi] *nm* opinion; (*d'un tribunal, d'une assemblée*) judgment; (*communiqué*) notice; (*conseil*) & *Fin* advice; **à mon a.** in my opinion, to my mind; **changer d'a.** to change one's mind.
aviser [avize] *vt* to advise, inform; (*voir*) to notice; **s'a. de qch** to realize sth suddenly; **s'a. de faire** to venture to do. ● **avisé, -ée** *a* prudent, wise (**de faire** to do); **bien/mal a.** well-/ill-advised.
aviver [avive] *vt* (*couleur*) to bring out; (*douleur*) to sharpen.
avocat, -ate [avɔka, -at] **1** *nmf* lawyer, *Br* barrister, *Am* attorney, *Am* counselor; (*d'une cause*) *Fig* advocate. **2** *nm* (*fruit*) avocado (pear).
avoine [avwan] *nf* oats; **farine d'a.** oatmeal.
avoir* [avwar] **1** *v aux* to have; **je l'ai vu** I have *ou* I've seen him; **je l'avais vu** I had *ou* I'd seen him.
2 *vt* (*posséder*) to have; (*obtenir*) to get; (*porter*) to have on, wear; (*tromper*) *Fam* to take for a ride; **il a** he has, he's got; **qu'est-ce que tu as?** what's the matter with you?, what's wrong with you?; **j'ai à lui parler** I have to speak to her; **j'ai à faire** I have things to do; **il n'a qu'à essayer** he only has to try; **a. faim/chaud/***etc* to be *ou* feel hungry/hot/*etc*; **a. cinq ans/***etc* to be five (years old)/*etc*; **en a. pour longtemps** to be busy for quite a while; **j'en ai pour dix minutes** this will take me ten minutes; (*ne bougez pas*) I'll be with you in ten minutes; **en a. pour son argent** to get *ou* have one's money's worth; **j'en ai eu pour dix francs** it cost me ten francs; **en a. après** *ou* **contre** to have a grudge against.
3 *v imp* **il y a** there is, *pl* there are; **il y a six ans** six years ago; **il n'y a pas de quoi!** (*en réponse à 'merci'*) don't mention it!; **qu'est-ce qu'il y a?** what's the matter?, what's wrong?
4 *nm* assets, property; (*d'un compte*) credit.
avoisiner [avwazine] *vt* to border on. ● **avoisinant, -ante** *a* neighbouring, nearby.
avorter [avɔrte] *vi* (*femme*) to miscarry, abort; (*projet etc*) *Fig* to miscarry, fail; (**se faire**) **a.** (*femme*) to have *ou* get an abortion. ● **avortement** *nm* abortion; (*de projet etc*) *Fig* failure.
avouer [avwe] *vt* to confess, admit (**que** that, **à** to); (*crime*) to confess to, admit to; **s'a. vaincu** to admit defeat ▌ *vi* (*coupable*) to confess. ● **avoué, -ée** *a* (*ennemi, but*) declared, avowed ▌ *nm Br* solicitor, *Am* attorney.
avril [avril] *nm* April; **un poisson d'a.** (*farce*) an April fool joke.
axe [aks] *nm* (*ligne*) *Math Astronomie etc* axis; (*essieu*) axle; (*d'une politique*) broad direction; **grands axes** (*routes*) main roads. ● **axer** *vt* to centre (**sur** on); **il est axé sur** his mind is drawn towards.
axiome [aksjom] *nm* axiom.
ayant [ɛjɑ̃], **ayez** [ɛje], **ayons** [ɛjɔ̃] *voir* **avoir**.
azalée [azale] *nf* (*plante*) azalea.
azimuts [azimyt] *nmpl* **dans tous les a.** *Fam* here there and everywhere, all over the place; **tous a.** (*guerre, publicité etc*) all-out.
azote [azɔt] *nm* nitrogen.
azur [azyr] *nm* azure, (sky) blue; **la Côte d'A.** the (French) Riviera.
azyme [azim] *a* (*pain*) unleavened.

B

B, b [be] *nm* B, b.

baba [baba] *n* b. au rhum rum baba.

babeurre [babœr] *nm* buttermilk.

babillard [babijar] *nm Can* notice board.

babiller [babije] *vi* to babble. ●**babillage** *nm* babble.

babines [babin] *nfpl* (*lèvres*) chops.

babiole [babjɔl] *nf* (*objet*) knick-knack; (*futilité*) trifle.

bâbord [babɔr] *nm* (*de bateau, d'avion*) port (side).

babouin [babwɛ̃] *nm* baboon.

baby-foot [babifut] *nm inv* table *ou* miniature football.

bac [bak] *nm* **1** (*bateau*) ferry(boat). **2** (*cuve*) tank; **b. à glace** ice tray (*in refrigerator*); **b. à légumes** vegetable compartment, crisper; **b. à laver** washtub. **3** *abrév* = **baccalauréat**.

baccalauréat [bakalɔrea] *nm* school leaving certificate, = *Br* GCE A-levels, = *Am* high school diploma.

bâche [baʃ] *nf* (*de toile*) tarpaulin; (*de plastique*) plastic sheet. ●**bâcher** *vt* to cover over (*with a tarpaulin ou plastic sheet*).

bachelier, -ière [baʃəlje, -jɛr] *nmf* holder of the *baccalauréat*.

bachot [baʃo] *nm abrév* = **baccalauréat**. ●**bachoter** *vi* to cram (*for an exam*).

bacille [basil] *nm* germ.

bâcler [bakle] *vt* (*travail*) to dash off carelessly, botch (up).

bactéries [bakteri] *nfpl* bacteria. ●**bactériologique** *a* bacteriological; **la guerre b.** germ warfare.

badaud, -aude [bado, -od] *nmf* (inquisitive) onlooker, bystander.

baderne [badɛrn] *nf* **vieille b.** *Péj* old fogey, old fuddy-duddy.

badge [badʒ] *nm Br* badge, *Am* button.

badigeon [badiʒɔ̃] *nm* whitewash, *Br* distemper. ●**badigeonner** *vt* (*mur*) to whitewash, *Br* distemper; (*de peinture*) to daub (with paint); (*écorchure*) to paint *ou* coat (with antiseptic).

badin, -ine [badɛ̃, -in] *a* (*peu sérieux*) light-hearted, playful. ●**badiner** *vi* to jest, joke; **b. avec** (*prendre à la légère*) to trifle with. ●**badinage** *nm* banter, jesting.

baffe [baf] *nf Fam* slap (in the face).

bafouer [bafwe] *vt* to mock *ou* scoff at.

bafouiller [bafuje] *vti* to stammer, splutter.

bâfrer [bɑfre] *vi Fam* to stuff oneself (with food).

bagage [bagaʒ] *nm* (*valise etc*) piece of luggage *ou* baggage; (*connaissances*) *Fig* (fund of) knowledge; **bagages** (*ensemble des valises*) luggage, baggage; **faire ses bagages** to pack (one's bags); **plier bagages** to pack one's bags (and leave). ●**bagagiste** *nm* baggage handler.

bagarre [bagar] *nf* fight, brawl; **des bagarres éclatèrent** fights *ou* fighting broke out *ou* erupted; **aimer la b.** to like a fight *ou* a brawl; **chercher la b.** to look for a fight; **b. générale** free-for-all. ●**bagarrer** *vi Fam* to fight, struggle ▮ **se bagarrer** *vpr* to fight, brawl; (*se disputer*) to fight, quarrel.

bagatelle [bagatɛl] *nf* trifle; **la b. de 1 000 francs** *Iron* the trifling sum of 1,000 francs.

bagne [baɲ] *nm* convict prison; (*outre-mer*) penal colony; **c'est le b. ici** *Fig* this place is a real sweatshop *ou Br* workhouse. ●**bagnard** *nm* convict.

bagnole [baɲɔl] *nf Fam* car.

bagou(t) [bagu] *nm Fam* glibness; **avoir du b.** to have the gift of the gab.

bague [bag] *nf* (*anneau*) ring; (*de cigare*) band. ●**bagué** *a* **doigt b.** ringed finger.

baguenauder [bagnode] *vi*, **se baguenauder** *vpr* to loaf around, saunter.

baguette [bagɛt] *nf* (*canne*) stick; (*de chef d'orchestre*) baton; (*pain*) (long thin) loaf, baguette; **baguettes** (*de tambour*) drumsticks; (*pour manger*) chopsticks; **b. (magique)** (magic) wand; **mener qn à la b.** to rule s.o. with an iron hand.

bahut [bay] *nm* (*meuble*) chest, cabinet; (*lycée*) *Fam* school.

baie [bɛ] *nf* **1** (*de côte*) bay. **2** (*petit fruit*) berry. **3** (*fenêtre*) picture window.

baignade [bɛɲad] *nf* (*bain*) swim, *Br* bathe; (*activité*) swimming, *Br* bathing; (*endroit*) bathing place.

baigner [bɛɲe] *vt* (*immerger*) to bathe; (*enfant*) *Br* to bath, *Am* to bathe; (*mer*) to wash the shores; **baigné de sueur/lumière** bathed in sweat/light; **baigné de sang** blood-soaked, soaked in blood.
▮ *vi* **b. dans** (*tremper*) (*aliment*) to be steeped in (*sauce etc*).
▮ **se baigner** *vpr* to go swimming *ou Br* bathing; (*dans une baignoire*) to have *ou* take a bath; **des gens qui se baignent** people swimming *ou Br* bathing. ●**baigneur, -euse 1** *nmf* swimmer, *Br* bather. **2** *nm* (*poupée*) baby doll.

baignoire [bɛɲwar] *nf* bath (tub).

bail, *pl* **baux** [baj, bo] *nm* lease. ●**bailleur** *nm* **b. de fonds** financial backer.

bâiller [baje] *vi* to yawn; (*chemise etc*) to be half-open; (*porte*) to be *ou* stand ajar. ●**bâillement** *nm* (*de personne*) yawn.

bâillon [bɑjɔ̃] *nm* gag. ●**bâillonner** *vt* (*victime, presse etc*) to gag.

bain [bɛ̃] *nm* bath; (*de mer*) swim, *Br* bathe; **prendre un b.** **de soleil** to sunbathe; **salle de bain(s)** bathroom; **être dans le b.** (*au courant*) *Fam* to have *Br* got *ou Am* gotten into the swing of things; **petit/grand b.** (*piscine*) shallow/deep end; **b. de bouche** mouthwash. ●**bain-marie** *nm* (*pl* **bains-marie**) (*casserole*) double boiler.

baïonnette [bajɔnɛt] *nf* bayonet.

baiser [beze] **1** *vt* **b. qn au front/sur la joue** to kiss s.o. on the forehead/cheek ▌*nm* kiss; **bons baisers** (*dans une lettre*) (with) love. **2** *vt* (*duper*) *Fam* to con.

baisse [bɛs] *nf* fall, drop (**de** in); **en b.** (*température*) falling; (*popularité*) declining.

baisser [bese] *vt* (*voix, prix etc*) to lower, drop; (*tête*) to bend; (*radio, chauffage etc*) to turn down ▌*vi* (*prix, niveau, température etc*) to go down, drop; (*soleil*) to go down, sink; (*marée*) to go out, ebb; (*santé, popularité, qualité*) *Fig* to decline ▌**se baisser** *vpr* to bend down, stoop.

bajoues [baʒu] *nfpl* (*joues d'animal ou de personne*) chops.

bal, *pl* **bals** [bal] *nm* (*réunion de grand apparat*) ball; (*populaire*) dance; (*lieu*) dance hall.

balade [balad] *nf Fam* walk; (*en voiture*) drive; (*excursion*) tour. ●**balader** *vt Fam* (*enfant etc*) to take for a walk *ou* drive; (*objet*) to trail around ▌**se balader** *vpr Fam* (*à pied*) to (go for a) walk; (*excursionner*) to tour (around); **se b.** (**en voiture**) to go for a drive. ●**baladeur** *nm* Walkman®, (*personal*) stereo. ●**baladeuse** *nf* inspection lamp.

balafre [balafr] *nf* (*cicatrice*) scar; (*blessure*) gash, slash. ●**balafré, -ée** *a* scarred; (*blessé*) gashed, slashed.

balai [balɛ] *nm* broom; **b. mécanique** carpet sweeper; **manche à b.** broomstick; (*d'avion, de jeu vidéo*) joystick; **donner un coup de b.** to sweep up. ●**balai-brosse** *nm* (*pl* **balais-brosses**) garden brush *ou* broom (*for scrubbing paving stones*).

balance [balɑ̃s] *nf* (*instrument*) (pair of) scales; (*de comptes*) balance; **la b. des pouvoirs** the balance of power; **la B.** (*signe*) Libra; **mettre en b.** to balance, weigh up.

balancer [balɑ̃se] *vt* (*hanches, tête, branches*) to sway; (*bras*) to swing; (*lancer*) *Fam* to toss, *Br* chuck; (*se débarrasser de*) *Fam* to toss out, *Br* chuck out; **b. un compte** to balance an account.
▌**se balancer** *vpr* (*personne*) to swing (from side to side); (*arbre, bateau etc*) to sway; **je m'en balance!** I couldn't care less! ●**balancé, -ée** *a* **bien b.** (*phrase*) well-balanced; (*personne*) *Fam* well-built. ●**balancement** *nm* swaying; (*de bras*) swinging.

balancier [balɑ̃sje] *nm* (*d'horloge*) pendulum; (*de montre*) balance wheel.

balançoire [balɑ̃swar] *nf* (*suspendue*) swing; (*bascule*) seesaw.

balayer [baleje] *vt* (*chambre etc*) to sweep (out); (*rue, feuilles etc*) to sweep (up); (*enlever, chasser*) to sweep away; (*parcourir*) (*lumière de phare etc*) to sweep across (*beach etc*); **le vent balayait la plaine** the wind swept the plain. ●**balayage** *nm* sweeping (out *ou* up *ou* away).

balayette [balɛjɛt] *nf* (hand) brush; (*balai*) short-handled broom.

balayeur, -euse [balɛjœr, -øz] *nmf* (*personne*) roadsweeper. ●**balayeuse** *nf* (*véhicule*) roadsweeper.

balbutier [balbysje] *vti* to stammer. ●**balbutiement** *nm* balbutiement(s) stammering; **en être à ses premiers balbutiements** (*science etc*) to be in its infancy.

balcon [balkɔ̃] *nm* balcony; (*de théâtre, opéra*) *Br* dress circle, *Am* mezzanine.

baldaquin [baldakɛ̃] *nm* (*de lit*) canopy.

Baléares [balear] *nfpl* **les B.** the Balearic Islands.

baleine [balɛn] *nf* (*animal*) whale; (*fanon*) whalebone; (*de parapluie*) rib. ●**baleinier** *nm* (*navire*) whaler. ●**baleinière** *nf* whaleboat.

balise [baliz] *nf* (*de navigation*) *Nau* beacon; *Av* (ground) light; (*routière*) road sign. ●**baliser** *vt* to mark with beacons *ou* lights; (*route*) to signpost. ●**balisage** *nm Nau* beacons; *Av* lighting; (*routier*) signposting.

balistique [balistik] *a* ballistic.

balivernes [balivɛrn] *nfpl Vieilli* balderdash, nonsense.

Balkans [balkɑ̃] *nmpl* **les B.** the Balkans.

ballade [balad] *nf* (*légende, poème long*) ballad; (*musicale, poème court*) ballade.

ballant, -ante [balɑ̃, -ɑ̃t] *a* (*bras, jambes*) dangling.

ballast [balast] *nm* ballast.

balle [bal] *nf* (*de tennis, golf etc*) ball; (*projectile*) bullet; (*paquet*) bale; **balles** (*francs*) *Fam* francs; **faire des balles** (*au tennis*) to knock the ball about; **se renvoyer la b.** *Fig* to pass the buck (to each other).

ballet [balɛ] *nm* ballet. ●**ballerine** *nf* ballerina.

ballon [balɔ̃] *nm* (*jouet d'enfant, dirigeable*) balloon; (*de sport*) ball; **b. de football** *Br* football, *Am* soccer ball; **b. d'eau chaude** hot-water tank; **lancer un b. d'essai** *Fig* to put out a feeler; **être un b. d'oxygène pour qn** *Fig* to be a (real) shot in the arm *ou* boost for s.o.

ballonné [balɔne] *am* (*ventre, estomac*) bloated, swollen.

ballot [balo] *nm* (*paquet*) bundle; (*imbécile*) *Fam* idiot.

ballottage [balɔtaʒ] *nm* (*scrutin*) second ballot (*no candidate having achieved the required number of votes*).

ballotter [balɔte] *vti* to shake (about); **ballotté entre** (*sentiments contraires*) torn between.

balnéaire [balneɛr] *a* **station b.** *Br* seaside resort, *Am* beach resort.

balourd, -ourde [balur, -urd] *nmf* (clumsy)

oaf. ●**balourdise** *nf* clumsiness, oafishness; (*gaffe*) blunder.
Baltique [baltik] *nf* **la B.** the Baltic.
balustrade [balystrad] *nf* (hand)rail, railing(s).
bambin [bɑ̃bɛ̃] *nm* tiny tot, toddler.
bambou [bɑ̃bu] *nm* bamboo; **canne**/*etc* **de b.** bamboo stick/*etc*.
ban [bɑ̃] *nm* (*applaudissements*) round of applause; (*de tambour*) roll; **bans** (*de mariage*) banns; **mettre qn au b. de** to cast s.o. out from, outlaw s.o. from; **un (triple) b. pour...** three cheers for..., a big hand for....
banal, -e, *mpl* **-als** [banal] *a* (*fait, accident etc*) commonplace, banal; (*idée, propos*) banal, trite. ●**banalité** *nf* banality; **banalités** (*propos*) banalities.
banalisée [banalize] *af* **voiture (de police) b.** unmarked (police) car.
banane [banan] *nf* banana; (*sac de skieur etc*) waist pouch, *Br* bum bag, *Am* fanny pack. ●**bananier** *nm* (*arbre*) banana tree.
banc [bɑ̃] *nm* (*siège*) bench; (*établi de menuisier etc*) work(bench); (*de poissons*) shoal; **b. des accusés** (*dans un tribunal*) dock; **b. d'église** pew; **b. de neige** *Can* snowbank; **b. de sable** sandbank; **b. d'essai** *Fig* testing ground.
bancaire [bɑ̃kɛr] *a* **compte**/**chèque**/*etc* **b.** bank account/*Br* cheque *ou Am* check/*etc*; **opération b.** banking operation.
bancal, -e, *mpl* **-als** [bɑ̃kal] *a* (*personne*) bandy, bow-legged; (*boiteux*) who limps; (*meuble*) wobbly; (*idée*) *Fig* shaky.
bandage [bɑ̃daʒ] *nm* (*pansement*) bandage.
bandana [bɑ̃dana] *nm* bandan(n)a.
bande [bɑ̃d] *nf* **1** (*de terrain, papier etc*) strip; (*de film*) reel; (*de journal*) wrapper; (*rayure*) stripe; (*pansement*) bandage; (*sur la chaussée*) line; (*de fréquences*) *Radio* band; **b. (magnétique)** tape; **b. vidéo** videotape; **b. sonore** sound track; **une b. dessinée** a comic strip, a strip cartoon; **aimer la b. dessinée** to like comic strips *ou Br* comics; **par la b.** (*de façon détournée*) indirectly.
2 (*groupe*) gang, troop, band; (*de chiens*) pack; (*d'oiseaux*) flock; **on a fait b. à part** we split into our own group; **b. d'idiots!** you bunch *ou Br* load of idiots!
bandeau, -x [bɑ̃do] *nm* (*sur les yeux*) blindfold; (*pour la tête*) headband; (*pansement*) head bandage.
bander [bɑ̃de] *vt* (*blessure etc*) to bandage; (*yeux*) to blindfold; (*muscle*) to tense; (*arc*) to bend.
banderole [bɑ̃drɔl] *nf* (*de manifestants*) banner; (*publicitaire*) streamer.
bandit [bɑ̃di] *nm* robber, gangster; (*enfant*) *Fam* rascal. ●**banditisme** *nm* **le b.** crime.
bandoulière [bɑ̃duljɛr] *nf* shoulder strap; **en b.** slung across the shoulder.
banjo [bɑ̃dʒo] *nm* banjo.
banlieue [bɑ̃ljø] *nf* **la b.** the suburbs, the outskirts; **une b.** a suburb; **en b.** in the suburbs; **la proche**/**grande b.** the inner/outer

suburbs; **de b.** (*maison, magasin etc*) suburban; **train de b.** commuter train. ●**banlieusard, -arde** *nmf* (*habitant*) suburbanite; (*voyageur*) commuter; **c'est un b.** he lives in the suburbs, he's a suburbanite.
banne [ban] *nf* (*de magasin*) awning.
bannière [banjɛr] *nf* (*drapeau*) banner.
bannir [banir] *vt* (*exiler*) to banish (**de** from); (*supprimer*) to banish, ban (**de** from). ●**bannissement** *nm* (*de personne*) banishment.
banque [bɑ̃k] *nf* bank; (*activité*) banking; **b. de données** *Ordinat* data bank; **b. du sang** blood bank.
banqueroute [bɑ̃krut] *nf* (fraudulent) bankruptcy.
banquet [bɑ̃kɛ] *nm* banquet.
banquette [bɑ̃kɛt] *nf* (*de véhicule, train*) (bench) seat.
banquier [bɑ̃kje] *nm* banker.
banquise [bɑ̃kiz] *nf* ice floe *ou* field.
baptême [batɛm] *nm* christening, baptism; (*de navire etc*) *Fig* christening; **b. du feu** baptism of fire; **b. de l'air** first flight. ●**baptiser** *vt* (*enfant*) to christen, baptize; (*appeler*) *Fig* to christen (*ship etc*).
baquet [bakɛ] *nm* tub, basin.
bar [bar] *nm* **1** (*lieu, comptoir, meuble*) bar. **2** (*poisson marin*) bass.
baragouin [baragwɛ̃] *nm* gibberish, gabble. ●**baragouiner** *vt* (*langue*) to gabble a few words of ▮ *vi* to gabble away, talk gibberish.
baraque [barak] *nf* hut, shack; (*maison*) *Fam* house, place; (*taudis*) hovel; (*de foire*) stall. ●**baraquement** *nm* (makeshift) huts.
baratin [baratɛ̃] *nm* *Fam* sweet talk; (*de vendeur*) sales talk, (sales) patter. ●**baratiner** *vt* (*fille*) *Br* to chat up, *Am* sweet-talk.
barbare [barbar] *a* (*manières, action, crime*) barbaric; (*peuple, invasions*) barbarian ▮ *nmf* barbarian. ●**barbarie** *nf* (*cruauté*) barbarity. ●**barbarisme** *nm* (*faute de langage*) barbarism.
barbe [barb] *nf* beard; **une b. de trois jours** three days' growth of beard; **se faire la b.** to shave; **à la b. de** under the (very) nose(s) of; **rire dans sa b.** to laugh up one's sleeve; **la b.!** *Fam* enough!, cut it out!; **quelle b.!** *Fam* what a drag *ou* bore!; **b. à papa** *Br* candyfloss, *Am* cotton candy.
barbecue [barbəkju] *nm* barbecue.
barbelé [barbəle] *am* **fil de fer b.** barbed wire. ●**barbelés** *nmpl* barbed wire.
barber [barbe] *vt* *Fam* to bore (stiff) ▮ **se barber** *vpr* *Fam* to be *ou* get bored (stiff). ●**barbant, -ante** *a* *Fam* boring.
barbiche [barbiʃ] *nf* goatee (beard).
barbiturique [barbityrik] *nm* barbiturate.
barboter [barbɔte] **1** *vi* (*s'agiter*) to splash about, paddle. **2** *vt* (*voler*) *Fam* to snatch, *Br* pinch, filch. ●**barboteuse** *nf* (*de bébé*) rompers, play suit.
barbouiller [barbuje] *vt* (*salir*) to smear; (*gribouiller*) to scribble; (*peindre*) to daub; **avoir l'estomac** *ou* **le cœur barbouillé** *Fam* to

feel queasy. ●**barbouillage** *nm* (*de confiture etc*) smear; (*au stylo etc*) scribble; (*de peinture*) daub; (*action de peindre*) daubing.
barbu, -ue [barby] *a* bearded.
barda [barda] *nm* (*bagages*) *Fam* gear; (*de soldat*) kit.
bardé, -ée [barde] *a* b. de décorations/*etc* covered with decorations/*etc*.
barder [barde] *v imp* ça va b.! *Fam* there'll be fireworks!, there'll be (real) trouble!
barème [barɛm] *nm* (*des tarifs*) table; (*des salaires*) scale; (*livre de comptes*) ready reckoner.
baril [bari(l)] *nm* barrel; b. de poudre powder keg; b. de lessive box of laundry detergent.
bariolé, -ée [barjɔle] *a* brightly-coloured.
barjo [barʒo] *a inv* (*fou*) *Fam* nutty, *Br* bonkers.
barman, *pl* **-men** *ou* **-mans** [barman, -mɛn, -man] *nm Br* barman, *Am* bartender.
baromètre [barɔmɛtr] *nm* barometer.
baron [barɔ̃] *nm* baron. ●**baronne** *nf* baroness.
baroque [barɔk] **1** *a* (*idée etc*) bizarre, weird. **2** *a* & *nm Archit Mus etc* baroque.
baroud [barud] *nm* b. d'honneur gallant last stand *ou* fight.
barque [bark] *nf* (small) boat.
barrage [baraʒ] *nm* (*sur une route*) roadblock; (*sur un fleuve*) dam; (*de petite rivière*) weir; le b. d'une rue the closure of a street; b. de police police roadblock; tir de b. barrage fire.
barre [bar] *nf* (*de fer, bois, chocolat etc*) bar; (*de bateau*) helm; (*trait*) line, stroke; b. de soustraction minus sign; b. d'espacement (*d'ordinateur, de machine à écrire*) space bar; b. fixe *Sport* horizontal bar.
barreau, -x [baro] *nm* (*de fenêtre etc*) bar; (*d'échelle*) rung; le b. (*profession des avocats*) the bar.
barrer [bare] **1** *vt* (*route etc*) (*police*) to close (off); (*obstruer*) (*éboulis etc*) to block (off); (*porte*) to bar; (*chèque*) to cross; (*phrase*) to cross out; (*bateau*) to steer; b. la route à qn, b. qn to bar s.o.'s way; 'rue barrée' 'road closed'. **2 se barrer** *vpr Arg* to beat it, *Br* hop it, make off.
barrette [barɛt] *nf* (*pince*) *Br* (hair)slide, *Am* barrette.
barreur [barœr] *nm* (*de bateau*) cox.
barricade [barikad] *nf* barricade. ●**barricader** *vt* to barricade ❚ **se barricader** *vpr* (*forcené etc*) to barricade oneself (**dans** in); (*pour être seul*) to shut oneself away.
barrière [barjɛr] *nf* (*porte*) gate; (*clôture*) fence; (*obstacle, mur*) barrier.
barrique [barik] *nf* (large) barrel.
baryton [baritɔ̃] *nm* baritone.
bas¹, basse [ba, bas] *a* (*table, prix etc*) low; (*âme, action*) vile, base, mean; (*partie de ville etc*) lower; (*origine*) lowly; au b. mot at the very least; enfant en b. âge young child; avoir la vue basse to be short-sighted; le b. peuple *Péj* the lower classes; coup b. *Boxe* blow below the belt.
❚ *adv* low; (*parler*) in a whisper, softly; mettre b. (*animal*) to give birth; mettre b. les armes to lay down one's arms; jeter b. to overthrow; plus b. further *ou* lower down; sauter à b. du lit to jump out of bed; à b. les dictateurs/*etc*! down with dictators/*etc*!
❚ *nm* (*de côte, page, mur etc*) bottom, foot; tiroir/étagère/*etc* du b. bottom drawer/shelf/*etc*; en b. down (below); (*par l'escalier*) downstairs; en *ou* au b. de at the foot *ou* bottom of; de haut en b. from top to bottom.

bas² [ba] *nm* (*chaussette*) stocking; b. à varices support stockings; b. de laine (*économies*) nest egg.
basané, -ée [bazane] *a* (*visage etc*) tanned.
bas-bleu [bablø] *nm* (*pl* **-bleus**) (*femme*) *Péj* bluestocking.
bas-côté [bakote] *nm* (*de route*) roadside, shoulder, *Br* verge.
bascule [baskyl] *nf* (*balançoire*) seesaw; (**balance à**) b. weighing machine; cheval/fauteuil à b. rocking horse/chair. ●**basculer** *vti* (*personne*) to topple over; (*benne*) to tip up.
base [baz] *nf* **1** (*de colonne, triangle etc*) & *Ch Math etc* base; (*principe fondamental*) basis; bases (*d'un argument, accord etc*) basis; salaire/*etc* de b. basic pay/*etc*; produit à b. de lait/citron milk-/lemon-based product; militant de b. rank-and-file militant. **2** (*militaire etc*) base. ●**baser** *vt* to base (sur on); se b. sur to base oneself on.
bas-fond [bafɔ̃] *nm* (*eau*) shallows; (*terrain*) low ground; les bas-fonds (*population*) *Péj* the dregs.
basilic [bazilik] *nm* (*plante, aromate*) basil.
basilique [bazilik] *nf* basilica.
basket(-ball) [basket(bɔl)] *nm* basketball.
baskets [baskɛt] *nfpl* (*chaussures*) *Br* trainers, *Am* track shoes.
basque [bask] *a* Basque ❚ *nmf* B. Basque. ●**basques** *nfpl* (*pans de veste*) skirts.
basse [bas] **1** *voir* bas¹. **2** *nf Mus* bass.
basse-cour [baskur] *nf* (*pl* **basses-cours**) farmyard, *Am* barnyard.
bassement [basmɑ̃] *adv* basely, meanly. ●**bassesse** *nf* baseness, meanness; (*action*) vile *ou* base *ou* mean act.
bassin [basɛ̃] *nm* **1** (*pièce d'eau*) pond; (*de port*) dock; (*de piscine*) pool; (*cuvette*) bowl, basin; (*rade*) dock. **2** (*du corps*) pelvis. **3** (*région*) basin; b. houiller coalfield. ●**bassine** *nf* bowl.
bassiner [basine] *vt* (*ennuyer*) *Fam* to bore.
basson [basɔ̃] *nm* (*instrument*) bassoon; (*musicien*) bassoonist.
bastingage [bastɛ̃gaʒ] *nm* (ship's) rail, bulwarks.
bastion [bastjɔ̃] *nm* (*d'un parti etc*) bastion, stronghold.
bastringue [bastrɛ̃g] *nm* (*tapage*) *Arg* shindig, din; (*attirail*) *Arg* paraphernalia.

bas-ventre

bas-ventre [bavɑ̃tr] *nm* lower abdomen; (*sexe*) *Fam* genitals.
bat [ba] *voir* **battre**.
bât [bɑ] *nm* packsaddle.
bataclan [bataklɑ̃] *nm Fam* paraphernalia; **et tout le b.** *Fam* and all the rest of it.
bataille [batɑj] *nf* battle; (*jeu de cartes*) beggar-my-neighbour. ● **batailler** *vi* to fight, battle. ● **batailleur, -euse** *nmf* fighter ▮ *a* fond of fighting.
bataillon [batajɔ̃] *nm* batallion.
bâtard, -arde [bɑtar, -ard] *a & nmf* bastard; **chien b.** mongrel; **œuvre bâtarde** hybrid work.
bateau, -x [bato] **1** *nm* boat; (*grand*) ship. **2** *a inv* (*question, sujet etc*) trite, hackneyed. ● **bateau-citerne** *nm* (*pl* **bateaux-citernes**) tanker. ● **bateau-mouche** *nm* (*pl* **bateaux-mouches**) (*sur la Seine*) pleasure boat.
batifoler [batifɔle] *vi Hum* to play *ou* fool *ou Br* lark about.
bâtiment [bɑtimɑ̃] *nm* (*édifice*) building; (*navire*) vessel; **le b., l'industrie du b.** the building trade; **ouvrier du b.** building worker.
bâtir [bɑtir] *vt* (*construire*) to build; (*coudre*) to baste, tack; **terrain à b.** building site. ● **bâti, -ie** *a* **bien b.** well-built ▮ *nm* (*charpente*) frame, support. ● **bâtisse** *nf Péj* building. ● **bâtisseur, -euse** *nmf* builder (**de** of).
bâton [bɑtɔ̃] *nm* (*canne*) stick; (*de maréchal, d'agent*) baton; **b. de rouge à lèvres** lipstick; **donner des coups de b. à qn** to beat s.o. (with a stick); **parler à bâtons rompus** to ramble from one subject to another; **mettre des bâtons dans les roues à qn** to put obstacles in s.o.'s way.
battage [bataʒ] *nm* (*du blé*) threshing; (*publicité*) *Fam* publicity, hype, ballyhoo.
battant [batɑ̃] *nm* **1** (*de cloche*) tongue; (*vantail de porte etc*) flap; **porte à deux battants** double door. **2** (*personne*) fighter.
battante [batɑ̃t] *af* **pluie b.** driving rain; **porte b.** *Br* swing door, *Am* swinging door.
battement [batmɑ̃] *nm* **1** (*de tambour etc*) beat(ing); (*de paupières*) blink(ing); **b. de cœur** heartbeat; **avoir des battements de cœur** to have palpitations. **2** (*délai*) interval.
batterie [batri] *nf* (*pour voiture, de canons etc*) battery; **la b.** (*d'un orchestre*) the drums; **b. de cuisine** set of pots and pans and dishes.
batteur [batœr] *nm* **1** (*musicien*) drummer, percussionist. **2 b. à œufs** egg beater.
battre* [batr] **1** *vt* (*frapper, vaincre*) to beat; (*à coups redoublés*) to batter, pound; (*blé*) to thresh; (*cartes*) to shuffle; (*œufs*) to beat; (*pays, chemins*) to scour; **b. la mesure** to beat time; **b. qn à mort** to batter *ou* beat s.o. to death; **b. pavillon** to fly a flag.
▮ *vi* to beat; (*porte*) to bang; **b. des mains** to clap (one's hands); **b. des paupières** to blink; **b. des ailes** (*oiseau*) to flap its wings; **le vent fait b. la porte** the wind bangs the door.
2 se battre *vpr* to fight (**avec** with, **pour** for).

battu [baty] *am* **le chemin** *ou* **sentier b.** the beaten track.
baudet [bodɛ] *nm* donkey.
baume [bom] *nm* (*résine, Fig consolation*) balm.
baux [bo] *voir* **bail**.
bavard, -arde [bavar, -ard] *a* (*élève etc*) talkative; (*commère*) gossipy ▮ *nmf* chatterbox; (*commère*) gossip. ● **bavarder** *vi* to chat, chatter; (*commère*) to gossip; (*divulguer des secrets*) to blab. ● **bavardage** *nm* chatting, chatter(ing); (*de commère*) gossip(ing).
bave [bav] *nf* dribble, slobber; (*de chien enragé*) foam; (*de limace*) slime. ● **baver** *vi* to dribble, slobber; (*chien enragé*) to foam; (*stylo*) to smudge; **en b.** *Fam* to have a rough time of it.
bavette [bavɛt] *nf* bib.
baveux, -euse [bavø, -øz] *a* (*bouche*) slobbery; (*omelette*) runny.
bavoir [bavwar] *nm* bib.
bavure [bavyr] *nf* (*tache*) smudge; (*erreur*) blunder; **sans b.** (*impeccable(ment)*) flawless(ly), perfect(ly).
bazar [bazar] *nm* (*magasin, marché*) bazaar; (*désordre*) mess, clutter; (*attirail*) *Fam* stuff, gear.
bazarder [bazarde] *vt Fam* to sell off, get rid of.
bazooka [bazuka] *nm* bazooka.
BCBG [besebeʒe] *a inv abrév* (**bon chic bon genre**) stylish, classy.
bd *abrév* **boulevard**.
BD [bede] *nf abrév* **bande dessinée**.
béant, -ante [beɑ̃, -ɑ̃t] *a* (*plaie*) gaping; (*gouffre*) yawning.
béat, -ate [bed, -at] *a* (*air, sourire*) *Péj* smug; (*heureux*) *Hum* blissful. ● **béatitude** *nf Hum* bliss.
beau *ou* **bel** *before vowel or mute h*), **belle**, *pl* **beaux, belles** [bo, bɛl] *a* (*fleur, histoire etc*) beautiful; (*femme*) beautiful, attractive; (*homme*) handsome, good-looking; (*voyage, temps, discours etc*) fine, lovely, beautiful; (*occasion, talent etc*) fine; **au b. milieu** right in the middle (**de** of); **j'ai b. crier/essayer/etc** it's no use (my) shouting/trying/etc; **un b. morceau** a good *or* sizeable bit; **ce n'est pas b. de mentir** it isn't nice *ou* right to lie; **de plus belle** (*recommencer, hurler etc*) worse than ever; **bel et bien** really.
▮ *nm* **le b.** the beautiful; **faire le b.** (*chien*) to sit up and beg; **le plus b. de l'histoire** the best part of the story.
▮ *nf* **belle** (*aux cartes etc*) deciding game; (*femme*) beauty.
beaucoup [boku] *adv* (*lire etc*) a lot, a great deal; **aimer b.** to like very much; **s'intéresser b. à** to be very interested in; **b. de** (*livres etc*) many, a lot *ou* a great deal of; (*courage etc*) a lot *ou* a great deal of, much; **pas b. d'argent/etc** not much money/etc; **j'en ai b.** (*quantité*) I have a lot; (*nombre*) I have lots *ou* many; **b. plus/moins** much more/less, a

berlingot

lot more/less (**que** than); (*nombre*) many *ou* a lot more/a lot fewer (**que** than); **b. trop** (*quantité*) much too much; (*nombre*) much too many; **beaucoup trop petit**/*etc* much too small/*etc*; **de b.** by far; **b. sont...** many are....

beau-fils [bofis] *nm* (*pl* **beaux-fils**) (*d'un précédent mariage*) stepson; (*gendre*) son-in-law. ● **beau-frère** *nm* (*pl* **beaux-frères**) brother-in-law. ● **beau-père** *nm* (*pl* **beaux-pères**) father-in-law; (*second mari de la mère*) stepfather.

beauté [bote] *nf* (*qualité, femme*) beauty; **institut** *ou* **salon de b.** beauty salon *ou* parlour; **en b.** (*gagner, finir etc*) magnificently; **être en b.** to look one's very best; **de toute b.** very beautiful.

beaux-arts [bozar] *nmpl* fine arts. ● **beaux-parents** *nmpl* parents-in-law.

bébé [bebe] *nm* baby; **b.-lion**/*etc* (*pl* **bébés-lions**/*etc*) baby lion/*etc*.

bébête [bebɛt] *a Fam* silly.

bec [bɛk] *nm* (*d'oiseau*) beak, bill; (*de cruche*) spout, lip; (*de plume*) nib; (*bouche*) *Fam* mouth; (*de flûte etc*) mouthpiece; **coup de b.** peck; **b. de gaz** gas lamp; **clouer le b. à qn** *Fam* to shut s.o. up; **tomber sur un b.** *Fam* to come up against a serious snag. ● **bec-de-cane** *nm* (*pl* **becs-de-cane**) door handle.

bécane [bekan] *nf Fam* bike.

bécarre [bekar] *nm* (*signe musical*) natural.

bécasse [bekas] *nf* (*oiseau*) woodcock; (*personne*) *Fam* simpleton.

bêche [bɛʃ] *nf* spade. ● **bêcher** *vt* **1** (*cultiver*) to dig. **2** (*critiquer*) to criticize; (*snober*) to snub. ● **bêcheur, -euse** *nmf* snob.

bécot [beko] *nm Fam* kiss. ● **bécoter** *vt*, **se bécoter** *vpr Fam* to kiss.

becquée [beke] *nf* beakful; **donner la b. à** (*oiseau, enfant*) to feed. ● **becqueter** *vt* (*picorer*) to peck (at); (*manger*) *Fam* to eat.

bedaine [bədɛn] *nf Fam* potbelly, paunch.

bedeau, -x [bədo] *nm* beadle, verger.

bedon [bədɔ̃] *nm Fam* potbelly, paunch. ● **bedonnant, -ante** *a* potbellied, paunchy.

bée [be] *af* **bouche b.** open-mouthed.

beffroi [befrwa] *nm* belfry.

bégayer [begeje] *vi* to stutter, stammer. ● **bégaiement** *nm* stuttering, stammering.

bégonia [begɔnja] *nm* begonia.

bègue [bɛg] *nmf* stutterer, stammerer ▮ *a* **être b.** to stutter, stammer.

bégueule [begœl] *a* prudish ▮ *nf* prude.

béguin [begɛ̃] *nm* **avoir le b. pour qn** *Fam Vieilli* to have taken a fancy to s.o.

beige [bɛʒ] *a & nm* beige.

beignet [bɛɲɛ] *nm* (*pâtisserie*) fritter.

Beijing [beidʒiŋ] *nm ou f* Beijing.

bel [bɛl] *voir* **beau**.

bêler [bele] *vi* to bleat ● **bêlement(s)** [bɛlmɑ̃] *nm(pl)* bleating.

belette [bəlɛt] *nf* weasel.

Belgique [bɛlʒik] *nf* Belgium. ● **belge** *a* Belgian ▮ *nmf* **B.** Belgian.

bélier [belje] *nm* (*animal, machine*) ram; **le B.** (*signe*) Aries.

belle [bɛl] *voir* **beau**.

belle-fille [bɛlfij] *nf* (*pl* **belles-filles**) (*d'un précédent mariage*) stepdaughter; (*épouse d'un fils*) daughter-in-law. ● **belle-mère** *nf* (*pl* **belles-mères**) mother-in-law; (*seconde épouse du père*) stepmother. ● **belle-sœur** *nf* (*pl* **belles-sœurs**) sister-in-law.

belligérant, -ante [beliʒerɑ̃, -ɑ̃t] *a & nm* belligerent.

belliqueux, -euse [belikø, -øz] *a* (*enfant, ton etc*) aggressive; (*peuple etc*) warlike.

belvédère [bɛlvedɛr] *nm* (*plate-forme ou terrasse sur une route*) viewing place, viewpoint.

bémol [bemɔl] *nm* (*signe musical*) flat.

bénédiction [benediksjɔ̃] *nf* blessing.

bénéfice [benefis] *nm* (*financier*) profit; (*avantage*) benefit; **b. (ecclésiastique)** living, benefice.

bénéficiaire [benefisjɛr] *nmf* beneficiary ▮ *a* (*opération, société etc*) profit-making; **marge/solde b.** profit margin/balance.

bénéficier [benefisje] *vi* **b. de** to benefit from, have the benefit of.

bénéfique [benefik] *a* beneficial.

Bénélux [benelyks] *nm* Benelux.

benêt [bənɛ] *nm* simpleton ▮ *am* simple-minded.

bénévole [benevɔl] *a & nmf* voluntary *ou* unpaid (worker).

bénin, -igne [benɛ̃, -iɲ] *a* (*tumeur, critique*) benign; (*accident, maladie*) minor.

bénir [benir] *vt* to bless; (*remercier, exalter*) to give thanks to. ● **bénit, -ite** *a* (*pain*) consecrated; **eau bénite** holy water.

bénitier [benitje] *nm* (*holy-water*) stoup.

benjamin, -ine [bɛ̃ʒamɛ̃, -in] *nmf* youngest child; (*sportif*) young junior.

benne [bɛn] *nf* (*de camion*) (movable) container; (*de grue*) scoop; (*à charbon*) tub, skip; (*de téléphérique*) cable car; **camion à b. basculante** dump truck; **b. à ordures** *Br* skip, *Am* Dumpster®.

béotien, -ienne [beɔsjɛ̃, -jɛn] *nmf* (*inculte*) philistine.

béquille [bekij] *nf* (*canne*) crutch; (*de moto*) stand.

bercail [bɛrkaj] *nm* (*famille etc*) *Hum* fold; **rentrer au b.** to return to the fold.

berceau, -x [bɛrso] *nm* cradle.

bercer [bɛrse] *vt* (*balancer*) to rock; (*apaiser*) to soothe, lull; (*leurrer*) to delude (**de** with); **se b. d'illusions** to delude oneself. ● **berceuse** *nf* lullaby.

béret [berɛ] *nm* beret.

berge [bɛrʒ] *nf* (*rive*) (raised) bank.

berger [bɛrʒe] *nm* **1** shepherd; **chien (de) b.** sheepdog. **2** *nm* **b. allemand** *Br* Alsatian (dog), *Am* German shepherd. ● **bergère** *nf* shepherdess. ● **bergerie** *nf* sheepfold.

berline [bɛrlin] *nf* (*voiture*) *Br* (four-door) saloon, *Am* sedan.

berlingot [bɛrlɛ̃go] *nm* (*bonbon aux fruits*)

berlue

Br boiled sweet, *Am* hard candy; (*à la menthe*) mint; (*emballage*) (milk) carton.
berlue [bɛrly] *nf* **avoir la b.** to be seeing *ou* imagining things.
bermuda [bɛrmyda] *nm* Bermuda shorts, Bermudas.
Bermudes [bɛrmyd] *nfpl* Bermuda.
berne (en) [ãbɛrn] *adv* (*drapeau*) at half-mast.
berner [bɛrne] *vt* to fool, hoodwink.
besogne [bəzɔɲ] *nf* job, task, work *inv*. ● **besogneux, -euse** *a* needy.
besoin [bəzwɛ̃] *nm* need; **avoir b. de** to need; **au b.** if necessary, if need be; **dans le b.** in need, needy; **faire ses besoins** to relieve oneself, to go to the *Br* toilet *ou Am* lavatory.
bestial, -e, -aux [bɛstjal, -o] *a* bestial, brutish.
bestiaux [bɛstjo] *nmpl* livestock; (*bovins*) cattle.
bestiole [bɛstjɔl] *nf* (*insecte*) bug, *Br* creepy-crawly, *Am* creepy-crawler.
bétail [betaj] *nm* livestock; (*bovins*) cattle.
bête[1] [bɛt] *nf* animal; (*insecte*) bug, creature; **b. de somme** beast of burden; **à bon dieu** *Br* ladybird, *Am* ladybug; **b. noire** *Br* pet hate, *Am* pet peeve; **chercher la petite b.** (*critiquer*) to pick holes.
bête[2] [bɛt] *a* stupid, silly; **être b. comme ses pieds** *ou* **comme une oie** to be as stupid *ou* as silly as they come. ● **bêtement** *adv* stupidly; **tout b.** quite simply. ● **bêtise** [bɛtiz] *nf* stupidity, silliness; (*action, parole*) stupid *ou* silly thing; (*bagatelle*) mere trifle.
béton [betɔ̃] *nm* concrete; **mur/etc en b.** concrete wall/*etc*; **b. armé** reinforced concrete. ● **bétonnière** *nf ou* **bétonneuse** *nf* cement *ou* concrete mixer.
betterave [bɛtrav] *nf* (*plante*) *Br* beetroot, *Am* beet; **b. sucrière** *ou* **à sucre** sugar beet.
beugler [bøgle] *vi* (*taureau*) to bellow; (*vache*) to moo; (*radio*) *Fig* to blare (out).
beur [bœr] *nm* = North African born in France of immigrant parents.
beurre [bœr] *nm* butter; **b. d'anchois** anchovy paste. ● **beurrer** *vt* to butter. ● **beurrier** *nm* butter dish.
beuverie [bøvri] *nf* drinking session, *Br* booze-up.
bévue [bevy] *nf* blunder, mistake.
biais [bjɛ] *nm* (*moyen détourné*) device, expedient; (*aspect*) angle; **regarder de b.** to look at sidelong; **traverser en b.** to cross at an angle.
biaiser [bjeze] *vi* to prevaricate, hedge.
bibelot [biblo] *nm* (small) ornament, trinket.
biberon [bibrɔ̃] *nm* (feeding) bottle; **nourrir au b.** to bottlefeed.
bible [bibl] *nf* bible; **la B.** the Bible. ● **biblique** *a* biblical.
bibliobus [biblijɔbys] *nm* mobile library.
bibliographie [biblijɔgrafi] *nf* bibliography.
bibliothèque [biblijɔtɛk] *nf* library; (*meuble*) bookcase; (*à la gare*) bookstall. ● **bibliothécaire** *nmf* librarian.

bic® [bik] *nm* ballpoint, *Br* biro®.
bicarbonate [bikarbɔnat] *nm* bicarbonate.
bicentenaire [bisãtnɛr] *nm* bicentenary, bicentennial.
biceps [bisɛps] *nm* (*muscle*) biceps.
biche [biʃ] *nf* doe, hind; **ma b.** (*ma chérie*) my pet.
bichonner [biʃɔne] *vt* (*personne*) to doll up; (*voiture etc*) to take loving care of.
bicolore [bikɔlɔr] *a* two-coloured.
bicoque [bikɔk] *nf* *Péj* shack, hovel.
bicyclette [bisiklɛt] *nf* bicycle; **la b.** (*sport*) cycling; **aller à b.** to cycle.
bide [bid] *nm* (*ventre*) *Fam* belly; **faire un b.** (*film, roman etc*) *Arg* to flop.
bidet [bidɛ] *nm* (*cuvette*) bidet.
bidon [bidɔ̃] **1** *nm* (*d'essence*) can; (*pour boissons*) canteen; (*ventre*) *Fam* belly. **2** *nm* **du b.** (*mensonge*) *Fam* bull, baloney (*simulé*) *Fam* phoney, fake. ❙ *a inv*
bidonner (se) [səbidɔne] *vpr* *Fam* to have a good laugh.
bidonville [bidɔ̃vil] *nf* shantytown.
bidule [bidyl] *nm* (*chose*) *Fam* whatsit, *Br* thingummy.
bielle [bjɛl] *nf* (*de moteur*) connecting rod.
bien [bjɛ̃] *adv* well; **il joue b.** he plays well; **je vais b.** I'm fine *ou* well; **b. fatigué/souvent/etc** (*très*) very tired/often/etc; **merci b.!** thanks very much!; **b.!** fine!, right!; **elle ferait b. de partir** she'd do well to leave; **tu as b. fait** you did right; **c'est b. fait (pour lui)** it serves him right; **b. du courage/etc** a lot of courage/etc; **b. des fois/des gens/etc** lots of *ou* many times/people/etc; **je l'ai b. dit** (*intensif*) I did say so; **c'est b. compris?** is that quite understood?; **c'est b. toi?** is it really you?
❙ *a inv* (*convenable*) all right, fine; (*agréable*) nice, fine; (*compétent, bon*) good, fine; (*à l'aise*) comfortable, fine; (*beau*) attractive; (*en forme*) well; (*moralement*) nice; **une fille b.** (*moralement*) a nice *ou* respectable girl; **ce n'est pas b. de mentir/etc** it's not nice *ou* right to lie/etc.
❙ *nm* (*avantage*) good; (*chose, capital*) possession; **ça te fera du b.** it will do you good; **pour ton b.** for your own good; **le b. et le mal** good and evil; **biens de consommation** consumer goods. ● **bien-aimé, -ée** *a* & *nmf* beloved. ● **bien-être** *nm* well-being. ● **bien-fondé** *nm* validity, soundness.
bienfaisance [bjɛ̃fəzɑ̃s] *nf* benevolence, charity; **œuvre de b.** charity, charitable *ou* benevolent organization; **fête de b.** charity fair *ou Br* fête.
bienfaisant, -ante [bjɛ̃fəzɑ̃, -ɑ̃t] *a* beneficial.
bienfait [bjɛ̃fɛ] *nm* (*générosité*) favour; (*remède, climat etc*) beneficial effect; **bienfaits** benefits, blessings.
bienfaiteur, -trice [bjɛ̃fɛtœr, -tris] *nmf* benefactor, benefactress.
bienheureux, -euse [bjɛ̃nœrø, -øz] *a* blessed, blissful.

biennal, -e, -aux [bjenal, -o] *a* biennial.
bien que [bjɛ̃k(ə)] *conj* (+ *sub*) although.
bienséant, -ante [bjɛ̃seɑ̃, -ɑ̃t] *a* proper. ● **bienséance** *nf* propriety.
bientôt [bjɛ̃to] *adv* soon; à b.! see you soon!; il est b. dix heures/*etc* it's nearly ten o'clock/*etc*.
bienveillant, -ante [bjɛ̃vɛjɑ̃, -ɑ̃t] *a* kindly. ● **bienveillance** *nf* kindliness.
bienvenu, -ue [bjɛ̃vny] *a* welcome ▌ *nmf* soyez le b.! welcome!; être le *ou* la bienvenu(e) (*somme d'argent etc*) to be welcome. ● **bienvenue** *nf* welcome; souhaiter la b. à to welcome s.o.
bière [bjɛr] *nf* 1 (*boisson*) beer; b. pression *Br* draught beer, *Am* draft beer. 2 (*cercueil*) coffin.
biffer [bife] *vt* to cross *ou* strike out.
bifteck [biftɛk] *nm* steak; **gagner son b.** *Fam* to earn one's (daily) bread.
bifurquer [bifyrke] *vi* (*route etc*) to fork, branch off; (*véhicule*) to turn off, fork, branch off. ● **bifurcation** *nf* fork, junction.
bigame [bigam] *a* bigamous ▌ *nmf* bigamist. ● **bigamie** *nf* bigamy.
bigarré, -ée [bigare] *a* (*bariolé*) (*étoffe etc*) mottled; (*hétéroclite*) (*foule, société etc*) motley, mixed.
bigler [bigle] *vi* (*loucher*) *Fam* to squint ▌ *vti* b. (sur) qn/qch (*lorgner*) *Fam* to leer at s.o./sth. ● **bigleux, -euse** *a Fam* cock-eyed.
bigorneau, -x [bigorno] *nm* (*coquillage*) winkle.
bigot, -ote [bigo, -ɔt] *nmf Péj* churchy person ▌ *a Péj* churchy, over-devout.
bigoudi [bigudi] *nm* (hair) curler *ou* roller.
bigrement [bigrəmɑ̃] *adv Fam* awfully.
bijou, -x [biʒu] *nm* jewel; (*ouvrage élégant*) *Fig* gem. ● **bijouterie** *nf* (*commerce*) *Br* jeweller's shop, *Am* jewelry shop; (*bijoux*) *Br* jewellery, *Am* jewelry. ● **bijoutier, -ière** *nmf Br* jeweller, *Am* jeweler.
bikini [bikini] *nm* bikini.
bilan [bilɑ̃] *nm* (*financier*) balance sheet; (*résultat*) outcome; (*d'un accident*) (*casualty*) toll; b. de santé checkup; faire le b. to make an assessment (de of).
bilboquet [bilbɔkɛ] *nm* cup-and-ball (game).
bile [bil] *nf* bile; se faire de la b. *Fam* to worry, fret. ● **bilieux, -euse** *a* bilious.
bilingue [bilɛ̃g] *a* bilingual.
billard [bijar] *nm* (*jeu*) billiards; (*table*) billiard table; (*table d'opération*) *Fam* operating table; b. électrique pinball machine; b. anglais snooker; b. américain pool; c'est du b. *Fam* it's a cinch, it's as easy as can be.
bille [bij] *nf* (*d'enfant*) marble; (*de billard*) billiard ball; **stylo à b.** ballpoint (pen), *Br* biro®; **jouer aux billes** to play marbles.
billet [bijɛ] *nm* ticket; b. (de banque) *Br* (bank)note, *Am* bill; b. aller, b. simple *Br* single ticket, *Am* one-way ticket; b. (d')aller et retour *Br* return ticket, *Am* round trip ticket; b. doux love letter.
billion [biljɔ̃] *nm* trillion.

billot [bijo] *nm* (*de bois*) block.
bimensuel, -elle [bimɑ̃sɥɛl] *a* bimonthly, *Br* fortnightly.
bimoteur [bimɔtœr] *a* twin-engined.
binaire [binɛr] *a* binary.
biner [bine] *vt* to hoe. ● **binette** *nf* hoe; (*visage*) *Arg* mug, face.
biochimie [bjoʃimi] *nf* biochemistry. ● **biochimique** *a* biochemical.
biodégradable [bjodegradabl] *a* biodegradable.
biographie [bjɔgrafi] *nf* biography. ● **biographe** *nmf* biographer. ● **biographique** *a* biographical.
biologie [bjɔlɔʒi] *nf* biology. ● **biologique** *a* biological; (*légumes etc*) organic. ● **biologiste** *nm* biologist.
bip [bip] *nm* bleeper.
bipède [bipɛd] *nm* biped.
bique [bik] *nf Fam* nanny-goat.
Birmanie [birmani] *nf* Burma. ● **birman, -ane** *a* Burmese ▌ *nmf* B., Birmane Burmese.
bis[1] [bis] *adv* (*cri*) (*au théâtre etc*) encore; (*dans une chanson etc*) repeat; **4 bis** (*numéro*) 4A ▌ *nm* (*au théâtre etc*) encore.
bis[2], **bise** [bi, biz] *a Br* greyish-brown, *Am* grayish-brown.
bisbille [bisbij] *nf* squabble; **en b. avec qn** *Fam* at loggerheads with s.o.
biscornu, -ue [biskɔrny] *a* (*objet*) distorted, misshapen; (*idée*) cranky.
biscotte [biskɔt] *nf* (*pain*) Melba toast; (*pour bébé, de régime*) rusk, *Am* zwieback.
biscuit [biskɥi] *nm* (*sucré*) *Br* biscuit, *Am* cookie; (*salé*) *Br* biscuit, *Am* cracker; **b. de Savoie** sponge (cake). ● **biscuiterie** *nf Br* biscuit *ou Am* cookie factory.
bise [biz] *nf* 1 (*vent*) north wind. 2 (*baiser*) *Fam* kiss.
biseau, -x [bizo] *nm* bevel *ou Br* bevelled *ou Am* beveled edge; **en b.** *Br* bevelled, *Am* beveled.
bison [bizɔ̃] *nm* (American) buffalo, bison.
bisou [bizu] *nm Fam* kiss.
bisser [bise] *vt* (*musicien, acteur*) to encore.
bissextile [bisɛkstil] *af* **année b.** leap year.
bistouri [bisturi] *nm* scalpel, lancet.
bistre [bistr] *a inv* bistre, dark-brown.
bistro(t) [bistro] *nm* bar, café.
bitume [bitym] *nm* (*revêtement*) asphalt.
bivouac [bivwak] *nm* (*campement*) bivouac. ● **bivouaquer** *vi* (*camper*) to bivouac.
bizarre [bizar] *a* peculiar, odd, bizarre. ● **bizarrement** *adv* oddly, peculiarly. ● **bizarrerie** *nf* peculiarity.
blabla(bla) [blabla(bla)] *nm* claptrap, bunkum.
blafard, -arde [blafar, -ard] *a* pale, pallid.
blague [blag] *nf* 1 (*plaisanterie, farce*) *Fam* joke; **blagues** (*absurdités*) *Fam* nonsense; **sans b.!** you're joking! 2 b. (à tabac) (*tobacco*) pouch. ● **blaguer** *vi* to be joking ▌ *vt* **b. qn** *Fam* to tease s.o. ● **blagueur, -euse** *nmf* joker.
blair [blɛr] *nm* (*nez*) *Arg* snout, *Br* conk.

blairer [blere] *vt* je ne peux pas le b. *Arg* I can't stomach him.

blaireau, -x [blɛro] *nm* 1 (*animal*) badger. 2 (*brosse*) (shaving) brush.

blâme [blɑm] *nm* (*critique*) criticism; (*réprimande*) rebuke. ●**blâmable** *a* blameworthy. ●**blâmer** *vt* (*critiquer*) to criticize, blame; (*réprimander*) to rebuke.

blanc, blanche [blɑ̃, blɑ̃ʃ] 1 *a* white; (*page etc*) blank; **nuit blanche** sleepless night; **voix blanche** expressionless voice.
▌ *nmf* (*personne*) white man *ou* woman.
▌ *nm* (*couleur*) white; (*de poulet*) breast, white meat; (*espace, interligne*) blank; **b. (d'œuf)** (egg) white; **le b.** (*linge*) whites; **magasin de b.** *Br* linen shop, *Am* = store selling bedding *etc*; **laisser qch en b.** to leave sth blank; **chèque en b.** blank *Br* cheque *ou Am* check; **cartouche à b.** blank (cartridge); **tirer à b.** to fire a blank *ou* blanks; **chauffé à b.** white-hot; **saigner qn à b.** to bleed s.o. white.
2 *nf* (*note de musique*) *Br* minim, *Am* half-note. ●**blanchâtre** *a* whitish. ●**blancheur** *nf* whiteness.

blanchir [blɑ̃ʃir] *vt* to make white, whiten; (*mur*) to whitewash; (*draps*) to launder; (*du chou etc*) to blanch; (*argent*) *Fig* to launder; **b. qn** (*disculper*) to clear s.o. ▌ *vi* to turn white, whiten. ●**blanchissage** *nm* laundering. ●**blanchisserie** *nf* (*lieu*) laundry. ●**blanchisseur, -euse** *nmf* laundryman, laundrywoman.

blanquette [blɑ̃kɛt] *nf* **b. de veau** veal stew in white sauce.

blasé, -ée [blɑze] *a* blasé.

blason [blɑzɔ̃] *nm* (*écu*) coat of arms; (*science*) heraldry.

blasphème [blasfɛm] *nf* blasphemy. ●**blasphématoire** *a* (*propos*) blasphemous. ●**blasphémer** *vi* to blaspheme.

blatte [blat] *nf* cockroach.

blazer [blazœr] *nm* blazer.

blé [ble] *nm* wheat, *Br* corn; (*argent*) *Arg* bread.

bled [blɛd] *nm* (*village, ville etc*) *Péj Fam* dump of a place.

blême [blɛm] *a* a sickly pale, wan; **b. de colère** livid with anger.

blesser [blese] *vt* to injure, hurt; (*avec un couteau, une balle etc*) to wound; (*offenser*) to hurt, offend, wound; **se b. le** *ou* **au bras/ etc** to hurt one's arm/*etc*. ●**blessant, -ante** *a* (*parole, personne*) hurtful. ●**blessé, -ée** *nmf* casualty, injured *ou* wounded person. ●**blessure** *nf* injury; (*avec un couteau etc*) wound.

blet, blette [blɛ, blɛt] *a* (*poire etc*) *Litt* overripe.

bleu, -e [blø] *a* (*mpl* **bleus**) blue; **b. de colère** blue in the face; **steak b.** (*très saignant*) very rare steak ▌ *nm* (*pl* **-s**) (*couleur*) blue; (*contusion*) bruise; (*vêtement*) *Br* overalls, *Am* overall; (*nouvelle recrue*) raw recruit; **bleus de travail** *Br* overalls, *Am* overalls; **se faire un b. au** genou/*etc* to bruise one's knee/*etc*. ●**bleuâtre** *a* bluish. ●**bleu ciel** *a inv* sky-blue. ●**bleuir** *vti* to turn blue. ●**bleuté, -ée** *a* bluish.

bleuet [bløɛ] *nm* cornflower.

blinder [blɛ̃de] *vt* (*véhicule, abri etc*) to armour(-plate). ●**blindé, -ée** *a* (*voiture, train etc*) armoured, armour-plated; **porte blindée** reinforced steel door; **une vitre blindée** bulletproof glass ▌ *nm* (*char*) armoured vehicle.

bloc [blɔk] *nm* (*de pierre etc*) block; (*de papier*) pad; (*masse compacte*) unit; (*de pays, parti*) bloc; **en b.** (*démissionner etc*) all together; **accepter/refuser qch en b.** to accept/refuse sth totally *ou* outright; **à b.** (*visser, serrer etc*) tight, hard; **travailler à b.** *Fam* to work flat out. ●**bloc-notes** *nm* (*pl* **blocs-notes**) writing pad.

blocage [blɔkaʒ] *nm* (*des roues*) locking; (*psychologique*) mental block; **b. des prix** price freeze; **faire un b.** to have a mental block (**par rapport à** in).

blocus [blɔkys] *nm* blockade.

blond, -onde [blɔ̃, -ɔ̃d] *a* fair(-haired), blond ▌ *nm* fair-haired man; (*couleur*) blond ▌ *nf* fair-haired woman, blonde; (**bière**) **blonde** *Br* lager, light *ou Br* pale ale. ●**blondeur** *nf* fairness, blondness.

bloquer [blɔke] *vt* (*obstruer*) to block; (*coincer*) to jam; (*roue*) to lock; (*freins*) to slam *ou* jam on; (*salaires, prix, crédits*) to freeze; (*grouper*) to group together; (*ville*) to blockade; **bloqué par la neige/la glace** snowbound/icebound ▌ **se bloquer** *vpr* (*mécanisme*) to jam, stick; (*roue*) to lock.

blottir (se) [səblɔtir] *vpr* (*dans un coin etc*) to crouch; (*dans son lit*) to snuggle down; **se b. contre** to huddle up to, snuggle up to.

blouse [bluz] *nf* (*tablier*) smock, overall; (*corsage*) blouse. ●**blouson** *nm Br* windcheater, *Am* windbreaker.

blue-jean(s) [bludʒin(z)] *nm* jeans, denims.

bluff [blœf] *nm* bluff. ●**bluffer** *vti* to bluff.

boa [bɔa] *nm* (*serpent, tour de cou*) boa.

bobard [bɔbar] *nm Fam* fib, yarn, tall story.

bobine [bɔbin] *nf* (*de fil, film etc*) spool, *Br* reel; (*pour machine à coudre*) spool, bobbin; (*électrique*) coil.

bobo [bobo] *nm* (*langage enfantin*) hurt, pain; **j'ai b., ça fait b.** it hurts.

bocage [bɔkaʒ] *nm Géog* landscape of fields surrounded by hedges.

bocal, -aux [bɔkal, -o] *nm* glass jar; (*à poissons*) bowl.

bock [bɔk] *nm* (*récipient*) beer glass; (*contenu*) glass of beer.

body [bɔdi] *nm* (*sous-vêtement*) body stocking.

bœuf, *pl* **-fs** [bœf, bø] *nm* (*animal*) ox (*pl* oxen), bullock; (*viande*) beef.

bof! [bɔf] *int* (*indifférence, doute etc*) *Fam* don't know and don't care!, big deal!

bohème [bɔɛm] *a & nmf* bohemian. ●**bohémien, -ienne** *a & nmf* gipsy.

boire* [bwar] *vt* to drink; (*absorber*) to soak

bord

up; (*paroles*) *Fig* to take *ou* drink in; **b. un coup** to have a drink; **offrir à b. à qn** to offer s.o. a drink; **b. à petits coups** to sip ▮ *vi* to drink.

bois¹ [bwa] *voir* **boire**.

bois² [bwa] *nm* (*matière, forêt*) wood; (*de construction*) timber; (*gravure*) woodcut; **les b.** (*de cerf*) the antlers; (*flûte etc*) woodwind instruments; **en** *ou* **de b.** wooden; **b. de chauffage** firewood; **b. de lit** bedstead. ● **boisé, -ée** *a* wooded, woody. ● **boiserie(s)** *nf(pl) Br* panelling, *Am* paneling.

boisson [bwasɔ̃] *nf* drink.

boit [bwa] *voir* **boire**.

boîte [bwat] *nf* **1** box; (*de conserve*) *Br* tin, *Am* can; (*de bière*) can; **b. aux** *ou* **à lettres** letterbox; **mettre qn en b.** *Fam* to pull s.o.'s leg. **2** (*lieu de travail*) *Fam* place of work; (*entreprise*) *Fam* company, firm; (*bureau*) *Fam* office; **b. de nuit** nightclub. ● **boîtier** *nm* (*de montre etc*) case.

boiter [bwate] *vi* (*personne, cheval etc*) to limp. ● **boiteux, -euse** *a* (*personne etc*) lame; (*meuble*) wobbly; (*projet etc*) *Fig* shaky.

bol [bɔl] *nm* (*récipient*) bowl; **prendre un b. d'air** to get a breath of fresh air; **avoir du b.** *Fam* to be lucky; **coup de b.** *Fam* stroke of luck.

bolide [bɔlid] *nm* (*véhicule*) racing car, racer.

Bolivie [bɔlivi] *nf* Bolivia. ● **bolivien, -ienne** *a* Bolivian ▮ *nmf* **B., Bolivienne** Bolivian.

bombarder [bɔ̃barde] *vt* (*ville etc*) to bomb; (*avec des obus*) to shell; **b. qn** *Fam* (*nommer*) to pitchfork s.o. (**à un poste** into a job); **b. de** (*questions*) to bombard with; (*objets*) to pelt with. ● **bombardement** *nm* bombing; (*avec des obus*) shelling. ● **bombardier** *nm* (*avion*) bomber.

bombe [bɔ̃b] *nf* **1** (*projectile*) bomb; (*de laque, peinture etc*) spray (can); **b. artisanale** homemade bomb; **faire l'effet d'une b.** *Fig* to be a bombshell, be totally unexpected; **faire la b.** *Fam* to have a binge. **2** (*chapeau*) riding hat *ou* cap.

bomber [bɔ̃be] **1** *vi* (*gonfler*) to bulge ▮ *vt* **b. la poitrine** to throw out one's chest. **2** *vi* (*véhicule etc*) *Fam* to bomb *ou Br* belt along. **3** *vt* (*peindre*) to spray (*graffiti etc*). ● **bombé, -ée** *a* (*vitre etc*) rounded; (*route*) cambered.

bon¹, bonne [bɔ̃, bɔn] *a* **1** (*satisfaisant etc*) good; **avoir de bons résultats** to get good results.

2 (*agréable*) nice, good; **il fait b. se reposer** it's nice *ou* good to rest; **b. anniversaire!** happy birthday!; **bonne année!** Happy New Year!

3 (*charitable*) kind, good (**avec qn** to s.o.).

4 (*qui convient*) right; **le b. choix/moment/livre/***etc* the right choice/moment/book/*etc*.

5 (*approprié, apte*) fit; **b. à manger** fit to eat; **b. pour le service** (*soldat*) fit for service; **ce n'est b. à rien** it's useless; **comme b. te semble** as you think fit *ou* best; **c'est b. à savoir** it's worth knowing.

6 (*prudent*) wise, good; **croire** *ou* **juger b. de partir/***etc* to think it wise *ou* good to leave/*etc*.

7 (*compétent*) good; **b. en français/***etc* good at French/*etc*.

8 (*valable*) good; **ce billet est encore b.** this ticket is still good.

9 (*intensif*) **un b. moment** a good while; **dix bonnes minutes** a good ten minutes.

10 (*locutions*) **à quoi b.?** what's the use *ou* point *ou* good?; **pour le b.** really (and truly), in earnest; **tenir b.** to stand firm; **ah b.?** is that so?

11 *nm* **avoir du b.** to have some good points *ou* some merit; **les bons** the good.

▮ *adv* **sentir b.** to smell good; **il fait b.** it's nice (and warm).

bon² [bɔ̃] *nm* (*billet*) coupon, *Br* voucher; (*titre*) *Fin* bond; (*formulaire*) slip.

bonasse [bɔnas] *a* feeble, soft.

bonbon [bɔ̃bɔ̃] *nm Br* sweet, *Am* candy. ● **bonbonnière** *nf Br* sweet box, *Am* candy box.

bonbonne [bɔ̃bɔn] *nf* (*bouteille*) demijohn.

bond [bɔ̃] *nm* leap, bound; (*de balle*) bounce; **faire un b.** to leap (into the air); (*prix*) to shoot up; **se lever d'un b.** (*du lit*) to jump out of bed; (*d'une chaise*) to leap up; **faire faux b. à qn** to stand s.o. up, let s.o. down (*by not turning up*).

bonde [bɔ̃d] *nf* (*bouchon*) plug; (*trou*) plughole.

bondé, -ée [bɔ̃de] *a* packed, crammed.

bondir [bɔ̃dir] *vi* to leap, bound.

bonheur [bɔnœr] *nm* happiness; (*chance*) good luck, good fortune; **par b.** luckily; **au petit b.** haphazardly.

bonhomie [bɔnɔmi] *nf* good-heartedness.

bonhomme, *pl* **bonshommes** [bɔnɔm, bɔ̃zɔm] **1** *nm* fellow, guy; **b. de neige** snowman; **aller son petit b. de chemin** to go along *ou* jog along in one's own sweet way. **2** *a inv* good-hearted.

boniment(s) [bɔnimɑ̃] *nm(pl)* (*bobard*) claptrap; (*baratin*) patter.

bonjour [bɔ̃ʒur] *nm & int* good morning; (*après-midi*) good afternoon; **donner le b. à qn, dire b. à qn** to say hello to s.o.

bonne¹ [bɔn] *voir* **bon¹**.

bonne² [bɔn] *nf* (*domestique*) maid; **b. d'enfants** nanny.

bonnement [bɔnmɑ̃] *adv* **tout b.** simply.

bonnet [bɔnɛ] *nm* (*de ski, douche etc*) cap; (*de femme, d'enfant*) hat, bonnet; (*de soutien-gorge*) cup; **gros b.** *Fam* bigshot, bigwig; **b. d'âne** *Br* dunce's cap, *Am* dunce cap. ● **bonneterie** *nf* hosiery.

bonsoir [bɔ̃swar] *nm & int* (*en rencontrant qn*) good evening; (*en quittant qn*) goodbye; (*au coucher*) good night.

bonté [bɔ̃te] *nf* kindness, goodness.

bonus [bɔnys] *nm* no claims bonus (*for car driver*).

boom [bum] *nm* (*économique*) boom.

bord [bɔr] *nm* (*rebord*) edge; (*rive*) bank; (*de vêtement*) border; (*de chapeau*) brim; (*de

bordeaux

verre) rim, brim, edge; **au b. de la mer/route** at *ou* by the seaside/roadside; **b. du trottoir** *Br* kerb, *Am* curb; **au b. de** (*précipice, désespoir, ruine etc*) on the brink *ou* verge of; **au b. des larmes** on the verge of tears; **à bord d'un bateau/d'un avion** on board a boat/a plane; **monter à b.** to go on board; **être le seul maître à b.** (*bateau, entreprise etc*) to be the one in charge; **jeter par-dessus b.** to throw overboard.

bordeaux [bɔrdo] **1** *nm* (*vin*) Bordeaux (wine); (*rouge*) claret. **2** *a inv* maroon.

bordée [bɔrde] *nf* (*salve*) *Nau* broadside; (*d'injures*) *Fig* torrent, volley.

bordel [bɔrdɛl] *nm* **1** *Fam* brothel. **2** (*désordre*) *Fam* mess.

border [bɔrde] *vt* (*lit, personne*) to tuck in; (*vêtement*) to edge; **b. la rue/***etc* (*maisons, arbres etc*) to line the street/*etc*.

bordereau, -x [bɔrdəro] *nm* (*relevé*) docket, statement; (*formulaire*) note.

bordure [bɔrdyr] *nf* border; **en b. de** bordering on.

borgne [bɔrɲ] *a* (*personne*) one-eyed, blind in one eye; (*hôtel etc*) *Fig* shady.

borne [bɔrn] *nf* (*pierre*) boundary mark; *Él* terminal; **bornes** (*limites*) *Fig* bounds; **b. kilométrique** = milestone; **dépasser** *ou* **franchir les bornes** to go too far.

borner [bɔrne] *vt* (*limiter*) to confine; **se b. à** to confine oneself to. ● **borné, -ée** *a* (*personne*) narrow-minded; (*intelligence*) narrow, limited.

Bosnie [bɔzni] *nf* Bosnia.

bosquet [bɔskɛ] *nm* grove, thicket, copse.

bosse [bɔs] *nf* (*dans le dos*) hump; (*enflure*) bump, lump; (*de terrain*) bump; **avoir la b. des langues/des maths/***etc Fam* to have a flair for languages/*Br* maths *ou Am* math/*etc*; **il a roulé sa b.** *Fam* he's been around, *Br* he's knocked about the world.

bossu, -ue [bɔsy] *a* hunchbacked; **dos b.** hunchback ▌ *nmf* (*personne*) hunchback.

bosseler [bɔsle] *vt* (*déformer*) to dent; (*orfèvrerie*) to emboss.

bosser [bɔse] *vi Fam* to work (hard).

bot [bo] *am* **pied b.** clubfoot.

botanique [bɔtanik] *a* botanical ▌ *nf* botany.

botte [bɔt] *nf* **1** (*chaussure*) boot. **2** (*de fleurs, radis etc*) bunch. ● **botter** *vt* (*ballon etc*) *Fam* to boot. ● **bottier** *nm* bootmaker. ● **bottillon** *nm ou* **bottine** *nf* (ankle) boot.

Bottin® [bɔtɛ̃] *nm* phone book.

bouc [buk] *nm* billy goat; (*barbe*) goatee; **b. émissaire** scapegoat.

boucan [bukɑ̃] *nm Fam* din, racket, row.

bouche [buʃ] *nf* mouth; **faire la petite** *ou* **fine b.** *Péj* to turn up one's nose; **une fine b.** a gourmet; **b. de métro** métro entrance; **b. d'égout** drain opening, manhole; **b. d'incendie** fire hydrant; **le b.-à-bouche** the kiss of life. ● **bouchée** *nf* mouthful.

boucher[1] [buʃe] **1** *vt* (*évier, nez, gouttière etc*) to stop up, block (up); (*bouteille*) to cork; (*vue, rue, artère*) to block; **se b. le nez** to hold one's nose. ● **bouché, -ée** *a* (*vin*) bottled; (*temps*) overcast; (*personne*) *Fig* stupid, dense. ● **bouche-trou** *nm* stopgap.

boucher[2] [buʃe] *nm* butcher. ● **boucherie** *nf* butcher's (shop); (*carnage*) butchery.

bouchon [buʃɔ̃] *nm* **1** stopper, top; (*de liège*) cork; (*de tube, bidon*) cap, top; (*de canne à pêche*) float. **2** (*embouteillage*) traffic jam.

boucle [bukl] *nf* **1** (*de ceinture*) buckle; (*de fleuve etc*) loop; (*de ruban*) bow; **b. d'oreille** earring. **2 b. (de cheveux)** curl.

boucler [bukle] **1** *vt* (*attacher*) to fasten, buckle; (*travail etc*) to finish off; (*enfermer, fermer*) *Fam* to lock up, shut; (*budget*) to balance; (*circuit*) to lap; (*encercler*) to surround, cordon off; **b. la boucle** *Av* to loop the loop; **b. ses valises** (*se préparer à partir*) to get ready to leave; **boucle-la!** *Fam* shut up! **2** *vt* (*cheveux*) to curl ▌ *vi* to be curly. ● **bouclé, -ée** *a* (*cheveux*) curly.

bouclier [buklije] *nm* shield.

bouddhiste [budist] *a* & *nmf* Buddhist.

bouder [bude] *vi* to sulk ▌ *vt* (*personne, plaisirs etc*) to steer clear of. ● **bouderie** *nf* sulkiness. ● **boudeur, -euse** *a* sulky, moody.

boudin [budɛ̃] *nm Br* black pudding, *Am* blood sausage.

boue [bu] *nf* mud. ● **boueux, -euse 1** *a* muddy. **2** *nm Br* dustman, *Am* garbage collector.

bouée [bwe] *nf* buoy; **b. de sauvetage** lifebuoy; **b. (gonflable)** (*d'enfant*) (inflatable) rubber ring.

bouffe [buf] *nf Fam* food, grub, *Br* nosh. ● **bouffer**[1] *vti* (*manger*) *Fam* to eat.

bouffée [bufe] *nf* (*de fumée*) puff; (*de parfum*) whiff; (*d'orgueil, etc*) burst, fit; **b. de chaleur** (*malaise*) hot flush.

bouffer[2] [bufe] *vi* (*cheveux, jupe etc*) to puff out. ● **bouffant, -ante** *a* **manche bouffante** puff(ed) sleeve. ● **bouffi, -ie** *a* (*yeux, visage etc*) puffy.

bouffon, -onne [bufɔ̃, -ɔn] *a* farcical ▌ *nm* buffoon. ● **bouffonneries** *nfpl* antics, buffoonery.

bouge [buʒ] *nm* (*bar*) dive; (*taudis*) hovel.

bougeoir [buʒwar] *nm* candlestick.

bougeotte [buʒɔt] *nf* **avoir la b.** *Fam* to have the fidgets.

bouger [buʒe] *vi* to move; (*agir*) to stir; (*rétrécir*) to shrink ▌ *vt* to move ▌ **se bouger** *vpr Fam* to move.

bougie [buʒi] *nf* candle; (*pour moteur*) *Br* sparking *ou* spark plug, *Am* spark plug.

bougon, -onne [bugɔ̃, -ɔn] *a Fam* grumpy ▌ *nmf* grumbler, grouch. ● **bougonner** *vi Fam* to grumble, grouch.

bougre [bugr] *nm* fellow, *Br* bloke; (*enfant méchant*) (little) devil. ● **bougrement** *adv* (*déçu etc*) *Arg* damned; **il l'a b. mérité** he damned well deserved it.

bouillabaisse [bujabɛs] *nf* fish soup.

bouillie [buji] *nf* porridge; (*pour bébé*) cereal; **réduire qch/***Fam* **qn en b.** to crush sth/*Fam* s.o. to a pulp.

bouillir* [bujir] *vi* to boil; **b. à gros bouillons** to bubble, boil hard; **faire b. qch** to boil sth; **b. de colère/d'impatience/***etc* to be seething with anger/impatience/*etc*. ● **bouillant, -ante** *a* boiling; **b. de colère/***etc* seething with anger/*etc*.
bouilloire [bujwar] *nf* kettle.
bouillon [bujɔ̃] *nm* (*aliment*) broth, stock; (*bulles*) bubbles. ● **bouillonner** *vi* to bubble.
bouillotte [bujɔt] *nf* hot water bottle.
boulanger, -ère [bulɑ̃ʒe, -ɛr] *nmf* baker. ● **boulangerie** *nf* baker's (shop).
boule [bul] *nf* (*sphère*) ball; **boules** (*jeu*) bowls; **b. de neige** snowball; **se mettre en b.** (*chat etc*) to curl up into a ball; (*en colère*) *Fam* to fly off the handle; **faire b. de neige** (*grossir*) to snowball; **perdre la b.** *Fam* to go round the bend, go out of one's mind; **boules Quiès®** earplugs.
bouleau, -x [bulo] *nm* (silver) birch.
bouledogue [buldɔg] *nm* bulldog.
boulet [bulɛ] *nm* (*de forçat*) ball and chain; **b. de canon** cannonball.
boulette [bulɛt] *nf* (*de papier*) ball, pellet; (*de viande*) meatball; (*gaffe*) *Fam* blunder.
boulevard [bulvar] *nm* boulevard.
bouleverser [bulverse] *vt* (*déranger*) to turn upside down; (*émouvoir*) to upset (greatly), distress; (*vie de qn, pays*) to disrupt. ● **bouleversant, -ante** *a* upsetting, distressing. ● **bouleversement** *nm* upheaval.
boulimique [bulimik] *a* **être b.** to be a compulsive eater.
boulon [bulɔ̃] *nm* bolt.
boulot¹ [bulo] *nm* (*emploi*) *Fam* job.
boulot², -otte [bulo, -ɔt] *a* dumpy, plump.
boum [bum] **1** *int* & *nm* bang. **2** *nf* (*surprise-partie*) *Fam* party.
bouquet [bukɛ] *nm* (*de fleurs*) bunch, bouquet; (*d'arbres*) clump; (*de vin*) bouquet; (*crevette*) prawn; (*de feu d'artifice*) grand finale; **c'est le b.!** that's the last straw!
bouquin [bukɛ̃] *nm Fam* book. ● **bouquiner** *vti* to read. ● **bouquiniste** *nmf* secondhand bookseller.
bourbeux, -euse [burbø, -øz] *a* muddy. ● **bourbier** *nm* (*lieu, Fig situation*) quagmire, morass.
bourde [burd] *nf* blunder, *Br* bloomer.
bourdon [burdɔ̃] *nm* (*insecte*) bumblebee. ● **bourdonner** *vi* to buzz, hum. ● **bourdonnement** *nm* buzzing, humming.
bourg [bur] *nm* (small) market town. ● **bourgade** *nf* (large) village.
bourgeois, -oise [burʒwa, -waz] *a & nmf* middle-class (person); *Péj* bourgeois. ● **bourgeoisie** *nf* middle class; *Pol* bourgeoisie.
bourgeon [burʒɔ̃] *nm* bud. ● **bourgeonner** *vi* to bud; (*nez etc*) *Fam* to be pimply.
bourgmestre [burgmɛstr] *nm* (*en Belgique, Suisse*) burgomaster.
bourgogne [burgɔɲ] *nm* (*vin*) Burgundy.
bourlinguer [burlɛ̃ge] *vi* (*voyager*) *Fam* to get around, *Br* knock about.

bourrade [burad] *nf* (*du coude etc*) shove.
bourrage [buraʒ] *nm* **b. de crâne** brainwashing.
bourrasque [burask] *nf* squall, gust of wind.
bourratif, -ive [buratif, -iv] *a* (*aliment*) *Fam* filling, stodgy.
bourreau, -x [buro] *nm* executioner; **b. d'enfants** child batterer; **b. de travail** workaholic.
bourrelet [burlɛ] *nm* weather strip; **b. de graisse** roll of fat, *Hum* spare *Br* tyre *ou Am* tire.
bourrer [bure] **1** *vt* to stuff, cram (**de** with); (*pipe*) to fill; (*coussin*) to stuff, fill; **b. qn de coups** to thrash s.o.; **b. le crâne à qn** to brainwash s.o. **2 se bourrer** *vpr* (*s'enivrer*) *Fam* to get plastered. ● **bourré, -ée** *a* (*ivre*) *Fam* plastered.
bourrique [burik] *nf* (she-)ass.
bourru, -ue [bury] *a* surly, rough.
bourse [burs] *nf* (*sac*) purse; (*d'études*) *Br* grant, scholarship; **la B.** the Stock Exchange *ou* Market; **sans b. délier** without spending a penny. ● **boursier, -ière 1** *a* **opération/***etc* **boursière** Stock Exchange *ou* Market transaction/*etc*. **2** *nmf* (*élève, étudiant*) *Br* grant holder, scholar.
boursouflé, -ée [bursufle] *a* (*visage etc*) puffy; (*style*) *Fig* inflated.
bousculer [buskyle] *vt* (*heurter, pousser*) to jostle; (*presser*) to rush, push; **b. qch** (*renverser*) to knock sth over; **b. les habitudes/***etc* to turn one's habits/*etc* upside down. ● **bousculade** *nf* jostling, rush.
bouse [buz] *nf* **une b.** (*de vache*) a cowpat; **de la b.** (**de vache**) cow dung.
bousiller [buzije] *vt Fam* to mess up, wreck.
boussole [busɔl] *nf* compass.
bout [bu] *nm* end; (*de langue, canne, doigt*) tip; (*de papier, pain, ficelle*) bit; **un b. de temps/chemin** a little while/way; **au b. d'un moment** after a while; **jusqu'au b.** (*lire, rester etc*) (right) to the end; **à b. (de forces)** exhausted; **à b. de souffle** out of breath; **à b. de bras** at arm's length; **pousser qn à b.** to try s.o.'s patience, exasperate s.o.; **venir à b. de** (*travail*) to get through; (*adversaire*) to get the better of; **à tout b. de champ** at every turn, every minute; **à b. portant** point-blank.
boutade [butad] *nf* (*plaisanterie*) quip, witticism.
boute-en-train [butɑ̃trɛ̃] *nm inv* (*personne*) live wire.
bouteille [butɛj] *nf* bottle; (*de gaz*) cylinder.
bouteur [butœr] *nm* bulldozer.
boutique [butik] *nf* shop; (*d'un grand couturier*) boutique. ● **boutiquier, -ière** *nmf Péj* shopkeeper.
boutoir [butwar] *nm* **coup de b.** staggering blow.
bouton [butɔ̃] *nm* (*bourgeon*) bud; (*au visage etc*) pimple, spot; (*de vêtement*) button; (*poussoir*) (push-)button; (*de porte, de télévision*) knob; **b. de manchette** cuff link.

boutonneux

- **bouton-d'or** *nm* (*pl* **boutons-d'or**) buttercup. ●**bouton-pression** *nm* (*pl* **boutons-pression**) *Br* press-stud, *Am* snap (fastener). ●**boutonner** *vt*, **se boutonner** *vpr* to button (up).
boutonneux, -euse [butɔnø, -øz] *a* pimply, spotty.
boutonnière [butɔnjɛr] *nf* buttonhole.
bouture [butyr] *nf* (*plante*) cutting.
bouvreuil [buvrœj] *nm* (*oiseau*) bullfinch.
bovin, -ine [bɔvɛ̃, -in] *a* bovine. ●**bovins** *nmpl* cattle.
bowling [bolɪŋ] *nm* bowling, *Br* tenpin bowling, *Am* tenpins; (*lieu*) bowling alley.
box, *pl* **boxes** [bɔks] *nm* (*garage*) individual *ou Br* lockup garage; (*d'écurie*) (loose) box; (*de dortoir*) cubicle; (*des accusés*) dock.
boxe [bɔks] *nf* boxing. ●**boxer** *vi Sport* to box ‖ *vt Fam* to whack, punch. ●**boxeur** *nm* boxer.
boyau, -x [bwajo] *nm* (*intestin*) gut; (*corde*) catgut; (*de bicyclette*) (racing) tyre *ou Am* tire.
boycotter [bɔjkɔte] *vt* to boycott. ●**boycottage** *nm* boycott.
BP [bepe] *nf abrév* (*boîte postale*) PO Box.
bracelet [braslɛ] *nm* bracelet, bangle; (*de montre*) *Br* strap, *Am* band.
braconner [brakɔne] *vi* to poach. ●**braconnier** *nm* poacher.
brader [brade] *vt* to sell off cheaply. ●**braderie** *nf* open-air (clearance) sale.
braguette [bragɛt] *nf* (*de pantalon*) fly, *Br* flies.
braille [braj] *nm* Braille; **en b.** in Braille.
brailler [braje] *vti* to bawl. ●**braillard, -arde** *a* bawling.
braire* [brɛr] *vi* (*âne*) to bray.
braise(s) [brɛz] *nf(pl)* embers, live coals. ●**braiser** [brɛze] *vt* (*viande etc*) to braise.
brancard [brɑ̃kar] *nm* (*civière*) stretcher; (*de charrette*) shaft. ●**brancardier** *nm* stretcher-bearer.
branche [brɑ̃ʃ] *nf* (*d'arbre, d'une science etc*) branch; (*de compas*) leg, arm; (*de lunettes*) side (piece). ●**branchages** *nmpl* (cut *ou* fallen) branches.
branché, -ée [brɑ̃ʃe] *a* (*informé, à la mode*) *Fam* with it, trendy.
brancher [brɑ̃ʃe] *vt* (*lampe etc*) to plug in; (*installer*) to connect. ●**branchement** *nm* (*électrique*) connection.
brandir [brɑ̃dir] *vt* to brandish, flourish.
brandon [brɑ̃dɔ̃] *nm* (*paille, bois*) firebrand.
branle [brɑ̃l] *nm* impetus; **mettre qch en b.** to set sth in motion. ●**branle-bas** *nm inv* turmoil. ●**branler** *vi* to be shaky, shake. ●**branlant, -ante** *a* (*table etc*) wobbly, shaky.
braquer [brake] **1** *vt* (*arme etc*) to point, aim (**sur** at); (*yeux*) to fix; **b. qn** (*irriter*) to antagonize s.o.; **b. qn contre qn** to set *ou* turn s.o. against s.o. **2** *vi* (*en voiture*) to turn the steering wheel, steer. ●**braquage** *nm* (*de roues*) steering; **rayon de b.** turning circle.
bras [brɑ] *nm* arm; **en b. de chemise** in one's shirtsleeves; **b. dessus b. dessous** arm in arm; **à b. ouverts** with open arms; **se retrouver avec qch/qn sur les b.** *Fig* to be left with sth/s.o. on one's hands; **son b. droit** *Fig* his right-hand man; **à tour de b.** with all one's might; **faire un** *ou* **le b. d'honneur** *Fam* to make an obscene gesture (**à qn** to s.o.); **prendre** *ou* **attraper qn à b.-le-corps** to seize *ou* grasp s.o. round the waist.
brasier [brazje] *nm* blaze, inferno.
brassard [brasar] *nm* armband.
brasse [brɑs] *nf* (*nage*) breaststroke; (*mesure*) fathom; **b. papillon** butterfly stroke.
brassée [brɑse] *nf* armful.
brasser [brɑse] *vt* to mix; (*bière*) to brew. ●**brassage** *nm* mixture; (*de bière*) brewing. ●**brasserie** *nf* (*usine*) brewery; (*café*) brasserie.
brasseur [brɑsœr] *nm* **b. d'affaires** big businessman.
brassière [brɑsjɛr] *nf* (*de bébé*) *Br* vest, *Am* undershirt.
bravache [bravaʃ] *nm* braggart.
bravade [bravad] *nf* **par b.** out of bravado.
brave [brav] *a* & *nm* (*hardi*) brave (man); (*honnête*) good (man). ●**bravement** *adv* bravely.
braver [brave] *vt* (*règles, ordres etc*) to defy; (*danger*) to brave, defy.
bravo [bravo] *int* well done, *Br* good show ‖ *nm* cheer.
bravoure [bravur] *nf* bravery.
break [brɛk] *nm Br* estate car, *Am* station wagon.
brebis [brəbi] *nf* ewe; **b. galeuse** (*indésirable*) black sheep.
brèche [brɛʃ] *nf* gap, breach; **battre en b.** (*attaquer*) to attack (mercilessly).
bredouille [brəduj] *a* **rentrer b.** to come back empty-handed.
bredouiller [brəduje] *vti* to mumble.
bref, brève [brɛf, brɛv] *a* brief, short ‖ *adv* (*enfin*) **b.** in a word.
breloque [brəlɔk] *nf* charm, trinket.
Brésil [brezil] *nm* Brazil. ●**brésilien, -ienne** *a* Brazilian ‖ *nmf* **B., Brésilienne** Brazilian.
Bretagne [brətaɲ] *nf* Brittany. ●**breton, -onne** *a* Breton ‖ *nmf* **B., Bretonne** Breton.
bretelle [brətɛl] *nf* strap; (*route d'accès*) access road; (*sortie d'autoroute*) *Br* exit road, *Am* exit ramp; **bretelles** (*pour pantalon*) *Br* braces, *Am* suspenders.
breuvage [brœvaʒ] *nm* drink, brew.
brève [brɛv] *voir* **bref.**
brevet [brəvɛ] *nm* diploma; **b. des collèges** = *Br* GCSE (*examination for 16-year-olds*); **b.** (**d'invention**) patent. ●**breveter** *vt* to patent. ●**breveté, -ée** *a* (*technicien*) qualified.
bréviaire [brevjɛr] *nm Rel* breviary.
bribes [brib] *nfpl* scraps, bits.
bric-à-brac [brikabrak] *nm inv* bric-à-brac, jumble, junk.
bricole [brikɔl] *nf* (*objet, futilité*) trifle.
bricoler [brikɔle] *vi* to do odd jobs ‖ *vt* (*réparer*) to patch up; (*fabriquer*) to put to-

brûler

gether. ●**bricolage** *nm* (*passe-temps*) do-it-yourself; (*petits travaux*) odd jobs; **salon/rayon du b.** do-it-yourself exhibition/department. ●**bricoleur, -euse** *nmf* handyman, handywoman.

bride [brid] *nf* (*de cheval*) bridle; **à b. abattue** at full gallop. ●**brider** *vt* (*cheval*) to bridle; (*personne, désir*) to curb; (*poulet*) to truss; **avoir les yeux bridés** to have slanting eyes.

bridge [bridʒ] *nm* (*jeu*) bridge.

brièvement [brievmã] *adv* briefly. ●**brièveté** *nf* shortness, brevity.

brigade [brigad] *nf* (*de gendarmerie*) squad; (*de soldats*) brigade; **b. des mœurs** vice squad. ●**brigadier** *nm* (*de police*) police sergeant; (*dans l'armée*) corporal.

brigand [brigã] *nm* robber; (*enfant*) rascal.

briguer [brige] *vt* (*honneur, poste etc*) to covet; (*faveurs, suffrages*) to court.

brillant, -ante [brijã, -ãt] *a* (*luisant*) shining; (*astiqué*) shiny; (*couleur*) bright; (*doué, remarquable*) Fig brilliant ▌ *nm* shine; (*de couleur*) brightness; (*de conversation etc*) Fig brilliance; (*diamant*) diamond. ●**brillamment** *adv* brilliantly.

briller [brije] *vi* to shine; **ses yeux brillaient de colère/etc** his eyes shone with anger/etc; **faire b.** (*meuble etc*) to polish (up).

brimer [brime] *vt* to bully. ●**brimade** *nf* (*entre élèves*) bullying; *Br* ragging, *Am* hazing; (*humiliation*) Fig vexation.

brin [brɛ̃] *nm* (*d'herbe*) blade; (*de corde, fil*) strand; (*de muguet*) spray; **un b. de** Fig a bit of.

brindille [brɛ̃dij] *nf* twig.

bringue [brɛ̃g] *nf* **faire la b.** *Fam* to go on a binge, have a wild time.

bringuebaler [brɛ̃gbale] *vi* (*objets dans un véhicule*) to shake about (all over the place); (*véhicule*) to rattle along.

brio [brijo] *nm* (*virtuosité*) brilliance.

brioche [brijɔʃ] *nf* **1** (*pâtisserie*) brioche (*light sweet bun*). **2** (*ventre*) *Fam* paunch.

brique [brik] *nf* brick; (*de lait, jus de fruit*) carton.

briquer [brike] *vt* to polish (up).

briquet [brikɛ] *nm* (*cigarette*) lighter.

brise [briz] *nf* breeze.

briser [brize] *vt* to break; (*en morceaux*) to smash, break; (*espoir, carrière*) to wreck, shatter; (*fatiguer*) to exhaust ▌ **se briser** *vpr* to break. ●**brisants** *nmpl* reefs. ●**brise-lames** *nm inv* breakwater.

britannique [britanik] *a* British ▌ *nmf* **B.** Briton, British subject; **les Britanniques** the British.

broc [bro] *nm* pitcher, jug.

brocanteur, -euse [brɔkãtœr, -øz] *nmf* secondhand dealer (*in furniture etc*).

broche [brɔʃ] *nf* (*pour rôtir*) spit; (*bijou*) brooch; (*pour fracture*) pin; **faire cuire à la b.** to cook on a spit. ●**brochette** *nf* (*tige*) skewer; (*plat*) kebab.

broché, -ée [brɔʃe] *a* **livre b.** paperback; **édition brochée** paperback edition.

brochet [brɔʃɛ] *nm* (*poisson*) pike.

brochure [brɔʃyr] *nf* brochure, booklet, pamphlet.

brocolis [brɔkɔli] *nmpl* broccoli.

broder [brɔde] *vt* to embroider (**de** with). ●**broderie** *nf* embroidery; **faire de la b.** to embroider.

broncher [brɔ̃ʃe] *vi* (*bouger*) to budge; (*reculer*) to flinch; (*protester, regimber*) to balk.

bronches [brɔ̃ʃ] *nfpl* bronchial tubes. ●**bronchite** *nf* bronchitis; **avoir une b.** to have bronchitis.

bronze [brɔ̃z] *nm* bronze.

bronzer [brɔ̃ze] *vt* to tan; **se (faire) b.** to sunbathe, get a (sun)tan ▌ *vi* to get (sun)tanned. ●**bronzage** *nm* (sun)tan, *Br* sunburn.

brosse [brɔs] *nf* brush; **donner un coup de b. à qch** to give sth a brush; **b. à dents** toothbrush; **cheveux en b.** crew cut. ●**brosser** *vt* to brush; **b. un tableau de** to give an outline of; **se b. les dents/les cheveux** to brush one's teeth/one's hair.

brouette [bruɛt] *nf* wheelbarrow.

brouhaha [bruaa] *nm* hubbub.

brouillard [brujar] *nm* fog; **il y a du b.** it's foggy.

brouille [bruj] *nf* disagreement, quarrel. ●**brouiller**[1] *vt* (*amis*) to cause a split between ▌ **se brouiller** *vpr* to fall out (**avec** with).

brouiller[2] [bruje] *vt* (*papiers, idées etc*) to mix up; (*œufs*) to scramble; (*émission radio*) to jam; **b. la vue à qn** to blur s.o.'s vision ▌ **se brouiller** *vpr* (*idées*) to become *ou* get confused; (*temps*) to cloud over; (*vue*) to get blurred.

brouillon[1] [brujɔ̃] *nm* rough draft.

brouillon[2]**, -onne** [brujɔ̃, -ɔn] *a* (*confus*) disorganized, unmethodical.

broussailles [brusaj] *nfpl* bushes, undergrowth.

brousse [brus] *nf* **la b.** the bush.

brouter [brute] *vti* to graze.

broyer [brwaje] *vt* to grind; (*doigt, bras*) to crush; **b. du noir** to be (down) in the dumps.

bru [bry] *nf* daughter-in-law.

brugnon [bryɲɔ̃] *nm* (*fruit*) nectarine.

bruine [brɥin] *nf* drizzle. ●**bruiner** *v imp* to drizzle; **il bruine** it's drizzling.

bruissement [brɥismã] *nm* (*de feuilles*) rustle, rustling.

bruit [brɥi] *nm* noise, sound; (*nouvelle*) rumour; **faire du b.** to make a noise. ●**bruitage** *nm* (*de cinéma*) sound effects.

brûlant, -ante [brylã, -ãt] *a* (*objet, soleil, soupe etc*) burning (hot); (*sujet*) Fig red-hot.

brûlé, -ée [bryle] **1** *nm* **odeur de b.** smell of burning. **2** *a* **cerveau b., tête brûlée** hothead.

brûle-pourpoint (à) [abrylpurpwɛ̃] *adv* (*dire etc*) point-blank.

brûler [bryle] *vt* to burn; (*consommer*) to use up, burn (*gas, electricity etc*); (*signal, station*) to go through (without stopping); **b. un feu (rouge)** to go through *ou* jump the lights; **ce désir le brûlait** this desire consumed him ▌ *vi*

brûlure

to burn; **b. (d'envie) de faire qch** to be dying to do sth; **ça brûle** (*temps*) it's baking *ou* scorching ∎ **se brûler** *vpr* to burn oneself.
brûlure [brylyr] *nf* burn; **brûlures d'estomac** heartburn.
brume [brym] *nf* mist, haze. ●**brumeux, -euse** *a* misty, hazy; (*obscur*) *Fig* hazy.
brun, brune [brœ̃, bryn] *a* brown; (*cheveux*) dark, brown; (*personne*) dark-haired ∎ *nm* (*couleur*) brown ∎ *nmf* dark-haired person. ●**brunette** *nf* brunette. ●**brunir** *vt* (*peau*) to tan ∎ *vi* to turn brown; (*cheveux*) to get *ou* go darker.
brushing [brœʃiŋ] *nm* blow-dry; **faire un b. à qn** to blow-dry s.o.'s hair.
brusque [brysk] *a* (*manière, personne etc*) abrupt, blunt; (*subit*) sudden, abrupt. ●**brusquement** *adv* suddenly, abruptly. ●**brusquer** *vt* to rush. ●**brusquerie** *nf* abruptness, bluntness.
brut, brute [bryt] *a* (*pétrole*) crude; (*diamant*) rough; (*sucre*) unrefined; (*soie*) raw; (*poids, revenu*) gross.
brutal, -e, -aux [brytal, -o] *a* (*violent*) savage, brutal; (*enfant*) rough; (*franchise, réponse*) crude, blunt; (*fait*) stark. ●**brutaliser** *vt* to ill-treat. ●**brutalité** *nf* (*violence, acte*) brutality. ●**brute** *nf* brute.
Bruxelles [brysɛl] *nm ou f* Brussels.
bruyant, -ante [brɥijɑ̃, -ɑ̃t] *a* noisy. ●**bruyamment** *adv* noisily.
bruyère [brɥijɛr] *nf* (*plante*) heather; (*terrain*) heath.
bu, bue [by] *pp de* **boire**.
buanderie [bɥɑ̃dri] *nf* (*lieu*) laundry.
bûche [byʃ] *nf* log; **ramasser une b.** *Fam Br* to come a cropper, *Am* take a spill. ●**bûcher¹** *nm* (*local*) woodshed; (*supplice*) stake.
bûcher² [byʃe] *vt* (*étudier*) *Fam* to slave *ou Br* slog away at, bone up on ∎ *vi* to slave *ou Br* slog away, bone up. ●**bûcheur, -euse** *nmf Br* swot, *Am* grind.
bûcheron [byʃrɔ̃] *nm* lumberjack, woodcutter.
budget [bydʒɛ] *nm* budget. ●**budgétaire** *a* budgetary; **année b.** financial year.
buée [bɥe] *nf* mist, condensation.
buffet [byfɛ] *nm* (*armoire*) sideboard; (*table, repas*) buffet.
buffle [byfl] *nm* buffalo.
buis [bɥi] *nm* (*arbre*) box; (*bois*) boxwood.
buisson [bɥisɔ̃] *nm* bush.
buissonnière [bɥisɔnjɛr] *af* **faire l'école b.** to play *Br* truant *ou Am* hookey.
bulbe [bylb] *nm* bulb. ●**bulbeux, -euse** *a* bulbous.
Bulgarie [bylgari] *nf* Bulgaria. ●**bulgare** *a*

Bulgarian ∎ *nmf* **B.** Bulgarian.
bulldozer [byldozœr] *nm* bulldozer.
bulle [byl] *nf* **1** bubble; (*de bande dessinée*) balloon. **2** (*décret du pape*) bull.
bulletin [byltɛ̃] *nm* (*météo*) report; (*scolaire*) *Br* report, *Am* report card; (*communiqué, revue*) bulletin; (*de bagages*) *Br* ticket, *Am* check; **b. d'informations** news bulletin; **b. de paie** *Br* pay slip, *Am* pay stub; **b. de vote** ballot paper.
buraliste [byralist] *nmf* (*à la poste*) clerk; (*au tabac*) tobacconist.
bureau, -x [byro] *nm* **1** (*table*) desk. **2** (*lieu*) office; (*comité*) board; **b. de change** foreign exchange office, bureau de change; **b. de location** (*pour spectacles*) box office; **b. de tabac** *Br* tobacconist's (shop), *Am* tobacco store.
bureaucrate [byrokrat] *nmf* bureaucrat. ●**bureaucratie** [-asi] *nf* bureaucracy.
bureautique [byrotik] *nf* office automation.
burette [byrɛt] *nf* (*de garage*) oilcan; (*de table*) cruet.
burin [byrɛ̃] *nm* (*outil*) (cold) chisel.
burlesque [byrlɛsk] *a* (*idée etc*) ludicrous; (*genre*) burlesque.
bus¹ [bys] *nm* bus.
bus² [by] *pt de* **boire**.
busqué [byske] *am* **nez b.** hooked nose.
buste [byst] *nm* (*torse, sculpture*) bust. ●**bustier** *nm* long-line bra(ssiere).
but¹ [by(t)] *nm* (*objectif*) aim, goal; (*cible*) target; *Football* goal; **de b. en blanc** (*soudain, sans prévenir*) point-blank; **aller droit au b.** to go straight to the point; **j'ai pour b. de...** my aim is to....
but² [by] *pt de* **boire**.
butane [bytan] *nm* (*gaz*) butane, *Br* Calor gas.
buter [byte] **1** *vi* **b. contre** to stumble over; (*difficulté*) *Fig* to come up against. **2 se buter** *vpr* (*s'entêter*) to become *ou* be obstinate. ●**buté, -ée** *a* obstinate.
butin [bytɛ̃] *nm* loot, haul, booty.
butiner [bytine] *vi* (*abeille*) to gather pollen and nectar.
butoir [bytwar] *nm* (*pour train*) buffer; (*de porte*) stopper, *Br* stop.
butor [bytɔr] *nm Péj* lout, oaf, boor.
butte [byt] *nf* mound, hillock; **être en b. à** (*calomnie, ridicule etc*) to be exposed to *ou* a butt for.
buvable [byvabl] *a* drinkable. ●**buveur, -euse** *nmf* drinker; **c'est un grand** *ou* **gros b.** he's a heavy drinker.
buvard [byvar] *a & nm* (*papier*) **b.** blotting paper.
buvette [byvɛt] *nf* refreshment bar.

C

C, c [se] *nm* C, c.
c *abrév* centime.
c' [s] *voir* ce¹.
ça [sa] *pron dém* (*abrév de* cela) (*pour désigner*) that; (*plus près*) this; (*sujet indéfini*) it, that; **qu'est-ce que c'est que ça?** what (on earth) is that *ou* this?; **ça dépend** it *ou* that depends; **c'est qui/quoi ça?** who's/what's that?; **ça m'amuse que...** it amuses me that...; **où/quand/comment/etc ça?** where?/when?/how?/etc; **ça va (bien)?** how's it going?, how are things?; **ça va!** fine!, OK!; **ça alors!** (*surprise, indignation*) how about that!, well I never!; **c'est ça** that's right, that's it; **et avec ça?** (*dans un magasin*) *Fam* anything else?
çà [sa] *adv* **çà et là** here and there.
caban [kabɑ̃] *nm* (*veste de sport*) *Br* pea jacket, *Am* peacoat.
cabane [kaban] *nf* hut, cabin; (*de jardin*) shed; **c. à outils** tool shed; **c. (à lapins)** (rabbit) hutch.
cabaret [kabarɛ] *nm* night club, cabaret.
cabas [kabɑ] *nm* shopping bag.
cabillaud [kabijo] *nm* (fresh) cod.
cabine [kabin] *nf* (*de bateau*) cabin; (*téléphonique*) phone booth, *Br* phone box; (*de camion*) cab; (*d'ascenseur*) cage, *Am* car; **c. (de bain)** *Br* beach hut, *Am* cabana; (*à la piscine*) cubicle; **c. (de pilotage)** cockpit; (*d'un grand avion*) flight deck; **c. spatiale** space capsule; **c. d'essayage** fitting room; **c. d'aiguillage** signal box.
cabinet [kabinɛ] *nm* (*de médecin*) *Br* surgery, *Am* office; (*d'avocat*) office, *Br* chambers; (*clientèle de médecin ou d'avocat*) practice; (*de ministre*) department; **cabinets** (*toilettes*) *Br* toilet, *Am* lavatory; **c. de toilette** (*small*) bathroom; **c. de travail** study.
câble [kɑbl] *nm* cable; (*cordage*) rope; **la télévision par c.** cable television; **le c.** TV cable. ● **câbler** *vt* (*message*) to cable; **être câblé** TV to have cable (television).
caboche [kabɔʃ] *nf* (*tête*) *Fam* nut, noggin.
cabosser [kabɔse] *vt* to dent.
caboteur [kabɔtœr] *nm* (*bateau*) coaster.
cabotin, -ine [kabɔtɛ̃, -in] *nmf* (*acteur*) ham actor; (*actrice*) ham actress; (*enfant aîné*) *Fig* play-actor. ● **cabotinage** *nm* histrionics, play-acting.
cabrer (se) [səkabre] *vpr* (*cheval*) to rear (up); (*personne*) to rebel.
cabri [kabri] *nm* (*chevreau*) kid.
cabrioles [kabriɔl] *nfpl* **faire des c.** (*sauts*) to cavort, caper (about).
cabriolet [kabriɔlɛ] *nm* (*voiture*) convertible.

caca [kaka] *nm* (*dans le langage enfantin*) *Fam* number two, *Br* pooh; **faire c.** to do a number two *ou Br* a pooh.
cacah(o)uète [kakawɛt] *nf* peanut.
cacao [kakao] *nm* (*boisson*) cocoa.
cacatoès [kakatɔɛs] *nm* cockatoo.
cachalot [kaʃalo] *nm* sperm whale.
cache-cache [kaʃkaʃ] *nm inv* hide-and-seek; **jouer à cache-c.** to play hide and seek. ● **cache-col** *nm inv* scarf, muffler.
cachemire [kaʃmir] *nm* (*tissu*) cashmere.
cache-nez [kaʃne] *nm inv* scarf, muffler.
cacher [kaʃe] *vt* to hide, conceal (à from); **je ne cache pas que...** I don't hide the fact that...; **c. la lumière à qn** to stand in s.o.'s light **I se cacher** *vpr* to hide.
cache-sexe [kaʃsɛks] *nm inv* G-string.
cachet [kaʃɛ] *nm* (*sceau*) seal; (*de la poste*) postmark; (*comprimé*) tablet; (*d'acteur etc*) fee; (*originalité*) distinctive character. ● **cacheter** *vt* (*lettre*) to seal.
cachette [kaʃɛt] *nf* hiding place; **en c.** in secret; **en c. de qn** without s.o. knowing.
cachot [kaʃo] *nm* dungeon.
cachotteries [kaʃɔtri] *nfpl* secretiveness; (*petits secrets*) little mysteries. ● **cachottier, -ière** *a & nmf* secretive (person).
cacophonie [kakɔfɔni] *nf* cacophony.
cactus [kaktys] *nm* cactus.
cadastre [kadastr] *nm* (*registre*) land register.
cadavre [kadavr] *nm* corpse. ● **cadavérique** *a* (*teint*) deathly pale; **rigidité c.** rigor mortis.
caddie® [kadi] *nm* (*supermarket*) *Br* trolley *ou Am* cart.
cadeau, -x [kado] *nm* present, gift; **faire c. de qch à qn** to let s.o. have sth (to keep).
cadenas [kadnɑ] *nm* padlock. ● **cadenasser** *vt* to padlock.
cadence [kadɑ̃s] *nf* (*taux, vitesse*) rate; (*de chanson etc*) rhythm; (*accords*) *Mus* cadence; **en c.** in time. ● **cadencé, -ée** *a* rhythmical.
cadet, -ette [kadɛ, -ɛt] *a* (*de deux frères etc*) younger; (*de plus de deux*) youngest **I** *nmf* (*enfant*) younger (child); (*de plus de deux*) youngest (child); (*sportif*) junior; **c'est mon c.** he's my junior.
cadran [kadrɑ̃] *nm* (*de téléphone etc*) dial; (*de montre*) face; **c. solaire** sundial; **faire le tour du c.** to sleep round the clock.
cadre [kadr] *nm* **1** (*de photo, vélo etc*) frame; (*décor*) setting; (*sur un imprimé*) box; **dans le c. de** (*limites, contexte*) within the framework *ou* scope of, as part of. **2** (*d'entreprise*) executive, manager; **cadres** (*personnel*) (*mili-*

cadrer

taires) officers; (*d'entreprise*) management, managers.
cadrer [kadre] *vi* to tally (**avec** with) ∎ *vt* (*image*) to centre. ●**cadreur** *nm* cameraman.
caduc, -uque [kadyk] *a* (*usage*) obsolete; (*feuilles*) deciduous; (*loi etc*) null and void.
cafard, -arde [kafar, -ard] 1 *nmf* (*espion*) sneak. 2 *nm* (*insecte*) cockroach. 3 *nm* **avoir le c.** to be (down) in the dumps; **ça me donne le c.** it makes me depressed, it depresses me. ●**cafardeux, -euse** *a* (*personne*) (down) in the dumps; (*qui donne le cafard*) depressing.
café [kafe] *nm* coffee; (*bar*) café; **c. au lait, c. crème** *Br* white coffee, coffee with milk; **c. noir, c. nature** black coffee; **c. glacé** iced coffee; **c. soluble** *ou* **instantané** instant coffee; **tasse de c.** cup of black coffee. ●**caféine** *nf* caffeine. ●**cafétéria** *nf* cafeteria. ●**cafetier** *nm* café owner. ●**cafetière** *nf* coffeepot; (*électrique*) percolator.
cafouiller [kafuje] *vi Fam* to make a mess of things, get into a mess. ●**cafouillage** *nm Fam* mess, muddle, snafu.
cage [kaʒ] *nf* cage; (*d'ascenseur*) shaft; *Football* goal (area); **c. (d'escalier)** (stair)well; **c. thoracique** rib cage.
cageot [kaʒo] *nm* crate, box.
cagibi [kaʒibi] *nm* (storage) room, cubbyhole.
cagneux, -euse [kaɲø, -øz] *a* knock-kneed.
cagnotte [kaɲɔt] *nf* (*caisse commune*) kitty.
cagoule [kagul] *nf* (*de bandit, moine*) hood; (*d'enfant*) *Br* balaclava, *Am* ski mask.
cahier [kaje] *nm* notebook; (*d'écolier*) exercise book; **c. de brouillon** *Br* rough book, *Am* = scratch pad; **c. d'appel** register (*in school*).
cahin-caha [kaɛ̃kaa] *adv* **aller c.-caha** (*personne, vie*) to jog along (with ups and downs).
cahot [kao] *nm* jolt, bump. ●**cahoter** *vt* to jolt, bump ∎ *vi* (*véhicule*) to jolt along. ●**cahoteux, -euse** *a* (*route, chemin*) bumpy.
caïd [kaid] *nm Fam* bigshot, leader.
caille [kaj] *nf* (*oiseau*) quail.
cailler [kaje] *vti*, **se cailler** *vpr* (*sang*) to clot, congeal; (*lait*) to curdle; **faire c.** (*lait*) to curdle; **ça caille** *Fam* it's freezing cold. ●**caillot** *nm* (blood) clot.
caillou, -x [kaju] *nm* stone; (*sur la plage*) pebble. ●**caillouté, -ée** *a* (*allée etc*) gravelled. ●**caillouteux, -euse** *a* stony.
Caire [kɛr] *nm* **le C.** Cairo.
caisse [kɛs] *nf* 1 (*boîte*) case, box; (*cageot*) crate; (*de véhicule*) body. 2 (*guichet*) *Br* cash desk, *Br* pay desk, *Am* cashier's window; (*de supermarché*) checkout; (*fonds*) fund; (*bureau*) cashier's office, *Br* paying-in office; **c. (enregistreuse)** *Br* till, cash register; **c. d'épargne** savings bank; **recettes/***etc* **de c.** cash takings/*etc*. 3 (*tambour*) drum; **la grosse c.** the big *ou* bass drum.
caissier, -ière [kesje, -jɛr] *nmf* cashier; (*de supermarché*) checkout *Br* assistant *ou Am*

clerk.
cajoler [kaʒɔle] *vt* (*câliner*) to pamper, make a fuss of, cosset. ●**cajolerie(s)** *nf(pl)* pampering.
cajou [kaʒu] *nm* (*pl* **-s**) cashew; **noix de c.** cashew nut.
cake [kɛk] *nm* fruit cake.
calamité [kalamite] *nf* calamity.
calandre [kalɑ̃dr] *nf* (*de véhicule*) radiator grille.
calcaire [kalkɛr] *a* (*eau*) hard; (*terrain*) chalky ∎ *nm Géol* limestone.
calciné, -ée [kalsine] *a* charred, burnt to a cinder.
calcium [kalsjɔm] *nm* calcium.
calcul [kalkyl] *nm* 1 (*opérations*) calculation; (*estimation*) calculation, reckoning; (*discipline*) arithmetic; (*différentiel*) calculus. 2 (*du rein etc*) stone; **c. rénal** kidney stone.
calculateur [kalkylatœr] *nm* calculator, computer. ●**calculatrice** *nf* (*ordinateur*) calculator.
calculer [kalkyle] *vt* (*compter*) to calculate, reckon; (*évaluer, combiner*) to calculate. ●**calculé, -ée** *a* (*risque etc*) calculated.
calculette [kalkylɛt] *nf* (pocket) calculator.
cale [kal] *nf* 1 (*pour maintenir*) wedge. 2 (*de bateau*) hold; **c. sèche** dry dock.
calé, -ée [kale] *a Fam* (*instruit*) clever (**en qch** at sth); (*difficile*) (*problème etc*) tough.
caleçon [kalsɔ̃] *nm* underpants, boxer shorts; **c. de bain** swimming *ou Br* bathing trunks.
calembour [kalɑ̃bur] *nm* pun, play on words.
calendrier [kalɑ̃drije] *nm* (*mois et jours*) calendar; (*programme*) timetable.
cale-pied [kalpje] *nm* (*de bicyclette*) toe-clip.
calepin [kalpɛ̃] *nm* (pocket) notebook.
caler [kale] 1 *vt* (*meuble etc*) to wedge (up); (*appuyer*) to prop (up); **ça cale l'estomac** *Fam* it fills you up. 2 *vt* (*moteur*) to stall ∎ *vi* to stall; (*abandonner*) *Fam* to give up.
calfeutrer [kalføtre] *vt* (*avec du bourrelet*) *Br* to draughtproof, *Am* draftproof; **se c.** (**chez soi**) to shut oneself away *ou* up, hole up.
calibre [kalibr] *nm* (*diamètre*) calibre; (*d'œuf*) grade; **de ce c.** (*bêtise etc*) of such a degree, of this degree. ●**calibrer** *vt* (*œufs*) to grade.
calice [kalis] *nm* (*vase*) *Rel* chalice.
calicot [kaliko] *nm* (*tissu*) calico.
Californie [kalifɔrni] *nf* California.
califourchon (à) [akalifurʃɔ̃] *adv* astride; **se mettre à c. sur** to straddle.
câlin, -ine [kɑlɛ̃, -in] *a* (*enfant, ton etc*) affectionate ∎ *nm* cuddle. ●**câliner** *vt* (*cajoler*) to make a fuss of; (*caresser*) to cuddle. ●**câlineries** *nfpl* affectionate ways.
calleux, -euse [kalø, -øz] *a* (*main etc*) covered in calluses, horny.
calligraphie [kaligrafi] *nf* calligraphy.
calmant [kalmɑ̃] *nm* (*pour la nervosité*) sedative; (*la douleur*) painkiller; **sous calmants** under sedation; (*pour la douleur*) on pain-

killers.
calmar [kalmar] *nm* (*mollusque*) squid.
calme [kalm] *a* (*flegmatique*) calm, cool; (*journée, sommeil etc*) quiet, calm ▮ *nm* calm(ness); **du c.!** keep quiet!; (*pas de panique*) keep calm!; **dans le c.** (*travailler, étudier*) in peace and quiet.
calmer [kalme] *vt* (*douleur*) to soothe; (*inquiétude*) to calm; (*ardeur*) to damp down; **c. qn** to calm s.o. (down) ▮ **se calmer** *vpr* to calm down.
calomnie [kalɔmni] *nf* slander; (*par écrit*) libel. ● **calomnier** *vt* to slander; (*par écrit*) to libel. ● **calomnieux, -euse** *a* (*paroles etc*) slanderous; (*texte*) libellous.
calorie [kalɔri] *nf* calorie.
calorifuge [kalɔrifyʒ] *a* (heat-)insulating. ● **calorifuger** *vt* (*tuyaux*) to lag.
calot [kalo] *nm* (*de soldat*) forage cap.
calotte [kalɔt] *nf* (*de prêtre*) skull cap; (*gifle*) *Fam* slap; **c. glaciaire** icecap.
calque [kalk] *nm* (*dessin*) tracing; (*imitation*) (exact *ou* carbon) copy; (**papier-)c.** tracing paper. ● **calquer** *vt* to trace; (*imiter*) to copy; **c. sur** to model on.
calumet [kalymɛ] *nm* **c. de la paix** peace pipe.
calvaire [kalvɛr] *nm Rel* calvary; *Fig* ordeal.
calvitie [kalvisi] *nf* baldness.
camarade [kamarad] *nmf* friend, pal, chum; *Pol* comrade; **c. d'atelier** *Br* workmate *ou Am* work colleague (*in factory*); **c. de classe** classmate; **c. d'école** school friend; **c. de jeu** playmate; **c. de travail** *Br* workmate, *Am* work colleague. ● **camaraderie** *nf* friendship, companionship.
Cambodge [kɑ̃bɔdʒ] *nm* Cambodia.
cambouis [kɑ̃bwi] *nm* (dirty) oil, grease.
cambrer [kɑ̃bre] *vt* to arch; **c. les reins** *ou* **le buste** to throw out one's chest ▮ **se cambrer** *vpr* to throw back one's shoulders. ● **cambrure** *nf* curve; (*de pied*) arch, instep.
cambrioler [kɑ̃brijɔle] *vt Br* to burgle, *Am* burglarize. ● **cambriolage** *nm* burglary. ● **cambrioleur, -euse** *nmf* burglar.
came [kam] *nf Tech* cam; **arbre à cames** camshaft.
camée [kame] *nm* (*pierre*) cameo.
caméléon [kameleɔ̃] *nm* (*reptile*) chameleon.
camélia [kamelja] *nm* camellia.
camelot [kamlo] *nm* street peddler *ou Br* hawker, *Am* huckster. ● **camelote** *nf* cheap goods, junk.
camembert [kamɑ̃bɛr] *nm* Camembert (cheese).
camer (se) [səkame] *vpr Fam* to get high (on drugs).
caméra [kamera] *nf* (TV *ou* film) camera. ● **cameraman** *nm* (*pl* **-mans** *ou* **-men**) cameraman.
caméscope [kameskɔp] *nm* camcorder.
camion [kamjɔ̃] *nm Br* lorry, *Am* truck; **c. de déménagement** *Br* removal van, *Am* moving van. ● **camion-benne** *nm* (*pl* **camions-bennes**) *Br* dustcart, *Am* garbage truck. ● **camion-citerne** *nm* (*pl* **camions-citernes**) *Br* tanker, *Am* tank truck. ● **camionnage** *nm Br* (road) haulage, *Am* trucking. ● **camionnette** *nf* van. ● **camionneur** *nm* (*conducteur*) *Br* lorry *ou Am* truck driver; (*entrepreneur*) *Br* haulage contractor, *Am* trucker.
camisole [kamizɔl] *nf* **c. de force** straitjacket.
camomille [kamɔmij] *nf* (*plante*) camomile; (*tisane*) camomile tea.
camoufler [kamufle] *vt* to camouflage; (*la vérité etc*) *Fig* to cover up, conceal. ● **camouflage** *nm* camouflage; *Fig* covering up, concealing.
camp [kɑ̃] *nm* camp; **feu de c.** campfire; **lit de c.** camp bed; **c. de concentration** concentration camp; **elle est dans mon c.** (*jeu*) she's on my side; **ficher** *ou* **foutre le c.** *Arg* to clear off.
campagne [kɑ̃paɲ] *nf* **1** country(side); **à la c.** in the country. **2** (*électorale, militaire etc*) campaign (**pour** for, **contre** against); **c. de presse/publicité** press/publicity campaign. ● **campagnard, -arde** *a* **accent/style/etc c.** country accent/style/*etc* ▮ *nm* countryman ▮ *nf* countrywoman.
campanile [kɑ̃panil] *nm* belltower.
camper [kɑ̃pe] *vi* to camp ▮ *vt* (*personnage*) to portray (boldly); (*chapeau etc*) to place *ou* plant boldly ▮ **se camper** *vpr* to plant oneself (boldly) (**devant** in front of). ● **campement** *nm* encampment, camp. ● **campeur, -euse** *nmf* camper.
camphre [kɑ̃fr] *nm* camphor.
camping [kɑ̃piŋ] *nm* (*activité*) camping; (*terrain*) camp(ing) site; **faire du c.** to go camping, camp; **ils font du c.** (*généralement*) they go camping, they camp; (*ici*) they are camping. ● **camping-car** *nm* camper.
campus [kɑ̃pys] *nm* (*universitaire*) campus.
camus, -use [kamy] *a* (*personne*) snub-nosed; **nez c.** snub nose.
Canada [kanada] *nm* Canada. ● **canadien, -ienne** *a* Canadian ▮ *nmf* **C., Canadienne** Canadian. ● **canadienne** *nf* fur-lined jacket.
canaille [kanaj] *nf* rogue, scoundrel ▮ *a* (*manière, accent etc*) vulgar, cheap.
canal, -aux [kanal, -o] *nm* (*pour péniches etc*) canal; (*de télévision, bras de mer*) channel; (*du corps, conduite*) duct; **par le c. de** via, through.
canalisation [kanalizasjɔ̃] *nf* (*de gaz etc*) mains, main pipe.
canaliser [kanalize] *vt* (*rivière, fleuve*) to canalize; (*foule, énergies*) *Fig* to channel.
canapé [kanape] *nm* **1** (*siège*) sofa, couch, *Br* settee. **2** (*tranche de pain*) canapé.
canard [kanar] *nm* **1** duck; (*mâle*) drake. **2** (*fausse note*) false note. **3** (*journal*) *Péj* rag.
canarder [kanarde] *vt* (*faire feu sur*) to fire at *ou* on.
canari [kanari] *nm* canary.
cancans [kɑ̃kɑ̃] *nmpl* (malicious) gossip. ● **cancaner** *vi* to gossip. ● **cancanier, -ière** *a* gossipy.

cancer

cancer [kɑ̃sɛr] *nm* cancer; **le C.** (*signe*) Cancer; **c. de l'estomac/etc** stomach/etc cancer. ● **cancéreux, -euse** *a* cancerous ▮ *nmf* cancer patient. ● **cancérigène** *a* carcinogenic. ● **cancérologue** *nmf* cancer specialist.
cancre [kɑ̃kr] *nm* (*mauvais élève*) dunce.
cancrelat [kɑ̃krəla] *nm* cockroach.
candélabre [kɑ̃delɑbr] *nm* candelabra.
candeur [kɑ̃dœr] *nf* innocence, artlessness. ● **candide** *a* artless, innocent.
candidat, -ate [kɑ̃dida, -at] *nmf* candidate; (*à un poste*) applicant, candidate; **être** *ou* **se porter c. à** to apply for. ● **candidature** *nf* application; (*aux élections*) candidacy; **poser sa c.** to apply (**à** for).
cane [kan] *nf* (*female*) duck. ● **caneton** *nm* duckling.
canette [kanɛt] *nf* **1** (*de bière*) (small) bottle. **2** (*bobine*) spool.
canevas [kanva] *nm* (*toile*) canvas; (*ébauche*) framework, outline.
caniche [kaniʃ] *nm* poodle.
canicule [kanikyl] *nf* scorching heat; **la c.** (*période*) the summer heat, the dog days.
canif [kanif] *nm* penknife.
canine [kanin] **1** *af* (*espèce, race*) canine; **exposition c.** dog show. **2** *nf* (*dent*) canine (tooth).
caniveau, -x [kanivo] *nm* gutter (*in street*).
canne [kan] *nf* (*walking*) stick; (*de bambou*) cane; (*de roseau*) reed; **c. à pêche** fishing rod; **c. à sucre** sugar cane.
cannelle [kanɛl] *nf* (*écorce, épice*) cinnamon.
cannelure [kanlyr] *nf* groove; (*de colonne*) flute.
cannette [kanɛt] *nf* = **canette**.
cannibale [kanibal] *nmf* cannibal ▮ *a* (*tribu etc*) cannibalistic. ● **cannibalisme** *nm* cannibalism.
canoë [kanɔe] *nm* canoe; (*sport*) canoeing. ● **canoéiste** *nmf* canoeist.
canon[1] [kanɔ̃] *nm* (big gun); (*ancien, à boulets*) cannon; (*de fusil etc*) barrel; **c. lisse** smooth bore; **de la chair à c.** cannon fodder. ● **canonnade** *nf* gunfire. ● **canonnier** *nm* gunner.
canon[2] [kanɔ̃] *nm* (*règle*) canon.
cañon [kaɲɔ̃] *nm* canyon.
canoniser [kanɔnize] *vt Rel* to canonize.
canot [kano] *nm* boat; **c. de sauvetage** lifeboat; **c. pneumatique** rubber dinghy. ● **canoter** *vi* to go boating, boat. ● **canotage** *nm* boating.
cantaloup [kɑ̃talu] *nm* (*melon*) cantaloup(e).
cantate [kɑ̃tat] *nf* (*chant*) cantata.
cantatrice [kɑ̃tatris] *nf* opera singer.
cantine [kɑ̃tin] *nf* **1** (*réfectoire*) canteen; **manger à la c.** (*écolier*) *Br* to have school dinners, *Am* to have school lunch. **2** (*coffre*) tin trunk.
cantique [kɑ̃tik] *nm* hymn.
canton [kɑ̃tɔ̃] *nm* (*en France*) district (*division d'arrondissement*); (*en Suisse*) canton. ● **cantonal, -e, -aux** *a* divisional; (*en Suisse*) cantonal.

cantonade (à la) [alakɑ̃tɔnad] *adv* (*parler etc*) to all and sundry, to everyone in general.
cantonner [kɑ̃tɔne] *vt* (*soldat*) to billet; (*confiner*) to confine ▮ *vi* (*soldat*) to be billeted ▮ **se cantonner** *vpr* to confine oneself (**dans sa chambre/etc** to one's room/etc). ● **cantonnement** *nm* (*lieu*) billet, quarters.
cantonnier [kɑ̃tɔnje] *nm* road mender.
canular [kanylar] *nm* practical joke, hoax.
canyon [kanjɔ̃] *nm* canyon.
caoutchouc [kautʃu] *nm* rubber; (*élastique*) rubber band; **caoutchoucs** (*chaussures*) galoshes, (rubber) overshoes; **c. mousse**® foam (*for cushion etc*), ● **caoutchouter** *vt* to rubberize. ● **caoutchouteux, -euse** *a* rubbery.
CAP [seape] *nm abrév* (*certificat d'aptitude professionnelle*) technical and vocational diploma.
cap [kap] *nm Géog* cape, headland; (*direction*) *Nau* course; **mettre le c. sur** to steer a course for; **changer de c.** to change course; **franchir** *ou* **doubler le c. de** (*difficulté*) to get over the worst of; **franchir** *ou* **doubler le c. de la trentaine/etc** to turn thirty/etc; **franchir le c. des mille employés** (*limite*) to pass the one-thousand employee mark.
capable [kapabl] *a* capable, able; **c. de faire** able to do, capable of doing; **elle est bien c. de faire ça** (*susceptible*) she's quite likely to do that, she's quite capable of doing that. ● **capacité** *nf* ability, capacity; (*contenance*) capacity.
cape [kap] *nf* cape; (*grande*) cloak.
CAPES [kapɛs] *nm abrév* (*certificat d'aptitude professionnelle à l'enseignement secondaire*) teaching diploma.
capillaire [kapilɛr] *a* **huile/lotion c.** hair oil/lotion.
capitaine [kapitɛn] *nm* captain.
capital, -e, -aux [kapital, -o] **1** *a* (*importance, élément etc*) major, fundamental, capital; (*peine*) capital; (*péché*) deadly. **2** *af* **lettre capitale** capital letter. **3** *nm* (*argent*) capital. ● **capitale** *nf* (*lettre, ville*) capital. ● **capitaux** *nmpl* (*argent*) capital.
capitaliser [kapitalize] *vt* (*accumuler*) to build up ▮ *vi* to save (up).
capitalisme [kapitalism] *nm* capitalism. ● **capitaliste** *a* & *nmf* capitalist.
capiteux, -euse [kapitø, -øz] *a* (*vin, parfum*) heady.
capitonner [kapitɔne] *vt* to pad, upholster. ● **capitonnage** *nm* (*garniture*) padding, upholstery.
capituler [kapityle] *vi* to surrender, capitulate. ● **capitulation** *nf* surrender, capitulation.
caporal, -aux [kapɔral, -o] *nm* corporal.
capot [kapo] *nm* (*de véhicule*) *Br* bonnet, *Am* hood.
capote [kapɔt] *nf* (*de véhicule*) *Br* hood, *Am* (convertible) top; (*manteau de soldat*) great-

carreau

coat; **c. (anglaise)** (*préservatif*) *Fam* condom.
capoter [kapɔte] *vi* (*véhicule*) to overturn.
câpre [kɑpr] *nf* (*condiment*) caper.
caprice [kapris] *nm* (passing) whim, caprice.
● **capricieux, -euse** *a* temperamental, capricious.
Capricorne [kaprikɔrn] *nm* **le C.** (*signe*) Capricorn.
capsule [kapsyl] *nf* (*spatiale, de médicament*) capsule; (*de bouteille, pistolet d'enfant*) cap.
capter [kapte] *vt* (*signal, radio*) to pick up; (*attention*) to capture, win; (*faveur*) to win; (*eau*) to draw off.
captif, -ive [kaptif, -iv] *a* & *nmf* captive.
● **captivité** *nf* captivity; **en c.** in captivity.
captiver [kaptive] *vt* to fascinate, captivate.
● **captivant, -ante** *a* fascinating.
capture [kaptyr] *nf* catch, capture. ● **capturer** *vt* (*animal, criminel etc*) to capture.
capuche [kapyʃ] *nf* hood. ● **capuchon** *nm* hood; (*de moine*) cowl; (*pèlerine*) hooded (rain)coat; (*de stylo*) cap, top.
capucine [kapysin] *nf* (*plante*) nasturtium.
caquet [kakɛ] *nm* (*bavardage*) cackle. ● **caqueter** *vi* (*poule, personne*) to cackle. ● **caquetage** *nm* cackle.
car [kar] **1** *conj* because, for. **2** *nm* bus, *Br* coach; **c. de police** police van.
carabine [karabin] *nf* rifle; **c. à air comprimé** airgun.
carabiné, -ée [karabine] *a Fam* (*rhume, grippe etc*) violent; (*punition, amende*) very stiff.
caracoler [karakɔle] *vi* to prance, caper.
caractère[1] [karaktɛr] *nm* (*lettre*) character; **petits caractères** small letters; **caractères d'imprimerie** (block) capitals *ou* letters; **en caractères gras** in bold type *ou* characters.
caractère[2] [karaktɛr] *nm* (*tempérament, nature*) character, nature; (*attribut*) characteristic; **aucun c. de gravité** no serious element; **son c. inégal** his *ou* her uneven temper; **avoir bon c.** to be good-natured.
caractériel, -ielle [karakterjɛl] *a* **troubles caractériels** emotional disorder ▮ *a* & *nmf* disturbed (child).
caractériser [karakterize] *vt* to characterize; **se c. par** to be characterized by.
caractéristique [karakteristik] *a* & *nf* characteristic.
carafe [karaf] *nf* decanter, carafe.
caramboler [karɑ̃bɔle] *vt* (*véhicule*) to smash into. ● **carambolage** *nm* pile-up, multiple collision.
caramel [karamɛl] *nm* caramel; (*bonbon dur*) *Br* toffee, *Am* taffy.
carapace [karapas] *nf* (*de tortue etc*) & *Fig* shell.
carat [kara] *nm* carat; **or à dix-huit carats** eighteen-carat gold.
caravane [karavan] *nf* (*pour camper*) *Br* caravan, *Am* trailer; (*dans le désert*) caravan; **c. publicitaire** publicity convoy. ● **caravaning** *ou* **caravanage** *nm* caravanning.
carbone [karbɔn] *nm* carbon; (**papier**) **c.** carbon (paper).
carboniser [karbɔnize] *vt* to burn (to ashes), char; (*substance*) to carbonize; **mourir carbonisé** to be burned to death.
carburant [karbyrɑ̃] *nm* (*essence etc*) fuel.
● **carburateur** *nm Br* carburettor, *Am* carburetor.
carcan [karkɑ̃] *nm* (*de torture*) iron collar; (*contrainte, règles etc*) yoke.
carcasse [karkas] *nf* (*os*) carcass; (*d'immeuble etc*) frame, shell.
cardiaque [kardjak] *a* **être c.** to have a weak heart; **crise/problème c.** heart attack/trouble; **arrêt c.** cardiac arrest ▮ *nmf* heart patient.
cardinal, -e, -aux [kardinal, -o] **1** *a* (*nombre, point*) cardinal. **2** *nm Rel* cardinal.
cardiologue [kardjɔlɔg] *nmf* heart specialist.
Carême [karɛm] *nm* Lent.
carence [karɑ̃s] *nf* (*en vitamines etc*) deficiency; (*impuissance*) inadequacy, incompetence.
carène [karɛn] *nf* (*de navire*) hull. ● **caréné, -ée** *a* (*voiture, avion etc*) streamlined.
caresse [karɛs] *nf* caress; **faire des caresses à** = **caresser**.
caresser [karese] *vt* (*animal, enfant etc*) to stroke, pat; (*femme, homme*) to caress; (*espoir*) to cherish. ● **caressant, -ante** *a* loving, very affectionate.
cargaison [kargɛzɔ̃] *nf* cargo, freight.
● **cargo** *nm* cargo boat, freighter.
caricature [karikatyr] *nf* caricature. ● **caricatural, -e, -aux** *a* ludicrous; **portrait c.** portrait in caricature. ● **caricaturer** *vt* to caricature.
carie [kari] *nf* **la c. (dentaire)** tooth decay; **une c.** a cavity. ● **cariée** *af* **dent c.** decayed *ou* bad tooth.
carillon [karijɔ̃] *nm* (*cloches*) chimes, peal; (*horloge*) chiming clock; (*de porte*) door chime. ● **carillonner** *vi* to chime, peal.
carlingue [karlɛ̃g] *nf* (*fuselage d'avion*) cabin.
carnage [karnaʒ] *nm* carnage.
carnassier, -ière [karnasje, -jɛr] *a* carnivorous ▮ *nm* carnivore.
carnaval, *pl* **-als** [karnaval] *nm* carnival.
carné [karne] *am* **régime c.** meat diet.
carnet [karnɛ] *nm* notebook; (*de timbres, chèques, adresses etc*) book; **c. de notes** *Br* school report, *Am* report card; **c. de route** logbook; **c. de vol** (*d'avion*) logbook.
carnivore [karnivɔr] *a* carnivorous ▮ *nm* carnivore.
carotte [karɔt] *nf* carrot.
carotter [karɔte] *vt Arg* to wangle, cadge (**à qn** from s.o.).
carpe [karp] *nf* carp.
carpette [karpɛt] *nf* rug.
carré, -ée [kare] *a* square; (*honnête en affaires*) plain-dealing; **mètre/etc c.** square metre/etc ▮ *nm* square; (*de jardin*) patch; (*sur un navire*) messroom; **c. de soie** (square) silk scarf.
carreau, -x [karo] *nm* (*vitre*) (window) pane; (*pavé*) tile; (*sol*) tiled floor; (*couleur*) *Cartes*

diamonds; **à carreaux** (*nappe etc*) check(ed); **se tenir à c.** to watch one's step; **rester sur le c.** to be left for dead; (*candidat*) *Fig* to be left out in the cold.

carreler [karle] *vt* to tile. ● **carrelage** *nm* (*sol*) tiled floor; (*action*) tiling.

carrefour [karfur] *nm* crossroads.

carrelet [karlɛ] *nm* (*poisson*) *Br* plaice, *Am* flounder.

carrément [karemɑ̃] *adv* (*dire, répondre etc*) bluntly; (*complètement*) downright, well and truly.

carrer (se) [səkare] *vpr* to settle down firmly.

carrière [karjɛr] *nf* 1 (*terrain*) quarry. 2 (*métier*) career.

carrosse [karɔs] *nm Hist* (horse-drawn) carriage. ● **carrossable** *a* (*chemin*) suitable for vehicles. ● **carrosserie** *nf* (*de véhicule*) body(work).

carrousel [karuzɛl] *nm* (*tourbillon*) *Fig* whirl, merry-go-round.

carrure [karyr] *nf* build, breadth of shoulders; (*valeur*) *Fig* calibre.

cartable [kartabl] *nm* (*d'écolier*) school bag; (*à bretelles*) satchel.

carte [kart] *nf* 1 card; (*de lecteur*) ticket; (*routière*) map; (*marine, météo*) chart; **c. (postale)** (post)card; **c. (à jouer)** (playing) card; **jouer aux cartes** to play cards; **c. de crédit** credit card; **c. d'identité bancaire** bank card; **c. de visite** *Br* visiting card, *Am* calling card; (*professionnelle*) business card; **c. grise** vehicle registration document; **avoir c. blanche** *Fig* to have a free hand. 2 (*au restaurant*) menu; **c. des vins** wine list; **manger à la c.** to have an à la carte meal.

cartel [kartɛl] *nm* (*entreprises*) cartel.

carter [kartɛr] *nm* (*de moteur*) crankcase; (*de bicyclette*) chain guard.

cartilage [kartilaʒ] *nm* cartilage.

carton [kartɔ̃] *nm* cardboard; (*boîte*) cardboard box, carton; **c. à dessin** portfolio; **en c.-pâte** (*faux*) *Péj* pasteboard; **faire un c. sur qn/qch** *Fam* to take a potshot at s.o./sth. ● **cartonner** *vt* (*livre*) to case; **livre cartonné** hardback. ● **cartonnage** *nm* (*emballage*) cardboard package.

cartouche [kartuʃ] *nf* cartridge; (*de cigarettes*) carton; (*vidéo*) cassette. ● **cartouchière** *nf* (*ceinture*) cartridge belt.

cas [ka] *nm* case; **en tout c.** in any case *ou* event; **en aucun c.** on no account; **en c. de besoin** if need be; **en c. d'accident** in the event of an accident; **en c. d'urgence** in an emergency; **au c. où elle tomberait** if she should fall; **pour le c. où il pleuvrait** in case it rains; **faire c. de/peu de c. de qn/qch** to set great/little store by s.o./sth.

casanier, -ière [kazanje, -jɛr] *a & nmf* home-loving (person); (*pantouflard*) *Péj* stay-at-home (person).

casaque [kazak] *nf* (*de jockey*) shirt, blouse.

cascade [kaskad] *nf* 1 waterfall; (*série*) (*d'ennuis, de problèmes etc*) *Fig* spate; **en c.**

in succession. 2 (*de cinéma*) stunt. ● **cascadeur, -euse** *nmf* stunt man, stunt woman.

case [kaz] *nf* 1 pigeonhole; (*de tiroir*) compartment; (*d'échiquier etc*) square; (*de formulaire*) box. 2 (*hutte*) hut, cabin.

caser [kaze] *vt Fam* (*ranger*) to put *ou* stash (away), place (**dans** in); **c. qn** (*dans un logement*) to find a place for s.o.; (*dans un travail*) to find a job for s.o.; (*marier*) to marry s.o. off ▮ **se caser** *vpr* to settle down.

caserne [kazɛrn] *nf* (*pour soldats*) barracks; **c. de pompiers** fire station.

casier [kazje] *nm* pigeonhole, compartment; (*meuble à tiroirs*) filing cabinet; (*fermant à clef, à consigne automatique*) locker; **c. à bouteilles/à disques** bottle/record rack; **c. judiciaire** criminal *ou* police record.

casino [kazino] *nm* casino.

casque [kask] *nm* helmet; (*de coiffeur*) (hair) dryer; **c. (à écouteurs)** headphones; **les Casques bleus** the UN peace-keeping force. ● **casqué, -ée** *a* helmeted, wearing a helmet.

casquer [kaske] *vi Fam* to pay up, cough up, fork out.

casquette [kaskɛt] *nf* (*coiffure*) cap.

cassant, -ante [kasɑ̃, -ɑ̃t] *a voir* **casser.**

cassation [kasasjɔ̃] *nf* **Cour de c.** supreme court of appeal.

casse[1] [kas] *nf* 1 (*action*) breakage; (*objets*) breakages; (*grabuge*) *Fam* trouble; **mettre à la c.** to scrap; **vendre à la c.** to sell for scrap. 2 (*d'imprimerie*) case; **haut de c.** upper case; **bas de c.** lower case; (*lettre*) lower-case letter.

casse[2] [kas] *nm* (*cambriolage*) *Arg* break-in.

casse-cou [kasku] *nmf inv* (*personne*) *Fam* daredevil. ● **casse-croûte** *nm inv* snack. ● **casse-gueule** *nm inv* (*endroit*) *Fam* death trap, danger spot ▮ *a inv* (*entreprise etc*) *Fam* (highly) dangerous. ● **casse-noisettes** *nm inv ou* **casse-noix** *nm inv* nut-cracker(s). ● **casse-pieds** *nmf inv* (*personne*) *Fam* pain in the neck. ● **casse-tête** *nm inv* 1 (*problème*) headache; (*jeu*) puzzle, teaser. 2 (*massue*) club.

casser [kɑse] 1 *vt* to break; (*noix*) to crack; **elle me casse les pieds** *Fam* she's getting on my nerves; **il me casse la tête** *Fam* he's giving me a headache; **se c. la tête** *Fam* to rack one's brains; **c. la figure à qn** *Fam* to smash s.o.'s face in; **se c. la figure** (*tomber*) *Fam Br* to come a cropper, *Am* take a spill; **ça ne casse rien** *Fam* it's nothing special; **ça vaut 50F à tout c.** *Fam* it's worth 50F at the very most ▮ *vi*, **se casser** *vpr* to break; **il ne s'est pas cassé** *Iron Fam* he didn't bother himself *ou* exhaust himself.

2 *vt* (*annuler*) *Jur* to nullify, annul; **c. un jugement** to quash a sentence.

3 *vt* (*dégrader*) to dismiss from the army, cashier (*officer*). ● **cassant, -ante** *a* (*fragile*) brittle; (*brusque*) curt, abrupt; (*fatigant*) *Fam* exhausting. ● **casseur** *nm* (*d'épaves de voitures*) *Br* breaker, scrap dealer *ou* *Br* merchant; (*manifestant*) demonstrator who

damages property.
casserole [kasrɔl] *nf* (sauce)pan.
cassette [kasɛt] *nf* (*pour magnétophone*) cassette; (*pour magnétoscope*) video, cassette; **sur c.** on video; **faire une c. de** (*film*) to make a video of.
cassis 1 [kasis] *nm* (*fruit*) blackcurrant; (*boisson*) blackcurrant liqueur. **2** [kasi] *nm* (*obstacle*) dip (*across road*).
cassoulet [kasulɛ] *nm* stew (*of meat and beans*).
cassure [kɑsyr] *nf* (*fissure, rupture*) break; (*de l'écorce terrestre*) fault.
castagnettes [kastaɲɛt] *nfpl* castanets.
caste [kast] *nf* caste; **esprit de c.** class consciousness.
castor [kastɔr] *nm* beaver.
castrer [kastre] *vt* to castrate; (*chat*) to neuter. ● **castration** *nf* castration; (*de chat*) neutering.
cataclysme [kataklism] *nm* cataclysm. ● **cataclysmique** *a* cataclysmic.
catacombes [katakɔ̃b] *nfpl* catacombs.
catalogue [katalɔg] *nm Br* catalogue, *Am* catalog. ● **cataloguer** *vt* (*livres etc*) *Br* to catalogue, *Am* catalog; **c. qn** *Péj* to categorize s.o.
catalyseur [katalizœr] *nm Ch & Fig* catalyst.
catalytique [katalitik] *a* **pot c.** (*de véhicule*) catalytic converter.
cataphote® [katafɔt] *nm* (*de vélo etc*) reflector; (*sur la route*) cat's eye.
cataplasme [kataplasm] *nm* (*pour malade*) poultice.
catapulte [katapylt] *nf* (*de porte-avions*) catapult. ● **catapulter** *vt* to catapult.
cataracte [katarakt] *nf* **1** (*maladie des yeux*) cataract. **2** (*cascade*) falls, cataract.
catastrophe [katastrɔf] *nf* disaster, catastrophe; **atterrir en c.** to make an emergency landing. ● **catastrophique** *a* disastrous, catastrophic.
catastrophé, -ée [katastrɔfe] *a* (*attristé*) shattered.
catch [katʃ] *nm* (all-in) wrestling. ● **catcheur, -euse** *nmf* wrestler.
catéchisme [kateʃism] *nm Rel* catechism.
catégorie [kategɔri] *nf* category.
catégorique [kategɔrik] *a* categorical. ● **catégoriquement** *adv* (*refuser etc*) categorically.
cathédrale [katedral] *nf* cathedral.
catholicisme [katɔlisism] *nm* Catholicism. ● **catholique** *a & nmf* (Roman) Catholic; **pas (très) c.** (*affaire, personne*) *Fig* shady, (rather) dubious.
catimini (en) [ɑ̃katimini] *adv* on the sly.
cauchemar [koʃmar] *nm* nightmare; **faire un c.** to have a nightmare.
cause [koz] *nf* cause; (*procès*) case; **une bonne** *ou* **noble c.** a good *ou* worthy cause; **à c. de** because of, on account of; **pour c. de** on account of; **et pour c.!** for a very good reason!; **en (toute) connaissance de c.** in full knowledge of the facts; **mettre en c. (la**

bonne foi de qn etc) to (call into) question; (*personne*) to implicate (**dans** in); **votre probité n'est pas en c.** your integrity is not in question.
causer [koze] **1** *vt* (*provoquer*) to cause. **2** *vi* (*bavarder*) to chat (**de** about); (*discourir*) to talk; (*dire des secrets*) to blab. ● **causant, -ante** *a Fam* chatty, talkative. ● **causerie** *nf* talk. ● **causette** *nf* **faire la c.** *Fam* to have a little chat.
caustique [kostik] *a* (*substance, esprit*) caustic.
cauteleux, -euse [kotlø, -øz] *a* wily, sly.
cautériser [koterize] *vt Méd* to cauterize.
caution [kosjɔ̃] *nf* surety; (*pour libérer qn de prison*) bail; **sous c.** on bail; **c'est sujet à c.** (*nouvelle etc*) it's very doubtful. ● **cautionner** *vt* (*approuver*) to sanction. ● **cautionnement** *nm* (*garantie*) surety.
cavalcade [kavalkad] *nf Fam* stampede; (*défilé*) cavalcade.
cavale [kaval] *nf* **en c.** *Arg* on the run. ● **cavaler** *vi Fam* to run, rush.
cavalerie [kavalri] *nf* (*soldats*) cavalry; (*de cirque*) horses.
cavalier, -ière [kavalje, -jɛr] **1** *nmf* rider ▮ *nm* (*soldat*) trooper, cavalryman; *Échecs* knight ▮ *af* **allée cavalière** bridle path. **2** *nmf* (*pour danser etc*) partner, escort. **3** *a* (*insolent*) offhand. ● **cavalièrement** *adv* offhandedly.
cave [kav] **1** *nf* cellar. **2** *a* (*yeux*) sunken, hollow. ● **caveau, -x** *nm* (*sépulture*) (burial) vault.
caverne [kavɛrn] *nf* cave, cavern; **homme des cavernes** caveman.
caverneux, -euse [kavɛrnø, -øz] *a* (*voix, rire*) hollow, deep-sounding.
caviar [kavjar] *nm* caviar(e).
cavité [kavite] *nf* hollow, cavity.
CCP [sesepe] *nm abrév* (*compte chèque postal*) *Br* PO Giro account, *Am* Post Office checking account.
CD [sede] *nm abrév* (*disque compact*) CD.
ce¹ [s(ə)] (c' before e and é) *pron dém* **1** it, that; **c'est toi/bon/demain/etc** it's *ou* that's you/good/tomorrow/*etc*; **c'est un médecin** he's a doctor; **ce sont eux qui...** they are the people *ou* the ones who...; **qui est-ce?** (*en général*) who is it?; (*en montrant qn*) who is that?; **c'est à elle de jouer** it's her turn to play; **est-ce que tu viens?** are you coming?; **sur ce** at this point, thereupon.
2 (*pour reprendre une proposition*) **ce que, ce qui** what; **je sais ce qui est bon/ce que tu veux** I know what is good/what you want; **elle est malade, ce qui est triste/ce que je ne savais pas** she's ill, which is sad/which I didn't know; **ce que c'est beau!** it's so beautiful!, how beautiful it is!
ce², cette, *pl* **ces** [s(ə), sɛt, se] (**ce** *becomes* **cet** *before a vowel or mute h*) *a dém* this, that, *pl* those; (+ **-ci**) this, *pl* these; (+ **-là**) that, *pl* those; **cet homme** this *ou* that man; **cet homme-ci** this man; **cet**

ceci

homme-là that man.
ceci [səsi] *pron dém* this; **écoutez bien c.** listen to this.
cécité [sesite] *nf* blindness.
céder [sede] *vt* to give up (**à** to); (*propriété, bien*) to transfer; **c. sa place à qn** to give up one's seat to s.o., let s.o. have one's seat; **je lui ai cédé mon tour** I let him have my turn; **c. le pas à qn** to give way *ou* precedence to s.o. ▍ *vi* (*personne*) to give in, give way (**à** to); (*branche, chaise etc*) to give way.
cédille [sedij] *nf* *Grammaire* cedilla.
cèdre [sɛdr] *nm* (*arbre, bois*) cedar.
CEE [seøø] *abrév* (*Communauté économique européenne*) EEC.
CEI [seøi] *nf abrév* (*Communauté des États Indépendants*) CIS.
ceinture [sɛtyr] *nf* belt; (*de robe de chambre*) cord; (*taille*) waist; (*de remparts*) girdle; **petite/grande c.** (*ligne de bus etc*) inner/outer circle; **c. de sécurité** (*de véhicule etc*) seatbelt; **c. de sauvetage** *Br* lifebelt, *Am* life preserver.
ceinturer [sɛtyre] *vt* to seize round the waist; *Rugby* to tackle; (*ville*) to surround.
cela [s(ə)la] *pron dém* (*pour désigner*) that; (*sujet indéfini*) it, that; **c. m'attriste que...** it saddens me that...; **quand/comment/***etc* **c.?** when?/how?/*etc*; **c'est c.** that is so.
célèbre [selɛbr] *a* famous. ●**célébrité** *nf* fame; (*personne*) celebrity.
célébrer [selebre] *vt* to celebrate. ●**célébration** *nf* celebration (**de** of).
céleri [sɛlri] *nm* (*en branches*) celery.
céleste [selɛst] *a* celestial, heavenly.
célibat [seliba] *nm* (*de prêtre*) celibacy. ●**célibataire** *a* (*non marié*) single, unmarried; (*chaste*) (*prêtre etc*) celibate ▍ *nm* bachelor ▍ *nf* unmarried woman.
celle *voir* **celui.**
cellier [selje] *nm* storeroom (*for wine etc*).
cellophane® [selɔfan] *nf* cellophane®; **sous c.** in cellophane.
cellule [selyl] *nf* cell. ●**cellulaire** *a* (*tissu, membrane*) cellular; **téléphone c.** cellular phone; **voiture c.** *Br* prison van, *Am* patrol wagon.
celluloïd [selylɔid] *nm* celluloid.
cellulite [selylit] *nf* (*inflammation*) cellulitis.
cellulose [selyloz] *nf* cellulose.
celtique *ou* **celte** [sɛltik, sɛlt] *a* Celtic.
celui, celle, *pl* **ceux, celles** [səlɥi, sɛl, sø, sɛl] *pron dém* **1** the one, *pl* those, the ones; **c. de Jean** John's (one); **ceux de Jean** John's (ones), those of John; **c. qui appartient à Jean** the one that belongs to John. **2** (+ **-ci**) this one, *pl* these (ones); (*dont on vient de parler*) the latter; (+ **-là**) that one, *pl* those (ones); (*dont on vient de parler*) the former; **ceux-ci sont gros** these (ones) are big; **elle alla voir son amie, mais celle-ci était absente** she went to see her friend but she was out.
cendre [sɑ̃dr] *nf* ash. ●**cendré, -ée** *a* (*cheveux*) ash(-coloured). ●**cendrée** *nf* (*de stade*) cinder track.

cendrier [sɑ̃drije] *nm* ashtray.
Cendrillon [sɑ̃drijɔ̃] *nm* Cinderella.
censé, -ée [sɑ̃se] *a* **être c. faire** to be supposed to do; **il n'est pas c. le savoir** he's not supposed to know.
censeur [sɑ̃sœr] *nm* (*de films, journaux etc*) censor; (*de lycée*) *Br* assistant headmaster, *Am* assistant principal. ●**censure** *nf* **la c.** (*examen*) censorship; (*comité, service*) the (board of) censors, the censor; **motion de c.** (*à l'Assemblée*) censure motion. ●**censurer** *vt* (*film etc*) to censor; (*critiquer*) to censure (*s.o., the government etc*).
cent [sɑ̃] ([sɑ̃t] *pl* [sɑ̃z]) before vowel and mute h except **un** and **onze**) *a* & *nm* hundred; **c. pages** a *ou* one hundred pages; **deux cents pages** two hundred pages; **deux c. trois pages** two hundred and three pages; **cinq pour c.** five per cent. ●**centaine** *nf* **une c. (de)** about a hundred; **des centaines de** hundreds of; **plusieurs centaines** several hundred. ●**centenaire** *a* & *nmf* centenarian ▍ *nm* (*anniversaire*) centenary. ●**centième** *a* & *nmf* hundredth; **un c.** a hundredth.
centigrade [sɑ̃tigrad] *a* centigrade.
centime [sɑ̃tim] *nm* centime.
centimètre [sɑ̃timɛtr] *nm* centimetre; (*ruban*) tape measure.
central, -e, -aux [sɑ̃tral, -o] **1** *a* central; **pouvoir c.** (power of) central government. **2** *nm* **c. (téléphonique)** (telephone) exchange. ●**centrale** *nf* (*usine*) *Br* power station, *Am* power plant. ●**centraliser** *vt* to centralize.
centre [sɑ̃tr] *nm* centre; **c. commercial** shopping centre *ou* mall; **c. hospitalo-universitaire** = teaching hospital. ●**centre-ville** *nm* (*pl* **centres-villes**) *Br* city *ou* town centre, *Am* downtown area. ●**centrer** *vt* to centre.
centrifuge [sɑ̃trify3] *a* centrifugal. ●**centrifugeuse** *nf* (*pour fruits etc*) *Br* liquidizer, juice extractor.
centuple [sɑ̃typl] *nm* **x est le c. de y** x is a hundred times y; **au c.** a hundredfold. ●**centupler** *vti* to increase a hundredfold.
cep [sɛp] *nm* vine stock. ●**cépage** *nm* vine.
cependant [səpɑ̃dɑ̃] *conj* however, yet.
céramique [seramik] *nf* (*matière*) ceramic; (*art*) pottery, ceramics; **de** *ou* **en c.** ceramic.
cerceau, -x [sɛrso] *nm* hoop.
cercle [sɛrkl] *nm* (*forme, groupe, étendue*) circle; **c. vicieux** vicious circle.
cercueil [sɛrkœj] *nm* coffin.
céréale [sereal] *nf* cereal.
cérébral, -e, -aux [serebral, -o] *a* (*du cerveau*) cerebral; (*activité, travail etc*) *Fig* mental, cerebral.
cérémonie [seremɔni] *nf* ceremony; **tenue de c.** ceremonial dress; **sans c.** (*inviter, manger*) informally; **faire des cérémonies** *Fam* to make a lot of fuss. ●**cérémonial**, *pl* **-als** *nm* ceremonial. ●**cérémonieux, -euse** *a* ceremonious.
cerf [sɛr] *nm* deer *inv*; (*mâle*) stag. ●**cerf-volant** *nm* (*pl* **cerfs-volants**) (*jouet*) kite.

cerise [s(ə)riz] *nf* cherry. ●**cerisier** *nm* cherry tree.

cerne [sɛrn] *nm* (*cercle, marque*) ring. ●**cerner** *vt* to surround; (*problème*) to define; **avoir les yeux cernés** to have rings under one's eyes.

certain, -aine [sɛrtɛ̃, -ɛn] **1** *a* (*sûr*) certain, sure; **il est** *ou* **c'est c. que tu réussiras** you're certain *ou* sure to succeed; **je suis c. de réussir** I'm certain *ou* sure I'll be successful *ou* of being successful; **être c. de qch** to be certain *ou* sure of sth.
2 *a* (*imprécis, difficile à fixer*) certain; *pl* certain, some; **un c. temps** a certain (amount of) time. ●**certainement** *adv* certainly. ●**certains** *pron pl* some (people), certain people; (*choses*) some.

certes [sɛrt] *adv Litt* indeed, most certainly.

certificat [sɛrtifika] *nm* certificate.

certifier [sɛrtifje] *vt* to certify; **je vous certifie que** I assure you that. ●**certifié, -ée** *a* (*professeur*) qualified.

certitude [sɛrtityd] *nf* certainty; **avoir la c. que** to be certain that.

cerveau, -x [sɛrvo] *nm* (*organe*) brain; (*intelligence*) mind, brain(s); **rhume de c.** head cold; **fuite des cerveaux** brain drain.

cervelas [sɛrvəla] *nm Br* saveloy, = salami.

cervelle [sɛrvɛl] *nf* (*substance*) brain; (*plat*) brains; **tête sans c.** scatterbrain.

ces *voir* ce².

CES [seəɛs] *nm abrév* (*collège d'enseignement secondaire*) *Br* = comprehensive school (*lower forms only, covering the 11-14 age group*), *Am* = junior high school.

césarienne [sezarjɛn] *nf* (*opération*) Caesarean (section).

cessation [sɛsasjɔ̃] *nf* (*arrêt, fin*) suspension.

cesse [sɛs] *nf* **sans c.** constantly; **elle n'a (pas) eu de c. que j'accepte** she had no rest until I accepted....

cesser [sese] *vti* to stop; **faire c.** to put a stop *ou* halt to; **c. de faire qch** to stop doing sth; **il ne cesse (pas) de parler** he doesn't stop talking; **cela a cessé d'exister** that has ceased to exist. ●**cessez-le-feu** *nm inv* ceasefire.

cession [sɛsjɔ̃] *nf* (*de bien etc*) transfer.

c'est-à-dire [setadir] *conj* that is (to say), in other words.

cet, cette *voir* ce².

ceux *voir* celui.

chacal, *pl* **-als** [ʃakal] *nm* jackal.

chacun, -une [ʃakœ̃, -yn] *pron* each (one), every one; (*tous le monde*) everyone; **(à) c. son tour!** wait your turn!

chagrin [ʃagrɛ̃] **1** *nm* grief, sorrow; **avoir du c.** to be very upset; **faire du c. à qn** to make s.o. very upset. **2** *a* (*air, voix etc*) *Litt* doleful. ●**chagriner** *vt* to upset, distress.

chahut [ʃay] *nm* (*bruit*) racket, uproar. ●**chahuter** *vi* to create a racket *ou* an uproar ▮ *vt* (*professeur*) to be rowdy with, *Br* play up. ●**chahuteur, -euse** *nmf* rowdy.

chai [ʃɛ] *nm* wine and spirits storehouse.

chaîne [ʃɛn] *nf* chain; (*de télévision*) channel, network; (*de montagnes*) chain, range; (*de bateau*) cable; (*d'étoffe*) warp; **chaînes** (*liens*) *Fig* shackles, chains; **c. de montage** assembly line; **travail à la c.** production-line work; **c. haute fidélité, c. hi-fi** hi-fi (system); **c. compacte** music centre; **c. de magasins** chain of shops *ou Am* stores; **collision en c.** (*accident de la route*) multiple collision; **réaction en c.** chain reaction. ●**chaînette** *nf* (small) chain. ●**chaînon** *nm* (*anneau, lien*) link.

chair [ʃɛr] *nf* flesh; (*couleur*) **c.** flesh-coloured; **en c. et en os** in the flesh; **la c. de poule** goose pimples *ou* bumps, gooseflesh; **bien en c.** plump; **c. à saucisses** sausage meat.

chaire [ʃɛr] *nf* (*d'université*) chair; *Rel* pulpit.

chaise [ʃɛz] *nf* chair; **c. longue** (*siège pliant*) deckchair; **c. d'enfant, c. haute** high-chair.

chaland [ʃalɑ̃] *nm* barge, lighter.

châle [ʃal] *nm* shawl.

chalet [ʃalɛ] *nm* chalet.

chaleur [ʃalœr] *nf* heat; (*douce*) warmth; (*d'un accueil, d'une voix etc*) warmth; (*des convictions*) ardour; (*d'une discussion*) heat. ●**chaleureux, -euse** *a* (*accueil etc*) warm. ●**chaleureusement** *adv* warmly.

challenge [ʃalɑ̃ʒ] *nm* (*sportif*) challenge match.

chaloupe [ʃalup] *nf* (*bateau*) launch.

chalumeau, -x [ʃalymo] *nm* blowtorch, *Br* blowlamp; (*flûte*) pipe.

chalut [ʃaly] *nm* trawl net, drag net. ●**chalutier** *nm* (*bateau*) trawler.

chamailler (se) [səʃamaje] *vpr* to squabble, bicker. ●**chamailleries** *nfpl* squabbling, bickering.

chamarré, -ée [ʃamare] *a* (*robe etc*) richly coloured; **c. de** (*décorations etc*) *Péj* bedecked with.

chambard [ʃɑ̃bar] *nm Fam* (*tapage*) rumpus, *Br* row. ●**chambarder** *vt Fam* to turn upside down; **il a tout chambardé dans sa chambre/etc** he's turned everything upside down in his room/etc.

chambouler [ʃɑ̃bule] *vt* (*pièce, affaires etc*) *Fam* to make a complete mess of, turn upside down.

chambre [ʃɑ̃br] *nf* (bed)room; (*au parlement, au tribunal*) *& Tech Anat* chamber; **c. à coucher** bedroom; (*mobilier*) bedroom suite; **c. à air** (*de pneu*) inner tube; **c. d'ami** guest *ou* spare room; **c. de commerce** chamber of commerce; **C. des Communes** (*parlement*) *Br* House of Commons; **c. forte** strongroom; **c. noire** (*de photographe*) darkroom; **garder la c.** to stay indoors. ●**chambrée** *nf* (*de soldats*) barrack room. ●**chambrer** *vt* (*vin*) to bring to room temperature.

chameau, -x [ʃamo] *nm* camel.

chamois [ʃamwa] **1** *nm* (*animal*) chamois; **peau de c.** shammy, chamois, *Br* wash leather. **2** *a inv* buff(-coloured).

champ [ʃɑ̃] *nm* field; (*domaine*) *Fig* scope, field, range; **le c. des investigations** the scope *ou* field of the investigations; **le c. de ses activités** the scope *ou* range of his activities; **c. de bataille** battlefield; **c. de courses** *Br* racecourse, *Am* racetrack; **c. de foire** fairground; **c. de tir** (*terrain*) rifle range; **laisser le c. libre à qn** to leave the field open for s.o.

champagne [ʃɑ̃paɲ] *nm* champagne; **c. brut** extra-dry champagne.

champêtre [ʃɑ̃pɛtr] *a* (*bal, vie etc*) country, rural.

champignon [ʃɑ̃piɲɔ̃] *nm* **1** (*végétal*) mushroom; **c. vénéneux** toadstool, poisonous mushroom; **c. atomique** mushroom cloud. **2** (*accélérateur*) *Fam* accelerator pedal.

champion, -onne [ʃɑ̃pjɔ̃, -jɔn] *nmf* champion. ●**championnat** *nm* championship.

chance [ʃɑ̃s] *nf* luck; (*probabilité de réussir, occasion*) chance; **avoir de la c.** to be lucky; **tenter** *ou* **courir sa c.** to try one's luck; **c'est une c. que je sois arrivé** it's lucky that I came; **mes chances de succès** my chances of success. ●**chanceux, -euse** *a* lucky.

chanceler [ʃɑ̃sle] *vi* to stagger, totter; (*courage, détermination*) *Fig* to falter. ●**chancelant, -ante** *a* (*pas, santé*) faltering, shaky.

chancelier [ʃɑ̃səlje] *nm* (*allemand etc*) chancellor. ●**chancellerie** *nf* (*d'ambassade*) chancellery.

chancre [ʃɑ̃kr] *nm* (*maladie*) & *Fig* canker.

chandail [ʃɑ̃daj] *nm* (thick) sweater *ou Br* jersey.

chandelier [ʃɑ̃dəlje] *nm* candlestick.

chandelle [ʃɑ̃dɛl] *nf* candle; **voir trente-six chandelles** *Fig* to see stars; **en c.** (*tir*) straight into the air.

change [ʃɑ̃ʒ] *nm* (*de devises*) exchange; **le contrôle des changes** exchange control; **donner le c. à qn** to deceive s.o.

changer [ʃɑ̃ʒe] *vt* (*modifier, remplacer, échanger*) to change; **c. qn/qch en** to change s.o./sth into; **c. un bébé** to change a baby; **ça la changera de ne pas travailler** it'll be a change for her not to be working.

▮ *vi* to change; **c. de voiture/d'adresse/***etc* to change one's car/address/*etc*; **c. de train/ de bus/de côté** to change trains/buses/sides; **c. de place** to change *ou* swap places (**avec qn** with s.o.); **c. de vitesse/de cap/de couleur** to change gear/course/colour; **c. de sujet** to change the subject; **du café, pour c. du thé?** some coffee, to make a change from tea?

▮ **se changer** *vpr* to change (one's clothes). ●**changeant, -ante** *a* (*temps*) changeable; (*humeur*) fickle; (*couleurs*) changing. ●**changement** *nm* change; **aimer le c.** to like change. ●**changeur** *nm* moneychanger; **c. de monnaie** change machine.

chanoine [ʃanwan] *nm* (*personne*) *Rel* canon.

chanson [ʃɑ̃sɔ̃] *nf* song. ●**chant** *nm* singing; (*chanson*) song; (*hymne*) hymn; **c. de Noël** Christmas carol.

chanter [ʃɑ̃te] *vi* to sing; (*psalmodier*) to chant; (*coq*) to crow; **si ça te chante** *Fam* if you feel like it; **faire c. qn** to blackmail s.o. ▮ *vt* to sing; (*glorifier*) to sing of (*exploits etc*); (*dire*) *Fam* to say. ●**chantant, -ante** *a* (*air, voix*) melodious. ●**chantage** *nm* blackmail. ●**chanteur, -euse** *nmf* singer.

chantier [ʃɑ̃tje] *nm* (building) site; (*sur route*) roadworks; (*entrepôt*) builder's yard; **c. naval** shipyard, dockyard; **mettre un travail en c.** to get a task under way.

chantonner [ʃɑ̃tɔne] *vti* to hum.

chantre [ʃɑ̃tr] *nm Rel* cantor.

chanvre [ʃɑ̃vr] *nm* hemp; **c. indien** (*plante*) cannabis.

chaos [kao] *nm* chaos. ●**chaotique** *a* chaotic.

chaparder [ʃaparde] *vt Fam* to steal, filch, *Br* pinch (**à** from).

chapeau, -x [ʃapo] *nm* hat; (*de champignon, roue*) cap; **c.!** well done!; **donner un coup de c.** (*pour saluer etc*) to raise one's hat (**à qn** to s.o.); **c. mou** *Br* trilby, *Am* fedora. ●**chapelier, -ière** *nmf* hatter, hatmaker.

chapelet [ʃaplɛ] *nm* rosary; **dire son c.** to tell one's beads; **un c. de saucisses/d'injures/***etc* a string of sausages/abuse/*etc*.

chapelle [ʃapɛl] *nf* chapel; **c. ardente** chapel of rest.

chapelure [ʃaplyr] *nf* breadcrumbs.

chaperon [ʃaprɔ̃] *nm* chaperon(e). ●**chaperonner** *vt* to chaperon(e).

chapiteau, -x [ʃapito] *nm* (*de cirque*) big top; (*pour expositions etc*) tent, *Br* marquee; (*de colonne*) *Archit* capital.

chapitre [ʃapitr] *nm* (*de livre etc*) & *Rel* chapter; **sur le c. de** on the subject of.

chapitrer [ʃapitre] *vt* to scold, lecture.

chaque [ʃak] *a* each, every.

char [ʃar] *nm* (*romain*) chariot; (*de carnaval*) float; (*voiture*) *Can Fam* car; **c. (d'assaut)** (*tank*) tank; **c. à bœufs** oxcart.

charabia [ʃarabja] *nm Fam* gibberish.

charade [ʃarad] *nf* (*énigme*) riddle; (*mimée*) charade.

charbon [ʃarbɔ̃] *nm* coal; (*pour dessiner*) charcoal; **c. de bois** (*combustible*) charcoal; **sur des charbons ardents** on tenterhooks, like a cat on hot bricks. ●**charbonnages** *nmpl* coalmines, *Br* collieries. ●**charbonnier, -ière** *a* **basin c.** coal basin; **industrie charbonnière** coal industry ▮ *nm* coal merchant.

charcuter [ʃarkyte] *vt* (*opérer*) *Fam Péj* to cut up (badly).

charcuterie [ʃarkytri] *nf* pork butcher's shop; (*aliments*) cooked (pork) meats. ●**charcutier, -ière** *nmf* pork butcher.

chardon [ʃardɔ̃] *nm* (*plante*) thistle.

chardonneret [ʃardɔnrɛ] *nm* (*oiseau*) goldfinch.

charge [ʃarʒ] *nf* (*poids*) load; (*fardeau*) burden; (*électrique, accusation, attaque militaire*) charge; (*fonction*) office; **charges** (*financières*) financial obligations; (*dépenses*) expenses; (de locataire) (maintenance) charges; **charges sociales** Br national insurance contributions, Am Social Security contributions; **un enfant/parent à c.** a dependent child/relative; **à la c. de qn** (personne) dependent on s.o.; (frais) payable by s.o.; **prendre en c.** to take charge of, take responsibility for.

charger [ʃarʒe] vt to load; (soldats, batterie) to charge; (passager) Fam to pick up; **se c. de** (enfant, tâche etc) to take charge of; **c. qn de** (tâche etc) to entrust s.o. with; (impôts etc) to burden s.o. with; (paquets etc) to load s.o. with; **se c. de faire qch** to undertake to do sth; **c. qn de faire qch** to instruct s.o. to do sth. ● **chargé, -ée** a (véhicule, arme etc) loaded; (journée, programme etc) busy, heavy; (langue) coated; **c. de** (personne, véhicule etc) loaded with (packages etc); (arbre, navire etc) laden with (fruit, goods etc); **il est c. de balayer/etc** his job is to sweep/etc ▎nmf **c. de cours** Univ (temporary) lecturer. ● **chargement** nm (action) loading; (objet) load. ● **chargeur** nm (d'arme à feu) magazine; **c. (de piles)** (battery) charger.

chariot [ʃarjo] nm (à bagages etc) Br trolley, Am cart; (de ferme) waggon; (de machine à écrire) carriage.

charitable [ʃaritabl] a charitable (**pour, envers** towards).

charité [ʃarite] nf (secours, vertu) charity; (acte) act of charity; **faire la c.** to give to charity; **faire la c. à** (mendiant) to give (money) to.

charivari [ʃarivari] nm Fam hubbub, hullabaloo.

charlatan [ʃarlatɑ̃] nm charlatan, quack.

charme [ʃarm] nm 1 charm; (magie) spell; **se porter comme un c.** to be the very picture of health. 2 (arbre) hornbeam.

charmer [ʃarme] vt to charm; **je suis charmé de vous voir** I'm delighted to see you. ● **charmant, -ante** a charming. ● **charmeur, -euse** nmf charmer ▎a (sourire, air etc) winning, engaging, bewitching.

charnel, -elle [ʃarnɛl] a carnal.

charnier [ʃarnje] nm mass grave.

charnière [ʃarnjɛr] nf hinge; Fig meeting point (de between).

charnu, -ue [ʃarny] a fleshy.

charogne [ʃarɔɲ] nf carrion.

charpente [ʃarpɑ̃t] nf frame(work); (de personne) build. ● **charpenté, -ée a bien c.** solidly built. ● **charpenterie** nf carpentry. ● **charpentier** nm carpenter.

charpie [ʃarpi] nf **mettre en c.** (déchirer) & Fig to tear to shreds.

charrette [ʃarɛt] nf cart. ● **charrier 1** vt (transporter) to cart; (rivière) to carry along, wash down (sand etc). 2 vti (taquiner) Fam to tease.

charrue [ʃary] nf Br plough, Am plow.

charte [ʃart] nf (loi) charter.

charter [ʃarter] nm (vol) charter (flight); (avion) charter plane.

chas [ʃa] nm eye (of a needle).

chasse[1] [ʃas] nf hunting, hunt; (poursuite) chase; (avions) fighter forces; **c. sous-marine** underwater (harpoon) fishing; **c. à courre** hunting; **avion/pilote de c.** fighter plane/pilot; **chien de c.** retriever; **tableau de c.** (animaux abattus) bag; **faire la c. à** to hunt for; **donner la c. à** to give chase to; **c. à l'homme** manhunt.

chasse[2] [ʃas] nf **c. d'eau** Br toilet ou Am lavatory flush; **tirer la c.** to flush the Br toilet ou Am lavatory.

châsse [ʃɑs] nf shrine.

chassé-croisé [ʃasekrwaze] nm (pl **chassés-croisés**) Fig confused coming(s) and going(s).

chasser [ʃase] vt (animal) to hunt; (faisan, perdrix etc) to shoot; (papillon) to chase; (faire partir) to chase (s.o.) away, drive (s.o.) away ou off; (employé) to dismiss; (mouche) to brush away ▎vi to hunt; (dérapper) to skid. ● **chasseur, -euse** nmf hunter; **c. de têtes** (pour le compte d'une entreprise) headhunter ▎nm (d'hôtel) Br pageboy, Am bellboy; (avion) fighter; **c. à pied** infantryman. ● **chasse-neige** nm inv Br snowplough, Am snowplow.

châssis [ʃɑsi] nm frame; (d'automobile) chassis.

chaste [ʃast] a chaste, pure. ● **chasteté** nf chastity.

chat [ʃa] nm cat; **avoir un c. dans la gorge** to have a frog in one's throat; **avoir d'autres chats à fouetter** to have other fish to fry; **il n'y avait pas un c.** there wasn't a soul (around); **c. perché** (jeu) tag.

châtaigne [ʃɑtɛɲ] nf chestnut. ● **châtaignier** nm chestnut tree. ● **châtain** a inv (chestnut) brown.

château, -x [ʃɑto] nm (forteresse) castle; (palais) palace, stately home; **c. fort** fortified castle; **châteaux en Espagne** Fig castles in the air; **c. d'eau** water tower; **c. de cartes** Fig house of cards.

châtelain, -aine [ʃɑtlɛ̃, -ɛn] nmf lord of the manor, lady of the manor.

châtier [ʃɑtje] vt Litt to chastise, castigate; (style) to refine.

châtiment [ʃɑtimɑ̃] nm punishment.

chaton [ʃatɔ̃] nm 1 (chat) kitten. 2 (de bague) setting, mounting. 3 (d'arbre) catkin.

chatouiller [ʃatuje] vt (pour faire rire) to tickle; (exciter, plaire à) Fig to titillate. ● **chatouillement** nm ou **chatouillis** nm tickle; (action) tickling. ● **chatouilleux, -euse** a ticklish; (irritable) touchy.

chatoyer [ʃatwaje] vi to glitter, sparkle.

châtrer [ʃɑtre] vt to castrate.

chatte [ʃat] nf (she-)cat; **ma (petite) c.** Fam my darling.

chatteries [ʃatri] nfpl cuddles; (friandises) delicacies.

chatterton [ʃatɛrtɔn] nm (adhesive) insulating tape.

chaud, chaude [ʃo, ʃod] a hot; (doux)

chaudière

warm; (*fervent*) (*partisan, plaidoyer etc*) ardent; **pleurer à chaudes larmes** to cry bitterly ▮ *nm* heat; (*modéré*) warmth; **avoir c.** to be hot; to be warm; **il fait c.** it's hot; it's warm; **être au c.** to be in the warm(th); **ça ne me fait ni c. ni froid** it makes no difference to me, it leaves me completely indifferent. ●**chaudement** *adv* warmly; (*avec passion*) (*plaider, défendre, discuter*) ardently.

chaudière [ʃodjɛr] *nf* boiler.

chauffage [ʃofaʒ] *nm* heating.

chauffard [ʃofar] *nm* road hog, reckless driver.

chauffer [ʃofe] *vt* to heat (up); (*métal etc*) to heat; **faire c. du lait/etc** to heat up *ou* warm up some milk/etc ▮ *vi* to heat (up); (*devenir trop chaud*) (*moteur*) to overheat; **ça va c.** *Fam* things are going to hot up ▮ **se chauffer** *vpr* to warm oneself up. ●**chauffant, -ante** *a* **couverture chauffante** electric blanket; **plaque chauffante** hot plate; **surface chauffante** heating surface. ●**chauffé, -ée** *a* (*piscine etc*) heated. ●**chauffe-bain** *nm ou* **chauffe-eau** *nm inv* water heater. ●**chauffe-plats** *nm inv* hotplate.

chauffeur [ʃofœr] *nm* 1 (*de véhicule*) driver; (*employé*) chauffeur. 2 (*de chaudière*) stoker.

chaume [ʃom] *nm* (*pour toiture*) thatch; (*tiges coupées*) stubble, straw; **toit de c.** thatched roof. ●**chaumière** *nf* thatched cottage.

chaussée [ʃose] *nf* road(way).

chausser [ʃose] *vt* (*chaussures*) to put on; (*fournir*) to supply with footwear; **c. qn** to put shoes on (to) s.o.; **c. du 40** to take a size 40 shoe; **ce soulier te chausse bien** this shoe fits (you) well ▮ **se chausser** *vpr* to put on one's shoes. ●**chausse-pied** *nm* shoehorn.

chaussette [ʃosɛt] *nf* sock.

chausson [ʃosɔ̃] *nm* slipper; (*de danse*) shoe; (*de bébé*) bootee; **c. (aux pommes)** apple turnover.

chaussure [ʃosyr] *nf* shoe; **chaussures à semelles compensées** platform shoes; **chaussures de ski** ski boots; **il travaille dans la c.** he works in footwear *ou* in the shoe business.

chauve [ʃov] *a & nmf* bald (person).

chauve-souris [ʃovsuri] *nf* (*pl* **chauves-souris**) (*animal*) bat.

chauvin, -ine [ʃovɛ̃, -in] *a* chauvinistic ▮ *nmf* chauvinist. ●**chauvinisme** *nm* chauvinism.

chaux [ʃo] *nf* lime; **blanc de c.** whitewash.

chavirer [ʃavire] *vti* (*bateau etc*) to capsize.

chef [ʃɛf] *nm* 1 leader, head; (*de tribu*) chief; (*cuisinier*) chef; **commandant/rédacteur en c.** commander/editor in chief; **c'est un c.!** (*personne remarquable*) he's an ace!; **c. d'atelier** (shop) foreman; **c. de bande** ringleader, gang leader; **c. d'entreprise** company head; **c. d'équipe** foreman; **c. d'État** head of state; **c. d'état-major** chief of staff; **c. de famille** head of the family; **c. de file** leader; **c. de gare** stationmaster; **c. d'orchestre** conductor; **c. de service** head of department. 2 **de son propre c.** on one's own authority.

chef-lieu [ʃɛfljø] *nm* (*pl* **chefs-lieux**) chief town (*of a département*).

chef-d'œuvre [ʃɛdœvr] *nm* (*pl* **chefs-d'œuvre**) masterpiece.

cheik [ʃɛk] *nm* sheik.

chemin [ʃ(ə)mɛ̃] *nm* 1 road, path; (*trajet, direction*) way; **beaucoup de c. à faire** a long way to go; **dix minutes de c.** ten minutes' walk; **se mettre en c.** to set out, start out; **faire du c.** to come a long way; (*idée*) to make considerable headway; **faisant** on the way; **à mi-c.** half-way. 2 **c. de fer** *Br* railway, *Am* railroad.

cheminée [ʃ(ə)mine] *nf* (*âtre*) fireplace; (*encadrement*) mantelpiece; (*sur le toit*) chimney; (*de navire*) funnel.

cheminer [ʃ(ə)mine] *vi* to proceed (on foot), continue on one's way; (*péniblement*) to trudge (along) on foot; (*évoluer*) *Fig* to progress. ●**cheminement** *nm Fig* progress.

cheminot [ʃ(ə)mino] *nm Br* railway *ou Am* railroad employee.

chemise [ʃ(ə)miz] *nf* shirt; (*couverture cartonnée*) folder; **c. de nuit** (*de femme*) nightdress. ●**chemiserie** *nf* men's shirt (and underwear) shop. ●**chemisette** *nf* short-sleeved shirt. ●**chemisier** *nm* (*vêtement*) blouse.

chenal, -aux [ʃənal, -o] *nm* channel.

chenapan [ʃ(ə)napɑ̃] *nm Hum* rogue, scoundrel.

chêne [ʃɛn] *nm* (*arbre, bois*) oak.

chenet [ʃ(ə)nɛ] *nm* andiron, firedog.

chenil [ʃ(ə)ni(l)] *nm Br* kennels, *Am* kennel; **mettre un chien dans un c.** to put a dog in *Br* kennels *ou Am* a kennel.

chenille [ʃ(ə)nij] *nf* caterpillar; (*de char etc*) caterpillar track.

cheptel [ʃɛptɛl] *nm* livestock.

chèque [ʃɛk] *nm Br* cheque, *Am* check; **c. de voyage** *Br* traveller's cheque, *Am* traveler's check. ●**chèque-repas** *nm* (*pl* **chèques-repas**) *Br* luncheon voucher, *Am* meal ticket. ●**chéquier** *nm Br* cheque book, *Am* checkbook.

cher, chère [ʃɛr] 1 *a* (*aimé*) dear (**à** to) ▮ *nmf* **mon c.** my dear fellow; **ma chère** my dear (woman). 2 *a* (*coûteux*) (*objet, magasin etc*) expensive, dear (*après le nom*); (*quartier, hôtel etc*) expensive; **ça coûte c.** that's expensive; **la vie chère** the high cost of living; **payer c.** (*objet*) to pay a lot for; (*erreur etc*) *Fig* to pay dearly for. ●**chèrement** *adv* (*aimer, payer*) dearly.

chercher [ʃɛrʃe] *vt* to look for; (*du secours, la paix etc*) to seek; (*dans un dictionnaire*) to look up (*word*); **c. ses mots** to fumble for one's words; **aller c. qn/qch** to (go and) get *ou* fetch s.o./sth; **venir c. qn/qch** to call for s.o./sth, come and get *ou* fetch s.o./sth; **c. à faire** to attempt to do; **tu l'as bien cherché!**

chiper

it's your own fault!, you asked for it! ●**chercheur, -euse** *nmf* research worker; **c. d'or** gold-digger.

chérir [ʃerir] *vt* to cherish. ●**chéri, -ie** *a* dearly loved, beloved ▮ *nmf* darling.

chérot [ʃero] *am* c'est c. *Fam* it's pricey.

cherté [ʃɛrte] *nf* high cost, expensiveness.

chétif, -ive [ʃetif, -iv] *a* puny; (*dérisoire*) (*vie, repas etc*) wretched.

cheval, -aux [ʃ(ə)val, -o] *nm* horse; **c.** (*vapeur*) *Aut* horsepower; **à c.** on horseback; **faire du c.** to go *Br* horse riding *ou Am* horseback riding; **être à à c. sur** to be straddling; **être à c. sur les principes** to be a stickler for principle; **monter sur ses grands chevaux** to get excited; **c. à bascule** rocking horse; **c. d'arçons** *Sport* vaulting horse; **c. de bataille** (*dada*) hobbyhorse; **chevaux de bois** (*manège*) merry-go-round.

chevaleresque [ʃ(ə)valrɛsk] *a* chivalrous.

chevalet [ʃ(ə)valɛ] *nm* (*de peintre*) easel; (*de menuisier etc*) trestle.

chevalier [ʃ(ə)valje] *nm* knight.

chevalière [ʃ(ə)valjɛr] *nf* signet ring.

chevaline [ʃ(ə)valin] *af* **boucherie c.** horse butcher's (shop).

chevauchée [ʃ(ə)voʃe] *nf* (horse) ride.

chevaucher [ʃ(ə)voʃe] *vt* to straddle ▮ *vi* **se chevaucher** *vpr* to overlap.

chevelu, -ue [ʃ(ə)vly] *a* long-haired, hairy. ●**chevelure** *nf* (head of) hair.

chevet [ʃ(ə)vɛ] *nm* bedhead; **table/livre de c.** bedside table/book; **au c. de** at the bedside of.

cheveu, -x [ʃ(ə)vø] *nm* **un c.** a hair; **cheveux** hair; **avoir les cheveux noirs** to have black hair; **couper les cheveux en quatre** *Fig* to split hairs; **tiré par les cheveux** (*argument*) far-fetched.

cheville [ʃ(ə)vij] *nf* (*du pied*) ankle; (*pour vis*) (wall) plug; (*pour meuble*) peg, pin; **c. ouvrière** *Fig* linchpin; **en c. avec qn** *Fam* in cahoots with s.o.; **elle ne vous arrive pas à la c.** *Fig* she can't hold a candle to you. ●**cheviller** *vt* (*meuble*) to pin, peg.

chèvre [ʃɛvr] *nf* goat; (*femelle*) nanny-goat. ●**chevreau, -x** *nm* (*petit de la chèvre*) kid.

chèvrefeuille [ʃɛvrəfœj] *nm* honeysuckle.

chevreuil [ʃəvrœj] *nm* roe deer; (*viande*) venison.

chevron [ʃəvrɔ̃] *nm* (*poutre*) rafter; (*signe de grade militaire*) stripe, chevron; **à chevrons** (*tissu, veste etc*) herringbone.

chevronné, -ée [ʃəvrɔne] *a* (*professeur etc*) seasoned, experienced.

chevroter [ʃəvrɔte] *vi* (*voix*) to quaver, tremble.

chez [ʃe] *prép* **c. qn** at s.o.'s house, flat *etc*; **il est c. Jean/c. l'épicier** he's at John's (place)/at the grocer's; **il va c. Jean/c. l'épicier** he's going to John's (place)/to the grocer's; **c. moi, c. nous** at home; **je vais c. moi** I'm going home; **faites comme c. vous** make yourself at home; **c. les Suisses/les jeunes** among the Swiss/the young; **c. Camus** in (the work of) Camus; **c. l'homme** in man; **chez les mammifères** in mammals; **une habitude c. elle** a habit with her; **c. Mme Dupont** (*adresse*) care of *ou* c/o Mme Dupont. ●**chez-soi** *nm inv* **un c.-soi** a home (of one's own).

chialer [ʃjale] *vi* (*pleurer*) *Fam* to cry.

chic [ʃik] **1** *a inv* smart, stylish; (*gentil*) *Fam* nice, decent ▮ *int* **c. (alors)!** great! ▮ *nm* style, elegance. **2** *nm* **avoir le c. pour faire** to have the knack of doing.

chicane [ʃikan] *nf* (*querelle*) quibble. ●**chicaner** *vt* to quibble with (*s.o.*) ▮ *vi* to quibble.

chicanes [ʃikan] *nfpl* (*obstacles*) zigzag barriers.

chiche [ʃiʃ] **1** *a* mean, niggardly; **c. de** sparing of. **2** *int* (*défi*) *Fam* I bet (you) I do, can *etc*; **c. que je parte sans lui!** I bet (you) I leave without him!

chichis [ʃiʃi] *nmpl* **faire des c.** to make a lot of fuss.

chicorée [ʃikɔre] *nf* (à café) chicory *inv*; (*pour salade*) endive.

chien [ʃjɛ̃] *nm* dog; **c. d'aveugle** guide dog; **c. d'arrêt** pointer, retriever; **un mal de c.** *Fam* an awful lot of trouble; **temps de c.** *Fam* rotten *or* filthy weather; **une vie de c.** *Fig* a dog's life; **entre c. et loup** at dusk, in the twilight. ●**chien-loup** *nm* (*pl* **chiens-loups**) wolfhound. ●**chienne** *nf* dog, bitch.

chiendent [ʃjɛ̃dɑ̃] *nm* (*plante*) couch grass; **brosse de c.** scrubbing brush.

chiffon [ʃifɔ̃] *nm* rag; **c. (à poussière)** *Br* duster, *Am* dustcloth. ●**chiffonner** *vt* to crumple; (*ennuyer*) *Fig* to bother, distress. ●**chiffonnier** *nm* ragman.

chiffre [ʃifr] *nm* figure, number; (*romain, arabe*) numeral; (*code*) cipher; **c. d'affaires** (sales) turnover. ●**chiffrer** *vt* (*montant*) to assess, work out; (*message*) to cipher, code ▮ *vi* to mount up ▮ **se chiffrer** *vpr* **se c. à** to amount to, work out at.

chignon [ʃiɲɔ̃] *nm* bun, chignon.

Chili [ʃili] *nm* Chile. ●**chilien, -ienne** *a* Chilean ▮ *nmf* **C., Chilienne** Chilean.

chimère [ʃimɛr] *nf* fantasy, (wild) dream. ●**chimérique** *a* fanciful.

chimie [ʃimi] *nf* chemistry. ●**chimique** *a* chemical. ●**chimiste** *nmf* (research) chemist.

chimiothérapie [ʃimjɔterapi] *nf* chemotherapy.

chimpanzé [ʃɛ̃pɑ̃ze] *nm* chimpanzee.

Chine [ʃin] *nf* China. ●**chinois, -oise** *a* Chinese ▮ *nmf* **C., Chinoise** Chinese man *ou* woman, Chinese *inv*; **les C.** the Chinese ▮ *nm* (*langue*) Chinese. ●**chinoiser** *vi* to quibble. ●**chinoiserie** *nf* (*objet*) Chinese curio; **chinoiseries** (*bizarreries*) *Fig* weird complications.

chiner [ʃine] *vi* (*brocanteur etc*) to hunt for bargains.

chiot [ʃjo] *nm* pup(py).

chiper [ʃipe] *vt* *Fam* to swipe, *Br* pinch (à from).

chipie [ʃipi] *nf* **vieille c.** (*femme*) *Péj* old crab or shrew.

chipoter [ʃipɔte] *vi* **1** (*discuter*) to quibble. **2** (*manger*) to nibble.

chips [ʃips] *nfpl Br* (potato) crisps, *Am* chips.

chiquenaude [ʃiknod] *nf* flick (of the finger).

chiromancie [kirɔmɑ̃si] *nf* palmistry.

chirurgie [ʃiryrʒi] *nf* surgery. ●**chirurgical, -e, -aux** *a* surgical. ●**chirurgien** *nm* surgeon.

chlore [klɔr] *nm* chlorine. ●**chlorer** *vt* to chlorinate; **eau chlorée** chlorinated water.

chloroforme [klɔrɔfɔrm] *nm* chloroform.

choc [ʃɔk] *nm* (*d'objets*) impact, shock; (*émotion, traumatisme*) shock; (*collision, bruit*) crash; (*des opinions, entre manifestants etc*) clash.

chocolat [ʃɔkɔla] *nm* chocolate; **c. à croquer** *Br* plain *ou Am* bittersweet chocolate; **c. au lait** milk chocolate; **c. glacé** *Br* choc-ice, *Am* (chocolate) ice-cream bar ▮ *a inv* chocolate(-coloured). ●**chocolaté, -ée** *a* chocolate-flavoured.

chœur [kœr] *nm* (*chanteurs, nef*) *Rel* choir; (*composition musicale*) & *Fig* chorus; **en c.** (all) together, in chorus.

choir [ʃwar] *vi* **laisser c. qn** *Fam* to turn one's back on s.o.

choisir [ʃwazir] *vt* to choose, pick, select. ●**choisi, -ie** *a* (*œuvres*) selected; (*terme, langage*) well-chosen; (*public*) select.

choix [ʃwa] *nm* choice; (*assortiment*) selection; **morceau de c.** choice piece; **au c. du client** according to choice.

choléra [kɔlera] *nm* cholera.

cholestérol [kɔlesterɔl] *nm* cholesterol.

chômer [ʃome] *vi* (*ouvrier etc*) to be unemployed; **jour chômé** (public) holiday. ●**chômage** *nm* unemployment; **au c.** unemployed; **mettre en c. technique** to lay off, *Br* make redundant. ●**chômeur, -euse** *nmf* unemployed person; **les chômeurs** the unemployed.

chope [ʃɔp] *nf* beer mug, *Br* tankard; (*contenu*) pint.

choquer [ʃɔke] *vt* (*scandaliser*) to shock (*s.o.*); (*commotionner*) to shake (*s.o.*) up; (*verres*) to clink. ●**choquant, -ante** *a* (*propos, images etc*) shocking, offensive.

choral, -e, -aux [kɔral] *a* choral. ●**chorale** *nf* choral society. ●**choriste** *nmf* chorister.

chorégraphe [kɔregraf] *nmf* choreographer. ●**chorégraphie** *nf* choreography.

chose [ʃoz] *nf* thing; **état de choses** state of affairs; **dis-lui bien des choses de ma part** remember me to him *ou* her; **par la force des choses** through force of circumstance; **monsieur C.** Mr What's-his-name; **se sentir tout c.** *Fam* (*décontenancé, malade*) to feel all funny.

chou, -x [ʃu] *nm* cabbage; **choux de Bruxelles** Brussels sprouts; **mon c.!** my pet!; **c. à la crème** cream puff. ●**chou-fleur** *nm* (*pl* **choux-fleurs**) cauliflower.

choucas [ʃuka] *nm* jackdaw.

chouchou, -oute [ʃuʃu, -ut] *nmf* (*favori*) *Fam* pet, darling. ●**chouchouter** *vt* to pamper.

choucroute [ʃukrut] *nf* sauerkraut.

chouette [ʃwɛt] **1** *nf* (*oiseau*) owl. **2** *a* (*chic*) *Fam* super, great ▮ *int* **c.!** super!, great!

choyer [ʃwaje] *vt* to pamper.

chrétien, -ienne [kretjɛ̃, -jɛn] *a & nmf* Christian. ●**Christ** [krist] *nm* Christ. ●**christianisme** *nm* Christianity.

chrome [krom] *nm* chromium, chrome. ●**chromé, -ée** *a* chromium- *ou* chrome-plated.

chromosome [krɔmozom] *nm* chromosome.

chronique[1] [krɔnik] *a* (*malade, chômage etc*) chronic.

chronique[2] [krɔnik] *nf* (*à la radio*) report; (*dans le journal*) column; (*annales*) chronicle. ●**chroniqueur** *nm* (*historien*) chronicler; (*journaliste*) reporter, columnist.

chronologie [krɔnɔlɔʒi] *nf* chronology. ●**chronologique** *a* chronological.

chronomètre [krɔnɔmɛtr] *nm* stopwatch. ●**chronométrer** *vt* (*course etc*) to time. ●**chronométreur** *nm* (*de course*) timekeeper.

chrysanthème [krizɑ̃tɛm] *nm* chrysanthemum.

CHU [seaʃy] *nm abrév* centre hospitalo-universitaire.

chuchoter [ʃyʃɔte] *vti* to whisper. ●**chuchotement** *nm* whisper(ing). ●**chuchoteries** *nfpl Fam* whispering.

chuinter [ʃɥɛ̃te] *vi* (*vapeur*) to hiss.

chut! [ʃyt] *int* sh!, shush! [ʃuʃ].

chute [ʃyt] *nf* fall; (*défaite*) (down)fall; **c. d'eau** waterfall; **c. de neige** snowfall; **c. de pluie** rainfall; **c. des cheveux** hair loss; **être en c. libre** (*monnaie etc*) to be in free fall, be plummeting. ●**chuter** *vi Fam* to fall.

Chypre [ʃipr] *nf* Cyprus. ●**chypriote** *a* Cypriot ▮ *nmf* **C.** Cypriot.

ci [si] *pron dém* **comme ci comme ça** so so.

-ci [si] *adv* **1 par-ci, par-là** here and there. **2** *voir* **ce**[2], **celui**.

ci-après [siaprɛ] *adv* below, hereafter. ●**ci-contre** *adv* opposite. ●**ci-dessous** *adv* below. ●**ci-dessus** *adv* above. ●**ci-gît** *adv* here lies (*on gravestones*). ●**ci-inclus, -use** *a ou* **ci-joint, -jointe** *a* (*inv before n*) (*dans une lettre*) enclosed (herewith).

cible [sibl] *nf* target.

ciboulette [sibulɛt] *nf* (*condiment*) chives.

cicatrice [sikatris] *nf* scar.

cicatriser [sikatrize] *vt*, **se cicatriser** *vpr* to heal (up) (*leaving a scar*). ●**cicatrisation** *nf* healing (up).

cidre [sidr] *nm* cider.

Cie *abrév* (*compagnie*) Co.

ciel [sjɛl] *nm* **1** (*pl* **ciels**) sky; **à c. ouvert** (*piscine etc*) open-air; **c. de lit** canopy. **2** (*pl* **cieux** [sjø]) (*paradis*) heaven; **juste c.!** good heavens!; **sous d'autres cieux** *Hum* in other climes.

cierge [sjɛrʒ] *nm Rel* candle.
cigale [sigal] *nf (insecte)* cicada.
cigare [sigar] *nm* cigar. ●**cigarette** *nf* cigarette.
cigogne [sigɔɲ] *nf* stork.
cil [sil] *nm* (eye)lash.
cime [sim] *nf (d'un arbre)* top; *(d'une montagne)* & *Fig* peak.
ciment [simã] *nm* cement. ●**cimenter** *vt* to cement.
cimetière [simtjɛr] *nm* cemetery; *(autour d'une église)* graveyard; **c. de voitures** scrapyard, *Br* breaker's yard, *Am* auto graveyard.
ciné [sine] *nm Fam* = **cinéma**. ●**ciné-club** *nm* film club *ou* society. ●**cinéaste** *nm* film maker. ●**cinéphile** *nmf* film buff.
cinéma [sinema] *nm (art)* cinema; *(salle) Br* cinema, *Am* movie theater; **faire du c.** to make movies *ou* films; **aller au c.** to go to the movies *ou Br* the cinema; **acteur/etc de c.** movie *ou* film actor. ●**cinémascope** *nm* cinemascope. ●**cinémathèque** *nf* film library; *(salle)* film theatre. ●**cinématographique** *a* **industrie/technique/etc** c. film industry/technique/etc.
cinglé, -ée [sɛ̃gle] *a Fam* crazy.
cingler [sɛ̃gle] *vt* to lash. ●**cinglant, -ante** *a (vent, remarque)* cutting, biting.
cinoche [sinɔʃ] *nm Fam Br* cinema, *Am* movie theater.
cinq [sɛ̃k] *nm* five ▮ *a* ([sɛ̃] *before consonant)* five. ●**cinquième** *a* & *nmf* fifth; **un c.** a fifth.
cinquante [sɛ̃kɑ̃t] *a* & *nm* fifty. ●**cinquantaine** *nf* **une c. (de)** about fifty; **avoir la c.** *(âge)* to be about fifty. ●**cinquantenaire** *a* & *nmf* fifty-year-old (person) ▮ *nm* fiftieth anniversary. ●**cinquantième** *a* & *nmf* fiftieth.
cintre [sɛ̃tr] *nm* coathanger; *Archit* arch. ●**cintré, -ée** *a (porte etc)* arched; *(veste etc)* tailored, slim-fitting, *Br* fitted.
cirage [siraʒ] *nm (shoe)* polish.
circoncis [sirkɔ̃si] *am* circumcised. ●**circoncision** *nf* circumcision.
circonférence [sirkɔ̃ferɑ̃s] *nf* circumference.
circonflexe [sirkɔ̃flɛks] *a Grammaire* circumflex.
circonlocution [sirkɔ̃lɔkysjɔ̃] *nf* circumlocution.
circonscription [sirkɔ̃skripsjɔ̃] *nf* division, district; **c. (électorale)** *Br* constituency, *Am* district.
circonscrire* [sirkɔ̃skrir] *vt (incendie etc)* to contain, bring under control; *(question, problème etc)* to define.
circonspect, -ecte [sirkɔ̃spɛ(kt), -ɛkt] *a* cautious, circumspect. ●**circonspection** *nf* caution.
circonstance [sirkɔ̃stɑ̃s] *nf* circumstance; **pour/en la c.** for/on this occasion; **de c.** *(habit, parole etc)* appropriate, befitting the occasion. ●**circonstancié, -ée** *a* detailed. ●**circonstanciel, -ielle** *a Grammaire* adverbial.
circonvenir* [sirkɔ̃vnir] *vt* to circumvent.

circuit [sirkɥi] *nm (électrique, sportif etc)* circuit; *(voyage)* tour, trip; *(détour)* roundabout way.
circulaire [sirkylɛr] *a* circular ▮ *nf (lettre)* circular.
circulation [sirkylɑsjɔ̃] *nf* circulation; *(automobile)* traffic. ●**circuler** *vi (sang, lettre etc)* to circulate; *(véhicule, train)* to travel, go, move; *(passant)* to walk about; *(rumeur, nouvelles)* to go round, circulate; **faire c.** *(lettre, rumeur, plat etc)* to circulate; *(piétons etc)* to move on; **circulez!** keep moving!
cire [sir] *nf* wax; *(pour meubles)* polish, wax. ●**cirer** *vt* to polish. ●**ciré** *nm (vêtement)* oilskin(s). ●**cireur** *nm* bootblack. ●**cireuse** *nf (appareil)* floor polisher. ●**cireux, -euse** *a* waxy.
cirque [sirk] *nm* circus.
cirrhose [siroz] *nf* **c. (du foie)** cirrhosis (of the liver).
cisaille(s) [sizaj] *nf(pl)* (garden) shears. ●**ciseau, -x** *nm (de menuisier)* chisel; **(une paire de) ciseaux** (a pair of) scissors. ●**ciseler** *vt* to chisel.
citadelle [sitadɛl] *nf* citadel.
cité [site] *nf* city; **c. (ouvrière)** *Br* housing estate *(for workers)*, *Am* housing project *ou* development; **c. universitaire** *Br* (students') halls of residence, *Am* university dormitory complex. ●**citadin, -ine** *nmf* city dweller ▮ *a* **vie/etc citadine** city *ou* urban life/etc.
citer [site] *vt* to quote; *(témoin etc)* to summon; *(soldat)* to mention, cite. ●**citation** *nf* quotation; *(au tribunal)* summons; *(d'un soldat)* mention, citation.
citerne [sitɛrn] *nf (réservoir)* tank.
cithare [sitar] *nf* zither.
citoyen, -enne [sitwajɛ̃, -ɛn] *nmf* citizen. ●**citoyenneté** *nf* citizenship.
citron [sitrɔ̃] *nm* lemon; **c. pressé** (fresh) lemon juice. ●**citronnade** *nf* lemon drink, *Br* lemon squash, *Am* lemonade.
citrouille [sitruj] *nf* pumpkin.
civet [sivɛ] *nm* stew; **c. de lièvre** jugged hare.
civière [sivjɛr] *nf* stretcher.
civil, -e [sivil] **1** *a (guerre, mariage, droits etc)* civil; *(non militaire)* civilian; *(courtois)* civil; **année civile** calendar year. **2** *nm* civilian; **dans le c.** in civilian life; **en c.** *(policier)* in plain clothes; *(soldat)* in civilian clothes. ●**civilité** *nf* civility.
civilisation [sivilizɑsjɔ̃] *nf* civilization.
civiliser [sivilize] *vt* to civilize ▮ **se civiliser** *vpr* to become civilized.
civique, -e [sivik] *a (droit, sens etc)* civic; **instruction c.** *(des enfants)* civics. ●**civisme** *nm* good citizenship.
clair, -e [klɛr] *a (net, limpide, évident)* clear; *(éclairé)* light; *(pâle)* light; *(tissu, fond etc)* light- (-coloured); *(sauce, chevelure)* thin; **bleu/vert c.** light blue/green; **robe bleu/vert c.** light-blue/-green dress; **il fait c.** it's light *ou* bright ▮ *adv (voir)* clearly ▮ *nm* **c. de lune** moonlight; **au c. de lune** in the moonlight; **passer le plus c. de son temps à faire** to

spend the major *ou* greater part of one's time doing; **tirer au c.** (*question etc*) to clarify. ●**clairement** *adv* clearly.

claire-voie [klɛrvwa] *nf* **à c.-voie** (*barrière, caisse*) openwork; (*porte*) louvre(d).

clairière [klɛrjɛr] *nf* clearing.

clairon [klɛrɔ̃] *nm* bugle; (*soldat*) bugler. ●**claironner** *vt* (*annoncer*) to trumpet forth (*news etc*).

clairsemé, -ée [klɛrsəme] *a* (*cheveux, auditoire etc*) sparse.

clairvoyant, -ante [klɛrvwajɑ̃, -ɑ̃t] *a* (*perspicace*) clear-sighted. ●**clairvoyance** *nf* clear-sightedness.

clamer [klame] *vt* (*innocence, mécontentement etc*) to proclaim; **c. que** to proclaim that. ●**clameur** *nf* clamour, outcry.

clan [klɑ̃] *nm* (*en Écosse*) clan; (*petit groupe*) *Péj* clique, set.

clandestin, -ine [klɑ̃dɛstɛ̃, -in] *a* (*rencontre etc*) secret, clandestine; (*journal, mouvement*) underground; **passager c.** stowaway. ●**clandestinité** *nf* **entrer dans la c.** to go underground.

clapet [klapɛ] *nm* (*de pompe etc*) valve; (*bouche*) *Arg* trap.

clapier [klapje] *nm* (*rabbit*) hutch.

clapoter [klapɔte] *vi* (*vagues*) to lap. ●**clapotement** *nm ou* **clapotis** *nm* lap(ping).

claque [klak] *nf* smack, slap.

claquer [klake] *vt* (*porte*) to slam, bang; (*gifler*) to smack, slap; (*fouet*) to crack; (*fatiguer*) *Fam* to tire out; (*dépenser*) *Arg* to blow (*one's money*); **se c. un muscle** to pull a muscle; **faire c.** (*doigts*) to snap; (*langue*) to click; (*fouet*) to crack.
❙ *vi* (*porte*) to slam, bang; (*drapeau*) to flap; (*coup de feu*) to ring out; (*mourir*) *Fam* to die; (*tomber en panne*) *Fam* to break down; **c. des mains** to clap one's hands; **elle claque des dents** her teeth are chattering. ●**claquage** *nm* (*blessure*) pulled muscle; **se faire un c.** to pull a muscle. ●**claquement** *nm* (*de porte*) slam(ming).

claquemurer (se) [səklakmyre] *vpr* to shut oneself up, hole up (**dans** in).

claquettes [klakɛt] *nfpl* tap dancing.

clarifier [klarifje] *vt* to clarify. ●**clarification** *nf* clarification.

clarinette [klarinɛt] *nf* clarinet.

clarté [klarte] *nf* (*lumière*) light; (*éclat*) brightness; (*précision*) clarity, clearness (*of explanation etc*); **avec c.** clearly.

classe [klɑs] *nf* (*division, qualité, leçon, élèves etc*) class; **aller en c.** to go to school; (**salle de**) **c.** class(room); **en c. de sixième** *Br* in the first year, *Am* in fifth grade; **c. ouvrière/moyenne** working/middle class; **avoir de la c.** to have class; **de première c.** (*billet, compartiment etc*) first-class.

classer [klɑse] *vt* (*photos, spécimens etc*) to classify; (*papiers*) to file; (*candidats*) to grade; **c. une affaire** to consider a matter closed; **se c. parmi** to rank *ou* be classed among; **se c. premier** to come first; **bâtiment classé** *Br* listed building. ●**classement** *nm* classification; (*de papiers*) filing; (*de candidats*) grading; (*rang*) place; (*en sport*) placing. ●**classeur** *nm* (*meuble*) filing cabinet; (*portefeuille*) (loose leaf) file *ou* binder.

classifier [klasifje] *vt* to classify. ●**classification** *nf* classification.

classique [klasik] *a* classical; (*typique*) classic ❙ *nm* (*œuvre, auteur*) classic. ●**classicisme** *nm* classicism.

clause [kloz] *nf* clause.

claustrophobie [klostrɔfɔbi] *nf* claustrophobia. ●**claustrophobe** *a* claustrophobic.

clavecin [klavsɛ̃] *nm* *Mus* harpsichord.

clavicule [klavikyl] *nf* collarbone.

clavier [klavje] *nm* keyboard.

clé, clef [kle] *nf* key; (*outil*) *Br* spanner, *Am* wrench; (*de sol etc*) *Mus* clef; **fermer à c.** to lock; **sous c.** under lock and key; **c. de contact** ignition key; **c. de voûte** (*d'une politique etc*) keystone; **poste/industrie c.** key post/industry; **clés en main** (*acheter une maison etc*) ready to move in; **prix clés en main** (*voiture*) on-the-road price.

clément, -ente [klemɑ̃, -ɑ̃t] *a* (*juge*) lenient, clement; (*temps*) mild, clement. ●**clémence** *nf* (*de juge*) leniency, clemency; (*de temps*) mildness.

clémentine [klemɑ̃tin] *nf* clementine.

clerc [klɛr] *nm* *Rel* cleric; (*de notaire*) clerk. ●**clergé** *nm* clergy. ●**clérical, -e, -aux** *a* *Rel* clerical.

cliché [klife] *nm* (*de photo*) negative; (*idée*) cliché.

client, -ente [klijɑ̃, -ɑ̃t] *nmf* (*de magasin etc*) customer; (*d'un avocat etc*) client; (*d'un médecin*) patient; (*d'hôtel*) guest. ●**clientèle** *nf* customers, clientele; (*d'un avocat*) practice, clientele; (*d'un médecin*) practice, patients; **accorder sa c. à** to give one's custom to.

cligner [kliɲe] *vi* **c. des yeux** (*ouvrir et fermer*) to blink; (*fermer à demi*) to screw up one's eyes; **c. de l'œil** to wink.

clignoter [kliɲɔte] *vi* to blink; (*lumière*) to flicker; (*feu de circulation*) to flash; (*étoile*) to twinkle. ●**clignotant** *nm* (*de véhicule*) *Br* indicator, *Am* directional signal.

climat [klima] *nm* (*d'une région etc*) & *Fig* climate. ●**climatique** *a* climatic.

climatisation [klimatizasjɔ̃] *nf* air-conditioning. ●**climatiser** *vt* to air-condition. ●**climatisé, -ée** *a* air-conditioned.

clin d'œil [klɛ̃dœj] *nm* wink; **en un c. d'œil** in no time (at all).

clinique [klinik] *a* clinical ❙ *nf* (*hôpital*) (private) clinic.

clinquant, -ante [klɛ̃kɑ̃, -ɑ̃t] *a* (*bijoux etc*) tawdry.

clip [klip] *nm* (*vidéo*) (promotional) video (*of rock group etc*).

clique [klik] *nf* (*petit groupe*) *Péj* clique; (*musiciens*) (drum and bugle) band.

cliqueter [klikte] *vi* (*clefs, pièces de monnaie etc*) to jangle, clink; (*chaînes, épées*) to rattle, clank. ●**cliquetis** *nm* jangling, clink-

ing; (de chaînes etc) rattling, clanking.
clivage [klivaʒ] *nm* split, division (**de** in).
cloaque [klɔak] *nm* cesspool.
clochard, -arde [klɔʃar, -ard] *nmf* down-and-out, *Br* tramp.
cloche [klɔʃ] *nf* **1** bell; **c. à fromage** cheese cover. **2** (*personne*) *Fam* idiot, oaf. ● **clocher 1** *nm* bell tower; (*en pointe*) steeple; **querelles de c.** petty local quarrels; **esprit de c.** parochialism. **2** *vi* **il y a quelque chose qui cloche** there's something wrong *ou* amiss. ● **clochette** *nf* (small) bell.
cloche-pied (à) [aklɔʃpje] *adv* **sauter à c.-pied** to hop on one foot.
cloison [klwazɔ̃] *nf* partition; (*entre générations etc*) barrier. ● **cloisonner** *vt* (*pièce*) to partition; (*activités etc*) *Fig* to compartmentalize.
cloître [klwatr] *nm* cloister. ● **se cloîtrer** *vpr* to shut oneself away, cloister oneself.
clope [klɔp] *nm ou f* (*cigarette*) *Fam Br* fag, smoke, *Am* butt.
clopin-clopant [klɔpɛ̃klɔpɑ̃] *adv* **aller c.-clopant** to hobble.
cloque [klɔk] *nf* (*au pied etc*) blister.
clore* [klɔr] *vt* (*débat, lettre*) to close. ● **clos, close** *a* (*incident etc*) closed; **espace c.** enclosed space ▌ *nm* (enclosed) field.
clôture [klotyr] *nf* (*barrière*) fence, enclosure; (*fermeture*) closing. ● **clôturer** *vt* to enclose; (*compte, séance etc*) to close.
clou [klu] *nm* nail; (*furoncle*) boil; **le c. (du spectacle)** *Fam* the star attraction; **les clous** (*passage*) *Br* the pedestrian crossing, *Am* the crosswalk; **des clous!** *Fam* nothing doing!, no way! ● **clouer** *vt* (*planche, tapis etc*) to nail (down); **cloué au lit** confined to (one's) bed; **cloué sur place** nailed to the spot; **c. le bec à qn** *Fam* to shut s.o. up. ● **clouté, -ée** *a* (*chaussures*) hobnailed; (*ceinture, pneus*) studded; **passage c.** *Br* pedestrian crossing, *Am* crosswalk.
clown [klun] *nm* clown; **faire le c.** to clown around.
club [klœb] *nm* (*association*) club.
cm *abrév* (*centimètre*) cm.
co- [kɔ] *préf* co-.
coaguler [kɔagyle] *vti*, **se coaguler** *vpr* (*sang*) to clot.
coaliser (se) [səkɔalize] *vpr* to form a coalition, join forces. ● **coalition** *nf* coalition.
coasser [kɔase] *vi* (*grenouille*) to croak.
cobaye [kɔbaj] *nm* (*animal, Fig dans une expérience*) guinea pig.
cobra [kɔbra] *nm* (*serpent*) cobra.
coca [kɔka] *nm* (*Coca-Cola*®) coke.
cocagne [kɔkaɲ] *nf* **pays de c.** dreamland, land of plenty.
cocaïne [kɔkain] *nf* cocain.
cocarde [kɔkard] *nf* rosette; (*sur un chapeau*) cockade; (*d'avion*) roundel. ● **cocardier, -ière** *a* (*chauvin*) flag-waving.
cocasse [kɔkas] *a* droll, comical. ● **cocasserie** *nf* drollery.
coccinelle [kɔksinɛl] *nf* **1** (*insecte*) *Br* ladybird, *Am* ladybug. **2** (*voiture*) *Fam* beetle.
cocher¹ [kɔʃe] *vt Br* to tick (off), *Am* to check (off).
cocher² [kɔʃe] *nm* coachman. ● **cochère** *af* **porte c.** main gateway.
cochon, -onne [kɔʃɔ̃, -ɔn] **1** *nm* pig; (*mâle*) hog; **c. d'Inde** guinea pig. **2** *nmf* (*personne sale*) (dirty) pig; (*salaud*) swine ▌ *a* (*histoire, film*) dirty. ● **cochonnerie(s)** *nf(pl) Fam* (*obscénité(s)*) filth; (*nourriture*) junk food; (*pacotille*) trash, *Br* rubbish.
cocktail [kɔktɛl] *nm* (*boisson*) cocktail; (*réunion*) cocktail party.
coco [kɔko] *nm* **noix de c.** coconut. ● **cocotier** *nm* coconut palm.
cocon [kɔkɔ̃] *nm* cocoon.
cocorico [kɔkɔriko] *int & nm* cock-a-doodle-doo; **faire c.** (*crier victoire*) *Fam* to give three cheers for France, wave the flag.
cocotte [kɔkɔt] *nf* (*marmite*) casserole; **c. minute**® pressure cooker.
cocu [kɔky] *nm Fam* cuckold.
code [kɔd] *nm* code; **codes, phares c.** (*de véhicule*) *Br* dipped headlights, *Am* low beams, dimmers; **se mettre en c.** *Br* to dip one's headlights, *Am* switch on one's low beams *ou* dimmers; **C. de la route** *Br* Highway Code, *Am* traffic regulations; **c. à barres** (*sur produit*) bar code. ● **code-barres** *nm* bar code. ● **coder** *vt* (*message etc*) to code. ● **codifier** *vt* (*législation*) to codify.
coefficient [kɔefisjɑ̃] *nm* (*nombre*) coefficient; **c. d'erreur** margin of error; **c. de sécurité** safety margin.
coéquipier, -ière [kɔekipje, -jɛr] *nmf* team mate.
cœur [kœr] *nm* heart; (*couleur*) *Cartes* hearts; **au c. de** (*ville, hiver etc*) in the middle *ou* heart of; **par c.** (off) by heart; **ça me soulève le c.** that turns my stomach; **opération à c. ouvert** open-heart operation; **parler à c. ouvert** to speak freely; **avoir mal au c.** to feel sick; **avoir le c. gros** *ou* **serré** to have a heavy heart; **ça me tient à c.** that's important to me, that's close to my heart; **avoir bon c.** to be kind-hearted; **de bon c.** (*offrir*) willingly, with a good heart; (*rire*) heartily; **si le c. vous en dit** if you so desire.
coexister [kɔɛgziste] *vi* to coexist. ● **coexistence** *nf* coexistence.
coffre [kɔr] *nm* chest; (*de banque*) safe; (*de voiture*) *Br* boot, *Am* trunk; (*d'autocar*) luggage *ou* baggage compartment. ● **coffre-fort** *nm* (*pl* **coffres-forts**) safe. ● **coffret** *nm* (*à bijoux, cigares etc*) box.
cogiter [kɔʒite] *vi Iron* to cogitate.
cognac [kɔɲak] *nm* cognac.
cogner [kɔɲe] *vti* to knock, bang (**à la porte**/*etc* on the door/*etc*); **c. qn** *Arg* (*frapper*) to thump s.o.; (*tabasser*) to beat s.o. up; **se c. la tête**/*etc* to knock *ou* bang one's head/*etc*; **se c. à qch** to knock *ou* bang into sth.
cohabiter [kɔabite] *vi* to live together; **c. avec** to live with. ● **cohabitation** *nf* living to-

cohérent

gether; *Pol Fam* power sharing.
cohérent, -ente [kɔerã, -ãt] *a (discours)* coherent; *(conduite)* consistent; *(argument)* consistent, coherent. ●**cohérence** *nf* coherence; consistency. ●**cohésion** *nf* cohesion, cohesiveness.
cohorte [kɔɔrt] *nf (groupe)* troop, band.
cohue [kɔy] *nf* crowd, mob; *(bousculade)* crush.
coiffe [kwaf] *nf* headdress.
coiffer [kwafe] *vt (chapeau)* to put on; *(surmonter)* Fig to cap; *(être à la tête de)* to head *(a company etc)*; **c. qn** to do s.o.'s hair; **c. qn d'un chapeau** to put a hat on s.o.; **elle est bien coiffée** her hair looks very nice **I se coiffer** *vpr* to do one's hair; **se c. d'un chapeau** to put a hat on. ●**coiffeur, coiffeuse**[1] *nmf (pour hommes)* barber, hairdresser; *(pour dames)* hairdresser. ●**coiffeuse**[2] *nf (meuble)* dressing table. ●**coiffure** *nf* hat, headgear; *(arrangement)* hairstyle; *(métier)* hairdressing.
coin [kwɛ̃] *nm (angle)* corner; *(endroit)* spot; *(de terre, de ciel)* patch; *(cale)* wedge; **du c.** *(magasin, gens etc)* local; **dans le c.** in the (local) area; **au c. du feu** by the fireside; **petit c.** *(toilettes) Fam Br* loo, *Am* bathroom, *Am* john.
coincer [kwɛ̃se] *vt (mécanisme, tiroir etc)* to jam; *(caler)* to wedge; **c. qn** *Fam* to catch s.o., corner s.o. **I se coincer** *vpr (mécanisme etc)* to get stuck *ou* jammed; **se c. le doigt** to get one's finger stuck. ●**coincé, -ée** *a (tiroir etc)* stuck, jammed; *(personne) Fam* stuck.
coïncider [kɔɛ̃side] *vi* to coincide **(avec** with). ●**coïncidence** *nf* coincidence.
coin-coin [kwɛ̃kwɛ̃] *nm inv (de canard)* quack.
coing [kwɛ̃] *nm (fruit)* quince.
coke [kɔk] *nm (combustible)* coke.
col [kɔl] *nm (de chemise etc)* collar; *(de bouteille)* neck; *(de montagne)* pass; **c. roulé** *Br* polo neck, *Am* turtleneck; **c. de l'utérus** cervix.
colère [kɔlɛr] *nf* anger; **une c.** *(accès)* a fit of anger; **faire une c.** *(enfant)* to throw *ou* have a tantrum; **en c.** angry (**contre** with); **mettre qn en c.** to make s.o. angry; **se mettre en c.** to lose one's temper, get angry (**contre** with); **elle est partie en c.** she left angrily. ●**coléreux, -euse** *ou* **colérique** *a* quicktempered.
colibri [kɔlibri] *nm* hummingbird.
colifichet [kɔlifiʃɛ] *nm* trinket.
colimaçon (en) [ɑ̃kɔlimasɔ̃] *adv* **escalier en c.** spiral staircase.
colin [kɔlɛ̃] *nm (poisson)* hake.
colique [kɔlik] *nf Br* diarrhoea, *Am* diarrhea; *(douleur)* stomach pain, colic.
colis [kɔli] *nm* parcel, package.
collaborer [kɔlabɔre] *vi* collaborate (**avec** with, **à** on); **c. à** *(journal, recherche etc)* to contribute to. ●**collaborateur, -trice** *nmf* collaborator; *(d'un journal etc)* contributor. ●**collaboration** *nf* collaboration; *(à un journal)* contribution.
collage [kɔlaʒ] *nm (œuvre, jeu etc)* collage.
collant, -ante [kɔlã, -ãt] **1** *a (papier)* sticky; *(vêtement)* skin-tight; **être c.** *(importun) Fam* to be a pest. **2** *nm Br* tights, *Am* pantyhose; *(maillot pour la danse)* leotard.
collation [kɔlasjɔ̃] *nf (repas)* light meal.
colle [kɔl] *nf (transparente)* glue; *(blanche)* paste; *(question) Fam* poser, teaser; *(interrogation) Arg* oral; *(retenue) Arg* detention.
collecte [kɔlɛkt] *nf (quête)* collection. ●**collecter** *vt* to collect.
collectif, -ive [kɔlɛktif, -iv] *a* collective; **billet c.** group ticket; **hystérie/démission/etc collective** mass hysteria/resignation/etc. ●**collectivement** *adv* collectively. ●**collectivité** *nf (groupe)* community.
collection [kɔlɛksjɔ̃] *nf* collection. ●**collectionner** *vt (timbres, tableaux etc)* to collect. ●**collectionneur, -euse** *nmf* collector.
collège [kɔlɛʒ] *nm Br* (secondary) school, *Am* (high) school; *(électoral, sacré)* college; **c. d'enseignement secondaire** *voir* **CES.** ●**collégien** *nm* schoolboy. ●**collégienne** *nf* schoolgirl.
collègue [kɔlɛg] *nmf* colleague.
coller [kɔle] *vt (timbre etc)* to stick; *(à la colle transparente)* to glue; *(à la colle blanche)* to paste; *(enveloppe)* to stick (down); *(deux objets)* to stick together; *(affiche)* to stick up; *(papier peint)* to hang; *(mettre) Fam* to stick, shove; **c. son nez/son oreille/etc contre** to press one's nose/ear/etc against; **c. qn** *(embarrasser) Fam* to stump s.o., catch s.o. out; **c. un élève** *(consigner)* to keep a pupil in (detention); **être collé à** *(examen) Fam* to fail, flunk; **se c. contre** to cling (close) to; **se c. qn/qch** *Fam* to get stuck with s.o./sth.
I *vi (être collant)* to be sticky; *(vêtement)* to cling; *(tenir)* to stick; **c. à** *(papier etc)* to stick to; *(s'adapter)* to fit; **ça colle!** *Fam* everything's just fine! ●**colleur, -euse** *nmf* **c. d'affiches** billsticker.
collet [kɔlɛ] *nm (piège)* snare; **prendre qn au c.** to grab s.o. by the scruff of the neck; **elle est/ils sont c. monté** she is/they are prim and proper *ou* straitlaced.
collier [kɔlje] *nm (bijou)* necklace; *(de chien, cheval, pour tuyau etc)* collar; **c. (de barbe)** narrow beard, fringe of beard.
colline [kɔlin] *nf* hill.
collision [kɔlizjɔ̃] *nf (de véhicules)* collision; *(bagarre, conflit)* clash; **entrer en c. avec** to collide with.
colloque [kɔlɔk] *nm* symposium.
collusion [kɔlyzjɔ̃] *nf* collusion.
colmater [kɔlmate] *vt (fuite, fente)* to seal; *(trou)* to fill in; **c. une brèche** *Mil* to close *ou* seal a gap.
colombe [kɔlɔ̃b] *nf* dove.
Colombie [kɔlɔ̃bi] *nf* Columbia. ●**colombien, -ienne** *a* Columbian **I** *nmf* C., Colombienne Columbian.

colon [kɔlɔ̃] *nm* settler, colonist; *(enfant)* child taking part in a *Br* holiday camp *ou Am* vacation camp.

côlon [kolɔ̃] *nm (intestin)* colon.

colonial, -e, -aux [kɔlɔnjal, -o] *a* colonial. ●**colonialisme** *nm* colonialism.

colonie [kɔlɔni] *nf* colony; **c. de vacances** *Br* (children's) holiday camp, *Am* (children's) vacation *ou* summer camp.

coloniser [kɔlɔnize] *vt (pays)* to colonize. ●**colonisateur, -trice** *a* colonizing ▮ *nmf* colonizer. ●**colonisation** *nf* colonization.

colonel [kɔlɔnɛl] *nm (d'infanterie)* colonel.

colonne [kɔlɔn] *nf* column; **c. vertébrale** spine; **se ranger en c. par deux** to line up in two columns. ●**colonnade** *nf* colonnade.

colorer [kɔlɔre] *vt* to colour; **c. en vert/etc** to colour green/*etc*. ●**colorant, -ante** *a* & *nm* colouring. ●**coloré, -ée** *a (verre, liquide etc)* coloured; *(teint)* ruddy, reddish; *(style, foule)* colourful. ●**coloration** *nf* colouring, colour. ●**coloriage** *nm* colouring; *(dessin)* coloured drawing; **album de coloriages** colouring book. ●**colorier** *vt (dessin etc)* to colour (in). ●**coloris** *nm (nuance)* shade; *(effet des couleurs)* colouring.

colosse [kɔlɔs] *nm* giant, colossus. ●**colossal, -e, -aux** *a* colossal, gigantic.

colporter [kɔlpɔrte] *vt* to peddle, hawk.

coltiner [kɔltine] *vt (objet lourd) Fam* to lug, haul ▮ **se coltiner** *vpr (tâche pénible) Fam* to take on, tackle.

coma [kɔma] *nm* coma; **dans le c.** in a coma.

combat [kɔ̃ba] *nm* fight; *(de soldats)* combat; **c. de boxe/catch** boxing/wrestling match. ●**combatif, -ive** *a (personne)* eager to fight; *(instinct, esprit)* fighting.

combattre* [kɔ̃batr] *vt (personne, incendie etc)* to fight; *(maladie, inflation etc)* to fight, combat ▮ *vi* to fight. ●**combattant, -ante** *nmf (soldat)* combattant; *(bagarreur) Fam* fighter, brawler ▮ *a (unité, troupe)* fighting.

combien [kɔ̃bjɛ̃] **1** *adv (quantité)* how much; *(nombre)* how many; **c. de** *(temps, argent etc)* how much; *(gens, livres etc)* how many. **2** *adv (à quel point)* how; **tu verras c. il est bête** you'll see how silly he is; **tu sais c. je t'aime** you know how (much) I love you. **3** *adv (distance)* **c. y a-t-il d'ici à...?** how far is it to...? **4** *nm inv* **le c. sommes-nous?** *Fam* what date is it?, what's the date?; **tous les c.?** *(fréquence) Fam* how often?

combinaison [kɔ̃binɛzɔ̃] *nf* **1** combination; *(manœuvre)* scheme. **2** *(vêtement de femme)* slip; *(de mécanicien) Br* boiler suit, *Am* overalls; **c. de vol/plongée/ski** flying/diving/ski suit; **c. spatiale** spacesuit.

combine [kɔ̃bin] *nf (truc, astuce) Fam* trick.

combiner [kɔ̃bine] *vt (assembler, disposer)* to combine; *(calculer)* to devise *(means, plot etc)*. ●**combiné** *nm (de téléphone)* receiver.

comble[1] [kɔ̃bl] *nm* **le c. du bonheur/***etc*; **au c. de la joie** overjoyed; **pour c. (de malheur)** to crown it *ou* cap it all; **c'est un *ou* le c.!** that's the limit! ●**combles** *nmpl (mansarde)* attic, loft; **sous les c.** beneath the roof, in the loft *ou* attic.

comble[2] [kɔ̃bl] *a (bondé) (salle, bus, train etc)* packed, full.

combler [kɔ̃ble] *vt (trou, lacune etc)* to fill; *(perte)* to make good; *(vœu)* to fulfil; **c. son retard** to make up lost time; **c. qn de cadeaux** to shower s.o. with gifts; **c. qn de joie** to fill s.o. with joy; **je suis comblé** I'm completely fulfilled, I have all I wish; **vous me comblez!** you're too good to me!

combustible [kɔ̃bystibl] *nm* fuel ▮ *a* combustible. ●**combustion** *nf* combustion.

comédie [kɔmedi] *nf* comedy; *(complication) Fam* fuss, *Br* palaver; **c. musicale** musical; **jouer la c.** *Fig* to put on an act, pretend, play-act; **c'est de la c.** *(c'est faux)* it's a sham. ●**comédien** *nm (acteur, Fig hypocrite)* actor. ●**comédienne** *nf (actrice, Fig hypocrite)* actress.

comestible [kɔmɛstibl] *a* edible. ●**comestibles** *nmpl* foods.

comète [kɔmɛt] *nf* comet.

comique [kɔmik] *a (amusant)* funny, comical; *(acteur, style etc)* comic; **(auteur) c.** comedy writer ▮ *nm* comedy; *(acteur)* comic (actor); **le c.** *(genre)* comedy; *(d'une histoire etc)* the comical side *(de of)*.

comité [kɔmite] *nm* committee; **c. de gestion** board (of management); **en petit c.** in a small group.

commandant [kɔmɑ̃dɑ̃] *nm (d'un navire)* captain; *(grade) dans l'infanterie* major; *(dans l'aviation)* squadron leader; **c. de bord** *(d'un avion)* captain.

commande [kɔmɑ̃d] *nf* **1** *(achat)* order; **sur c.** to order. **2** *Tech* control; *Ordinat* command; **c. à distance** remote control. ●**commandes** *nfpl* **les c.** *(d'un avion etc)* the controls; **tenir les c.** *(diriger)* to be at the helm *(of a company etc)*.

commandement [kɔmɑ̃dmɑ̃] *nm (autorité)* command; *Rel* commandment.

commander[1] [kɔmɑ̃de] *vt (diriger, exiger, dominer)* to command; *(faire fonctionner) (bouton, manette etc)* to control *(sth)* ▮ *vi* **c. à** *(ses passions etc)* to have control over; **c. à qn de faire** to command s.o. to do.

commander[2] [kɔmɑ̃de] *vt (acheter)* to order.

commanditaire [kɔmɑ̃ditɛr] *nm (d'une société) Br* sleeping *ou* silent partner, *Am* silent partner.

commando [kɔmɑ̃do] *nm* commando.

comme [kɔm] *adv & conj* **1** like; **un peu c.** a bit like; **c. moi/elle/etc** like me/her/*etc*; **c. cela** like that. **2** as; **il écrit c. il parle** he writes as he speaks; **blanc c. neige** (as) white as snow; **c. si** as if; **c. pour faire** as if to do; **c. par hasard** as if by chance; **je le connais c. médecin** *(en tant que)* I know him as a doctor; **je vous le donne c. cadeau** I give it to you as a gift; **qu'as-tu c. diplômes?** what do you have in the way of certificates?; **joli c. tout** *Fam* very

pretty, *Br* ever so pretty; **c. quoi** (*disant que*) to the effect that; (*ce qui prouve que*) so, which goes to show that.
I *adv* (*exclamatif*) **regarde c. il pleut!** look how it's raining!; **et c.! c'est petit!** isn't it small!
I *conj* (*temps*) as; (*cause*) as, since; **c. elle entrait** (just) as she was coming in; **c. tu es mon ami** as *ou* since you're my friend.

commémorer [kɔmemɔre] *vt* to commemorate. ●**commémoratif, -ive** *a* commemorative. ●**commémoration** *nf* commemoration.

commencer [kɔmɑ̃se] *vti* to begin, start (**à faire** to do, doing; **par qch** with sth; **par faire** by doing); **pour c.** to begin with. ●**commencement** *nm* beginning, start; **au c.** at the beginning *ou* start.

comment [kɔmɑ̃] *adv* how; **c. le sais-tu?** how do you know?; **et c.!** and how!, *Br* not half!; **c.?** (*répétition*) pardon?, what?; (*surprise*) what?; **c.!** (*indignation*) what!; **c. est-il?** what is he like?; **c. faire?** what's to be done?; **c. t'appelles-tu?** what's your name?; **c. allez-vous?** how are you?

commentaire [kɔmɑ̃tɛr] *nm* (*explications*) commentary; (*remarque*) comment. ●**commentateur, -trice** *nmf* commentator. ●**commenter** *vt* to comment (up)on.

commérage(s) [kɔmeraʒ] *nm(pl)* gossip.

commerçant, -ante [kɔmɛrsɑ̃, -ɑ̃t] *nmf* shopkeeper; **c. en gros** wholesale dealer **I** *a* (*personne*) business-minded; **rue/quartier commerçant(e)** shopping street/area; **nation commerçante** trading nation.

commerce [kɔmɛrs] *nm* trade, commerce; (*magasin*) shop, business; **c. de gros** wholesale trade; **maison/voyageur/etc de c.** commercial establishment/traveller/etc; **chambre de c.** chamber of commerce; **faire du c.** to trade (**avec** with); **dans le c.** (*objet*) (on sale) in the *Br* shops *ou Am* stores. ●**commercer** *vi* to trade. ●**commercial, -e, -aux** *a* commercial; **relations commerciales** business *ou* trade relations. ●**commercialiser** *vt* to market.

commère [kɔmɛr] *nf* (*femme*) gossip.

commettre* [kɔmɛtr] *vt* (*délit etc*) to commit; (*erreur*) to make.

commis [kɔmi] *nm* (*de magasin*) *Br* assistant, *Am* clerk; (*de bureau*) *Br* clerk, *Am* clerical worker.

commissaire [kɔmisɛr] *nm* (*d'une course*) steward; **c. (de police)** police *Br* superintendent *ou Am* chief; **c. aux comptes** auditor; **c. du bord** (*d'un navire*) purser. ●**commissaire-priseur** *nm* (*pl* **commissaires-priseurs**) auctioneer. ●**commissariat** *nm* **c. (de police)** (central) police station.

commission [kɔmisjɔ̃] *nf* (*course*) errand; (*message*) message; (*réunion*) commission, committee; (*pourcentage sur une vente etc*) commission (**sur** on); **faire les commissions** to do the shopping. ●**commissionnaire** *nm* messenger; (*agent commercial*) agent.

commode [kɔmɔd] **1** *a* (*pratique*) handy; (*simple*) easy; **il n'est pas c.** (*pas aimable*) he's unpleasant; (*difficile*) he's a tough one. **2** *nf Br* chest of drawers, *Am* dresser. ●**commodément** *adv* comfortably. ●**commodité** *nf* convenience.

commotion [kɔmosjɔ̃] *nf* shock; **c. (cérébrale)** concussion. ●**commotionner** *vt* to shake up.

commuer [kɔmɥe] *vt* (*peine*) *Jur* to commute (**en** to).

commun, -une [kɔmœ̃, -yn] **1** *a* (*collectif, habituel, comparable*) common; (*frais, cuisine etc*) shared; (*action, démarche*) joint; **ami c.** mutual friend; **peu c.** uncommon; **en c.** in common; **transports en c.** public transport; **avoir** *ou* **mettre en c.** to share; **vivre en c.** to live together; **elle n'a rien de c. avec** she has nothing in common with; **ils n'ont rien de c.** they have nothing in common. **2** *nm* **le c. des mortels** ordinary mortals. ●**communément** [kɔmynemɑ̃] *adv* commonly.

communauté [kɔmynote] *nf* community; **la C. européenne** the European Community. ●**communautaire** *a* **vie/etc c.** community life/etc.

commune [kɔmyn] *nf* (*municipalité française*) commune; **les Communes** (*parlement*) *Br* the Commons. ●**communal, -e, -aux** *a* communal, local, municipal.

communicatif, -ive [kɔmynikatif, -iv] *a* (*personne*) communicative; (*contagieux*) infectious.

communication [kɔmynikasjɔ̃] *nf* communication; **c. (téléphonique)** (telephone) call; **mauvaise c.** (*au téléphone*) bad line.

communier [kɔmynje] *vi* to receive Holy Communion. ●**communiant, -ante** *nmf Rel* communicant. ●**communion** *nf* communion; *Rel* (Holy) Communion.

communiquer [kɔmynike] *vt* (*information, enthousiasme etc*) to communicate, pass on; (*document, maladie*) to pass on; (*mouvement*) to impart, communicate; **se c. à** (*feu, rire*) to spread to **I** *vi* (*personne, pièces etc*) to communicate (**avec** with). ●**communiqué** *nm* (*avis*) (official) statement, communiqué; (*publicitaire*) message; **c. de presse** press release.

communisme [kɔmynism] *nm* communism. ●**communiste** *a* & *nmf* communist.

communs [kɔmœ̃] *nmpl* (*bâtiments*) outbuildings.

commutateur [kɔmytatœr] *nm* (*bouton électrique*) switch.

compact, -e [kɔ̃pakt] *a* (*foule, amas*) dense; (*appareil, véhicule*) compact; **disque c.** compact *Br* disc *ou Am* disk.

compagne [kɔ̃paɲ] *nf* (*camarade*) friend; (*épouse, maîtresse*) companion.

compagnie [kɔ̃paɲi] *nf* (*présence, société, firme, soldats*) company; **tenir c. à qn** to keep s.o. company; **en c. de qn** in the company of s.o.

compagnon [kɔ̃paɲɔ̃] *nm* companion; (*ouvrier*) workman; **c. de route** travelling

companion, fellow traveller; **c. de jeu** playmate; **c. de travail** fellow worker, Br workmate.
comparaître* [kɔ̃parɛtr] *vi* (*devant un tribunal*) to appear (in court) (**devant** before).
comparer [kɔ̃pare] *vt* to compare (**à** to, **with**) **I se comparer** *vpr* to be compared (**à** to, with). ●**comparé, -ée** *a* (*science, grammaire etc*) comparative. ●**comparable** *a* comparable (**à** to, with). ●**comparaison** *nf* comparison (**avec** with); (*image, métaphore*) simile; **en c. de** in comparison with.
●**comparatif, -ive** *a* (*méthode etc*) comparative **I** *nm* Grammaire comparative.
comparse [kɔ̃pars] *nmf* (*complice*) minor accomplice, stooge.
compartiment [kɔ̃partimɑ̃] *nm* compartment. ●**compartimenter** *vt* to compartmentalize, divide up.
comparution [kɔ̃parysjɔ̃] *nf* (*devant un tribunal*) appearance (in court).
compas [kɔ̃pa] *nm* **1** (*pour mesurer etc*) Br (pair of) compasses, Am compass. **2** (*boussole de marin*) compass.
compassé, -ée [kɔ̃pase] *a* (*affecté*) starchy, stiff.
compassion [kɔ̃pasjɔ̃] *nf* compassion.
compatible [kɔ̃patibl] *a* compatible (**avec** with). ●**compatibilité** *nf* compatibility.
compatir [kɔ̃patir] *vi* to sympathize; **c. à la douleur/etc de qn** to share in s.o.'s grief/*etc*. ●**compatissant, -ante** *a* sympathetic.
compatriote [kɔ̃patrijɔt] *nmf* compatriot.
compenser [kɔ̃pɑ̃se] *vt* to make up for, compensate for **I** *vi* to compensate; **pour c.** to make up for it, to compensate. ●**compensation** *nf* compensation; **en c.** in compensation (**de** for), to compensate.
compère [kɔ̃pɛr] *nm* accomplice.
compétent, -ente [kɔ̃petɑ̃, -ɑ̃t] *a* competent. ●**compétence** *nf* competence; **compétences** *nfpl* skills, abilities.
compétition [kɔ̃petisjɔ̃] *nf* competition; (*épreuve sportive*) event; **esprit/sport de c.** competitive spirit/sport. ●**compétitif, -ive** *a* competitive. ●**compétitivité** *nf* competitiveness.
compiler [kɔ̃pile] *vt* (*documents*) to compile.
complainte [kɔ̃plɛ̃t] *nf* (*chanson*) lament.
complaire* (**se**) [səkɔ̃plɛr] *vpr* **se c. dans qch/à faire** to delight in sth/in doing.
complaisant, -ante [kɔ̃plɛzɑ̃, -ɑ̃t] *a* kind, obliging; (*indulgent, satisfait de soi*) self-indulgent, complacent. ●**complaisance** *nf* kindness; (*vanité*) self-indulgence, complacency.
complément [kɔ̃plemɑ̃] *nm* Grammaire complement; **le c.** (*le reste*) the rest; **un c. d'information** additional information; **c. circonstanciel** adverbial phrase; **c. d'agent** agent; **c. d'objet direct/indirect** direct/indirect object. ●**complémentaire** *a* complementary; (*détails*) additional.
complet, -ète [kɔ̃plɛ, -ɛt] **1** *a* complete; (*train, hôtel, étude, examen etc*) full; (*aliment*) whole; **au (grand) c.** (*groupe etc*) in full strength. **2** *nm* (*costume*) suit. ●**complètement** *adv* completely.
compléter [kɔ̃plete] *vt* to complete; (*ajouter à*) to complement; (*somme*) to make up **I se compléter** *vpr* (*personnes, caractères*) to complement each other.
complexe [kɔ̃plɛks] **1** *a* complex. **2** *nm* (*sentiment, construction*) complex; **avoir des complexes** to be hung up, have hang-ups. ●**complexé, -ée** *a* Fam hung up, inhibited. ●**complexité** *nf* complexity.
complication [kɔ̃plikasjɔ̃] *nf* complication; (*complexité*) complexity.
complice [kɔ̃plis] *nm* accomplice **I** *a* (*regard*) knowing; (*silence, attitude*) conniving; **être c. de** (*crime etc*) to be a party to. ●**complicité** *nf* complicity.
compliment [kɔ̃plimɑ̃] *nm* (*éloge*) compliment; **compliments** (*félicitations*) congratulations; **mes compliments!** congratulations; **faire des compliments à qn** to compliment *ou* congratulate s.o. ●**complimenter** *vt* to compliment (**sur, pour** on).
compliquer [kɔ̃plike] *vt* to complicate **I se compliquer** *vpr* (*situation*) to get complicated. ●**compliqué, -ée** *a* complicated; (*mécanisme, structure etc*) intricate, complicated; (*histoire, problème etc*) involved, complicated.
complot [kɔ̃plo] *nm* plot, conspiracy (**contre** against). ●**comploter** [kɔ̃plɔte] *vti* to plot (**de faire** to do).
comporter [kɔ̃pɔrte] **1** *vt* (*impliquer*) to involve, contain; (*comprendre en soi, présenter*) to contain, comprise, have. **2 se comporter** *vpr* to behave; (*joueur, voiture*) to perform. ●**comportement** *nm* behaviour; (*de joueur etc*) performance.
composer [kɔ̃poze] *vt* (*former, constituer*) to make up, compose; (*musique, visage*) to compose; (*texte à imprimer*) to set (up); **c. un numéro** (*au téléphone*) to dial a number; **se c. de, être composé de** to be made up *ou* composed of **I** *vi* (*étudiant etc*) to take an examination; **c. avec** (*l'ennemi etc*) to come to terms with. ●**composant** *nm* (*chimique, électronique*) component. ●**composante** *nf* (*d'une idée, d'un ensemble etc*) component. ●**composé, -ée** *a* (*mot etc*) & *Ch* compound; **temps c.** compound tense; **passé c.** perfect (tense) **I** *nm* compound.
compositeur, -trice [kɔ̃pozitœr, -tris] *nmf* (*musicien*) composer; (*typographe*) typesetter.
composition [kɔ̃pozisjɔ̃] *nf* (*action*) composing, making up; *Typ* typesetting; (*symphonie, dissertation*) & *Ch* composition; (*examen*) test, class exam; **c. française** (*examen*) French essay *ou* composition.
composter [kɔ̃pɔste] *vt* (*billet*) to cancel, punch.
compote [kɔ̃pɔt] *nf Br* stewed fruit, *Am* sauce; **c. de pommes** *Br* stewed apples, *Am* applesauce. ●**compotier** *nm* fruit dish.

compréhensible [kɔ̃preɑ̃sibl] *a* understandable, comprehensible. ●**compréhensif, -ive** *a* (*personne*) understanding. ●**compréhension** *nf* understanding.

comprendre* [kɔ̃prɑ̃dr] *vt* to understand; (*comporter*) to include, comprise; **je n'y comprends rien** I can't make head or tail of it, I don't understand a thing about it; **se faire c.** to make oneself understood; **ça se comprend** that's understandable.

compris, -ise [kɔ̃pri, -iz] *a* (*inclus*) included (**dans** in); **frais c.** including expenses; **tout c.** (all) inclusive; **y c.** including; **c. entre** (situated) between; (**c'est**) **c.!** it's agreed!

compresse [kɔ̃pres] *nf* (*pansement*) compress.

compresseur [kɔ̃prescer] *a* **rouleau c.** steamroller.

comprimé [kɔ̃prime] *nm* (*médicament*) tablet.

comprimer [kɔ̃prime] *vt* (*air, gaz, artère*) to compress; (*colère, sentiment etc*) to repress; (*dépenses*) to reduce. ●**compression** *nf* compression; (*du personnel etc*) reduction.

compromettre* [kɔ̃prɔmetr] *vt* to compromise. ●**compromis** *nm* compromise. ●**compromission** *nf* compromising action, compromise.

comptabiliser [kɔ̃tabilize] *vt* (*compter*) to count, make a count of.

comptable [kɔ̃tabl] *nmf* bookkeeper; (*expert*) accountant. ●**comptabilité** *nf* (*comptes*) accounts; (*science*) bookkeeping, accountancy; (*service*) accounts department.

comptant [kɔ̃tɑ̃] *am* **argent c.** (hard) cash ▌ *adv* **payer c.** to pay (in) cash; (**au**) **c.** (*acheter, vendre*) for cash.

compte [kɔ̃t] *nm* (*comptabilité*) account; (*calcul*) count; (*nombre*) (right) number; **avoir un c. en banque** to have a bank account; **c. chèque** *Br* cheque account, *Am* checking account; **tenir c. de** to take into account; **c. tenu de** considering; **entrer en ligne de c.** to be taken into account; **se rendre c. de** to realize; **rendre c. de** (*exposer*) to report on; (*justifier*) to account for; **demander des comptes à qn** to call s.o. to account; **faire le c. de** to count; **travailler à son c.** to work for oneself; **s'installer à son c.** to set up (in business) in one's own; **pour le c. de** on behalf of; **pour mon c.** for my part; **sur le c. de qn** about s.o.; **en fin de c.** all things considered; **à bon c.** (*acheter*) cheap(ly); **s'en tirer à bon c.** to get off lightly; **avoir un c. à régler avec qn** to have a score to settle with s.o.; **c. à rebours** countdown. ●**compte-gouttes** *nm inv* (*pour médicament*) dropper; **au c.-gouttes** (*utiliser, donner etc*) very sparingly. ●**compte-tours** *nm inv* (*de véhicule*) tachometer, *Br* rev counter.

compter [kɔ̃te] *vt* (*calculer*) to count; (*prévoir*) to allow, reckon; (*considérer*) to consider; (*payer*) to pay; **c. faire** (*espérer*) to expect to do; (*avoir l'intention de*) to intend to do; **c. qch à qn** (*facturer*) to charge s.o. for sth; **il compte deux ans de service** he has two years' service; **ses jours sont comptés** his *ou* her days are numbered; **sans c.** (*sans parler de*) not to mention.
▌ *vi* (*calculer, avoir de l'importance*) to count; **c. sur qn** (*se fier à*) to rely on s.o., count on s.o.; **c. avec qch/qn** to reckon with sth/s.o.; **c. parmi** to be (numbered) among; **à c. de demain** as from tomorrow, starting (from) tomorrow. ●**compteur** *nm* (*électrique*) meter; **c.** (**de vitesse**) (*de véhicule*) speedometer; **c.** (**kilométrique**) *Br* milometer, *Br* clock, *Am* odometer; **c. Geiger** Geiger counter.

compte rendu [kɔ̃trɑ̃dy] *nm* report; (*de livre, film etc*) review.

comptoir [kɔ̃twar] *nm* **1** (*de magasin*) counter; (*de café*) bar; (*de bureau*) (reception) desk. **2** (*commercial*) branch, agency.

compulser [kɔ̃pylse] *vt* (*notes, archives etc*) to examine.

comte [kɔ̃t] *nm* (*noble*) count; *Br* earl. ●**comté** *nm* county. ●**comtesse** *nf* countess.

con, conne [kɔ̃, kɔn] *a* (*idiot*) *Fam* (damn) stupid ▌ *nmf Fam* (damn) stupid fool.

concave [kɔ̃kav] *a* concave.

concéder [kɔ̃sede] *vt* to concede, grant (**à** to, **que** that).

concentrer [kɔ̃sɑ̃tre] *vt* to concentrate; (*attention, esprit, énergie*) to focus, concentrate ▌ **se concentrer** *vpr* (*réfléchir*) to concentrate. ●**concentré, -ée** *a* (*lait*) condensed; (*solution, Javel, boisson*) concentrated; (*attentif*) concentrating (hard) ▌ *nm* **c. de tomates** tomato purée. ●**concentration** *nf* concentration.

concentrique [kɔ̃sɑ̃trik] *a* concentric.

concept [kɔ̃sept] *nm* concept. ●**conception** *nf* (*idée*) & *Méd* conception.

concerner [kɔ̃serne] *vt* to concern; **en ce qui me concerne** as far as I'm concerned. ●**concernant** *prép* concerning.

concert [kɔ̃ser] *nm* (*de musique*) concert; (*de louanges, protestations etc*) *Fig* chorus; **de c.** (*agir*) together, in concert.

concerter [kɔ̃serte] *vt* (*attaque, projet etc*) to devise (*in agreement*) ▌ **se concerter** *vpr* to consult together. ●**concerté, -ée** *a* (*plan etc*) concerted. ●**concertation** *nf* (*dialogue*) *Br* dialogue, *Am* dialog.

concerto [kɔ̃sɛrto] *nm* concerto.

concession [kɔ̃sesjɔ̃] *nf* concession (**à** to); (*terrain*) plot (of land). ●**concessionnaire** *nmf* (*automobile etc*) (authorized) dealer, agent.

concevoir* [kɔ̃səvwar] **1** *vt* (*imaginer, éprouver, engendrer*) to conceive; (*comprendre*) to understand; **ainsi conçu** (*dépêche, lettre etc*) worded as follows. **2** *vi* (*femme*) to conceive. ●**concevable** *a* conceivable.

concierge [kɔ̃sjɛrʒ] *nmf* caretaker, *Am* janitor.

concile [kɔ̃sil] *nm Rel* council.

concilier [kɔ̃silje] *vt* (*choses*) to reconcile; **se**

c. l'amitié/*ete* de qn to win (over) s.o.'s friendship/*etc*. ●**concillant, -ante** *a* (*ton, geste etc*) a conciliatory. ●**concillateur, -trice** *nmf* conciliator. ●**concillation** *nf* conciliation.

concis, -ise [kɔ̃si, -is] *a* concise, terse. ●**concision** *nf* concision.

concitoyen, -enne [kɔ̃sitwajɛ̃, -ɛn] *nmf* fellow citizen.

conclure* [kɔ̃klyr] *vt* (*terminer, régler*) to conclude; c. que (*déduire*) to conclude that; c. un marché ou bargain ▮ *vi* (*orateur etc*) to conclude; c. à la culpabilité/*etc* de qn to conclude that s.o. is guilty/*etc*. ●**concluant, -ante** *a* (*argument etc*) a conclusive. ●**conclusion** *nf* conclusion; en c. in conclusion.

concombre [kɔ̃kɔ̃br] *nm* cucumber.

concordance [kɔ̃kɔrdɑ̃s] *nf* agreement; (*de situations, résultats*) similarity; c. des temps Grammaire sequence of tenses.

concorde [kɔ̃kɔrd] *nf* concord, harmony.

concorder [kɔ̃kɔrde] *vi* (*faits etc*) to agree; (*caractères*) to match; c. avec to match. ●**concordant, -ante** *a* in agreement.

concourir* [kɔ̃kurir] *vi* (*candidat*) to compete (**pour** for); (*converger*) to converge; c. à (*un but, un succès etc*) to contribute to.

concours [kɔ̃kur] *nm* (*examen*) competitive examination; (*jeu*) competition; (*aide*) assistance; (*de circonstances*) combination; c. hippique horse show, show-jumping event.

concret, -ète [kɔ̃krɛ, -ɛt] *a* concrete. ●**concrétiser** *vt* to give concrete form to ▮ **se concrétiser** *vpr* to materialize.

conçu, -ue [kɔ̃sy] *pp de* **concevoir** ▮ *a* c. pour faire/pour qn designed to do/for s.o.; bien c. (*maison, véhicule etc*) well designed.

concubine [kɔ̃kybin] *nf* (*maîtresse*) concubine. ●**concubinage** *nm* cohabitation; vivre en c. to live together as husband and wife.

concurrent, -ente [kɔ̃kyrɑ̃, -ɑ̃t] *nmf* competitor. ●**concurrence** *nf* competition; faire c. à to compete with; jusqu'à c. de 100 F/*etc* up to the amount of 100 francs/*etc*. ●**concurrencer** *vt* to compete with. ●**concurrentiel, -ielle** *a* (*prix, offre etc*) competitive.

condamnation [kɔ̃danɑsjɔ̃] *nf* (*peine de prison etc*) sentence; (*censure*) condemnation.

condamner [kɔ̃dane] *vt* to condemn; (*accusé*) to sentence (à to); (*porte*) to block up, bar; (*pièce*) to keep locked; c. qn à une amende to fine s.o. ●**condamné, -ée** *nmf* (*à mort etc*) condemned man, condemned woman; être c. (*malade*) to be a hopeless case, be terminally ill.

condenser [kɔ̃dɑ̃se] *vt*, **se condenser** *vpr* to condense. ●**condensation** *nf* (*buée*) *Fam* condensation.

condescendre [kɔ̃desɑ̃dr] *vi* to condescend (à faire to do). ●**condescendant, -ante** *a* condescending. ●**condescendance** *nf* condescension.

condiment [kɔ̃dimɑ̃] *nm* condiment.

condisciple [kɔ̃disipl] *nm* (*écolier*) classmate, schoolfellow; (*étudiant*) fellow student.

condition [kɔ̃disjɔ̃] *nf* (*état, stipulation, rang*) condition; **conditions** (*clauses, tarifs*) terms; à c. de faire, à c. que l'on fasse providing ou provided (that) one does; mettre qn en c. (*endoctriner*) to condition s.o.; sans c. (*capitulation*) unconditional; (*se rendre etc*) unconditionally. ●**conditionnel, -elle** *a* (*promesse etc*) conditional ▮ *nm* Grammaire conditional.

conditionner [kɔ̃disjɔne] *vt* 1 (*influencer*) to condition. 2 (*emballer*) to package. ●**conditionné, -ée** *a* (*réflexe*) conditioned; à air c. (*pièce etc*) air-conditioned. ●**conditionnement** *nm* conditioning; (*emballage*) packaging.

condoléances [kɔ̃dɔleɑ̃s] *nfpl* sympathy, condolences; carte de c. sympathy card.

conducteur, -trice [kɔ̃dyktœr, -tris] 1 *nmf* (*de véhicule, train*) driver. 2 *a* & *nm* (**corps**) c. (*non isolant*) conductor; (fil) c. (*électrique*) lead (wire).

conduire* [kɔ̃dɥir] 1 *vt* to lead; (*véhicule*) to drive; (*eau*) to carry; (*affaire, électricité etc*) to conduct; c. qn à (*accompagner*) to take s.o. to. 2 **se conduire** *vpr* to behave.

conduit [kɔ̃dɥi] *nm* duct.

conduite [kɔ̃dɥit] *nf* conduct, behaviour; (*de véhicule*) driving (de of); (*d'eau, de gaz*) main; (*d'entreprise etc*) conduct; c. à gauche/droite (*volant*) left-hand/right-hand drive; faire un bout de c. à qn to go with s.o. part of the way; sous la c. de qn under the guidance of s.o.

cône [kon] *nm* cone.

confection [kɔ̃fɛksjɔ̃] *nf* making (de of); vêtements de c. ready-to-wear clothes; magasin de c. *Br* clothes shop, *Am* clothing store. ●**confectionner** *vt* (*gâteau, robe*) to make.

confédération [kɔ̃federɑsjɔ̃] *nf* confederation. ●**confédéré, -ée** *a* confederate.

conférence [kɔ̃ferɑ̃s] *nf* (*réunion*) conference; (*exposé*) lecture; en c. in a meeting, in conference; c. de presse press conference. ●**conférencier, -ière** *nmf* lecturer.

conférer [kɔ̃fere] *vt* (*attribuer, donner*) to confer (à on).

confesser [kɔ̃fese] *vt* to confess ▮ **se confesser** *vpr Rel* to confess (à to). ●**confesseur** *nm* (*prêtre*) confessor. ●**confession** *nf* confession. ●**confessionnal, -aux** *nm Rel* confessional. ●**confessionnel, -elle** *a* (*école*) *Rel* denominational.

confettis [kɔ̃feti] *nmpl* confetti.

confiance [kɔ̃fjɑ̃s] *nf* trust, confidence; faire c. à qn, avoir c. en qn to trust s.o.; c. en soi (self-)confidence; poste/abus de c. position/breach of trust; homme de c. reliable man; en toute c. (*acheter, dire etc*) quite confidently; poser la question de c. to ask for a vote of confidence. ●**confiant, -ante** *a* trusting; (*sûr de soi*) confident; être c. en qn/dans qch to have confidence in s.o./sth.

confidence

confidence [kɔ̃fidɑ̃s] *nf* (*secret*) confidence; **en c.** in confidence; **faire une c. à qn** to confide in s.o. ● **confident** *nm* (*personne*) confidant. ● **confidente** *nf* confidante. ● **confidentiel, -ielle** *a* confidential.

confier [kɔ̃fje] *vt* **c. à qn** (*enfant, objet*) to give s.o. to look after, entrust s.o. with; **c. un secret/etc à qn** to confide a secret/etc to s.o.; **se c. à qn** to confide in s.o.

configuration [kɔ̃figyrasjɔ̃] *nf* (*d'un lieu*) layout; (*de matériel informatique*) configuration.

confiner [kɔ̃fine] *vt* to confine ▮ *vi* **c. à** to border on ▮ **se confiner** *vpr* to confine oneself (**dans** to). ● **confiné, -ée** *a* (*atmosphère*) stuffy.

confins [kɔ̃fɛ̃] *nmpl* confines.

confire* [kɔ̃fir] *vt* (*cornichon*) to pickle; (*fruit*) to preserve.

confirmer [kɔ̃firme] *vt* to confirm (**que** that); **c. qn dans sa résolution** to confirm s.o.'s resolve. ● **confirmation** *nf* confirmation.

confiserie [kɔ̃fizri] *nf* (*magasin*) *Br* sweet shop, *Am* candy store; **confiseries** (*produits*) confectionery, *Br* sweets, *Am* candy. ● **confiseur, -euse** *nmf* confectioner.

confisquer [kɔ̃fiske] *vt* to confiscate (**à qn** from s.o.). ● **confiscation** *nf* confiscation.

confit [kɔ̃fi] *a* **fruits confits** crystallized *ou* candied fruit. ● **confiture** *nf* jam, preserves.

conflit [kɔ̃fli] *nm* conflict. ● **conflictuel, -elle** *a* (*relation*) conflict-provoking; **situation conflictuelle** situation of conflict.

confluent [kɔ̃flyɑ̃] *nm* (*jonction*) confluence.

confondre [kɔ̃fɔ̃dr] *vt* (*choses, personnes*) to mix up, confuse; (*consterner, étonner*) to confound; (*amalgamer*) to merge, fuse; **c. qch/qn avec** to mistake sth/s.o. for ▮ **se confondre** *vpr* (*s'unir*) (*couleurs etc*) to merge; **se c. en excuses** to be very apologetic.

conforme [kɔ̃fɔrm] *a* **c. à** in accordance with, in keeping with; (*modèle*) true to; **copie c. à l'original** true copy, copy true to the original. ● **conformément** *adv* **c. à** in accordance with.

conformer [kɔ̃fɔrme] *vt* (*attitude, politique etc*) *vt* to model, adapt ▮ **se conformer** *vpr* to conform (**à** to).

conformisme [kɔ̃fɔrmism] *nm* conformity, conformism. ● **conformiste** *a* & *nmf* conformist.

conformité [kɔ̃fɔrmite] *nf* conformity.

confort [kɔ̃fɔr] *nm* comfort. ● **confortable** *a* comfortable.

confrère [kɔ̃frɛr] *nm* colleague. ● **confrérie** *nf Rel* brotherhood.

confronter [kɔ̃frɔ̃te] *vt* (*témoins etc*) to confront (**avec** with); (*expériences, résultats etc*) to compare; (*textes*) to collate, compare; **confronté à** (*difficulté etc*) confronted with. ● **confrontation** *nf* confrontation; (*d'expériences, de textes etc*) comparison.

confus, -use [kɔ̃fy, -yz] *a* (*esprit, situation, bruit*) confused; (*idée, style*) confused, jumbled; (*gêné*) embarrassed; **je suis c.!** (*désolé*) I'm terribly sorry!; (*comblé de bienfaits*) I'm overwhelmed! ● **confusément** *adv* indistinctly, vaguely. ● **confusion** *nf* confusion; (*gêne, honte*) embarrassment.

congé [kɔ̃ʒe] *nm* (*vacances*) *Br* holiday, *Am* vacation; (*absence du travail*) leave (of absence); (*avis pour locataire*) notice (to quit); (*pour salarié*) notice (of dismissal); **c. de maladie** sick leave; **c. de maternité** maternity leave; **congés payés** *Br* paid holidays, *Am* paid vacation; **donner son c. à** (*employé, locataire*) to give notice to; **prendre c. de qn** to take leave of s.o.

congédier [kɔ̃ʒedje] *vt* (*domestique etc*) to dismiss.

congeler [kɔ̃ʒle] *vt* to freeze. ● **congélateur** *nm* freezer, deep-freeze; **compartiment c.** (*de réfrigérateur*) freezer. ● **congélation** *nf* freezing.

congénère [kɔ̃ʒenɛr] *nmf* fellow creature. ● **congénital, -e, -aux** *a* congenital.

congère [kɔ̃ʒɛr] *nf* snowdrift.

congestion [kɔ̃ʒestjɔ̃] *nf* congestion; **c. cérébrale** stroke. ● **congestionner** *vt* to congest. ● **congestionné, -ée** *a* (*visage*) flushed.

Congo [kɔ̃go] *nm* Congo. ● **congolais, -aise** *a* Congolese ▮ *nmf* **C., Congolaise** Congolese.

congratuler [kɔ̃gratyle] *vt Iron* to congratulate (**sur** on).

congrégation [kɔ̃gregasjɔ̃] *nf* (*de prêtres etc*) congregation.

congrès [kɔ̃grɛ] *nm* congress. ● **congressiste** *nmf* delegate (*to a congress*).

conifère [kɔnifɛr] *nm* (*arbre*) conifer.

conique [kɔnik] *a* conical, cone-shaped.

conjecture [kɔ̃ʒɛktyr] *nf* conjecture. ● **conjectural, -e, -aux** *a* conjectural. ● **conjecturer** *vt* to conjecture, surmise.

conjoint, -jointe [kɔ̃ʒwɛ̃, -ʒwɛ̃t] **1** *a* (*problèmes, action etc*) joint. **2** *nm* spouse; **conjoints** husband and wife. ● **conjointement** *adv* jointly.

conjonction [kɔ̃ʒɔ̃ksjɔ̃] *nf Grammaire* conjunction.

conjonctivite [kɔ̃ʒɔ̃ktivit] *nf* conjunctivitis.

conjoncture [kɔ̃ʒɔ̃ktyr] *nf* circumstances; **la c.** (*économique*) the economic situation. ● **conjoncturel, -elle** *a* (*prévisions, données etc*) economic.

conjugal, -e, -aux [kɔ̃ʒygal, -o] *a* (*vie*) married, conjugal; **bonheur c.** married *ou* marital bliss; **foyer c.** marital home.

conjuguer [kɔ̃ʒyge] *vt* (*verbe*) to conjugate; (*efforts*) to combine ▮ **se conjuguer** *vpr* (*verbe*) to be conjugated. ● **conjugaison** *nf Grammaire* conjugation.

conjurer [kɔ̃ʒyre] *vt* (*danger*) to avert; (*mauvais sort*) to ward off; **c. qn** to beg s.o., implore *ou* entreat s.o. (**de faire** to do). ● **conjuré, -ée** *nmf* conspirator. ● **conjuration** *nf* (*complot*) conspiracy.

connaissance [kɔnɛsɑ̃s] *nf* knowledge; (*personne*) acquaintance; **connaissances** (*science*) knowledge (**en** of); **faire la c. de**

qn, faire c. avec qn (*inconnu*) to meet s.o., make s.o.'s acquaintance; (*ami, époux etc*) to get to know s.o.; **à ma c.** as far as I know; **avoir c. de** to be aware of; **perdre/reprendre c.** to lose/regain consciousness; **sans c.** unconscious; **prendre c. d'une lettre/** *etc* to read a letter/*etc*. ● **connaisseur** *nm* connoisseur.

connaître* [kɔnɛtr] *vt* to know; (*rencontrer*) to meet; (*un succès*) to have; (*un malheur*) to experience; **faire c. qch** (*publier, faire découvrir*) to make sth known; **faire c. qn** (*présenter*) to introduce s.o.; (*rendre célèbre*) to make s.o. known ▮ **se connaître** *vpr* (*amis etc*) to get to know each other; **nous nous connaissons déjà** we've met before; **s'y c. à** *ou* **en qch** to know (all) about sth; **il ne se connaît plus** he's losing his cool.

connecter [kɔnɛkte] *vt* (*appareil électrique*) to connect. ● **connexe** *a* (*matières*) allied. ● **connexion** *nf* (*électrique*) connection.

connerie [kɔnri] *nf Fam* (*bêtise*) (damn) stupidity; (*action*) (damn) stupid thing; **conneries** (*paroles*) (damn) stupid nonsense.

connivence [kɔnivɑ̃s] *nf* connivance.

connotation [kɔnɔtasjɔ̃] *nf* connotation.

connu, -ue [kɔny] *pp de* **connaître** ▮ *a* (*célèbre*) well-known.

conquérir* [kɔ̃kerir] *vt* (*pays, marché etc*) to conquer (*charmer*) to win (*s.o.*) over. ● **conquérant, -ante** *nmf* conqueror. ● **conquête** *nf* conquest; **faire la c. de** (*pays, marché etc*) to conquer.

consacrer [kɔ̃sakre] *vt* (*temps, vie etc*) to devote (à to); (*église etc*) to consecrate; (*coutume*) to establish, sanction, consecrate; **expression consacrée** accepted *ou* set phrase; **se c. à** to devote oneself to.

consciemment [kɔ̃sjamɑ̃] *adv* consciously.

conscience [kɔ̃sjɑ̃s] *nf* **1** (*psychologique*) consciousness; **la c. de qch** the awareness *ou* consciousness of sth; **c. de soi** self-awareness; **avoir/prendre c. de** to be/become aware *ou* conscious of; **perdre c.** (*s'évanouir*) to lose consciousness. **2** (*morale*) conscience; **avoir bonne/mauvaise c.** to have a clear/guilty conscience; **c. professionnelle** conscientiousness. ● **consciencieux, -euse** *a* conscientious.

conscient, -ente [kɔ̃sjɑ̃, -ɑ̃t] *a* (*non évanoui*) conscious; **c. de** aware *ou* conscious of.

conscrit [kɔ̃skri] *nm* (*soldat*) conscript. ● **conscription** *nf* conscription, *Am* draft.

consécration [kɔ̃sekrasjɔ̃] *nf* (*d'une église etc*) consecration; (*confirmation*) sanction, consecration.

consécutif, -ive [kɔ̃sekytif, -iv] *a* consecutive; **c. à** following upon. ● **consécutivement** *adv* consecutively.

conseil¹ [kɔ̃sɛj] *nm* **un c.** a piece of advice, some advice; **des conseils** advice; **(expert-)c.** consultant.

conseil² [kɔ̃sɛj] *nm* (*assemblée*) council, committee; **c. d'administration** board of directors; **c. de classe** = teacher-student-parent progress meeting; **c. des ministres** (*réunion*) cabinet meeting.

conseiller¹ [kɔ̃seje] *vt* (*guider, recommander*) to advise; **c. qch à qn** to recommend sth to s.o.; **c. à qn de faire** to advise s.o. to do.

conseiller², -ère [kɔ̃seje, -jɛr] *nmf* (*expert*) consultant, adviser; (*d'un conseil*) *Br* councillor, *Am* councilor; **c. municipal** *Br* town councillor, *Am* councilman *ou* -woman.

consentir* [kɔ̃sɑ̃tir] *vi* **c. à** to consent to ▮ *vt* (*prêt, remise etc*) to grant (à to). ● **consentement** *nm* consent.

conséquence [kɔ̃sekɑ̃s] *nf* consequence; (*conclusion*) conclusion; **en c.** accordingly; **agir en c.** to take appropriate action, act accordingly; **sans c.** (*importance*) of no importance.

conséquent, -ente [kɔ̃sekɑ̃, -ɑ̃t] *a* logical; (*important*) *Fam* important.

conséquent (par) [parkɔ̃sekɑ̃] *adv* consequently.

conservateur, -trice [kɔ̃sɛrvatœr, -tris] **1** *a* & *nmf Pol* Conservative. **2** *nm* (*de musée*) curator; (*de bibliothèque*) (chief) librarian. **3** *nm* (*pour aliment*) preservative. ● **conservatisme** *nm* conservatism.

conservation [kɔ̃sɛrvasjɔ̃] *nf* preservation; **instinct de c.** instinct for self-preservation.

conservatoire [kɔ̃sɛrvatwar] *nm* school, academy (*of music, drama*).

conserve [kɔ̃sɛrv] *nf* **conserves** canned *ou Br* tinned food; **de** *ou* **en c.** canned, *Br* tinned; **mettre en c.** to can, *Br* tin.

conserver [kɔ̃sɛrve] *vt* (*ne pas perdre*) to keep, retain (*one's job etc*); (*fruits, vie, tradition etc*) to preserve; **c. son calme** *ou* **son sang-froid** to keep one's calm ▮ **se conserver** *vpr* (*aliment*) to keep. ● **conservé, -ée** *a* **bien c.** (*vieillard*) well-preserved.

considérable [kɔ̃siderabl] *a* considerable.

considérer [kɔ̃sidere] *vt* to consider (**que** that); **c. qn** (*faire cas de*) to respect s.o.; **c. comme** to consider to be, regard as; **tout bien considéré** all things considered. ● **considération** *nf* (*motif, examen*) consideration; (*respect*) regard, esteem; **considérations** (*remarques*) observations; **prendre qch en c.** to take sth into consideration.

consigne [kɔ̃siɲ] *nf* (*instruction*) orders; (*de gare*) *Br* left-luggage office, *Am* baggage checkroom; (*punition*) *Scol* detention; (*de soldat*) confinement to barracks; (*somme*) deposit; **c. automatique** (*de gare*) *Br* luggage lockers, *Am* baggage lockers. ● **consignation** *nf* (*somme*) deposit. ● **consigner** *vt* (*bouteille*) to charge a deposit on; (*bagages*) *Br* to deposit in the left-luggage office, *Am* to check; (*écrire*) to record (*note etc*); (*élève*) to keep in (*as punishment*); (*soldat*) to confine (to barracks); (*salle*) to seal off, close. ● **consigné, -ée** *a* (*bouteille*) returnable.

consistant, -ante [kɔ̃sistɑ̃, -ɑ̃t] *a* (*sauce, bouillie*) thick; (*repas, Fig argument*) solid.

consister

●**consistance** nf (de liquide) consistency; **sans c.** (rumeur) unfounded; (esprit) irresolute.
consister [kɔ̃siste] vi **c. en/dans** to consist of/in; **c. à faire** to consist in doing.
consistoire [kɔ̃sistwar] nm Rel council.
console [kɔ̃sɔl] nf (d'ordinateur, de jeux) console.
consoler [kɔ̃sɔle] vt to comfort, console; **se c. de** (la mort de qn etc) to get over. ●**consolation** nf comfort, consolation.
consolider [kɔ̃sɔlide] vt (mur etc) to strengthen; (position, argument etc) Fig to strenghten, consolidate. ●**consolidation** nf strengthening; (de position etc) Fig strengthening, consolidation.
consommateur, -trice [kɔ̃sɔmatœr, -tris] nmf consumer; (au café) customer. ●**consommation** nf consumption; (boisson) drink; **biens/société de c.** consumer goods/society.
consommé, -ée [kɔ̃sɔme] **1** a (achevé) consummate. **2** nm clear meat soup, consommé.
consommer [kɔ̃sɔme] vt (aliment, carburant etc) to consume; (crime, œuvre) Litt to accomplish ▮ vi (au café) to drink; **c. beaucoup/peu** (véhicule) to be heavy/light on Br petrol ou Am gas.
consonance [kɔ̃sɔnɑ̃s] nf (accord) consonance; **consonances** (sons) sounds.
consonne [kɔ̃sɔn] nf consonant.
consortium [kɔ̃sɔrsjɔm] nm (entreprises) consortium.
consorts [kɔ̃sɔr] nmpl **et c.** Péj and people of that ilk.
conspirer [kɔ̃spire] vi **1** (comploter) to plot, conspire (**contre** against). **2 c. à faire** (concourir) to conspire to do. ●**conspirateur, -trice** nmf plotter, conspirator. ●**conspiration** nf plot, conspiracy.
conspuer [kɔ̃spye] vt (orateur etc) to boo.
constant, -ante [kɔ̃stɑ̃, -ɑ̃t] a constant ▮ nf (nombre) constant. ●**constamment** adv constantly. ●**constance** nf constancy.
constat [kɔ̃sta] nm (official) report; **dresser un c. d'échec** to acknowledge one's failure.
constater [kɔ̃state] vt to note, observe (que that); (vérifier) to establish; (faire un procès-verbal de) to record (facts etc) ▮ vi **je ne fais que c.** I'm merely stating a fact. ●**constatation** nf (remarque) observation.
constellation [kɔ̃stelasjɔ̃] nf constellation.
●**constellé, -ée** a **c. d'étoiles/de joyaux**/etc studded with stars/jewels/etc.
consterner [kɔ̃stɛrne] vt to distress, upset greatly, dismay. ●**consternation** nf distress, (profound) dismay.
constiper [kɔ̃stipe] vt to constipate. ●**constipé, -ée** a constipated; (gêné) Fam embarrassed, stiff. ●**constipation** nf constipation.
constituer [kɔ̃stitɥe] vt (composer) to make up; (représenter) to represent; (organiser) to form (government team etc); (instituer) to appoint (committee etc); **cela constitue un crime** that constitutes a crime; **constitué de** made up of; **se c. prisonnier** to give oneself up. ●**constituant, -ante** a (éléments) component, constituent; **assemblée constituante** constituent assembly.
constitutif, -ive [kɔ̃stitytif, -iv] a constituent.
constitution [kɔ̃stitysjɔ̃] nf (santé, lois d'un pays) constitution; (fondation) formation (**de** of); (composition) composition. ●**constitutionnel, -elle** a constitutional.
constructeur [kɔ̃stryktœr] nm builder; (fabricant) maker (**de** of). ●**constructif, -ive** a constructive. ●**construction** nf (de pont etc) building, construction (**de** of); (édifice) building, structure; (de théorie etc, phrase) construction; **matériaux/jeu de c.** building materials/set; **en c.** under construction.
construire* [kɔ̃strɥir] vt (maison, route etc) to build, construct; (phrase, théorie etc) to construct.
consul [kɔ̃syl] nm consul. ●**consulaire** a consular. ●**consulat** nm consulate.
consulter [kɔ̃sylte] **1** vt to consult ▮ **se consulter** vpr to consult (each other), confer. **2** vi (médecin) Br to hold surgery, Am hold office hours. ●**consultatif, -ive** a (comité, rôle etc) consultative, advisory. ●**consultation** nf consultation; **cabinet de c.** (de médecin) Br surgery, Am (doctor's) office; **heures de c.** (de médecin) Br surgery hours, Am office hours.
consumer [kɔ̃syme] vt (détruire, miner) to consume.
contact [kɔ̃takt] nm contact; (toucher) touch; (de véhicule) ignition; **être en c. avec** to be in touch ou contact with; **prendre c.** to get in touch (**avec** with); **entrer en c. avec** to come into contact with; **prise de c.** first meeting; **mettre/couper le c.** (dans un véhicule) to switch on/off the ignition; **lentilles ou verres de c.** contact lenses. ●**contacter** vt to contact.
contagieux, -euse [kɔ̃taʒjø, -øz] a (maladie, rire) contagious, infectious; **c'est c.** it's catching ou contagious. ●**contagion** nf (de maladie) infection, contagion; (de rire, bâillement etc) contagiousness.
contaminer [kɔ̃tamine] vt to contaminate. ●**contamination** nf contamination.
conte [kɔ̃t] nm tale; **c. de fées** fairy tale ou story.
contempler [kɔ̃tɑ̃ple] vt to gaze at, contemplate. ●**contemplation** nf contemplation; **être ou rester en c. devant qch/qn** to gaze at sth/s.o.
contemporain, -aine [kɔ̃tɑ̃pɔrɛ̃, -ɛn] a & nmf contemporary.
contenance [kɔ̃tnɑ̃s] nf **1** (contenu d'un récipient) capacity. **2** (allure) bearing; **perdre c.** to lose one's composure.
contenir* [kɔ̃tnir] vt (renfermer) to contain; (avoir comme capacité) to hold; (contrôler) to hold back, contain ▮ **se contenir** vpr to contain oneself. ●**contenant** nm **le c.** the

container. ●**conteneur** *nm* (*pour marchandises, verre*) container.

content, -ente [kɔ̃tɑ̃, -ɑ̃t] **1** *a* pleased, happy, glad (**de faire** to do); **c. de qn/qch** pleased *ou* happy with s.o./sth.; **c. de soi** self-satisfied; **non c. de mentir/d'avoir menti** not content with lying/with having lied. **2** *nm* **avoir son c.** to have had one's fill (**de** of).

contenter [kɔ̃tɑ̃te] *vt* to satisfy, please; **se c. de** to be content *ou* happy with, content oneself with. ●**contentement** *nm* contentment, satisfaction.

contentieux [kɔ̃tɑ̃sjø] *nm* (*affaires*) matters in dispute; (*service*) legal *ou* claims department.

contenu [kɔ̃tny] *nm* (*de récipient*) contents; (*de texte, film etc*) content.

conter [kɔ̃te] *vt* (*histoire etc*) to tell, relate (**à** to). ●**conteur, -euse** *nmf* storyteller.

contestable [kɔ̃tɛstabl] *a* (*argument etc*) debatable.

contestataire [kɔ̃tɛstatɛr] *a* **étudiant/ouvrier c.** student/worker protester ▮ *nmf* protester. ●**contestation** *nf* (*opposition politique*) protest; (*discussion*) dispute; **faire de la c.** to protest.

conteste (sans) [sɑ̃kɔ̃tɛst] *adv* unquestionably, indisputably.

contester [kɔ̃tɛste] **1** *vi* (*étudiants etc*) to protest ▮ *vt* to protest against. **2** *vt* (*fait etc*) to dispute, contest. ●**contesté, -ée** *a* (*théorie, dirigeant etc*) controversial.

contexte [kɔ̃tɛkst] *nm* context.

contigu, -uë [kɔ̃tigy] *a* (*maisons etc*) adjoining; **c. à** adjoining, adjacent to. ●**contiguïté** *nf* close proximity.

continent [kɔ̃tinɑ̃] *nm* continent; (*opposé à une île*) mainland. ●**continental, -e, -aux** *a* continental.

contingent [kɔ̃tɛ̃ʒɑ̃, -ɑ̃t] **1** *a* (*accidentel*) contingent. **2** *nm* (*armée*) contingent; (*part, quota*) quota. ●**contingences** *nfpl* contingencies.

continu, -ue [kɔ̃tiny] *a* continuous. ●**continuel, -elle** *a* continual. ●**continuellement** *adv* continually.

continuer [kɔ̃tinɥe] *vt* to continue, carry on (**à** *ou* **de faire** doing); (*prolonger*) to continue (*straight line etc*) ▮ *vi* to continue, go on. ●**continuation** *nf* continuation; **bonne c.!** *Fam* I hope the rest of it goes well. ●**continuité** *nf* continuity.

contondant [kɔ̃tɔ̃dɑ̃] *am* **instrument c.** (*arme*) blunt instrument.

contorsion [kɔ̃tɔrsjɔ̃] *nf* contortion. ●**se contorsionner** *vpr* to contort oneself. ●**contorsionniste** *nmf* contortionist.

contour [kɔ̃tur] *nm* outline, contour; **contours** (*de route, rivière*) twists, bends.

contourner [kɔ̃turne] *vt* (*colline etc*) to go round, skirt; (*difficulté, loi*) to get round. ●**contourné, -ée** *a* (*style*) convoluted, tortuous.

contraception [kɔ̃trasɛpsjɔ̃] *nf* contraception. ●**contraceptif, -ive** *a & nm* contraceptive.

contracter [kɔ̃trakte] *vt* (*muscle, habitude, dette etc*) to contract ▮ **se contracter** *vpr* (*cœur etc*) to contract. ●**contraction** *nf* contraction.

contractuel, -elle [kɔ̃traktɥɛl] **1** *nmf Br* traffic warden, *Am* meter man *ou* maid. **2** *a* (*politique etc*) contractual.

contradicteur [kɔ̃tradiktœr] *nm* contradictor. ●**contradiction** *nf* contradiction; **être en c. avec** to be at variance with, contradict. ●**contradictoire** *a* (*propos etc*) contradictory; (*rapports, théories*) conflicting; **débat c.** debate.

contraindre* [kɔ̃trɛ̃dr] *vt* to compel, force (**à faire** to do) ▮ **se contraindre** *vpr* to compel *ou* force oneself (**à faire** to do); (*se gêner*) to restrain oneself. ●**contraignant, -ante** *a* (*horaire etc*) constraining, restricting. ●**contraint, -ainte** *a* (*air, ton etc*) forced, constrained. ●**contrainte** *nf* (*pression*) constraint; (*gêne*) constraint, restraint; **sous la c.** under duress.

contraire [kɔ̃trɛr] *a* opposite; (*défavorable*) (*destin*) adverse; (*vent*) adverse, contrary; **c. à** contrary to ▮ *nm* opposite; (**bien**) **au c.** on the contrary. ●**contrairement** *adv* **c. à** (*information etc*) contrary to; **c. à qn** unlike s.o.

contrarier [kɔ̃trarje] *vt* (*projet, action etc*) to spoil, thwart; (*personne*) to annoy. ●**contrariant, -ante** *a* (*action etc*) annoying; (*personne*) difficult, perverse. ●**contrariété** *nf* annoyance.

contraste [kɔ̃trast] *nm* contrast. ●**contraster** *vi* to contrast (**avec** with); **faire c. qch avec** to contrast sth with.

contrat [kɔ̃tra] *nm* contract.

contravention [kɔ̃travɑ̃sjɔ̃] *nf* (*pour stationnement interdit*) (*parking*) ticket; (*amende*) fine; **en c. à** (*loi etc*) in contravention of.

contre [kɔ̃tr] **1** *prép & adv* against; (*en échange de*) (in exchange) for; **échanger c.** to exchange for; **fâché c.** angry with; **s'abriter c.** to shelter from; **il va s'appuyer c.** he's going to lean against it; **six voix c. deux** six votes to two; **Nîmes c. Arras** (*match*) Nîmes versus *ou* against Arras; **un médicament c.** (*toux, grippe etc*) a medicine for; **par c.** on the other hand; **tout c. qch/qn** close to sth/s.o.

2 *nm* (*riposte d'escrimeur etc*) counter.

contre- [kɔ̃tr] *préf* counter-.

contre-attaque [kɔ̃tratak] *nf* counterattack. ●**contre-attaquer** *vt* to counterattack.

contrebalancer [kɔ̃trəbalɑ̃se] *vt* to counterbalance; (*compenser*) *Fig* to offset.

contrebande [kɔ̃trəbɑ̃d] *nf* (*fraude*) smuggling, contraband; (*marchandises*) smuggled goods, contraband; **tabac/etc de c.** smuggled *ou* contraband tobacco/*etc*; **faire de la c.** to smuggle; **passer qch en c.** to smuggle sth. ●**contrebandier, -ière** *nmf* smuggler.

contrebas (en) [ɑ̃kɔ̃trəba] *adv & prép* **en c.**

contrebasse

(de) down below.
contrebasse [kɔ̃trəbas] *nf* (*instrument de musique*) double-bass.
contrecarrer [kɔ̃trəkare] *vt* (*projet, personne etc*) to thwart, frustrate.
contrecœur (à) [akɔ̃trəkœr] *adv* reluctantly.
contrecoup [kɔ̃trəku] *nm* (indirect) effect *ou* consequence; **par c.** as an indirect consequence.
contre-courant (à) [akɔ̃trəkurɑ̃] *adv* against the current.
contredanse [kɔ̃trədɑ̃s] *nf* (*amende pour stationnement interdit etc*) *Fam* ticket.
contredire* [kɔ̃trədir] *vt* to contradict ▮ **se contredire** *vpr* to contradict oneself.
contrée [kɔ̃tre] *nf* region, land.
contre-espionnage [kɔ̃trɛspjɔnaʒ] *nm* counter-espionage.
contrefaçon [kɔ̃trəfasɔ̃] *nf* counterfeiting, forgery; (*objet imité*) counterfeit, forgery. ●**contrefaire*** *vt* (*parodier*) to mimic; (*déguiser*) to disguise (*voice, truth etc*); (*monnaie etc*) to counterfeit, forge.
contreforts [kɔ̃trəfɔr] *nmpl* (*montagnes*) foothills.
contre-indiqué, -ée [kɔ̃trɛ̃dike] *a* (*médicament, mesure etc*) dangerous, not recommended.
contre-jour (à) [akɔ̃trəʒur] *adv* against the (sun)light.
contremaître [kɔ̃trəmɛtr] *nm* foreman.
contre-offensive [kɔ̃trɔfɑ̃siv] *nf* counter-offensive.
contrepartie [kɔ̃trəparti] *nf* compensation; **en c.** in exchange.
contre-performance [kɔ̃trəpɛrfɔrmɑ̃s] *nf* (*de sportif*) bad performance.
contre-pied [kɔ̃trəpje] *nm* **prendre le c.-pied d'une opinion/attitude** to take (exactly) the opposite view/attitude; **à c.-pied** *Sport* on the wrong foot.
contre-plaqué [kɔ̃trəplake] *nm* plywood.
contrepoids [kɔ̃trəpwa] *nm* (*poids, Fig personne*) counterbalance; **faire c. à qch** to counterbalance sth.
contrepoint [kɔ̃trəpwɛ̃] *nm* (*motif musical*) counterpoint.
contrer [kɔ̃tre] *vt* (*personne, attaque*) to counter.
contre-révolution [kɔ̃trərevɔlysjɔ̃] *nf* counter-revolution.
contresens [kɔ̃trəsɑ̃s] *nm* misinterpretation; (*en traduisant*) mistranslation; (*non-sens*) absurdity; **à c.** (*interpréter qch etc*) the wrong way; **prendre une rue à c.** to go down *ou* up a street the wrong way.
contresigner [kɔ̃trəsiɲe] *vt* to countersign.
contretemps [kɔ̃trətɑ̃] *nm* hitch, mishap; **à c.** (*arriver, intervenir etc*) at the wrong moment.
contre-torpilleur [kɔ̃trətɔrpijœr] *nm* (*navire*) destroyer, torpedo boat.
contrevenir* [kɔ̃trəvnir] *vi* **c. à** (*loi etc*) to contravene.
contre-vérité [kɔ̃trəverite] *nf* untruth.

contribuer [kɔ̃tribɥe] *vi* to contribute (**à** to). ●**contribuable** *nmf* taxpayer. ●**contribution** *nf* contribution; (*impôt*) tax; **contributions** (*administration*) tax office; **mettre qn à c.** to use s.o.'s services.
contrit, -ite [kɔ̃tri, -it] *a* (*air etc*) contrite. ●**contrition** *nf* contrition.
contrôle [kɔ̃trol] *nm* (*vérification*) inspection, check(ing) (**de** of); (*des prix, de la qualité*) control; (*maîtrise*) control; (*sur bijou*) hallmark; **un c.** (*examen*) a check (**sur** on); **le c. de soi(-même)** self-control; **le c. des naissances** birth control; **un c. d'identité** an identity check.
contrôler [kɔ̃trole] *vt* (*examiner*) to inspect, check; (*maîtriser, surveiller*) to control ▮ **se contrôler** *vpr* (*se maîtriser*) to control oneself. ●**contrôleur, -euse** *nmf* (*de train, bus etc*) *Br* (ticket) inspector, *Am* conductor; (*au quai*) ticket collector; **c. de la navigation aérienne, c. aérien** air-traffic controller.
contrordre [kɔ̃trɔrdr] *nm* **il y a c.** there's a change of orders.
controverse [kɔ̃trɔvɛrs] *nf* controversy. ●**controversé, -ée** *a* (*film, personnage etc*) controversial.
contumace (par) [parkɔ̃tymas] *adv* (*condamné*) in one's absence, in absentia.
contusion [kɔ̃tyzjɔ̃] *nf* bruise. ●**contusionner** *vt* to bruise.
convaincre* [kɔ̃vɛ̃kr] *vt* to convince (**de** of); (*accusé*) to prove guilty (**de** of); **c. qn de faire** to persuade s.o. to do. ●**convaincant, -ante** *a* convincing. ●**convaincu, -ue** *a* (*certain*) convinced (**de** of, **que** that).
convalescent, -ente [kɔ̃valesɑ̃, -ɑ̃t] *nmf* convalescent ▮ *a* **être c.** to convalesce. ●**convalescence** *nf* convalescence; **être en c.** to convalesce; **maison de c.** convalescent home.
convenable [kɔ̃vnabl] *a* (*acceptable*) (*réponse etc*) suitable; (*correct*) (*tenue, manières etc*) decent, proper, respectable. ●**convenablement** *adv* suitably; (*s'habiller, être payé etc*) decently, properly.
convenance [kɔ̃vnɑ̃s] *nf* **convenances** (*usages*) convention(s), proprieties; **à sa c.** to one's satisfaction *ou* taste.
convenir* [kɔ̃vnir] *vi* **1 c. à** (*être fait pour*) to be suitable for; (*plaire à, aller à*) to suit; **ça convient** (*date etc*) that's suitable. **2 c. de** (*lieu, prix etc*) to agree upon; (*erreur*) to admit; **c. que** to admit that ▮ *v imp* **il convient de faire** it's advisable to do; (*selon les usages*) it is proper *ou* fitting to do. ●**convenu, -ue** (*prix etc*) agreed; **comme c.** as agreed.
convention [kɔ̃vɑ̃sjɔ̃] *nf* (*accord*) agreement, convention; (*règle, Am réunion de parti politique*) convention; **c. collective** collective bargaining; **de c.** (*sentiment, paroles etc*) conventional.
conventionné, -ée [kɔ̃vɑ̃sjɔne] *a* (*prix, tarif*) regulated (by voluntary agreement); **médecin c.** = *Br* National Health Service doctor (*bound by agreement with the State*).

conventionnel, -elle [kɔ̃vɑ̃sjɔnɛl] *a* conventional.
convergent, -ente [kɔ̃vɛrʒɑ̃, -ɑ̃t] *a* converging, convergent. ●**convergence** *nf* convergence. ●**converger** *vi* to converge.
conversation [kɔ̃vɛrsasjɔ̃] *nf* conversation. ●**converser** *vi* to converse (**avec** with).
conversion [kɔ̃vɛrsjɔ̃] *nf* conversion. ●**convertir** *vt* to convert (**à** to, **en** into) **I se convertir** *vpr* to be converted, convert. ●**converti, -ie** *nmf* convert. ●**convertible** *a* convertible **I** *nm* (**canapé**) **c.** sofa bed, *Br* bed settee.
convexe [kɔ̃vɛks] *a* convex.
conviction [kɔ̃viksjɔ̃] *nf* (*certitude, croyance*) conviction; **pièce à c.** (*dans un procès*) exhibit.
convier [kɔ̃vje] *vt* to invite (**à une soirée**/*etc* to a party/*etc*, **à faire** to do).
convive [kɔ̃viv] *nmf* guest (*at table*).
convivial, -e, -aux [kɔ̃vivjal, -o] *a* (*ordinateur*) user-friendly.
convoi [kɔ̃vwa] *nm* (*véhicules, personnes etc*) convoy; (*train*) train; **c.** (**funèbre**) funeral procession.
convoiter [kɔ̃vwate] *vt* to desire, envy, covet. ●**convoitise** *nf* desire, envy.
convoquer [kɔ̃vɔke] *vt* (*candidats, membres etc*) to summon *ou* invite (to attend); (*assemblée, comité etc*) to convene, summon; **c. qn à** to summon *ou* invite s.o. to. ●**convocation** *nf* (*lettre*) (written) notice to attend; (*action*) summoning; (*d'assemblée etc*) convening, summoning; (*ordre*) summons to attend.
convoyer [kɔ̃vwaje] *vt* to escort. ●**convoyeur** *nm* (*navire*) escort ship; **c. de fonds** security guard (*transporting money etc*).
convulser [kɔ̃vylse] *vt* to convulse. ●**convulsif, -ive** *a* convulsive. ●**convulsion** *nf* convulsion.
coopérer [kɔɔpere] *vi* to co-operate (**à** in; **avec** with). ●**coopératif, -ive** *a* co-operative **I** *nf* co-operative (society). ●**coopération** *nf* co-operation (**entre** between).
coopter [kɔɔpte] *vt* (*candidat etc*) to co-opt.
coordonner [kɔɔrdɔne] *vt* to co-ordinate. ●**coordonnées** *nfpl* (*adresse, téléphone*) *Fam* contact address and phone number, particulars, details; *Math* co-ordinates. ●**coordination** *nf* co-ordination.
copain [kɔpɛ̃] *nm Fam* (*camarade*) pal; (*petit ami*) boyfriend; **être c. avec** to be pals with.
copeau, -x [kɔpo] *nm* (*de bois*) shaving.
copie [kɔpi] *nf* copy; (*devoir, examen*) paper. ●**copier** *vti* to copy; (*tricher*) (*élève*) to copy, crib (**sur qn** from s.o.). ●**copieur, -euse** *nmf* (*élève etc*) copycat, copier **I** *nm* (*machine*) photocopier.
copieux, -euse [kɔpjø, -øz] *a* (*repas*) plentiful, copious; (*notes, texte*) copious.
copilote [kɔpilɔt] *nm* co-pilot.
copine [kɔpin] *nf Fam* (*camarade*) pal; (*petite amie*) girlfriend; **être c. avec** to be pals with.

copropriété [kɔprɔprijete] *nf* joint ownership; (**immeuble en**) **c.** *Br* block of flats in joint ownership, *Am* condominium.
copulation [kɔpylasjɔ̃] *nf* copulation.
coq [kɔk] *nm* rooster, cock; **c. au vin** coq au vin (*chicken cooked in wine*); **passer du c. à l'âne** to jump from one subject to another.
coque [kɔk] *nf* **1** (*de noix*) shell; (*fruit de mer*) cockle; **œuf à la c.** boiled egg. **2** (*de navire*) hull.
coquelicot [kɔkliko] *nm* poppy.
coqueluche [kɔklyʃ] *nf* **1** (*maladie*) whooping cough. **2 être la c. de** (*admiré*) to be the darling of.
coquet, -ette [kɔkɛ, -ɛt] *a* (*chic*) smart; (*joli*) pretty; (*provocant*) coquettish, flirtatious; (*somme, bénéfice*) *Fam* tidy **I** *nf* coquette, flirt. ●**coquetterie** *nf* (*élégance*) smartness; (*goût de la toilette*) dress sense; (*galanterie*) coquetry.
coquetier [kɔktje] *nm* egg cup.
coquille [kɔkij] *nf* shell; (*faute d'imprimerie*) misprint; **c. Saint-Jacques** (*mollusque*) scallop. ●**coquillage** *nm* (*mollusque*) shellfish *inv*; (*coquille*) shell.
coquin, -ine [kɔkɛ̃, -in] *nmf* rascal **I** *a* mischievous, rascally; (*histoire, sous-vêtements etc*) naughty.
cor [kɔr] *nm* (*instrument de musique*) horn; **c.** (**au pied**) corn; **réclamer** *ou* **demander qch/qn à c. et à cri** to clamour for sth/s.o.
corail, -aux [kɔraj, -o] *nm* coral.
Coran [kɔrɑ̃] *nm* **le C.** the Koran.
corbeau, -x [kɔrbo] *nm* crow; (**grand**) **c.** raven.
corbeille [kɔrbɛj] *nf* basket; **c. à papier** waste paper basket.
corbillard [kɔrbijar] *nm* hearse.
cordage [kɔrdaʒ] *nm* (*de voilier etc*) rope.
corde [kɔrd] *nf* rope; (*plus mince*) (fine) cord; (*de raquette, violon etc*) string; **c.** (**raide**) (*d'acrobate*) tightrope; **monter à la c.** to climb up a rope; **instrument à cordes** (*violon etc*) string(ed) instrument; **c. à linge** (*washing ou clothes*) line; **c. à sauter** *Br* skipping rope, *Am* jump rope; **usé jusqu'à la c.** threadbare; **cordes vocales** vocal cords; **prendre un virage à la c.** (*conducteur*) to hug a bend; **ce n'est pas dans mes cordes** *Fam* it's not my line *ou* business *ou* province. ●**cordée** *nf* roped (climbing) party. ●**cordelette** *nf* (fine) cord. ●**corder** *vt* (*raquette*) to string.
cordial, -e, -aux [kɔrdjal, -o] *a* (*accueil, personne etc*) warm, cordial **I** *nm* (*remontant*) tonic, cordial. ●**cordialité** *nf* warmth, cordiality.
cordon [kɔrdɔ̃] *nm* (*de tablier, sac etc*) string; (*de rideau*) cord, rope; (*d'agents de police*) cordon; (*décoration*) ribbon, sash; (*ombilical*) cord. ●**cordon-bleu** *nm* (*pl* **cordons-bleus**) first-class cook, cordon bleu (cook).
cordonnier [kɔrdɔnje] *nm* shoe repairer, cobbler. ●**cordonnerie** *nf* shoe repair *ou* re-

pairer's shop.
Corée [kɔre] *nf* Korea. ●**coréen, -enne** *a* Korean ▮ *nmf* C., Coréenne Korean.
coriace [kɔrjas] *a* (*aliment, personne*) tough.
corne [kɔrn] *nf* (*de chèvre etc*) horn; (*de cerf*) antler; (*matière, instrument*) horn; (*au pied etc*) hard skin; (*angle, pli*) corner.
cornée [kɔrne] *nf* (*de l'œil*) cornea.
corneille [kɔrnɛj] *nf* crow.
cornemuse [kɔrnəmyz] *nf* bagpipes.
corner [kɔrne] 1 *vt* (*page*) to turn down the corner of, dog-ear. 2 *vi* (*véhicule*) to sound its horn. 3 [kɔrnɛr] *nm* Football corner.
cornet [kɔrnɛ] *nm* 1 (*de glace*) cone, *Br* cornet; **c. (de papier)** (paper) cone. 2 **c. (à pistons)** (*instrument de musique*) cornet.
corniaud [kɔrnjo] *nm* (*chien*) mongrel; *imbécile*) *Fam* drip, twit.
corniche [kɔrniʃ] *nf* (*route*) cliff road; (*en haut d'un mur etc*) cornice.
cornichon [kɔrniʃɔ̃] *nm* (*concombre*) gherkin; (*niais*) *Fam* twit, clod, *Br* clot.
cornu, -ue [kɔrny] *a* (*diable, animal*) horned.
corollaire [kɔrɔlɛr] *nm* corollary.
corporation [kɔrpɔrasjɔ̃] *nf* (*gens du même métier*) trade association, professional body.
corps [kɔr] *nm Anat Ch Fig etc* body; **c. électoral** electorate; **c. enseignant** teaching profession; **c. d'armée/diplomatique** army/diplomatic corps; **garde du c.** bodyguard; **un c. de bâtiment** a main building; **c. et âme** body and soul; **lutter c. à c.** to fight hand-to-hand; **à son c. défendant** under protest; **prendre c.** (*projet*) to take shape; **donner c. à** (*rumeur, idée*) to give substance to; **faire c. avec** to form a part of, belong with; **perdu c. et biens** (*navire etc*) lost with all hands; **esprit de c.** corporate spirit.
corporel, -elle [kɔrpɔrɛl] *a* (*besoin etc*) bodily; **châtiment c.** coporal punishment.
corpulent, -ente [kɔrpylɑ̃, -ɑ̃t] *a* stout, corpulent. ●**corpulence** *nf* stoutness, corpulence.
corpus [kɔrpys] *nm* (*ensemble d'exemples*) corpus.
correct, -e [kɔrɛkt] *a* (*exact*) correct; (*bienséant, honnête, décent*) proper, correct; (*passable*) adequate. ●**correctement** *adv* correctly; (*se conduire, agir*) properly; (*fonctionner*) adequately.
correcteur, -trice [kɔrɛktœr, -tris] 1 *a* **verres correcteurs** corrective lenses. 2 *nmf* (*d'examen*) examiner; (*d'épreuves d'imprimerie*) proofreader. 3 *nm* **c. d'orthographe** *Ordinat* spell-checker.
correction [kɔrɛksjɔ̃] *nf* (*rectification etc*) correction; (*punition*) thrashing; (*exactitude, bienséance*) correctness; **la c. de** (*devoirs, examen*) the marking of; **c. d'épreuves** *Typ* proofreading.
correctionnel, -elle [kɔrɛksjɔnɛl] *a* **tribunal c.** *Br* magistrates' court, *Am* police court ▮ *nf* = tribunal correctionnel.
corrélation [kɔrelasjɔ̃] *nf* correlation.

correspondance [kɔrɛspɔ̃dɑ̃s] *nf* (*relation, lettres*) correspondence; (*de train, d'autocar*) *Br* connection, *Am* transfer.
correspondre [kɔrɛspɔ̃dr] 1 *vi* (*s'accorder*) to correspond (à to, with); (*pièces*) to communicate; **c. avec** (*train*) to connect with ▮ **se correspondre** *vpr* (*idées, ensembles etc*) to correspond; (*pièces*) to communicate. 2 *vi* (*écrire*) to correspond (avec with). ●**correspondant, -ante** *a* corresponding ▮ *nmf* (*reporter*) correspondent; (*d'un élève, d'un adolescent*) *Br* pen friend, *Am* pen pal; (*au téléphone*) caller.
corrida [kɔrida] *nf* bullfight.
corridor [kɔridɔr] *nm* corridor.
corriger [kɔriʒe] *vt* (*texte, injustice etc*) to correct; (*épreuve*) to read; (*devoir*) to mark, correct; (*châtier*) to beat, punish; **c. qn de** (*défaut*) to cure s.o. of; **se c. de** to cure oneself of. ●**corrigé** *nm* (*d'un exercice etc*) model (answer), correct version, key.
corroborer [kɔrɔbɔre] *vt* to corroborate.
corroder [kɔrɔde] *vt* to corrode. ●**corrosif, -ive** *a* corrosive. ●**corrosion** *nf* corrosion.
corrompre* [kɔrɔ̃pr] *vt* to corrupt; (*soudoyer*) to bribe; (*aliment, eau*) to taint. ●**corrompu, -ue** *a* corrupt; (*altéré*) tainted. ●**corruption** *nf* (*par l'argent*) bribery; (*vice*) corruption.
corsage [kɔrsaʒ] *nm* (*chemisier*) blouse; (*de robe*) bodice.
corsaire [kɔrsɛr] *nm* (*marin*) *Hist* privateer.
Corse [kɔrs] *nf* Corsica. ●**corse** *a* Corsican ▮ *nmf* C. Corsican.
corser [kɔrse] *vt* (*récit, action*) to heighten; **l'affaire se corse** things are hotting up. ●**corsé, -ée** *a* (*café*) strong; (*vin*) full-bodied; (*sauce, Fig histoire*) spicy; (*problème*) tough; (*addition de restaurant*) steep.
corset [kɔrsɛ] *nm* corset.
cortège [kɔrtɛʒ] *nm* (*défilé*) procession; (*suite*) (*de prince etc*) retinue; **c. officiel** (*automobiles*) motorcade.
corvée [kɔrve] *nf* chore, drudgery; (*de soldat*) fatigue (duty).
cosaque [kɔzak] *nm* Cossack.
cosmétique [kɔsmetik] *a & nm* (**produit**) c. cosmetic, beauty care product.
cosmopolite [kɔsmɔpɔlit] *a* cosmopolitan.
cosmos [kɔsmɔs] *nm* (*univers*) cosmos; (*espace*) outer space. ●**cosmique** *a* cosmic. ●**cosmonaute** *nmf* cosmonaut.
cosse [kɔs] *nf* (*de pois etc*) pod.
cossu, -ue [kɔsy] *a* (*personne*) well-to-do; (*maison, voiture etc*) opulent.
costaud [kɔsto] *a Fam* brawny, beefy, strong ▮ *nm Fam* strong man.
costume [kɔstym] *nm* (*déguisement*) costume, dress; (*complet*) suit. ●**costumer** *vt* **c. qn** to dress s.o. up (**en** as); **se c. en** to dress up as; **bal costumé** costume ball, *Br* fancy-dress ball.
cote [kɔt] *nf* (*marque de classement*) mark, letter, number; (*tableau des valeurs*) (official) listing; (*des valeurs boursières*) quota-

tion; (*évaluation, popularité*) rating; (*de cheval*) odds (**de** on); **c. d'alerte** danger level.

côte [kot] *nf* **1** (*os*) rib; (*de mouton*) chop; (*de veau*) cutlet; **à côtes** (*étoffe*) ribbed; **c. à c.** side by side; **se tenir les côtes** to split one's sides (laughing). **2** (*montée*) hill; (*versant*) hillside. **3** (*littoral*) coast.

côté [kote] *nm* side; (*direction*) way; **de l'autre c.** on the other side (**de** of); (*direction*) the other way; **de ce c.** (*passer*) this way; **du c. de** (*vers, près de*) towards; **de c.** (*se jeter, mettre de l'argent etc*) to one side; (*regarder, faire un pas*) sideways, to one side; **à c.** close by, nearby; (*pièce*) in the other room; (*maison*) next door; **la maison (d')à c.** the house next door; **à c. de** next to, beside; (*comparaison*) compared to; **passer à c.** (*balle*) to fall wide (**de** of); **venir de tous côtés** to come from all directions; **d'un c.** on the one hand; **de mon c.** for my part; **à mes côtés** by my side; **laisser de c.** (*travail*) to neglect; (**du**) **c. argent**/*etc Fam* as regards money/*etc*, moneywise/*etc*; **le bon c.** (*d'une affaire*) the bright side (**de** of).

coteau, -x [kɔto] *nm* (small) hill; (*versant*) hillside.

côtelé, -ée [kotle] *a* (*étoffe*) ribbed; **velours c.** cord(uroy).

côtelette [kotlɛt] *nf* (*d'agneau, de porc*) chop; (*de veau*) cutlet.

coter [kɔte] *vt* (*valeur boursière*) to quote. ● **coté, -ée** *a* **bien c.** highly rated.

coterie [kɔtri] *nf* (*clan*) *Péj* set, clique.

côtier, -ière [kotje, -jɛr] *a* coastal; (*pêche*) inshore.

cotiser [kɔtize] *vi* (*à un cadeau, pour la retraite etc*) to contribute (**à** to, **pour** towards); **c. à un club**/*etc* to subscribe to a club/*etc* ▮ **se cotiser** *vpr Br* to club together, *Am* club in (**pour acheter** to buy). ● **cotisation** *nf* (*de club etc*) dues, subscription; (*de retraite, chômage etc*) contribution(s).

coton [kɔtɔ̃] *nm* cotton; **c. (hydrophile)** *Br* cotton wool, *Am* absorbent cotton. ● **cotonnade** *nf* cotton (fabric). ● **cotonnier, -ière** *a* **industrie**/*etc* **cotonnière** cotton industry/*etc*.

côtoyer [kotwaje] *vt* (*route, rivière*) to run along, skirt; (*la misère, la folie etc*) *Fig* to be *ou* come close to; **c. qn** (*fréquenter*) to rub shoulders with s.o.

cotte [kɔt] *nf* (*de travail*) overalls.

cou [ku] *nm* neck; **sauter au c. de qn** to throw one's arms around s.o.; **jusqu'au c.** (*endetté etc*) up to one's eyes *ou* ears.

couchage [kuʃaʒ] *nm* **sac de c.** sleeping bag; **matériel de c.** bedding.

couche [kuʃ] *nf* **1** (*épaisseur*) layer; (*de peinture*) coat; (*de roche*) stratum; **couches sociales** levels of society, social strata. **2** (*linge de bébé*) *Br* nappy, *Am* diaper. **3 faire une fausse c.** (*femme*) to have a miscarriage; **les couches** (*accouchement*) confinement; ● **couche-culotte** *nf* (*pl* **couches-culottes**) baby's trainer pants lined with a disposable *Br* nappy *ou Am* diaper.

coucher [kuʃe] *vt* to put to bed; (*héberger*) to put up; (*allonger*) to lay (down *ou* out); (*blé*) to flatten; **c. (par écrit)** to put down (in writing); **c. qn en joue** to aim at s.o. ▮ *vi* to sleep (**avec** with) ▮ **se coucher** *vpr* to go to bed; (*s'allonger*) to lie flat *ou* down; (*soleil*) to set, go down ▮ *nm* (*moment*) bedtime; **l'heure du c.** bedtime; **au c.** at bedtime; **le c. du soleil** sunset. ● **couchant** *am* **soleil c.** setting sun ▮ *nm* (*aspect*) sunset; **le c.** (*ouest*) the west. ● **couché, -ée** *a* **être c.** to be in bed; (*étendu*) to be lying (down).

couchette [kuʃɛt] *nf* (*de train*) sleeper, sleeping berth, *Br* couchette; (*de bateau*) bunk.

couci-couça [kusikusa] *adv Fam* so-so.

coucou [kuku] **1** *nm* (*oiseau*) cuckoo; (*pendule*) cuckoo clock; (*fleur*) cowslip. **2** *int* **c.!** (*à cache-cache*) peek-a-boo!

coude [kud] *nm* elbow; (*de chemin, rivière*) bend; **se serrer** *ou* **se tenir les coudes** to help one another, stick together; **c. à c.** side by side; **coup de c.** poke *ou* dig with one's elbow; (*léger*) nudge; **pousser qn du c.** to nudge s.o.

coudoyer [kudwaje] *vt* to rub shoulders with.

cou-de-pied [kudpje] *nm* (*pl* **cous-de-pied**) instep.

coudre* [kudr] *vti* to sew.

couenne [kwan] *nf* (*de porc*) crackling, rind.

couette [kwɛt] *nf* (*édredon*) duvet, *Br* continental quilt.

couffin [kufɛ̃] *nm* (*de bébé*) *Br* Moses basket, *Am* bassinet.

couic! [kwik] *int* eek!, squeak! ● **couiner** *vi Fam* (*animal, enfant*) to squeal, squeak; (*pleurer*) to whine.

couillon [kujɔ̃] *nm* (*idiot*) *Arg* drip, cretin.

coulage [kulaʒ] *nm* (*de métal, statue*) casting; (*gaspillage*) *Fam* wastage.

coulée [kule] *nf* (*de métal*) casting; **c. de lave** lava flow; **c. de boue** mud slide.

couler[1] [kule] *vi* (*eau, rivière etc*) to flow; (*robinet, nez, sueur*) to run; (*fuir*) (*robinet*) to leak; *Fig* **faire c. un bain** to run a bath; **faire c. le sang** to cause bloodshed; **ça coule de source** (*c'est évident*) that's completely obvious.

▮ *vt* (*métal, statue*) to cast; (*vie*) *Fig* to spend, lead; (*jours*) to spend; (*glisser*) to slip (*rope etc*); **se c. dans** (*passer*) to slip into; **se la c. douce** to have things easy. ● **coulant, -ante** *a* (*style*) flowing; (*caractère*) easygoing.

couler[2] [kule] *vi* (*bateau, nageur*) to sink; **c. à pic** to sink to the bottom ▮ *vt* to sink; (*discréditer*) *Fig* to discredit.

couleur [kulœr] *nf* colour; (*colorant*) paint; *Cartes* suit; **couleurs** (*teint*) colour; **reprendre des couleurs** to get one's colour back; **c. chair** flesh-coloured; **de c.** (*homme, habit etc*) coloured; **boîte de couleurs** box of paints, paint box; **photo/film**/*etc* **en couleurs** colour photo/film/*etc*; **téléviseur** *ou* **télévision c.** *ou* **en couleurs** colour television *ou* TV

couleuvre

set; **haut en c.** colourful; **sous c. de faire** while pretending to do.

couleuvre [kulœvr] *nf* (grass) snake.

coulisse [kulis] *nf* **1** *(de porte)* runner; **porte à c.** sliding door. **2 dans les coulisses** *(au théâtre)* in the wings, backstage; **dans la c.** *(caché) Fig* behind the scenes. ● **coulissant, -ante** *a (porte, fenêtre)* sliding.

couloir [kulwar] *nm* corridor; *(de circulation, d'une piste)* lane; *(dans un bus)* gangway; **c. aérien** air corridor *ou* lane.

coup [ku] *nm* blow, knock; *(léger)* tap, touch; *(choc moral)* blow; *(de fusil, canon, revolver etc)* shot; *(de crayon, d'horloge, de raquette etc)* stroke; *(aux échecs etc)* move; *(fois) Fam* time; **donner des coups à** to hit; **c. de brosse** brush(-up); **c. de chiffon** wipe (with a rag); **c. de sonnette** ring (on a bell); **c. de dents** bite; **c. de chance** stroke of luck; **c. d'état** coup; **c. dur** *Fam* nasty blow; **sale c.** dirty trick; **mauvais c.** piece of mischief; **c. franc** *Football* free kick; **tenter le c.** *Fam* to have a go *ou* try; **réussir son c.** to bring it off; **faire les quatre cents coups** to get into all kinds of mischief; **tenir le c.** to hold out; **avoir/attraper le c.** to have/get the knack; **sous le c. de** *(émotion etc)* under the influence of; **il est dans le c.** *Fam* he's in the know; **après le c.** afterwards, after the event; **sur le c. de midi** on the stroke of twelve; **sur le c.** *(alors)* at the time; **tué sur le c.** killed outright; **à c. sûr** for sure; **c. sur c.** *(à la suite)* one after the other, in quick succession; **tout à c., tout d'un c.** suddenly; **à tout c.** at every go; **d'un seul c.** *(avaler etc)* in one go; *(soudain)* all of a sudden; **du premier c.** *Fam* (at the) first go; **du c.** *(de ce fait)* as a result; **pour le c.** this time. ● **coup-de-poing** *nm (pl* **coups-de-poing)** **c.-de-poing (américain)** knuckle-duster.

coupable [kupabl] *a* guilty (de of); *(plaisir, désir)* guilty, sinful; **déclarer qn c.** to convict s.o., find s.o. guilty ‖ *nmf* guilty person, culprit.

coupe [kup] *nf* **1** *(trophée)* cup; *(à fruits)* dish; *(à boire)* goblet, glass. **2** *(de vêtement etc)* cut; *(plan)* section; **c. de cheveux** haircut.

coupe-circuit [kupsirkɥi] *nm inv (fusible)* cutout, circuit breaker. ● **coupe-file** *nm inv (carte)* official pass. ● **coupe-gorge** *nm inv* cut-throat alley. ● **coupe-ongles** *nm inv* (finger nail) clippers. ● **coupe-papier** *nm inv* paper knife. ● **coupe-vent** *nm Br* windcheater, *Am* windbreaker.

couper [kupe] *vt* to cut; *(arbre)* to cut down; *(téléphone, vivres etc)* to cut off; *(courant, radio, télévision etc)* to switch off; *(voyage)* to break (off); *(faim, appétit, souffle etc)* to take away; *(vin)* to water down; *(morceler)* to cut up; *(croiser)* to cut across; **c. la parole à qn** to cut s.o. short; **se faire c. les cheveux** to get one's hair cut.

‖ *vi* to cut; *(aux cartes)* to cut; *(prendre un raccourci)* to take a short cut; **c. à** *(corvée) Fam* to get out of; **ne coupez pas!** *(au téléphone)* hold the line!

‖ **se couper** *vpr (routes)* to intersect; *(se trahir)* to give oneself away; **se c. au** *ou* **le doigt** to cut one's finger. ● **coupant, -ante** *a* sharp ‖ *nm (cutting)* edge. ● **coupé** *nm (voiture)* coupé.

couperet [kupre] *nm (de boucher)* (meat) chopper; *(de guillotine)* blade.

couperosé, -ée [kuproze] *a (visage)* blotchy.

couple [kupl] *nm* couple. ● **coupler** *vt* to couple, connect.

couplet [kuplɛ] *nm* verse.

coupole [kupɔl] *nf* dome.

coupon [kupɔ̃] *nm (tissu)* remnant, oddment; *(pour la confection d'un vêtement)* length; *(ticket, titre)* coupon; **c. réponse** reply coupon.

coupure [kupyr] *nf* cut; *(de journal) Br* cutting, *Am* clipping; *(billet) Br* banknote, *Am* bill; **c. d'électricité** *ou* **de courant** blackout, *Br* power cut.

cour [kur] *nf* **1** court(yard); *(de gare)* forecourt; **c. de récréation** *(d'école) Br* playground, *Am* school yard. **2** *(de roi, tribunal)* court; **c. d'appel** Court of Appeal, Appeal Court. **3** *(de femme, d'homme)* courtship; **faire la c. à qn** to court s.o., woo s.o.

courage [kuraʒ] *nm* courage; *(zèle)* spirit; **perdre c.** to lose heart *ou* courage; **s'armer de c.** to pluck up courage; **bon c.!** good luck! ● **courageux, -euse** *a* courageous; *(énergique)* spirited. ● **courageusement** *adv* courageously.

couramment [kuramɑ̃] *adv (parler)* fluently; *(souvent)* frequently.

courant, -ante [kurɑ̃, -ɑ̃t] **1** *a (fréquent)* common; *(modèle, taille)* standard; *(compte, année, langage)* current; *(affaires)* routine; **eau courante** running water; **le dix**/*etc* **c.** *Com* the tenth/*etc* of this month, *Br* the tenth/*etc* inst(ant). **2** *nm (de l'eau, électrique)* current; **c. d'air** *Br* draught, *Am* draft; **dans le c. du mois**/*etc* during the course of the month/*etc*; **être au c.** to know (de about); **(à jour)** to be up-to-date; **mettre qn au c. de** to tell s.o. about.

courbature [kurbatyr] *nf* (muscular) ache. ● **courbaturé, -ée** *a* aching (all over).

courbe [kurb] *a* curved ‖ *nf* curve. ● **courber** *vti* to bend ‖ **se courber** *vpr (personne)* to bend (down); **se c. devant qn** *Fig* to bow down to s.o.

courge [kurʒ] *nf Br* marrow, *Am* squash. ● **courgette** *nf Br* courgette, *Am* zucchini.

courir* [kurir] *vi* to run; *(se hâter)* to rush; *(à bicyclette, en auto)* to race; **en courant** *(vite)* in a rush; **le bruit court que...** there's a rumour going around that...; **c. après qn** to run after s.o.; **faire c.** *(nouvelle)* to spread; **il court encore** *(voleur, assassin etc)* he's still at large.

‖ *vt (risque)* to run; *(épreuve sportive)* to run (in); *(danger)* to face; *(rues, monde)* to

couvre-chef

roam; (*magasins, cafés*) to go round; (*filles*) to run after. ●**coureur** *nm* (*sportif*) runner; (*cycliste*) cyclist; (*automobile*) racing driver; (*galant*) *Péj* womanizer.
couronne [kurɔn] *nf* (*de roi, reine etc*) crown; (*pour enterrement*) wreath; (*de dent*) crown. ●**couronner** *vt* (*roi etc*) to crown; (*auteur, ouvrage*) to award a prize to; **leurs efforts ont été couronnés de succès** their efforts were successful. ●**couronné, -ée** *a* (*tête*) crowned; **roman c.** prize novel. ●**couronnement** *nm* (*de roi etc*) coronation; (*d'une carrière, d'une œuvre etc*) crowning achievement.
courrier [kurje] *nm* mail, *Br* post; (*transport*) postal *ou* mail service; (*rubrique de journal*) column; **j'ai du c. à faire** I have (some) letters to write; **par retour du c.** *Br* by return of post, *Am* by return mail.
courroie [kurwa] *nf* (*attache*) strap; (*de transmission, ventilateur*) belt.
courroux [kuru] *nm Litt* wrath.
cours [kur] *nm* **1** (*de maladie, rivière, astre, pensées etc*) course; (*cote d'une monnaie etc*) rate, price; **c. d'eau** river, stream; **suivre son c.** (*déroulement*) to follow its course; **avoir c.** (*monnaie*) to be legal tender; (*théorie*) to be current; **en c.** (*travail*) in progress; (*année*) current; (*affaires*) outstanding; **en c. de route** on the way; **au c. de** during; **donner libre c. à** (*sa joie, sa colère etc*) to give free rein to.
2 (*leçon*) class; (*série de leçons*) course; (*conférence*) lecture; (*établissement*) school; (*manuel*) textbook; **faire c.** (*professeur*) to teach; **c. magistral** lecture; **des c. du soir** evening classes.
3 (*allée*) avenue.
course[1] [kurs] *nf* (*action*) run(ning); (*épreuve de vitesse*) & *Fig* race; (*trajet*) journey, trip, run; (*excursion*) hike; (*de projectile etc*) path, flight; **courses** (*de chevaux*) races; **faire la c.** avec qn to race (with) s.o.; **il n'est plus dans la c.** (*dépassé*) he's out of touch; **cheval de c.** racehorse; **voiture de c.** racing car.
course[2] [kurs] *nf* (*commission*) errand; **courses** (*achats*) shopping; **faire une c.** to run an errand; **faire les courses** to do the shopping.
coursier, -ière [kursje, -jɛr] *nmf* messenger.
court, courte [kur, kurt] **1** *a* short; **c'est un peu c.** *Fam* that's not very much ‖ *adv* (*couper, s'arrêter*) short; **couper c. à** (*entretien etc*) to cut short; **tout c.** quite simply; **à c. d'argent**/*etc* short of money/*etc*; **pris de c.** caught unawares. **2** *nm Tennis* court. ●**court-bouillon** *nm* (*pl* **courts-bouillons**) court-bouillon (*spiced water for cooking fish*). ●**court-circuit** *nm* (*pl* **courts-circuits**) (*coupure d'électricité*) short-circuit. ●**court-circuiter** *vt* to short-circuit.
courtier, -ière [kurtje, -jɛr] *nmf* broker. ●**courtage** *nm* brokerage.
courtisan [kurtizɑ̃] *nm* (*d'un roi etc*) courtier. ●**courtisane** *nf* (*d'un roi etc*) courtesan. ●**courtiser** *vt* to court.
courtois, -oise [kurtwa, -waz] *a* courteous. ●**courtoisie** *nf* courtesy.
couru, -ue [kury] *a* (*spectacle, lieu*) popular; **c'est c.** (**d'avance**) *Fam* it's a sure thing.
couscous [kuskus] *nm* (*plat*) couscous.
cousin, -ine [kuzɛ̃, -in] **1** *nmf* cousin. **2** *nm* (*insecte*) (*long-legged*) mosquito.
coussin [kusɛ̃] *nm* cushion.
cousu, -ue [kuzy] *a* sewn; **c. main** hand-sewn.
coût [ku] *nm* cost. ●**coûter** *vti* to cost; **ça coûte combien?** how much is it?, how much does it cost?; **ça lui en coûte de faire ça** it pains him *ou* her to do that; **coûte que coûte** at all costs; **ça coûte les yeux de la tête** that costs the earth; **cette erreur va vous c. cher** that error will cost you dearly. ●**coûtant** *am* **prix c.** *Br* cost *ou Am* wholesale price.
couteau, -x [kuto] *nm* knife; **coup de c.** stab; **donner un coup de c. à qn** to stab s.o.; **être à couteaux tirés** to be at daggers drawn (**avec qn** with s.o.); **visage en lame de c.** hatchet face; **retourner le c. dans la plaie** *Fig* to rub it in.
coûteux, -euse [kutø, -øz] *a* costly, expensive.
coutume [kutym] *nf* custom; **avoir c. de faire** to be accustomed to doing; **comme de c.** as usual; **plus que de c.** more than is customary. ●**coutumier, -ière** *a* customary.
couture [kutyr] *nf* sewing, needlework; (*métier*) dressmaking; (*raccord*) seam; **faire de la c.** to sew; **maison de c.** fashion house. ●**couturier** *nm* fashion designer. ●**couturière** *nf* dressmaker.
couvent [kuvɑ̃] *nm* (*pour religieuses*) convent; (*pour moines*) monastery; (*pensionnat*) convent school.
couver [kuve] *vt* (*œufs*) to sit on, hatch; (*projet*) *Fig* to hatch; (*maladie*) to be getting; **c. qn** to pamper s.o.; **c. qn/qch des yeux** (*convoiter*) to look at s.o./sth enviously ‖ *vi* (*poule*) to brood; (*feu*) *Br* to smoulder, *Am* smolder; (*mal, complot*) to be brewing. ●**couvée** *nf* (*petits oiseaux*) brood; (*œufs*) clutch. ●**couveuse** *nf* (*pour nouveaux-nés, œufs*) incubator.
couvercle [kuvɛrkl] *nm* lid, cover.
couvert[1] [kuvɛr] **1** *nm* (*cuillère, fourchette, couteau*) (set of) cutlery; (*au restaurant*) cover charge; **mettre le c.** to set *ou Br* lay the table; **table de cinq couverts** table set *ou Br* laid for five. **2** *nm* **sous (le) c. de** (*apparence*) under cover of; **se mettre à c.** to take cover.
couvert[2], **-erte** [kuvɛr, -ɛrt] *pp de* **couvrir** ‖ *a* covered (**de** with, in); (*ciel*) overcast.
couverture [kuvɛrtyr] *nf* (*de lit*) blanket; (*de livre etc, garantie, troupes*) cover; (*de toit*) roofing; **les couvertures** (*de lit*) the blankets, the covers; **c. chauffante** electric blanket; **c. de voyage** travelling rug.
couvre-chef [kuvrəʃɛf] *nm Hum* headgear. ●**couvre-feu** *nm* (*pl* **-x**) curfew; **décréter le**

couvrir

c.-feu to impose a curfew. ●**couvre-lit** *nm* bedspread. ●**couvre-pled(s)** *nm* quilt.
couvrir* [kuvrir] *vt* to cover (**de** with); (*voix*) to drown; **c. qn de cadeaux** to shower s.o. with gifts; **c. qn de bijoux** to lavish *Br* jewellery *ou Am* jewelry upon s.o. ▮ **se couvrir** *vpr* (*s'habiller*) to wrap up, cover up; (*se coiffer*) to cover one's head; (*ciel*) to cloud over. ●**couvreur** *nm* roofer.
cow-boy [kɔbɔj] *nm* cowboy.
CPE [sepeø] *nmf abrév* (*Conseiller, -ère Principal(e) d'Éducation*) official in charge of disciplinary matters etc in a *lycée* or *collège*, *Am* = dean.
CQFD [sekyɛfde] *abrév* (*ce qu'il fallait démontrer*) QED.
crabe [krab] *nm* crab.
crac! [krak] *int* (*objet qui casse*) snap!; (*choc*) bang!, smash!
crachat [kraʃa] *nm* spit, spittle.
cracher [kraʃe] *vi* to spit; (*stylo*) to splutter; (*radio*) to crackle; **c. sur qch** (*dédaigner*) *Fam* to turn one's nose up at sth ▮ *vt* to spit (out). ●**craché** *am* **c'est son portrait tout c.** *Fam* that's the spitting image of him *ou* her.
crachin [kraʃɛ̃] *nm* (fine) drizzle.
crack [krak] *nm* (*champion*) *Fam* ace, wizard, real champ.
craie [krɛ] *nf* chalk; **écrire qch à la c.** to write sth in chalk.
craindre* [krɛ̃dr] *vt* (*personne, mort, douleur etc*) to be afraid of, fear; (*chaleur, froid etc*) to be sensitive to; **c. de faire** to be afraid of doing; **je crains qu'elle ne vienne** I'm afraid *ou* I fear (that) she might come; **c. pour qch/qn** to fear for sth/s.o.; **ne craignez rien** don't be afraid, have no fear; **'craint l'humidité'** (*médicament etc*) 'store in a dry place'.
crainte [krɛ̃t] *nf* fear; **de c. de faire** for fear of doing; **de c. que** (+ *sub*) for fear that. ●**craintif, -ive** *a* timid.
cramoisi, -ie [kramwazi] *a* crimson.
crampe [krɑ̃p] *nf* (*musculaire*) cramp.
crampon [krɑ̃pɔ̃] *nm* (*personne*) *Fam* leech, hanger-on.
cramponner (se) [səkrɑ̃pɔne] *vpr* to hold on; **se c. à** to hold on to, cling to.
crampons [krɑ̃pɔ̃] *nmpl* (*de chaussures*) studs.
cran [krɑ̃] *nm* **1** (*entaille*) notch; (*de ceinture*) hole; **c. d'arrêt** *ou* **de sûreté** (safety) catch; **couteau à c. d'arrêt** *Br* flick-knife, *Am* switchblade. **2** (*de cheveux*) wave. **3** (*audace*) *Fam* pluck, guts. **4 être à c.** (*excédé*) *Fam* to be on edge.
crâne [krɑn] *nm* skull; (*tête*) *Fam* head. ●**crânienne** *af* **boîte c.** skull, cranium.
crâner [krɑne] *vi Péj* to show off, swagger.
crapaud [krapo] *nm* toad.
crapule [krapyl] *nf* villain, (filthy) scoundrel. ●**crapuleux, -euse** *a* (*crime, affaire*) vile, sordid.
craqueler [krakle] *vt*, **se craqueler** *vpr* (*terre, émail etc*) to crack.

craquer [krake] *vi* (*branche*) to snap; (*bois sec*) to crack; (*sous la dent*) to crunch; (*chaussure*) to creak; (*se déchirer*) to split, rip; (*projet, entreprise etc*) to come apart at the seams, crumble; (*personne*) to break down, reach breaking point ▮ *vt* (*faire*) **c.** (*allumette*) to strike. ●**craquement** *nm* snapping *ou* cracking *ou* creaking (sound).
crasse [kras] **1** *nf* filth. **2** *a* (*ignorance*) crass. ●**crasseux, -euse** *a* filthy.
cratère [kratɛr] *nm* crater.
cravache [kravaʃ] *nf* horsewhip, riding crop.
cravate [kravat] *nf* (*autour du cou*) tie. ●**cravaté, -ée** *a* wearing a tie.
crawl [krol] *nm* (*nage*) crawl. ●**crawlé** *am* **dos c.** backstroke.
crayeux, -euse [krɛjø, -øz] *a* chalky.
crayon [krɛjɔ̃] *nm* (*en bois*) pencil; **c. de couleur** coloured pencil; (*en cire*) crayon; **c. à bille** ballpoint (pen). ●**crayonner** *vt* to pencil.
créance [kreɑ̃s] *nf* **1** (*dette*) claim (for money). **2 lettres de c.** (*d'ambassadeur*) credentials. ●**créancier, -ière** *nmf* creditor.
créateur, -trice [kreatœr, -tris] *nmf* creator ▮ *a* creative; **esprit c.** creativeness. ●**créatif, -ive** *a* creative. ●**création** *nf* creation. ●**créativité** *nf* creativity.
créature [kreatyr] *nf* (*être*) creature.
crécelle [kresɛl] *nf* (*de supporter*) rattle.
crèche [krɛʃ] *nf* (*de Noël*) manger, *Br* crib; (*pour enfants*) (day) nursery, *Br* crèche. ●**crécher** *vi Arg* to bed down, hang out.
crédible [kredibl] *a* credible. ●**crédibilité** *nf* credibility.
crédit [kredi] *nm* (*influence, prêt d'argent*) credit; **crédits** (*sommes*) funds; **acheter/payer qch à c.** to buy sth/pay for sth on credit *ou* on easy terms; **faire c.** (*prêter*) to give credit (à to). ●**créditer** *vt* (*compte, personne*) to credit (**de** with). ●**créditeur** *am* **solde c.** credit balance; **son compte est c.** his account is in credit, he is in credit.
credo [kredo] *nm* creed.
crédule [kredyl] *a* gullible, credulous. ●**crédulité** *nf* credulity.
créer [kree] *vt* to create.
crémaillère [kremajɛr] *nf* **pendre la c.** to have a house-warming (party).
crématoire [krematwar] *a* **four c.** crematorium. ●**crémation** *nf* cremation.
crématorium [krematɔrjɔm] *nm Br* crematorium, *Am* crematory.
crème [krɛm] *nf* cream; (*dessert*) cream dessert; **café c.** coffee with cream *ou* milk, *Br* white coffee; **c. Chantilly** whipped cream, Chantilly cream; **c. glacée** ice cream; **c. à raser** shaving cream; **c. anglaise** custard ▮ *a inv* cream(-coloured) ▮ *nm* (*café*) coffee with cream *ou* milk, *Br* white coffee. ●**crémerie** *nf* (*magasin*) dairy (shop). ●**crémeux, -euse** *a* creamy. ●**crémier, -ière** *nmf* dairyman, dairywoman.
créneau, -x [kreno] *nm* (*d'un marché*) market opportunity, niche, gap; *TV Radio*

slot; **créneaux** (*de château*) *Br* crenellations, *Am* crenelations; **faire un c.** (*se garer*) to park between two vehicles.

créole [kreɔl] *a* creole ▌ *nmf* Creole ▌ *nm* (*langue*) Creole.

crêpe [krɛp] **1** *nf* (*dessert*) pancake. **2** *nm* (*tissu*) crepe; (*caoutchouc*) crepe (rubber). ● **crêperie** *nf* pancake bar.

crépi, -ie [krepi] *a* & *nm* roughcast.

crépiter [krepite] *vi* to crackle. ● **crépitement** *nm* crackling (sound).

crépu, -ue [krepy] *a* (*cheveux, personne*) frizzy.

crépuscule [krepyskyl] *nm* twilight, dusk. ● **crépusculaire** *a* **lueur c.** twilight glow.

crescendo [kreʃɛndo] *adv* & *nm inv* crescendo.

cresson [kresɔ̃] *nm* (water)cress.

crête [krɛt] *nf* (*de montagne, d'oiseau, de vague*) crest; **c. de coq** cockscomb.

Crète [krɛt] *nf* Crete.

crétin, -ine [kretɛ̃, -in] *nmf* cretin, idiot ▌ *a* idiotic, cretinous.

creuser [krøze] **1** *vt* (*terre, sol*) to dig (a hole *ou* holes in); (*trou, puits*) to dig; (*évider*) to hollow (out) (*tree etc*); (*idée*) *Fig* to go into thoroughly; **ça creuse l'estomac** it whets the appetite; **un visage creusé de rides** a face furrowed with wrinkles. **2 se creuser** *vpr* (*joues etc*) to become hollow; (*abîme*) *Fig* to form; **se c. la tête** *ou* **la cervelle** to rack one's brains.

creuset [krøzɛ] *nm* (*récipient*) crucible; (*lieu*) *Fig* melting pot.

creux, -euse [krø, -øz] *a* (*tube, joues, paroles etc*) hollow; (*estomac*) empty; (*sans activité*) slack; **assiette creuse** soup plate ▌ *nm* hollow; (*moment*) slack period; **le c. des reins** the small of the back; **le c. de l'estomac** the pit of the stomach; **avoir un c. à l'estomac** to be hungry.

crevaison [krəvɛzɔ̃] *nf* (*de pneu*) flat, *Br* puncture.

crevasse [krəvas] *nf* (*trou*) crevice, crack; (*de glacier*) crevasse; **avoir des crevasses aux mains** to have chapped hands. ● **crevasser** *vt*, **se crevasser** *vpr* (*mur, sol etc*) to crack; (*peau*) to chap.

crève [krɛv] *nf* (*rhume*) *Fam* bad cold.

crever [krəve] *vi* (*bulle etc*) to burst; (*pneu*) to burst, *Br* puncture; (*mourir*) *Fam* to die; **c. d'orgueil** to be bursting with pride; **c. de rire** *Fam* to split one's sides (laughing); **c. d'ennui/de froid** *Fam* to be bored/to freeze to death; **c. de faim** *Fam* to be starving; **je crève de chaud** *Fam* I'm boiling (hot) *ou* baking.

▌ *vt* (*ballon, bulle etc*) to burst; (*œil*) to put *ou* knock out; **c. qn** *Fam* to wear s.o. out; **ça (vous) crève les yeux** *Fam* it's staring you in the face; **ça crève le cœur** it's heartbreaking. ● **crevant, -ante** *a Fam* (*fatigant*) exhausting; (*drôle*) hilarious, *Br* killing. ● **crevé, -ée** *a Fam* (*fatigué*) worn out, *Br* dead beat; (*mort*) dead. ● **crève-cœur** *nm inv* heartbreak.

crevette [krəvɛt] *nf* (*grise*) shrimp; (*rose*) prawn.

cri [kri] *nm* (*de joie, surprise*) cry, shout; (*de peur*) scream; (*de douleur, d'angoisse*) cry; (*appel*) call, cry; **c. de guerre** war cry; **un chapeau/etc dernier c.** the latest hat/*etc*. ● **criard, -arde** *a* **1** (*enfant*) bawling; (*son*) screeching. **2** (*couleur*) gaudy, showy.

criant, -ante [krijɑ̃, -ɑ̃t] *a* (*injustice, preuve etc*) glaring.

crible [kribl] *nm* sieve. ● **cribler** *vt* to sift; **criblé de balles/dettes/***etc* riddled with bullets/debts/*etc*.

cric [krik] *nm* (*instrument pour véhicule*) jack.

cricket [krikɛt] *nm Sport* cricket.

crier [krije] *vi* to shout (out), cry (out); (*de peur*) to scream; (*oiseau*) to chirp; (*grincer*) (*charnière etc*) to creak, squeak; **c. au scandale** to call it scandalous, say it's a scandal; **c. après qn** *Fam* to shout at s.o.; **parlez sans c.** talk without shouting ▌ *vt* (*injure, ordre*) to shout (out); (*son innocence, la vérité etc*) to proclaim; **c. vengeance** to cry out for vengeance. ● **crieur, -euse** *nmf* **c. de journaux** newspaper seller.

crime [krim] *nm* crime; (*assassinat*) murder. ● **criminalité** *nf* crime (in general), criminal practice. ● **criminel, -elle** *a* criminal ▌ *nmf* criminal; (*assassin*) murderer.

crin [krɛ̃] *nm* horsehair; **c. végétal** vegetable fibre; **à tous crins** (*pacifiste, socialiste etc*) out-and-out. ● **crinière** *nf* mane.

crique [krik] *nf* creek, cove.

criquet [krikɛ] *nm* locust.

crise [kriz] *nf* crisis; (*accès*) (*de nerfs etc*) attack; (*de colère, rire, toux etc*) fit; (*pénurie*) shortage; **c. de conscience** (moral) dilemma.

crisper [krispe] *vt* (*visage*) to make tense; (*poing*) to clench; (*muscle*) to tense; **c. qn** *Fam* to aggravate s.o., irritate s.o.; **se c. sur** (*main*) to grip tightly. ● **crispant, -ante** *a Fam* aggravating, irritating. ● **crispé, -ée** *a* (*personne*) tense. ● **crispation** *nf* (*agacement*) irritation, aggravation.

crisser [krise] *vi* (*pneu, roue*) to screech; (*neige*) to crunch.

cristal, -aux [kristal, -o] *nm* crystal; **cristaux** (*objets*) crystal(ware); **cristaux (de soude)** (*pour nettoyer*) washing soda. ● **cristallin, -ine** *a* (*eau, son*) crystal-clear. ● **cristalliser** *vti*, **se cristalliser** *vpr* to crystallize.

critère [kritɛr] *nm* criterion.

critérium [kriterjɔm] *nm* (*épreuve sportive*) eliminating heat.

critiquable [kritikabl] *a* open to criticism.

critique [kritik] *a* (*situation, phase etc*) critical ▌ *nf* (*reproche*) criticism; (*analyse de film, livre etc*) review; (*de texte philosophique etc*) critique; **faire la c. de** (*film etc*) to review; **affronter la c.** to confront the critics ▌ *nm* critic. ● **critiquer** *vt* to criticize; (*roman etc*) to assess critically.

croasser [kroase] *vi* (*corbeau*) to caw.
Croatie [kroasi] *nf* Croatia.
croc [kro] *nm* (*crochet*) hook; (*dent*) fang.
croc-en-jambe [krokɑ̃ʒɑ̃b] *nm* (*pl* **crocs-en-jambe**) = **croche-pied**.
croche [krɔʃ] *nf* (*note de musique*) *Br* quaver, *Am* eighth (note).
croche-pied [krɔʃpje] *nm* **faire un c.-pied à qn** to trip s.o. up.
crochet [krɔʃɛ] *nm* (*pour accrocher*) & *Boxe* hook; (*aiguille*) crochet hook; (*travail*) crochet; (*de cambrioleur*) picklock; (*parenthèse*) (square) bracket; **faire qch au c.** to crochet sth; **faire un c.** (*personne*) to make a detour *ou* side trip; (*pour éviter*) to swerve; (*route*) to make a sudden turn; **vivre aux crochets de qn** *Fam* to sponge off *ou* on s.o. ● **crocheter** *vt* (*serrure*) to pick.
crochu, -ue [krɔʃy] *a* (*nez*) hooked; (*doigts*) claw-like.
crocodile [krɔkɔdil] *nm* crocodile.
crocus [krɔkys] *nm* (*fleur*) crocus.
croire* [krwar] *vt* to believe; (*estimer*) to think, believe (**que** that); **j'ai cru la voir** I thought I saw her; **je crois que oui** I think *ou* believe so; **je n'en crois pas mes yeux** I can't believe my eyes; **à l'en c.** according to him *ou* her; **il se croit malin/quelque chose** he thinks he's smart/quite something ▮ *vi* to believe (**à**, **en** in).
croisé[1] [krwaze] *nm Hist* crusader. ● **croisade** *nf Hist* & *Fig* crusade.
croiser [krwaze] *vt* (*jambes*, *ligne etc*) to cross; (*bras*) to fold, cross; **c. qn** to pass *ou* meet s.o. ▮ *vi* (*navire*) to cruise; (*veston*) to fold over ▮ **se croiser** *vpr* (*voitures etc*) to pass *ou* meet (each other); (*routes*) to cross, intersect; (*lettres*) to cross in the mail *ou Br* post; (*regards*) to meet. ● **croisé**[2], **-ée** *a* (*bras*) folded, crossed; (*veston*) double-breasted; **mots croisés** crossword; **tirs croisés** crossfire; **race croisée** crossbreed ▮ *nf* **croisée** (*fenêtre*) casement; **croisée des chemins** crossroads. ● **croisement** *nm* (*de routes*) crossroads, intersection; (*action*) crossing; (*de véhicules*) passing.
croiseur [krwazœr] *nm* (*navire de guerre*) cruiser.
croisière [krwazjɛr] *nf* cruise; **faire une c.** to go on a cruise; **vitesse de c.** (*de véhicule*, *navire*, *Fig entreprise etc*) cruising speed.
croître* [krwatr] *vi* (*plante*) to grow; (*augmenter*) to grow, increase; (*lune*) to wax. ● **croissant**, **-ante** 1 *nm* crescent; (*pâtisserie*) croissant. 2 *a* (*nombre etc*) growing. ● **croissance** *nf* growth.
croix [krwa] *nf* cross; **la C.-Rouge** the Red Cross.
croque-mitaine [krɔkmitɛn] *nm* bogeyman. ● **croque-monsieur** *nm inv* toasted cheese and ham sandwich. ● **croque-mort** *nm Fam* undertaker's assistant.
croquer [krɔke] 1 *vt* (*manger*) to crunch ▮ *vi* (*fruit etc*) to be crunchy, crunch. 2 *vt* (*peindre*) to sketch; **joli à c.** pretty as a picture. ● **croquant**, **-ante** *a* (*biscuit etc*) crunchy. ● **croquette** *nf* (*de pommes de terre etc*) croquette.
croquet [krɔkɛ] *nm* (*jeu*) croquet.
croquis [krɔki] *nm* sketch.
crosse [krɔs] *nf* (*de fusil*) butt; (*de hockey*) stick; (*d'évêque*) crook.
crotte [krɔt] *nf* (*de lapin etc*) droppings, *Br* mess; **c. de chien** dog dirt, *Br* dog's mess. ● **crottin** *nm* (horse) dung.
crotté, -ée [krɔte] *a* (*bottes etc*) muddy.
crouler [krule] *vi* (*édifice*, *projet etc*) to crumble, collapse; **c. sous une charge** (*porteur etc*) to totter beneath a burden; **c. sous le travail** to be snowed under with work; **faire c.** (*immeuble etc*) to bring down. ● **croulant**, **-ante** *a* (*mur etc*) tottering ▮ *nm* (*vieux*) *Fam* old-timer.
croupe [krup] *nf* (*de cheval*) rump; **monter en c.** (*à cheval*) to ride pillion. ● **croupion** *nm* (*de poulet*) *Br* parson's nose, *Am* pope's nose.
croupier [krupje] *nm* (*au casino*) croupier.
croupir [krupir] *vi* (*eau*) to stagnate, become foul; **c. dans l'ignorance/le vice/***etc* to wallow in ignorance/vice/*etc*; **eau croupie** stagnant water.
croustiller [krustije] *vi* to be crusty; (*biscuit*) to be crunchy. ● **croustillant**, **-ante** *a* (*pain*) crusty; (*biscuit*) crunchy; (*histoire*) *Fig* spicy, juicy.
croûte [krut] *nf* (*de pain etc*) crust; (*de fromage*) rind; (*de plaie*) scab; **casser la c.** *Fam* to have a snack; **gagner sa c.** *Fam* to earn one's bread and butter. ● **croûton** *nm* crust (*at end of loaf*); **croûtons** (*avec soupe*) croûtons.
croyable [krwajabl] *a* credible, believable; **pas c.** unbelievable, incredible. ● **croyance** *nf* belief (**à**, **en** in). ● **croyant**, **-ante** *a* **être c.** to be a believer ▮ *nmf* believer.
CRS [seɛrɛs] *nmpl abrév* (*Compagnies républicaines de sécurité*) riot police, State security police.
cru, crue[1] [kry] *pp de* **croire**.
cru, crue[2] [kry] 1 *a* (*aliment*) raw; (*lumière*) glaring; (*propos*) crude; **monter à c.** to ride bareback. 2 *nm* (*vignoble*) vineyard; **un grand c.** (*vin*) a vintage wine; **vin du c.** local wine.
cruauté [kryote] *nf* cruelty (**envers** to).
cruche [kryʃ] *nf* pitcher, jug.
crucial, -e, -aux [krysjal, -o] *a* crucial.
crucifier [krysifje] *vt* to crucify. ● **crucifix** [krysifi] *nm* crucifix. ● **crucifixion** *nf* crucifixion.
crudité [krydite] *nf* (*grossièreté*) crudeness. ● **crudités** *nfpl* (*légumes*) assorted raw vegetables.
crue [kry] *nf* (*de cours d'eau*) swelling, flood; **en c.** (*rivière*, *fleuve*) in spate.
cruel, -elle [kryɛl] *a* cruel (**envers**, **avec** to).
crûment [krymɑ̃] *adv* crudely.
crustacés [krystase] *nmpl Culin* shellfish *inv*.

crypte [kript] *nf* crypt.
Cuba [kyba] *nm* Cuba. ●**cubain, -aine** *a* Cuban ∎ *nmf* C., Cubaine Cuban.
cube [kyb] *nm* cube; **cubes** (*jeu*) building blocks ∎ *a* mètre/*etc* c. cubic metre/*etc*. ●**cubique** *a* (*forme*) cubic.
cueillir* [kœjir] *vt* to pick, gather; (*un baiser*) to snatch; (*voleur*) *Fam* to pick up, *Br* run in. ●**cueillette** *nf* picking, gathering; (*fruits cueillis*) harvest.
cuiller, cuillère [kyijɛr] *nf* spoon; **petite c., c. à café** teaspoon; **c. à soupe** soup spoon, tablespoon. ●**cuillerée** *nf* spoonful; **c. à café** teaspoonful; **c. à soupe** tablespoonful.
cuir [kɥir] *nm* leather; (*peau épaisse d'un animal vivant*) hide; **c. chevelu** scalp.
cuirasse [kɥiras] *nf Hist* breastplate. ●**se cuirasser** *vpr* to steel oneself (**contre** against). ●**cuirassé** *nm* battleship.
cuire* [kɥir] *vt* (*aliment, plat etc*) to cook; (*à l'eau*) to boil; **c.** (**au four**) to bake; (*viande*) to roast ∎ *vi* (*aliment*) to cook; (*à l'eau*) to boil; (*au four*) to bake; (*viande*) to roast; **faire c. qch** to cook sth; **faire trop c. qch** to overcook sth; **on cuit!** (*il fait trop chaud*) it's scorching *ou* baking hot.
cuisant, -ante [kɥizã, -ãt] *a* (*affront, blessure etc*) stinging.
cuisine [kɥizin] *nf* (*pièce*) kitchen; (*art*) cookery, cooking, cuisine; (*préparation*) cooking; (*aliments*) cooking, food; (*intrigues politiques*) scheming; **faire la c.** to cook, do the cooking; **faire de la bonne c.** to be a good cook; **livre de c.** cookery *ou* cook book; **haute c.** high-class cooking *ou* cookery. ●**cuisiner** *vti* to cook; **c. qn** (*interroger*) *Fam* to grill s.o. ●**cuisinier, -ière** *nmf* cook. ●**cuisinière** *nf* (*appareil*) *Br* cooker, stove, *Am* range.
cuisse [kɥis] *nf* thigh; (*de poulet, mouton*) leg.
cuisson [kɥisɔ̃] *nm* (*d'aliments*) cooking.
cuit, cuite [kɥi, kɥit] *pp de* **cuire**. **1** *a* cooked; **bien c.** well done *ou* cooked; **trop c.** overdone, overcooked; **pas assez c.** underdone, undercooked. **2** *a* **nous sommes cuits** (*pris*) *Fam* we're finished *ou Br* done for.
cuite [kɥit] *nf* **prendre une c.** *Fam* to get plastered *ou* drunk.
cuivre [kɥivr] *nm* (*rouge*) copper; (*jaune*) brass; **cuivres** (*ustensiles, clairon etc*) brass. ●**cuivré, -ée** *a* copper-coloured, coppery.
cul [ky] *nm* (*derrière*) *Fam* backside; (*de bouteille, verre, pot*) bottom. ●**cul-de-jatte** *nm* (*pl* culs-de-jatte) legless cripple. ●**cul-de-sac** *nm* (*pl* culs-de-sac) dead end, *Br* cul-de-sac.
culasse [kylas] *nf* (*de moteur*) cylinder head; (*d'une arme à feu*) breech.
culbute [kylbyt] *nf* (*saut*) somersault; (*chute*) (backward) tumble; **faire une c.** to tumble (backwards); (*acrobate*) to somersault. ●**culbuter** *vi* to tumble over (backwards) ∎ *vt* (*personne, chaise*) to knock over.

culinaire [kylinɛr] *a* (*art*) culinary; **recette c.** cooking recipe.
culminer [kylmine] *vi* (*montagne*) to reach its highest point, peak (**à** at); (*colère*) *Fig* to reach a peak; **point culminant** (*de réussite, montagne etc*) peak.
culot [kylo] *nm* **1** (*aplomb*) *Fam* nerve, *Br* cheek. **2** (*d'ampoule, de lampe etc*) base. ●**culotté, -ée** *a* **être c.** *Fam* to have plenty of nerve *ou Br* cheek.
culotte [kylɔt] *nf* (*de sportif*) (pair of) shorts; (*de femme*) *Br* (pair of) knickers, *Am* (pair of) panties; **culottes** (**courtes**) (*de jeune garçon*) *Br* short trousers, *Am* short pants; **c. de cheval** riding breeches.
culpabilité [kylpabilite] *nf* guilt.
culte [kylt] *nm* (*de dieu*) worship; (*religion*) form of worship, religion; (*service protestant*) service; (*admiration*) *Fig* cult; **film**/*etc* **c.** cult film/*etc*.
cultiver [kyltive] *vt* (*terre*) to farm, cultivate; (*plantes, légumes*) to grow; (*goût, relations etc*) to cultivate ∎ **se cultiver** *vpr* to improve *ou* cultivate one's mind. ●**cultivé, -ée** *a* (*esprit, personne*) cultured, cultivated. ●**cultivateur, -trice** *nmf* farmer.
culture [kyltyr] *nf* **1** (*action*) farming, cultivation; (*agriculture*) farming; (*de légumes*) growing; **cultures** (*terres*) fields (under cultivation); (*plantes*) crops. **2** (*éducation, civilisation*) culture; **c. générale** general knowledge. ●**culturel, -elle** *a* cultural.
culturisme [kyltyrism] *nm* body building.
cumin [kymɛ̃] *nm* (*plante*) cumin; (*graines*) caraway; **graines de c.** caraway seeds.
cumul [kymyl] *nm* **c. de fonctions** plurality of offices. ●**cumulatif, -ive** *a* cumulative. ●**cumuler** *vt* **c. deux fonctions** to hold two offices (at the same time).
cupide [kypid] *a* avaricious. ●**cupidité** *nf* avarice, cupidity.
Cupidon [kypidɔ̃] *nm* Cupid.
curable [kyrabl] *a* curable.
cure [kyr] *nf* **1** (*pour malade*) (course of) treatment, cure; **faire une c. de repos** to go on a rest cure. **2** (*fonction*) office (of a parish priest); (*résidence*) presbytery. ●**curatif, -ive** *a* (*traitement etc*) curative.
curé [kyre] *nm* (parish) priest.
curer [kyre] *vt* (*fossé, canal etc*) to clean out; **se c. le nez/les dents** to pick one's nose/teeth. ●**cure-dent** *nm* toothpick. ●**cure-ongles** *nm inv* nail cleaner. ●**cure-pipe** *nm* pipe cleaner.
curieux, -euse [kyrjø, -øz] *a* (*bizarre*) curious; (*indiscret*) inquisitive, curious (**de** about); **c. de savoir** curious to know ∎ *nmf* inquisitive *ou* curious person; (*badaud*) onlooker. ●**curieusement** *adv* curiously. ●**curiosité** *nf* (*de personne, forme etc*) curiosity; (*chose*) curiosity; (*spectacle*) unusual sight.
curriculum (vitæ) [kyrikylɔm(vite)] *nm inv Br* curriculum (vitae), *Am* résumé.
curseur [kyrsœr] *nm* (*d'ordinateur*) cursor.
cutané, -ée [kytane] *a* **maladie cutanée** skin

condition. ●**cuti(-réaction)** *nf* skin test.
cuve [kyv] *nf* vat; (*réservoir*) & *Phot* tank. ●**cuvée** *nf* (*récolte de vin*) vintage. ●**cuver** *vt* **c. son vin** *Fam* to sleep it off. ●**cuvette** *nf* (*récipient*) & *Geog* basin, bowl; (*des cabinets*) bowl, pan.
CV [seve] *nm abrév* (*curriculum vitæ*) *Br* CV, *Am* résumé.
cyanure [sjanyr] *nm* cyanide.
cybernétique [sibɛrnetik] *nf* cybernetics.
cycle [sikl] *nm* **1** (*série, révolution*) cycle. **2** (*bicyclette*) cycle. ●**cyclable** *a* **piste c.** cycle *ou* bicycle path. ●**cyclique** *a* cyclic(al).
cyclisme [siklism] *nm* (*sport*) cycling. ●**cycliste** *nmf* cyclist ▌ *a* **course c.** cycle *ou* bicycle race; **champion c.** cycling champion; **coureur c.** racing cyclist.
cyclomoteur [siklomotœr] *nm* moped.
cyclone [siklon] *nm* cyclone.
cygne [siɲ] *nm* swan; **chant du c.** (*dernière œuvre*) swan song.
cylindre [silɛ̃dr] *nm* cylinder; (*de rouleau compresseur*) roller. ●**cylindrée** *nf* (*de véhicule, moteur*) (engine) capacity. ●**cylindrique** *a* cylindrical.
cymbale [sɛ̃bal] *nf* cymbal.
cynique [sinik] *a* cynical ▌ *nmf* cynic. ●**cynisme** *nm* cynicism.
cyprès [siprɛ] *nm* (*arbre*) cypress.
cypriote [siprijɔt] *a* Cypriot ▌ *nmf* **C.** Cypriot.
cytise [sitiz] *nf* (*plante*) laburnum.

D

D, d [de] *nm* D, d.
d' [d] *voir* de[1,2].
d'abord [dabɔr] *adv (en premier lieu)* first; *(au début)* (at) first.
dactylo [daktilo] *nf (personne)* typist; *(action)* typing. ●**dactylographie** *nf* typing. ●**dactylographier** *vt* to type.
dada [dada] *nm (manie)* hobby horse, pet subject.
dadais [dadɛ] *nm (grand)* d. big oaf.
dahlia [dalja] *nm* dahlia.
daigner [dɛɲe] *vt* d. faire to condescend *ou* deign to do.
daim [dɛ̃] *nm* fallow deer; *(mâle)* buck; *(cuir)* suede.
dais [dɛ] *nm (de lit, feuillage etc)* canopy.
dalle [dal] *nf* paving stone; *(funèbre)* (flat) gravestone. ●**dallage** *nm (action, surface)* paving. ●**dallé, -ée** *a (pièce, cour etc)* paved.
daltonien, -ienne [daltɔnjɛ̃, -jɛn] *a & n* colour-blind (person). ●**daltonisme** *nm* colour blindness.
dame [dam] *nf* **1** lady; *(mariée)* married woman. **2** Échecs Cartes queen; *(au jeu de dames)* king; **(jeu de) dames** *Br* draughts, *Am* checkers. ●**damer** *vt (au jeu de dames)* to crown; **d. le pion à qn** to outsmart s.o. ●**damier** *nm Br* draughtboard, *Am* checkerboard.
damner [dane] *vt* to damn; **faire d.** *Fam* to torment, drive mad ▮ **se damner** *vpr* to be damned. ●**damnation** *nf* damnation.
dancing [dɑ̃siŋ] *nm* dance hall.
dandiner (se) [sədɑ̃dine] *vpr (canard, personne)* to waddle.
dandy [dɑ̃di] *nm* dandy.
Danemark [danmark] *nm* Denmark. ●**danois, -oise** *a* Danish ▮ *nmf* **D., Danoise** Dane ▮ *nm (langue)* Danish.
danger [dɑ̃ʒe] *nm* danger; **en d.** in danger *ou* jeopardy; **mettre en d.** to endanger, jeopardize; **en cas de d.** in an emergency; **en d. de mort** in mortal danger, in peril of death; **'d. de mort'** *(panneau)* 'danger'; **courir un d.** to run a serious risk; **à l'abri du d.** out of danger; **sans d.** *(se promener etc)* safely; **être sans d.** to be safe; **pas de d.!** *Fam* no way!, *Br* no fear! ●**dangereux, -euse** *a (endroit, maladie, personne etc)* dangerous (**pour** to). ●**dangereusement** *adv* dangerously.
dans [dɑ̃] **1** *prép* in; *(changement de lieu)* into; *(à l'intérieur de)* inside; **d. le jardin/journal** in the garden/newspaper; **d. la boîte** in *ou* inside the box; **d. Paris** in Paris (itself); **mettre d.** to put in(to); **entrer d.** to go in(to); **d. un rayon de** within (a radius of); **marcher d. les rues** *(à travers)* to walk through *ou* around the streets; **d. ces circonstances** under *ou* in these circumstances.
2 *(provenance)* from, out of; **boire/prendre/etc d.** to drink/take/etc from *ou* out of.
3 *(temps futur)* in; **d. deux jours/etc** in two days/etc, in two days'/etc time.
4 *(quantité approximative)* about; **d. les dix francs/etc** about ten francs/etc.
danse [dɑ̃s] *nf* dance; *(art)* dancing; **musique de d.** dance music; **professeur de d.** dancing teacher. ●**danser** *vti* to dance; **je ne sais pas sur quel pied d.** I am all at sea. ●**danseur, -euse** *nmf* dancer; **danseuse étoile** prima ballerina; **en danseuse** *(cycliste)* standing on the pedals.
Danube [danyb] *nm* **le D.** the Danube.
dard [dar] *nm (d'insecte)* sting; *(de serpent)* tongue. ●**darder** *vt Litt (flèche)* to shoot; *(regard)* to flash, dart; **le soleil dardait ses rayons** the sun cast down its burning rays.
dare-dare [dardar] *adv Fam* at *ou* on the double.
date [dat] *nf* date; **amitié/etc de longue d.** long-standing friendship/etc, friendship/etc of long standing; **faire d.** *(événement)* to mark an important date, be epoch-making; **en d. du...** dated the...; **d. d'expiration** *Br* expiry *or Am* expiration date; **d. limite** deadline; **d. limite de vente** sell-by date; **d. de naissance** date of birth. ●**datation** *nf* dating. ●**dater** *vt (lettre etc)* to date ▮ *vi (être dépassé)* to date, be dated; **d. de** to date from, date back to; **à d. du 20/de demain** as from the 20th/tomorrow. ●**dateur** *nm (de montre)* date indicator ▮ *a & nm* **(tampon) d.** date stamp.
datif [datif] *nm Grammaire* dative.
datte [dat] *nf (fruit)* date. ●**dattier** *nm* date palm.
daube [dob] *nf* **bœuf en d.** braised beef stew.
dauphin [dofɛ̃] *nm (mammifère marin)* dolphin.
daurade [dorad] *nf* sea bream.
davantage [davɑ̃taʒ] *adv (quantité)* more; *(temps)* longer; **d. de temps/d'argent/etc** more time/money etc; **d. que** more than; *(plus longtemps que)* longer than.
de¹ [d(ə)] **(d'** before a vowel or mute h; **de + le = du, de + les = des)** *prép* **1** *(complément d'un nom)* of; **les rayons de soleil** the rays of the sun, the sun's rays; **le livre de Paul** Paul's book; **la ville de Paris** the town of Paris; **un livre de Flaubert** a book by Flaubert; **un pont de fer** an iron bridge; **le train de Londres** the London train; **une**

de

augmentation/diminution de salaire/*etc* an increase/decrease in salary/*etc*. **2** (*complément d'un adjectif*) **digne de** worthy of; **heureux de partir** happy to leave; **content de qch/qn** pleased with sth/s.o. **3** (*complément d'un verbe*) **parler de** to speak of *ou* about; **se souvenir de** to remember; **décider de faire** to decide to do; **empêcher qn de faire** to stop *ou* prevent s.o. from doing; **traiter qn de lâche** to call s.o. a coward. **4** (*provenance*: *lieu & temps*) from; **venir/dater de** to come/date from; **mes amis du village** my friends from the village, my village friends; **le train de Londres** the train from London; **sortir de** (*chambre, boîte etc*) to come out of. **5** (*agent*) **accompagné de** accompanied by; **entouré de** surrounded by *ou* with. **6** (*moyen*) **armé de** armed with; **se nourrir de** to live on. **7** (*manière*) **d'une voix douce** in *ou* with a gentle voice. **8** (*cause*) **puni de son impatience**/*etc* punished for his impatience/*etc*; **mourir de faim** to die of hunger; **sauter de joie** to jump for joy. **9** (*temps*) **travailler de nuit/de jour** to work by night/by day; **six heures du matin** six o'clock in the morning. **10** (*mesure*) **avoir six mètres de haut, être haut de six mètres** to be six metres high; **retarder qn/qch de deux heures** to delay s.o./sth by two hours; **homme de trente ans** thirty-year-old man; **gagner cent francs de l'heure** to earn a hundred francs an hour.

de² [d(ə)] *art partitif* some; **elle boit du vin** she drinks (some) wine; **il ne boit pas de vin** (*négation*) he doesn't drink (any) wine; **est-ce que vous buvez du vin?** (*interrogatif*) do you drink (any) wine?; **elle achète des épinards** she buys (some) spinach; **il y en a six de tués** (*avec un nombre*) there are six killed; **un(e) de trop** one too many.

de³ [d(ə)] *art indéf pl* **de, des** some; **des fleurs/garçons**/*etc* (some) flowers/boys/*etc*; **de jolies fleurs** (*devant un adjectif*) (some) pretty flowers; **d'agréables soirées** (some) pleasant evenings.

dé [de] *nm* (*à jouer*) dice; (*à coudre*) thimble; **les dés** the dice; **jouer aux dés** to play dice; **les dés sont jetés** *Fig* the die is cast; **couper en dés** (*pommes de terre etc*) to dice.

déambuler [deãbyle] *vi* to stroll, saunter.

débâcle [debakl] *nf* (*d'une armée*) rout; (*ruine*) *Fig* downfall; (*des glaces*) breaking up.

déballer [debale] *vt* to unpack; (*étaler*) to display. ● **déballage** *nm* unpacking; (*étalage*) display.

débandade [debãdad] *nf* (mad) rush, stampede; **à la d.** in confusion; **tout va à la d.** everything's going to rack and ruin.

débaptiser [debatize] *vt* (*rue, chien etc*) to rename.

débarbouiller [debarbuje] *vt* **d. qn** to wash s.o.'s face; **se d.** to wash one's face.

débarcadère [debarkadɛr] *nm* quay, wharf, landing stage.

débardeur [debardœr] *nm* **1** (*docker*) docker, stevedore. **2** (*vêtement*) *Br* slipover, *Am* (sweater) vest.

débarquer [debarke] *vt* (*passagers*) to land; (*marchandises*) to unload; **d. qn** (*congédier*) *Fam* to sack s.o., throw s.o. out ▮ *vi* (*passagers*) to land, disembark; (*être naïf*) *Fam* to be not quite with it; **d. chez qn** *Fam* to turn up suddenly at s.o.'s place. ● **débarquement** *nm* landing; (*de marchandises*) unloading; (*d'une armée*) landing.

débarras [debara] *nm Br* lumber room, *Am* storeroom; **bon d.!** *Fam* good riddance! ● **débarrasser** *vt* (*chambre, table etc*) to clear (**de** of); **d. qn de** (*ennemi, soucis etc*) to rid s.o. of; (*manteau etc*) to relieve s.o. of; **se d. de qn/qch** to get rid of s.o./sth, rid oneself of s.o./sth.

débat [deba] *nm* discussion, debate; **débats** (*d'un procès ou au Parlement*) proceedings. ● **débattre*** *vt* to discuss, debate; **d. (d')une question** to discuss a question; **prix à d.** price to be negotiated ▮ **se débattre** *vpr* to struggle *ou* fight (**to get free**), put up a fight.

débauche [deboʃ] *nf* debauchery; **une d. de** (*excès*) a wealth *ou* profusion of. ● **débauché, -ée** *a* (*libertin*) debauched, profligate ▮ *nmf* debauchee, profligate.

débaucher [deboʃe] *vt* **d. qn** (*licencier*) to lay s.o. off; (*détourner*) *Fam* to entice s.o. away from his work.

débile [debil] *a* (*esprit, enfant etc*) weak, feeble; *Péj Fam* stupid, idiotic ▮ *nmf* (*imbécile*) *Fam* idiot, moron. ● **débilité** *nf* debility, weakness; **débilités** (*niaiseries*) *Fam* sheer nonsense. ● **débiliter** *vt* to debilitate, weaken.

débiner [debine] **1** *vt* (*décrier*) *Fam* to run down. **2 se débiner** *vpr* (*s'enfuir*) *Arg* to beat it, *Br* hop it, bolt.

débit [debi] *nm* **1** (*vente*) turnover, sales; (*fleuve*) (rate of) flow; (*d'un orateur*) delivery; **d. de boissons** bar, café; **d. de tabac** *Br* tobacconist's shop, *Am* tobacco store. **2** (*compte*) debit.

débiter [debite] *vt* **1** (*découper*) to cut up, slice up (**en** into); (*vendre*) to sell; (*fournir*) to produce, yield; (*dire*) *Péj* to utter, spout. **2** (*compte*) to debit. ● **débiteur, -trice** *nmf* debtor ▮ *a* **solde d.** debit balance; **son compte est d.** his account is in debit, he is in debit.

déblais [deble] *nmpl* (*terre*) earth; (*décombres*) rubble. ● **déblayer** [debleje] *vt* (*terrain, décombres*) to clear.

débloquer [debloke] **1** *vt* (*mécanisme*) to unjam; (*freins*) to release; (*compte, prix*) to unfreeze; **d. des crédits** to unfreeze funds. **2** *vi* (*divaguer*) *Fam* to talk nonsense, talk through one's hat.

déboires [debwar] *nmpl* disappointments, setbacks.

déboiser [debwaze] *vt* (*terrain*) to clear (of trees).

déboîter [debwate] **1** *vt* (*tuyau*) to disconnect; **se d. l'épaule**/*etc* to dislocate one's shoulder/*etc*. **2** *vi* (*véhicule*) to pull out, change lanes. ● **déboîtement** *nm* (*d'un os*) dislocation.

débonnaire [debɔnɛr] *a* good-natured, easy-going.

déborder [debɔrde] *vi* (*fleuve, liquide*) to overflow; (*en bouillant*) to boil over; (*en coloriant*) to go over the edge; **l'eau déborde du vase** the water is running over the top of the vase *ou* is overflowing the vase; **c'est la goutte d'eau qui fait d. le vase** *Fig* that's the last straw; **d. de joie/vie/***etc* *Fig* to be overflowing *ou* bubbling over with joy/life/*etc*.
▌ *vt* (*dépasser*) to go *ou* extend beyond; (*faire saillie*) to stick out from; (*dans une bataille*) & *Football etc* to outflank; **débordé de travail/de visites** snowed under with work/visits. ● **débordement** *nm* overflowing; (*de joie, activité*) outburst.

débouché [debuʃe] *nm* (*carrière*) (career) opening *ou* prospect; (*marché pour produit*) outlet; (*de rue*) exit; (*de vallée etc*) opening.

déboucher [debuʃe] **1** *vt* (*bouteille*) to open, uncork; (*bouchon vissé*) to uncap; (*lavabo, tuyau*) to clear, unblock. **2** *vi* (*surgir*) to emerge, come out (**de** from); **d. sur** (*rue*) to lead out onto, lead into; (*aboutir à*) *Fig* to lead to.

débouler [debule] *vi* (*arriver*) *Fam* to burst in, turn up.

déboulonner [debulɔne] *vt* to unbolt; **d. qn** *Fam* (*renvoyer*) to sack *ou* fire s.o.; (*discréditer*) to bring s.o. down.

débourser [deburse] *vt* to pay out.

debout [d(ə)bu] *adv* standing (up); **mettre d.** (*planche etc*) to stand up, put upright; **se mettre d.** to stand *ou* get up; **se tenir** *ou* **rester d.** (*personne*) to stand (up), remain standing (up); **elle est très faible, elle tient à peine d.** she's very weak, she can hardly stand; **cet édifice tient encore d.** this building is still standing; **ça ne tient pas d.** (*théorie etc*) that doesn't hold water *ou* make sense; **être d.** (*levé*) to be up (and about); **d.!** get up!

déboutonner [debutɔne] *vt* to unbutton, undo ▌ **se déboutonner** *vpr* (*personne*) to undo one's buttons.

débraillé, -ée [debraje] *a* (*tenue etc*) slovenly, sloppy ▌ *nm* slovenliness, sloppiness.

débrancher [debrɑ̃ʃe] **1** *vt* (*appareil électrique*) to unplug, disconnect. **2** *vi* (*se détendre*) *Fam* to take it easy.

débrayer [debreje] *vi* **1** (*conducteur*) to press the clutch, let out the clutch; *Br* declutch. **2** (*se mettre en grève*) to stop work. ● **débrayage** (*grève*) strike, walk-out.

débridé, -ée [debride] *a* (*effréné*) unbridled.

débris [debri] *nmpl* fragments, scraps; (*restes*) remains; (*détritus*) *Br* rubbish, *Am* garbage.

débrouiller [debruje] **1** *vt* (*écheveau etc*) to unravel, disentangle; (*affaire*) to sort out. **2 se débrouiller** *vpr Fam* to manage, get by, make out; **se d. pour faire** to manage (somehow) to do. ● **débrouillard, -arde** *a Fam* smart, resourceful. ● **débrouillardise** *nf Fam* smartness, resourcefulness.

débroussailler [debrusaje] *vt* (*chemin*) to clear (of brushwood); (*problème, sujet etc*) *Fig* to clarify.

débusquer [debyske] *vt* (*gibier, personne*) to drive out, dislodge.

début [deby] *nm* beginning, start; **au d.** at the beginning; **dès le d.** (right) from the start *ou* beginning; **les débuts de l'automobile**/*etc* the beginnings *ou* infancy of the car industry/*etc*; **faire ses débuts** (*sur la scène etc*) to make one's debut.

débuter [debyte] *vi* to start, begin; (*dans une carrière*) to start out in life; (*sur la scène etc*) to make one's debut. ● **débutant, -ante** *nmf* beginner ▌ *a* **c'est un pianiste d.** he's learning to play the piano, he's a novice pianist.

déca [deka] *nm Fam* decaffeinated coffee.

deçà (en) [ɑ̃d(ə)sa] *adv* (on) this side ▌ *prép* **en d. de** (on) this side of; **être en d. de la vérité**/*etc Fig* to be some way from the truth/*etc*.

décacheter [dekaʃte] *vt* (*lettre etc*) to open, unseal.

décade [dekad] *nf* (*dix jours*) period of ten days; (*décennie*) decade.

décadent, -ente [dekadɑ̃, -ɑ̃t] *a* decadent. ● **décadence** *nf* decadence, decay.

décaféiné, -ée [dekafeine] *a* decaffeinated.

décalcomanie [dekalkɔmani] *nf* (*image*) *Br* transfer, *Am* decal.

décaler [dekale] *vt* **1** (*dans le temps*) to change *ou* shift the time of (*départure etc*); (*dans l'espace*) to shift *ou* move (slightly), change *ou* shift the position of (*chair etc*). **2** (*ôter les cales de*) to unwedge. ● **décalage** *nm* (*écart*) gap (**entre** between); (*entre des faits, idées etc*) discrepancy; **d. horaire** time difference; **souffrir du d. horaire** to suffer from jet lag.

décalque [dekalk] *nm* tracing. ● **décalquer** *vt* (*dessin*) to trace.

décamper [dekɑ̃pe] *vi* to run off, clear out.

décanter [dekɑ̃te] *vt* (*liquide*) to (allow to) settle, clarify; **d. ses idées** to clarify one's ideas ▌ **se décanter** *vpr* (*idées, situation*) to become clearer, settle.

décaper [dekape] *vt* (*métal*) to clean, scrape down; (*surface peinte*) to strip; (*avec du papier de verre*) to sand (down). ● **décapant** *nm* cleaning agent; (*pour enlever la peinture*) paint remover *ou* stripper. ● **décapeur** *nm* **d. thermique** hot-air paint stripper.

décapiter [dekapite] *vt* to behead, decapitate.

décapotable [dekapɔtabl] *a & nf* (*voiture*) convertible.

décapsuler [dekapsyle] *vt* **d. une bouteille** to take the top *ou* cap off a bottle, uncap a bottle. ● **décapsuleur** *nm* bottle-opener.

décarcasser (se) [sødekarkase] *vpr Fam* to flog oneself to death (**pour faire** doing).

décathlon [dekatlɔ̃] *nm Sport* decathlon.

décéder [desede] *vi* to die. ● **décédé, -ée** *a* deceased.

déceler [desle] *vt* (*trouver*) to detect, uncover; (*révéler*) to reveal.

décembre [desɑ̃br] *nm* December.

décennie [deseni] *nf* decade.

décent, -ente [desɑ̃, -ɑ̃t] *a* (*bienséant, acceptable*) decent. ● **décemment** [-amɑ̃] *adv* decently. ● **décence** *nf* decency.

décentraliser [desɑ̃tralize] *vt* to decentralize. ● **décentralisation** *nf* decentralization.

déception [desɛpsjɔ̃] *nf* disappointment.

décerner [deserne] *vt* (*prix etc*) to award; (*mandat d'arrêt etc*) to issue.

décès [desɛ] *nm* death.

décevoir* [des(ə)vwar] *vt* to disappoint. ● **décevant, -ante** *a* disappointing.

déchaîner [deʃene] *vt* (*colère, violence*) to unleash, let loose; **d. l'enthousiasme/les rires** to set off wild enthusiasm/a storm of laughter ▎ **se déchaîner** *vpr* (*tempête, rires*) to break out; (*foule*) to run riot ou amok; (*personne*) to fly into a rage. ● **déchaîné, -ée** *a* (*foule, flots*) wild, raging. ● **déchaînement** [-enmɑ̃] *nm* (*de rires, de haine etc*) outburst; (*de violence*) outbreak, eruption; **le d. de la tempête** the raging of the storm.

déchanter [deʃɑ̃te] *vi Fam* to become disillusioned.

décharge [deʃarʒ] *nf Jur* discharge; **d. (publique)** *Br* (rubbish) dump *ou* tip, *Am* (garbage) dump; **d. (électrique)** (electric) shock, (electrical) discharge; **recevoir une d. (électrique)** to get a shock *ou* an electric shock; **à la d. de qn** in s.o.'s *Br* defence *ou Am* defense.

décharger [deʃarʒe] *vt* to unload; (*batterie*) to discharge; (*accusé*) to discharge, exonerate; **d. qn de** (*travail etc*) to relieve s.o. of; **d. son arme sur qn** to fire one's weapon at s.o.; **d. sa colère sur qn** to vent one's anger on s.o. ▎ **se décharger** *vpr* (*batterie*) to go flat; **se d. sur qn du soin de faire qch** to unload onto s.o. *ou Br* offload onto s.o. the job of doing sth. ● **déchargement** *nm* unloading.

décharné, -ée [deʃarne] *a* skinny, bony.

déchausser [deʃose] **1** *vt* **d. qn** to take s.o.'s shoes off; **se d.** to take one's shoes off. **2 se déchausser** *vpr* (*dent*) to get loose.

dèche [dɛʃ] *nf* **être dans la d.** *Fam* to be flat broke.

déchéance [deʃeɑ̃s] *nf* (*déclin*) decay, decline, degradation.

déchet [deʃɛ] *nm* **déchets** (*restes*) scraps, waste; **il y a du d.** there's some waste *ou* wastage.

déchiffrer [deʃifre] *vt* (*message*) to decipher; (*mauvaise écriture*) to make out, decipher.

déchiqueter [deʃikte] *vt* to tear to shreds, cut to bits. ● **déchiqueté, -ée** *a* (*drapeau etc*) (all) in shreds; (*côte*) jagged.

déchirer [deʃire] *vt* (*page etc*) to tear (up), rip (up); (*vêtement*) to tear, rip; (*ouvrir*) to tear *ou* rip open; (*retirer*) to tear out (*voucher etc*); (*pays, groupe*) to tear apart; **un cri/etc déchira l'air** a loud cry/etc pierced the air *ou* rang out; **ce bruit me déchire les oreilles** this noise is ear-splitting.

▎ **se déchirer** *vpr* (*robe etc*) to tear, rip; **se d. un muscle** to tear a muscle. ● **déchirant, -ante** *a* (*douloureux*) heart-breaking; (*aigu*) ear-splitting. ● **déchirement** *nm* (*souffrance*) heartbreak; **déchirements** (*divisions au sein d'une famille etc*) deep rifts. ● **déchirure** *nf* tear, rip; **d. musculaire** torn muscle.

déchoir* [deʃwar] *vi* (*personne*) to lose prestige and status. ● **déchu, -ue** *a* **ange d.** fallen angel; **être d. de ses droits/etc** to have forfeited one's rights/etc.

décibel [desibɛl] *nm* decibel.

décidé, -ée [deside] *a* (*air, ton*) determined, decided; (*net, pas douteux*) (*goût etc*) decided; **c'est d.** it's settled; **être d. à faire** to be determined to do *ou* decided about doing.

décidément [desidemɑ̃] *adv* certainly, really, undoubtedly.

décider [deside] *vt* (*opération, envoi etc*) to decide on; **d. que** to decide that; **d. de faire** to decide to do; **d. qn (à faire)** to persuade s.o. (to do) ▎ *vi* **d. d'un voyage/etc** to decide on a journey/etc; **cela va d. de votre destin** that will decide your fate.

▎ **se décider** *vpr* (*question*) to be decided; **se d. (à faire)** to make up one's mind (to do); **se d. pour qch** to decide on sth *ou* in favour of sth. ● **décideur, -euse** *nmf* decision-maker.

décilitre [desilitr] *nm* decilitre.

décimal, -e, -aux [desimal, -o] *a* decimal. ● **décimale** *nf* decimal.

décimer [desime] *vt* to decimate.

décimètre [desimɛtr] *nm* decimetre; **double d.** ruler.

décisif, -ive [desizif, -iv] *a* (*bataille etc*) decisive; (*moment*) crucial. ● **décision** *nf* decision (**de faire** to do); (*fermeté*) determination; **prendre une d.** to make a decision; **avec d.** decisively.

déclamer [deklame] *vt* to recite, declaim; *Péj* to spout. ● **déclamatoire** *a Péj* bombastic.

déclaration [deklarasjɔ̃] *nf* declaration; (*de vol, décès etc*) notification; (*commentaire*) statement, comment; **d. d'impôts** *ou* **de revenus** (*formulaire*) tax return.

déclarer [deklare] *vt* to declare; (*annoncer*) to state, declare (**que** that); (*vol, décès etc*) to notify; **d. qn coupable** to convict s.o., find s.o. guilty (**de** of); **d. la guerre** to declare war (**à** on).

▎ **se déclarer** *vpr* (*incendie, maladie*) to break out; (*s'expliquer*) to declare one's views; **se d. contre** to come out against.

déclasser [deklase] *vt* (*livres etc*) to put out

of order; (*hôtel etc*) to downgrade; **d. qn** *Sport* to relegate s.o. (in the placings).

déclencher [deklɑ̃ʃe] *vt* (*mécanisme*) to set *ou* trigger off, start (off); (*attaque*) to launch; (*provoquer*) to trigger off, start, spark off (*crisis, reaction etc*); **d. le travail** (*accouchement*) to induce labour ▮ **se déclencher** *vpr* (*alarme, sonnerie*) to go off; (*attaque, grève*) to start. ● **déclenchement** *nm* (*d'un appareil*) release.

déclic [deklik] *nm* (*bruit*) click; (*mécanisme*) catch, trigger.

déclin [deklɛ̃] *nm* decline; (*du jour*) close; (*de la lune*) wane.

déclinaison [deklinɛzɔ̃] *nf Grammaire* declension.

décliner [dekline] **1** *vi* (*forces etc*) to decline, wane; (*jour*) to draw to a close. **2** *vt* (*refuser*) to decline. **3** *vt* (*réciter*) to state.

déclivité [deklivite] *nf* slope.

déclouer [deklue] *vt* (*caisse etc*) to take the nails out of.

décocher [dekɔʃe] *vt* (*flèche*) to shoot, fire; (*coup*) to let fly, aim; (*regard*) to flash.

décoder [dekɔde] *vt* (*message*) to decode. ● **décodeur** *nm Ordinat TV* decoder.

décoiffer [dekwafe] *vt* **d. qn** to mess up s.o.'s hair; **se d.** to mess up one's hair; (*enlever son chapeau*) to take off one's hat.

décoincer [dekwɛ̃se] *vt* (*engrenage*) to unjam.

décoller [dekɔle] **1** *vi* (*avion etc*) to take off; **elle ne décolle pas d'ici** *Fam* she won't leave *ou* budge, she's staying put. **2** *vt* (*timbre etc*) to unstick ▮ **se décoller** *vpr* to come unstuck. ● **décollage** *nm* (*d'avion*) takeoff.

décolleté, -ée [dekɔlte] *a* (*robe*) low-cut ▮ *nm* (*de robe*) low neckline; (*de femme*) bare neck and shoulders.

décoloniser [dekɔlɔnize] *vt* to decolonize. ● **décolonisation** *nf* decolonization.

décolorer [dekɔlɔre] *vt* (*tissu*) to fade, discolour; (*cheveux*) to bleach ▮ **se décolorer** *vpr* (*tissu*) to fade. ● **décolorant** *nm* bleach. ● **décoloration** *nf* discolo(u)ration; bleaching.

décombres [dekɔ̃br] *nmpl* rubble, ruins, debris.

décommander [dekɔmɑ̃de] *vt* (*marchandises, invitation*) to cancel; (*invités*) to put off ▮ **se décommander** *vpr* to cancel (one's appointment).

décomposer [dekɔ̃poze] *vt Ch* to decompose; (*lumière*) to split; (*phrase*) to break down; (*visage*) to distort ▮ **se décomposer** *vpr* (*pourrir*) to decompose; (*visage*) (*marqué par la fatigue etc*) to become drawn *ou* haggard. ● **décomposition** *nf* decomposition.

décompresser [dekɔ̃prese] *vi* (*se détendre*) *Fam* to unwind.

décompression [dekɔ̃presjɔ̃] *nf* decompression.

décompte [dekɔ̃t] *nm* (*soustraction*) deduction; (*détail*) breakdown. ● **décompter** *vt* to deduct.

déconcentrer (se) [sədekɔ̃sɑ̃tre] *vpr* to lose one's concentration.

déconcerter [dekɔ̃sɛrte] *vt* to disconcert.

déconfit, -ite [dekɔ̃fi, -it] *a* downcast. ● **déconfiture** *nf Fam* (state of) collapse *ou* defeat; (*faillite*) financial ruin.

décongeler [dekɔ̃ʒle] *vt* (**faire**) **d.** (*aliment*) to thaw, defrost ▮ *vi* **mettre qch à d.** to thaw *ou* defrost sth.

décongestionner [dekɔ̃ʒɛstjɔne] *vt* (*rue, poumons etc*) to relieve congestion in.

déconnecter [dekɔnɛkte] *vt* (*appareil électrique*) to disconnect; (*sujets*) to keep separate.

déconner [dekɔne] *vi* (*divaguer*) *Fam* to talk a lot of nonsense.

déconseiller [dekɔ̃seje] *vt* **d. qch à qn** to advise s.o. against sth; **d. à qn de faire** to advise s.o. against doing; **c'est déconseillé** it is not advisable.

déconsidérer [dekɔ̃sidere] *vt* to discredit.

décontaminer [dekɔ̃tamine] *vt* to decontaminate.

décontenancer [dekɔ̃tnɑ̃se] *vt* to disconcert ▮ **se décontenancer** *vpr* to lose one's composure, become flustered.

décontracter [dekɔ̃trakte] *vt* (*muscle etc*) to relax ▮ **se décontracter** *vpr* to relax. ● **décontraction** *nf* relaxation.

déconvenue [dekɔ̃vny] *nf* disappointment.

décor [dekɔr] *nm* (*de théâtre, cinéma etc*) scenery, decor; (*paysage*) scenery; (*d'intérieur*) decoration; (*cadre, ambiance*) setting; **les décors** (*de théâtre etc*) the scenery; **un d. de théâtre/cinéma** a stage/film set; **entrer dans le d.** (*véhicule*) *Fam* to run off the road (*into a tree etc*).

décorer [dekɔre] *vt* (*maison, soldat etc*) to decorate (**with** with). ● **décorateur, -trice** *nmf* (interior) decorator; *Théâtre* stage designer; *Cinéma* set designer. ● **décoratif, -ive** *a* decorative. ● **décoration** *nf* (*ornement, action, médaille*) decoration.

décortiquer [dekɔrtike] *vt* (*graine*) to husk; (*homard etc*) to shell; (*texte*) *Fam* to take to pieces, dissect.

découcher [dekuʃe] *vi* to stay out all night.

découdre* [dekudr] *vt* (*ourlet, bouton*) to unstitch ▮ *vi* **en d. (avec qn)** *Fam* to fight it out (with s.o.) ▮ **se découdre** *vpr* to come unstitched.

découler [dekule] *vi* **d. de** to follow from.

découper [dekupe] *vt* (*viande, poulet etc*) to carve; (*article de journal etc*) to cut out; (*papier*) to cut up; **se d. sur** (*silhouette etc*) to stand out against. ● **découpé, -ée** *a* (*côte*) jagged. ● **découpage** *nm* (*image*) cutout; (*de poulet etc*) carving; (*d'article etc*) cutting out. ● **découpure** *nf* (*contour*) jagged outline; (*morceau*) cutout, piece cut out.

découplé, -ée [dekuple] *a* **bien d.** (*personne*) well-built, strapping.

décourager [dekuraʒe] *vt* (*dissuader*) to discourage (**de faire** from doing); (*démoraliser*) to dishearten, discourage ▮ **se décourager** *vpr* to get discouraged *ou* disheartened.

décousu

- **découragement** *nm* discouragement.
- **décousu, -ue** [dekuzy] *a* unstitched; *(propos, idées)* Fig disconnected.
- **découvert, -erte** [dekuvɛr, -ɛrt] 1 *a (terrain)* open; *(tête etc)* bare; **à d.** exposed, unprotected; **agir à d.** to act openly. 2 *nm (d'un compte)* overdraft.
- **découverte** [dekuvɛrt] *nf* discovery; **partir** *ou* **aller à la d. de qch** to go in search of sth.
- **découvrir*** [dekuvrir] *vt (trésor, terre etc)* to discover; *(secret, vérité etc)* to find out, discover; *(casserole etc)* to take the lid off; *(dénuder)* to uncover, expose; *(voir)* to perceive; **d. que** to discover *ou* find out that; **faire d. qch à qn** to disclose sth to s.o. ▮ **se découvrir** *vpr (dans son lit)* to push the bedcovers off; *(enlever son chapeau)* to take one's hat off; *(ciel)* to clear (up).
- **décrasser** [dekrase] *vt (nettoyer)* to clean; *(éduquer)* to take the rough edges off *(s.o.)*.
- **décrépit, -ite** [dekrepi, -it] *a (vieillard)* decrepit. ●**décrépitude** *nf (des institutions etc)* decay.
- **décret** [dekrɛ] *nm* decree. ●**décréter** *vt* to order, decree.
- **décrier** [dekrije] *vt* to run down, disparage.
- **décrisper** [dekrispe] *vt (atmosphere)* to lighten; *(situation)* to ease ▮ **se décrisper** *vpr* to relax.
- **décrire*** [dekrir] *vt* to describe.
- **décrocher¹** [dekrɔʃe] *vt (détacher)* to unhook; *(tableau etc)* to take down; *(obtenir)* Fam to get, land *(contract etc)*; **d. (le téléphone)** to pick up the phone; **le téléphone est décroché** the phone is off the hook ▮ **se décrocher** *vpr (tableau etc)* to fall down; *(poisson)* to come unhooked.
- **décrocher²** [dekrɔʃe] *vi Fam (abandonner)* to give up; *(perdre le fil)* to be unable to follow, lose track.
- **décroître*** [dekrwatr] *vi (mortalité etc)* to decrease, decline; *(eaux)* to subside; *(jours)* to get shorter, Br draw in. ●**décroissance** *nf* decrease, decline (**de** in, of).
- **décrotter** [dekrɔte] *vt (chaussures)* to clean *ou* scrape (the mud off). ●**décrottoir** *nm* shoe scraper.
- **décrue** [dekry] *nf (des eaux)* fall *ou* drop in the water level.
- **décrypter** [dekripte] *vt (message)* to decipher, decode.
- **déçu, -ue** [desy] *pp de* **décevoir** ▮ *a* disappointed.
- **déculotter (se)** [sədekylɔte] *vpr* to take off one's Br trousers *ou* Am pants. ●**déculottée** *nf Fam* thrashing; **prendre une d.** to get a thrashing.
- **décupler** [dekyple] *vti (forces etc)* to increase tenfold.
- **dédaigner** [dedɛɲe] *vt (personne, richesse etc)* to scorn, despise; *(repas)* to turn up one's nose at; *(offre)* to spurn; *(ne pas tenir compte de)* to disregard. ●**dédaigneux, -euse** *a* scornful, disdainful (**de** of).
- **dédain** [dedɛ̃] *nm* scorn, disdain (**pour, de** for).
- **dédale** [dedal] *nm* maze, labyrinth.
- **dedans** [d(ə)dɑ̃] *adv* inside; **de d.** from (the) inside, from within; **en d.** on the inside; **au-d. (de), au d. (de)** inside; **au-d.** *ou* **au d. de lui-même** inwardly; **tomber d.** *(trou)* to fall in (it); **donner (en plein) d., tomber en plein d.** *(être dupé)* Fam to fall in, fall for it; **mettre qn d.** Fam *(en prison)* to put s.o. inside; *(tromper)* to take s.o. in; **je me suis mis d.** *(je me suis trompé)* Fam I made a real blunder; **je me suis fait rentrer d.** *(accident de voiture)* Fam someone went *ou* crashed into me ▮ *nm* **le d.** the inside.
- **dédicace** [dedikas] *nf* dedication, inscription. ●**dédicacer** *vt (livre etc)* to inscribe, dedicate (**à** to).
- **dédier** [dedje] *vt (livre, église etc)* to dedicate (**à** to).
- **dédire*** (**se**) [sədedir] *vpr* to go back on one's word; **se d. d'une promesse/etc** to go back on one's promise/etc. ●**dédit** *nm (somme)* forfeit, penalty *(for breaking contract etc)*.
- **dédommager** [dedɔmaʒe] *vt* to compensate (**de** for). ●**dédommagement** *nm* compensation.
- **dédouaner** [dedwane] *vt* 1 *(marchandises)* to clear through customs. 2 **d. qn** to restore s.o.'s good name.
- **dédoubler** [deduble] *vt (classe etc)* to split into two; **d. un train** to run an extra train ▮ **se dédoubler** *vpr* to be in two places at once. ●**dédoublement** *nm* **d. de la personnalité** *Psy* split personality.
- **déduire*** [deduir] *vt (retirer)* to deduct (**de** from); *(conclure)* to deduce (**de** from). ●**déductible** *a (frais)* deductible, allowable. ●**déduction** *nf (raisonnement, décompte etc)* deduction.
- **déesse** [deɛs] *nf* goddess.
- **défaillir*** [defajir] *vi (s'évanouir)* to faint; *(forces, mémoire)* to fail, flag; **sans d.** without flinching. ●**défaillant, -ante** *a (personne)* faint; *(témoin)* defaulting. ●**défaillance** *nf (évanouissement)* fainting fit; *(faiblesse)* weakness; *(panne)* fault; **une d. cardiaque** heart failure; **une d. de mémoire** a lapse of memory.
- **défaire*** [defɛr] *vt (nœud etc)* to undo, untie; *(valises)* to unpack; *(installation)* to take down; *(coiffure)* to mess up; **d. qn de** to rid s.o. of ▮ **se défaire** *vpr (nœud etc)* to come undone *ou* untied; **se d. de** to get rid of. ●**défait, -aite** *a (lit)* unmade; *(cheveux)* dishevelled, untidy; *(visage)* drawn; *(armée)* defeated.
- **défaite** [defɛt] *nf* defeat. ●**défaitisme** *nm* defeatism.
- **défalquer** [defalke] *vt (frais etc)* to deduct (**de** from).
- **défaut** [defo] *nm (faiblesse de caractère)* fault, shortcoming, failing, defect; *(de fabrication)* defect; *(de diamant etc)* flaw; *(désavantage)* drawback; **le d. de la cuirasse** the

chink in the armour; **avoir un d.** (*appareil*) to be defective, have a defect; **faire d.** to be lacking; **le temps me fait d.** I lack time; **à d. de** for want of; **prendre qn en d.** to catch s.o. out; **ou, à d....** or, failing that...; **calculer qch par d.** to calculate sth to the nearest decimal point; **condamner qn par d.** to sentence s.o. in his *ou* her absence; **police/lecteur par d.** Ordinat default font/drive.

défaveur [defavœr] *nf* disfavour. ● **défavorable** *a* unfavourable (**à** to). ● **défavoriser** *vt* to put at a disadvantage, be unfair to.

défection [defɛksjɔ̃] *nf* defection, desertion; **faire d.** to desert; (*ne pas venir*) to fail to turn up.

défectueux, -euse [defɛktɥø, -øz] *a* faulty, defective. ● **défectuosité** *nf* defectiveness; (*défaut*) defect (**de** in).

défendre [defɑ̃dr] **1** *vt* (*protéger*) to defend (**contre** against) ▮ **se défendre** *vpr* to defend oneself; **se d. de** (*pluie etc*) to protect oneself from; **se d. de faire** (*s'empêcher de*) to refrain from doing; **je me défends (bien) en anglais**/etc *Fam* I can hold my own in English/etc.
2 *vt* **d. à qn de faire qch** (*interdire*) to forbid s.o. to do sth, not allow s.o. to do sth; **d. qch à qn** to forbid s.o. sth. ● **défendable** *a* defensible.

défense [defɑ̃s] *nf* **1** (*protection*) *Br* defence, *Am* defense; **assurer la d. de qn** *Jur* to conduct the case for the defence; **prendre la d. de qn** to defend s.o.; **en état de légitime d.** acting in self-defence; **sans d.** *Br* defenceless, *Am* defenseless.
2 (*interdiction*) **'d. de fumer'** 'no smoking'; **'d. (absolue) d'entrer'** '(strictly) no entry', '(strictly) no admittance'.
3 (*d'éléphant*) tusk.

défenseur [defɑ̃sœr] *nm* defender; (*des faibles*) protector, defender.

défensif, -ive [defɑ̃sif, -iv] *a* defensive ▮ *nf* **sur la défensive** on the defensive.

déférent, -ente [deferɑ̃, -ɑ̃t] *a* deferential. ● **déférence** *nf* deference.

déférer [defere] **1** *vt* (*suspect*) to refer (**à** to). **2** *vi* **d. à l'avis de qn** to defer to s.o.'s opinion.

déferler [defɛrle] *vi* (*vagues*) to break; (*haine etc*) to erupt; **d. dans** *ou* **sur** (*foule*) to surge *ou* sweep into.

défi [defi] *nm* challenge; **lancer un d. à qn** to challenge s.o.; **mettre qn au d. de faire qch** to defy *ou* dare *ou* challenge s.o. to do sth; **relever un d.** to take up *ou* accept a challenge.

déficient, -ente [defisjɑ̃, -ɑ̃t] *a* (*faible*) deficient. ● **déficience** *nf* (*faiblesse, manque*) deficiency.

déficit [defisit] *nm* deficit. ● **déficitaire** *a* (*budget etc*) in deficit; (*récolte etc*) *Fig* short, insufficient.

défier[1] [defje] *vt* (*provoquer*) to challenge (**à** to); (*braver*) to defy; **d. qn à la course**/etc to challenge s.o. to a race/etc; **d. qn de faire qch** to defy *ou* challenge s.o. to do sth.

défier[2] **(se)** [sədefje] *vpr* **se d. de** *Litt* to distrust. ● **défiance** *nf* distrust (**de** of). ● **défiant, -ante** *a* distrustful (**à l'égard de** of).

défigurer [defigyre] *vt* (*visage*) to disfigure; (*vérité etc*) to distort. ● **défiguré, -ée** *a* (*personne*) disfigured.

défilé [defile] *nm* **1** (*cortège*) procession; (*de manifestants*) march; (*de soldats*) parade, *Br* march-past; (*de visiteurs*) stream, succession. **2** (*couloir de montagne*) gorge, pass.

défiler [defile] *vi* (*manifestants*) to march (**devant** past); (*soldats*) to march (past), file past; (*paysage, jours*) to pass by; (*visiteurs*) to keep coming and going, stream in and out; (*images*) to flash by (on the screen); (*données*) Ordinat to scroll.
▮ **se défiler** *vpr* *Fam* (*s'éloigner*) to sneak off; (*éviter d'agir*) to cop out.

définir [definir] *vt* to define. ● **défini, -ie** *a* definite; **article d.** *Grammaire* definite article. ● **définition** *nf* definition; (*de mots croisés*) clue.

définitif, -ive [definitif, -iv] *a* final, definitive ▮ *nf* **en définitive** in the final analysis, finally. ● **définitivement** *adv* (*partir, exclure*) permanently, for good.

déflagration [deflagrɑsjɔ̃] *nf* explosion.

déflation [deflɑsjɔ̃] *nf* Écon deflation.

déflorer [deflɔre] *vt* (*idée, sujet*) to spoil the freshness of.

défoncer [defɔ̃se] **1** *vt* (*porte, mur etc*) to smash in *ou* down; (*trottoir, route etc*) to dig up, break up. **2 se défoncer** *vpr* (*drogué*) *Fam* to get high (**à** on). ● **défoncé, -ée** *a* **1** (*route*) full of potholes, bumpy. **2** (*drogué*) *Fam* high.

déformation [defɔrmɑsjɔ̃] *nf* (*de fait etc*) distortion; (*de goût*) corruption; (*de membre*) deformity; **c'est de la d. professionnelle** it's a case of being conditioned by one's job, it's an occupational hazard.

déformer [defɔrme] *vt* (*objet*) to put *ou* knock out of shape; (*doigt, main*) to deform; (*faits, image etc*) to distort; (*goût*) to corrupt ▮ **se déformer** *vpr* to lose its shape. ● **déformé, -ée** *a* (*objet*) misshapen; (*corps etc*) deformed, misshapen; **chaussée déformée** uneven road surface, bumpy road.

défouler (se) [sədefule] *vpr* *Fam* to let off steam.

défraîchir (se) [sədefreʃir] *vpr* (*étoffe etc*) to lose its freshness, become faded.

défrayer [defreje] *vt* **d. la chronique** to be the talk of the town; **d. qn** to pay *ou* defray s.o.'s expenses.

défricher [defriʃe] *vt* (*terrain*) to clear (for cultivation); (*sujet etc*) *Fig* to open up.

défriser [defrize] *vt* (*cheveux*) to straighten; **d. qn** (*contrarier*) *Fam* to ruffle *ou* annoy s.o.

défroisser [defrwase] *vt* (*papier*) to smooth out.

défroqué, -ée [defrɔke] *a* (*prêtre*) defrocked.

défunt, -unte [defœ̃, -œ̃t] *a* (*mort*) departed; **son d. mari** her late husband ▮ *nmf* **le d., la défunte** the deceased, the departed.

dégager [degaʒe] *vt* (*passage, voie*) to clear (**de** of); (*odeur*) to give off; (*chaleur*) to give out; (*responsabilité*) to disclaim; (*idée, conclusion*) to bring out; (*objet en gage*) *Vieilli* to redeem; **d. qn de** (*décombres*) to free s.o. from, pull s.o. out of; (*promesse*) to release s.o. from; **cette robe dégage la taille** this dress leaves the waist free and easy.
▮ *vi Football* to clear the ball (down the pitch); **dégagez!** *Fam* clear the way!, clear off!
▮ **se dégager** *vpr* (*rue, ciel*) to clear; **se d. de** (*personne*) to release oneself from (*promise*); to get free from, free oneself from (*rubble*); (*odeur, gaz etc*) to come out of, issue *ou* emanate from (*kitchen etc*); (*vérité, impression*) to emerge from. ● **dégagé, -ée** *a* (*ciel*) clear; (*allure, ton*) easy-going, casual; (*vue*) open. ● **dégagement** *nm* **1** (*action*) clearing; (*d'odeur*) emanation; (*de chaleur*) emission; (*de promesse*) release; (*de décombres*) freeing; *Football* clearance, kick; **itinéraire de d.** (*de route*) relief road. **2** (*espace libre*) clearing; (*de maison*) passage.

dégainer [degene] *vti* (*arme*) to draw.

dégarnir [degarnir] *vt* to clear, empty; (*compte*) to strip; (*arbre de Noël*) to take down the decorations from ▮ **se dégarnir** *vpr* (*crâne*) to go bald; (*salle*) to clear, empty. ● **dégarni, -ie** *a* (*salle*) empty, bare; (*tête*) balding; **front d.** receding hairline.

dégâts [dega] *nmpl* damage; **limiter les d.** *Fig* to prevent matters getting worse, limit the damage.

dégel [deʒɛl] *nm* thaw; ● **dégeler** *vt* to thaw (out); (*crédits*) to unfreeze ▮ *vi* to thaw (out); **faire d. qch, mettre qch à d.** to thaw sth (out) ▮ *v imp* to thaw; **il dégèle** it's thawing ▮ **se dégeler** *vpr* (*personne, situation*) *Fig* to thaw (out).

dégénérer [deʒenere] *vi* to degenerate (**en** into). ● **dégénéré, -ée** *a & nmf* degenerate. ● **dégénérescence** *nf* degeneration.

dégingandé, -ée [deʒɛ̃gɑ̃de] *a* gangling, lanky.

dégivrer [deʒivre] *vt* (*réfrigérateur*) to defrost; (*voiture, avion*) to de-ice.

déglinguer (se) [sədeglɛ̃ge] *vpr Fam* to fall to bits. ● **déglingué, -ée** *a* falling to bits, in bits.

dégobiller [degɔbije] *vt Fam* to spew up.

dégonfler [degɔ̃fle] *vt* (*pneu etc*) to let the air out of, let down ▮ **se dégonfler** *vpr* (*pneu etc*) to go down; (*se montrer lâche*) *Fam* to chicken out, get cold feet. ● **dégonflé, -ée** *a* (*pneu*) flat; (*lâche*) *Fam* chicken, yellow ▮ *nmf Fam* yellow belly.

dégorger [degɔrʒe] *vi* (*se déverser*) to discharge (**dans** into); **faire d.** (*escargots etc*) to salt, cover with salt.

dégot(t)er [degɔte] *vt Fam* to find, turn up.

dégouliner [deguline] *vi* to trickle, drip.

dégourdir [degurdir] *vt* (*doigts etc*) to take the numbness out of; **d. qn** *Fig* to smarten *ou* wise s.o. up, sharpen s.o.'s wits ▮ **se dégourdir** *vpr* to smarten up, wise up; **se d. les jambes** to stretch one's legs. ● **dégourdi, -ie** *a* (*malin*) smart, sharp.

dégoût [degu] *nm* disgust; **le d. de** (*la vie, les gens etc*) disgust for; **avoir du d. pour qch** to have a (strong) dislike *ou* distaste for sth.

dégoûter [degute] *vt* to disgust; **d. qn de qch** to put s.o. off sth, *Am* (be enough to) make s.o. sick of sth; **se d. de** to take a (strong) dislike to, become disgusted with. ● **dégoutant, -ante** *a* disgusting. ● **dégoûté, -ée** *a* disgusted; **être d. de** to be sick of *ou* disgusted with *ou* by *ou* at; **elle est partie dégoûtée** she left in disgust; **il n'est pas d.** (*difficile*) he's not too fussy; **faire le d.** to be fussy.

dégradation [degradasjɔ̃] *nf Ch Mil etc* degradation; (*de situation, état etc*) deterioration; **dégradations** (*dégâts*) damage.

dégrader [degrade] *vt* **1** (*avilir*) to degrade; (*mur etc*) to deface, damage ▮ **se dégrader** *vpr* (*édifice, situation*) to deteriorate; (*s'avilir*) to degrade onself. **2** *vt* (*couleur*) to shade off. ● **dégradant, -ante** *a* a degrading. ● **dégradé** *nm* (*de couleur*) shading off, gradation.

dégrafer [degrafe] *vt* (*vêtement*) to unfasten, undo, unhook.

dégraisser [degrese] *vt* **1** (*bœuf*) to take the fat off; (*bouillon*) to skim. **2** (*entreprise*) *Fam* to slim down, trim down the size of (*by laying off workers*).

degré [dəgre] *nm* **1** (*d'angle, de température etc*) & *Mus Méd etc* degree; **enseignement du premier/second d.** *Br* primary *ou Am* elementary education/secondary education; **avare/etc au plus haut d.** extremely miserly/ etc. **2** (*gradin*) *Litt* step.

dégrever [degrəve] *vt* (*contribuable*) to reduce the tax burden on.

dégriffé, -ée [degrife] *a* **vêtement d.** unlabelled designer garment (*sold in seconds store*).

dégringoler [degrɛ̃gɔle] *vi* to tumble (down); **faire d. qch** to topple sth over ▮ *vt* (*escalier*) to rush down. ● **dégringolade** *nf* tumble.

dégriser [degrize] *vt* **d. qn** *Fig* to sober s.o. (up).

dégrossir [degrosir] *vt* (*travail*) to rough out; **d. qn** *Fig* to refine s.o.

déguerpir [degerpir] *vi Fam* to clear off *ou* out, make tracks.

dégueulasse [degœlas] *a Fam* (*sale*) filthy; (*révoltant*) disgusting; (*mauvais*) lousy.

dégueuler [degœle] *vi* (*vomir*) *Fam* to puke.

déguiser [degize] *vt* (*pour tromper*) to disguise; **d. qn en** (*costumer*) to dress s.o. up as, disguise s.o. as ▮ **se déguiser** *vpr* to dress oneself up (**en** as); (*pour tromper*) to disguise oneself (**en** as). ● **déguisement** *nm* disguise; (*de bal costumé etc*) *Br* fancy dress, costume.

déguster [degyste] **1** *vt* (*goûter*) to taste, sample; (*apprécier*) to relish. **2** *vi* (*subir des coups*) *Fam* to cop it, get a good hiding. ●**dégustation** *nf* tasting, sampling.

déhancher (se) [sədeɑ̃ʃe] *vpr* (*femme etc*) to sway *ou* to wiggle one's hips; (*boiteux*) to walk lop-sided.

dehors [dəɔr] *adv* outside, out; (*hors de chez soi*) out; (*à l'air*) outdoors, outside; **en d.** on the outside; **en d. de la maison**/*etc* outside the house/*etc*; **en d. de la ville/fenêtre** out of town/the window; **en d. de** (*excepté*) *Fig* apart from; **au-d. (de), au d. (de)** outside; **déjeuner/jeter**/*etc* **d.** to lunch/throw/*etc* out; **mettre qn d.** *Fam* to throw s.o. out; (*employé*) to fire s.o., sack s.o. ▮ *nm* (*extérieur*) outside; **des dehors** (*aspect*) outward appearance; **sous des d. timides**/*etc* beneath an outward appearance of shyness/*etc*.

déjà [deʒa] *adv* already; **est-il d. parti?** has he left yet *ou* already?; **elle l'a d. vu** she's seen it before, she's already seen it; **c'est d. pas mal** *Fam* that's not bad at all; **quand partez-vous, d.?** *Fam* when did you say you're leaving *ou* you were leaving?

déjeuner [deʒœne] *vi* (*à midi*) to (have) lunch; (*le matin*) to (have) breakfast ▮ *nm* lunch; **petit d.** breakfast.

déjouer [deʒwe] *vt* (*intrigue*, *plans*) to thwart, foil.

déjuger (se) [sədeʒyʒe] *vpr* to go back on one's opinion *ou* decision.

delà [d(ə)la] *adv* **au-d. (de), au d. (de), par-d., par d.** beyond; **au-d. du pont**/*etc* beyond *ou* past the bridge/*etc* ▮ *nm* **l'au-d.** the (world) beyond.

délabrer (se) [sədelabre] *vpr* (*édifice*) to become dilapidated, fall into disrepair; (*santé*) to give out, fail, become impaired. ●**délabré, -ée** *a* (*bâtiment*) dilapidated. ●**délabrement** [-əmɑ̃] *nm* (*de bâtiment*) dilapidation, disrepair; (*de santé*) impaired state.

délacer [delase] *vt* (*chaussures*) to undo.

délai [delɛ] *nm* time limit; (*répit*, *sursis*) extra time, extension; **dans un d. de dix jours** within ten days; **sans d.** without delay; **dans les plus brefs délais** as soon as possible; **dernier d.** final date.

délaisser [delese] *vt* (*négliger*) to neglect; (*abandonner*) to forsake, desert, abandon.

délasser [delase] *vt*, **se délasser** *vpr* to relax. ●**délassement** *nm* relaxation, diversion.

délateur, -trice [delatœr, -tris] *nmf* informer.

délavé, -ée [delave] *a* (*tissu*, *jean*) faded; (*ciel*) watery; (*terre*) waterlogged.

délayer [deleje] *vt* (*mélanger*) to mix (with liquid); (*discours*, *texte*) *Fig* to pad out.

delco [dɛlko] *nm* (*de véhicule*) distributor.

délecter (se) [sədelɛkte] *vpr* **se d. de qch/à faire** to (take) delight in sth/in doing. ●**délectable** *a* delectable. ●**délectation** *nf* delight.

déléguer [delege] *vt* to delegate (à to). ●**délégué, -ée** *nmf* delegate. ●**délégation** *nf* delegation.

délestage [delɛstaʒ] *nm* **itinéraire de d.** alternative route (*to relieve congestion*).

délester [delɛste] *vt* (*couper le courant dans*) to cut the power in (*as a relief measure*); **d. qn de** (*voler à qn*) *Fam* to relieve s.o. of.

délibérer [delibere] *vi* (*se consulter*) to deliberate, confer (**de** about); (*réfléchir*) to deliberate (**sur** upon). ●**délibéré, -ée** *a* (*résolu*) determined; (*intentionnel*) deliberate; **de propos d.** deliberately. ●**délibérément** *adv* (*à dessein*) deliberately. ●**délibération** *nf* deliberation.

délicat, -ate [delika, -at] *a* (*santé*, *travail etc*) delicate; (*question*) tricky, delicate; (*geste*) tactful; (*exigeant*) particular; **des procédés peu délicats** unscrupulous methods. ●**délicatement** *adv* delicately; (*avec tact*) tactfully. ●**délicatesse** *nf* delicacy; (*tact*) tact(fulness).

délice [delis] *nm* delight. ●**délices** *nfpl* delights. ●**délicieux, -euse** *a* (*mets*, *fruit etc*) delicious; (*endroit*, *parfum etc*) delightful.

délié, -ée [delje] **1** *a* (*esprit*) sharp, subtle; (*doigts*) nimble; (*écriture*) fine; **avoir la langue déliée** to be talkative. **2** *nm* (*d'une lettre*) (thin) upstroke.

délier [delje] *vt* to untie, undo; (*langue*) *Fig* to loosen; **d. qn de** to release s.o. from ▮ **se délier** *vpr* **les langues se délient** people start talking, tongues are loosened.

délimiter [delimite] *vt* (*terrain*) to mark off; (*sujet*) to define. ●**délimitation** *nf* (*de terrain*) demarcation; (*de sujet*) definition.

délinquant, -ante [delɛ̃kɑ̃, -ɑ̃t] *a* & *nmf* delinquent. ●**délinquance** *nf* delinquency.

délire [delir] *nm* (*maladie*) delirium; (*exaltation*) frenzy; **c'est du d.** *Fam* it's utter madness. ●**délirer** *vi* (*patient*) to be delirious; (*dire n'importe quoi*) to rave; **d. de** (*joie etc*) to be wild with. ●**délirant, -ante** *a* (*malade*) delirious; (*joie*) frenzied, wild; (*déraisonnable*) utterly absurd.

délit [deli] *nm* *Br* offence, *Am* offense; **d. d'initié** (*à la Bourse*) insider trading *ou* dealing.

délivrer [delivre] *vt* **1** (*prisonnier*, *otage*) to release, (set) free; (*pays*) to free, deliver; **d. qn de** (*souci*, *obligation etc*) to rid s.o. of. **2** (*passeport*, *billet etc*) to issue (à to). **3** (*marchandises*) to deliver. ●**délivrance** *nf* release; deliverance; issue; (*soulagement*) relief.

déloger [delɔʒe] *vt* to force *ou* drive out; (*soldats*) to dislodge.

déloyal, -e, -aux [delwajal, -o] *a* disloyal; (*concurrence*) unfair. ●**déloyauté** *nf* disloyalty; (*de concurrence*) unfairness; (*action*) disloyal act.

delta [dɛlta] *nm* (*de fleuve*) delta.

deltaplane® [dɛltaplan] *nm* (*engin*) hang-glider; **faire du d.** to practise *ou* do hang-gliding, go hang-gliding.

déluge [delyʒ] *nm* flood; (*de pluie*) downpour; (*de compliments*, *coups*) shower, deluge.

déluré

déluré, -ée [delyre] *a* (*malin*) smart, sharp; (*fille trop hardie*) brazen.
démagogie [demagɔʒi] *nf* demagogy. ●**démagogue** *nmf* demagogue.
demain [d(ə)mɛ̃] *adv* tomorrow; **à d.!** see you tomorrow!; **ce n'est pas d. la veille** *Fam* that won't happen for a (quite a) while.
demande [d(ə)mɑ̃d] *nf* request (**de qch** for sth); (*d'emploi*) application; (*de renseignements*) inquiry; *Écon* demand; (*question*) question; **d. (en mariage)** proposal (of marriage); **demandes d'emploi** (*dans le journal*) jobs wanted, *Br* situations wanted.
demander [d(ə)mɑ̃de] *vt* to ask for; (*emploi*) to apply for; (*autorisation*) to request, ask for; (*charité*) to beg for; (*prix*) to charge; (*nécessiter, exiger*) to require; **d. le chemin/l'heure** to ask the way/the time; **d. qch à qn** to ask s.o. for sth; **d. à qn de faire qch** to ask s.o. to do sth; **d. si/où** to ask *ou* inquire whether/where; **on te demande!** you're wanted!; **ça demande du temps/une heure** it takes time/an hour; **je peux vous d. votre nom?** may I ask your name?; **d. qn en mariage** to propose (marriage) to s.o.; **elle est très demandée** she's in great demand.
▌**se demander** *vpr* to wonder, ask oneself (**pourquoi** why, **si** if).
démanger [demɑ̃ʒe] *vti* to itch; **son bras le démange** his arm itches; **ça me démange de...** (*j'ai très envie de*) I'm itching to.... ●**démangeaison** *nf* itch; **avoir des démangeaisons** to be itching; **j'ai une d. au bras** my arm's itching.
démanteler [demɑ̃tle] *vt* (*organisation etc*) to break up; (*bâtiment*) to demolish.
démantibuler [demɑ̃tibyle] *vt* (*meuble etc*) *Fam* to smash up, knock to pieces.
démaquiller (se) [sədemakije] *vpr* to take off one's make-up. ●**démaquillant** *nm* make-up remover.
démarcation [demarkɑsjɔ̃] *nf* demarcation.
démarche [demarʃ] *nf* walk, gait, step; **d. intellectuelle** thought process; **faire des démarches** to go through the process (**pour faire** of doing), take the necessary steps (**pour faire** to do); **faire une d.** *ou* **des démarches auprès de qn** to approach s.o. (**pour faire** to do).
démarcheur, -euse [demarʃœr, -øz] *nmf* (*vendeur*) door-to-door salesman *ou* saleswoman.
démarquer [demarke] *vt* (*prix*) to mark down; **se d. de** (*marquer une différence*) to dissociate oneself from.
démarrer [demare] *vi* (*moteur de voiture etc*) to start (up); (*partir en voiture*) to move *ou* drive off; (*entreprise etc*) *Fig* to get off the ground ▌ *vt* (*commencer*) *Fam* to start. ●**démarrage** *nm* (*de voiture*) start; **d. en côte** hill start. ●**démarreur** *nm* (*de voiture*) starter.
démasquer [demaske] *vt* to expose, unmask.
démêler [demele] *vt* to disentangle, untangle; **d. une affaire** *Fig* to disentangle a matter. ●**démêlé** *nm* (*dispute*) squabble; **avoir des démêlés avec la justice/son patron** (*ennuis*) to have a brush with *or* unpleasant dealings with the law/one's boss.
démembrer [demɑ̃bre] *vt* (*pays etc*) to dismember, carve up.
déménager [demenaʒe] *vi* to move (out), move house ▌ *vt* (*meubles*) *Br* to (re)move, *Am* move. ●**déménagement** *nm* move, moving (house); (*de meubles*) *Br* removal, moving (**de** of); **camion de d.** *Br* removal van, *Am* moving van. ●**déménageur** *nm* *Br* removal man, *Am* (furniture) mover.
démener (se) [sədemne] *vpr* to fling oneself about; **se d. pour faire qch** to spare no effort to do sth.
dément, -ente [demɑ̃, -ɑ̃t] *a* insane; (*génial*) *Fam* fantastic ▌ *nmf* lunatic. ●**démence** *nf* insanity. ●**démentiel, -ielle** *a* insane.
démentir [demɑ̃tir] *vt* (*nouvelle, fait etc*) to deny; (*témoin*) to contradict. ●**démenti** *nm* denial; **opposer un d. à qch** to make a formal denial of sth.
démerder (se) [sədemɛrde] *vpr* (*se débrouiller*) *Fam* to manage (by oneself).
démesure [demzyr] *nf* excess. ●**démesuré, -ée** *a* excessive, inordinate.
démettre* [demɛtr] *vt* **1 se d. l'épaule/etc** to dislocate one's shoulder/etc. **2 d. qn de ses fonctions** to dismiss s.o. from his post; **se d. de ses fonctions** to resign.
demeurant (au) [odəmœrɑ̃] *adv* for all that, nontheless, after all.
demeure [dəmœr] *nf* **1** (*belle maison*) mansion. **2 à d.** permanently. **3 mettre qn en d. de faire qch** to summon *ou* instruct s.o. to do sth.
demeuré, -ée *a Fam* (mentally) retarded.
demeurer [dəmœre] *vi* **1** (*aux être*) (*rester*) to remain; **en d. là** (*affaire etc*) to rest there. **2** (*aux avoir*) (*habiter*) to live, reside.
demi, -ie [d(ə)mi] *a* half; **d.-journée** half-day; **une heure et demie** an hour and a half; (*horloge*) half past one ▌ *adv* **(à) d. plein** half-full; **à d. nu** half-naked; **dormir à d.** to be half asleep; **ouvrir à d.** to open halfway; **faire les choses à d.** to do things by halves ▌ *nmf* (*moitié*) half ▌ *nm* (*verre*) (half-pint) glass of beer; *Football* half-back ▌ *nf* **demie** (*à l'horloge*) half-hour.
demi-cercle [d(ə)misɛrkl] *nm* semicircle. ●**demi-douzaine** *nf* **une d.-douzaine (de)** a half-dozen, half a dozen. ●**demi-finale** *nf* *Sport* semifinal. ●**demi-frère** *nm* stepbrother, half brother. ●**demi-heure** *nf* **une d.-heure** a half-hour, half an hour. ●**demi-livre** *nf* half a pound. ●**demi-mesure** *nf* half-measure. ●**demi-mot** *nm* **tu comprendras à d.-mot** you'll understand without my having to spell it out. ●**demi-pension** *nf* *Br* half-board, *Am* breakfast and one meal. ●**demi-pensionnaire** *nmf* *Br* day boarder, *Am* day student. ●**demi-saison** *nf* **de d.-saison** (*vêtement*) between seasons. ●**demi-sel** *a inv* (*beurre*) slightly salted; (*fromage*) **d.-sel** cream

cheese. ●**demi-sœur** *nf* stepsister, half sister. ●**demi-tarif** *nm* & *a inv* (*billet*) (à) **d.-tarif** half-price. ●**demi-tour** *nm Br* about turn, *Am* about face; (*en voiture*) U-turn; **faire d.-tour** (*à pied*) to turn back; (*en voiture*) to make a U-turn.

déminéralisée [demineralize] *af* **eau d.** (*pour voiture, fer à repasser*) distilled water.

démis, -mise [demi, -miz] *a* **avoir l'épaule démise** to have a dislocated shoulder.

démission [demisjɔ̃] *nf* resignation; **donner sa d.** to hand *or* give in one's resignation. ●**démissionner** *vi* to resign.

démobiliser [demɔbilize] *vt* to demobilize. ●**démobilisation** *nf* demobilization.

démocrate [demɔkrat] *nmf* democrat ▮ *a* democratic. ●**démocratie** [-asi] *nf* democracy. ●**démocratique** *a* democratic.

démoder (se) [sədemɔde] *vpr* to go out of fashion. ●**démodé, -ée** *a* old-fashioned.

démographie [demɔgrafi] *nf* demography.

demoiselle [d(ə)mwazɛl] *nf* (*jeune fille*) young lady; (*célibataire*) single woman, *Vieilli* spinster; **d. d'honneur** (*à un mariage*) bridesmaid; (*de reine*) maid of honour.

démolir [demɔlir] *vt* (*maison etc*) to knock *ou* pull down, demolish; (*jouet etc*) to wreck, demolish; (*projet, autorité*) *Fig* to wreck, shatter; **d. qn** (*battre, discréditer*) *Fam* to tear s.o. to pieces, demolish s.o. ●**démolition** *nf* demolition; **en d.** being demolished.

démon [demɔ̃] *nm* demon; **petit d.** (*enfant*) little devil; **le d.** the Devil. ●**démoniaque** *a* devilish, fiendish.

démonstratif, -ive [demɔ̃stratif, -iv] *a* demonstrative; **adjectif d.** demonstrative adjective ▮ *nm Grammaire* demonstrative.

démonstration [demɔ̃strasjɔ̃] *nf* demonstration; **faire une d.** *Math* to give a demonstration; **faire la d. d'un appareil**/*etc* to demonstrate an appliance/*etc*; **d. de force** show of force. ●**démonstrateur, -trice** *nmf* (*dans un magasin etc*) demonstrator.

démonter [demɔ̃te] *vt* (*mécanisme*) to dismantle, take apart; (*installation, tente*) to take down; **d. qn** (*troubler*) to disconcert s.o.; **une mer démontée** a stormy sea ▮ **se démonter** *vpr* to come apart; (*installation etc*) to come down; (*personne*) *Fig* to be put out *ou* disconcerted.

démontrer [demɔ̃tre] *vt* to demonstrate, show.

démoraliser [demɔralize] *vt* to demoralize ▮ **se démoraliser** *vpr* to become demoralized. ●**démoralisation** *nf* demoralization.

démordre [demɔrdr] *vi* **il ne démordra pas de son opinion**/*etc* he won't budge from his opinion/*etc*, he's sticking to his opinion/*etc*.

démouler [demule] *vt* (*gâteau*) to turn out (*from its mould*).

démuni, -e [demyni] *a* (*sans argent*) penniless, destitute.

démunir [demynir] *vt* **d. qn de** to deprive s.o. of; **se d. de** to part with.

démystifier [demistifje] *vt* (*public etc*) to disabuse; (*idée etc*) to debunk.

dénationaliser [denasjɔnalize] *vt* to denationalize.

dénaturer [denatyre] *vt* (*propos, faits etc*) to misrepresent, distort; (*goût*) to alter. ●**dénaturé, -ée** *a* (*parents, goût*) unnatural.

dénégation [denegasjɔ̃] *nf* denial.

déneiger [deneʒe] *vt* to clear of snow.

dénicher [denife] *vt* (*trouver*) to dig up, turn up; (*ennemi, fugitif*) to hunt out, flush out.

dénier [denje] *vt* to deny; (*responsabilité*) to disclaim, deny; (*droit*) to deny; **d. qch à qn** to deny s.o. sth.

dénigrer [denigre] *vt* to denigrate, disparage. ●**dénigrement** *nm* denigration, disparagement.

dénivellation [denivɛlasjɔ̃] *nf* unevenness; (*pente*) gradient; **dénivellations** (*relief*) bumps.

dénombrer [denɔ̃bre] *vt* to count, number.

dénominateur [denɔminatœr] *nm Math* & *Fig* denominator.

dénommer [denɔme] *vt* to name. ●**dénommé, -ée** *nmf* **un d. Dupont** a man named Dupont. ●**dénomination** *nf* designation.

dénoncer [denɔ̃se] *vt* (*injustice etc*) to denounce (à to); **d. qn** (*au professeur*) to tell on s.o., inform on s.o. (à to) ▮ **se dénoncer** *vpr* (à la police *etc*) to give oneself up (à to); (*au professeur*) to own up (à to). ●**dénonciateur, -trice** *nmf* informer; (*élève*) telltale. ●**dénonciation** *nf* denunciation.

dénoter [denɔte] *vt* to denote.

dénouement [denumɑ̃] *nm* outcome, ending; (*au théâtre*) dénouement.

dénouer [denwe] *vt* (*nœud, corde*) to undo, untie; (*cheveux*) to let down, undo; (*situation, intrigue*) to unravel; (*problème, crise*) to clear up ▮ **se dénouer** *vpr* (*nœud*) to come undone *ou* untied; (*cheveux*) to come undone.

dénoyauter [denwajote] *vt* (*prune etc*) *Br* to stone, *Am* to pit.

denrée [dɑ̃re] *nf* food(stuff); **denrées alimentaires** foods, foodstuffs; **denrées périssables** perishable foods *or* foodstuffs, perishables.

dense [dɑ̃s] *a* dense. ●**densité** *nf* density.

dent [dɑ̃] *nf* tooth (*pl* teeth); (*de roue*) cog; (*de fourchette*) prong; (*de timbre-poste*) perforation; **d. de lait/sagesse** milk/wisdom tooth; **faire ses dents** (*enfant*) to be teething; **coup de d.** bite; **rien à se mettre sous la d.** nothing to eat; **manger à belles dents/du bout des dents** to eat whole-heartedly/halfheartedly; **être sur les dents** (*énervé*) to be on edge; (*surmené*) to be exhausted; **avoir une d. contre qn** to have it in for s.o.; **couteau en dents de scie** serrated knife; **résultats en dents de scie** *Fig* irregular results showing ups and downs, good and bad results. ●**dentaire** *a* dental. ●**dentée** *af* **roue d.** cogwheel.

dentelé, -ée [dɑ̃tle] *a* (*côte*) jagged; (*feuille*) serrated. ●**dentelure** *nf* jagged outline.

dentelle [dɑ̃tɛl] *nf* lace.
dentier [dɑ̃tje] *nm* (set of) false teeth, denture(s).
dentifrice [dɑ̃tifris] *nm* toothpaste.
dentiste [dɑ̃tist] *nmf* dentist; **chirurgien d.** dental surgeon. ●**dentition** *nf* (*dents*) (set of) teeth.
dénuder [denyde] *vt* to (lay) bare. ●**dénudé, -ée** *a* bare.
dénué, -ée [denye] *a* **d. de sens/d'intérêt/etc** devoid of sense/interest/*etc*.
dénuement [denymɑ̃] *nm* destitution; **dans le d.** poverty-stricken.
déodorant [deɔdɔrɑ̃] *nm* deodorant.
dépanner [depane] *vt* (*voiture, télévision etc*) to get going (again), repair; **d. qn** *Fam* to help s.o. out. ●**dépannage** *nm* (emergency) repair; **voiture/service de d.** *Br* breakdown *ou* recovery vehicle/service. ●**dépanneur** *nm* (*de télévision*) repairman; (*de voiture*) *Br* breakdown mechanic, emergency car mechanic. ●**dépanneuse** *nf* (*voiture*) *Br* breakdown lorry, *Am* wrecker, tow truck.
dépareillé, -ée [depareje] *a* (*chaussure etc*) odd, not matching; (*collection*) incomplete.
départ [depar] *nm* departure; (*de course etc*) start; **c'est le jour des départs en vacances** it's the start of the *Br* holidays *or Am* vacation; **point/ligne de d.** starting point/post; **salaire de d.** starting salary; **au d.** at the outset, at the start; **dès le d.** (right) from the start; **au d. de Paris**/*etc* (*excursion etc*) leaving *ou* departing from Paris/*etc*; **à mon d. de Paris** when I left Paris.
départager [departaʒe] *vt* (*concurrents*) to decide between; **d. les votes** to give the casting vote.
département [departəmɑ̃] *nm* department. ●**départemental, -e, -aux** *a* departmental; **route départementale** secondary road, *Br* = B road.
départir* (**se**) [sədepartir] *vpr* **se d. de** (*attitude*) to depart from, abandon.
dépasser [depase] *vt* (*véhicule, bicyclette etc*) *Br* to overtake, pass; (*endroit*) to go past, go beyond; (*prévisions, date limite etc*) to exceed, go beyond; **d. qn** (*en hauteur*) to be taller than s.o.; (*surclasser*) to be ahead of s.o.; **ça me dépasse** *Fig* that's (quite) beyond me ▮ *vi* (*jupon, clou etc*) to stick out, show. ●**dépassé, -ée** *a* (*démodé*) outdated; (*incapable*) unable to cope. ●**dépassement** *nm* (*en voiture*) *Br* overtaking, passing.
dépayser [depeize] *vt Br* to disorientate, *Am* disorient. ●**dépaysement** *nm* disorientation; (*changement*) change of scenery.
dépecer [depəse] *vt* (*animal*) to cut up, carve up.
dépêche [depɛʃ] *nf* telegram; (*diplomatique*) dispatch. ●**dépêcher** *vt* to dispatch ▮ **se dépêcher** *vpr* to hurry (up).
dépeigner [depeɲe] *vt* **d. qn** to make s.o.'s hair untidy. ●**dépeigné, -ée** *a* **être d.** to have untidy hair; **sortir d.** to go out with untidy hair.

dépeindre* [depɛ̃dr] *vt* to depict, describe.
dépenaillé, -ée [depənaje] *a* in tatters *ou* rags.
dépendant, -ante [depɑ̃dɑ̃, -ɑ̃t] dependent (**de** on). ●**dépendance** *nf* dependence; **sous la d. de qn** under s.o.'s domination. ●**dépendances** *nfpl* (*bâtiments*) outbuildings.
dépendre [depɑ̃dr] **1** *vi* to depend (**de** on, upon); **d. de** (*appartenir à*) to belong to; (*être soumis à*) to be dependent on; **ça dépend de toi** that depends on you, that's up to you. **2** *vt* (*décrocher*) to take down.
dépens [depɑ̃] *nmpl* **aux d. de** at the expense of; **apprendre à ses d.** to learn to one's cost.
dépense [depɑ̃s] *nf* (*frais*) expense, expenditure (*no pl*); (*d'électricité etc*) consumption; (*physique*) exertion; (*action*) spending; **faire** *ou* **engager des dépenses** to incur expenses, spend money. ●**dépenser** *vt* (*argent*) to spend; (*électricité etc*) to use; (*forces*) to exert; (*énergie*) to expend ▮ **se dépenser** *vpr* to exert oneself.
dépensier, -ière [depɑ̃sje, -jɛr] *a* wasteful, extravagant.
déperdition [depɛrdisjɔ̃] *nf* (*de chaleur etc*) loss.
dépérir [deperir] *vi* (*personne*) to waste away; (*plante*) to wither; (*santé etc*) to decline. ●**dépérissement** *nm* (*baisse*) decline.
dépêtrer (**se**) [sədepɛtre] *vpr Fam* to extricate oneself (**de** from).
dépeupler [depœple] *vt* to depopulate. ●**dépeuplement** [-əmɑ̃] *nm* depopulation.
dépilatoire [depilatwar] *nm* hair-remover.
dépister [depiste] *vt* (*criminel etc*) to track down; (*maladie*) to detect. ●**dépistage** *nm* (*de maladie*) detection.
dépit [depi] *nm* resentment, pique, chagrin; **en d. de** in spite of; **en d. du bon sens** (*mal*) atrociously; **par d.** out of pique.
dépiter [depite] *vt* to vex, pique, chagrin ▮ **se dépiter** *vpr* to feel resentment *ou* pique *ou* chagrin. ●**dépité, -ée** *a* vexed, piqued.
déplacement [deplasmɑ̃] *nm* (*voyage*) (business *ou* professional) trip; (*d'ouragan, de troupes*) movement; **être en d.** (*homme d'affaires etc*) to be travelling (around); **frais de d.** *Br* travelling *ou Am* traveling expenses.
déplacer [deplase] *vt* (*vase, meuble etc*) to shift, move; (*fonctionnaire*) to transfer ▮ **se déplacer** *vpr* (*aiguille d'une montre etc*) to move; (*personne, animal etc*) to move (about); (*marcher*) to walk (around); (*voyager*) to travel (about *ou* around), get about. ●**déplacé, -ée** *a* (*mal à propos*) out of place; **personne déplacée** (*réfugié*) displaced person.
déplaire* [deplɛr] *vi* **d. à qn** to displease s.o.; **ça me déplaît** I don't like it; **cet aliment lui déplaît** he *ou* she dislikes this food; **il se déplaît à Paris** he doesn't like it in Paris; **n'en déplaise à** *Iron* with all due respect to ▮ *v imp* **il me déplaît de faire** I dislike doing, it displeases me to do. ●**déplaisant, -ante** *a* un-

pleasant, displeasing. ●**déplaisir** *nm* displeasure.
déplantoir [deplɑ̃twar] *nm* (garden) trowel.
déplier [deplije] *vt* to open out, unfold. ●**dépliant** *nm* (*prospectus*) leaflet.
déplorer [deplɔre] *vt* (*regretter*) to deplore; (*la mort de qn*) to mourn (over), lament (over); **d. que** (+ *sub*) to deplore the fact that, regret that. ●**déplorable** *a* regrettable, deplorable, lamentable.
déployer [deplwaje] *vt* (*ailes*) to spread; (*journal, carte etc*) to unfold, spread (out); (*courage, énergie etc*) to display; (*troupes*) to deploy ▌ **se déployer** *vpr* (*drapeau*) to unfurl. ●**déploiement** *nm* (*démonstration*) display; (*d'une armée*) deployment.
dépoli, -ie [depɔli] *a* **verre d.** frosted glass.
déporter [depɔrte] *vt* **1** (*dévier*) to carry *ou* veer (off course). **2** (*exiler*) *Hist* to deport (to a penal colony); (*dans un camp de concentration*) *Hist* to send to a concentration camp, deport. ●**déporté, -ée** *nmf Hist* deportee; (concentration camp) inmate. ●**déportation** *nf Hist* deportation; internment (in a concentration camp).
déposer [depoze] *vt* (*poser*) to put down; (*laisser*) to leave; (*argent, lie*) to deposit; (*plainte*) to lodge; (*ordures*) to dump; (*marque de fabrique*) to register; (*armes*) to lay down; (*gerbe*) to lay; (*projet de loi*) to introduce; (*souverain*) to depose; **d. qn** (*en voiture*) to drop s.o. (off), put s.o. off; **d. une lettre à la poste/boîte** to drop a letter in the post/in the box, mail a letter; **d. de l'argent sur un compte** to deposit money in an account; **d. son bilan** (*entreprise*) to go into liquidation, file for bankruptcy.
▌ *vi Jur* to testify; (*liquide*) to leave a deposit.
▌ **se déposer** *vpr* (*poussière, lie*) to settle.
dépositaire [depoziter] *nmf* (*vendeur*) agent; (*de secret*) custodian.
déposition [depozisjɔ̃] *nf* (*au tribunal etc*) statement; (*de souverain*) deposing.
déposséder [depɔsede] *vt* to deprive, dispossess (**de** of).
dépôt [depo] *nm* (*de vin*) deposit, sediment; (*à la banque*) deposit; (*d'autobus, de trains*) depot; (*entrepôt*) warehouse; (*prison*) jail; **d.** (**calcaire**) (*de chaudière etc*) deposit; **d. d'une gerbe** the laying of a wreath; **d. d'ordures** *Br* rubbish *ou Am* garbage dump; **d.-vente** (*pour vêtements*) = secondhand clothes shop; **laisser qch à qn en d.** to give s.o. sth for safekeeping *ou* in trust.
dépotoir [depotwar] *nm Br* rubbish dump, *Am* garbage dump; **classe d.** = class for children without scholastic ability.
dépouille [depuj] *nf* (*d'un animal*) hide, skin; (*de serpent*) slough; **les dépouilles** (*butin*) the spoils; **d.** (**mortelle**) (*d'un défunt*) mortal remains.
dépouiller [depuje] *vt* (*animal*) to skin, flay; (*analyser*) to go through, analyse (*results etc*); **d. de** (*déposséder*) to deprive of; (*dégarnir*) to strip of; **se d. de** to rid *ou* divest oneself of, cast off; **d. un scrutin** to count votes. ●**dépouillé, -ée** *a* (*arbre*) bare; (*style*) austere, spare; **d. de** bereft of. ●**dépouillement** *nm* (*de document etc*) analysis; (*privation*) deprivation; (*sobriété*) austerity; **d. du scrutin** counting of the votes.
dépourvu, -ue [depurvy] *a* **d. de** devoid of; **prendre qn au d.** to catch s.o. unawares *ou* off his *ou* her guard.
dépraver [deprave] *vt* to deprave. ●**dépravé, -ée** *a* depraved. ●**dépravation** *nf* depravity.
déprécier [depresje] *vt* (*monnaie, immeuble etc*) to depreciate; (*dénigrer*) to disparage ▌ **se déprécier** *vpr* (*baisser*) to depreciate, lose (its) value. ●**dépréciation** *nf* depreciation.
déprédations [depredasjɔ̃] *nfpl* damage, ravages.
dépression [depresjɔ̃] *nf* (*sur le sol*) & *Psy* depression; **zone de d.** trough of low pressure; **d.** (**nerveuse**) nervous breakdown; **faire de la d.** to be suffering from depression, be in a state of depression; **d. économique** slump. ●**dépressif, -ive** *a* depressive.
déprime [deprim] *nf* **la d.** (*dépression*) *Fam* the blues, depression. ●**déprimer** *vt* to depress. ●**déprimé, -ée** *a* depressed.
depuis [dəpɥi] *prép* since; **d. lundi/1990** since Monday/1990; **d. qu'elle est partie** since she left; **j'habite ici d. un mois** I've been living here for a month; **d. quand êtes-vous là?, d. combien de temps êtes-vous là?** how long have you been here?; **d. Paris jusqu'à Londres** from Paris to London; **d. peu/longtemps** for a short/long time; **je le connais d. toujours** I've known him all my life; **d. des siècles** *Fam* for ages; **d. le temps que je le connais!** I've known him for ages!
▌ *adv* since (then), ever since.
députation [depytasjɔ̃] *nf* (*groupe*) deputation, delegation; **candidat à la d.** parliamentary candidate. ●**député** *nm* delegate, deputy; (*à l'Assemblée nationale*) deputy, = *Br* MP, = *Am* congressman, congresswoman.
déraciner [derasine] *vt* (*arbre, Fig personne etc*) to uproot; (*préjugés etc*) to eradicate, root out. ●**déracinement** *nm* uprooting; (*de préjugés etc*) eradication.
dérailler [deraje] *vi* **1** (*train*) to jump the rails, be derailed; **faire d.** to derail. **2** (*divaguer*) *Fam* to talk drivel, talk through one's hat. ●**déraillement** *nm* (*de train*) derailment.
●**dérailleur** *nm* (*de bicyclette*) derailleur (gear change).
déraisonnable [derezɔnabl] *a* unreasonable.
●**déraisonner** *vi* to talk nonsense.
déranger [derɑ̃ʒe] *vt* (*affaires*) to disturb, upset; (*projets*) to mess up, upset; (*vêtements*) to mess up; **d. qn** to disturb *ou* bother *ou* trouble s.o.; **je viendrai si ça ne te dérange pas** I'll come if that doesn't put you out *ou* if that's not imposing; **ça vous dérange si je fume?** do you mind if I smoke?; **avoir l'estomac dérangé** to have an upset sto-

déraper

mach; **il a l'esprit dérangé** he's deranged. ▌**se déranger** vpr to put oneself to a lot of trouble (**pour faire** to do); (se déplacer) to move; **ne te dérange pas!** don't bother!, don't trouble yourself! ●**dérangement** nm (gêne) bother, inconvenience; **excusez-moi pour le d.** I'm sorry to disturb ou bother ou trouble you; **ça vaut le d.** (musée etc) it's well worth the trouble ou it's well worth it; **en d.** (téléphone etc) out of order.

déraper [derape] vi (véhicule) to skid; (personne) Fam to slip. ●**dérapage** nm skid; (des prix, de l'inflation) Fig loss of control (**de** over).

dératé [derate] nm **courir comme un d.** to run like mad.

dérèglement [dereglǝmã] nm (de mécanisme etc) breakdown; (d'esprit) disorder; (d'estomac) upset.

dérégler [deregle] vt (télévision, mécanisme) to put out of order; (estomac, habitudes) to upset; (montre, appareil) to unsettle ▌**se dérégler** vpr (montre, appareil) to go wrong. ●**déréglé, -ée** a (appareil) out of order; (vie, mœurs) dissolute, wild.

dérider [deride] vt, **se dérider** vpr to cheer up.

dérision [derizjɔ̃] nf derision, mockery; **tourner en d.** to mock, deride; **par d.** derisively; **rires de d.** derisive laughter. ●**dérisoire** a ridiculous, derisory.

dérivatif [derivatif] nm distraction (**à** from).

dérive [deriv] nf (en bateau) drift; **partir à la d.** (navire) to drift out to sea; **aller à la d.** (navire) to go adrift; (entreprise etc) Fig to drift (towards ruin).

dériver [derive] vi (bateau) to drift; **d. de** (venir) to derive from, be derived from ▌vt (cours d'eau) to divert; **d. un mot du latin/**etc to derive a word from Latin/etc. ●**dérivé** nm (mot, substance chimique) derivative; (produit) by-product. ●**dérivation** nf (de cours d'eau) diversion; (de mot) derivation; (déviation routière) bypass.

dermatologie [dɛrmatɔlɔʒi] nf dermatology.

dernier, -ière [dɛrnje, -jɛr] a last; (nouvelles, mode) latest; (étage) top; (degré) highest; **le d. rang** the back ou last row; **hôtel de d. ordre** third-rate hotel; **ces derniers mois** these past few months, these last ou final months; **les dix dernières minutes** the last ou final ten minutes; **de la dernière importance** of (the) utmost importance; **en d.** last.
▌nmf last (person ou one); **ce d.** (de deux) the latter; (de plusieurs) the last-mentioned; **être le d. de la classe** to be (at the) bottom of the class; **le d. des derniers** the lowest of the low; **le d. de mes soucis** the least of my worries; **avoir le d. mot** to have the last ou final word. ●**dernier-né, dernière-née** nmf youngest (child). ●**dernièrement** adv recently.

dérobade [derɔbad] nf dodge, evasion.

dérober [derɔbe] vt (voler) to steal (**à** from); (cacher) to hide (**à** from) ▌**se dérober** vpr to get out of one's obligations; (s'esquiver) to slip away; (éviter de répondre) to dodge the issue; **se d. à** (obligations) to shirk, get out of; **se d. aux regards** to hide from view, escape notice; **ses jambes se sont dérobées sous lui** his legs gave way beneath him. ●**dérobé, -ée** a (porte etc) hidden, secret; **à la dérobée** (adv) on the sly, stealthily.

dérogation [derɔgasjɔ̃] nf exemption, (special) dispensation.

déroger [derɔʒe] vi **d. à une règle**/etc to depart from a rule/etc.

dérouiller [deruje] vt **d. qn** (battre) Fam to thrash ou thump s.o.; **se d. les jambes** Fam to stretch one's legs.

dérouler [derule] vt (tapis etc) to unroll; (fil) to unwind ▌**se dérouler** vpr (événement) to take place; (paysage, souvenirs) to unfold; (récit) to develop. ●**déroulement** nm (d'une action) unfolding, development; (cours) course.

déroute [derut] nf (d'une armée) rout.

dérouter [derute] vt (avion, navire) to divert, reroute; (candidat etc) to baffle; (poursuivant) to throw off the scent.

derrick [dɛrik] nm oil rig, derrick.

derrière [dɛrjɛr] prép & adv behind; **d. moi** behind me, Am in back of me; **assis d.** (dans une voiture) sitting in the back; **par d.** (attaquer) from behind, from the rear ▌nm (de maison etc) back, rear; (fesses) behind, bottom; **patte de d.** hind leg; **roue de d.** back ou rear wheel.

des [de] = **de** + **les** (voir **de**[1,2,3] & **le**).

dès [dɛ] prép from; **d. le début** (right) from the start; **d. cette époque** (as) from that time, from that time on ou forward; **d. maintenant** from now on; **d. son enfance** since ou from (his ou her) childhood; **d. le sixième siècle** as early as ou as far back as the sixth century; **d. l'aube** at (the crack of) dawn; **d. qu'elle viendra** as soon as she comes.

désabusé, -ée [dezabyze] a disillusioned, disenchanted.

désaccord [dezakɔr] nm disagreement; **être en d. avec qn** to be at odds with s.o., be in disagreement with s.o. ●**désaccordé, -ée** a (violon etc) out of tune.

désaccoutumer (se) [sǝdezakutyme] vpr **se d. de qch/de faire qch** to lose the habit of sth/of doing sth.

désaffecté, -ée [dezafɛkte] a (gare etc) disused.

désaffection [dezafɛksjɔ̃] nf loss of affection, disaffection (**pour** for).

désagréable [dezagreabl] a unpleasant, disagreeable. ●**désagréablement** [-ǝmã] adv unpleasantly.

désagréger [dezagreʒe] vt, **se désagréger** vpr to disintegrate, break up. ●**désagrégation** nf disintegration.

désagrément [dezagremã] nm annoyance, trouble.

désaltérer [dezaltere] vt **d. qn** to quench

s.o.'s thirst ∎ **se désaltérer** *vpr* to quench one's thirst. ●**désaltérant, -ante** *a* thirst-quenching.

désamorcer [dezamɔrse] *vt* (*obus, Fig conflit etc*) to defuse.

désappointer [dezapwɛ̃te] *vt* to disappoint.

désapprouver [dezapruve] *vt* to disapprove of ∎ *vi* to disapprove. ●**désapprobateur, -trice** *a* disapproving. ●**désapprobation** *nf* disapproval.

désarçonner [dezarsɔne] *vt* (*jockey*) to throw, unseat; (*déconcerter*) *Fig* to confound, nonplus, throw.

désarmer [dezarme] *vt* (*soldat, nation etc*) to disarm; **d. qn** (*franchise, attitude etc*) to disarm s.o. ∎ *vi* (*pays*) to disarm; (*céder*) to let up. ●**désarmant, -ante** *a* (*charme etc*) disarming. ●**désarmé, -ée** *a* (*sans défense*) unarmed; *Fig* helpless. ●**désarmement** *nm* (*de nation*) disarmament.

désarroi [dezarwa] *nm* (*angoisse*) distress; **être en plein d.** to be in a state of utter distress.

désarticulé, -ée [dezartikyle] *a* (*pantin, clown*) double-jointed.

désastre [dezastr] *nm* disaster. ●**désastreux, -euse** *a* disastrous.

désavantage [dezavɑ̃taʒ] *nm* (*inconvénient*) drawback, disadvantage; (*gêne*) disadvantage, handicap. ●**désavantager** *vt* to put at a disadvantage, handicap. ●**désavantageux, -euse** *a* disadvantageous.

désaveu, -x [dezavø] *nm* repudiation.

désavouer [dezavwe] *vt* (*livre, personne etc*) to disown, repudiate ∎ **se désavouer** *vpr* to retract.

désaxé, -ée [dezakse] *a & nmf* unbalanced (person).

desceller [desele] *vt* (*pierre etc*) to loosen ∎ **se desceller** *vpr* to come loose.

descendant, -ante [desɑ̃dɑ̃, -ɑ̃t] **1** *a* descending; **marée descendante** outgoing tide. **2** *nmf* (*personne*) descendant. ●**descendance** *nf* (*enfants*) descendants; (*origine*) descent.

descendre [desɑ̃dr] *vi* (*aux être*) to come *ou* go down, descend (**de** from); (*d'un train etc*) to get off *ou* out, alight (**de** from); (*d'un arbre*) to climb down (**de** from); (*nuit, thermomètre*) to fall; (*marée*) to go out; **d. à l'hôtel** to put up at a hotel; **d. chez un ami** to stay with a friend; **d. de** (*être issu de*) to be descended from; **d. de cheval** to dismount; **d. en courant/flânant/***etc* to run/stroll/*etc* down; **elle est descendue bien bas** she has stooped very low.

∎ *vt* (*aux avoir*) (*escalier*) to come *ou* go down, descend; (*objet*) to bring *ou* take down; (*avion*) to bring *ou* shoot down; **d. qn** (*tuer*) *Fam* to bump s.o. off.

descente [desɑ̃t] *nf* (*d'avion*) descent; (*en parachute*) drop; (*pente*) slope; (*de police*) raid (**dans** upon); **il fut accueilli à sa d. d'avion** he was met as he got off the plane; **d. à skis** downhill run; **d. de lit** (*tapis*) bedside rug.

descriptif, -ive [deskriptif, -iv] *a* descriptive. ●**description** *nf* description.

déségrégation [desegregɑsjɔ̃] *nf* desegregation.

désemparé, -ée [dezɑ̃pare] *a* (*personne*) at a total loss, all adrift, distraught; (*navire*) crippled.

désemplir [dezɑ̃plir] *vi* **ce magasin/***etc* **ne désemplit pas** this shop/*etc* is always crowded *ou* is never empty.

désenchanter [dezɑ̃ʃɑ̃te] *vt* to disenchant. ●**désenchantement** *nm* disenchantment.

désencombrer [dezɑ̃kɔ̃bre] *vt* (*passage etc*) to clear.

désenfler [dezɑ̃fle] *vi* (*genou, cheville etc*) to go down, become less swollen.

déséquilibre [dezekilibr] *nm* (*inégalité, disproportion*) imbalance; (*mental*) unbalance; **en d.** (*meuble etc*) unsteady. ●**déséquilibrer** *vt* to throw off balance; (*esprit, personne*) *Fig* to unbalance.

désert, -erte [dezɛr, -ɛrt] *a* deserted; **île déserte** desert island ∎ *nm* desert, wilderness. ●**désertique** *a* **région/***etc* **d.** desert region/*etc*.

déserter [dezɛrte] *vti* to desert. ●**déserteur** *nm* (*soldat*) deserter. ●**désertion** *nf* desertion.

désespérer [dezɛspere] *vi* to despair (**de** of) ∎ *vt* to drive to despair ∎ **se désespérer** *vpr* to (be in) despair. ●**désespérant, -ante** *a* (*enfant etc*) that drives one to despair, hopeless. ●**désespéré, -ée** *a* (*personne*) in despair, despairing; (*cas, situation*) desperate, hopeless; (*efforts, cris*) desperate ∎ *nmf* (*suicidé*) person driven to despair *ou* desperation. ●**désespérément** *adv* desperately.

désespoir [dezɛspwar] *nm* despair; **au d.** in despair; **en d. de cause** in desperation, as a (desperate) last resort.

déshabiller [dezabije] *vt* to undress, strip ∎ **se déshabiller** *vpr* to get undressed, undress.

déshabituer [dezabitɥe] *vt* **d. qn de** to break s.o. of the habit of.

désherber [dezɛrbe] *vti* to weed. ●**désherbant** *nm* weed killer.

déshériter [dezerite] *vt* to disinherit. ●**déshérité, -ée** *a* (*pauvre*) underprivileged; (*dépourvu de dons naturels, laid*) ill-favoured.

déshonneur [dezɔnœr] *nm* dishonour, disgrace.

déshonorer [dezɔnɔre] *vt* to disgrace, dishonour. ●**déshonorant, -ante** *a* dishonourable.

déshydrater [dezidrate] *vt* to dehydrate ∎ **se déshydrater** *vpr* to become dehydrated.

désigner [dezine] *vt* (*montrer*) to point to, point out; (*choisir*) to appoint, designate; (*signifier*) to indicate, designate; **il est tout désigné pour ce travail** he's just the person for the job. ●**désignation** *nf* designation.

désillusion [dezilyzjɔ̃] *nf* disillusion(ment). ●**désillusionner** *vt* to disillusion.

désinence [dezinɑ̃s] *nf Grammaire* ending.

désinfecter [dezɛ̃fɛkte] *vt* to disinfect. ● **désinfectant, -ante** *nm & a* disinfectant. ● **désinfection** *nf* disinfection.
désinformation [dezɛ̃fɔrmasjɔ̃] *nf* (*dans la presse*) disinformation, misinformation.
désintégrer (se) [sədezɛ̃tegre] *vpr* to disintegrate. ● **désintégration** *nf* disintegration.
désintéresser (se) [sədezɛ̃terese] *vpr* se d. de to lose interest in, take no further interest in. ● **désintéressé, -ée** *a* (*altruiste*) disinterested. ● **désintéressement** [-ɛsmɑ̃] *nm* (*altruisme*) disinterestedness. ● **désintérêt** *nm* lack of interest.
désintoxiquer [dezɛ̃tɔksike] *vt* (*alcoolique, drogué*) to treat for alcoholism *ou* drug abuse; **se faire d.** to follow treatment for alcoholism *ou* drug abuse.
désinvolte [dezɛ̃vɔlt] *a* (*dégagé*) easy-going, casual; (*insolent*) offhand, casual. ● **désinvolture** *nf* casualness; (*insolence*) offhandedness.
désir [dezir] *nm* desire, wish; **prendre ses désirs pour des réalités** to indulge in wishful thinking. ● **désirable** *a* desirable. ● **désirer** *vt* to want, desire; (*convoiter*) to desire; **je désire venir** I would like to come, I wish *ou* want to come; **je désire que tu viennes** I want you to come; **ça laisse à d.** it leaves something *ou* a lot to be desired.
désireux, -euse [dezirø, -øz] *a* **d. de faire qch** anxious *ou* eager to do sth.
désister (se) [sədeziste] *vpr* (*candidat etc*) to withdraw. ● **désistement** *nm* withdrawal.
désobéir [dezɔbeir] *vi* to disobey; **d. à qn** to disobey s.o. ● **désobéissant, -ante** *a* disobedient. ● **désobéissance** *nf* disobedience (à to).
désobligeant, -ante [dezɔbliʒɑ̃, -ɑ̃t] *a* disagreeable, unkind.
désodorisant [dezɔdɔrizɑ̃] *nm* air freshener.
désœuvré, -ée [dezœvre] *a* idle, unoccupied. ● **désœuvrement** [-əmɑ̃] *nm* idleness.
désoler [dezɔle] *vt* to distress, upset (very much) ∎ **se désoler** *vpr* to be distressed *ou* upset (de at). ● **désolant, -ante** *a* distressing, upsetting. ● **désolé, -ée** *a* (*région*) desolate; (*affligé*) distressed; **être d.** (*navré*) to be sorry (**que** (+ *sub*) that, **de faire** to do). ● **désolation** *nf* (*peine*) distress, grief.
désolidariser (se) [sədesɔlidarize] *vpr* to dissociate oneself (**de** from).
désopilant, -ante [dezɔpilɑ̃, -ɑ̃t] *a* hilarious, screamingly funny.
désordonné, -ée [dezɔrdɔne] *a* (*personne, chambre*) untidy, messy.
désordre [dezɔrdr] *nm* (*de papiers, affaires, idées*) mess, muddle, disorder; (*dans une classe*) disturbance; (*de cheveux, pièce*) untidiness; **en d.** untidy, messy; **de graves désordres** (*émeutes*) serious disturbances *ou* unrest.
désorganiser [dezɔrganize] *vt* to disorganize. ● **désorganisé, -ée** *a* (*dans son travail etc*) disorganized. ● **désorganisation** *nf* disorganisation.

désorienter [dezɔrjɑ̃te] *vt* **d. qn** *Br* to disorientate *ou* *Am* disorient s.o., make s.o. lose his *ou* her bearings; (*déconcerter*) to bewilder s.o. ● **désorientation** *nf* disorientation.
désormais [dezɔrmɛ] *adv* from now on, in future, henceforth.
désosser [dezose] *vt* (*viande*) to bone.
despote [dɛspɔt] *nm* tyrant, despot. ● **despotique** *a* tyrannical, despotic. ● **despotisme** *nm* tyranny, despotism.
desquels, desquelles [dekɛl] *voir* **lequel.**
dessaisir (se) [sədesezir] *vpr* **se d. de qch** to part with sth, relinquish sth.
dessaler [desale] *vt* (*poisson etc*) to remove the salt from (*by smoking*).
dessécher [deseʃe] *vt* (*végétation*) to dry up, wither; (*bouche, gorge*) to parch, dry; (*fruits*) to desiccate, dry; (*cœur*) *Fig* to harden; **une vieille femme toute desséchée** a wizened *ou* withered old woman ∎ **se dessécher** *vpr* (*plante*) to wither, dry up; (*peau*) to dry (up), get dry.
dessein [desɛ̃] *nm* aim, design; **dans le d. de faire qch** with the aim of doing sth; **à d.** intentionally.
desserrer [desere] *vt* (*ceinture etc*) to loosen, slacken; (*poing*) to open, unclench; (*frein*) to release; **il n'a pas desserré les dents** he didn't open his mouth ∎ **se desserrer** *vpr* to come loose.
dessert [desɛr] *nm* dessert, *Br* sweet.
desserte [desɛrt] *nf* **assurer la d. de** (*village etc*) to provide a (bus *ou* train) service to.
desservir [desɛrvir] *vt* **1** (*table*) to clear (away). **2 d. qn** to harm s.o., do s.o. a disservice. **3 le car/etc dessert ce village** the bus/etc provides a service to *ou* stops at this village; **ce quartier est bien desservi** this district is well served by public transport.
dessin [desɛ̃] *nm* drawing; (*rapide*) sketch; (*motif*) design, pattern; (*contour*) outline; **d. animé** (*film*) cartoon; **d. humoristique** (*dans un journal*) cartoon; **école de d.** art school; **planche à d.** drawing board.
dessinateur, -trice [desinatœr, -tris] *nmf* drawer, sketcher; **d. humoristique** cartoonist; **d. de modes** dress designer; **d. industriel** *Br* draughtsman, *Am* draftsman.
dessiner [desine] *vt* to draw; (*rapidement*) to sketch; (*meuble, robe etc*) to design; (*indiquer*) to outline, trace; **d. (bien) la taille** (*vêtement*) to show off the figure ∎ **se dessiner** *vpr* (*colline etc*) to stand out, be outlined; (*projet*) to take shape.
dessoûler [desule] *vti Fam* to sober up.
dessous [dəsu] *adv* under(neath), beneath, below; **en d.** (*sous*) under(neath); **par-d.** (*passer*) under(neath); **agir en d.** to act in an underhand way; **rire en d.** to laugh furtively; **être au-d. de tout** to be utterly dreadful (*in one's work, behaviour etc*).
∎ *nm* underside, underneath; **des d.** (*vêtements*) underclothes; **drap de d.** bottom sheet; **vêtement de d.** undergarment; **d. de table** bribe, *Br* backhander; **les gens du d.**

the people downstairs *ou* below; **avoir le d.** to get the worst of it. ● **dessous-de-plat** *nm inv* table mat.

dessus [dəsy] *adv* (*marcher, écrire*) on it; (*monter*) on top (of it), on it; (*lancer, passer*) over it; **de d. la table** off *ou* from the table; **par-d.** (*sauter etc*) over (it); **par-d. tout** above all.
▮ *nm* top; (*de chaussure*) upper; **drap de d.** top sheet; **vêtement de d.** outer garment; **avoir le d.** to have the upper hand, get the best of it; **reprendre le d.** (*se remettre*) to get back into one's stride; **les gens du d.** the people upstairs *ou* above. ● **dessus-de-lit** *nm inv* bedspread.

déstabiliser [destabilize] *vt* to destabilize.

destin [dɛstɛ̃] *nm* fate, destiny; **c'est le d.!** it's fate!, it was meant to be! ● **destinée** *nf* fate, destiny (*of an individual*).

destinataire [dɛstinatɛr] *nmf* addressee.

destination [dɛstinasjɔ̃] *nf* **1** (*lieu*) destination; **à d. de** (*train etc*) (going) to, (bound) for; **arriver à d.** to reach one's destination. **2** (*usage*) purpose.

destiner [dɛstine] *vt* **d. qch à qn** to intend *ou* mean sth for s.o.; **d. qn à** (*carrière, fonction*) to intend *ou* destine s.o. for; **se d. à** (*carrière etc*) to intend *ou* mean to take up; **destiné à mourir/etc** (*condamné*) destined *ou* fated to die/*etc*.

destituer [dɛstitɥe] *vt* (*fonctionnaire etc*) to dismiss (from office). ● **destitution** *nf* dismissal.

destructeur, -trice [dɛstryktœr, -tris] *a* destructive ▮ *nmf* (*personne*) destroyer. ● **destructif, -ive** *a* destructive.

destruction [dɛstryksjɔ̃] *nf* destruction.

désuet, -ète [desɥɛ, -ɛt] *a* obsolete, antiquated. ● **désuétude** *nf* **tomber en d.** (*expression etc*) to become obsolete.

désunir [dezynir] *vt* (*famille etc*) to divide, disunite. ● **désunion** *nf* disunity, dissension.

détachant [detaʃɑ̃] *nm* stain remover.

détachement [detaʃmɑ̃] *nm* **1** (*indifférence*) detachment. **2** (*de fonctionnaire*) (temporary) transfer; (*de troupes*) detachment.

détacher¹ [detaʃe] *vt* (*ceinture, vêtement*) to undo; (*mains, personne*) to untie; (*ôter*) to take off, detach; (*mots*) to pronounce clearly; **d. qn** (*libérer*) to untie s.o., let s.o. loose; (*affecter*) to transfer s.o. (on assignment) (**à** to); **d. les yeux de qn/qch** to take one's eyes off s.o./sth; '**détachez en suivant les pointillés**' 'tear off along the dotted line'.
▮ **se détacher** *vpr* (*chien, prisonnier*) to break loose; (*se dénouer*) to come undone; **se d. (de qch)** (*fragment*) to come off (sth); **se d. de ses amis/etc** to break away from one's friends/*etc*; **se d. (sur)** (*ressortir*) to stand out (against). ● **détaché, -ée** *a* **1** (*nœud*) loose, undone. **2** (*air, ton etc*) detached.

détacher² [detaʃe] *vt* (*linge etc*) to remove the spots *ou* stains from.

détail [detaj] *nm* **1** detail; **en d.** in detail; entrer dans les détails to go into detail; **le d. de** (*dépenses etc*) a breakdown *ou* detailing of. **2 magasin/prix de d.** retail store/price; **vendre au d.** to sell retail; (*par petites quantités*) to sell separately; **faire le d.** (*magasin*) to retail to the public.

détaillant [detajɑ̃] *nm* retailer.

détailler [detaje] *vt* **1** (*énumérer*) to detail. **2** (*vendre*) to sell in small quantities *ou* separately; (*au détail*) to (sell) retail. ● **détaillé, -ée** *a* (*récit, facture etc*) detailed.

détaler [detale] *vi Fam* to run off.

détartrer [detartre] *vt* (*chaudière, dents etc*) to scale.

détaxer [detakse] *vt* (*denrée etc*) to reduce the tax on; (*supprimer*) to take the tax off; **produit détaxé** duty-free article.

détecter [detɛkte] *vt* to detect. ● **détecteur** *nm* (*appareil*) detector; **d. de fumée** smoke detector. ● **détection** *nf* detection.

détective [detɛktiv] *nm* **d. (privé)** (private) detective.

déteindre* [detɛ̃dr] *vi* (*couleur ou étoffe au lavage*) to run; (*au soleil*) to fade; **ton tablier bleu a déteint sur ma chemise** the blue of your apron has come off on(to) my shirt; **d. sur qn** (*influencer*) to leave one's mark on s.o.

dételer [detle] *vt* (*chevaux*) to unhitch, unharness.

détendre [detɑ̃dr] *vt* (*arc etc*) to slacken, relax; (*atmosphère*) to ease; **d. qn** to relax s.o.
▮ **se détendre** *vpr* (*arc etc*) to slacken, get slack; (*atmosphère*) to ease; (*se reposer*) to relax; (*rapports*) to become less strained. ● **détendu, -ue** *a* (*visage, atmosphère*) relaxed; (*ressort, câble*) slack.

détenir* [det(ə)nir] *vt* (*record, pouvoir, titre etc*) to hold; (*secret, objet volé*) to be in possession of; (*prisonnier*) to hold, detain. ● **détenu, -ue** *nmf* prisoner. ● **détenteur, -trice** *nmf* (*de record etc*) holder. ● **détention** *nf* (*d'armes*) possession; (*captivité*) detention; **placer qn en d. préventive** *Br* to remand s.o. in custody, imprison s.o. (*while awaiting trail*).

détente [detɑ̃t] *nf* **1** (*repos*) relaxation; (*d'arc*) slackening; (*de relations*) easing of tension, (*entre deux pays*) détente; (*saut*) leap, spring. **2** (*gâchette*) trigger.

détergent [detɛrʒɑ̃] *nm* detergent.

détériorer [deterjɔre] *vt* (*abîmer*) to damage
▮ **se détériorer** *vpr* (*empirer*) to deteriorate. ● **détérioration** *nf* damage (**de** to); (*d'une situation etc*) deterioration (**de** in).

détermination [dɛtɛrminasjɔ̃] *nf* (*fermeté*) determination; (*résolution*) resolve.

déterminer [dɛtɛrmine] *vt* (*préciser*) to determine; (*causer*) to bring about; **d. qn à faire qch** to induce s.o. to do sth, make s.o. (decide) to do sth; **se d. à faire qch** to resolve *ou* determine to do sth. ● **déterminant, -ante** *a* (*motif*) deciding, determining; (*rôle*) decisive ▮ *nm Grammaire* determiner. ● **déterminé, -ée** *a* (*précis*) specific; (*résolu*) dé-

termined.
déterrer [detere] *vt* to dig up, unearth.
détester [detɛste] *vt* to hate, detest; **d. faire** to hate doing *ou* to do, detest doing. ●**détestable** *a* awful, dreadful, foul.
détonateur [detɔnatœr] *nm* detonator. ●**détonation** *nf* explosion, blast.
détonner [detɔne] *vi* (*contraster*) to jar, be out of place.
détour [detur] *nm* (*crochet*) detour; (*de route etc*) bend, curve; **sans d.** (*parler*) without beating around *ou* about the bush; **faire des détours** (*route*) to wind.
détourner [deturne] *vt* (*dévier*) to divert (*river, procession etc*); (*tête*) to turn (away); (*avion*) to hijack; (*conversation, sens*) to change; (*fonds*) to embezzle, misappropriate; (*coups*) to ward off; **d. qn de** (*son devoir, ses amis*) to take *ou* turn s.o. away from; (*sa route*) to lead s.o. away from; (*projet*) to talk s.o. out of; **d. les yeux** to look away, *Litt* avert one's eyes.
❙ **se détourner** *vpr* to turn aside *ou* away; **se d. de** (*chemin*) to wander *ou* stray from. ●**détourné, -ée** *a* (*chemin, moyen*) roundabout, indirect. ●**détournement** *nm* (*de cours d'eau*) diversion; **d. (d'avion)** hijack(ing); **d. (de fonds)** embezzlement; **d. de mineur** seduction of a minor; (*enlèvement*) abduction of a minor.
détracteur, -trice [detraktœr, -tris] *nmf* detractor.
détraquer [detrake] *vt* (*mécanisme etc*) to break, put out of order ❙ **se détraquer** *vpr* (*machine*) to go wrong; **se d. l'estomac** to upset one's stomach; **se d. la santé** to ruin one's health. ●**détraqué, -ée** *a* (*appareil etc*) out of order; (*cerveau*) deranged ❙ *nmf* (*obsédé*) sex maniac.
détremper [detrɑ̃pe] *vt* to soak, saturate; **des terres détrempées** waterlogged *ou* saturated ground.
détresse [detrɛs] *nf* distress; **en d.** (*navire, âme*) in distress; **dans la d.** (*misère*) in (great) distress.
détriment de (au) [odetrimɑ̃də] *prép* to the detriment of.
détritus [detritys] *nmpl Br* rubbish, *Am* garbage.
détroit [detrwa] *nm* (*bras de mer*) strait(s), sound.
détromper [detrɔ̃pe] *vt* **d. qn** to undeceive s.o., put s.o. right ❙ **se détromper** *vpr* **détrompez-vous!** don't you believe it!
détrôner [detrone] *vt* (*souverain*) to dethrone; (*supplanter*) to supersede, oust.
détrousser [detruse] *vt* (*voyageur etc*) *Litt* to rob.
détruire* [detrɥir] *vt* (*ravager, tuer*) to destroy; (*santé etc*) to ruin, wreck, destroy.
dette [dɛt] *nf* debt; **avoir des dettes** to be in debt; **faire des dettes** to run into *ou* get into debt.
DEUG [døg] *nm abrév* (*diplôme d'études universitaires générales*) degree taken after two years' study at university.
deuil [dœj] *nm* (*affliction, vêtements*) mourning; (*mort de qn*) bereavement; **être en d.,**, **porter le d.** to be in mourning.
deux [dø] *a & nm* two; **d. fois** twice, two times; **mes d. sœurs** both my sisters, my two sisters; **tous (les) d.** both; **en moins de d.** *Fam* in no time (at all). ●**deux-pièces** *nm inv* (*maillot de bain*) bikini; (*appartement*) two-roomed *Br* flat *ou Am* apartment. ●**deux-points** *nm inv* (*ponctuation*) colon. ●**deux-roues** *nm inv* two-wheeled vehicle. ●**deux-temps** *nm inv* (*moteur*) two-stroke *ou Am* two-cycle (engine).
deuxième [døzjɛm] *a & nmf* second. ●**deuxièmement** *adv* secondly.
dévaler [devale] *vt* (*escalier etc*) to race *ou* hurtle *ou* rush down ❙ *vi* (*tomber*) to tumble down, come tumbling down.
dévaliser [devalize] *vt* (*personne, banque etc*) to rob; (*maison*) to clean out, strip of everything.
dévaloriser [devalɔrize] **1** *vt* (*diplôme etc*) to reduce in value, devalue; (*contribution etc*) to play down the value of, devalue ❙ **se dévaloriser** *vpr* (*diplômes etc*) to become devalued. **2** *vt* (*humilier etc*) to devalue, disparage. ●**dévalorisation** *nf* (*de diplôme etc*) loss of value.
dévaluer [devalɥe] *vt* (*monnaie, théorie*) to devalue. ●**dévaluation** *nf* devaluation.
devancer [dəvɑ̃se] *vt* to get *ou* be ahead of; (*question etc*) to anticipate, forestall; (*surpasser*) to outstrip; **tu m'as devancé** (*action*) you did it before me; (*lieu*) you got there before me.
devancier, -ière [dəvɑ̃sje, -jɛr] *nmf* predecessor.
devant [dəvɑ̃] *prép & adv* in front (of); **d. (l'hôtel/etc)** in front (of the hotel/*etc*); **passer d. (l'église/etc)** to go past (the church/*etc*); **marcher d.** to walk in front (of s.o.) *ou* ahead (of s.o.); **assis d.** (*dans une voiture*) sitting in the front; **par d.** from *ou* at the front; **loin d.** a long way ahead *ou* in front; **d. le danger** (*confronté à*) in the face of danger; **d. mes yeux/la loi** before my eyes/ the law; **l'avenir est d. toi** the future is ahead of you.
❙ *nm* front; **roue/porte de d.** front wheel/ door; **patte de d.** foreleg; **aller au-d. des désirs de qn** to anticipate s.o.'s desires; **prendre les devants** (*action*) to take the initiative.
devanture [dəvɑ̃tyr] *nf* (*vitrine*) shop window; (*façade*) shop front.
dévaster [devaste] *vt* to ruin, devastate. ●**dévastation** *nf* devastation.
déveine [devɛn] *nf Fam* tough *ou* bad luck.
développer [devlɔpe] *vt* (*muscles, idées, commerce etc*) to develop; (*photo*) to develop, process ❙ **se développer** *vpr* to develop. ●**développement** *nm* development; (*d'une photo*) developing, processing; **les pays en voie de d.** the developing countries.

devenir* [dəvnir] *vi* (*aux* **être**) to become; (*vieux*, *difficile etc*) to get, become, grow; (*rouge*, *bleu etc*) to turn, go, become; **d. un papillon/un homme/***etc* to grow into a butterfly/a man/*etc*; **d. médecin** to become a doctor; **qu'est-il devenu?** what has become of him *ou* it?; (*en cherchant*) where has he *ou* it got to?; **qu'est-ce que tu deviens?** *Fam* how are you doing?

dévergonder (se) [sədevergɔ̃de] *vpr* to fall into dissolute ways. ● **dévergondé, -ée** *a* dissolute, licentious, shameless.

déverser [devɛrse] *vt* (*liquide*, *rancune*) to pour out; (*bombes*, *ordures*) to dump ▮ **se déverser** *vpr* (*liquide*) to empty, pour out (**dans** into).

dévêtir [devetir] *vt*, **se dévêtir** *vpr Litt* to undress.

dévier [devje] *vt* (*circulation*, *conversation*) to divert; (*coup*, *rayons*) to deflect ▮ *vi* (*de ses principes etc*) to deviate (**de** from); (*de sa route*) to veer (off course). ● **déviation** *nf* (*chemin*) bypass; (*itinéraire provisoire*) *Br* diversion, *Am* detour; (*de circulation*) deviation; (*de coup etc*) deflection.

devin [dəvɛ̃] *nm* soothsayer; **je ne suis pas d.** *Fam* I can't predict what will happen.

deviner [dəvine] *vt* to guess (**que** that); (*avenir*) to predict; (*apercevoir*) to make out; **d. (le jeu de) qn** to see through s.o. ● **devinette** *nf* riddle.

devis [dəvi] *nm* estimate (*of cost of work to be done*).

dévisager [devizaʒe] *vt* **d. qn** to stare at s.o.

devise [dəviz] *nf* (*légende*) motto; (*monnaie*) currency; **devises (étrangères)** foreign currency; **d. forte/faible** strong/weak currency.

dévisser [devise] *vt* to unscrew, undo ▮ **se dévisser** *vpr* (*se desserrer*) to come loose; (*bouchon*) to unscrew.

dévoiler [devwale] *vt* (*secret etc*) to disclose; (*statue*) to unveil ▮ **se dévoiler** *vpr* (*mystère*) to come to light.

devoir*¹ [dəvwar] *v aux* **1** (*nécessité*) **je dois refuser** I must refuse, I have (got) to refuse; **j'ai dû refuser** I had to refuse.
2 (*forte probabilité*) **il doit être tard** it must be late; **elle a dû oublier** she must have forgotten; **il ne doit pas être bête** he can't be stupid; **cela devait arriver** it had to happen.
3 (*obligation*) **tu dois apprendre tes leçons** you must learn your lessons; **vous devriez rester** you should stay, you ought to stay; **il aurait dû venir** he should have come, he ought to have come.
4 (*événement prévu*) **elle doit venir** she's supposed to be coming, she's due to come, she should be coming; **le train devait arriver à midi** the train was due (to arrive) at noon; **je devais le voir** I was (due) to see him.

devoir*² [dəvwar] **1** *vt* to owe; **d. de l'argent/100 francs à qn** to owe s.o. money/100 francs, owe money/100 francs to s.o.; **l'argent qui m'est dû** the money due to *ou* owing to me, the money owed (to) me; **se d. à sa famille/***etc* to have to devote oneself to one's family/*etc*; **comme il se doit** as is proper.
2 *nm* (*obligation*) duty; **présenter ses devoirs à qn** to pay one's respects to s.o.; **devoir(s) (exercice(s))** à faire à la maison) homework; **d. sur table** class exam(ination); **faire ses devoirs** to do one's homework.

dévolu, -ue [devɔly] **1** *nm* **jeter son d. sur qch/qn** to set one's heart on sth/s.o. **2** *a* **d. à qn** (*pouvoirs*, *tâche*) vested in s.o., allotted to s.o.

dévorer [devɔre] *vt* (*manger*) to eat up, gobble up, devour; (*incendie*) to engulf, devour; (*tourmenter*, *lire*) to devour; **d. qn/qch du regard** to eye s.o./sth. ● **dévorant, -ante** *a* (*faim*) ravenous; (*passion*) devouring.

dévot, -ote [devo, -ɔt] *a* & *nmf* devout *ou* pious (person). ● **dévotion** *nf* devotion.

dévouer (se) [sədevwe] *vpr* (**à une tâche**) to dedicate oneself, devote oneself (**à** to); **se d. (pour qn)** (*se sacrifier*) to sacrifice oneself (for s.o.). ● **dévoué, -ée** *a* (*ami*, *femme etc*) devoted (**à qn** to s.o.); (*soldat*, *domestique etc*) dedicated. ● **dévouement** [-umɑ̃] *nm* devotion, dedication; (*de héros*) devotion to duty.

dévoyé, -ée [devwaje] *a* & *nmf* delinquent.

dextérité [dɛksterite] *nf* dexterity, skill.

diabète [djabɛt] *nm* (*maladie*) diabetes. ● **diabétique** *a* & *nmf* diabetic.

diable [djɑbl] *nm* devil; **le d.** the Devil; **habiter au d.** to live miles from anywhere; **faire qch à la d.** to do something anyhow; **se débattre comme un beau d.** to struggle with all one's might; **tirer le d. par la queue** to live from hand to mouth; **il fait un vent de tous les diables** there's the devil of a wind; **c'est bien le d. si...** I'll be damned if...; **quel d., cet enfant!** what a little devil that child is!; **d.!** heavens!; **où/pourquoi d.?** where/why the devil? ● **diabolique** *a* diabolical, devilish.

diabolo [djabɔlo] *nm* **d. menthe** (*boisson*) *Br* lemonade *ou* *Am* lemon soda flavoured with mint syrup.

diacre [djakr] *nm* (*ecclésiastique*) deacon.

diadème [djadɛm] *nm* (*bijou féminin*) tiara.

diagnostic [djagnɔstik] *nm* diagnosis. ● **diagnostiquer** *vt* to diagnose.

diagonal, -e, -aux [djagɔnal, -o] *a* diagonal. ● **diagonale** *nf* diagonal (line); **en d.** diagonally; **lire qch en d.** to skim through sth.

diagramme [djagram] *nm* (*schéma*) diagram; (*courbe*) graph.

dialecte [djalɛkt] *nm* dialect.

dialogue [djalɔg] *nm* conversation; (*de film*, *pièce de théâtre etc*) & *Pol etc Br* dialogue, *Am* dialog. ● **dialoguer** *vi* to have a conversation; (*négocier*) *Pol etc* to hold a *Br* dialogue *ou* *Am* dialog.

dialyse [djaliz] *nf Méd* dialysis.

diamant [djamɑ̃] *nm* diamond.

diamètre [djamɛtr] *nm* diameter. ● **diamétralement** *adv* **d. opposés** (*avis etc*) diametrically opposed, poles apart.

diapason [djapazɔ̃] *nm* (*pour la musique*) tuning fork; **être/se mettre au d. de** (*en harmonie*) *Fig* to be/get in tune with.
diaphragme [djafragm] *nm* diaphragm.
diapositive, *Fam* diapo [djapozitiv, djapo] *nf* (colour) slide, transparency.
diarrhée [djare] *nf* diarrh(o)ea.
diatribe [djatrib] *nf* diatribe.
dictateur [diktatœr] *nm* dictator. ●**dictatorial, -e, -aux** *a* dictatorial. ●**dictature** *nf* dictatorship; **alors, c'est la d.!** *Fam* this is absolute tyranny!
dicter [dikte] *vt* to dictate (à to). ●**dictée** *nf* dictation; **prendre une lettre/*etc* sous la d.** to take down a letter/*etc* (*that has been dictated*). ●**dictaphone**® *nm* dictaphone®.
diction [diksjɔ̃] *nf* diction, elocution.
dictionnaire [diksjɔnɛr] *nm* dictionary.
dicton [diktɔ̃] *nm* saying, adage, dictum.
didactique [didaktik] *a* didactic.
dièse [djɛz] *a* & *nm Mus* sharp.
diesel [djezɛl] *a* & *nm* (**moteur**) **d.** diesel (engine).
diète [djɛt] *nf* (*jeûne*) starvation diet; (*régime*) (strict) diet; **mettre qn à la d.** to put s.o. on a starvation diet *ou* on a (strict) diet.
diététicien, -ienne [djetetisjɛ̃, -jɛn] *nmf* dietician. ●**diététique** *nf* dietetics ▌*a* **aliment *ou* produit d.** health food; **magasin/restaurant/***etc* **d.** health-food shop/restaurant/*etc.*
dieu, -x [djø] *nm* god; **D.** God; **le bon D.** God, the Lord God; **on lui donnerait le bon D. sans confession** butter wouldn't melt in his mouth; **D. seul le sait!** God only knows!; **D. merci!** thank God!, thank goodness!; **laisse-moi tranquille, bon D.!** *Fam* leave me alone, for God's sake!
diffamation [difamasjɔ̃] *nf* defamation; (*en paroles*) slander; (*par écrit*) libel; **campagne de d.** smear campaign; **procès en d.** action for slander; (*pour un écrit*) action for libel. ●**diffamatoire** *a* (*paroles*) slanderous; (*écrit*) libellous.
diffamer [difame] *vt* (*en paroles*) to slander; (*par écrit*) to libel.
différé [difere] *nm* **en d.** (*émission*) (pre)recorded.
différence [diferɑ̃s] *nf* difference (**de** in); **à la d. de** unlike; **faire la d. entre** to make a distinction between.
différencier [diferɑ̃sje] *vt* to differentiate (**de** from) ▌**se différencier** *vpr* to differ (**de** from).
différend [diferɑ̃] *nm* difference (of opinion).
différent, -ente [diferɑ̃, -ɑ̃t] *a* different; **différents** (*divers*) different, various; **d. de** different from *ou* to, unlike; **au cours de mes différents voyages** during my different *ou* various trips. ●**différemment** [-amɑ̃] *adv* differently (**de** from, to).
différentiel, -ielle [diferɑ̃sjɛl] *a* differential.
différer [difere] **1** *vi* to differ (**de** from). **2** *vt* (*remettre*) to postpone, defer.
difficile [difisil] *a* difficult; (*exigeant*) fussy, hard *ou* difficult to please; **c'est d. à faire** it's hard *ou* difficult to do; **il (nous) est d. de faire ça** it's hard *ou* difficult (for us) to do that. ●**difficilement** *adv* with difficulty; **d. lisible** not easy to read.
difficulté [difikylte] *nf* difficulty (**à faire** in doing); **en d.** in a difficult situation.
difforme [difɔrm] *a* deformed, misshapen. ●**difformité** *nf* deformity.
diffus, -use [dify, -yz] *a* (*lumière*, *style*) diffuse.
diffuser [difyze] *vt* (*émission*, *nouvelle etc*) to broadcast; (*lumière*, *chaleur*) to diffuse; (*livre*) to distribute. ●**diffusion** *nf* broadcasting; (*de connaissances, de lumière etc*) diffusion; (*de livre*) distribution.
digérer [diʒere] *vt* to digest; (*endurer*) *Fam* to stomach ▌*vi* to digest; **avoir du mal à d.** to have trouble digesting. ●**digeste** *ou* **digestible** *a* digestible.
digestif, -ive [diʒɛstif, -iv] *a* (*tube, sucs etc*) digestive ▌*nm* after-dinner liqueur.
digestion [diʒɛstjɔ̃] *nf* digestion.
digitale [diʒital] *af* **empreinte d.** fingerprint.
digne [diɲ] *a* (*méritant*) worthy; (*air, attitude etc*) dignified; **être d. de qn** worthy of s.o.; **d. d'admiration/***etc* worthy of *ou* deserving of admiration/*etc*; **il n'est pas d. d'exister** he's not fit to live; **d. de foi** reliable. ●**dignement** [-əmɑ̃] *adv* with dignity.
dignitaire [diɲitɛr] *nm* dignitary.
dignité [diɲite] *nf* dignity; **manquer de d.** to have no self-respect.
digression [digresjɔ̃] *nf* digression.
digue [dig] *nf* dike, dyke; (*en bord de mer*) sea wall.
dilapider [dilapide] *vt* to squander, waste.
dilater [dilate] *vt*, **se dilater** *vpr* to expand, dilate. ●**dilatation** *nf* expansion, dilation.
dilatoire [dilatwar] *a* **manœuvre *ou* moyen d.** delaying tactic.
dilemme [dilɛm] *nm* dilemma.
dilettante [diletɑ̃t] *nmf Péj* dabbler, amateur; **faire qch en d.** to dabble in sth.
diligence [diliʒɑ̃s] *nf* **1** (*rapidité*) speedy efficiency. **2** (*véhicule*) *Hist* stagecoach.
diligent, -ente [diliʒɑ̃, -ɑ̃t] *a* (*prompt*) speedy and efficient; (*soin*) diligent.
diluer [dilɥe] *vt* (*liquide, substance*) to dilute (**dans** in). ●**dilution** *nf* dilution.
diluvienne [dilyvjɛn] *af* **pluie d.** torrential rain.
dimanche [dimɑ̃ʃ] *nm* Sunday.
dimension [dimɑ̃sjɔ̃] *nf* (*mesure*) dimension; (*taille*) size; **à deux dimensions** two-dimensional; **pièces de même d.** rooms of the same size.
diminuer [diminɥe] *vt* to reduce, decrease; (*frais*) to cut down (on), reduce; (*forces physiques, mérite*) to diminish, lessen, reduce; **d. qn** (*rabaisser*) to diminish s.o., lessen s.o.; **il est très diminué depuis l'accident** he has been far less able-bodied since the accident.

▌*vi* (*réserves, nombre*) to decrease, diminish; (*jours*) to get shorter, draw in; (*prix, profits*) to decrease, drop. ●**diminution** *nf* reduction, decrease (**de** in).

diminutif, -ive [diminytif, -iv] *a & nm* Grammaire diminutive ▌ *nm* (*prénom*) nickname.

dinde [dɛ̃d] *nf* turkey (hen); (*viande*) turkey. ●**dindon** *nm* turkey (cock); **être le d. de la farce** (*victime*) to be the fall guy.

dîner [dine] *vi* to have dinner, dine; (*au Canada, en Belgique etc*) to (have) lunch ▌ *nm* dinner; lunch; (*soirée*) dinner party. ●**dîneur, -euse** *nmf* diner.

dînette [dinɛt] *nf* (*jouet*) doll's dinner service *ou* set; (*jeu*) doll's dinner party.

dingue [dɛ̃g] *a Fam* crazy, nuts, screwy ▌ *nmf Fam* nutcase.

dinosaure [dinozɔr] *nm* dinosaur.

diocèse [djɔsɛz] *nm* (*évêché*) diocese.

diphtérie [difteri] *nf* diphtheria.

diphtongue [diftɔ̃g] *nf* (*en phonétique*) diphthong.

diplomate [diplɔmat] *nmf* (*ambassadeur etc*) diplomat; (*négociateur habile*) diplomatist ▌ *a* (*habile, plein de tact*) diplomatic. ●**diplomatie** [-asi] *nf* (*tact*) & *Pol* diplomacy; (*carrière*) diplomatic service. ●**diplomatique** *a Pol* diplomatic.

diplôme [diplom] *nm* certificate, diploma; (*d'université*) degree. ●**diplômé, -ée** *a & nmf* qualified (person); **être d. (de)** *Univ* to be a graduate (of).

dire* [dir] *vt* (*mot, avis etc*) to say; (*vérité, secret, heure etc*) to tell; (*penser*) to think (**de** of, about); **d. des bêtises** to talk nonsense; **d. qch à qn** to tell s.o. sth, say sth to s.o.; **d. à qn que** to tell s.o. that, say to s.o. that; **d. à qn de faire qch** to tell s.o. to do sth; **d. que oui/non** to say yes/no; **d. du mal/du bien de** to speak ill/well of; **elle dit que tu mens** she says (that) you're lying; **on dirait un château** it looks like a castle; **on dirait du Mozart** it sounds like Mozart; **on dirait du cabillaud** it tastes like cod; **que diriez-vous d'un verre de vin?** what would you say to a glass of wine?; **on dirait que** it would seem that; **dit-il** he said; **dit-on** they say; **ça ne me dit rien** (*envie*) I don't feel like *ou Br* fancy that; (*souvenir*) it doesn't ring a bell; **ça ne me dit rien qui vaille** it doesn't sound good to me; **dites donc!** look here!, *Br Vieilli* I say!; **autrement dit** in other words; **ceci dit** having said this; **à vrai d.** to tell the truth; **à l'heure dite** at the agreed time; **ça ne se dit pas** that's not said; **ça vous dit de rester?** do you feel like staying?; **ça va sans d.** that goes without saying; **c'est beaucoup d.** that's going too far; **il se dit malade**/*etc* he says he's ill/*etc*; **comment ça se dit en anglais?** how do you say that in English?

▌ *nm* **au d.** according to; **les dires de** (*déclarations*) the statements of.

direct, -e [dirɛkt] *a* direct; (*chemin*) straight, direct; (*manière*) straightforward, direct; **train d.** fast train, *Br* through train; **être en rapport d. avec qn/qch** to be in direct contact with s.o./sth ▌ *nm* **en d.** (*émission*) live; **un d. du gauche** *Boxe* a straight left. ●**directement** [-əmɑ̃] *adv* directly; (*immédiatement*) straight (away), directly.

directeur, -trice [dirɛktœr, -tris] *nmf* director; (*d'entreprise*) manager(ess), director; (*de journal*) editor; (*d'école*) *Br* headmaster, *Br* headmistress, *Am* principal ▌ *a* (*principe*) guiding; **idées** *ou* **lignes directrices** guidelines.

direction [dirɛksjɔ̃] *nf* **1** (*sens*) direction; **en d. de** (*train*) going to, for. **2** (*de société, club*) running, management; (*d'études*) supervision; (*sur une voiture*) steering; **avoir la d. de** to be in charge of; **prendre la d. de** (*parti etc*) to take charge of; **sous la d. de** (*orchestre*) conducted by; **la d.** (*équipe dirigeante*) the management; **un poste de d.** a management post; **la d. du personnel** the personnel department.

directive [dirɛktiv] *nf* directive, instruction.

dirigeable [diriʒabl] *a & nm* (**ballon**) **d.** airship, dirigible.

dirigeant, -ante [diriʒɑ̃, -ɑ̃t] *a* (*classe*) ruling ▌ *nm* (*de pays*) leader; (*d'entreprise, club*) manager.

diriger [diriʒe] *vt* (*société, club*) to run, manage, direct; (*parti, groupe, débat, cheval*) to lead; (*véhicule*) to steer; (*orchestre*) to conduct; (*études*) to supervise, direct; (*conscience*) to guide; (*orienter*) to turn (**vers** towards); (*arme, lumière*) to point, direct (**vers** towards); **se d. vers** (*lieu, objet*) to make one's way towards, head *ou* make for; (*dans une carrière*) to turn towards. ●**dirigé, -ée** *a* (*économie*) planned.

dirigisme [diriʒism] *nm* **d. (économique)** state control.

dis, disant [di, dizɑ̃] *voir* **dire**.

discerner [disɛrne] *vt* (*voir*) to make out, discern; (*différencier*) to distinguish. ●**discernement** [-əmɑ̃] *nm* discernment, discrimination.

disciple [disipl] *nm* disciple, follower.

discipline [disiplin] *nf* (*règle, matière*) discipline. ●**disciplinaire** *a* disciplinary.

discipliner [discipline] *vt* (*contrôler, éduquer*) to discipline ▌ **se discipliner** *vpr* to discipline oneself. ●**discipliné, -ée** *a* well-disciplined.

discontinu, -ue [diskɔ̃tiny] *a* (*ligne*) discontinuous; (*bruit etc*) intermittent. ●**discontinuer** *vi* **sans d.** without stopping.

disconvenir* [diskɔ̃vnir] *vi* **je n'en disconviens pas** I don't deny it.

discorde [diskɔrd] *nf* discord. ●**discordance** *nf* (*de caractères*) clash, conflict; (*de son*) discord. ●**discordant, -ante** *a* (*son*) discordant; (*témoignages*) conflicting; (*couleurs*) clashing.

discothèque [diskɔtɛk] *nf* record library; (*club*) discotheque, disco; **aller en d.** to go to a disco *ou* discotheque.

discours [diskur] *nm* speech; (*écrit littéraire*) discourse; **tenir de longs d. à qn sur qch** to

discourtois

go on and on to s.o. about sth. ●**discourir** *vi* (*longuement*) to hold forth, ramble on.
discourtois, -oise [diskurtwa, -waz] *a* discourteous.
discrédit [diskredi] *nm* disrepute, discredit; **jeter le d. sur qn** to bring s.o. into disrepute.
discréditer [diskredite] *vt* to discredit, bring into disrepute ▌ **se discréditer** *vpr* (*personne*) to become discredited.
discret, -ète [diskrɛ, -ɛt] *a* (*personne, manière etc*) discreet; (*vêtement*) simple. ●**discrètement** *adv* discreetly; (*s'habiller*) simply.
discrétion [diskresjɔ̃] *nf* discretion; **vin**/*etc* **à d.** as much wine/*etc* as one wants; **laisser qch à la d. de qn** to leave sth to s.o.'s discretion. ●**discrétionnaire** *a* discretionary.
discrimination [diskriminɑsjɔ̃] *nf* (*ségrégation*) discrimination. ●**discriminatoire** *a* discriminatory.
disculper [diskylpe] *vt* to exonerate (**de** from).
discussion [diskysjɔ̃] *nf* discussion; (*conversation*) talk; (*querelle*) argument; **pas de d.!** no argument!
discutable [diskytabl] *a* arguable, debatable.
discuter [diskyte] *vt* to discuss; (*familièrement*) to talk over; (*contester*) to question; **ça peut se d., ça se discute** that's arguable ▌ *vi* (*parler*) to talk (**de** about, **avec** with); (*répliquer*) to argue; **d. de** *ou* **sur qch** to discuss sth. ●**discuté, -ée** *a* (*auteur*) much discussed *ou* debated; (*théorie, question*) disputed, controversial.
dise, disent [diz] *voir* **dire**.
disette [dizɛt] *nf* food shortage.
diseuse [dizøz] *nf* **d. de bonne aventure** fortune-teller.
disgrâce [disgrɑs] *nf* disgrace, disfavour. ●**disgracier** *vt* to disgrace.
disgracieux, -euse [disgrasjø, -øz] *a* ungainly.
disjoindre* [disʒwɛ̃dr] *vt* (*questions*) to treat separately. ●**disjoint, -ointe** *a* (*questions*) unconnected, separate.
disjoncter [disʒɔ̃kte] *vi* (*compteur etc*) to cut out; (*s'effondrer*) *Fam* to crack up, have a breakdown.
disjoncteur [disʒɔ̃ktœr] *nm* (*interrupteur*) circuit breaker.
dislocation [dislɔkɑsjɔ̃] *nf* (*de membre*) dislocation.
disloquer [dislɔke] *vt* (*membre*) to dislocate; (*meuble, machine*) to break ▌ **se disloquer** *vpr* (*meuble etc*) to fall apart; (*cortège*) to break up; **se d. le bras** to dislocate one's arm.
disons [dizɔ̃] *voir* **dire**.
disparaître* [disparɛtr] *vi* to disappear; (*être porté manquant*) to go missing; (*mourir*) to die; (*coutume etc*) to die out, disappear; **d. en mer** to be lost at sea; **faire d.** to remove, get rid of. ●**disparu, -ue** *a* (*soldat etc*) missing, lost; **être porté d.** to be reported missing. ▌ *nmf* (*absent*) missing person; (*mort*) departed. ●**disparition** *nf* disappearance; (*mort*) death; **espèce en voie de d.** endangered species.
disparate [disparat] *a* ill-assorted.
disparité [disparite] *nf* disparity (**entre, de** between).
dispendieux, -euse [dispɑ̃djø, -øz] *a* expensive, costly.
dispensaire [dispɑ̃sɛr] *nm* community health centre.
dispense [dispɑ̃s] *nf* exemption; **d. d'âge** waiving of the age limit. ●**dispenser** *vt* (*soins, bienfaits etc*) to dispense; **d. qn de qch** (*obligation*) to exempt *ou* excuse s.o. from sth; **je vous dispense de vos réflexions/***etc* I can dispense with your comments/*etc*; **se d. de faire qch** to spare oneself the bother of doing sth.
disperser [disperse] *vt* (*papiers, foule etc*) to disperse, scatter; (*brouillard*) to disperse; (*collection*) to break up; (*efforts*) to dissipate ▌ **se disperser** *vpr* (*foule etc*) to disperse; **elle se disperse trop** she tries to do too many things at once. ●**dispersion** *nf* (*d'une armée, du brouillard etc*) dispersal; (*d'une collection*) break(ing) up.
disponible [disponibl] *a* (*article, personne etc*) available; (*place*) available, spare; (*esprit*) alert. ●**disponibilité** *nf* availability; **disponibilités** (*fonds*) available funds; **être en d.** to be temporarily transferred to other duties *ou* released from one's duties.
dispos [dispo] *am* (*personne*) fit, in fine fettle; **frais et d.** refreshed.
disposé, -ée [dispoze] *a* **bien/mal d.** in a good/bad mood; **bien d. envers** *ou* **à l'égard de** well-disposed towards; **d. à faire qch** prepared *ou* disposed to do sth.
disposer [dispoze] *vt* (*objets*) to arrange; (*troupes*) to dispose; **d. qn à** (*la bonne humeur etc*) to dispose *ou* incline s.o. towards; **se d. à faire qch** to prepare to do sth ▌ *vi* **d. de qch** to have sth at one's disposal; (*utiliser*) to make use of sth; **d. de qn** *Péj* to take advantage of s.o.
dispositif [dispozitif] *nm* (*mécanisme*) device; **d. policier** police presence; **d. de défense** (*de l'armée*) *Br* defence *ou* *Am* defense system; **d. antiparasite** (*de radio*) suppressor.
disposition [dispozisjɔ̃] *nf* arrangement; (*de troupes*) disposition; (*humeur*) frame of mind; (*tendance*) tendency, (pre)disposition (**à** to); (*de maison, page*) layout; (*clause d'un contrat etc*) provision; **dispositions** (*aptitudes*) ability, aptitude (**pour** for); **être** *ou* **rester** *ou* **se tenir à la d. de qn** to be *ou* remain at s.o.'s disposal *ou* service; **prendre ses** *ou* **des dispositions** (*préparatifs*) to make arrangements, prepare; (*pour l'avenir*) to make provision; **dans de bonnes dispositions à l'égard de qn** well-disposed towards s.o.
disproportion [disprɔpɔrsjɔ̃] *nf* disproportion. ●**disproportionné, -ée** *a* disproportionate.
dispute [dispyt] *nf* quarrel. ●**disputer** *vt* (*match*) to play; (*rallye*) to compete in;

(*combat de boxe etc*) to compete in, fight; (*droit etc*) to contest, dispute; **d. qch à qn** (*prix, première place etc*) to fight with s.o. for *ou* over sth, contend with s.o. for sth; **d. le terrain** to fight every inch of the way; **d. qn** (*gronder*) *Fam* to tell s.o. off ▮ **se disputer** *vpr* to quarrel (**avec** with); (*match*) to take place; **se d. qch** to fight over sth.

disqualifier [diskalifje] *vt* (*équipe, athlète etc*) to disqualify ▮ **se disqualifier** *vpr* (*perdre son crédit*) to become discredited. ●**disqualification** *nf* (*d'équipe etc*) disqualification.

disque [disk] *nm* (*de musique*) record; (*cercle*) *Br* disc, *Am* disk; (*d'ordinateur*) disk; *Sport* discus; **d. compact** compact *Br* disc *ou Am* disk. ●**disquaire** *nmf* record dealer. ●**disquette** *nf* (*d'ordinateur*) floppy (disk), diskette.

dissection [disɛksjɔ̃] *nf* dissection.

dissemblable [disɑ̃mblabl] *a* dissimilar (à to).

disséminer [disemine] *vt* (*graines, mines etc*) to scatter; (*idées*) *Fig* to disseminate. ●**dissémination** *nf* scattering; (*d'idées*) *Fig* dissemination.

dissension [disɑ̃sjɔ̃] *nf* dissension.

disséquer [diseke] *vt* to dissect.

disserter [disɛrte] *vi* **d. sur** to comment upon, discuss. ●**dissertation** *nf* (*au lycée etc*) essay.

dissident, -ente [disidɑ̃, -ɑ̃t] *a & nmf* dissident. ●**dissidence** *nf* dissidence.

dissimulation [disimylɑsjɔ̃] *nf* concealment; (*duplicité*) deceit.

dissimuler [disimyle] *vt* (*cacher*) to hide, conceal (à from) ▮ *vi* (*feindre*) to pretend ▮ **se dissimuler** *vpr* to hide (oneself), conceal oneself. ●**dissimulé, -ée** *a* (*renfermé, hypocrite*) secretive.

dissipation [disipɑsjɔ̃] *nf* (*de brouillard*) clearing; (*indiscipline*) misbehaviour; (*débauche*) *Litt* dissipation).

dissiper [disipe] *vt* (*brouillard, malentendu*) to clear up, dispel; (*craintes*) to dispel; (*fortune*) to squander, dissipate; **d. qn** to distract s.o., lead s.o. astray ▮ **se dissiper** *vpr* (*brume*) to clear, lift; (*craintes*) to disappear; (*élève*) to misbehave. ●**dissipé, -ée** *a* (*élève*) unruly; (*vie*) dissipated.

dissocier [disɔsje] *vt* to dissociate (**de** from).

dissolu, -ue [disɔly] *a* (*vie etc*) dissolute.

dissolution [disɔlysjɔ̃] *nf* dissolution.

dissolvant, -ante [disɔlvɑ̃, -ɑ̃t] *a Ch* solvent ▮ *nm* solvent; (*pour vernis à ongles*) nail polish remover.

dissoudre* [disudr] *vt*, **se dissoudre** *vpr* to dissolve.

dissuader [disɥade] *vt* to dissuade, deter (**de qch** from sth, **de faire** from doing). ●**dissuasif, -ive** *a* (*effet*) deterrent; **être d.** to be a deterrent. ●**dissuasion** *nf* dissuasion; **force de d.** (*de l'armée*) deterrent.

distance [distɑ̃s] *nf* distance; **à deux mètres de d.** two metres apart; **à d.** at *ou* from a distance; **garder ses distances** to keep one's distance (**vis-à-vis de** from); **tenir qn à d.** to keep s.o. at a distance; **commandé à d.** remote-controlled; **à quelle d. se trouve la poste?** how far is it to the post office?

distancer [distɑ̃se] *vt* to leave behind, outstrip.

distant, -ante [distɑ̃, -ɑ̃t] *a* distant; (*personne*) aloof, distant; **d. de dix kilomètres** (*éloigné*) ten kilometres away; (*à intervalles*) ten kilometres apart.

distendre [distɑ̃dr] *vt*, **se distendre** *vpr* to distend.

distiller [distile] *vt* to distil. ●**distillation** *nf* distillation. ●**distillerie** *nf* (*lieu*) distillery.

distinct, -incte [distɛ̃, -ɛ̃kt] *a* (*différent*) distinct, separate (**de** from); (*net*) clear, distinct. ●**distinctement** [-əmɑ̃] *adv* distinctly, clearly. ●**distinctif, -ive** *a* distinctive. ●**distinction** *nf* (*différence, raffinement*) distinction.

distinguer [distɛ̃ge] *vt* (*différencier*) to distinguish; (*voir*) to make out; (*choisir*) to single out; **d. le bien du mal** to tell good from evil ▮ **se distinguer** *vpr* (*s'illustrer*) to distinguish oneself; **se d. de** (*différer*) to be distinguishable from; **se d. par sa beauté/etc** to stand out on account of one's beauty/*etc*, be conspicuous *ou* remarkable for one's beauty/*etc*. ●**distingué, -ée** *a* (*bien élevé, éminent*) distinguished; **sentiments distingués** (*formule épistolaire de politesse*) *Br* yours faithfully, *Am* sincerely.

distorsion [distɔrsjɔ̃] *nf* (*du corps, d'une image etc*) distortion.

distraction [distraksjɔ̃] *nf* amusement, distraction; (*étourderie*) (fit of) absent-mindedness. ●**distraire*** [distrɛr] *vt* to entertain, amuse; **d. qn (de)** (*détourner*) to distract s.o. (from) ▮ **se distraire** *vpr* to amuse oneself, enjoy oneself. ●**distrait, -aite** *a* absent-minded. ●**distraitement** *adv* absent-mindedly. ●**distrayant, -ante** *a* entertaining.

distribuer [distribɥe] *vt* (*donner*) to hand *ou* give out, distribute; (*courrier*) to deliver; (*cartes*) to deal; (*répartir*) to distribute; (*eau*) to supply; **bien distribué** (*appartement*) well-arranged.

distributeur [distribytœr] *nm* (*sur une voiture, de films etc*) & *Com* distributor; **d. (automatique)** vending machine; **d. de billets** (*de train*) ticket machine; (*de billets de banque*) cash machine *ou Br* dispenser.

distribution [distribysjɔ̃] *nf* distribution; (*du courrier*) delivery; (*de l'eau*) supply; (*acteurs de cinéma*) cast; **d. des prix** prize-giving.

district [distrikt] *nm* district.

dit¹, dite [di, dit] *pp de* **dire** ▮ *a* (*convenu*) agreed; (*surnommé*) called.

dit², dites [di, dit] *voir* **dire**.

divaguer [divage] *vi* (*dérailler*) to rave, talk drivel. ●**divagations** *nfpl* ravings.

divan [divɑ̃] *nm* divan, couch.

divergent, -ente [divɛrʒɑ̃, -ɑ̃t] *a* diverging, divergent. ●**divergence** *nf* divergence. ●**diverger** *vi* to diverge (**de** from).

divers, -erse [divɛr, -ɛrs] *a* (*varié*) varied, diverse; **divers(es)** (*distincts*) various; **d. groupes** (*plusieurs*) various *ou* sundry groups. ●**diversement** *adv* in various ways.

diversifier [divɛrsifje] *vt* to diversify ▮ **se diversifier** *vpr* (*économie, entreprise etc*) to diversify.

diversion [divɛrsjɔ̃] *nf* diversion.

diversité [divɛrsite] *nf* diversity.

divertir [divɛrtir] *vt* to entertain, amuse ▮ **se divertir** *vpr* to enjoy oneself, amuse oneself. ●**divertissement** *nm* entertainment, amusement.

dividende [dividɑ̃d] *nm* (*bénéfice*) & *Math* dividend.

divin, -ine [divɛ̃, -in] *a* divine. ●**divinité** *nf* divinity.

diviser [divize] *vt*, **se diviser** *vpr* to divide (**en** into). ●**divisible** *a* divisible. ●**division** *nf* division.

divorce [divɔrs] *nm* divorce. ●**divorcer** *vi* to get *ou* be divorced, divorce; **d. d'avec qn** to divorce s.o. ●**divorcé, -ée** *a* divorced (**d'avec** from) ▮ *nmf* divorcee.

divulguer [divylge] *vt* to divulge. ●**divulgation** *nf* divulgence.

dix [dis] ([di] *before consonant*, [diz] *before vowel*) *a* & *nm* ten. ●**dixième** [dizjɛm] *a* & *nmf* tenth; **un d.** a tenth.

dix-huit [dizyit] *a* & *nm* eighteen. ●**dix-huitième** *a* & *nmf* eighteenth. ●**dix-neuf** [diznœf] *a* & *nm* nineteen. ●**dix-neuvième** *a* & *nmf* nineteenth. ●**dix-sept** [disset] *a* & *nm* seventeen. ●**dix-septième** *a* & *nmf* seventeenth.

dizaine [dizɛn] *nf* **une d. (de)** about ten.

do [do] *nm* (*note de musique*) C.

docile [dɔsil] *a* submissive, docile. ●**docilité** *nf* submissiveness, docility.

dock [dɔk] *nm* (*bassin*) dock; (*magasin*) warehouse. ●**docker** [dɔkɛr] *nm* docker.

docteur [dɔktœr] *nm* (*en médecine, d'université*) doctor (**ès, en** of). ●**doctorat** *nm* doctorate, = PhD (**ès, en** in).

doctrine [dɔktrin] *nf* doctrine. ●**doctrinaire** *a* & *nmf Péj* doctrinaire.

document [dɔkymɑ̃] *nm* document. ●**documentaire** *a* documentary ▮ *nm* (*film*) documentary. ●**documentaliste** *nmf* information officer; (*à l'école*) (school) librarian.

documentation [dɔkymɑ̃tasjɔ̃] *nf* (*documents*) documentation, (*brochure(s)*) literature; (*renseignements*) information.

documenter [dɔkymɑ̃te] *vt* (*informer*) to document ▮ **se documenter** *vpr* to collect information *ou* material. ●**documenté, -ée** *a* (**bien** *ou* **très**) **d.** (*personne*) well-informed; **un article***/etc* **solidement d.** a well-documented article/*etc*.

dodeliner [dɔdline] *vi* **d. de la tête** to nod (one's head).

dodo [dodo] *nm* (*langage enfantin*) **faire d.** to sleep; **aller au d.** *Br* to go to bye-byes, *Am* go beddy-bye.

dodu, -ue [dɔdy] *a* chubby, plump.

dogme [dɔgm] *nm* dogma. ●**dogmatique** *a* dogmatic. ●**dogmatisme** *nm* dogmatism.

dogue [dɔg] *nm* (*chien*) mastiff.

doigt [dwa] *nm* finger; **d. de pied** toe; **petit d.** little finger, *Am* pinkie; **un d. de vin***/etc* a drop of wine/*etc*; **à deux doigts de** within an ace of; **montrer qn du d.** to point one's finger at s.o.; **savoir qch sur le bout du d.** to have sth at one's finger tips; **elle ne lèvera pas le petit d. pour vous aider** she won't lift a finger to help you; **c'est mon petit d. qui me l'a dit** a little birdie told me.

doigté [dwate] *nm Mus* fingering, touch; (*savoir-faire*) tact, expertise.

dois, doit [dwa] *voir* **devoir**[1,2].

doléances [dɔleɑ̃s] *nfpl* (*plaintes*) grievances.

dollar [dɔlar] *nm* dollar.

domaine [dɔmɛn] *nm* (*terres*) estate, domain; (*sphère*) province, domain.

dôme [dom] *nm* dome.

domestique [dɔmɛstik] *a* (*vie, marché, produit etc*) domestic; **querelle***/etc* **d.** family *ou* domestic quarrel/*etc*; **travaux domestiques** housework; **à usage d.** for household *ou* domestic use; **animal d.** domestic animal, pet ▮ *nmf* servant. ●**domestiquer** *vt* to domesticate.

domicile [dɔmisil] *nm* home; (*demeure légale*) abode; **travailler à d.** to work at home; **livrer à d.** (*pain etc*) to deliver (to the house); **dernier d. connu** last known address; **quitter le d. conjugal** to leave (the marital) home. ●**domicilié, -ée** *a* resident (**à, chez** at).

dominateur, -trice [dɔminatœr, -tris] *a* domineering. ●**domination** *nf* domination.

dominer [dɔmine] *vt* to dominate; (*situation, sentiment*) to master, dominate; (*être supérieur à*) to surpass, outclass; (*tour, rocher*) to tower above, dominate; (*vallée, building etc*) **d. le monde** to rule the world.

▮ *vi* (*être le plus fort*) to be dominant, dominate; (*être le plus important*) to predominate. ▮ **se dominer** *vpr* to control oneself. ●**dominant, -ante** *a* dominant. ●**dominante** *nf* dominant feature; *Mus* dominant.

dominicain, -aine [dɔminikɛ̃, -ɛn] **1** *a* & *nmf Rel* Dominican. **2** *a Géog* Dominican; **la République dominicaine** the Dominican Republic ▮ *nmf* **D., Dominicaine** Dominican.

dominical, -e, -aux [dɔminikal, -o] *a* **repos/promenade***/etc* **dominical(e)** Sunday rest/walk/*etc*.

domino [dɔmino] *nm* domino; **dominos** (*jeu*) dominoes.

dommage [dɔmaʒ] *nm* **1** (**c'est**) **d.!** it's a pity *ou* a shame! (**que** that); **quel d.!** what a pity *ou* a shame!; **c'est (bien) d. qu'elle ne soit pas venue** it's a (great) pity *ou* shame she didn't come. **2** (*tort*) prejudice, harm; **dommages** (*dégâts*) damage; **dommages-intérêts** (*somme due*) damages.

dompter [dɔ̃te] *vt* (*animal*) to tame; (*passions, rebelles*) to subdue. ●**dompteur, -euse**

nmf (*de lions*) lion tamer.

DOM-TOM [dɔmtɔm] *nmpl abrév* (*départements et territoires d'outre-mer*) (French) overseas departments and territories.

don [dɔ̃] *nm* (*cadeau, aptitude*) gift; (*charité*) donation; **le d. du sang**/*etc* (the) giving of blood/*etc*; **faire d. de qch** to give sth; **avoir le d. de** (*le chic pour*) to have the knack of.

donateur, -trice [dɔnatœr, -tris] *nmf* (*d'un tableau etc*) donor. ●**donation** *nf* (*d'un tableau etc*) donation.

donc [dɔ̃(k)] *conj* so, then; (*par conséquent*) so, therefore; **asseyez-vous d.!** (*intensif*) will you sit down!, sit down then!; **qui/quoi d.?** who?/what?; **allons d.!** come on!; **dis d.!** *Fam* excuse me!

donjon [dɔ̃ʒɔ̃] *nm* (*de château*) keep.

donne [dɔn] *nf Cartes* deal.

données [dɔne] *nfpl* (*information*) data; (*de problème*) (known) facts; (*d'un roman*) basic elements.

donner [dɔne] *vt* to give; (*récolte, résultat*) to produce; (*sa place*) to give up; (*cartes*) to deal; (*pièce, film*) to put on; **pourriez-vous me d. l'heure?** could you tell me *ou* give me the time?; **d. un coup à** to hit, give a blow to; **d. le bonjour à qn** to say hello to s.o.; **d. qch à réparer** to take sth (in) to be repaired; **d. à manger à qn** to give s.o. something to eat, feed s.o.; **d. à manger à un chat**/*etc* to feed a cat/*etc*; **d. raison à qn** to say s.o. is right; **elle m'a donné de ses nouvelles** she told me how she was *ou* how she was doing; **ça donne soif/faim** it makes you thirsty/hungry; **je lui donne trente ans** I'd say *ou* guess he *ou* she was thirty; **ça n'a rien donné** (*efforts*) it hasn't got us anywhere; **c'est donné** *Fam* it's dirt cheap; **étant donné** (*la situation etc*) considering, in view of; **étant donné que** seeing (that), considering (that); **à un moment donné** at some stage.

▮ *vi* **d. sur** (*fenêtre*) to overlook, look out onto; (*porte*) to open onto; **d. dans** (*piège*) to fall into; **ne plus savoir où d. de la tête** *Fam* not to know which way to turn.

▮ **se donner** *vpr* (*se consacrer*) to devote oneself (**à** to); **se d. du mal** to go to a lot of trouble (**pour faire** to do); **s'en d. à cœur joie** to have a whale of a time, enjoy oneself to the full.

donneur, -euse [dɔnœr, -øz] *nmf* giver; (*de sang, d'organe*) donor; *Cartes* dealer.

dont [dɔ̃] *pron rel* (= *de qui, duquel, de quoi etc*) (*personne*) of whom; (*chose*) of which; (*appartenance: personne*) whose, of whom; (*appartenance: chose*) of which, whose; **une mère d. le fils est malade** a mother whose son is ill; **la fille d. il est fier** the daughter he is proud of *ou* of whom he is proud; **les outils d. j'ai besoin** the tools I need; **la façon d. elle joue** the way (in which) she plays; **cinq enfants d. deux filles** five children two of whom are daughters, five children including two daughters; **voici ce d. il s'agit** here's what it's about.

doper [dɔpe] *vt* (*cheval, sportif*) to dope ▮ **se doper** *vpr* to take *ou* use dope. ●**doping** *nm* (*action*) doping; (*substance*) dope.

dorénavant [dɔrenavɑ̃] *adv* henceforth.

dorer [dɔre] *vt* (*objet*) to gild; **d. la pilule à qn** to sugar the pill for s.o.; **se (faire) d. au soleil** to bask in the sun ▮ *vi* (*à la cuisson*) to brown. ●**doré, -ée** *a* (*objet*) gilt, gold; (*couleur*) golden ▮ *nm* (*couche*) gilt. ●**dorure** *nf* gilding.

dorloter [dɔrlɔte] *vt* to pamper, coddle.

dormir* [dɔrmir] *vi* to sleep; (*être endormi*) to be asleep; (*argent*) *Fig* to lie idle; **avoir envie de d.** to feel sleepy; **dormez tranquille!** (*sans soucis*) set your mind at rest!, rest easy!; **histoire à d. debout** tall story, cock-and-bull story; **eau dormante** stagnant water.

dortoir [dɔrtwar] *nm* dormitory.

dos [do] *nm* (*de personne, d'animal etc*) back; (*de livre*) spine; (*de nez*) bridge; **'voir au d.'** (*verso*) 'see over'; **voir qn de d.** to have a back view of s.o.; **mettre qch sur le d. de qn** (*accusation*) to pin sth on s.o.; **avoir qn sur le d.** to have s.o. on one's back *ou* breathing down one's neck; **j'en ai plein le d.** *Fam* I'm sick of it.

dose [doz] *nf* dose; (*quantité administrée*) dosage; **forcer la d.** (*exagérer*) to overdo it. ●**doser** *vt* (*remède*) to measure out the dose of; (*équilibrer*) to strike the correct balance between. ●**dosage** *nm* measuring out (*of dose*); (*équilibre*) balance; **faire le d. de** = **doser**. ●**doseur** *nm* **bouchon d.** measuring cap.

dossard [dosar] *nm* (*de sportif*) number (*fixed on back*).

dossier [dosje] *nm* **1** (*de siège*) back. **2** (*papiers, documents*) file, dossier; (*classeur*) folder, file.

dot [dɔt] *nf* dowry.

doter [dɔte] *vt* (*hôpital etc*) to endow; **d. de** (*matériel*) to equip with; (*qualité*) to endow with. ●**dotation** *nf* (*à un hôpital etc*) endowment; (*en matériel*) equipping.

douane [dwan] *nf* customs; **passer la d.** to go through customs. ●**douanier, -ière** *nm* customs officer ▮ *a* **union**/*etc* **douanière** customs union/*etc*.

doublage [dublaʒ] *nm* (*de film*) dubbing.

double [dubl] *a* double; (*rôle, avantage etc*) twofold, double; **en d. exemplaire** in duplicate; **enfermer qn à d. tour** to lock s.o. in; **fermer une porte à d. tour** to double-lock a door; **doubles rideaux** lined curtains, *Am* (thick) drapes ▮ *adv* double ▮ *nm* (*de personne*) double; (*copie*) copy, duplicate; (*de timbre*) swap, duplicate; **le d. (de)** (*quantité*) twice as much (as); **je l'ai en d.** I have two of them. ●**doublement** *adv* doubly ▮ *nm* doubling.

doubler [duble] **1** *vt* (*augmenter*) to double; (*vêtement*) to line; (*film*) to dub; (*acteur*) to stand in for; (*classe à l'école*) to repeat; (*cap*) (*en bateau*) to round; **se d. de** to be coupled with ▮ *vi* (*augmenter*) to double; **d.**

doublure 102

de volume/*etc* to double in volume/*etc*. **2** *vti* (*en voiture*) *Br* to overtake, pass.
doublure [dublyr] *nf* (*étoffe*) lining; (*au théâtre*) understudy; (*au cinéma*) stand-in, double.
douce [dus] *voir* **doux**. ●**doucement** *adv* (*délicatement*) gently; (*à voix basse*) softly; (*lentement*) slowly; (*sans bruit*) quietly; (*sans à-coups*) smoothly; (*assez bien*) *Fam* so-so. ●**douceur** *nf* (*de miel etc*) sweetness; (*de peau etc*) softness; (*de temps*) mildness; (*de personne*) gentleness; **douceurs** (*sucreries*) *Br* sweets, *Am* candies; **la voiture a démarré en d.** the car started smoothly.
douche [duʃ] *nf* shower; **prendre une d.** to have *ou* take a shower; **être sous la d.** to be in the shower. ●**doucher** *vt* **d. qn** to give s.o. a shower ∎ **se doucher** *vpr* to have *ou* take a shower.
doué, -ée [dwe] *a* gifted, talented (**en** at); (*intelligent*) clever; **d. de raison**/*etc* gifted with reason/*etc*; **il est d. pour** he has a gift *ou* talent for.
douille [duj] *nf* (*d'ampou'e électrique*) socket; (*de cartouche*) case.
douillet, -ette [dujɛ, -ɛt] *a* (*lit etc*) soft, snug, *Br* cosy, *Am* cozy; **tu es d.** (*délicat*) you're such a baby.
douleur [dulœr] *nf* (*mal*) pain; (*chagrin*) sorrow, grief. ●**douloureux, -euse** *a* (*maladie, membre, décision, perte etc*) painful.
doute [dut] *nm* doubt; **doutes** (*méfiance*) doubts, misgivings; **sans d.** no doubt, probably; **sans aucun d.** without (any *ou* a) doubt; **mettre qch en d.** to cast doubt on sth; **dans le d.** uncertain, doubtful; **ça ne fait pas de d.** there is no doubt about it.
douter [dute] *vi* to doubt; **d. de qch/qn** to doubt sth/s.o.; **d. que** (+ *sub*) to doubt whether *ou* that; **ne d. de rien** *Fam* to have lots of *ou Br* bags of self-confidence ∎ **se douter** *vpr* **se d. de qch** to suspect sth; **je m'en doute** I would think so, I suspect so.
douteux, -euse [dutø, -øz] *a* doubtful; (*louche, médiocre*) dubious; **il est d. que** (+ *sub*) it's doubtful whether *ou* that.
douve(s) [duv] *nf*(*pl*) (*de château*) moat.
Douvres [duvr] *nm ou f* Dover.
doux, douce [du, dus] *a* (*miel, son etc*) sweet; (*peau, lumière, drogue etc*) soft; (*temps, climat*) mild; (*personne, pente etc*) gentle; (*émotion, souvenir etc*) pleasant; **d. comme un agneau** as gentle as a lamb; **faire qch en douce** to do sth on the quiet.
douze [duz] *a & nm* twelve. ●**douzaine** *nf* (*douze*) dozen; (*environ*) about twelve; **une d. d'œufs**/*etc* a dozen eggs/*etc*. ●**douzième** *a & nmf* twelfth; **un d.** a twelfth.
doyen, -enne [dwajɛ̃, -ɛn] *nmf* (*d'université, ecclésiastique*) dean; **d. (d'âge)** oldest person.
draconien, -ienne [drakɔnjɛ̃, -jɛn] *a* (*mesures*) drastic.
dragée [draʒe] *nf* sugared almond; **tenir la d. haute à qn** (*tenir tête à qn*) *Fig* to stand up to s.o.

dragon [dragɔ̃] *nm* (*animal*) dragon; (*soldat*) *Hist* dragoon; **c'est un vrai d.** (*personne autoritaire*) *Fam* he's *ou* she's a real dragon.
drague [drag] *nf* (*appareil*) dredge; (*filet*) drag net.
draguer [drage] *vt* **1** (*rivière etc*) to dredge. **2** (*faire du baratin à*) *Fam Br* to chat (*s.o.*) up, *Am* smooth-talk (*s.o.*).
drainer [drene] *vt* to drain.
dramaturge [dramatyrʒ] *nmf* dramatist.
drame [dram] *nm* drama; (*catastrophe*) tragedy. ●**dramatique** *a* dramatic; **critique d.** drama critic; **auteur d.** playwright, dramatist; **film d.** drama. ●**dramatiser** *vt* (*exagérer*) to dramatize.
drap [dra] *nm* (*de lit*) sheet; (*tissu*) cloth; **d. housse** fitted sheet; **d. de bain** bath towel; **être dans de beaux draps** (*dans une situation difficile*) to be in a fine mess.
drapeau, -x [drapo] *nm* flag; **être sous les drapeaux** (*soldat*) to be doing one's military service.
draper [drape] *vt* to drape (**de** with) ∎ **se draper** *vpr* **se d. dans sa dignité** *Fig* to stand on one's dignity. ●**draperie** *nf* (*étoffe*) drapery.
dresser [drese] **1** *vt* (*échelle, statue*) to put up, erect; (*oreille*) to prick up; (*liste*) to draw up, make out; (*piège*) to set, lay ∎ **se dresser** *vpr* (*personne*) to stand up; (*statue, montagne*) to rise up, stand; **se d. contre** (*abus*) to stand up against. **2** *vt* (*animal*) to train; (*personne*) *Péj* to drill, teach. ●**dressage** *nm* training. ●**dresseur, -euse** *nmf* trainer.
dribbler [drible] *vti Football* to dribble.
drogue [drɔg] *nf* (*médicament*) *Péj* drug; **une d.** (*stupéfiant*) a drug; **la d. drugs**, dopé. ●**droguer** *vt* (*victime*) to drug; (*malade*) to dose up ∎ **se droguer** *vpr* to take drugs, be on drugs; (*malade*) to dose oneself up. ●**drogué, -ée** *nmf* drug addict.
droguerie [drɔgri] *nf* hardware *Br* shop *ou Am* store. ●**droguiste** *nmf* owner of a *droguerie*.
droit[1] [drwa] *nm* (*privilège*) right; (*d'inscription etc*) fee(s), dues; **le d.** (*science juridique*) law; **d. d'entrée** entrance fee; **droits de douane** (customs) duty, customs duties; **droits de l'homme** human rights; **droits d'auteur** royalties; **à bon d.** rightly; **avoir d. à** to be entitled to; **avoir le d. de faire qch** to be entitled to do sth, have the right to do sth.
droit[2], **droite**[1] [drwa, drwat] *a* (*route, ligne etc*) straight; (*vertical*) (*mur etc*) upright, straight; (*angle*) right; (*veston*) single-breasted; (*honnête*) *Fig* upright ∎ *adv* straight; **tout d.** straight *ou* right ahead; **aller d. au but** to get *ou* go straight to the point. ●**droite**[2] *nf* (*ligne*) straight line.
droit[3], **droite**[3] [drwa, drwat] *a* (*côté, bras etc*) right ∎ *nm* (*coup*) *Boxe* right. ●**droite**[4] *nf* **la d.** (*côté*) the right (side); *Pol* the right (wing); **à d.** (*tourner*) (to the) right; (*rouler, se tenir etc*) on the right, on the right(-hand

dyslexique

side; **de d.** (*fenêtre etc*) right-hand; (*candidat etc*) right-wing; **mener une politique de d.** to follow right-wing policies; **voter à d.** to vote right-wing; **à d. de** on *ou* to the right of; **à d. et à gauche** (*voyager etc*) here, there and everywhere.

droitier, -ière [drwatje, -jɛr] *a* & *nmf* right-handed (person).

droiture [drwatyr] *nf* uprightness.

drôle [drol] *a* funny; **d. d'air/de type** funny look/fellow; **faire une d. de tête** to pull a face. ●**drôlement** *adv* funnily; (*extrêmement*) *Fam* terribly, dreadfully.

dromadaire [drɔmadɛr] *nm* dromedary.

dru, drue [dry] *a* (*herbe etc*) thick, dense ▌ *adv* **tomber d.** (*pluie*) to pour down *ou* come down heavily; **pousser d.** to grow thick(ly).

du [dy] = **de** + **le** (*voir de*[1,2,3] & **le**).

dû, due [dy] *a* **d. à** (*accident etc*) due to; **en bonne et due forme** (*compléter etc*) in due form ▌ *nm* due; (*argent*) dues.

dualité [dyalite] *nf* duality.

dubitatif, -ive [dybitatif, -iv] *a* (*regard etc*) dubious.

duc [dyk] *nm* duke. ●**duché** *nm* duchy. ●**duchesse** *nf* duchess.

duel [dyɛl] *nm* duel.

dûment [dymɑ̃] *adv* duly.

dune [dyn] *nf* (sand) dune.

duo [dyo] *nm Mus* duet; **d. comique** comic duo.

dupe [dyp] *nf* dupe, fool ▌ *a* **d. de** duped by, fooled by; **il n'est pas d.** he's no fool, he's well aware of it. ●**duper** *vt* to fool, dupe.

duplex [dyplɛks] *nm Br* split-level flat, *Am* duplex; (**émission en**) **d.** (*de télévision*) link-up.

duplicata [dyplikata] *nm inv* duplicate.

duplicateur [dyplikatœr] *nm* (*machine*) duplicator.

duplicité [dyplisite] *nf* duplicity, deceit.

duquel [dykɛl] *voir* **lequel**.

dur, dure [dyr] *a* (*substance*) hard; (*difficile*) hard, tough; (*viande*) tough; (*hiver, ton*) harsh; (*personne*) hard, harsh; (*œuf*) hard-boiled; (*brosse, carton*) stiff; **d. d'oreille** hard of hearing; **d. à cuire** *Fam* hard-bitten, tough ▌ *adv* **travailler** hard; **croire à qch d. comme fer** to have a cast-iron belief in sth ▌ *nm* (*personne*) *Fam* tough guy. ●**durement** *adv* harshly. ●**dureté** *nf* (*de substance*) hardness; (*d'hiver, de ton*) harshness; (*de viande*) toughness.

durable [dyrabl] *a* durable, lasting.

durant [dyrɑ̃] *prép* during; **d. l'hiver/etc** during the winter/etc; **des heures d.** for hours and hours.

durcir [dyrsir] *vti*, **se durcir** *vpr* to harden. ●**durcissement** *nm* hardening.

durée [dyre] *nf* (*de film, d'événement etc*) length; (*période*) duration; (*de pile électrique*) life; **de longue d.** (*bonheur etc*) lasting; **chômage de longue d.** long-term unemployment; **disque de longue d.** long-playing record; **pile longue d.** long-life battery; **de courte d.** (*attente etc*) short; (*bonheur etc*) short-lived.

durer [dyre] *vi* to last; **ça dure depuis...** it's been going on for....

durillon [dyrijɔ̃] *nm* callus.

DUT [deyte] *nm abrév* (*diplôme universitaire de technologie*) university technical qualification taken two or three years after the *baccalauréat*.

duvet [dyvɛ] *nm* **1** (*d'oiseau, de visage*) down. **2** (*sac*) sleeping bag. ●**duveté, -ée** *ou* **duveteux, -euse** *a* downy.

dynamique [dinamik] *a* dynamic ▌ *nf* (*force*) dynamic force, thrust. ●**dynamisme** *nm* dynamism.

dynamite [dinamit] *nf* dynamite. ●**dynamiter** *vt* to dynamite.

dynamo [dinamo] *nf* dynamo.

dynastie [dinasti] *nf* dynasty.

dysenterie [disɑ̃tri] *nf* (*maladie*) dysentery.

dyslexique [dislɛksik] *a* & *nmf* dyslexic.

E

E, e [ə, ø] *nm* E, e.

eau, -x [o] *nf* water; **il est tombé beaucoup d'e.** a lot of rain fell; **e. douce** (*non salée*) fresh water; **e. du robinet** tap water; **e. salée** salt water; **e. plate** still water; **e. gazeuse** sparkling *ou* carbonated *ou Br* fizzy water; **e. de Cologne** eau de Cologne; **e. de toilette** toilet water; **grandes eaux** (*d'un parc*) ornamental fountains; **tomber à l'e.** (*projet*) *Fam* to fall through; **ça lui fait venir l'e. à la bouche** it makes his *ou* her mouth water; **tout en e.** sweating; **prendre l'e.** (*bateau, chaussure etc*) to take water, leak; **tu apportes de l'e. à mon moulin** you're strengthening *ou* confirming my argument. ● **eau-de-vie** *nf* (*pl* **eaux-de-vie**) brandy. ● **eau-forte** *nf* (*pl* **eaux-fortes**) (*gravure*) etching.

ébahir [ebair] *vt* to astound, dumbfound, amaze. ● **ébahissement** *nm* amazement.

ébattre (s') [sebatr] *vpr* to run about, play about, frolic. ● **ébats** *nmpl* frolics.

ébauche [eboʃ] *nf* (*esquisse*) (rough) outline, (rough) sketch; (*début*) beginnings; **première e.** rough *ou* first draft. ● **ébaucher** *vt* (*projet, tableau, œuvre*) to sketch out, outline; **e. un sourire** to give a faint smile ▮ **s'ébaucher** *vpr* to take shape.

ébène [ebɛn] *nf* (*bois*) ebony.

ébéniste [ebenist] *nm* cabinet-maker. ● **ébénisterie** *nf* cabinet-making.

éberlué, -ée [ebɛrlye] *a Fam* dumbfounded.

éblouir [ebluir] *vt* to dazzle. ● **éblouissement** *nm* (*aveuglement*) dazzling, dazzle; (*émerveillement*) feeling of wonder; (*malaise*) fit of dizziness.

éboueur [ebwœr] *nm Br* dustman, *Am* garbage collector.

ébouillanter [ebujɑ̃te] *vt* to scald ▮ **s'ébouillanter** *vpr* to scald oneself.

ébouler (s') [sebule] *vpr* (*falaise etc*) to crumble; (*terre, roches*) to fall. ● **éboulement** *nm* landslide. ● **éboulis** *nm* (mass of) fallen debris.

ébouriffé, -ée [eburife] *a* dishevelled; **il est tout é.** he looks *ou* he is all dishevelled, his hair is all dishevelled.

ébranler [ebrɑ̃le] *vt* (*mur, confiance etc*) to shake; (*santé*) to weaken, affect; (*personne*) to shake, shatter ▮ **s'ébranler** *vpr* (*train, cortège etc*) to move off. ● **ébranlement** *nm* (*secousse*) shaking, shock; (*nerveux*) shock.

ébrécher [ebreʃe] *vt* (*assiette*) to chip; (*lame*) to nick. ● **ébréchure** *nf* chip; (*de laine*) nick.

ébriété [ebrijete] *nf* **en état d'é.** under the influence of drink.

ébrouer (s') [sebrue] *vpr* (*se secouer*) to shake oneself (about); (*souffler*) to snort.

ébruiter [ebrɥite] *vt* (*nouvelle etc*) to make known, divulge.

ébullition [ebylisjɔ̃] *nf* boiling; **être en é.** (*eau*) to be boiling; (*ville etc*) *Fig* to be in turmoil; **porter à é.** to bring to the boil.

écaille [ekaj] *nf* (*de poisson*) scale; (*de tortue, d'huître*) shell; (*pour lunettes*) tortoise-shell. ● **écailler 1** *vt* (*poisson*) to scale; (*huître*) to shell. **2 s'écailler** *vpr* (*peinture*) to flake (off), peel.

écarlate [ekarlat] *a & nf* scarlet.

écarquiller [ekarkije] *vt* **é. les yeux** to open one's eyes wide.

écart [ekar] *nm* (*intervalle*) gap, distance; (*embardée, mouvement*) swerve; (*différence*) difference (**de** in, **entre** between); **écarts de** (*conduite, langage etc*) lapses in; **faire le grand é.** (*de gymnaste*) to do the splits; **à l'é.** out of the way; **tenir qn à l'é.** (*ne pas tenir au courant*) to keep s.o. out of things; **à l'é. de** away from, clear of.

écartelé, -ée [ekartəle] *a* **é. entre** (*tiraillé*) torn between.

écartement [ekartəmɑ̃] *nm* (*espace*) gap, distance (**de** between).

écarter [ekarte] *vt* (*objets*) to move apart, move away from each other; (*jambes*) to open, spread; (*rideaux*) to open, draw (aside); (*crainte, idée*) to brush aside, dismiss; (*carte*) to discard; **é. qch de qch** to move sth away from sth; **é. qn de** (*exclure*) to keep s.o. out of; (*éloigner*) to keep *ou* take s.o. away from.

▮ **s'écarter** *vpr* (*s'éloigner*) to move away (**de** from); (*se séparer*) to move aside (**de** from); **s'é. de** (*sujet, bonne route*) to stray *ou* deviate from. ● **écarté, -ée** *a* (*endroit*) remote; **les jambes écartées** with legs (wide) apart.

ecchymose [ekimoz] *nf* bruise.

ecclésiastique [eklezjastik] *a* ecclesiastical ▮ *nm* ecclesiastic, clergyman.

écervelé, -ée [esɛrvəle] *a* scatterbrained ▮ *nmf* scatterbrain.

échafaud [eʃafo] *nm* (*pour exécution*) scaffold.

échafaudage [eʃafodaʒ] *nm* (*de peintre etc*) scaffolding *inv*, scaffold; (*tas*) heap; (*système*) fabric. ● **échafauder** *vi* to put up (some) scaffolding *ou* a scaffold ▮ *vt* (*projet etc*) to put together, think up.

échalas [eʃala] *nm* **grand é.** tall skinny person.

échalote [eʃalɔt] *nf* shallot, scallion.

échancré, -ée [eʃɑ̃kre] *a* (*encolure*) V-

shaped, scooped. ●**échancrure** *nf (de robe)* opening.
échange [eʃɑ̃ʒ] *nm* exchange; **en é.** in exchange (**de** for). ●**échanger** *vt* to exchange (**contre** for).
échangeur [eʃɑ̃ʒœr] *nm (intersection) Aut* interchange.
échantillon [eʃɑ̃tijɔ̃] *nm* sample. ●**échantillonnage** *nm (collection)* range (of samples).
échappatoire [eʃapatwar] *nf* way out, means of escape, evasion.
échappement [eʃapmɑ̃] *nm (de véhicule)* **tuyau d'é.** exhaust pipe; **pot d'é.** *(tuyau)* exhaust; *(silencieux) Br* silencer, *Am* muffler.
échapper [eʃape] *vi* **é. à qn** to escape from s.o.; **é. à la mort/un danger**/*etc* to escape death/a danger/*etc*; **son nom m'échappe** his *ou* her name escapes me; **ça m'a échappé** *(je n'ai pas compris)* I didn't catch it; **ça lui a échappé (des mains)** it slipped out of his *ou* her hands; **laisser é.** *(cri)* to let out; *(objet, occasion)* to let slip.
▮ **s'échapper** *vpr (s'enfuir)* to escape **(de** from); *(s'éclipser)* to slip away; *(gaz, eau)* to escape, come out; *(cycliste)* to pull *ou* break away. ●**échappée** *nf* **1** *(de cycliste)* breakaway. **2** *(vue)* vista.
écharde [eʃard] *nf (de bois)* splinter.
écharpe [eʃarp] *nf* scarf; *(de maire)* sash; **avoir le bras en é.** to have one's arm in a sling; **prendre en é.** *(de biais) (véhicule)* to hit sideways.
écharper [eʃarpe] *vt* **é. qn** to cut s.o. to bits.
échasse [eʃas] *nf (bâton)* stilt. ●**échassier** *nm* wading bird.
échauder [eʃode] *vt* **être échaudé, se faire é.** *(déçu) Fig* to be taught a lesson.
échauffer [eʃofe] *vt (moteur)* to overheat; *(esprits)* to excite ▮ **s'échauffer** *vpr (discussion, sportif)* to warm up. ●**échauffement** *nm (de moteur)* overheating; *(de sportif)* warm(ing)-up.
échauffourée [eʃofure] *nf (bagarre)* clash, brawl, skirmish.
échéance [eʃeɑ̃s] *nf (date limite)* date (due), *Br* expiry *ou Am* expiration date; *(paiement)* payment (due); **à brève/longue é.** *(projet, emprunt)* short-/long-term; **faire face à ses échéances** to meet one's (regular) payments.
échéant (le cas) [ləkazeʃeɑ̃] *adv* if the occasion should arise, possibly.
échec [eʃɛk] *nm* **1** *(insuccès)* failure; **faire é. à** *(inflation etc)* to hold in check. **2 les échecs** *(jeu)* chess; **en é.** in check; **é.!** check!; **é. et mat!** checkmate!
échelle [eʃɛl] *nf* **1** *(marches)* ladder; **faire la courte é. à qn** to give s.o. *Br* a leg up *ou Am* a boost. **2** *(dimension, mesure)* scale; **à l'é. nationale**/*etc* on a national/*etc* scale.
échelon [eʃlɔ̃] *nm (d'échelle)* rung; *(de fonctionnaire)* grade; *(dans une organisation)* echelon; **à l'é. régional/national** on a regional/national level.
échelonner [eʃlɔne] *vt (paiements)* to spread out, space out ▮ **s'échelonner** *vpr* to be spread out.
écheveau, -x [eʃ(ə)vo] *nm (de laine)* skein; *(d'une intrigue etc)* muddle, tangle.
échevelé, -ée [eʃəv(ə)le] *a (ébouriffé)* dishevelled; *(course, danse etc) Fig* wild.
échine [eʃin] *nf* Anat backbone, spine; **courber l'é.** *(céder)* to kowtow **(devant qn** to s.o.).
échiner (s') [seʃine] *vpr (s'évertuer) Fam* to knock oneself out **(à faire** doing).
échiquier [eʃikje] *nm (plateau)* chessboard.
écho [eko] *nm (d'un son)* echo; *(réponse)* response; **échos** *(dans la presse)* gossip (items), local news; **avoir des échos de** to hear some news about; **se faire l'é. de** *(opinions etc)* to echo.
échographie [ekografi] *nf* (ultrasound) scan; **passer une é.** *(femme enceinte)* to have a scan.
échoir* [eʃwar] *vi (terme)* to expire; **é. à qn** *(part)* to fall to s.o.
échouer [eʃwe] **1** *vi* to fail; **é. à** *(examen)* to fail; **faire é. un projet** to wreck a plan; **faire é. un complot/***etc* to foil a plot/*etc*. **2** *vi*, **s'échouer** *vpr (navire)* to run aground.
éclabousser [eklabuse] *vt* to splash, spatter **(de** with); *(salir) Fig* to tarnish the image of ▮ **s'éclabousser** *vpr (en faisant la vaisselle etc)* to splash oneself, get oneself splashed. ●**éclaboussure** *nf* splash, spatter.
éclair [eklɛr] **1** *nm (lumière)* flash; *(d'orage)* flash of lightning; **un é. de génie** a flash of genius. **2** *nm (gâteau)* éclair. **3** *a inv* **visite/raid é.** lightning visit/raid.
éclairage [eklɛraʒ] *nm (de pièce etc)* lighting; *(point de vue)* light.
éclaircie [eklɛrsi] *nf (durée)* sunny spell; *(dans le ciel)* clear patch.
éclaircir [eklɛrsir] *vt (couleur etc)* make lighter, lighten; *(mystère, question)* to clear up, clarify; *(sauce)* to thin out ▮ **s'éclaircir** *vpr (ciel)* to clear (up); *(situation etc)* to become clear(er); *(devenir moins dense)* to thin out; **s'é. la voix** to clear one's throat. ●**éclaircissement** *nm (explication)* explanation, clarification; **demander des éclaircissements** to ask for an *ou* some explanation.
éclairer [eklere] *vt (pièce etc)* to light (up); **é. qn** *(avec une lampe etc)* to give s.o. some light; *(informer)* to enlighten s.o. **(sur** about); **é. une situation**/*etc* **d'un jour nouveau** to shed *ou* throw new light on a situation/*etc* ▮ *vi (lampe)* to give light; **é. bien/mal** to give good/poor light ▮ **s'éclairer** *vpr (visage)* to light up, brighten up; *(question, situation)* to become clear(er); **s'é. à la bougie** to use candlelight; **s'é. à l'électricité** to have electric lighting. ●**éclairé, -ée** *a (averti)* enlightened; **bien/mal é.** *(illuminé)* well/badly lit.
éclaireur, -euse [eklɛrœr, -øz] *nmf* (boy) scout, (girl) guide ▮ *nm (soldat)* scout.
éclat [ekla] *nm* **1** *(de la lumière)* brightness; *(de phare) Aut* glare; *(du feu)* blaze; *(de dia-

éclatant

mant) glitter, sparkle; (*splendeur*) brilliance, radiance; (*de la jeunesse*) bloom. **2** (*fragment de verre ou de bois*) splinter; (*de rire, colère*) (out)burst; **é. d'obus** shrapnel; **éclats de voix** noisy outbursts, shouts.

éclatant, -ante [eklatã, -ãt] *a* (*lumière, couleur, succès*) brilliant; (*beauté, santé*) radiant; (*vérité*) blinding; (*bruyant*) loud, (*rire etc*) piercing; **être é. de santé**/etc to be radiant *ou* glowing with health/etc.

éclater [eklate] *vi* (*pneu, obus etc*) to burst; (*bombe, pétard*) to go off, explode; (*verre*) to shatter, break into pieces; (*guerre, incendie*) to break out; (*orage, scandale*) to break; (*parti*) to break up; **é. de rire** to burst out laughing; **é. en sanglots** to burst into tears. ●**éclatement** *nm* (*de pneu etc*) bursting; (*de bombe etc*) explosion; (*de parti*) break-up.

éclectique [eklektik] *a* eclectic.

éclipse [eklips] *nf* (*du soleil, d'une célébrité etc*) eclipse. ●**éclipser** *vt* to eclipse ▮ **s'éclipser** *vpr* (*soleil*) to be eclipsed; (*partir*) *Fam* to slip away.

éclopé, -ée [eklope] *a & nmf* lame *ou* limping (person).

éclore* [eklɔr] *vi* (*œuf*) to hatch; (*fleur*) to open (out), blossom. ●**éclosion** *nf* hatching; (*de fleur*) opening, blossoming.

écluse [eklyz] *nf* (*de canal*) lock.

écœurer [ekœre] *vt* (*aliment etc*) to make (s.o.) feel sick; (*au moral*) to sicken, nauseate. ●**écœurant, -ante** *a* disgusting, sickening. ●**écœurement** *nm* (*répugnance*) nausea, disgust.

école [ekɔl] *nf* school; (*militaire*) academy; **à l'é.** in *ou* at school; **aller à l'é.** to go to school; **é. de danse/dessin** dancing/art school; **é. normale** *Br* teachers' training college, *Am* teachers' college; **é. publique** *Br* state school, *Am* public school; **é. privée** private school; **les grandes écoles** university establishments giving high-level professional training; **faire é.** to gain a following; **faire l'é. buissonnière** to play *Br* truant *ou Am* hookey. ●**écolier, -ière** *nmf* schoolboy, schoolgirl.

écologie [ekɔlɔʒi] *nf* ecology. ●**écologique** *a* ecological. ●**écologiste** *a* (*programme etc*) environmentalist ▮ *nmf* (*partisan*) environmentalist.

éconduire* [ekɔ̃dɥir] *vt* (*repousser*) to reject.

économe [ekɔnɔm] **1** *a* thrifty, economical. **2** *nmf* (*de collège etc*) bursar, steward.

économie [ekɔnɔmi] *nf* (*activité économique, vertu*) economy; **économies** (*argent*) savings; **une é. de** (*gain*) a saving of; **faire une é. de temps** to save time; **faire des économies** to save (up); **faire des économies d'énergie** to conserve *ou* save energy; **é. politique** economics; **é. dirigée** planned economy. ●**économique** *a* **1** (*doctrine etc*) economic; **science é.** economics. **2** (*bon marché, avantageux*) economical. ●**économiquement** *adv* economically.

économiser [ekɔnɔmize] *vt* (*forces, argent, énergie etc*) to save ▮ *vi* to economize (**sur** on).

économiste [ekɔnɔmist] *nmf* economist.

écoper [ekɔpe] **1** *vt* (*bateau*) to bail out, *Br* bale out. **2** *vi Fam* to get the blame, *Br* cop it; **é.** (**de**) (*punition*) to get, *Br* cop.

écorce [ekɔrs] *nf* (*d'arbre*) bark; (*de fruit*) peel, skin; **l'é. terrestre** the earth's crust.

écorcher [ekɔrʃe] *vt* (*érafler*) to graze; (*animal*) to skin, flay; (*langue étrangère*) *Fig* to murder; (*nom*) *Fig* to mispronounce; **é. les oreilles à qn** to grate on s.o.'s ears ▮ **s'écorcher** *vpr* to graze oneself. ●**écorchure** *nf* graze.

Écosse [ekɔs] *nf* Scotland. ●**écossais, -aise** *a* Scottish; (*tissu*) tartan; (*whisky*) Scotch ▮ *nmf* **É., Écossaise** Scot.

écosser [ekɔse] *vt* (*pois*) to shell.

écot [eko] *nm* (*quote-part*) share.

écouler [ekule] **1** *vt* (*se débarrasser de*) to dispose of; (*marchandises*) to sell (off), clear. **2 s'écouler** *vpr* (*eau*) to flow out, run out; (*temps*) to pass, elapse; (*foule*) to disperse. ●**écoulé, -ée** *a* (*années etc*) past. ●**écoulement** *nm* **1** (*de liquide, véhicules*) flow; (*de temps*) passage. **2** (*de marchandises*) sale, selling.

écourter [ekurte] *vt* (*séjour, discours etc*) to cut short; (*texte, tige etc*) to shorten.

écoute [ekut] *nf* listening; **être à l'é.** (*à la radio etc*) to be tuned in, be listening in (**de** to); **rester à l'é.** to stay tuned, keep listening; **être à l'é. de qn** to listen (sympathetically) to s.o.; **heure de grande é.** *Radio* peak listening time; *TV* peak viewing time; **écoutes téléphoniques** phone tapping.

écouter [ekute] *vt* to listen to; (*radio*) to listen (in) to ▮ *vi* to listen; (*aux portes etc*) to eavesdrop, listen; **faire é. qch à qn** (*disque etc*) to play s.o. sth; **si je m'écoutais** if I did what I wanted; **il s'écoute parler** he likes the sound of his own voice. ●**écouteur** *nm* (*de téléphone*) earpiece; **écouteurs** (*casque*) earphones, headphones.

écrabouiller [ekrabuje] *vt Fam* to crush to a pulp.

écran [ekrã] *nm* screen; **le petit é.** television.

écraser [ekraze] *vt* (*broyer*) to crush; (*fruit, insecte*) to squash, crush; (*cigarette*) to put out; (*piéton*) *Aut* to run over; (*vaincre*) to crush (*revolt, enemy etc*); (*dominer*) *Fig* to outstrip; **écrasé de travail/douleur** overwhelmed with work/grief; **se faire é.** (**par une voiture**) to get run over (by a car); **se faire é.** (**au tennis**/etc) to be thrashed *ou Fam* clobbered (at tennis/etc).

▮ **s'écraser** *vpr* (*avion, voiture*) to crash (**contre** into); **s'é. dans** (*foule*) to crush *ou* squash into. ●**écrasant, -ante** *a* (*victoire, chaleur etc*) overwhelming. ●**écrasé** *am* **nez é.** snub nose. ●**écrasement** *nm* (*d'insecte, de révolte etc*) crushing.

écrémer [ekreme] *vt* (*lait*) to skim, cream;

(*collection etc*) *Fig* to cream off the best from; **lait écrémé** skimmed *ou* skim milk.

écrevisse [ekrəvis] *nf* (*crustacé*) crayfish *inv*.

écrier (s') [sekrije] *vpr* to exclaim, cry out (**que** that).

écrin [ekrɛ̃] *nm* (jewel) case.

écrire* [ekrir] *vt* to write; (*noter*) to write (down); (*en toutes lettres*) to spell; **é. à la machine** to type ▮ *vi* to write ▮ **s'écrire** *vpr* (*mot*) to be spelled *ou* spelt; **comment ça s'écrit?** how do you spell it? ● **écrit** *nm* written document, paper; (*examen*) written paper; **écrits** (*œuvres*) writings; **par é.** in writing.

écriteau, -x [ekrito] *nm* notice, sign.

écriture [ekrityr] *nf* (*système*) writing; (*personnelle*) (hand)writing; **écritures** Com accounts; **les Écritures** (*la Bible*) the Scripture(s).

écrivain [ekrivɛ̃] *nm* author, writer.

écrou [ekru] *nm* (*de boulon*) nut.

écrouer [ekrue] *vt* to imprison.

écrouler (s') [sekrule] *vpr* (*édifice, blessé etc*) to collapse; **être écroulé de fatigue** to be dropping with exhaustion; **être écroulé (de rire)** *Fam* to be doubled up (with laughter). ● **écroulement** *nm* collapse.

écru, -ue [ekry] *a* (*tissu*) unbleached; (*pull etc*) made out of unbleached material; **toile écrue** unbleached linen; **soie écrue** raw silk.

ÉCU [eky] *nm abrév* (*European Currency Unit*) ECU.

écueil [ekœj] *nm* (*rocher*) reef; (*obstacle*) *Fig* pitfall.

écuelle [ekɥɛl] *nf* (*bol*) bowl.

éculé, -ée [ekyle] *a* (*chaussure*) worn out at the heel; (*plaisanterie etc*) *Fig* hackneyed.

écume [ekym] *nf* (*de mer, bave d'animal etc*) foam; (*de pot-au-feu etc*) scum. ● **écumer** *vt* (*pot-au-feu etc*) to skim; (*piller*) to plunder ▮ *vi* to foam (**de rage** with anger). ● **écumoire** *nf* (*ustensile*) skimmer.

écureuil [ekyrœj] *nm* squirrel.

écurie [ekyri] *nf* stable.

écusson [ekysɔ̃] *nm* (*en étoffe*) badge.

écuyer, -ère [ekɥije, -ɛr] *nmf* (*cavalier*) (horse) rider, equestrian.

eczéma [ɛgzema] *nm* (*maladie*) eczema.

édenté, -ée [edɑ̃te] *a* toothless.

EDF [ədəɛf] *nf abrév* (*Électricité de France*) *Br* (French) Electricity Board, *Am* (French) Electric Company.

édicter [edikte] *vt* to enact, decree.

édifice [edifis] *nm* building, edifice; (*ensemble organisé*) *Fig* edifice. ● **édification** *nf* construction; (*instruction morale*) edification; *Iron* enlightenment. ● **édifier** *vt* (*bâtiment*) to erect, construct; (*théorie*) to construct; **é. qn** (*moralement*) to edify s.o.; (*détromper*) *Iron* to enlighten s.o.

Édimbourg [edɛ̃bur] *nm ou f* Edinburgh.

édit [edi] *nm Hist* edict.

éditer [edite] *vt* (*publier*) to publish; (*annoter*) & *Ordinat* to edit. ● **éditeur, -trice** *nmf* publisher; (*commentateur*) editor. ● **édition** *nf* (*livre, journal*) edition; (*métier, diffusion*) publishing.

éditorial, -aux [editɔrjal, -o] *nm* (*article*) editorial, *Br* leader. ● **éditorialiste** *nmf* editorial *ou Br* leader writer.

édredon [edrədɔ̃] *nm* eiderdown.

éducateur, -trice [edykatœr, -tris] *nmf* educator.

éducatif, -ive [edykatif, -iv] *a* educational.

éducation [edykasjɔ̃] *nf* (*enseignement*) education; (*façon d'élever*) upbringing, education; **é. physique** physical education *ou* training; **é. sexuelle** sex education; **l'É. nationale** = Department of Education; **avoir de l'é.** to have good manners, be well-bred. ● **éduquer** *vt* (*à l'école*) to educate (*s.o.*); (*à la maison*) to bring (*s.o.*) up, educate (*s.o.*); (*esprit*) to educate, train.

effacé, -ée [efase] *a* (*modeste*) self-effacing. ● **effacement** *nm* (*modestie*) self-effacement.

effacer [efase] *vt* (*gommer*) to rub out, erase; (*en lavant*) to wash out; (*avec un chiffon*) to wipe away; (*souvenir*) *Fig* to blot out, erase ▮ **s'effacer** *vpr* (*souvenir, couleur etc*) to fade; (*se placer en retrait*) to step *ou* draw aside.

effarer [efare] *vt* to scare, alarm. ● **effarant, -ante** *a Fam* incredible. ● **effarement** *nm* alarm.

effaroucher [efaruʃe] *vt* to scare away, frighten away ▮ **s'effaroucher** *vpr* to take fright, be scared.

effectif, -ive [efɛktif, -iv] **1** *a* (*réel*) effective, real. **2** *nm* (*de classe etc*) total number, size; (*d'une armée etc*) (total) strength; **effectifs** (*employés, soldats*) manpower. ● **effectivement** *adv* (*en effet*) actually, effectively.

effectuer [efɛktɥe] *vt* (*expérience, geste difficile etc*) to carry out, perform; (*paiement, trajet etc*) to make.

efféminé, -ée [efemine] *a* effeminate.

effervescent, -ente [efɛrvesɑ̃, -ɑ̃t] *a* (*mélange, jeunesse*) effervescent. ● **effervescence** *nf* (*exaltation*) excitement, effervescence; (*de liquide*) effervescence.

effet [efɛ] *nm* **1** (*résultat*) effect; (*impression*) impression, effect (**sur** on); **en e.** indeed, in fact; **à cet e.** to this end, for this purpose; **sous l'e. de la colère** (*agir*) in anger, out of anger; **e. de serre** greenhouse effect; **faire de l'e.** (*remède etc*) to be effective; **rester sans e.** to have no effect; **donner de l'e. à une balle** (*au tennis*) to spin a ball; **il me fait l'e. d'être fatigué** he seems to me to be tired; **ce n'est pas l'e. du hasard si...** it is not simply a matter of chance if.... **2 e. de commerce** bill, draft.

effets [efɛ] *nmpl* (*vêtements*) clothes, things.

efficace [efikas] *a* (*mesure etc*) effective; (*personne*) efficient. ● **efficacité** *nf* effectiveness; (*de personne*) efficiency.

effigie [efiʒi] *nf* effigy; **pièce de monnaie à l'e. de la reine** coin bearing the queen's head *ou* a portrait of the queen.

effilé, -ée [efile] *a* (*doigt, lame etc*) tapering,

long and slender.
effilocher (s') [sefilɔʃe] *vpr* to fray.
efflanqué, -ée [eflɑ̃ke] *a* emaciated.
effleurer [eflœre] *vt* (*frôler*) to skim, touch (lightly); (*question*) Fig to touch on; **e. qn** (*pensée etc*) to cross s.o.'s mind.
effondrer (s') [sefɔ̃dre] *vpr* (*projet, édifice, Bourse, personne*) to collapse; (*toit*) to cave in, collapse; **avoir l'air effondré** to look completely dejected. ●**effondrement** *nm* collapse; (*des cours de la Bourse*) collapse, slump; (*abattement*) (complete) dejection.
efforcer (s') [sefɔrse] *vpr* **s'e. de faire** to try (hard) *ou* endeavour *ou* strive to do.
effort [efɔr] *nm* effort; **sans e.** (*réussir etc*) effortlessly; **faire des efforts** to try (hard), make an effort; **allons! encore un petit e.!** come on, one more try!, come on, a bit more effort!
effraction [efraksjɔ̃] *nf* **pénétrer par e.** (*cambrioleur*) to break in; **vol avec e.** housebreaking.
effranger (s') [sefrɑ̃ʒe] *vpr* to fray.
effrayer [efreje] *vt* to frighten, scare ∎ **s'effrayer** *vpr* to be frightened *ou* scared. ●**effrayant, ante** *a* frightening, scary; (*extraordinaire*) Fam incredible.
effréné, -ée [efrene] *a* unrestrained, wild.
effriter (s') [sefrite] *vpr* to crumble (away); **la roche effritée** the crumbling rock.
effroi [efrwa] *nm* (*frayeur*) dread. ●**effroyable** *a* dreadful, appalling. ●**effroyablement** *adv* dreadfully.
effronté, -ée [efrɔ̃te] *a* (*enfant etc*) insolent, Br cheeky, brazen. ●**effronterie** *nf* insolence, Br cheek, effrontery.
effusion [efyzjɔ̃] *nf* **1 e. de sang** bloodshed. **2** (*manifestation de tendresse*) emotional outburst, effusion; **avec e.** effusively.
égal, -e, -aux [egal, -o] *a* equal (à to); (*uniforme, régulier*) even; **ça m'est é.** I don't care, it's all the same to me; **combattre à armes égales** to fight on equal terms; Sport **faire jeu é.** to be evenly matched; **se trouver à égale distance de** to be equidistant from ∎ *nmf* (*personne*) equal; **traiter qn d'é. à é.** *ou* **en é.** to treat s.o. as an equal; **sans é.** without match. ●**également** *adv* (*au même degré*) equally; (*aussi*) also, as well. ●**égaler** *vt* to equal, match (**en** in); **3 plus 4 égale(nt) 7** 3 plus 4 equals 7.
égaliser [egalize] *vt* to equalize; (*terrain*) to level ∎ *vi* Sport to equalize. ●**égalisation** *nf* Sport equalization; (*de terrain*) levelling.
égalité [egalite] *nf* equality; (*régularité*) evenness; **à é.** (**de score**) Sport even, equal (in points); **signe d'é.** Math equals sign. ●**égalitaire** *a* egalitarian.
égard [egar] *nm* **à l'é. de** (*envers*) towards; (*concernant*) with respect *ou* regard to; **à cet é.** in this respect; **à certains égards** in some respects; **eu é. à** considering, in consideration of; **avoir des égards pour qn** to have respect *ou* consideration for s.o.
égarement [egarmɑ̃] *nm* mental confusion ∎ **égarements** (*actes immoraux*) wild aberrations.
égarer [egare] *vt* (*objet*) to mislay; **é. qn** (*dérouter*) to mislead s.o.; (*aveugler, troubler*) to lead s.o. astray, misguide s.o. ∎ **s'égarer** *vpr* to lose one's way, get lost; (*objet*) to get mislaid, go astray; (*esprit*) to wander, become confused.
égayer [egeje] *vt* (*pièce*) to brighten up; **é. qn** (*réconforter, amuser*) to cheer s.o. up, amuse s.o. ∎ **s'égayer** *vpr* to amuse oneself, have fun (**aux dépens de qn** at s.o.'s expense).
égide [eʒid] *nf* **sous l'é. de** under the aegis of.
églantier [eglɑ̃tje] *nm* (*arbre*) wild rose. ●**églantine** *nf* (*fleur*) wild rose.
église [egliz] *nf* church.
égocentrique [egɔsɑ̃trik] *a* egocentric.
égoïsme [egɔism] *nm* selfishness, egoism. ●**égoïste** *a* selfish, egoistic(al) ∎ *nmf* selfish person, egoist.
égorger [egɔrʒe] *vt* to cut *ou* slit the throat of.
égosiller (s') [segɔzije] *vpr* to scream one's head off, bawl out.
égotisme [egɔtism] *nm* egotism.
égout [egu] *nm* sewer; **eaux d'é.** sewage.
égoutter [egute] *vt* (*vaisselle*) to drain; (*légumes*) to strain, drain ∎ *vi*, **s'égoutter** *vpr* (*vaisselle, légumes*) to drain; (*linge*) to drip; **laisser la vaisselle é.** to leave the dishes to drain (off). ●**égouttoir** *nm* (*panier*) (dish) drainer.
égratigner [egratiɲe] *vt* to scratch ∎ **s'égratigner** *vpr* (*en tombant*) to scratch oneself. ●**égratignure** *nf* scratch.
égrener [egrəne] *vt* (*raisins*) to pick off; (*épis*) to shell; **é. son chapelet** Rel to count one's beads; **l'horloge égrène les heures** the clock slowly marks the hours.
Égypte [eʒipt] *nf* Egypt. ●**égyptien, -ienne** [-sjɛ̃, -sjɛn] *a* Egyptian ∎ *nmf* **É., Égyptienne** Egyptian.
eh! [e] *int* hey!; **eh bien!** well!
éhonté, -ée [eɔ̃te] *a* shameless; **mensonge é.** barefaced lie.
éjecter [eʒɛkte] *vt* to eject; **se faire é.** Fam to get thrown out. ●**éjectable** *a* **siège é.** (*dans un avion*) ejector seat. ●**éjection** *nf* ejection.
élaborer [elabɔre] *vt* (*système etc*) to elaborate. ●**élaboration** *nf* elaboration.
élaguer [elage] *vt* (*arbre, texte etc*) to prune.
élan [elɑ̃] *nm* **1** (*vitesse*) momentum, impetus; (*impulsion*) impulse; (*fougue*) fervour, spirit; **un é. de tendresse/etc** an outburst *ou* a surge of affection/*etc*; **prendre de l'é.** (*sportif*) to take a run (up); **d'un seul é.** in one bound. **2** (*animal*) elk.
élancé, -ée [elɑ̃se] *a* (*personne, taille etc*) slender.
élancer [elɑ̃se] **1** *vi* (*abcès etc*) to give shooting pains. **2 s'élancer** *vpr* (*bondir*) to leap *ou* rush (forward); **s'é. vers le ciel** (*tour*) to soar up (high) into the sky. ●**élancement** *nm*

shooting pain.
élargir [elarʒir] 1 *vt* (*chemin*) to widen; (*vêtement*) to let out; (*esprit, débat*) to broaden ▮ **s'élargir** *vpr* (*sentier etc*) to widen out; (*vêtement*) to stretch. 2 *vt* (*prisonnier*) to free.
élastique [elastik] *a* (*objet, gaz, métal*) elastic; (*règlement, notion*) flexible, supple ▮ *nm* (*lien*) rubber band, *Br* elastic band; (*tissu*) elastic. ● **élasticité** *nf* elasticity.
élection [elɛksjɔ̃] *nf* election; **é. partielle** by-election. ● **électeur, -trice** *nmf* voter, elector. ● **électoral, -e, -aux** *a* **campagne électorale** election campaign; **liste électorale** register of electors; **collège é.** electoral college. ● **électorat** *nm* (*électeurs*) electorate, voters.
électricien [elɛktrisjɛ̃] *nm* electrician. ● **électricité** *nf* electricity; **coupure d'é.** blackout, *Br* power cut. ● **électrifier** *vt* (*voie ferrée*) to electrify. ● **électrique** *a* (*pendule, décharge*) electric; (*courant, fil*) electric(al); (*effet*) *Fig* electric; **bleu é.** electric blue. ● **électriser** *vt* (*animer*) *Fig* to electrify.
électrocardiogramme [elɛktrokardjɔgram] *nm* electrocardiogram.
électrochoc [elɛktrɔʃɔk] *nm* (*traitement*) electric shock treatment.
électrocuter [elɛktrɔkyte] *vt* to electrocute.
électrode [elɛktrɔd] *nf* *Él* electrode.
électrogène [elɛktrɔʒɛn] *a* **groupe é.** *Él* generator.
électroménager [elɛktrɔmenaʒe] *am* **appareil é.** household electrical appliance.
électron [elɛktrɔ̃] *nm* electron. ● **électronicien, -ienne** *nmf* electronics engineer. ● **électronique** *a* electronic; **microscope é.** electron microscope ▮ *nf* electronics.
électrophone [elɛktrɔfɔn] *nm* record player.
élégant, -ante [elegã, -ãt] *a* (*style, solution etc*) elegant; (*bien habillé*) smart, elegant. ● **élégamment** [-amã] *adv* elegantly; smartly. ● **élégance** *nf* elegance; **avec é.** elegantly; (*s'habiller*) smartly, elegantly.
élégie [eleʒi] *nf* elegy.
élément [elemã] *nm* (*composante, personne, substance chimique*) element; (*de meuble*) unit; (*d'ensemble*) *Math* member; **éléments** (*notions*) rudiments, elements; **être dans son é.** (*milieu*) to be in one's element.
élémentaire [elemãtɛr] *a* basic; (*cours, école etc*) elementary.
éléphant [elefã] *nm* elephant. ● **éléphantesque** *a* (*énorme*) *Fam* elephantine.
élevage [ɛlvaʒ] *nm* breeding, rearing (**de** of); **é. de bovins** cattle rearing; **faire l'é. de** to breed, rear.
élévateur [elevatœr] *am* **chariot é.** forklift truck.
élévation [elevasjɔ̃] *nf* raising; *Géom* elevation; **é. de** (*hausse*) rise in (*level etc*).
élevé, -ée [ɛlve] *a* (*haut*) high; (*noble*) noble; **bien/mal é.** well-/bad-mannered.
élève [elɛv] *nmf* (*à l'école*) pupil.
élever [ɛlve] *vt* (*prix, voix, objection etc*) to raise; (*enfant*) to bring up, raise; (*animal*) to breed, rear; (*âme*) to uplift, raise ▮ **s'élever** *vpr* (*prix, ton, montagne etc*) to rise; (*cerf-volant*) to rise into the sky; (*monument*) to be put up; **un cri s'éleva dans la foule** a shout went up from the crowd; **s'é. à** (*prix etc*) to amount to; **s'é. contre** to rise up against.
éleveur, -euse [ɛlvœr, -øz] *nmf* breeder.
élider [elide] *vt* **é. une voyelle** to elide a vowel.
éligible [eliʒibl] *a* *Pol* eligible (**à** for).
élimé, -ée [elime] *a* (*tissu*) threadbare, worn thin.
éliminer [elimine] *vt* to eliminate. ● **élimination** *nf* elimination. ● **éliminatoire** *a* **épreuve é.** *Sport* qualifying round, heat; *Scol* qualifying exam; **note é.** *Scol* disqualifying mark. ● **éliminatoires** *nfpl* *Sport* qualifying rounds.
élire* [elir] *vt* *Pol* to elect (**à** to).
élision [elizjɔ̃] *nf* (*d'une voyelle*) elision.
élite [elit] *nf* elite (**de** of); **les élites** the elite; **troupes/etc d'é.** crack *ou* elite troops/etc.
elle [ɛl] *pron* **f 1** (*sujet*) she; (*chose, animal*) it; **elles** they; **e. est** she is; it is; **elles sont** they are. **2** (*complément*) her; (*chose, animal*) it; **elles** them; **pour e.** for her; **pour elles** for them; **plus grande qu'e./qu'elles** taller than her/them. ● **elle-même** *pron* herself; (*chose, animal*) itself; **elles-mêmes** themselves.
ellipse [elips] *nf* *Géom* ellipse. ● **elliptique** *a* elliptical.
élocution [elɔkysjɔ̃] *nf* diction; **défaut d'é.** speech defect.
éloge [elɔʒ] *nm* (*compliment*) praise; (*panégyrique*) eulogy; **faire l'é. de** to praise; **prononcer l'é. funèbre de qn** to deliver a eulogy in praise of s.o. (*deceased person*). ● **élogieux, -euse** *a* laudatory.
éloigné, -ée [elwaɲe] *a* (*lieu*) far away, remote; (*date, parent*) distant; **é. de** (*village, maison etc*) far (away) from; (*très différent*) far removed from.
éloignement [elwaɲ(ə)mã] *nm* remoteness, distance; (*absence*) separation (**de** from); **avec l'é.** (*avec le recul*) with time.
éloigner [elwaɲe] *vt* (*chose, personne*) to move *ou* take away (**de** from); (*malade, moustiques*) to keep away; (*crainte, idée*) to get rid of, banish; (*échéance*) to put off; **é. qn de** (*sujet, but*) to take *ou* get s.o. away from ▮ **s'éloigner** *vpr* (*partir*) to move *ou* go away (**de** from); (*dans le passé*) to become (more) remote; **s'é. de** (*sujet, but*) to get away from.
élongation [elɔ̃gasjɔ̃] *nf* *Méd* pulled muscle; **se faire une é.** to pull a muscle.
éloquent, -ente [elɔkã, -ãt] *a* eloquent. ● **éloquence** *nf* eloquence.
élu, -ue [ely] *pp de* **élire** ▮ *a* **le peuple é.** *Rel* the chosen people ▮ *nmf* *Pol* elected member *ou* representative; **les élus** *Rel* the chosen, the elect; **l'heureux é., l'heureuse élue** (*futur mari, future femme*) the lucky man/woman.
élucider [elyside] *vt* to elucidate.
élucubrations [elykybrasjɔ̃] *nfpl* *Péj* fanciful

éluder

learned theories.
éluder [elyde] *vt* to elude, evade.
Elysée [elize] *nm* (**le palais de**) **l'É.** the Élysée palace (*French President's residence*).
émacié, -ée [emasje] *a* emaciated.
émail, -aux [emaj, -o] *nm* enamel; **casserole/etc en é.** enamel saucepan/*etc*. ●**émailler** *vt* to enamel.
émaillé, -ée [emaje] *a* **é. de fautes/etc** (*texte*) peppered with errors/*etc*.
émanciper [emãsipe] *vt* (*femmes*) to emancipate ▮ **s'émanciper** *vpr* to become emancipated. ●**émancipation** *nf* emancipation; **l'é. de la femme** the emancipation of women.
émaner [emane] *vt* **é. de** to come from, emanate from. ●**émanation** *nf* **des émanations** (*odeurs*) smells; (*vapeurs*) fumes; **émanations toxiques** toxic fumes; **une é. du pouvoir** *Fig* an expression of power.
émarger [emarʒe] *vt* (*signer*) to sign ▮ *vi* (*recevoir un salaire*) to draw one's salary.
emballer [ãbale] **1** *vt* (*dans une caisse etc*) to pack; (*dans du papier*) to wrap (up). **2** *vt* (*moteur*) to race; **e. qn** (*passionner*) *Fam* to thrill s.o., enthuse s.o. ▮ **s'emballer** *vpr* (*personne*) *Fam* to get carried away; (*cheval*) to bolt; (*moteur*) to race. ●**emballé, -ée** *a Fam* enthusiastic. ●**emballage** *nm* (*action*) packing; wrapping; (*caisse*) packaging; (**papier d'**)**e.** wrapping (paper). ●**emballement** *nm Fam* (sudden) enthusiasm.
embarcadère [ãbarkadɛr] *nm* quay, wharf, landing stage.
embarcation [ãbarkasjɔ̃] *nf* (small) boat.
embardée [ãbarde] *nf* (*dans un véhicule*) (sudden) swerve; **faire une e.** to swerve.
embargo [ãbargo] *nm* embargo; **imposer/lever un e.** to impose/lift an embargo.
embarquer [ãbarke] *vt* (*passagers*) to take on board, embark; (*marchandises*) to load (up); (*voler*) *Fam* to walk off with; **e. qn** (*au commissariat etc*) *Fam* to cart s.o. off; **e. qn dans** (*affaire*) *Fam* to involve s.o. in, launch s.o. into ▮ *vi*, **s'embarquer** *vpr* to (go on) board, embark; **s'e. dans** (*aventure etc*) *Fam* to embark on. ●**embarquement** *nm* (*de passagers*) boarding.
embarras [ãbara] *nm* (*gêne*, *malaise*) embarrassment; (*difficulté*) difficulty, trouble; (*obstacle*) obstacle; **dans l'e.** in difficulty, in an awkward situation; (*financièrement*) in difficulties; **n'avoir que l'e. du choix** to be able to pick and choose, have an enormous choice.
embarrasser [ãbarase] *vt* (*obstruer*) to clutter, encumber; **e. qn** to be in s.o.'s way; (*déconcerter*) to embarrass s.o., bother s.o.; **s'e. de** to burden oneself with; (*se soucier*) to bother oneself about. ●**embarrassant, -ante** *a* (*paquet*) cumbersome; (*question*) embarrassing.
embauche [ãboʃ] *nf* (*action*) hiring; (*travail*) work; **possibilité d'e.** (job) vacancy; **bureau d'e.** employment office. ●**embaucher** *vt* (*ouvrier*) to hire, take on.

embaumer [ãbome] **1** *vt* (*parfumer*) to give a sweet smell to ▮ *vi* to smell sweet. **2** *vt* (*cadavre*) to embalm.
embellie [ãbeli] *nf* bright *ou* calm spell (of weather).
embellir [ãbelir] *vt* (*pièce*, *personne*) to make (more) attractive; (*texte*, *vérité*) to embellish ▮ *vi* (*jeune fille etc*) to blossom out. ●**embellissement** *nm* improvement, embellishment.
emberlificoter [ãberlifikɔte] *vt* (*empêtrer*) *Fam* to tangle (*s.o.*) up; **se laisser e. dans** (*affaire etc*) *Fig* to get tangled up in.
embêter [ãbete] *vt Fam* (*agacer*) to annoy, bother; (*ennuyer*) to bore ▮ **s'embêter** *vpr Fam* to get bored. ●**embêtant, -ante** *a Fam* annoying. ●**embêtement** [-ɛtmã] *nm Fam* **un e.** (some) trouble *ou* bother; **des embêtements** bother, trouble.
emblée (d') [dãble] *adv* right away.
emblème [ãblɛm] *nm* emblem.
embobiner [ãbɔbine] *vt* (*tromper*) *Fam* to take (*s.o.*) in, hoodwink (*s.o.*).
emboîter [ãbwate] *vt*, **s'emboîter** *vpr* (*tuyau(x)*) to fit together, fit into each other; **e. le pas à qn** to follow close on s.o.'s heels; (*imiter*) *Fig* to follow in s.o.'s footsteps.
embonpoint [ãbɔ̃pwɛ̃] *nm* plumpness.
embouché, -ée [ãbuʃe] *a* **mal e.** coarse, foul-mouthed.
embouchure [ãbuʃyr] *nf* (*de fleuve*) mouth; (*d'un instrument à vent*) mouthpiece.
embourber (s') [sãburbe] *vpr* (*véhicule*) & *Fig* to get bogged down.
embourgeoiser (s') [sãburʒwaze] *vpr* to become middle-class.
embout [ãbu] *nm* (*de canne*) tip, end piece; (*de seringue*) nozzle.
embouteillage [ãbutejaʒ] *nm* traffic jam.
embouteillé, -ée [ãbuteje] *a* (*rue*) congested; **route embouteillée sur 5 km** road with a 5-km-long traffic jam; **lignes téléphoniques embouteillées** jammed telephone lines.
emboutir [ãbutir] *vt* (*voiture*) to knock *ou* crash into; (*métal*) to stamp, emboss; **il a eu l'arrière embouti** someone knocked *ou* crashed into the back of his car; **elle s'est fait e. par un camion** a *Br* lorry *ou Am* truck knocked into her *ou* crashed into her.
embrancher (s') [sãbrãʃe] *vpr* (*voie*, *route*) to branch off. ●**embranchement** *nm* (*de voie*) junction, fork; (*division du règne animal*) branch.
embraser [ãbraze] *vt* to set ablaze ▮ **s'embraser** *vpr* (*prendre feu*) to flare up. ●**embrasement** *nm* (*troubles*) flare-up.
embrasser [ãbrase] *vt* **e. qn** (*donner un baiser à*) to kiss s.o.; (*serrer contre soi*) to embrace *ou* hug s.o.; **e. une croyance/un sujet/***etc* to embrace a belief/subject/*etc*; **e. qch du regard** to take in the whole of sth (at one glance) ▮ **s'embrasser** *vpr* to kiss (each other). ●**embrassade** *nf* embrace, hug.
embrasure [ãbrazyr] *nf* (*de fenêtre*, *porte*)

empester

opening; **dans l'e. de la porte** in the doorway.
embrayer [ɑ̃breje] *vi* to let in *ou* engage the clutch. ●**embrayage** *nm* (*mécanisme, pédale d'une voiture*) clutch.
embrigader [ɑ̃brigade] *vt Péj* to recruit.
embrocher [ɑ̃brɔʃe] *vt* (*volaille etc*) to put on a spit, skewer; **e. qn** (*avec une épée*) *Fam* to skewer s.o.
embrouiller [ɑ̃bruje] *vt* (*fils*) to tangle (up); (*papiers etc*) to mix up, muddle (up); **e. qn** to confuse s.o., get s.o. muddled; **tu vas m'e. les idées** you're going to get me confused ▮ **s'embrouiller** *vpr* to get confused *ou* muddled (**dans** in, with). ●**embrouille** *nf Fam* muddle; **un sac d'embrouilles** a confused mess, a muddle of the first order. ●**embrouillamini** *nm Fam* muddle, mix-up.
embroussaillé, -ée [ɑ̃brusaje] *a* (*barbe, chemin*) bushy.
embruns [ɑ̃brœ̃] *nmpl* (sea) spray.
embryon [ɑ̃brijɔ̃] *nm* embryo. ●**embryonnaire** *a Méd & Fig* embryonic.
embûches [ɑ̃byʃ] *nfpl* (*difficultés*) traps, pitfalls; **tendre des e. à qn** to set traps for s.o.; **semé d'e.** full of pitfalls.
embuer [ɑ̃bɥe] *vt* (*vitre, yeux*) to mist up; **des yeux embués de larmes** eyes misted over with tears.
embusquer (s') [sɑ̃byske] *vpr* to lie in ambush. ●**embuscade** *nf* ambush.
éméché, -ée [emeʃe] *a* (*ivre*) *Fam* tipsy.
émeraude [ɛmrod] *nf & a inv* emerald.
émerger [emɛrʒe] *vi* to emerge (**de** from).
émeri [ɛmri] *nm* **toile/papier (d')é.** emery cloth/paper.
émérite [emerit] *a* **professeur é.** emeritus professor.
émerveiller [emɛrveje] *vt* to amaze, fill with wonder ▮ **s'émerveiller** *vpr* to marvel, be filled with wonder (**de** at). ●**émerveillement** *nm* wonder, amazement.
émettre* [emɛtr] *vt* (*lumière, son etc*) to give out, emit; (*message radio*) to broadcast, transmit; (*timbre, monnaie*) to issue; (*opinion, vœu*) to express; (*cri*) to utter; (*chèque*) to draw; (*emprunt*) to float. ●**émetteur** *nm* (*poste*) é. *Radio* transmitter.
émeute [emøt] *nf* riot. ●**émeutier, -ière** *nmf* rioter.
émietter [emjete] *vt*, **s'émietter** *vpr* (*pain etc*) to crumble.
émigrer [emigre] *vi* (*personne*) to emigrate. ●**émigrant, -ante** *nmf* emigrant. ●**émigré, -ée** *nmf* exile, émigré ▮ *a* **travailleur é.** migrant worker. ●**émigration** *nf* emigration.
éminent, -ente [eminɑ̃, -ɑ̃t] *a* eminent. ●**éminemment** [-amɑ̃] *adv* eminently. ●**éminence** *nf* **1** (*colline*) hillock. **2 son É.** (**le cardinal**) (*titre honorifique*) his Eminence (the Cardinal); **une é. grise** (*conseiller*) *Fig* an éminence grise.
émir [emir] *nm* emir. ●**émirat** *nm* emirate.
émissaire [emiser] *nm* emissary.
émission [emisjɔ̃] *nf* (*programme de radio*

etc) programme, broadcast; (*diffusion*) transmission; (*de timbre, monnaie*) issue; (*de lumière, son etc*) emission (**de** of).
emmagasiner [ɑ̃magazine] *vt* to store (up); **e. de l'énergie/Fig des souvenirs** to store energy/*Fig* memories.
emmanchure [ɑ̃mɑ̃ʃyr] *nf* (*de vêtement*) arm hole.
emmêler [ɑ̃mele] *vt* (*fil, cheveux etc*) to tangle (up) ▮ **s'emmêler** *vpr* to get tangled.
emménager [ɑ̃menaʒe] *vi* (*dans un logement*) to move in; **e. dans** to move into. ●**emménagement** *nm* moving in.
emmener [ɑ̃mne] *vt* to take (**à** to); (*prisonnier*) to take away; **e. qn faire une promenade** to take s.o. for a walk; **e. qn en voiture (à l'aéroport/etc)** to give s.o. a *Br* lift *ou Am* ride *ou* drive s.o. (to the airport/etc).
emmerder [ɑ̃mɛrde] *vt Arg* to annoy, bug; (*ennuyer*) to bore stiff ▮ **s'emmerder** *vpr Arg* to get bored stiff. ●**emmerdement** *nm Arg* bother, trouble. ●**emmerdeur, -euse** *nmf* (*personne*) *Arg* pain in the neck.
emmitoufler (s') [sɑ̃mitufle] *vpr* to wrap (oneself) up (**dans** in).
emmurer [ɑ̃myre] *vt* (*personne*) to wall in.
émoi [emwa] *nm* excitement; **en é.** agog, excited.
émoluments [emɔlymɑ̃] *nmpl* (*de fonctionnaire*) remuneration.
émotion [emosjɔ̃] *nf* (*sentiment*) emotion; (*trouble*) excitement; **donner des émotions à qn** (*faire peur à qn*) to give s.o. a scare; **aimer les émotions fortes** to love thrills. ●**émotif, -ive** *a* emotional. ●**émotionné, -ée** *a Fam* upset.
émousser [emuse] *vt* (*pointe*) to blunt; (*sentiment*) *Fig* to dull. ●**émoussé, -ée** *a* (*pointe*) blunt; (*sentiment*) *Fig* dulled.
émouvoir* [emuvwar] *vt* (*affecter*) to move, touch ▮ **s'émouvoir** *vpr* to be moved *ou* touched. ●**émouvant, -ante** *a* moving, touching.
empailler [ɑ̃paje] *vt* (*animal*) to stuff.
empaler [ɑ̃pale] *vt* to impale.
empaqueter [ɑ̃pakte] *vt* to pack(age).
emparer (s') [sɑ̃pare] *vpr* **s'e. de** to take, grab, seize; (*otage*) to seize.
empâter (s') [sɑ̃pɑte] *vpr* to fill out, get fat(ter). ●**empâté, -ée** *a* fleshy, fat.
empêcher [ɑ̃peʃe] *vt* to prevent, stop; **e. qn de faire** to prevent *ou* stop s.o. (from) doing; **e. l'accès d'un lieu** to prevent access to a place; **n'empêche qu'elle a raison** *Fam* all the same she's right; **n'empêche!** *Fam* all the same!; **elle ne peut pas s'e. de rire** she can't help laughing; **ça ne m'empêche pas de dormir** *Fig* I don't lose any sleep over it. ●**empêchement** [-ɛʃmɑ̃] *nm* difficulty, hitch; **avoir un e.** to have something come up at the last minute (*to prevent or delay an action*).
empereur [ɑ̃prœr] *nm* emperor.
empeser [ɑ̃pəze] *vt* to starch.
empester [ɑ̃pɛste] *vt* (*tabac etc*) to stink of;

empêtrer

(*pièce*) to make stink, stink out; **e. qn** to stink s.o. out ▮ *vi* to stink.
empêtrer (s') [sɑ̃petre] *vpr* to get entangled (**dans** in).
emphase [ɑ̃faz] *nf* pomposity. ●**emphatique** *a* pompous.
empiéter [ɑ̃pjete] *vi* **e. sur** to encroach (up)on. ●**empiétement** *nm* encroachment.
empiffrer (s') [sɑ̃pifre] *vpr Fam* to gorge *ou* stuff oneself (**de** with).
empiler [ɑ̃pile] *vt*, **s'empiler** *vpr* to pile up (**sur** on); **s'e. dans** (*personnes*) to pile into (*building, car etc*). ●**empilement** *nm* (*tas*) pile.
empire [ɑ̃pir] *nm* (*territoires*) empire; (*autorité*) hold, influence; **sous l'e. de la peur**/*etc* in the grip of fear/*etc*.
empirer [ɑ̃pire] *vi* to worsen, get worse.
empirique [ɑ̃pirik] *a* empirical. ●**empirisme** *nm* empiricism.
emplacement [ɑ̃plasmɑ̃] *nm* (*d'une construction*) site, location; (*de stationnement*) place.
emplâtre [ɑ̃plɑtr] *nm* (*cataplasme*) plaster.
emplette [ɑ̃plɛt] *nf* purchase; **faire des emplettes** to do some shopping.
emplir [ɑ̃plir] *vt*, **s'emplir** *vpr* to fill (**de** with).
emploi [ɑ̃plwa] *nm* **1** (*usage*) use; **e. du temps** timetable; **mode d'e.** directions (for use). **2** (*travail*) job, position, employment; **l'e.** (*travail*) *Écon Pol* employment; **sans e.** unemployed.
employer [ɑ̃plwaje] *vt* (*utiliser*) to use; **e. qn** (*occuper*) to employ s.o. ▮ **s'employer** *vpr* (*expression etc*) to be used; **s'e. à faire** to devote oneself to doing. ●**employé, -ée** *nmf* employee; **e. de banque** bank clerk *ou* employee; **e. de bureau** office worker, clerk; **e. de maison** domestic employee; **e. des postes**/*etc* postal/*etc* worker. ●**employeur, -euse** *nmf* employer.
empocher [ɑ̃pɔʃe] *vt* (*argent*) to pocket.
empoigner [ɑ̃pwaɲe] *vt* (*saisir*) to grab, grasp ▮ **s'empoigner** *vpr* to come to blows, fight. ●**empoignade** *nf* (*querelle*) fight.
empoisonner [ɑ̃pwazɔne] *vt* (*personne, aliment, atmosphère etc*) to poison; (*empester*) to stink out; (*gâter, altérer*) to trouble, bedevil; **e. qn** (*embêter*) *Fam* to get on s.o.'s nerves; **e. la vie à qn** *Fam* to make s.o.'s life a misery ▮ **s'empoisonner** *vpr* (*par accident*) to be poisoned; (*volontairement*) to poison oneself; (*s'ennuyer*) *Fam* to get bored stiff. ●**empoisonnant, -ante** *a* (*embêtant*) *Fam* irritating. ●**empoisonnement** *nm* poisoning; (*ennui*) *Fam* trouble, problem.
emporter [ɑ̃pɔrte] *vt* (*prendre*) to take (away) (**avec soi** with one); (*enlever*) to take away; (*prix, trophée*) to carry off; (*décision*) to carry; (*entraîner*) to carry along *ou* away; (*par le vent*) to blow off *ou* away; (*par les vagues*) to sweep away; (*par la maladie*) to carry off; **pizza**/*etc* **à e.** *Br* take-away *ou* *Am* take-out pizza/*etc*; **l'e. sur qn** to get the upper hand over s.o.; **il l'a emporté** he won; **se laisser e.** *Fig* to get carried away (**par** by); **elle ne l'emportera pas au paradis** she'll soon be smiling on the other side of her face. ▮ **s'emporter** *vpr* to lose one's temper (**contre** with). ●**emporté, -ée** *a* (*caractère*) hot-tempered. ●**emportement** *nm* anger; **emportements** fits of anger.
empoté, -ée [ɑ̃pɔte] *a Fam* clumsy.
empourprer (s') [sɑ̃purpre] *vpr* to turn crimson.
empreint, -einte [ɑ̃prɛ̃, -ɛ̃t] *a* **e. de** *Litt* stamped with, heavy with.
empreinte [ɑ̃prɛ̃t] *nf* (*marque*) & *Fig* mark, stamp; **e.** (**digitale**) fingerprint; **e.** (**de pas**) footprint.
empresser (s') [sɑ̃prese] *vpr* **s'e. de faire** to hasten to do; **s'e. auprès de qn** to busy oneself with s.o., be attentive to s.o.; **s'e. autour de qn** to rush around s.o. ●**empressé, -ée** *a* eager, attentive; **e. à faire** eager to do. ●**empressement** [-ɛsmɑ̃] *nm* (*hâte*) eagerness; (*auprès de qn*) attentiveness.
emprise [ɑ̃priz] *nf* hold, ascendancy (**sur** over).
emprisonner [ɑ̃prizɔne] *vt* to jail, imprison; (*enfermer*) *Fig* to confine. ●**emprisonnement** *nm* imprisonment.
emprunt [ɑ̃prœ̃] *nm* (*argent etc*) loan; (*mot*) *Ling* borrowed word; **un e. à** *Ling* a borrowing from; **l'e. de qch** the borrowing of sth; **d'e.** borrowed; **nom d'e.** assumed name. ●**emprunter** *vt* (*argent, objet*) to borrow (**à qn** from s.o.); (*route etc*) to use; (*nom*) to assume; **e. à** (*tirer de*) to derive *ou* borrow from.
emprunté, -ée [ɑ̃prœ̃te] *a* (*gêné*) ill-at-ease.
ému, -ue [emy] *pp de* **émouvoir** ▮ *a* (*attendri*) moved; (*attristé*) upset; (*apeuré*) nervous; **une voix émue** a voice charged with emotion, an emotional voice.
émulation [emylasjɔ̃] *nf* (*sentiment*) & *Ordinat* emulation.
émule [emyl] *nmf* imitator, follower.
en¹ [ɑ̃] *prép* **1** (*lieu*) in; (*direction*) to; **être en ville/en France** to be in town/in France; **aller en ville/en France** to go (in)to town/to France.
2 (*temps*) in; **en février** in February; **en été** in summer; **d'heure en heure** from hour to hour.
3 (*moyen, état etc*) by; in; on; at; **en avion** by plane; **en groupe** in a group; **en fleur** in flower; **en congé** on leave; **en mer** at sea; **en guerre** at war.
4 (*matière*) in; **en bois** in wood, wooden; **chemise en nylon** nylon shirt; **c'est en or** it's (made of) gold.
5 (*domaine*) **étudiant en lettres** humanities *ou Br* arts student; **docteur en médecine** doctor of medicine.
6 (*comme*) **en cadeau** as a present; **en ami** as a friend.

7 (+ *participe présent*) **en mangeant/chantant**/*etc* while eating/singing/*etc*; **en apprenant que...** on hearing that...; **en souriant** smiling, with a smile; **en ne disant rien** by saying nothing; **sortir en courant** to run out.
8 (*transformation*) into; **traduire en français**/*etc* to translate into French/*etc*.

en² [ɑ̃] *pron & adv* **1** (= *de là*) from there; **j'en viens** I've just come from there.
2 (= *de ça, lui, eux etc*) **il en est content** he's pleased with it *ou* him *ou* them; **en parler** to talk about it; **en mourir** to die of *ou* from it; **elle m'en frappa** she struck me with it; **il s'en souviendra** he'll remember it.
3 (*partitif*) some; **j'en ai** I have some; **en veux-tu?** do you want some *ou* any?; **donne-lui-en** give some to him *ou* her; **je t'en supplie** I beg you (to).

ENA [ena] *nf abrév* (*École nationale d'administration*) school training top civil servants. ●**énarque** *nmf* student *ou* former student of ENA.

encablure [ɑ̃kablyr] *nf* **à quelques encablures du rivage** a short distance (away) from the shore.

encadrer [ɑ̃kadre] *vt* (*tableau*) to frame; (*entourer d'un trait*) to circle (*word*); (*étudiants, troupes*) to supervise, train; (*prisonnier, accusé*) to flank; **je ne peux pas l'e.** *Fam* I can't stand him *ou* her. ●**encadrement** *nm* (*action*) framing; (*d'étudiants etc*) supervision; (*de porte, photo*) frame; **personnel d'e.** training and supervisory staff.

encaissé, -ée [ɑ̃kese] *a* (*vallée*) deep.

encaisser [ɑ̃kese] *vt* (*argent, loyer etc*) to collect; (*chèque*) to cash; (*coup*) *Fam* to take; **je ne peux pas l'e.** *Fam* I can't stand him *ou* her. ●**encaissement** [-ɛsmɑ̃] *nm* (*de loyer etc*) collection; (*de chèque*) cashing.

encapuchonné, -ée [ɑ̃kapyʃɔne] *a* hooded.

encart [ɑ̃kar] *nm* (*feuille*) insert; **e. publicitaire** publicity insert.

en-cas [ɑ̃ka] *nm inv* (*repas*) snack.

encastrer [ɑ̃kastre] *vt* to build in (**dans** to), embed (**dans** into).

encaustique [ɑ̃kostik] *nf* (wax) polish. ●**encaustiquer** *vt* to wax, polish.

enceinte [ɑ̃sɛ̃t] **1** *af* (*femme*) pregnant; **e. de six mois**/*etc* six months/*etc* pregnant. **2** *nf* (*muraille*) (surrounding) wall; (*espace*) enclosure; *a* (*acoustique*) (loud)speakers; **dans l'e. de** within, inside.

encens [ɑ̃sɑ̃] *nm* incense. ●**encensoir** *nm Rel* censer.

encercler [ɑ̃sɛrkle] *vt* to surround, encircle.

enchaîner [ɑ̃ʃene] *vt* (*animal*) to chain (up); (*prisonnier*) to put in chains, chain (up); (*idées etc*) to link (up), connect **▮** *vi* (*continuer à parler*) to continue **▮ s'enchaîner** *vpr* (*idées etc*) to be linked (up). ●**enchaînement** [-ɛnmɑ̃] *nm* (*succession*) chain, series; (*liaison*) link(ing) (**de** between, of); (*en gymnastique ou danse*) enchaînement.

enchanter [ɑ̃ʃɑ̃te] *vt* (*ravir*) to delight, enchant; (*ensorceler*) to bewitch, enchant. ●**enchanté, -ée** *a* (*ravi*) delighted (**de** with, **que** (+ *sub*) that); (*magique*) enchanted; **e. de faire votre connaissance!** pleased to meet you! ●**enchantement** *nm* (*ravissement*) delight; (*magie, effet*) enchantment; **comme par e.** as if by magic. ●**enchanteur** *a* delightful, enchanting **▮** *nm* (*sorcier*) magician.

enchâsser [ɑ̃ʃase] *vt* (*diamant*) to set, embed.

enchère [ɑ̃ʃɛr] *nf* (*offre*) bid; **vente aux enchères** auction; **mettre qch aux enchères** to put sth up for auction, auction sth. ●**enchérir** *vi* **e. sur qn** to outbid s.o. ●**enchérisseur** *nm* bidder.

enchevêtrer [ɑ̃ʃvetre] *vt* to (en)tangle **▮ s'enchevêtrer** *vpr* to get entangled (**dans** in). ●**enchevêtrement** [-vɛtrəmɑ̃] *nm* tangle, entanglement.

enclave [ɑ̃klav] *nf* enclave. ●**enclaver** *vt* to enclose (completely).

enclencher [ɑ̃klɑ̃ʃe] *vt Tech* to engage.

enclin, -ine [ɑ̃klɛ̃, -in] *a* **e. à** inclined *ou* prone to.

enclos [ɑ̃klo] *nm* (*terrain, clôture*) enclosure. ●**enclore*** *vt* (*terrain*) to enclose.

enclume [ɑ̃klym] *nf* anvil.

encoche [ɑ̃kɔʃ] *nf* nick, notch (**à** in).

encoignure [ɑ̃kwaɲyr] *nf* corner.

encoller [ɑ̃kɔle] *vt* (*papier peint etc*) to paste.

encolure [ɑ̃kɔlyr] *nf* (*de cheval, vêtement*) (*tour du cou*) collar (size); **robe à e. carrée**/*etc* square-neck(ed)/*etc* dress.

encombre (sans) [sɑ̃zɑ̃kɔ̃br] *adv* without a hitch.

encombrer [ɑ̃kɔ̃bre] *vt* (*pièce, couloir etc*) to clutter up (**de** with); (*rue*) to congest, clog (**de** with); **e. qn** to hamper s.o.; **s'e. de** to burden *ou* saddle oneself with. ●**encombrant, -ante** *a* (*paquet*) bulky, cumbersome; (*présence*) awkward. ●**encombré, -ée** *a* (*lignes téléphoniques, route etc*) jammed. ●**encombrement** *nm* (*d'objets*) clutter; (*de rue*) traffic jam; (*volume*) bulk(iness).

encontre de (à l') [alɑ̃kɔ̃trədə] *adv* against.

encore [ɑ̃kɔr] *adv* **1** (*toujours*) still; **tu es e. là?** are you still here?
2 (*avec négation*) yet; **pas e.** not yet; **ne pars pas e.** don't go yet; **je ne suis pas e. prêt** I'm not ready yet, I'm still not ready.
3 (*de nouveau*) again; **essaie e.** try again.
4 (*de plus, en plus*) **e. un café** another coffee, one more coffee; **e. une fois** (once) again, once more; **e. un** another (one), one more; **e. du pain** (some) more bread; **que veut-il e.?** what else *ou* more does he want?; **e. quelque chose** something else; **qui/quoi e.?** who/what else?; **chante e.** sing some more.
5 (*avec comparatif*) even, still; **e. mieux** even better, better still.
6 (*aussi*) **mais e.** but also.
7 si e. (*si seulement*) if only; **et e.!** (*à peine*) if that!, only just!
8 e. que (+ *sub*) although.

encourager [ɑ̃kuraʒe] *vt* to encourage (**à faire** to do). ●**encourageant, -ante** *a* en-

encourir

couraging. ●**encouragement** *nm* encouragement.
encourir* [ãkurir] *vt* (*amende etc*) *Litt* to incur.
encrasser [ãkrase] *vt* to clog up (with dirt) ▮ **s'encrasser** *vpr* to get clogged up.
encre [ãkr] *nf* ink; e. de Chine *Br* Indian *ou Am* India ink; e. sympathique invisible ink; faire couler beaucoup d'e. to be much written about. ●**encrier** *nm* inkpot, inkwell.
encroûter (s') [sãkrute] *vpr Péj* to get into a rut, get set in one's ways; s'e. dans (*habitude*) to get stuck *ou* set in.
encyclique [ãsiklik] *nf Rel* encyclical.
encyclopédie [ãsiklɔpedi] *nf* encyclop(a)edia. ●**encyclopédique** *a* encyclop(a)edic.
endémique [ãdemik] *a* endemic.
endetter [ãdete] *vt* e. qn to get s.o. into debt ▮ **s'endetter** *vpr* to get into debt. ●**endettement** *nm* (*dettes*) debts.
endeuiller [ãdœje] *vt* to plunge into mourning.
endiablé, -ée [ãdjable] *a* (*rythme etc*) frantic, wild.
endiguer [ãdige] *vt* (*fleuve*) to dam (up); (*réprimer*) *Fig* to stem.
endimanché, -ée [ãdimãʃe] *a* in one's Sunday best.
endive [ãdiv] *nf* chicory *inv*, endive.
endoctriner [ãdɔktrine] *vt* to indoctrinate. ●**endoctrinement** *nm* indoctrination.
endolori, -ie [ãdɔlɔri] *a* painful, aching.
endommager [ãdɔmaʒe] *vt* to damage.
endormir* [ãdɔrmir] *vt* (*enfant etc*) to put to sleep; (*ennuyer*) to send to sleep; (*soupçons etc*) to lull; (*douleur*) to deaden ▮ **s'endormir** *vpr* to fall asleep, go to sleep. ●**endormi, -ie** *a* asleep, sleeping; (*indolent*) *Fam* sluggish.
endosser [ãdose] *vt* 1 (*vêtement*) to put on, *Litt* don. 2 (*responsabilité*) to assume. 3 (*chèque*) to endorse.
endroit [ãdrwa] *nm* 1 place, spot; à cet e. du récit at this point in the story; par endroits in places. 2 (*de tissu*) right side; à l'e. (*vêtement*) right side out, the right way round.
enduire* [ãdɥir] *vt* to smear, coat (de with). ●**enduit** *nm* coating; (*de mur*) plaster.
endurant, -ante [ãdyrã, -ãt] *a* hardy, tough. ●**endurance** *nf* endurance.
endurcir [ãdyrsir] *vt* e. qn à (*douleur etc*) to harden s.o. to; s'e. (*personne*) to become hardened (à to). ●**endurci, -ie** *a* (*insensible*) hardened; **célibataire e.** confirmed bachelor. ●**endurcissement** *nm* hardening.
endurer [ãdyre] *vt* to endure, bear.
énergie [enɛrʒi] *nf* energy; avec é. (*protester etc*) forcefully. ●**énergétique** *a* aliment é. energy food; dépense é. expenditure of energy; ressources énergétiques energy resources. ●**énergique** *a* (*dynamique*) energetic; (*remède*) powerful; (*mesure, ton*) forceful. ●**énergiquement** *adv* (*protester etc*) energetically.
énergumène [enɛrgymɛn] *nmf Péj* rowdy hothead, fanatical ranter.

énerver [enɛrve] *vt* é. qn (*irriter*) to get on s.o.'s nerves; (*rendre nerveux*) to make s.o. nervous ▮ **s'énerver** *vpr* to get worked up. ●**énervé, -ée** *a* on edge, irritated. ●**énervement** *nm* irritation, nervousness.
enfance [ãfãs] *nf* childhood; petite e. infancy, early childhood; dans son e. (*science etc*) in its infancy; c'est l'e. de l'art it's child's play. ●**enfanter** *vt Litt* to give birth to ▮ *vi Litt* to give birth. ●**enfantillage** *nm* enfantillage(s) childishness. ●**enfantin, -ine** *a* (*voix, joie*) childlike; (*simple*) easy; (*puéril*) childish; (*langage, jeu*) children's.
enfant [ãfã] *nmf* child (*pl* children); e. en bas âge infant; e. trouvé foundling; e. de chœur *Rel* altar boy; e. prodige child prodigy; e. prodigue prodigal son; e. gâté spoiled *ou* spoilt child; c'est un e. de (*originaire*) she's a native of; attendre un e. to expect a baby *ou* a child; c'est un jeu d'e. it's child's play ▮ *a inv* bon e. (*caractère*) good-natured.
enfer [ãfɛr] *nm* hell; d'e. (*bruit, vision*) infernal; feu d'e. roaring fire; à un train d'e. at breakneck speed; un plan/*etc* d'e. *Fam* a hell of a (good) plan/*etc*.
enfermer [ãfɛrme] *vt* (*personne etc*) to lock up, shut up; (*objet précieux*) to lock up, shut away; s'e. dans (*chambre etc*) to lock *ou* shut oneself (up) in; (*attitude etc*) *Fig* to maintain stubbornly.
enferrer (s') [sãfere] *vpr* s'e. dans to get caught up in.
enfiévré, -ée [ãfjevre] *a* (*surexcité*) feverish.
enfilade [ãfilad] *nf* (*série*) row, string; des pièces en e. a suite of rooms.
enfiler [ãfile] *vt* (*aiguille*) to thread; (*perles etc*) to string; (*vêtement*) *Fam* to pull on, slip on; (*rue, couloir*) to take; s'e. dans (*rue etc*) to take; s'e. tout le travail *Fam* to take on *ou* get landed with all the work.
enfin [ãfɛ̃] *adv* (à la fin) finally, at last; (*en dernier lieu*) lastly; (*en somme*) in a word; (*conclusion résignée*) well; e. bref (*en somme*) *Fam* in a word; mais e. but; (mais) e.! for heaven's sake!; il est grand, e. pas trop petit he's tall — well, not too short anyhow.
enflammer [ãflame] *vt* to set fire to, ignite; (*allumette*) to light; (*irriter*) to inflame (*throat etc*); (*imagination, colère*) to excite, inflame ▮ **s'enflammer** *vpr* to catch fire, ignite; s'e. de colère to flare up. ●**enflammé, -ée** *a* (*discours*) fiery.
enfler [ãfle] *vt* (*rivière, membre etc*) to swell ▮ *vi* (*membre etc*) to swell (up). ●**enflure** *nf* swelling.
enfoncer [ãfɔ̃se] *vt* (*clou etc*) to knock in, bang in, drive in; (*porte, voiture*) to smash in; (*chapeau*) to push *ou* force down; e. dans qch (*couteau, mains etc*) to plunge into sth; e. des portes ouvertes *Fig* to persist in stating the obvious ▮ *vi*, **s'enfoncer** *vpr* (*s'enliser*) to sink (dans into); s'e. dans (*pénétrer*) to plunge into, disappear (deep) into. ●**enfoncé, -ée** *a* (*yeux*) sunken.

enfouir [ɑ̃fwir] *vt* to bury.
enfourcher [ɑ̃furʃe] *vt* (*cheval etc*) to mount, bestride.
enfourner [ɑ̃furne] *vt* to put in the oven.
enfreindre* [ɑ̃frɛ̃dr] *vt Litt* to infringe.
enfuir* (s') [sɑ̃fɥir] *vpr* to run away *ou* off, flee (**de** from).
enfumer [ɑ̃fyme] *vt* (*pièce*) to fill with smoke; (*personne*) to smoke out.
engager [ɑ̃gaʒe] *vt* (*discussion, combat*) to start; (*bijou etc*) to pawn; (*parole*) to pledge; (*capitaux*) to tie up, invest; (*clef etc*) to insert (**dans** into); **e. qn** (*embaucher*) to hire s.o., engage s.o.; (*lier*) to bind s.o., commit s.o.; **e. qn dans** (*affaire etc*) to involve s.o. in; **e. qn à faire** (*exhorter*) to urge s.o. to do; **e. la bataille avec** to join battle with. ▮ **s'engager** *vpr* (*dans l'armée*) to enlist; (*sportif*) to enter (one's name); (*action, jeu*) to start; (*au service d'une cause*) to commit oneself; **s'e. à faire** to undertake to do, commit oneself to doing; **s'e. dans** (*voie*) to enter; (*affaire etc*) to get involved in. ●**engageant, -ante** *a* engaging, inviting. ●**engagé, -ée** *a* (*écrivain etc*) committed. ●**engagement** *nm* (*promesse*) commitment; (*commencement*) start; (*de recrues*) enlistment; (*dans une compétition sportive*) entry; (*combat militaire*) engagement; **sans e. de votre part** without obligation (on your part); **prendre l'e. de faire** to undertake to do.
engelure [ɑ̃ʒlyr] *nf* chilblain.
engendrer [ɑ̃ʒɑ̃dre] *vt* (*causer*) to generate, engender; (*procréer*) to beget.
engin [ɑ̃ʒɛ̃] *nm* machine, device; **e. spatial** spaceship; **e. explosif** explosive device.
englober [ɑ̃glɔbe] *vt* to include, embrace.
engloutir [ɑ̃glutir] *vt* (*nourriture*) to wolf (down), gobble (up); (*faire disparaître*) to swallow up, engulf.
engorger [ɑ̃gɔrʒe] *vt* to block up, clog.
engouement [ɑ̃gumɑ̃] *nm* (sudden) craze (**pour** for).
engouffrer [ɑ̃gufre] *vt* **1** (*avaler*) to wolf (down); (*fortune*) to consume. **2 s'engouffrer** *vpr* **s'e. dans** to sweep *ou* rush into.
engourdir [ɑ̃gurdir] *vt* (*membre*) to numb; (*esprit*) to dull ▮ **s'engourdir** *vpr* to go numb; (*esprit*) to become dull(ed). ●**engourdissement** *nm* numbness; (*d'esprit*) dullness.
engrais [ɑ̃grɛ] *nm* (*naturel*) manure; (*chimique*) fertilizer.
engraisser [ɑ̃grese] *vt* (*animal*) to fatten (up); (*personne*) *Fam* to fatten up ▮ *vi*, **s'engraisser** *vpr* to get fat, put on weight.
engrenage [ɑ̃grənaʒ] *nm Tech* gears; *Fig* mesh, chain, web.
engueuler [ɑ̃gœle] *vt* **e. qn** *Fam* to give s.o. hell, bawl s.o. out, swear at s.o. ▮ **s'engueuler** *vpr Fam* to bawl each other out, (have a) row. ●**engueulade** *nf Fam* (*réprimande*) bawling out, dressing-down; (*dispute*) row, *Br* slanging match.
enhardir [ɑ̃ardir] *vt* to make bold *ou* bolder; **s'e. à faire** to pluck up courage to do, make s.o. bold (as) to do.
énième [ɛnjɛm] *a Fam* umpteenth, nth.
énigme [enigm] *nf* riddle, enigma. ●**énigmatique** *a* enigmatic.
enivrer [ɑ̃nivre] *vt* (*soûler, troubler*) to intoxicate ▮ **s'enivrer** *vpr* to get drunk (**de** on).
enjamber [ɑ̃ʒɑ̃be] *vt* to step over; (*pont etc*) to span (*river etc*). ●**enjambée** *nf* stride.
enjeu, -x [ɑ̃ʒø] *nm* (*mise*) stake(s).
enjoindre* [ɑ̃ʒwɛ̃dr] *vt* **e. à qn de faire** *Litt* to order s.o. to do.
enjôler [ɑ̃ʒole] *vt* to wheedle, coax.
enjoliver [ɑ̃ʒɔlive] *vt* to embellish.
enjoliveur [ɑ̃ʒɔlivœr] *nm* (*de roue*) hubcap.
enjoué, -ée [ɑ̃ʒwe] *a* playful, cheerful. ●**enjouement** *nm* playfulness.
enlacer [ɑ̃lase] *vt* to entwine; (*serrer dans ses bras*) to clasp.
enlaidir [ɑ̃ledir] *vt* to make ugly ▮ *vi* to grow ugly.
enlevé, -ée [ɑ̃l(ə)ve] *a* (*scène, danse etc*) well-rendered.
enlever [ɑ̃l(ə)ve] *vt* to take away *ou* off, remove (**à qn** from s.o.); (*vêtement*) to take off, remove; (*tache*) to take out, lift, remove; (*enfant etc*) to kidnap, abduct; (*ordures*) to collect ▮ **s'enlever** *vpr* (*tache*) to come out; (*vernis*) to come off. ●**enlèvement** *nm* (*d'enfant*) kidnapping, abduction; (*d'un objet*) removal; (*des ordures*) collection.
enliser (s') [sɑ̃lize] *vpr* (*véhicule*) & *Fig* to get bogged down (**dans** in).
enneigé, -ée [ɑ̃neʒe] *a* snow-covered. ●**enneigement** [-ɛʒmɑ̃] *nm* snow coverage; **bulletin d'e.** snow report.
ennemi, -ie [ɛnmi] *nmf* enemy ▮ *a* (*personne*) hostile (**de** to); **pays/soldat e.** enemy country/soldier.
ennui [ɑ̃nɥi] *nm* boredom; (*mélancolie*) weariness; **un e.** (*tracas*) (some) trouble *ou* bother; **des ennuis** trouble, bother; **l'e., c'est que...** the annoying thing is that....
ennuyer [ɑ̃nɥije] *vt* (*agacer*) to annoy, bother; (*préoccuper*) to bother; (*fatiguer*) to bore; **si ça ne t'ennuie pas** if you don't mind ▮ **s'ennuyer** *vpr* to get bored. ●**ennuyé, -ée** *a* (*air*) bored; **je suis très e.** (*confus*) I feel bad *ou* badly (about it). ●**ennuyeux, -euse** *a* (*fastidieux*) boring; (*contrariant*) annoying.
énoncé [enɔ̃se] *nm* (*de texte*) wording, terms; (*phrase*) *Ling* utterance.
énoncer [enɔ̃se] *vt* to state, express.
enorgueillir (s') [sɑ̃nɔrgœjir] *vpr* **s'e. de** to pride oneself on.
énorme [enɔrm] *a* enormous, huge, tremendous. ●**énormément** *adv* enormously, tremendously; **e. de** an enormous *ou* tremendous amount of. ●**énormité** *nf* (*dimension*) enormity; (*faute*) blunder.
enquérir* (s') [sɑ̃kerir] *vpr* **s'e. de** to inquire about.
enquête [ɑ̃kɛt] *nf* (*de police etc*) investigation; (*judiciaire, administrative*) inquiry; (*sondage*) survey. ●**enquêter** [ɑ̃kete] *vi* (*po-*

enquiquiner

lice etc) to investigate; **e. sur** (*crime*) to investigate. ● **enquêteur, -euse** *nmf* (*policier etc*) investigator; (*sondeur*) researcher.

enquiquiner [ɑ̃kikine] *vt Fam* to annoy, bug.

enraciner (s') [sɑ̃rasine] *vpr* to take root; **enraciné dans** (*personne, souvenir*) rooted in; **bien enraciné** (*préjugé etc*) deep-rooted.

enrager [ɑ̃raʒe] *vi* to be furious (**de faire** about doing); **faire e. qn** to get on s.o.'s nerves. ● **enrageant, -ante** *a* infuriating. ● **enragé, -ée** *a* (*chien*) rabid, mad; (*joueur etc*) *Fam* fanatical (**de** about); **devenir e.** (*furieux*) to become furious; **rendre qn e.** to make s.o. furious.

enrayer [ɑ̃reje] *vt* (*maladie etc*) to check ∎ **s'enrayer** *vpr* (*fusil*) to jam.

enregistrer [ɑ̃r(ə)ʒistre] *vt* 1 (*par écrit, sur bande*) to record; (*sur registre*) to register; (*constater*) to note, register; (**faire**) **e. ses bagages** (**à l'aéroport**) to check in, check one's luggage in. 2 (*musique, émission etc*) to record; **ça enregistre** it's recording. ● **enregistrement** *nm* (*d'un acte*) registration; (*sur bande etc*) recording; **l'e. des bagages** (**à l'aéroport**) (luggage) check-in; **se présenter à l'e.** to check in. ● **enregistreur, -euse** *a appareil etc* recording apparatus; **caisse enregistreuse** cash register.

enrhumer (s') [sɑ̃ryme] *vpr* to catch a cold; **être enrhumé** to have a cold.

enrichir [ɑ̃riʃir] *vt* to enrich (**de** with) ∎ **s'enrichir** *vpr* (*personne*) to get rich. ● **enrichissement** *nm* enrichment.

enrober [ɑ̃rɔbe] *vt* to coat (**de** in); **enrobé de chocolat** chocolate-coated.

enrôler [ɑ̃role] *vt*, **s'enrôler** *vpr* to enlist. ● **enrôlement** *nm* enlistment.

enrouer (s') [sɑ̃rwe] *vpr* to get hoarse. ● **enroué, -ée** *a* hoarse.

enrouler [ɑ̃rule] *vt* (*fil etc*) to wind; (*tapis, cordage etc*) to roll up; **s'e. dans** (*couvertures*) to wrap *ou* roll oneself up in; **s'e. sur** *ou* **autour de qch** to wind round sth.

ensabler [ɑ̃sable] *vt*, **s'ensabler** *vpr* (*port*) to silt up.

ensanglanté, -ée [ɑ̃sɑ̃glɑ̃te] *a* bloodstained.

enseigne [ɑ̃sɛɲ] 1 *nf* (*de magasin etc*) sign; **e. lumineuse** neon sign; **logés à la même e.** *Fig* in the same boat. 2 *nm* **e. de vaisseau** *Br* lieutenant, *Am* ensign.

enseigner [ɑ̃seɲe] *vt* to teach; **e. qch à qn** to teach s.o. sth ∎ *vi* to teach. ● **enseignant, -ante** [-ɛɲɑ̃, -ɑ̃t] *nmf* teacher ∎ *a* **corps e.** teaching profession. ● **enseignement** [-ɛɲ(ə)mɑ̃] *nm* education; (*action, métier*) teaching; **e. privé** private education; **e. libre** private (and religious) education; **e. public** *Br* state *ou* *Am* public education; **e. par correspondance** tuition *ou* education by correspondence; **être dans l'e.** to be a teacher.

ensemble [ɑ̃sɑ̃bl] 1 *adv* together; **aller (bien) e.** (*couleurs etc*) to go together; (*personnes*) to be well-matched. 2 *nm* (*d'objets*) group, set; *Math* set; (*vêtement féminin*) outfit; *Mus* ensemble; (*mobilier*) suite; (*harmonie*) unity; **l'e. du personnel** (*totalité*) the whole (of the) staff; **l'e. des enseignants** all (of) the teachers; **dans l'e.** on the whole; **vue/etc d'e.** general view/etc; **grand e.** (*quartier*) housing *Br* complex *ou* *Am* development; (*ville*) = *Br* new town, = *Am* planned community. ● **ensemblier** *nm* (interior) decorator.

ensemencer [ɑ̃s(ə)mɑ̃se] *vt* (*terre*) to sow.

ensevelir [ɑ̃səvlir] *vt* to bury.

ensoleillé, -ée [ɑ̃sɔleje] *a* (*endroit, journée*) sunny.

ensommeillé, -ée [ɑ̃sɔmeje] *a* sleepy.

ensorceler [ɑ̃sɔrsəle] *vt* (*envoûter, séduire*) to bewitch. ● **ensorcellement** [-ɛlmɑ̃] *nm* (*séduction*) spell.

ensuite [ɑ̃sɥit] *adv* (*puis*) next, then; (*plus tard*) afterwards.

ensuivre* (s') [sɑ̃sɥivr] *v imp Litt* **il s'ensuit que** it follows that; **et tout ce qui s'ensuit** and all the rest of it, and everything that follows on from that.

entacher [ɑ̃taʃe] *vt* (*honneur etc*) to sully.

entaille [ɑ̃tɑj] *nf* (*fente*) notch; (*blessure*) gash, slash. ● **entailler** *vt* to notch; (*blesser*) to gash, slash.

entame [ɑ̃tam] *nf* first slice.

entamer [ɑ̃tame] *vt* (*pain, peau etc*) to cut (into); (*bouteille, boîte etc*) to start (on); (*négociations etc*) to enter into, start; (*capital*) to eat *ou* break into; (*métal, plastique*) to damage; (*résolution, réputation*) to shake; (*sujet*) to broach.

entartrer [ɑ̃tartre] *vt*, **s'entartrer** *vpr* (*chaudière etc*) *Br* to fur up, *Am* scale.

entasser [ɑ̃tase] *vt*, **s'entasser** *vpr* (*objets*) to pile up, heap up; (**s')e. dans** (*passagers etc*) to crowd *ou* pack *ou* pile into; **ils s'entassaient sur la plage** they were crowded *ou* packed (together) on the beach. ● **entassement** *nm* (*tas*) pile, heap; (*de gens*) crowding.

entendement [ɑ̃tɑ̃dmɑ̃] *nm* (*faculté*) understanding.

entendre [ɑ̃tɑ̃dr] *vt* to hear; (*comprendre*) to understand; (*vouloir*) to intend, mean; **e. parler de** to hear of; **e. dire que** to hear (it said) that; **e. raison** to listen to reason; **laisser e. à qn que** to give s.o. to understand that.

∎ **s'entendre** *vpr* (*être entendu*) to be heard; (*être compris*) to be understood; **s'e.** (**sur**) (*être d'accord*) to agree (on); (**bien**) **s'e.** (**avec qn**) (*s'accorder*) to get along *ou* *Br* on (with s.o.); **on ne s'entend plus!** (*à cause du bruit etc*) we can't hear ourselves speak!; **il s'y entend** (*est expert*) he knows all about that.

entendu, -ue *a* (*convenu*) agreed; (*compris*) understood; (*sourire, air*) knowing; **e.!** all right!; **bien e.** of course.

entente [ɑ̃tɑ̃t] *nf* (*accord*) agreement, understanding; (**bonne**) **e.** (*amitié*) good relationship, harmony.

entériner [ɑ̃terine] *vt* to ratify.

enterrer [ɑ̃tere] *vt* (*défunt etc*) to bury; (*projet*) *Fig* to scrap. ● **enterrement** [-ɛrmɑ̃] *nm* burial;-(*funérailles*) funeral.

en-tête [ɑ̃tɛt] *nm* (*de papier*) heading; **papier à en-tête** *Br* headed paper, *Am* letterhead.

entêter (s') [sɑ̃tete] *vpr* to persist (**à faire** in doing). ● **entêté, -ée** *a* (*têtu*) stubborn; (*persévérant*) persistent. ● **entêtement** [ɑ̃tɛtmɑ̃] *nm* stubbornness; (*à faire qch*) persistence.

enthousiasme [ɑ̃tuzjasm] *nm* enthusiasm. ● **enthousiasmer** *vt* to fill with enthusiasm, enthuse; **s'e. pour** to be *ou* get enthusiastic about *ou* over, enthuse over. ● **enthousiasmant, -ante** *a* (*nouvelle etc*) exciting, thrilling. ● **enthousiaste** *a* enthusiastic.

enticher (s') [sɑ̃tiʃe] *vpr* **s'e. de** to become infatuated with.

entier, -ière [ɑ̃tje, -jɛr] **1** *a* (*total*) whole, entire; (*intact*) intact; (*absolu*) absolute, complete, entire; **payer place entière** to pay full price; **le pays tout e.** the whole *ou* entire country; **nombre e.** *Math* whole number; **lait e.** whole milk, *Br* full-cream milk ‖ *nm* (*unité*) whole; **en e., dans son e.** in its entirety, completely. **2** *a* (*caractère, personne*) uncompromising, unyielding. ● **entièrement** *adv* entirely.

entité [ɑ̃tite] *nf* entity.

entonner [ɑ̃tɔne] *vt* (*air*) to start singing.

entonnoir [ɑ̃tɔnwar] *nm* (*ustensile*) funnel.

entorse [ɑ̃tɔrs] *nf* **1** *Méd* sprain; **se faire une e. à la cheville**/*etc* to sprain one's ankle/*etc*. **2 une e. à** (*règlement*) an infringement of.

entortiller [ɑ̃tɔrtije] *vt* **e. qch autour de qch** (*dans du papier etc*) to wrap sth around sth; **e. qn** *Fam* to dupe s.o., get round s.o. ● **s'entortiller** *vpr* (*lierre etc*) to wind, twist. ● **entortillé, -ée** *a* (*phrase etc*) convoluted.

entourage [ɑ̃turaʒ] *nm* (*proches*) circle of family and friends.

entourer [ɑ̃ture] *vt* to surround (**de** with); (*envelopper*) to wrap (**de** in); **entouré de** surrounded by; **e. qn de ses bras** to put one's arms round s.o.; **s'e. de** to surround oneself with; **il est très entouré** (*soutenu*) he has lots of supportive people around him.

entourloupette [ɑ̃turlupɛt] *nf Fam* nasty trick.

entracte [ɑ̃trakt] *nm* (*de théâtre*) *Br* interval, *Am* intermission.

entraide [ɑ̃trɛd] *nf* mutual aid. ● **s'entraider** [sɑ̃trede] *vpr* to help each other.

entrailles [ɑ̃traj] *nfpl* entrails.

entrain [ɑ̃trɛ̃] *nm* spirit, liveliness; **plein d'e.** lively; **sans e.** lifeless, spiritless.

entraînant, -ante [ɑ̃trɛnɑ̃, -ɑ̃t] *a* (*musique*) lively, captivating.

entraîner [ɑ̃trene] **1** *vt* (*charrier*) to carry *ou* sweep away; (*causer*) to bring about; (*impliquer*) to entail, involve; (*roue*) *Tech* to drive; **e. qn** (*emmener*) to lead *ou* draw s.o. (away); (*de force*) to drag s.o. (away); (*attirer*) *Péj* to lure s.o.; (*charmer*) to carry s.o. away; **e. qn à faire** (*amener*) to lead s.o. to do. **2** *vt* (*athlète, cheval etc*) to train (**à** for) ‖ **s'entraîner** *vpr* to train oneself (**à faire qch** to do sth); *Sport* to train. ● **entraînement** [-ɛnmɑ̃] *nm* **1** *Sport* training. **2** (*élan*) impulse; *Tech* drive. ● **entraîneur** [-ɛnœr] *nm* (*d'athlète*) coach, trainer; (*de cheval*) trainer.

entrave [ɑ̃trav] *nf* (*obstacle*) *Fig* hindrance (**à** to). ● **entraver** *vt* to hinder, hamper.

entre [ɑ̃tr(ə)] *prép* between; (*parmi*) among(st); **l'un d'e. vous** one of you; (**soit dit**) **e. nous** between you and me; **se dévorer e. eux** (*réciprocité*) to devour each other; **e. deux âges** middle-aged; **e. autres (choses)** among other things; **e. les mains de** in the hands of; **être pris e. deux feux** (*soldat*) & *Fig* to be caught in the crossfire; **elle est e. la vie et la mort** it's touch and go whether she'll live.

entrebâiller [ɑ̃trəbɑje] *vt* (*porte*) to open slightly. ● **entrebâillé, -ée** *a* slightly open, ajar. ● **entrebâillement** *nm* **se tenir**/*etc* **dans l'e. de la porte** to stand/*etc* by the half-open door. ● **entrebâilleur** *nm* **e.** (**de porte**) door chain.

entrechoquer (s') [sɑ̃trəʃɔke] *vpr* (*bouteilles etc*) to chink, knock against each other.

entrecôte [ɑ̃trəkot] *nf* (*Br* boned *ou Am* filleted) rib steak.

entrecouper [ɑ̃trəkupe] *vt* (*entremêler*) to punctuate (**de** with), intersperse (**de** with).

entrecroiser [ɑ̃trəkrwaze] *vt*, **s'entrecroiser** *vpr* (*fils*) to interlace; (*routes*) to intersect.

entre-deux-guerres [ɑ̃trədøgɛr] *nm inv* inter-war period.

entrée [ɑ̃tre] *nf* (*action*) entry, entrance; (*porte*) entrance; (*accès*) admission, entry (**de** to); (*vestibule*) entrance hall, entry; (*billet*) ticket (for admission); (*plat*) first course, entrée; *Ordinat* input; (*mot dans un dictionnaire*) entry; **à son e.** as he *ou* she came in; **faire son e.** (*dans une salle etc*) to make one's entrance; **à l'e. de l'hiver** at the outset *ou* beginning of winter; **'e. interdite'** 'no entry', 'no admittance'; **'e. libre'** 'admission free'; **e. en matière** (*d'un discours*) opening, introduction; **e. en vigueur** (*d'une loi etc*) date of application; **e. en sixième**/*etc Scol* = *Br* entering *ou* going into the first form, = *Am* entering the sixth grade; **e. de service** service *ou Br* tradesmen's entrance; **e. des artistes** (*au théâtre*) stage door.

entrefaites (sur ces) [syrsezɑ̃trəfɛt] *adv* at that moment.

entrefilet [ɑ̃trəfilɛ] *nm* (*dans un journal*) (news) item.

entrejambe [ɑ̃trəʒɑ̃b] *nm* (*de pantalon, partie du corps*) crutch, crotch.

entrelacer [ɑ̃trəlase] *vt*, **s'entrelacer** *vpr* to intertwine.

entremêler [ɑ̃trəmele] *vt*, **s'entremêler** *vpr* to intermingle.

entremets [ɑ̃trəmɛ] *nm* (*plat*) dessert, *Br* sweet.

entremetteur, -euse [ɑ̃trəmɛtœr, -øz] *nmf* *Péj* go-between.
entremise [ɑ̃trəmiz] *nf* intervention; **par l'e. de qn** through s.o.
entreposer [ɑ̃trəpoze] *vt* to store; *Jur* to bond. ● **entrepôt** *nm* warehouse; (*de la douane*) *Jur* bonded warehouse.
entreprendre* [ɑ̃trəprɑ̃dr] *vt* (*travail, voyage etc*) to undertake, start on; **e. de faire** to undertake to do. ● **entreprenant, -ante** *a* enterprising; (*galant*) brash, forward.
entrepreneur [ɑ̃trəprənœr] *nm* (*en bâtiment*) (building) contractor.
entreprise [ɑ̃trəpriz] *nf* **1** (*firme*) company, firm. **2** (*opération*) undertaking.
entrer [ɑ̃tre] *vi* (*aux être*) (*aller*) to go in, enter; (*venir*) to come in, enter; **e. dans** to go into; (*pièce*) to come ou go into, enter; (*club*) to join, enter; (*carrière*) to enter, go into; **e. dans un arbre/etc** (*en voiture etc*) to crash into a tree/etc; **e. à l'université/etc** to go to *ou* start university/*etc*; **e. en action** to go into action; **e. en ébullition** to start boiling; **e. dans les détails** to go into detail; **faire/laisser e. qn** to show/let s.o.. in; **entrez!** come in! ▌ *vt* **e. des données dans un ordinateur** to enter *ou* input *ou* key data into a computer.
entresol [ɑ̃trəsɔl] *nm* mezzanine (floor), entresol.
entre-temps [ɑ̃trətɑ̃] *adv* meanwhile.
entretenir* [ɑ̃trət(ə)nir] *vt* **1** (*voiture, maison etc*) to maintain; (*relations, souvenir*) to keep up; (*famille*) to keep, maintain; (*sentiment*) to entertain; **e. sa forme/sa santé** to keep fit/healthy.
2 e. qn de to talk to s.o. about; **s'e. de** to talk about (**avec** with). ● **entretenu, -ue** *a* **bien/mal e.** (*maison etc*) well-/badly-kept; **femme entretenue** kept woman.
entretien [ɑ̃trətjɛ̃] *nm* **1** (*de route, maison etc*) maintenance, upkeep; (*subsistance*) keep. **2** (*dialogue*) conversation; (*entrevue*) interview.
entre-tuer (s') [sɑ̃trətɥe] *vpr* to kill each other.
entrevoir* [ɑ̃trəvwar] *vt* (*rapidement*) to catch a glimpse of; (*pressentir*) to (fore)see.
entrevue [ɑ̃trəvy] *nf* interview.
entrouvrir* [ɑ̃truvrir] *vt*, **s'entrouvrir** *vpr* to half-open. ● **entrouvert, -erte** *a* (*porte, fenêtre*) half-open, ajar.
énumérer [enymere] *vt* to list, enumerate. ● **énumération** *nf* listing, enumeration.
envahir [ɑ̃vair] *vt* to invade; (*herbe etc*) to overrun (*garden etc*); **e. qn** (*doute, peur etc*) to overcome s.o. ● **envahissant, -ante** *a* (*voisin etc*) intrusive. ● **envahissement** *nm* invasion. ● **envahisseur** *nm* invader.
enveloppant, -ante [ɑ̃vlɔpɑ̃, -ɑ̃t] *a* (*séduisant*) captivating.
enveloppe [ɑ̃vlɔp] *nf* (*pour lettre*) envelope; (*de colis*) wrapping; (*de pneu*) casing; (*d'oreiller*) cover; (*apparence*) *Fig* exterior; **mettre sous e.** to put into an envelope; **e. timbrée à votre adresse** *Br* stamped addressed envelope, *Am* stamped self-addressed envelope.
envelopper [ɑ̃vlɔpe] *vt* to wrap (up) (**dans** in); **e. la ville** (*brouillard etc*) to blanket *ou* envelop the town; **enveloppé de mystère** shrouded *ou* enveloped in mystery ▌ **s'envelopper** *vpr* to wrap oneself (up) (**dans** in).
envenimer [ɑ̃v(ə)nime] *vt* (*plaie*) to make septic; (*querelle*) *Fig* to embitter, envenom ▌ **s'envenimer** *vpr* (*plaie*) to turn septic; *Fig* to become embittered *ou* acrimonious.
envergure [ɑ̃vɛrgyr] *nf* **1** (*d'avion, d'oiseau*) wingspan. **2** (*de personne*) calibre; (*ampleur*) scope, importance; **de grande e.** (*réforme etc*) wide-ranging, far-reaching.
envers [ɑ̃vɛr] **1** *prép Br* towards, *Am* toward(s), to; **e. et contre tous** in the face of all opposition. **2** *nm* (*de tissu*) wrong side; (*de médaille*) reverse side; **à l'e.** (*chaussette*) inside out; (*pantalon*) back to front; (*la tête en bas*) upside down; (*à contresens*) the wrong way.
envie [ɑ̃vi] *nf* **1** (*jalousie*) envy; (*désir*) longing, desire; **avoir e. de qch** to want sth; **j'ai e. de faire** I feel like doing, I would like to do; **elle meurt d. de faire** she's dying *ou* longing to do; **ça me fait e.** I really like that. **2** (*peau autour des ongles*) *Fam* hangnail.
● **envier** *vt* to envy (**qch à qn** s.o. sth). ● **envieux, -euse** *a & nmf* envious (person); **faire des envieux** to cause envy.
environ [ɑ̃virɔ̃] *adv* (*à peu près*) about. ● **environs** *nmpl* outskirts, surroundings; **aux environs de** (*Paris, Noël, dix francs etc*) around, in the vicinity of.
environner [ɑ̃virɔne] *vt* to surround. ● **environnant, -ante** *a* surrounding. ● **environnement** *nm* environment.
envisager [ɑ̃vizaʒe] *vt* to consider; (*imaginer comme possible*) *Br* to envisage, *Am* envision, consider; **e. de faire** to consider *ou* contemplate doing. ● **envisageable** *a* conceivable; **pas e.** not thinkable.
envoi [ɑ̃vwa] *nm* (*action*) dispatch, sending; (*paquet*) package, consignment; **e. contre remboursement** cash on delivery; **coup d'e.** *Football* kick-off.
envol [ɑ̃vɔl] *nm* (*d'oiseau*) taking flight; (*d'avion*) takeoff; **piste d'e.** *Av* runway. ● **s'envoler** *vpr* (*oiseau*) to fly away; (*avion*) to take off; (*chapeau etc*) to blow away; (*espoir*) *Fig* to vanish. ● **envolée** *nf* (*élan*) *Fig* flight.
envoûter [ɑ̃vute] *vt* to bewitch. ● **envoûtement** *nm* bewitchment.
envoyer* [ɑ̃vwaje] *vt* to send; (*lancer*) to throw; (*gifle*) to give; **e. chercher qn** to send for s.o.; **e. promener qn** *Fam* to send s.o. packing ▌ **s'envoyer** *vpr Fam* (*repas etc*) to put *ou* stash away; (*travail etc*) to take on, do. ● **envoyé, -ée** *nmf* envoy; **e. spécial** (*reporter*) special correspondent. ● **envoyeur** *nm* sender; '**retour à l'e.**' 'return to sender.'

épagneul, -eule [epaɲœl] *nmf* spaniel.
épais, -aisse [epɛ, -ɛs] *a* thick; *(esprit)* dull. ●**épaisseur** *nf* thickness; *(dimension)* depth; **avoir 1 mètre d'é.** to be 1 metre thick. ●**épaissir** [epesir] *vt* to thicken ▌ *vi*, **s'épaissir** *vpr* to thicken; *(grossir)* to fill out; **le mystère s'épaissit** the mystery is deepening.

épancher [epɑ̃ʃe] *vt (cœur) Fig* to pour out ▌ **s'épancher** *vpr (parler)* to pour out one's heart, open up, unburden oneself. ●**épanchement** *nm (aveu)* outpouring; *Méd* effusion.

épanouir (s') [sepanwir] *vpr (fleur)* to blossom, open out; *(personne) Fig* to blossom (out), fulfil oneself; *(visage)* to beam. ●**épanoui, -ie** *a (fleur, personne)* in full bloom; *(visage)* beaming. ●**épanouissement** *nm (éclat)* full bloom; *(de la personnalité)* fulfilment.

épargne [eparɲ] *nf* saving (**de** of); *(qualité, vertu)* thrift; *(sommes d'argent)* savings. ●**épargner** *vt (argent)* to save; *(denrée rare etc)* to be sparing with; *(ennemi etc)* to spare; **e. qch à qn** *(ennuis, chagrin etc)* to spare s.o. sth. ●**épargnant, -ante** *nmf* saver.

éparpiller [eparpije] *vt*, **s'éparpiller** *vpr* to scatter; *(efforts)* to dissipate. ●**épars, éparse** *a* scattered.

épaté, -ée [epate] *a (nez)* flat. ●**épatement** *nm* flatness.

épater [epate] *vt Fam* to stun, astound. ●**épatant, -ante** *a Fam* marvellous, stunning.

épaule [epol] *nf* shoulder. ●**épauler** *vt (fusil)* to raise (to one's shoulder); **é. qn** *(aider)* to back s.o. up. ●**épaulette** *nf (d'une veste)* shoulder pad.

épave [epav] *nf (bateau, Fig personne)* wreck.

épée [epe] *nf* sword; **un coup d'é.** a sword thrust.

épeler [ep(ə)le] *vt (mot)* to spell.

éperdu, -ue [epɛrdy] *a* wild, frantic (**de** with); *(besoin)* desperate; *(regard)* distraught. ●**éperdument** *adv (aimer qn)* madly; *(travailler)* frantically; **elle s'en moque e.** she couldn't care less.

éperon [ep(ə)rɔ̃] *nm (de cavalier, coq)* spur. ●**éperonner** *vt (cheval, personne)* to spur (on).

épervier [epɛrvje] *nm* sparrowhawk.

éphémère [efemɛr] *a* short-lived, ephemeral.

épi [epi] *nm (de blé etc)* ear; *(mèche de cheveux)* tuft of hair.

épice [epis] *nf (aromate)* spice. ●**épicer** *vt* to spice. ●**épicé, -ée** *a (plat, récit etc)* spicy. ●**épicier, -ière** [episje, -jɛr] *nmf* grocer. ●**épicerie** *nf (magasin) Br* grocer's (shop), *Am* grocery (store); **rayon é.** grocery department; **é. fine** delicatessen.

épidémie [epidemi] *nf* epidemic. ●**épidémique** *a* epidemic.

épiderme [epidɛrm] *nm (peau)* skin.

épier [epje] *vt (observer)* to watch closely; *(occasion)* to watch out for; **é. qn** to spy on s.o.

épilepsie [epilɛpsi] *nf* epilepsy. ●**épileptique** *a* & *nmf* epileptic.

épiler [epile] *vt (jambe)* to remove unwanted hair(s) from; *(sourcil)* to pluck.

épilogue [epilɔg] *nm* epilogue.

épinard [epinar] *nm (plante)* spinach; **épinards** *(feuilles)* spinach.

épine [epin] *nf* **1** *(de plante)* thorn; *(d'animal)* spine, prickle. **2 é. dorsale** *Anat* spine. ●**épineux, -euse** *a (tige, question)* thorny.

épingle [epɛ̃gl] *nf* pin; **é. de** *ou* **à nourrice, é. de sûreté** safety pin; **é. à linge** *Br* clothes peg, *Am* clothes pin; **é. à cheveux** hairpin; **virage en é. à cheveux** hairpin bend; **tiré à quatre épingles** immaculately turned out. ●**épingler** *vt* to pin; **é. qn** *(arrêter) Fam* to nab s.o.

Épiphanie [epifani] *nf* Epiphany.

épique [epik] *a* epic.

épiscopal, -e, -aux [episkɔpal, -o] *a* episcopal.

épisode [epizɔd] *nm* episode; **feuilleton en six épisodes** serial in six episodes *ou* parts, six-part serial. ●**épisodique** *a* occasional, episodic; *(accessoire)* minor.

épitaphe [epitaf] *nf* epitaph.

épithète [epitɛt] *nf* epithet; *Grammaire* attribute.

épître [epitr] *nf* epistle.

éploré, -ée [eplɔre] *a (veuve, air)* tearful.

éplucher [eplyʃe] *vt (carotte, pomme etc)* to peel; *(salade)* to clean; *(texte) Fig* to dissect. ●**épluchure** *nf* peeling.

éponge [epɔ̃ʒ] *nf* sponge; **jeter l'é.** *Fig* to throw in the towel. ●**éponger** *vt (liquide)* to sponge up, mop up; *(carrelage)* to sponge (down), mop; *(dette etc)* to absorb; **s'é. le front** to mop one's brow.

épopée [epɔpe] *nf* epic.

époque [epɔk] *nf (date)* time, period; *(historique)* age; **meubles d'é.** period furniture; **à l'é.** at the *ou* that time.

épouse [epuz] *nf* wife.

épouser [epuze] *vt* **1 é. qn** to marry s.o. **2** *(opinion etc)* to espouse; *(forme)* to assume, adopt.

épousseter [epuste] *vt* to dust.

époustoufler [epustufle] *vt Fam* to astound.

épouvantable [epuvɑ̃tabl] *a* terrifying; *(très mauvais)* appalling.

épouvantail [epuvɑ̃taj] *nm (à oiseaux)* scarecrow.

épouvante [epuvɑ̃t] *nf (peur)* terror; *(appréhension)* dread; **film d'é.** horror film. ●**épouvanter** *vt* to terrify.

époux [epu] *nm* husband; **les é.** the husband and wife.

éprendre* (s') [seprɑ̃dr] *vpr* **s'é. de qn** to fall in love with s.o. ●**épris, -ise** *a* in love (**de** with).

épreuve [eprœv] *nf (examen)* test; *(sportive)* event, heat; *(malheur)* hardship, ordeal, trial; *(photo)* print; *(texte imprimé)* proof;

éprouver

mettre à l'é. to put to the test; **à toute é.** (*patience*) unfailing; (*nerfs*) rock-solid; **à l'é. du feu/des balles** bulletproof/fireproof.

éprouver [epruve] *vt* to test, try; (*sentiment etc*) to feel, experience; **é. qn** (*mettre à l'épreuve*) to put s.o. to the test; (*faire souffrir*) to distress s.o. ● **éprouvant, -ante** *a* (*pénible*) trying. ● **éprouvé, -ée** *a* (*sûr*) well-tried.

éprouvette [epruvɛt] *nf* test tube; **bébé é.** test tube baby.

EPS [əpees] *nf abrév* (*Éducation physique et sportive*) *Br* PE, *Am* Phys Ed.

épuiser [epɥize] *vt* (*personne, provisions, sujet*) to exhaust ▮ **s'épuiser** *vpr* (*réserves, patience*) to run out; **s'é. à faire** to exhaust oneself doing. ● **épuisant, -ante** *a* exhausting. ● **épuisé, -ée** *a* exhausted; (*marchandise*) out of stock; (*édition*) out of print; **é. de fatigue** exhausted. ● **épuisement** *nm* exhaustion.

épuisette [epɥizɛt] *nf* fishing net (*on pole*).

épurer [epyre] *vt* to purify; (*personnel etc*) to purge; (*goût*) to refine. ● **épuration** *nf* purification; (*de personnel etc*) purging; **station d'é.** purification *Br* works *ou Am* plant.

équateur [ekwatœr] *nm* equator; **sous l'é.** at *ou* on the equator. ● **équatorial, -e, -aux** *a* equatorial.

équation [ekwasjɔ̃] *nf Math* equation.

équerre [ekɛr] *nf* **é. (à dessiner)** *Br* setsquare, *Am* triangle; **d'é.** straight, square; **monter à la corde en é.** to pull oneself up a rope using one's hands only.

équestre [ekɛstr] *a* (*statue, sports etc*) equestrian.

équilibre [ekilibr] *nm* balance; **tenir** *ou* **mettre en é.** to balance (**sur** on); **se tenir en é.** to (keep one's) balance; **garder/perdre l'é.** to keep/lose one's balance. ● **équilibriste** *nmf* tightrope walker.

équilibrer [ekilibre] *vt* (*budget etc*) to balance ▮ **s'équilibrer** *vpr* (*équipes etc*) to (counter)balance each other; (*comptes*) to balance.

équinoxe [ekinɔks] *nm* equinox.

équipage [ekipaʒ] *nm* (*sur un navire, un avion etc*) crew.

équipe [ekip] *nf* team; (*d'ouvriers*) gang; **é. de nuit** night shift; **l'é. des secours** the search party; **faire é. avec qn** to team up with s.o. ● **équipier, -ière** *nmf* team member.

équipée [ekipe] *nf* escapade.

équiper [ekipe] *vt* to equip (**de** with) ▮ **s'équiper** *vpr* to equip oneself. ● **équipement** *nm* equipment; (*de camping, ski etc*) gear, equipment.

équitation [ekitasjɔ̃] *nf Br* (horse) riding, *Am* (horseback) riding; **faire de l'é.** to go riding.

équité [ekite] *nf* fairness. ● **équitable** *a* fair, equitable. ● **équitablement** [-əmɑ̃] *adv* fairly.

équivalent, -ente [ekivalɑ̃, -ɑ̃t] *a & nm* equivalent. ● **équivalence** *nf* equivalence. ● **équivaloir*** *vi* **é. à** to be equivalent to.

équivoque [ekivɔk] *a* (*ambigu*) equivocal; (*douteux*) dubious; **sans é.** (*déclaration etc*) unequivocal ▮ *nf* ambiguity.

érable [erabl] *nm* (*arbre, bois*) maple.

érafler [erafle] *vt* to graze, scratch. ● **éraflure** *nf* graze, scratch.

éraillée [eraje] *af* **voix e.** rasping voice.

ère [ɛr] *nf* era; **avant notre è.** BC; **l'an 800 de notre è.** the year 800 AD.

érection [erɛksjɔ̃] *nf* (*de monument etc*) erection.

éreinter [erɛ̃te] *vt* (*fatiguer*) to exhaust; (*critiquer*) to tear to pieces, slam, *Br* slate.

ergot [ɛrgo] *nm* (*de coq*) spur.

ergoter [ɛrgɔte] *vi* to quibble, cavil.

ériger [eriʒe] *vt* to erect; **s'é. en** to set oneself up as.

ermite [ɛrmit] *nm* hermit.

érosion [erozjɔ̃] *nf* erosion. ● **éroder** *vt* to erode.

érotique [erɔtik] *a* erotic. ● **érotisme** *nm* eroticism.

errer [ɛre] *vi* to wander, roam. ● **errant, -ante** *a* wandering, roving; **chien/chat e.** stray dog/cat.

erreur [ɛrœr] *nf* (*faute*) mistake, error; (*action blâmable, opinion fausse*) error; **par e.** by mistake, in error; **dans l'e.** mistaken; **sauf e. de ma part** unless I'm mistaken; **e. judiciaire** miscarriage of justice; **faire e.** (*au téléphone*) to dial the wrong number. ● **erroné, -ée** *a* erroneous.

ersatz [ɛrzats] *nm* substitute.

éructer [erykte] *vi Litt* to belch.

érudit, -ite [erydi, -it] *a* scholarly, erudite ▮ *nmf* scholar. ● **érudition** *nf* scholarship, erudition.

éruption [erypsjɔ̃] *nf* (*de volcan*) eruption; (*de colère*) outburst (**de** of); (*de boutons*) rash.

es *voir* **être**.

ès [ɛs] *prép* of; **licencié/docteur ès lettres** = BA/PhD.

escabeau, -x [ɛskabo] *nm* stepladder, *Br* (pair of) steps; (*tabouret*) stool.

escadre [ɛskadr] *nf Nau Av* fleet, squadron. ● **escadrille** *nf* (*groupe d'avions*) flight. ● **escadron** *nm* squadron.

escalade [ɛskalad] *nf* climbing; (*des prix, de la violence etc*) & *Mil* escalation. ● **escalader** *vt* to climb, scale.

escale [ɛskal] *nf Av* stop(over); (*lieu*) *Nau* port of call; **faire e. à** (*avion*) to stop (over) at; (*navire*) to put in at; **vol sans e.** non-stop flight; **faire une e. technique** to make a refuelling stop.

escalier [ɛskalje] *nm* stairs, staircase; **l'é., les escaliers** the stairs; **e. mécanique** *ou* **roulant** escalator; **e. de secours** fire escape; **e. de service** service stairs.

escalope [ɛskalɔp] *nf* (*viande*) escalope.

escamoter [ɛskamɔte] *vt* (*faire disparaître*) to make vanish; (*esquiver*) to dodge. ● **escamotable** *a* Tech retractable.

escampette [ɛskɑ̃pɛt] *nf* **prendre la poudre d'e.** *Fam* to run away, leg it, *Br* scarper.

escapade [ɛskapad] *nf* (*excursion*) jaunt; **faire une e.** to run off.
escargot [ɛskargo] *nm* snail.
escarmouche [ɛskarmuʃ] *nf* skirmish.
escarpé, -ée [ɛskarpe] *a* steep. ●**escarpement** *nm* (*côte*) steep slope.
escarpin [ɛskarpɛ̃] *nm* (*soulier*) pump, *Br* court shoe.
escient [ɛsjɑ̃] *nm* **à bon e.** judiciously, discerningly, wisely.
esclaffer (s') [ɛsklafe] *vpr* to roar with laughter.
esclandre [ɛsklɑ̃dr] *nm* (noisy) scene.
esclave [ɛsklav] *nmf* slave; **être l'e. de** to be a slave to. ●**esclavage** *nm* slavery.
escompte [ɛskɔ̃t] *nm* discount; **taux d'e.** bank rate. ●**escompter** *vt* **1** (*espérer*) to anticipate (**faire** doing), expect (**faire** to do). **2** *Com* to discount.
escorte [ɛskɔrt] *nf* (*troupe, navires, cortège etc*) escort. ●**escorter** *vt* to escort.
escouade [ɛskwad] *nf* (*petite troupe*) squad.
escrime [ɛskrim] *nf* *Sport* fencing; **faire de l'e.** to fence. ●**escrimeur, -euse** *nmf* fencer.
escrimer (s') [ɛskrime] *vpr* to slave away (**à faire** at doing).
escroc [ɛskro] *nm* crook, swindler. ●**escroquer** *vt* **e. qn** to swindle s.o.; **e. qch à qn** to swindle s.o. out of sth. ●**escroquerie** *nf* swindling; **une e.** a swindle; **c'est de l'e.** it's a rip-off.
espace [ɛspas] *nm* space; **e. vert** garden, park; **e. aérien** air space. ●**espacer** *vt* to space out; **espacés d'un mètre** (spaced out) one metre apart ▮ **s'espacer** *vpr* (*maisons, visites etc*) to become less frequent.
espadon [ɛspadɔ̃] *nm* swordfish.
espadrille [ɛspadrij] *nf* rope-soled sandal.
Espagne [ɛspaɲ] *nf* Spain. ●**espagnol, -ole** *a* Spanish ▮ *nmf* **E., Espagnole** Spaniard ▮ *nm* (*langue*) Spanish.
espèce [ɛspɛs] *nf* (*race*) species; (*genre*) kind, sort; **un e. d'idiot, une e. d'idiote** *Fam* a silly fool; **e. d'idiot!/de maladroit!/***etc* *Fam* (you) silly fool!/oaf!/*etc*. ●**espèces** *nfpl* (*argent*) **en espèces** in cash.
espérance [ɛsperɑ̃s] *nf* hope; **avoir des espérances** to have expectations; **e. de vie** life expectancy.
espérer [ɛspere] *vt* to hope for; **e. que** to hope that; **e. faire** to hope to do ▮ *vi* to hope; **e. en qn/qch** to trust in s.o./sth; **j'espère (bien)!** I hope so!
espiègle [ɛspjɛgl] *a* mischievous. ●**espièglerie** *nf* mischievousness; (*farce*) mischievous trick.
espion, -onne [ɛspjɔ̃, -ɔn] *nmf* spy. ●**espionnage** *nm* spying, espionage. ●**espionner** *vt* to spy on ▮ *vi* to spy.
esplanade [ɛsplanad] *nf* esplanade.
espoir [ɛspwar] *nm* hope; **avoir de l'e.** to have hope(s); **il n'y a plus d'e.** (*il va mourir*) there's no hope for him; **sans e.** hopeless; **les espoirs de la danse/du cinéma/***etc* the young hopefuls of the dancing/film/*etc* world.
esprit [ɛspri] *nm* (*attitude, fantôme*) spirit; (*intellect*) mind; (*humour*) wit; (*être humain*) person; **venir à l'e. de qn** to cross s.o.'s mind; **avoir de l'e.** to be witty; **avoir l'e. large/étroit** to be broad-/narrow-minded; **avoir l'e. de contradiction** to be argumentative; **perdre l'e.** to go out of one's mind.
esquimau, -aude, -aux [ɛskimo, -od, -o] **1** *a* Eskimo ▮ *nmf* **E., Esquimaude** Eskimo. **2** *nm* (*glace*) *Br* choc-ice (*on a stick*), *Am* ice-cream bar.
esquinter [ɛskɛ̃te] *vt* *Fam* (*voiture etc*) to damage, bash; (*critiquer*) to slam, pan (*author, film etc*); **s'e. la santé** to damage one's health; **s'e. à faire** (*se fatiguer*) to wear oneself out doing.
esquisse [ɛskis] *nf* (*croquis, plan*) sketch. ●**esquisser** *vt* to sketch; **e. un geste** to make a (slight) gesture.
esquive [ɛskiv] *nf* *Boxe* dodge; **e. de** (*question*) dodging of, evasion of. ●**esquiver** *vt* (*coup, problème*) to dodge ▮ **s'esquiver** *vpr* to slip away.
essai [ɛsɛ] *nm* (*preuve*) test, trial; (*tentative*) try, attempt; *Rugby* try; *Littér* essay; **à l'e.** (*objet*) *Com* on approval, on trial; **pilote d'e.** test pilot; **période d'e.** trial period; **coup d'e.** first attempt.
essaim [ɛsɛ̃] *nm* swarm (*of bees etc*).
essayer [ɛseje] *vt* to try (**de faire** to do); (*vêtement*) to try on; (*méthode*) to try (out); **s'e. à qch/à faire** to try one's hand at sth/at doing. ●**essayage** *nm* (*de costume*) fitting; **salon d'e.** fitting room.
essence [ɛsɑ̃s] *nf* **1** (*carburant*) *Br* petrol, *Am* gas; (*extrait*) essence; **poste d'e.** filling station. **2** *Phil* essence. **3** (*d'arbres*) species.
essentiel, -ielle [ɛsɑ̃sjɛl] *a* essential (**à, pour** for) ▮ *nm* **l'e.** the main thing *ou* point; (*quantité*) the main part (**de** of). ●**essentiellement** *adv* essentially.
essieu, -x [ɛsjø] *nm* axle.
essor [ɛsɔr] *nm* (*de pays, d'entreprise etc*) development, rise, expansion; **en plein e.** (*industrie etc*) booming.
essorer [ɛsɔre] *vt* (*linge*) to wring; (*dans une essoreuse*) to spin-dry; (*dans une machine à laver*) to spin. ●**essoreuse** *nf* (*à main*) wringer; (*électrique*) spin dryer; (*à salade*) salad spinner.
essouffler [ɛsufle] *vt* to make (s.o.) out of breath ▮ **s'essouffler** *vpr* to get out of breath.
essuyer [ɛsɥije] **1** *vt* to wipe ▮ **s'essuyer** *vpr* to wipe oneself. **2** *vt* (*subir*) to suffer. ●**essuie-glace** *nm inv* *Br* windscreen wiper, *Am* windshield wiper. ●**essuie-mains** *nm inv* (hand) towel.
est¹ [ɛ] *voir* **être**.
est² [ɛst] *nm* east; **à l'e.** in the east; (*direction*) (to the) east (**de** of); **d'e.** (*vent*) east(erly); **de l'e.** eastern ▮ *a inv* (*côte*) east(ern).
estafilade [ɛstafilad] *nf* gash, slash.

estampe [ɛstɑ̃p] *nf* (*gravure*) print.
estampille [ɛstɑ̃pij] *nf* mark, stamp.
esthète [ɛstɛt] *nmf Br* aesthete, *Am* esthete.
esthéticienne [ɛstetisjɛn] *nf* beautician.
esthétique [ɛstetik] *a Br* aesthetic, *Am* esthetic.
estime [ɛstim] *nf* esteem, regard.
estimer [ɛstime] *vt* (*tableau etc*) to value (**à** at); (*calculer*) to estimate; (*apprécier*) to appreciate; (*juger*) to consider (**que** that); **e. dangereux**/*etc* **de faire qch** to consider it dangerous/*etc* to do sth; **e. qn** to have (a) high regard for s.o., esteem s.o.; **s'e. heureux**/*etc* to consider oneself happy/*etc*. ● **estimable** *a* respectable. ● **estimation** *nf* (*de mobilier etc*) valuation; (*calcul*) estimation.
estival, -e, -aux [ɛstival, -o] *a* **travail/ température/etc estival(e)** summer work/ temperature/etc. ● **estivant, -ante** *nmf Br* holidaymaker, *Am* vacationer.
estomac [ɛstɔma] *nm* stomach.
estomaquer [ɛstɔmake] *vt Fam* to flabbergast.
estomper [ɛstɔ̃pe] *vt* (*rendre flou*) to blur ▮ **s'estomper** *vpr* to become blurred.
estrade [ɛstrad] *nf* (*tribune*) platform.
estragon [ɛstragɔ̃] *nm* (*plante, condiment*) tarragon.
estropier [ɛstrɔpje] *vt* to cripple, maim. ● **estropié, -ée** *nmf* cripple.
estuaire [ɛstɥɛr] *nm* estuary.
esturgeon [ɛstyrʒɔ̃] *nm* (*poisson*) sturgeon.
et [e] *conj* and; **vingt et un**/*etc* twenty-one/*etc*; **et moi?** what about me?
étable [etabl] *nf* cowshed.
établi [etabli] *nm* (*de menuisier*) (work)bench.
établir [etablir] *vt* to establish; (*installer*) to set up; (*plan, chèque, liste*) to draw up ▮ **s'établir** *vpr* (*habiter*) to settle; (*épicier etc*) to set up shop as, set (oneself) up as. ● **établissement** *nm* (*action, bâtiment, institution*) establishment; (*commercial*) company, establishment, firm; **é. scolaire** school.
étage [etaʒ] *nm* (*d'immeuble*) floor, *Br* storey, *Am* story; (*de fusée etc*) stage; **à l'é.** upstairs; **au premier é.** on the *Br* first *ou Am* second floor; **maison à deux étages** *Br* two-storeyed *ou Am* two-storied house. ● **étager** *vi*, **s'étager** *vpr* (*rochers, maisons etc*) to range above one another.
étagère [etaʒɛr] *nf* shelf; (*meuble*) shelving unit.
étai [etɛ] *nm Tech* prop, stay.
étain [etɛ̃] *nm* (*métal*) tin; (*de gobelet etc*) pewter.
étais, était [etɛ] *voir* **être**.
étal, *pl* **étals** [etal] *nm* (*au marché*) stall.
étalage [etalaʒ] *nm* display; (*vitrine*) display window; **faire é. de** to show off, make a show *ou* display of. ● **étalagiste** *nmf* window dresser.
étaler [etale] *vt* (*disposer*) to lay out; (*en vitrine*) to display; (*beurre etc*) to spread; (*vacances, paiements*) to stagger; (*érudition etc*) to show off ▮ **s'étaler** *vpr* (*s'affaler*) *Fam* to sprawl; **s'é. (de tout son long)** (*tomber*) *Fam* to fall flat; **s'é. sur** (*congés, paiements etc*) to be spread over. ● **étalement** *nm* (*des vacances, paiements etc*) staggering.
étalon [etalɔ̃] *nm* **1** (*cheval*) stallion. **2** (*modèle*) standard; **é.-or** gold standard.
étanche [etɑ̃ʃ] *a* watertight; (*montre*) waterproof.
étancher [etɑ̃ʃe] *vt* (*sang*) to stop the flow of; (*soif*) to quench, slake.
étang [etɑ̃] *nm* pond.
étant [etɑ̃] *p prés de* **être**.
étape [etap] *nf* (*de voyage etc*) stage; (*lieu*) stop(over); **faire é. à** to stop off *ou* over at; **par (petites) étapes** in (easy) stages; **brûler les étapes** (*dans sa carrière etc*) to race ahead.
état [eta] *nm* **1** (*condition, manière d'être*) state; (*registre, liste*) statement, list; **en bon é.** in good condition; **en é. de marche** in working order; **en é. de faire** in a position to do; **hors d'é. de faire** not in a position to do; **é. d'esprit** state *ou* frame of mind; **é. d'âme** mood; **é. civil** civil status (*birth, marriage, death etc*); **é. de choses** situation, state of affairs; **é. des lieux** inventory of fixtures; **à l'é. brut** in a raw state; **à l'é. neuf** as new; **de son é.** (*métier*) by trade; **faire é. de** (*mention*) to mention, put forward; **(ne pas) être dans son é. normal** (not) to be one's usual self; **être dans un é. second** to be in a daze, be spaced out; **être dans tous ses états** (*affolé*) *Fam* to be all worked up; **mettre qn en é. d'arrestation** to put s.o. under arrest; **remettre qch en é.** (*réparer*) to repair sth. **2 É.** (*nation*) State; **homme d'É.** statesman. ● **étatisé, -ée** *a* state-controlled, state-owned.
état-major [etamaʒɔr] *nm* (*pl* **états-majors**) (*d'un parti etc*) senior staff.
États-Unis [etazyni] *nmpl* **É.-Unis** (**d'Amérique**) United States (of America).
étau, -x [eto] *nm* (*instrument*) *Br* vice, *Am* vise.
étayer [eteje] *vt* to prop up, support.
été[1] [ete] *nm* summer.
été[2] [ete] *pp de* **être**.
éteindre* [etɛ̃dr] *vt* (*feu, cigarette etc*) to put out, extinguish; (*lampe etc*) to turn *ou* switch off; (*dette, espoir*) to extinguish ▮ *vi* to switch off ▮ **s'éteindre** *vpr* (*feu*) to go out; (*personne*) to pass away; (*race*) to die out; (*amour*) to die. ● **éteint, -einte** *a* (*feu, bougie*) out; (*lampe, lumière*) off; (*volcan, race, amour*) extinct; (*voix*) faint.
étendard [etɑ̃dar] *nm* (*drapeau*) standard.
étendre [etɑ̃dr] *vt* (*linge*) to hang out; (*nappe*) to spread (out); (*beurre*) to spread; (*agrandir*) to extend; **é. le bras**/*etc* to stretch out one's arm/*etc*; **é. qn** to stretch s.o. out ▮ **s'étendre** *vpr* (*personne*) to stretch (oneself) out; (*plaine etc*) to stretch; (*feu*) to spread; (*pouvoir*) to extend; **s'é. sur** (*sujet*) to dwell on. ● **étendu, -ue** *a* (*forêt, vocabulaire etc*) extensive; (*personne*) stretched out. ● **éten-**

due *nf* (*importance*) extent; (*surface*) area; (*d'eau*) expanse, stretch.
éternel, -elle [etɛrnɛl] *a* eternal. ●**éternellement** *adv* eternally, for ever. ●**éterniser** *vt Litt* to perpetuate ▌ **s'éterniser** *vpr* (*débat etc*) to drag on endlessly; (*visiteur etc*) *Fam* to stay for ever. ●**éternité** *nf* eternity.
éternuer [etɛrnɥe] *vi* to sneeze. ●**éternuement** [-ymã] *nm* sneeze.
êtes [ɛt] *voir* être.
éther [etɛr] *nm* ether.
Ethiopie [etjɔpi] *nf* Ethiopia. ●**éthiopien, -ienne** *a* Ethiopian ▌ *nmf* É., Éthiopienne Ethiopian.
éthique [etik] *a* ethical ▌ *nf Phil* ethics; l'é. puritaine/*etc* the Puritan/*etc* ethic.
ethnie [ɛtni] *nf* ethnic group. ●**ethnique** *a* ethnic.
étinceler [etɛ̃s(ə)le] *vi* to sparkle. ●**étincelle** *nf* spark; **faire des étincelles** *Fam* (*personne*) to scintillate, be brilliant; (*scandale etc*) to cause sparks to fly.
étioler (s') [setjɔle] *vpr* to wilt, wither.
étiqueter [etik(ə)te] *vt* to label. ●**étiquette** *nf* **1** (*marque*) label. **2** (*protocole*) (diplomatic *ou* court) etiquette.
étirer [etire] *vt* to stretch ▌ **s'étirer** *vpr* to stretch (oneself).
étoffe [etɔf] *nf* material, cloth, fabric; **avoir l'é. d'un héros**/*etc* to be the stuff heroes/*etc* are made of.
étoffer [etɔfe] *vt* to fill out; (*texte*) to make more meaty ▌ **s'étoffer** *vpr* (*personne*) to fill out.
étoile [etwal] *nf* **1** star; **é. filante** shooting star; **à la belle é.** in the open; **être né sous une bonne é.** to be born under a lucky star. **2 é. de mer** starfish. ●**étoilé, -ée** *a* (*ciel, nuit*) starry; (*vitre*) cracked (*star-shaped*); **é. de** (*rubis etc*) studded with; **la bannière étoilée** *Am* the Star-Spangled Banner.
étonner [etɔne] *vt* to surprise, astonish ▌ **s'étonner** *vpr* to be surprised *ou* astonished (**de qch** at sth, **que** (+ *sub*) that). ●**étonnant, -ante** *a* (*ahurissant*) surprising; (*remarquable*) amazing. ●**étonnement** *nm* surprise, astonishment.
étouffer [etufe] *vt* (*tuer*) to suffocate, smother; (*bruit*) to muffle; (*feu*) to smother; (*révolte, sentiment*) to stifle; (*scandale*) to hush up; **é. qn** (*chaleur*) to stifle s.o.; (*aliment, colère*) to choke s.o. ▌ *vi* to suffocate; **on étouffe!** it's stifling!; **é. de colère** to choke with anger ▌ **s'étouffer** *vpr* (*en mangeant*) to choke, gag (**sur, avec** on); (*mourir*) to suffocate. ●**étouffant, -ante** *a* (*air*) stifling. ●**étouffement** *nm Méd* suffocation.
étourdi, -ie *a* thoughtless ▌ *nmf* scatterbrain. ●**étourderie** *nf* thoughtlessness; **une (faute d')é.** a thoughtless blunder.
étourdir [eturdir] *vt* to stun, daze; (*vin, vitesse*) to make dizzy; (*abrutir*) to deafen. ●**étourdissant, -ante** *a* (*bruit*) deafening; (*remarquable*) stunning. ●**étourdissement** *nm* dizziness; (*malaise*) dizzy spell.

étourneau, -x [eturno] *nm* starling.
étrange [etrɑ̃ʒ] *a* strange, odd. ●**étrangement** *adv* strangely, oddly. ●**étrangeté** *nf* strangeness, oddness.
étranger, -ère [etrɑ̃ʒe, -ɛr] *a* (*d'un autre pays*) foreign; (*non familier*) strange (**à** to); **il m'est é.** he's unknown to me ▌ *nmf* foreigner; (*inconnu*) stranger; **à l'é.** abroad; **de l'é.** from abroad.
étrangler [etrɑ̃gle] *vt* **é. qn** (*tuer*) to strangle s.o.; (*col*) to choke s.o. ▌ **s'étrangler** *vpr* (*de colère, en mangeant etc*) to choke. ●**étranglé, -ée** *a* (*voix*) choking; (*passage*) constricted. ●**étranglement** *nm* (*d'une victime*) strangulation. ●**étrangleur, -euse** *nmf* strangler.
être* [ɛtr] **1** *vi* to be; **il est tailleur** he's a tailor; **est-ce qu'elle vient?** is she coming?; **il vient, n'est-ce pas?** he's coming, isn't he?; **est-ce qu'il aime le thé?** does he like tea?; **nous sommes dix** there are ten of us; **nous sommes le dix** today is the tenth (of the month); **où en es-tu?** how far have you *Br* got *ou Am* gotten?; **il a été à Paris** (*est allé*) he has been to Paris; **elle est de Paris** she's from Paris; **elle est de la famille** she's one of the family; **il est cinq heures** it's five (o'clock); **il était une fois** once upon a time, there was; **c'est à lire pour demain** (*obligation*) this has to be read for tomorrow; **c'est à voir absolument** (*exposition etc*) it's well worth seeing; **c'est à lui** it's his; **il n'est plus** (*il est mort*) he is dead; **si j'étais vous** if I were *ou* was you; **cela étant** that being so.
2 *v aux* (*avec venir, partir etc*) to have; **elle est (déjà) arrivée** she has (already) arrived; **nous y sommes toujours bien reçus** (*passif*) we are always well received.
3 *nm* (*personne*) being; **ê. humain** human being; **ê. vivant** living being; **les êtres chers** the loved ones.
étreindre* [etrɛ̃dr] *vt* to grip; (*avec amour*) to embrace. ●**étreinte** *nf* grip; (*amoureuse etc*) embrace.
étrenner [etrene] *vt* to use *ou* wear for the first time.
étrennes [etrɛn] *nfpl* New Year gift; (*gratification*) = Christmas tip *ou Br* box.
étrier [etrije] *nm* stirrup; **mettre le pied à l'é. à qn** to help s.o. get off to a good start.
étriper (s') [setripe] *vpr Fam* to fight (each other) to the kill.
étriqué, -ée [etrike] *a* (*vêtement*) tight, skimpy; (*esprit, vie*) narrow.
étroit, -oite [etrwa, -at] *a* narrow; (*vêtement*) tight; (*lien, collaboration etc*) close; (*discipline*) strict; **être à l'é.** to be cramped. ●**étroitement** *adv* (*surveiller etc*) closely. ●**étroitesse** *nf* narrowness; (*de lien etc*) closeness; **é. d'esprit** narrow-mindedness.
étude [etyd] *nf* **1** (*action, ouvrage*) study; *Scol* study room; **à l'é.** (*projet*) under consideration; **é. de marché** *Com* market survey *ou* study; **faire des études de** (*médecine etc*) to study. **2** (*de notaire etc*) office.

étudiant, -ante [etydjɑ̃, -ɑ̃t] *nmf* student; **être é. en médecine/droit/**etc to be a medical/law/*etc* student ▌ *a* (*vie etc*) student.
étudier [etydje] *vti* to study.
étui [etɥi] *nm* (*à lunettes, à cigarettes etc*) case; (*de revolver*) holster.
étymologie [etimɔlɔʒi] *nf* etymology.
eu, eue [y] *pp de* **avoir**.
eucalyptus [økaliptys] *nm* (*arbre*) eucalyptus.
Eucharistie [økaristi] *nf Rel* Eucharist.
eugénisme [øʒenism] *nm* eugenics.
euh! [ø] *int* hem!, er!, well!
euphémisme [øfemism] *nm* euphemism.
euphorie [øfɔri] *nf* euphoria.
eurent [yr] *voir* **avoir**.
euro- [øro] *préf* Euro-.
eurocrate [ørɔkrat] *nmf* Eurocrat.
eurodollar [ørɔdɔlar] *nm* Eurodollar.
Europe [ørɔp] *nf* Europe; **l'E.** (**des douze**) the Twelve (countries of the Common Market). ●**européen, -enne** *a* European ▌ *nmf* **E., Européenne** European.
eurosceptique [ørɔsɛptik] *a* Eurosceptic.
eut [y] *voir* **avoir**.
euthanasie [øtanazi] *nf* euthanasia.
eux [ø] *pron* (*sujet*) they; (*complément*) them; (*réfléchi, emphase*) themselves. ●**eux-mêmes** *pron* themselves.
évacuer [evakɥe] *vt* to evacuate; (*liquide*) to drain off. ●**évacuation** *nf* evacuation.
évader (s') [sevade] *vpr* to escape (**de** from). ●**évadé, -ée** *nmf* escaped prisoner.
évaluer [evalɥe] *vt* (*fortune etc*) to estimate; (*meuble etc*) to value. ●**évaluation** *nf* estimation; (*de meuble etc*) valuation.
évangile [evɑ̃ʒil] *nf* gospel; **É.** Gospel; **parole d'é.** *Fig* gospel (truth). ●**évangélique** *a* evangelical.
évanouir (s') [sevanwir] *vpr* (*personne*) to faint, pass *ou* black out; (*espoir, crainte etc*) to vanish. ●**évanoui, -ie** *a Méd* unconscious. ●**évanouissement** *nm* (*syncope*) blackout, fainting fit; (*disparition*) vanishing.
évaporer (s') [sevapɔre] *vpr* to evaporate; (*disparaître*) *Fam* to vanish into thin air. ●**évaporation** *nf* evaporation.
évasé, -ée [evaze] *a* (*jupe etc*) flared.
évasif, -ive [evazif, -iv] *a* evasive.
évasion [evazjɔ̃] *nf* escape (**d'un lieu** from a place, **devant un danger/**etc from a danger/etc); (*hors de la réalité*) escapism; **é. fiscale** tax evasion; **é. de capitaux** flight of capital.
évêché [eveʃe] *nm* (*territoire*) bishopric, see.
éveil [evɛj] *nm* awakening; **en é.** on the alert; **donner l'é.** à to alert; **activité d'é.** (*à l'école*) early-learning *ou* awareness activity.
éveiller [eveje] *vt* (*susciter*) to arouse; **é. qn** to awake(n) s.o. ▌ **s'éveiller** *vpr* to awake(n) (**à** to); (*sentiment, idée*) to be aroused. ●**éveillé, -ée** *a* awake; (*vif*) lively, alert.
événement [evɛnmɑ̃] *nm* event.
éventail [evɑ̃taj] *nm* 1 (*instrument portatif*) fan; **en é.** (*orteils*) spread out. 2 (*choix*) range.

éventer [evɑ̃te] *vt* 1 (*secret*) to discover. 2 **é. qn** to fan s.o. 3 **s'éventer** *vpr* (*bière, vin, parfum etc*) to turn stale. ●**éventé, -ée** *a* (*bière, parfum, vin etc*) stale.
éventrer [evɑ̃tre] *vt* (*oreiller etc*) to rip open; (*animal*) to open up.
éventuel, -elle [evɑ̃tɥɛl] *a* possible. ●**éventuellement** *adv* possibly. ●**éventualité** *nf* possibility; **dans l'é. de** in the event of.
évêque [evɛk] *nm* bishop.
évertuer (s') [severtɥe] *vpr* **s'é. à faire** to do one's utmost to do, struggle to do.
éviction [eviksjɔ̃] *nf* (*de concurrent, président etc*) ousting.
évident, -ente [evidɑ̃, -ɑ̃t] *a* obvious, evident (**que** that); (*facile*) *Fam* easy. ●**évidemment** [-amɑ̃] *adv* obviously, certainly. ●**évidence** *nf* obviousness; **une é.** an obvious fact; **nier l'é.** to deny the obvious; **être en é.** to be conspicuous *ou* in evidence; **mettre en é.** (*fait*) to underline; **se rendre à l'é.** to face the facts.
évider [evide] *vt* to hollow out.
évier [evje] *nm* (kitchen) sink.
évincer [evɛ̃se] *vt* (*concurrent, président etc*) to oust (**de** from).
éviter [evite] *vt* to avoid (**de faire** doing); **é. qch à qn** to spare *ou* save s.o. sth; **je voulais é. que vous ne vous déplaciez pour rien** I wanted to save you coming for nothing.
évoluer [evɔlɥe] *vi* 1 (*changer*) to develop, change; (*société, idée, situation*) to evolve. 2 (*se déplacer*) to move; (*maladie*) to develop; (*danseurs, soldats etc*) *Br* to manœuvre, *Am* maneuver. ●**évolué, -ée** *a* (*pays*) advanced; (*personne*) enlightened. ●**évolution** *nf* 1 (*changement*) development; evolution. 2 (*d'un danseur etc*) movement.
évoquer [evɔke] *vt* to evoke, call to mind. ●**évocateur, -trice** *a* evocative. ●**évocation** *nf* evocation, recalling.
ex [ɛks] *nmf* (*mari, femme*) *Fam* ex.
ex- [ɛks] *préf* ex-; **ex-mari** ex-husband.
exacerber [ɛgzasɛrbe] *vt* (*douleur etc*) to exacerbate.
exact, -e [ɛgzakt] *a* (*précis*) exact, accurate; (*juste, vrai*) correct, right, exact; (*ponctuel*) punctual. ●**exactement** [-amɑ̃] *adv* exactly. ●**exactitude** *nf* accuracy; correctness; exactness; (*ponctualité*) punctuality.
exactions [ɛgzaksjɔ̃] *nfpl* (*actes de violence*) acts of violence.
ex aequo [ɛgzeko] *adv* **être classés ex ae.** *Sport* to tie, be equally placed.
exagérer [ɛgzaʒere] *vt* to exaggerate ▌ *vi* (*parler*) to exaggerate; (*agir*) to overdo it, go too far. ●**exagéré, -ée** *a* excessive. ●**exagérément** *adv* excessively. ●**exagération** *nf* exaggeration; (*excès*) excessiveness.
exalter [ɛgzalte] *vt* (*glorifier*) to exalt; (*passionner*) to fire, stir. ●**exaltant, -ante** *a* stirring. ●**exalté, -ée** *a* (*sentiment*) impassioned, wild ▌ *nmf Péj* fanatic. ●**exaltation** *nf* (*délire*) elation, excitement.
examen [ɛgzamɛ̃] *nm* examination; (*bac etc*)

exam(ination); **e. blanc** mock exam(ination). ●**examinateur, -trice** *nmf* examiner. ●**examiner** *vt* (*considérer, regarder*) to examine.

exaspérer [ɛgzaspere] *vt* (*énerver*) to aggravate, exasperate. ●**exaspération** *nf* exasperation, aggravation.

exaucer [ɛgzose] *vt* (*désir*) to grant; **e. qn** to grant s.o.'s wish(es).

excavation [ɛkskavɑsjɔ̃] *nf* (*trou*) hollow.

excéder [ɛksede] *vt* **1** (*dépasser*) to exceed. **2 é. qn** (*énerver*) to exasperate s.o. ●**excédent** *nm* surplus, excess; **e. de bagages** excess luggage *ou Am* baggage. ●**excédentaire** *a* **poids**/*etc* **e.** excess weight/*etc*.

excellent, -ente [ɛksɛlɑ̃, -ɑ̃t] *a* excellent. ●**excellence** *nf* **1** excellence; **par e.** above all else *ou* all others. **2 E.** (*titre*) Excellency. ●**exceller** *vi* to excel (**en qch, dans qch** in sth; **à faire** in doing).

excentrique [ɛksɑ̃trik] **1** *a & nmf* (*original*) eccentric. **2** *a* (*quartier*) remote. ●**excentricité** *nf* (*bizarrerie*) eccentricity.

excepté[1] [ɛksɛpte] *prép* except. ●**excepté**[2], **-ée** *a* except (for); **les femmes exceptées** except (for) the women. ●**excepter** *vt* to except.

exception [ɛksɛpsjɔ̃] *nf* exception; **à l'e. de** except (for), with the exception of; **faire e.** to be an exception. ●**exceptionnel, -elle** *a* exceptional. ●**exceptionnellement** *adv* exceptionally.

excès [ɛksɛ] *nm* excess; **des e.** (**de table**) over-eating; **e. de vitesse** (*dans un véhicule*) speeding; **faire un e. de vitesse** to speed. ●**excessif, -ive** *a* excessive. ●**excessivement** *adv* excessively.

excitation [ɛksitɑsjɔ̃] *nf* (*agitation*) excitement; **e. à** (*haine etc*) incitement to.

exciter [ɛksite] *vt* (*faire naître*) to excite, rouse, stir (*desire, anger etc*); **e. qn** (*énerver*) to provoke s.o.; **e. qn à faire** to incite s.o. to do **‖ s'exciter** *vpr* (*devenir nerveux*) to get excited. ●**excitant, -ante** *a Fam* exciting **‖** *nm* stimulant. ●**excité, -ée** *a* excited. ●**excitable** *a* excitable.

exclamer (s') [sɛksklame] *vpr* to exclaim. ●**exclamatif, -ive** *a* exclamatory. ●**exclamation** *nf* exclamation.

exclure* [ɛksklyr] *vt* (*écarter*) to exclude (**de** from); (*chasser*) to expel (**de** from); **e. qch** (*rendre impossible*) to preclude sth. ●**exclu, -ue** *a* (*solution etc*) out of the question; (*avec une date*) exclusive.

exclusif, -ive [ɛksklyzif, -iv] *a* (*droit, modèle, préoccupation*) exclusive. ●**exclusivement** *adv* exclusively. ●**exclusivité** *nf Com* exclusive rights; (*dans la presse*) scoop; **en e.** (*film*) having an exclusive showing (**à** at).

exclusion [ɛksklyzjɔ̃] *nf* exclusion; **à l'e. de** with the exception of.

excommunier [ɛkskɔmynje] *vt* to excommunicate. ●**excommunication** *nf* excommunication.

excréments [ɛkskremɑ̃] *nmpl* excrement.

excroissance [ɛkskrwasɑ̃s] *nf* (out)growth.

excursion [ɛkskyrsjɔ̃] *nf* trip, outing, excursion, tour; (*à pied*) hike.

excuse [ɛkskyz] *nf* (*prétexte*) excuse; **excuses** (*regrets*) apology; **faire des excuses** to apologize (**à** to); **toutes mes excuses** (my) sincere apologies. ●**excuser** *vt* (*justifier, pardonner*) to excuse (**qn d'avoir fait, qn de faire** s.o. for doing) **‖ s'excuser** *vpr* to apologize (**de** for, **auprès de** to); **excusez-moi!, je m'excuse!** excuse me!

exécrer [ɛgzekre] *vt* to loathe. ●**exécrable** *a* atrocious.

exécuter [ɛgzekyte] *vt* **1** (*travail, projet, tâche etc*) to carry out, execute; (*jouer*) *Mus* to perform; (*broderie, statue etc*) to produce; (*programme informatique*) to run.
2 e. qn (*tuer*) to execute s.o.
3 s'exécuter *vpr* to comply. ●**exécutant, -ante** *nmf* (*musicien*) performer; (*ouvrier, employé etc*) subordinate (*who carries out orders*). ●**exécutable** *a* practicable. ●**exécution** *nf* **1** carrying out, execution; performance; production; **mettre à e.** to put into effect, carry out. **2** (*mise à mort*) execution.

exécutif [ɛgzekytif] *am* **pouvoir e.** executive power **‖** *nm* **l'e.** *Pol* the executive.

exemplaire [ɛgzɑ̃plɛr] **1** *a* exemplary. **2** *nm* (*livre etc*) copy; **photocopier un document en double e.** to make two photocopies of a document.

exemple [ɛgzɑ̃pl] *nm* example; **par e.** for example, for instance; **donner l'e.** to set an example (**à** to); **prendre e. sur qn** to follow s.o.'s example; **faire un e.** (*pour dissuader*) to make an example (of someone); **c'est un e. de vertu**/*etc* he's a model of virtue/*etc*; (**ça**) **par e.!** *Fam* good heavens!

exempt, -empte [ɛgzɑ̃, -ɑ̃t] *a* **e. de** (*dispensé de*) exempt from; (*sans*) free from. ●**exempter** [ɛgzɑ̃te] *vt* to exempt (**de** from). ●**exemption** [ɛgzɑ̃psjɔ̃] *nf* exemption.

exercer [ɛgzɛrse] *vt* (*voix, droits*) to exercise; (*autorité, influence*) to exert (**sur** over); (*profession*) *Br* to practise *ou Am* practice; **e. qn à** (*couture etc*) to train s.o. in; **e. qn à faire** to train s.o. to do **‖** *vi* (*médecin etc*) *Br* to practise, *Am* practice **‖ s'exercer** *vpr* (*influence etc*) to be exerted; **s'e.** (**à qch**) (*sportif etc*) *Br* to practise (sth), *Am* practice (sth); **s'e. à faire** *Br* to practise *ou Am* practice doing.

exercice [ɛgzɛrsis] *nm* (*physique etc*) & *Scol* exercise; *Mil* drill, exercise; (*de métier*) practice; **l'e. de** (*pouvoir etc*) the exercise of; **en e.** (*fonctionnaire*) in office; (*médecin etc*) in practice; **faire de l'e., prendre de l'e.** to (take) exercise.

exhaler [ɛgzale] *vt* (*odeur etc*) to give off.

exhaustif, -ive [ɛgzostif, -iv] *a* exhaustive.

exhiber [ɛgzibe] *vt* to exhibit, show. ●**exhibition** *nf* exhibition. ●**exhibitionniste** *nmf* exhibitionist.

exhorter [ɛgzɔrte] *vt* to urge, exhort (**à faire** to do).

exhumer [εgzyme] *vt* (*cadavre*) to exhume; (*vestiges*) to dig up.

exiger [εgziʒe] *vt* to demand, require (**de** from, **que** (+ *sub*) that). ●**exigeant, -ante** *a* demanding, exacting. ●**exigence** *nf* demand, requirement; **exigences** (*revendications*) demands; **d'une grande e.** very demanding.

exigu, -uë [εgzigy] *a* (*appartement etc*) cramped, tiny. ●**exiguïté** *nf* crampedness.

exil [εgzil] *nm* exile. ●**exiler** *vt* to exile ▌ **s'exiler** *vpr* to go into exile. ●**exilé, -ée** *nmf* (*personne*) exile.

existence [εgzistɑ̃s] *nf* (*fait d'exister*) existence; (*vie*) existence, life; **e. heureuse** happy life; **moyen d'e.** means of existence. ●**existentialisme** *nm* existentialism. ●**exister** *vi* to exist ▌ *v imp* **il existe...** (*sing*) there is ...; (*pl*) there are.... ●**existant, -ante** *a* existing.

exode [εgzɔd] *nm* exodus; **e. rural** rural depopulation *ou* exodus.

exonérer [εgzɔnere] *vt* Fin to exempt (**de** from). ●**exonération** *nf* exemption.

exorbitant, -ante [εgzɔrbitɑ̃, -ɑ̃t] *a* exorbitant.

exorbité, -ée [εgzɔrbite] *a* **yeux exorbités** bulging eyes.

exorciser [εgzɔrsize] *vt* to exorcize. ●**exorcisme** *nm* exorcism.

exotique [εgzɔtik] *a* exotic. ●**exotisme** *nm* exoticism.

expansif, -ive [εkspɑ̃sif, -iv] *a* expansive, effusive.

expansion [εkspɑ̃sjɔ̃] *nf* (*d'un commerce, pays, gaz*) expansion; **en (pleine) e.** (fast *ou* rapidly) expanding.

expatrier (s') [sεkspatrije] *vpr* to leave one's country. ●**expatrié, -ée** *a* & *nmf* expatriate.

expectative [εkspεktativ] *nf* **être dans l'e.** to be waiting to see what happens.

expédient [εkspedjɑ̃] *nm* (*moyen*) expedient.

expédier [εkspedje] *vt* 1 (*envoyer*) to send off. 2 (*affaires, client*) to dispose of quickly, dispatch. ●**expéditeur, -trice** *nmf* sender. ●**expéditif, -ive** *a* expeditious, quick. ●**expédition** *nf* 1 (*envoi*) dispatch. 2 (*voyage*) expedition.

expérience [εksperjɑ̃s] *nf* (*connaissance*) experience; (*scientifique*) experiment; **faire l'e. de qch** to experience sth; **avoir de l'e.** to have experience; **être sans e.** to have no experience; **un homme d'e.** a man of experience. ●**expérimental, -e, -aux** *a* experimental. ●**expérimentation** *nf* experimentation.

expérimenter [εksperimɑ̃te] *vt* Phys Ch to try out; (*méthode*) to test ▌ *vi* to experiment. ●**expérimenté, -ée** *a* experienced.

expert, -erte [εkspεr, -εrt] *a* expert, skilled (**en** in) ▌ *nm* expert (**en** on, in); (*d'assurances*) valuer. ●**expert-comptable** *nm* (*pl* **experts-comptables**) = *Br* chartered accountant, = *Am* certified public accountant. ●**expertise** *nf* (*évaluation*) (expert) appraisal; (*compétence*) expertise; (*rapport*) expert's report; **e. judiciaire** expert opinion.

expier [εkspje] *vt* (*péchés, crime*) to expiate, atone for. ●**expiation** *nf* expiation (**de** of).

expirer [εkspire] 1 *vti* to breathe out. 2 *vi* (*mourir*) to pass away; (*finir, cesser*) to expire. ●**expiration** *nf* 1 (*respiration*) breathing out. 2 (*échéance*) *Br* expiry, *Am* expiration; **arriver à e.** to expire.

explication [εksplikɑsjɔ̃] *nf* explanation; (*mise au point*) discussion; **e. de texte** *Scol* literary appreciation.

explicite [εksplisit] *a* explicit. ●**explicitement** *adv* explicitly.

expliquer [εksplike] *vt* to explain (**à** to, **que** that) ▌ **s'expliquer** *vpr* to explain oneself; (*discuter*) to talk things over, have it out (**avec** with); **s'e. qch** (*comprendre*) to understand sth; **ça s'explique** that is understandable. ●**explicable** *a* understandable. ●**explicatif, -ive** *a* explanatory.

exploit [εksplwa] *nm* feat, exploit.

exploiter [εksplwate] *vt* 1 (*champs*) to farm; (*ferme, entreprise*) to run; (*mine*) to work; (*profiter de*) *Fig* to exploit (*situation*). 2 (*abuser de*) *Péj* to exploit (*s.o.*). ●**exploitant, -ante** *nmf* **e. (agricole)** farmer. ●**exploitation** *nf* 1 (*de champs*) farming; (*de ferme etc*) running; (*de mine*) working; **e. (agricole)** farm; **e. industrielle** concern. 2 *Péj* exploitation.

explorer [εksplɔre] *vt* to explore. ●**explorateur, -trice** *nmf* explorer. ●**exploration** *nf* exploration.

exploser [εksploze] *vi* (*gaz etc*) to explode; (*bombe*) to blow up, explode; **e. (de colère)** *Fam* to explode, blow up; **faire e.** (*bombe*) to explode. ●**explosif, -ive** *a* & *nm* explosive. ●**explosion** *nf* explosion; (*de colère, joie*) outburst.

exporter [εkspɔrte] *vt* to export (**vers** to, **de** from). ●**exportateur, -trice** *nmf* exporter ▌ *a* exporting. ●**exportation** *nf* (*produit*) export; (*action*) export(ation), exporting.

exposer [εkspoze] *vt* (*présenter, soumettre*) & *Phot* to expose (**à** to); (*tableau etc*) to exhibit; (*marchandises*) to display; (*idée, théorie*) to set out; (*vie, réputation*) to risk, endanger; **s'e. à** to expose oneself to. ●**exposant, -ante** *nmf* exhibitor. ●**exposé, -ée 1** *a* **bien e.** (*édifice*) having a good exposure; **e. au sud**/*etc* facing south/*etc*. **2** *nm* (*compte rendu*) account (**de** of); (*présentation*) talk; *Scol* paper.

exposition [εkspozisjɔ̃] *nf* (*d'objets d'art*) exhibition; (*de marchandises etc*) display; (*au danger etc*) & *Phot* exposure (**à** to); (*de maison etc*) aspect; **É. universelle** *Br* the World Fair, *Am* the World's Fair.

exprès¹ [εksprε] *adv* on purpose, intentionally; (*spécialement*) specially; **comme (par) un fait e.** almost as if it was meant to be.

exprès², -esse [εksprεs] **1** *a* (*ordre, condition*) express. **2** *a inv* **lettre/colis e.** express letter/parcel. ●**expressément** [-emɑ̃] *adv* ex-

express [ɛkspres] *a* & *nm inv* (*train*) express; (*café*) espresso.
expressif, -ive [ɛkspresif, -iv] *a* expressive. ●**expression** *nf* (*phrase, mine etc*) expression; **réduire qch à sa plus simple e.** *Fig* to reduce sth to its simplest form *ou* bare bones. ●**exprimer** *vt* to express **I s'exprimer** *vpr* to express oneself.
exproprier [ɛksprɔprije] *vt* to seize the property of by compulsory purchase.
expulser [ɛkspylse] *vt* to expel (**de** from); (*joueur*) to send off; (*locataire*) to evict. ●**expulsion** *nf* expulsion; (*de joueur*) sending off; (*de locataire*) eviction.
expurger [ɛkspyrʒe] *vt* to expurgate.
exquis, -ise [ɛkski, -iz] *a* (*nourriture*) delicious, exquisite.
exsangue [ɛksɑ̃g] *a* (*visage etc*) bloodless.
extase [ɛkstɑz] *nf* ecstasy, rapture; **tomber en e. devant qch** to be in raptures over sth. ●**s'extasier** *vpr* to be in raptures (**sur** over, about). ●**extasié, -ée** *a* ecstatic.
extensible [ɛkstɑ̃sibl] *a* expandable. ●**extension** *nf* extension; (*essor*) expansion.
exténuer [ɛkstenɥe] *vt* (*fatiguer*) to exhaust. ●**exténué, -ée** *a* exhausted.
extérieur, -e [ɛksterjœr] *a* (*monde etc*) outside; (*surface*) outer, external; (*signe*) outward, external; (*politique*) foreign; **e. à** external to; **signe e. de richesse** outward sign of wealth **I** *nm* outside, exterior; **à l'e. (de)** outside; **à l'e.** (*match*) away; **tourner un film en e.** to shoot a film on location. ●**extérieurement** *adv* externally; (*en apparence*) outwardly. ●**extérioriser** *vt* to express.
exterminer [ɛkstɛrmine] *vt* to exterminate, wipe out. ●**extermination** *nf* extermination.
externat [ɛkstɛrna] *nm* (*école*) day school.
externe [ɛkstɛrn] 1 *a* external. 2 *nmf* (*élève*) day pupil; *Méd* non-resident hospital medical student, *Am* extern.

extincteur [ɛkstɛ̃ktœr] *nm* fire extinguisher. ●**extinction** *nf* (*de feu*) extinguishing; (*de race*) extinction; **e. de voix** loss of voice.
extirper [ɛkstirpe] *vt* to eradicate **I s'extirper** *vpr* **s'e. de** (*endroit*) *Fam* to get out of, drag oneself out of.
extorquer [ɛkstɔrke] *vt* to extort (**à** from). ●**extorsion** *nf* extortion; **e. de fonds** (*crime*) extorsion.
extra [ɛkstra] 1 *a inv* (*très bon*) *Fam* top-quality. 2 *nm inv* *Culin* (extra-special) treat; (*serviteur*) extra hand *ou* help.
extra- [ɛkstra] *préf* extra-. ●**extra-fin, -fine** *a* extra-fine. ●**extra-fort, -forte** *a* extra-strong.
extradition [ɛkstradisjɔ̃] *nf* extradition. ●**extrader** *vt* to extradite.
extraire* [ɛkstrɛr] *vt* to extract (**de** from); (*charbon*) to mine. ●**extraction** *nf* extraction. ●**extrait** *nm* extract; **un e. de naissance** a (copy of one's) birth certificate.
extralucide [ɛkstralysid] *a* & *nf* clairvoyant.
extraordinaire [ɛkstraɔrdinɛr] *a* extraordinary; **si par e.** if by some remote chance. ●**extraordinairement** *adv* exceptionally; (*très, bizarrement*) extraordinarily.
extraterrestre [ɛkstratɛrɛstr] *a* & *nmf* extraterrestrial.
extravagant, -ante [ɛkstravagɑ̃, -ɑ̃t] *a* extravagant. ●**extravagance** *nf* extravagance.
extraverti, -ie [ɛkstravɛrti] *nmf* extrovert.
extrême [ɛkstrɛm] *a* extreme; **l'e. droite/gauche** *Pol* the far *ou* extreme right/left **I** *nm* extreme; **pousser à l'e.** to take *ou* carry to extremes. ●**Extrême-Orient** *nm* Far East. ●**extrêmement** *adv* extremely. ●**extrémiste** *a* & *nmf* extremist. ●**extrémité** *nf* (*bout*) extremity, end; **extrémités** (*excès*) extremes; (*pieds et mains*) extremities.
exubérant, -ante [ɛgzyberɑ̃, -ɑ̃t] *a* exuberant. ●**exubérance** *nf* exuberance.
exulter [ɛgzylte] *vi* to exult, rejoice. ●**exultation** *nf* exultation.
exutoire [ɛgzytwar] *nm* outlet (**à** for).

F

F, f [ɛf] *nm* F, f.
F *abrév* **franc(s).**
fa [fɑ] *nm (note de musique)* F.
fable [fabl] *nf* fable.
fabricant, -ante [fabrikɑ̃, -ɑ̃t] *nmf* manufacturer. ● **fabrication** *nf* manufacture; **f. artisanale** small-scale manufacture; **(de) f. artisanale** *(pull etc)* hand-made; **bombe de f. artisanale** home-made bomb; **de f. française** of French make.
fabrique [fabrik] *nf* factory; **marque de f.** trade mark.
fabriquer [fabrike] *vt (objet)* to make; *(en usine)* to manufacture; *(récit) Péj* to fabricate, make up; **qu'est-ce qu'il fabrique?** *Fam* what's he up to?
fabuler [fabyle] *vi* to make up stories, tell lies.
fabuleux, -euse [fabylø, -øz] *a (légendaire, incroyable)* fabulous.
fac [fak] *nf abrév (faculté) Fam* university; **à la f.** *Br* at university, *Am* at school.
façade [fasad] *nf (de bâtiment)* front, façade; *(apparence) Fig* pretence, façade; **de f.** *(luxe etc)* sham.
face [fas] *nf* face; *(de cube, montagne etc)* side; *(de monnaie)* head; **en f.** opposite; **en f. de** opposite, facing; *(en présence de)* in front of, face to face with; **f. à** *(vis-à-vis)* facing; **f. à f.** face to face; **f. à un problème** faced with a problem, in the face of a problem; **faire f. à** *(situation)* to face, face up to; **regarder qn en f.** to look s.o. in the face; **sauver/perdre la f.** to save/lose face; **se voiler la f.** *Fig* to hide from reality; **(photo) de f.** full-face (photo). ● **face à face** *nm inv* **f. à f. télévisé** face-to-face TV encounter.
facétie [fasesi] *nf* joke, jest. ● **facétieux, -euse** [-esjø, -øz] *a (personne)* facetious.
facette [fasɛt] *nf (de diamant, problème etc)* facet.
fâcher [faʃe] *vt* to anger ▌ **se fâcher** *vpr* to get angry *ou* annoyed **(contre** with); **se f. avec qn** *(se brouiller)* to fall out with s.o. ● **fâché, -ée** *a (air)* angry; *(amis)* on bad terms; **f. avec** *ou* **contre qn** angry *ou* annoyed with s.o.; **être f. avec l'orthographe** *Fam* to be a hopeless speller, be unable to get on with spelling; **f. de qch** sorry about sth. ● **fâcheux, -euse** *a (nouvelle etc)* unfortunate.
facho [faʃo] *a & nmf Fam* fascist.
facile [fasil] *a* easy; *(caractère, humeur)* easygoing; *(banal) Péj* facile; **c'est f. à faire** it's easy to do; **il nous est f. de faire ça** it's easy for us to do that; **f. à vivre** easy to get along with, easygoing. ● **facilement** *adv* easily. ● **facilité** *nf (simplicité)* easiness; *(à faire qch)* ease; **facilités de paiement** *Com* easy terms; **avoir des facilités pour qch** to have an aptitude for sth; **avoir toutes facilités pour faire qch** to have every facility *ou* opportunity to do sth. ● **faciliter** *vt* to make easier, facilitate.
façon [fasɔ̃] *nf* **1** way; **la f. dont elle parle** the way (in which) she talks; **de quelle f.?** how?; **f. (d'agir)** behaviour; **façons** *(manières)* manners; **une f. de parler** a manner of speaking; **à la f. de** in the fashion of; **de toute f.** anyway, anyhow; **d'une certaine f.** in some way; **de f. à so as to**; **de f. à ce qu'on vous comprenne** so as to be understood, so that you may be understood; **de f. générale** generally speaking; **d'une f. ou d'une autre** one way or another; **à ma f.** my way, (in) my own way; **faire des façons** to make a fuss; **accepter qch sans f.** to accept sth without fuss; **table f. chêne** imitation oak table. **2** *(coupe de vêtement)* cut, style.
façonner [fasɔne] *vt (travailler, former)* to fashion, shape; *(fabriquer)* to manufacture.
facteur [faktœr] *nm* **1** *Br* postman, *Am* mailman. **2** *(élément)* factor. ● **factrice** *nf Fam Br* postwoman, *Am* mail woman.
factice [faktis] *a* false, artificial; **diamant/***etc* **f.** imitation diamond/*etc*.
faction [faksjɔ̃] *nf* **1** *(groupe politique)* faction. **2 de f.** *(soldat)* on guard (duty), on sentry duty.
facture [faktyr] *nf Com* bill, invoice. ● **facturer** *vt* to bill, invoice.
facultatif, -ive [fakyltatif, -iv] *a (travail etc)* optional; **arrêt f.** *Br* request stop; **matière/ épreuve facultative** *(à l'école)* optional subject/test paper.
faculté [fakylte] *nf* **1** *(aptitude)* faculty; *(possibilité)* freedom **(de faire** to do); **une grande/***etc* **f. de travail** a great/*etc* capacity for work. **2** *(d'université)* faculty; **à la f.** *Br* at university, *Am* at school.
fadaises [fadɛz] *nfpl* twaddle, nonsense.
fade [fad] *a* insipid; *(nourriture)* bland. ● **fadasse** *a Fam* wishy-washy.
fagot [fago] *nm* bundle (of firewood).
fagoter [fagɔte] *vt Péj* to dress, rig out.
faible [fɛbl] *a* weak, feeble; *(bruit, voix)* faint; *(vent, quantité, chances)* slight; *(revenus)* small; **f. en anglais/***etc* poor at English/ *etc*.
▌ *nm (personne)* weakling; **les faibles** the weak; **f. d'esprit** feeble-minded person; **avoir un f. pour** to have a weakness *ou* a

soft spot for. ●**faiblement** [-əmã] *adv* weakly; (*légèrement*) slightly; (*éclairer, parler*) faintly. ●**faiblesse** *nf* weakness, feebleness; (*de bruit etc*) faintness; (*de vent etc*) slightness; (*de revenus*) smallness; (*défaut, syncope*) weakness.

faiblir [feblir] *vi* (*forces*) to weaken; (*courage, vue*) to fail; (*vent*) to slacken.

faïence [fajɑ̃s] *nf* (*matière*) earthenware; **faïences** (*objets*) crockery, earthenware.

faille[1] [faj] *nf Géol* fault; *Fig* flaw.

faille[2] [faj] *voir* **falloir**.

faillible [fajibl] *a* fallible.

faillir* [fajir] *vi* **1 il a failli tomber** he almost *ou* nearly fell. **2 f. à un devoir** to fail in a duty.

faillite [fajit] *nf Com* bankruptcy; *Fig* failure; **faire f.** to go bankrupt.

faim [fɛ̃] *nf* hunger; **avoir f.** to be hungry; **donner f. à qn** to make s.o. hungry; **manger à sa f.** to eat one's fill; **rester sur sa f.** to remain hungry; **mourir de f.** to die of starvation; (*avoir très faim*) *Fig* to be starving.

fainéant, -ante [feneɑ̃, -ɑ̃t] *a* idle ▮ *nmf* idler. ●**fainéanter** *vi* to idle. ●**fainéantise** *nf* idleness.

faire* [fɛr] **1** *vt* (*bruit, faute, gâteau, voyage, repas etc*) to make; (*devoir, ménage, dégâts etc*) to do; (*rêve, chute*) to have; (*sourire*) to give; (*promenade, sieste*) to have, take; (*guerre*) to wage, make; **ça fait dix mètres de large** (*mesure*) it's *ou* that's ten metres wide; **ça fait dix francs** (*prix*) it's *ou* that's ten francs; **2 et 2 font 4** 2 and 2 are 4; **qu'a-t-il fait (de)?** what's he done (with)?; **que f.?** what's to be done?; **f. du tennis/du piano**/*etc* to play tennis/the piano/*etc*; **f. du droit/de la médecine**/*etc* to study law/medicine/*etc*; **f. du bien à qn** to do s.o. good; **f. du mal à qn** to hurt *ou* harm s.o.; **f. l'idiot** to act *ou* play the fool; **il fera un bon médecin** he'll be *ou* make a good doctor; **ça ne fait rien** that doesn't matter; **comment as-tu fait pour...?** how did you manage to...?; **il ne fait que travailler** he does nothing but work, he keeps on working; **je ne fais que d'arriver** I've just arrived; **oui, fit-elle** yes, she said.
2 *vi* (*agir*) to do; (*paraître*) to look; **f. comme chez soi** to make yourself at home; **faites donc!** please do!; **elle ferait bien de partir** she'd do well to leave; **il fait vieux**/*etc* he looks old/*etc*; **il fait (bien) son âge** he looks his age.
3 *v imp* **il fait beau/froid**/*etc* it's fine/cold/*etc*; **il fait du vent/soleil**/*etc* it's windy/sunny/*etc*; **quel temps fait-il?** what's the weather like?; **ça fait deux ans que je ne l'ai pas vu** I haven't seen him for two years, it's (been) two years since I saw him; **ça fait un an que je suis là** I've been here for a year.
4 *v aux* (+ *inf*) **f. construire une maison** to have *ou* get a house built (**à qn** for s.o., **par qn** by s.o.); **f. crier/souffrir**/*etc* **qn** to make s.o. shout/suffer/*etc*; **se f. couper les cheveux** to have one's hair cut; **se f. craindre/obéir**/*etc* to make oneself feared/obeyed/*etc*; **se f. tuer/renverser**/*etc* to get *ou* be killed/knocked down/*etc*.
5 se faire *vpr* (*fabrication*) to be made; (*activité*) to be done; **se f. des illusions** to have illusions; **se f. des amis** to make friends; **se f. vieux**/*etc* (*devenir*) to get old/*etc*; **il se fait tard** it's getting late; **comment se fait-il que?** how is it that?; **ça se fait beaucoup** people do that a lot; **se f. à** to get used to, adjust to; **ne t'en fais pas!** don't worry!

faire-part [fɛrpar] *nm inv* (*de mariage etc*) announcement.

fais, fait [fɛ] *voir* **faire**.

faisable [fəzabl] *a* feasible.

faisan [fəzɑ̃] *nm* (*oiseau*) pheasant.

faisandé, -ée [fəzɑ̃de] *a* (*gibier*) high.

faisceau, -x [feso] *nm* (*lumineux*) beam; (*de tiges etc*) bundle; **un f. de preuves** *Fig* a (solid) body of proof.

fait, faite [fɛ, fɛt] **1** *pp de voir* **faire** ▮ *a* (*fromage*) ripe; (*yeux*) made up; (*ongles*) polished; (*homme*) grown; **tout f.** ready made; **bien f.** (*jambes, corps etc*) shapely; **c'est bien f. (pour toi)!** it serves you right!
2 *nm* event, occurrence; (*donnée, réalité*) fact; **du f. de** on account of; **au f.** (*à propos*) by the way; **en f.** in fact; **en f. de** in the matter of; **f. divers** (*rubrique de journal*) (miscellaneous) news item; **prendre qn sur le f.** to catch s.o. red-handed *ou* in the act; **aller au f., en venir au f.** to get to the point; **faits et gestes** actions; **prendre f. et cause pour qn** to stand up for s.o., fight s.o.'s cause; **mettre qn devant un f. accompli** to present s.o. with a fait accompli.

faîte [fɛt] *nm* (*haut*) top; (*apogée*) *Fig* height.

faites [fɛt] *voir* **faire**.

faitout [fɛtu] *nm* stewing pot, casserole.

falaise [falɛz] *nf* cliff.

falloir* [falwar] **1** *v imp* **il faut qch/qn** I, you, we *etc* need sth/s.o.; **il lui faut un stylo** he *ou* she needs a pen; **il faut partir**/*etc* I, you, we *etc* have to go/*etc*; **il faut que je parte** I have to go; **il faudrait qu'elle reste** she ought to stay; **il faut un jour** it takes a day (**pour faire** to do); **comme il faut** proper(ly); **s'il le faut** if need be.
2 s'en falloir *v imp* **il s'en est fallu de peu qu'il ne pleure, peu s'en est fallu qu'il ne pleure** he almost cried; **tant s'en faut** far from it.

falsifier [falsifje] *vt* (*texte etc*) to falsify. ●**falsification** *nf* falsification.

famé, -ée (mal) [malfame] *a* of ill repute.

famélique [famelik] *a* ill-fed, starving.

fameux, -euse [famø, -øz] *a* (*célèbre*) famous; (*excellent*) *Fam* first-class; **pas f.** *Fam* not much good.

familial, -e, -aux [familjal, -o] *a* **ennuis**/*etc* family problems/*etc*.

familiaux family problems/*etc*.

familier, -ière [familje, -jɛr] *a* (*bien connu*) familiar (**à** to); (*amical*) friendly, informal; (*locution*) colloquial, familiar; **f. avec qn** (over)familiar with s.o.; **animal f.** pet ▮ *nm*

famille

(*de club etc*) regular visitor. ●**familiariser** *vt* to familiarize (**avec** with) ▮ **se familiariser** *vpr* to familiarize oneself (**avec** with). ●**familiarité** *nf* familiarity (**avec** with); **familiarités** *Péj* liberties. ●**familièrement** *adv* familiarly; (*parler*) informally.

famille [famij] *nf* family; **en f.** (*dîner etc*) with one's family; **un père de f.** a family man.

famine [famin] *nf* famine.

fan [fan] *nm* (*admirateur*) *Fam* fan.

fana [fana] *nmf Fam* fan; **être f. de** to be crazy about.

fanal, -aux [fanal, -o] *nm* lantern, light.

fanatique [fanatik] *a* fanatical ▮ *nmf* fanatic. ●**fanatisme** *nm* fanaticism.

faner (se) [səfane] *vpr* (*fleur, beauté*) to fade. ●**fané, -ée** *a* faded.

fanfare [fɑ̃far] *nf* (*orchestre*) brass band; (*air, musique*) fanfare; **réveil en f.** *Fam* rude awakening.

fanfaron, -onne [fɑ̃farɔ̃, -ɔn] *a* boastful ▮ *nmf* braggart.

fanfreluches [fɑ̃frəlyʃ] *nfpl Péj* trimmings, frills.

fange [fɑ̃ʒ] *nf Litt* mud, mire.

fanion [fanjɔ̃] *nm* (*drapeau*) pennant.

fantaisie [fɑ̃tezi] *nf* (*caprice*) whim, fancy; (*imagination*) imagination, fantasy; **bouton/bijoux/etc f.** novelty *ou* fancy button/*Br* jewellery *ou Am* jewelry/*etc*. ●**fantaisiste** *a* (*pas sérieux*) fanciful; (*excentrique*) unorthodox.

fantasme [fɑ̃tasm] *nm* (*rêve*) fantasy. ●**fantasmer** *vi* to fantasize (**sur** about).

fantasque [fɑ̃task] *a* whimsical.

fantassin [fɑ̃tasɛ̃] *nm* (*militaire*) infantryman.

fantastique [fɑ̃tastik] *a* (*imaginaire, excellent*) fantastic.

fantoche [fɑ̃tɔʃ] *nm & a* puppet.

fantôme [fɑ̃tom] *nm* ghost, phantom ▮ *a* **ville/train/***etc* **f.** ghost town/train/*etc*; **firme f.** bogus company *ou* firm.

faon [fɑ̃] *nm* (*animal*) fawn.

faramineux, -euse [faraminø, -øz] *a Fam* fantastic.

farce¹ [fars] *nf* practical joke, prank; (*pièce de théâtre*) farce; **magasin de farces et attrapes** joke shop; **faire une f. à qn** to play a practical joke *ou* a prank on s.o. ●**farceur, -euse** *nmf* (*blagueur*) practical joker, wag.

farce² [fars] *nf* (*viande*) stuffing. ●**farcir** *vt* 1 (*poulet etc*) to stuff. 2 **se f. qn/qch** *Fam* to put up with s.o./sth.

fard [far] *nm* make-up. ●**farder** *vt* (*acteur etc*) to make up; (*vérité*) to camouflage ▮ **se farder** *vpr* (*se maquiller*) to make up; **se f. les yeux/le visage** to put on eye/face make-up.

fardeau, -x [fardo] *nm* burden, load.

farfelu, -ue [farfəly] *a Fam* crazy, bizarre ▮ *nmf Fam* weirdo.

farfouiller [farfuje] *vi Fam* to rummage (**dans** in).

fariboles [faribɔl] *nfpl Fam* nonsense.

farine [farin] *nf* (*de blé*) flour; **f. d'avoine** oatmeal. ●**farineux, -euse** *a* floury, powdery.

farouche [faruʃ] *a* 1 (*timide*) shy, unsociable; (*animal*) easily scared. 2 (*acharné*) fierce. ●**farouchement** *adv* fiercely.

fart [far(t)] *nm* (ski) wax. ●**farter** *vt* (*skis*) to wax.

fascicule [fasikyl] *nm* volume.

fasciner [fasine] *vt* to fascinate. ●**fascination** *nf* fascination.

fascisme [faʃism] *nm* fascism. ●**fasciste** *a & nmf* fascist.

fasse(s), fassent [fas] *voir* **faire**.

faste [fast] *nm* ostentation, display ▮ *a* **jour/période f.** lucky *ou* auspicious day/period.

fastidieux, -euse [fastidjø, -øz] *a* tedious, dull.

fatal, -e, *mpl* **-als** [fatal] *a* (*mortel*) fatal; (*inévitable*) inevitable; (*moment, ton*) fateful; **c'était f.!** it was bound to happen! ●**fatalement** *adv* inevitably. ●**fataliste** *a* fatalistic ▮ *nmf* fatalist. ●**fatalité** *nf* (*destin*) fate. ●**fatidique** *a* (*jour, date*) fateful.

fatigant, -ante [fatigɑ̃, -ɑ̃t] *a* (*épuisant*) tiring; (*ennuyeux*) tiresome.

fatigue [fatig] *nf* tiredness, fatigue, weariness.

fatiguer [fatige] *vt* to tire, fatigue; (*yeux*) to strain; (*ennuyer*) to bore ▮ *vi* (*moteur*) to strain ▮ **se fatiguer** *vpr* (*se lasser*) to get tired, tire (**de** of); (*travailler*) to tire oneself out (**à faire** doing). ●**fatigué, -ée** *a* tired, weary (**de** of).

fatras [fatra] *nm* jumble, muddle.

faubourg [fobur] *nm* suburb. ●**faubourien, -ienne** *a* (*accent etc*) suburban, common.

fauché, -ée [foʃe] *a* (*sans argent*) *Fam* broke.

faucher [foʃe] *vt* 1 (*herbe*) to mow; (*blé*) to reap; **f. qn** (*faire tomber brutalement*) *Fig* to knock s.o. down, mow s.o. down. 2 (*voler*) *Fam* to snatch, *Br* pinch. ●**faucheuse** *nf* (*machine*) reaper.

faucille [fosij] *nf* (*instrument*) sickle.

faucon [fokɔ̃] *nm* (*oiseau*) hawk, falcon; (*personne*) *Fig* hawk.

faudra, faudrait [fodra, fodrɛ] *voir* **falloir**.

faufiler (se) [səfofile] *vpr* to edge *ou* inch one's way (**dans** through, into; **entre** between).

faune [fon] *nf* wildlife, fauna; (*gens*) *Péj* set.

faussaire [fosɛr] *nm* forger.

fausse [fos] *voir* **faux¹**. ●**faussement** *adv* falsely.

fausser [fose] *vt* (*réalité etc*) to distort; (*clé etc*) to buckle; **f. compagnie à qn** to give s.o. the slip.

fausseté [foste] *nf* (*d'un raisonnement etc*) falseness; (*hypocrisie*) duplicity.

faut [fo] *voir* **falloir**.

faute [fot] *nf* (*erreur*) mistake; (*responsabilité*) fault; (*péché*) sin; (*délit*) offence; *Football* foul; **c'est de ta f., ** *Fam* **c'est ta f.** it's your fault, you're to blame; **f. de temps/***etc* for lack of time/*etc*; **f. de mieux** for want of anything better; **en f.** at fault; **sans f.** without fail; **faire une f.** to make a mistake; **f. d'impression** printing error; **f. de français** grammatical error (*in French*); **f. de jeunesse** youthful error.

fauteuil [fotœj] *nm* armchair; (*de président*) chair; **f. roulant** wheelchair; **f. pivotant** swivel chair; **f. d'orchestre** *Théâtre etc* seat in the *Br* stalls *ou Am* orchestra; **arriver dans un f.** *Fam* to win hands down.

fauteur [fotœr] *nm* **f. de troubles** troublemaker.

fautif, -ive [fotif, -iv] *a* (*personne*) at fault; (*erroné*) faulty.

fauve [fov] **1** *nm* wild animal *ou* beast, big cat; **chasse aux grands fauves** big game hunting. **2** *a* & *nm* (*couleur*) fawn.

faux¹, fausse [fo, fos] *a* (*pas vrai*) false, untrue; (*pas exact*) wrong; (*inauthentique*) false; (*monnaie*) forged, counterfeit; (*voix*) out of tune; **f. diamant/***etc* imitation *ou* fake diamond/*etc*; **f. nez/***etc* false nose/*etc*; **f. col** detachable collar; **f. départ** false start; **f. ami** *Ling* false friend; **faire fausse route** to take the wrong road; *Fig* to be on the wrong track; **faire un f. mouvement** to make a sudden (awkward) movement; **faire une fausse note** (*musicien*) to play a wrong note; **avoir tout f.** *Fam* to get it all wrong. ▮ *adv* (*chanter*) out of tune. ▮ *nm* (*contrefaçon*) forgery. ● **faux-filet** *nm* (*viande*) sirloin. ● **faux-fuyant** *nm* subterfuge. ● **faux-monnayeur** *nm* counterfeiter.

faux² [fo] *nf* (*instrument*) scythe.

faveur [favœr] *nf* favour; **en f. de** (*au profit de*) in aid *ou* favour of; **de f.** (*billet*) complimentary; (*traitement, régime*) preferential. ● **favorable** *a* favourable (à to). ● **favori, -ite** *a* & *nmf* favourite. ● **favoriser** *vt* to favour. ● **favoritisme** *nm* favouritism.

favoris [favɔri] *nmpl* sideburns, *Br* sideboards, side whiskers.

fax [faks] *nm* (*appareil, message*) fax.

faxer [fakse] *vt* (*message*) to fax.

fébrile [febril] *a* feverish. ● **fébrilité** *nf* feverishness.

fécond, -onde [fekɔ̃, -ɔ̃d] *a* (*femme, idée etc*) fertile. ● **féconder** *vt* to fertilize. ● **fécondité** *nf* fertility.

fécule [fekyl] *nf* starch. ● **féculents** *nmpl* (*aliments*) carbohydrates.

fédéral, -e, -aux [federal, -o] *a* federal. ● **fédération** *nf* federation. ● **fédérer** *vt* to federate.

fée [fe] *nf* fairy. ● **féerie** *nf* *Théâtre* fantasy extravaganza; *Fig* fairy-like spectacle. ● **féerique** *a* (*fairy*-like), magical.

feindre* [fɛ̃dr] *vt* to feign, affect, sham; **f. de faire** to pretend to do. ● **feint, feinte** *a* feigned, sham. ● **feinte** *nf* sham, *Br* pretence, *Am* pretense; *Boxe Mil* feint.

fêler [fele] *vt*, **se fêler** *vpr* (*tasse etc*) to crack. ● **fêlure** *nf* crack.

félicité [felisite] *nf* bliss, felicity.

féliciter [felisite] *vt* to congratulate (**qn de** *ou* **sur** s.o. on); **se f. de** to congratulate oneself on. ● **félicitations** *nfpl* congratulations (**pour** on).

félin, -ine [felɛ̃, -in] *a* & *nm* feline.

femelle [fəmɛl] *a* & *nf* (*animal*) female.

féminin, -ine [feminɛ̃, -in] *a* (*prénom, hormone etc*) female; (*trait, intuition, pronom etc*) feminine; (*mode, revue, équipe etc*) women's. ● **féministe** *a* & *nmf* feminist. ● **féminité** *nf* femininity.

femme [fam] *nf* woman (*pl* women); (*épouse*) wife; **f. médecin** woman doctor; **f. de ménage** cleaning woman *ou* lady, maid; **f. de chambre** (chamber)maid; **f. d'affaires** businesswoman; **f. au foyer** housewife; **f.-objet** woman as a sex object; **bonne f.** *Fam* woman.

fémur [femyr] *nm* thighbone, femur.

fendiller (se) [səfɑ̃dije] *vpr* to crack.

fendre [fɑ̃dr] *vt* (*bois etc*) to split; (*foule*) to force one's way through; (*air*) to cleave; (*cœur*) *Fig* to break, rend; **jupe fendue** slit skirt ▮ **se fendre** *vpr* (*se fissurer*) to crack; **se f. de 50 francs/***etc* *Fam* to fork out 50 francs/*etc*; **se f. la gueule** *Fam* to laugh one's head off.

fenêtre [f(ə)nɛtr] *nf* window.

fenouil [fənuj] *nm* fennel.

fente [fɑ̃t] *nf* (*de tirelire, palissade, jupe etc*) slit; (*de rocher*) split, crack.

féodal, -e, -aux [feɔdal, -o] *a* feudal.

fer [fɛr] *nm* iron; (*partie métallique de qch*) metal (part); **f. forgé** wrought iron; **barre de** *ou* **f. en fer** iron bar; **boîte en f.** can, *Br* tin; **fil de f.** wire; **f. à cheval** horseshoe; **f. (à repasser)** iron (*for clothes*); **f. à friser** curling tongs; **f. de lance** *Fig* spearhead; **santé de f.** *Fig* cast-iron health; **main/volonté de f.** *Fig* iron hand/will. ● **fer-blanc** *nm* (*pl* **fers-blancs**) tin(-plate).

fera, ferait *etc* [fəra, fərɛ] *voir* **faire**.

férié [ferje] *am* **jour f.** (public) holiday.

ferme¹ [fɛrm] *nf* farm; (*maison*) farm(house).

ferme² [fɛrm] *a* (*beurre, décision etc*) firm; (*pas, voix*) steady; (*pâte*) stiff; (*autoritaire*) firm (**avec** with) ▮ *adv* (*discuter*) keenly; (*travailler, boire*) hard; **s'ennuyer f.** to be bored stiff; **tenir f.** to stand firm *ou* fast. ● **fermement** [-əmɑ̃] *adv* firmly.

ferment [fɛrmɑ̃] *nm* ferment. ● **fermentation** *nf* fermentation. ● **fermenter** *vi* to ferment.

fermer [fɛrme] *vt* to close, shut; (*gaz, radio etc*) to turn *ou* switch off; (*vêtement*) to do up; (*passage*) to block; **f. (à clef)** to lock; **f. un magasin/***etc* (*définitivement*) to close *ou* shut (down) a shop/*etc*; **f. la marche** to bring up the rear; **ferme-la!, la ferme!** *Fam* shut up! ▮ *vi*, **se fermer** *vpr* to close, shut. ● **fermé, -ée** *a* (*porte, magasin etc*) closed, shut; (*route, circuit etc*) closed; (*gaz etc*) off.

fermeté [fɛrməte] *nf* firmness; (*de geste, voix*) steadiness.

fermeture [fɛrmətyr] *nf* closing, closure; (*heure*) closing time; (*mécanisme*) catch; **f. éclair**® *Br* zip (fastener), *Am* zipper; **f.**

fermier

annuelle annual closure.
fermier, -ière [fɛrmje, -jɛr] *nmf* farmer ▮ *a* **poulet**/*etc* f. farm chicken/*etc*.
fermoir [fɛrmwar] *nm* clasp, (snap) fastener.
féroce [ferɔs] *a* fierce, savage, ferocious. ●**férocité** *nf* ferocity, fierceness.
feront [fərɔ̃] *voir* **faire**.
ferraille [fɛraj] *nf* scrap metal, *Br* old iron; **mettre à la f.** to scrap. ●**ferrailleur** *nm* scrap metal dealer *ou Br* merchant.
ferré, -ée [fɛre] *a* (*canne*) metal-tipped; **voie ferrée** *Br* railway, *Am* railroad; (*rails*) track.
ferrer [fɛre] *vt* (*cheval*) to shoe.
ferronnerie [fɛrɔnri] *nf* ironwork.
ferroviaire [fɛrɔvjɛr] *a* **compagnie f.** *Br* railway company; *Am* railroad company; **catastrophe f.** rail disaster.
ferry [fɛri] *nf* ferry.
fertile [fɛrtil] *a* (*terre, imagination*) fertile; **f. en incidents** eventful. ●**fertiliser** *vt* to fertilize. ●**fertilité** *nf* fertility.
fervent, -ente [fɛrvɑ̃, -ɑ̃t] *a* fervent ▮ *nmf* devotee (de of). ●**ferveur** *nf* fervour.
fesse [fɛs] *nf* buttock; **les fesses** one's behind. ●**fessée** *nf* spanking.
festin [fɛstɛ̃] *nm* (*banquet*) feast.
festival, *pl* **-als** [fɛstival] *nm* Mus Cinéma *etc* festival; **nous avons assisté à un (vrai) f.** *Fig* we witnessed a dazzling performance *ou* display.
festivités [fɛstivite] *nfpl* festivities.
festoyer [fɛstwaje] *vi* to feast, carouse.
fête [fɛt] *nf* (*civile*) holiday; (*religieuse*) festival, feast; (*entre amis*) party; **f. de famille** family celebration; **f. du village** village fair *ou* fête; **f. des Mères** Mother's Day; **f. du travail** Labour Day; **jour de f.** (public) holiday; **f. nationale** national holiday; **les fêtes (de Noël et du nouvel an)** the Christmas holidays; **air de f.** festive air; **faire la f.** to have a good time, make merry, revel; **c'est sa f.** it's his *ou* her saint's day; **on va te faire ta f.!** *Fam* you're in for it! ●**fêter** *vt* (*événement*) to celebrate.
fétiche [fetiʃ] *nm* (*objet de culte*) fetish; (*mascotte*) *Fig* mascot.
fétide [fetid] *a* fetid, stinking.
feu¹, -x [fø] *nm* fire; (*de réchaud etc*) burner; (*lumière*) Aut Nau Av light; **les feux (tricolores)** traffic lights; **feux de détresse** (hazard) warning lights; **feux de croisement** *Br* dipped headlights, *Am* low beams; **feux de position** (*de véhicule*) parking lights; **tous feux éteints** (*rouler etc*) without lights; **f. rouge** Aut (*lumière*) red light; (*objet*) traffic lights; **coup de f.** (*bruit*) gunshot; **feux croisés** Mil crossfire; **en f.** on fire, ablaze; **dans le f. de la dispute**/*etc Fig* in the heat of the argument/*etc*; **mettre le f. à** to set fire to; **mettre le f. aux poudres** *Fig* to spark things off; **faire du f.** to light *ou* make a fire; **prendre f.** to catch fire; **donner du f. à qn** to give s.o. a light; **avez-vous du f.?** have you got a light?; **donner le f. vert** *Fig* to give the go-ahead (à to); **faire cuire à f. doux** to cook on a low light *ou* heat; **ne pas faire long f.** *Fig* not to last very long; **au f.!** (there's a) fire!; **f.! Mil** fire!
feu² [fø] *a inv* late; **f. ma tante** my late aunt.
feuille [fœj] *nf* leaf; (*de papier etc*) sheet; (*de température*) chart; (*de journal*) newssheet; **f. d'impôt** tax form *ou* return; **f. de paie** *Br* pay slip, *Am* pay stub; **f. de maladie** form given by doctor to patient for claiming reimbursement from the Social Security; **f. de présence** attendance sheet. ●**feuillage** *nm* leaves, foliage. ●**feuillu, -ue** *a* leafy.
feuillet [fœjɛ] *nm* (*de livre*) leaf. ●**feuilleter** *vt* (*livre*) to flip *ou* leaf through; **pâte feuilletée** *Br* puff pastry, *Am* puff paste, flaky pastry. ●**feuilleté** *nm* **f. au fromage**/*etc* cheese/*etc* pastry.
feuilleton [fœjtɔ̃] *nm* (*roman, film etc*) serial; **f. (télévisé)** television serial.
feutre [føtr] *nm* felt; (*chapeau*) felt hat; (*crayon*) **f.** felt-tip(ped) pen. ●**feutré, -ée** *a* (*lainage*) matted; (*bruit*) muffled; **à pas feutrés** silently. ●**feutrine** *nf* lightweight felt.
fève [fɛv] *nf* (broad) bean; (*de la Galette des Rois*) charm (*hidden in Twelfth Night Cake*).
février [fevrije] *nm* February.
fiable [fjabl] *a* reliable. ●**fiabilité** *nf* reliability.
fiacre [fjakr] *nm* Hist hackney carriage.
fiancer (se) [səfjɑ̃se] *vpr* to become engaged (avec to). ●**fiancé** *nm* fiancé; **fiancés** engaged couple. ●**fiancée** *nf* fiancée. ●**fiançailles** *nfpl* engagement.
fiasco [fjasko] *nm* fiasco; **faire f.** to be a fiasco.
fibre [fibr] *nf* fibre; **f. (alimentaire)** roughage, (dietary) fibre; **f. de verre** fibreglass; **fibres optiques** optical fibres; **câble en fibres optiques** fibre-optic cable.
ficelle [fisɛl] *nf* **1** string; **connaître les ficelles (d'un métier)** to know the ropes. **2** (*pain*) long thin loaf. ●**ficeler** *vt* to tie up.
fiche [fiʃ] *nf* **1** (*carte*) index *ou* record card; (*papier*) form, slip; **f. technique** data record; **f. de paie** *Br* pay slip, *Am* pay stub; **f. d'état civil** record of civil status (*birth details and marital status*). **2** Él (*broche*) pin; (*prise*) plug. ●**fichier** *nm* card index, file; Ordinat file.
fiche(r) [fiʃ(e)] *vt* (*pp* **fichu**) *Fam* (*faire*) to do; (*donner*) to give; (*jeter*) to throw; (*mettre*) to put; **f. le camp** to shove off; **fiche-moi la paix!** leave me alone!; **se f. de qn** to make fun of s.o.; **je m'en fiche!** I don't give a damn!; **je me suis fichu dedans** I goofed, I made a *Br* boob *ou Am* booboo.
ficher [fiʃe] *vt* **1** (*enfoncer*) to drive in. **2** (*renseignement sur une personne*) to put on file.
fichu, -ue [fiʃy] **1** *a Fam* (*mauvais*) lousy, rotten; (*capable*) able (de faire to do); **mal f.** (*malade*) not well; **c'est f.** (*abîmé*) *Fam* it's had it; **il est f.** (*condamné*) he's had it, *Br* he's done for. **2** *nm* (head) scarf.
fictif, -ive [fiktif, -iv] *a* fictitious. ●**fiction** *nf* fiction.

fidèle [fidɛl] *a* faithful (à to) ▮ *nmf* faithful supporter; (*client*) regular (customer); **les fidèles** (*croyants*) the faithful; (*à l'église*) the congregation. ●**fidèlement** *adv* faithfully. ●**fidélité** *nf* fidelity, faithfulness.
fief [fjɛf] *nm* (*spécialité, chasse gardée*) domain.
fieffé, -ée [fjefe] *a* **un f. menteur** an out-and-out liar.
fiel [fjɛl] *nm* gall.
fier (se) [səfje] *vpr* **se f. à** to trust.
fier, fière [fjɛr] *a* a proud (de of); **un f. culot** *Fam* a rare impudence *ou Br* cheek; **avoir fière allure** to cut a fine figure. ●**fièrement** *adv* proudly. ●**fierté** *nf* pride.
fièvre [fjɛvr] *nf* (*maladie*) fever; (*agitation*) frenzy; **avoir de la f.** to have a temperature *ou* a fever. ●**fiévreux, -euse** *a* feverish.
figer [fiʒe] *vt* (*liquide*) to congeal; **f. qn** (*paralyser*) *Fig* to freeze s.o. ▮ *vi* (*liquide*) to congeal ▮ **se figer** *vpr* (*liquide*) to congeal; (*sourire, personne*) *Fig* to freeze. ●**figé, -ée** *a* (*locution*) set, fixed; (*regard*) frozen; (*société*) fossilized.
fignoler [fiɲɔle] *vt Fam* to round off meticulously, refine. ●**fignolé, -ée** *a Fam* meticulous.
figue [fig] *nf* fig; **mi-f., mi-raisin** (*accueil etc*) neither good nor bad, mixed. ●**figuier** *nm* fig tree.
figurant, -ante [figyrɑ̃, -ɑ̃t] *nmf Cinéma Théâtre* extra.
figure [figyr] *nf* **1** (*visage*) face. **2** (*personnage*) & *Géom* figure; (*de livre*) figure, illustration; **faire f. de favori** to be considered the favourite; **f. de style** stylistic device. ●**figurine** *nf* statuette.
figurer [figyre] *vt* to represent ▮ *vi* to appear, figure ▮ **se figurer** *vpr* to imagine; **figurez-vous que...?** would you believe that...? ●**figuré, -ée** *a* (*sens*) figurative ▮ *nm* **au f.** figuratively.
fil [fil] *nm* **1** (*de coton, pensée etc*) thread; (*lin*) linen; **f. dentaire** dental floss; **de f. en aiguille** bit by bit; **donner du f. à retordre à qn** to give s.o. a lot of heartache; **cousu de f. blanc** plain for all to see, as plain as day. **2** (*métallique*) wire; **f. de fer** wire; **f. à plomb** plumbline; **passer un coup de f. à qn** to give s.o. a ring, call s.o. up; **au bout du f.** (*au téléphone*) on the line. **3** (*de couteau*) edge. **4 au f. de l'eau/des jours** with the current/the passing of time.
filament [filamɑ̃] *nm Biol Él* filament.
filandreux, -euse [filɑ̃drø, -øz] *a* (*viande*) stringy; (*phrase*) *Fig* long-winded.
filature [filatyr] *nf* **1** (*usine*) textile mill. **2** (*de policiers etc*) shadowing; **prendre qn en f.** to shadow s.o.
file [fil] *nf* line; (*couloir*) *Aut* lane; **f. d'attente** *Br* queue, *Am* line; **en f. (indienne)** in single file; **chef de f.** leader; **(se) mettre en f.** to line up; **être en double f.** (*voiture*) to be double-parked.
filer [file] **1** *vt* (*coton etc*) to spin. **2** *vt* **f. qn** (*suivre*) to shadow s.o., tail s.o. **3** *vt Fam* **f. qch à qn** (*objet*) to slip s.o. sth; **f. un coup de pied**/*etc* **à qn** to give s.o. a kick/*etc*. **4** *vi* (*partir*) to rush off, shoot off, bolt; (*aller vite*) to speed along; (*temps*) to fly; (*bas, collant*) to run, *Br* ladder; (*liquide*) to trickle, run; **filez!** beat it!, *Br* hop it!; **f. entre les doigts de qn** to slip through s.o.'s fingers; **f. doux** to be obedient.
filet [filɛ] *nm* **1** (*à bagages*) (*dans un train etc*) (luggage) rack; (*de pêche*) & *Sport* net; **f. (à provisions)** string *ou* net bag (*for shopping*); **coup de f.** (*opération de police*) police haul. **2** (*d'eau*) trickle. **3** (*de poisson, viande*) fillet.
filial, -e, -aux [filjal, -o] *a* filial.
filiale [filjal] *nf* subsidiary (company).
filiation [filjasjɔ̃] *nf* relationship.
filière [filjɛr] *nf* (*de drogue*) network; **suivre la f. (normale)** (*pour obtenir qch*) to go through the official channels; (*employé*) to work one's way up; **remonter la f.** (*police*) to go back through the network (to reach the person at the top).
filigrane [filigran] *nm* (*sur papier*) watermark.
filin [filɛ̃] *nm Nau* rope.
fille [fij] *nf* **1** girl; **petite f.** (little *ou* young) girl; **jeune f.** girl, young lady; **vieille f.** *Péj* old maid; **f. (publique)** *Péj* prostitute. **2** (*parenté*) daughter. ●**fille-mère** *nf* (*pl* **filles-mères**) *Péj* unmarried mother. ●**fillette** *nf* little girl.
filleul [fijœl] *nm* godson. ●**filleule** *nf* goddaughter.
film [film] *nm* **1** film, movie; (*pour photo*) film; **f. muet/parlant** silent/talking film *ou* movie; **f. policier** thriller; **f. d'aventures** adventure film *ou* movie; **le f. des événements** *Fig* the sequence of events. **2 f. plastique** *Br* clingfilm, *Am* plastic wrap. ●**filmer** *vt* (*personne, scène*) to film.
filon [filɔ̃] *nm Géol* seam; **trouver le (bon) f.** *Fam* to strike it lucky.
filou [filu] *nm* rogue, crook.
fils [fis] *nm* son; **Dupont f.** Dupont junior.
filtre [filtr] *nm* filter; **(à bout) f.** (*cigarette*) (filter-)tipped; **(bout) f.** filter tip. ●**filtrer** *vt* to filter; (*personne, nouvelles*) to scrutinize ▮ *vi* to filter (through).
fin [fɛ̃] *nf* **1** end; **mettre f. à** to put an end *ou* a stop to; **prendre f.** to come to an end; **tirer à sa f.** to draw to an end *ou* a close; **sans f.** endless; **à la f.** in the end; **arrêtez, à la f.!** stop, for heaven's sake!; **f. de semaine** weekend; **f. mai** at the end of May; **c'est la f. de tout!** *Fam* we've had it!, that's the last straw! **2** (*but*) end, aim; **arriver à ses fins** to achieve one's ends *ou* aims; **à cette f.** to this end.
fin, fine [fɛ̃, fin] *a* (*pointe, tissu etc*) fine; (*peu épais*) thin; (*plat*) delicate, choice; (*esprit, oreille*) sharp; (*observation*) sharp, fine; (*intelligent*) clever; **au f. fond de** in the

depths of; **f. gourmet** gourmet; **jouer au plus f. avec qn** to try and be smarter than s.o. ▮ *adv* (*couper, moudre*) finely; (*écrire*) small.

final, -e, -aux *ou* **-als** [final, -o] *a* final ▮ *nm Mus* finale. ●**finale** *nf Sport* final; *Grammaire* final syllable ▮ *nm Mus* finale. ●**finalement** *adv* finally; (*en somme*) after all. ●**finaliste** *nmf Sport* finalist.

finance [finɑ̃s] *nf* finance. ●**financer** *vt* to finance. ●**financement** *nm* financing.

financier, -ière [finɑ̃sje, -jɛr] *a* financial ▮ *nm* financier. ●**financièrement** *adv* financially.

fine [fin] *nf* liqueur brandy.

finement [finmɑ̃] *adv* (*couper, broder etc*) finely; (*agir*) cleverly; **f. joué** nicely played.

finesse [finɛs] *nf* (*de pointe etc*) fineness; (*de taille etc*) thinness; (*de plat*) delicacy; (*d'esprit, de goût*) finesse; **finesses** (*de langue*) niceties.

finir [finir] *vt* to finish; (*discours, vie*) to end, finish ▮ *vi* to finish, end; **f. bien/mal** (*histoire, film etc*) to have a happy/unhappy ending; **f. de faire** (*achever*) to finish doing; (*cesser*) to stop doing; **f. par faire** to end up *ou* finish up doing; **f. par qch** to finish (up) *ou* end (up) with sth; **en f. avec** to put an end to, finish with; **elle n'en finit pas de pleurer** there's nothing that can make her stop crying; **il finira tout seul** (*il mourra tout seul*) he'll come to a lonely end. **fini, -ie** *a* (*produit*) finished; (*univers etc*) & *Math* finite; **c'est f.** it's over *ou* finished; **il est f.** (*trop vieux*) he's finished ▮ *nm* (*poli*) finish. ●**finissant, -ante** *a* (*siècle etc*) declining. ●**finish** *nm Sport* final burst, finish; **avoir qn au f.** (*à l'usure*) *Fam* to get s.o. in the end. ●**finition** *nf* (*action*) *Tech* finishing; (*résultat*) finish.

Finlande [fɛ̃lɑ̃d] *nf* Finland. ●**finlandais, -aise** *a* Finnish ▮ *nmf* F., **Finlandaise** Finn. ●**finnois, -oise** *a* Finnish ▮ *nmf* F., **Finnoise** Finn ▮ *nm* (*langue*) Finnish.

fiole [fjɔl] *nf* phial, flask.

firme [firm] *nf* (*entreprise*) firm, company.

fisc [fisk] *nm* tax authorities, = *Br* Inland Revenue, = *Am* Internal Revenue. ●**fiscal, -e, -aux** *a* **droit/etc f.** tax *ou* fiscal law/*etc*; **charges fiscales** taxes; **fraude fiscale** tax fraud *ou* evasion. ●**fiscalité** *nf* tax system; (*charges*) taxation.

fission [fisjɔ̃] *nf Phys* fission.

fissure [fisyr] *nf* split, crack, fissure. ●**se fissurer** *vpr* to split, crack.

fiston [fistɔ̃] *nm Fam* son, sonny.

fixateur [fiksatœr] *nm Phot* fixer; (*pour cheveux*) setting lotion.

fixation [fiksasjɔ̃] *nf* (*action*) fixing; (*dispositif*) fastening, binding; *Psy* fixation.

fixe [fiks] *a* fixed; (*prix, heure*) set, fixed; **idée f.** obsession; **regard f.** stare; **être au beau f.** (*temps*) to be set fair ▮ *nm* (*paie*) fixed salary. ●**fixement** [-əmɑ̃] *adv* **regarder f.** to stare at.

fixer [fikse] *vt* (*attacher*) to fix (**à** to); (*choix*) to settle; (*date, règle etc*) to decide, fix; **f.** (**du regard**) to stare at; **être fixé** (*décidé*) to be decided; **comme ça on est fixé!** (*renseigné*) we've got the picture! ▮ **se fixer** *vpr* (*regard*) to become fixed; (*s'établir*) to settle.

flacon [flakɔ̃] *nm* small bottle, flask.

flageoler [flaʒɔle] *vi* to shake, tremble.

flageolet [flaʒɔlɛ] *nm* (*haricot*) (dwarf) kidney bean.

flagrant, -ante [flagrɑ̃, -ɑ̃t] *a* (*injustice etc*) flagrant, glaring; **pris en f. délit** caught in the act *ou* red-handed.

flair [flɛr] *nm* **1** (*d'un chien etc*) (sense of) smell, scent. **2** (*clairvoyance*) intuition, flair. ●**flairer** *vt* to smell, sniff at; (*discerner*) *Fig* to smell, sense.

flamand, -ande [flamɑ̃, -ɑ̃d] *a* Flemish ▮ *nmf* F., **Flamande** Fleming ▮ *nm* (*langue*) Flemish.

flamant [flamɑ̃] *nm* **f. (rose)** (*oiseau*) flamingo.

flambant [flɑ̃bɑ̃] *adv* **f. neuf** brand new.

flambeau, -x [flɑ̃bo] *nm* torch.

flambée [flɑ̃be] *nf* blaze; (*de colère, des prix etc*) *Fig* surge; (*de violence*) flare-up, eruption.

flamber [flɑ̃be] **1** *vi* to burn, blaze ▮ *vt* (*aiguille*) *Méd* to sterilize; (*poulet*) to singe; **bananes flambées** flambéed bananas. **2** *vi* (*jouer*) *Fam* to gamble for big money. ●**flambeur** *nm Fam* big gambler.

flamboyer [flɑ̃bwaje] *vi* to blaze, flame.

flamme [flam] *nf* flame; (*ardeur*) *Fig* fire; **en flammes** on fire. ●**flammèche** *nf* spark.

flan [flɑ̃] *nm* (*dessert*) custard tart *ou* pie, baked custard; **rester comme deux ronds de f.** *Fam* to be flabbergasted.

flanc [flɑ̃] *nm* side; (*d'une armée, d'un animal*) flank; **tirer au f.** *Arg* to shirk, idle.

flancher [flɑ̃ʃe] *vi Fam* to give in, weaken.

Flandre(s) [flɑ̃dr] *nf(pl)* Flanders.

flanelle [flanɛl] *nf* (*tissu*) flannel.

flâner [flɑne] *vi* to stroll, dawdle. ●**flânerie** *nf* (*action*) strolling; (*promenade*) stroll.

flanquer [flɑ̃ke] *vt* **1** to flank (**de** with). **2** *Fam* (*jeter*) to chuck; (*donner*) to give; **f. qn à la porte** to throw s.o. out.

flaque [flak] *nf* puddle, pool.

flash, *pl* **flashes** [flaʃ] *nm* **1** *Phot* (*éclair*) flashlight; (*dispositif*) flash(gun). **2 f. (d'informations)** (*à la radio ou télévision*) (news) flash. ●**flasher** *vi* **f. sur qch/qn** *Fam* to fall for sth/s.o., fall in love with sth/s.o.

flasque [flask] *a* flabby, floppy.

flatter [flate] *vt* to flatter; **se f. d'être malin/de réussir** to flatter oneself on being smart/on being able to succeed. ●**flatté, -ée** *a* flattered (**de qch** by sth, **de faire** to do, **que** that). ●**flatterie** *nf* flattery. ●**flatteur, -euse** *nmf* flatterer ▮ *a* flattering.

fléau, -x [fleo] *nm* **1** (*catastrophe*) scourge; (*personne*) plague, bane. **2** *Agr* flail.

flèche [flɛʃ] *nf* arrow; (*d'église*) spire; **monter en f.** (*prix*) to shoot up, (sky)rocket; **celui-là, ce n'est pas une f.** *Fam* he's a bit slow to

understand things. ●**flécher** [fleʃe] *vt* to signpost (with arrows). ●**fléchette** *nf* dart; **fléchettes** (*jeu*) darts.
fléchir [fleʃir] *vt* (*membre*) to flex, bend; **f. qn** *Fig* to move s.o., persuade s.o. ▌ *vi* (*membre*) to bend; (*poutre*) to sag; (*faiblir*) to give way; (*baisser*) to fall off.
flegme [flɛgm] *nm* composure. ●**flegmatique** *a* phlegmatic, stolid.
flemme [flɛm] *nf Fam* laziness; **il a la f.** he can't be bothered, he's just too lazy. ●**flemmard, -arde** *a Fam* lazy ▌ *nmf Fam* lazybones.
flétrir [fletrir] 1 *vt*, **se flétrir** *vpr* to wither. 2 *vt* **f. la réputation de qn** to cast a slur on s.o.'s reputation.
fleur [flœr] *nf* flower; (*d'arbre, d'arbuste*) blossom; **en fleur(s)** in flower, in bloom; (*arbre etc*) in blossom; **à fleurs** (*tissu*) flowered, flowery, floral; **à** *ou* **dans la f. de l'âge** in the prime of life; **à f. d'eau** just above the water; **la fine f. de la marine française**/*etc* the cream of the French navy/*etc*; **arriver comme une f.** (*innocemment*) *Fam* to arrive innocent and unsuspecting; **faire une f. à qn** *Fam* to do s.o. a favour; **il a un côté f. bleue** he has a romantic side.
fleurir [flœrir] *vi* to flower, bloom; (*arbre etc*) to blossom; (*art, commerce etc*) *Fig* to flourish ▌ *vt* (*table etc*) to decorate with flowers. ●**fleuri, -ie** *a* (*fleur, jardin*) in bloom; (*tissu*) flowered, flowery, floral; (*teint*) florid; (*style*) flowery, florid.
fleuriste [flœrist] *nmf* florist.
fleuve [flœv] *nm* river.
flexible [flɛksibl] *a* pliable, flexible. ●**flexibilité** *nf* flexibility.
flexion [flɛksjɔ̃] *nf* 1 *Anat* flexion, flexing. 2 *Grammaire* inflexion.
flic [flik] *nm* (*agent de police*) *Fam* cop, policeman.
flinguer [flɛ̃ge] *vt* **f. qn** *Arg* to shoot s.o.
flipper [flipœr] *nm* (*jeu*) pinball; (*appareil*) pinball machine.
flirt [flœrt] *nm* (*rapports*) flirtation; (*personne*) flirt. ●**flirter** *vi* to flirt (**avec** with).
flocon [flɔkɔ̃] *nm* (*de neige*) flake; (*de laine*) flock; **flocons de maïs** cornflakes; **flocons d'avoine** porridge oats; **il neige à gros flocons** big flakes of snow are falling. ●**floconneux, -euse** *a* fluffy.
floraison [flɔrɛzɔ̃] *nf* flowering; **en pleine f.** in full bloom. ●**floral, -e, -aux** *a* floral. ●**floralies** *nfpl* flower show.
flore [flɔr] *nf* flora.
florissant, -ante [flɔrisɑ̃, -ɑ̃t] *a* flourishing.
flot [flo] *nm* (*de souvenirs, larmes etc*) flood, stream; (*marée*) floodtide; **les flots** (*la mer*) the waves; **à f.** (*bateau, personne*) afloat; **remettre qn à f.** to restore s.o.'s fortunes; **couler à flots** (*argent, vin etc*) to flow freely; **le soleil entrait à flots** the sun was streaming in.
flotte [flɔt] *nf* 1 (*de bateaux, d'avions*) fleet. 2 *Fam* (*pluie*) rain; (*eau*) water. ●**flottille** *nf Nau* flotilla.

flottement [flɔtmɑ̃] *nm* (*hésitation*) indecision.
flotter [flɔte] *vi* to float; (*drapeau*) to fly; (*cheveux*) to flow; (*pensées*) to drift; (*pleuvoir*) *Fam* to rain. ●**flottant, -ante** *a* 1 (*bois, dette etc*) floating; (*vêtement*) flowing, loose. 2 (*esprit*) indecisive. ●**flotteur** *nm* (*de ligne de pêche, d'hydravion etc*) float.
flou, -e [flu] *a* (*photo*) fuzzy, blurred; (*idée*) hazy, fuzzy ▌ *nm* fuzziness; **f. artistique** *Photo Cinéma* soft focus (effect); *Fig* vagueness.
fluctuant, -ante [flyktɥɑ̃, -ɑ̃t] *a* (*prix, opinions*) fluctuating. ●**fluctuations** *nfpl* fluctuation(s) (**de** in).
fluet, -ette [flyɛ, -ɛt] *a* thin, slender.
fluide [flɥid] *a* (*liquide*) & *Fig* fluid ▌ *nm* (*liquide*) fluid. ●**fluidité** *nf* fluidity.
fluo [flyo] *a inv* (*couleur etc*) luminous, fluorescent, dayglo.
fluorescent, -ente [flyɔresɑ̃, -ɑ̃t] *a* fluorescent.
flûte [flyt] 1 *nf* (*instrument de musique*) flute. 2 *nf* (*verre*) champagne glass. 3 *int* heck!, darn!, dash it! ●**flûté, -ée** *a* (*voix*) piping. ●**flûtiste** *nmf Br* flautist, *Am* flutist.
fluvial, -e, -aux [flyvjal, -o] *a* **navigation**/*etc* **fluviale** river navigation/*etc*.
flux [fly] *nm* (*abondance*) flow; **f. et reflux** ebb and flow.
focal, -e, -aux [fɔkal, -o] *a* focal. ●**focaliser** *vt* (*intérêt etc*) to focus.
fœtus [fetys] *nm Br* foetus, *Am* fetus.
foi [fwa] *nf* faith; **sur la f. de** on the strength of; **être de bonne/mauvaise f.** to be/not to be (completely) sincere, be in good/bad faith; **avoir la f.** (*être croyant*) to have faith; **ma f., oui!** yes, indeed!
foie [fwa] *nm* liver; **f. gras** foie gras (*goose liver paste*); **crise de f.** bout of indigestion.
foin [fwɛ̃] *nm* hay; **faire du f.** (*scandale*) *Fam* to make a stink.
foire [fwar] *nf* fair; **faire la f.** *Fam* to have a ball, go on a binge.
fois [fwa] *nf* time; **une f.** once; **deux f.** twice, two times; **trois f.** three times; **deux f. trois** two times three; **chaque f. que** whenever, each time (that); **une f. qu'il sera arrivé** (*dès que*) once he has arrived; **à la f.** at the same time, at once; **à la f. riche et heureux** both rich and happy; **une autre f.** (*elle fera attention etc*) next time; **des f.** *Fam* sometimes; **non mais des f.!** *Fam* you must be joking!; **une f. pour toutes, une bonne f.** once and for all; **payer qch en plusieurs f.** to pay for sth in several instalments.
foison [fwazɔ̃] *nf* **à f.** in plenty. ●**foisonner** *vi* to abound (**de, en** in). ●**foisonnement** *nm* abundance.
fol [fɔl] *voir* **fou**.
folâtre [fɔlɑtr] *a* playful. ●**folâtrer** *vi* to romp, frolic.
folichon, -onne [fɔliʃɔ̃, -ɔn] *a* **pas f.** not much fun, not very funny.
folie [fɔli] *nf* madness, insanity; **faire une f.**

folklore

to do a foolish thing; (*dépense*) to be very *ou* wildly extravagant; **faire des folies pour qn** to do anything for s.o.; **aimer qn à la f.** to be madly in love with s.o.
folklore [fɔlklɔr] *nm* folklore. ●**folklorique** *a* **1** *musique/etc* f. folk music/*etc*. **2** (*pas sérieux*) *Fam* lightweight, trivial, silly.
folle [fɔl] *voir* **fou**. ●**follement** *adv* madly.
fomenter [fɔmɑ̃te] *vt* (*révolte etc*) *Litt* to foment.
foncé, -ée [fɔ̃se] *a* (*couleur*) dark.
foncer [fɔ̃se] **1** *vi* (*aller vite*) to tear *ou* charge along; **f. sur qn** to charge into *ou* at s.o. **2** *vti* (*couleur*) to darken. ●**fonceur, -euse** *nmf Fam* dynamic *ou* go-ahead person.
foncier, -ière [fɔ̃sje, -jɛr] *a* **1** fundamental, basic. **2** (*propriété*) landed; **crédit/***etc* **f.** land loan/*etc*. ●**foncièrement** *adv* fundamentally.
fonction [fɔ̃ksjɔ̃] *nf* (*rôle*) & *Math* function; (*emploi*) office, post, duty; **f. publique** the public *ou* civil service; **faire f. de** (*personne*) to act as; (*objet*) to serve *ou* act as; **en f. de** according to; **prendre ses fonctions** to take up one's post *ou* duties; **touche de f.** *Ordinat* function key. ●**fonctionnaire** *nmf* civil servant. ●**fonctionnel, -elle** *a* functional.
fonctionner [fɔ̃ksjɔne] *vi* (*machine etc*) to work, operate, function; (*organisation*) to function; **faire f.** to operate, work. ●**fonctionnement** *nm* working.
fond [fɔ̃] *nm* (*de boîte, jardin, vallée etc*) bottom; (*de salle, armoire etc*) back; (*arrière-plan*) background; (*de problème, débat etc*) essence; (*contenu*) content; **au f. de** at the bottom of; (*salle etc*) at the back of; **f. de teint** foundation cream; **f. sonore** background music; **un f. de bon sens** a stock of good sense; **un f. de vin/***etc* a drop of wine/*etc*; **au f., dans le f.** basically, in essence; **à f.** (*connaître etc*) thoroughly; **de f.** **en comble** from top to bottom; **course/coureur de f.** long-distance race/runner; **ski de f.** cross-country skiing; **bruits de f.** background noise; **toucher le f.** (*du désespoir*) to have hit rock-bottom; **user ses fonds de culotte sur les bancs d'une école** to spend a great deal of time at a school.
fondamental, -e, -aux [fɔ̃damɑ̃tal, -o] *a* fundamental, basic.
fonder [fɔ̃de] *vt* (*ville etc*) to found; (*commerce*) to set up; (*famille*) to start; (**se**) **f. sur** to base (oneself) on; **être fondé à croire/***etc* to be justified in thinking/*etc*; **bien fondé** well-founded. ●**fondement** *nm* foundation. ●**fondateur, -trice** *nmf* founder ∎ *a* **membre f.** founding member. ●**fondation** *nf* (*création, œuvre*) foundation (**de** of).
fonderie [fɔ̃dri] *nf* (*usine*) smelting works, foundry.
fondre [fɔ̃dr] *vt* to melt; (*métal*) to melt down, smelt; (*cloche*) to cast; (*amalgamer*) *Fig* to fuse (**avec** with); **faire f.** (*sucre etc*) to dissolve ∎ *vi* to melt; (*se dissoudre*) to dissolve; **f. en larmes** to burst into tears; **f.**

to swoop on ∎ **se fondre** *vpr* to merge, fuse; **se f. en eau** (*glaçon etc*) to melt away; **se f. dans** (*la brume etc*) to disappear *ou* merge into. ●**fondant, -ante** *a* (*fruit*) which melts in the mouth. ●**fondu** *nm* **f. enchaîné** *Cinéma* dissolve.
fonds [fɔ̃] **1** *nmpl* (*argent*) funds. **2** *nm* **un f. (de commerce)** a business. **3** *nm* (*culturel*) *Fig* fund.
fondue [fɔ̃dy] *nf Culin* fondue; **f. savoyarde** cheese fondue; **f. bourguignonne** beef fondue.
font [fɔ̃] *voir* **faire**.
fontaine [fɔ̃tɛn] *nf* (*construction*) fountain; (*source*) spring.
fonte [fɔ̃t] *nf* **1** (*de la neige*) melting; (*d'acier*) smelting. **2** (*fer*) cast iron; **en f.** (*poêle etc*) cast-iron.
fonts [fɔ̃] *nmpl* **f. baptismaux** *Rel* font.
football [futbol] *nm Br* football, soccer. ●**footballeur, -euse** *nmf Br* footballer, soccer player.
footing [futiŋ] *nm Sport* jogging; **faire du f.** to jog, go jogging.
forage [fɔraʒ] *nm* drilling, boring.
forain, -aine [fɔrɛ̃, -ɛn] *a* (*marchand*) itinerant; **fête foraine** (fun)fair.
forçat [fɔrsa] *nm* (*prisonnier*) convict.
force [fɔrs] *nf* force; (*physique, morale*) strength; (*nucléaire*) power; **de toutes ses forces** with all one's strength; **les forces armées** the armed forces; **de f.** by force, forcibly; **en f.** (*attaquer, venir*) in force; **à f. de lire/***etc* through reading/*etc*, after much reading/*etc*; **cas de f. majeure** circumstances beyond one's control; **dans la f. de l'âge** in the prime of life; **à f. de** through sheer force of, by dint of; **par la f. des choses** through force of circumstances; **à f., il va se mettre en colère** *Fam* he'll end up losing his temper.
forcé, -ée [fɔrse] *a* forced (**de faire** to do); **un sourire f.** a forced smile; **c'est f.** *Fam* it's inevitable *ou* obvious. ●**forcément** *adv* inevitably, obviously; **pas f.** not necessarily.
forcené, -ée [fɔrsəne] *a* frantic, frenzied ∎ *nmf* madman, madwoman.
forcer [fɔrse] *vt* (*porte, attention etc*) to force; (*voix*) to strain; (*sens*) to stretch; **f. qn à faire qch** to force *ou* compel s.o. to do sth; **f. la main à qn** to force s.o.'s hand; **f. la dose** *Fam* to exaggerate things ∎ *vi* (*y aller trop fort*) to overdo it ∎ **se forcer** *vpr* to force oneself (**à faire** to do).
forceps [fɔrsɛps] *nm* forceps.
forcir [fɔrsir] *vi* (*grossir*) to fill out.
forer [fɔre] *vt* to drill, bore. ●**foret** *nm* drill.
forêt [fɔrɛ] *nf* forest; **f. vierge** virgin forest. ●**forestier, -ière** *a* **chemin/***etc* **f.** forest road/*etc* ∎ *nm* (*garde*) **f.** *Br* forester, *Am* (forest) ranger.
forfait [fɔrfɛ] *nm* **1** (*prix*) all-inclusive price; **travailler à f.** to work for a lump sum. **2 déclarer f.** (*joueur*) to withdraw from the game. **3** (*crime*) *Litt* heinous crime. ●**forfaitaire** *a* **prix f.** all-inclusive price.

forge [fɔrʒ] *nf* forge. ● **forger** *vt* (*métal, liens etc*) to forge; (*inventer*) to make up. ● **forgé, -ée** *a* **fer f.** wrought iron. ● **forgeron** *nm* (black)smith.
formaliser (se) [səfɔrmalize] *vpr* to take *Br* offence *ou Am* offense (**de** at).
formalité [fɔrmalite] *nf* formality.
format [fɔrma] *nm* size, format.
formater [fɔrmate] *vt* (*disquette*) to format. ● **formatage** *nm* formatting.
formation [fɔrmasjɔ̃] *nf* formation; (*éducation*) education, training; **f. permanente** continuing education. ● **formateur, -trice** *a* formative ▌ *nmf* instructor, teacher.
forme [fɔrm] *nf* (*contour*) shape, form; (*manière, genre*) form; **formes** (*de femme*) figure; **en f. de** in the form of; **en f. d'aiguille/de poire/etc** needle-/pear-/etc shaped; **dans les formes** in the accepted way, in due form; **en (pleine) f.** in good shape *ou* form, on form; **en bonne et due f.** in due form; **sans autre f. de procès** unceremoniously; **prendre f.** to take shape; **y mettre les formes** to do things tactfully.
formel, -elle [fɔrmɛl] *a* (*structure, logique etc*) formal; (*démenti*) categorical, formal; (*preuve*) positive, formal. ● **formellement** *adv* (*interdire*) strictly.
former [fɔrme] *vt* (*groupe, caractère etc*) to form; (*apprenti etc*) to train ▌ **se former** *vpr* (*apparaître*) to form; (*institution*) to be formed. ● **formé, -ée** *a* (*personne*) fully-formed.
formidable [fɔrmidabl] *a* terrific, tremendous.
formulaire [fɔrmylɛr] *nm* (*feuille*) form.
formule [fɔrmyl] *nf* **1** formula; (*phrase*) (set) expression; (*méthode*) method; **f. de politesse** polite form of address; **f. de vacances** *Br* holiday programme, *Am* vacation program. **2** (*feuille*) form. ● **formulation** *nf* formulation. ● **formuler** *vt* to formulate.
fort¹, forte [fɔr, fɔrt] *a* strong; (*pluie, mer, chute de neige*) heavy; (*voix, radio*) loud; (*fièvre*) high; (*élève*) bright; (*pente*) steep; (*chances*) good; (*femme, homme*) heavy, large; (*ville*) fortified; **f. en** (*maths etc*) good at; **c'est plus f. qu'elle** she can't help it; **c'est un peu f.** *Fam* that's a bit much; **à plus forte raison** all the more reason.
▌ *adv* **1** (*frapper*) hard; (*pleuvoir*) hard, heavily; (*parler*) loud(ly); (*serrer*) tight; **sentir f.** to have a strong smell; **respirer f.** to breathe deeply *ou* heavily. **2** (*très*) *Litt* very; (*beaucoup*) *Litt* very much.
▌ *nm* **c'est/ce n'est pas son f.** that's/that's not his *ou* her strong point; **les forts** the strong; **au plus f. de** in the thick of. ● **fortement** [fɔrtəmɑ̃] *adv* greatly; (*frapper*) hard.
fort² [fɔr] *nm* *Hist Mil* fort. ● **forteresse** *nf* fortress.
fortifié, -ée [fɔrtifje] *a* (*ville, camp*) fortified. ● **fortification** *nf* fortification.
fortifier [fɔrtifje] *vt* to strengthen, fortify ▌ **se fortifier** *vpr* (*malade*) to fortify oneself. ● **fortifiant** *nm Méd* tonic.
fortuit, -uite [fɔrtɥi, -it] *a* **rencontre/etc fortuite** chance meeting/*etc*. ● **fortuitement** *adv* by chance.
fortune [fɔrtyn] *nf* (*argent, hasard*) fortune; **faire f.** to make one's fortune; **avoir de la f.** to have (private) means; **moyens/etc de f.** makeshift means/*etc*; **dîner à la f. du pot** to take pot luck; **faire contre mauvaise f. bon cœur** to smile in the face of adversity. ● **fortuné, -ée** *a* (*riche*) well-to-do.
forum [fɔrɔm] *nm* forum.
fosse [fos] *nf* (*trou*) pit; (*tombe*) grave; **f. d'aisances** cesspool.
fossé [fose] *nm* ditch; (*douve*) moat; (*désaccord*) *Fig* gulf, gap.
fossette [fosɛt] *nf* dimple.
fossile [fɔsil] *nm* & *a* fossil.
fossoyeur [fɔswajœr] *nm* gravedigger.
fou (*or* **fol** *before vowel or mute* h), **folle** [fu, fɔl] *a* (*personne, projet etc*) mad, insane, crazy; (*succès, temps*) tremendous; (*envie*) wild, mad; (*espoir*) foolish; (*cheval, camion*) runaway; **f. à lier** raving mad; **f. de** (*musique, personne etc*) mad *ou* wild *ou* crazy about; **f. de joie** wildly happy, wild with joy; **ils ont le f. rire** they can't stop laughing ▌ *nmf* madman, madwoman (*bouffon*) jester; *Échecs* bishop; **faire le f.** to play the fool.
foudre [fudr] *nf* **la f.** lightning; **coup de f.** *Fig* love at first sight. ● **foudroyer** *vt* to strike by lightning; *Él* to electrocute; (*malheur etc*) *Fig* to strike (*s.o.*) down; **f. qn du regard** to give s.o. an angry glare. ● **foudroyant, -ante** *a* (*succès, vitesse etc*) staggering. ● **foudroyé, -ée** *a* (*stupéfait*) thunderstruck.
fouet [fwɛ] *nm* whip; *Culin* (egg-)whisk; **coup de f.** lash (with a whip); **de plein f.** smack in the face; **heurter une voiture de plein f.** to hit a car head-on. ● **fouetter** *vt* to whip; (*œufs*) to whisk; (*pluie etc*) to lash (*face, windows etc*); **crème fouettée** whipped cream.
fougère [fuʒɛr] *nf* fern.
fougue [fug] *nf* fire, ardour. ● **fougueux, -euse** *a* fiery, ardent.
fouille [fuj] **1** *nf* (*de personne, bagages etc*) search. **2** *nfpl* **fouilles** (*archéologiques*) excavation, dig. ● **fouiller 1** *vt* (*personne, maison etc*) to search ▌ *vi* **f. dans** (*tiroir etc*) to search *ou* rummage through. **2** *vti* (*creuser*) to dig. ● **fouillé, -ée** *a* **une étude/etc très fouillée** a very thorough *ou* detailed study/*etc*.
fouillis [fuji] *nm* jumble, mess.
fouine [fwin] *nf* (*animal*) stone marten.
fouiner [fwine] *vi Fam* to nose about (**dans** in). ● **fouineur, -euse** *a Fam* nosy ▌ *nmf Fam* nosy parker.
foulard [fular] *nm* (head)scarf.
foule [ful] *nf* crowd; **en f.** in mass; **une f. de** (*objets etc*) a mass of; **un bain de f.** a walkabout.
foulée [fule] *nf* (*de coureur, cheval etc*) stride; **courir à grandes/petites foulées** to run

fouler

taking long strides/short steps; **dans la f. Fam** at one and the same time.
fouler [fule] *vt* to press; (*sol*) to tread; **f. aux pieds** to trample on; **se f. la cheville**/*etc* to sprain one's ankle/*etc*; **il ne se foule pas** *Fam* he doesn't exactly exert himself. ●**foulure** *nf* sprain.
four [fur] *nm* 1 oven; (*de potier etc*) kiln. 2 **petit f.** (*gâteau*) (small) fancy cake. 3 (*pièce de théâtre, film etc*) flop; **faire un f.** to flop.
fourbe [furb] *a* deceitful ▮ *nmf* cheat. ●**fourberie** *nf* deceit.
fourbi [furbi] *nm* (*choses*) *Fam* stuff, gear, rubbish.
fourbu, -ue [furby] *a* (*fatigué*) exhausted, *Br* dead beat.
fourche [furʃ] *nf* fork; **f. à foin** pitchfork. ●**fourcher** *vi* (*arbre etc*) to fork; **ma langue a fourché** I made a slip of the tongue. ●**fourchette** *nf* 1 (*pour manger*) fork. 2 (*de salaires etc*) bracket. ●**fourchu, -ue** *a* forked.
fourgon [furgɔ̃] *nm* (*camion*) van; (*mortuaire*) hearse; (*de train*) *Br* luggage van, *Am* baggage car; **f. cellulaire** *Br* prison van, *Am* patrol wagon; **f. postal** *Br* postal van (on train), *Am* mail car. ●**fourgonnette** *nf* (small) van.
fourmi [furmi] *nf* 1 (*insecte*) ant. 2 **avoir des fourmis dans les jambes**/*etc* to have pins and needles in one's legs/*etc*. ●**fourmilière** *nf* anthill. ●**fourmiller** *vi* 1 (*grouiller*) to teem, swarm (**de** with). 2 (*démanger*) to tingle.
fournaise [furnɛz] *nf* (*chambre etc*) *Fig* furnace.
fourneau, -x [furno] *nm* (*poêle*) stove; (*four*) furnace; **haut f.** blast furnace.
fournée [furne] *nf* (*de pain, gens*) batch.
fournil [furni] *nm* bakery.
fournir [furnir] *vt* to supply, provide; (*effort*) to make; **f. qch à qn** to supply s.o. with sth ▮ **se fournir** *vpr* to get one's supplies (**chez** from), shop (**chez** at). ●**fourni, -ie** *a* (*barbe*) bushy; **bien f.** (*boutique*) well-stocked. ●**fournisseur** *nm* (*commerçant*) supplier. ●**fourniture** *nf* (*action*) supply(ing) (**de** of); **fournitures** (*objets*) supplies; **fournitures scolaires** educational supplies, school equipment.
fourrage [furaʒ] *nm* fodder.
fourrager [furaʒe] *vi Fam* to rummage (**dans** in, through).
fourreau, -x [furo] *nm* (*gaine*) sheath.
fourré, -ée [fure] 1 *a* (*gant etc*) fur-lined; (*gâteau*) jam- *ou* cream-filled; **coup f.** (*traîtrise*) *Fam* stab in the back. 2 *nm Bot* thicket.
fourrer [fure] 1 *vt* (*gâteau, chou etc*) to fill; (*vêtement*) to fur-line. 2 *vt Fam* (*mettre*) to stick; **f. qch dans la tête de qn** to knock sth into s.o.'s head; **f. son nez dans qch** to poke one's nose into sth ▮ **se fourrer** *vpr* to put *ou* stick oneself (**dans** in); **se f. le doigt dans l'œil** *Fam* to kid *ou* delude oneself.
fourre-tout [furtu] *nm inv* (*pièce*) junk room; (*sac*) *Br* holdall, *Am* carryall.

fourrière [furjɛr] *nf* (*lieu*) pound.
fourrure [furyr] *nf* (*vêtement, de chat etc*) fur. ●**fourreur** *nm* furrier.
fourvoyer (se) [səfurvwaje] *vpr Litt* to go astray.
foutre* [futr] *vt Fam* = **fiche(r)**. ●**foutu, -ue** *a Fam* = **fichu** 1. ●**foutaise** *nf Fam* bull, *Br* rubbish, *Br* rot.
foyer [fwaje] *nm* (*maison, famille*) home; (*d'étudiants etc*) hostel; (*lieu de réunion*) club; (*âtre*) hearth; (*de théâtre*) foyer; *Géom Phys* focus; **f. de** (*maladie etc*) seat of; (*énergie, lumière*) source of; **fonder un f.** to start a family.
fracas [fraka] *nm* din; (*d'un objet qui tombe*) crash. ●**fracasser** *vt*, **se fracasser** *vpr* to smash. ●**fracassant, -ante** *a* (*nouvelle, film etc*) sensational.
fraction [fraksjɔ̃] *nf* fraction. ●**fractionner** *vt*, **se fractionner** *vpr* to split (up).
fracture [fraktyr] *nf* fracture; **se faire une f. au bras**/*etc* to fracture one's arm/*etc*. ●**fracturer** *vt* (*porte etc*) to break (open); **se f. la jambe**/*etc* to fracture one's leg/*etc*.
fragile [fraʒil] *a* (*verre, santé etc*) fragile; (*enfant etc*) frail; (*équilibre*) shaky. ●**fragilité** *nf* fragility; (*d'un enfant etc*) frailty.
fragment [fragmɑ̃] *nm* fragment. ●**fragmentaire** *a* fragmentary, fragmented. ●**fragmentation** *nf* fragmentation. ●**fragmenter** *vt* to fragment, divide.
frais¹, fraîche [frɛ, frɛʃ] *a* (*poisson, souvenir etc*) fresh; (*température*) cool, fresh, (*plutôt désagréable*) chilly; (*boisson*) cold, cool; (*œufs*) *Br* new-laid, fresh; (*peinture*) wet; (*nouvelles*) recent; **connaître qn de fraîche date** to have known s.o. for a short time; **être f. et dispos** to be refreshed; **servir f.** (*vin etc*) to serve chilled; **boire f.** to drink something cold *ou* cool; **il fait f.** it's cool; (*froid*) it's chilly.
▮ *nm* **prendre le f.** to get some fresh air; **mettre qch au f.** to put sth in a cool place; (*au réfrigérateur*) to refrigerate sth. ●**fraîchement** *adv* 1 (*récemment*) freshly. 2 (*accueillir etc*) coolly. ●**fraîcheur** *nf* freshness; (*de température, boisson*) coolness; (*désagréable*) chilliness. ●**fraîchir** *vi* (*temps*) to get cooler *ou* chillier, freshen.
frais² [frɛ] *nmpl* expenses; **à mes f.** at my (own) expense; **à grands f.** at great expense; **faire des f., se mettre en f.** to go to some expense; **faire les f.** to bear the cost (**de** of); **j'en ai été pour mes f.** I wasted my time and effort; **faux f.** incidental expenses; **f. généraux** running expenses, *Br* overheads, *Am* overhead; **f. de scolarité** school *ou* tuition fees; **f. d'inscription** (*à l'université*) registration fees; (*dans un club*) enrolment fee(s).
fraise [frɛz] *nf* 1 (*fruit*) strawberry. 2 (*de dentiste*) drill. ●**fraisier** *nm* (*plante*) strawberry plant.
framboise [frɑ̃bwaz] *nf* raspberry. ●**framboisier** *nm* raspberry cane.
franc¹, franche [frɑ̃, frɑ̃ʃ] *a* 1 (*personne, ré-*

friction

ponse etc) frank; (*visage, gaieté*) open; (*net*) clear; (*cassure, coupe*) clean. 2 (*zone*) free; **coup f.** Football free kick; **f. de port** postpaid, Br carriage paid. ● **franchement** *adv* (*honnêtement*) frankly; (*vraiment*) really; (*sans ambiguïté*) clearly.

franc² [frɑ̃] *nm* (*monnaie*) franc.

France [frɑ̃s] *nf* France. ● **français, -aise** *a* French ▌ *nmf* F. Frenchman; **Française** Frenchwoman; **les F.** the French ▌ *nm* (*langue*) French.

franchir [frɑ̃ʃir] *vt* (*fossé*) to jump (over), clear; (*frontière, seuil etc*) to cross; (*porte*) to go through; (*distance*) to cover; (*limites*) to exceed; (*mur du son*) to break (through), go through. ● **franchissable** *a* (*rivière, col*) passable.

franchise [frɑ̃ʃiz] *nf* 1 frankness; (*de visage etc*) openness; **en toute f.** quite frankly. 2 (*exemption*) Com exemption; **en f.** (*produit*) duty-free; **'f. postale'** 'official paid'. 3 (*permis de vendre*) Com franchise.

franc-maçon [frɑ̃masɔ̃] *nm* (*pl* francs-maçons) Freemason. ● **franc-maçonnerie** *nf* Freemasonry.

franco [frɑ̃ko] *adv* **f. (de port)** postpaid, Br carriage paid.

franco- [frɑ̃ko] *préf* Franco-.

francophile [frɑ̃kɔfil] *a & nmf* francophile.

francophone [frɑ̃kɔfɔn] *a* French-speaking ▌ *nmf* French speaker. ● **francophonie** *nf* **la f.** the French-speaking community.

franc-tireur [frɑ̃tirœr] *nm* irregular (*soldier*).

frange [frɑ̃ʒ] *nf* (*de cheveux*) Br fringe, Am bangs; (*de vêtement etc*) fringe.

frangin [frɑ̃ʒɛ̃] *nm* Fam brother. ● **frangine** *nf* Fam sister.

franquette (à la bonne) [alabɔnfrɑ̃kɛt] *adv* without ceremony.

frappe [frap] *nf* 1 (*dactylographie*) typing; (*de dactylo etc*) touch; **faute de f.** typing error. 2 **force de f.** Mil strike force.

frapper [frape] *vt* (*battre*) to strike, hit; (*monnaie*) to mint; **f. qn** (*surprendre, affecter*) to strike s.o.; (*impôt, mesure etc*) to hit s.o.; **frappé de stupeur** astounded, flabbergasted; **j'ai été frappé d'apprendre sa mort** I was astounded *ou* very upset to hear of his death ▌ *vi* (*à la porte etc*) to knock, bang (**à** at); **f. du pied** to stamp (one's foot); **f. dans ses mains** to clap one's hands; **f. à toutes les portes** Fig to try everywhere; **'entrez sans f.'** 'come in — no need to knock' ▌ **se frapper** *vpr* (*s'inquiéter*) Fam to worry. ● **frappant, -ante** *a* striking. ● **frappé, -ée** *a* (*vin*) chilled; (*fou*) Fam crazy, nutty.

frasques [frask] *nfpl* pranks, escapades.

fraternel, -elle [fratɛrnɛl] *a* fraternal, brotherly. ● **fraterniser** *vi* to fraternize (**avec** with). ● **fraternité** *nf* fraternity, brotherhood.

fraude [frod] *nf* (*crime*) fraud; (*à un examen*) cheating; **(faire) passer qch en f.** to smuggle sth; **prendre qn en f.** to catch s.o. cheating; **f. fiscale** tax fraud *ou* evasion. ● **frauder** *vt* to defraud ▌ *vi* to commit fraud; (*à un examen*) to cheat (**à** in); **f. sur** (*poids etc*) to cheat on *ou* over. ● **fraudeur, -euse** *nmf* defrauder. ● **frauduleux, -euse** *a* fraudulent.

frayer [freje] *vt* (*voie etc*) to clear; **se f. un chemin** *ou* **un passage** to clear a way, force one's way (**à travers, dans** through).

frayeur [frejœr] *nf* fear, fright.

fredaines [frɔdɛn] *nfpl* pranks, escapades.

fredonner [frɔdɔne] *vt* to hum.

freezer [frizœr] *nm* (*de réfrigérateur*) freezer.

frégate [fregat] *nf* (*navire*) frigate.

frein [frɛ̃] *nm* brake; **donner un coup de f.** to brake hard; **mettre un f. à** Fig to put a curb on; **f. à main** handbrake. ● **freiner** *vi* (*dans un véhicule*) to brake ▌ *vt* (*gêner*) Fig to check, curb. ● **freinage** *nm* Aut braking.

frelaté, -ée [frɔlate] *a* (*vin etc*) & Fig adulterated.

frêle [frɛl] *a* frail, fragile.

frelon [frɔlɔ̃] *nm* (*guêpe*) hornet.

frémir [fremir] *vi* (*trembler*) to shake, shudder (**de** with); (*feuille*) to quiver; (*eau chaude*) to simmer. ● **frémissement** *nm* shaking; (*de feuille*) quivering; (*d'eau chaude*) simmering; (*frisson*) shudder; (*de plaisir*) thrill.

frêne [frɛn] *nm* (*arbre, bois*) ash.

frénésie [frenezi] *nf* frenzy. ● **frénétique** *a* frenzied, frantic.

fréquent, -ente [frekɑ̃, -ɑ̃t] *a* frequent. ● **fréquemment** [frekamɑ̃] *adv* frequently. ● **fréquence** *nf* frequency.

fréquenter [frekɑ̃te] *vt* (*lieu*) to visit, frequent; (*école, église*) to attend; **f. qn** to see *ou* visit s.o. ▌ **se fréquenter** *vpr* (*fille et garçon*) to see each other, go out together; (*voisins*) to see each other socially. ● **fréquenté, -ée** *a* **très f.** (*lieu*) very busy; **mal f.** of ill repute; **bien f.** reputable, of good repute. ● **fréquentable** *a* **peu f.** (*personne, endroit*) not very commendable. ● **fréquentation** *nf* visiting; **fréquentations** (*personnes*) company; **avoir de mauvaises fréquentations** to keep bad company.

frère [frɛr] *nm* brother.

fresque [frɛsk] *nf* (*œuvre peinte*) fresco; **une f. historique** Littér the portrait of a period.

fret [frɛ] *nm* freight.

frétiller [fretije] *vi* (*poisson*) to wriggle; **f. d'impatience** to quiver with impatience; **f. de joie** to tingle with excitement.

fretin [frɔtɛ̃] *nm* **menu f.** (*poissons*) fry; (*personnes*) Fig small fry.

friable [frijabl] *a* crumbly.

friand, -ande [frijɑ̃, -ɑ̃d] *a* **f. de** fond of, partial to. ● **friandises** *nfpl* (*confiseries*) Br sweets, Am candies; (*pâtisseries*) Br titbits, Am tidbits.

fric [frik] *nm* (*argent*) Fam cash, dough.

fric-frac [frikfrak] *nm* (*cambriolage*) Fam Vieilli break-in.

friche (en) [ɑ̃friʃ] *adv* fallow; **laisser une terre en f.** to let a piece of land lie fallow.

friction [friksjɔ̃] *nf* 1 massage, rub(-down) (*de cheveux*) friction. 2 (*désaccord*) friction.

frigidaire

●**frictionner** *vt* to rub (down).
frigidaire® [fʀiʒidɛʀ] *nm* fridge. ●**frigo** *nm Fam* fridge. ●**frigorifié, -ée** *a* (*personne*) *Fam* very cold. ●**frigorifique** *a* (*vitrine*) refrigerated; **wagon f.** refrigerator *Br* van *ou Am* car; **camion f.** refrigerator truck.
frigide [fʀiʒid] *a* frigid. ●**frigidité** *nf* frigidity.
frileux, -euse [fʀilø, -øz] *a* être f. to feel the cold, be a chilly person.
frime [fʀim] *nf Fam* sham, show. ●**frimer** *vi Fam* (*faire l'important*) to show off; (*bluffer*) to sham.
frimousse [fʀimus] *nf Fam* little face.
fringale [fʀɛ̃gal] *nf Fam* raging appetite.
fringant, -ante [fʀɛ̃gɑ̃, -ɑ̃t] *a* (*allure etc*) dashing.
fringues [fʀɛ̃g] *nfpl* (*vêtements*) *Fam* togs, clothes. ●**se fringuer** *vpr Fam* to get dressed up.
friper [fʀipe] *vt* to crumple ▮ **se friper** *vpr* to get crumpled. ●**fripé, -ée** *a* (*visage*) crumpled, wrinkled.
fripier, -ière [fʀipje, -jɛʀ] *nmf* secondhand clothes dealer.
fripon, -onne [fʀipɔ̃, -ɔn] *nmf* (*escroc*) *Vieilli* rascal; (*enfant*) *Fam* rascal ▮ *a* mischievous, rascally.
fripouille [fʀipuj] *nf* rogue, scoundrel.
friqué, -ée [fʀike] *a* (*riche*) *Fam* loaded.
frire* [fʀiʀ] *vti* to fry; **faire f.** to fry.
frise [fʀiz] *nf Archit* frieze.
friser [fʀize] **1** *vti* (*cheveux*) to curl, wave; **f. les cheveux à qn** to curl *ou* wave s.o.'s hair. **2** *vt* (*effleurer*) to skim; (*accident etc*) to be within an ace of; **f. la trentaine** to be close to thirty; **f. le ridicule** to be almost ridiculous. ●**frisé, -ée** *a* curly. ●**frisette** *nf* ringlet, little curl.
frisquet [fʀiskɛ] *am* chilly, coldish.
frisson [fʀisɔ̃] *nm* shiver; (*de peur*) shudder; **avoir des frissons** to be shivering; **donner le f. à qn** to give s.o. the creeps *ou* shivers. ●**frissonner** *vi* (*de froid*) to shiver; (*de peur etc*) to shudder (**de** with).
frit, frite [fʀi, -it] *pp de* **frire** ▮ *a* (*poisson etc*) fried. ●**frites** *nfpl Br* chips, *Am* French fries. ●**friteuse** *nf* (deep) fryer, *Br* chip pan. ●**friture** *nf* (*matière*) (frying) oil *ou* fat; (*aliment*) fried fish; (*bruit*) *Radio Tél* crackling.
frivole [fʀivɔl] *a* frivolous. ●**frivolité** *nf* frivolity.
froc [fʀɔk] *nm Fam* (pair of) *Br* trousers *ou Am* pants.
froid, froide [fʀwa, fʀwad] *a* cold; **garder la tête froide** to keep a cool head ▮ *nm* cold; **avoir/prendre f.** to be/catch cold; **avoir f. aux mains/***etc* to have cold hands/*etc*; **il fait f.** it's cold; **coup de f.** (*rhume*) chill; **jeter un f.** to cast a chill (**dans** over); **démarrer à f.** (*véhicule*) to start (from) cold; **être en f.** to be on bad terms (**avec qn** with s.o.); **n'avoir pas f. aux yeux** to have plenty of nerve. ●**froidement** *adv* coldly. ●**froideur** *nf* (*insensibilité*) coldness.
froisser [fʀwase] **1** *vt*, **se froisser** *vpr* (*tissu etc*) to crumple, rumple; **se f. un muscle** to strain a muscle. **2** *vt* **f. qn** to offend s.o.; **se f.** to take *Br* offence *ou Am* offense (**de** at).
frôler [fʀole] *vt* (*toucher*) to brush against, touch lightly; (*raser*) to skim; (*la mort etc*) to come within an ace of.
fromage [fʀɔmaʒ] *nm* cheese; **f. blanc** soft white cheese; **f. frais** fromage frais; **f. de chèvre** goat cheese, goat's milk cheese. ●**fromager, -ère** *a* **industrie/***etc* **fromagère** cheese industry/*etc* ▮ *nm* (*fabricant*) cheesemaker. ●**fromagerie** (*magasin*) *nf* cheese shop.
froment [fʀɔmɑ̃] *nm* wheat.
fronce [fʀɔ̃s] *nf* (*pli dans un tissu*) gather, fold. ●**froncer** *vt* **1** (*étoffe*) to gather. **2 f. les sourcils** to frown. ●**froncement** *nm* **f. de sourcils** frown.
fronde [fʀɔ̃d] *nf* **1** (*arme*) sling. **2** (*sédition*) revolt.
front [fʀɔ̃] *nm* forehead, brow; *Mil Pol* front; **f. de mer** sea front; **de f.** (*heurter*) head-on; (*côte à côte*) abreast; (*à la fois*) (all) at once; **faire f. à** to face.
frontière [fʀɔ̃tjɛʀ] *nf* border, frontier ▮ *a inv* **ville/***etc* **frontière** border town/*etc*. ●**frontalier, -ière** **ville/***etc* **frontalière** border *ou* frontier town/*etc*.
fronton [fʀɔ̃tɔ̃] *nm Archit* pediment.
frotter [fʀɔte] *vt* to rub; (*pour nettoyer*) to scrub, rub; (*plancher*) to scrub; (*allumette*) to strike; **se f. le dos** to scrub one's back; **se f. à qn** (*défier*) to meddle with s.o., provoke s.o. ▮ *vi* to rub; (*nettoyer, laver*) to scrub. ●**frottement** *nm* rubbing; *Tech* friction.
froufrous [fʀufʀu] *nmpl* (*bruit*) rustling; **froufrous** (*dentelles, volants etc*) frills.
frousse [fʀus] *nf Fam* funk, fear; **avoir la f.** to be scared. ●**froussard, -arde** *nmf Fam* coward.
fructifier [fʀyktifje] *vi* (*arbre, capital*) to bear fruit; **faire f. son capital** to make one's capital grow. ●**fructueux, -euse** *a* (*profitable*) fruitful.
frugal, -e, -aux [fʀygal, -o] *a* frugal. ●**frugalité** *nf* frugality.
fruit [fʀɥi] *nm* fruit; **des fruits, les fruits** fruit; **fruits de mer** seafood; **fruits secs** dried fruit; **porter ses fruits** (*placement etc*) to bear fruit. ●**fruité, -ée** *a* fruity. ●**fruitier, -ière** *a* **arbre f.** fruit tree ▮ *nmf Br* fruiterer, fruit seller.
frusques [fʀysk] *nfpl* (*vêtements*) *Fam* togs, clothes.
fruste [fʀyst] *a* (*personne*) rough.
frustrer [fʀystʀe] *vt* **f. qn** to frustrate s.o.; **f. qn de qch** to deprive s.o. of sth. ●**frustré, -ée** *a* frustrated. ●**frustration** *nf* frustration.
fuel [fjul] *nm* (*fuel*) oil, heating oil.
fugace [fygas] *a* fleeting.
fugitif, -ive [fyʒitif, -iv] **1** *nmf* runaway, fugitive. **2** *a* (*passager*) fleeting.
fugue [fyg] *nf* **1** (*œuvre musicale*) fugue. **2** (*escapade*) flight; **faire une f.** to run away. ●**fuguer** *Fam* to run away.
fuir* [fɥiʀ] *vi* to run away, flee; (*gaz, robinet, stylo etc*) to leak; (*temps*) *Litt* to fly ▮ *vt* (*évi-*

fuyant

ter) to shun, avoid. ●**fulte** *nf* (*évasion*) flight (**de** from); (*de gaz etc*) leak(age); (*de documents*) *Fig* leak; **en f.** on the run; **prendre la f.** to take flight, run away *ou* off; **f. des cerveaux** brain drain; **délit de f.** *Aut* hit-and-run *Br* offence *ou Am* offense.

fulgurant, -ante [fylgyrɑ̃, -ɑ̃t] *a* **progrès fulgurants** spectacular progress; **vitesse fulgurante** lightning speed; **douleur fulgurante** searing pain.

fulminer [fylmine] *vi* (*personne*) to thunder forth (**contre** against).

fumée [fyme] *nf* smoke; (*vapeur*) steam, fumes; **fumées** (*de vin*) fumes.

fumer [fyme] *vi* to smoke; (*liquide brûlant*) to steam ▌*vt* to smoke. ●**fumé, -ée** *a* (*poisson, verre etc*) smoked. ●**fumeur, -euse** *nmf* smoker; **compartiment fumeurs** (*de train*) smoking compartment. ●**fume-cigarette** *nm* cigarette holder.

fumet [fymɛ] *nm* aroma, smell.

fumeux, -euse [fymø, -øz] *a* (*idée etc*) *Fig* hazy, woolly.

fumier [fymje] *nm* manure, dung; (*tas*) dunghill.

fumigation [fymigɑsjɔ̃] *nf* fumigation.

fumigène [fymiʒɛn] *a* **bombe/etc f.** smoke bomb/etc.

fumiste [fymist] *nmf* (*étudiant etc*) *Fam* time-waster, good-for-nothing. ●**fumisterie** *nf Fam* farce, con.

funambule [fynɑ̃byl] *nmf* tightrope walker.

funèbre [fynɛbr] *a* (*lugubre*) gloomy; **service/marche f.** funeral service/march. ●**funérailles** *nfpl* funeral. ●**funéraire** *a* **salon f.** funeral parlour *ou Am* home; **frais/etc funéraires** funeral expenses/etc.

funeste [fynɛst] *a* (*désastreux*) catastrophic.

funiculaire [fynikylɛr] *nm* funicular.

fur et à mesure (au) [ofyreamzyr] *adv* as one goes along, progressively; **au f. et à m. de vos besoins/votre progression** as your needs dictate/your progress dictates; **au f. et à m. que** as.

furent [fyr] *voir* **être**.

furet [fyrɛ] *nm* (*animal*) ferret.

fureter [fyr(ə)te] *vi Péj* to pry *ou* ferret about. ●**fureteur, -euse** *a* inquisitive, prying ▌*nmf* inquisitive person.

fureur [fyrœr] *nf* (*violence*) fury; (*colère*) rage, fury; (*passion*) passion (**de** for); **en f.** furious; **faire f.** (*mode etc*) *Fam* to be all the rage. ●**furibond, -onde** *a* furious. ●**furie** *nf* (*colère, mégère*) fury. ●**furieux, -euse** *a* (*violent, en colère*) furious (**contre** with, at); (*vent*) raging; (*coup*) *Fig* tremendous; **avoir une furieuse envie de faire qch** to have a tremendous urge to do sth.

furoncle [fyrɔ̃kl] *nm* (*sur la peau*) boil.

furtif, -ive [fyrtif, -iv] *a* furtive, stealthy.

fusain [fyzɛ̃] *nm* 1 (*crayon, dessin*) charcoal; **dessin au f.** charcoal drawing. 2 (*arbrisseau*) spindle tree.

fuseau, -x [fyzo] *nm* 1 (*pantalon*) ski pants. 2 **f. horaire** time zone. 3 *Tex* spindle; **en f.** (*jambes*) spindly. ●**fuselé, -ée** *a* slender.

fusée [fyze] *nf* rocket; (*d'obus*) fuse; **f. éclairante** flare; **f. de détresse** flare, distress signal.

fuselage [fyzlaʒ] *nm* (*d'avion*) fuselage.

fuser [fyze] *vi* (*rires etc*) to burst forth.

fusible [fyzibl] *nm Él* fuse.

fusil [fyzi] *nm* rifle, gun; (*de chasse*) shotgun; **coup de f.** gunshot, report; **un bon f.** (*personne*) a good shot. ●**fusillade** *nf* (*tirs*) gunfire; (*exécution*) shooting. ●**fusiller** *vt* (*exécuter*) to shoot; **f. qn du regard** *Fam* to glare at s.o., give s.o. a glaring look.

fusion [fyzjɔ̃] *nf* 1 melting; *Phys Biol* fusion; **point de f.** melting point; **métal en f.** molten metal. 2 (*de sociétés*) *Com* merger; (*union*) fusion. ●**fusionner** *vti* (*sociétés*) *Com* to merge.

fustiger [fystiʒe] *vt* (*critiquer*) *Litt* to castigate.

fut [fy] *voir* **être**.

fût [fy] *nm* 1 (*tonneau*) barrel, cask. 2 (*d'arbre*) trunk. ●**futaie** *nf* timber forest.

futal, *pl* **-als** [fytal] *nm Fam* (pair of) *Br* trousers *ou Am* pants.

futé, -ée [fyte] *a* cunning, smart.

futile [fytil] *a* (*propos, prétexte etc*) frivolous, futile; (*personne*) frivolous; (*tentative, action*) futile. ●**futilité** *nf* futility; **futilités** (*bagatelles*) trifles.

futur, -ure [fytyr] *a* future; **future mère** mother-to-be ▌*nmf* **f. (mari)** husband-to-be; **future (épouse)** wife-to-be ▌*nm* future; *Grammaire* future (tense).

fuyant [fɥijɑ̃] *p prés* de **fuir**. ●**fuyant, -ante** *a* (*front, ligne*) receding; (*personne*) evasive. ●**fuyard** *nm* (*soldat*) runaway, deserter.

G

G, g [ʒe] *nm* G, g.
gabardine [gabardin] *nf* (*tissu, imperméable*) gabardine.
gabarit [gabari] *nm* size, dimension.
gâcher [gɑʃe] *vt* **1** (*gâter*) to spoil; (*occasion, argent*) to waste; (*vie, travail*) to mess up. **2** (*plâtre*) to mix. ●**gâchis** *nm* (*gaspillage*) waste; (*désordre*) mess.
gâchette [gɑʃɛt] *nf* (*d'arme à feu*) trigger; **appuyer sur la g.** to pull the trigger.
gadget [gadʒɛt] *nm* gadget.
gadoue [gadu] *nf* (*boue*) dirt, sludge; (*neige*) slush.
gaffe [gaf] *nf* **1** (*bévue*) *Fam* blunder, *Am* booboo, *Br* gaffe. **2 faire g.** *Fam* to take care, be careful. ●**gaffer** *vi Fam* to blunder, *Am* make a booboo. ●**gaffeur, -euse** *nmf Fam* blunderer.
gag [gag] *nm* (*effet comique*) *Cinéma Théâtre etc* (sight) gag.
gaga [gaga] *a Fam* senile, gaga.
gage [gaʒ] *nm* **1** (*garantie*) security; (*promesse*) pledge; (*témoignage*) proof; **mettre qch en g.** to pawn sth; **donner qch en g. de fidélité**/*etc* to give sth as a token of one's fidelity/*etc*. **2** (*au jeu*) forfeit. ▍**gages** *nmpl* (*salaire*) pay; **tueur à gages** hired killer, hitman.
gager [gaʒe] *vt* **g. que** *Litt* to wager that. ●**gageure** [gaʒyr] *nf Litt* (impossible) wager.
gagnant, -ante [gaɲɑ̃, -ɑ̃t] *a* (*billet, cheval*) winning ▍ *nmf* winner.
gagner [gaɲe] **1** *vt* (*par le travail*) to earn; (*mériter*) *Fig* to earn; **g. sa vie** to earn one's living; **g. des mille et des cents** to earn a bundle *ou Br* a packet.
2 *vt* (*par le jeu*) to win; (*réputation, estime etc*) *Fig* to win, gain; **g. qn** to win s.o. over (à to); **g. une heure**/*etc* (*économiser*) to save an hour/*etc*; **g. du temps** (*temporiser*) to gain time; **g. du terrain/du poids** to gain ground/weight; **g. de la place** to save space ▍ *vi* (*être vainqueur*) to win; **g. à être connu** to be well worth getting to know; **g. sur tous les tableaux** to win on all counts, win all along the line.
3 *vt* (*atteindre*) to reach; **g. qn** (*sommeil, faim etc*) to overcome s.o. ▍ *vi* (*incendie etc*) to spread, gain. ●**gagne-pain** *nm inv* (*emploi*) job, livelihood.
gai, gaie [ge] *a* (*personne, air etc*) cheerful, happy, jolly; (*ivre*) merry, tipsy; (*couleur, pièce*) bright, cheerful. ●**gaiement** *adv* cheerfully. ●**gaieté** *nf* (*de personne etc*) cheerfulness, gaiety, jollity.
gaillard, -arde [gajar, -ard] *a* vigorous; (*grivois*) coarse ▍ *nm* (*robuste*) strapping fellow; (*type*) *Fam* fellow.
gain [gɛ̃] *nm* (*profit*) gain, profit; (*avantage*) *Fig* advantage; **gains** (*salaire*) earnings; (*au jeu*) winnings; **un g. de temps** a saving of time; **obtenir g. de cause** to win one's case.
gaine [gɛn] *nf* **1** (*sous-vêtement*) girdle. **2** (*étui*) sheath.
gala [gala] *nm* gala, official reception.
galant, -ante [galɑ̃, -ɑ̃t] *a* (*homme*) gallant; (*ton, propos*) *Hum* amorous ▍ *nm* suitor. ●**galanterie** *nf* (*courtoisie*) gallantry.
galaxie [galaksi] *nf* galaxy.
galbe [galb] *nm* curve, contour. ●**galbé, -ée** *a* (*jambes*) shapely.
gale [gal] *nf* **la g.** (*maladie*) the itch, scabies; (*d'un chien*) mange; **une (mauvaise) g.** (*personne*) *Fam* a pest.
galère [galɛr] *nf* (*navire*) *Hist* galley. ●**galérien** *nm Hist & Fig* galley slave. ●**galérer** *vi Fam* to struggle hard, have a hard time.
galerie [galri] *nf* **1** (*passage, salle, magasin etc*) gallery; *Théâtre* balcony; **g. (d'art)** (art) gallery; **g. marchande** (shopping) mall; **amuser la g.** *Fig* to amuse people *ou* the audience. **2** (*porte-bagages*) *Aut* roof rack.
galet [galɛ] *nm* pebble, stone; **galets** shingle, pebbles.
galette [galɛt] *nf* **1** (*gâteau*) round, flat, flaky cake; (*crêpe*) pancake. **2** (*argent*) *Fam* dough, money.
galeux, -euse [galø, -øz] *a* (*chien*) mangy.
galimatias [galimatja] *nm* gibberish.
galipette [galipɛt] *nf Fam* (*roulade*) somersault.
Galles [gal] *nfpl* **pays de G.** Wales. ●**gallois, -oise** *a* Welsh ▍ *nm* (*langue*) Welsh ▍ *nmf* **G.** Welshman; **Galloise** Welshwoman.
gallicisme [galisism] *nm* (*mot etc*) gallicism.
galon [galɔ̃] *nm* (*ruban*) braid; (*de soldat*) stripe; **prendre du g.** *Mil & Fig* to get promoted.
galop [galo] *nm* gallop; **aller au g.** to gallop; **g. d'essai** *Fig* trial run. ●**galopade** *nf* (*ruée*) stampede. ●**galoper** *vi* (*cheval*) to gallop; (*personne*) to rush; **inflation galopante** galloping inflation.
galopin [galɔpɛ̃] *nm* urchin, rascal.
galvaniser [galvanize] *vt* (*métal*) & *Fig* to galvanize.
galvauder [galvode] *vt* (*talent, avantage etc*) to debase, misuse.
gambade [gɑ̃bad] *nf* leap, caper. ●**gambader** *vi* to leap *ou* frisk about.
gambas [gɑ̃bas] *nfpl* scampi.
Gambie [gɑ̃bi] *nf* **la G.** The Gambia.

gamelle [gamɛl] *nf Fam* pan; (*de chien*) bowl; (*d'ouvrier*) lunch tin *ou* box; **se prendre une g.** (*tomber, subir un échec*) *Br* to come a cropper, *Am* take a spill.

gamin, -ine [gamɛ̃, -in] *nmf* (*enfant*) *Fam* kid ▮ *a* playful, naughty. ● **gaminerie** *nf* playfulness; (*acte*) naughty prank.

gamme [gam] *nf Mus* scale; (*éventail*) range; **téléviseur/etc haut/bas de g.** top-of-the-range/bottom-of-the-range television/etc.

gammée [game] *af* **croix g.** swastika.

gang [gɑ̃g] *nm* (*de malfaiteurs*) gang. ● **gangster** *nm* gangster.

Gange [gɑ̃ʒ] *nm* **le G.** the Ganges.

gangrène [gɑ̃grɛn] *nf* gangrene. ● **se gangrener** [səgɑ̃grəne] *vpr* (*jambe etc*) to become gangrenous.

gant [gɑ̃] *nm* glove; **g. de boxe** boxing glove; **g. de toilette** face cloth, cloth glove (*for washing*); **boîte à gants** glove compartment; **aller comme un g. à qn** (*vêtement etc*) to fit s.o. like a glove; **jeter/relever le g.** *Fig* to throw down/take up the gauntlet. ● **ganté, -ée** *a* (*main*) gloved; (*personne*) wearing gloves.

garage [garaʒ] *nm* (*pour véhicules*) garage; **voie de g.** (*pour trains*) siding; *Fig* dead end. ● **garagiste** *nmf* garage mechanic; (*propriétaire*) garage owner.

garant, -ante [garɑ̃, -ɑ̃t] *nmf* (*personne*) *Jur* guarantor; **se porter g. de** to guarantee, vouch for ▮ *nm* (*garantie*) guarantee.

garantie [garɑ̃ti] *nf* guarantee; (*caution*) security; (*protection*) *Fig* safeguard; **garantie(s)** (*de police d'assurance*) cover. ● **garantir** *vt* to guarantee (**contre** against); **g. à qn que** to assure *ou* guarantee s.o. that; **g. qch de** (*protéger*) to protect sth from.

garce [gars] *nf Péj Fam* bitch.

garçon [garsɔ̃] *nm* boy, lad; (*jeune homme*) young man; (*célibataire*) bachelor; **g. (de café)** waiter; **g. d'honneur** (*d'un mariage*) best man; **g. manqué** tomboy; **vieux g.** (old) bachelor; **de g.** (*comportement*) boyish. ● **garçonnet** *nm* little boy. ● **garçonnière** *nf* bachelor *Br* flat *ou Am* apartment.

garde [gard] **1** *nm* (*gardien*) guard; (*soldat*) guardsman; **g. champêtre** rural policeman; **g. du corps** bodyguard; **G. des Sceaux** Justice Minister.

2 *nf* (*d'enfants, de bagages etc*) care, custody (**de** of); **avoir la g. de** to be in charge of; **faire bonne g.** to keep a close watch; **prendre g.** to pay attention (**à qch** to sth); **être careful** (**à qch** of sth); **prendre g. de ne pas faire** to be careful not to do; **mettre qn en g.** to warn s.o. (**contre** against); **mise en g.** warning; **être de g.** to be on duty; (*soldat*) to be on guard duty; **monter la g.** to stand *ou* mount guard; **être sur ses gardes** to be on one's guard; **chien de g.** watchdog; **g. à vue** (*police*) custody.

3 *nf* (*escorte, soldats*) guard.

garde-à-vous [gardavu] *nm inv Mil* (position of) attention; **se mettre au g.-à-vous** to stand at *ou* to attention. ● **garde-boue** *nm inv Br* mudguard, *Am* fender. ● **garde-chasse** *nm* (*pl* gardes-chasses) gamekeeper. ● **garde-chiourme** *nm* (*surveillant sévère*) martinet. ● **garde-côte** *nm* (*personne*) coastguard. ● **garde-fou** *nm* railing(s), parapet. ● **garde-malade** *nmf* (*pl* gardes-malades) nurse. ● **garde-manger** *nm inv* (*armoire*) food safe; (*pièce*) pantry, *Br* larder. ● **garde-robe** *nf* (*habits, armoire*) wardrobe.

garder [garde] *vt* (*maintenir, conserver, mettre de côté*) to keep; (*vêtement*) to keep on; (*surveiller*) to watch (over); (*défendre*) to guard; (*enfant*) to look after, watch; (*habitude*) to keep up; **g. qn** (*retenir*) to keep s.o.; **g. la chambre** to stay in one's (bed)room, keep to one's room; **g. le lit** to stay in bed.

▮ **se garder** *vpr* (*aliment*) to keep; **se g. de qch** (*éviter*) to beware of sth; **se g. de faire qch** to take care not to do sth.

garderie [gardəri] *nf Br* crèche, *Br* (day) nursery, *Am* daycare center.

gardien, -ienne [gardjɛ̃, -jɛn] *nmf* (*d'immeuble, d'hôtel etc*) caretaker, *Am* janitor; (*de prison*) (prison) guard; *Br* warder; (*de zoo, parc*) keeper; (*de musée*) *Br* attendant, *Am* guard; **g. de but** *Football* goalkeeper; **gardienne d'enfants** *Br* child minder, *Am* baby-sitter; **g. de nuit** night watchman; **g. de la paix** policeman; **g. de** (*libertés etc*) *Fig* guardian of ▮ *am* **ange g.** guardian angel.

gardon [gardɔ̃] *nm* (*poisson*) roach; **frais comme un g.** in the pink, fresh as a daisy, full of beans.

gare [gar] **1** *nf* (*pour trains*) station; **g. routière** bus *ou Br* coach station. **2** *int* **g. à** watch *ou* look out for; **g. à toi!** watch *ou* look out!; **sans crier g.** without warning.

garer [gare] *vt* (*voiture etc*) to park; (*au garage*) to garage ▮ **se garer** *vpr* (*automobiliste*) to park; **se g. de qch** (*se protéger*) to get out of the way of sth, steer clear of sth.

gargariser (se) [səgargarize] *vpr* to gargle. ● **gargarisme** *nm* gargle.

gargote [gargɔt] *nf Péj* cheap eating house.

gargouille [garguj] *nf Archit* gargoyle.

gargouiller [garguje] *vi* (*fontaine, eau*) to gurgle; (*ventre*) to rumble. ● **gargouillis** *ou* **gargouillement** *nm* gurgling; (*de ventre*) rumbling.

garnement [garnəmɑ̃] *nm* rascal, urchin.

garnir [garnir] *vt* (*équiper*) to fit out, furnish (**de** with); (*remplir*) to fill; (*magasin*) to stock (**de** with); (*tissu*) to line; (*orner*) to decorate, adorn (**de** with); (*enjoliver*) to trim (*robe etc*) (**de** with); (*couvrir*) to cover; *Culin* to garnish ▮ **se garnir** *vpr* (*lieu*) to fill (up) (**de** with). ● **garni, -ie** *a* (*plat*) served with vegetables; **bien g.** (*portefeuille etc*) *Fig* well-lined. ● **garniture** *nf Culin* garnish, trimmings; (*de véhicule*) fittings, upholstery; **g. de frein** brake lining; **g. de lit** bed linen.

garnison [garnizɔ̃] *nf* (*troupes*) garrison.

garrot [garo] *nm* **1** (*de cheval*) withers. **2**

gars

(*lien*) *Méd* tourniquet.
gars [ga] *nm Fam* fellow, guy.
gas-oil [gazwal] *nm* diesel (oil).
gaspiller [gaspije] *vt* to waste. ●**gaspillage** *nm* waste.
gastrique [gastrik] *a* gastric.
gastronome [gastrɔnɔm] *nmf* gourmet. ●**gastronomie** *nf* gastronomy.
gâteau, -x [gɑto] *nm* cake; **g. de riz** rice pudding; **g. sec** *Br* (sweet) biscuit, *Am* cookie; **c'était du g.** (*facile*) *Fam* it was a piece of cake.
gâter [gate] *vt* to spoil; (*plaisir, vue*) to mar, spoil ▮ **se gâter** *vpr* (*aliment, dent*) to go bad; (*temps, situation*) to get worse; (*relations*) to turn sour. ●**gâté, -ée** *a* (*dent, fruit etc*) bad. ●**gâteries** *nfpl* (*sucreries*) treats.
gâteux, -euse [gɑtø, -øz] *a* senile, soft in the head.
gauche[1] [goʃ] *a* (*côté, main etc*) left ▮ *nf* **la g.** (*côté*) the left (side); *Pol* the left (wing); **à g.** (*tourner etc*) (to the) left; (*marcher, se tenir*) on the left, on the left(-hand) side; **de g.** (*fenêtre etc*) left-hand; (*parti, politique etc*) left-wing; **à g. de** on ou to the left of. ●**gaucher, -ère** *a* & *nmf* left-handed (person). ●**gauchisant, -ante** *a Pol* leftish. ●**gauchiste** *a* & *nmf Pol* leftist.
gauche[2] [goʃ] *a* (*maladroit*) awkward. ●**gauchement** *adv* awkwardly. ●**gaucherie** *nf* awkwardness; (*acte*) blunder.
gauchir [goʃir] *vti* to warp.
gaufre [gofr] *nf* (*pâtisserie*) waffle. ●**gaufrette** *nf* wafer (biscuit).
gaule [gol] *nf* long pole; *Pêche* fishing rod.
Gaule [gol] *nf* (*pays*) *Hist* Gaul. ●**gaulois, -oise** *a* Gallic; (*propos etc*) *Fig* earthy, bawdy, broad ▮ *nmpl* **les G.** *Hist* the Gauls. ●**gauloiserie** *nf* bawdy ou broad joke.
gausser (se) [səgose] *vpr Litt* to poke fun (**de** at).
gaver [gave] *vt* (*animal*) to force-feed; (*personne*) *Fig* to cram (**de** with) ▮ **se gaver** *vpr* to gorge ou stuff oneself (**de** with).
gaz [gɑz] *nm inv* gas; **usine à g.** gasworks; **réchaud/masque/etc à g.** gas stove/mask *etc*; **chambre à g.** gas chamber; **g. carbonique** carbon dioxide; **g. d'échappement** (*de véhicule*) exhaust fumes; **avoir des g.** to have wind ou flatulence; **il y a de l'eau dans le g.** we're running into difficulties, things aren't going smoothly.
Gaza [gaza] *nf* Gaza; **la bande de G.** the Gaza Strip.
gaze [gɑz] *nf* (*tissu*) gauze.
gazelle [gazɛl] *nf* (*animal*) gazelle.
gazer [gaze] **1** *vi* (*aller vite*) *Fam* to whizz along; **ça gaze!** everything's just fine! **2** *vt Mil* to gas.
gazette [gazɛt] *nf* (*journal*) *Vieilli* newspaper.
gazeux, -euse [gazø, -øz] *a* (*état*) gaseous; (*boisson, eau*) *Br* fizzy, carbonated. ●**gazomètre** *nm Br* gasometer, gas storage tank.
gazinière [gazinjɛr] *nf Br* gas cooker, *Am* gas stove.
gazole [gazɔl] *nm voir* **gas-oil**.
gazon [gɑzɔ̃] *nm* grass, lawn.
gazouiller [gazuje] *vi* (*oiseau*) to chirp; (*bébé, ruisseau*) to babble. ●**gazouillis** ou **gazouillement** *nm* chirping; (*de bébé ou* babbling.
GDF [ʒedeɛf] *nm abrév* (*Gaz de France*) (French) Gas Company.
geai [ʒɛ] *nm* (*oiseau*) jay.
géant, -ante [ʒeɑ̃, -ɑ̃t] *nmf* giant ▮ *a* a giant; **c'est g.!** *Fam* it's terrific ou brilliant!
Geiger [ʒeʒɛr] *nm* **compteur G.** Geiger counter.
geindre[*] [ʒɛ̃dr] *vi* to whine, whimper.
gel [ʒɛl] *nm* **1** (*temps, glace*) frost; (*de crédits*) *Écon* freezing. **2** (*pour cheveux etc*) gel. ●**geler** *vti* to freeze; **on gèle ici** it's freezing here ▮ *v imp* **il gèle** it's freezing. ●**gelé, -ée** *a* frozen; (*doigts, mains, pieds*) *Méd* frostbitten. ●**gelée** *nf* **1** frost; **g. blanche** ground frost. **2** (*de fruits, de viande*) jelly; **œufs en g.** jellied eggs.
gélatine [ʒelatin] *nf* gelatin(e).
gélule [ʒelyl] *nf* (*médicament*) capsule.
Gémeaux [ʒemo] *nmpl* **les G.** (*signe*) Gemini.
gémir [ʒemir] *vi* to groan, moan. ●**gémissement** *nm* groan, moan.
gencive [ʒɑ̃siv] *nf* (*de la bouche*) gum.
gendarme [ʒɑ̃darm] *nm* gendarme, policeman (*soldier performing police duties*). ●**gendarmerie** *nf* police force; (*local*) police headquarters.
gendre [ʒɑ̃dr] *nm* son-in-law.
gène [ʒɛn] *nm* (*élément du chromosome*) gene.
gêne [ʒɛn] *nf* (*trouble physique*) discomfort; (*confusion*) embarrassment; (*dérangement*) bother, trouble; **dans la g.** (*à court d'argent*) in financial difficulties.
généalogie [ʒenealɔʒi] *nf* genealogy. ●**généalogique** *a* genealogical; **arbre g.** family tree.
gêner [ʒene] *vt* (*déranger, irriter*) to bother, annoy; (*troubler*) to embarrass; (*mouvement, action*) to hamper, hinder; (*circulation*) *Aut* to hold up, block; **g. qn** (*vêtement*) to be uncomfortable on s.o.; (*par sa présence*) to be in s.o.'s way; **ça ne me gêne pas** I don't mind (**si** if).
▮ **se gêner** *vpr* (*se déranger*) to put oneself out; **ne te gêne pas pour moi!** don't mind me! ●**gênant, -ante** *a* (*objet*) cumbersome; (*présence, situation*) awkward; (*bruit, personne*) annoying. ●**gêné, -ée** *a* (*intimidé*) embarrassed; (*mal à l'aise*) awkward, uneasy; (*silence, sourire*) awkward; (*sans argent*) short of money.
général, -e, -aux [ʒeneral, -o] **1** *a* (*global, commun*) general; **en g.** in general. **2** *nm* (*officier dans l'armée*) general; **oui, mon g.!** yes, general! ●**générale** *nf Théâtre* dress rehearsal. ●**généralement** *adv* generally; **g. parlant** broadly ou generally speaking.

●**généralité** *nf* generality.
généralisation [ʒeneralizɑsjɔ̃] *nf* generalization. ●**généraliser** *vti* to generalize **I se généraliser** *vpr* to become general *ou* widespread.
généraliste [ʒeneralist] *nm* (*médecin*) general practitioner, GP.
générateur [ʒeneratœr] *nm ou* **génératrice** *nf Él* generator.
génération [ʒenerɑsjɔ̃] *nf* generation.
générer [ʒenere] *vt* to generate.
généreux, -euse [ʒenerø, -øz] *a* generous (de with). ●**généreusement** *adv* generously. ●**générosité** *nf* generosity.
générique [ʒenerik] *nm* (*de film*) credits **I** *a* **produit g.** generic *ou* unbranded product.
genèse [ʒənɛz] *nf* genesis.
genêt [ʒənɛ] *nm* (*plante*) broom.
génétique [ʒenetik] *nf* genetics **I** *a* (*code, empreinte etc*) genetic; **manipulation g.** genetic engineering *ou* manipulation.
Genève [ʒənɛv] *nm ou f* Geneva.
génial, -e, -aux [ʒenjal, -o] *a* (*personne, invention*) brilliant; (*formidable*) *Fam* fantastic.
génie [ʒeni] *nm* **1** (*aptitude, personne*) genius; **inventeur/etc de g.** inventor/etc of genius; **avoir le g. pour faire/de qch** to have a genius for doing/for sth. **2 g. civil** civil engineering; **g. génétique/informatique** genetic/computer engineering; **g. militaire** engineering corps. **3** (*esprit*) genie, spirit; **bon/mauvais g.** good/evil genie.
génisse [ʒenis] *nf* (*vache*) heifer.
génital, -e, -aux [ʒenital, -o] *a* genital; **organes génitaux** genitals.
génocide [ʒenɔsid] *nm* genocide.
genou, -x [ʒ(ə)nu] *nm* knee; **être à genoux** to be kneeling (down); **se mettre à genoux** to kneel (down); **prendre qn sur ses genoux** to take s.o. on one's lap; **écrire sur ses genoux** to write on one's lap. ●**genouillère** *nf Football etc* knee pad.
genre [ʒɑ̃r] *nm* **1** (*espèce*) kind, sort; (*attitude*) manner, way; **g. humain** mankind; **g. de vie** way of life; **ce n'est pas son g.** that's not like him. **2** *Littér Cinéma* genre; *Grammaire* gender; *Biol* genus.
gens [ʒɑ̃] *nmpl ou nfpl* people; **jeunes g.** young people; (*hommes*) young men; **de petites g.** people of humble means; **g. de maison** (*domestiques*) domestic servants.
gentil, -ille [ʒɑ̃ti, -ij] *a* (*agréable*) nice, pleasant; (*aimable*) kind, nice; (*mignon*) pretty; **g. avec qn** nice *ou* kind to s.o.; **sois g.** (*sage*) be good. ●**gentillesse** *nf* kindness; **avoir la g. de faire qch** to be kind enough to do sth. ●**gentiment** *adv* (*aimablement*) kindly; (*sagement*) nicely.
gentilhomme, *pl* **gentilshommes** [ʒɑ̃tijɔm, ʒɑ̃tizɔm] *nm* (*noble*) *Hist* gentleman.
géographie [ʒeɔgrafi] *nf* geography. ●**géographique** *a* geographical.
geôlier, -ière [ʒolje, -jɛr] *nmf* jailer, *Br* gaoler.

géologie [ʒeɔlɔʒi] *nf* geology. ●**géologique** *a* geological. ●**géologue** *nmf* geologist.
géomètre [ʒeɔmɛtr] *nm* surveyor.
géométrie [ʒeɔmetri] *nf* geometry; **à g. variable** ever-changing, volatile. ●**géométrique** *a* geometric(al).
géostationnaire [ʒeɔstasjɔnɛr] *a* (*satellite*) geostationary.
géranium [ʒeranjɔm] *nm* (*plante*) geranium.
gérant, -ante [ʒerɑ̃, -ɑ̃t] *nmf* manager, manageress; **g. d'immeubles** landlord's agent. ●**gérance** *nf* (*gestion*) management.
gerbe [ʒɛrb] *nf* (*de blé*) sheaf; (*de fleurs*) bunch; (*d'eau*) spray; (*d'étincelles*) shower.
gercer [ʒɛrse] *vi*, **se gercer** *vpr* (*peau, lèvres*) to become chapped; **avoir les lèvres gercées** to have chapped lips. ●**gerçure** *nf* chap, crack; **avoir des gerçures aux mains** to have chapped hands.
gérer [ʒere] *vt* (*commerce, budget etc*) to manage.
germain, -aine [ʒɛrmɛ̃, -ɛn] *a* **cousin g.** first cousin.
germanique [ʒɛrmanik] *a* Germanic.
germe [ʒɛrm] *nm* (*microbe*) germ; (*de plante*) shoot; (*d'une idée*) *Fig* seed, germ. ●**germer** *vi* (*graine*) to start to grow; (*pomme de terre*) to sprout; (*idée*) *Fig* to germinate.
gérondif [ʒerɔ̃dif] *nm Grammaire* gerund.
gésir [ʒezir] *vi* (*être étendu*) *Litt* to be lying; **il gît/gisait** he is/was lying; **ci-gît** here lies.
gestation [ʒɛstɑsjɔ̃] *nf* gestation.
geste [ʒɛst] *nm* gesture; **ne pas faire un g.** (*ne pas bouger*) not to make a move; **faire un g. de la main** to wave one's hand; **faire un g.** (*intervenir*) to do something positive, make a (positive) gesture; **faire un beau g.** to make a noble gesture. ●**gesticuler** *vi* to gesticulate.
gestion [ʒɛstjɔ̃] *nf* (*action*) management; **g. du personnel/de patrimoine** personnel/property management. ●**gestionnaire** *nmf* administrator.
geyser [ʒezɛr] *nm Géol* geyser.
Ghana [gana] *nm* Ghana.
ghetto [gɛto] *nm* ghetto.
gibecière [ʒib(ə)sjɛr] *nf* shoulder bag.
gibier [ʒibje] *nm* (*animaux etc*) game; **le gros g.** big game.
giboulée [ʒibule] *nf* shower, downpour; **giboulées de mars** = April showers.
gicler [ʒikle] *vi* (*liquide*) to spurt, squirt; (*boue*) to splash; **faire g.** to spurt, squirt. ●**giclée** *nf* jet, spurt. ●**gicleur** *nm* (*de carburateur*) *Aut* jet.
gifle [ʒifl] *nf* slap (in the face). ●**gifler** *vt* **g. qn** to slap s.o., slap s.o.'s face.
gigantesque [ʒigɑ̃tɛsk] *a* gigantic.
gigogne [ʒigɔɲ] *a* **table g.** nest of tables.
gigot [ʒigo] *nm* leg of mutton *ou* lamb.
gigoter [ʒigɔte] *vi Fam* to wriggle, fidget.
gilet [ʒilɛ] *nm* (*cardigan*) cardigan; (*de costume*) *Br* waistcoat, *Am* vest; **g. de sauvetage** life jacket; **g. pare-balles** bulletproof *Br*

gin jacket *ou Am* vest.
gin [dʒin] *nm (eau-de-vie)* gin.
gingembre [ʒɛ̃ʒɑ̃br] *nm (plante, condiment)* ginger.
girafe [ʒiraf] *nf* giraffe.
giratoire [ʒiratwar] *a* sens **g.** *Aut Br* roundabout, *Am* traffic circle.
girl [gœrl] *nf (danseuse)* chorus girl.
girofle [ʒirɔfl] *nm* **clou de g.** *Bot* clove.
giroflée [ʒirɔfle] *nf* wallflower.
girouette [ʒirwɛt] *nf Br* weathercock, *Am* weathervane; *(personne) Fig* weathercock.
gisement [ʒizmɑ̃] *nm (de minerai, pétrole)* deposit.
gitan, -ane [ʒitɑ̃, -an] *nmf* (Spanish) gipsy.
gîte [ʒit] *nm (abri)* resting place; **g. rural** furnished *Br* holiday *ou Am* vacation accommodation *(farmhouse, cottage etc)*; **donner le g. et le couvert à qn** to give s.o. room and board.
gîter [ʒite] *vi (navire)* to list.
givre [ʒivr] *nm* frost, hoarfrost. ●**se givrer** *vpr (pare-brise etc)* to ice up, frost up. ●**givré, -ée** *a* frost-covered; *(fou) Fam* nuts, crazy.
glabre [glabr] *a (visage)* smooth.
glace [glas] *nf* 1 *(eau gelée)* ice; *(crème glacée)* ice cream. 2 *(vitre)* window; *(miroir)* mirror; *(verre)* plate glass; **briser la g.** *Fig* to break the ice; **il est resté de g.** he showed no emotion.
glacer [glase] 1 *vt (durcir)* to freeze; *(sang) Fig* to chill; **g. qn** *(paralyser, transir)* to chill s.o. ▮ **se glacer** *vpr* **mon sang s'est glacé dans mes veines** my blood ran cold. 2 *vt (gâteau)* to ice, *(au jus)* to glaze; *(papier)* to glaze. ●**glaçant, -ante** *a (attitude etc)* chilling, icy. ●**glacé, -ée** *a* 1 *(eau, pièce)* ice-cold, icy; *(vent)* freezing, icy; *(accueil) Fig* icy, chilly; **avoir les pieds**/*etc* **glacés** to have icy *ou* frozen *ou* ice-cold feet/*etc*. 2 *(thé, café)* iced; *(fruit, marron)* candied; *(papier)* glazed. ●**glaçage** *nm (de gâteau etc)* icing.
glacial, -e, -aux [glasjal, -o] *a* icy.
glacier [glasje] *nm* 1 *Géol* glacier. 2 *(vendeur)* ice-cream man.
glacière [glasjɛr] *nf (boîte, endroit)* icebox.
glaçon [glasɔ̃] *nm Culin* ice cube; *Géol* block of ice; *(sur le toit)* icicle.
glaïeul [glajœl] *nm (plante)* gladiolus.
glaire [glɛr] *nf Méd* phlegm.
glaise [glɛz] *nf* clay.
gland [glɑ̃] *nm* 1 *Bot* acorn. 2 *(pompon)* tassel.
glande [glɑ̃d] *nf* gland.
glander [glɑ̃de] *vi Fam* to fritter away one's time ▮ *vt (faire) Fam* to do.
glaner [glane] *vt (blé, renseignement etc)* to glean.
glapir [glapir] *vi* to yelp, yap.
glas [glɑ] *nm (de cloche)* knell; **on sonne le g.** the bell is tolling.
glauque [glok] *a* sea-green; *(sinistre) Fam* shady.
glisse [glis] *nf* (**sports de**) **g.** = sliding and gliding sports *(skiing, surfing etc)*.
glisser [glise] *vi (involontairement)* to slip; *(volontairement) (sur glace etc)* to slide; *(sur l'eau)* to glide; **g. sur** *(sujet) Fig* to slide *ou* gloss over; **faire g. un tiroir**/*etc* to slide a drawer/*etc*; **ça glisse** it's slippery; **ça m'a glissé des mains** it slid out of my hands ▮ *vt (introduire)* to slip *(dans* into); *(murmurer)* to whisper; **g. dans/sous** to slip into/under; **se laisser g. le long de la gouttière**/*etc* to slide down the drainpipe/*etc*. ●**glissant, -ante** *a* slippery. ●**glissade** *nf (involontaire)* slip; *(volontaire)* slide. ●**glissement** *nm* **g. à gauche** *Pol* swing *ou* shift to the left; **g. de terrain** *Géol* landslide; **g. de sens** shift in meaning.
glissière [glisjɛr] *nf* groove; **porte à g.** sliding door; **fermeture à g.** *Br* zip (fastener), *Am* zipper; **g. de sécurité** *Aut* crash barrier.
global, -e, -aux [glɔbal, -o] *a* total, global; **somme globale** lump sum; **méthode globale** *(à l'école)* word recognition. ●**globalement** *adv* collectively, as a whole.
globe [glɔb] *nm* globe; **g. de l'œil** eyeball; **g. (terrestre)** (terrestrial) globe.
globule [glɔbyl] *nm* **globules blancs/rouges** *(du sang)* white/red corpuscles.
globuleux, -euse [glɔbylø, -øz] *a* **yeux g.** protruding eyes.
gloire [glwar] *nf (renommée, louange, mérite)* glory; *(personne célèbre)* celebrity; **se faire g. de** to glory in; **à la g. de** in praise of. ●**glorieux, -euse** *a (plein de gloire)* glorious. ●**glorifier** *vt* to glorify; **se g. de qch** to glory in sth.
glossaire [glɔsɛr] *nm* glossary.
glouglou [gluglu] *nm (de liquide) Fam* gurgle. ●**glouglouter** *vi Fam* to gurgle.
glousser [gluse] *vi (poule)* to cluck; *(personne)* to chuckle. ●**gloussement** *nm* cluck(ing); *(de personne)* chuckle, chuckling.
glouton, -onne [glutɔ̃, -ɔn] *a* greedy, gluttonous ▮ *nmf* glutton. ●**gloutonnerie** *nf* gluttony.
gluant, -ante [glyɑ̃, -ɑ̃t] *a* sticky.
glucose [glykoz] *nm* glucose.
glycérine [gliserin] *nf* glycerin(e).
glycine [glisin] *nf (plante)* wisteria.
gnome [gnom] *nm (nain)* gnome.
gnon [ɲɔ̃] *nm Fam* blow, punch; **se prendre un g. dans la figure** *Fam* to get punched in the face.
go (tout de) [tudəgo] *adv* out of the blue, all of a sudden.
goal [gol] *nm Football* goalkeeper.
gobelet [gɔblɛ] *nm* tumbler; *(de plastique, papier)* cup.
gober [gɔbe] *vt (œuf, mouche etc)* to swallow (whole); *(propos) Fam* to swallow.
godasse [gɔdas] *nf Fam* shoe.
godet [gɔdɛ] *nm (récipient)* pot; *(verre) Fam* drink.
godillot [gɔdijo] *nm Fam* clodhopper, (heavy) shoe.
goéland [gɔelɑ̃] *nm* (sea)gull.

goélette [gɔelɛt] *nf* schooner.
gogo [gogo] *nm* (*homme naïf*) *Fam* sucker.
gogo (à) [agogo] *adv Fam* **whisky**/*etc* **à g. whisky**/*etc* galore.
goguenard, -arde [gɔgnar, -ard] *a* mocking.
goguette (en) [ɑ̃gɔgɛt] *adv* (*un peu ivre*) *Fam* merry, tight tipsy.
goinfre [gwɛ̃fr] *nm* (*glouton*) *Fam* pig, guzzler. ●**se goinfrer** *vpr Fam* to stuff oneself (**de** with), pig out (**de** on).
golf [gɔlf] *nm* golf; (*terrain*) golf course. ●**golfeur, -euse** *nmf* golfer.
golfe [gɔlf] *nm* gulf, bay.
gomme [gɔm] *nf* **1** (*substance*) gum. **2** (*à effacer*) eraser, *Br* rubber. **3 mettre toute la g.** *Fam* (*accélérer*) to pull out all the stops; (*en voiture*) to put one's foot down. ●**gommé, -ée** *a* (*papier*) gummed. ●**gommer** *vt* (*effacer*) to rub out, erase.
gomme (à la) [alagɔm] *adv Fam* useless.
gond [gɔ̃] *nm* (*de porte etc*) hinge; **sortir de ses gonds** *Fig* to lose one's temper.
gondole [gɔ̃dɔl] *nf* (*bateau*) gondola. ●**gondolier** *nm* gondolier.
gondoler [gɔ̃dɔle] **1** *vi*, **se gondoler** *vpr* (*planche*) to warp. **2 se gondoler** *vpr* (*rire*) *Fam* to split one's sides.
gonflable [gɔ̃flabl] *a* inflatable.
gonfler [gɔ̃fle] *vt* to swell; (*pneu*) to pump up, inflate; (*en soufflant*) to blow up; (*poitrine*) to swell out; (*grossir*) *Fig* to inflate **I** *vi*, **se gonfler** *vpr* to swell; **se g. d'orgueil** to swell up with pride. ●**gonflé, -ée** *a* swollen; **être g.** *Fam* (*courageux*) to have plenty of pluck; (*insolent*) to have plenty of nerve. ●**gonflement** *nm* swelling. ●**gonfleur** *nm* (air) pump.
gong [gɔ̃g] *nm* gong.
gorge [gɔrʒ] *nf* **1** throat; (*seins*) *Litt* bust; **rire à g. déployée** to roar with laughter; **faire des gorges chaudes de qch** *Fig* to have a field day pouring scorn on sth. **2** *Géog* gorge.
gorgé, -ée [gɔrʒe] *a* **g. de** (*saturé*) gorged with.
gorgée [gɔrʒe] *nf* mouthful (*of wine etc*); **petite g.** sip; **d'une seule g.** in *ou* at one gulp.
gorger [gɔrʒe] *vt* (*remplir*) to stuff (**de** with); **se g. de** to stuff *ou* gorge oneself with.
gorille [gɔrij] *nm* **1** (*animal*) gorilla. **2** (*garde du corps*) *Fam* bodyguard.
gosier [gozje] *nm* throat, windpipe.
gosse [gɔs] *nmf* (*enfant*) *Fam* kid, youngster.
gothique [gɔtik] *a* & *nm* Gothic.
gouache [gwaʃ] *nf* (*peinture*) gouache.
goudron [gudrɔ̃] *nm* tar. ●**goudronner** *vt* to tar.
gouffre [gufr] *nm* gulf, chasm.
goujat [guʒa] *nm* churl, lout.
goulasch [gulaʃ] *nf* (*plat*) goulash.
goulot [gulo] *nm* (*de bouteille*) neck; **boire au g.** to drink from the bottle.
goulu, -ue [guly] *a* greedy. ●**goulûment** *adv* greedily.
goupille [gupij] *nf* (*cheville*) pin.

goupiller [gupije] *vt* (*arranger*) *Fam* to work out, arrange **I se goupiller** *vpr* **ça s'est bien goupillé** *Fam* it worked out (well); **ça s'est mal goupillé** *Fam* it didn't work out.
gourde [gurd] *nf* **1** (*à eau*) water bottle, flask. **2** (*personne*) *Péj Fam* chump, oaf.
gourdin [gurdɛ̃] *nm* club, cudgel.
gourer (se) [səgure] *vpr Fam* to make a mistake.
gourmand, -ande [gurmɑ̃, -ɑ̃d] *a* (over)fond of food *ou* eating, *Péj* greedy; **g. de fond of**; **être g.** (**de sucreries**) to have a sweet tooth **I** *nmf* hearty eater, *Péj* glutton. ●**gourmandise** *nf* (over)fondness for food, *Péj* gluttony; **gourmandises** (*mets*) delicacies.
gourmet [gurmɛ] *nm* gourmet, epicure.
gourmette [gurmɛt] *nf* identity bracelet *ou* chain.
gousse [gus] *nf* **g. d'ail** clove of garlic.
goût [gu] *nm* taste; **de bon g.** in good taste; **sans g.** tasteless; **par g.** from *ou* by choice; **avoir du g.** (*personne*) to have good taste; **avoir un g. de noisette**/*etc* to taste of hazelnut/*etc*; **prendre g. à qch** to take a liking to sth; **quelque chose dans ce g.-là!** *Fam* something of that sort *ou* order!
goûter [gute] *vt* (*aliment*) to taste; (*apprécier*) to relish, enjoy; **g. à qch** to taste (a little of) sth; **g. de** (*pour la première fois*) to try out, taste **I** *vi* to have an afternoon snack, *Br* have tea **I** *nm* afternoon snack, *Br* tea.
goutte [gut] *nf* **1** drop; **couler g. à g.** to drip. **2** (*maladie*) gout. ●**goutte-à-goutte** *nm inv Méd* drip. ●**gouttelette** *nf* droplet. ●**goutter** *vi* (*eau, robinet, nez*) to drip (**de** from).
gouttière [gutjɛr] *nf* (*d'un toit*) gutter; (*verticale*) drainpipe.
gouvernail [guvɛrnaj] *nm* (*pale*) rudder; (*barre*) helm.
gouvernante [guvɛrnɑ̃t] *nf* governess.
gouvernement [guvɛrnəmɑ̃] *nm* government. ●**gouvernemental, -e, -aux** *a* **politique**/*etc* **gouvernementale** government policy/*etc*; **l'équipe gouvernementale** the government.
gouverner [guvɛrne] *vti Pol* & *Fig* to govern, rule. ●**gouvernants** *nmpl* rulers. ●**gouverneur** *nm* governor.
grabuge [grabyʒ] *nm* **il y a du g.** (*querelle*) *Fam* there's a rumpus.
grâce [grɑs] **1** *nf* (*charme*) & *Rel* grace; (*avantage*) favour; (*miséricorde*) mercy; **crier g.** to cry for mercy; **de bonne/mauvaise g.** with good/bad grace; **g. présidentielle** presidential pardon; **délai de g.** (*pour payer les impôts etc*) days of grace; **donner le coup de g. à** to finish off; **faire g. de qch à qn** to spare s.o. sth; **être dans les bonnes grâces de qn** to be in favour with s.o.; **rendre g. à qn** to give thanks to s.o. **2** *prép* **g. à** thanks to.
gracier [grasje] *vt* (*condamné*) to pardon.
gracieux, -euse [grasjø, -øz] *a* **1** (*élégant*) graceful; (*aimable*) gracious. **2** (*gratuit*) gratuitous; **à titre g.** free (of charge). ●**gracieu-**

gracile

sement *adv* gracefully; (*aimablement*) graciously; (*gratuitement*) free (of charge).
gracile [grasil] *a Litt* slender.
gradation [gradasjɔ̃] *nf* gradation.
grade [grad] *nm* (*militaire etc*) rank; **monter en g.** to be promoted. ●**gradé** *nm* (*dans l'armée*) non-commissioned officer.
gradins [gradɛ̃] *nmpl* (*d'amphithéâtre etc*) seats in tiers, rows of seats; (*de stade*) *Br* terraces, *Am* bleachers.
graduel, -elle [graduɛl] *a* gradual.
graduer [gradɥe] *vt* (*règle*) to graduate; (*exercices*) to grade (*for difficulty*), make gradually more difficult.
graffiti [grafiti] *nmpl* graffiti.
grain [grɛ̃] *nm* 1 (*de blé etc*) & *Fig* grain; (*de café*) bean; (*de poussière*) speck; (*de chapelet*) bead; **grains** (*céréales*) grain; **le g.** (*de cuir, papier*) the grain; **g. de beauté** mole; (*sur le visage*) beauty spot; **g. de raisin** grape; **avoir un g.** *Fam* to be not quite right in the head; **mettre son g. de sel** *Fam* to put one's oar in. 2 (*averse*) shower.
graine [grɛn] *nf* seed; **une mauvaise g.** (*enfant*) a rotten egg, *Br* a bad lot; **en prendre de la g.** to profit *ou* learn from someone's example.
graisse [grɛs] *nf* fat; (*lubrifiant*) grease. ●**graissage** *nm* (*de véhicule*) lubrication. ●**graisser** *vt* to grease. ●**graisseux, -euse** *a* (*vêtement etc*) greasy, oily; (*bourrelets, tissu*) fatty.
grammaire [gramɛr] *nf* grammar; **livre de g.** grammar (book). ●**grammatical, -e, -aux** *a* grammatical.
gramme [gram] *nm* gram(me).
grand, grande [grɑ̃, grɑ̃d] *a* big, large; (*en hauteur*) tall; (*chaleur, découverte, âge, mérite, ami etc*) great; (*bruit*) loud, great; (*différence*) wide, big, great; (*adulte, mûr, plus âgé*) grown up, big; (*maître, officier*) grand; (*âme*) noble; **g. frère/etc** (*plus âgé*) big brother/*etc*; **le g. air** the open air; **il est g. temps que je parte** it's high time that I left; **il n'y avait pas g. monde** there were not many people.
▪ *adv* **g. ouvert** (*yeux, fenêtre*) wide-open; **ouvrir g.** to open wide; **en g.** on a grand *ou* large scale.
▪ *nmf* (*à l'école*) senior; (*adulte*) grown-up. ●**grandement** *adv* (*beaucoup*) greatly; (*généreusement*) grandly; **avoir g. de quoi vivre** to have plenty to live on.
grand-chose [grɑ̃ʃoz] *pron* **pas g.-chose** not much.
Grande-Bretagne [grɑ̃dbrətaɲ] *nf* Great Britain.
grandeur [grɑ̃dœr] *nf* (*importance, gloire*) greatness; (*dimension*) size, magnitude; (*majesté, splendeur*) grandeur; **g. nature** life-size; **g. d'âme** generosity; **avoir la folie des grandeurs** to have delusions of grandeur.
grandiose [grɑ̃djoz] *a* grandiose, grand.
grandir [grɑ̃dir] *vi* to grow; (*bruit*) to grow louder; **g. de 2 cm** to grow 2 cm ▪ *vt* (*grossir*) to magnify; **g. qn** (*faire paraître plus grand*) to make s.o. seem taller.
grand-mère [grɑ̃mɛr] *nf* (*pl* **grands-mères**) grandmother. ●**grand-père** *nm* (*pl* **grands-pères**) grandfather. ●**grands-parents** *nmpl* grandparents.
grand-route [grɑ̃rut] *nf* main road.
grange [grɑ̃ʒ] *nf* barn.
granit(e) [granit] *nm* granite.
granule [granyl] *nm* granule.
graphique [grafik] *a* (*signe, art*) graphic ▪ *nm* graph; *Ordinat* graphic.
grappe [grap] *nf* (*de fruits etc*) cluster; **g. de raisin** bunch of grapes.
grappin [grapɛ̃] *nm* **mettre le g. sur** *Fam* to grab hold of.
gras, grasse [grɑ, grɑs] *a* (*personne, ventre etc*) fat; (*aliment*) fatty; (*graisseux*) greasy, oily; (*plante, contour*) thick; (*rire*) throaty, deep; (*toux*) loose, phlegmy; **matières grasses** *Culin* fat; **foie g.** foie gras (*goose liver paste*); **caractères g.** bold type ▪ *nm* (*de viande*) fat. ●**grassement** *adv* **g. payé** handsomely paid. ●**grassouillet, -ette** *a* plump.
gratifier [gratifje] *vt* **g. qn de** to present *ou* favour s.o. with. ●**gratification** *nf* (*prime*) bonus.
gratin [gratɛ̃] *nm* 1 **macaronis/chou-fleur au g.** (*plat*) *Br* macaroni/cauliflower cheese, *Am* macaroni/cauliflower and cheese. 2 (*élite*) *Fam* upper crust. ●**gratiner** *vt* to cook (*sth*) au gratin.
gratis [gratis] *adv* free (of charge), gratis.
gratitude [gratityd] *nf* gratitude.
gratte-ciel [gratsjɛl] *nm inv* skyscraper.
gratte-papier [gratpapje] *nm inv* (*employé*) *Péj* pen-pusher.
gratter [grate] *vt* (*avec un outil etc*) to scrape; (*avec les ongles, les griffes etc*) to scratch; (*boue*) to scrape off; (*effacer*) to scratch out; **ça me gratte** *Fam* it itches, I have an itch ▪ *vi* (*à la porte etc*) to scratch; (*tissu*) to be scratchy ▪ **se gratter** *vpr* to scratch oneself. ●**grattoir** *nm* scraper.
gratuit, -uite [gratɥi, -ɥit] *a* (*billet etc*) free; (*hypothèse, acte*) gratuitous. ●**gratuité** *nf* **la g. de l'enseignement/etc** free education/*etc*. ●**gratuitement** *adv* free (of charge); (*sans motif*) gratuitously.
gravats [grava] *nmpl* rubble, debris.
grave [grav] *a* (*maladie, faute etc*) serious; (*juge, visage*) grave; (*voix*) deep, low, solemn; **ce n'est pas g.!** it's not important!; **accent g.** grave [gra:v] accent. ●**gravement** *adv* (*malade, menacé*) seriously; (*dignement*) gravely.
graver [grave] *vt* (*sur métal etc*) to engrave; (*sur bois*) to carve; (*disque*) to cut; (*dans mémoire*) to imprint, engrave. ●**graveur** *nm* engraver.
gravier [gravje] *nm* gravel. ●**gravillon** *nm* gravel; **gravillons** gravel, *Br* (loose) chippings.
gravir [gravir] *vt* to climb (*with effort*); **g. les échelons** *Fig* to climb the ladder.

gravité [gravite] *nf* **1** (*de situation etc*) seriousness; (*solennité*) gravity; **accident sans g.** minor accident. **2** *Phys* gravity; **centre de g.** centre of gravity.

graviter [gravite] *vi* to revolve (**autour around**). ● **gravitation** *nf* gravitation.

gravure [gravyr] *nf* (*image*) print; (*action, art*) engraving; (*à l'eau forte*) etching; (*de disque*) recording; **g. sur bois** (*objet*) woodcut.

gré [gre] *nm* **à son g.** (*goût*) to his *ou* her taste; (*désir*) as he *ou* she pleases; **de son plein g.** of one's own free will; **de bon g.** willingly; **contre le g. de qn** against s.o.'s will; **bon g. mal g.** willy-nilly, reluctantly; **de g. ou de force** one way or another, willy-nilly; **au g. de** (*vent etc*) at the mercy of; **savoir g. de qch à qn** to be thankful to s.o. for sth.

Grèce [grɛs] *nf* Greece. ● **grec, grecque** *a* Greek ▮ *nmf* G., Grecque Greek ▮ *nm* (*langue*) Greek.

greffe [grɛf] **1** *nf* (*de peau, d'arbre etc*) graft; (*d'organe*) transplant. **2** *nm Jur* record office. ● **greffer** *vt* (*peau etc*) & *Bot* to graft (**à** on to); (*organe*) to transplant. ● **greffier** *nm* clerk (of the court). ● **greffon** *nm* (*de peau*) & *Bot* graft.

grégaire [greger] *a* (*instinct*) gregarious.

grêle [grɛl] **1** *nf Mét* hail; **g. de balles/etc** *Fig* hail of bullets/*etc*. **2** *a* (*fin*) spindly, (very) slender *ou* thin. ● **grêler** *v imp* to hail; **il grêle** it's hailing. ● **grêlon** *nm* hailstone.

grêlé, -ée [grele] *a* (*visage*) pockmarked.

grelot [grəlo] *nm* (small round) bell (*that jingles*).

grelotter [grəlɔte] *vi* to shiver (**de** with).

grenade [grənad] *nf* **1** (*fruit*) pomegranate. **2** (*projectile*) grenade. ● **grenadine** *nf* pomegranate syrup, grenadine.

grenat [grəna] *a inv* (*couleur*) dark red.

grenier [grənje] *nm* (*de maison*) attic; *Agr* granary.

grenouille [grənuj] *nf* frog.

grès [grɛ] *nm* (*roche*) sandstone; (*poterie*) stoneware.

grésiller [grezije] *vi Culin* to sizzle; *Radio* to crackle.

grève [grɛv] *nf* **1** strike; **se mettre en g.** to go (out) on strike; **g. de la faim** hunger strike; **g. du zèle** *Br* work-to-rule, *Am* rule-book slow-down; **g. perlée** *Br* go-slow, *Am* slow-down (strike); **g. sauvage/sur le tas** wildcat/sit-down strike; **g. tournante** strike by rota. **2** (*de mer*) shore; (*de rivière*) bank. ● **gréviste** *nmf* striker.

gribouiller [gribuje] *vti* to scribble. ● **gribouillis** *nm* scribble.

grief [grijɛf] *nm* (*plainte*) grievance; **faire g. de qch à qn** to hold sth against s.o.

grièvement [grijɛvmɑ̃] *adv* **g. blessé** seriously *ou* badly injured.

griffe [grif] *nf* **1** (*ongle*) claw; **sous la g. de qn** (*pouvoir*) in s.o.'s clutches. **2** (*de couturier*) (designer) label; (*tampon*) printed signature; (*d'auteur*) *Fig* mark, stamp. ● **griffé, -ée** *a* **vêtements griffés** designer clothes. ● **griffer** *vt* to scratch, claw.

griffonner [grifɔne] *vt* to scribble, scrawl. ● **griffonnage** *nm* scribble, scrawl.

grignoter [griɲɔte] *vti* to nibble.

gril [gril] *nm* (*ustensile de cuisine*) *Br* grill, *Am* broiler. ● **grillade** [grijad] *nf* (*viande*) *Br* grill, *Am* grilled meat, *Am* broiled meat. ● **grille-pain** *nm inv* toaster. ● **griller** *vt* (*viande*) *Br* to grill, *Am* broil; (*pain*) to toast; (*café*) to roast; (*ampoule électrique*) to blow; (*brûler*) to scorch; (*cigarette*) *Fam* to smoke; **g. un feu rouge** (*en voiture etc*) *Fam* to drive through *ou* jump a red light ▮ *vi* **mettre à g.** *Br* to put on the grill, *Am* to broil; **on grille ici** *Fam* it's scorching; **g. de faire qch** to be itching to do sth; **se faire g.** *Fam* to get one's fingers burnt; **il est grillé** (*dévoilé*) *Fam* his game's up, he's had it.

grille [grij] *nf* (*clôture*) railings; (*porte*) (iron) gate; (*de fourneau, foyer*) grate; (*de radiateur de voiture*) grid, grille; (*des salaires*) *Fig* scale; **grilles** (*de fenêtre*) bars, grating; **g. (des horaires)** schedule; **g. de mots croisés** crossword puzzle grid. ● **grillage** *nm* wire mesh *ou* netting.

griller [grije] *vt* & *vi* voir **gril**.

grillon [grijɔ̃] *nm* (*insecte*) cricket.

grimace [grimas] *nf* (*pour faire rire*) (funny) face; (*de dégoût, douleur*) grimace; **faire des grimaces/la g.** to make faces/a face. ● **grimacer** *vi* to make faces *ou* a face; (*de dégoût etc*) to grimace (**de** with).

grimer [grime] *vt*, **se grimer** *vpr* (*acteur*) to make up.

grimper [grɛ̃pe] *vi* to climb (**à qch** up sth); (*prix*) *Fam* to rocket ▮ *vt* to climb. ● **grimpant, -ante** *a* **plante/***etc* **grimpante** climbing plant/*etc*.

grincer [grɛ̃se] *vi* to creak, grate; **g. des dents** to grind *ou* gnash one's teeth. ● **grincement** *nm* creaking, grating; (*des dents*) grinding.

grincheux, -euse [grɛ̃ʃø, -øz] *a* grumpy, bad-tempered.

gringalet [grɛ̃galɛ] *nm* (*homme*) *Péj* puny runt, weakling.

grippe [grip] *nf* **1** (*maladie*) flu, influenza; **g. intestinale** gastric flu. **2 prendre qch/qn en g.** to take a strong dislike to sth/s.o. ● **grippé, -ée** *a* **être g.** to have (the) flu.

gripper [gripe] *vi*, **se gripper** *vpr* (*moteur*) to seize up.

grippe-sou [gripsu] *nm* skinflint, miser.

gris, grise [gri, griz] *a Br* grey, *Am* gray; (*temps*) dull, grey; (*ivre*) tipsy ▮ *nm Br* grey, *Am* gray. ● **grisaille** *nf* (*de vie*) dullness, *Br* greyness, *Am* grayness. ● **grisâtre** *a Br* greyish, *Am* grayish.

griser [grize] *vt* (*vin etc*) to make (s.o.) tipsy, intoxicate (s.o.); (*air vif, succès etc*) to exhilarate (s.o.). ● **griserie** *nf* intoxication; (*du succès etc*) exhilaration.

grisonner [grizɔne] *vi* (*cheveux, personne*) to

grisou

go *Br* grey *ou Am* gray. ● **grisonnant, -ante** *a Br* greying, *Am* graying; **avoir les tempes grisonnantes** to be going grey at the temples.
grisou [grizu] *nm* (*gaz*) firedamp; **coup de g.** firedamp explosion.
grive [griv] *nf* (*oiseau*) thrush.
grivois, -oise [grivwa, -waz] *a* bawdy. ● **grivoiserie** *nf* (*propos*) bawdy talk.
grizzli [grizli] *nm* grizzly bear.
Groenland [grɔɛnlɑ̃d] *nm* Greenland.
grog [grɔg] *nm* (*boisson*) grog, toddy.
grogner [grɔɲe] *vi* (*personne*) to grumble, growl (**contre** at); (*cochon*) to grunt. ● **grognement** *nm* grumble, growl; (*de cochon*) grunt. ● **grognon** *am* grumpy, peevish.
grommeler [grɔm(ə)le] *vti* to grumble, mutter.
gronder [grɔ̃de] *vi* (*chien*) to growl; (*tonnerre, camion*) to rumble ▮ *vt* (*réprimander*) to scold, tell off. ● **grondement** *nm* growl; (*de tonnerre etc*) rumble. ● **gronderie** *nf* scolding.
groom [grum] *nm Br* page (boy), *Am* bellboy.
gros, grosse [gro, gros] *a* big; (*gras*) fat; (*épais*) thick; (*effort, progrès*) great; (*somme, fortune*) large; (*averse, rhume, mer*) heavy; (*faute*) serious, gross; (*bruit*) loud; (*traits, laine, fil*) coarse; **g. mot** swear word.
▮ *adv* **gagner g.** to earn big money; **risquer g.** to take a big risk; **écrire g.** to write big; **en g.** (*globalement*) roughly; (*écrire*) in big letters; (*vendre*) in bulk, wholesale; **en avoir g. sur le cœur** to be bitter.
▮ *nm* (*personne*) fat man, fat woman.
▮ *nm* **le g. de** the bulk of; **commerce/maison/prix**/*etc* **de g.** wholesale trade/company/prices/*etc*.
groseille [grozɛj] *nf* (white *ou* red) currant; **g. à maquereau** gooseberry.
grossesse [grosɛs] *nf* pregnancy.
grosseur [grosœr] *nf* 1 (*volume*) size; (*obésité*) weight. 2 (*tumeur*) lump.
grossier, -ière [grosje, -jɛr] *a* (*tissu, traits*) rough, coarse; (*personne, manières*) rude, coarse; (*erreur*) gross; (*idée, solution*) rough, crude; (*instrument*) crude; **ruse grossière** crude trick; **être g. envers qn** (*incorrect*) to be rude to s.o. ● **grossièrement** *adv* (*calculer*) roughly; (*répondre*) coarsely, rudely; (*se tromper*) grossly. ● **grossièreté** *nf* roughness, coarseness; (*vulgarité*) rudeness; (*mot*) rude word.
grossir [grosir] *vi* (*personne*) to put on weight; (*fleuve*) to swell; (*bosse, foule, nombre etc*) to swell, get bigger; (*bruit*) to get louder ▮ *vt* to swell; (*exagérer*) *Fig* to magnify ▮ *vti* (*verre, loupe etc*) to magnify; **verre grossissant** magnifying glass. ● **grossissement** *nm* increase in weight; (*de bosse etc*) swelling, increase in size; (*de microscope etc*) magnification.
grossiste [grosist] *nmf Com* wholesaler.
grosso modo [grosomodo] *adv* (*en gros*) roughly.

grotesque [grɔtɛsk] *a* (*risible*) ludicrous, grotesque.
grotte [grɔt] *nf* cave, grotto.
grouiller [gruje] 1 *vi* (*rue, fourmis, foule etc*) to be swarming (**de** with). 2 **se grouiller** *vpr* (*se hâter*) *Fam* to step on it. ● **grouillant, -ante** *a* swarming (**de** with).
groupe [grup] *nm* group; **g. sanguin** blood group; **g. scolaire** (*bâtiments*) school block. ● **groupement** *nm* (*action*) grouping; (*groupe*) group. ● **grouper** *vt* to group (together) ▮ **se grouper** *vpr* to group (together), band together.
groupie [grupi] *nf* groupie.
grue [gry] *nf* (*machine, oiseau*) crane.
gruger [gryʒe] *vt Litt* to swindle, dupe; **se faire g.** to get swindled *ou* duped.
grumeau, -x [grymo] *nm* (*dans une sauce etc*) lump. ● **grumeleux, -euse** *a* lumpy.
gruyère [gryjɛr] *nm* gruyère (cheese).
Guadeloupe [gwadlup] *nf* Guadeloupe.
Guatemala [gwatemala] *nm* Guatemala.
gué [ge] *nm* ford; **passer à g.** to ford.
guenilles [gənij] *nfpl* rags (and tatters).
guenon [gənɔ̃] *nf* female monkey.
guépard [gepar] *nm* cheetah.
guêpe [gɛp] *nf* wasp. ● **guêpier** *nm* (*nid*) wasp's nest; (*piège*) *Fig* trap.
guère [gɛr] *adv* (**ne**)... **g.** hardly, scarcely; **il ne sort g.** he hardly *ou* scarcely goes out; **elle ne le fait g. plus** she hardly *ou* scarcely does it any more.
guéridon [geridɔ̃] *nm* pedestal table.
guérilla [gerija] *nf* guerrilla warfare. ● **guérillero** *nm* guerrilla.
guérir [gerir] *vt* (*personne, maladie*) to cure (**de** of); (*blessure*) to heal ▮ *vi* (*personne*) to get better, recover; (*blessure*) to heal; (*rhume*) to get better; **g. de** (*maladie*) to get over, recover from ▮ **se guérir** *vpr* to get better. ● **guéri, -ie** *a* cured, better, well; **être g. de qch/qn** (*débarrassé*) *Fig* to have got over sth/s.o., be finished with sth/s.o. ● **guérison** *nf* (*de personne*) recovery; (*de maladie*) cure; (*de blessure*) healing. ● **guérisseur, -euse** *nmf* faith healer.
guérite [gerit] *nf Mil* sentry box.
Guernesey [gɛrn(ə)zɛ] *nm ou f* Guernsey.
guerre [gɛr] *nf* war; (*chimique etc*) warfare; **en g.** at war (**avec** with); **faire la g.** to wage *ou* make war (**à** on, against); **crime/cri/**etc **de g.** war crime/cry/*etc*; **g. d'usure** war of attrition; **conseil de g.** court-martial; **c'est de bonne g.** that's fair enough; **j'ai accepté de g. lasse** I accepted, unable to resist any longer. ● **guerrier, -ière** *a* **danse guerrière** war dance; **chant g.** battle song; **nation guerrière** warlike nation ▮ *nmf* warrior. ● **guerroyer** *vi Litt* to war.
guet [gɛ] *nm* **faire le g.** to be on the lookout. ● **guetter** *vt* to be on the lookout for, watch (out) for; (*gibier*) to lie in wait for. ● **guetteur** *nm* (*soldat*) lookout.
guet-apens [gɛtapɑ̃] *nm* (*pl* guets-apens) ambush.

guêtre [gɛtr] *nf* gaiter.
gueule [gœl] *nf* (*d'animal, de canon*) mouth; (*de personne*) *Fam* mouth; (*figure*) *Fam* face; **avoir la g. de bois** *Fam* to have a hangover; **faire la g.** *Fam* to sulk; **faire une g. d'enterrement** *Fam* to look thoroughly depressed. ●**gueuler** *vti Fam* to bawl (out). ●**gueuleton** *nm* (*repas*) *Fam Br* blow-out, feast.
gui [gi] *nm* (*plante*) mistletoe.
guichet [giʃɛ] *nm* (*de gare, cinéma etc*) ticket office; (*de banque etc*) window; (*de théâtre*) box office, ticket office; **à guichets fermés** *Théâtre etc* with all tickets sold in advance. ●**guichetier, -ière** *nmf* (*de banque etc*) *Br* counter clerk, *Am* teller; (*à la gare*) ticket office clerk.
guide [gid] **1** *nm* (*personne, livre etc*) guide. **2** *nf* (*éclaireuse*) (girl) guide. ●**guides** *nfpl* (*rênes*) reins. ●**guider** *vt* to guide; **se g. sur un manuel**/*etc* to use a handbook/*etc* as a guide.
guidon [gidɔ̃] *nm* (*bicyclette*) handlebar(s).
guigne [giɲ] *nf* (*malchance*) *Fam* bad luck.
guignol [giɲɔl] *nm* (*spectacle*) = Punch and Judy show; **faire le g.** *Fam* to clown about *ou* around.
guillemets [gijmɛ] *nmpl Typ* inverted commas, quotation marks; **entre g.** in inverted commas, in quotation marks.
guilleret, -ette [gijrɛ, -ɛt] *a* lively, perky.
guillotine [gijɔtin] *nf* guillotine. ●**guillotiner** *vt* to guillotine.
guimauve [gimov] *nf* (*plante, confiserie*) marshmallow.
guimbarde [gɛ̃bard] *nf* (*voiture*) *Fam Br* old banger, *Am* (old) wreck.
guindé, -ée [gɛ̃de] *a* (*peu naturel*) stiff; (*style*) stilted.
Guinée [gine] *nf* Guinea.
guingois (de) [dəgɛ̃gwa] *adv Fam* askew, *Br* skew-whiff.
guirlande [girlɑ̃d] *nf* garland, wreath.
guise [giz] *nf* **agir à sa g.** to have one's own way; **n'en faire qu'à sa g.** to do as one pleases; **en g. de** by way of.
guitare [gitar] *nf* guitar. ●**guitariste** *nmf* guitarist.
guttural, -e, -aux [gytyral, -o] *a* guttural.
Guyane [gɥijan] *nf* Guyana.
gymnase [ʒimnɑz] *nm* gymnasium. ●**gymnaste** *nmf* gymnast. ●**gymnastique** *nf* gymnastics.
gynécologie [ʒinekɔlɔʒi] *nf Br* gynaecology, *Am* gynecology. ●**gynécologue** *nmf Br* gynaecologist, *Am* gynecologist.
gyrophare [ʒirofar] *nm* (*de voiture de police etc*) revolving light, flashing light.

H

H, h [aʃ] *nm* H, h; **l'heure H** zero hour; **bombe H** H-bomb.

ha! [ʼɑ] *int* ah!, oh!; **ha, ha!** (*rire*) ha-ha!

habile [abil] *a* skilful, clever (**à qch** at sth, **à faire** at doing); **h. de ses doigts** dexterous, clever *ou* good with one's fingers. ● **habilement** *adv* skilfully, cleverly. ● **habileté** *nf* skill, ability.

habilité, -ée [abilite] *a* (legally) authorized (**à faire** to do).

habiller [abije] *vt* to dress (**de** in); (*fournir en vêtements*) to clothe; (*couvrir*) to cover (**de** with); **h. qn en soldat**/*etc* (*déguiser*) to dress s.o. up as a soldier/*etc*; **un rien l'habille** she looks good in anything ▮ **s'habiller** *vpr* to dress (oneself), get dressed; (*avec élégance*) to dress up. ● **habillé, -ée** *a* dressed (**de** in, **en** as); (*costume, robe*) smart, dressy. ● **habillement** *nm* (*vêtements*) clothing, clothes.

habit [abi] *nm* costume, outfit; (*tenue de soirée*) evening dress, tails; **habits** (*vêtements*) clothes.

habitable [abitabl] *a* (in)habitable; (*maison*) fit to live in.

habitat [abita] *nm* (*d'animal, de plante*) habitat; (*conditions*) housing, living conditions.

habitation [abitasjɔ̃] *nf* house, dwelling; (*action de résider*) living.

habiter [abite] *vi* to live (**à, en, dans** in) ▮ *vt* (*maison, région*) to live in; (*planète*) to inhabit. ● **habitant, -ante** *nmf* (*de pays etc*) inhabitant; (*de maison*) occupant, resident. ● **habité, -ée** *a* (*région*) inhabited; (*maison*) occupied.

habitude [abityd] *nf* habit; **avoir l'h. de qch** to be used to sth; **avoir l'h. de faire** to be used to doing, be in the habit of doing; **prendre l'h. de faire** to get into the habit of doing; **prendre de bonnes habitudes** to take on some good habits; **prendre de mauvaises habitudes** to get into *ou* pick up (some) bad habits; **d'h.** usually; **comme d'h.** as usual.

habituel, -elle [abityɛl] *a* usual, customary. ● **habituellement** *adv* usually.

habituer [abitye] *vt* **h. qn à** to accustom s.o. to; **être habitué à qch/à faire** to be used *ou* accustomed to sth/to doing ▮ **s'habituer** *vpr* to get accustomed; **s'h. à** to get used *ou* accustomed to. ● **habitué, -ée** *nmf* regular (customer *ou* visitor).

hache [ʼaʃ] *nf* axe, *Am* ax. ● **hachette** *nf* hatchet.

hacher [ʼaʃe] *vt* (*au couteau*) to chop (up); (*avec un appareil*) *Br* to mince, *Am* grind; (*déchiqueter*) to cut to pieces. ● **haché, -ée** *a* **1** (*viande*) *Br* minced, *Am* ground; (*légumes*) chopped. **2** (*style*) jerky, broken, staccato. ● **hachis** *nm* (*viande*) *Br* mince, *Br* minced *ou Am* ground meat; **h. Parmentier** shepherd's pie. ● **hachoir** *nm* (*couteau*) chopper; (*appareil*) *Br* mincer, *Am* grinder.

hachures [ʼaʃyr] *nfpl* shading, hatching. ● **hachurer** *vt* to shade in, hatch.

hagard, -arde [ʼagar, -ard] *a* wild-looking, frantic.

haie [ʼɛ] *nf* (*clôture*) hedge; (*rangée*) row; (*de coureur*) *Sport* hurdle; (*de chevaux*) *Sport* fence, hurdle; **course de haies** (*coureurs*) hurdle race; (*chevaux*) steeplechase; **h. d'honneur** guard of honour; **faire la h.** to line up, form a line.

haillons [ʼajɔ̃] *nmpl* rags (and tatters).

haine [ʼɛn] *nf* hatred, hate. ● **haineux, -euse** *a* full of hatred.

haïr* [ʼair] *vt* to hate. ● **haïssable** *a* hateful, detestable.

halage [ʼalaʒ] *nm voir* **haler**.

hâle [ʼal] *nm* suntan. ● **hâlé, -ée** *a* (*par le soleil*) suntanned.

haleine [alen] *nf* breath; **hors d'h.** out of breath; **perdre h.** to get out of breath; **reprendre h.** to get one's breath back, catch one's breath; **travail de longue h.** long-term and exacting task; **tenir qn en h.** to hold s.o. in suspense.

haler [ʼale] *vt* (*bateau*) to tow. ● **halage** *nm* towing; **chemin de h.** towpath.

haleter [ʼal(ə)te] *vi* to pant, gasp (for breath). ● **haletant, -ante** *a* panting, gasping.

hall [ʼol] *nm* (*de gare*) main hall, concourse; (*de maison*) hall(way); (*d'hôtel*) lobby, hall.

halle [ʼal] *nf* (covered) market; **les halles** the central food market.

hallucination [alysinasjɔ̃] *nf* hallucination. ● **hallucinant, -ante** *a* extraordinary.

halo [ʼalo] *nm* (*auréole*) halo.

halogène [ʼalɔʒɛn] *a* (*lampe etc*) halogen.

halte [ʼalt] *nf* (*arrêt*) stop, *Mil* halt; (*lieu*) stopping place, *Mil* halting place; **faire h.** to stop ▮ *int* stop!, *Mil* halt!

haltères [alter] *nmpl* weights, dumbbells. ● **haltérophile** *nmf* weight lifter ● **haltérophilie** *nf* weight lifting.

hamac [ʼamak] *nm* hammock.

hamburger [ʼɑ̃burɡœr] *nm* hamburger.

hameau, -x [ʼamo] *nm* hamlet.

hameçon [amsɔ̃] *nm* (fish) hook; **mordre à l'h.** *Pêche & Fig* to swallow the bait, rise to the bait.

hamster [ʼamster] *nm* hamster.

hanche [ʼɑ̃ʃ] *nf* hip.

hand(-)ball [ʼɑ̃dbal] *nm Sport* handball.

handicap ['ɑ̃dikap] *nm* (*désavantage*) & *Sport* handicap. ●**handicaper** *vt* to handicap.
handicapé, -ée ['ɑ̃dikape] *a* handicapped ▮ *nmf* handicapped person; **h. moteur** spastic; **h. physique/mental** physically/mentally handicapped person.
hangar ['ɑ̃gar] *nm* (*entrepôt*) shed; (*pour avions*) hangar.
hanneton ['an(ə)tɔ̃] *nm* (*insecte*) cockchafer.
hanter ['ɑ̃te] *vt* (*fantôme etc*) to haunt (*house etc*); (*souvenir etc*) to haunt, obsess (*s.o.*). ●**hanté, -ée** *a* (*maison etc*) haunted.
hantise ['ɑ̃tiz] *nf* **la h. de** an obsession with.
happer ['ape] *vt* (*saisir*) to catch, snatch; (*par la gueule*) to snap up.
haras ['arɑ] *nm* stud farm.
harasser ['arase] *vt* (*fatiguer*) to exhaust. ●**harassé, -ée** *a* exhausted.
harceler ['arsəle] *vt* to harass, torment (**de** with). ●**harcèlement** *nm* harassment; **h. sexuel** sexual harassment.
hardi, -ie ['ardi] *a* bold, daring. ●**hardiment** *adv* boldly. ●**hardiesse** *nf* boldness, daring; **une h.** (*action*) an audacity.
harem ['arɛm] *nm* harem.
hareng ['arɑ̃] *nm* herring; **h. saur** smoked herring.
hargne ['arɲ] *nf* aggressive bad temper. ●**hargneux, -euse** *a* bad-tempered, aggressive.
haricot ['ariko] *nm* bean; **h. blanc** haricot bean; **h. vert** green bean, *Br* French bean; **h. rouge** kidney bean; **h. de mouton** mutton stew; **c'est la fin des haricots** *Fam* the game's up, it's all over.
harmonica [armɔnika] *nm* harmonica, mouthorgan.
harmonie [armɔni] *nf* harmony. ●**harmonieux, -euse** *a* harmonious. ●**harmonique** *a* & *nm Mus* harmonic. ●**harmoniser** *vt* **s'harmoniser** *vpr* to harmonize. ●**harmonium** *nm* (*instrument de musique*) harmonium.
harnacher ['arnaʃe] *vt* (*cheval etc*) to harness. ●**harnais** *nm* (*de cheval, bébé*) harness.
harpe ['arp] *nf* harp. ●**harpiste** *nmf* harpist.
harpon ['arpɔ̃] *nm* harpoon. ●**harponner** *vt* (*baleine*) to harpoon; **h. qn** (*arrêter au passage*) *Fam* to waylay s.o., collar s.o.
hasard ['azar] *nm* **le h.** chance; **un h.** (*coïncidence*) a coincidence; **un heureux h.** a stroke of luck; **un malheureux h.** a rotten piece of luck; **par h.** by chance; **par le plus grand des hasards** by a (sheer) fluke; **si par h.** if by any chance; **au h.** at random, haphazardly; **à tout h.** just in case; **les hasards de la vie**/*etc* the fortunes of life/*etc*.
hasarder ['azarde] *vt* (*remarque, démarche*) to venture, hazard; (*vie, réputation*) *Litt* to risk; **se h. dans** to venture into; **se h. à faire** to risk doing, venture to do.
hasardeux, -euse ['azardø, -øz] *a* risky, hazardous.
haschisch [aʃiʃ] *nm* hashish.
hâte ['ɑt] *nf* haste, speed; (*impatience*) eagerness; **à la h., en (toute) h.** in a hurry, hurriedly, in haste; **avoir h. de faire** (*désireux*) to be eager to do, be in a hurry to do. ●**hâter** *vt* (*pas, départ etc*) to hasten ▮ **se hâter** *vpr* to hurry, make haste (**de faire** to do). ●**hâtif, -ive** *a* (*conclusion, jugement etc*) hasty, hurried; (*développement*) precocious; (*fruit*) early.
hausse ['os] *nf* rise (**de** in); **en h.** rising. ●**hausser** *vt* (*prix, voix etc*) to raise; (*épaules*) to shrug; **se h. sur la pointe des pieds** to stand on tip-toe.
haut, haute ['o, 'ot] *a* (*montagne etc*) high; (*de taille*) tall; (*note de musique, rang, température etc*) high; **la mer est haute** it's high tide; **le h. Rhin** the upper Rhine; **à haute voix, à voix haute** aloud, in a loud voice; **en haute mer** out at sea; **h. de 5 mètres** 5 metres high *ou* tall; **h. fonctionnaire** high-ranking civil servant; **haute trahison** high treason; **la haute couture** high fashion, haute couture; **la haute coiffure** haute coiffure; **la haute société** high society; **la haute bourgeoisie** the upper middle class; **un instrument de haute précision** a precision instrument; **un renseignement**/*etc* **de la plus haute importance** news/*etc* of the utmost importance; **avoir une haute opinion de qn** to have a high opinion of s.o.; **obtenir qch de haute lutte** to get sth after a hard struggle.
▮ *adv* (*voler, viser etc*) high (up); (*parler*) loud, loudly; **tout h.** (*lire, penser*) aloud, out loud; **h. placé** (*personne*) in a high position; **plus h.** (*dans un texte*) above, further back; **emporter** *ou* **gagner h. la main** to win hands down.
▮ *nm* (*partie haute*) top; **en h. de** at the top of; **en h.** (*loger*) upstairs; (*regarder*) up; (*mettre*) on (the) top; **d'en h.** (*de la partie haute, du ciel etc*) from high up, from up above; **avoir 5 mètres de h.** to be 5 metres high *ou* tall; **des hauts et des bas** *Fig* ups and downs.
hautain, -aine ['otɛ̃, -ɛn] *a* haughty.
hautbois ['obwa] *nm* (*instrument de musique*) oboe.
haut-de-forme ['od(ə)fɔrm] *nm* (*pl* **hauts-de-forme**) top hat.
hautement ['otmɑ̃] *adv* (*tout à fait, très*) highly. ●**hauteur** *nf* height; (*colline*) hill; (*orgueil*) *Péj* haughtiness; *Mus* pitch; **à h. de 100 000 francs**/*etc* for a sum of 100,000 francs/*etc*; **à la h. de** (*objet*) level with; (*rue*) opposite; **arriver à la h. de qch** (*mesurer*) to reach (the level of) sth; **à la h. de la situation** up to *ou* equal to the situation; **il n'est pas à la h.** he isn't up to it; **saut en h.** *Sport* high jump.
haut-le-cœur ['ol(ə)kœr] *nm inv* **avoir des h.-le-cœur** (*nausée*) to retch, gag.
haut-le-corps ['ol(ə)kɔr] *nm inv* (*sursaut*) sudden start, jump.
haut-parleur ['oparlœr] *nm* loudspeaker.
hâve ['ɑv] *a* gaunt, emaciated.
havre ['avr] *nm Litt* (*refuge*) haven; **h. de**

Haye (La)

paix haven of peace.
Haye (La) [la'ɛ] *nf* The Hague.
hayon ['ajɔ̃, 'ejɔ̃] *nm* (*porte de voiture*) hatchback, tailgate.
hé! [e] *int* hé (là) (*appel*) hey!; hé! hé! (*appréciation, moquerie*) well, well!
hebdomadaire [ɛbdɔmadɛr] *a* weekly ▮ *nm* (*publication*) weekly.
héberger [ebɛrʒe] *vt* to put up, accommodate. ● **hébergement** *nm* accommodation; **centre d'h.** shelter.
hébété, -ée [ebete] *a* dazed, stupefied.
hébreu, -x [ebrø] *am* Hebrew ▮ *nm* (*langue*) Hebrew. ● **hébraïque** *a* Hebrew.
Hébrides [ebrid] *nfpl* **les H.** the Hebrides.
hécatombe [ekatɔ̃b] *nf* (great) slaughter.
hectare [ɛktar] *nm* hectare (= 2.47 acres).
hégémonie [eʒemɔni] *nf* supremacy, hegemony.
hein! [ɛ̃] *int* (*surprise, interrogation*) *Fam* eh!
hélas! ['elɑs] *int* unfortunately, alas!
héler ['ele] *vt* (*taxi etc*) to hail.
hélice [elis] *nf* (*d'avion, de navire*) propeller.
hélicoptère [elikɔptɛr] *nm* helicopter. ● **héliport** *nm* heliport.
hellénique [elenik] *a* Hellenic, Greek.
helvétique [ɛlvetik] *a* Swiss.
hem! ['ɛm] *int* (a)hem!, hm!
hémicycle [emisikl] *nm* semicircle; *Pol Fr* (French) National Assembly.
hémisphère [emisfɛr] *nm* hemisphere.
hémophile [emɔfil] *a* h(a)emophilic ▮ *nmf* h(a)emophiliac. ● **hémophilie** *nf* h(a)emophilia.
hémorragie [emɔraʒi] *nf* Méd h(a)emorrhage; (*de capitaux*) outflow, drain; **h. cérébrale** stroke; **faire une h.** to h(a)emorrhage, have a h(a)emorrhage.
hémorroïdes [emɔrɔid] *nfpl* piles, h(a)emorrhoids.
hennir ['enir] *vi* (*cheval*) to neigh. ● **hennissement** *nm* neigh(ing).
hep! ['ɛp] *int* hey!, hey there!
hépatite [epatit] *nf* hepatitis.
herbe [ɛrb] *nf* grass; (*pour soigner*) herb; **mauvaise h.** weed; **fines herbes** (*assaisonnement*) herbs; **blé(s) en h.** green wheat; **poète**/*etc* **en h.** *Fig* budding poet/*etc*; **couper l'h. sous le pied de qn** to cut the ground from under s.o.'s feet; **fumer de l'herbe** (*haschisch*) *Fam* to smoke grass. ● **herbage** *nm* grassland. ● **herbeux, -euse** *a* grassy. ● **herbicide** *nm* weed killer. ● **herbivore** *a* grass-eating, herbivorous. ● **herbu, -ue** *a* grassy.
hercule [ɛrkyl] *nm* Hercules, strong man. ● **herculéen, -enne** *a* herculean.
hérédité [eredite] *nf* heredity. ● **héréditaire** *a* hereditary.
hérésie [erezi] *nf* heresy. ● **hérétique** *a* heretical ▮ *nmf* heretic.
hérisser ['erise] *vt* (*poils*) to bristle (up); **h. qn** (*irriter*) to ruffle s.o.'s feathers, ruffle s.o. ▮ **se hérisser** *vpr* (*poils*) to bristle (up); (*personne*) *Fig* to get ruffled. ● **hérissé, -ée** *a* (*cheveux*) bristly; (*cactus*) prickly; **h. de** bristling with.
hérisson ['erisɔ̃] *nm* (*animal*) hedgehog.
hériter [erite] *vti* to inherit (**qch de qn** sth from s.o.); **h. de qch** to inherit sth. ● **héritage** *nm* (*biens*) inheritance; (*culturel, politique etc*) *Fig* heritage. ● **héritier** *nm* heir; **h. de la couronne** *ou* **du trône** heir to the throne. ● **héritière** *nf* heiress.
hermétique [ɛrmetik] *a* airtight, hermetically sealed; (*obscur*) *Fig* impenetrable. ● **hermétiquement** *adv* hermetically.
hermine [ɛrmin] *nf* (*animal, fourrure*) ermine.
hernie ['ɛrni] *nf* (*d'organe*) hernia, rupture; (*de pneu*) swelling.
héron ['erɔ̃] *nm* (*oiseau*) heron.
héros ['ero] *nm* hero. ● **héroïne** [erɔin] *nf* **1** (*femme*) heroine. **2** (*drogue*) heroin. ● **héroïque** [erɔik] *a* heroic. ● **héroïsme** [erɔism] *nm* heroism.
hésiter [ezite] *vi* to hesitate (**sur** over, about; **entre** between; **à faire** to do); (*en parlant*) to falter, hesitate. ● **hésitant, -ante** *a* (*personne*) hesitant; (*pas, voix*) unsteady, faltering, wavering. ● **hésitation** *nf* hesitation; **avec h.** hesitantly.
hétéroclite [eterɔklit] *a* (*disparate*) motley.
hétérogène [eterɔʒɛn] *a* diverse, heterogeneous.
hêtre ['ɛtr] *nm* (*arbre, bois*) beech.
heu! ['ø] *int* (*hésitation*) er!
heure [œr] *nf* (*mesure*) hour; (*moment*) time; **quelle h. est-il?** what time is it?; **il est six heures** it's six (o'clock); **six heures moins cinq** five to six; **six heures cinq** *Br* five past six, *Am* five after six; **à l'h.** (*arriver*) on time; (*être payé*) by the hour; **dix kilomètres à l'h.** ten kilometres an hour; **à l'h. qu'il est** (by) now; **de bonne h.** early; **nouvelle de dernière h.** latest *ou* last-minute news; **à une h. avancée (de la nuit)** at a late hour, late at night; **tout à l'h.** (*futur*) in a few moments, later; (*passé*) a moment ago; **à tout à l'h.!** (*au revoir*) see you soon!; **à toute h.** (*continuellement*) at all hours; **24 heures sur 24** 24 hours a day; **d'h. en h.** hourly, hour by hour; **faire des heures supplémentaires** to work *ou* do overtime; **heures creuses** off-peak *ou* slack periods; **l'h. d'affluence, l'h. de pointe** (*circulation etc*) the rush hour; (*dans les magasins*) (the) peak period; **l'h. de pointe** (*électricité etc*) (the) peak period; **h. d'été** summer time.
heureux, -euse [œrø, -øz] *a* happy; (*chanceux*) lucky, fortunate; (*issue, changement*) successful; (*expression, choix*) apt; **h. de qch/de voir qn** (*satisfait*) happy *ou* pleased *ou* glad about sth/to see s.o.; **je suis h. que vous puissiez venir** I'm happy *ou* pleased *ou* glad you can come ▮ *adv* (*vivre, mourir*) happily. ● **heureusement** *adv* (*par chance*) fortunately, luckily, happily (**pour** for); (*avec succès*) successfully; (*exprimer*) aptly.

heurt ['œr] *nm* bump, knock; (*d'opinions etc*) *Fig* clash; **sans heurts** smoothly.
heurter *vt* (*cogner*) to hit, knock, bump (**contre** against); (*mur, piéton*) to bump into, hit; **h. qn** (*choquer*) to offend s.o., upset s.o.; **se h. à** to bump into, hit; (*difficultés*) *Fig* to come up against. ● **heurté, -ée** *a* (*couleurs, tons*) clashing; (*style, rythme*) jerky. ● **heurtoir** *nm* (door) knocker.
hexagone [εgzagɔn] *nm* hexagon; **l'H.** *Fig* France. ● **hexagonal, -e, -aux** *a* hexagonal; (*français*) *Fam* French.
hiatus [jatys] *nm Fig* hiatus, gap.
hiberner [ibεrne] *vi* to hibernate. ● **hibernation** *nf* hibernation.
hibou, -x ['ibu] *nm* owl.
hic ['ik] *nm* **voilà le h.** *Fam* that's the snag.
hideux, -euse ['idø, -øz] *a* hideous.
hier [(i)jεr] *adv & nm* yesterday; **h. soir** last *ou* yesterday night, yesterday evening; **ça ne date pas d'h.** that's been going on for quite a while; **elle n'est pas née d'h.** *Fig* she wasn't born yesterday.
hiérarchie [jerarʃi] *nf* hierarchy. ● **hiérarchique** *a* (*ordre*) hierarchical; **par la voie h.** through (the) official channels. ● **hiérarchiser** *vt* (*emploi, valeurs*) to grade.
hi-fi ['ifi] *a inv & nf inv* hi-fi.
hilare [ilar] *a* merry. ● **hilarant, -ante** *a* (*drôle*) hilarious. ● **hilarité** *nf* (sudden) laughter.
hindou, -oue [ɛ̃du] *a* Hindu ∎ *nmf* Hindu.
hippie ['ipi] *nmf* hippie.
hippique [ipik] *a* **concours h.** horse show, show-jumping event. ● **hippodrome** *nm* racecourse, racetrack (*for horses*).
hippopotame [ipopotam] *nm* hippopotamus.
hirondelle [irɔ̃dεl] *nf* (*oiseau*) swallow.
hirsute [irsyt] *a* (*personne, barbe*) unkempt, shaggy.
hispanique [ispanik] *a* Spanish, Hispanic ∎ *nmf* **H.** (*aux États-Unis*) Hispanic.
hisser ['ise] *vt* (*voile, drapeau, fardeau etc*) to hoist, raise ∎ **se hisser** *vpr* to raise oneself (up).
histoire [istwar] *nf* (*science, événements*) history; (*récit*) story; (*affaire*) *Fam* business, matter; **des histoires** *Fam* (*mensonges*) lies, stories; (*façons, chichis*) fuss; **faire des histoires à qn** *Fam* to cause s.o. trouble; **toute une h.** *Fam* (*problème*) quite a lot of trouble; (*chichis*) quite a lot of fuss; **h. de voir/etc** *Fam* (so as) to see/*etc*; **h. de rire** *Fam* for (the sake of) a laugh; **sans histoires** (*voyage etc*) uneventful.
historien, -ienne [istɔrjɛ̃, -jεn] *nmf* historian.
historique [istɔrik] *a* historical; (*lieu, événement*) historic ∎ *nm* **faire l'h. de** to give an historical account of.
hiver [ivεr] *nm* winter. ● **hivernal, -e, -aux** *a* **froid/etc h.** winter *ou* wint(e)ry cold/*etc*.
HLM ['aʃεlεm] *nm ou f abrév* (*habitation à loyer modéré*) *Br* = council flats, *Am* = low-rent apartment building (sponsored by government).
hocher ['ɔʃe] *vt* **h. la tête** (*pour dire oui*) to nod one's head; (*pour dire non*) to shake one's head. ● **hochement** *nm* **h. de tête** nod; (*pour dire non*) shake of the head.
hochet ['ɔʃε] *nm* (*jouet*) rattle.
hockey ['ɔkε] *nm* hockey; **h. sur glace** ice hockey; **h. sur gazon** field hockey.
holà! ['ɔla] *int* (*arrêtez*) hold on!, stop!; (*pour appeler*) hello! ∎ *nm inv* **mettre le h. à qch** to put a stop to sth.
hold-up ['ɔldœp] *nm inv* (*attaque*) holdup, *Fam* stick-up.
Hollande ['ɔlɑ̃d] *nf* Holland. ● **hollandais, -aise** *a* Dutch ∎ *nmf* **H.** Dutchman; **Hollandaise** Dutchwoman; **les H.** the Dutch ∎ *nm* (*langue*) Dutch.
holocauste [ɔlɔkost] *nm* (*massacre*) holocaust.
homard ['ɔmar] *nm* lobster.
homélie [ɔmeli] *nf* homily.
homéopathie [ɔmeɔpati] *nf* hom(o)eopathy.
homicide [ɔmisid] *nm* murder, homicide; **h. involontaire** *ou* **par imprudence** manslaughter; **h. volontaire** murder.
hommage [ɔmaʒ] *nm* tribute, homage (**à** to); **rendre h. à** to pay (a) tribute to, pay homage to; **faire qch en h. à qn/qch** to do sth as a tribute to s.o. *ou* in homage to s.o.; **présenter ses hommages à une femme** to pay one's respects to a lady.
homme [ɔm] *nm* man (*pl* men); **l'h.** (*espèce*) man(kind); **des vêtements d'h.** men's clothes; **d'h. à h.** man to man; **l'h. de la rue** *Fig* the man in the street; **h. d'affaires** businessman; **les grands hommes** great men; **il n'est pas h. à vous laisser tomber** he's not the sort of man to let you down. ● **homme-grenouille** *nm* (*pl* **hommes-grenouilles**) frogman.
homogène [ɔmɔʒεn] *a* homogeneous. ● **homogénéité** *nf* homogeneity.
homologue [ɔmɔlɔg] *a* equivalent (**de** to) ∎ *nmf* counterpart, opposite number.
homologuer [ɔmɔlɔge] *vt* to approve *ou* recognize officially, validate.
homonyme [ɔmɔnim] *nm* (*mot*) homonym; (*personne, lieu*) namesake.
homosexuel, -elle [ɔmɔsεksyεl] *a & nmf* homosexual. ● **homosexualité** *nf* homosexuality.
Hongrie ['ɔ̃gri] *nf* Hungary. ● **hongrois, -oise** *a* Hungarian ∎ *nmf* **H., Hongroise** Hungarian ∎ *nm* (*langue*) Hungarian.
honnête [ɔnεt] *a* (*intègre*) honest; (*satisfaisant, raisonnable*) decent, fair. ● **honnêtement** *adv* honestly; (*raisonnablement*) decently. ● **honnêteté** *nf* honesty.
honneur [ɔnœr] *nm* (*dignité, faveur*) honour; (*mérite*) credit; **en l'h. de** in honour of; **faire h. à** (*sa famille etc*) to be a credit to; (*par sa présence*) to do honour to; (*promesse etc*) to honour; (*repas*) *Fam* to do justice to; **être à l'h.** to have the place of honour; **invité d'h.** guest of honour; **membre d'h.** honorary member; **donner sa parole d'h.** to give one's

honorable

word of honour; **avoir la place d'h.** to have pride of place *ou* the place of honour. **honorable** [ɔnɔrabl] *a* (*résultat, salaire etc*) honourable; (*résultat, salaire etc*) *Fig* respectable. ●**honorabilité** *nf* respectability.
honoraire [ɔnɔrɛr] *a* (*membre*) honorary. ●**honoraires** *nmpl* (*d'avocat etc*) fees.
honorer [ɔnɔre] *vt* to honour (**de** with); **h. qn** (*conduite etc*) to do credit to s.o.; **s'h. d'être** to pride oneself *ou* itself on being. ●**honorifique** *a* (*titre*) honorary.
honte ['ɔ̃t] *nf* shame; **avoir h.** to be *ou* feel ashamed (**de qch/de faire** of sth/to do *ou* of doing); **faire h. à qn** to put s.o. to shame; **sans fausse h.** unselfconsciously, quite openly. ●**honteux, -euse** *a* (*confus*) ashamed, shamefaced; (*scandaleux*) shameful; **être h. de** to be ashamed of. ●**honteusement** *adv* shamefully.
hop! ['ɔp] *int* **allez, h.!** jump!, move!; (*pars*) off you go!
hôpital, -aux [opital, -o] *nm* hospital; **à l'h.** *Br* in hospital, *Am* in the hospital.
hoquet ['ɔkɛ] *nm* hiccup; **avoir le h.** to have (the) hiccups. ●**hoqueter** *vi* to hiccup.
horaire [ɔrɛr] *a* (*salaire etc*) hourly; (*vitesse*) per hour ∥ *nm* timetable, schedule.
horde ['ɔrd] *nf* (*troupe*) *Péj* horde.
horizon [ɔrizɔ̃] *nm* horizon; (*vue, paysage*) view; **à l'h.** on the horizon.
horizontal, -e, -aux [ɔrizɔ̃tal, -o] *a* horizontal. ●**horizontalement** *adv* horizontally.
horloge [ɔrlɔʒ] *nf* clock. ●**horloger, -ère** *nmf* watchmaker. ●**horlogerie** *nf* (*magasin*) watchmaker's (shop); (*industrie*) watchmaking.
hormis ['ɔrmi] *prép Litt* save, except (for).
hormone [ɔrmɔn] *nf* hormone. ●**hormonal, -e, -aux** *a* **traitement/***etc* **h.** hormone treatment/*etc*.
horoscope [ɔrɔskɔp] *nm* horoscope.
horreur [ɔrœr] *nf* horror; **des horreurs** (*propos*) horrible things; **faire h. à** to disgust; **avoir h. de** to hate, loathe; **quelle h.!** how revolting!, how awful!
horrible [ɔribl] *a* horrible, awful. ●**horriblement** *adv* horribly.
horrifiant, -ante [ɔrifjɑ̃, -ɑ̃t] *a* horrifying, horrific. ●**horrifié, -ée** *a* horrified.
horripiler [ɔripile] *vt* to exasperate.
hors ['ɔr] *prép* **h. de** (*maison, boîte etc*) out of, outside; (*danger, haleine etc*) *Fig* out of; **h. de doute** beyond doubt; **h. de soi** (*furieux*) beside oneself; **être h. concours** to be non-competing, not to be in the competition; **être h. jeu** *Football* to be offside. ●**hors-bord** *nm inv* speedboat; **moteur h.-bord** outboard motor. ●**hors-d'œuvre** *nm inv* (*plat*) hors-d'œuvre, starter. ●**hors-jeu** *nm inv Football* offside. ●**hors-la-loi** *nm inv* outlaw. ●**hors service** *a inv* (*appareil etc*) out of order. ●**hors-taxe** *a inv* (*magasin, objet*) duty-free.
hortensia [ɔrtɑ̃sja] *nm* (*arbrisseau*) hydrangea.

horticulteur, -trice [ɔrtikyltœr, -tris] *nmf* horticulturalist. ●**horticole** *a* horticultural. ●**horticulture** *nf* horticulture.
hospice [ɔspis] *nm* (*pour vieillards*) geriatric hospital.
hospitalier, -ière [ɔspitalje, -jɛr] *a* **1** (*accueillant*) hospitable. **2 personnel/***etc* **h.** hospital staff/*etc*; **centre h.** hospital (complex). ●**hospitaliser** *vt* to hospitalize. ●**hospitalité** *nf* hospitality.
hostie [ɔsti] *nf* (*pain*) *Rel* host.
hostile [ɔstil] *a* hostile (**à** to, towards). ●**hostilité** *nf* hostility (**envers** to, towards); **hostilités** *Mil* hostilities.
hôte [ot] **1** *nm* (*qui reçoit*) host. **2** *nmf* (*invité*) guest. ●**hôtesse** *nf* hostess; **h. (de l'air)** (air) hostess.
hôtel [otɛl] *nm* hotel; **h. particulier** mansion, town house; **h. de ville** *Br* town hall, *Am* city hall; **h. des ventes** auction rooms; **h. des impôts** (main) tax office. ●**hôtelier, -ière** *nmf* hotel-keeper, hotelier ∥ *a* **industrie/***etc* **hôtelière** hotel industry/*etc*. ●**hôtellerie** *nf* **1** (*auberge*) inn, hostelry. **2** (*métier*) hotel trade.
hotte ['ɔt] *nf* **1** (*panier*) basket (*carried on back*); **la h. du Père Noël** *Br* Father Christmas's sack, *Am* Santa's sack. **2** (*de cheminée etc*) hood; **h. (aspirante)** hood (*over Br* cooker *or Am* stove).
houblon ['ublɔ̃] *nm* **le h.** (*plante*) hops.
houille ['uj] *nf* coal; **h. blanche** hydro-electric power. ●**houiller, -ère** *a* **bassin h.** coalfield; **industrie/***etc* **houillère** coal industry/*etc* ∥ *nf* **houillère** coalmine, *Br* colliery.
houle ['ul] *nf* (*de mer*) swell, surge. ●**houleux, -euse** *a* (*mer*) rough; (*réunion etc*) *Fig* stormy.
houlette ['ulɛt] *nf* **sous la h. de qn** *Fig* under the leadership *ou* stewardship of s.o.
houppette ['upɛt] *nf* powder puff.
hourra ['ura] *nm & int* hurray, hurrah.
houspiller ['uspije] *vt* to scold, upbraid.
housse ['us] *nf* (protective) cover.
houx ['u] *nm* holly.
HS [aʃɛs] *a inv abrév* (*hors service*) (*personne*) *Fam* out of commission.
hublot ['yblo] *nm* (*de navire, d'avion*) porthole.
huche ['yʃ] *nf* **h. à pain** bread box *ou* chest.
hue! ['y] *int* gee up! (*to horse*).
huer ['ɥe] *vt* to boo. ●**huées** *nfpl* boos.
huile [ɥil] *nf* **1** oil; **huiles essentielles** essential *ou* plant oils; **peinture à l'h.** oil painting; **mer d'h.** *Fig* dead calm sea; **jeter de l'h. sur le feu** *Fig* to add fuel to the flames; **h. de coude** *Fam* elbow grease. **2** (*personnage*) *Fam* bigshot. ●**huiler** *vt* to oil. ●**huileux, -euse** *a* oily.
huis [ɥi] *nm* **à h. clos** *Jur* in camera.
huissier [ɥisje] *nm* **1** (*introducteur*) usher. **2** (*officier*) *Jur* bailiff.
huit ['ɥit] *a* (['ɥi] *before consonant*) eight; **h. jours** a week ∥ *nm* eight; **dimanche/***etc* **en h.** *Br* a week on Sunday/*etc*, *Am* a week from Sunday/*etc*. ●**huitaine** *nf* (about) eight; (*se-*

maine) week; **une h. (de)** about eight. ● **huitième** a & nmf eighth; **un h.** an eighth; **être en h. de finale** Sport to be in the last sixteen.
huître [ɥitr] nf oyster.
hululer ['ylyle] vi (hibou) to hoot.
humain, -aine [ymɛ̃, -ɛn] a human; (compatissant) humane ∥ nmpl **les humains** humans. ● **humainement** adv (possible etc) humanly; (avec humanité) humanely. ● **humaniser** vt (prison, ville etc) to humanize, make more humane. ● **humanitaire** a humanitarian. ● **humanité** nf (genre humain, sentiment) humanity.
humble [œ̃bl] a humble. ● **humblement** [-əmɑ̃] adv humbly.
humecter [ymɛkte] vt to moisten, damp(en).
humer ['yme] vt (respirer) to breathe in; (sentir) to smell.
humeur [ymœr] nf (caprice) mood, humour; (caractère) temperament; (irritation) bad temper; **bonne h.** (gaieté) good humour; **être/mettre qn de bonne/mauvaise h.** to be/put s.o. in a good/bad mood; **d'h. égale** even-tempered.
humide [ymid] a damp, wet; (saison, route) wet; (main, yeux) moist; **climat/temps h.** (chaud) humid climate/weather; (froid, pluvieux) damp ou wet climate/weather. ● **humidifier** vt to humidify. ● **humidité** nf humidity; (plutôt froide) damp(ness); (vapeur) moisture.
humilier [ymilje] vt to humiliate, humble. ● **humiliant, -ante** a humiliating. ● **humiliation** nf humiliation. ● **humilité** nf humility.
humour [ymur] nm humour; **avoir de l'h.** ou **beaucoup d'h.** ou **le sens de l'h.** to have a sense of humour; **h. noir** black ou sick humour. ● **humoriste** nmf humorist. ● **humoristique** a (ton etc) humorous.
huppé, -ée ['ype] a (riche) Fam high-class, posh.
hurler ['yrle] vi (loup, vent) to howl; (personne) to scream, yell (out); **h. avec les loups** Fig to follow the herd ou the crowd ∥ vt (slogans, injures etc) to scream, yell out. ● **hurlement** nm howl; (de personne) scream, yell.
hurluberlu [yrlybɛrly] nm eccentric scatterbrain.
hutte ['yt] nf hut.
hybride [ibrid] a & nm hybrid.

hydrater [idrate] vt (peau) to moisturize; **crème hydratante** moisturizing cream.
hydraulique [idrolik] a hydraulic.
hydravion [idravjɔ̃] nm seaplane.
hydrocarbure [idrokarbyr] nm hydrocarbon.
hydro-électrique [idroelɛktrik] a hydro-electric.
hydrogène [idrɔʒɛn] nm hydrogen.
hydrophile [idrɔfil] a **coton h.** Br cotton wool, Am (absorbent) cotton.
hyène [jɛn] nf (animal) hyena.
hygiaphone [iʒjafɔn] nm (hygienic) grill (for speaking through in booking office etc).
hygiène [iʒjɛn] nf hygiene. ● **hygiénique** a hygienic; (serviette, conditions) sanitary; (promenade) healthy; **papier h.** toilet paper.
hymne [imn] nm Rel Littér hymn; **h. national** national anthem.
hyper- [ipɛr] préf hyper-.
hypermarché [ipɛrmarʃe] nm hypermarket.
hypermétrope [ipɛrmetrɔp] a & nmf long-sighted (person).
hypertension [ipɛrtɑ̃sjɔ̃] nf **h. artérielle** high blood pressure; **faire de l'h.** to have high blood pressure.
hypnose [ipnoz] nf hypnosis. ● **hypnotique** a hypnotic. ● **hypnotiser** vt to hypnotize. ● **hypnotiseur** nm hypnotist. ● **hypnotisme** nm hypnotism.
hypoallergénique [ipoalɛrʒenik] a hypoallergenic.
hypocalorique [ipokalorik] a (régime, aliment etc) low-calorie, calorie-reduced.
hypocondriaque [ipokɔ̃drijak] a & nmf hypochondriac.
hypocrisie [ipokrizi] nf hypocrisy. ● **hypocrite** a hypocritical ∥ nmf hypocrite. ● **hypocritement** adv hypocritically.
hypodermique [ipodɛrmik] a hypodermic.
hypokhâgne [ipokaɲ] nf Scol Fam = first-year arts class preparing to compete for entrance to the École normale supérieure.
hypothèque [ipotɛk] nf mortgage. ● **hypothéquer** vt (maison, Fig avenir) to mortgage.
hypothèse [ipotɛz] nf (supposition) assumption; (en sciences) hypothesis; **dans l'h. où...** supposing (that).... ● **hypothétique** a hypothetical.
hystérie [isteri] nf hysteria. ● **hystérique** a hysterical.

I

I, i [i] *nm* I, i.
iceberg [isbɛrg, ajsbɛrg] *nm* iceberg.
ici [isi] *adv* here; **par i.** (*passer*) this way; (*habiter*) around here, hereabouts; **jusqu'i.** (*temps*) up to now; (*lieu*) as far as this *ou* here; **d'i. à mardi** by Tuesday, between now and Tuesday; **d'i. à une semaine** within a week; **d'i. peu** before long; **i. Dupont!** (*au téléphone*) this is Dupont!, Dupont speaking!; **je ne suis pas d'i.** I'm a stranger around here; **les gens d'i.** the people (from) around here, the locals. ● **ici-bas** *adv* on earth.
icône [ikon] *nf Rel & Ordinat* icon.
idéal, -e, -aux *ou* **-als** [ideal, -o] *a & nm* ideal; **l'i.** (*valeurs spirituelles*) ideals; **c'est l'i.** *Fam* that's the ideal thing. ● **idéalement** *adv* ideally. ● **idéaliser** *vt* to idealize. ● **idéalisme** *nm* idealism. ● **idéaliste** *a* idealistic ▮ *nmf* idealist.
idée [ide] *nf* idea (**de** of, **que** that); **i. fixe** obsession; **changer d'i.** to change one's mind; **il m'est venu à l'i. que** it occurred to me that; **se faire une i. de** to imagine, get *ou* have an idea of; **se faire des idées** *Fam* to imagine things; **avoir dans l'i. de faire qch** to have it in mind to do sth; **avoir son i. sur qch** to have one's own idea(s) *ou* opinion(s) about sth; **avoir des idées** *Fam* to be full of good ideas; **avoir des idées noires** (*de suicide*) to be suicidal, have black thoughts; (*le cafard*) to be depressed; **avoir une i. derrière la tête** to have an idea at the back of one's mind.
idem [idɛm] *adv* ditto.
identifier [idɑ̃tifje] *vt* to identify (**à**, **avec** with); **s'i. à** *ou* **avec** to identify (oneself) with. ● **identification** *nf* identification.
identique [idɑ̃tik] *a* identical (**à** to, with).
identité [idɑ̃tite] *nf* identity; **carte d'i.** identity card.
idéologie [ideɔlɔʒi] *nf* ideology. ● **idéologique** *a* ideological.
idiome [idjom] *nm* (*langue*) idiom. ● **idiomatique** *a* idiomatic.
idiot, -ote [idjo, -ɔt] *a* silly, idiotic ▮ *nmf* idiot. ● **idiotie** [-ɔsi] *nf* (*état*) idiocy; **une i.** a silly *ou* an idiotic thing.
idole [idɔl] *nf* idol; **être l'i. des jeunes** *Fig* to be a teenage idol. ● **idolâtrer** *vt Litt* to idolize.
idylle [idil] *nf* (*amourette*) romance.
idyllique [idilik] *a* (*merveilleux*) idyllic.
if [if] *nm* yew (tree).
IFOP [ifɔp] *nm abrév* (*Institut français d'opinion publique*) (French) market and opinion research institute.
igloo [iglu] *nm* igloo.

ignare [iɲar] *a Péj* ignorant ▮ *nmf* ignoramus.
ignifugé, -ée [iɲifyʒe] *a* fireproof(ed).
ignoble [iɲɔbl] *a* vile, revolting.
ignorant, -ante [iɲɔrɑ̃] *a* ignorant (**de** of). ● **ignorance** *nf* ignorance.
ignorer [iɲɔre] *vt* not to know, be ignorant of; **j'ignore si** I don't know if; **je n'ignore pas les difficultés** I am not unaware of the difficulties; **i. qn** (*être indifférent à*) to ignore s.o., cold-shoulder s.o. ● **ignoré, -ée** *a* (*inconnu*) unknown.
il [il] *pron m* (*personne*) he; (*chose*, *animal*, *impersonnel*) it; **il est** he is; it is; **il pleut** it's raining; **il est vrai que** it's true that; **il y a** there is; *pl* there are; **il y a six ans** (*temps écoulé*) six years ago; **il y a une heure qu'il travaille** (*durée*) he has been working for an hour; **qu'est-ce qu'il y a?** what's the matter?, what's wrong?; **il n'y a pas de quoi!** don't mention it!; **il doit/peut y avoir** there must/may be.
île [il] *nf* island; **les îles Britanniques** the British Isles.
illégal, -e, -aux [il(l)egal, -o] *a* illegal. ● **illégalité** *nf* illegality.
illégitime [il(l)eʒitim] *a* (*enfant*, *revendication*) illegitimate; (*non fondé*) unfounded.
illettré, -ée [il(l)etre] *a & nmf* illiterate.
illicite [il(l)isit] *a* unlawful, illicit.
illico [il(l)iko] *adv* **i. (presto)** *Fam* straightaway.
illimité, -ée [il(l)imite] *a* unlimited.
illisible [il(l)izibl] *a* (*écriture*) illegible; (*livre*) unreadable.
illogique [il(l)ɔʒik] *a* illogical.
illuminer [il(l)ymine] *vt* to light up, illuminate ▮ **s'illuminer** *vpr* (*visage*, *personne*, *ciel*) to light up. ● **illuminé, -ée** *a* (*monument*) floodlit, lit up. ● **illumination** *nf* (*action*, *lumière*) illumination.
illusion [il(l)yzjɔ̃] *nf* illusion (**sur** about); **i. d'optique** optical illusion; **se faire des illusions** to delude oneself (**sur** about). ● **s'illusionner** *vpr* to delude oneself (**sur** about). ● **illusionniste** *nmf* conjurer. ● **illusoire** *a* illusory, illusive.
illustre [il(l)ystr] *a* famous, illustrious.
illustrer [il(l)ystre] *vt* (*d'images*, *par des exemples*) to illustrate (**de** with) ▮ **s'illustrer** *vpr* to become famous. ● **illustré, -ée** *a* (*livre*, *magazine*) illustrated ▮ *nm* (*périodique*) *Br* comic, *Am* comic book. ● **illustration** *nf* illustration.
îlot [ilo] *nm* **1** (*île*) small island. **2** (*maisons*) block.

impayable

ils [il] *pron mpl* they; **ils sont** they are.
image [imaʒ] *nf* picture; (*ressemblance, symbole*) image; (*dans une glace*) reflection; **i. de marque** (*de firme etc*) (public) image; **i. de synthèse** *Ordinat* computer generated image. ●**imagé, -ée** *a* (*style*) colourful, full of imagery.
imaginable [imaʒinabl] *a* imaginable. ●**imaginaire** *a* imaginary. ●**imaginatif, -ive** *a* imaginative.
imagination [imaʒinasjɔ̃] *nf* imagination; **des imaginations** *Litt* imaginings.
imaginer [imaʒine] *vt* (*envisager, supposer*) to imagine; (*inventer*) to devise ▮ **s'imaginer** *vpr* (*se figurer*) to imagine (**que** that); (*se voir*) to picture *ou* imagine oneself.
imbattable [ɛ̃batabl] *a* unbeatable.
imbécile [ɛ̃besil] *a* idiotic ▮ *nmf* idiot, imbecile. ●**imbécillité** *nf* (*état*) imbecility; **une i.** (*action, parole*) an idiotic thing.
imberbe [ɛ̃bɛrb] *a* beardless.
imbiber [ɛ̃bibe] *vt* to soak (**de** with, in) ▮ **s'imbiber** *vpr* to become soaked.
imbriquer (s') [sɛ̃brike] *vpr* (*questions etc*) to overlap; to be interconnected *ou* bound up with each other.
imbroglio [ɛ̃brɔgljo] *nm* muddle, foul-up.
imbu, -ue [ɛ̃by] *a* **i. de** imbued with.
imbuvable [ɛ̃byvabl] *a* undrinkable; (*personne*) *Fam* insufferable.
imiter [imite] *vt* to imitate; (*contrefaire*) to forge; **i. qn** (*pour rire*) to mimic s.o., take s.o. off; (*faire comme*) to do the same as s.o., follow suit. ●**imitateur, -trice** *nmf* imitator; (*artiste de théâtre*) impersonator, mimic. ●**imitatif, -ive** *a* imitative. ●**imitation** *nf* imitation.
immaculé, -ée [imakyle] *a* (*sans tache, sans péché*) immaculate.
immangeable [ɛ̃mɑ̃ʒabl] *a* inedible.
immanquable [ɛ̃mɑ̃kabl] *a* inevitable.
immatriculer [imatrikyle] *vt* to register; **se faire i.** to register. ●**immatriculation** *nf* registration.
immédiat, -ate [imedja, -at] *a* immediate ▮ *nm* **dans l'i.** for the time being. ●**immédiatement** *adv* immediately.
immense [imɑ̃s] *a* immense, vast. ●**immensément** *adv* immensely. ●**immensité** *nf* immensity, vastness.
immerger [imɛrʒe] *vt* to immerse, put under water ▮ **s'immerger** *vpr* (*sous-marin*) to submerge. ●**immersion** *nf* immersion; (*de sous-marin*) submersion; **séjour linguistique en i. totale** period abroad consisting of total immersion in a foreign language.
immettable [ɛ̃mɛtabl] *a* (*vêtement*) unfit to be worn.
immeuble [imœbl] *nm* building; (*d'habitation*) *Br* block of flats, *Am* apartment building; (*de bureaux*) office building, *Br* office block.
immigrer [imigre] *vi* to immigrate. ●**immigrant, -ante** *nmf* immigrant. ●**immigré, -ée** *a* & *nmf* immigrant; **travailleur i.** immigrant worker. ●**immigration** *nf* immigration.
imminent, -ente [iminɑ̃, -ɑ̃t] *a* imminent. ●**imminence** *nf* imminence.
immiscer (s') [simise] *vpr* to interfere (**dans** in).
immobile [imɔbil] *a* still, motionless. ●**immobiliser** *vt* to bring to a stop, immobilize; (*arrêter*) to stop ▮ **s'immobiliser** *vpr* to come to a stop *ou* a standstill. ●**immobilité** *nf* stillness; (*inactivité*) immobility.
immobilier, -ière [imɔbilje, -jɛr] *a* **marché/** *etc* **i.** property market/*etc*; **vente immobilière** sale of property; **agence immobilière** *Br* estate agency, *Am* real estate office; **agent i.** *Br* estate agent, *Am* real estate agent.
immodéré, -ée [i(m)mɔdere] *a* immoderate.
immoler [i(m)mɔle] *vt* (*sacrifier*) *Litt* to sacrifice. ▮ **s'immoler** *vpr* **s'i. par le feu** (*se suicider*) to set fire to oneself.
immonde [i(m)mɔ̃d] *a* filthy. ●**immondices** *nfpl* refuse, *Br* rubbish, *Am* garbage.
immoral, -e, -aux [i(m)mɔral, -o] *a* immoral. ●**immoralité** *nf* immorality.
immortel, -elle [i(m)mɔrtɛl] *a* immortal; **les Immortels** (*académiciens*) the members of the *Académie Française*. ●**immortaliser** *vt* to immortalize. ●**immortalité** *nf* immortality.
immuable [i(m)myabl] *a* immutable, unchanging.
immuniser [i(m)mynize] *vt* to immunize (**contre** against); **immunisé contre** (*à l'abri de*) *Méd* immune to *ou* from. ●**immunitaire** *a* (*déficience, système etc*) *Méd* immune. ●**immunité** *nf* immunity; **i. parlementaire** parliamentary immunity.
impact [ɛ̃pakt] *nm* impact (**sur** on).
impair, -e [ɛ̃pɛr] **1** *a* (*nombre*) odd, uneven. **2** *nm* (*maladresse*) blunder.
imparable [ɛ̃parabl] *a* (*coup etc*) unavoidable.
impardonnable [ɛ̃pardɔnabl] *a* unforgivable.
imparfait, -aite [ɛ̃parfɛ, -ɛt] **1** *a* (*connaissance etc*) imperfect. **2** *nm* (*temps*) *Grammaire* imperfect.
impartial, -e, -aux [ɛ̃parsjal, -o] *a* fair, impartial, unbiased. ●**impartialité** *nf* impartiality.
impartir [ɛ̃partir] *vt* to grant (**à** to); **dans le temps qui nous est imparti** within the stipulated time *ou* the time allowed.
impasse [ɛ̃pɑs] *nf* (*rue*) dead end, blind alley; (*situation*) *Fig* stalemate, impasse; **dans l'i.** (*négociations*) in deadlock.
impassible [ɛ̃pasibl] *a* impassive, unmoved. ●**impassibilité** *nf* impassiveness.
impatient, -ente [ɛ̃pasjɑ̃, -ɑ̃t] *a* impatient; **i. de faire** eager *ou* impatient to do. ●**impatiemment** [-amɑ̃] *adv* impatiently. ●**impatience** *nf* impatience. ●**impatienter** *vt* to annoy, make impatient ▮ **s'impatienter** *vpr* to get impatient.
impavide [ɛ̃pavid] *a Litt* impassive.
impayable [ɛ̃pɛjabl] *a* (*comique*) *Fam* hilarious, priceless.

impayé, -ée [ɛ̃peje] *a* unpaid.
impeccable [ɛ̃pekabl] *a* (*propre*) immaculate, impeccable. ● **impeccablement** [-əmɑ̃] *adv* impeccably, immaculately.
impénétrable [ɛ̃penetrabl] *a* (*forêt, mystère etc*) impenetrable.
impénitent, -ente [ɛ̃penitɑ̃, -ɑ̃t] *a* unrepentant.
impensable [ɛ̃pɑ̃sabl] *a* unthinkable.
imper [ɛ̃pɛr] *nm Fam* raincoat, *Br* mac.
impératif, -ive [ɛ̃peratif, -iv] *a* (*consigne, ton*) imperative ▌ *nm* (*mode*) Grammaire imperative.
impératrice [ɛ̃peratris] *nf* empress.
imperceptible [ɛ̃pɛrsɛptibl] *a* imperceptible (**à** to).
imperfection [ɛ̃pɛrfɛksjɔ̃] *nf* imperfection.
impérial, -e, -aux [ɛ̃perjal, -o] *a* imperial. ● **impérialisme** *nm* imperialism.
impériale [ɛ̃perjal] *nf* (*d'autobus*) top deck; **autobus à i.** double-decker (bus).
impérieux, -euse [ɛ̃perjø, -øz] *a* (*autoritaire*) imperious; (*besoin*) pressing, imperative.
imperméable [ɛ̃pɛrmeabl] 1 *a* impervious (**à** to); (*tissu, manteau*) waterproof. 2 *nm* raincoat, *Br* mackintosh. ● **imperméabilisé, -ée** *a* waterproof.
impersonnel, -elle [ɛ̃pɛrsɔnɛl] *a* impersonal.
impertinent, -ente [ɛ̃pɛrtinɑ̃, -ɑ̃t] *a* impertinent (**envers** to). ● **impertinence** *nf* impertinence.
imperturbable [ɛ̃pɛrtyrbabl] *a* (*personne*) unruffled, imperturbable.
impétueux, -euse [ɛ̃petɥø, -øz] *a* impetuous. ● **impétuosité** *nf* impetuosity.
impie [ɛ̃pi] *a Litt* ungodly, impious.
impitoyable [ɛ̃pitwajabl] *a* ruthless, pitiless, merciless.
implacable [ɛ̃plakabl] *a* implacable, relentless.
implant [ɛ̃plɑ̃] *nm* (*dentaire*) implant; **faire des implants** (*cheveux*) to have hair grafts.
implanter [ɛ̃plɑ̃te] *vt* (*industrie, mode etc*) to establish ▌ **s'implanter** *vpr* to become established. ● **implantation** *nf* establishment.
implicite [ɛ̃plisit] *a* implicit. ● **implicitement** *adv* implicitly.
impliquer [ɛ̃plike] *vt* (*entraîner*) to imply; **i. que** (*supposer*) to imply that; **i. qn** (*engager*) to implicate s.o. (**dans** in). ● **implication** *nf* (*conséquence, participation*) implication.
implorer [ɛ̃plɔre] *vt* to implore (**qn de faire** s.o. to do).
impoli, -ie [ɛ̃pɔli] *a* rude, impolite. ● **impolitesse** *nf* impoliteness, rudeness; **une i.** an act of rudeness.
impondérables [ɛ̃pɔ̃derabl] *nmpl* imponderables.
impopulaire [ɛ̃pɔpylɛr] *a* unpopular.
important, -ante [ɛ̃pɔrtɑ̃, -ɑ̃t] *a* (*personnage, événement etc*) important; (*quantité, somme etc*) large, considerable; (*dégâts, retard*) considerable, great ▌ *nm* **l'i.,** **c'est de...** the important thing is to.... ● **importance** *nf* importance, significance; (*taille*) size; (*de dégâts*) extent; **attacher de l'i. à qch** to attach importance to sth; **ça n'a pas d'i.** it doesn't matter.
importer [ɛ̃pɔrte] 1 *v imp* to matter, be important (**à** to); **il importe de faire** it's important to do; **peu importe, n'importe** it doesn't matter; **n'importe qui/quoi/où/quand/comment** anyone/anything/anywhere/any time/anyhow.
2 *vt* (*marchandises etc*) to import (**de** from). ● **importateur, -trice** *nmf* importer ▌ *a* importing. ● **importation** *nf* (*objet*) import; (*action*) import(ing), importation; **d'i.** (*article*) imported.
importun, -une [ɛ̃pɔrtœ̃, -yn] *a* troublesome, intrusive ▌ *nmf* nuisance, intruder. ● **importuner** *vt* to inconvenience, trouble.
imposer [ɛ̃poze] 1 *vt* **i. qch à qn** to impose sth on s.o.; **i. le respect** to command *ou* compel respect ▌ *vi* **en i. à qn** to impress s.o., command *ou* compel respect from s.o. ▌ **s'imposer** *vpr* (*chez qn*) *Péj* to impose; (*s'affirmer*) to assert oneself, compel recognition; (*être nécessaire*) to be essential; (*aller de soi*) to stand out clearly.
2 *vt* (*taxer*) to tax. ● **imposant, -ante** *a* imposing. ● **imposable** *a Fin* taxable. ● **imposition** *nf Fin* taxation.
impossible [ɛ̃pɔsibl] *a* impossible (**à faire** do); **il (nous) est i. de faire** it is impossible (for us) to do; **il est i. que** (+ *sub*) it is impossible that; **ça m'est i.** I cannot possibly; **i. n'est pas français** there's no such thing as 'impossible' ▌ *nm* **faire l'i.** to do the impossible. ● **impossibilité** *nf* impossibility.
imposteur [ɛ̃pɔstœr] *nm* impostor. ● **imposture** *nf* deception.
impôt [ɛ̃po] *nm* tax; **impôts** (*contributions*) (income) tax, taxes; **i. sur le revenu** income tax; **impôts locaux** local taxes, *Br* = council tax; (**service des**) **impôts** tax authorities.
impotent, -ente [ɛ̃pɔtɑ̃, -ɑ̃t] *a* crippled, disabled ▌ *nmf* cripple, invalid.
impraticable [ɛ̃pratikabl] *a* (*chemin etc*) impassable; (*projet etc*) impracticable.
imprécis, -ise [ɛ̃presi, -iz] *a* imprecise. ● **imprécision** *nf* lack of precision.
imprégner [ɛ̃preɲe] *vt* to permeate, saturate, impregnate (**de** with) ▌ **s'imprégner** *vpr* to become permeated *ou* saturated *ou* impregnated (**de** with); **imprégné de** (*idées*) imbued *ou* infused with. ● **imprégnation** *nf* saturation.
imprenable [ɛ̃prənabl] *a* (*forteresse etc*) impregnable; **vue i.** unimpeded view; (*belle*) magnificent view.
impresario [ɛ̃presarjo] *nm* (business) manager, impresario.
impression [ɛ̃presjɔ̃] *nf* 1 impression; **avoir l'i. que** to have the feeling *ou* impression that, be under the impression that; **il donne l'i. d'être fatigué** he gives the impression of being tired; **faire (une) bonne i. à qn** to

make a good impression on s.o. 2 (*de livre etc*) printing.
impressionner [ɛ̃presjɔne] *vt* (*émouvoir, troubler*) to make a strong impression on; (*influencer*) to impress. ● **impressionnant, -ante** *a* impressive. ● **impressionnable** *a* impressionable.
imprévisible [ɛ̃previzibl] *a* unforeseeable. ● **imprévoyance** *nf* lack of foresight. ● **imprévoyant, -ante** *a* shortsighted. ● **imprévu, -ue** *a* unexpected, unforeseen ▮ *nm* **en cas d'i.** in case of anything unexpected.
imprimer [ɛ̃prime] *vt* 1 (*livre etc*) to print; (*trace*) to impress (**dans** in); (*cachet*) to stamp. 2 **i. un mouvement à** *Tech* to impart motion *ou* movement to. ● **imprimante** *nf* (*d'ordinateur*) printer. ● **imprimé** *nm* (*formulaire*) printed form; **imprimé(s)** (*par la poste*) printed matter. ● **imprimerie** *nf* (*technique*) printing; (*lieu*) *Br* printing works, *Am* print shop. ● **imprimeur** *nm* printer.
improbable [ɛ̃prɔbabl] *a* improbable, unlikely. ● **improbabilité** *nf* improbability, unlikelihood.
impromptu, -ue [ɛ̃prɔ̃pty] *a* & *adv* impromptu.
impropre [ɛ̃prɔpr] *a* inappropriate; **i. à qch** unfit for sth; **i. à la consommation** unfit for human consumption. ● **impropriété** *nf* (*incorrection*) *Ling* impropriety.
improviser [ɛ̃prɔvize] *vti* to improvise. ● **improvisation** *nf* improvisation.
improviste (à l') [alɛ̃prɔvist] *adv* unexpectedly; **une visite à l'i.** an unexpected visit; **prendre qn à l'i.** to catch s.o. unawares.
imprudent, -ente [ɛ̃prydɑ̃, -ɑ̃t] *a* (*personne, action*) careless, rash; **il est i. de** it is unwise *ou* foolish to. ● **imprudemment** [-amɑ̃] *adv* carelessly. ● **imprudence** *nf* carelessness, foolishness; **commettre une i.** to do something foolish.
impudent, -ente [ɛ̃pydɑ̃, -ɑ̃t] *a* impudent. ● **impudence** *nf* impudence.
impudique [ɛ̃pydik] *a* lewd.
impuissant, -ante [ɛ̃pɥisɑ̃, -ɑ̃t] *a* helpless; *Méd* impotent; **i. à faire qch** powerless to do sth. ● **impuissance** *nf* helplessness; *Méd* impotence.
impulsif, -ive [ɛ̃pylsif, -iv] *a* impulsive. ● **impulsion** *nf* impulse; **donner une i. à** (*élan*) *Fig* to give an impetus *ou* impulse to.
impunément [ɛ̃pynemɑ̃] *adv* with impunity. ● **impuni, -ie** *a* unpunished.
impur, -e [ɛ̃pyr] *a* impure. ● **impureté** *nf* impurity.
imputer [ɛ̃pyte] *vt* to attribute, impute (**à** to); (*affecter*) to charge (*expenses etc*) (**à** to). ● **imputable** *a* attributable (**à** to). ● **imputation** *nf* (*accusation*) charge, accusation.
inabordable [inabɔrdabl] *a* (*prix*) prohibitive; (*lieu*) inaccessible; (*personne*) unapproachable.
inacceptable [inakseptabl] *a* unacceptable.
inaccessible [inaksesibl] *a* inaccessible.
inaccoutumé, -ée [inakutyme] *a* unusual, unaccustomed.
inachevé, -ée [inaʃve] *a* unfinished.
inactif, -ive [inaktif, -iv] *a* inactive. ● **inaction** *nf* inactivity, inaction. ● **inactivité** *nf* inactivity.
inadapté, -ée [inadapte] *a* (*personne*) maladjusted; (*moyens etc*) unsuited (**à** to); **enfance inadaptée** maladjusted children ▮ *nmf* maladjusted person. ● **inadaptation** *nf* maladjustment.
inadmissible [inadmisibl] *a* unacceptable, inadmissible.
inadvertance (par) [parinadvɛrtɑ̃s] *adv* inadvertently.
inaltérable [inalterabl] *a* (*matière*) that does not deteriorate; (*couleur*) fast; (*sentiment*) unchanging.
inamical, -e, -aux [inamikal, -o] *a* unfriendly.
inanimé, -ée [inanime] *a* (*mort*) lifeless; (*évanoui*) unconscious; (*matière*) inanimate.
inanité [inanite] *nf* (*vanité*) futility.
inanition [inanisjɔ̃] *nf* **mourir d'i.** to die of starvation.
inaperçu, -ue [inapɛrsy] *a* **passer i.** to go unnoticed.
inapplicable [inaplikabl] *a* inapplicable (**à** to).
inappliqué, -ée [inaplike] *a* (*élève etc*) inattentive.
inappréciable [inapresjabl] *a* invaluable.
inapte [inapt] *a* unsuited (**à qch** to sth), inept (**à qch** at sth); (*soldat*) unfit. ● **inaptitude** *nf* ineptitude, incapacity.
inarticulé, -ée [inartikyle] *a* (*son*) inarticulate.
inattaquable [inatakabl] *a* unassailable.
inattendu, -ue [inatɑ̃dy] *a* unexpected.
inattentif, -ive [inatɑ̃tif, -iv] *a* inattentive, careless; **i. à** (*soucis, danger etc*) heedless of. ● **inattention** *nf* lack of attention; **dans un moment d'i.** in a moment of distraction; **faute d'i.** careless mistake, slip.
inaudible [inodibl] *a* inaudible.
inaugurer [inogyre] *vt* (*politique, édifice*) to inaugurate; (*école, congrès*) to open, inaugurate; (*statue*) to unveil. ● **inaugural, -e, -aux** *a* inaugural. ● **inauguration** *nf* inauguration; (*d'école etc*) opening; (*de statue*) unveiling.
inauthentique [inotɑ̃tik] *a* not authentic.
inavouable [inavwabl] *a* shameful.
incalculable [ɛ̃kalkylabl] *a* incalculable.
incandescent, -ente [ɛ̃kɑ̃desɑ̃, -ɑ̃t] *a* white-hot, incandescent.
incapable [ɛ̃kapabl] *a* incapable; **i. de faire** unable to do, incapable of doing ▮ *nmf* (*personne*) incompetent. ● **incapacité** *nf* incapacity, inability (**de faire** to do); (*invalidité*) disability, incapacity.
incarcérer [ɛ̃karsere] *vt* to incarcerate. ● **incarcération** *nf* incarceration.
incarné, -ée [ɛ̃karne] *a* 1 **être la gentillesse/ *etc* incarnée** (*personnifié*) to be the very embodiment of kindness/*etc*. 2 (*ongle*) in-

incarner

grown.
incarner [ɛ̃karne] *vt* to embody, incarnate. ● **incarnation** *nf* embodiment, incarnation.
incartade [ɛ̃kartad] *nf* indiscretion, prank.
incassable [ɛ̃kasabl] *a* unbreakable.
incendie [ɛ̃sɑ̃di] *nm* fire; **i. criminel** arson; **i. de forêt** forest fire. ● **incendiaire** *nmf* arsonist ▮ *a* (*bombe*) incendiary; (*paroles*) inflammatory. ● **incendier** *vt* to set fire to, set on fire.
incertain, -aine [ɛ̃sɛrtɛ̃, -ɛn] *a* uncertain; (*temps*) unsettled; (*entreprise*) chancy; (*contour*) indistinct. ● **incertitude** *nf* uncertainty.
incessamment [ɛ̃sesamɑ̃] *adv* without delay, shortly.
incessant, -ante [ɛ̃sesɑ̃, -ɑ̃t] *a* continual, incessant.
inceste [ɛ̃sɛst] *nm* incest. ● **incestueux, -euse** *a* incestuous.
inchangé, -ée [ɛ̃ʃɑ̃ʒe] *a* unchanged.
incidence [ɛ̃sidɑ̃s] *nf* (*influence*) effect.
incident [ɛ̃sidɑ̃] *nm* incident; (*accroc*) hitch.
incinérer [ɛ̃sinere] *vt* (*ordures*) to incinerate; (*cadavre*) to cremate. ● **incinération** *nf* incineration; (*de cadavre*) cremation.
inciser [ɛ̃size] *vt* to make an incision in. ● **incision** *nf* (*entaille*) incision.
incisif, -ive[1] [ɛ̃sizif, -iv] *a* incisive, sharp.
incisive[2] [ɛ̃siziv] *nf* (*dent*) incisor (tooth).
inciter [ɛ̃site] *vt* to urge, incite (**à faire** to do). ● **incitation** *nf* incitement (**à** to).
incliner [ɛ̃kline] *vt* (*courber*) to bend; (*pencher*) to tilt, incline; **i. la tête** (*approuver*) to nod one's head; (*saluer*) to bow (one's head); **i. qn à faire qch** *Fig* to make s.o. inclined to do sth, incline s.o. to do sth. ▮ *vi* **i. à** *Fig Litt* to be inclined towards. ▮ **s'incliner** *vpr* (*se courber*) to bow (down); (*chemin*) to slope down; (*bateau*) to heel over; (*s'avouer vaincu*) *Fig* to admit defeat. ● **inclinaison** *nf* incline, slope. ● **inclination** *nf* (*de tête*) nod; (*salut*) bow; (*goût*) inclination.
inclure* [ɛ̃klyr] *vt* to include; (*enfermer*) to enclose. ● **inclus, -use** *a* inclusive; **du quatre jusqu'au dix mai i.** from the fourth to the tenth of May inclusive; **jusqu'à lundi i.** up to and including (next) Monday. ● **inclusion** *nf* inclusion.
incognito [ɛ̃kɔɲito] *adv* incognito; **garder l'i.** to remain incognito.
incohérent, -ente [ɛ̃kɔerɑ̃, -ɑ̃t] *a* incoherent. ● **incohérence** *nf* incoherence.
incollable [ɛ̃kɔlabl] *a* (*personne*) *Fam* unbeatable, infallible; **riz i.** non-stick rice.
incolore [ɛ̃kɔlɔr] *a* colourless; (*vernis, verre*) clear.
incomber [ɛ̃kɔ̃be] *vi* **i. à qn** (*devoir*) to fall to s.o.; **il lui incombe de faire** it's his *ou* her duty *ou* responsiblity to do.
incommensurable [ɛ̃kɔmɑ̃syrabl] *a* immeasurable, immense.
incommode [ɛ̃kɔmɔd] *a* awkward. ● **incommodité** *nf* awkwardness.
incommoder [ɛ̃kɔmɔde] *vt* to bother, annoy. ● **incommodant, -ante** *a* annoying.
incomparable [ɛ̃kɔ̃parabl] *a* incomparable.
incompatible [ɛ̃kɔ̃patibl] *a* incompatible, inconsistent (**avec** with). ● **incompatibilité** *nf* incompatibility, inconsistency; **divorcer pour i. d'humeur** to get divorced on account of mutual incompatibility.
incompétent, -ente [ɛ̃kɔ̃petɑ̃, -ɑ̃t] *a* incompetent. ● **incompétence** *nf* incompetence.
incomplet, -ète [ɛ̃kɔ̃plɛ, -ɛt] *a* incomplete; (*fragmentaire*) scrappy, sketchy.
incompréhensible [ɛ̃kɔ̃preɑ̃sibl] *a* incomprehensible.
incompréhensif, -ive [ɛ̃kɔ̃preɑ̃sif, -iv] *a* lacking understanding. ● **incompréhension** *nf* lack of understanding.
incompris, -ise [ɛ̃kɔ̃pri, -iz] *a* misunderstood ▮ *nmf* greatly misunderstood person.
inconcevable [ɛ̃kɔ̃s(ə)vabl] *a* inconceivable.
inconciliable [ɛ̃kɔ̃siljabl] *a* irreconcilable.
inconditionnel, -elle [ɛ̃kɔ̃disjɔnɛl] *a* unconditional.
inconfort [ɛ̃kɔ̃fɔr] *nm* lack of comfort. ● **inconfortable** *a* uncomfortable.
incongru, -ue [ɛ̃kɔ̃gry] *a* unseemly, incongruous.
inconnu, -ue [ɛ̃kɔny] *a* unknown (**à** to) ▮ *nmf* (*étranger*) stranger; (*auteur*) unknown ▮ *nm* **l'i.** the unknown ▮ *nf* **inconnue** *Math* unknown (quantity).
inconscient, -ente [ɛ̃kɔ̃sjɑ̃, -ɑ̃t] *a* unconscious; (*imprudent*) thoughtless, senseless; **i. de qch** unaware of sth ▮ *nm* **l'i.** *Psy* the unconscious. ● **inconsciemment** [-amɑ̃] *adv* unconsciously. ● **inconscience** *nf* (*physique*) unconsciousness; (*irréflexion*) utter thoughtlessness.
inconséquence [ɛ̃kɔ̃sekɑ̃s] *nf* inconsistency.
inconsidéré, -ée [ɛ̃kɔ̃sidere] *a* thoughtless.
inconsistant, -ante [ɛ̃kɔ̃sistɑ̃, -ɑ̃t] *a* (*caractère*) weak, soft; (*film, roman*) flimsy; (*sauce, crème*) runny, watery.
inconsolable [ɛ̃kɔ̃sɔlabl] *a* heartbroken, cut up, inconsolable.
inconstant, -ante [ɛ̃kɔ̃stɑ̃, -ɑ̃t] *a* fickle. ● **inconstance** *nf* fickleness.
incontestable [ɛ̃kɔ̃tɛstabl] *a* undeniable, indisputable. ● **incontesté, -ée** *a* undisputed.
incontinent, -ente [ɛ̃kɔ̃tinɑ̃, -ɑ̃t] *a* incontinent.
incontournable [ɛ̃kɔ̃turnabl] *a* *Fig* inevitable, inescapable; (*film*) unmissable; (*auteur etc*) who cannot be ignored.
incontrôlé, -ée [ɛ̃kɔ̃trole] *a* unchecked. ● **incontrôlable** *a* (*invérifiable*) unverifiable; (*indomptable*) (*enfant etc*) uncontrollable.
inconvenant, -ante [ɛ̃kɔ̃vnɑ̃, -ɑ̃t] *a* improper. ● **inconvenance** *nf* impropriety.
inconvénient [ɛ̃kɔ̃venjɑ̃] *nm* (*désavantage*) drawback; (*risque*) risk; **si vous n'y voyez pas d'i.** if you have no objection(s); **l'i. c'est que...** the annoying thing is that....
incorporer [ɛ̃kɔrpɔre] *vt* (*introduire, admettre*) to incorporate (**dans** into); (*ingré-*

dient) to blend (à with); (*reerue*) *Mil* to enlist, *Br* enrol, *Am* enroll. ●**incorporation** *nf* incorporation (**de** of); *Mil* enlistment, *Br* enrolment, *Am* enrollment.

incorrect, -e [ɛ̃kɔrɛkt] *a* (*inexact*) incorrect; (*grossier*) impolite; (*inconvenant*) improper. ●**incorrection** *nf* (*faute*) impropriety, error; (*inconvenance*) impropriety; **une i.** (*grossièreté*) an impolite word *ou* act.

incorrigible [ɛ̃kɔriʒibl] *a* incorrigible.

incorruptible [ɛ̃kɔryptibl] *a* incorruptible.

incrédule [ɛ̃kredyl] *a* incredulous. ●**incrédulité** *nf* disbelief, incredulity.

increvable [ɛ̃krəvabl] *a* (*pneu etc*) puncture-proof; (*robuste*) *Fam* tireless.

incriminer [ɛ̃krimine] *vt* to incriminate.

incroyable [ɛ̃krwajabl] *a* incredible, unbelievable. ●**incroyablement** [-əmɑ̃] *adv* incredibly. ●**incroyant, -ante** *a* unbelieving ▮ *nmf* unbeliever.

incrusté, -ée [ɛ̃kryste] *a* **i. de** (*orné*) inlaid with; **i. de tartre** encrusted with scale, scaled up. ●**incrustation** *nf* (*ornement*) inlay; (*action*) inlaying.

incruster (s') [sɛ̃kryste] *vpr* (*chez qn*) *Fam* to be difficult to get rid of, outstay one's welcome, dig oneself in.

incubation [ɛ̃kybɑsjɔ̃] *nf* incubation.

inculper [ɛ̃kylpe] *vt* (*accuser*) to charge (**de** with), indict (**de** for). ●**inculpé, -ée** *nmf* **l'i.** the accused. ●**inculpation** *nf* charge, indictment.

inculquer [ɛ̃kylke] *vt* to instil (**à** into).

inculte [ɛ̃kylt] *a* (*terre*) uncultivated; (*personne*) uneducated.

incurable [ɛ̃kyrabl] *a* incurable.

incursion [ɛ̃kyrsjɔ̃] *nf* incursion, inroad (**dans** into).

incurver [ɛ̃kyrve] *vt* to curve.

Inde [ɛ̃d] *nf* India.

indécent, -ente [ɛ̃desɑ̃, -ɑ̃t] *a* indecent. ●**indécemment** [-amɑ̃] *adv* indecently. ●**indécence** *nf* indecency.

indéchiffrable [ɛ̃deʃifrabl] *a* undecipherable.

indécis, -ise [ɛ̃desi, -iz] *a* (*victoire, résultat*) undecided; (*indistinct*) indistinct; **être i.** (*hésiter*) to be undecided; (*de tempérament*) to be indecisive *ou* irresolute. ●**indécision** *nf* indecisiveness, indecision.

indéfectible [ɛ̃defɛktibl] *a* unfailing.

indéfendable [ɛ̃defɑ̃dabl] *a* indefensible.

indéfini, -ie [ɛ̃defini] *a* (*indéterminé*) indefinite; (*imprécis*) undefined; **article/pronom/ adjectif i.** *Grammaire* indefinite article/ pronoun/adjective. ●**indéfiniment** *adv* indefinitely. ●**indéfinissable** *a* indefinable.

indéformable [ɛ̃defɔrmabl] *a* (*vêtement*) which keeps its shape.

indélébile [ɛ̃delebil] *a* (*encre, souvenir*) indelible.

indélicat, -ate [ɛ̃delika, -at] *a* (*grossier*) indelicate; (*malhonnête*) unscrupulous.

indemne [ɛ̃dɛmn] *a* unhurt, unscathed.

indemniser [ɛ̃dɛmnize] *vt* to indemnify, compensate (**de** for). ●**indemnisation** *nf* compensation. ●**indemnité** *nf* (*dédommagement*) compensation, indemnity; (*allocation*) allowance.

indémontable [ɛ̃demɔ̃tabl] *a* that cannot be taken apart.

indéniable [ɛ̃denjabl] *a* undeniable.

indépendant, -ante [ɛ̃depɑ̃dɑ̃, -ɑ̃t] *a* independent (**de** of); (*chambre*) self-contained; (*journaliste etc*) freelance. ●**indépendamment** [-amɑ̃] *adv* independently (**de** of); **i. de** (*sans aucun égard à*) apart from. ●**indépendance** *nf* independence. ●**indépendantiste** *nmf* freedom fighter.

indescriptible [ɛ̃dɛskriptibl] *a* indescribable.

indésirable [ɛ̃dezirabl] *a* & *nmf* undesirable.

indestructible [ɛ̃dɛstryktibl] *a* indestructible.

indéterminé, -ée [ɛ̃detɛrmine] *a* indeterminate. ●**indétermination** *nf* (*doute*) indecision.

index [ɛ̃dɛks] *nm* (*doigt*) forefinger, index finger; (*liste*) index.

indexer [ɛ̃dɛkse] *vt* *Écon* to index-link, tie (**sur** to).

indicateur, -trice [ɛ̃dikatœr, -tris] **1** *nm Rail* guide, timetable; *Tech* indicator, gauge. **2** *a* **poteau i.** signpost; **panneau i.** road sign. **3** *nmf* (*espion*) (police) informer.

indicatif, -ive [ɛ̃dikatif, -iv] **1** *a* indicative (**de** of); **à titre i.** for information ▮ *nm* (*à la radio*) signature tune; **i. (téléphonique)** *Br* dialling code, *Am* area code. **2** *nm* (*mode*) *Grammaire* indicative.

indication [ɛ̃dikɑsjɔ̃] *nf* indication (**de** of); (*renseignement*) (piece of) information; (*directive*) instruction; **indications** (*pour aller quelque part*) directions.

indice [ɛ̃dis] *nm* (*dans une enquête*) clue; (*indication*) sign; **i. des prix/du coût de la vie/ etc** price/cost of living/*etc* index; **l'i. d'écoute** (*de télévision ou de radio*) the ratings, the audience rating.

indien, -ienne [ɛ̃djɛ̃, -jɛn] *a* Indian ▮ *nmf* **I., Indienne** Indian.

indifférent, -ente [ɛ̃diferɑ̃, -ɑ̃t] *a* indifferent (**à** to); **ça m'est i.** that's all the same to me. ●**indifféremment** [-amɑ̃] *adv* indifferently. ●**indifférence** *nf* indifference (**à** to).

indigène [ɛ̃diʒɛn] *a* & *nmf* native.

indigent, -ente [ɛ̃diʒɑ̃, -ɑ̃t] *a* (very) poor. ●**indigence** *nf* poverty.

indigeste [ɛ̃diʒɛst] *a* indigestible. ●**indigestion** *nf* (attack of) indigestion.

indigne [ɛ̃diɲ] *a* (*personne*) unworthy; (*chose*) shameful; **i. de qn/qch** unworthy of s.o./sth. ●**indignité** *nf* unworthiness; **une i.** (*honte*) an indignity.

indigner [ɛ̃diɲe] *vt* **i. qn** to make s.o. indignant ▮ **s'indigner** *vpr* to be *ou* become indignant (**de** at). ●**indigné, -ée** *a* indignant. ●**indignation** *nf* indignation.

indigo [ɛ̃digo] *nm* & *a inv* (*couleur*) indigo.

indiquer [ɛ̃dike] *vt* (*montrer*) to show, indicate; (*dire*) to tell, point out; (*recommander*) to recommend; **i. du doigt** to point to *ou* at.

indirect

●**indiqué, -ée** *a* (*conseillé*) recommended; (*adéquat*) appropriate; **à l'heure indiquée** at the appointed time.
indirect, -e [ɛ̃dirɛkt] *a* indirect. ●**indirectement** [-əmɑ̃] *adv* indirectly.
indiscipline [ɛ̃disiplin] *nf* lack of discipline. ●**indiscipliné, -ée** *a* unruly.
indiscret, -ète [ɛ̃diskrɛ, -ɛt] *a* (*curieux*) *Péj* inquisitive, prying; (*indélicat*) indiscreet, tactless. ●**indiscrétion** *nf* indiscretion.
indiscutable [ɛ̃diskytabl] *a* indisputable.
indispensable [ɛ̃dispɑ̃sabl] *a* essential, indispensable.
indisposer [ɛ̃dispoze] *vt* (*incommoder*) to make unwell, upset; **i. qn (contre soi)** (*mécontenter*) to antagonize s.o. ●**indisposé, -ée** *a* (*malade*) indisposed, unwell. ●**indisposition** *nf* indisposition.
indissoluble [ɛ̃disɔlybl] *a* (*liens etc*) solid, indissoluble.
indistinct, -incte [ɛ̃distɛ̃(kt), -ɛ̃kt] *a* unclear, indistinct. ●**indistinctement** [-ɛ̃ktəmɑ̃] *adv* indistinctly; (*également*) without distinction.
individu [ɛ̃dividy] *nm* individual; *Péj* individual, character.
individualiser [ɛ̃dividɥalize] *vt* to individualize.
individualiste [ɛ̃dividɥalist] *a* individualistic ∎ *nmf* individualist.
individualité [ɛ̃dividɥalite] *nf* (*originalité*) individuality.
individuel, -elle [ɛ̃dividɥɛl] *a* individual. ●**individuellement** *adv* individually.
indivisible [ɛ̃divizibl] *a* indivisible.
Indochine [ɛ̃dɔʃin] *nf* Indo-China.
indolent, -ente [ɛ̃dɔlɑ̃, -ɑ̃t] *a* indolent. ●**indolence** *nf* indolence.
indolore [ɛ̃dɔlɔr] *a* painless.
indomptable [ɛ̃dɔ̃(p)tabl] *a* (*volonté etc*) indomitable. ●**indompté, -ée** *a* (*animal*) untamed.
Indonésie [ɛ̃dɔnezi] *nf* Indonesia.
indubitable [ɛ̃dybitabl] *a* beyond doubt.
indue [ɛ̃dy] *af* **à une heure i.** at an ungodly hour; **à des heures indues** at all hours, at ungodly hours.
induire* [ɛ̃dɥir] *vt* **i. qn en erreur** to lead s.o. astray.
indulgent, -ente [ɛ̃dylʒɑ̃, -ɑ̃t] *a* indulgent (**envers** to, **avec** with). ●**indulgence** *nf* indulgence.
industrie [ɛ̃dystri] *nf* industry. ●**industrialisé, -ée** *a* industrialized. ●**industriel, -elle** *a* industrial ∎ *nm* industrialist.
inébranlable [inebrɑ̃labl] *a* (*certitude, personne*) unshakeable, unwavering.
inédit, -ite [inedi, -it] *a* (*texte*) unpublished; (*nouveau*) *Fig* original.
ineffable [inefabl] *a* *Litt* inexpressible, ineffable.
inefficace [inefikas] *a* (*mesure, effort etc*) ineffective, ineffectual; (*personne*) inefficient. ●**inefficacité** *nf* ineffectiveness; inefficiency.
inégal, -e, -aux [inegal, -o] *a* unequal; (*sol, humeur*) uneven. ●**inégalable** *a* incomparable. ●**inégalé, -ée** *a* unequalled. ●**inégalité** *nf* (*injustice*) inequality; (*physique*) difference; (*irrégularité*) unevenness; **inégalités de la route/etc** (*bosses*) bumps in the road/*etc*.
inélégant, -ante [inelegɑ̃, -ɑ̃t] *a* coarse, inelegant.
inéligible [ineliʒibl] *a* (*candidat*) ineligible.
inéluctable [inelyktabl] *a* inescapable.
inénarrable [inɛnarabl] *a* (*comique*) indescribably funny.
inepte [inɛpt] *a* absurd, inept. ●**ineptie** [inɛpsi] *nf* absurdity, ineptitude.
inépuisable [inepɥizabl] *a* inexhaustible.
inerte [inɛrt] *a* inert; (*corps*) lifeless. ●**inertie** [inɛrsi] *nf* inertia.
inespéré, -ée [inɛspere] *a* unhoped-for.
inestimable [inɛstimabl] *a* priceless.
inévitable [inevitabl] *a* inevitable, unavoidable.
inexact, -e [inɛgzakt] *a* (*erroné*) inaccurate, inexact; **c'est i.!** it's incorrect! ●**inexactitude** *nf* inaccuracy, inexactitude; (*manque de ponctualité*) lack of punctuality.
inexcusable [inɛkskyzabl] *a* inexcusable.
inexistant, -ante [inɛgzistɑ̃, -ɑ̃t] *a* non-existent.
inexorable [inɛgzɔrabl] *a* inexorable.
inexpérience [inɛksperjɑ̃s] *nf* inexperience. ●**inexpérimenté, -ée** *a* (*personne*) inexperienced; (*machine, arme*) untested.
inexplicable [inɛksplikabl] *a* inexplicable. ●**inexpliqué, -ée** *a* unexplained.
inexploré, -ée [inɛksplɔre] *a* unexplored.
inexpressif, -ive [inɛkspresif, -iv] *a* expressionless.
inexprimable [inɛksprimabl] *a* beyond words, inexpressible.
in extremis [inɛkstremis] *adv* at the very last minute.
inextricable [inɛkstrikabl] *a* inextricable.
infaillible [ɛ̃fajibl] *a* infallible. ●**infaillibilité** *nf* infallibility.
infaisable [ɛ̃fəzabl] *a* (*travail etc*) that cannot be done.
infamant, -ante [ɛ̃famɑ̃, -ɑ̃t] *a* ignominious.
infâme [ɛ̃fam] *a* (*odieux*) (*action etc*) vile, infamous; (*taudis*) squalid; (*aliment*) vile, revolting. ●**infamie** *nf* infamy.
infanterie [ɛ̃fɑ̃tri] *nf* infantry.
infantile [ɛ̃fɑ̃til] *a* (*maladie, réaction*) infantile.
infarctus [ɛ̃farktys] *nm* **un i.** *Méd* a coronary.
infatigable [ɛ̃fatigabl] *a* tireless, indefatigable.
infect, -e [ɛ̃fɛkt] *a* (*odeur*) foul; (*goût, café etc*) lousy, vile.
infecter [ɛ̃fɛkte] **1** *vt* (*air*) to contaminate, foul. **2** *vt Méd* to infect ∎ **s'infecter** *vpr* to get infected. ●**infectieux, -euse** *a* infectious. ●**infection** *nf* **1** *Méd* infection. **2** (*odeur*) stench.
inférer [ɛ̃fere] *vt* (*conclure*) *Litt* to infer (**de** from, **que** that).

inférieur, -e [ɛ̃ferjœr] *a (partie)* lower; *(qualité, personne etc)* inferior; **à l'étage i.** on the floor below; **i. à** inferior to; *(plus petit que)* smaller than; **i. à la moyenne** *(note, intelligence etc)* below average ▮ *nmf (personne) Péj* inferior. ● **infériorité** *nf* inferiority.

infernal, -e, -aux [ɛ̃fernal, -o] *a* infernal; *(insupportable) (enfant)* diabolical.

infester [ɛ̃feste] *vt* to infest, overrun (**de** with). ● **infesté, -ée** *a* **i. de requins/de fourmis/***etc* shark/ant/*etc*-infested.

infidèle [ɛ̃fidɛl] *a* unfaithful (**à** to). ● **infidélité** *nf* unfaithfulness; **une i.** *(acte)* an infidelity.

infiltrer (s') [sɛ̃filtre] *vpr (liquide)* to seep *ou* percolate (through) (**dans** into); *(lumière)* to filter (through) (**dans** into); **s'i. dans** *(groupe, esprit) Fig* to infiltrate. ● **infiltration** *nf (de personne, idée, liquide)* infiltration.

infime [ɛ̃fim] *a (très petit)* tiny.

infini, -ie [ɛ̃fini] *a* infinite ▮ *nm Math Phot* infinity; *Phil* infinite; **à l'i.** *(beaucoup)* endlessly, ad infinitum; *Math* to infinity. ● **infiniment** *adv* infinitely; *(regretter, remercier)* very much. ● **infinité** *nf* **une i. de** an infinite amount of.

infinitif [ɛ̃finitif] *nm Grammaire* infinitive.

infirme [ɛ̃firm] *a* disabled, crippled ▮ *nmf* disabled person. ● **infirmité** *nf* disability.

infirmer [ɛ̃firme] *vt* to invalidate.

infirmerie [ɛ̃firməri] *nf* sick room, sickbay, infirmary. ● **infirmier** *nm* male nurse. ● **infirmière** *nf* nurse; **i. diplômée d'État** = *Br* State Registered Nurse, = *Am* Registered Nurse.

inflammable [ɛ̃flamabl] *a* (in)flammable.

inflammation [ɛ̃flamɑsjɔ̃] *nf Méd* inflammation.

inflation [ɛ̃flɑsjɔ̃] *nf Écon* inflation. ● **inflationniste** *a Écon* inflationary.

infléchir [ɛ̃fleʃir] *vt (courber)* to inflect, bend; *(modifier)* to shift. ● **inflexion** *nf* bend; *(de voix)* tone, inflexion; **une i. de la tête** a nod.

inflexible [ɛ̃flɛksibl] *a* inflexible.

infliger [ɛ̃fliʒe] *vt* to inflict (**à** on); *(amende)* to impose (**à** on).

influence [ɛ̃flyɑ̃s] *nf* influence; **sous l'i. de la drogue** under the influence of drugs; **sous l'i. de la colère** in the grip of anger. ● **influencer** *vt* to influence. ● **influençable** *a* easily influenced. ● **influent, -ente** *a* influential. ● **influer** *vi* **i. sur** to influence.

informateur, -trice [ɛ̃fɔrmatœr, -tris] *nmf* informant.

informaticien, -ienne [ɛ̃fɔrmatisjɛ̃, -jɛn] *nmf* computer scientist.

information [ɛ̃fɔrmɑsjɔ̃] *nf* information; *(nouvelle)* piece of news; *(enquête) Jur* inquiry, investigation; **les informations** *(à la radio ou télévision)* the news.

informatique [ɛ̃fɔrmatik] *nf (science)* computer science, computing; *(technique)* data processing ▮ *a* **programme/matériel/***etc* **i.** computer program/hardware/*etc*. ● **informatisation** *nf* computerization. ● **informatiser** *vt* to computerize.

informe [ɛ̃fɔrm] *a* shapeless.

informer [ɛ̃fɔrme] *vt* to inform (**de** of, about; **que** that) ▮ **s'informer** *vpr* to inquire (**de** about; **si** if, whether).

infortune [ɛ̃fɔrtyn] *nf* misfortune. ● **infortuné, -ée** *a* ill-fated, hapless.

infraction [ɛ̃fraksjɔ̃] *nf (délit) Br* offence, *Am* offense; **i. à** a breach of, infringement of.

infranchissable [ɛ̃frɑ̃ʃisabl] *a (mur, fleuve)* impassable; *(difficulté) Fig* insuperable.

infrarouge [ɛ̃fraruʒ] *a (rayons etc)* infrared.

infroissable [ɛ̃frwasabl] *a* crease-resistant.

infructueux, -euse [ɛ̃fryktɥø, -øz] *a* fruitless.

infuser [ɛ̃fyze] *vt (faire)* **i.** *(thé)* to brew, infuse; **laisser i. le thé** to leave the tea to brew *ou* infuse. ● **infusion** *nf (tisane)* (herb *ou* herbal) tea, infusion.

ingénier (s') [sɛ̃ʒenje] *vpr* to exercise one's wits (**à faire** in order to do).

ingénieur [ɛ̃ʒenjœr] *nm* engineer; **femme i.** woman engineer. ● **ingénierie** [-iri] *nf* engineering; **i. mécanique** mechanical engineering.

ingénieux, -euse [ɛ̃ʒenjø, -øz] *a* ingenious. ● **ingéniosité** *nf* ingenuity.

ingénu, -ue [ɛ̃ʒeny] *a* artless, naïve.

ingérer (s') [sɛ̃ʒere] *vpr* to interfere (**dans** in). ● **ingérence** *nf* interference (**dans** in).

ingrat, -ate [ɛ̃gra, -at] *a (personne)* ungrateful (**envers** to); *(tâche)* thankless; *(sol)* barren; *(visage, physique)* unattractive; **l'âge i.** the awkward age. ● **ingratitude** *nf* ingratitude.

ingrédient [ɛ̃gredjɑ̃] *nm* ingredient.

inguérissable [ɛ̃gerisabl] *a* incurable.

ingurgiter [ɛ̃gyrʒite] *vt* to gulp down.

inhabitable [inabitabl] *a* uninhabitable. ● **inhabité, -ée** *a* uninhabited.

inhabituel, -elle [inabitɥɛl] *a* unusual.

inhalateur [inalatœr] *nm Méd* inhaler. ● **inhalation** *nf* inhalation; **faire des inhalations** to inhale.

inhérent, -ente [inerɑ̃, -ɑ̃t] *a* inherent (**à** in).

inhibé, -ée [inibe] *a* inhibited. ● **inhibition** *nf* inhibition.

inhospitalier, -ière [inɔspitalje, -jɛr] *a* inhospitable.

inhumain, -aine [inymɛ̃, -ɛn] *a (cruel, terrible)* inhuman.

inhumer [inyme] *vt* to bury, inter. ● **inhumation** *nf* burial.

inimaginable [inimaʒinabl] *a* unimaginable.

inimitable [inimitabl] *a* inimitable.

inimitié [inimitje] *nf* enmity.

ininflammable [inɛ̃flamabl] *a (tissu etc)* non-flammable.

inintelligent, -ente [inɛ̃teliʒɑ̃, -ɑ̃t] *a* unintelligent.

inintelligible [inɛ̃teliʒibl] *a* unintelligible.

inintéressant, -ante [inɛ̃teresɑ̃, -ɑ̃t] *a* uninteresting.

ininterrompu, -ue [inɛ̃terɔ̃py] *a* continuous, uninterrupted.

inique [inik] *a* iniquitous. ●**iniquité** *nf* iniquity.

initial, -e, -aux [inisjal, -o] *a* initial. ●**initiale** *nf* (*lettre*) initial. ●**initialement** *adv* initially.

initiative [inisjativ] *nf* 1 initiative; **avoir l'esprit d'i.** to have plenty of initiative, show initiative; **de ma propre i.** on my own initiative. 2 **syndicat d'i.** tourist office.

initier [inisje] *vt* to initiate (**à** into); **s'i. à** (*art, science*) to become acquainted with *ou* initiated into. ●**initié, -ée** *nmf* initiate; **les initiés** the initiated. ●**initiateur, -trice** *nmf* initiator. ●**initiation** *nf* initiation.

injecter [ɛ̃ʒɛkte] *vt* to inject; **injecté de sang** bloodshot. ●**injection** *nf* injection.

injoignable [ɛ̃ʒwaɲabl] *a* **il est i.** he cannot be reached *ou* contacted, he's unavailable.

injonction [ɛ̃ʒɔ̃ksjɔ̃] *nf* order, injunction.

injure [ɛ̃ʒyr] *nf* insult; **injures** abuse, insults. ●**injurier** *vt* to insult, abuse, swear at. ●**injurieux, -euse** *a* abusive, insulting (**pour** to).

injuste [ɛ̃ʒyst] *a* (*contraire à la justice*) unjust; (*non équitable*) unfair. ●**injustice** *nf* injustice.

injustifiable [ɛ̃ʒystifjabl] *a* unjustifiable. ●**injustifié, -ée** *a* unjustified.

inlassable [ɛ̃lasabl] *a* untiring.

inné, -ée [ine] *a* innate, inborn.

innocent, -ente [inɔsɑ̃, -ɑ̃t] *a* innocent (**de** of) ▮ *nmf Jur* innocent person; (*idiot*) simpleton. ●**innocemment** [-amɑ̃] *adv* innocently. ●**innocence** *nf* innocence; **agir en toute i.** to act in all innocence. ●**innocenter** *vt* **i. qn** to clear s.o. (**de** of).

innombrable [inɔ̃brabl] *a* countless, innumerable.

innommable [inɔmabl] *a* (*dégoûtant*) unspeakable, foul.

innover [inɔve] *vi* to innovate. ●**innovateur, -trice** *nmf* innovator. ●**innovation** *nf* innovation.

inoccupé, -ée [inɔkype] *a* unoccupied.

inoculer [inɔkyle] *vt* **i. qch à qn** to infect *ou* inoculate s.o. with sth. ●**inoculation** *nf* (*vaccination*) inoculation.

inodore [inɔdɔr] *a* odourless.

inoffensif, -ive [inɔfɑ̃sif, -iv] *a* harmless, inoffensive.

inonder [inɔ̃de] *vt* to flood, inundate; (*mouiller*) to soak; **inondé de** (*envahi*) inundated with; **inondé de soleil** bathed in sunlight. ●**inondable** *a* (*chaussée etc*) liable to flooding. ●**inondation** *nf* flood; (*action*) flooding (**de** of).

inopérant, -ante [inɔperɑ̃, -ɑ̃t] *a* inoperative.

inopiné, -ée [inɔpine] *a* unexpected.

inopportun, -une [inɔpɔrtœ̃, -yn] *a* inopportune.

inoubliable [inublijabl] *a* unforgettable.

inouï, -e [inwi] *a* incredible, extraordinary.

inox [inɔks] *nm* stainless steel; **couteau/etc en i.** stainless-steel knife/etc. ●**inoxydable** *a* (*couteau etc*) stainless-steel; **acier i.** stainless steel.

inqualifiable [ɛ̃kalifjabl] *a* (*indigne*) unspeakable.

inquiet, -iète [ɛ̃kjɛ, -jɛt] *a* worried, anxious (**de** about).

inquiéter [ɛ̃kjete] *vt* (*préoccuper*) to worry; (*police*) to bother, harass (*suspect etc*) ▮ **s'inquiéter** *vpr* to worry (**de** about). ●**inquiétant, -ante** *a* worrying.

inquiétude [ɛ̃kjetyd] *nf* anxiety, concern, worry.

inquisiteur, -trice [ɛ̃kizitœr, -tris] *a* (*regard*) *Péj* inquisitive. ●**inquisition** *nf* inquisition; **c'est de l'i.!** is this the Inquisition?.

insaisissable [ɛ̃sezisabl] *a* elusive.

insalubre [ɛ̃salybr] *a* unhealthy, insalubrious.

insanités [ɛ̃sanite] *nfpl* (*idioties*) absurdities.

insatiable [ɛ̃sasjabl] *a* insatiable.

insatisfait, -aite [ɛ̃satisfɛ, -ɛt] *a* unsatisfied, dissatisfied.

inscription [ɛ̃skripsjɔ̃] *nf* writing down; (*sur écriteau, de médaille etc*) inscription; (*immatriculation*) *Br* enrolment, *Am* enrollment, registration; **frais d'i.** (*à l'université*) registration fees; (*dans un club*) enrolment fee(s); **date des inscriptions** (*à l'université*) registration date.

inscrire* [ɛ̃skrir] *vt* to write *ou* put down; (*sur un registre*) to register; (*graver*) to inscribe; **i. qn** *Br* to enrol s.o., *Am* enroll s.o. ▮ **s'inscrire** *vpr* to put one's name down, *Br* enrol, *Am* enroll (**à** at); (*à l'université*) to register (**à** at); **s'i. à** (*club, parti*) to join, enrol in; (*examen*) to enter *ou* enrol *ou* register for; **s'i. dans** (**le cadre de**) to be part of; **s'i. en faux contre** to deny absolutely.

insecte [ɛ̃sɛkt] *nm* insect. ●**insecticide** *nm* & *a* insecticide.

insécurité [ɛ̃sekyrite] *nf* insecurity.

INSEE [inse] *nm abrév* (*Institut national de la statistique et des études économiques*) (French) national institute of statistics and economic studies.

insémination [ɛ̃seminasjɔ̃] *nf* **i. artificielle** *Méd* artificial insemination.

insensé, -ée [ɛ̃sɑ̃se] *a* senseless, absurd.

insensible [ɛ̃sɑ̃sibl] *a* (*indifférent*) insensitive (**à** to); (*graduel*) imperceptible, very slight. ●**insensiblement** [-amɑ̃] *adv* imperceptibly. ●**insensibilité** *nf* insensitivity.

inséparable [ɛ̃separabl] *a* inseparable (**de** from).

insérer [ɛ̃sere] *vt* to insert (**dans** into, in); **s'i. dans** (*société, groupe*) to become accepted by, become part of. ●**insertion** *nf* insertion; **l'i. des chômeurs/etc** the (social) integration of the unemployed/etc.

INSERM [ɛ̃sɛrm] *nm abrév* (*Institut national de la santé et de la recherche médicale*) (French) national institute of health and medical research.

insidieux, -euse [ɛ̃sidjø, -øz] *a* insidious.

insigne [ɛ̃siɲ] *nm* badge, emblem; **les insignes de** (*de maire etc*) the insignia of.

insignifiant, -ante [ɛ̃siɲifjɑ̃, -ɑ̃t] *a* in-

significant, unimportant. ●**insignifiance** *nf* insignificance.
insinuer [ɛ̃sinɥe] *vt Péj* to insinuate (**que** that) **I s'insinuer** *vpr* to insinuate oneself (**dans** into). ●**insinuation** *nf* insinuation.
insipide [ɛ̃sipid] *a* insipid.
insister [ɛ̃siste] *vi* to insist (**pour faire** on doing); (*persévérer*) *Fam* to persevere; **i. sur** (*détail, syllabe etc*) to stress; **i. pour que** (+ *sub*) to insist that. ●**insistant, -ante** *a* insistent, persistent. ●**insistance** *nf* insistence, persistence.
insolation [ɛ̃sɔlasjɔ̃] *nf Méd* sunstroke.
insolent, -ente [ɛ̃sɔlɑ̃, -ɑ̃t] *a* (*impoli*) insolent; (*luxe*) indecent. ●**insolence** *nf* insolence.
insolite [ɛ̃sɔlit] *a* unusual, strange.
insoluble [ɛ̃sɔlybl] *a* insoluble.
insolvable [ɛ̃sɔlvabl] *a Fin* insolvent.
insomnie [ɛ̃sɔmni] *nf* insomnia; **avoir des insomnies** to have insomnia; **nuit d'i.** sleepless night. ●**insomniaque** *nmf* insomniac.
insondable [ɛ̃sɔ̃dabl] *a* unfathomable.
insonoriser [ɛ̃sɔnɔrize] *vt* to soundproof, insulate. ●**insonorisation** *nf* soundproofing, insulation.
insouciant, -ante [ɛ̃susjɑ̃, -ɑ̃t] *a* carefree; **i. de** unconcerned about. ●**insouciance** *nf* carefree attitude, lack of concern.
insoumis, -ise [ɛ̃sumi, -iz] *a* rebellious. ●**insoumission** *nf* rebelliousness.
insoupçonnable [ɛ̃supsɔnabl] *a* beyond suspicion. ●**insoupçonné, -ée** *a* unsuspected.
insoutenable [ɛ̃sutnabl] *a* (*insupportable*) unbearable; (*théorie*) untenable.
inspecter [ɛ̃spɛkte] *vt* to inspect. ●**inspecteur, -trice** *nmf* inspector. ●**inspection** *nf* inspection.
inspirer [ɛ̃spire] **1** *vt* to inspire; **i. qch à qn** to inspire s.o. with sth; **s'i. de** to take one's inspiration from. **2** *vi Méd* to breathe in. ●**inspiré, -ée** *a* inspired; **être bien i. de faire** to have the good idea to do. ●**inspiration** *nf* **1** inspiration. **2** *Méd* breathing in.
instable [ɛ̃stabl] *a* (*meuble*) shaky, unsteady; (*temps*) unsettled; (*situation, caractère*) unstable. ●**instabilité** *nf* unsteadiness; (*de situation etc*) instability.
installer [ɛ̃stale] *vt* (*appareil, meuble etc*) to install, put in; (*étagère*) to put up; (*équiper*) to fit out, fix up; **i. qn** (*dans une fonction, un logement*) to install s.o. (**dans** in).
I s'installer *vpr* (*s'asseoir, s'établir*) to settle (down); (*médecin etc*) to set oneself up; **s'i. dans** (*maison, hôtel*) to move into. ●**installateur** *nm* fitter. ●**installation** *nf* putting in; fitting out; installation; moving in; **installations** (*appareils*) fittings, installations; (*bâtiments*) facilities.
instamment [ɛ̃stamɑ̃] *adv* insistently.
instance [ɛ̃stɑ̃s] *nf* (*juridiction, autorité*) authority; **tribunal de première i.** = magistrates' court; **en i. de divorce** waiting for a divorce; **en i. de départ** about to depart. ●**instances** *nfpl* céder aux i. de qn to give in to s.o.'s requests.
instant [ɛ̃stɑ̃] *nm* moment, instant; **à l'i.** a moment ago; **à l'i. (même)** just as; **pour l'i.** for the moment; **dès l'i. que** from the moment that; (*puisque*) seeing that. ●**instantané, -ée** *a* instantaneous; **café i.** instant coffee **I** *nm* (*photo*) snapshot.
instar [ɛ̃star] *nm* **à l'i. de qn** *Litt* after the fashion of s.o.
instaurer [ɛ̃stɔre] *vt* to found, set up.
instigateur, -trice [ɛ̃stigatœr, -tris] *nmf* instigator. ●**instigation** *nf* instigation.
instinct [ɛ̃stɛ̃] *nm* instinct; **d'i.** instinctively, by instinct. ●**instinctif, -ive** *a* instinctive.
instituer [ɛ̃stitɥe] *vt* (*règle, régime*) to establish, institute.
institut [ɛ̃stity] *nm* institute; **i. de beauté** beauty salon *ou* parlour; **i. universitaire de technologie** technical college (*conferring two-year degrees*), *Br* = polytechnic.
instituteur, -trice [ɛ̃stitytœr, -tris] *nmf Br* primary *ou Am* elementary school teacher.
institution [ɛ̃stitysjɔ̃] *nf* (*organisation, règle, structure etc*) institution; (*école*) private school; **les institutions (républicaines)** (republican) institutions. ●**institutionnel, -elle** *a* institutional.
instructif, -ive [ɛ̃stryktif, -iv] *a* instructive.
instruction [ɛ̃stryksjɔ̃] *nf* education, schooling; (*militaire*) training; *Jur* investigation; **instructions** (*ordres*) instructions; (*mode d'emploi*) instructions, directions. ●**instructeur** *nm* (*moniteur*) & *Mil* instructor.
instruire* [ɛ̃strɥir] *vt* to teach, educate; *Mil* to train; **i. une affaire/un procès** to conduct the investigation for a case/trial; **i. qn de** to inform *ou* instruct s.o. of **I s'instruire** *vpr* to educate oneself; **s'i. de** to inquire about. ●**instruit, -uite** *a* educated.
instrument [ɛ̃strymɑ̃] *nm* instrument; (*outil*) implement, tool; **i. à vent** wind instrument; **les instruments de bord** (*d'un avion*) the instruments. ●**instrumental, -e, -aux** *a Mus* instrumental. ●**instrumentiste** *nmf Mus* instrumentalist.
insu de (à l') [alɛ̃syd(ə)] *prép* without the knowledge of; **elle tremblait/souriait/***etc* **à son i.** she was shaking/smiling/*etc* without realizing it.
insuccès [ɛ̃syksɛ] *nm* failure.
insuffisant, -ante [ɛ̃syfizɑ̃, -ɑ̃t] *a* (*en qualité*) inadequate; (*en quantité*) insufficient, inadequate. ●**insuffisance** *nf* inadequacy.
insulaire [ɛ̃sylɛr] *a* insular **I** *nmf* islander.
insuline [ɛ̃sylin] *nf Méd* insulin.
insulte [ɛ̃sylt] *nf* insult (**à** to). ●**insulter** *vt* to insult.
insupportable [ɛ̃sypɔrtabl] *a* unbearable.
insurger (s') [sɛ̃syrʒe] *vpr* to rise (up), rebel (**contre** against). ●**insurgé, -ée** *nmf* & *a* insurgent, rebel. ●**insurrection** *nf* insurrection, uprising.
insurmontable [ɛ̃syrmɔ̃tabl] *a* insurmountable, insuperable.
intact, -e [ɛ̃takt] *a* intact.

intangible

intangible [ɛ̃tɑ̃ʒibl] *a* intangible.
intarissable [ɛ̃tarisabl] *a* inexhaustible.
intégral, -e, -aux [ɛ̃tegral, -o] *a* full, complete; (*édition*) unabridged; **version intégrale** (*de film*) uncut version; **bronzage i.** all-over tan, whole-body tan; **casque i.** (*de motard*) full-face crash helmet. ● **intégralement** *adv* in full, fully. ● **intégralité** *nf* whole (**de** of); **dans son i.** in full.
intègre [ɛ̃tɛgr] *a* upright, honest. ● **intégrité** *nf* integrity.
intégrer [ɛ̃tegre] *vt* to integrate (**dans** in) ▮ **s'intégrer** *vpr* to become integrated, adapt. ● **intégrante** *af* **faire partie i. de** to be part and parcel of. ● **intégration** *nf* integration; **politique d'i. des immigrés** integration policy (*for immigrants*).
intégrisme [ɛ̃tegrism] *nm* fundamentalism.
intellectuel, -elle [ɛ̃telɛktɥɛl] *a & nmf* intellectual.
intelligent, -ente [ɛ̃teliʒɑ̃, -ɑ̃t] *a* intelligent, clever. ● **intelligemment** [-amɑ̃] *adv* intelligently. ● **intelligence** *nf* (*faculté*) intelligence; **intelligences** *Mil Pol* secret relations; **i. artificielle** *Ordinat* artificial intelligence; **avoir l'i. de qch** (*compréhension*) to have an understanding of sth; **avoir l'i. de faire qch** to have the sense *ou* intelligence to do sth; **d'i.** avec qn in complicity with s.o.; **vivre en bonne i.** avec qn to be on good terms with s.o.
intelligentsia [inteligɛnsja] *nf* intelligentsia.
intelligible [ɛ̃teliʒibl] *a* intelligible. ● **intelligibilité** *nf* intelligibility.
intempérance [ɛ̃tɑ̃perɑ̃s] *nf* intemperance.
intempéries [ɛ̃tɑ̃peri] *nfpl* **les i.** the elements, bad weather.
intempestif, -ive [ɛ̃tɑ̃pɛstif, -iv] *a* untimely.
intenable [ɛ̃tnabl] *a* (*position*) untenable; (*enfant*) *Fam* unruly, uncontrollable.
intendant, -ante [ɛ̃tɑ̃dɑ̃, -ɑ̃t] *nmf Scol* bursar. ● **intendance** *nf Scol* bursar's office.
intense [ɛ̃tɑ̃s] *a* intense; (*trafic, circulation*) heavy. ● **intensément** *adv* intensely. ● **intensif, -ive** *a* intensive.
intensifier [ɛ̃tɑ̃sifje] *vt*, **s'intensifier** *vpr* to intensify.
intensité [ɛ̃tɑ̃site] *nf* intensity.
intenter [ɛ̃tɑ̃te] *vt* **i. un procès à qn** *Jur* to institute proceedings against s.o.
intention [ɛ̃tɑ̃sjɔ̃] *nf* intention; *Jur* intent; **avoir l'i. de faire** to intend to do; **à l'i. de qn** for s.o.; **à votre i.** for you; **sans i. de nuire** without ill intent, without meaning any harm. ● **intentionné, -ée** *a* **bien i.** well-intentioned; **mal i.** ill-intentioned. ● **intentionnel, -elle** *a* intentional, wilful. ● **intentionnellement** *adv* intentionally.
inter- [ɛ̃tɛr] *préf* inter-.
interactif, -ive [ɛ̃tɛraktif, -iv] *a Ordinat* interactive.
interaction [ɛ̃tɛraksjɔ̃] *nf* interaction.
intercalaire [ɛ̃tɛrkalɛr] *a & nm* (**feuille**) **i.** (*dans un classeur*) divider.
intercaler [ɛ̃tɛrkale] *vt* to insert.

intercéder [ɛ̃tɛrsede] *vi* to intercede (**auprès de** with, **en faveur de** on behalf of).
intercepter [ɛ̃tɛrsɛpte] *vt* to intercept. ● **interception** *nf* interception.
interchangeable [ɛ̃tɛrʃɑ̃ʒabl] *a* interchangeable.
interclasse [ɛ̃tɛrklɑs] *nm Scol* break (between classes).
intercontinental, -e, -aux [ɛ̃tɛrkɔ̃tinɑ̃tal, -o] *a* intercontinental.
interdépendant, -ante [ɛ̃tɛrdepɑ̃dɑ̃, -ɑ̃t] *a* interdependent.
interdire [ɛ̃tɛrdir] *vt* to forbid, not to allow (**qch à qn** s.o. sth); (*film, meeting etc*) to ban; **i. à qn de faire qch** (*médecin, père etc*) not to allow s.o. to do sth, forbid s.o. to do sth; (*santé etc*) to prevent s.o. from doing sth, not allow s.o. to do sth. ● **interdit, -ite** *a* **1** forbidden, not allowed; **il est i. de** it is forbidden to; **'stationnement i.'** 'no parking'. **2** (*étonné*) nonplussed. ● **interdiction** *nf* ban (**de** on); **'i. de fumer'** 'no smoking'.
intéresser [ɛ̃terese] *vt* to interest; (*concerner*) to concern; **s'i. à** to take an interest in, be interested in. ● **intéressant, -ante** *a* (*captivant*) interesting; (*prix etc*) attractive, worthwhile; **faire l'i.** *Péj* to draw attention to oneself. ● **intéressé, -ée** *a* (*avide*) self-interested; (*motif*) selfish; (*concerné*) concerned ▮ *nmf* **l'i.** the interested party.
intérêt [ɛ̃terɛ] *nm* interest; *Péj* self-interest; **intérêts** (*d'un placement*) interest; **tu as i. à faire** it would pay you to do, you'd do well to do; **avoir des intérêts dans** *Com* to have a financial interest in *ou* a stake in.
interface [ɛ̃tɛrfas] *nf Ordinat* interface.
intérieur, -e [ɛ̃terjœr] *a* (*cour, paroi*) inner, interior; (*poche*) inside; (*politique, vol*) internal, domestic; (*vie, sentiment*) inner, inward; (*mer*) inland; **dans son for i.** *Litt* in one's heart of hearts.
▮ *nm* (*de boîte etc*) inside (**de** of); (*de maison*) interior, inside; (*de pays*) interior; **à l'i. (de)** inside; **à l'i. de nos frontières** within the country; **d'i.** (*vêtement, jeux*) indoor; **femme d'i.** home-loving woman; **ministère de l'I.** *Br* Home Office, *Am* Department of the Interior. ● **intérieurement** *adv* (*dans le cœur*) inwardly.
intérim [ɛ̃terim] *nm* **pendant l'i.** in the interim; **assurer l'i.** to deputize (**de** for); **président/etc par i.** acting president/*etc*. ● **intérimaire** *a* temporary, interim ▮ *nmf* (*fonctionnaire*) deputy; (*secrétaire*) temporary.
interligne [ɛ̃tɛrliɲ] *nm* (*dans un texte*) space (between the lines), spacing.
interlocuteur, -trice [ɛ̃tɛrlɔkytœr, -tris] *nmf Pol etc* negotiator; **mon i.** the person I am, was *etc* speaking to.
interloqué, -ée [ɛ̃tɛrlɔke] *a* dumbfounded.
interlude [ɛ̃tɛrlyd] *nm* (*à la télévision*) interlude.
intermède [ɛ̃tɛrmɛd] *nm* (*interruption*) & *Théâtre* interlude.

intermédiaire [ɛ̃tɛrmedjɛr] *a* intermediate ‖ *nmf* intermediary; **par l'i.** de through (the medium of); **vendre sans i.** to sell direct (*to the consumer*).

interminable [ɛ̃tɛrminabl] *a* endless, interminable.

intermittent, -ente [ɛ̃tɛrmitɑ̃, -ɑ̃t] *a* intermittent. ●**intermittence** *nf* **par i.** intermittently.

international, -e, -aux [ɛ̃tɛrnasjɔnal, -o] *a* international ‖ *nm* (*joueur de football etc*) international.

interne [ɛ̃tɛrn] **1** *a* (*douleur etc*) internal; (*oreille*) inner. **2** *nmf* (*élève*) boarder; **i.** (**des hôpitaux**) *Br* houseman, *Am* intern. ●**internat** *nm* (*école*) boarding school.

interner [ɛ̃tɛrne] *vt* (*prisonnier*) to intern; (*aliéné*) to confine. ●**internement** *nm* internment; (*d'aliéné*) confinement.

interpeller [ɛ̃tɛrpele] *vt* (*appeler*) to shout at *ou* to, address sharply; (*dans une réunion*) to question; (*police*) to take in (*s.o.*) for questioning; (*problème, misère, chômage etc*) to be of concern to (*s.o.*). ●**interpellation** *nf* sharp address; (*dans une réunion*) questioning; (*de police*) arrest.

interphone [ɛ̃tɛrfɔn] *nm* intercom.

interplanétaire [ɛ̃tɛrplanetɛr] *a* interplanetary.

interpoler [ɛ̃tɛrpɔle] *vt* to interpolate.

interposer (s') [sɛ̃tɛrpoze] *vpr* (*dans une dispute etc*) to intervene (**dans** in); **s'i. entre** to come between; **par personne interposée** through a third party.

interprète [ɛ̃tɛrprɛt] *nmf Ling* interpreter; (*chanteur*) singer; (*au théâtre, de musique*) performer; (*porte-parole*) spokesman, spokeswoman; **faire l'i.** *Ling* to interpret. ●**interprétariat** *nm* (*métier*) *Ling* interpreting. ●**interprétation** *nf* interpretation; (*au théâtre, en musique*) performance. ●**interpréter** *vt* (*expliquer*) to interpret; (*chanter*) to sing; (*jouer sur scène*) to play, perform; (*morceau de musique*) to perform.

interroger [ɛ̃tɛrɔʒe] *vt* to question; (*de façon prolongée*) to interrogate; (*faits*) to examine. ●**interrogateur, -trice** *a* (*air*) questioning. ●**interrogatif, -ive** *a* & *nm Grammaire* interrogative. ●**interrogation** *nf* (*question*) question; (*action*) questioning; (*examination*); (*épreuve orale ou écrite*) test. ●**interrogatoire** *nm* (*par la police*) interrogation.

interrompre* [ɛ̃tɛrɔ̃pr] *vt* to interrupt, break off; **i. qn** to interrupt s.o. ‖ **s'interrompre** *vpr* (*personne*) to break off, stop. ●**interrupteur** *nm* (*électrique*) switch. ●**interruption** *nf* interruption; (*des hostilités, du courant*) break (**de** in); **sans i.** without a break.

intersection [ɛ̃tɛrsɛksjɔ̃] *nf* intersection.

interstice [ɛ̃tɛrstis] *nm* crack, chink.

interurbain, -aine [ɛ̃tɛryrbɛ̃, -ɛn] *a* & *nm* (**téléphone**) **i.** long-distance telephone service.

intervalle [ɛ̃tɛrval] *nm* (*écart*) gap, space; (*temps*) interval; **dans l'i.** (*entretemps*) in the meantime; **par intervalles** (every) now and then, at intervals.

intervenir* [ɛ̃tɛrvənir] *vi* (*s'interposer, agir*) to intervene; (*survenir*) to occur; (*opérer*) *Méd* to operate; **être intervenu** (*accord*) to be reached. ●**intervention** *nf* intervention; **i.** (**chirurgicale**) operation.

intervertir [ɛ̃tɛrvɛrtir] *vt* to invert. ●**interversion** *nf* inversion.

interview [ɛ̃tɛrvju] *nf* (*d'un journaliste etc*) interview. ●**interviewer** [-vjuve] *vt* to interview.

intestin [ɛ̃tɛstɛ̃] *nm* bowel, intestine. ●**intestinal, -e, -aux** *a* intestinal; **grippe intestinale** gastric flu.

intime [ɛ̃tim] *a* intimate; (*ami*) close, intimate; (*vie, journal, mariage*) private; (*pièce, coin*) cosy; (*cérémonie*) quiet ‖ *nmf* close *ou* intimate friend. ●**intimement** *adv* intimately. ●**intimité** *nf* (*familiarité*) intimacy; (*vie privée*) privacy; (*de pièce etc*) cosiness; **dans l'i.** (*mariage etc*) in private.

intimider [ɛ̃timide] *vt* to intimidate, frighten. ●**intimidation** *nf* intimidation.

intituler [ɛ̃tityle] *vt* to entitle ‖ **s'intituler** *vpr* to be entitled.

intolérable [ɛ̃tɔlerabl] *a* intolerable (**que** (+*sub*) that). ●**intolérance** *nf* intolerance. ●**intolérant, -ante** *a* intolerant (**de** of).

intonation [ɛ̃tɔnasjɔ̃] *nf Ling* intonation; (*ton*) tone.

intoxiquer [ɛ̃tɔksike] *vt* (*empoisonner*) to poison; (*influencer*) *Pol etc* to brainwash ‖ **s'intoxiquer** *vpr* to be *ou* become poisoned. ●**intoxiqué, -ée** *nmf* addict. ●**intoxication** *nf* poisoning; *Pol etc* brainwashing; **i. alimentaire** food poisoning.

intra- [ɛ̃tra] *préf* intra-.

intraduisible [ɛ̃traduizibl] *a* difficult to translate, untranslatable.

intraitable [ɛ̃trɛtabl] *a* uncompromising.

intransigeant, -ante [ɛ̃trɑ̃ziʒɑ̃, -ɑ̃t] *a* intransigent. ●**intransigeance** *nf* intransigence.

intransitif, -ive [ɛ̃trɑ̃zitif, -iv] *a* & *nm Grammaire* intransitive.

intraveineux, -euse [ɛ̃travɛnø, -øz] *a Méd* intravenous.

intrépide [ɛ̃trepid] *a* (*courageux*) fearless, intrepid; (*obstiné*) headstrong. ●**intrépidité** *nf* fearlessness.

intrigue [ɛ̃trig] *nf* intrigue; (*de film, roman etc*) plot. ●**intrigant, -ante** *nmf* schemer. ●**intriguer** **1** *vi* to scheme, intrigue. **2** *vt* **i. qn** (*intéresser*) to intrigue s.o., puzzle s.o.

intrinsèque [ɛ̃trɛ̃sɛk] *a* intrinsic. ●**intrinsèquement** *adv* intrinsically.

introduire* [ɛ̃trɔdɥir] *vt* (*présenter*) to introduce, bring in; (*insérer*) put in (**dans** to); to insert (**dans** into); (*faire entrer*) to show (*s.o.*) in; **s'i. dans** to get into. ●**introduction** *nf* (*texte, action*) introduction.

introspectif, -ive [ɛ̃trɔspɛktif, -iv] *a* introspective. ●**introspection** *nf* introspection.

introuvable [ɛ̃truvabl] *a* nowhere to be

found.
introverti, -ie [ɛ̃trɔvɛrti] *nmf* introvert.
intrus, -use [ɛ̃try, -yz] *nmf* intruder. ● **intrusion** *nf* intrusion (**dans** into).
intuition [ɛ̃tɥisjɔ̃] *nf* intuition. ● **intuitif, -ive** *a* intuitive.
inusable [inyzabl] *a Fam* hard-wearing, durable.
inusité, -ée [inyzite] *a* (*mot, forme etc*) unused.
inutile [inytil] *a* useless, unnecessary; **c'est i. de crier** it's pointless *ou* useless to shout. ● **inutilement** *adv* (*vainement*) needlessly. ● **inutilité** *nf* uselessness.
inutilisable [inytilizabl] *a* unusable. ● **inutilisé, -ée** *a* unused.
invaincu, -ue [ɛ̃vɛ̃ky] *a Sport* unbeaten.
invalide [ɛ̃valid] *a* & *nmf* disabled (person); **i. de guerre** disabled ex-soldier.
invalider [ɛ̃valide] *vt* to invalidate.
invariable [ɛ̃varjabl] *a* invariable. ● **invariablement** [-əmɑ̃] *adv* invariably.
invasion [ɛ̃vɑzjɔ̃] *nf* invasion.
invective [ɛ̃vɛktiv] *nf* invective. ● **invectiver** *vt* to abuse ▌ *vi* **i. contre** to inveigh against.
invendable [ɛ̃vɑ̃dabl] *a* unsaleable. ● **invendu, -ue** *a* unsold ▌ *nmpl* **invendus** unsold articles; (*journaux*) unsold copies.
inventaire [ɛ̃vɑ̃tɛr] *nm* (*liste*) *Com* inventory; (*étude*) *Fig* survey; **faire l'i.** *Com* to do the stocktaking (**de** of).
inventer [ɛ̃vɑ̃te] *vt* (*créer*) to invent; (*imaginer*) to make up. ● **inventeur, -trice** *nmf* inventor. ● **inventif, -ive** *a* inventive. ● **invention** *nf* invention.
inverse [ɛ̃vɛrs] *a* (*sens*) opposite; (*ordre*) reverse; *Math* inverse ▌ *nm* **l'i.** the reverse, the opposite. ● **inversement** [-əmɑ̃] *adv* conversely. ● **inverser** *vt* (*ordre*) to reverse. ● **inversion** *nf* Grammaire Anat etc inversion.
investigation [ɛ̃vɛstigɑsjɔ̃] *nf* investigation.
investir [ɛ̃vɛstir] **1** *vt* (*capitaux*) to invest (**dans** in) ▌ *vi* to invest (**dans** in). **2** *vt* **i. qn de** (*fonction etc*) to invest s.o. with. ● **investissement** *nm* (*placement*) investment. ● **investiture** *nf Pol* nomination.
invétéré, -ée [ɛ̃vetere] *a* inveterate.
invincible [ɛ̃vɛ̃sibl] *a* invincible.
invisible [ɛ̃vizibl] *a* invisible.
inviter [ɛ̃vite] *vt* to invite; **i. qn à faire qch** to invite *ou* ask s.o. to do sth; (*inciter*) to tempt s.o. to do sth; **s'i.** (**chez qn**) to gatecrash. ● **invité, -ée** *nmf* guest. ● **invitation** *nf* invitation.
invivable [ɛ̃vivabl] *a* unbearable; (*personne*) *Fam* insufferable.
involontaire [ɛ̃vɔlɔ̃tɛr] *a* (*geste etc*) unintentional, involuntary. ● **involontairement** *adv* accidentally, involuntarily.
invoquer [ɛ̃vɔke] *vt* (*argument etc*) to put forward; (*appeler*) to call upon, invoke. ● **invocation** *nf* invocation (**à** to).
invraisemblable [ɛ̃vrɛsɑ̃blabl] *a* incredible; (*improbable*) improbable. ● **invraisemblance** *nf* improbability.

invulnérable [ɛ̃vylnerabl] *a* invulnerable.
iode [jɔd] *nm* **teinture d'i.** (*antiseptique*) iodine.
ira, irait *etc* [ira, irɛ] *voir* **aller¹**.
Irak [irak] *nm* Iraq. ● **irakien, -ienne** *a* Iraqi ▌ *nmf* **I., Irakienne** Iraqi.
Iran [irɑ̃] *nm* Iran. ● **iranien, -ienne** *a* Iranian ▌ *nmf* **I., Iranienne** Iranian.
irascible [irasibl] *a* irascible.
iris [iris] *nm* (*de l'œil, plante*) iris.
Irlande [irlɑ̃d] *nf* Ireland; **I. du Nord** Northern Ireland. ● **irlandais, -aise** *a* Irish ▌ *nmf* **I.** Irishman; **Irlandaise** Irishwoman; **les I.** the Irish ▌ *nm* (*langue*) Irish.
ironie [irɔni] *nf* irony. ● **ironique** *a* ironic(al).
iront [irɔ̃] *voir* **aller¹**.
irradier [iradje] *vt* to irradiate; **aliments irradiés** irradiated food.
irraisonné, -ée [irɛzɔne] *a* irrational.
irréconciliable [irekɔ̃siljabl] *a* irreconcilable.
irrécupérable [irekyperabl] *a* (*objet*) beyond repair *ou* redemption; (*personne*) beyond redemption.
irrécusable [irekyzabl] *a* irrefutable.
irréel, -elle [ireɛl] *a* unreal.
irréfléchi, -ie [irefleʃi] *a* thoughtless, unthinking.
irréfutable [irefytabl] *a* irrefutable.
irrégulier, -ière [iregylje, -jɛr] *a* irregular. ● **irrégularité** *nf* irregularity.
irrémédiable [iremedjabl] *a* irreparable.
irremplaçable [irɑ̃plasabl] *a* irreplaceable.
irréparable [ireparabl] *a* (*véhicule etc*) beyond repair; (*tort, perte*) irreparable.
irrépressible [irepresibl] *a* (*rires etc*) irrepressible.
irréprochable [ireprɔʃabl] *a* beyond reproach, irreproachable.
irrésistible [irezistibl] *a* (*personne, charme etc*) irresistible.
irrésolu, -ue [irezɔly] *a* irresolute.
irrespirable [irɛspirabl] *a* (*air*) unbreathable; *Fig* stifling.
irresponsable [irɛspɔ̃sabl] *a* (*personne*) irresponsible.
irrévérencieux, -euse [ireverɑ̃sjø, -øz] *a* irreverent.
irréversible [irevɛrsibl] *a* irreversible.
irrévocable [irevɔkabl] *a* irrevocable.
irriguer [irige] *vt* to irrigate. ● **irrigation** *nf* irrigation.
irriter [irite] *vt* to irritate ▌ **s'irriter** *vpr* to get angry (**de, contre** at). ● **irritant, -ante** *a* irritating ▌ *nm* irritant. ● **irritable** *a* irritable. ● **irritation** *nf* (*colère*) & *Méd* irritation.
irruption [irypsjɔ̃] *nf* **faire i. dans** to burst into.
islam [islam] *nm* Islam. ● **islamique** *a* Islamic.
Islande [islɑ̃d] *nf* Iceland. ● **islandais, -aise** *a* Icelandic ▌ *nmf* **I., Islandaise** Icelander.
isocèle [izɔsɛl] *a* **triangle i.** isoceles triangle.
isoler [izɔle] *vt* to isolate (**de** from); (*du froid etc*) & *Él* to insulate ▌ **s'isoler** *vpr* to cut oneself off, isolate oneself. ● **isolant, -ante**

insulating ▌ *nm* insulating material. ●**isolé, -ée** *a* isolated; (*écarté*) remote, isolated; **i. de** cut off *ou* isolated from. ●**isolation** *nf* insulation. ●**isolement** *nm* isolation. ●**isolément** *adv* in isolation, singly.

isoloir [izɔlwar] *nm Br* polling *ou Am* voting booth.

isorel® [izɔrɛl] *nm* hardboard.

Israël [israɛl] *nm* Israel. ●**israélien, -ienne** *a* Israeli ▌ *nmf* I., Israélienne Israeli. ●**israélite** *a* Jewish ▌ *nm* Jew ▌ *nf* Jew, Jewess.

issu [isy] *a* être i. de to come from.

issue [isy] *nf* (*sortie*) way out, exit; (*solution*) *Fig* way out; (*résultat*) outcome; **rue** *etc* **sans i.** dead end; **situation** *etc* **sans i.** *Fig* dead end; **à l'i. de** at the close of.

isthme [ism] *nm* (*bande de terre*) isthmus.

Italie [itali] *nf* Italy. ●**italien, -ienne** *a* Italian ▌ *nmf* I., Italienne Italian ▌ *nm* (*langue*) Italian.

italique [italik] *a* (*lettre etc*) italic ▌ *nm* italics; **en i.** in italics.

itinéraire [itinerɛr] *nm* route, itinerary.

itinérant, -ante [itinerɑ̃, -ɑ̃t] *a* itinerant, *Br* travelling, *Am* traveling.

IUT [iyte] *nm abrév* **institut universitaire de technologie.**

IVG [iveʒe] *nf abrév* (*interruption volontaire de grossesse*) (voluntary) abortion.

ivoire [ivwar] *nm* ivory; **statuette**/*etc* **en i.** *ou* **d'i.** ivory statuette/*etc*.

ivre [ivr] *a* drunk (**de** with); **i. de joie**/*etc* wild with joy/*etc*; **i. de bonheur** wildly happy. ●**ivresse** *nf* drunkenness; **en état d'i.** under the influence of drink. ●**ivrogne** *nmf* drunk(ard).

J

J, j [ʒi] *nm* J, j; **le jour J.** D-day.
j' [ʒ] *voir* **je.**
jacasser [ʒakase] *vi (personne, pie)* to chatter.
jachère (en) [ɑ̃ʒaʃɛr] *adv (champ etc)* fallow; **être en j.** to lie fallow.
jacinthe [ʒasɛ̃t] *nf* hyacinth.
jacuzzi [ʒakuzi] *nm (baignoire)* jacuzzi.
jade [ʒad] *nm (pierre)* jade.
jadis [ʒadis] *adv* long ago, once.
jaguar [ʒagwar] *nm (animal)* jaguar.
jaillir [ʒajir] *vi (liquide)* to spurt (out), gush (out); *(lumière)* to beam out, shine forth. *(cri)* to burst out; *(étincelle)* to fly out; *(vérité)* to burst forth. ● **jaillissement** *nm (de liquide)* gush.
jais [ʒɛ] *nm* **(noir) de j.** jet-black.
jalon [ʒalɔ̃] *nm (piquet)* marker; **poser les jalons** *Fig* to prepare the way (de for). ● **jalonner** *vt* to mark (out); *(border)* to line.
jaloux, -ouse [ʒalu, -uz] *a* jealous (de of). ● **jalouser** *vt* to envy. ● **jalousie** *nf* 1 jealousy. 2 *(persienne)* venetian blind.
Jamaïque [ʒamaik] *nf* Jamaica.
jamais [ʒamɛ] *adv* 1 *(négatif)* never; **sans j. sortir** without ever going out; **elle ne sort j.** she never goes out; **j. de la vie!** (absolutely) never! 2 *(positif)* ever; **à (tout) j.** for ever; **si j.** if ever.
jambe [ʒɑ̃b] *nf* leg; **j. de pantalon** *Br* trouser leg, *Am* pants leg; **à toutes jambes** as fast as one can; **prendre ses jambes à son cou** *Fig* to take to one's heels; **être dans les jambes de qn** *(gêner)* to be under s.o.'s feet; **faire qch par dessus la j.** *Fam* to do sth any old how; **ça me fait une belle j.** *Fam* that does me a fat lot of good.
jambon [ʒɑ̃bɔ̃] *nm (charcuterie)* ham. ● **jambonneau, -x** *nm* knuckle of ham.
jante [ʒɑ̃t] *nf (de roue)* rim.
janvier [ʒɑ̃vje] *nm* January.
Japon [ʒapɔ̃] *nm* Japan. ● **japonais, -aise** *a* Japanese ▮ *nmf* **J., Japonaise** Japanese man *ou* woman, Japanese *inv*; **les J.** the Japanese ▮ *nm (langue)* Japanese.
japper [ʒape] *vi (chien etc)* to yap, yelp. ● **jappement** *nm* yap, yelp.
jaquette [ʒakɛt] *nf (d'homme)* tailcoat, morning coat; *(de livre)* jacket; **se faire la j.** *Fam* to buzz off, *Br* skip off.
jardin [ʒardɛ̃] *nm* garden; **j. d'enfants** kindergarten, *Br* playschool; **j. public** park; *(plus petit)* gardens. ● **jardinage** *nm* gardening. ● **jardiner** *vi* to do the garden *ou* the gardening, be gardening. ● **jardinerie** *nf* garden centre.

jardinier [ʒardinje] *nm* gardener. ● **jardinière** *nf (personne)* gardener; *(caisse à fleurs)* window box; **j. (de légumes)** mixed vegetable dish; **j. d'enfants** kindergarten teacher.
jargon [ʒargɔ̃] *nm* jargon.
jarret [ʒarɛ] *nm* back of the knee.
jarretelle [ʒartɛl] *nf (de gaine)* *Br* suspender, *Am* garter. ● **jarretière** *nf (autour de la jambe)* garter.
jaser [ʒaze] *vi (bavarder)* to jabber.
jasmin [ʒasmɛ̃] *nm (arbuste)* jasmine; **thé au j.** jasmine tea.
jatte [ʒat] *nf (bol)* bowl.
jauge [ʒoʒ] *nf* 1 *(instrument)* gauge. 2 *(capacité)* capacity; *Nau* tonnage. ● **jauger** *vt (personne)* *Fig Litt* to size up.
jaune [ʒon] 1 *a* yellow ▮ *nm (couleur)* yellow; **j. d'œuf** (egg) yolk. 2 *nm (ouvrier)* *Péj* blackleg, scab ▮ *adv* **rire j.** to give a forced laugh. ● **jaunâtre** *a* yellowish. ● **jaunir** *vti* (turn) yellow. ● **jaunisse** *nf (maladie)* jaundice.
Javel (eau de) [odʒavɛl] *nf* bleach. ● **javelliser** *vt* to chlorinate.
javelot [ʒavlo] *nm* javelin.
jazz [dʒaz] *nm* jazz.
je [ʒ(ə)] *pron* **(j'** before vowel or mute h**)** I; **je suis** I am.
jean [dʒin] *nm* (pair of) jeans.
jeep® [dʒip] *nf* jeep®.
je-m'en-fichisme [ʒmɑ̃fiʃism] *ou* **je-m'en-foutisme** [ʒmɑ̃futism] *nm inv* *Fam* couldn't-care-less attitude.
jérémiades [ʒeremjad] *nfpl* *Fam* lamentations, whining.
jerrycan [(d)ʒerikan] *nm* *Br* petrol *ou* *Am* gasoline can; *(pour l'eau)* water can.
jersey [ʒɛrze] *nm (tissu)* jersey.
Jersey [ʒɛrze] *nf* Jersey.
jésuite [ʒezɥit] *nm* Jesuit.
Jésus [ʒezy] *nm* Jesus; **J.-Christ** Jesus Christ; **avant/après J.-Christ** BC/AD.
jet [ʒɛ] *nm* throw; *(de vapeur)* burst, gush, jet; *(de lumière)* flash; *(de tuyau d'arrosage)* nozzle; **j. d'eau** fountain; **premier j.** *(ébauche)* first draft; **d'un seul j.** in one go.
jetable [ʒ(ə)tabl] *a (rasoir etc)* disposable.
jetée [ʒ(ə)te] *nf* pier, jetty.
jeter [ʒ(ə)te] *vt* to throw (à to, dans into); *(à la poubelle)* to throw away; *(ancre, sort, regard)* to cast; *(bases)* to lay; *(cri, son)* to let out, utter; *(éclat, lueur)* to throw out, give out; *(noter)* to jot down; **j. un coup d'œil sur** *ou* **à** to have *ou* take a look at; *(rapidement)* to glance at; **j. l'argent par les fenêtres** *Fig* to throw money down the drain.

jovial

se jeter *vpr* to throw oneself; **se j. sur** to pounce on, fall on; **se j. contre** (*véhicule*) to crash into; **se j. dans** (*fleuve*) to flow into; **se j. à l'eau** (*plonger*) to jump into the water; (*se décider*) *Fig* to take the plunge.

jeton [ʒ(ə)tɔ̃] *nm* (*pièce*) token; (*au jeu*) chip.

jeu, -x [ʒø] *nm* **1** game; (*amusement*) play; (*d'argent*) gambling; *Théâtre* acting; *Mus* playing; **j. de mots** play on words, pun; **jeux de société** parlour *ou* indoor *ou* party games; **j. télévisé** television quiz; **maison de jeux** gambling club; **en j.** (*en cause*) at stake; (*forces etc*) at work; **entrer en j.** to come into play; **d'entrée de j.** from the outset, from the word go; **tirer son épingle du j.** (*obtenir un bénéfice*) to play one's game profitably; **elle a beau j. de critiquer/etc** it's easy for her to criticize/etc; **c'est un j. d'enfant!** it's child's play!
2 (*série complète*) set; (*de cartes*) deck, *Br* pack; (*cartes en main*) hand; **j. d'échecs** (*boîte, pièces*) chess set.
3 (*de ressort, verrou*) *Tech* play.

jeudi [ʒødi] *nm* Thursday.

jeun (à) [aʒœ̃] *adv* on an empty stomach; **être à j.** to have eaten no food.

jeune [ʒœn] *a* young; (*inexpérimenté*) inexperienced; **Dupont j.** Dupont junior; **d'allure j.** young-looking; **jeunes gens** young people ▮ *nmf* young person; **les jeunes** young people. ●**jeunesse** *nf* youth; (*apparence*) youthfulness; **la j.** (*jeunes*) the young, youth.

jeûne [ʒøn] *nm* fast; (*action*) fasting. ●**jeûner** *vi* to fast.

joaillier, -ière [ʒɔaje, -jɛr] *nmf Br* jeweller, *Am* jeweler. ●**joaillerie** *nf Br* jewellery, *Am* jewelry; (*magasin*) *Br* jewellery *ou Am* jewelry shop.

jockey [ʒɔkɛ] *nm* jockey.

jogging [dʒɔgiŋ] *nm Sport* jogging; (*survêtement*) jogging suit; **faire du j.** to jog, go jogging.

joie [ʒwa] *nf* joy, delight; **feu de j.** bonfire.

joindre* [ʒwɛ̃dr] *vt* (*mettre ensemble, relier*) to join; (*efforts*) to combine; (*insérer dans une enveloppe*) to enclose (**à** with); (*ajouter*) to add (**à** to); **j. qn** (*contacter*) to get in touch with s.o.; **j. les deux bouts** *Fig* to make ends meet; **se j. à** (*un groupe etc*) to join. ●**joint, jointe** *a* (*efforts*) joint, combined; **à pieds joints** with feet together ▮ *nm* (*articulation*) *Tech* joint; (*d'étanchéité*) seal; (*de robinet*) washer; **j. de culasse** gasket. ●**jointure** *nf Anat* joint.

joker [ʒɔkɛr] *nm Cartes* joker.

joli, -ie [ʒɔli] *a* nice, lovely; (*femme, enfant*) pretty. ●**joliment** *adv* nicely; (*très, beaucoup*) *Fam* awfully.

jonc [ʒɔ̃] *nm* (*plante*) (bul)rush.

joncher [ʒɔ̃ʃe] *vt* to litter (**de** with); **jonché de strewn** *ou* littered with.

jonction [ʒɔ̃ksjɔ̃] *nf* (*de routes etc*) junction.

jongler [ʒɔ̃gle] *vi* to juggle (**avec** with). ●**jongleur, -euse** *nmf* juggler.

jonquille [ʒɔ̃kij] *nf* daffodil.

Jordanie [ʒɔrdani] *nf* Jordan.

joue [ʒu] *nf* (*du visage*) cheek; **mettre en j. un fusil** to aim a rifle; **en j.!** (take) aim!; **danser j. contre j.** to dance cheek to cheek.

jouer [ʒwe] *vi* to play; (*acteur*) to act; (*au tiercé etc*) to gamble, bet; (*à la Bourse*) to gamble; (*entrer en jeu*) to come into play; (*être important*) to count; **j. au tennis/aux cartes/etc** to play tennis/cards/etc; **j. du piano/du violon/etc** to play the piano/violin/etc; **j. aux courses** to bet on the horses; **j. des coudes** to use one's elbows; **faire j. un ressort** to release *ou* trigger a spring; **la clef jouait dans la serrure** the key was loose in the lock *ou* didn't fit the lock; **à toi de j.!** it's your turn (to play)!
▮ *vt* (*musique, tour, jeu, rôle*) to play; (*pièce de théâtre*) to perform, put on; (*film*) to show, put on; (*risquer*) to gamble, bet (**sur** on); (*cheval*) to bet on; **j. gros jeu** to play for high stakes; **se j. de** (*se moquer*) to scoff at; (*difficultés*) to make light of.

jouet [ʒwɛ] *nm* toy; **le j. de qn** *Fig* s.o.'s plaything.

joueur, -euse [ʒwœr, -øz] *nmf* player; (*au tiercé etc*) gambler; **beau j., bon j.,** good loser.

joufflu, -ue [ʒufly] *a* (*visage*) chubby; (*enfant*) chubby-cheeked.

joug [ʒu] *nm Agr & Fig* yoke.

jouir [ʒwir] *vi* **1 j. de** (*savourer, avoir*) to enjoy. **2** (*éprouver le plaisir sexuel*) to have an orgasm, come. ●**jouissance** *nf* enjoyment; (*usage*) *Jur* use.

joujou, -x [ʒuʒu] *nm Fam* toy.

jour [ʒur] *nm* day; (*lumière*) (day)light; (*ouverture*) gap, opening; **il fait j.** it's (day)light; **de j. en j.** day by day, daily; **du j. au lendemain** overnight; **au j. le j.** from day to day; **en plein j., au grand j.** in broad daylight; **de nos jours** nowadays, these days; **sous un j. nouveau** *Fig* in a different light; **le j. de l'An** New Year's day; **les beaux jours** (*l'été*) summer; **mettre qch à j.** to bring sth up to date; **mettre qch au j.** to bring sth into the open; **se faire j.** to come to light; **donner le j. à qn** to give birth to s.o.; **mettre fin à ses jours** to commit suicide; **quel j. sommes-nous?** what day is it?; **il y a dix ans j. pour j.** ten years ago to the day; **elle et lui, c'est le j. et la nuit!** *Fam* she and he are as different as night and day *ou Br* as chalk and cheese.

journal, -aux [ʒurnal, -o] *nm* (news)paper; (*spécialisé*) journal; (*intime*) diary; (*parlé*) (à la radio) (radio) news; **j. télévisé** (TV) news; **j. de bord** (*de navire*) logbook. ●**journalisme** *nm* journalism. ●**journaliste** *nmf* journalist. ●**journalistique** *a* (*style etc*) journalistic.

journalier, -ière [ʒurnalje, -jɛr] *a* daily.

journée [ʒurne] *nf* day; **pendant la j.** during the day(time); **toute la j.** all day (long). ●**journellement** *adv* daily.

jovial, -e, -aux [ʒɔvjal, -o] *a* jovial, jolly.

joyau

●**jovialité** *nf* jollity.
joyau, -aux [ʒwajo] *nm* jewel.
joyeux, -euse [ʒwajø, -øz] *a* merry, happy, joyful; **j. anniversaire!** happy birthday!; **j. Noël!** merry *ou Br* happy Christmas!
jubilé [ʒybile] *nm* (golden) jubilee.
jubiler [ʒybile] *vi* to be jubilant. ●**jubilation** *nf* jubilation.
jucher [ʒyʃe] *vt*, **se jucher** *vpr* to perch (**sur** on).
judaïque [ʒydaik] *a* Jewish. ●**judaïsme** *nm* Judaism.
judas [ʒyda] *nm* (*de porte*) peephole, spy hole.
judiciaire [ʒydisjɛr] *a* judicial, legal.
judicieux, -euse [ʒydisjø, -øz] *a* sensible, judicious.
judo [ʒydo] *nm* judo. ●**judoka** *nmf* judo expert.
juge [ʒyʒ] *nm* judge; **j. d'instruction** examining magistrate; **j. de paix, j. d'instance** Justice of the Peace; **j. de touche** *Football* linesman; **j. de filet** *Tennis* linesman. ●**juge-arbitre** *nm* (*pl* **juges-arbitres**) *Sport* referee, umpire.
jugé (au) [oʒyʒe] *adv* by guesswork.
jugement [ʒyʒmɑ̃] *nm* judg(e)ment; (*verdict*) *Jur* sentence; **passer en j.** (*au tribunal*) to stand trial; **le J. dernier** *Rel* the Last Judg(e)ment.
jugeote [ʒyʒɔt] *nf Fam* commonsense.
juger [ʒyʒe] *vt* (*personne, question etc*) to judge; (*au tribunal*) to try (*s.o.*); (*estimer*) to consider (**que** that); **j. utile/***etc* **de faire** to consider it useful/*etc* to do. ❙ *vi* **j. de** to judge; **jugez de ma surprise/***etc* imagine my surprise/*etc*.
juguler [ʒygyle] *vt* to check, suppress.
juif, juive [ʒɥif, ʒɥiv] *a* Jewish ❙ *nm* **J.** Jew ❙ *nf* **Juive** Jew(ess), Jewish woman *ou* girl.
juillet [ʒɥijɛ] *nm* July.
juin [ʒɥɛ̃] *nm* June.
jumeau, -elle, *pl* **-eaux, -elles** [ʒymo, -ɛl] *a* **frère j.** twin brother; **sœur jumelle** twin sister; **lits jumeaux** twin beds ❙ *nmf* twin. ●**jumeler** *vt* (*villes*) to twin. ●**jumelage** *nm* twinning.
jumelles [ʒymɛl] *nfpl* (*pour regarder*) binoculars; **j. de théâtre** opera glasses.
jument [ʒymɑ̃] *nf* mare.
jungle [ʒœ̃gl] *nf* jungle.
junior [ʒynjɔr] *nm & a inv Sport* junior.
junte [ʒœ̃t] *nf Pol* junta.
jupe [ʒyp] *nf* skirt. ●**jupon** *nm* petticoat.
jurer [ʒyre] **1** *vi* (*dire un gros mot*) to swear (**contre** at). **2** *vt* (*promettre*) to swear (**que** that, **de faire** to do) ❙ *vi* **j. de qch** to swear to sth. **3** *vi* (*contraster*) to clash (**avec** with).
●**juré, -ée** *a* **ennemi j.** sworn enemy ❙ *nm Jur* juror.
juridiction [ʒyridiksjɔ̃] *nf* jurisdiction.
juridique [ʒyridik] *a* legal. ●**juriste** *nmf* legal expert, jurist.
juron [ʒyrɔ̃] *nm* swearword, oath.
jury [ʒyri] *nm Jur* jury; (*examinateurs*) board (of examiners), jury.
jus [ʒy] *nm* (*fruits*) juice; (*viande*) gravy; (*café*) *Fam* coffee; **j. d'orange** orange juice; **prendre du j.** (*électricité*) *Fam* to get a shock.
jusque [ʒysk] *prép* **jusqu'à** (*espace*) as far as, (right) up to; (*temps*) until, (up) till, to; (*même*) even; **jusqu'à dix francs/***etc* (*limite*) up to ten francs/*etc*; **jusqu'en mai/***etc* until May/*etc*; **jusqu'où?** how far?; **jusqu'ici** as far as this; (*temps*) up till now; **jusqu'à présent** up till now; **jusqu'à un certain point** up to a point; **jusqu'à la limite de ses forces** to the point of exhaustion; **j. dans/sous/***etc* right into/under/*etc*; **j. chez moi** as far as my place; **en avoir j.-là** *Fam* to be fed up.
❙ *conj* **jusqu'à ce qu'il vienne** until he comes.
juste [ʒyst] *a* (*équitable*) fair, just; (*légitime*) just; (*exact*) right, correct, accurate; (*étroit*) tight; (*remarque*) sound; (*voix*) *Mus* true; **un peu j.** (*quantité, qualité*) barely enough; **très j.!** quite so *ou* right!; **à 3 heures juste(s)** on the stroke of 3.
❙ *adv* (*deviner, compter*) correctly, right, accurately; (*chanter*) in tune; (*seulement, exactement*) just; **au j.** exactly; **tout j.** (*à peine, seulement*) only just; **calculer au plus j.** to work things out at the minimum price; **c'était j.!** (*il était temps*) it was a near thing!; **un peu j.** (*mesurer, compter*) a bit on the short side; **comme de j.** *Fam* as one would expect.
❙ *nm* (*homme*) just man. ●**justement** [-əmɑ̃] *adv* exactly, precisely, just; (*avec justesse ou justice*) justly.
justesse [ʒystɛs] *nf* (*exactitude*) accuracy; **de j.** (*éviter, gagner etc*) just.
justice [ʒystis] *nf* justice; (*autorités*) law; **en toute j.** in all fairness; **rendre j. à qn** to do justice to s.o.; **rendre la j.** to dispense justice; **passer en j.** to stand trial. ●**justicier, -ière** *nmf* dispenser of justice.
justifier [ʒystifje] *vt* to justify ❙ *vi* **j. de qch** to prove sth ❙ **se justifier** *vpr Jur* to clear oneself (**de** of); (*attitude etc*) to be justified.
●**justifiable** *a* justifiable. ●**justificatif, -ive** *a* **document j.** supporting document, written proof. ●**justification** *nf* justification; (*preuve*) proof.
jute [ʒyt] *nm* (*fibre*) jute.
juteux, -euse [ʒytø, -øz] *a* juicy.
juvénile [ʒyvenil] *a* youthful.
juxtaposer [ʒykstapoze] *vt* to juxtapose.
●**juxtaposition** *nf* juxtaposition.

K

K, k [kɑ] *nm* K, k.
kaki [kaki] *a inv* & *nm* khaki.
kaléidoscope [kaleidɔskɔp] *nm* kaleidoscope.
kangourou [kɑ̃guru] *nm* 1 (*animal*) kangaroo. 2® (*porte-bébé*) baby sling.
karaté [karate] *nm Sport* karate.
kart [kart] *nm Sport* (go-)kart, go-cart. ●**karting** [-iŋ] *nm Sport* (go-)karting.
kascher [kaʃɛr] *a inv Rel* kosher.
kayak [kajak] *nm* (*bateau*) canoe.
Kenya [kenja] *nm* Kenya.
képi [kepi] *nm* (*coiffure militaire*) cap, kepi.
kermesse [kɛrmɛs] *nf* charity fair *ou Br* fête; (*en Belgique etc*) village fair.
kérosène [kerozɛn] *nm* kerosene, aviation fuel.
kibboutz [kibuts] *nm* kibbutz.
kidnapper [kidnape] *vt* to kidnap. ●**kidnappeur, -euse** *nmf* kidnapper.
kilo [kilo] *nm* kilo. ●**kilogramme** *nm* kilogram(me).
kilomètre [kilɔmɛtr] *nm* kilometre. ●**kilométrage** *nm Aut* = mileage. ●**kilométrique** *a* **borne k.** = milestone.

kilo-octet [kilɔɔktɛ] *nm Ordinat* kilobyte.
kilowatt [kilɔwat] *nm* kilowatt.
kimono [kimɔno] *nm* (*tunique*) kimono.
kinésithérapie [kineziterapi] *nf* physiotherapy. ●**kinésithérapeute** *nmf* physiotherapist.
kiosque [kjɔsk] *nm* (*à fleurs etc*) kiosk, *Br* stall; **k. à journaux** news stand, newspaper kiosk *ou Br* stall; **k. à musique** bandstand.
kit [kit] *nm* (self-assembly) kit; **meuble en k.** self-assembly (furniture) unit.
kiwi [kiwi] *nm* (*oiseau, fruit*) kiwi.
klaxon® [klaksɔn] *nm* (*de véhicule*) horn. ●**klaxonner** *vi* to sound one's horn, *Br* hoot, *Am* honk.
km *abrév* (*kilomètre*) km. ●**km/h** *abrév* (*kilomètre-heure*) kph, = mph.
k.-o. [kao] *a inv* **mettre qn k.-o.** *Boxe* to knock s.o. out.
Koweït [kɔwejt] *nm* Kuwait. ●**koweïtien, -ienne** *a* Kuwaiti ▌ *nmf* K., Koweïtienne Kuwaiti.
kyrielle [kirjɛl] *nf* **une k. de** (*reproches etc*) a long string of; (*vedettes etc*) a whole series *ou* crowd of.
kyste [kist] *nm Méd* cyst.

L

L, l [ɛl] *nm* L, l.

l', la [l, la] *voir* **le**.

la [la] *nm (note de musique)* A; **donner le la** *Mus* to give an A.

là [la] **1** *adv (lieu)* there; *(chez soi)* in, home; **je reste là** I'll stay here; **c'est là que** *ou* **où** that's where; **c'est là ton erreur** that's *ou* there's your mistake; **là où il est** where he is; **à cinq mètres de là** five metres away; **de là son échec** *(cause)* hence his *ou* her failure; **jusque-là** *(lieu)* as far as that; **passe par là** go that way.
2 *adv (temps)* then; **jusque-là** up till then.
3 *int* **oh là là!** oh dear!; **alors là!** well!; **là, là!** *(pour rassurer)* there, there!
4 *voir* ce², celui.

là-bas [lɑbɑ] *adv* over there.

label [label] *nm (sur un produit)* label, mark *(of quality, origin etc)*.

labeur [labœr] *nm Litt* toil.

labo [labo] *nm Fam* lab. ● **laboratoire** *nm* laboratory; **l. de langues** language laboratory.

laborieux, -euse [labɔrjø, -øz] *a (pénible)* laborious; *(personne)* industrious; **les classes laborieuses** the working classes.

labour [labur] *nm Br* ploughing, *Am* plowing; *(avec une bêche)* digging over. ● **labourer** *vt (avec une charrue) Br* to plough, *Am* plow; *(avec une bêche)* to dig over; *(visage etc) Fig* to furrow. ● **laboureur** *nm Br* ploughman, *Am* plowman.

labyrinthe [labirɛ̃t] *nm* maze, labyrinth.

lac [lak] *nm* lake.

lacer [lase] *vt* to lace (up). ● **lacet** *nm* **1** *(shoe- ou boot-)*lace. **2** *(de route)* twist, zigzag; **route en l.** winding *ou* zigzag road.

lacérer [lasere] *vt (papier etc)* to tear; *(visage etc)* to lacerate.

lâche [lɑʃ] **1** *a* cowardly ∥ *nmf* coward. **2** *a (détendu)* loose, slack. ● **lâchement** *adv* in a cowardly manner. ● **lâcheté** *nf* cowardice; **une l.** *(action)* a cowardly act.

lâcher [lɑʃe] *vt (main, objet etc)* to let go of; *(bombe)* to drop, release; *(pigeon, colombe)* to release; *(place, études)* to give up; *(juron)* to utter, let slip; *(secret)* to let out; **l. qn** *Fam (laisser tranquille)* to leave s.o. (alone); *(abandonner)* to drop s.o.; **l. prise** to let go; **lâche-moi les baskets** *ou* **basquettes!** *Fam* get off my back! ∥ *vi (corde)* to give way ∥ *nm* release. ● **lâcheur, -euse** *nmf Fam* deserter.

laconique [lakɔnik] *a* laconic.

lacrymogène [lakrimɔʒɛn] *a* **gaz l.** tear gas.

lacté, -ée [lakte] *a* **régime l.** milk diet; **la Voie lactée** the Milky Way.

lacune [lakyn] *nf* gap, deficiency.

lad [lad] *nm* stable boy, groom.

là-dedans [lad(ə)dɑ̃] *adv (lieu)* in there, inside. ● **là-dessous** *adv* underneath. ● **là-dessus** *adv* on there; *(monter)* on top; *(alors)* thereupon. ● **là-haut** *adv* up there; *(à l'étage)* upstairs.

lagon [lagɔ̃] *nm (small)* lagoon. ● **lagune** *nf* lagoon.

laid, laide [lɛ, lɛd] *a* ugly; *(ignoble)* wretched. ● **laideur** *nf* ugliness.

laine [lɛn] *nf* wool; **de l., en l.** *Br* woollen, *Am* woolen. ● **lainage** *nm (vêtement) Br* woolly, woollen garment; *(étoffe)* woollen material; **lainages** *(vêtements)* woollens. ● **laineux, -euse** *a* woolly.

laïque [laik] *a (école)* non-denominational; *(vie)* secular; *(tribunal)* lay ∥ *nmf (non-prêtre)* layman, laywoman.

laisse [lɛs] *nf Br* lead, leash; **tenir en l.** to keep on a *Br* lead *ou* leash.

laisser [lese] *vt* to leave; **l. qn partir/entrer/** *etc (permettre)* to let s.o. go/come in/*etc*; **l. qch à qn** *(confier, donner)* to let s.o. have sth, leave sth with s.o.; **laissez-moi le temps de le faire** give me *ou* leave me time to do it; **l. qn seul** to leave s.o. alone *ou* by oneself; **je vous laisse** I'm leaving now; **je vous le laisse pour 100 francs** I'll let you have it for 100 francs; **se l. aller/faire** to let oneself go/be pushed around; **se l. surprendre par l'orage** to get caught out by the storm. ● **laissé(e)-pour-compte** *nmf (personne)* misfit, reject. ● **laisser-aller** *nm inv* carelessness, slovenliness; ● **laissez-passer** *nm inv (sauf-conduit)* pass.

lait [lɛ] *nm* milk; **l. entier/demi-écrémé/écrémé** whole/semi-skimmed/skimmed milk; **dent de l.** milk tooth; **frère/sœur de l.** foster-brother/-sister. ● **laitage** *nm* milk product *ou* food. ● **laiterie** *nf* dairy. ● **laiteux, -euse** *a* milky. ● **laitier, -ière** *a* **produit l.** dairy product ∥ *nm (livreur)* milkman; *(vendeur)* dairyman ∥ *nf* **laitière** dairywoman.

laiton [lɛtɔ̃] *nm* brass.

laitue [lety] *nf* lettuce.

laïus [lajys] *nm Fam* speech.

lama [lama] *nm (animal)* llama.

lambeau, -x [lɑ̃bo] *nm* shred, bit; **mettre en lambeaux** to tear to shreds; **tomber en lambeaux** to fall to bits.

lambin, -ine [lɑ̃bɛ̃, -in] *Fam nmf* dawdler ∥ *a* **être l.** to dawdle, be a dawdler. ● **lambiner** *vi Fam* to dawdle.

lambris [lɑ̃bri] *nm* panelling. ● **lambrisser** *vt* to panel.

lame [lam] *nf* **1** *(de couteau, rasoir etc)*

blade; (*de métal*) strip, plate; **l. de parquet** floorboard. **2** (*vague*) wave; **l. de fond** groundswell.
lamelle [lamɛl] *nf* thin strip; **l. de verre** (*pour microscope*) slide.
lamenter (se) [salamɑ̃te] *vpr* to moan, lament; **se l. sur** to lament (over). ● **lamentable** *a* (*mauvais*) terrible, deplorable; (*voix, cri*) mournful. ● **lamentation** *nf* lament(ation).
laminé, -ée [lamine] *a* (*métal*) laminated.
lampadaire [lɑ̃padɛr] *nm* standard lamp, *Am* floor lamp; (*de rue*) street lamp.
lampe [lɑ̃p] *nf* lamp; (*au néon*) light; (*de vieille radio*) valve, *Am* (vacuum) tube; **l. de poche** *Br* torch, *Am* flashlight; **l. à pétrole** oil lamp; **l. de bureau** desk lamp *ou* light.
lampée [lɑ̃pe] *nf Fam* gulp.
lampion [lɑ̃pjɔ̃] *nm* Chinese lantern.
lance [lɑ̃s] *nf* spear; (*de tournoi*) *Hist* lance; (*extrémité de tuyau*) nozzle; **l. d'incendie** fire hose.
lance-flammes [lɑ̃sflam] *nm inv* flame thrower. ● **lance-pierres** *nm inv* catapult. ● **lance-roquettes** *nm inv* rocket launcher.
lancer [lɑ̃se] *vt* (*jeter*) to throw (à to); (*avec force*) to hurl; (*fusée, produit, mode, navire etc*) to launch; (*appel, ultimatum etc*) to issue; (*cri*) to utter; (*bombe*) to drop; (*regard*) to cast (à at); (*moteur*) to start; '**au revoir!' nous lança-t-il gaiement** 'goodbye' he called out *ou* said cheerfully to us.
▮ **se lancer** *vpr* (*se précipiter*) to rush; **se l. dans** (*aventure, discussion*) to launch into.
▮ *nm* **un l.** a throw; **le l. de** the throwing of. ● **lancée** *nf* momentum; **continuer sur sa l.** to keep going (*under one's initial momentum*). ● **lancement** *nm Sport* throwing; (*de fusée, navire etc*) launch(ing); **prix de l.** introductory price.
lancinant, -ante [lɑ̃sinɑ̃, -ɑ̃t] *a* (*douleur*) shooting; (*obsédant*) haunting.
landau [lɑ̃do] *nm* (*pl* **landaus**) *Br* pram, *Am* baby carriage.
lande [lɑ̃d] *nf* moor, heath.
langage [lɑ̃gaʒ] *nm* (*système, faculté d'expression*) language; **l. machine/naturel** *Ordinat* computer/natural language.
lange [lɑ̃ʒ] *nm* (baby) blanket; (*couche*) *Br* nappy, *Am* diaper. ● **langer** *vt* (*bébé*) to change.
langouste [lɑ̃gust] *nf* (spiny) lobster. ● **langoustine** *nf* (Dublin Bay) prawn, Norway lobster.
langue [lɑ̃g] *nf* tongue; *Ling* language; **l. maternelle** mother tongue; **langues vivantes** modern languages; **langues mortes** dead *ou* ancient languages; **de l. anglaise/française** English-/French-speaking; **mauvaise l.** (*personne*) gossip; **tenir sa l.** *Fig* to keep a secret; **donner sa l. au chat** *Fig* to give up; **avoir un cheveu sur la l.** *Fig* to lisp; **avoir la l. bien pendue** *Fig* to have the gift of the gab; **avoir un mot sur le bout de la l.** *Fig* to have a word on the tip of one's tongue.

● **languette** *nf* (*patte*) tongue.
langueur [lɑ̃gœr] *nf* languor. ● **languir** *vi* to languish (**après** for, after); (*conversation*) to flag. ● **languissant, -ante** *a* languid; (*conversation*) flagging.
lanière [lanjɛr] *nf* strap; (*d'étoffe*) strip.
lanterne [lɑ̃tɛrn] *nf* lantern; (*électrique*) lamp; **lanternes** (*de véhicule*) parking lights, *Br* sidelights.
lanterner [lɑ̃tɛrne] *vi* to loiter.
lapalissade [lapalisad] *nf* statement of the obvious, truism.
laper [lape] *vt* (*boire*) to lap up ▮ *vi* to lap.
lapider [lapide] *vt* to stone.
lapin [lapɛ̃] *nm* rabbit; **mon (petit) l.!** my dear!; **poser un l. à qn** *Fam* to stand s.o. up.
laps [laps] *nm* **un l. de temps** a lapse of time.
lapsus [lapsys] *nm* slip (of the tongue).
laquais [lakɛ] *nm Hist & Fig* lackey.
laque [lak] *nf* lacquer; **l. à cheveux** (hair) lacquer. ● **laquer** *vt* to lacquer; **canard laqué** *Culin* Peking duck.
laquelle [lakɛl] *voir* **lequel**.
larbin [larbɛ̃] *nm Péj Fam* flunkey.
larcin [larsɛ̃] *nm Litt* petty theft.
lard [lar] *nm* (*gras*) (pig's) fat; **l. fumé** smoked bacon. ● **lardon** *nm Culin* strip of bacon *ou* fat.
large [larʒ] *a* wide, broad; (*vêtement*) loose; (*grand*) large; (*généreux*) liberal; **l. de six mètres** six metres wide; **l. d'esprit** broadminded; **avoir les idées larges** to be broadminded.
▮ *adv* (*calculer*) liberally, broadly; **ne pas en mener l.** *Fam* to be very sheepish.
▮ *nm* breadth, width; **avoir six mètres de l.** to be six metres wide; **le l.** (*mer*) the open sea; **au l. de Cherbourg** *Nau* off Cherbourg; **être au l. dans** (*vêtement*) to have lots of room in. ● **largement** [-amɑ̃] *adv* widely; (*ouvrir*) wide; (*au moins*) easily; (*servir, payer*) liberally; **avoir l. le temps** to have plenty of time, have ample time. ● **largesse** *nf Litt* generosity, largesse; **largesses** (*dons*) generous gifts. ● **largeur** *nf* width, breadth; (*d'esprit*) breadth.
larguer [large] *vt* (*bombe, parachutiste*) to drop; **l. qn** *Fam* to get rid of (someone); **l. les amarres** *Nau* to cast off; **je suis largué** (*perdu*) *Fam* I'm all at sea.
larme [larm] *nf* tear; (*goutte*) *Fam* drop; **avoir les larmes aux yeux** to have tears in one's eyes; **en larmes** in tears; **rire aux larmes** to laugh till one cries. ● **larmoyer** *vi* (*yeux*) to water.
larve [larv] *nf* (*d'insecte*) larva, grub.
larvé, -ée [larve] *a* latent, underlying.
larynx [larɛ̃ks] *nm* larynx ● **laryngite** *nf* (*inflammation*) laryngitis.
las, lasse [lɑ, lɑs] *a* tired, weary (**de** of). ● **lasser** *vt* to tire, weary; **se l. de** to tire of. ● **lassitude** *nf* tiredness, weariness.
lasagne [lazaɲ] *nf* lasagna.
lascar [laskar] *nm Fam* (clever) fellow.
lascif, -ive [lasif, -iv] *a* lascivious.

laser [lazɛr] *nm* laser; **rayon l.** laser beam.
lasso [laso] *nm* lasso; **prendre au l.** to lasso.
latent, -ente [latɑ̃, -ɑ̃t] *a* latent.
latéral, -e, -aux [lateral, -o] *a* latéral; **rue latérale** side street.
latin, -ine [latɛ̃, -in] *a* Latin ∎ *nmf* L., Latine Latin ∎ *nm* (*langue*) Latin; **j'y perds mon l.** *Fam* I can't make head or tail of it.
latitude [latityd] *nf Géog & Fig* latitude.
latrines [latrin] *nfpl* latrines.
latte [lat] *nf* slat, lath; (*de plancher*) board.
lauréat, -ate [lɔrea, -at] *nmf* (prize)winner ∎ *a* prize-winning.
laurier [lɔrje] *nm* (*arbre*) laurel, bay; **du l.** (*assaisonnement*) bay leaves; **s'endormir sur ses lauriers** to rest on one's laurels.
lavabo [lavabo] *nm* washbasin, sink; **lavabos** (*toilettes*) *Br* toilet(s), *Am* washroom.
lavande [lavɑ̃d] *nf* lavender.
lave [lav] *nf Géol* lava.
lave-auto [lavoto] *nm Can* car wash. ● **lave-glace** *nm Br* windscreen *ou Am* windshield washer. ● **lave-linge** *nm inv* washing machine. ● **lave-vaisselle** *nm inv* dishwasher.
laver [lave] *vt* to wash; **l. qn de** (*soupçon etc*) *Fig* to clear s.o. of ∎ **se laver** *vpr* to wash (oneself), *Am* wash up; **se l. les mains** to wash one's hands (*Fig* **de** of). ● **lavable** *a* washable. ● **lavage** *nm* washing; **l. de cerveau** *Psy* brainwashing. ● **laverie** *nf* (*automatique*) *Br* launderette, *Am* Laundromat®. ● **lavette** *nf* dish cloth; (*homme*) *Péj* drip. ● **laveur** *nm* **l. de carreaux** window *Br* cleaner *ou Am* washer. ● **lavoir** *nm* (*bâtiment*) washhouse.
laxatif, -ive [laksatif, -iv] *nm & a* laxative.
laxisme [laksism] *nm* permissiveness, laxity. ● **laxiste** *a* permissive, lax.
layette [lɛjɛt] *nf* baby clothes, layette.
le, la, *pl* **les** [l(ə), la, le] (**le & la** *become* **l'** *before a vowel or mute h*) **1** *art déf* (à + le = au, à + les = aux; de + le = du, de + les = des) the; **le garçon** the boy; **la fille** the girl; **les petits/rouges/etc** the little ones/red ones/*etc*; **mon ami le plus intime** my closest friend; **venez, les enfants!** come, children!
2 (*généralisation, abstraction*) **la beauté/vie/etc** beauty/life/*etc*; **la France** France; **les Français** the French; **les hommes** men; **aimer le café** to like coffee.
3 (*possession*) **il ouvrit la bouche** he opened his mouth; **se blesser au pied** to hurt one's foot; **avoir les cheveux blonds** to have blond hair.
4 (*mesure*) **dix francs le kilo** ten francs a kilo.
5 (*temps*) **elle vient le lundi/le matin** she comes on Mondays/in the morning(s); **elle passe le soir** she comes over in the evening(s); **l'an prochain** next year; **une fois l'an** once a year.

∎ *pron* (*homme*) him; (*femme*) her; (*chose, animal*) it; **les** them; **je la vois** I see her; **je le vois** I see it; **je les vois** I see them; **es-tu fatigué? — je le suis** are you tired? — I am; **je le crois** I think so.
leader [lidœr] *nm Pol* leader.
lécher [leʃe] *vt* to lick; **se l. les doigts** to lick one's fingers. ● **lèche-vitrines** *nm* **faire du l.-vitrines** *Fam* to go window-shopping.
leçon [ləsɔ̃] *nf* lesson; **faire la l. à qn** to lecture s.o.; **servir de l. à qn** to teach s.o. a lesson.
lecteur, -trice [lɛktœr, -tris] *nmf* reader; (*à l'université*) (foreign language) assistant; **l. de cassettes/de CD** cassette/CD player; **l. de disques** *ou* **de disquettes** *Ordinat* disk drive. ● **lecture** *nf* reading; **lectures** (*livres*) books; **l. optique** *Ordinat* optical character reading; **tête de l.** (tape) head; **faire la l. à qn** to read to s.o.; **de la l.** some reading matter; **donner l. des résultats/etc** to read out the results/*etc*.
légal, -e, -aux [legal, -o] *a* legal; **médecine légale** forensic medicine. ● **légalement** *adv* legally. ● **légaliser** *vt* to legalize. ● **légalité** *nf* legality (**de** of); **respecter la l.** to respect the law; **rester dans la l.** to keep within the law.
légation [legasjɔ̃] *nf Pol* legation.
légende [leʒɑ̃d] *nf* **1** (*histoire*) legend. **2** (*de plan, carte*) key, legend; (*de photo*) caption. ● **légendaire** *a* legendary.
léger, -ère [leʒe, -ɛr] *a* light; (*bruit, fièvre, faute etc*) slight; (*café, thé, argument*) weak; (*bière, tabac*) mild; (*frivole*) frivolous; (*irréfléchi*) careless; **agir/etc à la légère** to act/*etc* rashly. ● **légèrement** *adv* lightly; (*un peu*) slightly; (*à la légère*) rashly. ● **légèreté** *nf* lightness; (*frivolité*) frivolity.
légiférer [leʒifere] *vi* to legislate.
légion [leʒjɔ̃] *nf Mil & Fig* legion; **L. d'honneur** Legion of Honour. ● **légionnaire** *nm* (*de la Légion étrangère*) legionnaire.
législatif, -ive [leʒislatif, -iv] *a* legislative; (*élections*) parliamentary. ● **législation** *nf* legislation. ● **législature** *nf* (*période*) term of office (*of legislative body*).
légitime [leʒitim] *a* (*action, enfant etc*) legitimate; **être en état de l. défense** to be acting in *Br* self-defence *ou Am* self-defense. ● **légitimité** *nf* legitimacy.
legs [lɛg] *nm* (*don*) *Jur* legacy, bequest; (*héritage*) *Fig* legacy. ● **léguer** *vt* to bequeath (**à** to).
légume [legym] **1** *nm* vegetable. **2** *nf* **grosse l.** (*personne*) *Fam* bigwig, bigshot.
lendemain [lɑ̃dmɛ̃] *nm* **le l.** the next day; (*avenir*) *Fig* the future; **le l. de** the day after; **le l. matin** the next morning.
lent, lente [lɑ̃, lɑ̃t] *a* slow. ● **lentement** *adv* slowly. ● **lenteur** *nf* slowness.
lentille [lɑ̃tij] *nf* **1** (*plante, graine*) lentil. **2** (*verre*) lens.
léopard [leɔpar] *nm* leopard.
lèpre [lɛpr] *nf* leprosy. ● **lépreux, -euse** *a* leprous ∎ *nmf* leper.
lequel, laquelle, *pl* **lesquels, lesquelles** [ləkɛl, lakɛl, lekɛl] (+ à = **auquel, à laquelle, auxquel(le)s**; + de = **duquel, de laquelle, desquel(le)s**) *pron rel* (*chose, animal*) which; (*personne*) who, (*indirect*) whom;

dans l. in which; **parmi lesquels** (*choses, animaux*) among which; (*personnes*) among whom ▮ *pron interrogatif* which (one); **l. préférez-vous?** which (one) do you prefer?

les [le] *voir* **le.**

lesbienne [lɛsbjɛn] *nf* & *af* lesbian.

léser [leze] *vt* (*personne*) to wrong.

lésiner [lezine] *vi* to be stingy (**sur** with).

lésion [lezjɔ̃] *nf* (*blessure*) lesion.

lessive [lesiv] *nf* (*produit*) (laundry) detergent, *Br* washing powder; (*linge*) washing; **faire la l.** to do the wash(ing). ● **lessiver** *vt* to scrub, wash. ● **lessiveuse** *nf* (laundry) boiler.

lessivé, -ée [lesive] *a* (*fatigué*) *Fam* shattered.

lest [lɛst] *nm* ballast. ● **lester** *vt* to ballast, weight down; (*remplir*) *Fam* to overload.

leste [lɛst] *a* (*agile*) nimble; (*grivois*) coarse.

léthargie [letarʒi] *nf* lethargy. ● **léthargique** *a* lethargic.

lettre [lɛtr] *nf* (*missive, caractère*) letter; **en toutes lettres** (*mot*) in full; (*nombre*) in words; **obéir à des instructions à la l.** to obey instructions to the letter; **l. ouverte** open letter; **les lettres** (*discipline*) arts, humanities; **homme de lettres** man of letters; **c'est passé comme une l. à la poste** *Fam* it was a cinch, it went off without a problem *ou* a hitch. ● **lettré, -ée** *a* well-read ▮ *nmf* scholar.

leucémie [løsemi] *nf* leuk(a)emia.

leur [lœr] **1** *a poss* their; **l. chat** their cat; **leurs voitures** their cars ▮ *pron poss* **le l., la l., les leurs** theirs. **2** *pron inv* (*indirect*) (to) them; **il l. est facile de...** it's easy for them to....

leurre [lœr] *nm* illusion; (*tromperie*) trickery. ● **leurrer** *vt* to delude.

lever [l(ə)ve] *vt* to lift (up), raise; (*blocus, interdiction, immunité parlementaire*) to lift; (*séance*) to close; (*camp*) to strike; (*impôts, armée*) to levy; **l. les yeux** to look up.
▮ *vi* (*pâte*) to rise; (*blé*) to come up.
▮ **se lever** *vpr* to get up; (*soleil, rideau*) to rise; (*jour*) to break; (*brume*) to clear, lift.
▮ *nm* **le l. du soleil** sunrise; **le l. du rideau** (*au théâtre*) the curtain (up). ● **levant, -ante** *a* (*soleil*) rising ▮ *nm* **le l.** the east. ● **levé, -ée** *a* **être l.** (*debout*) to be up. ● **levée** *nf* (*d'interdiction*) lifting; (*du courrier*) collection; (*d'impôts*) levying; **l. de boucliers** *Fig* public outcry.

levier [ləvje] *nm* lever; (*pour soulever*) crowbar; **l. de vitesse** (*dans une voiture*) *Br* gear lever, *Am* gear shift.

lèvre [lɛvr] *nf* lip; **du bout des lèvres** half-heartedly, grudgingly.

lévrier [levrije] *nm* greyhound.

levure [ləvyr] *nf* yeast.

lexique [lɛksik] *nm* vocabulary, glossary.

lézard [lezar] *nm* lizard.

lézarde [lezard] *nf* crack, split. ● **lézarder 1** *vi Fam* to bask in the sun. **2 se lézarder** *vpr* to crack, split.

liaison [ljɛzɔ̃] *nf* (*rapport*) connection; (*routière etc*) link; (*entre mots*) & *Mil* liaison; **l. (amoureuse)** love affair; **en l. avec qn** in contact with s.o.

liane [ljan] *nf* jungle vine, liana.

liant, -ante [ljɑ̃, -ɑ̃t] *a* sociable.

liasse [ljas] *nf* bundle.

Liban [libɑ̃] *nm* Lebanon. ● **libanais, -aise** *a* Lebanese ▮ *nmf* **L., Libanaise** Lebanese.

libeller [libele] *vt* (*contrat etc*) to word, draw up; (*chèque*) to make out. ● **libellé** *nm* wording.

libellule [libelyl] *nf* dragonfly.

libéral, -e, -aux [liberal, -o] *a* & *nmf* liberal. ● **libéraliser** *vt* to liberalize. ● **libéralisme** *nm* liberalism. ● **libéralité** *nf Litt* liberality; (*don*) liberal gift.

libérer [libere] *vt* (*prisonnier etc*) to (set) free, release; (*pays, esprit*) to liberate (**de** from); **l. qn de** to free s.o. of *ou* from ▮ **se libérer** *vpr* to free oneself, get free (**de** of, from). ● **libérateur, -trice** *a* (*sentiment etc*) liberating ▮ *nmf* liberator. ● **libération** *nf* freeing, release; (*de pays etc*) liberation; **l. conditionnelle** *Jur* parole; **la L.** *Hist Fr* the Liberation.

liberté [libɛrte] *nf* freedom, liberty; **en l. provisoire** *Jur* on bail; **mettre qn en l.** to free s.o., release s.o.; **mise en l.** release.

libraire [librɛr] *nmf* bookseller. ● **librairie** *nf* (*magasin*) bookshop.

libre [libr] *a* free (**de qch** from sth, **de faire** to do); (*voie*) clear; (*place*) vacant, free; (*école*) private (and religious); **l. arbitre** free will; **l. penseur** freethinker; **temps l.** spare *ou* free time; **être l. comme l'air** to be as free as a bird. ● **libre-échange** *nm Écon* free trade. ● **libre-service** *nm* (*pl* **libres-services**) (*système, magasin etc*) self-service. ● **librement** [-əmɑ̃] *adv* freely.

Libye [libi] *nf* Libya. ● **libyen, -enne** *a* Libyan ▮ *nmf* **L., Libyenne** Libyan.

licence [lisɑ̃s] *nf Sport* permit; *Com Littér Br* licence, *Am* license; *Univ* (Bachelor's) degree; **l. ès lettres/sciences** arts/science degree, = *Br* BA/BSc = *Am* BA/BS. ● **licencié, -ée** *a* & *nmf* graduate; **l. ès lettres/sciences** Bachelor of Arts/Science, = *Br* BA/BSc = *Am* BA/BS.

licencier [lisɑ̃sje] *vt* (*employé*) to lay off, *Br* make redundant. ● **licenciement** *nm* lay-off, *Br* redundancy; **l. économique** lay-off *ou Br* redundancy (*for economic reasons*).

licite [lisit] *a* licit, lawful.

licorne [likɔrn] *nf* unicorn.

lie [li] *nf* (*de vin*) dregs.

liège [ljɛʒ] *nm* (*matériau*) cork.

lien [ljɛ̃] *nm* (*rapport*) link, connection; (*ficelle etc*) tie; **l. de parenté** family tie; **les liens (sacrés) du mariage** the (sacred) bonds of marriage.

lier [lje] *vt* (*attacher*) to tie (up), bind; (*relier*) to link (up), connect; (*conversation, amitié*) to strike up; **l. qn** (*unir, engager*) to bind s.o.; **amis très liés** very close friends ▮ **se lier** *vpr* (*idées etc*) to tie in, link together; **se l.**

lierre

avec qn to make friends with s.o.
lierre [ljɛr] *nm* ivy.
lieu, -x [ljø] *nm* place; **les lieux** (*locaux*) the premises; **être sur les lieux** to be on the spot; **sur les lieux du crime/de l'accident** at the scene of the crime/accident; **avoir l.** to take place, be held; **donner l. à qch** to give rise to sth; **au l. de** instead of; **en premier l.** in the first place, firstly; **en dernier l.** lastly; **s'il y a l.** if necessary; **l. commun** commonplace; **l. public** public place; **l. de vacances** *Br* holiday *ou Am* vacation destination *ou* spot; **avoir l. de faire** (*des raisons*) to have good reason to do; **tenir l. de qch** to serve as sth; **se plaindre en haut l.** to complain to people in high places. ● **lieu-dit** *nm* (*pl* **lieux-dits**) *Géog* locality.
lieue [ljø] *nf* (*mesure*) *Hist* league.
lieutenant [ljøtnɑ̃] *nm* lieutenant.
lièvre [ljɛvr] *nm* hare.
lifting [liftiŋ] *nm* face lift.
ligament [ligamɑ̃] *nm* ligament.
ligne [liɲ] *nf* (*trait, contour, transport*) line; (*belle silhouette etc*) figure; (*rangée*) row, line; **(se) mettre en l.** to line up; **en l.** (*au téléphone*) connected, through; **les grandes lignes** (*de train*) the main line (services); *Fig* the broad outline; **à la l.** *Grammaire* new paragraph; **sur toute la l.** *Fig* all the way down the line, from start to finish; **entrer en l. de compte** to be taken into account, count; **faire entrer en l. de compte** to take into account; **garder la l.** *Fam* to stay slim, keep one's figure; **pilote de l.** airline pilot.
lignée [liɲe] *nf* line, ancestry; **dans la l. de** *Fig* in the line *ou* tradition of.
ligoter [ligɔte] *vt* to tie up.
ligue [lig] *nf* (*alliance*) league. ● **se liguer** *vpr* to join together, conspire, gang up (**contre** against).
lilas [lila] *nm* lilac ▮ *a inv* (*couleur*) lilac.
limace [limas] *nf* (*mollusque*) slug.
limaille [limaj] *nf* filings.
limande [limɑ̃d] *nf* (*poisson*) lemon sole, dab.
lime [lim] *nf* (*outil*) file. ● **limer** *vt* to file.
limier [limje] *nm* (*chien*) bloodhound; **fin l.** (*policier*) good detective *ou* sleuth.
limitatif, -ive [limitatif, -iv] *a* restrictive. ● **limitation** *nf* limitation; (*de vitesse, poids*) limit.
limite [limit] *nf* limit (**a** to); (*de propriété, jardin etc*) boundary; **les limites** (*d'un terrain de football*) the boundary lines; **dépasser la l.** *ou* **les limites** to go beyond the bounds; **sans l.** unlimited, limitless; **jusqu'à la l. de ses forces** to the point of exhaustion; **à la l.** if absolutely necessary.
▮ *a* (*cas*) extreme; (*vitesse, âge etc*) maximum; **date l.** latest date, deadline; **date l. de vente** (*sur produit*) sell-by date.
limiter [limite] *vt* to limit, restrict; (**à** to); (*délimiter*) to border; **se l. à faire** to limit *ou* restrict oneself to doing.
limoger [limɔʒe] *vt* (*destituer*) to dismiss.

limonade [limɔnad] *nf* (carbonated *ou Br* fizzy) lemonade.
limpide [lɛ̃pid] *a* (*eau, explication*) clear, crystal-clear. ● **limpidité** *nf* clearness.
lin [lɛ̃] *nm Bot* flax; (*tissu*) linen; **huile de l.** linseed oil.
linceul [lɛ̃sœl] *nm* shroud.
linéaire [lineɛr] *a* linear.
linge [lɛ̃ʒ] *nm* (*vêtements*) linen; (*à laver*) washing, linen; (*torchon*) cloth; **l. (de corps)** underwear; **petit l.** small items to be washed; **l. de maison** household linen. ● **lingerie** *nf* (*de femmes*) underwear; (*pièce*) linen room.
lingot [lɛ̃go] *nm* ingot; **l. d'or** gold bar.
linguiste [lɛ̃gɥist] *nmf* linguist. ● **linguistique** *a* linguistic ▮ *nf* linguistics.
lino [lino] *nm* lino. ● **linoléum** *nm* linoleum.
linotte [linɔt] *nf* (*oiseau*) linnet; **tête de l.** *Fig* scatterbrain.
lion [ljɔ̃] *nm* lion; **le L.** (*signe*) Leo. ● **lionceau, -x** *nm* lion cub. ● **lionne** *nf* lioness.
liquéfier [likefje] *vt*, **se liquéfier** *vpr* to liquefy.
liqueur [likœr] *nf* liqueur.
liquide [likid] *a* liquid; **argent l.** ready cash ▮ *nm* liquid; **du l.** (*argent*) ready cash.
liquider [likide] *vt* (*dette, stock etc*) to clear, liquidate; (*société*) to wind up; (*affaire, travail*) *Fam* to wind up, finish off; **l. qn** (*tuer*) *Fam* to liquidate s.o. ● **liquidation** *nf* (*de dette etc*) clearing, liquidation; (*de société*) winding up, liquidation; **vente de l.** clearance sale; **l. totale du stock** stock clearance sale.
lire[1]* [lir] *vti* to read.
lire[2] [lir] *nf* (*monnaie*) lira.
lis[1] [lis] *nm* (*plante, fleur*) lily.
lis[2], **lisant, lise(nt)** *etc* [li, lizɑ̃, liz] *voir* **lire**[1].
liseron [lizrɔ̃] *nm* (*plante*) convolvulus.
lisible [lizibl] *a* (*écriture*) legible; (*livre*) readable. ● **lisiblement** [-əmɑ̃] *adv* legibly.
lisière [lizjɛr] *nf* edge, border.
lisse [lis] *a* smooth. ● **lisser** *vt* to smooth; (*plumes*) to preen.
liste [list] *nf* list; **l. électorale** *Br* register of electors, *Am* voting register, electoral roll; **sur la l. rouge** (*numéro de téléphone*) *Br* ex-directory, *Am* unlisted; **faire une l. de qch** to make (out) a list of sth.
lit[1] [li] *nm* bed; **l. d'enfant** *Br* cot, *Am* crib; **lits superposés** bunk beds; **se mettre au l.** to go (in)to bed; **garder le l.** to stay in bed; **faire le l.** to make the bed. ● **literie** *nf* bedding, bedclothes.
lit[2] [li] *voir* **lire**[1].
litanie [litani] *nf* **1** (*énumération*) long list (**de** of). **2 litanies** (*prière*) *Rel* litany.
litière [litjɛr] *nf* (*couche de paille*) litter.
litige [litiʒ] *nm* dispute; *Jur* litigation. ● **litigieux, -euse** *a* contentious.
litre [litr] *nm Br* litre, *Am* liter.
littéraire [literɛr] *a* literary. ● **littérature** *nf* literature.
littéral, -e, -aux [literal, -o] *a* literal. ● **litté-

ralement *adv* literally.
littoral, -e, -aux [litɔral, -o] *a* coastal ‖ *nm* coast(line).
liturgie [lityrʒi] *nf* liturgy. ● **liturgique** *a* liturgical.
livide [livid] *a* (*pâle*) (ghastly) pale, pallid.
livraison [livrɛzɔ̃] *nf voir* **livrer**.
livre [livr] **1** *nm* book; **l. de poche** paperback (book); **l. de bord** *Nau* logbook; **le l., l'industrie du l.** the book industry. **2** *nf* (*monnaie, poids*) pound. ● **livresque** *a* (*savoir*) bookish.
livrée [livre] *nf* (*uniforme*) livery.
livrer [livre] *vt* (*marchandises*) to deliver (à to); (*secret*) to give away; **l. qn à** (*la police etc*) to give s.o. over *ou* up to; **l. bataille** to do *ou* join battle.
‖ **se livrer** *vpr* (*se rendre*) to give oneself up (à to); (*se confier*) to confide (à in); **se l. à** (*habitude, excès etc*) to indulge in; (*activité*) to devote oneself to; (*désespoir, destin*) to abandon oneself to. ● **livraison** *nf* delivery.
● **livreur, -euse** *nmf* delivery man, delivery woman.
livret [livrɛ] *nm* (*registre*) book; *Mus* libretto; **l. scolaire** school report book; **l. de famille** family registration book; **l. de caisse d'épargne** bankbook, *Br* passbook.
lobe [lɔb] *nm* (*de l'oreille*) lobe.
local, -e, -aux [lɔkal, -o] **1** *a* local. **2** *nm* (*pièce*) room; **locaux** (*bâtiment*) premises.
● **localement** *adv* locally. ● **localiser** *vt* (*déterminer*) to locate; (*limiter*) to localize.
localité [lɔkalite] *nf* locality.
locataire [lɔkatɛr] *nmf* tenant; (*chez le propriétaire*) lodger, *Am* roomer.
location [lɔkɑsjɔ̃] *nf* (*de maison etc*) renting; (*de voiture*), *Br* hiring; (*par propriétaire*) renting (out), *Br* letting; (*de voiture*) renting (out), *Br* hiring (out); (*à bail*) leasing; (*réservation*) booking; (*loyer*) rental, rent; (*bail*) lease; **bureau de l.** booking office; **en l.** on hire; **voiture de l.** rented *ou Br* hired car; **l.-vente** (*crédit-bail*) leasing with option to buy.
lock-out [lɔkawt] *nm inv* (*industriel*) lockout.
locomotion [lɔkɔmosjɔ̃] *nf* **moyen de l.** means of transport *ou* locomotion.
locomotive [lɔkɔmɔtiv] *nf* (*de train*) engine, locomotive.
locuteur [lɔkytœr] *nm Ling* speaker. ● **locution** *nf* phrase, idiom; *Grammaire* phrase.
loge [lɔʒ] *nf* (*de concierge*) lodge; (*d'acteur*) dressing-room; (*de spectateur*) *Théâtre* box; **être aux premières loges** *Fig* to have a ringside seat.
loger [lɔʒe] *vt* (*recevoir, mettre*) to accommodate, house; (*héberger*) to put up; **être logé et nourri** to have board and lodging.
‖ *vi* (*à l'hôtel etc*) to put up, *Br* lodge; (*habiter*) to live; (*trouver à*) **se l.** to find somewhere to live; (*temporairement*) to find somewhere to stay; **la balle se logea dans le mur** the bullet lodged (itself) in the wall.
● **logeable** *a* habitable. ● **logement** *nm* accommodation, lodging; (*habitat*) housing; (*appartement*) *Br* flat, *Am* apartment; (*maison*) house; **le l.** housing. ● **logeur, -euse** *nmf* landlord, landlady.
loggia [lɔdʒja] *nf* (*balcon*) loggia.
logiciel [lɔʒisjɛl] *nm* (*d'ordinateur*) software *inv*.
logique [lɔʒik] *a* logical ‖ *nf* logic. ● **logiquement** *adv* logically.
logistique [lɔʒistik] *nf* logistics.
logo [lɔgo] *nm* logo.
loi [lwa] *nf* law; (*du Parlement*) act; **projet de l.** *Pol* bill; **faire la l.** to lay down the law (à to).
loin [lwɛ̃] *adv* far (away *ou* off); **Boston est l. (de Paris)** Boston is a long way away (from Paris); **plus l.** further, farther; (*ci-après*) further on; **aller l.** (*dans la vie*) *Fig* to go far; **aller trop l.** *Fig* to go too far; **au l.** in the distance, far away; **de l.** from a distance; (*de beaucoup*) by far; **de l. en l.** every so often; **c'est l. tout ça** (*passé*) that was a long time ago; **l. de là** *Fig* far from it. ● **lointain, -aine** *a* distant, far-off; (*ressemblance, rapport etc*) remote ‖ *nm* **dans le l.** in the distance.
loir [lwar] *nm* (*animal*) dormouse.
loisir [lwazir] *nm* **avoir le l. de faire qch** to have the time to do sth; **moment de l.** moment of leisure; **(tout) à l.** (*en prenant tout son temps*) at leisure; (*autant qu'on le désire*) as much as one would like; **loisirs** (*temps libre*) spare time, leisure (time); (*distractions*) leisure *ou* spare-time activities.
Londres [lɔ̃dr] *nm ou f* London. ● **londonien, -ienne** *a* London, of London ‖ *nmf* **L., Londonienne** Londoner.
long, longue [lɔ̃, lɔ̃g] *a* (*long*; **être l. (à faire)** to be a long time *ou* slow (in doing); **l. de deux mètres** two metres long.
‖ *nm* **avoir deux mètres de l.** to be two metres long; **(tout) le l. de** (*espace*) (all) along; **tout le l. de** (*temps*) throughout; **de l. en large** (*marcher etc*) up and down; **en l. et en large** thoroughly; **en l.** lengthwise; **à la longue** in the long run; **tomber de tout son l.** to fall flat (on one's face).
‖ *adv* **en savoir/en dire l. sur** to know/say a lot about; **leur attitude en disait l.** their attitude said a lot *ou* spoke volumes. ● **long-courrier** *nm* (*avion*) long-distance airliner.
longer [lɔ̃ʒe] *vt* to go *ou* pass along; (*forêt, mer*) to skirt; (*mur*) to hug.
longévité [lɔ̃ʒevite] *nf* longevity.
longitude [lɔ̃ʒityd] *nf* longitude.
longtemps [lɔ̃tɑ̃] *adv* (for) a long time; **trop/avant l.** too/before long; **aussi l. que** as long as.
longue [lɔ̃g] *voir* **long**. ● **longuement** *adv* at length. ● **longuet, -ette** *a Fam* (fairly) lengthy. ● **longueur** *nf* length; **longueurs** (*de texte, film*) over-long passages; **saut en l.** *Sport* long jump, *Am* broad jump; **à l. de journée** all day long; **l. d'onde** (*à la radio*) & *Fig* wavelength.

longue-vue

longue-vue [lɔ̃gvy] *nf* (*pl* **longues-vues**) telescope.
lopin [lɔpɛ̃] *nm* **l. de terre** plot *ou* patch of land.
loquace [lɔkas] *a* loquacious, talkative.
loque [lɔk] *nf* **l. (humaine)** (*personne*) human wreck.
loques [lɔk] *nfpl* rags.
loquet [lɔkɛ] *nm* latch.
lorgner [lɔrɲe] *vt* (*regarder, convoiter*) to eye.
lors [lɔr] *adv* **l. de** at the time of; **depuis l., dès l.** from then on; **dès l. que** (*puisque*) since.
lorsque [lɔrsk(ə)] *conj* when.
losange [lɔzɑ̃ʒ] *nm* (*forme*) diamond, lozenge.
lot [lo] *nm* **1** (*de loterie*) prize; **gros l.** top prize, jackpot. **2** (*de marchandises etc*) batch. ● **loterie** *nf* lottery, raffle.
lotion [losjɔ̃] *nf* lotion.
lotir [lɔtir] *vt* (*terrain*) to divide into lots; **bien loti** *Fig* favoured by fortune. ● **lotissement** *nm* (*terrain*) building plot; (*habitations*) housing *Br* estate *ou Am* development.
loto [lɔto] *nm* (*jeu*) lotto.
louable [lwabl] *a* praiseworthy, laudable.
louange [lwɑ̃ʒ] *nf* praise; **à la l. de** in praise of.
louche [luʃ] **1** *nf* (*cuillère*) ladle. **2** *a* (*suspect*) shady, fishy.
loucher [luʃe] *vi* to squint; **l. sur** *Fam* to eye.
louer [lwe] *vt* **1** (*prendre en location*) to rent (*house, flat etc*); (*voiture*) to rent, *Br* hire; (*donner en location*) to rent (out), *Br* let; (*voiture*) to rent (out), *Br* hire (out); (*réserver*) to book; **l. à bail** to lease; **maison/chambre à l.** house/room to rent *ou Br* to let.
2 (*exalter*) to praise (**de** for); **se l. de** to be highly satisfied with.
loufoque [lufɔk] *a* (*fou*) *Fam* nutty, crazy.
loukoum [lukum] *nm* Turkish delight.
loup [lu] *nm* wolf; **avoir une faim de l.** to be ravenous. ● **loup-garou** *nm* (*pl* **loups-garous**) werewolf.
loupe [lup] *nf* magnifying glass.
louper [lupe] *vt* *Fam* (*train etc*) to miss; (*examen*) to fail; (*travail*) to mess up.
lourd, lourde [lur, lurd] *a* heavy (*Fig* de with); (*temps, chaleur*) close, sultry; (*faute*) gross; (*tâche*) arduous; (*esprit*) dull ▌ *adv* **peser l.** (*malle etc*) to be heavy. ● **lourdaud, -aude** *a* loutish, oafish ▌ *nmf* lout, oaf.
● **lourdement** [-əmɑ̃] *adv* heavily. ● **lourdeur** *nf* heaviness; (*d'esprit*) dullness.
loutre [lutr] *nf* otter.
louve [luv] *nf* she-wolf. ● **louveteau, -x** *nm* (*animal*) wolf cub; (*scout*) cub (scout).
louvoyer [luvwaje] *vi* (*tergiverser*) to hedge, be evasive.
loyal, -e, -aux [lwajal, -o] *a* (*honnête*) fair, honest (**envers** to); (*dévoué*) loyal (**envers,** to). ● **loyalement** *adv* fairly; (*avec dévouement*) loyally. ● **loyauté** *nf* (*honnêteté*) fairness, honesty; (*dévouement*) loyalty.
loyer [lwaje] *nm* rent.
lu [ly] *pp de* **lire**[1].
lubie [lybi] *nf* whim.
lubrifier [lybrifje] *vt* to lubricate. ● **lubrifiant** *nm* lubricant.
lubrique [lybrik] *a Litt* lewd, lustful.
lucarne [lykarn] *nf* (*fenêtre*) dormer window, skylight.
lucide [lysid] *a* lucid. ● **lucidité** *nf* lucidity.
lucratif, -ive [lykratif, -iv] *a* lucrative.
lueur [lɥœr] *nf* (*lumière*) & *Fig* glimmer.
luge [lyʒ] *nf Br* sledge, *Am* sled, toboggan.
lugubre [lygybr] *a* gloomy, lugubrious.
lui [lɥi] *pron* (*complément indirect*) (to) him; (*femme*) (to) her; (*chose, animal*) (to) it; **je le lui ai montré** I showed it to him *ou* to her; **il lui est facile de...** it's easy for him *ou* her to....
▌ *pron m* **1** (*après une préposition*) him; **pour/avec/etc lui** for/with/*etc* him; **elle pense à lui** she thinks of him; **il ne pense qu'à lui** he only thinks of himself.
2 (*complément direct*) him; **elle n'aime que lui** she only loves him; **elle n'écoute ni lui ni personne** she doesn't listen to him or to anybody.
3 (*sujet*) **elle est plus grande que lui** she's taller than he is *ou* than him; **lui, il ne viendra pas** (*emphatique*) *he* won't come; **c'est lui qui me l'a dit** he is the one who told me.
● **lui-même** *pron* himself; (*chose, animal*) itself.
luire* [lɥir] *vi* to shine, gleam. ● **luisant, -ante** *a* (*métal etc*) shiny.
lumbago [lɔ̃bago] *nm* lumbago.
lumière [lymjɛr] *nf* light; **à la l. de** by the light of; (*grâce à*) *Fig* in the light of; **faire toute la l. sur** *Fig* to clear up; **mettre en l.** *Fig* to bring to light; **le siècle des lumières** the Age of Enlightenment. ● **luminaire** *nm* (*appareil*) lighting appliance.
lumineux, -euse [lyminø, -øz] *a* (*idée, ciel etc*) bright, brilliant; (*cadran, corps etc*) luminous; **faisceau l.** beam of light; **source lumineuse** light source. ● **luminosité** *nf* luminosity.
lunaire [lynɛr] *a* lunar; **clarté l.** light *ou* brightness of the moon.
lunatique [lynatik] *a* temperamental.
lunch [lœ̃ʃ, lœntʃ] *nm* buffet lunch, snack.
lundi [lœ̃di] *nm* Monday.
lune [lyn] *nf* moon; **l. de miel** honeymoon; **être dans la l.** to have one's head in the clouds, be up in the clouds. ● **luné, -ée** *a* **être bien/mal l.** *Fam* to be in a good/bad mood.
lunette [lynɛt] *nf* **1 lunettes** glasses, spectacles; (*de protection, plongée*) goggles; **lunettes de soleil** sunglasses. **2** (*astronomique*) telescope; **l. arrière** (*de voiture*) rear window.
lurette [lyrɛt] *nf* **il y a belle l.** *Fam* a long time ago.
luron [lyrɔ̃] *nm* **gai l.** gay fellow.

lustre [lystr] *nm* (*éclairage*) chandelier; (*éclat*) lustre. ●**lustré, -ée** *a* (*par l'usure*) shiny.

lustres [lystr] *nmpl* **depuis des l.** *Fam* for ages and ages.

luth [lyt] *nm* (*instrument de musique*) lute.

lutin [lytɛ̃] *nm* elf, imp, goblin.

lutte [lyt] *nf* fight, struggle; *Sport* wrestling; **l. des classes** class warfare *ou* struggle. ●**lutter** *vi* to fight, struggle; *Sport* to wrestle. ●**lutteur, -euse** *nmf* fighter; *Sport* wrestler.

luxation [lyksasjɔ̃] *nf* (*de l'épaule etc*) dislocation; **se faire une l. à l'épaule**/*etc* to dislocate one's shoulder/*etc*.

luxe [lyks] *nm* luxury; **un l. de** a wealth of; **article de l.** luxury article; **modèle de l.** de luxe model. ●**luxueux, -euse** *a* luxurious.

Luxembourg [lyksãbur] *nm* Luxembourg.

luxure [lyksyr] *nf* lewdness, lust.

luxuriant, -ante [lyksyrjã, -ãt] *a* luxuriant.

luzerne [lyzɛrn] *nf* (*plante*) *Br* lucerne, *Am* alfalfa.

lycée [lise] *nm Br* (secondary) school, *Am* high school; **l. technique** *ou* **professionnel** vocational *ou* technical school ●**lycéen, -enne** *nmf* pupil *ou* student (*at a lycée*).

lymphathique [lɛ̃fatik] *a* (*apathique*) sluggish.

lyncher [lɛ̃ʃe] *vt* to lynch. ●**lynchage** *nm* lynching.

lynx [lɛ̃ks] *nm* lynx; **avoir des yeux de l.** to have eyes like a hawk.

lyophiliser [ljɔfilize] *vt* (*café etc*) to freeze-dry.

lyre [lir] *nf* (*instrument de musique antique*) lyre.

lyrique [lirik] *a* (*poème etc*) lyric; (*passionné*) *Fig* lyrical; **artiste l.** opera singer. ●**lyrisme** *nm* lyricism.

lys [lis] *nm* (*plante, fleur*) lily.

M

M, m [ɛm] *nm* M, m.
m *abrév* (*mètre*) metre.
M [məsjø] *abrév* = **Monsieur**.
m' [m] *voir* **me**.
ma [ma] *voir* **mon**.
macabre [makabr] *a* macabre, gruesome.
macadam [makadam] *nm* (*goudron*) tarmac.
macaron [makarɔ̃] *nm* **1** (*gâteau*) macaroon. **2** (*insigne*) (round) badge.
macaroni(s) [makarɔni] *nm(pl)* macaroni.
macédoine [masedwan] *nf* **m.** (**de légumes**) mixed vegetables; **m.** (**de fruits**) fruit salad.
macérer [masere] *vti* (*fruits etc*) to soak. ● **macération** *nf* soaking.
mâcher [mɑʃe] *vt* to chew; **m. le travail à qn** to go over all s.o.'s work for him, make s.o.'s task easy; **il ne mâche pas ses mots** he doesn't mince matters *ou* his words.
machiavélique [makjavelik] *a* Machiavellian.
machin, -ine [maʃɛ̃, -ʃin] *nmf Fam* (*chose*) what's-it; **M.** (*personne*) what's-his-name; **Machine** what's-her-name.
machinal, -e, -aux [maʃinal, -o] *a* instinctive, unconscious, mechanical. ● **machinalement** *adv* instinctively, unconsciously, mechanically.
machination [maʃinasjɔ̃] *nf* machination.
machine [maʃin] *nf* (*appareil, avion, système etc*) machine; (*locomotive, moteur*) engine; **machines** *Tech* machines, (heavy) machinery; **m. à calculer** calculator; **m. à coudre** sewing machine; **m. à écrire** typewriter; **m. à laver** washing machine; **m. à laver la vaisselle** dishwasher; **m. à** *ou* **de traitement de texte** word processor; **salle des machines** (*de bateau*) engine room. ● **machinerie** *nf* (*de bateau*) engine room. ● **machiniste** *nm* (*conducteur*) driver; (*au théâtre*) stage-hand.
macho [matʃo] *Fam nm* macho m ▮ *a* (*f inv*) (*attitude etc*) macho.
mâchoire [maʃwar] *nf* jaw.
mâchonner [maʃɔne] *vt* to chew, munch.
maçon [masɔ̃] *nm* builder; (*briques*) bricklayer; (*pierres*) mason. ● **maçonnerie** *nf* (*travaux*) building work; (*ouvrage de briques*) brickwork; (*de pierres*) masonry, stonework.
macro-instruction [makroɛ̃stryksjɔ̃] *nf Ordinat* macro.
maculer [makyle] *vt Litt* to stain (**de** with).
Madagascar [madagaskar] *nf* Madagascar.
madame, *pl* **mesdames** [madam, medam] *nf* madam; **oui m.** yes (madam); **bonjour mesdames** good morning (ladies); **Madame** *ou* **Mme Legras** Mrs Legras; **Madame** (*dans une lettre*) Dear Madam.
madeleine [madlɛn] *nf* (small) sponge cake.
mademoiselle, *pl* **mesdemoiselles** [madmwazɛl, medmwazɛl] *nf* miss; **oui m.** yes (miss); **bonjour mesdemoiselles** good morning (ladies); **Mademoiselle** *ou* **Mlle Legras** Miss Legras; **Mademoiselle** (*dans une lettre*) Dear Madam.
madère [madɛr] *nm* (*vin*) Madeira.
Madère [madɛr] *nf* (*île*) Madeira.
madone [madɔn] *nf Rel* madonna.
madrier [madrije] *nm* (*poutre*) beam.
maestro [maɛstro] *nm Mus* maestro.
maf(f)ia [mafja] *nf* Mafia.
magasin [magazɛ̃] *nm Br* shop, *Am* store; (*entrepôt*) warehouse; (*d'arme*) & *Phot* magazine; **grand m.** department store; **en m.** in stock. ● **magasinier** *nm* warehouseman.
magazine [magazin] *nm* (*revue*) magazine.
magie [maʒi] *nf* magic. ● **magicien, -ienne** *nmf* magician. ● **magique** *a* (*baguette etc*) magic; (*mystérieux, enchanteur*) magical.
magistral, -e, -aux [maʒistral, -o] *a* masterly, magnificent; **cours m.** lecture. ● **magistralement** *adv* magnificently.
magistrat [maʒistra] *nm* magistrate. ● **magistrature** *nf* judiciary, magistracy.
magma [magma] *nm* (*roche*) magma; (*mélange*) *Fig* jumble.
magnanime [maɲanim] *a* magnanimous.
magnat [magna] *nm* tycoon, magnate.
magner (se) [səmaɲe] *vpr Fam* to hurry up.
magnésium [maɲezjɔm] *nm* magnesium.
magnétique [maɲetik] *a* magnetic. ● **magnétiser** *vt* to magnetize. ● **magnétisme** *nm* magnetism.
magnétophone [maɲetɔfɔn] (*Fam* **magnéto**) *nm* tape recorder; **m. à cassettes** cassette recorder. ● **magnétoscope** *nm* video recorder, VCR, *Br* video.
magnifique [maɲifik] *a* magnificent. ● **magnificence** *nf* magnificence. ● **magnifiquement** *adv* magnificently.
magnolia [maɲɔlja] *nm* (*arbre*) magnolia.
magot [mago] *nm* (*économies*) *Fam* nest egg, hoard.
magouille(s) [maguj] *nf(pl) Fam* wheeling and dealing, (shady) scheming.
magret [magrɛ] *nm* **m. de canard** *Br* fillet *ou Am* filet of duck.
mai [mɛ] *nm* May.
maigre [mɛgr] *a* thin, lean; (*viande*) lean; (*fromage, yaourt*) low-fat; (*repas, salaire, espoir*) meagre; **faire m.** to abstain from meat ● **maigrement** [-əmɑ̃] *adv* (*chichement*) meagrely. ● **maigreur** *nf* thinness; (*de*

viande) leanness; (*médiocrité*) *Fig* meagreness. ●**maigrichon, -onne** [mεg-] *a* & *nmf Fam* skinny (person). ●**maigrir** [mεgrir] *vi* to get thin(ner) ▮ *vt Litt* to make thin(ner).

maille [mɑj] *nf* (*de tricot*) stitch; (*de filet*) mesh; **m. filée** (*de bas*) run, *Br* ladder; **avoir m. à partir avec qn** *Fig* to have an argument *ou* a brush with s.o. ●**maillon** *nm* (*de chaîne*) link.

maillet [mɑjε] *nm* (*outil*) mallet.

maillot [mɑjo] *nm* (*de sportif*) jersey, shirt; (*de danseur*) leotard, tights; m. (de corps) *Br* vest, *Am* undershirt; **m. (de bain)** (*de femme*) swimsuit; (*d'homme*) (swimming) trunks; **être m. jaune** to be the overall leader of the Tour de France (*who wears a yellow jersey*).

main [mε̃] *nf* hand; **tenir à la m.** to hold in one's hand; **à la m.** (*faire, écrire etc*) by hand; **haut les mains!** hands up!; **donner un coup de m. à qn** *Fig* to lend s.o. a (helping) hand; **avoir le coup de m.** (*habileté*) to have the knack; **sous la m.** at hand, handy; **la m. dans la m.** hand in hand; **en venir aux mains** to come to blows; **avoir la m. heureuse** *Fig* to be lucky (*in what one does*); **mettre la dernière m. à qch** to put the finishing touches to sth; **demander la m. d'une femme** to ask for a woman's hand (in marriage); **faire m. basse sur qch** (*police etc*) to seize sth, take sth away; **mettre la m. à la pâte** to do one's bit, lend a hand; **ne pas y aller de m. morte** not to pull punches; **j'y mettrais ma m. au feu** *Fig* I'd stake my all *ou* my life on it; **remettre qch en m. propre** to hand sth over in person; **attaque/vol à m. armée** armed attack/robbery; **homme de m.** henchman, hired man; **m. courante** handrail; **prêter m.-forte à qn** to lend assistance to s.o.

main-d'œuvre [mε̃dœvr] *nf* (*pl* **mains-d'œuvre**) (*travail*) manpower, labour; (*salariés*) work *ou* labour force.

mainmise [mε̃miz] *nf* (*prise*) seizure (**de** by, **sur** of); (*influence*) *Péj* stranglehold (**sur** over).

maint, mainte [mε̃, mε̃t] *a Litt* many a; **maintes fois, à maintes reprises** many a time.

maintenant [mε̃t(ə)nɑ̃] *adv* now; (*de nos jours*) nowadays; **m. que** now that; **dès m.** from now on.

maintenir* [mε̃t(ə)nir] *vt* (*conserver*) to keep, maintain; (*retenir*) to hold, keep; (*affirmer*) to maintain (**que** that) ▮ **se maintenir** *vpr* (*durer*) to be maintained; (*rester*) to keep; (*malade, vieillard*) to hold one's own; **se m. en forme** to keep in shape *ou* in trim. ●**maintien** *nm* (*action*) maintenance (**de** of); (*allure*) bearing.

maire [mεr] *nm* mayor. ●**mairie** *nf Br* town hall, *Am* city hall; (*administration*) *Br* town council, *Am* city hall.

mais [mε] *conj* but; **m. oui, m. si** yes of course; **m. non** definitely not.

maïs [mais] *nm* (*céréale*) *Br* maize, *Am* corn; **farine de m.** *Br* cornflour, *Am* cornstarch.

maison [mεzɔ̃] *nf* (*bâtiment*) house; (*chezsoi, asile*) home; (*entreprise*) company, firm; (*famille*) household; **à la m.** at home; **aller à la m.** to go home; **rentrer à la m.** to go *ou* come (back) home; **m. individuelle** detached house; **la M. Blanche** *Am* the White House; **m. de la culture** arts *ou* cultural centre; **m. d'étudiants** student hostel; **m. des jeunes** youth club; **m. de repos** rest home; **m. de retraite** old people's home; **m. de santé** (*pour malades*) nursing home ▮ *a inv* (*tartes etc*) homemade. ●**maisonnée** *nf* household. ●**maisonnette** *nf* small house.

maître [mεtr] *nm* master; **se rendre m. de** (*incendie*) to bring under control; (*pays*) to conquer; **être m. de la situation** to be in control of *ou* master of the situation; **m. de soi** in control of oneself; **m. d'école** teacher; **m. d'hôtel** (*restaurant*) head waiter; **m. de maison** host; **m. nageur** (*sauveteur*) swimming instructor (and lifeguard); **m. chanteur** blackmailer; **coup de m.** master stroke.

maîtresse [mεtrεs] *nf* mistress; **m. d'école** teacher; **m. de maison** hostess; (*ménagère*) housewife; **être m. de la situation** to be in control of the situation ▮ *af* (*idée, poutre*) main; (*carte*) master.

maîtrise [mεtriz] *nf* (*habileté, contrôle*) mastery (**de** of); (*diplôme*) Master's degree (**de** in); **m. (de soi)** self-control. ●**maîtriser** *vt* (*incendie*) to (bring under) control; (*émotion*) to master, control; (*sujet*) to master; **m. qn** to overpower s.o., subdue s.o. ▮ **se maîtriser** *vpr* to control oneself.

majesté [maʒεste] *nf* majesty; **Votre M.** (*titre*) Your Majesty. ●**majestueux, -euse** *a* majestic, stately.

majeur [maʒœr] **1** *a* (*important*) & *Mus* major; **être m.** *Jur* to be of age; **la majeure partie de** most of; **en majeure partie** for the most part. **2** *nm* (*doigt*) middle finger.

majorer [maʒɔre] *vt* to raise, increase. ●**majoration** *nf* (*hausse*) increase (**de** in).

majorette [maʒɔrεt] *nf* (drum) majorette.

majorité [maʒɔrite] *nf* majority (**de** of); (*âge*) *Jur* coming of age, majority; (*gouvernement*) government, party in office; **en m.** in the *ou* a majority; (**pour la plupart**) in the main. ●**majoritaire** *a* **scrutin m.** first-past-the-post voting system; **être m.** to be in the *ou* a majority; **être m. aux élections** to win the elections.

Majorque [maʒɔrk] *nf* Majorca.

majuscule [maʒyskyl] *a* capital ▮ *nf* capital letter.

mal, maux [mal, mo] **1** *nm* (*douleur*) pain; (*dommage*) harm; (*maladie*) illness; (*malheur*) misfortune; *Phil Rel* evil; **dire du m. de qn** to say bad things about s.o., speak ill of s.o.; **m. de dents** toothache; **m. de gorge** sore throat; **m. de tête** headache; **m. de ventre** stomach-ache; **avoir le m. de mer** to be seasick; **m. du pays** homesickness; **avoir le m. du pays** to be homesick; **avoir m. à la**

malade

tête/à la gorge/*etc* to have a headache/sore throat/*etc*; ça (me) fait m., j'ai m. it hurts (me); faire du m. à qn to harm s.o., hurt s.o.; avoir du m. à faire to have trouble (in) doing; se donner du m. pour faire to go to a lot of trouble to do; le bien et le m. good and evil. 2 *adv* (*travailler etc*) badly; (*entendre, comprendre*) not too well; aller m. (*projet etc*) to be going badly; (*personne*) *Méd* to be bad *or* ill; prendre m. to catch a chill, catch cold; m. (à l'aise) uncomfortable; se trouver m. to (feel) faint; (ce n'est) pas m.! (*mauvais*) (that's) not bad!; pas m. (*beaucoup*) *Fam* quite a lot (de of); c'est m. de mentir/*etc* (*moralement*) it's wrong to lie/*etc*; de m. en pis from bad to worse; m. renseigner/ interpréter/*etc* to misinform/misinterpret/*etc*.
malade [malad] *a* ill, sick; (*arbre, dent*) diseased; (*estomac, jambe*) bad; être m. du foie/cœur to have a bad liver/heart ∎ *nmf* sick person; (*d'un médecin*) patient; les malades the sick. ●**maladie** *nf* illness, disease, sickness. ●**maladif, -ive** *a* (*personne*) sickly; (*morbide*) morbid.
maladroit, -oite [maladrwa, -wat] *a* (*malhabile*) clumsy, awkward; (*indélicat*) tactless. ●**maladresse** *nf* clumsiness, awkwardness; (*indélicatesse*) tactlessness; (*bévue*) blunder.
malaise [malɛz] *nm* (*angoisse*) uneasiness, malaise; (*indisposition*) feeling of faintness *ou* discomfort *ou* dizziness; avoir un m. to feel faint *ou* dizzy.
malaisé, -ée [maleze] *a* difficult.
Malaisie [malɛzi] *nf* Malaysia.
malaria [malarja] *nf* malaria.
malavisé, -ée [malavize] *a* ill-advised (de faire to do).
malaxer [malakse] *vt* (*pétrir*) to knead; (*mélanger*) to mix. ●**malaxeur** *nm Tech* mixer.
malchance [malʃɑ̃s] *nf* bad luck; une m. (*mésaventure*) a mishap; jouer de m. to have no luck at all, have a run of bad luck. ●**malchanceux, -euse** *a* unlucky.
malcommode [malkɔmɔd] *a* awkward.
mâle [mal] *a* male; (*viril*) manly ∎ *nm* male.
malédiction [malediksjɔ̃] *nf* curse.
maléfice [malefis] *nm* evil spell. ●**maléfique** *a* evil, baleful.
malencontreux, -euse [malɑ̃kɔ̃trø, -øz] *a* unfortunate.
malentendant, -ante [malɑ̃tɑ̃dɑ̃, -ɑ̃t] *nmf* person who is hard of hearing.
malentendu [malɑ̃tɑ̃dy] *nm* misunderstanding.
malfaçon [malfasɔ̃] *nf* defect.
malfaisant, -ante [malfəzɑ̃, -ɑ̃t] *a* evil, harmful.
malfaiteur [malfɛtœr] *nm* criminal.
malformation [malfɔrmasjɔ̃] *nf* malformation.
malgré [malgre] *prép* in spite of; m. tout for all that, after all; m. soi (*à contrecœur*) reluctantly.
malhabile [malabil] *a* clumsy.

malheur [malœr] *nm* (*événement*) misfortune; (*accident*) mishap; (*malchance*) bad luck, misfortune; par m. unfortunately. ●**malheureusement** *adv* unfortunately. ●**malheureux, -euse** *a* (*triste*) unhappy, miserable; (*fâcheux*) unfortunate; (*malchanceux*) unlucky, unfortunate ∎ *nmf* (*infortuné*) poor man *ou* woman, (poor) wretch; (*indigent*) needy person.
malhonnête [malɔnɛt] *a* dishonest. ●**malhonnêteté** *nf* dishonesty; une m. (*action*) a dishonest act.
malice [malis] *nf* mischievousness. ●**malicieux, -euse** *a* mischievous.
malin, -igne [malɛ̃, -iɲ] *a* (*astucieux*) clever, smart; prendre un m. plaisir à faire qch to take a malicious delight in *ou* take malicious pleasure in doing sth; c'est (vraiment) m.! Iron *Fam* that's (really) clever!; tumeur maligne *Méd* malignant tumour. ●**malignité** *nf* (*méchanceté*) malice, maliciousness; *Méd* malignancy.
malingre [malɛ̃gr] *a* puny, sickly.
malintentionné, -ée [malɛ̃tɑ̃sjɔne] *a* ill-intentioned (à l'égard de towards).
malle [mal] *nf* (*coffre*) trunk; (*de véhicule*) *Br* boot, *Am* trunk. ●**mallette** *nf* small suitcase; (*pour documents*) attaché case.
malléable [maleabl] *a* malleable.
malmener [malməne] *vt* to manhandle, treat badly.
malnutrition [malnytrisjɔ̃] *nf* malnutrition.
malodorant, -ante [malɔdɔrɑ̃, -ɑ̃t] *a* smelly.
malotru, -ue [malɔtry] *nmf* boor, lout.
malpoli, -ie [malpɔli] *a Fam* rude, bad-mannered.
malpropre [malprɔpr] *a* (*sale*) dirty. ●**malpropreté** *nf* dirtiness.
malsain, -aine [malsɛ̃, -ɛn] *a* unhealthy, unwholesome.
malséant, -ante [malseɑ̃, -ɑ̃t] *a* unseemly.
malt [malt] *nm* malt.
Malte [malt] *nf* Malta. ●**maltais, -aise** *a* Maltese ∎ *nmf* M., Maltaise Maltese.
maltraiter [maltrete] *vt* to ill-treat.
malveillant, -ante [malvɛjɑ̃, -ɑ̃t] *a* malevolent. ●**malveillance** *nf* malevolence, ill will.
malvenu, -ue [malvəny] *a* (*déplacé*) uncalled-for.
maman [mamɑ̃] *nf Br* mum(my), *Am* mom(my).
mamelle [mamɛl] *nf* (*d'animal*) teat; (*de vache*) udder. ●**mamelon** *nm* 1 (*de femme*) nipple. 2 (*colline*) hillock.
mamie [mami] *nf* grandma, granny.
mammifère [mamifɛr] *nm* mammal.
manche [mɑ̃ʃ] 1 *nf* (*de vêtement*) sleeve; *Sport Cartes* round; la M. *Géog* the Channel. 2 *nm* (*d'outil etc*) handle; m. à balai broomstick; (*d'avion, d'ordinateur*) joystick; c'est une autre paire de manches! *Fam* that's quite another matter *ou* story, it's a different ball game. ●**manchette** *nf* (*de chemise etc*) cuff. 2 (*de journal*) headline. ●**manchon** *nm* (*en fourrure*) muff.

manchot, -ote [mɑ̃ʃo, -ɔt] **1** *a & nmf* one-armed *ou* one-handed (person). **2** *nm* (*oiseau*) penguin.
mandarin [mɑ̃darɛ̃] *nm* (*lettré influent*) *Péj* mandarin.
mandarine [mɑ̃darin] *nf* (*fruit*) tangerine, mandarin (orange).
mandat [mɑ̃da] *nm* **1 m. postal** money order. **2** (*pouvoir*) & *Pol* mandate; *Jur* power of attorney; **m. d'arrêt** warrant (**contre qn** for s.o.'s arrest); **m. de perquisition** search warrant. ●**mandataire** *nmf* (*délégué*) representative, proxy. ●**mandater** *vt* to delegate; (*député*) *Pol* to give a mandate to.
manège [manɛʒ] *nm* **1** (*à la foire*) merry-go-round, *Br* roundabout; (*lieu*) riding-school; (*piste*) ring, manège; (*exercice*) horsemanship. **2** (*intrigue*) ploy, trickery (*no pl*), wiles.
manette [manɛt] *nf* lever, handle.
mangeoire [mɑ̃ʒwar] *nf* (feeding) trough.
manger [mɑ̃ʒe] *vt* to eat; (*corroder*) to eat into; (*essence, électricité*) *Fig* to guzzle; (*fortune*) *Fig* to eat up; **donner à m. à** to feed ▮ *vi* to eat; **on mange bien ici** the food is good here; **m. à sa faim** to have enough to eat ▮ *nm* (*nourriture*) food. ●**mangeable** *a* eatable. ●**mangeaille** *nf Péj* (bad) food. ●**mangeur, -euse** *nmf* eater; **être un gros m.** to be a big eater.
mangue [mɑ̃g] *nf* (*fruit*) mango.
manie [mani] *nf* mania, craze (**de** for). ●**maniaque** *a* fussy, finicky ▮ *nmf Br* fusspot, *Am* fussbudget; **un m. de la propreté**/*etc* a maniac for cleanliness/*etc*.
manier [manje] *vt* to handle; **se m. bien** (*véhicule etc*) to handle well. ●**maniabilité** *nf* (*de véhicule etc*) *Br* manoeuvrability, *Am* maneuverability. ●**maniable** *a* easy to handle. ●**maniement** *nm* handling; **m. d'armes** *Mil* drill.
manière [manjɛr] *nf* way, manner; **manières** (*politesse*) manners; **de toute m.** anyway, anyhow; **de cette m.** (in) this way; **de m. à faire** so as to do; **à ma m.** my way, (in) my own way; **la m. dont elle parle** the way (in which) she talks; **d'une m. générale** generally speaking; **faire des manières** (*simagrées*) to make a fuss; (*être affecté*) to put on airs. ●**maniéré, -ée** *a* affected; (*style*) mannered.
manif [manif] *nf abrév* (*manifestation*) *Fam* demo.
manifeste [manifɛst] **1** *a* (*évident*) manifest, patent, obvious. **2** *nm Pol* manifesto. ●**manifestement** [-əmɑ̃] *adv* patently, manifestly.
manifester [manifeste] **1** *vi* (*dans la rue*) to demonstrate. **2** *vt* (*sa colère etc*) to show, manifest ▮ **se manifester** *vpr* (*maladie, sentiment etc*) to show *ou* manifest itself; (*apparaître*) to appear. ●**manifestant, -ante** *nmf* demonstrator. ●**manifestation** *nf* **1** (*défilé*) demonstration; (*réunion, fête*) event. **2** (*expression*) expression, manifestation; (*de symptômes*) appearance.
manigance [manigɑ̃s] *nf* little scheme. ●**manigancer** *vt* to plot.
manipuler [manipyle] *vt* (*manier*) to handle; (*faits, électeurs*) *Péj* to manipulate. ●**manipulation** *nf* handling; *Péj* manipulation (**de** of); **manipulations** *Pol Péj* manipulation; **manipulations génétiques** genetic engineering *ou* manipulation.
manivelle [manivɛl] *nf* (*pour voiture*) crank.
mannequin [mankɛ̃] *nm* (*personne*) (fashion) model; (*statue*) dummy.
manœuvre [manœvr] **1** *nm* (*ouvrier*) labourer, unskilled worker. **2** *nf* (*opération*) & *Mil Br* manoeuver, *Am* maneuver; (*action*) manoeuvring; (*intrigue*) scheme. ●**manœuvrer** *vt* (*véhicule, personne etc*) *Br* to manoeuvre, *Am* maneuver; (*machine*) to operate ▮ *vi Br* to manoeuvre, *Am* maneuver.
manoir [manwar] *nm* manor house.
manomètre [manɔmɛtr] *nm* (*pour pneus*) pressure gauge.
manque [mɑ̃k] *nm* lack (**de** of); (*lacune*) gap; **manques** (*défauts*) shortcomings; **m. à gagner** loss of profit.
manquer [mɑ̃ke] *vt* (*cible, train, chance etc*) to miss; (*ne pas réussir*) to make a mess of, ruin.
▮ *vi* (*faire défaut*) to be short *ou* lacking; (*être absent*) to be absent; (*être en moins*) to be missing *ou* short; (*échouer*) to fail; **m. de** (*pain, argent etc*) to be short of; (*attention, cohérence etc*) to lack; **m. à son devoir** to fail in one's duty; **m. à sa parole** to break one's word; **m. à l'appel** (*à l'école*) to miss the register; *Mil* to miss (the) roll call; **ça manque de sel**/*etc* there isn't enough salt/*etc*, it lacks salt/*etc*; **elle/cela lui manque** he misses her/that; **le temps lui manque** he's short of time, he has no time; **ça n'a pas manqué** that was bound to happen; **je ne manquerai pas de venir** I won't fail to come; **ne manquez pas de venir** don't forget to come; **je n'y manquerai pas** I won't forget; **elle a manqué (de) tomber** she nearly fell; **le cœur m'a manqué** my courage failed me.
▮ *v imp* **il manque**/**il nous manque dix tasses** there are/we are ten cups short. ●**manquant, -ante** *a* missing. ●**manqué, -ée** *a* (*médecin, pilote etc*) failed; (*livre*) unsuccessful. ●**manquement** *nm* breach (**à** of).
mansarde [mɑ̃sard] *nf* attic.
mansuétude [mɑ̃sɥetyd] *nf Litt* indulgence, kindness.
manteau, -x [mɑ̃to] *nm* coat.
manucure [manykyr] *nmf* manicurist. ●**manucurer** *vt Fam* to manicure.
manuel, -elle [manɥɛl] **1** *a* (*travail etc*) manual. **2** *nm* (*livre*) handbook, manual; **m. scolaire** textbook.
manufacture [manyfaktyr] *nf* factory. ●**manufacturé, -ée** *a* (*produit*) manufactured.
manuscrit [manyskri] *nm* manuscript; (*tapé à la machine*) typescript.
manutention [manytɑ̃sjɔ̃] *nf* handling (of goods). ●**manutentionnaire** *nmf* packer.
mappemonde [mapmɔ̃d] *nf* map of the

maquereau

world; (*sphère*) globe.
maquereau, -x [makro] *nm* (*poisson*) mackerel.
maquette [makɛt] *nf* (scale) model.
maquiller [makije] *vt* (*visage*) to make up; (*voiture etc*) *Péj* to tamper with; (*vérité etc*) *Péj* to fake, falsify ∎ **se maquiller** *vpr* to make (oneself) up. ●**maquillage** *nm* (*fard*) make-up.
maquis [maki] *nm* (*arbustes*) scrub, bush; *Mil Hist* maquis.
maraîcher, -ère [mareʃe, -ɛʃɛr] *nmf Br* market gardener, *Am* truck farmer ∎ *a* **culture maraîchère** *Br* market gardening, *Am* truck farming.
marais [marɛ] *nm* marsh, bog; **m. salant** saltern, saltworks.
marasme [marasm] *nm* **m. économique/politique**/*etc* economic/political/*etc* stagnation.
marathon [maratɔ̃] *nm* marathon.
maraudeur, -euse [marodœr, -øz] *nmf* petty thief.
marbre [marbr] *nm* marble. ●**marbré, -ée** *a* (*verre etc*) mottled, marbled; **gâteau m.** marble cake. ●**marbrier** *nm* (*funéraire*) monumental mason.
marc [mar] *nm* (*eau-de-vie*) marc, brandy; **m. (de café)** coffee grounds.
marchand, -ande [marʃɑ̃, -ɑ̃d] *nmf Br* shopkeeper, *Am* storekeeper, trader; (*de vins, charbon*) merchant; (*de voitures, meubles*) dealer; **m. de bonbons** confectioner; **m. de journaux** (*dans la rue*) newsvendor; (*dans un magasin*) *Br* newsagent, *Am* news dealer; **m. de légumes** *Br* greengrocer, *Am* produce dealer; **m. de poissons** fishmonger; **m. de couleurs** hardware merchant *ou* dealer ∎ *a* **valeur marchande** market value; **prix m.** trade price.
marchander [marʃɑ̃de] *vi* to haggle, bargain ∎ *vt* (*objet, prix*) to haggle over. ●**marchandage** *nm* haggling, bargaining.
marchandise(s) [marʃɑ̃diz] *nf(pl)* goods, merchandise.
marche [marʃ] *nf* 1 (*d'escalier*) step, stair. 2 (*trajet*) walk; *Mil Mus* march; (*rythme*) pace; (*de train, véhicule*) movement; (*de maladie, d'événement*) progress, course; **la m.** (*action*) *Sport* walking; **faire m. arrière** (*en voiture*) *Br* to reverse, *Am* back up; **un train/véhicule en m.** a moving train/vehicle; **mettre qch en m.** to start sth (up); **la bonne m. de** (*opération, machine*) the smooth running of; **la m. à suivre** (*procédure*) the correct procedure; **dans le sens de la m.** (*dans un train etc*) facing the front *ou* the engine.
marché [marʃe] *nm* (*lieu*) & *Écon* market; (*contrat*) deal; **faire son** *ou* **le m.** to do one's shopping (*in the market*); **vendre (à) bon m.** to sell cheap(ly); **par-dessus le m.** *Fig* into the bargain; **vendre au m. noir** to sell on the black market; **le m. du travail** the labour market; **le M. commun** the Common Market; **le m. unique européen** the single European market. ∎ *a inv* **être bon m.** to be cheap; **voiture(s)/etc bon m.** cheap car(s)/*etc*; **c'est meilleur m.** it's cheaper.
marchepied [marʃəpje] *nm* (*de train, bus*) step(s); (*de voiture*) running board.
marcher [marʃe] *vi* (*à pied*) to walk; (*poser le pied*) to tread, step (**dans** in); (*train, véhicule etc*) to run, go, move; (*soldats*) to march; (*fonctionner*) to work, go, run; (*prospérer*) to go well; **faire m.** (*machine*) to work; (*entreprise*) to run; (*tromper*) *Fam* to kid (*s.o.*); **ça marche?** *Fam* how's it going?; **elle va m.** (*accepter*) *Fam* she'll go along (with it). ●**marcheur, -euse** *nmf* walker.
mardi [mardi] *nm* Tuesday; **M. gras** Shrove Tuesday.
mare [mar] *nf* (*étang*) pond; (*flaque*) pool.
marécage [marekaʒ] *nm* swamp, marsh. ●**marécageux, -euse** *a* swampy, marshy.
maréchal, -aux [mareʃal, -o] *nm* (*dans l'armée française*) marshal. ●**maréchal-ferrant** *nm* (*pl* **maréchaux-ferrants**) blacksmith.
marée [mare] *nf* tide; (*poissons*) fresh (sea) fish; **m. haute/basse** high/low tide; **m. noire** oil slick.
marelle [marɛl] *nf* (*jeu*) hopscotch; **jouer à la m.** to play hopscotch.
marémotrice [maremɔtris] *af* **usine m.** tidal power station.
margarine [margarin] *nf* margarine, *Br* marge.
marge [marʒ] *nf* (*de cahier etc*) margin; **en m. de** (*en dehors de*) on the fringe(s) of, on the periphery of; **m. de sécurité** safety margin. ●**marginal, -e, -aux** *a* (*secondaire, asocial*) marginal ∎ *nmf* misfit, drop-out; (*bizarre*) weirdo.
marguerite [margərit] *nf* (*fleur*) daisy, marguerite.
mari [mari] *nm* husband.
mariage [marjaʒ] *nm* marriage; (*cérémonie*) wedding; (*mélange*) *Fig* blend, marriage; **demande en m.** proposal (of marriage).
marier [marje] *vt* (*couleurs*) to blend; **m. qn** (*prêtre, maire etc*) to marry s.o.; **m. qn avec** qn to marry s.o. (off) to s.o. ∎ **se marier** *vpr* to get married, marry; **se m. avec qn** to get married to s.o., marry s.o. ●**marié, -ée** *a* married ∎ *nm* (bride)groom; **les mariés** the bride and (bride)groom; **les jeunes mariés** the newly-weds. ●**mariée** *nf* bride.
marijuana [mariʒyana] *nf* marijuana.
marin, -ine [marɛ̃, -in] *a* (*flore*) marine; (*mille*) nautical; **air/sel**/*etc* **m.** sea air/salt/*etc*; **costume m.** sailor suit ∎ *nm* sailor, seaman. ●**marine** *nf* **m.** (**de guerre**) navy; **m. marchande** merchant navy ∎ *a & nm inv* (*bleu*) **m.** (*couleur*) navy (blue).
marina [marina] *nf* marina.
mariner [marine] *vti Culin* to marinate.
marionnette [marjɔnɛt] *nf* puppet; (*à fils*) marionette.
maritalement [maritalmɑ̃] *adv* **vivre m.** to

live together (as husband and wife).
maritime [maritim] *a* (*droit, climat etc*) maritime; port m. seaport; gare m. harbour station; les Provinces maritimes *Can* the Maritime Provinces.
marjolaine [marʒɔlɛn] *nf* (*aromate*) marjoram.
mark [mark] *nm* (*monnaie*) mark.
marmaille [marmɑj] *nf* (*enfants*) *Fam Péj* kids.
marmelade [marməlad] *nf* m. (de fruits) *Br* stewed fruit, *Am* fruit compote; en m. (*trop cuit*) cooked to a pulp *ou* mush; avoir le nez en m. *Fig* to get one's nose reduced to a pulp *ou* mush.
marmite [marmit] *nf* (cooking) pot.
marmonner [marmɔne] *vti* to mutter.
marmot [marmo] *nm* (*enfant*) *Fam* kid.
marmotte [marmɔt] *nf* (*animal*) marmot; dormir comme une m. to sleep like a log.
marmotter [marmɔte] *vti* to mumble.
Maroc [marɔk] *nm* Morocco. ● **marocain, -aine** *a* Moroccan ▮ *nmf* M., Marocaine Moroccan.
maroquinerie [marɔkinri] *nf* (*magasin*) leather goods shop. ● **maroquinier** *nm* leather goods dealer.
marotte [marɔt] *nf* (*passion*) *Fam* fad, craze.
marque [mark] *nf* (*trace, signe*) mark; (*de produit*) make, brand; (*points*) *Sport* score; m. de fabrique trademark; m. déposée (registered) trademark; la m. de (*preuve*) the stamp of; de m. (*hôte, visiteur*) distinguished; (*produit*) of quality.
marquer [marke] *vt* (*par une marque*) to mark; (*écrire*) to note down; (*indiquer*) to show, mark; (*point, but*) *Sport* to score; m. qn *Sport* to mark s.o.; m. les points *Sport* to keep (the) score; m. le coup *Fam* to mark the event.
▮ *vi* (*laisser une trace*) to leave a mark; (*date, événement*) to stand out; *Sport* to score. ● **marquant, -ante** *a* (*remarquable*) outstanding; un fait m. a highlight, an outstanding episode *ou* event. ● **marqué, -ée** *a* (*différence, accent etc*) marked, pronounced. ● **marqueur** *nm* (*crayon feutre*) marker.
marquis [marki] *nm* marquis. ● **marquise** *nf* 1 marchioness. 2 (*auvent*) glass canopy.
marraine [marɛn] *nf* godmother.
marre [mar] *nf* en avoir m. *Fam* to be fed up (with).
marrer (se) [səmare] *vpr Fam* to have a good laugh. ● **marrant, -ante** *a Fam* funny, hilarious ▮ *nmf* c'est un m. *Fam* he's a good laugh, he's a real comedian.
marron¹ [marɔ̃] 1 *nm* chestnut; (*couleur*) (chestnut) brown; m. (d'Inde) horse chestnut ▮ *a inv* (*couleur*) (chestnut) brown. 2 *nm* (*coup*) *Fam* punch, clout. ● **marronnier** *nm* (horse) chestnut tree.
marron², -onne [marɔ̃, -ɔn] *a* (*médecin etc*) bogus.
mars [mars] *nm* March.
marsouin [marswɛ̃] *nm* porpoise.

marteau, -x [marto] *nm* hammer; (*de porte*) (door)knocker; m. pneumatique pneumatic drill. ● **marteau-piqueur** *nm* (*pl* marteaux-piqueurs) pneumatic drill. ● **marteler** *vt* to hammer. ● **martèlement** *nm* hammering.
martial, -e, -aux [marsjal, -o] *a* martial; cour martiale court-martial; loi martiale martial law; arts martiaux martial arts.
martien, -ienne [marsjɛ̃, -jɛn] *nmf & a* Martian.
martinet [martinɛ] *nm* (*fouet*) (small) whip.
Martinique [martinik] *nf* Martinique. ● **martiniquais, -aise** *a* Martinican ▮ *nmf* M., Martiniquaise Martinican.
martin-pêcheur [martɛ̃pɛʃœr] *nm* (*pl* martins-pêcheurs) (*oiseau*) kingfisher.
martyr, -yre¹ [martir] *nmf* (*personne*) martyr; enfant m. battered child. ● **martyre²** *nm* (*souffrance*) martyrdom; souffrir le m. to suffer unbearably *ou* atrociously, go through agony. ● **martyriser** *vt* to torture; (*enfant*) to batter.
marxisme [marksism] *nm* Marxism. ● **marxiste** *a & nmf* Marxist.
mascara [maskara] *nm* mascara.
mascarade [maskarad] *nf* masquerade.
mascotte [maskɔt] *nf* mascot.
masculin, -ine [maskylɛ̃, -in] *a* male; (*viril*) masculine, manly; (*nom etc*) *Grammaire* masculine; (*vêtement, équipe*) men's ▮ *nm Grammaire* masculine. ● **masculinité** *nf* masculinity.
masochisme [mazɔʃism] *nm* masochism. ● **masochiste** *nmf* (*Fam* maso) masochist ▮ *a* masochistic.
masque [mask] *nm* mask; m. à gaz/oxygène gas/oxygen mask. ● **masquer** *vt* (*dissimuler*) to mask (à from); (*cacher à la vue*) to block off.
massacre [masakr] *nm* slaughter, massacre; jeu de m. = *Br* Aunty Sally; ce fut un m. *Fig* it was a wholesale *ou* real massacre. ● **massacrer** *vt* to slaughter, massacre; (*abîmer*) *Fam* to ruin. ● **massacrant, -ante** *a* (*humeur*) excruciating.
massage [masaʒ] *nm* massage.
masse [mas] *nf* 1 (*volume*) mass; (*gros morceau, majorité*) bulk (de of); en m. (*arriver etc*) in large numbers; départ en m. mass *ou* wholesale departure; manifestation de m. mass demonstration; la m. (*foule*) the masses; les masses (*peuple*) the masses; une m. de (*tas*) a mass of; des masses de *Fam* masses of; pas des masses *Fam* not that much, not massively. 2 (*outil*) sledgehammer. 3 *Él Br* earth, *Am* ground.
masser [mase] 1 *vt* (*pétrir*) to massage. 2 **se masser** *vpr* (*foule*) to form, mass. ● **masseur** *nm* masseur. ● **masseuse** *nf* masseuse.
massif, -ive [masif, -iv] 1 *a* massive; (*or, chêne etc*) solid; départs massifs mass departure. 2 *nm* (*d'arbres, de fleurs*) clump; *Géog* massif. ● **massivement** *adv* (*en masse*) in large numbers.
massue [masy] *nf* (*bâton*) club.

mastic [mastik] *nm* (*pour vitres*) putty; (*pour bois*) filler; **m. (silicone)** mastic ▌ *a inv* (*imperméable etc*) putty-coloured.

mastiquer [mastike] *vt* **1** (*vitre*) to putty; (*bois*) to fill; (*porte*) to mastic. **2** (*mâcher*) to chew, masticate.

mastoc [mastɔk] *a inv Péj Fam* massive.

mastodonte [mastɔdɔ̃t] *nm* (*personne*) *Péj* monster; (*véhicule*) enormous vehicle, *Br* juggernaut.

masturber (se) [səmastyrbe] *vpr* to masturbate. ● **masturbation** *nf* masturbation.

masure [mazyr] *nf* tumbledown house.

mat, mate [mat] **1** *a* (*papier, couleur*) mat(t); (*bruit*) dull. **2** *am inv* & *nm* Échecs (check)mate; **faire m.** to (check)mate; **mettre qn m.** to (check)mate s.o.

mât [mɑ] *nm* (*de navire*) mast; (*poteau*) pole.

match [matʃ] *nm Sport Br* match, *Am* game; **m. nul** tie, draw; **m. aller** first leg; **m. retour** second *ou* return leg.

matelas [matla] *nm* mattress; **m. pneumatique** air bed. ● **matelassé, -ée** *a* (*tissu*) quilted, padded; (*meuble*) padded.

matelot [matlo] *nm* sailor, seaman.

mater [mate] *vt* (*enfant etc*) to subdue.

matérialiser [materjalize] *vt*, **se matérialiser** *vpr* to materialize. ● **matérialisation** *nf* materialization.

matérialisme [materjalism] *nm* materialism. ● **matérialiste** *a* materialistic ▌ *nmf* materialist.

matériau [materjo] *nm* material; **matériaux** (*de construction*) building material(s); (*de roman, enquête etc*) *Fig* material.

matériel, -ielle [materjɛl] **1** *a* (*dégâts etc*) material; (*personne*) *Péj* materialistic; (*financier*) financial; (*pratique*) practical. **2** *nm* (*de camping*) equipment, material(s); (*d'ordinateur*) hardware *inv*. ● **matériellement** *adv* materially; **m. impossible** physically impossible.

maternel, -elle [matɛrnɛl] *a* (*amour, femme etc*) maternal, motherly; (*parenté, réprimande*) maternal ▌ *nf* (**école**) **maternelle** *Br* (state) nursery school, *Am* kindergarten. ● **materner** *vt* to mother. ● **maternité** *nf* (*état*) motherhood, maternity; (*hôpital*) maternity hospital *ou* unit; (*grossesse*) pregnancy; **congé/allocation/etc de m.** maternity leave/ allowance/etc.

mathématique [matematik] *a* mathematical. ● **mathématiques** *nfpl* mathematics. ● **mathématicien, -ienne** *nmf* mathematician. ● **maths** [mat] *nfpl Fam Br* maths, *Am* math; **être en m. sup/spé** *Fam* to be in the first-/second-year mathematics class preparing for the *grandes écoles*.

matière [matjɛr] *nf* (*à l'école*) subject; (*de livre*) subject matter; (*substance*) material, matter (*no pl*); **la m.** *Phys* matter; **m. première** raw material; **en m. d'art/etc** as regards art/etc, in art/etc; **s'y connaître en m. de** to be experienced in; **en la m.** (*sur ce sujet*) on the subject.

Matignon [matiɲɔ̃] *nm* (**l'hôtel) M.** the Hotel Matignon (*French Prime Minister's office*).

matin [matɛ̃] *nm* morning; **le m.** (*chaque matin*) in the morning(s); **à sept heures du m.** at seven in the morning; **tous les mardis matin(s)** every Tuesday morning; **de bon m., au petit m., de grand m.** very early (in the morning); **du m. au soir** from morning till night; **le 8 au m.** on the morning of the 8th; **médicament à prendre m., midi et soir** medicine to be taken three times a day. ● **matinal, -e, -aux** *a* (*personne*) early; **soleil m.** morning sun; **être m.** to be an early riser.

matinée [matine] *nf* morning; *Théâtre Cinéma* matinée; **faire la grasse m.** to sleep late, *Br* lie in.

matou [matu] *nm* tomcat.

matraque [matrak] *nf* (*de policier*) *Br* truncheon, *Am* night stick, *Am* billy (club); (*de malfaiteur*) *Br* cosh, club. ● **matraquer** *vt* (*frapper*) to club; (*publicité etc*) to plug. ● **matraquage** *nm* **m. (publicitaire)** plugging, publicity build-up.

matrice [matris] *nf Math* matrix.

matricielle [matrisjɛl] *af* **imprimante m.** *Ordinat* dot matrix printer.

matricule [matrikyl] *nm* (registration) number ▌ *a* **numéro m.** registration number; **livret m.** army registration document.

matrimonial, -e, -aux [matrimɔnjal, -o] *a* matrimonial.

mâture [matyr] *nf* (*de navire*) masts.

maturité [matyrite] *nf* maturity. ● **maturation** *nf* maturing.

maudire* [modir] *vt* to curse. ● **maudit, -ite** *a* (*sacré*) (ac)cursed, damned.

maugréer [mogree] *vi* to growl, grumble (**contre** at).

Maurice (île) [ilmɔris] *nf* Mauritius.

mausolée [mozɔle] *nm* mausoleum.

maussade [mosad] *a* (*personne etc*) bad-tempered, moody, glum; (*temps*) gloomy.

mauvais, -aise [movɛ, -ɛz] *a* bad; (*méchant, malveillant*) wicked, evil; (*mal choisi*) wrong; (*mer*) rough; **plus m.** worse; **le plus m.** the worst; **il fait m.** the weather's bad; **être m. en anglais/etc** to be bad at English/etc; **être en mauvaise santé** to be in bad *ou* ill *ou* poor health ▌ *adv* **ça sent m.** it smells bad ▌ *nm* **le bon et le m.** the good and the bad.

mauve [mov] *a* & *nm* (*couleur*) mauve.

mauviette [movjɛt] *nf* (*personne*) *Péj* weakling.

maux [mo] *voir* **mal.**

maxime [maksim] *nf* maxim.

maximum [maksimɔm] *nm* maximum; **le m. de** (*force etc*) the maximum (amount of); **au m.** as much as possible; (*tout au plus*) at most ▌ *a* maximum; **la température/etc m.** maximum temperature/etc; **bénéfices/etc maximums** maximum profits/etc. ● **maximal, -e, -aux** *a* maximum.

mayonnaise [majɔnɛz] *nf* mayonnaise.

mazout [mazut] *nm* (fuel) oil.

me [m(ə)] (**m'** before vowel or mute h) *pron*

mélodie

1 (*complément direct*) me; **il me voit** he sees me. **2** (*indirect*) (to) me; **elle me parle** she speaks to me; **tu me l'as dit** you told me. **3** (*réfléchi*) myself; **je me lave** I wash myself.
méandres [meɑ̃dr] *nmpl* meander(ing)s.
mec [mɛk] *nm* (*individu*) *Arg* guy, bloke.
mécanicien [mekanisjɛ̃] *nm* mechanic; (*de train*) *Br* train driver, *Am* engineer.
mécanique [mekanik] *a* mechanical; **jouet m.** wind-up toy ▮ *nf* (*science*) mechanics; (*mécanisme*) mechanism. ● **mécanisme** *nm* mechanism.
mécaniser [mekanize] *vt* to mechanize. ● **mécanisation** *nf* mechanization.
mécène [mesɛn] *nm* patron (of the arts).
méchant, -ante [meʃɑ̃, -ɑ̃t] *a* (*cruel*) wicked, malicious, evil; (*désagréable*) nasty; (*enfant*) naughty; (*chien*) vicious; **chien m.!** beware of the dog!; **ce n'est pas m.** (*grave*) *Fam* it's nothing much; **être de méchante humeur** to be in a terrible *ou* foul mood. ● **méchamment** [-amɑ̃] *adv* (*cruellement*) maliciously; (*très*) *Fam* terribly. ● **méchanceté** *nf* malice, wickedness; **une m.** (*parole*) a malicious word; (*acte*) a malicious act.
mèche [mɛʃ] *nf* **1** (*de cheveux*) lock; **se faire faire des mèches** (*reflets*) to have highlights put in one's hair. **2** (*de bougie*) wick; (*de pétard*) fuse; (*de perceuse*) drill, bit; **vendre la m.** *Fig* to spill the beans, give the game away. **3 être de m. avec qn** (*complicité*) *Fam* to be in collusion *ou* cahoots with s.o.
méconnaître* [mekɔnɛtr] *vt* to ignore; (*méjuger*) to fail to appreciate. ● **méconnu, -ue** *a* unrecognized. ● **méconnaissable** *a* unrecognizable.
mécontent, -ente [mekɔ̃tɑ̃, -ɑ̃t] *a* dissatisfied, discontented (**de** with). ● **mécontenter** *vt* to displease, dissatisfy. ● **mécontentement** *nm* dissatisfaction, discontent.
Mecque (la) [lamɛk] *nf* Mecca.
médaille [medaj] *nf* (*décoration*) & *Sport* medal; (*bijou*) medallion; (*pour chien*) name tag; **être m. d'or/d'argent** *Sport* to be a gold/silver medallist. ● **médaillé, -ée** *nmf* medal holder. ● **médaillon** *nm* (*bijou*) locket, medallion; (*ornement*) *Archit* medallion.
médecin [medsɛ̃] *nm* doctor, physician; **m. généraliste** general practitioner; **m. de famille** family doctor; **m. traitant** regular doctor. ● **médecine** *nf* medicine; **médecines douces** alternative medicines; **étudiant en m.** medical student. ● **médical, -e, -aux** *a* medical. ● **médicament** *nm* medicine. ● **médicinal, -e, -aux** *a* medicinal. ● **médico-légal, -e, -aux** *a* (*laboratoire*) forensic.
média [medja] *nm* medium; **médias** (mass) media. ● **médiatique** *a* **campagne/événement/** *etc* **m.** media campaign/event/*etc*.
médiateur, -trice [medjatœr, -tris] *nmf* mediator ▮ *a* mediating. ● **médiation** *nf* mediation.
médical, -e, -aux [medikal, -o] *a voir* **médecin**.
médiéval, -e, -aux [medjeval, -o] *a* medi(a)eval.
médiocre [medjɔkr] *a* second-rate, mediocre. ● **médiocrement** [-əmɑ̃] *adv* (*pas très*) not very; (*pas très bien*) not very well. ● **médiocrité** *nf* mediocrity.
médire* [medir] *vi* **m. de qn** to speak ill of s.o., slander s.o. ● **médisance(s)** *nf(pl)* malicious gossip, slander; **une m.** a piece of malicious gossip.
méditer [medite] *vt* (*conseil etc*) to meditate on; **m. de faire** to consider doing ▮ *vi* to meditate (**sur** on). ● **méditatif, -ive** *a* meditative. ● **méditation** *nf* meditation.
Méditerranée [mediterane] *nf* **la M.** the Mediterranean. ● **méditerranéen, -enne** *a* Mediterranean.
médium [medjɔm] *nm* (*spirite*) medium.
méduse [medyz] *nf* jellyfish.
méduser [medyze] *vt* to stun, dumbfound.
meeting [mitiŋ] *nm Pol Sport* meeting, rally.
méfait [mefɛ] *nm Jur* misdeed; **méfaits** (*dégâts*) ravages.
méfier (se) [səmefje] *vpr* **se m. de** to distrust, mistrust; (*faire attention à*) to watch out for, beware of; **méfie-toi!** watch out!, beware!; **je me méfie** I'm suspicious *ou* distrustful. ● **méfiant, -ante** *a* suspicious, distrustful. ● **méfiance** *nf* distrust, mistrust.
mégalomane [megaloman] *nmf* megalomaniac. ● **mégalomanie** *nf* megalomania.
méga-octet [megaɔktɛ] *nm Ordinat* megabyte.
mégaphone [megafɔn] *nm Br* loudhailer, megaphone.
mégarde (par) [parmegard] *adv* inadvertently, by mistake.
mégère [meʒɛr] *nf* (*femme*) *Péj* shrew.
mégot [mego] *nm* cigarette butt *ou* end.
meilleur, -e [mɛjœr] *a* better (**que** than); **le m. résultat/moment/***etc* the best result/moment/*etc* ▮ *nmf* **le m., la meilleure** the best (one).
mélancolie [melɑ̃kɔli] *nf* melancholy, gloom. ● **mélancolique** *a* melancholy, gloomy.
mélange [melɑ̃ʒ] *nm* mixture, blend; (*opération*) mixing. ● **mélanger** *vt* (*mêler*) to mix; (*brouiller*) to mix up, muddle ▮ **se mélanger** *vpr* to mix; (*idées etc*) to get mixed up *ou* muddled.
mélasse [melas] *nf Br* treacle, *Am* molasses.
mêler [mele] *vt* to mix, mingle (**à** with); (*odeurs, thèmes*) to combine; (*brouiller*) to mix up, muddle; **m. qn à** (*impliquer*) to involve s.o. in.
▮ **se mêler** *vpr* to mix, mingle (**à** with); **se m. à la foule** to join the crowd, mingle with the crowd; **se m. de** (*s'ingérer dans*) to meddle in; **mêle-toi de ce qui te regarde!** mind your own business! ● **mêlé, -ée** *a* mixed (**de** with). ● **mêlée** *nf* (*bataille*) rough-and-tumble; *Rugby* scrum(mage).
méli-mélo [melimelo] *nm* (*pl* **mélis-mélos**) *Fam* muddle.
mélodie [melɔdi] *nf* melody. ● **mélodieux,**

mélodrame

-euse *a* melodious. ● **mélodique** *a* melodic. ● **mélomane** *nmf* music lover.
mélodrame [melɔdram] *nm* melodrama. ● **mélodramatique** *a* melodramatic.
melon [m(ə)lɔ̃] *nm* **1** (*fruit*) melon. **2** (**chapeau**) **m.** *Br* bowler (hat), *Am* derby.
membrane [mɑ̃bran] *nf* membrane.
membre [mɑ̃br] *nm* **1** (*bras, jambe*) limb. **2** (*d'un groupe*) member.
même [mɛm] **1** *a* (*identique*) same; **en m. temps** at the same time (**que** as); **le m. jour**/*etc* the same day/*etc*; **le jour**/*etc* **m.** (*exact*) the very day/*etc*; **il est la bonté m.** he is kindness itself; **lui-m.**/**vous-m.**/*etc* himself/yourself/*etc* ▌ *pron* **le m., la m.** the same (one); **j'ai les mêmes** I have the same (ones); **cela revient au m.** it amounts to the same thing.
2 *adv* (*y compris, aussi*) even; **m. si** even if; **ici m.** in this very place; **tout de m., quand m.** all the same; **de m.** likewise; **de m. que** just as; **être à m. de** to be in a position to; **dormir**/*etc* **à m. le sol** to sleep/*etc* on the ground; **boire à m. la bouteille** to drink (straight) from the bottle.
mémento [meme̅tɔ] *nm* (*aide-mémoire*) handbook; (*agenda*) notebook.
mémoire [memwar] **1** *nf* memory; **de m. d'homme** in living memory; **à la m. de** in memory of; **m. morte/vive** *Ordinat* read only/random access memory. **2** *nm* (*requête*) petition; *Univ* dissertation; **mémoires** *Littér* memoirs. ● **mémorable** *a* memorable.
mémorandum [memɔrɑ̃dɔm] *nm Pol Com* memorandum.
mémorial, -aux [memɔrjal, -o] *nm* (*monument*) memorial.
menace [mənas] *nf* threat, menace. ● **menacer** *vt* to threaten (**de faire** to do). ● **menaçant, -ante** *a* threatening.
ménage [menaʒ] *nm* (*entretien*) housekeeping; (*couple*) couple, household; **faire le m.** to do the housework; **faire bon m. avec** to get on happily with. ● **ménager**[1], **-ère** *a* **appareil m.** domestic *ou* household appliance; **travaux ménagers** housework ▌ *nf* **ménagère** (*femme*) housewife.
ménager[2] [menaʒe] *vt* (*arranger*) to prepare *ou* arrange (carefully); (*épargner*) to use sparingly, be careful with; (*fenêtre, escalier etc*) to build; **m. qn** to treat *ou* handle s.o. carefully *ou* gently. ● **ménagement** *nm* (*soin*) care; **sans m.** (*brutalement*) brutally.
ménagerie [menaʒri] *nf* menagerie.
mendier [mɑ̃dje] *vi* to beg ▌ *vt* to beg for. ● **mendiant, -ante** *nmf* beggar. ● **mendicité** *nf* begging.
menées [məne] *nfpl* schemings, intrigues.
mener [məne] *vt* (*personne, vie etc*) to lead; (*enquête, tâche etc*) to carry out; (*affaires*) to run; (*bateau*) to command; **m. une campagne** to wage a campaign; **m. qn à** (*accompagner*) to take s.o. to; **m. qch à bien** *Fig* to carry sth through; **ça ne mène à rien** it won't *ou* doesn't get you *ou* us *etc* anywhere ▌ *vi*

Sport to lead; **m. à** (*rue etc*) to lead to. ● **meneur, -euse** *nmf* (*de révolte*) (ring)leader.
méningite [menɛ̃ʒit] *nf* (*maladie*) meningitis.
ménopause [menɔpoz] *nf* menopause.
menottes [mənɔt] *nfpl* handcuffs.
mensonge [mɑ̃sɔ̃ʒ] *nm* lie; (*action*) lying. ● **mensonger, -ère** *a* untrue, false.
menstruation [mɑ̃stryasjɔ̃] *nf* menstruation.
mensuel, -elle [mɑ̃sɥɛl] *a* monthly ▌ *nm* (*revue*) monthly. ● **mensualité** *nf* monthly payment. ● **mensuellement** *adv* monthly.
mensurations [mɑ̃syrasjɔ̃] *nfpl* measurements.
mental, -e, -aux [mɑ̃tal, -o] *a* mental. ● **mentalité** *nf* mentality.
menthe [mɑ̃t] *nf* mint.
mention [mɑ̃sjɔ̃] *nf* mention, reference; (*annotation*) comment; (*à un examen*) = distinction; **m. passable/assez bien/bien/très bien** *Scol* = grade D/C/B/A pass; **faire m. de qch** to mention sth; **'rayez les mentions inutiles'** 'delete as appropriate'. ● **mentionner** *vt* to mention.
mentir* [mɑ̃tir] *vi* to lie, tell lies *ou* a lie (**à** to). ● **menteur, -euse** *nmf* liar ▌ *a* lying.
menton [mɑ̃tɔ̃] *nm* chin.
menu, -ue [məny] **1** *nm* (*liste des plats*) & *Ordinat* menu. **2** *a* (*petit*) tiny; (*mince*) slender, fine; (*peu important*) minor, petty ▌ *adv* (*hacher*) small, finely ▌ *nm* **par le m.** in detail.
menuisier [mənɥizje] *nm* carpenter, joiner. ● **menuiserie** *nf* carpentry, joinery; (*ouvrage*) woodwork.
méprendre (se) [səmeprɑ̃dr] *vpr* **se m. sur** *Litt* to be mistaken about. ● **méprise** *nf* mistake.
mépris [mepri] *nm* contempt (**pour** for), scorn (**de** for); **au m. de** without regard to; **avoir le m. des convenances**/*etc* to scorn convention/*etc*. ● **mépriser** *vt* to despise, scorn. ● **méprisant, -ante** *a* contemptuous, scornful.
méprisable [meprizabl] *a* despicable.
mer [mɛr] *nf* sea; (*marée*) tide; **en m.** at sea; **par m.** by sea; **aller à la m.** to go to the seaside *ou* the coast; **prendre la m.** to go out to sea, set sail; **un homme à la m.!** man overboard!
mercantile [mɛrkɑ̃til] *a Péj* money-grabbing.
mercenaire [mɛrsənɛr] *a & nm* mercenary.
mercerie [mɛrsəri] *nf* (*magasin*) *Br* haberdasher's, *Am* notions store. ● **mercier, -ière** *nmf Br* haberdasher, *Am* notions dealer *ou* merchant.
merci [mɛrsi] **1** *int & nm* thank you, thanks (**de, pour** for); **(non) m.!** no, thank you! **2** *nf* **à la m. de** at the mercy of; **tenir qn à sa m.** to have s.o. at one's mercy.
mercredi [mɛrkrədi] *nm* Wednesday.
mercure [mɛrkyr] *nm* mercury.
merde! [mɛrd] *int Fam* (bloody) hell!
mère [mɛr] *nf* mother; **de famille** mother (of a family); **m. porteuse** surrogate mother;

la m. Dubois *Fam* old Mrs Dubois; **maison m.** *Com* parent company *ou* firm.
méridien [meridjɛ̃] *nm* meridian.
méridional, -e, -aux [meridjɔnal, -o] *a* southern ‖ *nmf* southerner.
meringue [mərɛ̃g] *nf* (*gâteau*) meringue.
merisier [mərizje] *nm* (*bois*) cherry.
mérite [merit] *nm* merit; **homme de m.** (*valeur*) man of worth. ●**mériter** *vt* (*être digne de*) to deserve; (*valoir*) to be worth; **m. de réussir**/*etc* to deserve to succeed/*etc*. ●**méritant, -ante** *a* deserving. ●**méritoire** *a* commendable.
merlan [mɛrlɑ̃] *nm* 1 (*poisson*) whiting. 2 (*coiffeur*) *Fam* hairdresser.
merle [mɛrl] *nm* blackbird.
merveille [mɛrvɛj] *nf* wonder, marvel; **les sept Merveilles du monde** the seven wonders of the world; **à m.** wonderfully (well); **faire des merveilles** (*médicament etc*) to work wonders.
merveilleux, -euse [mɛrvɛjø, -øz] *a* wonderful, *Br* marvellous, *Am* marvelous ‖ *nm* **le m.** (*surnaturel*) the supernatural. ●**merveilleusement** *adv* wonderfully.
mes [me] *voir* **mon.**
mésange [mezɑ̃ʒ] *nf* (*oiseau*) tit.
mésaventure [mezavɑ̃tyr] *nf* slight mishap, misfortune, misadventure.
mesdames [medam] *voir* **madame.**
mesdemoiselles [medmwazɛl] *voir* **mademoiselle.**
mésentente [mezɑ̃tɑ̃t] *nf* disagreement, misunderstanding.
mesquin, -ine [mɛskɛ̃, -in] *a* mean, petty. ●**mesquinerie** *nf* meanness, pettiness; **une m.** an act of meanness.
mess [mɛs] *nm inv* (*salle*) *Mil* mess.
message [mesaʒ] *nm* message. ●**messager, -ère** *nmf* messenger.
messagerie [mesaʒri] *nf* **m. électronique** electronic mail; **messageries** *Com* courier service.
messe [mɛs] *nf* mass (*church service*); **faire des messes basses** *Fam* to whisper, mutter under one's breath.
Messie [mesi] *nm* Messiah.
messieurs [mesjø] *voir* **monsieur.**
mesure [məzyr] *nf* (*dimension*) measurement; (*action*) measure; (*retenue*) moderation; (*cadence*) *Mus* time, beat; **fait sur m.** made to measure; **à m. que** as, as soon *ou* as fast as; **dans la m. où** in so far as; **dans une certaine m.** to a certain extent; **être en m. de** to be able to, be in a position to; **dépasser la m.** to exceed the bounds; **prendre la m. de** (*problème etc*) to size up.
mesurer [məzyre] *vt* to measure; (*juger, estimer*) to calculate, assess, measure; (*argent, temps*) to ration (out); **m. 1 mètre 83** (*personne*) to be six feet tall; (*objet*) to measure six feet; **se m. à** *ou* **avec qn** *Fig* to pit oneself against s.o. ●**mesuré, -ée** *a* (*pas, ton*) measured; (*personne*) moderate.
met [mɛ] *voir* **mettre.**

métal, -aux [metal, -o] *nm* metal. ●**métallique** *a* (*éclat, reflet*) metallic; **pont**/*etc* **m.** metal bridge/*etc*. ●**métallisé, -ée** *a* **bleu**/*etc* **m.** metallic blue/*etc*.
métallo [metalo] *nm abrév* (*métallurgiste*) *Fam* steelworker.
métallurgie [metalyrʒi] *nf* (*industrie*) steel industry; (*science*) metallurgy. ●**métallurgique** *a* **usine m.** steelworks. ●**métallurgiste** *a & nm* (**ouvrier**) **m.** steelworker.
métamorphose [metamɔrfoz] *nf* metamorphosis. ●**métamorphoser** *vt*, **se métamorphoser** *vpr* to transform (**en** into).
métaphore [metafɔr] *nf* metaphor. ●**métaphorique** *a* metaphorical.
métaphysique [metafizik] *a* metaphysical.
météo [meteo] *nf* (*bulletin*) weather forecast.
météore [meteɔr] *nm* meteor. ●**météorite** *nm* meteorite.
météorologie [meteɔrɔlɔʒi] *nf* (*science*) meteorology; (*service*) weather bureau. ●**météorologique** *a* meteorological; **bulletin**/**station**/*etc* **m.** weather report/station/*etc*.
méthode [metɔd] *nf* (*manière, soin*) method; (*livre*) course. ●**méthodique** *a* methodical.
méticuleux, -euse [metikylø, -øz] *a* meticulous.
métier [metje] *nm* 1 (*travail*) job; (*manuel*) trade; (*intellectuel*) profession; (*habileté*) professional skill; **homme de m.** specialist; **tailleur**/*etc* **de son m.** tailor/*etc* by trade; **il est du m.** he's in the trade *ou* profession, he's an expert. 2 **m.** (**à tisser**) loom.
métis, -isse [metis] *a & nmf* half-caste.
métrage [metraʒ] *nm* 1 surveying. 2 (*tissu*) length; (*de film*) footage; **long m.** (*film*) full length film; **court m.** (*film*) short (film).
mètre [mɛtr] *nm* (*mesure*) *Br* metre, *Am* meter; (*règle*) (metre) rule; **m. carré** square metre; **m.** (**à ruban**) tape measure. ●**métrer** *vt* (*terrain*) to survey. ●**métreur** *nm* quantity surveyor. ●**métrique** *a* metric.
métro [metro] *nm* *Br* underground, *Am* subway.
métropole [metrɔpɔl] *nf* (*ville*) metropolis; (*pays*) mother country. ●**métropolitain, -aine** *a* metropolitan.
mets [mɛ] *nm* (*aliment*) dish.
mettable [metabl] *a* wearable.
metteur en scène [metœrɑ̃sɛn] *nm* *Théâtre* producer; *Cinéma* director.
mettre* [mɛtr] *vt* to put; (*table*) to set, *Br* lay; (*vêtement, lunettes*) to put on, wear; (*chauffage, radio etc*) to put on, switch on; (*réveil*) to set (**à** for); **m. dix heures**/*etc* **à venir** (*consacrer*) to take ten hours/*etc* coming *ou* to come; **j'ai mis une heure** it took me an hour; **m. 100 francs**/*etc* to spend 100 francs/*etc* (**pour une robe**/*etc* on a dress/*etc*); **m. en colère** to make angry; **m. à l'aise** (*rassurer*) to put *ou* set at ease; (*dans un fauteuil etc*) to make comfortable; **m. en liberté** to free; **m. en bouteille(s)** to bottle; **m. du soin à faire** to take care to do; **mettons que** (+ *sub*) let's suppose that.

meuble 194

■ **se mettre** *vpr* (*se placer*) to put oneself; (*debout*) to stand; (*assis*) to sit; (*objet*) to go, be put; **se m. en short/pyjama/***etc* to get into one's shorts/pyjamas/*etc*; **se m. à table** to sit (down) at the table; **se m. à l'aise** to make oneself comfortable; **se m. à la cuisine/au salon/***etc* to go into the kitchen/dining room/*etc*; **se m. au travail** to start work; **se m. à faire qch** to start doing sth; **le temps s'est mis au beau/au froid/à la pluie** the weather has turned fine/cold/rainy; **se m. en rapport avec qn** to get in touch with s.o.; **se m. le doigt dans l'œil** *Fam* to be badly mistaken.

meuble [mœbl] *nm* piece of furniture; **meubles** furniture. ●**meubler** *vt* to furnish; (*remplir*) *Fig* to fill. ●**meublé** *nm* furnished *Br* flat *ou Am* apartment.

meugler [møgle] *vi* (*vache*) to moo, *Litt* low. ●**meuglement(s)** *nm(pl)* mooing, *Litt* lowing.

meule [møl] *nf* **1** (*de foin*) haystack. **2** (*pour moudre*) millstone.

meunier, -ière [mønje, -jɛr] *nmf* miller.

meurt [mœr] *voir* **mourir**.

meurtre [mœrtr] *nm* murder. ●**meurtrier, -ière** *nmf* murderer ■ *a* deadly, murderous.

meurtrir [mœrtrir] *vt* to bruise. ●**meurtrissure** *nf* bruise.

meute [møt] *nf* (*de chiens, de créanciers etc*) pack.

Mexique [mɛksik] *nm* Mexico. ●**mexicain, -aine** *a* Mexican ■ *nmf* **M., Mexicaine** Mexican.

mezzanine [mɛdzanin] *nf* (*dans une pièce*) mezzanine floor.

mi [mi] *nm* (*note de musique*) E.

mi- [mi] *préf* **la mi-mars/***etc* mid March/*etc*; **à mi-distance** midway, mid-distance; **cheveux mi-longs** shoulder-length hair.

miaou [mjau] *int* miaow. ●**miauler** [mjole] *vi* (*chat*) to miaow, mew. ●**miaulement(s)** *nm(pl)* miaowing, mewing.

mi-bas [miba] *nm inv* knee sock.

miche [miʃ] *nf* round loaf.

mi-chemin (à) [amiʃmɛ̃] *adv* halfway.

mi-clos, -ose [miklo, -oz] *a* half-closed.

micmac [mikmak] *nm* (*manigance*) *Fam* intrigue.

mi-corps (à) [amikɔr] *adv* (up) to the waist.

mi-côte (à) [amikot] *adv* halfway up *ou* down (the hill).

micro [mikro] *nm* **1** microphone, mike. **2** (*ordinateur*) micro(-computer). ●**microphone** *nm* microphone.

micro- [mikro] *préf* micro-.

microbe [mikrɔb] *nm* germ, microbe.

microcosme [mikrɔkɔsm] *nm* microcosm.

microfiche [mikrɔfiʃ] *nf* microfiche.

microfilm [mikrɔfilm] *nm* microfilm.

micro-informatique [mikroɛ̃fɔrmatik] *nf* microcomputing.

micro-onde [mikrɔɔ̃d] *nf* microwave; **four à micro-ondes** microwave oven.

micro-ordinateur [mikroɔrdinatœr] *nm* microcomputer.

microprocesseur [mikroprɔsesœr] *nm* microprocessor.

microscope [mikrɔskɔp] *nm* microscope. ●**microscopique** *a* miscroscopic.

midi [midi] *nm* **1** (*heure*) twelve o'clock, noon, midday; (*heure du déjeuner*) lunchtime; **chercher m. à quatorze heures** to make unnecessary complications for oneself. **2** (*sud*) south; **le M.** the south of France.

mie [mi] *nf* **la m.** the soft part of the bread; **pain de m.** sandwich loaf.

miel [mjɛl] *nm* honey. ●**mielleux, -euse** *a* (*parole, personne*) *Fig* smooth, unctuous.

mien, mienne [mjɛ̃, mjɛn] *pron poss* **le m., la mienne** mine, *Br* my one; **les miens, les miennes** mine, *Br* my ones; **les deux miens** my two ■ *nmpl* **les miens** (*ma famille*) my (own) people.

miette [mjɛt] *nf* (*de pain etc*) crumb; **réduire qch en miettes** to smash sth to pieces; **elle ne perd pas une m. du spectacle** *Fam* not one scrap of the show is passing her by, she's taking the whole show in.

mieux [mjø] *adv* & *a inv* better (**que** than); (*plus à l'aise*) more comfortable; (*plus beau*) better-looking; **le m., la m., les m.** (*convenir, être etc*) the best; (*de deux*) the better; **le m. serait de...** the best thing would be to...; **tu ferais m. de partir** you had better leave; **de m. en m.** better and better; **je ne demande pas m.** there's nothing I'd like better (**que de faire** than to do).

■ *nm* (*amélioration*) improvement; **faire de son m.** to do one's best; **faites au m.** do the best you can.

mièvre [mjɛvr] *a* (*doucereux*) *Péj* mannered, wishy-washy.

mignon, -onne [miɲɔ̃, -ɔn] *a* (*charmant*) cute; (*gentil*) nice.

migraine [migrɛn] *nf* headache; *Méd* migraine.

migration [migrasjɔ̃] *nf* migration. ●**migrant, -ante** *a* & *nmf* (*travailleur*) **m.** migrant worker, migrant.

mijoter [miʒɔte] *vt* (*faire cuire*) to cook (lovingly); (*lentement*) to simmer; (*complot*) *Fam* to brew ■ *vi* to simmer.

mil [mil] *nm inv* (*dans les dates*) a *ou* one thousand; **l'an deux m.** the year two thousand.

milice [milis] *nf* militia. ●**milicien** *nm* militiaman.

milieu, -x [miljø] *nm* (*centre*) middle; (*cadre, groupe social*) environment; (*entre extrêmes*) middle course; (*espace*) *Phys* medium; **milieux littéraires/militaires/***etc* literary/military/*etc* circles; **au m. de** in the middle of; **au m. du danger** in the midst of danger; **le juste m.** the happy medium; **le m.** (*de malfaiteurs*) the underworld.

militaire [militɛr] *a* military; **service m.** military service ■ *nm* serviceman; (*dans l'armée de terre*) soldier.

militer [milite] *vi* (*personne*) to be a militant; (*arguments etc*) to militate (**pour** in favour

of, **contre** against). ●**militant, -ante** *a* & *nmf* militant.
mille [mil] 1 *a* & *nm inv* thousand; **m. hommes**/*etc* a ou one thousand men/*etc*; **deux m.** two thousand; **mettre dans le m.** *Fig* to hit the bull's-eye; **je vous le donne en m.** you'll never guess. 2 *nm* m. **(marin)** (*mesure*) nautical mile. ●**mille-pattes** *nm inv* (*insecte*) centipede. ●**millième** *a* & *nmf* thousandth; **un m.** a thousandth. ●**millier** *nm* thousand; **un m. (de)** a thousand or so; **par milliers** in their thousands.
millefeuille [milfœj] *nm* (*gâteau*) cream puff, *Am* napoleon.
millénaire [milenɛr] *nm* millennium.
millésime [milezim] *nm* date (*on wine etc*).
millet [mijɛ] *nm Bot* millet.
milli- [mili] *préf* milli-.
milliard [miljar] *nm* billion, thousand million. ●**milliardaire** *a* & *nmf* multimillionaire, billionaire.
millimètre [milimetr] *nm* millimetre.
million [miljɔ̃] *nm* million; **un m. de livres**/*etc* a million pounds/*etc*; **deux millions** two million. ●**millionième** *a* & *nmf* millionth. ●**millionnaire** *nmf* millionaire.
mime [mim] *nmf* (*acteur*) mime; **le m.** (*art*) mime. ●**mimer** *vti* to mime. ●**mimique** *nf* (*mine*) (funny) face.
mimétisme [mimetism] *nm* (*de caméléon etc*) & *Fig* mimicry; **agir par m.** to mimic ou copy s.o.'s attitudes *etc*.
mimosa [mimoza] *nm* (*arbre, fleur*) mimosa.
minable [minabl] *a* (*lieu, personne*) shabby; (*médiocre*) pathetic.
minaret [minarɛ] *nm* (*de mosquée*) minaret.
minauder [minode] *vi* to simper, make a show of affectation.
mince [mɛ̃s] 1 *a* thin; (*élancé, svelte*) slim; (*insignifiant*) slim, paltry. 2 *int* **m. (alors)**! *Fam* oh heck!, *Br* blast (it)! ●**minceur** *nf* thinness; (*sveltesse*) slimness. ●**mincir** *vi* to get slim(mer), grow slim.
mine [min] *nf* 1 appearance; (*physionomie*) look; **avoir bonne/mauvaise m.** (*santé*) to look well/ill; **faire m. de faire qch** to appear to do sth, make as if to do sth; **faire grise m.** to look anything but pleased; **m. de rien** (*discrètement*) *Fam* quite casually. 2 (*gisement*) & *Fig* mine; **m. de charbon** coalmine. 3 (*de crayon*) lead. 4 (*engin explosif*) mine.
miner [mine] *vt* 1 (*saper*) *Fig* to undermine; **m. qn** (*chagrin, maladie etc*) to wear s.o. down. 2 (*terrain*) to mine.
minerai [minrɛ] *nm* ore.
minéral, -e, -aux [mineral, -o] *a* & *nm* mineral.
minéralogique [mineralɔʒik] *a* **plaque m.** (*de véhicule*) *Br* number ou *Am* license plate.
minet, -ette [minɛ, -ɛt] *nmf* 1 (*chat*) *Fam* puss. 2 (*personne*) *Fam* fashion-conscious ou trendy young man ou woman.
mineur, -e [minœr] 1 *nm* (*ouvrier*) miner. 2 *a* (*jeune, secondaire*) & *Mus* minor ▮ *nmf Jur* minor. ●**minier, -ière** *a* **industrie**/*etc* **minière** mining industry/*etc*.
mini- [mini] *préf* mini-.
miniature [minjatyr] *nf* miniature ▮ *a inv* **train**/*etc* **m.** miniature train/*etc*.
minibus [minibys] *nm* minibus.
minichaîne [miniʃɛn] *nf* mini (hi-fi) system.
minijupe [miniʒyp] *nf* miniskirt.
minime [minim] *a* trifling, minimal, minor. ●**minimiser** *vt* to minimize.
minimum [minimɔm] *nm* minimum; **le m. de** (*force etc*) the minimum (amount of); **au (grand) m.** at the very least ▮ *a* minimum; **la température**/*etc* **m.** the minimum temperature/*etc*; **bénéfices**/*etc* **minimums** minimum profits/*etc*. ●**minimal, -e, -aux** *a* minimum, minimal.
ministère [ministɛr] *nm* ministry; (*gouvernement*) government, cabinet; **m. de Intérieur** = *Br* Home Office, = *Am* Department of the Interior. ●**ministériel, -ielle** *a* ministerial; **remaniement**/*etc* **m.** cabinet ou government reshuffle/*etc*.
ministre [ministr] *nm Pol Rel* minister; **m. de l'Intérieur** = *Br* Home Secretary, = *Am* Secretary of the Interior; **m. de la Justice** Justice Minister, = *Br* Lord Chancellor, = *Am* Attorney General; **m. de l'Économie et des Finances** Finances Minister, = *Br* Chancellor of the Exchequer, = *Am* Secretary of the Treasury; **m. de la Culture** Arts Minister; **m. d'État** minister without portfolio.
Minitel® [minitɛl] *nm* telephone-connected terminal for data bank consultation (*run by French phone company*).
minois [minwa] *nm* **joli/petit**/*etc* **m.** pretty/little/*etc* face.
minorer [minɔre] *vt* to reduce.
minorité [minɔrite] *nf* minority; **en m.** in the ou a minority. ●**minoritaire** *a* **parti**/*etc* **m.** minority party/*etc*; **être m.** to be in the ou a minority.
Minorque [minɔrk] *nf* Minorca.
minou [minu] *nm* (*chat*) *Fam* puss.
minuit [minɥi] *nm* midnight, twelve o'clock.
minus [minys] *nm* (*individu*) *Péj Fam* moron.
minuscule [minyskyl] 1 *a* (*petit*) tiny, minute. 2 *a* & *nf* (**lettre**) **m.** small letter.
minute [minyt] *nf* minute; **à la m.** (*tout de suite*) this (very) minute; **d'une m. à l'autre** any minute (now) ▮ *a inv* **aliments** ou **plats m.** convenience food(s). ●**minuter** *vt* to time. ●**minuterie** *nf* time switch (*for lighting in a stairway etc*). ●**minuteur** *nm* timer.
minutie [minysi] *nf* meticulousness. ●**minutieux, -euse** *a* meticulous.
mioche [mjɔʃ] *nmf* (*enfant*) *Fam* kid, youngster.
mirabelle [mirabɛl] *nf* mirabelle plum.
miracle [mirakl] *nm* miracle; **par m.** miraculously. ●**miraculeux, -euse** *a* miraculous.
mirador [miradɔr] *nm Mil* watchtower.
mirage [miraʒ] *nm* mirage.

mire [mir] *nf* **point de m.** (*cible*) & *Fig* target.
mirifique [mirifik] *a Hum* fabulous.
mirobolant, -ante [mirɔbɔlɑ̃, -ɑ̃t] *a Fam* fantastic.
miroir [mirwar] *nm* mirror. ●**miroiter** *vi* to gleam, shimmer.
mis, mise[1] [mi, miz] *pp de* **mettre ▌** *a* **bien m.** (*vêtu*) well dressed.
misanthrope [mizɑ̃trɔp] *nmf* misanthropist ▌ *a* misanthropic.
mise[2] [miz] *nf* **1** (*action de mettre*) putting; **m. en marche** starting up; **m. en service** putting into service; **m. en scène** *Théâtre* production; *Cinéma* direction; **m. à feu** (*de fusée*) blast-off; **m. à la retraite** pensioning off; **m. au point** *voir* **point**[1]. **2** (*argent*) stake. **3** (*tenue*) attire.
miser [mize] *vt* (*argent*) to stake (**sur** on) ▌ *vi* **m. sur** (*cheval*) to back; (*compter sur*) *Fam* to bank on.
misère [mizɛr] *nf* (*grinding*) poverty; (*malheur*) misery; (*bagatelle*) trifle. ●**misérable** *a* miserable, wretched; (*très pauvre*) destitute, poor; (*logement, quartier*) seedy, slummy ▌ *nmf* (*malheureux*) (poor) wretch; (*indigent*) pauper; (*scélérat*) scoundrel, miserable wretch. ●**miséreux, -euse** *a* destitute ▌ *nmf* pauper.
miséricorde [mizerikɔrd] *nf* mercy. ●**miséricordieux, -euse** *a* merciful.
misogyne [mizɔʒin] *nmf* misogynist.
missile [misil] *nm* (*fusée*) missile.
mission [misjɔ̃] *nf* mission; (*tâche*) task; **m. accomplie** mission accomplished. ●**missionnaire** *nm & a* missionary.
missive [misiv] *nf* (*lettre*) *Litt* missive.
mistral [mistral] *nm* **le m.** (*vent*) the mistral.
mite [mit] *nf* (*clothes*) moth; (*du fromage etc*) mite. ●**mité, -ée** *a* moth-eaten.
mi-temps [mitɑ̃] *nf* (*pause*) *Sport* half-time; (*période*) *Sport* half; **travailler/etc à mi-t.** to work/*etc* part-time ▌ *nm* part-time job *ou* work; **prendre un mi-t.** to take on a part-time job *ou* part-time work.
miteux, -euse [mitø, -øz] *a* shabby.
mitigé, -ée [mitiʒe] *a* (*zèle etc*) moderate, lukewarm; (*mêlé*) *Fam* mixed.
mitonner [mitɔne] *vt* (*cuire à petit feu*) to simmer gently.
mitoyen, -enne [mitwajɛ̃, -ɛn] *a* **mur m.** common wall (*shared by two properties*).
mitraille [mitrɑj] *nf* gunfire. ●**mitrailler** *vt* to machinegun; (*photographier*) *Fam* to click *ou* snap away at. ●**mitraillette** *nf* machinegun (*portable*). ●**mitrailleur** *a* **fusil m.** machinegun (*portable*). ●**mitrailleuse** *nf* machinegun (*heavy*).
mi-voix (à) [amivwa] *adv* in an undertone.
mixe(u)r [miksœr] *nm* (*pour mélanger*) (food) mixer; (*pour rendre liquide*) liquidizer.
mixte [mikst] *a* mixed; (*école*) co-educational, *Br* mixed; (*commission, tribunal*) joint.
mixture [mikstyr] *nf Péj* mixture.
MLF [ɛmɛlɛf] *nm abrév* (*Mouvement de libération de la femme*) Women's Liberation Movement.
Mlle [madmwazɛl] *abrév* = **Mademoiselle**.
MM [mesjø] *abrév* = **Messieurs**.
mm *abrév* (*millimètre*) mm.
Mme [madam] *abrév* = **Madame**.
mobile [mɔbil] *a* **1** (*pièce*) moving; (*panneau*) mov(e)able; (*personne*) mobile; (*feuillets*) detachable, loose; (*reflets*) changing; **échelle m.** sliding scale; **fête m.** mov(e)able feast ▌ *nm* (*décoration*) mobile. **2** *nm* (*motif*) motive (**de** for). ●**mobilité** *nf* mobility.
mobilier [mɔbilje] *nm* furniture.
mobiliser [mɔbilize] *vti* to mobilize. ●**mobilisation** *nf* mobilization.
mobylette® [mɔbilɛt] *nf* moped.
mocassin [mɔkasɛ̃] *nm* (*chaussure*) moccasin.
moche [mɔʃ] *a Fam* (*laid*) ugly; **c'est m.** (*mal*) it's lousy *ou* rotten.
modalités [mɔdalite] *nfpl* methods (**de** of).
mode [mɔd] **1** *nf* fashion; (*industrie*) fashion trade; **à la m.** fashionable, in fashion; **à la m. de** in the manner of; **passé de m.** out of fashion. **2** *nm* mode, method; **m. d'emploi** directions (for use); **m. de vie** way of life. **3** *nm Grammaire* mood.
modèle [mɔdɛl] *nm* (*schéma, exemple, personne*) model; **m.** (**réduit**) (scale) model; **grand/petit m.** large/small size *ou* version ▌ *a* **élève/petite fille**/*etc* **m.** model pupil/girl/*etc*. ●**modeler** *vt* to model (**sur** on); **se m. sur** to model oneself on. ●**modelage** *nm* (*de statue etc*) *Br* modelling, *Am* modeling.
modéliste [mɔdelist] *nmf Tex* stylist, designer.
modem [mɔdɛm] *nm Ordinat* modem.
modéré, -ée [mɔdere] *a* moderate. ●**modérément** *adv* moderately.
modérer [mɔdere] *vt* to moderate, restrain; (*vitesse, température etc*) to reduce ▌ **se modérer** *vpr* to restrain oneself. ●**modérateur, -trice** *a* moderating ▌ *nmf* moderator. ●**modération** *nf* moderation, restraint; (*de vitesse etc*) reduction; **avec m.** in moderation.
moderne [mɔdɛrn] *a* modern ▌ *nm* **le m.** (*mobilier*) modern furniture. ●**modernisation** *nf* modernization. ●**moderniser** *vt*, **se moderniser** *vpr* to modernize. ●**modernisme** *nm* modernism.
modeste [mɔdɛst] *a* modest. ●**modestement** [-əmɑ̃] *adv* modestly. ●**modestie** *nf* modesty.
modifier [mɔdifje] *vt* to alter, modify ▌ **se modifier** *vpr* to alter. ●**modification** *nf* alteration, modification.
modique [mɔdik] *a* (*prix, somme etc*) modest. ●**modicité** *nf* modesty.
module [mɔdyl] *nm* module.
moduler [mɔdyle] *vt* to modulate. ●**modulation** *nf* modulation; **m. de fréquence** *Radio* FM (*frequency modulation*).
moelle [mwal] *nf* (*d'os*) marrow; **m. épinière**

spinal cord.
moelleux, -euse [mwalø, -øz] *a* (*lit, tissu*) soft; (*voix, vin*) mellow.
mœurs [mœr(s)] *nfpl* (*morale*) morals; (*habitudes*) habits, customs.
mohair [mɔer] *nm* mohair.
moi [mwa] *pron* **1** (*après une préposition*) me; **pour/avec/**etc **moi** for/with/*etc* me.
2 (*complément direct*) me; **laissez-moi** leave me.
3 (*complément indirect*) (to) me; **montrez-le-moi** show it to me, show me it.
4 (*sujet*) I; **c'est moi qui vous le dis!** *I*'m telling you!; **il est plus grand que moi** he's taller than I am *ou* than me; **moi, je veux bien** (*emphatique*) that's OK by me.
5 *nm inv Psy* self, ego. ● **moi-même** *pron* myself.
moignon [mwaɲɔ̃] *nm* stump.
moindre [mwɛ̃dr] *a* **être m.** (*moins grand*) to be less; **la m. erreur/**etc the slightest mistake/*etc*; **le m. doute/**etc the slightest *ou* least doubt/*etc*; **le m.** (*de mes problèmes etc*) the least (**de** of); (*de deux problèmes etc*) the lesser (**de** of); **c'est un m. mal** it's a lesser evil, it's the lesser of two evils.
moine [mwan] *nm* monk, friar.
moineau, -x [mwano] *nm* sparrow.
moins [mwɛ̃] **1** *adv* ([mwɛ̃z] *before vowel*) less (**que** than); **m. de** (*temps, travail etc*) less (**que** than), not so much (**que** as); (*gens, livres etc*) fewer (**que** than), not so many (**que** as); (*cent francs etc*) less than; **m. grand/froid/**etc not as big/cold/*etc* (**que** as); **le m., la m., les m.** (*travailler etc*) the least; **le m. grand, la m. grande, les m. grand(e)s** the smallest; **de m. en m.** [dəmɛ̃zɑ̃mwɛ̃] less and less; **au m., du m.** at least; **qch de m., qch en m.** (*qui manque*) sth missing; **dix ans/**etc **de m.** ten years/*etc* less; **en m.** (*personne, objet*) less; (*personnes, objets*) fewer; **les m. de vingt ans** those under twenty, the under-twenties; **à m. que** (+ *sub*) unless.
2 *prép Math* minus; **deux heures m. cinq** five to two; **il fait m. dix** (**degrés**) it's minus ten (degrees).
mois [mwa] *nm* month; **au m. de juin/**etc in (the month of) June/*etc*.
moisir [mwazir] *vi* to go *Br* mouldy *ou Am* moldy; (*attendre*) *Fam* to hang *ou* wait around *ou* about. ● **moisi, -ie** *a Br* mouldy, *Am* moldy ▮ *nm Br* mould, *Am* mold, mildew; **sentir le m.** to smell musty. ● **moisissure** *nf* mould, mildew.
moisson [mwasɔ̃] *nf* harvest. ● **moissonner** *vt* to harvest. ● **moissonneuse-batteuse** *nf* (*pl* **moissonneuses-batteuses**) combine-harvester.
moite [mwat] *a* sticky, moist. ● **moiteur** *nf* stickiness, moistness.
moitié [mwatje] *nf* half; **la m. de la pomme/**etc half (of) the apple/*etc*; **à m.** (*remplir etc*) halfway; **à m. fermé/cru/**etc half closed/raw/*etc*; **à m. prix** (at *ou* for) half-price; **réduire qch de m.** to reduce sth by half; **m.-moitié** *Fam* so-so; **partager m.-moitié** *Fam* to split fifty-fifty.
moka [mɔka] *nm* (*café*) mocha; (*gâteau*) mocha *ou* coffee cake.
mol [mɔl] *voir* **mou.**
molaire [mɔlɛr] *nf* (*dent*) back tooth, molar.
molécule [mɔlekyl] *nf* molecule.
moleskine [mɔlɛskin] *nf* imitation leather.
molester [mɔlɛste] *vt* to manhandle.
molette [mɔlɛt] *nf* **clé à m.** adjustable wrench *ou Br* spanner.
mollasse [mɔlas] *a* (*flasque*) *Péj* flabby. ● **mollasson, -onne** *nmf Fam* a lazy ▮ *nmf* lazybones.
molle [mɔl] *voir* **mou.** ● **mollement** *adv* feebly; (*paresseusement*) lazily. ● **mollesse** *nf* softness; (*faiblesse*) feebleness. ● **mollir** *vi* to go soft; (*courage*) to flag.
mollet [mɔlɛ] **1** *nm* (*de jambe*) calf. **2** *a* **œuf m.** soft-boiled egg.
molleton [mɔltɔ̃] *nm* soft thick flannel. ● **molletonné, -ée** *a* (*survêtement etc*) fleecelined, fleecy.
mollusque [mɔlysk] *nm* mollusc.
môme [mom] *nmf* (*enfant*) *Fam* kid.
moment [mɔmɑ̃] *nm* (*instant*) moment; (*période*) time; **en ce m.** at the moment; **par moments** at times; **au m. de partir** when just about to leave; **au m. où** just as, when; **du m. que** (*puisque*) seeing that; **à ce m.-là** (*à ce moment précis*) at that (very) moment, at that time; (*dans ce cas*) then. ● **momentané, -ée** *a* momentary. ● **momentanément** *adv* temporarily, for the moment.
momie [mɔmi] *nf* (*cadavre*) mummy.
mon, ma, *pl* **mes** [mɔ̃, ma, me] (**ma** *becomes* **mon** [mɔ̃n] *before a vowel or mute h*) *a poss* my; **mon père** my father; **ma mère** my mother; **mon ami(e)** my friend; **mes parents** my parents.
Monaco [mɔnako] *nf* Monaco.
monarque [mɔnark] *nm* monarch. ● **monarchie** *nf* monarchy. ● **monarchique** *a* monarchic.
monastère [mɔnastɛr] *nm* monastery.
monceau, -x [mɔ̃so] *nm* heap, pile.
mondain, -aine [mɔ̃dɛ̃, -ɛn] *a* **réunion/**etc **mondaine** society gathering/*etc*. ● **mondanités** *nfpl* (*événements*) social events.
monde [mɔ̃d] *nm* world; (*milieu social*) set; **du m.** (*gens*) people; (*beaucoup de gens*) a lot of people; **un m. fou** a tremendous crowd; **le m. entier** the whole world; **tout le m.** everybody; **le (grand) m.** (high) society; **mettre qn au m.** to give birth to s.o.; **venir au m.** to come into the world; **tu te moques du m.!** you can't be serious!, you're crazy!; **pas le moins du m.!** not in the least *ou* slightest!; **c'est le m. à l'envers** it's a mad world! ● **mondial, -e, -aux** *a* (*crise, renommée etc*) worldwide; **guerre mondiale** world war. ● **mondialement** *adv* the (whole) world over.
monégasque [mɔnegask] *a* Monegasque ▮ *nmf* **M.** Monegasque.
monétaire [mɔnetɛr] *a* monetary.

mongolien, -ienne [mɔ̃gɔljɛ̃, -jɛn] *Méd a* mongol ∎ *nmf* mongol, person with Down's syndrome. ●**mongolisme** *nm* Down's syndrome.

moniteur, -trice [mɔnitœr, -tris] **1** *nmf* instructor; *(de colonie de vacances)* assistant, *Am* camp counselor. **2** *nm (écran) Ordinat etc* monitor.

monnaie [mɔnɛ] *nf (devise)* currency, money; *(pièces)* change; **pièce de m.** coin; **(petite) m.** (small) change; **faire de la m.** to get change; **faire de la m. à qn** to give s.o. change **(sur un billet** for a *Br* note *ou Am* bill); **c'est m. courante** *Fig* it's very frequent; **Hôtel de la M.** mint. ●**monnayer** *vt (talent etc)* to cash in on; *(bien, titre)* to convert into cash.

mono [mono] *a inv (disque etc)* mono.

mono- [mono] *préf* mono-.

monocle [mɔnɔkl] *nm* monocle.

monocorde [mɔnɔkɔrd] *a (voix etc)* monotonous.

monologue [mɔnɔlɔg] *nm Br* monologue, *Am* monolog.

monoparentale [monoparɑ̃tal] *af* **famille m.** one-parent family.

monophonie [monofoni] *nf* **en m.** in mono.

monoplace [monoplas] *a & nmf (avion, voiture)* single-seater.

monopole [mɔnɔpɔl] *nm* monopoly. ●**monopoliser** *vt* to monopolize.

monoski [mɔnɔski] *nm* monoski; **faire du m.** to monoski.

monosyllabe [mɔnɔsilab] *nm* monosyllable. ●**monosyllabique** *a* monosyllabic.

monotone [mɔnɔtɔn] *a* monotonous. ●**monotonie** *nf* monotony.

monseigneur [mɔ̃sɛɲœr] *nm (évêque)* His *ou* Your Grace; *(prince)* His *ou* Your Highness.

monsieur, *pl* **messieurs** [məsjø, mesjø] *nm* man, gentleman; **oui m.** yes; *(avec déférence)* yes sir; **oui messieurs** yes (gentlemen); **M. Legras** Mr Legras; **Messieurs** *ou* **MM Legras** Messrs Legras; **tu vois ce m.?** do you see that man *ou* gentleman?; **Monsieur** *(dans une lettre)* Dear Sir.

monstre [mɔ̃str] *nm* monster ∎ *a (énorme) Fam* colossal. ●**monstrueux, -euse** *a (abominable, énorme)* monstrous. ●**monstruosité** *nf (horreur)* monstrosity.

mont [mɔ̃] *nm (montagne)* mount; **être toujours par monts et par vaux** to be forever on the move.

montage [mɔ̃taʒ] *nm Tech* assembling, assembly; *Cinéma* editing.

montagne [mɔ̃taɲ] *nf* mountain; **la m.** *(zone)* the mountains; **montagnes russes** *(attraction foraine)* roller coaster. ●**montagnard, -arde** *nmf* mountain dweller ∎ *a* **peuple/etc m.** mountain people/*etc.* ●**montagneux, -euse** *a* mountainous.

montant, -ante 1 *nm (somme)* amount. **2** *nm (de barrière)* post; *(d'échelle)* upright. **3** *a (marée)* rising; *(col)* stand-up; *(robe)* high-necked; *(chemin)* uphill; *(mouvement)* upward; **chaussure montante** boot.

mont-de-piété [mɔ̃dpjete] *nm (pl* **monts-de-piété)** pawnshop.

monte-charge [mɔ̃tʃarʒ] *nm inv* service *Br* lift *ou Am* elevator.

montée [mɔ̃te] *nf (ascension)* climb, ascent; *(chemin)* slope; *(des prix, des eaux)* rise.

monter [mɔ̃te] *vi (aux* **être)** *(personne)* to go *ou* come up; *(s'élever) (ballon etc)* to go up; *(grimper)* to climb (up) **(sur** onto); *(prix)* to go up, rise; *(marée)* to come in; *(avion)* to climb; **m. dans un véhicule** to get in(to) a vehicle; **m. dans un train** to get on(to) a train; **m. sur** *ou* **à une échelle/etc** to climb up a ladder/*etc*; **m. sur le trône** to become king *ou* queen; **m. en courant/etc** to run/*etc* up; **m. (à cheval)** *Sport* to ride (a horse); **le vin me monte à la tête** wine goes to my head.

∎ *vt (aux* **avoir)** *(côte etc)* to climb (up); *(objet)* to bring *ou* take up; *(cheval)* to ride; *(tente, affaire)* to set up; *(machine)* to assemble; *(bijou)* to set, mount; *(complot)* to mount; *(pièce de théâtre)* to stage, mount; **m. l'escalier** to go *ou* come upstairs *ou* up the stairs; **faire m. qn** to show s.o. up; **m. qn contre qn** to set s.o. against s.o.; **coup monté** frame-up.

∎ **se monter** *vpr (s'irriter) Fam* to get angry **(contre** with); **se m. à** *(frais)* to amount to. ●**monté, -ée** *a (police)* mounted.

monteur, -euse [mɔ̃tœr, -øz] *nmf Tech* fitter; *Cinéma* editor.

montre [mɔ̃tr] *nf* **1** (wrist)watch; **course contre la m.** *Sport & Fig* race against time, race against the clock. **2 faire m. de qch** to show sth. ●**montre-bracelet** *nf (pl* **montres-bracelets)** wristwatch.

Montréal [mɔ̃real] *nm ou f* Montreal.

montrer [mɔ̃tre] *vt* to show **(à** to); **m. qn/qch du doigt** to point at s.o./sth; **m. à qn à faire qch** to show s.o. how to do sth ∎ **se montrer** *vpr* to show oneself, appear; **se m. courageux/etc** *(être)* to be courageous/*etc*.

monture [mɔ̃tyr] *nf* **1** *(de lunettes)* frame; *(de bijou)* setting. **2** *(cheval)* mount.

monument [mɔnymɑ̃] *nm* monument; **m. historique** ancient monument; **m. aux morts** war memorial. ●**monumental, -e, -aux** *a (imposant, énorme etc)* monumental.

moquer (se) [səmɔke] *vpr* **se m. de** to make fun of; *(personne)* to make fun of, make a fool of; **je m'en moque!** *Fam* I couldn't care less! ●**moquerie** *nf* mockery. ●**moqueur, -euse** *a* mocking.

moquette [mɔkɛt] *nf Br* fitted carpet(s), *Am* wall-to-wall carpeting.

moral, -e, -aux [mɔral, -o] *a* moral ∎ *nm* **m.** spirits, morale. ●**morale** *nf (d'histoire etc)* moral; *(principes)* morals; *(code)* moral code; **faire la m. à qn** to lecture s.o. ●**moralement** *adv* morally. ●**moraliser** *vi* to moralize. ●**moraliste** *nmf* moralist. ●**moralité** *nf (mœurs)* morality; *(de fable, récit etc)* moral.

moratoire [mɔratwar] *nm* moratorium.

morbide [mɔrbid] *a* morbid.
morceau, -x [mɔrso] *nm* piece, bit; (*de sucre*) lump; (*de viande*) cut; (*d'une œuvre littéraire*) extract. ●**morceler** *vt* (*terrain*) to divide up.
mordicus [mɔrdikys] *adv* **soutenir**/*etc* **m.** *Fam* to maintain/*etc* stubbornly.
mordiller [mɔrdije] *vt* to nibble.
mordre [mɔrdr] *vti* to bite; **ça mord** *Pêche* I have a bite. ●**mordant, -ante 1** *a* (*voix, manière*) scathing; (*froid*) biting; (*personne, ironie*) caustic. **2** *nm* (*énergie*) punch.
mordu, -ue [mɔrdy] *pp de* **mordre** ▮ *nmf* **un m. du** *ou* **de jazz**/*etc Fam* a jazz/*etc* fan.
morfondre (se) [səmɔrfɔ̃dr] *vpr* to get bored (waiting), mope (about).
morgue [mɔrg] *nf* (*lieu*) mortuary, morgue.
moribond, -onde [mɔribɔ̃, -ɔ̃d] *a* & *nmf* dying *ou* moribund (person).
morne [mɔrn] *a* dismal, gloomy, dull.
morose [mɔroz] *a* morose, sullen.
morphine [mɔrfin] *nf* morphine.
mors [mɔr] *nm* (*de harnais*) bit; **prendre le m. aux dents** (*cheval*) to take the bit between its teeth.
morse [mɔrs] *nm* **1** Morse (code). **2** (*animal*) walrus.
morsure [mɔrsyr] *nf* bite.
mort¹ [mɔr] *nf* death; **mettre à m.** to put to death; **se donner la m.** to kill oneself, take one's own life; **en vouloir à m. à qn** to bear s.o. an almighty grudge, be dead set against s.o.; **un silence de m.** a deathly silence; **la m. dans l'âme** (*accepter qch etc*) with a heavy heart. ●**mortalité** *nf* death rate, mortality. ●**mortel, -elle** *a* (*hommes, ennemi, danger etc*) mortal; (*accident*) fatal; (*ennuyeux*) *Fam* deadly (dull); (*pâleur*) deathly ▮ *nmf* mortal. ●**mortellement** *adv* (*blessé*) fatally.
mort², morte [mɔr, mɔrt] *a* (*personne, plante, ville etc*) dead; **m. de fatigue** dead tired; **m. de froid** numb with cold; **m. de peur** frightened to death; **m. ou vif** dead or alive; **être ivre m.** to be dead drunk.
▮ *nmf* dead man, dead woman; **les morts** the dead; **de nombreux morts** (*victimes*) many casualties *ou* deaths; **le jour** *ou* **la fête des Morts** All Souls' Day. ●**morte-saison** *nf* (*pl* **mortes-saisons**) off season (period). ●**mort-né, mort-née** *a* (*enfant*) & *Fig* stillborn.
mortier [mɔrtje] *nm* mortar.
mortifier [mɔrtifje] *vt* to mortify.
mortuaire [mɔrtyɛr] *a* **couronne**/*etc* **m.** funeral wreath/*etc*.
morue [mɔry] *nf* cod.
morve [mɔrv] *nf* (nasal) mucus. ●**morveux, -euse** *a* (*enfant*) *Fam Péj* snotty(-nosed).
mosaïque [mɔzaik] *nf* mosaic.
Moscou [mɔsku] *nm ou f* Moscow.
mosquée [mɔske] *nf* mosque.
mot [mo] *nm* word; **envoyer un m. à qn** to drop a line to s.o.; **m. à** *ou* **pour m.** word for word; **un bon m.** a witticism; **mots croisés** crossword (puzzle); **m. de passe** password; **m. d'ordre** *Pol* resolution, order; (*slogan*) watchword; **avoir le dernier m.** to have the last word; **avoir son m. à dire** to have something to say, have one's say.
motard [mɔtar] *nm Fam* motorcyclist.
motel [mɔtɛl] *nm* motel.
moteur¹ [mɔtœr] *nm* (*de véhicule etc*) engine, motor; (*électrique*) motor.
moteur², -trice [mɔtœr, -tris] *a* (*nerf, muscle*) motor; **force motrice** driving force; **voiture à quatre roues motrices** four-wheel drive (car).
motif [mɔtif] *nm* **1** (*raison*) reason, motive (de for). **2** (*dessin*) pattern.
motion [mosjɔ̃] *nf Pol* motion; **on a voté une m. de censure** a vote of no confidence was given.
motiver [mɔtive] *vt* (*inciter, causer*) to motivate; (*justifier*) to justify. ●**motivé, -ée** *a* motivated. ●**motivation** *nf* motivation.
moto [mɔto] *nf* motorcycle, motorbike. ●**motocycliste** *nmf* motorcyclist.
motorisé, -ée [mɔtɔrize] *a* motorized.
motrice [mɔtris] *nf* (*train*) *Br* motor coach, *Am* motor car.
motte [mɔt] *nf* (*de terre*) lump, clod; (*de beurre*) block.
mou (*or* **mol** *before vowel or mute h*), **molle** [mu, mɔl] *a* soft; (*sans énergie*) feeble ▮ *nm* **avoir du m.** (*cordage*) to be slack.
mouchard, -arde [muʃar, -ard] *nmf Péj* informer. ●**moucharder** *vt* **m. qn** *Fam* to inform on s.o.
mouche [muʃ] *nf* (*insecte*) fly; **prendre la m.** (*se fâcher*) to fly off the handle, fly into a temper; **quelle m. l'a piqué?** *Fam* what has *Br* got *ou Am* gotten into him?, what's eating him?; **faire m.** to hit the bull's-eye. ●**moucheron** *nm* (*insecte*) gnat, midge.
moucher [muʃe] *vt* **m. qn** to wipe s.o.'s nose ▮ **se moucher** *vpr* to blow one's nose.
moucheté, -ée [muʃte] *a* speckled, spotted.
mouchoir [muʃwar] *nm* handkerchief; (*en papier*) tissue.
moudre* [mudr] *vt* (*café, blé*) to grind.
moue [mu] *nf* long face, pout; **faire la m.** to pull a (long) face, pout.
mouette [mwɛt] *nf* (sea)gull.
moufle [mufl] *nf* (*gant*) mitten, mitt.
mouiller [muje] **1** *vt* to wet, make wet; **se faire m. par la pluie** to get wet ▮ **se mouiller** *vpr* to get (oneself) wet; (*se compromettre*) *Fam* to get involved (*by taking risks*). **2** *vt* **m. l'ancre** *Nau* to (drop) anchor ▮ *vi Nau* to anchor. ●**mouillé, -ée** *a* wet (**de** with). ●**mouillage** *nm Nau* (*action*) anchoring; (*lieu*) anchorage.
moule¹ [mul] *nm Br* mould, *Am* mold; **m. à gâteaux** cake tin. ●**mouler** *vt Br* to mould, *Am* mold; (*statue*) to cast; **m. qn** (*vêtement*) to fit s.o. tightly. ●**moulant, -ante** *a* (*vêtement*) tight-fitting. ●**moulage** *nm* moulding; (*de statue*) casting; (*objet*) cast. ●**moulure** *nf Archit* moulding.
moule² [mul] *nf* (*mollusque*) mussel.
moulin [mulɛ̃] *nm* mill; (*moteur*) *Fam*

moulinet

engine; **m. à vent** windmill; **m. à café** coffee grinder; **m. à paroles** *Fam* chatterbox, windbag.

moulinet [mulinɛ] *nm* 1 (*de canne à pêche*) reel. 2 **faire des moulinets** (*avec un bâton*) to twirl one's stick.

moulu, -ue [muly] *pp de* **moudre** ▮ *a* (*café*) ground; (*éreinté*) dead tired.

mourir* [murir] *vi* (*aux* **être**) to die (**de** of, from); **m. de froid** to die of exposure; **m. de fatigue/d'ennui** *Fig* to be dead tired/bored; **m. de peur** *Fig* to be frightened to death; **m. de rire** *Fig* to laugh oneself silly; **s'ennuyer à m.** to be bored to death; **je meurs de faim!** *Fig* I'm starving! ▮ **se mourir** *vpr Litt* to be dying. ● **mourant, -ante** *a* dying; (*voix*) faint ▮ *nmf* dying person.

mousquetaire [muskətɛr] *nm Mil Hist* musketeer.

mousse [mus] 1 *nf* (*plante*) moss. 2 *nf* (*écume*) foam, froth; (*de bière*) froth; (*de savon*) lather; **m. à raser** shaving foam. 3 *nf* **m. au chocolat/etc** *Culin* chocolate/etc mousse. 4 *nm* (*marin*) ship's boy. ● **mousser** *vi* (*bière etc*) to froth; (*savon*) to lather; (*eau savonneuse*) to foam. ● **mousseux, -euse** *a* frothy; (*vin*) sparkling ▮ *nm* sparkling wine. ● **moussu, -ue** *a* mossy.

mousseline [muslin] *nf* (*coton*) muslin.

mousson [musɔ̃] *nf* (*vent*) monsoon.

moustache [mustaʃ] *nf* **moustache(s)** (*d'homme*) *Br* moustache, *Am* mustache; **moustaches** (*de chat etc*) whiskers. ● **moustachu, -ue** *a* wearing a moustache.

moustique [mustik] *nm* mosquito. ● **moustiquaire** *nf* mosquito net; (*en métal*) screen.

moutard [mutar] *nm* (*enfant*) *Fam* kid.

moutarde [mutard] *nf* mustard.

mouton [mutɔ̃] *nm* sheep *inv*; (*viande*) mutton; **moutons** (*sur la mer*) *Br* white horses, *Am* whitecaps; (*poussière*) bits of dust; **peau de m.** sheepskin.

mouvement [muvmɑ̃] *nm* (*geste, groupe, déplacement etc*) & *Mus* movement; (*de colère*) outburst; (*impulsion*) impulse; **en m.** in motion. ● **mouvementé, -ée** *a* (*vie, voyage etc*) eventful.

mouvoir* [muvwar] *vi*, **se mouvoir** *vpr* to move; **mû par** (*mécanisme*) driven by. ● **mouvant, -ante** *a* (*changeant*) changing; **sables mouvants** quicksands.

moyen¹, -enne [mwajɛ̃, -ɛn] *a* average; (*format, entreprise etc*) medium(-sized); **classe moyenne** middle class ▮ *nf* average; **en moyenne** on average; **la moyenne d'âge** the average age; **avoir la moyenne** (*à un examen*) *Br* to get a pass mark, *Am* get a pass; (*à un devoir*) to get fifty per cent, *Br* get half marks. ● **moyennement** *adv* averagely, moderately.

moyen² [mwajɛ̃] *nm* (*procédé, façon*) means, way (**de faire** of doing, to do); **moyens** (*capacités*) ability, powers; (*argent, ressources*) means; **au m. de** by means of; **il n'y a pas m. de faire** it's not possible to do; **je n'ai pas les moyens** (*argent*) I can't afford it; **par mes propres moyens** under my own steam; **utiliser les grands moyens** to take extreme measures; (**avec**) **les moyens du bord** (with) the means at one's disposal, (with) the available means.

moyennant [mwajenɑ̃] *prép* (*pour*) (in return) for; (*avec*) with; **m. finance** for money, for a fee.

moyeu, -x [mwajø] *nm* (*de roue*) hub.

Mozambique [mɔzɑ̃bik] *nm* Mozambique.

MST [ɛmɛste] *nf abrév* (*maladie sexuellement transmissible*) sexually transmitted disease.

mucosités [mykozite] *nfpl* mucus.

mue [my] *nf* (*d'animal*) *Br* moulting, *Am* molting; (*de voix*) breaking of the voice. ● **muer** [mɥe] *vi* (*animal*) *Br* to moult, *Am* molt; (*voix*) to break; **se m. en** *Litt* to become transformed into.

muet, -ette [mɥɛ, -ɛt] *a* (*infirme*) dumb; (*de surprise etc*) speechless; (*film, reproche etc*) silent; (*voyelle etc*) Grammaire silent, mute ▮ *nmf* dumb person.

mufle [myfl] *nm* 1 (*d'animal*) muzzle, nose. 2 (*individu*) *Péj* lout.

mugir [myʒir] *vi* (*bœuf*) to bellow; (*vache*) to moo; (*vent*) *Fig* to roar. ● **mugissement(s)** *nm(pl)* bellow(ing); (*de vache*) moo(ing); (*de vent*) roar(ing).

muguet [mygɛ] *nm* lily of the valley.

mule [myl] *nf* 1 (*pantoufle*) mule. 2 (*animal*) (she-)mule. ● **mulet¹** *nm* (he-)mule.

mulet² [mylɛ] *nm* (*poisson*) mullet.

multi- [mylti] *préf* multi-.

multicolore [myltikɔlɔr] *a* multicoloured.

multinationale [myltinasjɔnal] *nf* multinational.

multiple [myltipl] *a* (*nombreux*) numerous; (*varié*) multiple ▮ *nm Math* multiple. ● **multiplication** *nf* multiplication; (*augmentation*) increase. ● **multiplicité** *nf* multiplicity. ● **multiplier** *vt* to multiply ▮ **se multiplier** *vpr* to increase; (*se reproduire*) to multiply.

multitude [myltityd] *nf* multitude.

municipal, -e, -aux [mynisipal, -o] *a* municipal; **conseil m.** *Br* town *ou Am* city council. ● **municipalité** *nf* (*corps*) *Br* town *ou Am* city council; (*commune*) municipality.

munir [mynir] *vt* **m. de** to provide *ou* equip with; **se m. de** to provide oneself with; **muni de** (*papiers, arme etc*) in possession of.

munitions [mynisjɔ̃] *nfpl* ammunition.

muqueuse [mykøz] *nf* mucous membrane.

mur [myr] *nm* wall; **m. du son** sound barrier; **au pied du m.** *Fig* with one's back to the wall. ● **muraille** *nf* (high) wall. ● **mural, -e, -aux** *a* **carte/etc murale** wall map/etc; **peinture murale** mural (painting). ● **murer** *vt* (*porte*) to wall up; **m. qn** to fence s.o. in; **se m. dans le silence** *Fig* to retreat into silence.

mûr, mûre¹ [myr] *a* (*fruit etc*) ripe; (*personne*) mature; **d'âge m.** of mature years, middle-aged. ● **mûrement** *adv* (*réfléchir*) carefully; **m. réfléchi** (*décision etc*) carefully thought out. ● **mûrir** *vti* (*fruit*) to ri-

pen; (*personne*) to mature.
mûre² [myr] *nf* (*baie*) blackberry.
muret [myrɛ] *nm* low wall.
murmure [myrmyr] *nm* murmur. ●**murmurer** *vti* to murmur.
musc [mysk] *nm* (*parfum*) musk.
muscade [myskad] *nf* nutmeg.
muscadet [myskadɛ] *nm* (*vin*) Muscadet.
muscat [myska] *nm* (**raisin**) m. muscat (grape); (**vin**) m. muscatel (wine).
muscle [myskl] *nm* muscle. ●**musclé, -ée** *a* (*bras etc*) muscular, brawny. ●**musculaire** *a* (*force, douleur etc*) muscular. ●**musculature** *nf* muscles.
museau, -x [myzo] *nm* (*de chien, chat etc*) nose, muzzle; (*de porc*) snout. ●**museler** *vt* (*animal, Fig presse etc*) to muzzle. ●**muselière** *nf* (*appareil*) muzzle.
musée [myze] *nm* museum; **m. de peinture** (public) art gallery. ●**muséum** *nm* (natural history) museum.
musette [myzɛt] *nf* **1** (*d'ouvrier*) duffel bag, kit bag. **2 bal m.** popular dance (*with accordion band*).
music-hall [myzikol] *nm* (*salle*) variety theatre, *Am* vaudeville theater; (*genre*) variety, *Am* vaudeville.
musique [myzik] *nf* music; (*fanfare militaire*) band. ●**musical, -e, -aux** *a* musical. ●**musicien, -ienne** *nmf* musician ❙ *a* être très/assez m. to be very/quite musical.
musulman, -ane [myzylmɑ̃, -an] *a* & *nmf* Muslim, Moslem.
muter [myte] *vt* (*employé*) to transfer. ●**mutant, -ante** *a* & *nmf* mutant. ●**mutation** *nf* **1** (*d'employé*) transfer; **en pleine m.** *Fig* undergoing profound change. **2** *Biol* mutation.
mutiler [mytile] *vt* to mutilate, maim; être mutilé to be disabled. ●**mutilé, -ée** *nmf* m. de guerre disabled *Br* ex-serviceman *ou Am* veteran; **m. du travail** disabled worker. ●**mutilation** *nf* mutilation.
mutin¹, -ine [mytɛ̃, -in] *a* (*espiègle*) full of fun, saucy.
mutin² [mytɛ̃] *nm* (*rebelle*) mutineer. ●**se mutiner** *vpr* to mutiny. ●**mutiné, -ée** *a* mutinous. ●**mutinerie** *nf* mutiny.
mutisme [mytism] *nm* (stubborn) silence.
mutualité [mytɥalite] *nf* mutual insurance. ●**mutualiste** *nmf* member of a *Br* friendly *ou Am* benefit society.
mutuel, -elle¹ [mytɥɛl] *a* (*réciproque*) mutual. ●**mutuellement** *adv* (*l'un l'autre*) each other (mutually); **s'aider m.** to help each other (mutually), give mutual help to each other.
mutuelle² [mytɥɛl] *nf Br* friendly society, *Am* benefit society.
myope [mjɔp] *a* & *nmf Méd* & *Fig* shortsighted (person). ●**myopie** *nf Méd* & *Fig* shortsightedness.
myosotis [mjozɔtis] *nm* (*plante*) forget-me-not.
myrtille [mirtij] *nf* (*baie*) bilberry, whortleberry.
mystère [mistɛr] *nm* mystery; **faire des mystères** to be secretive, make a mystery of things; **faire qch en grand m.** to do sth in greaty secrecy, make a great mystery of doing sth. ●**mystérieux, -euse** *a* mysterious.
mystifier [mistifje] *vt* to fool, deceive, hoax. ●**mystification** *nf* hoax.
mystique [mistik] *a* mystical ❙ *nmf* (*personne*) mystic ❙ *nf* mystique (**de** of). ●**mysticisme** *nm* mysticism.
mythe [mit] *nm* myth. ●**mythique** *a* mythical. ●**mythologie** *nf* mythology. ●**mythologique** *a* mythological.
mythomane [mitɔman] *nmf* compulsive liar.
myxomatose [miksɔmatoz] *nf* myxomatosis.

N

N, n [ɛn] *nm* N, n.
n' [n] *voir* **ne**.
nabot [nabo] *nm Péj* midget.
nacelle [nasɛl] *nf (de ballon)* basket, car, gondola; *(de landau)* carriage, *Br* carrycot.
nacre [nakr] *nf* mother-of-pearl. ● **nacré, -ée** *a* pearly.
nage [naʒ] *nf (swimming)* stroke; **n. libre** freestyle; **traverser une rivière**/*etc* **à la n.** to swim across a river/*etc*; **en n.** *Fig* sweating.
nageoire [naʒwar] *nf (de poisson)* fin; *(de phoque)* flipper.
nager [naʒe] *vi* to swim; *(flotter)* to float; **je nage dans le bonheur** I'm blissfully happy, my happiness knows no bounds; **je nage complètement** *(je suis perdu) Fam* I'm all at sea ▮ *vt (crawl etc)* to swim. ● **nageur, -euse** *nmf* swimmer.
naguère [nagɛr] *adv Litt* not long ago.
naïf, -ïve [naif, -iv] *a* naïve, simple ▮ *nmf* simpleton.
nain, naine [nɛ̃, nɛn] *nmf* dwarf ▮ *a* **arbre**/**haricot**/*etc* **n.** dwarf tree/bean/*etc*.
naissance [nɛsɑ̃s] *nf (de personne, d'animal)* birth; *(de cou)* base; **donner n. à** *(enfant)* to give birth to; *(rumeur etc) Fig* to give rise to; **de n.** from birth.
naître* [nɛtr] *vi* to be born; *(sentiment, difficulté)* to arise *(de* from); *(jour)* to dawn; **faire n.** *(soupçon, industrie etc)* to give rise to, create; **n. à** *(l'amour etc) Litt* to awaken to; **il n'est pas né de la dernière pluie** *Fam* he wasn't born yesterday. ● **naissant, -ante** *a (amitié etc)* incipient, just beginning to develop.
naïveté [naivte] *nf* naïveté, naïvety.
nana [nana] *nf Fam* girl, broad.
nantir [nɑ̃tir] *vt* **n. de** to provide with. ● **nanti, -ie** *a (riche)* well-off, affluent ▮ *nmpl* **les nantis** *Péj* the well-off, the affluent.
NAP [nap] *a inv abrév (Neuilly, Auteuil, Passy) (élégant)* trendy, smart.
naphtaline [naftalin] *nf* mothballs.
nappe [nap] *nf* **1** table cloth. **2** *(d'eau)* sheet; *(de gaz, pétrole)* layer; *(de brouillard)* blanket. ● **napperon** [naprɔ̃] *nm (soft)* table mat; *(pour vase etc)* (cloth *ou* soft) mat.
napper [nape] *vt (gâteau etc)* to top, coat *(de chocolat*/*etc* with chocolate/*etc*).
narcotique [narkɔtik] *a & nm* narcotic.
narguer [narge] *vt* to flout, mock.
narine [narin] *nf* nostril.
narquois, -oise [narkwa] *a* sneering.
narration [narasjɔ̃] *nf (récit, acte, art)* narration. ● **narrateur, -trice** *nmf* narrator.
nasal, -e, -aux [nazal, -o] *a* nasal.

nase [naz] *a Fam (personne)* exhausted, *Br* dead beat; *(objet)* kaput, *Br* done for.
naseau, -x [nazo] *nm (de cheval)* nostril.
nasiller [nazije] *vi (personne)* to speak with a twang; *(micro, radio)* to crackle. ● **nasillard, -arde** *a (voix)* nasal; *(micro etc)* crackling.
natal, -e, mpl -als [natal] *a (pays etc)* native; **sa maison natale** the house where he *ou* she was born. ● **natalité** *nf* birthrate.
natation [natasjɔ̃] *nf* swimming.
natif, -ive [natif, -iv] *a & nmf* native; **être n. de** to be a native of.
nation [nasjɔ̃] *nf* nation; **les Nations Unies** the United Nations. ● **national, -e, -aux** *a* national; **fête nationale** national holiday. ● **nationale** *nf (route) Br* main *ou* trunk *ou* A road, *Am (state)* highway. ● **nationaliser** *vt* to nationalize. ● **nationalisation** *nf* nationalization. ● **nationaliste** *a Péj* nationalistic ▮ *nmf* nationalist. ● **nationalité** *nf* nationality.
Nativité [nativite] *nf Rel* Nativity.
natte [nat] *nf* **1** *(de cheveux) Br* plait, *Am* braid. **2** *(tapis)* mat, *(piece of)* matting. ● **natter** *vt Br* to plait, *Am* braid. ● **nattage** *n (matière)* matting.
naturaliser [natyralize] *vt (personne) Pol* to naturalize. ● **naturalisation** *nf* naturalization.
nature [natyr] *nf (monde naturel, caractère)* nature; **de toute n.** of every kind; **être de n. à faire qch** to be likely to do sth; **payer en n.** to pay in kind; **n. morte** *(tableau)* still life; **plus grand que n.** larger than life; **seconde n.** second nature ▮ *a inv (omelette, yaourt etc)* plain; *(thé)* without milk. ● **naturaliste** *nmf* naturalist. ● **naturiste** *nmf* nudist, naturist.
naturel, -elle [natyrɛl] *a* natural; **mort naturelle** death from natural causes ▮ *nm (caractère)* nature; *(simplicité)* naturalness. ● **naturellement** *adv* naturally.
naufrage [nofraʒ] *nm (ship)*wreck; *(ruine) Litt Fig* ruin; **faire n.** to be (ship)wrecked. ● **naufragé, -ée** *a & nmf* shipwrecked *(person)*.
nausée [noze] *nf* nausea, sickness. ● **nauséabond, -onde** *a* nauseating, sickening.
nautique [notik] *a* nautical; **ski n.** water skiing; **sports nautiques** water sports.
naval, -e, mpl -als [naval] *a* naval; **constructions navales** shipbuilding.
navet [navɛ] *nm* **1** *(légume)* turnip. **2** *(film etc) Péj* flop, dud.
navette [navɛt] *nf (transport)* shuttle *(service)*; **faire la n.** *(véhicule, personne etc)* to shuttle back and forth *(entre* between); **n. spatiale** space shuttle.
navigable [navigabl] *a (fleuve)* navigable.

●**navigabilité** *nf* (*de bateau*) seaworthiness; (*d'avion*) airworthiness.
navigant, -ante [navigɑ̃, -ɑ̃t] *a* **personnel n.** *Av* flight crew; **hôtesse navigante** flight attendant.
navigateur [navigatœr] *nm* (*de navire, d'avion*) navigator; **n. solitaire** solo navigator, lone sailor. ●**navigation** *nf* (*pilotage*) navigation; (*trafic de bateaux*) shipping.
naviguer [navige] *vi* (*bateau*) to sail; (*piloter, voler*) to navigate.
navire [navir] *nm* ship.
navrer [navre] *vt* to upset (greatly), distress, grieve. ●**navrant, -ante** *a* upsetting. ●**navré, -ée** *a* (*air*) grieved; **je suis n.** I'm (terribly) sorry (**de faire** to do).
nazi, -ie [nazi] *a* & *nmf Pol Hist* Nazi.
ne [n(ə)] (**n'** *before vowel or mute h; used to form negative verb with* **pas, jamais, personne, rien** *etc*) *adv* **1** (+ *pas*) not; **il ne boit pas** he does not *ou* doesn't drink; **elle n'ose (pas)** she doesn't dare; **n'importe** it doesn't matter. **2** (+*que*) (*restriction*) only; **il n'a qu'une sœur** he only has one sister. **3** (*with* **craindre, avoir peur** *etc*) **je crains qu'il ne parte** I'm afraid he'll leave.
né, née [ne] *pp de* **naître** born; **il est né en 1945** he was born in 1945; **née Dupont** née Dupont ∎ *a* born; **c'est un poète/etc-né** he's a born poet/*etc*.
néanmoins [neɑ̃mwɛ̃] *adv* nevertheless, nonetheless.
néant [neɑ̃] *nm* nothingness, void; (*sur un formulaire*) = none.
nébuleux, -euse [nebylø, -øz] *a* hazy, nebulous.
nécessaire [nesesɛr] *a* necessary; (*inéluctable*) inevitable ∎ *nm* **le n.** (*biens*) the necessities; **le strict n.** the bare necessities; **n. de couture** sewing *Br* box *ou Am* basket, *Br* workbox; **n. de toilette** *Br* sponge bag, dressing case; **faire le n.** to do what's necessary *ou* the necessary. ●**nécessairement** *adv* necessarily; (*échouer etc*) inevitably.
nécessité [nesesite] *nf* necessity. ●**nécessiter** *vt* to require, necessitate.
nécessiteux, -euse [nesesitø, -øz] *a* needy.
nécrologie [nekrɔlɔʒi] *nf* obituary.
nectarine [nektarin] *nf* (*fruit*) nectarine.
néerlandais, -aise [neerlɑ̃dɛ, -ez] *a* Dutch ∎ *nmf* **N.** Dutchman; **Néerlandaise** Dutchwoman ∎ *nm* (*langue*) Dutch.
nef [nɛf] *nf* (*d'église*) nave.
néfaste [nefast] *a* (*influence etc*) harmful (**à** to).
négatif, -ive [negatif, -iv] *a* negative ∎ *nm* (*de photo*) negative ∎ *nf* **répondre par la négative** to answer in the negative. ●**négation** *nf* denial, negation (**de** of); *Grammaire* negation; (*mot*) negative.
négligeable [negliʒabl] *a* negligible.
négligent, -ente [negliʒɑ̃, -ɑ̃t] *a* careless, negligent. ●**négligemment** [-amɑ̃] *adv* negligently, carelessly. ●**négligence** *nf* (*défaut*) carelessness, negligence; (*faute*) (careless) error.
négliger [negliʒe] *vt* (*personne, travail, conseil etc*) to neglect; **n. de faire qch** to neglect to do sth ∎ **se négliger** *vpr* (*négliger sa tenue ou sa santé*) to neglect oneself. ●**négligé, -ée** *a* (*tenue*) untidy, neglected; (*travail*) careless ∎ *nm* (*de tenue*) untidiness; (*vêtement*) negligee.
négocier [negɔsje] *vi* (*discuter, traiter*) to negotiate ∎ *vt* (*régler*) & *Fin* to negotiate. ●**négociant, -ante** *nmf* merchant, trader. ●**négociable** *a Fin* negotiable. ●**négociateur, -trice** *nmf* negotiator. ●**négociation** *nf* negotiation.
nègre [nɛgr] **1** *a* (*art, sculpture etc*) Negro. **2** *nm* (*écrivain*) ghost writer.
neige [nɛʒ] *nf* snow; **n. fondue** sleet; **n. carbonique** dry ice; **aller à la n.** to go skiing; **classe de n.** *Scol* winter sports class. ●**neiger** *v imp* to snow; **il neige** it's snowing. ●**neigeux, -euse** *a* snowy.
nénuphar [nenyfar] *nm* water lily.
néo [neɔ] *préf* neo-.
néon [neɔ̃] *nm* (*gaz*) neon; **éclairage au n.** neon lighting.
néophyte [neɔfit] *nmf* novice.
néo-zélandais, -aise [neozelɑ̃dɛ, -ez] *a* of *ou* from New Zealand ∎ *nmf* **N.-Zélandais, N.-Zélandaise** New Zealander.
nerf [nɛr] *nm* nerve; **crise de nerfs** (fit of) hysterics; **du n.!, un peu de n.!** *Fam* buck up!; **ça me tape sur les nerfs** *Fam* it gets on my nerves; **être sur les nerfs** *Fig* to be keyed up *ou* het up; **avoir du n.** (*vigueur*) *Fam* to have guts. ●**nerveux, -euse** *a* (*agité*) nervous; **cellule/*etc* nerveuse** nerve cell/*etc*; **système n.** nervous system; **une voiture nerveuse** a car that has good acceleration. ●**nervosité** *nf* nervousness.
nervure [nɛrvyr] *nf* (*de feuille*) vein.
nescafé® [nɛskafe] *nm* instant coffee.
n'est-ce pas? [nɛspɑ] *adv* isn't he?, don't you, won't they? *etc*; **il fait beau, n'est-ce pas?** the weather's fine, isn't it?
net, nette [nɛt] **1** *a* (*image, refus*) clear; (*coupure, linge*) clean; (*soigné*) neat; (*copie*) fair; **je veux en avoir le cœur n.** *Fig* I want to get to the bottom of it once and for all ∎ *adv* (*casser, couper*) clean; (*tuer*) outright; (*refuser*) flat(ly); (*parler*) plainly; **s'arrêter n.** to stop dead. **2** *a* (*poids, prix etc*) net. ●**nettement** *adv* clearly, plainly; (*bien plus*) definitely. ●**netteté** *nf* clearness; (*de travail*) neatness.
nettoyer [nɛtwaje] *vt* to clean (up); (*plaie*) to cleanse, clean (up); (*vider, ruiner*) *Fam* to clean out. ●**nettoiement** *nm* cleaning; **service du n.** refuse *ou Am* garbage collection. ●**nettoyage** *nm* cleaning; **n. à sec** dry cleaning.
neuf¹, neuve [nœf, nœv] *a* new; **quoi de n.?** what's new(s)? ∎ *nm* **remettre qch à n.** to make sth as good as new, do sth up; **il y a du n.** there's been something new.
neuf² [nœf] *a* & *nm* ([nœv] *before* **heures** &

ans) nine. ●**neuvième** *a & nmf* ninth.
neurasthénique [nørastenik] *a* depressed.
neutre [nøtr] **1** *a* (*pays, personne etc*) neutral ▌ *nm Él* neutral. **2** *a & nm Grammaire* neuter. ●**neutraliser** *vt* to neutralize. ●**neutralité** *nf* neutrality.
neveu, -x [nəvø] *nm* nephew.
névralgie [nevralʒi] *nf* headache; *Méd* neuralgia. ●**névralgique** *a* centre n. *Fig* nerve centre.
névrose [nevroz] *nf* neurosis. ●**névrosé, -ée** *a & nmf* neurotic.
nez [ne] *nm* nose; **n. à n.** face to face (**avec** with); **rire/etc au n. de qn** to laugh/*etc* in s.o.'s face; **parler du n.** to speak through one's nose; **avoir qch sous le n.** *Fam* to have sth under one's very nose; **mener qn par le bout du n.** *Fig* to lead s.o. by the nose; **avoir un verre dans le n.** (*être ivre*) *Fam* to have had one too many; **mettre le n. dehors** *Fam* to stick one's nose outside; **ça se voit comme le n. au milieu de la figure** *Fam* it's as plain as the nose on your face.
ni [ni] *conj* **ni...ni** (+ *ne*) neither...nor; **ni Pierre ni Paul ne sont venus** neither Peter nor Paul came; **il n'a ni faim ni soif** he's neither hungry nor thirsty; **sans manger ni boire** without eating or drinking; **ni l'un(e) ni l'autre** neither (of them).
niais, -aise [njɛ, -ɛz] *a* silly, simple ▌ *nmf* simpleton. ●**niaiserie** *nf* silliness; **niaiseries** (*paroles*) nonsense.
Nicaragua [nikaragwa] *nm* Nicaragua.
niche [niʃ] *nf* (*de chien*) *Br* kennel, *Am* doghouse; (*cavité*) niche, recess.
nicher [niʃe] *vi* (*oiseau*) to nest ▌ **se nicher** *vpr* (*oiseau*) to nest; (*se cacher*) to hide oneself. ●**nichée** *nf* (*chiens*) litter; (*oiseaux, enfants*) brood.
nickel [nikɛl] *nm* (*métal*) nickel.
nicotine [nikɔtin] *nf* nicotine.
nid [ni] *nm* nest; **n. de poules** pothole (*in road*).
nièce [njɛs] *nf* niece.
nième [ɛnjɛm] *a* nth.
nier [nje] *vt* to deny (**que** that) ▌ *vi* (*accusé*) to deny the charge.
nigaud, -aude [nigo, -od] *nmf* silly fool.
Nigéria [niʒerja] *nm* Nigeria.
Nil [nil] *nm* **le N.** the Nile.
n'importe [nɛ̃pɔrt] *voir* **importer 1.**
nippon, -one *ou* **-onne** [nipɔ̃, -ɔn] *a* Japanese.
niveau, -x [nivo] *nm* (*hauteur*) level; (*degré, compétence*) standard, level; **n. de vie** standard of living; **n. à bulle (d'air)** spirit level; **au n. de qn** (*élève etc*) up to s.o.'s standard; **se mettre au n.** to get up to (the required) standard. ●**niveler** *vt* (*surface*) to level; (*fortunes etc*) to even (up).
noble [nɔbl] *a* noble ▌ *nmf* nobleman, noblewoman. ●**noblement** [-əmɑ̃] *adv* nobly. ●**noblesse** *nf* (*caractère, classe*) nobility.
noce(s) [nɔs] *nf(pl)* wedding; **noces d'argent/d'or** silver/golden wedding; **faire la noce** *Fam* to have a good time, make merry. ●**noceur, -euse** *nmf Fam* reveller, hellraiser.
nocif, -ive [nɔsif, -iv] *a* harmful. ●**nocivité** *nf* harmfulness.
noctambule [nɔktɑ̃byl] *nmf* (*personne*) night bird *ou* prowler.
nocturne [nɔktyrn] *a* nocturnal; **tapage n.** *Jur* disturbance (**at night**) ▌ *nf* (*de magasins etc*) late night opening; (**match en**) **n.** *Sport Br* floodlit match, *Am* night game.
Noël [nɔɛl] *nm* Christmas; **le père N.** *Br* Father Christmas, Santa Claus.
nœud [nø] *nm* **1** knot; (*ruban*) bow; **n. coulant** slipknot, noose; **n. papillon** bow tie; **le n. du problème** the crux of the problem; **j'ai un n. à l'estomac** *Fig* I feel bloated. **2** (*mesure*) *Nau* knot.
noir, noire [nwar] *a* black; (*nuit, lunettes etc*) dark; (*idées*) gloomy; (*âme, crime*) vile; (*misère*) dire; **roman n.** thriller; **film n.** film noir; **une rue noire de monde** *Fig* a street swarming with *ou* thick with people; **il fait n.** it's dark; **il fait nuit noire** it's pitch-black. ▌ *nm* (*couleur*) black; (*obscurité*) dark; **N.** (*homme*) black; **vendre au (marché) n.** to sell on the black market.
▌ *nf* **noire** (*note de musique*) *Br* crotchet, *Am* quarter note; **Noire** (*femme*) black. ●**noirceur** *nf* blackness; (*d'une action etc*) vileness. ●**noircir** *vt* to make black, blacken ▌ *vi*, **se noircir** *vpr* to turn black.
noisette [nwazɛt] *nf* hazelnut. ●**noisetier** *nm* hazel (tree).
noix [nwa] *nf* (*du noyer*) walnut; **n. de coco** coconut; **n. du Brésil** Brazil nut; **n. de beurre** knob of butter; **à la n.** *Fam* trashy, awful.
nom [nɔ̃] *nm* name; *Grammaire* noun; **n. de famille** surname; **n. de jeune fille** maiden name; **n. propre** *Grammaire* proper noun; **au n. de qn** on s.o.'s behalf; **sans n.** (*anonyme*) nameless; (*vil*) vile; **n. d'un chien!** *Fam* oh hell!, for heaven's sake!
nomade [nɔmad] *a* nomadic ▌ *nmf* nomad.
nombre [nɔ̃br] *nm* number; **ils sont au n. de dix** there are ten of them; **ils sont au** *ou* **du n. de** (*parmi*) they're among; **le plus grand n. de** the majority of.
nombreux, -euse [nɔ̃brø, -øz] *a* (*amis, livres etc*) numerous, many; (*famille, collection etc*) large; **peu n.** few; **venir en n.** to come in large numbers.
nombril [nɔ̃bri] *nm* navel.
nominal, -e, -aux [nɔminal, -o] *a* nominal.
nomination [nɔminasjɔ̃] *nf* appointment, nomination.
nommer [nɔme] *vt* (*appeler*) to name; **n. qn** (*désigner*) to appoint s.o. (**à un poste**/*etc* to a post/*etc*); **n. qn président** to nominate *ou* appoint s.o. chairman ▌ **se nommer** *vpr* (*s'appeler*) to be called. ●**nommément** *adv* by name.
non [nɔ̃] *adv & nm inv* no; **n.!** no!; **tu viens ou n.?** are you coming or not?; **n. seulement**

not only; **n. (pas) que** (+ *sub*)... not that...; **n. sans regret/***etc* not without regret/*etc*; **je crois que n.** I don't think so; **(ni) moi n. plus** neither do, am, can *etc* I; **c'est bien, n.?** *Fam* it's all right, isn't it?; **(ah) ça n.!** *Fam* definitely not (that)!; **une place n. réservée** an unreserved seat.

non- [nɔ̃] *préf* non-.

nonante [nɔnɑ̃t] *a & nm* (*en Belgique, en Suisse*) ninety.

nonchalant, -ante [nɔ̃ʃalɑ̃, -ɑ̃t] *a* nonchalant, apathetic. ●**nonchalance** *nf* nonchalance, apathy.

non-conformiste [nɔ̃kɔ̃fɔrmist] *a & nmf* nonconformist.

non-fumeur, -euse [nɔ̃fymœr, -øz] *nmf* non-smoker.

non-lieu [nɔ̃ljø] *nm* **bénéficier d'un n.-lieu** *Jur* to have one's case dismissed (*through lack of evidence*).

non-retour [nɔ̃rətur] *nm* **point de n.-retour** point of no return.

non-sens [nɔ̃sɑ̃s] *nm inv* absurdity.

non-violence [nɔ̃vjɔlɑ̃s] *nf* non-violence.

nord [nɔr] *nm* north; **au n.** in the north; (*direction*) (to the) north (**de** of); **du n.** (*vent, direction*) northerly; (*ville*) northern; (*gens*) from *ou* in the north; **Amérique/Afrique du N.** North America/Africa; **l'Europe du N.** Northern Europe; **le grand N.** the Far North, the Arctic regions.

∎ *a inv* (*côte*) north(ern). ●**nord-africain, -aine** *a* North African ∎ *nmf* **N.-Africain, N.-Africaine** North African. ●**nord-américain, -aine** *a* North American ∎ *nmf* **N.-Américain, N.-Américaine** North American. ●**nord-est** *nm & a inv* north-east. ●**nord-ouest** *nm & a inv* north-west.

nordique [nɔrdik] *a* Scandinavian ∎ *nmf* **N.** Scandinavian; *Can* Northern Canadian.

noria [nɔrja] *nf* **une n. d'ambulances/***etc* a fleet of ambulances/*etc*.

normal, -e, -aux [nɔrmal, -o] *a* normal. ●**normale** *nf* norm, normality; **au-dessus/au-dessous de la n.** above/below normal. ●**normalement** *adv* normally. ●**normaliser** *vt* (*uniformiser*) to standardize; (*relations etc*) to normalize.

normand, -ande [nɔrmɑ̃, -ɑ̃d] *a* Norman ∎ *nmf* **N., Normande** Norman. ●**Normandie** *nf* Normandy.

norme [nɔrm] *nf* norm; **normes de sécurité** safety standards.

Norvège [nɔrvɛʒ] *nf* Norway. ●**norvégien, -ienne** *a* Norwegian ∎ *nmf* **N., Norvégienne** Norwegian ∎ *nm* (*langue*) Norwegian.

nos [no] *voir* **notre**.

nostalgie [nɔstalʒi] *nf* nostalgia. ●**nostalgique** *a* nostalgic.

notable [nɔtabl] *a* (*fait etc*) notable ∎ *nm* (*personne*) notable. ●**notablement** [-əmɑ̃] *adv* (*sensiblement*) notably.

notaire [nɔtɛr] *nm* lawyer, *Br* solicitor, notary (public).

notamment [nɔtamɑ̃] *adv* particularly, notably.

note [nɔt] *nf* (*de musique, remarque etc*) note; (*chiffrée*) (*à l'école*) *Br* mark, *Am* grade; (*facture*) *Br* bill, *Am* check; **prendre n. de qch, prendre qch en n.** to make a note of sth; **prendre des notes** to take notes.

noter [nɔte] *vt* (*remarquer*) to note, notice; (*écrire*) to note down; (*devoir etc*) *Br* to mark, *Am* grade; **être bien noté** (*personne*) to be highly rated.

notice [nɔtis] *nf* (*mode d'emploi*) instructions; (*résumé, préface*) note.

notifier [nɔtifje] *vt* **n. qch à qn** to notify s.o. of sth.

notion [nɔsjɔ̃] *nf* notion, idea; **notions** (*éléments*) rudiments; **avoir des notions de chimie/***etc* to know the rudiments of *ou* have a smattering of chemistry/*etc*.

notoire [nɔtwar] *a* (*criminel, bêtise*) notorious; (*fait*) well-known. ●**notoriété** *nf* (*renom*) fame; (*de fait*) general recognition; **il est de n. publique que...** it's public *ou* common knowledge that....

notre, *pl* **nos** [nɔtr, no] *a poss* our. ●**nôtre** *pron poss* **le** *ou* **la n., les nôtres** ours ∎ *nmpl* **les nôtres** (*parents etc*) our own (people); **serez-vous des nôtres?** (*à notre dîner etc*) will you join us?

nouba [nuba] *nf* **faire la n.** *Fam* to have a good time, make merry.

nouer [nwe] *vt* (*lacets etc*) to tie, knot; (*amitié, conversation*) *Fig* to strike up; **avoir la gorge nouée** to have a lump in one's throat. ●**noueux, -euse** *a* (*bois*) knotty; (*doigts*) gnarled.

nougat [nuga] *nm* nougat.

nouille [nuj] *nf* (*idiot*) *Fam* drip.

nouilles [nuj] *nfpl* noodles.

nounours [nunurs] *nm* teddy bear.

nourrice [nuris] *nf* (*assistante maternelle*) (children's) nurse, *Br* child minder; (*qui allaite*) wet nurse; **mettre un enfant en n.** to put a child out to nurse.

nourrir [nurir] *vt* (*alimenter*) to feed; (*espoir etc*) *Fig* to nourish; (*esprit*) to foster, enrich; **enfant nourri au sein** breastfed child ∎ *vi* (*aliment*) to be nourishing. ∎ **se nourrir** *vpr* to eat; **se n. de** to feed on. ●**nourrissant, -ante** *a* nourishing.

nourrisson [nurisɔ̃] *nm* infant.

nourriture [nurityr] *nf* food.

nous [nu] *pron* **1** (*sujet*) we; **n. sommes** we are. **2** (*complément direct*) us; **il n. connaît** he knows us. **3** (*complément indirect*) (to) us; **il n. l'a donné** he gave it to us, he gave us it. **4** (*réfléchi*) ourselves; **n. n. lavons** we wash ourselves. **5** (*réciproque*) each other; **n. n. détestons** we hate each other. ●**nous-mêmes** *pron* ourselves.

nouveau (*or* **nouvel** *before vowel or mute* **h**), **nouvelle**[1], *pl* **nouveaux, nouvelles** [nuvo, nuvɛl] *a* new; **on craint de nouvelles inondations** (*d'autres*) further *ou* fresh flooding is feared ∎ *nmf* (*à l'école*) new boy, new girl ∎ *nm* **du n.** something new ∎ *adv* **de n., à n.**

again. ●**nouveau-né, -ée** *a & nmf* new-born (baby). ●**nouveau-venu** *nm ou* **nouvelle-venue** *nf* newcomer.

nouveauté [nuvote] *nf* novelty, newness; **nouveautés** (*livres*) new books; (*disques*) new releases; (*vêtements*) new fashions; **une n.** (*objet*) a novelty.

nouvelle² [nuvɛl] *nf* **1 nouvelle(s)** (*informations*) news; **une n.** a piece of news, some news; **la n. de sa mort** the news of her death; **les nouvelles sont bonnes/mauvaises** the news is good/bad; **j'ai des nouvelles** I have some news; **avoir des nouvelles de qn** to have *ou* get news about *ou* of s.o.; **demander des nouvelles de qn** to ask *ou* inquire after *ou* about s.o. **2** (*récit*) short story.

Nouvelle-Calédonie [nuvɛlkaledɔni] *nf* New Caledonia.

Nouvelle-Zélande [nuvɛlzelɑ̃d] *nf* New Zealand.

novateur, -trice [nɔvatœr, -tris] *nmf* innovator ▌ *a* innovative.

novembre [nɔvɑ̃br] *nm* November.

novice [nɔvis] *nmf* novice ▌ *a* inexperienced.

noyade [nwajad] *nf* drowning.

noyau, -x [nwajo] *nm* (*de fruit*) stone, *Am* pit; (*d'atome, de cellule*) nucleus; (*groupe*) group; **un n. d'opposants** a hard core of opponents; **un n. dur** (*de groupe*) a hard core.

noyauter [nwajote] *vt Pol* to infiltrate. ●**noyautage** *nm* infiltration.

noyer¹ [nwaje] *vt* (*personne etc*) to drown; (*terres*) to flood; **n. son chagrin dans le vin** to drown one's sorrows (in wine); **n. le poisson** *Fig* to sidestep the issue (*by giving a complex reply*) ▌ **se noyer** *vpr* to drown; (*se suicider*) to drown oneself; **se n. dans le détail** to get bogged down in details. ●**noyé, -ée** *nmf* (*mort*) drowned man *ou* woman ▌ *a* **être n.** (*perdu*) *Fig* to be out of one's depth; **être n. dans la masse** *Fig* to be lumped in with the rest.

noyer² [nwaje] *nm* (*arbre*) walnut tree.

nu, nue [ny] *a* (*personne, vérité*) naked; (*mains, chambre*) bare; **tout nu** (stark) naked, (in the) nude; **tête nue, nu-tête** bareheaded; **voir qch à l'œil nu** to see sth with the naked eye; **mettre qch à nu** (*exposer*) to lay sth bare; **se mettre nu** to strip off ▌ *nm* (*femme, homme, œuvre*) nude.

nuage [nɥaʒ] *nm* cloud; **un n. de lait** *Fig* a dash of milk; **être sur son petit n.** to have one's head in the clouds. ●**nuageux, -euse** *a* (*ciel*) cloudy.

nuance [nɥɑ̃s] *nf* (*de couleurs*) shade, nuance; (*de sens*) nuance; (*de regret*) tinge, nuance. ●**nuancer** *vt* (*teintes*) to blend, shade; (*pensée*) to qualify. ●**nuancé, -ée** *a* (*jugement*) qualified.

nucléaire [nykleɛr] *a* nuclear; **centrale n.** nuclear power station ▌ *nm* (*énergie*) nuclear energy.

nudisme [nydism] *nm* nudism. ●**nudiste** *nmf* nudist; **camp de nudistes** nudist camp. ●**nudité** *nf* nudity, nakedness; (*de mur etc*) bareness.

nuée [nɥe] *nf* **une n. de** *Litt* (*foule*) a host of; (*groupe compact*) a cloud of.

nues [ny] *nfpl* **tomber des n.** to be astounded; **porter qn aux n.** to praise s.o. to the skies.

nuire* [nɥir] *vi* **n. à** (*personne, intérêts etc*) to harm. ●**nuisible** *a* harmful.

nuit [nɥi] *nf* night; (*obscurité*) dark(ness); **il fait n.** it's dark; **la n.** (*se promener etc*) at night; **cette n.** (*aujourd'hui*) tonight; (*hier*) last night; **avant la n.** before nightfall; **n. d'hôtel** overnight stay in a hotel; **oiseau de n.** night bird; **bonne n.** good night. ●**nuitée** *nf* overnight stay (*in hotel etc*).

nul, nulle [nyl] **1** *a* (*médiocre*) hopeless, useless; (*risque etc*) non-existent, nil; (*non valable*) *Jur* null (and void); **faire match n.** *Sport* to tie, draw. **2** *a* (*aucun*) no; **nulle part** nowhere; **sans n. doute** without any doubt ▌ *pron m* (*aucun*) *Litt* no one. ●**nullard, -arde** *nmf Fam* useless person. ●**nullement** *adv* not at all. ●**nullité** *nf* (*d'un élève etc*) uselessness; (*personne*) useless person.

numéraire [nymerɛr] *nm* cash, currency.

numéral, -e, -aux [nymeral, -o] *a & nm* numeral.

numérique [nymerik] *a* numerical; (*montre, clavier, données etc*) digital.

numéro [nymero] *nm* number; (*de journal*) issue, number; (*au cirque*) act; **un n. de danse/de chant** a dance/song number; **n. vert** *Tél* = 0-800 number, = *Am* tollfree number; **n. gagnant** (*au jeu*) winning number; **quel n.!** (*personne*) *Fam* what a character! ●**numéroter** *vt* (*pages, sièges*) to number. ●**numérotage** *nm* numbering.

nu-pieds [nypje] *a inv* barefoot ▌ *nmpl* open sandals.

nuptial, -e, -aux [nypsjal, -o] *a* (*chambre*) bridal; **cérémonie/etc nuptiale** wedding ceremony/*etc*.

nuque [nyk] *nf* back *ou* nape of the neck.

nurse [nœrs] *nf* nanny, (children's) nurse.

nutritif, -ive [nytritif, -iv] *a* nutritious, nutritive. ●**nutrition** *nf* nutrition. ●**nutritionnel, -elle** *a* nutritional.

nylon [nilɔ̃] *nm* (*fibre*) nylon; **chemise/etc en n.** nylon shirt/*etc*.

nymphe [nɛ̃f] *nf* nymph. ●**nymphomane** *nf Péj* nymphomaniac.

O

O, o [o] *nm* O, o.
oasis [ɔazis] *nf* oasis.
obédience [ɔbedjãs] *nf* (*politique*) allegiance.
obéir [ɔbeir] *vi* to obey; o. à qn/qch to obey s.o./sth; être obéi to be obeyed; o. à qn au doigt et à l'œil to obey s.o. dutifully *ou* strictly, do s.o.'s bidding. ● **obéissant, -ante** *a* obedient. ● **obéissance** *nf* obedience (à to).
obélisque [ɔbelisk] *nm* (*monument*) obelisk.
obèse [ɔbɛz] *a & nmf* obese (person). ● **obésité** *nf* obesity.
objecter [ɔbʒɛkte] *vt* (*prétexte*) to put forward, plead; o. que to object that; on lui objecta son jeune âge they objected that he *ou* she was too young. ● **objecteur** *nm* o. de conscience conscientious objector. ● **objection** *nf* objection; si vous n'y voyez pas d'o. if you have no objection(s).
objectif, -ive [ɔbʒɛktif, -iv] **1** *nm* (*but*) objective; (*d'appareil photo*) lens; o. de vente *Com* sales target. **2** *a* (*opinion etc*) objective. ● **objectivement** *adv* objectively. ● **objectivité** *nf* objectivity.
objet [ɔbʒɛ] *nm* (*chose, sujet, but*) object; (*de toilette*) article; faire l'o. de (*étude, critiques etc*) to be the subject of; (*soins, surveillance*) to be given, receive; **objets trouvés** (*bureau*) *Br* lost property, *Am* lost and found; o. d'art objet d'art; sans o. (*inquiétude etc*) groundless.
obligation [ɔbligɑsjɔ̃] *nf* (*devoir, nécessité*) obligation; *Fin* bond; se trouver dans l'o. de faire qch to feel compelled *ou* obliged to do sth; sans o. de votre part without obligation (on your part). ● **obligatoire** *a* compulsory, obligatory; (*inévitable*) *Fam* inevitable. ● **obligatoirement** *adv* (*fatalement*) inevitably; tu dois le faire you have to do it.
obligeant, -ante [ɔbliʒɑ̃, -ɑ̃t] *a* obliging, kind. ● **obligeamment** [-amɑ̃] *adv* obligingly. ● **obligeance** *nf* kindness.
obliger [ɔbliʒe] *vt* **1** (*contraindre*) to force, compel, oblige (à faire to do); (*engager*) to bind; être obligé de faire to have to do, be compelled *ou* obliged to do. **2** (*rendre service à*) to oblige; être obligé à qn de qch to be obliged to s.o. for sth. ● **obligé, -ée** *a* (*obligatoire*) necessary; (*fatal*) *Fam* inevitable.
oblique [ɔblik] *a* oblique; regard o. sidelong glance; en o. at an (oblique) angle. ● **obliquer** *vi* (*véhicule etc*) to turn off.
oblitérer [ɔblitere] *vt* (*timbre*) to cancel; (*billet, carte*) to stamp; timbre oblitéré (*non neuf*) used stamp. ● **oblitération** *nf* cancellation; (*de billet etc*) stamping.
oblong, -ongue [ɔblɔ̃, -ɔ̃g] *a* oblong.
obnubilé, -ée [ɔbnybile] *a* (*obsédé*) obsessed (par with).
obscène [ɔpsɛn] *a* obscene. ● **obscénité** *nf* obscenity.
obscur, -e [ɔpskyr] *a* (*noir*) dark; (*peu clair, inconnu, humble*) obscure. ● **obscurcir** *vt* (*pièce*) to make dark(er), darken; (*rendre peu intelligible*) to obscure (*text, ideas etc*) ▌ s'obscurcir *vpr* (*ciel*) to get dark(er), cloud over, darken; (*vue*) to become dim. ● **obscurément** *adv* obscurely. ● **obscurité** *nf* dark(ness); (*de texte, d'acteur etc*) obscurity; rester dans l'o. to be *ou* remain in the dark.
obséder [ɔpsede] *vt* to obsess, haunt. ● **obsédant, -ante** *a* haunting, obsessive. ● **obsédé, -ée** *nmf* maniac (de for); o. sexuel sex maniac.
obsèques [ɔpsɛk] *nfpl* funeral; faire des o. nationales à qn to give s.o. a state funeral.
obséquieux, -euse [ɔpsekjø, -øz] *a* obsequious.
observateur, -trice [ɔpsɛrvatœr, -tris] *a* observant ▌ *nmf* observer.
observation [ɔpsɛrvasjɔ̃] *nf* (*étude, remarque*) observation; (*reproche*) rebuke, (critical) remark; (*de règle etc*) observance; en o. (*malade*) under observation.
observatoire [ɔpsɛrvatwar] *nm* observatory; (*endroit élevé*) lookout post; (*d'une armée*) observation post.
observer [ɔpsɛrve] *vt* (*regarder*) to watch, observe; (*remarquer, respecter*) to observe; faire o. qch à qn to point sth out to s.o.
obsession [ɔpsesjɔ̃] *nf* obsession. ● **obsessif, -ive** *a* (*peur etc*) obsessive. ● **obsessionnel, -elle** *a Psy* obsessive.
obstacle [ɔpstakl] *nm* obstacle; faire o. à to stand in the way of.
obstétrique [ɔpstetrik] *nf Méd* obstetrics.
obstiner (s') [sɔpstine] *vpr* to be persistent *ou* obstinate; s'o. à faire to persist in doing. ● **obstiné, -ée** *a* stubborn, persistent, obstinate. ● **obstination** *nf* stubbornness, obstinacy, persistence.
obstruction [ɔpstryksjɔ̃] *nf* (*gêne, tactique politique, au football etc*) obstruction; faire de l'o. (*homme politique, footballeur etc*) to be obstructive. ● **obstruer** *vt* to obstruct.
obtempérer [ɔptɑ̃pere] *vi* to obey (an order); o. à to obey.
obtenir* [ɔptənir] *vt* to get, obtain, secure. ● **obtention** *nf* obtaining, getting.
obturer [ɔptyre] *vt* (*trou etc*) to stop *ou* close

obtus

up. ●**obturateur** *nm* (*d'appareil photo*) shutter; (*dans une conduite d'eau etc*) valve.
obtus, -use [ɔpty, -tyz] *a* (*angle, esprit*) obtuse.
obus [ɔby] *nm* (*projectile*) shell.
occasion [ɔkazjɔ̃] *nf* **1** (*chance*) chance, opportunity (**de faire** to do); (*circonstance*) occasion; **à l'o.** on occasion, when the occasion arises; **à l'o. de** on the occasion of; **pour les grandes occasions** for special *ou* important occasions. **2** (*prix avantageux*) bargain; (*objet non neuf*) secondhand buy; **d'o.** secondhand, used.
occasionner [ɔkazjɔne] *vt* to cause; **o. qch à qn** to cause s.o. sth.
occident [ɔksidã] *nm* **l'O.** *Pol* the West. ●**occidental, -e, -aux** *a Géog Pol* western ▮ *nmpl* **les occidentaux** *Pol* Westerners. ●**occidentalisé, -ée** *a Pol* Westernized.
occulte [ɔkylt] *a* occult.
occupant, -ante [ɔkypɑ̃, -ɑ̃t] *a* (*armée*) occupying ▮ *nmf* (*habitant*) occupant ▮ *nm* (*soldats ennemis*) forces of occupation, occupier.
occupation [ɔkypasjɔ̃] *nf* (*activité, travail etc*) occupation; **l'o. de** (*action*) the occupation of; **l'O.** *Hist* the Occupation; **armée d'o.** occupying forces, army of occupation.
occupé, -ée [ɔkype] *a* busy (**à faire** doing); (*place, maison etc*) occupied; (*ligne téléphonique*) *Br* engaged, *Am* busy; (*taxi*) hired.
occuper [ɔkype] *vt* (*maison, pays, usine etc*) to occupy; (*place, temps*) to take up, occupy; (*poste*) to hold, occupy; **o. qn** (*jeu, travail*) to keep s.o. busy *ou* occupied, occupy s.o.; (*ouvrier etc*) to employ s.o.; **o. qn à qch** to keep s.o. occupied *ou* busy doing sth; **o. ses loisirs** to occupy one's spare *ou* leisure time.
▮ **s'occuper** *vpr* to keep (oneself) busy (**à faire** doing); **s'o. de** (*affaire, problème etc*) to deal with; (*politique*) to be engaged in; **s'o. de qn** (*malade etc*) to take care of s.o.; (*client*) to see to s.o., deal with s.o.; **occupe-toi de tes affaires!** mind your own business!; **est-ce qu'on s'occupe de vous?** (*dans un magasin*) are you being served *ou* seen to?
occurrence [ɔkyrɑ̃s] *nf Ling* occurrence; **en l'o.** in this case, in the circumstances, as it happens *ou* happened.
océan [ɔseɑ̃] *nm* ocean; **un o. de verdure** *Litt* a sea of greenery; **un o. de larmes** *Litt* a deluge of tears. ●**océanique** *a* oceanic.
ocre [ɔkr] *nm & a inv* (*couleur*) ochre.
octave [ɔktav] *nf Mus* octave.
octet [ɔktɛ] *nm Ordinat* byte.
octobre [ɔktɔbr] *nm* October.
octogénaire [ɔktɔʒenɛr] *nmf* octogenarian.
octogone [ɔktɔgɔn] *nm* octagon. ●**octogonal, -e, -aux** *a* octagonal.
octroi [ɔktrwa] *nm Litt* granting. ●**octroyer** *vt Litt* to grant (**à** to).
oculaire [ɔkylɛr] *a* **témoin o.** eyewitness; **globe o.** eyeball. ●**oculiste** *nmf* eye specialist.
ode [ɔd] *nf* (*poème*) ode.
odeur [ɔdœr] *nf* smell, odour; (*de fleur*) scent; **une o. de brûlé** a smell of burning. ●**odorant, -ante** *a* sweet-smelling. ●**odorat** *nm* sense of smell.
odieux, -euse [ɔdjø, -øz] *a* horrible, odious, obnoxious.
œcuménique [ekymenik] *a Rel* (o)ecumenical.
œil, *pl* **yeux** [œj, jø] *nm* eye; **avoir les yeux noirs/etc** to have black/*etc* eyes; **avoir de grands yeux** to have big *ou* wide eyes; **lever/baisser les yeux** to look up/down; **fermer les yeux sur qch** *Fig* to turn a blind eye to sth; **je n'ai pas fermé l'o.** (**de la nuit**) I didn't close my eyes *ou* sleep a wink (all night); **coup d'o.** (*regard*) look, glance; **jeter un coup d'o. sur** to (have a) look *ou* glance at; **à vue d'o.** visibly; **à mes yeux** in my eyes; **à l'o.** (*gratuitement*) *Fam* free; **avoir qch sous les yeux** to have sth before one's very eyes *ou* right in front of one; **regarder qn dans les yeux** to look at s.o. in the eyes *ou* eye; **être les yeux dans les yeux** to be staring into each other's eyes; **faire les gros yeux à qn** to scowl at s.o.; **faire de l'o. à qn** *Fam* to make eyes at s.o.; **avoir qn à l'o.** (*surveiller*) to keep an eye on s.o.; **ne pas avoir les yeux dans sa poche** to be very observant, have sharp eyes; **o. poché, o. au beurre noir** *Fig* black eye; **l'o. du cyclone** the eye of the storm *ou* cyclone; **ouvre l'o.!** keep your eyes open!; **mon o.!** *Fam* (*incrédulité*) my foot!; (*refus*) no way!, no chance!; **entre quat'z'yeux** [katzjø] (**en privé**) *Fam* in private. ●**œil-de-bœuf** *nm* (*pl* **œils-de-bœuf**) bull's-eye window.
œillade [œjad] *nf* (*clin d'œil*) wink.
œillères [œjɛr] *nfpl* (*de cheval*) & *Fig Br* blinkers, *Am* blinders.
œillet [œjɛ] *nm* **1** (*plante*) carnation. **2** (*trou de ceinture etc*) eyelet.
œuf, *pl* **œufs** [œf, ø] *nm* egg; **œufs** (**de poisson**) (hard) roe; **o. sur le plat** fried egg; **o. dur** hard-boiled egg; **œufs brouillés** scrambled eggs; **o. de Pâques** Easter egg; **étouffer qch dans l'o.** *Fig* to nip *ou* stifle sth in the bud.
œuvre [œvr] *nf* (*travail, livre etc*) work; **o. de charité** (*organisation*) charity; **o. d'art** work of art; **l'o. de** (*production artistique etc*) the works of; **mettre en o.** (*employer*) to make use of; **mettre tout en o.** to do everything possible (**pour faire** to do); **se mettre à l'o.** to set to work. ●**œuvrer** *vi Litt* to work.
offense [ɔfɑ̃s] *nf* insult; *Rel* transgression. ●**offenser** *vt* to offend; **s'o. de qch** to take *Br* offence *ou Am* offense at sth. ●**offensant, -ante** *a* offensive.
offensif, -ive [ɔfɑ̃sif, -iv] *a* offensive ▮ *nf* (*attaque*) offensive; **offensive du froid** sudden cold spell, onslaught of the cold weather.
offert, -erte [ɔfɛr, -ɛrt] *pp de* **offrir**.
office [ɔfis] *nm* **1** *Rel* service. **2** (*pièce près de*

la cuisine) pantry. **3** (*établissement*) office, bureau; **d'o.** (*être promu etc*) automatically; **faire o.** de to serve as; **ses bons offices** (*service*) one's good offices.

officiel, -ielle [ɔfisjɛl] *a* (*acte etc*) official; **le Journal O.** official government publication giving details of laws and important announcements ▌ *nm* (*personnage*) official. ● **officiellement** *adv* officially.

officier [ɔfisje] **1** *nm* (*dans l'armée etc*) officer. **2** *vi Rel* to officiate.

officieux, -euse [ɔfisjø, -øz] *a* unofficial.

offre [ɔfr] *nf* offer; (*aux enchères*) bid; **l'o. et la demande** *Écon* supply and demand; **offres d'emploi** (*dans un journal*) job vacancies, *Br* situations vacant; **appel d'offres** invitation to tender, invitation for tenders. ● **offrande** *nf* offering.

offrir* [ɔfrir] *vt* (*donner en cadeau*) to give; (*proposer*) to offer; **o. qch à qn** (*donner*) to give s.o. sth, give sth to s.o.; (*proposer*) to offer s.o. sth, offer sth to s.o.; **o. à qn de l'héberger/etc** to offer to put s.o. up/*etc*; **o. sa démission (à qn)** to offer (s.o.) one's resignation ▌ **s'offrir** *vpr* (*cadeau etc*) to treat oneself to; (*se proposer*) to offer oneself (**comme** as); **s'o. aux regards** (*spectacle etc*) to greet one's eyes. ● **offrant** *nm* **au plus o.** to the highest bidder.

offusquer [ɔfyske] *vt* to offend, shock; **s'o. de** to take *Br* offence *ou Am* offense at.

ogive [ɔʒiv] *nf* (*de fusée*) nose cone; **o. nucléaire** nuclear warhead.

ogre [ɔgr] *nm* ogre.

oh! [o] *int* oh!, o!

ohé! [ɔe] *int* hey (there)!

oie [wa] *nf* goose (*pl* geese).

oignon [ɔɲɔ̃] *nm* (*légume*) onion; (*de fleur*) bulb; **en rang d'oignons** *Fam* in a straight *ou* neat row; **occupe-toi de tes oignons!** *Fam* mind your own business!

oiseau, -x [wazo] *nm* bird; **à vol d'o.** as the crow flies; **o. rare** (*être irremplaçable*) *Hum* rare bird, perfect gem; **drôle d'o.** (*individu*) *Péj Br* queer *ou* odd fish, *Am* oddball; **'attention! le petit o. va sortir!'** 'watch the birdie!'

oiseux, -euse [wazø, -øz] *a* (*inutile*) idle, vain.

oisif, -ive [wazif, -iv] *a* (*inactif*) idle ▌ *nmf* idler. ● **oisiveté** *nf* idleness.

oléoduc [ɔleɔdyk] *nm* oil pipeline.

olfactif, -ive [ɔlfaktif, -iv] *a* olfactory.

olive [ɔliv] *nf* (*fruit*) olive; **huile d'o.** olive oil ▌ *a inv* (*couleur*) (*vert*) **o.** olive (green). ● **olivier** *nm* (*arbre*) olive tree.

olympique [ɔlɛ̃pik] *a* (*jeux, record, piscine etc*) Olympic; **jeux olympiques d'hiver** Winter Olympics.

ombilical, -e, -aux [ɔ̃bilikal, -o] *a* umbilical; **cordon o.** umbilical cord.

ombrage [ɔ̃braʒ] *nm* **1** (*ombre*) shade. **2 prendre o. de qch** *Litt* to take umbrage at sth. ● **ombrager** *vt* to give shade to. ● **ombragé, -ée** *a* shady. ● **ombrageux, -euse** *a* (*ca-*

ractère, personne) touchy.

ombre [ɔ̃br] *nf* (*d'arbre etc*) shade; (*de personne, objet*) shadow; **30° à l'o.** 30° in the shade; **dans l'o.** (*comploter etc*) *Fig* in secret; **rester dans l'o.** (*effacé*) to remain in the background; **sans l'o. d'un doute** without the shadow of a doubt; **sans l'o. d'un reproche/remords/etc** without the slightest trace of blame/remorse/*etc*; **il y a une o. au tableau** *Fig* there's a fly in the ointment.

ombrelle [ɔ̃brɛl] *nf* sunshade, parasol.

omelette [ɔmlɛt] *nf* omelet(te); **o. au fromage/etc** cheese/*etc* omelet(te); **o. norvégienne** baked Alaska.

omettre* [ɔmɛtr] *vt* to omit (**de faire** to do). ● **omission** *nf* omission.

omni- [ɔmni] *préf* omni-. ● **omnipotent, -ente** *a* omnipotent.

omnibus [ɔmnibys] *a & nm* (**train**) **o.** slow train (*stopping at all stations*).

omoplate [ɔmɔplat] *nf* shoulder blade.

on [ɔ̃] (*sometimes* **l'on** [lɔ̃]) *pron* (*les gens*) they, people; (*nous*) we, one; (*vous*) you, one; **on frappe** (*quelqu'un*) someone's knocking; **on dit** they say, people say, it is said; **on m'a dit que...** I was told that...; **on me l'a donné** it was given to me, I was given it.

once [ɔ̃s] *nf* (*mesure*) & *Fig* ounce.

oncle [ɔ̃kl] *nm* uncle.

onctueux, -euse [ɔ̃ktɥø, -øz] *a* (*liquide, crème*) creamy; (*manières, paroles*) *Fig* smooth.

onde [ɔ̃d] *nf* (*à la radio*) & *Phys* wave; **grandes ondes** long wave; **ondes courtes/moyennes** short/medium wave; **sur les ondes** (*sur l'antenne*) on the radio.

ondée [ɔ̃de] *nf* (*pluie*) *Litt* (sudden) shower.

on-dit [ɔ̃di] *nm inv* rumour, hearsay.

ondoyer [ɔ̃dwaje] *vi* to undulate.

ondulation [ɔ̃dylasjɔ̃] *nf* undulation; (*de cheveux*) wave. ● **onduler** *vi* to undulate; (*cheveux*) to be wavy. ● **ondulé, -ée** *a* wavy.

onéreux, -euse [ɔnerø, -øz] *a* costly.

ongle [ɔ̃gl] *nm* (finger)nail.

onglet [ɔ̃glɛ] *nm* (*entaille de canif etc*) (nail) groove; **à onglets** (*dictionnaire etc*) with a thumb index.

ont [ɔ̃] *voir* avoir.

ONU [ɔny] *nf abrév* (*Organisation des nations unies*) UN.

onyx [ɔniks] *nm* (*pierre semi-précieuse*) onyx.

onze [ɔ̃z] *a & nm* eleven. ● **onzième** *a & nmf* eleventh.

opale [ɔpal] *nf* (*pierre semi-précieuse*) opal.

opaque [ɔpak] *a* opaque. ● **opacité** *nf* opacity.

OPA [ɔpea] *nf abrév* (*offre publique d'achat*) *Com* takeover bid.

opéra [ɔpera] *nm* (*musique*) opera; (*édifice*) opera house; **o. rock** rock opera. ● **opéra-comique** *nm* (*pl* opéras-comiques) comic opera. ● **opérette** *nf* operetta.

opérateur, -trice [ɔperatœr, -tris] *nmf* (*de prise de vues*) cameraman; (*sur machine*)

opération 210

operator; **o. boursier** Stock Market dealer.
opération [ɔperasjɔ̃] *nf* (*action*) & *Méd Mil Math etc* operation; (*Fin*) deal; **o. à cœur ouvert** open-heart surgery; **faire une o. portes ouvertes** (*école etc*) to open one's doors to the public; **théâtre des opérations** *Mil* theatre of operations. ● **opérationnel, -elle** *a* operational. ● **opératoire** *a* (*de chirurgie*) (*méthode etc*) operative; **choc o.** post-operative shock; **bloc o.** operating *ou* surgical wing.
opérer [ɔpere] 1 *vt* (*en chirurgie*) (*personne, organe etc*) to operate on (**de** for); (*tumeur*) to operate on, remove; **se faire o.** to have an operation ▮ *vi* (*chirurgien*) to operate.
2 *vt* (*exécuter*) to carry out; (*choix*) to make ▮ *vi* (*agir*) to work, act; (*procéder*) to proceed ▮ **s'opérer** *vpr* (*se produire*) to take place. ● **opérant, -ante** *a* (*efficace*) operative. ● **opéré, -ée** *nmf* patient (*operated on*).
ophtalmologue [ɔftalmɔlɔg] *nmf* opthalmologist.
opiner [ɔpine] *vi* **o. (de la tête)** to nod assent.
opiniâtre [ɔpinjatr] *a* stubborn, obstinate. ● **opiniâtreté** *nf* stubbornness, obstinacy.
opinion [ɔpinjɔ̃] *nf* opinion (**sur** about, **on**); **o. publique** public opinion; **mon opinion est faite** my mind is made up.
opium [ɔpjɔm] *nm* opium.
opportun, -une [ɔpɔrtœ̃, -yn] *a* opportune, timely. ● **opportunément** *adv* opportunely. ● **opportunisme** *nm* opportunism. ● **opportunité** *nf* timeliness.
opposé, -ée [ɔpoze] *a* (*direction etc*) opposite; (*opinions*) opposite, opposing; (*intérêts, équipe*) opposing; (*couleurs*) contrasting; **être o. à** to be opposed to ▮ *nm* **l'o.** the opposite side (**de** of); **à l'o.** (*côté*) on the opposite side (**de** from, to); **à l'o. de** (*contrairement à*) contrary to.
opposer [ɔpoze] *vt* (*résistance, argument*) to put up (**à** against); (*équipes, rivaux*) to bring together, set against each other; (*couleurs etc*) to contrast; **o. qn à qn** to set s.o. against s.o.; **o. qch à qch** (*objet*) to place sth opposite sth; **match qui oppose...** match between...
▮ **s'opposer** *vpr* (*équipes*) to play against each other, confront each other; (*couleurs*) to contrast; **s'o. à** (*mesure, personne etc*) to be opposed to, oppose; **je m'y oppose** I'm opposed to it, I oppose. ● **opposant, -ante** *a* opposing ▮ *nmf* opponent.
opposition [ɔpozisjɔ̃] *nf* opposition (**à** to); **faire o. à** to oppose; (*chèque*) to stop; **par o. à** as opposed to.
oppresser [ɔprese] *vt* (*gêner*) to oppress. ● **oppressant, -ante** *a* oppressive. ● **oppresseur** *nm Pol* oppressor. ● **oppressif, -ive** *a* (*loi etc*) oppressive. ● **oppression** *nf* oppression. ● **opprimer** *vt* (*tyranniser*) to oppress. ● **opprimés** *nmpl* **les o.** the oppressed.
opter [ɔpte] *vi* **o. pour** to opt for.
opticien, -ienne [ɔptisjɛ̃, -jɛn] *nmf* optician.
optimisme [ɔptimism] *nm* optimism. ● **optimiste** *a* optimistic ▮ *nmf* optimist.

optimum [ɔptimɔm] *nm* & *a* optimum; **la température o.** the optimum temperature. ● **optimal, -e, -aux** *a* optimal.
option [ɔpsjɔ̃] *nf* (*choix*) option; (*chose*) optional extra; (*à l'école*) *Br* option, *Br* optional subject, *Am* elective (subject).
optique [ɔptik] *a* (*verre, fibres*) optical ▮ *nf* optics; (*aspect*) *Fig* perspective; **d'o.** (*instrument, appareil etc*) optical; **illusion d'o.** optical illusion.
opulent, -ente [ɔpylɑ̃, -ɑ̃t] *a* opulent. ● **opulence** *nf* opulence.
or [ɔr] 1 *nm* gold; **montre/chaîne/etc en or** gold watch/chain/*etc*; **règle/âge/cheveux d'or** golden rule/age/hair; **cœur d'or** heart of gold; **mine d'or** goldmine; (*trésor*) *Fig* goldmine; **affaire en or** (*achat*) bargain; (*commerce*) *Fig* goldmine; **or noir** (*pétrole*) *Fig* black gold. 2 *conj* (*cependant*) now, well.
oracle [ɔrakl] *nm* oracle.
orage [ɔraʒ] *nm* (thunder)storm. ● **orageux, -euse** *a* stormy.
oraison [ɔrɛzɔ̃] *nf* prayer; **o. funèbre** funeral oration.
oral, -e, -aux [ɔral, -o] *a* oral ▮ *nm* (*examen scolaire ou universitaire*) oral.
orange [ɔrɑ̃ʒ] *nf* (*fruit*) orange; **o. pressée** (fresh) orange juice ▮ *a* & *nm inv* (*couleur*) orange; **carte o.** monthly *ou* weekly season ticket (*for Paris métro and buses*). ● **orangeade** *nf* orangeade. ● **orangé, -ée** *a* & *nm* (*couleur*) orange. ● **oranger** *nm* orange tree.
orang-outan(g) [ɔrɑ̃utɑ̃] *nm* (*pl* orangs-outan(g)s) orang-outang.
orateur [ɔratœr] *nm* speaker, orator.
orbite [ɔrbit] *nf* (*d'astre etc*) & *Fig* orbit; (*d'œil*) socket; **mettre sur o.** (*fusée etc*) to put into orbit. ● **orbital, -e, -aux** *a* **station/***etc* **orbitale** space station/*etc*.
orchestre [ɔrkɛstr] *nm* (*classique*) orchestra; (*de jazz*) band; (*places*) *Théâtre Br* stalls, *Am* orchestra. ● **orchestrer** *vt* (*organiser*) & *Mus* to orchestrate.
orchidée [ɔrkide] *nf* orchid.
ordinaire [ɔrdinɛr] *a* (*habituel, normal*) ordinary, *Am* regular; (*médiocre*) ordinary, average; **d'o., à l'o.** usually; **comme d'o., comme à l'o.** as usual; **de l'essence o.** *Br* two-star (petrol), *Am* regular. ● **ordinairement** *adv* usually.
ordinal, -e, -aux [ɔrdinal, -o] *a* (*nombre*) ordinal.
ordinateur [ɔrdinatœr] *nm* computer; **o. personnel** personal computer; **o. portable** lap-top *ou* portable computer.
ordination [ɔrdinasjɔ̃] *nf Rel* ordination.
ordonnance [ɔrdɔnɑ̃s] *nf* 1 (*de médecin*) prescription. 2 (*de juge*) order, ruling. 3 (*disposition*) arrangement. 4 (*soldat*) orderly.
ordonner [ɔrdɔne] *vt* 1 (*enjoindre*) to order (**que** (+ *sub*) that); **o. à qn de faire** to order s.o. to do. 2 (*agencer*) to arrange, order. 3 (*médicament etc*) to prescribe. 4 (*prêtre*) to ordain; **il a été ordonné prêtre** he has been

ordained (as) a priest. ● **ordonné, -ée** *a* (*personne, maison etc*) tidy, orderly.

ordre [ɔrdr] *nm* (*commandement, classement, structure etc*) order; (*absence de désordre*) tidiness (*of room, person etc*); **en o.** (*chambre etc*) tidy; **mettre en o., mettre de l'o.** dans to tidy (up); **jusqu'à nouvel o.** until further notice; **de l'o. de** (*environ*) of the order of; **du même o.** of the same order, similar; **de premier o.** first-rate; **à l'o. du jour** (*au programme*) on the agenda; (*d'actualité*) of topical interest; **par o. d'âge** in order of age; **les forces de l'o.** the police; **l'o.** public law and order; **assurer le maintien de l'o.** to maintain order; **entrer dans les orders** *Rel* to take holy orders; **donnez-moi un o. de grandeur** give me a rough estimate (*of price etc*); **à vos ordres!** *Mil* yes sir!

ordures [ɔrdyr] *nfpl* (*déchets*) *Br* rubbish, *Am* garbage; **mettre qch aux o.** to throw sth out (in the *Br* rubbish *ou Am* garbage). ● **ordurier, -ière** *a* (*plaisanterie etc*) lewd.

oreille [ɔrɛj] *nf* ear; **faire la sourde o.** to take no notice, refuse to listen, turn a deaf ear; **être tout oreilles** to be all ears; **casser les oreilles à qn** to deafen s.o.; **mettre la puce à l'o. de qn** to make s.o. suspicious.

oreiller [ɔreje] *nm* pillow.

oreillons [ɔrɛjɔ̃] *nmpl* (*maladie*) mumps.

ores et déjà (d') [dɔrzedeʒa] *adv* henceforth.

orfèvre [ɔrfɛvr] *nm* goldsmith, silversmith. ● **orfèvrerie** *nf* (*magasin*) goldsmith's *ou* silversmith's shop; (*objets*) gold *ou* silver plate.

organe [ɔrgan] *nm Anat* & *Fig* organ; (*porte-parole*) mouthpiece. ● **organique** *a* organic. ● **organisme** *nm* 1 (*corps*) body; *Anat Biol* organism. 2 (*bureaux etc*) organization.

organisateur, -trice [ɔrganizatœr, -tris] *nmf* organizer.

organisation [ɔrganizasjɔ̃] *nf* (*arrangement, association*) organization.

organiser [ɔrganize] *vt* to organize ▮ **s'organiser** *vpr* to organize oneself, get organized. ● **organisé, -ée** *a* (*esprit, groupe etc*) organized. ● **organiseur** *nm* (**agenda**) **o.** Filofax®.

organiste [ɔrganist] *nmf Mus* organist.

orgasme [ɔrgasm] *nm* orgasm.

orge [ɔrʒ] *nf* barley.

orgie [ɔrʒi] *nf* orgy.

orgue [ɔrg] *nm* (*instrument de musique*) organ; **o. de Barbarie** barrel organ ▮ *nfpl* **orgues** organ; **grandes orgues** great organ.

orgueil [ɔrgœj] *nm* pride. ● **orgueilleux, -euse** *a* proud.

orient [ɔrjɑ̃] *nm* **l'O.** the Orient, the East; **Moyen-O., Proche-O.** Middle East; **Extrême-O.** Far East. ● **oriental, -e, -aux** *a* (*côte, pays ou de la Chine*) eastern; (*du Japon, de la Chine*) far-eastern, oriental ▮ *nmf* **O., Orientale** Oriental.

orientable [ɔrjɑ̃tabl] *a* (*lampe etc*) adjustable, flexible; (*bras de machine*) movable.

orientation [ɔrjɑ̃tasjɔ̃] *nf* direction; (*action*) positioning, directing; (*de maison*) aspect, orientation; (*tendance politique, littéraire etc*) trend; **o. professionnelle** careers' advice, vocational guidance; **sens de l'o.** sense of direction.

orienter [ɔrjɑ̃te] *vt* (*lampe, antenne etc*) to position, direct; (*voyageur, élève etc*) to direct (**vers** towards); (*maison*) *Br* to orientate, *Am* orient ▮ **s'orienter** *vpr* to find one's bearings *ou* direction; **s'o. vers** (*carrière etc*) to move towards, take a direction towards. ● **orienté, -ée** *a* (*film etc*) slanted; **o. à l'ouest** (*appartement etc*) facing west.

orifice [ɔrifis] *nm* opening, orifice.

originaire [ɔriʒinɛr] *a* **être o. de** (*natif*) to be a native of.

original, -e, -aux [ɔriʒinal, -o] 1 *a* (*idée, artiste, version etc*) original ▮ *nm* (*texte, tableau etc*) original. 2 *a* & *nmf* (*bizarre*) eccentric. ● **originalité** *nf* originality; (*étrangeté*) eccentricity.

origine [ɔriʒin] *nf* origin; **à l'o.** originally; **d'o.** (*pneu etc*) original; **pays d'o.** country of origin. ● **originel, -elle** *a* (*sens, péché, habitant etc*) original.

orme [ɔrm] *nm* (*arbre, bois*) elm.

ornement [ɔrnəmɑ̃] *nm* ornament. ● **ornemental, -e, -aux** *a* ornamental. ● **ornementation** *nf* ornamentation. ● **ornementé, -ée** *a* adorned, ornamented (**de** with). ● **orner** [ɔrne] *vt* to decorate, adorn (**de** with). ● **orné, -ée** *a* (*syle etc*) ornate.

ornière [ɔrnjɛr] *nf* (*sillon*) rut; **sortir de l'o.** (*de la routine*) *Litt* to get out of the rut.

orphelin, -ine [ɔrfəlɛ̃, -in] *nmf* orphan ▮ *a* orphaned. ● **orphelinat** *nm* orphanage.

ORSEC [ɔrsɛk] *abrév* (*Organisation des secours*) **plan O.** programme of response to major disasters via the emergency services.

orteil [ɔrtɛj] *nm* toe; **gros o.** big toe.

orthodoxe [ɔrtɔdɔks] *a* orthodox ▮ *nmpl* **les orthodoxes** the orthodox. ● **orthodoxie** *nf* orthodoxy.

orthographe [ɔrtɔgraf] *nf* spelling. ● **orthographique** *a* (*règles etc*) spelling. ● **orthographier** *vt* to spell.

orthopédie [ɔrtɔpedi] *nf* orthop(a)edics.

ortie [ɔrti] *nf* nettle.

os [ɔs, *pl* o *ou* ɔs] *nm* bone; **être trempé jusqu'aux os** to be soaked to the skin; **on lui voit les os** he's all skin and bone; **nous n'y ferons pas de vieux os** (*dans un endroit*) we won't stay there long; **tomber sur un os** (*difficulté*) *Fam* to hit a snag.

OS [ɔɛs] *nm abrév* = **ouvrier spécialisé.**

oscar [ɔskar] *nm* (*récompense cinématographique*) Oscar.

osciller [ɔsile] *vi Tech* to oscillate; (*se balancer*) to swing, sway; (*pendule*) to swing; (*hésiter*) to waver; (*varier*) to fluctuate (**entre** between); (*flamme*) to flicker. ● **oscillation** *nf Tech* oscillation; (*de l'opinion*) fluctua-

oseille [ozɛj] *nf* **1** (*plante potàgere*) sorrel. **2** (*argent*) *Fam* dough.

oser [oze] *vti* to dare; **o. faire qch** to dare (to) do sth. ● **osé, -ée** *a* bold, daring.

osier [ozje] *nm* wicker; **panier d'o.** wicker basket.

ossature [ɔsatyr] *nf* (*du corps*) frame; (*de bâtiment*) & *Fig* framework. ● **osselets** *nmpl* (*jeu*) jacks, *Br* knucklebones. ● **ossements** *nmpl* (*de cadavres*) bones.

osseux, -euse [ɔsø, -øz] *a* (*maigre*) bony; **tissu**/*etc* **o.** bone tissue/*etc*.

ostensible [ɔstɑ̃sibl] *a* conspicuous. ● **ostensiblement** [-əmɑ̃] *adv* conspicuously.

ostentation [ɔstɑ̃tasjɔ̃] *nf* ostentation. ● **ostentatoire** *a* ostentatious.

ostréiculteur, -trice [ɔstreikytœr, -tris] *nmf* oyster farmer.

otage [ɔtaʒ] *nm* hostage; **prendre qn en o.** to take s.o. hostage.

OTAN [ɔtɑ̃] *nf abrév* (*Organisation du traité de l'Atlantique Nord*) NATO.

otarie [ɔtari] *nf* (*animal*) sea lion.

ôter [ote] *vt* to take away, remove (**à qn** from s.o.); (*vêtement*) to take off, remove; (*déduire*) to take (away); **ôte-toi de là!** *Fam* get out of the way!

otite [ɔtit] *nf* ear infection.

oto-rhino [ɔtɔrino] *nmf* (*médecin*) *Fam* ear, nose and throat specialist.

ou [u] *conj* or; **ou bien** or else; **ou elle ou moi** either her or me; **pour ou contre nous** for or against us.

où [u] *adv* & *pron* where; **le jour où** the day when, the day on which; **la table où** the table on which; **l'état où** the condition in which; **par où?** which way?; **d'où?** where from?; **d'où ma surprise**/*etc* hence my surprise/*etc*; **le pays d'où** the country from which; **où qu'il soit** wherever he may be.

ouate [wat] *nf* (*pour pansement*) *Br* cotton wool, *Am* absorbent cotton.

oubli [ubli] *nm* (*défaut*) forgetfulness; **l'o. de qch** forgetting sth; **un o.** a lapse of memory; (*dans une liste etc*) an oversight; **tomber dans l'o.** to fall into oblivion.

oublier [ublije] *vt* to forget (**de faire** to do); (*faute*) to overlook **‖ s'oublier** *vpr* (*traditions etc*) to be forgotten; (*personne*) *Fig* to forget oneself.

oubliettes [ublijɛt] *nfpl* (*de château*) dungeon; **être tombé aux o.** (*personne, projet etc*) to be long forgotten, have sunk into oblivion.

oublieux, -euse [ublijø, -øz] *a* forgetful (**de** of).

ouest [wɛst] *nm* west; **à l'o.** in the west; (*direction*) (to the) west (**de** of); **d'o.** (*vent*) west(erly); **de l'o.** western; **l'Europe de l'O.** Western Europe **‖** *a inv* (*côte*) west(ern).

ouf! [uf] *int* (*soulagement*) what a relief!, phew!

Ouganda [ugɑ̃da] *nm* Uganda.

oui [wi] *adv* & *nm inv* yes; **o.!** yes!; (**ah,**) **ça o.!** oh yes (indeed!); **les o.** (*votes*) the ayes; **tu viens, o. ou non?** are you coming or aren't you?; **je crois que o.** I think so; **si o.** if so; **pour un o. pour un non** (*battre qn etc*) for the slightest thing *ou* reason.

ouï-dire [widir] *nm inv* hearsay; **par o.-dire** by hearsay.

ouïe¹ [wi] *nf* hearing; **être tout o.** *Hum* to be all ears.

ouïe²! [uj] *int* ouch!

ouïes [wi] *nfpl* (*de poisson*) gills.

ouille! [uj] *int* ouch!

ouragan [uragɑ̃] *nm* hurricane.

ourler [urle] *vt* to hem. ● **ourlet** *nm* hem.

ours [urs] *nm* bear; **o. blanc/gris** polar/grizzly bear; **o.** (**mal léché**) *Péj* uncouth lout, brute. ● **ourse** *nf* she-bear; **la Grande O.** (*étoiles*) *Br* the Plough, *Am* the Big Dipper.

oursin [ursɛ̃] *nm* (*animal*) sea urchin.

ouste! [ust] *int Fam* scram!

out ['aut] *a inv* (*dépassé*) *Fam* past it, out of it.

outil [uti] *nm* tool. ● **outiller** *vt* to equip. ● **outillage** *nm* tools; (*d'une usine*) equipment.

outrage [utraʒ] *nm* insult (**à** to). **o. à magistrat** *Jur* contempt (of court). ● **outrager** *vt* to insult, offend. ● **outrageant, -ante** *a* insulting, offensive.

outrance [utrɑ̃s] *nf* (*excès*) excess; **à o.** (*travailler etc*) to excess; **guerre à o.** all-out war. ● **outrancier, -ière** *a* excessive.

outre [utr] *prép* besides **‖** *adv* **en o.** besides, moreover; **o. mesure** inordinately; **passer o.** to take no notice (**à** of). ● **outre-Manche** *adv* across the Channel. ● **outre-mer** *adv* overseas; **d'o.-mer** (*marché etc*) overseas; **territoires d'o.-mer** overseas territories.

outrepasser [utrəpase] *vt* (*limite etc*) to go beyond, exceed.

outrer [utre] *vt* to exaggerate, overdo; **o. qn** (*indigner*) to outrage s.o. ● **outré, -ée** *a* (*révolté*) outraged; (*excessif*) exaggerated.

outsider [awtsajdœr] *nm* (*cheval etc*) outsider.

ouvert, -erte [uvɛr, -ɛrt] *pp de* **ouvrir ‖** *a* open; (*robinet, gaz etc*) on; **à bras ouverts** with open arms. ● **ouvertement** [-əmɑ̃] *adv* openly. ● **ouverture** *nf* opening; (*trou*) hole; (*avance*) & *Mus* overture; (*d'objectif d'appareil photo*) aperture; **o. d'esprit** open-mindedness.

ouvrable [uvrabl] *a* **jour o.** working *ou Am* work day.

ouvrage [uvraʒ] *nm* (*travail, livre, objet*) work; (*couture*) (needle)work; **un o.** (*travail*) a piece of work. ● **ouvragé, -ée** *a* (*bijou etc*) finely worked.

ouvreuse [uvrøz] *nf* (*de cinéma*) usherette.

ouvrier, -ière [uvrije, -jɛr] *nmf* worker; **o. qualifié/spécialisé** skilled/semiskilled worker; **o. agricole** farm labourer *ou* worker **‖** *a* (*législation etc*) industrial; (*quartier, origine etc*) working-class; **classe ouvrière** working class.

ouvrir* [uvrir] *vt* to open (up); (*gaz, radio*

etc) to turn on, switch on; (*inaugurer*) to open; (*hostilités*) to begin; (*appétit*) to whet; (*liste*, *procession*) to head ∎ *vi* to open; (*ouvrir la porte*) to open (up) ∎ **s'ouvrir** *vpr* (*porte*, *boîte*, *fleur etc*) to open (up); **s'o. la jambe** to cut one's leg open; **s'o. à qn, o. son cœur à qn** *Fig* to open one's heart to s.o., open up to s.o. (**de qch** about sth). ●**ouvre-boîte** *nm Br* tin opener, *Am* can-opener. ●**ouvre-bouteille** *nm* bottle opener.
ovaire [ɔvɛr] *nm Anat* ovary.
ovale [ɔval] *a* & *nm* oval.
ovation [ɔvasjɔ̃] *nf* (standing) ovation.
overdose [ɔvœrdoz] *nf* overdose (of drugs).

OVNI [ɔvni] *nm abrév* (*objet volant non identifié*) UFO.
oxyde [ɔksid] *nm Ch* oxide; **o. de carbone** carbon monoxide. ●**oxyder** *vt*, **s'oxyder** *vpr* to oxidize.
oxygène [ɔksiʒɛn] *nm* oxygen; **masque/tente**/*etc* **à o.** oxygen mask/tent/*etc*. ●**oxygéner** *vt* (*cheveux*) to bleach ∎ **s'oxygéner** *vpr Fam* to breathe *ou* get some fresh air. ●**oxygéné, -ée** *a* **eau oxygénée** (hydrogen) peroxide; **cheveux blonds oxygénés** peroxide blonde hair, bleached hair.
ozone [ozon] *nm Ch* ozone; **couche d'o.** ozone layer.

P

P, p [pe] *nm* P, p.
PAC [pak] *nf abrév* (*politique agricole commune*) CAP.
pachyderme [paʃidɛrm] *nm* elephant.
pacifier [pasifje] *vt* to pacify. ● **pacification** *nf* pacification.
pacifique [pasifik] **1** *a* (*manifestation etc*) peaceful; (*personne*, *peuple*) peace-loving. **2** *a* (*côte etc*) Pacific; **Océan P.** Pacific Ocean ▮ *nm* **le P.** the Pacific.
pacifiste [pasifist] *a & nmf* pacifist.
pack [pak] *nm* (*de lait etc*) carton.
pacotille [pakɔtij] *nf* (*camelote*) trash; **bijou de p.** trashy *ou* cheap piece of *Br* jewellery *ou Am* jewelry.
pacte [pakt] *nm* pact. ● **pactiser** *vi* **p. avec qn** to be in league with s.o.
pactole [paktɔl] *nm Fig* gold mine.
paf! [paf] **1** *int* bang!, crash! **2** *a inv* (*ivre*) *Fam* plastered, *Br* sozzled.
pagaie [pagɛ] *nf* paddle. ● **pagayer** *vi* (*ramer*) to paddle.
pagaïe, pagaille [pagaj] *nf* (*désordre*) *Fam* mess, shambles; **en p.** *Fam* in a mess; **avoir des livres/etc en p.** *Fam* to have loads *ou* heaps of books/etc.
paganisme [paganism] *nm* paganism.
page [paʒ] **1** *nf* (*de livre etc*) page; **mise en p.** page make-up *ou* layout; **p. de garde** flyleaf; **les pages jaunes (de l'annuaire)** the yellow pages (*in phone book*); **p. de publicité** *Radio* commercial break; **p. précédente/suivante** *Ordinat* page up/down; **à la p.** (*personne*) *Fig* up-to-date. **2** *nm* (*à la cour*) *Hist* page (boy).
page-écran [paʒekrɑ̃] *nf* (*pl* **pages-écrans**) *Ordinat* screen, screenful.
paginer [paʒine] *vt* to paginate. ● **pagination** *nf* pagination.
pagne [paɲ] *nm* loincloth.
pagode [pagɔd] *nf* pagoda.
paie [pɛ] *nf* pay, wages. ● **paiement** *nm* payment.
païen, -enne [pajɛ̃, -ɛn] *a & nmf* pagan, heathen.
paillasse [pajas] *nf* **1** (*matelas*) straw mattress. **2** (*d'un évier*) draining board.
paillasson [pajasɔ̃] *nm* (door)mat.
paille [paj] *nf* straw; (*pour boire*) (drinking) straw; **homme de p.** *Fig* stooge, man of straw; **tirer à la courte p.** to draw lots; **sur la p.** *Fig* penniless; **feu de p.** *Fig* flash in the pan.
paillette [pajɛt] *nf* (*d'habit*) sequin; **paillettes** (*de savon*, *lessive*) flakes; (*d'or*) gold dust. ● **pailleté, -ée** *a* (*robe etc*) sequined.

pain [pɛ̃] *nm* bread; **un p.** a loaf (of bread); **petit p.** roll; **p. grillé** toast; **p. complet** wholemeal bread; **p. d'épice** gingerbread; **p. de mie** sandwich loaf; **p. de savon/de cire** bar of soap/wax; **p. de seigle** rye bread; **p. de sucre** sugar loaf; **avoir du p. sur la planche** (*travail*) *Fig* to have a lot on one's plate.
pair, -e [pɛr] **1** *a* (*numéro*) even. **2** *nm* (*personne*) peer; **hors p.** unrivalled, without equal; **aller de p.** to go hand in hand (**avec** with); **au p.** (*étudiante etc*) au pair; **travailler au p.** to work as an au pair.
paire [pɛr] *nf* pair (**de** of).
paisible [pezibl] *a* (*vie*, *endroit etc*) peaceful; (*caractère*, *personne*) quiet, placid. ● **paisiblement** [-əmɑ̃] *adv* peacefully.
paître* [pɛtr] *vi* to graze; **envoyer qn p.** *Fam* to send s.o. packing.
paix [pɛ] *nf* peace; (*traité*) peace treaty; **en p.** (*vivre*, *laisser etc*) in peace (**avec** with); **être en p. avec** (*pays*, *sa conscience etc*) to be at peace with; **signer la p. avec qn** to sign a peace treaty with s.o.; **avoir la p.** to have (some) peace and quiet.
Pakistan [pakistɑ̃] *nm* Pakistan. ● **pakistanais, -aise** *a* Pakistani ▮ *nmf* **P., Pakistanaise** Pakistani.
palabres [palabr] *nmpl* palaver, long-winded discussions.
palace [palas] *nm* luxury hotel.
palais [palɛ] *nm* **1** (*château*) palace; **P. de justice** law courts; **p. des sports** sports stadium *ou* centre. **2** *Anat* palate.
palan [palɑ̃] *nm* (*de navire etc*) hoist.
pâle [pɑl] *a* pale; **être p. comme un linge** to be as white as a sheet; **se faire porter p.** *Fam* to report sick.
Palestine [palɛstin] *nf* Palestine. ● **palestinien, -ienne** *a* Palestinian ▮ *nmf* **P., Palestinienne** Palestinian.
palet [palɛ] *nm* (*hockey sur glace*) puck.
paletot [palto] *nm* (*manteau*) (short) overcoat; (*gilet*) *Fam* (knitted) cardigan; **ils nous sont tombés sur le p.** *Fam* they attacked us, they jumped *ou* fell on us.
palette [palɛt] *nf* **1** (*de peintre*) palette. **2** (*support pour marchandises*) pallet.
pâleur [pɑlœr] *nf* paleness, pallor. ● **pâlir** *vi* to turn *ou* go pale (**de** with).
palier [palje] *nm* **1** (*d'escalier*) landing; **être voisins de p.** to live on the same floor. **2** (*niveau*) level; (*phase de stabilité*) plateau; **par paliers** (*étapes*) in stages.
palissade [palisad] *nf* fence (*of stakes*).
pallier [palje] *vt* (*difficultés etc*) to alleviate. ● **palliatif** *nm* palliative.

palmarès [palmarɛs] *nm* prize list; (*des chansons*) hit-parade.
palme [palm] *nf* 1 palm (leaf); (*symbole*) *Fig* palm. 2 (*de nageur*) flipper. ●**palmier** *nm* palm (tree).
palmé, -ée [palme] *a* (*patte, pied*) webbed.
palombe [palɔ̃b] *nf* wood pigeon.
pâlot, -otte [pɑlo, -ɔt] *a Fam* pale.
palourde [palurd] *nf* (*mollusque*) clam.
palper [palpe] *vt* to feel, finger. ●**palpable** *a* tangible.
palpiter [palpite] *vi* (*cœur*) to throb, palpitate; (*frémir*) (*animal etc*) to quiver. ●**palpitant, -ante** *a* (*film etc*) thrilling. ●**palpitations** *nfpl* (*du cœur*) palpitations; (*d'animal etc*) quivering.
pâmer (se) [səpɑme] *vpr* **se p. de** (*joie etc*) to be ecstatic with; (*effroi etc*) to be *Br* paralysed *ou Am* paralyzed with.
pamphlet [pɑ̃flɛ] *nm* lampoon.
pamplemousse [pɑ̃pləmus] *nm* grapefruit.
pan [pɑ̃] 1 *nm* (*de chemise*) tail; (*de ciel*) patch; **p. de mur** section of wall. 2 *int* bang!
pan- [pɑ̃, pan] *préf* Pan-.
panacée [panase] *nf* panacea.
panachage [panaʃaʒ] *nm* **p. électoral** = splitting one's vote between candidates from different parties.
panache [panaʃ] *nm* (*plume*) plume; **avoir du p.** (*fière allure*) to have panache; **un p. de fumée** a plume of smoke.
panaché, -ée [panaʃe] 1 *a* (*bigarré, hétéroclite*) motley. 2 *a* & *nm* (*demi*) **p.** *Br* shandy (*beer and lemonade*).
Panama [panama] *nm* Panama.
pan-bagnat [pɑ̃baɲa] *nm* (*pl* **pans-bagnats**) large round sandwich filled with lettuce, tomatoes, egg etc.
pancarte [pɑ̃kart] *nf* sign, notice; (*de manifestant*) placard.
pancréas [pɑ̃kreas] *nm Anat* pancreas.
panda [pɑ̃da] *nm* (*animal*) panda.
pané, -ée [pane] *a* (*poisson etc*) breaded.
panier [panje] *nm* (*ustensile, contenu*) basket; **p. à linge** *Br* linen basket, *Am* (clothes) hamper; **p. à salade** (*ustensile*) salad basket; (*voiture*) *Fam Br* police van, *Am* prison van, *Am* patrol wagon; **marquer un p.** *Sport* to score a basket; **jeter qch au p.** to throw sth into the (wastepaper) basket. ●**panier-repas** *nm* (*pl* **paniers-repas**) *Br* packed lunch, *Am* (brown-bag) lunch.
panique [panik] *nf* panic; **pris de p.** panic-stricken ▮ *a* **peur p.** panic fear. ●**paniquer** *vi* to panic. ●**paniqué, -ée** *a* panic-stricken.
panne [pan] *nf* breakdown; **tomber en p.** to break down; **être en p.** to have broken down; **p. d'électricité** blackout, *Br* power cut; **tomber en p. sèche** to run out of *Br* petrol *ou Am* gas; **trouver la p.** to locate the cause of the trouble, find the problem; **il m'a fait le coup de la p.** he pretended we'd run out of *Br* petrol *ou Am* gas.
panneau, -x [pano] *nm* 1 (*écriteau*) sign, notice, board; **p. (de signalisation)** road *ou* traffic sign; **p. (d'affichage)** (*publicité*) *Br* hoarding, *Am* billboard. 2 (*de porte etc*) panel; **tomber dans le p.** *Fam* to let oneself be tricked *ou Fig* fall in, fall for it. ●**panonceau, -x** *nm* (*enseigne*) sign.
panoplie [panɔpli] *nf* 1 (*jouet*) outfit. 2 (*gamme*) (wide) range, assortment.
panorama [panɔrama] *nm* view, panorama. ●**panoramique** *a* panoramic; **écran p.** *Cinéma* wide screen.
panse [pɑ̃s] *nf Fam* paunch, belly. ●**pansu, -ue** *a* potbellied.
panser [pɑ̃se] *vt* (*main, plaie etc*) to dress, bandage; (*personne*) to dress the wound(s) of, bandage (up); (*cheval*) to groom. ●**pansement** *nm* (*bande*) dressing, bandage; **p. adhésif** *Br* sticking plaster, *Am* Band-Aid®; **refaire le p.** to change the dressing.
pantalon [pɑ̃talɔ̃] *nm* (pair of) *Br* trousers *ou Am* pants; **deux pantalons** two pairs of *Br* trousers *ou Am* pants; **en p.** *Br* in trousers, *Am* in pants.
pantelant, -ante [pɑ̃tlɑ̃, -ɑ̃t] *a* gasping (for breath).
panthère [pɑ̃tɛr] *nf* (*animal*) panther.
pantin [pɑ̃tɛ̃] *nm* (*jouet*) puppet, jumping jack; (*personne*) *Péj* puppet.
pantois, -oise [pɑ̃twa, -waz] *a* flabbergasted; **elle en est restée pantoise** she was flabbergasted.
pantoufle [pɑ̃tufl] *nf* slipper. ●**pantouflard, -arde** *nmf Fam* stay-at-home, *Am* homebody.
PAO [peao] *nf abrév* (*publication assistée par ordinateur*) DTP.
paon [pɑ̃] *nm* peacock.
papa [papa] *nm* dad(dy); **fils à p.** *Péj* rich man's son, daddy's boy; **de p.** (*désuet*) *Fam Péj* outdated.
papaye [papaj] *nf* (*fruit*) pawpaw, papaya.
pape [pap] *nm* pope. ●**papauté** *nf* papacy.
paperasse(s) [papras] *nf*(*pl*) *Péj* papers. ●**paperasserie** *nf Péj* (official) papers; (*procédure*) red tape.
papeterie [papetri] *nf* (*magasin*) stationer's shop; (*articles*) stationery; (*fabrique*) paper mill. ●**papetier, -ière** *nmf* stationer.
papi [papi] *nm* grand(d)ad.
papier [papje] *nm* (*matière*) paper; **un p.** (*feuille*) a sheet *ou* piece of paper; (*formulaire*) a form; (*dans un journal*) an article; **sac**/*etc* **en p.** paper bag/*etc*; **papiers (d'identité)** (identity) papers; **p. hygiénique** toilet paper; **p. à lettres** writing paper; **du p. journal** (some) newspaper; **p. peint** wallpaper; **p. de verre** sandpaper; **être dans les petits papiers de qn** to be in s.o.'s good books.
papillon [papijɔ̃] *nm* 1 (*insecte*) butterfly; (*écrou*) *Br* butterfly nut, *Am* wing nut; **p. (de nuit)** moth. 2 (*contravention*) *Fam* (parking) ticket.
papoter [papɔte] *vi* to prattle. ●**papotage(s)** *nm*(*pl*) prattle.
paprika [paprika] *nm* (*condiment*) paprika.

papy [papi] *nm* grand(d)ad.
Pâque [pak] *nf* **la P.** *Rel* Passover.
paquebot [pakbo] *nm* (*ocean*) liner.
pâquerette [pakrɛt] *nf* daisy.
Pâques [pak] *nm sing* & *nfpl* Easter.
paquet [pakɛ] *nm* (*de bonbons, sucre etc*) packet; (*colis*) package; (*de cigarettes*) pack, *Br* packet; (*de cartes*) *Br* pack, deck; **y mettre le p.** (*toute son énergie*) *Fam* to pull out all the stops.
par [par] *prép* **1** (*agent, manière, moyen*) by; **choisi/frappé/etc p.** chosen/hit/etc by; **p. mer** by sea; **p. le train** by train; **p. le travail/la force/etc** by *ou* through work/force/etc; **apprendre p. un ami** to learn from *ou* through a friend; **commencer p. qch** (*récit etc*) to begin with sth; **p. erreur** by mistake; **p. chance** fortunately, by a stroke of luck; **p. malchance** unfortunately, as ill luck would have it.
2 (*lieu*) through; **p. la porte/le tunnel/etc** through *ou* by the door/tunnel/etc; **jeter/regarder p. la fenêtre** to throw/look out (of) the window; **p. ici/là** (*aller*) this/that way; (*habiter*) around here/there; **p. les rues** through the streets.
3 (*motif*) out of, from; **p. pitié/respect/etc** out of *ou* from pity/respect/etc.
4 (*temps*) on; in; **p. un jour d'hiver/etc** on a winter's day/etc; **p. ce froid** in this cold; **p. le passé** in the past.
5 (*distributif*) **dix fois p. an/mois/etc** ten times a *ou* per year/month/etc; **cent francs p. personne** a hundred francs a *ou* per person; **deux p. deux** two by two; **p. deux fois** twice.
6 (*trop*) **p. trop aimable/etc** far too kind/etc.
para [para] *nm* (*soldat*) *Fam* para(trooper).
para- [para] *préf* para-.
parabole [parabɔl] *nf* **1** (*récit*) parable. **2** *Math* parabola.
parabolique [parabɔlik] *a* **antenne p.** satellite dish.
parachever [paraʃve] *vt* to perfect.
parachute [paraʃyt] *nm* parachute. ●**parachuter** *vt* to parachute; (*nommer*) *Fam* to pitchfork (*s.o.*) (**à un poste** into a job). ●**parachutisme** *nm* parachute jumping. ●**parachutiste** *nmf* parachutist; (*soldat*) paratrooper.
parade [parad] *nf* **1** (*spectacle, défilé militaire*) parade; (*étalage*) show, parade. **2** *Boxe Escrime* parry; (*riposte*) *Fig* reply. ●**parader** *vi* to parade, show off.
paradis [paradi] *nm* heaven, paradise. ●**paradisiaque** *a* (*endroit etc*) *Fig* heavenly.
paradoxe [paradɔks] *nm* paradox. ●**paradoxal, -e, -aux** *a* paradoxical. ●**paradoxalement** *adv* paradoxically.
parafe [paraf] *nm* = **paraphe**. ●**parafer** *vt* = **parapher**.
paraffine [parafin] *nf* paraffin (wax).
parages [paraʒ] *nmpl* region, area (**de** of); **dans ces p.** in these parts.
paragraphe [paragraf] *nm* paragraph.
Paraguay [paragwe] *nm* Paraguay.

paraître* [parɛtr] **1** *vi* (*sembler*) to seem, look, appear; (*apparaître, se montrer*) to appear ▮ *v imp* **il paraît qu'il va partir** it appears *ou* seems (that) he's leaving; **à ce qu'il paraît** apparently, it would seem. **2** *vi* (*livre*) to come out, be published; **faire p. qch** to bring out sth, publish sth.
parallèle [paralɛl] **1** *a* (*comparable*) & *Math* parallel (**à** with, to); **il a deux vies parallèles** (*séparées*) he has two separate lives; **le marché p.** *Com* the unofficial *ou* black market. **2** *nm* (*comparaison*) & *Géog* parallel. ●**parallèlement** *adv* **p. à** parallel to.
paralyser [paralize] *vt Br* to paralyse, *Am* paralyze. ●**paralysie** *nf* paralysis. ●**paralytique** *a* & *nmf* paralytic.
paramédical, -e, -aux [paramedikal, -o] *a* (*carrière etc*) paramedical.
paramètre [paramɛtr] *nm* parameter.
paramilitaire [paramiliter] *a* (*organisation etc*) paramilitary.
paranoïa [paranɔja] *nf* paranoia. ●**paranoïaque** *a* & *nmf* paranoid.
parapet [parapɛ] *nm* parapet.
paraphe [paraf] *nm* initials, signature; (*traits*) flourish. ●**parapher** *vt* to initial, sign.
paraphrase [parafraz] *nf* paraphrase. ●**paraphraser** *vt* to paraphrase.
parapluie [paraplɥi] *nm* umbrella.
parasite [parazit] *nm* (*personne, organisme*) parasite; **parasites** (*à la radio*) interference ▮ *a* parasitic(al).
parasol [parasɔl] *nm* sunshade, parasol.
paratonnerre [paratɔnɛr] *nm* lightning *Br* conductor *ou Am* rod.
paravent [paravɑ̃] *nm* (folding) screen.
parc [park] *nm* **1** park; (*de château*) grounds; **p. d'attractions** amusement park; **p. naturel** nature reserve. **2** (*de bébé*) (play) pen; (*à moutons, à bétail*) pen; **p.** (**de stationnement**) *Br* car park, *Am* parking lot; **p. à huîtres** oyster bed. **3 p. automobile** (*d'un pays*) number of vehicles on the road.
parcelle [parsɛl] *nf* fragment, particle; (*terrain*) plot; (*de vérité*) *Fig* grain.
parce que [pars(ə)k(ə)] *conj* because.
parchemin [parʃəmɛ̃] *nm* parchment.
parcimonie [parsimɔni] *nf* **avec p.** parsimoniously. ●**parcimonieux, -euse** *a* parsimonious.
par-ci, par-là [parsiparla] *adv* here, there and everywhere.
parcmètre [parkmɛtr] *nm* parking meter.
parcourir* [parkurir] *vt* (*région*) to travel all over, tour, scour; (*distance*) to cover; (*texte*) to glance through. ●**parcours** *nm* (*itinéraire*) route; (*distance*) distance; (*voyage*) trip, journey; **p. de golf** (*terrain*) golf course.
par-delà [pardəla] *voir* **delà**.
par-derrière [pardɛrjɛr] *voir* **derrière**.
par-dessous [pardəsu] *prép* & *adv* under(neath).
pardessus [pardəsy] *nm* overcoat.
par-dessus [pardəsy] *prép* & *adv* over (the top of); **p.-dessus tout** above all; **en avoir**

par-devant [pardəvɑ̃] *voir* **devant.**
pardon [pardɔ̃] *nm* forgiveness, pardon; **p.!** (*excusez-moi*) sorry!; **p.?** (*pour demander*) excuse me?; *Am* pardon me?; **demander p.** to apologize (à to). ● **pardonner** *vt* to forgive; **p. qch à qn/à qn d'avoir fait qch** to forgive s.o. for sth/for doing sth *ou* for having done sth. ● **pardonable** *a* forgivable.
pare-balles [parbal] *a inv* **gilet p.-balles** bulletproof *Br* jacket *ou Am* vest.
pare-brise [parbriz] *nm inv* (*de véhicule*) *Br* windscreen, *Am* windshield.
pare-chocs [parʃɔk] *nm inv* (*de véhicule*) bumper.
pare-feu [parfø] *nm inv* (*de cheminée*) fireguard.
pareil, -eille [parɛj] *a* similar; **p. à** the same as, similar to; **être pareils** to be the same, be similar *ou* alike; **un p. désordre/etc**, **un désordre/etc p.** such a mess/etc; **en p. cas** in such a case ∥ *adv Fam* the same ∥ *nmf* (*personne*) equal; **sans p.** unparalleled, unique; **il n'a pas son p. pour laver les carreaux** there's no one quite like him when it comes to cleaning windows; **rendre la pareille à qn** to treat s.o. the same way. ● **pareillement** *adv* in the same way; (*aussi*) likewise.
parement [parmɑ̃] *nm* (*de pierre, de vêtement*) facing.
parent, -ente [parɑ̃, -ɑ̃t] *nmf* relative, relation ∥ *nmpl* (*père et mère*) parents ∥ *a* related (de to). ● **parental, -e, -aux** *a* (*autorité etc*) parental; **congé p.** parental leave. ● **parenté** *nf* (*lien*) relationship; (*en sociologie*) kinship.
parenthèse [parɑ̃tɛz] *nf* (*signe*) *Br* bracket, *Am* parenthesis; (*digression*) digression; **entre parenthèses** *Br* in brackets, *Am* in parentheses.
paréo [pareo] *nm* (*vêtement de plage*) pareu, pareo.
parer [pare] **1** *vt* (*coup*) to parry, ward off ∥ *vi* **p. à** (*éventualité etc*) to be prepared for. **2** *vt* (*orner*) to adorn (**de** with).
paresse [parɛs] *nf* laziness, idleness. ● **paresser** *vi* to laze (about). ● **paresseux, -euse** *a* lazy, idle ∥ *nmf* lazy person, lazybones.
parfaire* [parfɛr] *vt* to perfect. ● **parfait, -aite** *a* perfect; **p.!** excellent! ∥ *nm* Grammaire perfect (tense). ● **parfaitement** *adv* perfectly; (*certainement*) certainly.
parfois [parfwa] *adv* sometimes.
parfum [parfœ̃] *nm* (*odeur*) fragrance, scent; (*goût*) flavour; (*liquide*) perfume, scent; **être au p.** *Fam* to be in the know. ● **parfumer** *vt* to perfume, scent; (*glace, crème etc*) to flavour (**à** with) ∥ **se parfumer** *vpr* to put on perfume; (*habituellement*) to wear perfume. ● **parfumé, -ée** *a* (*savon, fleur, mouchoir*) scented; **p. au café/etc** coffee-/etc flavoured. ● **parfumerie** *nf* (*magasin*) perfume shop.
pari [pari] *nm* bet, *Litt* wager; **paris** (*sur les chevaux*) betting, bets; **p. mutuel urbain** = *Br* the tote, *Am* pari-mutuel; **faire un p.** to make a bet; **tenir un p.** to take up a bet; **les paris sont ouverts** *Fig* it's anyone's guess. ● **parier** *vti* to bet (**sur** on, **que** that); **il y a fort à p. que...** the odds are that.... ● **parieur, -euse** *nmf* (*aux courses*) better, punter.
Paris [pari] *nm ou f* Paris. ● **parisien, -ienne** *a* (*accent etc*) Parisian; **la banlieue parisienne** the Paris suburbs ∥ *nmf* **P., Parisienne** Parisian.
parité [parite] *nf* parity.
parjure [parʒyr] *nm* perjury ∥ *nmf* perjurer. ● **se parjurer** *vpr* to perjure oneself.
parka [parka] *nm* parka.
parking [parkiŋ] *nm* (*lieu*) car park, *Am* parking lot; **'p. autorisé'** 'parking is permitted'.
par-là [parla] *adv voir* **par-ci.**
parlement [parləmɑ̃] *nm* parliament. ● **parlementaire** *a* parliamentary ∥ *nmf* member of parliament.
parlementer [parləmɑ̃te] *vi* (*négocier*) to negotiate, parley (**avec** with); **p. avec qn** (*discuter longuement*) *Fam* to have a long discussion with s.o.
parler [parle] *vi* to talk, speak (**de** about, of; **à** to); **tu parles!** (*je n'en crois pas un mot*) *Fam* you must be joking!; **sans p. de...** not to mention...; **p. par gestes** *Fig* to use sign language; **n'en parlons plus!** enough said!; **faire p. un prisonnier/etc** to make a prisoner/etc talk ∥ *vt* (*langue*) to speak; **p. affaires/etc** to talk business/etc ∥ **se parler** *vpr* (*langue*) to be spoken; **ils ne se parlent plus** they're not speaking to each other, they're not on speaking terms ∥ *nm* speech; (*régional*) dialect. ● **parlant, -ante** *a* (*film*) talking; (*regard etc*) eloquent ∥ *adv* **professionnellement/etc p.** professionally/etc speaking. ● **parlé, -ée** *a* (*langue*) spoken.
parloir [parlwar] *nm* (*de couvent, prison*) visiting room.
parmi [parmi] *prép* among(st).
parodie [parɔdi] *nf* parody. ● **parodier** *vt* to parody.
paroi [parwa] *nf* wall; (*de maison*) inside wall; (*de rocher*) rock face.
paroisse [parwas] *nf* parish. ● **paroissial, -e, -aux** *a* **registre/salle/etc paroissial(e)** parish register/hall/etc. ● **paroissien, -ienne** *nmf* parishioner.
parole [parɔl] *nf* (*mot, promesse*) word; (*faculté, langage*) speech; **paroles** (*d'une chanson*) words, lyrics; **adresser la p. à qn** to speak to s.o.; **prendre la p.** to speak, make a speech; **demander la p.** to ask to speak; **perdre la p.** to lose one's tongue; **tenir sa p.** to keep one's word; **je te crois sur p.** I take your word for it; **libéré sur p.** *Jur* free(d) on parole; **ma p.!** my word!
paroxysme [parɔksism] *nm* (*de douleur etc*) height.
parpaing [parpɛ̃] *nm* concrete block, breeze-

parquer [parke] vt (bœufs) to pen; (gens) Péj to herd together, confine; (véhicule) to park.
parquet [parkɛ] nm **1** (parquet) floor(ing). **2** Jur Public Prosecutor's office.
parrain [parɛ̃] nm Rel godfather; (qui finance, dans un club etc) sponsor. ●**parrainer** vt (course etc) to sponsor. ●**parrainage** nm sponsorship.
pars, part[1] [par] voir partir.
parsemer [parsəme] vt to strew, dot (de with). ●**parsemé, -ée** a p. de (sol) scattered ou strewn with.
part[2] [par] nf (portion) share, part; (de gâteau) portion; **prendre p. à** (activité) to take part in; (la joie etc de qn) to share; **de toutes parts** from ou on all sides; **de p. et d'autre** on both sides; **d'une p...., d'autre p.** on the one hand..., on the other hand; **d'autre p.** (d'ailleurs) moreover; **de p. en p.** right through; **de la p. de** (provenance) from; **c'est de la p. de qui?** (au téléphone) who's speaking?; **pour ma p.** as far as I'm concerned; **quelque p.** somewhere; **nulle p.** nowhere; **autre p.** somewhere else; **à p.** (mettre, prendre) aside; (excepté) apart from; (séparément) apart; (personne) different, not like the others; **un cas/une place/etc à p.** a separate ou special case/place/etc; **membre à p. entière** full member; **faire p. de qch à qn** to inform s.o. of sth.
partage [partaʒ] nm dividing (up), division; (de gâteau, trésor etc) sharing; (distribution) sharing out; (sort) Fig lot; **procéder au p. de** = partager; **donner qch à qn en p.** to bestow on s.o. ou give to s.o. as one's share ou lot.
partager [partaʒe] vt (repas, frais, joie etc) to share (avec with); (diviser) to divide (up); (distribuer) to share out ∎ **se partager** vpr (bénéfices etc) to share (between themselves etc); **se p. entre** to divide one's time between. ●**partagé, -ée** a (avis etc) divided; **p. entre** (sentiments) torn between.
partance (en) [ɑ̃partɑ̃s] adv (train etc) about to depart (**pour** for).
partant, -ante [partɑ̃, -ɑ̃t] **1** nm (coureur, cheval etc) starter ∎ **2 a** être p. pour qch/pour faire qch Fam to be ready for sth/to do sth.
partenaire [partənɛr] nmf (coéquipier etc) & partner; **partenaires sociaux** labour and management.
parterre [partɛr] nm **1** (de jardin etc) flower bed. **2** Théâtre Br stalls, Am orchestra. **3** (public) audience.
parti [parti] nm party; **un beau p.** (pour un mariage) a desirable ou fitting match (socially); **prendre un p.** to make a decision ou choice, follow a course; **prendre p. pour qn** to side with s.o.; **tirer p. de qch** to turn sth to (good) account; **p. pris** (préjugé) prejudice; **être de p. pris** to be prejudiced (**contre** against).
partial, -e, -aux [parsjal, -o] a biased. ●**partialité** nf bias.
participe [partisip] nm Grammaire participle.
participer [partisipe] vi **p. à** (jeu etc) to take part in, participate in; (frais, joie etc) to share (in). ●**participant, -ante** nmf participant. ●**participation** nf participation; (d'un acteur) (personal) appearance, collaboration; (part du capital) Com stake, interest; **p.** (aux frais) contribution (toward expenses) **p. aux bénéfices** Com profit-sharing; **taux de p. électorale** turnout (of voters in election).
particularité [partikylarite] nf peculiarity.
particule [partikyl] nf **1** particle. **2** avoir un nom à p. to have a handle to one's name.
particulier, -ière [partikylje, -jɛr] a (spécial, spécifique) particular; (privé) private; (bizarre) peculiar; **p. à** peculiar to; **en p.** (surtout) in particular; (à part) in private; **cas p.** special case; **leçon particulière** private lesson ou tuition ∎ nm private individual ou citizen; **vente de p. à p.** private sale. ●**particulièrement** adv particularly; **tout p.** especially.
partie [parti] nf part; (de cartes, tennis etc) game; Jur party; (métier) line, field; **une p. de chasse** a shooting party; **en p.** partly, in part; **en grande p.** mainly; **faire p. de** to be a part of; (club etc) to belong to; (comité) to be on; **ça n'a pas été une p. de plaisir** it was no picnic; **ce n'est que p. remise** it has been put off for the time being, there's been a temporary postponement. ●**partiel, -ielle** a partial ∎ nm (examen) p. Univ term exam. ●**partiellement** adv partially.
partir* [partir] vi (aux être) (aller, disparaître) to go; (s'en aller) to go (off), leave; (se mettre en route) to set off; (s'éloigner) to go (away); (coup de feu) to go off; (flèche) to shoot off; (tache) to come out; (bouton) to come off; (moteur) to start; **p. en vacances** to go on Br holiday ou Am vacation; **p. en voiture** to go by car, drive; **p. de** (lieu) to leave from; (commencer par) to start (off) with; **à p. de** (date, prix) from; **p. bien/mal** to get off to a good/bad start; **je pars du principe que...** I'm working on the assumption that...; **il est parti de rien** he started with nothing; **ça part du cœur** it comes from the heart; **ça partait d'un bon sentiment** it was with the best of intentions; **je pars!** I'm going; **c'est parti!** off we go! ●**parti, -ie** a **bien p.** off to a good start.
partisan [partizɑ̃] nm supporter, follower; (combattant) partisan ∎ a (esprit) Péj partisan; **être p. de qch/de faire** to be in favour of sth/of doing.
partition [partisjɔ̃] nf Mus score.
partout [partu] adv everywhere; **p. où tu vas** ou **iras** everywhere ou wherever you go; **p. sur la table/etc** all over the table/etc; Tennis **15 p.** 15 all.
paru, -ue [pary] pp de paraître. ●**parution** nf (de livre etc) publication.
parure [paryr] nf (toilette) finery; (bijoux) Br jewellery, Am jewelry.
parvenir* [parvənir] vi (aux être) **p. à** (lieu) to reach; (objectif) to achieve; **p. à faire qch**

to manage to do sth. ●**parvenu, -ue** *nmf Péj* upstart.

parvis [parvi] *nm* square (*in front of church etc*).

pas[1] [pɑ] *adv* (*négatif*) not; **(ne)... p.** not; **je ne sais p.** I do not *ou* don't know; **je n'ai p. compris** I didn't understand; **je voudrais ne p. sortir** I would like not to go out; **p. de pain/de café***/etc* no bread/coffee*/etc*; **p. encore** not yet; **p. du tout** not at all; **p. beaucoup** not much; (*quantité*) not many; **elle chantera — p. moi!** she'll sing — not me!

pas[2] [pɑ] *nm* **1** step, pace; (*allure*) pace; (*bruit*) footstep; (*trace*) footprint; **à deux p. (de)** close by; **aller au p.** to go at a walking pace; **rouler au p.** (*véhicule*) to go dead slow(ly); **marcher au p.** (*cadencé*) to march in step; **faire les cent p.** to walk up and down; **revenir sur ses p.** to go back on one's tracks; **marcher à p. de loup** to creep (silently); **marcher à grands p.** to take big strides, walk with big strides; **faire le premier p.** *Fig* to make the first move; **faire ses premiers p.** to take one's first steps; **faire un faux p.** (*en marchant*) to stumble; (*faute*) *Fig* to make a blunder; **avancer p. à p.** to move forward one step at a time, advance step by step; **le p. de la porte** the doorstep. **2** (*de vis*) thread. **3** *Géog* straits; **le p. de Calais** the Straits of Dover.

pascal, -e, -aux, [paskal, -o] *a* **semaine/messe**/*etc* **pascale** Easter week/mass/*etc*.

passable [pɑsabl] *a* (*travail, résultat etc*); (just) average; **mention p.** (*à un examen*) pass. ●**passablement** [-əmɑ̃] *adv* acceptably; (*beaucoup*) quite a lot.

passage [pɑsaʒ] *nm* (*action*) passing, passage; (*traversée*) crossing, passage; (*extrait*) passage; (*couloir*) passage(way); (*chemin*) path; (*court séjour*) visit, stay; **p. clouté ou pour piétons** *Br* (pedestrian) crossing, *Am* crosswalk; **p. souterrain** *Br* subway, *Am* underpass; **p. à niveau** *Br* level crossing, *Am* grade crossing; **'p. interdit'** 'no through traffic'; **avoir le p.** (*au feu vert*) to have the right of way; **'cédez le p.'** (*au carrefour*) *Br* 'give way', *Am* 'yield'; **être de p.** to be passing through (**à Paris**/*etc* Paris/*etc*); **hôte de p.** passing guest; **obstruer le p.** to block the way.

passager, -ère [pɑsaʒe, -ɛr] **1** *nmf* passenger; **p. clandestin** stowaway. **2** *a* (*de courte durée*) passing, temporary. ●**passagèrement** *adv* temporarily.

passant, -ante [pɑsɑ̃, -ɑ̃t] **1** *a* (*rue*) busy ❙ *nmf* passer-by. **2** *nm* (*de ceinture etc*) loop.

passe [pɑs] *nf* Football *etc* pass; **mot de p.** password; **une mauvaise p.** *Fig* a bad patch; **être en p. de faire qch** to be on the road to doing sth.

passé, -ée [pɑse] **1** *a* (*temps etc*) past; (*couleur*) faded; **la semaine passée** last week; **il est dix heures passées** it's after *ou Br* gone ten (o'clock); **être passé** (*personne*) to have been (and gone); (*orage*) to be over; **avoir vingt ans passés** to be over twenty ❙ *nm* (*temps, vie passée*) past; *Grammaire* past (tense). **2** *prép* after; **p. huit heures** after eight (o'clock).

passe-montagne [pɑsmɔ̃taɲ] *nm Br* balaclava, *Am* ski mask.

passe-partout [pɑspartu] *nm inv* (*clef*) master key ❙ *a inv* (*compliment, phrase*) all-purpose.

passe-passe [pɑspɑs] *nm inv* **tour de p.-passe** conjuring trick.

passe-plat [pɑsplɑ] *nm* service *ou* serving hatch.

passeport [pɑspɔr] *nm* passport.

passer [pɑse] *vi* (*aux être ou avoir*) (*aller*) to go, pass (**de** from, **à** to); (*traverser*) to go through *ou* over; (*facteur, laitier*) to come; (*temps*) to pass (by), go by; (*film, programme*) to be shown, be on; (*douleur, mode*) to pass; (*couleur*) to fade; (*courant*) to flow; (*loi*) to be passed; **devant** (*maison etc*) to go past *ou* by, pass (by); **p. à** *ou* **par Paris** to pass through Paris; **p. à la boulangerie** *ou* **chez le boulanger** to go round to the baker's; **p. à la radio** to come *ou* go on the radio; **p. à l'ennemi/la caisse** to go over to the enemy/*Br* the cash desk *ou Am* the cashier's window; **laisser p.** (*personne, lumière*) to let through *ou* in; (*occasion*) to let slip; **p. prendre** to fetch, pick up; **p. voir qn** to drop in on s.o.; **p. pour** (*riche etc*) to be taken for; **faire p. qn pour** to pass s.o. off as; **faire p. qch sous/dans**/*etc* to slide *ou* push sth under/into/*etc*; **faire p. un réfugié**/*etc* to smuggle a refugee/*etc* (**en Suisse**/*etc* into Switzerland/*etc*); **p. sur** (*détail etc*) to overlook, pass over; **p. en** (*seconde etc*) (**à l'école**) to go *ou* move up into; (*en voiture*) to change up to; **p. capitaine**/*etc* to be promoted captain/*etc*; **ça passe** (*c'est passable*) that'll do; **en passant** (*dire qch*) in passing.

❙ *vt* (*aux avoir*) (*frontière etc*) to cross, pass; (*maison etc*) to pass, go past; (*mettre*) to put; (*omettre*) to overlook; (*temps*) to spend, pass (**à faire** doing); (*disque*) to play, put on; (*film, programme*) to show, put on; (*loi, motion*) to pass; (*chemise*) to slip on, put on; (*examen*) to take, *Br* sit (for); (*thé*) to strain; (*café*) to filter; (*commande*) to place; (*accord*) to conclude; (*limites*) to go beyond; (*visite médicale*) to have; **p. (son tour)** to pass; **p. qch à qn** (*prêter*) to pass *ou* hand sth to s.o.; (*caprice etc*) to grant s.o. sth; (*pardonner*) to excuse s.o. sth; **p. un coup d'éponge**/*etc* **à qch** to go over sth with a sponge/*etc*; **p. sa colère sur qn** to vent one's anger on s.o.; **j'ai passé l'âge de faire ça** I'm too old to do that, I've passed the age for doing that; **je vous passe...** (*au téléphone*) I'm putting you through to...

❙ **se passer** *vpr* (*se produire*) to take place, happen; (*douleur*) to go (away), pass; **se p. de** to do *ou* go without; **cela se passe de commentaires** it needs no comment; **ça s'est**

passerelle

bien passé it went off well.
passerelle [pasrɛl] *nf* (*pont*) footbridge; (*voie d'accès de bateau, d'avion*) gangway.
passe-temps [pastã] *nm inv* pastime.
passeur, -euse [pasœr, -øz] *nmf* 1 (*batelier*) ferryman, ferrywoman. 2 (*contrebandier*) smuggler.
passible [pasibl] *a* p. de (*peine*) *Jur* liable to.
passif, -ive [pasif, -iv] 1 *a* (*rôle, personne etc*) passive ▮ *nm Grammaire* passive. 2 *nm* (*dettes d'une entreprise etc*) liabilities. ●**passivité** *nf* passiveness, passivity.
passion [pasjɔ̃] *nf* passion; avoir la p. des voitures/d'écrire/*etc* to have a passion *ou* a great love for cars/writing/*etc.* ●**passionnel, -elle** *a* crime p. crime of passion.
passionner [pasjɔne] *vt* to thrill, fascinate; se p. pour to have a passion for. ●**passionnant, -ante** *a* thrilling. ●**passionné, -ée** *a* passionate; p. de qch passionately fond of sth ▮ *nmf* fan (de of). ●**passionnément** *adv* passionately.
passoire [paswar] *nf* (*pour liquides*) sieve; (*à thé*) strainer; (*à légumes*) colander; ce goal est une vraie p. *Fig* this goalkeeper is hopeless at saving goals.
pastel [pastɛl] *nm* pastel; dessin au p. pastel drawing ▮ *a inv* ton p. pastel shade *ou* tone.
pastèque [pastɛk] *nf* watermelon.
pasteur [pastœr] *nm Rel* pastor.
pasteurisé, -ée [pastœrize] *a* (*lait, beurre etc*) pasteurized.
pastiche [pastiʃ] *nm* pastiche.
pastille [pastij] *nf* pastille, lozenge.
pastis [pastis] *nm* aniseed liqueur, pastis.
pastoral, -e, -aux [pastɔral, -o] *a* pastoral.
patate [patat] *nf Fam* spud, potato.
patatras! [patatra] *int* crash!
pataud, -aude [pato, -od] *a* clumsy, oafish.
patauger [patoʒe] *vi* (*marcher*) to wade (*in the mud etc*); (*barboter*) to splash about; (*s'empêtrer*) *Fam* to flounder. ●**pataugeoire** *nf Br* paddling pool, *Am* wading pool (*large, purpose-built*).
patchwork [patʃwœrk] *nm* patchwork.
pâte [pat] *nf* (*substance*) paste; p. (à pain), p. (à gâteau) dough; p. (à tarte) pastry; p. (à frire) batter; pâtes (alimentaires) pasta; p. d'amandes almond paste; p. de fruits fruit jelly; fromage à p. molle soft cheese; p. à modeler *Br* plasticine®, modelling clay; p. dentifrice toothpaste; mettre la main à la p. *Fig* to get down to it, do one's bit.
pâté [pate] *nm* 1 (*charcuterie*) pâté; p. (en croûte) meat pie. 2 p. (de sable) sand castle; p. de maisons block of houses. 3 (*tache d'encre*) (ink) blot.
pâtée [pate] *nf* (*pour chien*) dog food; (*pour chat*) cat food.
patelin [patlɛ̃] *nm Fam* village.
patent, -ente [patã, -ãt] *a* patent, obvious.
patère [patɛr] *nf* (coat) peg.
paternel, -elle [patɛrnɛl] *a* (*amour etc*) paternal, fatherly; (*parenté, réprimande*) paternal. ●**paternalisme** *nm* paternalism. ●**paternité** *nf* (*état*) paternity, fatherhood; (*de livre*) authorship.
pâteux, -euse [patø, -øz] *a* (*substance*) doughy, pasty; (*style*) *Fig* woolly; une langue pâteuse (*après une maladie etc*) a coated tongue; avoir la bouche *ou* la langue pâteuse (*après s'être enivré*) to have a mouth full of *Br* cotton wool *ou Am* cotton.
pathétique [patetik] *a* moving ▮ *nm* pathos.
pathologie [patɔlɔʒi] *nf* pathology. ●**pathologique** *a* pathological.
patibulaire [patibylɛr] *a* avoir une mine p. to look sinister.
patient, -ente [pasjã, -ãt] 1 *a* patient. 2 *nmf* (*malade*) patient. ●**patiemment** [-amã] *adv* patiently. ●**patienter** *vi* to wait (patiently).
patience [pasjãs] *nf* patience; prendre p. to have patience; perdre p. to lose patience; faire une p. (*jeu de cartes*) to play a game of patience.
patin [patɛ̃] *nm* skate; (*pour le parquet*) cloth pad (*used for walking*); p. à glace ice skate; p. à roulettes roller-skate; p. de frein (*de véhicule*) brake shoe.
patine [patin] *nf* patina.
patiner [patine] *vi Sport* to skate; (*roue*) to spin around; (*véhicule*) to slip (and slide); (*embrayage*) to slip. ●**patinage** *nm Sport* skating; p. artistique figure skating. ●**patineur, -euse** *nmf* (*sportif*) skater. ●**patinoire** *nf* (*piste*) skating rink, ice rink.
patio [patjo] *nm* patio (*of Spanish-style house*).
pâtir [patir] *vi* p. de to suffer from.
pâtisserie [patisri] *nf* pastry, cake; (*magasin*) cake shop; (*art*) cake *ou* pastry making. ●**pâtissier, -ière** *nmf* pastrycook and cake shop owner ▮ *a* crème pâtissière confectioner's cream.
patois [patwa] *nm Ling* patois.
patraque [patrak] *a* (*malade*) *Fam* under the weather.
patriarche [patrijarʃ] *nm* patriarch.
patrie [patri] *nf* (native) country; (*ville*) birthplace.
patrimoine [patrimwan] *nm* (*biens*) & *Fig* heritage; p. génétique genetic inheritance.
patriote [patrijɔt] *nmf* patriot ▮ *a* (*personne*) patriotic. ●**patriotique** *a* (*chant etc*) patriotic. ●**patriotisme** *nm* patriotism.
patron, -onne [patrɔ̃, -ɔn] 1 *nmf* (*chef*) boss, employer; (*propriétaire*) owner (de of); (*gérant*) manager, manageress; (*de bar*) landlord, landlady. 2 *nmf Rel* patron saint. 3 *nm* (*modèle de papier*) (*en couture*) pattern.
patronage [patrɔnaʒ] *nm* 1 (*protection*) patronage. 2 (*centre*) youth club. ●**patronner** *vt* to sponsor.
patronat [patrɔna] *nm* employers. ●**patronal, -e, -aux** *a* (*syndicat etc*) employers'.
patronyme [patrɔnim] *nm* family name.
patrouille [patruj] *nf* patrol. ●**patrouiller** *vi* to patrol. ●**patrouilleur** *nm* (*navire*) patrol boat.

patte [pat] *nf* 1 (*membre*) leg; (*de chat, chien*) paw; (*main*) *Fam* hand; **marcher à quatre pattes** to crawl, walk on all fours. 2 (*languette*) tongue; (*de poche*) flap.
pattes [pat] *nfpl* (*favoris*) sideburns, *Br* sideboards.
pâturage [patyraʒ] *nm* pasture.
pâture [patyr] *nf* (*nourriture*) food; (*intellectuelle*) *Fig* fodder; **donner qch en p. à la presse**/*etc Fig* to serve sth up *ou* feed sth to the press/*etc*.
paume [pom] *nf* (*de main*) palm.
paumer [pome] *vt Fam* to lose. ● **paumé, -ée** *nmf* (*malheureux*) *Fam* down-and-out, loser ∎ *a* **un coin** *ou* **trou p.** (*sans attrait*) *Fam* a dump.
paupière [popjɛr] *nf* eyelid.
paupiette [popjɛt] *nf* **p. de veau** slice of veal rolled around stuffing.
pause [poz] *nf* (*arrêt*) break; (*dans le discours etc*) pause.
pauvre [povr] *a* (*indigent, malheureux, insuffisant*) poor; (*terre, vocabulaire*) impoverished, poor; **p. en** (*calories etc*) low in; (*ressources etc*) low on ∎ *nmf* (*indigent, malheureux*) poor man, poor woman; **les pauvres** the poor. ● **pauvrement** [-əmɑ̃] *adv* poorly. ● **pauvreté** *nf* (*besoin*) poverty; (*insuffisance*) poorness.
pavaner (se) [səpavane] *vpr* to strut (about).
paver [pave] *vt* to pave. ● **pavé** *nm* **un p.** a paving stone; (*de vieille chaussée*) a cobblestone; **sur le p.** *Fig* on the streets. ● **pavage** *nm* (*travail, revêtement*) paving.
pavillon [pavijɔ̃] *nm* 1 (*maison*) (detached) house; (*d'hôpital*) ward; (*d'exposition*) pavilion; (*de chasse*) lodge. 2 (*drapeau*) flag; **p. de complaisance** flag of convenience.
pavoiser [pavwaze] *vi* (*exulter*) to rejoice; **il n'y a pas de quoi p.** there's nothing to crow *ou* rejoice about ∎ *vt* to deck out with flags.
pavot [pavo] *nm* (*cultivé*) poppy.
payable [pɛjabl] *a* payable.
paye [pɛj] *nf* pay, wages. ● **payement** *nm* payment.
payer [peje] *vt* (*personne, somme*) to pay; (*service, objet*) to pay for; (*récompenser*) to repay; **p. qn pour faire qch** to pay s.o. to do *ou* for doing sth; **p. qch à qn** (*offrir en cadeau*) *Fam* to treat s.o. to sth; **tu me le paieras!** *Fam* you'll pay for this!
∎ *vi* (*personne, métier, crime*) to pay.
∎ **se payer** *vpr* **se p. qch** (*s'acheter*) *Fam* to treat oneself to sth; **se p. la tête de qn** *Fam* to make fun of s.o. ● **payant, -ante** [pɛjɑ̃, -ɑ̃t] *a* (*hôte, spectateur*) paying, who pays; (*place, entrée*) that one has to pay for; (*rentable*) worthwhile.
pays [pei] *nm* country; (*région*) region; (*village*) village; **p. des rêves/du soleil** land of dreams/sun; **du p.** (*vin, gens etc*) local.
paysage [peizaʒ] *nm* landscape, scenery; **p. urbain** urban landscape. ● **paysagiste** *nmf* landscape gardener.

paysan, -anne [peizɑ̃, -an] *nmf* (small) farmer; (*rustre*) *Péj* peasant ∎ *a* **coutume**/*etc* **paysanne** rural *ou* country custom/*etc*; **le monde p.** the farming world *ou* community.
Pays-Bas [peiba] *nmpl* **les P.-Bas** the Netherlands.
PCV [peseve] *abrév* (*paiement contre vérification*) **téléphoner en PCV** *Br* to reverse the charges, *Am* call collect.
PDG [pedeʒe] *abrév* = **président directeur général**.
péage [peaʒ] *nm* (*droit*) toll; (*lieu*) tollbooth, tollgate; **autoroute à p.** *Br* toll motorway, *Am* turnpike.
peau, -x [po] *nf* skin; (*de fruit*) peel, skin; (*cuir*) hide, skin; (*fourrure*) fur, pelt; **se mettre dans la p. de qn** *Fig* to put oneself in s.o.'s shoes; **avoir qn dans la p.** to be crazy about s.o.; **faire p. neuve** *Fig* to turn over a new leaf; **laisser sa p. dans** (*aventure etc*) *Fam* to lose one's life in; **j'aurai sa p.!** *Fam* I'll get him *ou* kill him!; **être bien/mal dans sa p.** *Fam* to feel happy and contented/unhappy and discontented. ● **Peau-Rouge** *nmf* (*pl* Peaux-Rouges) (Red) Indian.
pêche[1] [pɛʃ] *nf* (*activité*) fishing; (*poissons*) catch; **p. (à la ligne)** angling; **aller à la p.** to go fishing. ● **pêcher**[1] *vi* to fish ∎ *vt* (*attraper*) to catch; (*chercher à prendre*) to fish for; (*dénicher*) *Fam* to dig up. ● **pêcheur** *nm* fisherman; (*à la ligne*) angler.
pêche[2] [pɛʃ] *nf* (*fruit*) peach; **avoir une peau de p.** to have soft and velvety skin; **avoir la p.** *Fam* to feel on top of the world. ● **pêcher**[2] *nm* (*arbre*) peach tree.
péché [peʃe] *nm* sin; **avoir un p. mignon** to have a weakness *ou* penchant. ● **pécher** *vi* to sin; **p. par orgueil**/*etc* to be too proud/*etc*. ● **pécheur, -eresse** *nmf* sinner.
pectoraux [pɛktɔro] *nmpl* (*muscles*) chest muscles.
pécule [pekyl] *nm* **un p.** (*économies*) (some) savings, a nest egg.
pécuniaire [pekynjɛr] *a* monetary.
pédagogie [pedagɔʒi] *nf* (*science*) education, teaching methods. ● **pédagogique** *a* educational. ● **pédagogue** *nmf* teacher.
pédale [pedal] *nf* 1 pedal; **p. de frein** footbrake (pedal); **mettre la p. douce** (*aller moins vite*) *Fam* to slow down, ease up; **perdre les pédales** *Fam* to lose one's marbles. 2 (*homosexuel*) *Péj Fam* pansy, queer. ● **pédaler** *vi* to pedal.
pédalo [pedalo] *nm* pedal boat, pedalo.
pédant, -ante [pedɑ̃, -ɑ̃t] *nmf* pedant ∎ *a* pedantic. ● **pédantisme** *nm* pedantry.
pédé [pede] *nm* (*homosexuel*) *Péj Fam* queer.
pédiatre [pedjatr] *nmf* children's doctor, p(a)ediatrician.
pédibus [pedibys] *adv Fam* on foot.
pédicure [pedikyr] *nmf Br* chiropodist, *Am* podiatrist.
pedigree [pedigre] *nm* (*de chien, cheval etc*) pedigree.

pègre [pɛgr] *nf* **la p.** the (criminal) underworld.

peigne [pɛɲ] *nm* comb; **se donner un coup de p.** to give one's hair a comb; **passer au p. fin** *Fig* to go through with a fine-tooth comb. ● **peigner** *vt* (*cheveux*) to comb; **p. qn** to comb s.o.'s hair ▮ **se peigner** *vpr* to comb one's hair.

peignoir [pɛɲwar] *nm* Br dressing gown, *Am* bathrobe; **p. (de bain)** bathrobe.

peinard, -arde [pɛnar, -ard] *a Fam* quiet (and easy).

peindre* [pɛ̃dr] *vt* to paint; (*décrire*) *Fig* to depict, paint; **p. en bleu**/*etc* to paint blue/*etc* ▮ *vi* to paint.

peine [pɛn] *nf* **1** (*châtiment*) punishment; **la p. de mort** the death penalty *ou* sentence; **p. de prison** prison sentence; **'défense d'entrer sous p. d'amende'** 'trespassers will be prosecuted *ou* fined'.
2 (*chagrin*) sorrow, grief; **avoir de la p.** to be upset *ou* sad; **faire de la p. à qn** to upset s.o., cause pain *ou* sorrow to s.o.
3 (*effort, difficulté*) trouble; **se donner de la p.** *ou* **beaucoup de p.** to go to a lot of trouble (**pour faire** to do); **avec p.** with difficulty; **ça vaut la p. d'attendre**/*etc* it's worth (while) waiting/*etc*; **ce n'est pas** *ou* **ça ne vaut pas la p.** it's not worth it *ou* worth bothering *ou* worth while.

peine (à) [apɛn] *adv* hardly, scarcely.

peiner [pene] **1** *vt* to upset, sadden, grieve. **2** *vi* to labour, struggle.

peintre [pɛ̃tr] *nm* (*artiste*) painter; **p. (en bâtiment)** (house) painter, *Br* (painter and) decorator. ● **peinture** *nf* (*tableau, activité*) painting; (*matière*) paint; **'p. fraîche'** 'wet paint'. ● **peinturlurer** *vt Fam* to daub with colour; **se p. (le visage)** to paint one's face.

péjoratif, -ive [peʒɔratif, -iv] *a* pejorative, derogatory.

Pékin [pekɛ̃] *nm ou f* Peking.

pékinois [pekinwa] *nm* (*chien*) pekin(g)ese.

pelage [pəlaʒ] *nm* (*d'animal*) coat, fur.

pelé, -ée [pəle] *a* bare.

pêle-mêle [pɛlmɛl] *adv* in disorder.

peler [pəle] *vt* (*fruit*) to peel; **se p. facilement** (*fruit*) to peel easily ▮ *vi* (*personne, peau*) to peel; **je pèle de froid** *Fam* I'm freezing cold, I'm perishing (with cold).

pèlerin [pɛlrɛ̃] *nm* pilgrim. ● **pèlerinage** *nm* pilgrimage.

pélican [pelikɑ̃] *nm* (*oiseau*) pelican.

pelisse [pəlis] *nf* fur-lined coat.

pelle [pɛl] *nf* shovel; (*d'enfant*) spade; **p. à tarte** cake server; **p. à poussière** dustpan; **à la p.** (*argent etc*) *Fam* galore; **ramasser** *ou* **prendre une p.** (*tomber*), *Am* take a spill. ● **pelletée** *nf* shovelful. ● **pelleteuse** *nf Tech* mechanical digger *ou* shovel, excavator.

pellicule [pelikyl] *nf* (*pour photos*) film; (*couche*) layer, film; **pellicules** (*dans les cheveux*) dandruff.

pelote [pəlɔt] *nf* (*de laine*) ball; (*à épingles*) pincushion; **p. (basque)** *Sport* pelota.

peloter [pləte] *vt* (*palper*) *Péj Fam* to paw.

peloton [p(ə)lɔtɔ̃] *nm* **1** (*cyclistes*) pack, bunch, main body; **p. de tête** leading pack *ou* bunch. **2** (*de soldats*) squad; **p. d'exécution** firing squad. **3** (*de ficelle*) ball.

pelotonner (se) [səp(ə)lɔtɔne] *vpr* to curl up (into a ball).

pelouse [p(ə)luz] *nf* lawn; *Sport* enclosure.

peluche [p(ə)lyʃ] *nf* **1** (*tissu*) plush; (**jouet en**) **p.** soft toy; **chien**/*etc* **en p.** (*jouet*) furry dog/*etc*; **ours en p.** teddy bear. **2 peluches** (*flocons*) fluff, lint. ● **pelucher** *vi* to get fluffy *ou* linty. ● **pelucheux, -euse** *a* fluffy, linty.

pelure [p(ə)lyr] *nf* (*épluchure*) peeling; **une p.** a (piece of) peeling.

pénal, -e, -aux [penal, -o] *a* (*code etc*) penal. ● **pénalisation** *nf Rugby etc* penalty. ● **pénaliser** *vt Rugby etc & Jur* to penalize (**pour** for). ● **pénalité** *nf Rugby etc & Jur* penalty.

penalty, *pl* **-ties** [penalti, -iz] *nm Football* penalty.

penaud, -aude [pəno, -od] *a* sheepish.

penchant [pɑ̃ʃɑ̃] *nm* (*goût*) liking (**pour** for); (*tendance*) inclination (**à qch** towards sth).

pencher [pɑ̃ʃe] *vt* (*objet*) to tilt; (*tête*) to lean ▮ *vi* (*arbre etc*) to lean (over); **p. pour** *Fig* to be inclined towards ▮ **se pencher** *vpr* to lean (over *ou* forward); **se p. par la fenêtre** to lean out of the window; **se p.** **sur** (*problème etc*) to examine. ● **penché, -ée** *a* leaning.

pendable [pɑ̃dabl] *a* **faire un tour p.** to play a wicked *ou* diabolical trick (**à qn** on s.o.).

pendaison [pɑ̃dɛzɔ̃] *nf* hanging.

pendant¹ [pɑ̃dɑ̃] *prép* (*au cours de*) during; **p. la nuit** during the night; **p. deux mois** (*pour une période de*) for two months; **p. que** while, whilst.

pendentif [pɑ̃dɑ̃tif] *nm* (*collier*) pendant.

penderie [pɑ̃dri] *nf Br* wardrobe, *Am* closet.

pendre [pɑ̃dr] *vti* to hang (**à** from); **p. qn** to hang s.o. ▮ **se pendre** *vpr* (*se suicider*) to hang oneself; (*se suspendre*) to hang (à from). ● **pendant²**, **-ante 1** *a* hanging; (*langue*) hanging out; (*joues*) sagging; (*question*) *Fig* pending. **2** *nm* **p. (d'oreille)** drop earring. **3** *nm* **le p. de** the companion piece to. ● **pendu, -ue** *a* (*objet*) hanging (à from); **être p. au téléphone** *Fam* to be never off the phone ▮ *nmf* hanged man, hanged woman.

pendule [pɑ̃dyl] **1** *nf* clock. **2** *nm* (*balancier*) pendulum. ● **pendulette** *nf* small clock.

pénétrer [penetre] *vi* **p. dans** to enter; (*profondément*) to penetrate (into) ▮ *vt* (*pluie etc*) to penetrate (sth); **se p. d'une idée** to become convinced of an idea. ● **pénétrant, -ante** *a* (*esprit, froid etc*) penetrating, keen. ● **pénétration** *nf* penetration.

pénible [penibl] *a* (*difficile*) difficult; (*douloureux*) painful, distressing; (*ennuyeux*) tiresome; (*agaçant*) annoying. ● **péniblement** [-əmɑ̃] *adv* with difficulty; (*avec douleur*) painfully.

péniche [peniʃ] *nf* barge; **p. de débarquement** (*de l'armée*) landing craft.
pénicilline [penisilin] *nf* penicillin.
péninsule [penɛ̃syl] *nf* peninsula. ●**péninsulaire** *a* peninsular.
pénis [penis] *nm* penis.
pénitence [penitɑ̃s] *nf* (*punition*) punishment; (*peine*) Rel penance; (*regret*) penitence; **faire p.** to repent. ●**pénitent, -ente** *nmf Rel* penitent.
pénitencier [penitɑ̃sje] *nm* prison. ●**pénitentiaire** *a* **régime/etc p.** prison system/*etc*.
pénombre [penɔ̃br] *nf* half-light, (semi-)darkness.
pense-bête [pɑ̃sbɛt] *nm* reminder.
pensée [pɑ̃se] *nf* **1** thought; **à la p. de faire qch** at the thought of doing sth. **2** (*fleur*) pansy.
penser [pɑ̃se] *vi* to think (**à** of, about); **p. à qch/à faire qch** (*ne pas oublier*) to remember sth/to do sth; **p. à tout** (*prévoir*) to think of everything; **j'y pense** I'm thinking about it; **penses-tu!** you must be joking!, not at all!
▮ *vt* to think (**que** that); (*concevoir*) to think out; (*imaginer*) to imagine (**que** that); **je pensais rester** (*intention*) I was thinking of staying, I thought I'd stay; **je pense réussir** (*espoir*) I hope to succeed; **que pensez-vous de...?** what do you think of *ou* about...?; **p. du bien de qn/qch** to think highly of s.o./sth. ●**pensant, -ante** *a* **bien p.** *Péj* orthodox. ●**penseur** *nm* thinker.
pensif, -ive [pɑ̃sif, -iv] *a* thoughtful, pensive.
pension [pɑ̃sjɔ̃] *nf* **1** boarding school; (*somme à payer*) **être en p.** to board, be a boarder (**chez** with); **p. (de famille)** guesthouse, boarding house; **p. complète** *Br* full board, *Am* American plan. **2** (*de retraite etc*) pension; **p. alimentaire** maintenance allowance. ●**pensionnaire** *nmf* (*élève*) boarder; (*d'hôtel*) resident; (*de famille*) lodger. ●**pensionnat** *nm* boarding school; (*élèves*) boarders. ●**pensionné, -ée** *nmf* pensioner.
pentagone [pɛ̃tagɔn] *nm* **le P.** *Am Mil* the Pentagon.
pentathlon [pɛ̃tatlɔ̃] *nm Sport* pentathlon.
pente [pɑ̃t] *nf* slope; **être en p.** to slope, be sloping; **être sur la mauvaise p.** *Fig* to be on the slippery slope.
Pentecôte [pɑ̃tkot] *nf Br* Whitsun, *Am* Pentecost.
pénurie [penyri] *nf* scarcity, shortage (**de** of).
pépère [pepɛr] **1** *nm Fam* grand(d)ad. **2** *a* (*tranquille*) *Fam* quiet (and easy).
pépier [pepje] *vi* (*oiseau*) to cheep, chirp.
pépin [pepɛ̃] *nm* **1** (*de fruit*) *Br* pip, *Am* seed, pit. **2** (*ennui*) *Fam* hitch, bother. **3** (*parapluie*) *Fam* umbrella, *Br* brolly.
pépinière [pepinjɛr] *nf* (*pour plantes*) nursery; (*école etc*) *Fig* seedbed, training ground (**de** for).
pépite [pepit] *nf* (gold) nugget.
péquenaud, -aude [pekno, -od] *nmf Péj Fam* peasant, (country) bumpkin.

perçant, -ante [pɛrsɑ̃, -ɑ̃t] *a* (*cri, froid*) piercing; (*yeux*) sharp, keen.
percée [pɛrse] *nf* (*dans une forêt etc*) opening; (*avance technologique, attaque militaire*) breakthrough.
perce-neige [pɛrsənɛʒ] *nm ou f inv* (*plante*) snowdrop.
perce-oreille [pɛrsɔrɛj] *nm* (*insecte*) earwig.
percepteur [pɛrsɛptœr] *nm* tax collector. ●**perceptible** *a* perceptible (**à** to), noticeable. ●**perception** *nf* **1** (*bureau*) tax office; (*d'impôt*) collection. **2** (*sensation*) perception.
percer [pɛrse] *vt* (*trouer*) to pierce; (*avec une perceuse*) to drill (a hole in); (*trou, ouverture*) to make, drill; (*mystère etc*) to uncover; **p. une dent** (*bébé*) to cut a tooth ▮ *vi* (*soleil, ennemi, sentiment*) to break *ou* come through; (*abcès*) to burst; (*acteur etc*) to make a name for oneself. ●**perceuse** *nf* (*outil*) drill.
percevoir* [pɛrsəvwar] *vt* **1** (*sensation*) to perceive; (*son*) to hear. **2** (*impôt*) to collect.
perche [pɛrʃ] *nf* **1** (*bâton*) pole; **saut à la p.** pole vaulting; **tendre la p. à qn** *Fig* to give s.o. a helping hand. **2** (*poisson*) perch. **3** **une grande p.** (*personne*) *Fam* a beanpole. ●**perchiste** *nm* pole vaulter.
percher [pɛrʃe] *vi* (*oiseau*) to perch; (*volailles*) to roost; (*loger*) *Fam* to hang out ▮ *vt* (*placer*) *Fam* to perch ▮ **se percher** *vpr* (*oiseau, personne*) to perch. ●**perché, -ée** *a* perched. ●**perchoir** *nm* perch; (*de volailles*) roost; *Pol Fam* seat of the president of the National Assembly; **descends de ton p.!** *Fam* come off your high horse!
percolateur [pɛrkɔlatœr] *nm* (*de restaurant*) percolator.
percussion [pɛrkysjɔ̃] *nf Mus* percussion.
percutant, -ante [pɛrkytɑ̃, -ɑ̃t] *a Fig* powerful.
percuter [pɛrkyte] *vt* (*véhicule*) to crash into ▮ *vi* **p. contre** to crash into.
perdant, -ante [pɛrdɑ̃, -ɑ̃t] *a* (*billet*) losing ▮ *nmf* loser.
perdition (en) [ɑ̃pɛrdisjɔ̃] *adv* (*navire*) in distress.
perdre [pɛrdr] *vt* to lose; (*gaspiller*) to waste; (*habitude*) to get out of; **p. de vue** to lose sight of; **il a perdu son père** he lost his father; **sa passion du jeu/etc l'a perdu** his passion for gambling/*etc* was his undoing.
▮ *vi* to lose; (*récipient, tuyau*) to leak; **j'y perds** I lose out, I lose money.
▮ **se perdre** *vpr* (*s'égarer*) to get lost; (*disparaître*) to disappear; **se p. dans les détails** to be *ou* get bogged down in details; **je m'y perds** I'm lost *ou* confused; **nous nous sommes perdus de vue** we lost touch, we lost sight of each other. ●**perdu, -ue** *a* lost; (*gaspillé*) wasted; (*malade*) finished; (*lieu*) isolated, in the middle of nowhere; **à ses moments perdus** in one's spare time; **une balle perdue** a stray bullet; **c'est du temps p.** it's a waste of time.

perdrix [pɛrdri] *nf* partridge. ●**perdreau, -x** *nm* young partridge.

père [pɛr] *nm* father; **Dupont p.** Dupont senior; **le p. Jean** *Fam* old John; **le p. Martin** *Rel* Father Martin; **mon p.!** *Rel* father!

péremptoire [perãptwar] *a* peremptory.

perfection [pɛrfɛksjɔ̃] *nf* perfection; **à la p.** perfectly.

perfectionner [pɛrfɛksjɔne] *vt* to improve, perfect ∎ **se perfectionner** *vpr* **se p. en anglais**/*etc* to improve one's English/*etc*. ●**perfectionné, -ée** *a* (*machine etc*) advanced. ●**perfectionnement** *nm* improvement (**de in, par rapport à** on); **cours de p.** refresher course, advanced *ou Br* improvers' course.

perfectionniste [pɛrfɛksjɔnist] *nmf* perfectionist.

perfide [pɛrfid] *a Litt* treacherous, perfidious. ●**perfidie** *nf Litt* treachery.

perforer [pɛrfɔre] *vt* (*pneu, intestin etc*) to perforate; (*billet, carte*) to punch; **carte perforée** punch card. ●**perforateur** *nm* (*appareil*) drill. ●**perforation** *nf* perforation; (*trou*) punched hole. ●**perforatrice** *nf* (*machine*) (card) punch. ●**perforeuse** *nf* (*machine*) (paper) punch.

performance [pɛrfɔrmãs] *nf* (*d'athlète, de machine etc*) performance. ●**performant, -ante** *a* (highly) efficient.

perfusion [pɛrfyzjɔ̃] *nf* (*injection*) (intravenous) drip; **être sous p.** to be on a drip.

péricliter [periklite] *vi* to go to rack and ruin.

péridurale [peridyral] *af & nf* (*anesthésie*) **p.** epidural; **accoucher sous p.** to give birth under an epidural.

péril [peril] *nm* danger, peril; **à tes risques et périls** at your own risk; **mettre qch en p.** to jeopardize *ou* endanger sth; **mettre qn en p.** to put s.o. in danger. ●**périlleux, -euse** *a* dangerous, perilous; **saut p.** somersault (*in mid air*).

périmer [perime] *vi*, **se périmer** *vpr* **laisser qch (se) p.** to allow sth to expire. ●**périmé, -ée** *a* (*billet*) expired; (*désuet*) outdated.

périmètre [perimɛtr] *nm* perimeter.

période [perjɔd] *nf* period. ●**périodique** *a* periodic ∎ *nm* (*revue*) periodical.

péripétie [peripesi] *nf* (unexpected) event.

périphérie [periferi] *nf* (*limite*) periphery; (*banlieue*) outskirts.

périphérique [periferik] *a* (*quartier etc*) outlying, peripheral; **radio p.** radio station broadcasting from outside France ∎ *nm &* (**boulevard**) **p.** *Br* (motorway) ring road, *Am* beltway. ●**périphériques** *nmpl Ordinat* peripherals.

périphrase [perifraz] *nf* circumlocution.

périple [peripl] *nm* trip, tour.

périr [perir] *vi Litt* to perish, die. ●**périssable** *a* (*denrée*) perishable.

périscope [periskɔp] *nm* periscope.

perle [pɛrl] *nf* (*bijou*) pearl; (*de bois, verre etc*) bead; (*personne*) *Fig* gem, pearl; (*erreur*) *Iron* howler, gem. ●**perler** *vi* (*sueur*) to form beads; **grève perlée** *Br* go-slow, *Am* slow-down strike.

permanent, -ente [pɛrmanã, -ãt] **1** *a* permanent; (*spectacle*) *Cinéma* continuous; (*comité*) standing. **2** *nf* **permanente** (*coiffure*) perm. ●**permanence** *nf* permanence; (*salle d'étude*) study room; (*service, bureau*) duty office; **être de p.** to be on duty; **en p.** permanently.

perméable [pɛrmeabl] *a* permeable.

permettre* [pɛrmɛtr] *vt* to allow, permit; **p. à qn de faire qch** (*permission, possibilité*) to allow *ou* permit s.o. to do sth; **permettez!; excusez me!; vous permettez?** may I? ∎ **se permettre** *vpr* **se p. de faire** to allow oneself to do, take the liberty to do; **je ne peux pas me p. de l'acheter** I can't afford to buy it.

permis, -ise [pɛrmi, -iz] *a* allowed, permitted ∎ *nm* (*autorisation*) *Br* licence, *Am* license, permit; **p. de conduire** (*carte*) *Br* driving licence, *Am* driver's license; **passer son p. de conduire** to take one's driving *ou* road test; **p. à point** (*système*) points system for *Br* driving licence *ou Am* driver's license; **p. de travail** work permit; **p. de séjour** residence permit.

permission [pɛrmisjɔ̃] *nf* permission; (*congé militaire*) leave; **demander la p.** to ask permission (**de faire** to do).

permuter [pɛrmyte] *vt* to change round *ou* over, permutate. ●**permutation** *nf* permutation.

pernicieux, -euse [pɛrnisjø, -øz] *a* (*maladie*) pernicious; (*nuisible*) *Litt* pernicious.

pérorer [perɔre] *vi Péj* to speechify.

Pérou [peru] *nm* Peru.

perpendiculaire [pɛrpãdikylɛr] *a & nf* perpendicular (**à** to).

perpétrer [pɛrpetre] *vt* (*crime*) to perpetrate.

perpétuel, -elle [pɛrpetɥɛl] *a* perpetual; (*incessant*) continual; (*fonction, rente*) for life. ●**perpétuellement** *adv* perpetually. ●**perpétuer** *vt* to perpetuate. ●**perpétuité (à)** *adv* in perpetuity; **condamnation à p.** life sentence, sentence for life.

perplexe [pɛrplɛks] *a* perplexed, puzzled. ●**perplexité** *nf* perplexity.

perquisition [pɛrkizisjɔ̃] *nf* (house) search (*by police*). ●**perquisitionner** *vi* to search.

perron [pɛrɔ̃] *nm* (front) steps.

perroquet [pɛrɔke] *nm* parrot.

perruche [pɛryʃ] *nf Br* budgerigar, *Am* parakeet.

perruque [pɛryk] *nf* wig.

persan, -ane [pɛrsã, -an] *a* (*langue, tapis, chat etc*) Persian ∎ *nm* (*langue*) Persian.

persécuter [pɛrsekyte] *vt* (*opprimer*) to persecute; (*importuner*) to harass. ●**persécuteur, -trice** *nmf* persecutor. ●**persécution** *nf* persecution.

persévérer [pɛrsevere] *vi* to persevere (**dans** in). ●**persévérant, -ante** *a* persevering. ●**persévérance** *nf* perseverance.

persienne [pɛrsjɛn] *nf* (outside) shutter.

persil [pɛrsi] *nm* parsley. ●**persillé, -ée**

petit

(*plat*) sprinkled with parsley.
Persique [pεrsik] *a* **le golfe P.** the Persian Gulf.
persister [pεrsiste] *vi* to persist (**à faire** in doing, **dans qch** in sth). ● **persistant, -ante** *a* persistent; **à feuilles persistantes** (*arbre etc*) evergreen. ● **persistance** *nf* persistence.
personnage [pεrsɔnaʒ] *nm* (*célébrité*) (important) person; *Théâtre Littér* character.
personnaliser [pεrsɔnalize] *vt* to personalize; (*voiture*) to customize.
personnalité [pεrsɔnalite] *nf* (*individualité, personnage*) personality.
personne [pεrsɔn] **1** *nf* person; **deux/etc personnes** two/etc people; **grande p.** grown-up, adult; **p. âgée** elderly person; **jolie p.** pretty girl *ou* woman; **en p.** in person; **être bien de sa p.** to be very good-looking; **être content de sa (petite) p.** to be pleased with oneself.
2 *pron* (*négatif*) nobody, no one; (**ne**)...**p.** nobody, no one; **je ne vois p.** I don't see anybody *ou* anyone; **p. ne saura** nobody *ou* no one will know; **mieux que p.** better than anybody *ou* anyone.
personnel, -elle [pεrsɔnεl] **1** *a* personal; (*joueur, jeu*) individualistic. **2** *nm* staff, personnel. ● **personnellement** *adv* personally.
personnifier [pεrsɔnifje] *vt* to personify. ● **personnification** *nf* personification.
perspective [pεrspεktiv] *nf* (*art*) perspective; (*idée, possibilité etc*) prospect (**de** of); (*de paysage etc*) view; (*point de vue*) *Fig* viewpoint, perspective; **en p.** *Fig* in view, in prospect.
perspicace [pεrspikas] *a* shrewd. ● **perspicacité** *nf* shrewdness.
persuader [pεrsɥade] *vt* to persuade (**qn de faire** s.o. to do); **être persuadé que** to be convinced that ▌ **se persuader** *vpr* **se p. que** to convince oneself that, be convinced that.
● **persuasif, -ive** *a* persuasive. ● **persuasion** *nf* persuasion; (*croyance*) conviction.
perte [pεrt] *nf* loss; (*gaspillage*) waste (**de temps/d'argent** of time/money); (*ruine*) ruin; **à p. de vue** as far as the eye can see; **en pure p.** (*inutilement*) completely for nothing; **p. sèche** absolute *ou* complete loss; **vendre qch à p.** to sell sth at a loss; **courir à sa p.** to be heading for disaster *ou* ruin; **vouloir la p. de qn** (*mort, ruine*) to seek s.o.'s destruction.
pertinent, -ente [pεrtinɑ̃, -ɑ̃t] *a* relevant, pertinent. ● **pertinemment** [-amɑ̃] *adv* **savoir p. que** to know for a fact that. ● **pertinence** *nf* relevance.
perturber [pεrtyrbe] *vt* (*trafic, cérémonie etc*) to disrupt; (*ordre public, personne*) to disturb. ● **perturbé, -ée** *a* (*troublé*) *Fam* perturbed. ● **perturbateur, -trice** *a* (*élément*) disruptive ▌ *nmf* troublemaker. ● **perturbation** *nf* disruption; (*crise*) upheaval; **p. atmosphérique** atmospheric disturbance; **semer la p.** to spread disruption).
péruvien, -ienne [peryvjɛ̃, -jεn] *a* Peruvian ▌ *nmf* **P., Péruvienne** Peruvian.
pervenche [pεrvɑ̃ʃ] *nf* (*plante*) periwinkle; (*contractuelle*) *Fam Br* (woman) traffic warden, *Am* meter maid.
pervers, -erse [pεrvεr, -εrs] *a* wicked, perverse; (*dépravé*) perverted ▌ *nmf* pervert. ● **perversion** *nf* perversion. ● **perversité** *nf* perversity. ● **pervertir** *vt* to pervert. ● **perverti, -ie** *nmf* pervert.
pesage [pəzaʒ] *nm* weighing.
pesant, -ante [pəzɑ̃, -ɑ̃t] *a* heavy, weighty ▌ *nm* **valoir son p. d'or** to be worth one's *ou* its weight in gold. ● **pesamment** [-amɑ̃] *adv* heavily. ● **pesanteur** *nf* heaviness; (*force*) *Phys* gravity.
pesée [pəze] *nf* weighing; *Boxe* weigh-in; (*effort*) pressure.
peser [pəze] *vt* to weigh; **p. le pour et le contre** to weigh up the pros and the cons; **p. ses mots** to choose one's words carefully, weigh one's words; **elle pèse 20 millions** *Fam* she's worth 20 million ▌ *vi* to weigh; **p. lourd** to be heavy; (*argument etc*) *Fig* to carry (a lot of) weight; **p. sur** (*appuyer*) to bear down upon; (*influer*) to bear upon; **p. sur qn** (*menace*) to hang over s.o.; **p. sur l'estomac** to lie (heavily) on the stomach. ● **pèse-bébé** *nm* (baby) scales. ● **pèse-lettre** *nm* (letter) scales. ● **pèse-personne** *nm* (bathroom) scales.
pessimisme [pesimism] *nm* pessimism. ● **pessimiste** *a* pessimistic ▌ *nmf* pessimist.
peste [pεst] *nf* (*maladie*) plague; (*personne, enfant*) *Fig* pest.
pester [pεste] *vi* to curse; **p. contre qch/qn** to curse sth/s.o.
pestilentiel, -ielle [pεstilɑ̃sjεl] *a* fetid, stinking.
pétale [petal] *nm* petal.
pétanque [petɑ̃k] *nf* (*jeu*) bowls.
pétarades [petarad] *nfpl* (*de moto etc*) backfiring. ● **pétarader** *vi* to backfire.
pétard [petar] *nm* (*explosif*) firecracker, *Br* banger.
péter [pete] *vi Fam* (*éclater*) to go bang *ou* pop; (*se rompre*) to snap.
pétiller [petije] *vi* (*champagne, eau etc*) to sparkle, fizz; (*yeux*) to sparkle; (*bois, feu*) to crackle. ● **pétillant, -ante** *a* (*eau, vin, yeux*) sparkling.
petit, -ite [p(ə)ti, -it] *a* small, little; (*de taille*) short; (*bruit, coup, espoir*) slight; (*jeune*) little; (*mesquin, insignifiant*) petty; **tout p.** tiny; **un p. Français** a (little) French boy; **une bonne petite employée** a good little worker; **se faire tout p.** *Fam* (*être gêné*) to want to find a corner to hide in; **se faire tout p. devant une femme** to satisfy a woman's every whim; **c'est une petite nature** he's *ou* she's a weak sort of person.
▌ *nmf* (little) boy, (little) girl; (*personne*) small person; *Scol* junior; **petits** (*d'animal*) young; (*de chien*) pups, young; (*de chat*) kittens, young.
▌ *adv* **écrire p.** to write small; **p. à p.** little

petitement

by little. ● **petit-beurre** *nm* (*pl* petits-beurre) *Br* butter biscuit, *Am* butter cookie. ● **petit-bourgeois, petite-bourgeoise** *a* (*mpl* petits-bourgeois) *a Péj* middle-class. ● **petit-suisse** *nm* (*pl* petits-suisses) soft cheese (*for dessert*).

petitement [p(ə)titmã] *adv* (*chichement*) shabbily, poorly. ● **petitesse** *nf* (*de taille*) smallness; (*mesquinerie*) pettiness.

petit-fils [p(ə)tifis] *nm* (*pl* petits-fils) grandson, grandchild. ● **petite-fille** *nf* (*pl* petites-filles) granddaughter, grandchild. ● **petits-enfants** *nmpl* grandchildren.

pétition [petisjɔ̃] *nf* petition.

pétrifier [petrifje] *vt* (*de peur, d'émoi etc*) to petrify.

pétrin [petrɛ̃] *nm Fam* (*situation*) fix; **être dans le p.** to be in a fix.

pétrir [petrir] *vt* to knead.

pétrole [petrɔl] *nm* oil, petroleum; **p. (lampant)** *Br* paraffin, *Am* kerosene; **nappe de p.** (*sur la mer*) oil slick. ● **pétrolier, -ière** *a* industrie/*etc* **pétrolière** oil industry/*etc* ▌ *nm* (*navire*) oil tanker. ● **pétrolifère** *a* **gisement p.** oil field.

pétulant, -ante [petylã, -ãt] *a* exuberant.

pétunia [petynja] *nm* (*plante*) petunia.

peu [pø] *adv* (*manger, lire etc*) not much, little; **elle mange p.** she doesn't eat much, she eats little; **un p.** (*lire, surpris etc*) a little, a bit; **p. de sel/de temps/***etc* not much salt/time/*etc*, little salt/time/*etc*; **un p. de fromage/***etc* a little cheese/*etc*, a bit of cheese/*etc*; **le p. de fromage que j'ai** the little cheese I have; **p. de gens/de livres/***etc* few people/ books/*etc*, not many people/books/*etc*; **p. sont...** few are...; **un (tout) petit p.** a (tiny) little bit; **p. intéressant/souvent/***etc* not very interesting/often/*etc*; **p. de chose** not much; **p. à p.** little by little, gradually; **à p. près** more or less; **p. après/avant** shortly after/before; **pour un p. je l'aurais jeté dehors** I very nearly threw him out.

peuplade [pœplad] *nf* tribe.

peuple [pœpl] *nm* (*nation, masse*) people; **les gens du p.** the common people.

peupler [pœple] *vt* to populate, people. ● **peuplé, -ée** *a* (*région etc*) populated (**de** by); **très/peu/***etc* **p.** highly/sparsely/*etc* populated. ● **peuplement** *nm* (*action*) populating; **zone de p.** population zone, area of population.

peuplier [pøplije] *nm* (*arbre, bois*) poplar.

peur [pœr] *nf* fear; **avoir p.** to be afraid *ou* frightened *ou* scared (**de qch/qn** of sth/s.o.; **de faire qch** to do sth, of doing sth); **faire p. à qn** to frighten *ou* scare s.o.; **de p. qu'il ne parte** for fear that he would leave, for fear of his leaving; **de p. de faire qch** for fear of doing sth. ● **peureux, -euse** *a* easily frightened, fearful.

peut, peux [pø] *voir* **pouvoir 1**.

peut-être [pøtɛtr] *adv* perhaps, maybe; **p.-être qu'il viendra, p.-être viendra-t-il** perhaps *ou* maybe he'll come.

peuvent, peux [pœv, pø] *voir* **pouvoir 1**.

phallique [falik] *a* phallic. ● **phallocrate** *nm Péj* male chauvinist (pig).

pharaon [faraɔ̃] *nm Hist* Pharaoh.

phare [far] *nm* (*pour bateaux*) lighthouse; (*de véhicule*) headlight, *Br* headlamp; **faire un appel de phares** (*en voiture*) to flash one's lights; **rouler pleins phares** (*en voiture*) to drive on full headlights.

pharmacie [farmasi] *nf Br* chemist's shop, *Am* drugstore; (*science*) pharmacy; (*armoire*) medicine cabinet. ● **pharmaceutique** *a* pharmaceutical. ● **pharmacien, -ienne** *nmf Br* chemist, pharmacist, *Am* druggist.

pharynx [farɛ̃ks] *nm Anat* pharynx.

phase [faz] *nf* phase; **être en p.** *Fig* to be in perfect harmony (**avec qn** with s.o.).

phénomène [fenɔmɛn] *nm* phenomenon; (*personne*) *Fam* eccentric. ● **phénoménal, -e, -aux** *a* phenomenal.

philanthrope [filɑ̃trɔp] *nmf* philanthropist. ● **philanthropique** *a* philanthropic.

philatélie [filateli] *nf* stamp collecting, philately. ● **philatélique** *a* philatelic. ● **philatéliste** *nmf* stamp collector, philatelist.

philharmonique [filarmɔnik] *a* (*orchestre*) philharmonic.

Philippines [filipin] *nfpl* **les P.** the Philippines.

philosophe [filɔzɔf] *nmf* philosopher ▌ *a* (*résigné, sage*) philosophical. ● **philosopher** *vi* to philosophize (**sur** about). ● **philosophie** *nf* philosophy. ● **philosophique** *a* philosophical.

philtre [filtr] *nm* love potion.

phobie [fɔbi] *nf* phobia.

phonétique [fɔnetik] *a* phonetic ▌ *nf* phonetics.

phonographe [fɔnɔgraf] *nm Br* gramophone, *Am* phonograph.

phoque [fɔk] *nm* (*animal*) seal.

phosphate [fɔsfat] *nm Ch* phosphate.

phosphore [fɔsfɔr] *nm Ch* phosphorus. ● **phosphorescent, -ente** *a* luminous, phosphorescent.

photo [fɔto] *nf* photo; (*art*) photography; **p. d'identité** ID photo; **prendre une p. de, prendre en p.** to take a photo of; **se faire prendre en p.** to have one's photo taken; **il veut ma p.?** *Fam* who does he think he's staring at? ▌ *a inv* **appareil p.** camera. ● **photogénique** *a* photogenic. ● **photographe** *nmf* photographer. ● **photographie** *nf* (*art*) photography; (*image*) photograph. ● **photographier** *vt* to photograph. ● **photographique** *a* photographic.

photocopie [fɔtɔkɔpi] *nf* photocopy. ● **photocopier** *vt* to photocopy. ● **photocopieur** *nm ou* **photocopieuse** *nf* (*machine*) photocopier.

photomaton® [fɔtɔmatɔ̃] *nm* (*appareil*) photo booth.

phrase [fraz] *nf* (*mots*) sentence.

physicien, -ienne [fizisjɛ̃, -jɛn] *nmf* physicist.

physiologie [fizjɔlɔʒi] *nf* physiology.

●**physiologique** *a* physiological.
physionomie [fizjɔnɔmi] *nf* face.
physique [fizik] **1** *a* physical ▮ *nm* (*corps, aspect*) physique; **au p. comme au moral** physically and morally. **2** *nf* (*science*) physics. ●**physiquement** *adv* physically.
phytothérapie [fitɔterapi] *nf* herbal medicine.
piaffer [pjafe] *vi* (*cheval*) to stamp; **p. d'impatience** *Fig* to fidget impatiently.
piailler [pjaje] *vi* (*oiseau*) to cheep; (*enfant*) *Fam* to squeal.
piano [pjano] *nm* piano; **p. droit/à queue** upright/grand piano. ●**pianiste** *nmf* pianist. ●**pianoter** *vi* to thump away at the piano; *Fig* to drum one's fingers.
piaule [pjol] *nf* (*chambre*) *Fam* room, pad.
PIB [peibe] *nm abrév* (*produit intérieur brut*) GDP.
pic [pik] *nm* **1** (*cime*) peak. **2** (*outil*) pick(axe); **p. à glace** ice pick. **3** (*oiseau*) woodpecker.
pic (à) [apik] *adv* (*verticalement*) sheer; **couler à p.** to sink to the bottom; **la falaise tombe à p.** the cliff is sheer, there's a sheer drop; **tomber** *ou* **arriver à p.** *Fig* to come at the right moment *ou* in the nick of time.
pichenette [piʃnɛt] *nf* **faire une p.** to flick one's finger.
pichet [piʃe] *nm* jug, pitcher.
pickpocket [pikpɔkɛt] *nm* pickpocket.
picoler [pikɔle] *vi Fam* to tipple, booze.
picorer [pikɔre] *vti* to peck.
picoter [pikɔte] *vt* (*yeux*) to make smart; (*jambes*) to make tingle; **les yeux me picotent** my eyes are smarting.
pie [pi] **1** *nf* (*oiseau*) magpie. **2** *a inv* (*couleur*) piebald.
pièce [pjɛs] *nf* **1** (*de maison etc*) room. **2** (*morceau, objet etc*) piece; (*de pantalon*) patch; (*écrit de dossier*) document; **p. (de monnaie)** coin; **p. (de théâtre)** play; **p. (d'artillerie)** gun; **p. d'identité** identity card, proof of identity; **p. d'eau** pool, pond; **pièces détachées** *ou* **de rechange** (*de véhicule etc*) spare parts; **pièces justificatives** supporting documents; **avec pièces à l'appui** with supporting documents; **p. montée** = tiered wedding cake; **cinq dollars/etc (la) p.** five dollars/*etc* each; **travailler à la p.** to do piecework; **mettre qch en pièces** to tear sth to pieces *ou* to shreds.
pied [pje] *nm* foot (*pl* feet); (*de lit, d'arbre, de colline*) foot; (*de meuble*) leg; (*de verre, lampe*) base; (*d'appareil photo*) stand; **un p. de salade** a head of lettuce; **à p.** on foot; **aller à p.** to walk, go on foot; **au p. de** at the foot *ou* bottom of; **au p. de la lettre** *Fig* literally; **coup de p.** kick; **donner un coup de p.** to kick (**à qn** s.o.); **avoir p.** (*nageur*) to have a footing, touch the bottom; **sur p.** (*debout, levé*) up and about; **sur ses pieds** (*malade guéri*) up and about; **sur un p. d'égalité** on an equal footing; **sur le p. de guerre** on a war footing; **comme un p.** (*mal*) *Fam* dreadfully; **faire un p. de nez à qn** to thumb one's nose at s.o.; **mettre qch sur p.** (*organiser*) to set sth up; **attendre qn de p. ferme** to be ready and waiting for s.o.; **remplacer qn au p. levé** to replace s.o. at a moment's notice; **ça lui fera les pieds!** *Fam* that will serve him right!; **c'est le p.!** *Fam* it's fantastic *ou* terrific! ●**pied-noir** *nmf* (*pl* **pieds-noirs**) Algerian-born Frenchman *ou* Frenchwoman.
piédestal, -aux [pjedɛstal, -o] *nm* pedestal.
piège [pjɛʒ] *nm* (*pour animal*) & *Fig* trap. ●**piéger** *vt* (*animal*) to trap; (*voiture etc*) to booby-trap; **colis/voiture/lettre piégé(e)** parcel/car/letter bomb; **engin piégé** booby trap.
pierre [pjɛr] *nf* stone; (*précieuse*) gem, stone; **p. (à briquet)** flint; **geler à p. fendre** to freeze hard; **faire d'une p. deux coups** *Fig* to kill two birds with one stone. ●**pierreries** *nfpl* gems, precious stones. ●**pierreux, -euse** *a* stony.
piété [pjete] *nf* piety.
piétiner [pjetine] *vt* (*sol etc*) to trample (on) ▮ *vi* to stamp (one's feet); (*marcher sur place*) to mark time; (*ne pas avancer*) *Fig* to make no headway.
piéton [pjetɔ̃] *nm* pedestrian. ●**piétonne** *ou* **piétonnière** *af* **rue p.** pedestrian(ized) street; **zone p.** *Br* pedestrian precinct, pedestrianized area.
piètre [pjɛtr] *a Litt* wretched, poor.
pieu, -x [pjø] *nm* **1** (*piquet*) post, stake. **2** (*lit*) *Fam* bed.
pieuvre [pjœvr] *nf* octopus.
pieux, -euse [pjø, -øz] *a* pious.
pif [pif] *nm* (*nez*) *Fam* nose. ●**pif(omètre) (au)** *adv* (*sans calcul*) *Fam* at a rough guess.
pigeon [piʒɔ̃] *nm* pigeon; (*personne*) dupe; **p. voyageur** carrier pigeon. ●**pigeonner** *vt* (*voler*) *Fam* to rip off.
piger [piʒe] *vti Fam* to understand.
pigment [pigmɑ̃] *nm* pigment. ●**pigmentation** *nf* pigmentation.
pignon [piɲɔ̃] *nm* (*de maison etc*) gable; **avoir p. sur rue** *Fig* to be in a position of some standing, be established and respected.
pile [pil] **1** *nf* (*électrique*) battery; (*atomique*) pile; **radio à piles** battery radio. **2** (*tas*) pile; **en p.** in a pile. **3** *nf* **p. (ou face)?** heads (or tails)?; **jouer à p. ou face** to toss up. **4** *nf* (*de pont*) pier. **5** *adv* **s'arrêter p.** *Fam* to stop short *ou* dead; **à deux heures p.** *Fam* on the dot of two.
piler [pile] **1** *vt* (*amandes etc*) to grind; (*ail*) to crush. **2** *vi* (*en voiture*) *Fam* to stop dead. ●**pilonner** *vt* (*sous les obus*) to bombard, shell.
pilier [pilje] *nm* pillar.
pilon [pilɔ̃] *nm* (*de poulet*) drumstick.
piller [pije] *vti* to loot, pillage. ●**pillage** *nm* looting, pillage. ●**pillard, -arde** *nmf* looter.
pilori [pilɔri] *nm* **mettre au p.** *Fig* to pillory.
pilote [pilɔt] *nm* (*d'avion, de bateau*) pilot; (*de voiture, char*) driver; (*guide*) *Fig* guide;

p. de ligne airline pilot ∎ *a* **usine**/*etc*(-)**p.** pilot factory/*etc*. ●**piloter** *vt* (*avion*) to fly, pilot; (*bateau*) to pilot; (*voiture*) to drive; **p. qn** *Fig* to show s.o. around. ●**pilotage** *nm* piloting; **poste de p.** cockpit; **école de p.** flying school; **être sur p. automatique** to be on automatic pilot.

pilotis [piloti] *nm* (*pieux*) *Archit* piles; **construit sur p.** built on piles.

pilule [pilyl] *nf* pill; **prendre la p.** (*femme*) to be on the pill; **arrêter la p.** to go off the pill; **avaler la p.** *Fig* to swallow the bitter pill.

piment [pimã] *nm* pepper, pimento. ●**pimenté, -ée** *a* (*plat*) & *Fig* spicy.

pimpant, -ante [pɛ̃pã, -ãt] *a* pretty, spruce.

pin [pɛ̃] *nm* (*arbre, bois*) pine; **pomme de p.** pine cone.

pinailler [pinaje] *vi Fam* to quibble, split hairs.

pinard [pinar] *nm* (*vin*) *Fam* wine.

pince [pɛ̃s] *nf* (*outil*) pliers; (*de cycliste*) clip; (*levier*) crowbar; **pinces** (*de crabe*) pincers; **p. à linge** (*clothes*) *Br* peg *ou Am* pin; **p. à épiler** tweezers; **p. à ongles** nail clippers; **p. à sucre** sugar tongs; **p. (à cheveux)** *Br* hairgrip, *Am* bobby pin; **serrer la p. à qn** *Fam* to shake s.o.'s hand.

pincer [pɛ̃se] *vt* to pinch; (*corde*) *Mus* to pluck; **p. qn** (*arrêter*) *Fam* to nab s.o., *Br* pinch s.o.; **se p. le doigt** to get one's finger caught (**dans** in). ●**pincé, -ée** *a* (*air*) stiff, constrained. ●**pincée** *nf* (*de sel etc*) pinch (de of). ●**pincettes** *nfpl* (*fire*) tongs; (*d'horloger*) tweezers; **il n'est pas à prendre avec des p.** (*il est de mauvaise humeur*) he's like a bear with a sore head. ●**pinçon** *nm* pinch (mark).

pinceau, -x [pɛ̃so] *nm* (paint)brush.

pince-sans-rire [pɛ̃ssɑ̃rir] *nm inv* person of dry humour.

pinède [pined] *nf* pine forest.

pingouin [pɛ̃gwɛ̃] *nm* penguin, auk.

ping-pong [piŋpɔ̃g] *nm* table tennis, pingpong.

pingre [pɛ̃gr] *a* stingy ∎ *nmf* skinflint.

pin's [pinz] *nm inv* badge, lapel pin.

pinson [pɛ̃sɔ̃] *nm* (*oiseau*) chaffinch.

pintade [pɛ̃tad] *nf* guinea fowl.

pin-up [pinœp] *nf inv* (*fille*) pinup.

pioche [pjɔʃ] *nf* pick(axe). ●**piocher** *vti* (*creuser*) to dig (with a pick); (*aux cartes*) to take (a card) from the pile.

pion [pjɔ̃] *nm* **1** (*au jeu de dames*) piece; *Échecs* & *Fig* pawn. **2** (*surveillant de lycée*) *Fam* master (in charge of discipline).

pionnier [pjɔnje] *nm* pioneer.

pipe [pip] *nf* (*de fumeur*) pipe; **fumer la p.** to smoke a pipe.

pipeau, -x [pipo] *nm* (*flûte*) pipe.

pipeline [piplin] *nm* pipeline.

pipi [pipi] *nm* **faire p.** *Fam* to go for a pee.

pique [pik] **1** *nm* (*couleur*) *Cartes* spades. **2** *nf* (*allusion*) cutting remark. **3** *nf* (*arme*) pike.

pique-assiette [pikasjɛt] *nmf inv* scrounger.

pique-nique [piknik] *nm* picnic. ●**pique-niquer** *vi* to picnic.

piquer [pike] *vt* (*percer*) to prick; (*langue, yeux*) to sting; (*coudre*) to (machine-)stitch; (*édredon, couvre-lit*) to quilt; (*curiosité*) to rouse; **p. qn** (*abeille*) to sting s.o.; (*serpent*) to bite s.o.; *Méd* to give s.o. an injection; (*arrêter*) *Fam* to nab *ou Br* pinch s.o.; **p. qn au vif** to cut s.o. to the quick; **p. qch dans** (*enfoncer*) to stick with into; **p. qch** *Fam* to steal sth, *Br* pinch sth; **p. une colère** *Fam* to fly into a rage; **p. une crise (de nerfs)** *Fam* to throw a fit; **p. une tête** *Fam* to plunge headlong; **p. un cent mètres** *Fam* to put on a sprint; **faire p. un chien**/*etc* to have a dog/*etc* put to sleep.

∎ *vi* (*avion*) to dive; (*moutarde etc*) to be hot.

∎ **se piquer** *vpr* to prick oneself; **se p. au doigt** to prick one's finger; **se p. de faire qch** *Litt* to pride oneself on being able to do sth. ●**piquant, -ante** *a* (*plante, barbe*) prickly; (*sauce, goût*) pungent, piquant; (*froid*) biting; (*mot*) cutting; (*détail*) spicy ∎ *nm* (*de plante*) prickle, thorn; (*d'animal*) spine, prickle. ●**piqué, -ée** *a* (*meuble*) worm-eaten; (*fou*) *Fam* crazy ∎ *nm* (*en avion*) (nose)dive; **descente en p.** (*en avion*) nosedive.

piquet [pikɛ] *nm* **1** (*pieu*) stake; (*de tente*) peg. **2 p. (de grève)** picket (line), strike picket. **3 au p.** (*à l'école*) in the corner.

piqueté, -ée [pikte] *a* **p. de** dotted with.

piqûre [pikyr] *nf* (*d'abeille*) sting; (*de serpent*) bite; (*d'épingle*) prick; *Méd* injection; (*point*) stitch; (*trou*) hole; **faire une p. à qn** to give s.o. an injection.

pirate [pirat] *nm* pirate; **p. de l'air** hijacker; **p. (informatique)** hacker ∎ *a* **radio**/*etc* **p.** pirate radio/*etc*; **édition/CD**/*etc* pirated edition/CD/*etc*. ●**piratage** *nm* (*recopiage illégal*) pirating. **p. informatique** *nm* hacking. ●**piraterie** *nf* piracy; (*acte*) act of piracy; **p. aérienne** hijacking.

pire [pir] *a* worse (**que** than); **le p. moment/ résultat**/*etc* the worst moment/result/*etc* ∎ *nmf* **le ou la p.** the worst (one); **le p. de tout** the worst (thing) of all; **au p.** at (the very) worst; **s'attendre au p.** to expect the (very) worst.

pirogue [pirɔg] *nf* canoe, dugout.

pis [pi] **1** *nm* (*de vache*) udder. **2** *a inv* & *adv Litt* worse; **de mal en p.** from bad to worse ∎ *nm* **le p.** *Litt* the worst.

pis-aller [pizale] *nm inv* (*personne, solution*) stopgap.

piscine [pisin] *nf* swimming pool.

pissenlit [pisɑ̃li] *nm* dandelion.

pisser [pise] *vi Fam* to have a pee; **il pissait le sang** there was blood gushing out of him.

pistache [pistaʃ] *nf* (*graine, parfum*) pistachio.

piste [pist] *nf* (*traces*) track, trail; *Sport* (race)track; (*de cirque*) ring; (*de patinage*) rink; (*pour chevaux*) racecourse, racetrack; (*de magnétophone*) track; **p. (d'envol** *ou*

pistolet [pistɔlɛ] *nm* gun, pistol; *(de peintre)* spray gun; **p. à eau** water pistol.

piston [pistɔ̃] *nm* **1** *(de véhicule)* piston. **2 avoir du p.** *(appui) Fam* to have connections. ● **pistonner** *vt (appuyer) Fam* to pull strings for.

pita [pita] *nm* pitta bread.

pitié [pitje] *nf* pity; **j'ai p. de lui, il me fait p.** I feel sorry for him, I pity him. ● **piteux, -euse** *a Iron* pitiful; **en p. état** in a pitiful *ou* sorry state. ● **pitoyable** *a* pitiful.

piton [pitɔ̃] *nm* **1** *(à crochet)* hook. **2** *Géog* peak.

pitre [pitr] *nm* clown. ● **pitrerie(s)** *nf(pl)* clowning.

pittoresque [pitɔrɛsk] *a* picturesque.

pivert [pivɛr] *nm* (green) woodpecker.

pivoine [pivwan] *nf (plante)* peony.

pivot [pivo] *nm* pivot; *(personne) Fig* linchpin, mainspring. ● **pivoter** *vi (personne)* to swing round; *(fauteuil)* to swivel; *(porte)* to revolve.

pizza [pidza] *nf* pizza. ● **pizzeria** *nf* pizzeria, pizza parlour.

PJ [peʒi] **1** *nf abrév (police judiciaire)* = *Br* CID, = *Am* FBI. **2** *abrév (pièce(s) jointe(s))* enc, encl.

placage [plakaʒ] *nm (revêtement)* facing; *(en bois)* veneer.

placard [plakar] *nm* **1** *(armoire) Br* cupboard, *Am* closet. **2 p. publicitaire** advertising poster. ● **placarder** *vt (affiche)* to stick up.

place [plas] *nf (endroit, rang)* & *Sport* place; *(espace)* room; *(lieu public)* square; *(siège)* seat, place; *(emploi)* job, position; **p. de (parking)** parking place *ou* space; **p. de train/bus/***etc* train/bus/*etc* fare; **p. (forte)** *(forteresse)* fortress; **p. (financière)** (money) market; **à la p.** *(échange)* instead (**de** of); **à votre p.** in your place; **sur p.** on the spot; **sur la p. de Paris** in the (city of) Paris; **en p.** *(objet)* in place; **mettre qch en p.** *(installer)* to set sth up; *(ranger)* to put sth in its place; **changer de p.** to change places; **changer qch de p.** to move sth; **faire de la p. (à qn)** to make room (for s.o.); **se mettre à la p. de qn** to put oneself in s.o.'s place *ou* shoes; **ne pas tenir en p.** to be unable to keep still; **faire p. à** to give way to; **faire p. nette** to make a clean sweep of things.

placer [plase] *vt (mettre)* to put, place; *(situer)* to place, position; *(invité, spectateur)* to seat; *(argent)* to invest, place (**dans** in); *(vendre)* to place, sell; **je n'ai pas pu p. un mot** I couldn't get a word in *Br* edgeways *ou Am* edgewise.

▌ **se placer** *vpr (debout)* to (go and) stand; *(s'asseoir)* to (go and) sit; *(objet)* to be put *ou* placed; *(cheval, coureur)* to be placed; **se p. troisième/***etc Sport* to come *ou* be third/ *etc.* ● **placé, -ée** *a (objet)* & *Sport* placed; **bien/mal p. pour faire qch** in a good/bad position to do sth; **les gens haut placés** people in high places. ● **placement** *nm (d'argent)* investment; **bureau de p.** *(dans une école)* placement *ou* employment office.

placide [plasid] *a* placid.

plafond [plafɔ̃] *nm* ceiling. ● **plafonnier** *nm (de voiture)* roof light.

plage [plaʒ] *nf* **1** beach; *(ville)* (seaside) resort. **2** *(sur disque)* track. **3 p. arrière** *(de voiture)* (back) window shelf, parcel shelf.

plagiat [plaʒja] *nm* plagiarism. ● **plagier** *vt* to plagiarize.

plaid [plɛd] *nm* travelling rug.

plaider [plede] *vti (défendre) Jur* to plead. ● **plaideur, -euse** *nmf* litigant. ● **plaidoirie** *nf (d'un avocat)* speech (for the *Br* defence *ou Am* defense). ● **plaidoyer** *nm* plea.

plaie [plɛ] *nf (blessure)* wound; *(coupure)* cut; *(corvée, personne) Fig* nuisance.

plaignant, -ante [plɛɲɑ̃, -ɑ̃t] *nmf (à un procès)* plaintiff.

plain-pied (de) [dəplɛ̃pje] *adv* on the same level, on one level.

plaindre* [plɛ̃dr] **1** *vt* to feel sorry for, pity. **2 se plaindre** *vpr (protester)* to complain (**de** about, **que** that); **se p. de** *(maux de tête etc)* to complain of *ou* about. ● **plainte** *nf* complaint; *(cri)* moan, groan; **porter p. contre qn** to lodge *ou* make a complaint against s.o.; **porter p. contre X** to make a complaint against person or persons unknown.

plaine [plɛn] *nf Géog* plain.

plaintif, -ive [plɛ̃tif, -iv] *a* sorrowful, plaintive.

plaire* [plɛr] *vi & v imp* **p. à qn** to please s.o.; **elle lui plaît** he likes her, she pleases him; **ça me plaît** I like it ▌ *v imp* **il me plaît de faire** I like doing; **s'il vous** *ou* **te plaît** please ▌ **se plaire** *vpr (l'un l'autre)* to like each other; **se p. à Paris/***etc* to like it *ou* enjoy it in Paris/*etc.*

plaisance [plɛzɑ̃s] *nf* **bateau de p.** pleasure boat; **navigation de p.** yachting.

plaisant, -ante [plɛzɑ̃, -ɑ̃t] *a (drôle)* amusing; *(agréable)* pleasing ▌ *nm* **mauvais p.** joker. ● **plaisanter** *vi* to joke, jest (**sur** about); **p. avec qch** to trifle with sth; **on ne plaisante pas avec la drogue/***etc* drugs/*etc* are no joking matter; **tu plaisantes!** you're joking! ▌ *vt* to tease. ● **plaisanterie** *nf* joke, jest; *(bagatelle)* trifle; **par p.** for a joke. ● **plaisantin** *nm* joker.

plaisir [plezir] *nm* pleasure; **faire p. à qn** to please s.o.; **pour le p.** for fun, for the fun of it; **au p. (de vous revoir)** see you again sometime; **faites-moi le p. de...** would you be good enough to....

plan[1] [plɑ̃] **1** *nm (projet, dessin)* plan; *(de ville)* map, plan; *Géom* plane; **au premier p.** in the foreground; **au second p.** *Phot* in the background; **passer au second p.** *Fig* to be forced into the background; **gros p.** *Phot Cinéma* close-up; **sur le p. politique/***etc***, au p.**

politique/etc from the political/etc viewpoint, politically/etc; **sur le même p.** on the same level ou plane; **de premier p.** of importance, major; **p. d'eau** stretch of water; **laisser en p.** (*abandonner*) *Fam* to ditch.

plan¹, plane [plɑ̃, plan] *a* (*plat*) even, flat.

planche [plɑ̃ʃ] *nf* **1** board, plank; **p. à repasser/à dessin** ironing/drawing board; **p. (à roulettes)** skateboard; **p. (à voile)** sailboard; **p. (de surf)** surfboard; **faire de la p. (à voile)** to go windsurfing; **faire la p.** to float on one's back; **monter sur les planches** (*au théâtre*) to go on the stage. **2** (*illustration*) plate. **3** (*de légumes*) bed, plot.

plancher¹ [plɑ̃ʃe] *nm* floor.

plancher² [plɑ̃ʃe] *vi Arg* to be questioned (*in an exam*) (**sur** on).

planer [plane] *vi* (*oiseau*) to glide, hover; (*avion etc*) to glide; **p. sur qn/qch** (*mystère*) to hang over s.o./sth; **vol plané** glide/gliding. ●**planeur** *nm* (*avion*) glider.

planète [planɛt] *nf* planet. ●**planétaire** *a* planetary. ●**planétarium** *nm* planetarium.

planifier [planifje] *vt Écon* to plan. ●**planification** *nf Écon* planning. ●**planning** *nm* (*emploi du temps*) schedule; **p. familial** family planning.

planisphère [planisfɛr] *nm* planisphere.

planque [plɑ̃k] *nf* **1** (*travail*) *Fam* cushy job. **2** (*lieu*) *Fam* hideout. ●**planquer** *vt*, **se planquer** *vpr Fam* to hide.

plant [plɑ̃] *nm* (*plante*) seedling; (*de légumes etc*) bed.

plantation [plɑ̃tasjɔ̃] *nf* (*action*) planting; (*terrain*) bed; (*de café, d'arbres etc*) plantation.

plante [plɑ̃t] *nf* **1** *Bot* plant; **p. verte, p. d'appartement** house plant; **jardin des plantes** botanical gardens. **2** **p. des pieds** sole (of the foot).

planter [plɑ̃te] *vt* (*fleur, arbre etc*) to plant; (*clou, couteau*) to drive in; (*tente, drapeau*) to put up; (*mettre*) to put (**sur** on, **contre** against); (*regard*) to fix (**sur** on); **p. là qn** to leave s.o. standing ▮ **se planter** *vpr* (*tomber*) *Fam* to fall over; (*échouer*) *Fam* to fail; **se p. devant** to come *ou* go and stand in front of, to plant oneself in front of. ●**planté, -ée** *a* (*immobile*) standing; **bien p.** (*personne*) sturdy.

planteur [plɑ̃tœr] *nm* plantation owner.

planton [plɑ̃tɔ̃] *nm* (*soldat*) orderly.

plantureux, -euse [plɑ̃tyrø, -øz] *a* (*repas etc*) abundant; (*femme*) buxom.

plaque [plak] *nf* plate; (*de verre, métal*) sheet, plate; (*de verglas*) sheet; (*de marbre*) slab; (*de chocolat*) bar; (*commémorative*) plaque; (*tache*) *Méd* blotch; **p. chauffante** (*de cuisine*) hotplate; **p. tournante** (*carrefour*) *Fig* centre; **p. minéralogique, p. d'immatriculation** (*de véhicule*) *Br* number *ou Am* license plate; **p. dentaire** (dental) plaque.

plaquer [plake] *vt* (*métal, bijou*) to plate; (*bois*) to veneer; (*cheveux*) to plaster (down); *Rugby* to tackle; (*aplatir*) to flatten (**contre** against); (*abandonner*) *Fam* to give (*sth*) up; **p. qn** *Fam* to ditch s.o.; **se p. contre** to flatten oneself against. ●**plaqué, -ée** *a* (*bijou*) plated; **p. or** gold-plated ▮ *nm* **p. or** gold plate. ●**plaquage** *nm Rugby* tackle.

plasma [plasma] *nm* (*du sang*) plasma.

plastic [plastik] *nm* plastic explosive. ●**plastiquer** *vt* to blow up.

plastique [plastik] *a* (*art, substance*) plastic; **matière p.** plastic ▮ *nm* (*matière*) plastic; **en p.** (*bouteille etc*) plastic.

plastron [plastrɔ̃] *nm* shirtfront.

plat, plate [pla, plat] **1** *a* (*mer*) calm, smooth; (*fade*) flat, dull; **à fond p.** flat-bottomed; **à p. ventre** flat on one's face; **à p.** (*pneu, batterie*) (*épuisé*) *Fam* exhausted; **poser à p.** to put *ou* lay (down) flat; **tomber à p.** (*être un échec*) to fall flat; **assiette plate** dinner plate; **eau plate** still water; **calme p.** dead calm; **faire à qn des plates** excuses to make a humble apology to s.o. ▮ *nm* (*de la main*) flat.

2 *nm* (*récipient, nourriture*) dish; (*partie du repas*) course; '**p. du jour**' (*au restaurant*) 'today's special'; **mettre les petits plats dans les grands** *Fig* to put on a marvellous spread; **elle en a fait tout un p.** *Fam* she made a great big fuss about it.

platane [platan] *nm* plane tree.

plateau, -x [plato] *nm* (*pour servir*) tray; (*de balance*) pan; (*de tourne-disque*) turntable; (*de cinéma, télévision*) set; (*de théâtre*) stage; *Géog* plateau; **p. à fromages** cheeseboard.

plate-bande [platbɑ̃d] *nf* (*pl* plates-bandes) flower bed; **marcher sur les plates-bandes de qn** *Fam* to poke one's nose into s.o.'s business.

plate-forme [platfɔrm] *nf* (*pl* plates-formes) platform; **p.-forme pétrolière** oil rig.

platine [platin] **1** *nm* (*métal*) platinum ▮ *a inv* (*couleur*) platinum; **blond p.** platinum blond. **2** *nf* (*d'électrophone, de magnétophone*) deck. ●**platiné, -ée** *a* (*cheveux*) platinum, platinum-blond(e).

platitude [platityd] *nf* platitude.

plâtre [platr] *nm* (*matière*) plaster; **un p.** (*pour jambe cassée*) a plaster cast; **dans le p.** (*jambe, bras etc*) in plaster; **les plâtres** (*d'une maison etc*) the plasterwork; **p. à mouler** plaster of Paris; **essuyer les plâtres** *Fam* to be the first to suffer (*as the result of a new situation*). ●**plâtrer** *vt* (*mur*) to plaster; (*membre*) to put in plaster. ●**plâtrage** *nm* plastering. ●**plâtrier** *nm* plasterer.

plausible [plozibl] *a* plausible.

play-back [plɛbak] *nm inv* **chanter en p.-back** to mime to a tape *ou* record.

plébiscite [plebisit] *nm* plebiscite.

plein, pleine [plɛ̃, plɛn] *a* (*rempli, complet*) full; (*paroi*) solid; (*ivre*) *Fam* tight; **p. de** full of; **en pleine mer** out at sea, on the open sea; **en pleine figure** right in the face; **en pleine nuit** in the middle of the night; **en p. jour** in broad daylight; **en pleine campagne**

in the heart of the country; **à la pleine lune** at full moon; **p. à craquer** crammed full, full to bursting; **être p. aux as** (*riche*) *Fam* to be rolling in it.
▌ *prép* & *adv* **des billes p. les poches** pockets full of marbles; **du chocolat p. la figure** chocolate all over one's face; **p. de lettres/ d'argent**/*etc* (*beaucoup de*) *Fam* lots of letters/money/*etc*; **à p.** (*travailler*) to full capacity.
▌ *nm* **faire le p.** (*d'essence*) *Aut* to fill up (the tank); **battre son p.** (*fête*) to be in full swing. ●**pleinement** *adv* fully.

pléonasme [pleɔnasm] *nm* (*expression*) redundancy.

pléthore [pletɔr] *nf* plethora.

pleurer [plœre] *vi* to cry, weep (**sur** over); **p. de rire** to laugh till one cries ▌ *vt* (*regretter*) to mourn (for); **p. toutes les larmes de son corps** to cry one's eyes out. ●**pleureur** *am* **saule p.** weeping willow. ●**pleurnicher** *vi* to snivel, grizzle. ●**pleurs (en)** *adv* in tears.

pleurésie [plœrezi] *nf* (*maladie*) pleurisy.

pleuvoir* [pløvwar] *v imp* to rain; **il pleut** it's raining; **il pleut des cordes** *Fig* it's raining cats and dogs ▌ *vi* (*coups etc*) to rain down (**sur** on).

Plexiglas® [plɛksiglɑs] *nm Br* Perspex®, *Am* lucite.

pli [pli] *nm* 1 (*de papier etc*) fold; (*de jupe, robe*) pleat; (*de pantalon, de bouche*) crease; (*de bras*) bend; **(faux) p.** crease; **mise en plis** (*coiffure*) set; **ça n'a pas fait un p.** (*ça n'a pas manqué*) *Fam* it was bound to happen. 2 (*enveloppe*) envelope, letter; **sous p. séparé** under separate cover. 3 *Cartes* trick. 4 (*habitude*) habit; **prendre le p. de faire qch** to get into the habit of doing sth. ●**pliable** *a* (*facile à plier*) pliable.

plier [plije] *vt* to fold; (*courber*) to bend; **p. qn à** to submit s.o. to; **p. bagages** to pack one's bags (and leave) ▌ *vi* (*branche*) to bend ▌ **se plier** *vpr* (*lit, chaise etc*) to fold (up); **se p. à** to submit to, give in to. ●**pliant, -ante** *a* (*chaise etc*) folding; (*parapluie*) telescopic ▌ *nm* folding stool. ●**pliage** *nm* (*manière*) fold; (*action*) folding.

plinthe [plɛ̃t] *nf Br* skirting board, *Am* baseboard.

plisser [plise] *vt* (*jupe, robe*) to pleat; (*lèvres*) to pucker; (*front*) to wrinkle, crease; (*yeux*) to screw up; (*froisser*) to crease. ●**plissé, -ée** *a* (*tissu, jupe*) pleated.

plomb [plɔ̃] *nm* (*métal*) lead; (*fusible*) fuse; (*poids pour rideau etc*) lead weight; **plombs** (*de chasse*) lead shot, buckshot; **essence sans p.** unleaded *Br* petrol *ou Am* gasoline; **tuyau**/*etc* **de p. ou en p.** lead pipe/*etc*; **de p.** (*sommeil*) *Fig* heavy; (*soleil*) blazing; (*ciel*) leaden; **ça lui mettra du p. dans la cervelle** *Fig* that will knock some sense into him.

plomber [plɔ̃be] *vt* (*dent*) to fill; (*colis*) to seal (with lead). ●**plombé, -ée** *a* (*teint*) leaden. ●**plombage** *nm* (*de dent*) filling.

plombier [plɔ̃bje] *nm* plumber. ●**plomberie** *nf* (*métier, installations*) plumbing.

plonger [plɔ̃ʒe] *vi* (*personne, avion etc*) to dive, plunge; (*route, regard*) *Fig* to plunge ▌ *vt* (*mettre, enfoncer*) to plunge, thrust (**dans** into); **se p. dans** (*lecture etc*) to immerse oneself in. ●**plongeant, -ante** *a* (*décolleté*) plunging; **vue plongeante** bird's-eye view. ●**plongé, -ée** *a* **p. dans** (*lecture, pensées etc*) immersed *ou* engrossed in; **p. dans l'obscurité** plunged into darkness. ●**plongée** *nf* diving; (*de sous-marin*) submersion; **p. (sous-marine)** (skin *ou* scuba) diving; **en p.** (*sous-marin*) submerged. ●**plongeoir** *nm* diving board. ●**plongeon** *nm* dive. ●**plongeur, -euse** *nmf* 1 diver. 2 (*employé de restaurant*) dishwasher.

plouf [pluf] *nm & int* splash.

ployer [plwaje] *vti Litt* to bend.

plu [ply] *pp de* plaire, pleuvoir.

pluie [plɥi] *nf* rain; **une p.** (*averse*) a shower; **sous la p.** in the rain; **pluies acides** acid rain; **une p. de pierres/coups**/*etc* a shower *ou* deluge of stones/blows/*etc*; **sous une p. d'applaudissements** beneath a deluge of applause.

plume [plym] *nf* 1 (*d'oiseau*) feather. 2 (*pour écrire*) *Hist* quill (pen); (*pointe de stylo en acier*) (pen) nib; **stylo à p.** (fountain) pen; **vivre de sa p.** *Fam* to live by one's pen. ●**plumage** *nm* plumage. ●**plumeau, -x** *nm* feather duster. ●**plumer** *vt* (*volaille*) to pluck; **p. qn** (*voler*) *Fig* to fleece s.o. ●**plumet** *nm* plume. ●**plumier** *nm* pencil box, pen box.

plupart (la) [laplypar] *nf* most; **la p. des cas**/*etc* most cases/*etc*; **la p. du temps** most of the time; **la p. d'entre eux** most of them; **pour la p.** mostly.

pluriel, -ielle [plyrjɛl] *a & nm Grammaire* plural; **au p.** in the plural; **nom au p.** plural noun.

plus¹ [ply] ([plyz] *before vowel,* [plys] *in end position*) 1 *adv comparatif* (*travailler etc*) more (**que** than); **p. d'un kilo/de dix**/*etc* (*quantité, nombre*) more than a kilo/ten/*etc*; **p. de thé**/*etc* (*davantage*) more tea/*etc*; **p. beau/rapidement**/*etc* more beautiful/rapidly/*etc* (**que** than); **p. tard** later; **p. petit** smaller; **de p. en p.** more and more; **de p. en p. vite** quicker and quicker; **p. ou moins** more or less; **en p.** in addition (**de** to); **au p.** at most; **de p.** more (**que** than); (*en outre*) moreover; **les enfants (âgés) de p. de dix ans** children over ten; **j'ai dix ans de p. qu'elle** I'm ten years older than she is; **il est p. de cinq heures** it's after five (o'clock); **p. il crie p. il s'enroue** the more he shouts the more hoarse he gets.
2 *adv superlatif* **le p.** (*travailler etc*) (the) most; **le p. beau**/*etc* the most beautiful/*etc* (**de** in); (*de deux*) the most beautiful/*etc*; **le p. grand**/*etc* the biggest/*etc* (**de** in); (*de deux*) the bigger/*etc*; **j'ai le p. de livres** I have (the) most books; **j'en ai le p.** I have (the) most.

plus² [ply] *adv de négation* (**ne**)... **p.** no

plus

more; **il n'a p. de pain** he has no more bread, he doesn't have any more bread; **il ne reste p. rien** there's no more left, there's nothing else left; **tu n'es p. jeune** you're not young any more *ou* any longer, you're no longer young; **elle ne le fait p.** she no longer does it, she doesn't do it any more *ou* any longer; **je ne la reverrai p.** I won't see her again; **je ne voyagerai p. jamais** I'll never travel again *ou* any more.

plus³ [plys] *prép* plus; **deux p. deux font quatre** two plus two are four; **il fait p. deux (degrés)** it's two degrees above freezing ▮ *nm* **le signe p.** the plus sign.

plusieurs [plyzjœr] *a & pron pl* several.

plus-que-parfait [plyskəparfɛ] *nm* Grammaire pluperfect.

plus-value [plyvaly] *nf* (*bénéfice*) profit.

plutonium [plytɔnjɔm] *nm* plutonium.

plutôt [plyto] *adv* rather (**que** than).

pluvieux, -euse [plyvjø, -øz] *a* rainy, wet.

PME [peɛmø] *nf abrév* (*petite et moyenne entreprise*) small company.

PMU [peɛmy] *abrév* = pari mutuel urbain.

PNB [peɛnbe] *nm abrév* (*produit national brut*) GNP.

pneu [pnø] *nm* (*pl* pneus) (*de roue*) *Br* tyre, *Am* tire. ● **pneumatique** *a* **matelas p.** airbed; **canot p.** rubber dinghy; **marteau p.** pneumatic drill.

pneumonie [pnømɔni] *nf* pneumonia.

poche [pɔʃ] *nf* pocket; (*de kangourou etc*) pouch; (*sac en papier etc*) bag; **poches** (*sous les yeux*) bags; **livre de p.** paperback; **argent de p.** pocket money; **faire des poches** (*pantalon*) to be baggy; **faire les poches à qn** *Fam* to go through s.o.'s pockets; **j'ai un franc en p.** I have one franc on me; **elle connaît Paris comme sa poche** she knows Paris like the back of her hand. ● **pochette** *nf* (*sac*) bag, envelope; (*d'allumettes*) book; (*de disque*) sleeve, jacket; (*sac à main*) clutch bag; (*mouchoir*) pocket handkerchief.

pocher [pɔʃe] *vt* **1** (*œufs*) to poach. **2 p. l'œil à qn** to give s.o. a black eye. ● **poché, -ée** *a* **œil p.** black eye.

podium [pɔdjɔm] *nm* (*plate-forme*) podium, rostrum.

poêle [pwal] **1** *nm* stove. **2** *nf* **p.** (**à frire**) frying pan.

poème [pɔɛm] *nm* poem. ● **poésie** *nf* (*art*) poetry; **une p.** (*poème*) a poem, a piece of poetry. ● **poète** *nm* poet ▮ *a* **femme p.** woman poet, poetess. ● **poétique** *a* poetic.

pognon [pɔɲɔ̃] *nm* (*argent*) *Fam* dough.

poids [pwa] *nm* weight; **au p.** by weight; **de p.** (*argument etc*) influential; **p. lourd** (*camion*) *Br* lorry, *Am* truck; (*personne*) *Boxe* heavyweight; **p. plume** *Boxe* featherweight; *Fig* small slender person; **lancer le p.** *Sport* to put *ou* hurl the shot.

poignant, -ante [pwaɲɑ̃, -ɑ̃t] *a* (*souvenir etc*) poignant.

poignard [pwaɲar] *nm* dagger; **coup de p.** stab. ● **poignarder** *vt* to stab.

poigne [pwaɲ] *nf* (*étreinte*) grip.

poignée [pwaɲe] *nf* (*quantité*) handful (**de** of); (*de porte, casserole etc*) handle; (*d'épée*) hilt; **p. de main** handshake; **donner une p. de main à** to shake hands with.

poignet [pwaɲɛ] *nm* wrist; (*de chemise*) cuff.

poil [pwal] *nm* hair; (*pelage*) coat, fur; **poils** (*de brosse*) bristles; (*de tapis*) pile; (*d'étoffe*) nap; **à p.** (*nu*) *Fam* (stark) naked; **au p.** (*parfait*) *Fam* top-rate; **de bon/mauvais p.** *Fam* in a good/bad mood; **de tout p.** *Fam* of all kinds. ● **poilu, -ue** *a* hairy.

poinçon [pwɛ̃sɔ̃] *nm* (*outil*) awl, bradawl; (*marque de bijou*) hallmark. ● **poinçonner** *vt* (*billet*) to punch; (*bijou*) to hallmark. ● **poinçonneuse** *nf* (*machine*) punch.

poindre* [pwɛ̃dr] *vi* (*jour*) *Litt* to dawn.

poing [pwɛ̃] *nm* fist; **coup de p.** punch.

point¹ [pwɛ̃] *nm* (*lieu, score, question etc*) point; (*sur i, à l'horizon etc*) dot; (*tache*) spot; (*unité d'une note*) *Scol* mark, point; (*de couture*) stitch; **être sur le p. de faire** to be about to do, be on the point of doing; **p. (final)** *Br* full stop, *Am* period; **p. d'exclamation** exclamation *Br* mark *ou* **Am** point; **p. d'interrogation** question mark; **points de suspension** suspension points; **p. de vue** (*opinion*) point of view, viewpoint; (*endroit*) viewing point; **à p. (nommé)** (*arriver etc*) at the right moment; **à p.** (*steak*) medium rare; **jusqu'à un certain p.** up to a point; **déprimé/etc au p. que...** depressed/etc to such an extent that...; **mal en p.** in bad shape; **mettre au p.** (*appareil photo*) to focus; (*moteur*) to tune; (*technique etc*) to elaborate, perfect; (*éclaircir*) *Fig* to clarify, clear up; **mise au p.** focusing; (*de moteur*) tuning, tune-up; (*de technique etc*) elaboration; *Fig* clarification; **faire le p.** *Fig* to take stock, sum up; **au p. mort** (*en voiture*) in neutral; *Fig* at a standstill; **p. noir** (*de la circulation*) (accident) black spot; **p. du jour** daybreak; **p. de côté** (*douleur*) stitch (in one's side); **mettre les points sur les i** *Fig* to dot one's i's (and cross one's t's); **un p., c'est tout!** that's final!, *Am* period! ● **point-virgule** *nm* (*pl* points-virgules) semicolon.

point² [pwɛ̃] *adv Litt* = **pas¹**.

pointe [pwɛ̃t] *nf* (*extrémité*) tip, point; (*clou*) nail; (*de grille*) spike; *Géog* headland; (*maximum*) *Fig* peak; **sur la p. des pieds** on tiptoe; **en p.** pointed; **de p.** (*technologie, industrie etc*) state-of-the-art; **à la p. de** (*progrès etc*) *Fig* in *ou* at the forefront of; **une p. d'humour/etc** a touch of humour/etc; **faire des pointes** (*danseuse*) to danse on points.

pointer [pwɛ̃te] **1** *vt* (*cocher*) *Br* to tick (off), *Am* check (off). **2** *vt* (*braquer*) to point (**sur, vers** at). **3** *vi* (*employé*) to clock in; (*à la sortie*) to clock out. **4** *vi* (*apparaître*) to appear; **p. vers** to point upwards towards. **5 se pointer** *vpr* (*arriver*) *Fam* to show up. ● **pointage** *nm* (*de personnel*) clocking in; (*à la sortie*) clocking out.

pointillé [pwɛ̃tije] *nm* dotted line; **ligne en p.** dotted line.
pointilleux, -euse [pwɛ̃tijø, -øz] *a* fussy, particular.
pointu, -ue [pwɛ̃ty] *a* (*en pointe*) pointed; (*voix*) shrill.
pointure [pwɛ̃tyr] *nf* (*de chaussure, gant*) size.
poire [pwar] *nf* **1** (*fruit*) pear; **couper la p. en deux** *Fig* to compromise. **2** (*figure*) *Fam* mug. **3** (*personne*) *Fam* sucker. ● **poirier** *nm* pear tree.
poireau, -x [pwaro] *nm* leek.
poireauter [pwarote] *vi* (*attendre*) *Fam* to kick one's heels.
pois [pwa] *nm* (*légume*) pea; (*dessin*) (polka) dot; **petits p.** *Br* (garden) peas, *Am* peas; **p. chiche** chickpea; **à p.** (*vêtement*) spotted, dotted.
poison [pwazɔ̃] *nm* poison.
poisse [pwas] *nf Fam* bad luck.
poisseux, -euse [pwasø, -øz] *a* sticky.
poisson [pwasɔ̃] *nm* fish; **p. rouge** goldfish; **les Poissons** (*signe*) Pisces; **un p. d'avril** (*farce*) on April fool joke; **faire un p. d'avril à qn** to make an April fool of s.o. ● **poissonnerie** *nf* fish shop. ● **poissonnier, -ière** *nmf* fishmonger.
poitrine [pwatrin] *nf Anat* chest; (*de femme*) bust, bosom; (*de veau, mouton*) *Culin* breast.
poivre [pwavr] *nm* pepper. ● **poivrer** *vt* to pepper. ● **poivré, -ée** *a* (*piquant*) peppery; (*plaisanterie*) *Fig* spicy. ● **poivrier** *nm* (*plante*) pepper plant; (*ustensile*) pepperpot. ● **poivrière** *nf* pepperpot.
poivron [pwavrɔ̃] *nm* (*légume*) pepper, capsicum.
poivrot, -ote [pwavro, -ɔt] *nm Fam* drunk(ard).
poker [pɔkɛr] *nm Cartes* poker.
polar [pɔlar] *nm* (*roman*) *Fam* whodunit.
polariser [pɔlarize] *vt* to polarize.
pôle [pol] *nm Géog* pole; **p. Nord/Sud** North/South Pole. ● **polaire** *a* polar.
polémique [pɔlemik] *a* controversial, polemical ▌ *nf* controversy, polemic.
poli, -ie [pɔli] **1** *a* (*courtois*) polite (**avec** to, with). **2** *a* (*lisse, brillant*) polished ▌ *nm* (*aspect*) polish. ● **poliment** *adv* politely.
police [pɔlis] *nf* **1** police; **faire** *ou* **assurer la p.** to maintain order (**dans** in); **p. secours** emergency services; **p. mondaine** *ou* **des mœurs** = vice squad. **2 p.** (**d'assurance**) (insurance) policy. **3 p. de caractères** *Typ Ordinat* font. ● **policier** *a* **enquête/etc policière** police inquiry/*etc*; **chien p.** police dog; **roman p.** dsetective novel ▌ *nm* policeman, detective.
polichinelle [pɔliʃinɛl] *nm* (*marionnette*) Punch; (*personne*) *Péj* buffoon; **secret de p.** open secret.
polio [pɔljo] *nf abrév* (*poliomyélite*) (*maladie*) polio. ● **poliomyélite** *nf* poliomyelitis.
polir [pɔlir] *vt* (*métal etc*) to polish.

polisson, -onne [pɔlisɔ̃, -ɔn] *a* naughty ▌ *nmf* rascal.
politesse [pɔlitɛs] *nf* politeness; **une p.** (*parole*) a polite word; (*action*) an act of politeness.
politique [pɔlitik] *a* political; **homme p.** politician ▌ *nf* (*activité, science*) politics; (*mesures, manières de gouverner*) policies; **une p.** (*tactique*) a policy; **faire de la p.** to be in politics, be a politician. ● **politicien, -ienne** *nmf Péj* politician. ● **politiser** *vt* to politicize.
pollen [pɔlɛn] *nm* pollen.
polluer [pɔlɥe] *vt* to pollute. ● **polluant** *nm* pollutant. ● **pollueur, -euse** *a* polluting ▌ *nmf* polluter. ● **pollution** *nf* pollution.
polo [pɔlo] *nm* **1** (*chemise*) sweat shirt. **2** *Sport* polo.
polochon [pɔlɔʃɔ̃] *nm* (*traversin*) *Fam* bolster.
Pologne [pɔlɔɲ] *nf* Poland. ● **polonais, -aise** *a* Polish ▌ *nmf* P., Polonaise Pole ▌ *nm* (*langue*) Polish.
poltron, -onne [pɔltrɔ̃, -ɔn] *a* cowardly ▌ *nmf* coward.
polycopier [pɔlikɔpje] *vt* to duplicate, mimeograph. ● **polycopié** *nm Univ* duplicated course notes, mimeographed copy (*of lecture etc*).
polyester [pɔliɛstɛr] *nm* polyester; **chemise/etc en p.** polyester shirt/*etc*.
polygame [pɔligam] *a* polygamous ▌ *nm* polygamist.
Polynésie [pɔlinezi] *nf* Polynesia.
polype [pɔlip] *nm* (*tumeur*) polyp.
polytechnique [pɔlitɛknik] *a & nf* **École p., P.** University institution specializing in engineering. ● **polytechnicien, -ienne** *nmf* student *ou* graduate of the *École polytechnique*.
polyvalent, -ente [pɔlivalɑ̃, -ɑ̃t] **1** *a* (*rôle*) multi-purpose, varied; (*personne*) all-round. **2** *a & nf* (**école**) **polyvalente** *Can* = *Br* secondary school, = *Am* high school.
pommade [pɔmad] *nf* ointment.
pomme [pɔm] *nf* **1** apple; **p. d'Adam** *Anat* Adam's apple. **2 p. de terre** potato; **pommes frites** *Br* chips, *Am* French fries; **pommes chips** potato *Br* crisps *ou Am* chips; **pommes vapeur** steamed potatoes. **3** (*locutions*) **tomber dans les pommes** *Fam* to faint; **être haut comme trois pommes** *Fam* to be knee-high to a grasshopper; **ma p.** (*moi*) *Fam* yours truly. **4** (*d'arrosoir*) rose. ● **pommier** *nm* apple tree.
pommette [pɔmɛt] *nf* cheekbone; **pommettes saillantes** high cheekbones.
pompe [pɔ̃p] **1** *nf* pump; **p. à essence** *Br* petrol *ou Am* gas station; **p. à incendie** fire engine; **coup de p.** *Fam* (sudden) feeling of exhaustion. **2** *nf* (*chaussure*) *Fam* shoe. **3** *nf* (*en gymnastique*) *Br* press-up, *Am* push-up. **4** *nfpl* **pompes funèbres** undertaker's; **entrepreneur des pompes funèbres** undertaker. **5** *nf Scol* crib. **6** *nf* (*splendeur*) pomp. **7** (*locution*) **être à côté de ses pompes** not to be

feeling one's usual self.
pomper [pɔ̃pe] *vt* to pump; (*eau*) to pump out (**de** of); (*absorber*) to soak up; **p. qn** (*épuiser*) *Fam* to tire s.o. out; **tu me pompes (l'air)** *Fam* you're getting on my nerves ▮ *vi* to pump.
pompeux, -euse [pɔ̃pø, -øz] *a* pompous.
pompier [pɔ̃pje] *nm* fireman; **voiture des pompiers** fire engine.
pompiste [pɔ̃pist] *nmf Br* petrol *ou Am* gas station attendant.
pompon [pɔ̃pɔ̃] *nm* (*ornement*) pompon.
pomponner [pɔ̃pɔne] *vt* to doll up ▮ **se pomponner** *vpr* to doll oneself up.
ponce [pɔ̃s] *nf* (**pierre**) **p.** pumice (stone). ● **poncer** *vt* to rub down, sand. ● **ponceuse** *nf* (*machine*) sander.
poncho [pɔ̃ʃo] *nm* poncho.
ponctuation [pɔ̃ktɥasjɔ̃] *nf* punctuation. ● **ponctuer** *vt* to punctuate (**de** with).
ponctuel, -elle [pɔ̃ktɥɛl] *a* **1** (*à l'heure*) punctual. **2** (*unique*) *Br* one-off, *Am* one-of-a-kind. ● **ponctualité** *nf* punctuality.
pondéré, -ée [pɔ̃dere] *a* level-headed. ● **pondération** *nf* level-headedness.
pondre [pɔ̃dr] *vt* (*œuf*) to lay; (*livre, discours*) *Péj Fam* to produce ▮ *vi* (*poule*) to lay (eggs *ou* an egg).
poney [pɔnɛ] *nm* pony.
pont [pɔ̃] *nm* bridge; (*de bateau*) deck; **p. (de graissage)** (*pour véhicule*) ramp; **p. aérien** airlift; **faire le p.** *Fig* to take the intervening day(s) off (*between two holidays*); **faire un p. d'or à qn** to give s.o. a golden hello. ● **pont-levis** *nm* (*pl* **ponts-levis**) drawbridge.
ponte [pɔ̃t] **1** *nf* (*d'œufs*) laying. **2** *nm* (*personne*) *Fam* bigwig, bigshot.
pontife [pɔ̃tif] *nm* (**souverain**) **p.** pope. ● **pontifical, -e, -aux** *a* papal, pontifical.
ponton [pɔ̃tɔ̃] *nm* pontoon, floating landing stage.
pop [pɔp] *nm & a inv* (*musique*) pop.
popote [pɔpɔt] *nf* (*cuisine*) *Fam* cooking.
populace [pɔpylas] *nf Péj* rabble.
populaire [pɔpylɛr] *a* (*qui plaît*) (*personne, gouvernement etc*) popular; (*quartier, milieu*) working-class; (*expression*) colloquial; **art p.** folk art. ● **populariser** *vt* to popularize. ● **popularité** *nf* popularity (**auprès de** with).
population [pɔpylasjɔ̃] *nf* population. ● **populeux, -euse** *a* populous, crowded.
porc [pɔr] *nm* pig; (*viande*) pork; (*personne*) *Péj* swine.
porcelaine [pɔrsəlɛn] *nf* china, porcelain.
porc-épic [pɔrkepik] *nm* (*pl* **porcs-épics**) (*animal*) porcupine.
porche [pɔrʃ] *nm* porch.
porcherie [pɔrʃəri] *nf* (pig)sty.
pore [pɔr] *nm* pore. ● **poreux, -euse** *a* porous.
pornographie [pɔrnɔgrafi] *nf* pornography. ● **pornographique** *a* (*Fam* **porno**) pornographic.
port [pɔr] *nm* **1** port, harbour; **arriver à bon p.** *Fig* to arrive safely. **2** (*d'armes*) carrying; (*de barbe*) wearing; (*prix*) carriage, postage; (*attitude*) bearing.
portable [pɔrtabl] *a* (*portatif*) portable; (*robe etc*) wearable ▮ *nm* (*ordinateur*) laptop (computer).
portail [pɔrtaj] *nm* (*de jardin*) gate; (*de cathédrale etc*) portal.
portant, -ante [pɔrtɑ̃, -ɑ̃t] *a* **bien p.** in good health.
portatif, -ive [pɔrtatif, -iv] *a* portable.
porte [pɔrt] *nf* (*de*, *passage*) doorway; (*de jardin*) gate; (*passage*) gateway; (*de ville*) entrance, *Hist* gate; (*de slalom*) gate, pair of flags; **p. d'embarquement** (*d'aéroport*) (*departure*) gate; **Alger, p. de...** Algiers, gateway to...; **p. d'entrée** front door; **p. coulissante** sliding door; **faire du p.-à-porte** to go from door to do selling *ou* canvassing; **mettre à la p.** (*jeter dehors*) to throw out; (*renvoyer*) to fire, *Br* sack. ● **porte-fenêtre** *nf* (*pl* **portes-fenêtres**) *Br* French window, *Am* French door.
porte-à-faux [pɔrtafo] *nm inv* **en p.-à-faux** (*en déséquilibre*) unstable.
porte-avions [pɔrtavjɔ̃] *nm inv* aircraft carrier. ● **porte-bagages** *nm inv* luggage rack. ● **porte-bébé** *nm* (*nacelle*) *Br* carrycot, *Am* baby basket; (*kangourou®*) baby sling. ● **porte-bonheur** *nm inv* (*fétiche*) (lucky) charm. ● **porte-cartes** *nm inv* card holder *ou* case. ● **porte-clefs** *nm inv* key ring. ● **porte-documents** *nm inv* briefcase. ● **porte-drapeau, -x** *nm* (*soldat*) standard bearer. ● **porte-jarretelles** *nm inv Br* suspender *ou Am* garter belt. ● **porte-monnaie** *nm inv* purse. ● **porte-parapluie** *nm inv* umbrella stand. ● **porte-plume** *nm inv* pen (*for dipping in ink*). ● **porte-revues** *nm inv* newspaper rack. ● **porte-savon** *nm inv* soapdish. ● **porte-serviettes** *nm inv Br* towel rail, *Am* towel rack. ● **porte-voix** *nm inv* loudspeaker, megaphone.
portée [pɔrte] *nf* **1** (*de fusil etc*) range; **à la p. de qn** within reach of s.o.; (*richesse, plaisir etc*) *Fig* within s.o.'s grasp; **à p. de la main** within (easy) reach; **à p. de voix** within earshot; **hors de p.** out of reach. **2** (*animaux*) litter. **3** (*importance, effet*) significance, import. **4** *Mus* stave.
portefeuille [pɔrtəfœj] *nm* wallet; (*de ministre, d'actions etc*) portfolio.
portemanteau, -x [pɔrtmɑ̃to] *nm* (*sur pied*) hatstand, *Br* hallstand; (*crochet*) coat *ou* hat peg.
porte-parole [pɔrtparɔl] *nm inv* spokesperson; (*homme*) spokesman; (*femme*) spokeswoman (**de for, of**).
porter [pɔrte] *vt* to carry; (*vêtement, lunettes, barbe etc*) to wear; (*trace, responsabilité, fruits etc*) to bear; (*regard*) to cast; (*attaque*) to make (**contre** against); (*inscrire*) to enter, write down; (*coup*) to strike; (*sentiment*) to have (**à** for); **p. qch à** (*apporter*) to take *ou* bring sth to; **p. qn à faire** (*pousser*) to lead *ou* prompt s.o. to do; **p. bonheur/malheur** to

bring good/bad luck; **se faire p. malade** to report sick.
▌ *vi* (*voix*) to carry; (*canon*) to fire; (*vue*) to extend; **p. (juste) (coup)** to hit the mark; (*reproche*) to hit home; **p. sur** (*concerner*) to bear on; (*accent*) to fall on; (*reposer sur*) to rest on; (*heurter*) to strike.
▌ **se porter** *vpr* (*vêtement*) to be worn; **se p. bien/mal** to be well/ill; **comment te portes-tu?** how are you?; **se p. candidat** to stand as a candidate. ● **portant, -ante** *a* **bien p.** in good health. ● **porté, -ée** *a* **p. à croire**/*etc* inclined to believe/*etc*; **p. sur qch** fond of sth.

porteur, -euse [pɔrtœr, -øz] *nm* (*de bagages*) porter ▌ *nmf* (*malade*) carrier; (*de nouvelles, chèque*) bearer; **p. sain** *Méd* carrier (*who displays no symptoms*) ▌ *a* (*situation économique etc*) buoyant; **marché p.** growth *ou* buoyant market; **mère porteuse** surrogate mother.

portier [pɔrtje] *nm* doorkeeper, porter. ● **portière** *nf* (*de véhicule, train*) door. ● **portillon** *nm* gate.

portion [pɔrsjɔ̃] *nf* (*partie*) portion; (*de nourriture*) helping, portion.

portique [pɔrtik] *nm* **1** *Archit* portico. **2** (*de balançoire etc*) crossbar, frame.

porto [pɔrto] *nm* (*vin*) port.

Porto Rico [pɔrtoriko] *nm* Puerto Rico.

portrait [pɔrtrɛ] *nm* portrait; **être le p. de** (*son père etc*) to be the image of; **faire un p.** to paint *ou* draw a portrait (**de** of); **p. en pied** full-length portrait. ● **portrait-robot** *nm* (*pl* **portraits-robots**) identikit (picture), photofit.

portuaire [pɔrtɥɛr] *a* **installations portuaires** port *ou* harbour facilities.

Portugal [pɔrtygal] *nm* Portugal. ● **portugais, -aise** *a* Portuguese ▌ *nmf* **P.** Portuguese man, Portuguese *inv*; **Portugaise** Portuguese woman, Portuguese *inv*; **les P.** the Portuguese ▌ *nm* (*langue*) Portuguese.

pose [poz] *nf* **1** (*installation*) putting up; (*de sonnette etc*) putting in; (*de mine etc*) laying. **2** (*attitude de modèle, affectation*) pose; *Phot* exposure (time).

posé, -ée [poze] *a* (*calme*) calm, staid. ● **posément** *adv* calmly.

poser [poze] *vt* to put (down); (*papier peint, rideaux*) to put up; (*sonnette, chauffage*) to put in; (*mine, moquette, fondations*) to lay; (*question*) to ask (**à qn** s.o.); (*conditions, principe*) to lay down; **p. sa candidature** to apply, put in one's application (**à** for); **ça pose la question de...** it poses the question of....
▌ *vi* (*modèle etc*) to pose (**pour** for).
▌ **se poser** *vpr* (*oiseau, avion*) to land; (*problème, question*) to arise; **se p. sur** (*yeux*) to fix on; **se p. en chef**/*etc* to set oneself up as *ou* pose as a leader/*etc*; **la question se pose!** this question should be asked!

positif, -ive [pozitif, -iv] *a* positive. ● **positivement** *adv* positively.

position [pozisjɔ̃] *nf* (*attitude, emplacement, opinion etc*) position; **prendre p.** *Fig* to take a stand (**contre** against); **prise de p.** stand; **rester sur ses positions** to stand one's ground.

posologie [pozɔlɔʒi] *nf* (*de médicament*) dosage, directions.

posséder [posede] *vt* to possess; (*maison, bien etc*) to own, possess; (*bien connaître*) to master; (*duper*) *Fam* to fool. ● **possesseur** *nm* possessor; owner. ● **possessif, -ive** *a* (*personne, adjectif etc*) possessive ▌ *nm Grammaire* possessive. ● **possession** *nf* possession; **en p. de qch** in possession of sth; **prendre p. de qch** to take possession of sth.

possibilité [posibilite] *nf* possibility; **la p. de faire qch** the chance *ou* possibility to do sth.

possible [posibl] *a* possible (**à faire** to do); **il (nous) est p. de le faire** it is possible (for us) to do it; **il est p. que** (+ *sub*) it is possible that; **si p.** if possible; **le plus tôt**/*etc* **p.** as soon/*etc* as possible; **autant que p.** as far as possible; **le plus p.** as much *ou* as many as possible ▌ *nm* **faire (tout) son p.** to do one's utmost (**pour faire** to do); **dans la mesure du p.** as far as possible.

post- [pɔst] *préf* post-.

postal, -e, -aux [pɔstal, -o] *a* postal; **boîte postale** PO Box; **code p.** *Br* postcode, *Am* zip code.

postdater [pɔstdate] *vt* to postdate.

poste [pɔst] **1** *nf* (*service*) post, mail; (*bureau de*) **p.** post office; **Postes et Télécommunications** (*administration*) Post Office; **par la p.** by post, by mail; **p. aérienne** airmail; **mettre qch à la p.** to post sth, mail sth.
2 *nm* (*lieu, emploi*) post; **p. de secours** first aid post; **p. de police** police station; **p. d'essence** *Br* petrol *ou* *Am* gas station; **p. d'incendie** fire point (*containing fire-fighting equipment*); **p. d'aiguillage** *Br* signal box, *Am* signal tower.
3 *nm* (*appareil de radio ou de télévision*) set; *Tél* extension. ● **poster 1** *vt* (*lettre*) to post, mail. **2** *vt* **p. un soldat**/*etc* (*placer*) to post *ou* station a soldier/*etc*. **3** [pɔster] *nm* poster.

postérieur, -e [pɔsterjœr] **1** *a* (*document etc*) later; **p. à** after. **2** *nm* (*derrière*) *Fam* posterior.

postérité [pɔsterite] *nf* posterity.

posthume [pɔstym] *a* posthumous; **à titre p.** posthumously.

postiche [pɔstiʃ] *a* (*barbe etc*) false.

postier, -ière [pɔstje, -jɛr] *nmf* postal worker.

postillonner [pɔstijɔne] *vi* to sputter.

post-scriptum [pɔstskriptɔm] *nm inv* postscript.

postuler [pɔstyle] **1** *vi* **p. (à un emploi)** to apply for a job. **2** *vt* (*poser comme postulat*) to postulate. ● **postulant, -ante** *nmf* applicant.

posture [pɔstyr] *nf* posture.

pot [po] *nm* pot; (*à confiture*) jar, pot; (*à lait*) jug; (*à bière*) mug; (*de crème, yaourt*) carton; (*de bébé*) potty; **p. de chambre**

chamber pot; **p. de fleurs** flower pot; **prendre un p.** *Fam* to have a drink. **2** *Fam* (*chance*) luck; **avoir du p.** to be lucky.
potable [pɔtabl] *a* drinkable; (*passable*) *Fam* tolerable; **'eau p.'** 'drinking water'.
potage [pɔtaʒ] *nm* soup.
potager, -ère [pɔtaʒe, -ɛr] *a* **jardin p.** vegetable garden; **plante potagère** vegetable ▮ *nm* vegetable garden.
potasser [pɔtase] *vt* (*examen*) *Fam* to cram for ▮ *vi Fam* to cram.
pot-au-feu [pɔtofø] *nm inv* (*plat*) beef stew.
pot-de-vin [pɔdvɛ̃] *nm* (*pl* **pots-de-vin**) bribe.
pote [pɔt] *nm* (*ami*) *Fam* pal, buddy.
poteau, -x [pɔto] *nm* post; **p. indicateur** signpost; **p. d'arrivée** *Sport* winning *ou* finishing post; **p. télégraphique** telegraph pole.
potelé, -ée [pɔtle] *a* plump, chubby.
potence [pɔtɑ̃s] *nf* (*gibet*) gallows.
potentiel, -ielle [pɔtɑ̃sjɛl] *a* & *nm* potential.
poterie [pɔtri] *nf* (*art*) pottery; **une p.** a piece of pottery; **des poteries** (*objets*) pottery. ● **potier** *nm* potter.
potin [pɔtɛ̃] *nm* (*bruit*) *Fam* row. ● **potins** *nmpl* (*cancans*) gossip.
potion [pɔsjɔ̃] *nf* potion.
potiron [pɔtirɔ̃] *nm* pumpkin.
pot-pourri [popuri] *nm* (*pl* **pots-pourris**) *Mus* medley.
pou, -x [pu] *nm* louse; **poux** lice.
poubelle [pubɛl] *nf Br* dustbin, *Am* garbage can.
pouce [pus] *nm* **1** thumb; **un coup de p.** *Fam* a helping hand; **se tourner les pouces** *Fam* to twiddle one's thumbs. **2** (*mesure*) *Hist* & *Fig* inch.
poudre [pudr] *nf* powder; **p. (à canon)** (*explosif*) gunpowder; **en p.** (*lait*) powdered; (*chocolat*) drinking; **sucre en p.** *Br* castor *ou* caster sugar, *Am* finely ground sugar; **mettre le feu aux poudres** *Fig* to spark off a crisis, create an explosive situation. ● **poudrer** *vt* to powder ▮ **se poudrer** *vpr* (*femme*) to powder one's face *ou* nose. ● **poudreux, -euse** *a* powdery ▮ *nf* **poudreuse** (*neige*) powder snow. ● **poudrier** *nm* (powder) compact.
● **poudrière** *nf* powder magazine; (*région*) *Fig* powder keg.
pouf [puf] **1** *int* thump! **2** *nm* (*siège*) pouf(fe).
pouffer [pufe] *vi* **p. (de rire)** to burst out laughing, guffaw.
pouilleux, -euse [pujø, -øz] *a* (*sordide*) miserable; (*mendiant*) lousy.
poulailler [pulaje] *nm* **1** henhouse, (hen) coop. **2 le p.** (*de théâtre*) *Fam* the gods, the gallery.
poulain [pulɛ̃] *nm* (*cheval*) foal; **le p. de qn** *Fig* s.o.'s protégé.
poule [pul] *nf* **1** hen; *Culin* fowl; **mère p.** overprotective mother; **être une p. mouillée** (*lâche*) to be chicken; **oui, ma p.!** *Fam* yes, my pet! **2** (*femme*) *Péj* tart, *Am* broad. ● **poulet** *nm* **1** (*poule, coq*) chicken. **2** (*policier*) *Fam* cop.

pouliche [puliʃ] *nf* (*jument*) filly.
poulie [puli] *nf* pulley.
poulpe [pulp] *nm* octopus.
pouls [pu] *nm Méd* pulse; **prendre le p. de qn** to take s.o.'s pulse.
poumon [pumɔ̃] *nm* lung; **à pleins poumons** (*respirer*) deeply; (*crier*) loudly; **p. d'acier** iron lung.
poupe [pup] *nf* (*de bateau*) stern, poop; **avoir le vent en p.** *Fig* to be favoured by fortune.
poupée [pupe] *nf* doll.
poupin [pupɛ̃] *a* **visage p.** baby face.
poupon [pupɔ̃] *nm* (*bébé*) baby; (*poupée*) doll.
pour [pur] **1** *prép* for; **p. toi/moi/etc** for you/me/etc; **faites-le p. lui** do it for him, do it for his sake; **partir p. Paris/l'Italie/etc** to leave for Paris/Italy/etc; **elle va partir p. cinq ans** she's leaving for five years; **elle est p.** she's in favour; **p. faire qch** (in order) to do sth, so as to do sth; **p. que tu saches** so (that) you may know; **p. quoi faire?** what for?; **trop petit/poli/etc p. faire qch** too small/polite/etc to do sth; **assez grand/etc p. faire qch** big/etc enough to do sth; **p. femme/base/etc** as a wife/basis/etc; **p. cela** for that reason; **p. ma part, p. moi** (*quant à moi*) as for me; **jour p. jour/heure p. heure** to the day/hour; **dix p. cent** ten per cent; **acheter p. cinq francs de bonbons** to buy five francs' worth of *Br* sweets *ou Am* candies; **p. intelligent/etc qu'il soit** however clever/etc he may be; **ce n'est pas p. me plaire** it doesn't exactly please me.
2 *nm* **le p. et le contre** the pros and cons.
pourboire [purbwar] *nm* tip (*money*).
pourcentage [pursɑ̃taʒ] *nm* percentage.
pourchasser [purʃase] *vt* to pursue.
pourparlers [purparle] *nmpl* negotiations, talks; **p. de paix** peace talks.
pourpre [purpr] *a* & *nm* purple.
pourquoi [purkwa] *adv* & *conj* why; **p. pas?** why not? ▮ *nm inv* reason (**de** for); **le p. et le comment** the whys and wherefores.
pourra, pourrait *etc* [pura, purɛ] *voir* **pouvoir 1**.
pourrir [purir] *vi* to rot ▮ *vt* to rot; **p. qn** *Fig* to corrupt s.o. ● **pourri, -ie** *a* (*fruit, temps, personne etc*) rotten. ● **pourriture** *nf* rot, rottenness; (*personne*) *Péj* swine.
poursuite [pursɥit] **1** *nf* chase, pursuit; (*du bonheur, de créancier*) pursuit (**de** of); (*continuation*) continuation; **se mettre à la p. de** to go after, chase (after), go in pursuit of. **2** *nfpl* **poursuites (judiciaires)** legal proceedings (**contre** against).
poursuivre* [pursɥivr] **1** *vt* (*courir après*) to chase, go after, pursue; (*harceler, relancer*) to hound, pursue; (*obséder*) to haunt; (*but, idéal etc*) to pursue. **2** *vt* **p. qn (en justice)** (*au criminel*) to prosecute s.o.; (*au civil*) to sue s.o. **3** *vt* (*lecture, voyage etc*) to carry on (with), continue (with), pursue ▮ *vi*, **se poursuivre** *vpr* to continue, go on.

●**poursuivant, -ante** *nmf* pursuer.
pourtant [purtɑ̃] *adv* yet, nevertheless; **et p.** and yet.
pourtour [purtur] *nm* perimeter.
pourvoir* [purvwar] *vt* to provide (**de** with); **être pourvu de** to have, be provided with ▮ *vi* **p. à** (*besoins etc*) to provide for. ●**pourvoyeur, -euse** *nmf* supplier.
pourvu que [purvyk(ə)] *conj* (*condition*) provided *ou* providing (that); (*souhait*) **p. qu'elle soit là!** I only hope (that) she's there!
pousse [pus] *nf* **1** (*bourgeon*) shoot, sprout; **pousses de bambou** bamboo shoots. **2** (*croissance*) growth.
pousse-café [puskafe] *nm inv* after-dinner liqueur.
poussée [puse] *nf* (*pression*) pressure; (*coup*) push; (*d'ennemi*) thrust, push; (*de fièvre etc*) outbreak; (*de l'inflation*) upsurge.
pousser [puse] **1** *vt* to push; (*du coude*) to nudge, poke; (*cri*) to utter; (*soupir*) to heave; (*moteur, machine*) to drive hard; (*recherches*) to pursue; **p. qn à faire qch** to urge s.o. to do sth; **p. qn à bout** to push s.o. to his *ou* her limits; **p. trop loin** (*gentillesse etc*) to carry too far ▮ *vi* to push; **p. jusqu'à Paris**/*etc* to push on as far as Paris/*etc* ▮ **se pousser** *vpr* (*se déplacer*) to move up *ou* over.
2 *vi* (*croître*) to grow; **faire p.** (*plante, barbe etc*) to grow; **se laisser p. les cheveux** to let one's hair grow. ●**poussé, -ée** *a* (*travail, études*) advanced.
poussette [pusɛt] *nf Br* pushchair, *Am* stroller; **p. canne** *Br* (baby) buggy, *Am* (collapsible) stroller; **p. (de marché)** shopping *Br* trolley *ou Am* cart.
poussière [pusjɛr] *nf* dust; **dix francs et des poussières** *Fam* a bit over ten francs. ●**poussiéreux, -euse** *a* dusty.
poussif, -ive [pusif, -iv] *a* short-winded, puffing.
poussin [pusɛ̃] *nm* (*poulet*) chick.
poutre [putr] *nf* (*en bois*) beam; (*en acier*) girder. ●**poutrelle** *nf* girder.
pouvoir* [puvwar] **1** *v aux* (*capacité*) can, be able to; (*permission, éventualité*) may, can; **je peux deviner** I can guess, I'm able to guess; **tu peux entrer** you may *ou* can come in; **il peut être sorti** he may *ou* might be out; **elle pourrait/pouvait venir** she might/could come; **j'ai pu l'obtenir** I managed to get it; **j'aurais pu l'obtenir** I could have *Br* got it *ou Am* gotten it; **je n'en peux plus** I'm utterly exhausted ▮ *v imp* **il peut neiger** it may snow ▮ **se pouvoir** *vpr* **se peut qu'elle parte** (it's possible that) she might leave.
2 *nm* (*capacité, autorité*) power; (*procuration*) power of attorney; **les pouvoirs publics** the authorities; **au p.** (*parti etc*) in power; **il n'est pas en mon p. de vous aider** it's not in my power to help you; **p. d'achat** purchasing power.
poux [pu] *voir* **pou.**
pragmatique [pragmatik] *a* pragmatic.

praire [prɛr] *nf* (*mollusque*) clam.
prairie [preri] *nf* meadow.
praline [pralin] *nf* praline; (*amande*) sugared almond. ●**praliné, -ée** *a* (*glace etc*) praline-flavoured.
praticable [pratikabl] *a* (*chemin, projet*) practicable.
praticien, -ienne [pratisjɛ̃, -jɛn] *nmf* practitioner.
pratique [pratik] **1** *a* (*connaissance, personne, outil etc*) practical. **2** *nf* (*exercice, procédé*) practice; (*expérience*) practical experience; **la p. de la natation/du golf**/*etc* swimming/golfing/*etc*; **mettre qch en p.** to put sth into practice; **en p.** (*en réalité*) in practice.
pratiquement [pratikmɑ̃] *adv* (*presque*) practically; (*en réalité*) in practice.
pratiquer [pratike] *vt* (*sport, art etc*) *Br* to practise, *Am* to practice; (*football*) to play, practise; (*trou, route*) to make; (*opération*) to carry out; **p. la natation** to go swimming ▮ *vi Br* to practise, *Am* practice. ●**pratiquant, -ante** *a* (*catholique etc*) practising ▮ *nmf* churchgoer.
pré [pre] *nm* meadow.
pré- [pre] *préf* pre-.
préalable [prealabl] *a* prior, preliminary, previous; **p. à** prior to ▮ *nm* precondition, prerequisite; **au p.** beforehand. ●**préalablement** [-əmɑ̃] *adv* beforehand.
préambule [preɑ̃byl] *nm* (*de loi*) preamble; *Fig* prelude (**à** to).
préau, -x [preo] *nm* (*d'une école*) covered *Br* playground *ou Am* school yard.
préavis [preavi] *nm* (*de grève, licenciement etc*) (advance) notice (**de** of); **sans p.** without warning, without any notice.
précaire [prekɛr] *a* precarious.
précaution [prekosjɔ̃] *nf* (*mesure*) precaution; (*prudence*) caution; **par p.** as a precaution; **prendre la p. de faire qch** to take the precaution of doing sth. ●**précautionneux, -euse** *a* cautious.
précédent, -ente [presedɑ̃, -ɑ̃t] **1** *a* previous, preceding, earlier ▮ *nmf* previous one. **2** *nm* **un p.** (*exemple, fait*) a precedent; **sans p.** unprecedented. ●**précédemment** [-amɑ̃] *adv* previously. ●**précéder** *vti* to precede; **faire p. qch de qch** to precede sth by sth.
précepte [presɛpt] *nm* precept.
précepteur, -trice [preseptœr, -tris] *nmf* (private) tutor.
prêcher [preʃe] *vti* to preach; **p. qn** *Rel* & *Fig* to preach to s.o.
précieux, -euse [presjø, -øz] *a* precious.
précipice [presipis] *nm* chasm, precipice, abyss.
précipiter [presipite] *vt* (*hâter*) to hasten, rush; (*jeter*) to throw, hurl; (*plonger*) to plunge (**dans** into) ▮ **se précipiter** *vpr* (*se jeter*) to throw *ou* hurl oneself; (*foncer*) to rush (**à, sur** on to); (*s'accélérer*) to speed up. ●**précipité, -ée** *a* hasty. ●**précipitamment** [-amɑ̃] *adv* hastily. ●**précipitation** *nf* **1** haste.

précis

2 **précipitations** (*pluie*) precipitation.
précis, -ise [presi, -iz] 1 *a* precise; (*idée, mécanisme*) accurate, precise; **à deux heures précises** at two o'clock sharp *ou* precisely. 2 *nm* (*résumé*) summary; (*manuel*) handbook. ●**précisément** *adv* precisely. ●**précision** *nf* precision; (*de mécanisme etc*) accuracy, precision; (*détail*) detail; (*explication*) explanation.
préciser [presize] *vt* to specify (**que** that) ▮ **se préciser** *vpr* to become clear(er).
précoce [prekɔs] *a* (*fruit, mariage, mort etc*) early; (*enfant*) precocious. ●**précocité** *nf* (*d'enfant*) precociousness; (*de fruit etc*) earliness.
préconçu, -ue [prekɔ̃sy] *a* preconceived.
préconiser [prekɔnize] *vt* to advocate (**que** that).
précurseur [prekyrsœr] *nm* forerunner, precursor ▮ *a* **un signe p. de qch** a sign heralding sth.
prédécesseur [predesesœr] *nm* predecessor.
prédestiné, -ée [predɛstine] *a* fated, predestined (**à faire** to do).
prédicateur [predikatœr] *nm* preacher.
prédilection [predilɛksjɔ̃] *nf* (special) liking; **de p.** favourite.
prédire* [predir] *vt* to predict (**que** that). ●**prédiction** *nf* prediction.
prédisposer [predispoze] *vt* to predispose (**à qch** to sth, **à faire** to do). ●**prédisposition** *nf* predisposition.
prédominer [predɔmine] *vi* to predominate. ●**prédominant, -ante** *a* predominant. ●**prédominance** *nf* predominance.
préfabriqué, -ée [prefabrike] *a* prefabricated.
préface [prefas] *nf* preface. ●**préfacer** *vt* to preface.
préfecture [prefɛktyr] *nf* prefecture; **p. de police** Paris police headquarters. ●**préfectoral, -e, -aux** *a* (*décision etc*) prefectorial.
préférable [preferabl] *a* preferable (**à** to).
préférence [preferɑ̃s] *nf* preference (**pour** for); **de p.** preferably; **de p. à** in preference to. ●**préférentiel, -ielle** *a* preferential.
préférer [prefere] *vt* to prefer (**à** to); **p. faire qch** to prefer to do sth; **je préférerais rester** I would rather stay, I would prefer to stay. ●**préféré, -ée** *a* & *nmf* favourite.
préfet [prefɛ] *nm* prefect (*chief administrator in a department*); **p. de police** prefect of police (*Paris chief of police*).
préfigurer [prefigyre] *vt* to herald, foreshadow.
préfixe [prefiks] *nm* Grammaire prefix.
préhistoire [preistwar] *nf* prehistory. ●**préhistorique** *a* prehistoric.
préjudice [preʒydis] *nm* Jur prejudice, harm; **porter p. à** to prejudice, harm. ●**préjudiciable** *a* prejudicial (**à** to).
préjugé [preʒyʒe] *nm* (*parti pris*) prejudice; **avoir des préjugés** to be prejudiced (**contre** against); **être plein de préjugés** to be full of prejudice.

préjuger [preʒyʒe] *vi* **p. de** (*réponse de qn etc*) to anticipate; **j'ai préjugé de mes forces** I misjudged my strength.
prélasser (se) [səprelɑse] *vpr* to lounge (**about** *ou* **around**).
prélat [prela] *nm* Rel prelate.
prélever [prel(ə)ve] *vt* (*échantillon*) to take (**sur** from); (*somme*) to deduct (**sur** from). ●**prélèvement** *nm* (*d'échantillon*) taking; (*de somme*) deduction; **p. automatique** (*à la banque*) Br standing order, Br direct debit, Am automatic deduction.
préliminaire [preliminɛr] *a* preliminary ▮ *nmpl* **préliminaires** preliminaries.
prélude [prelyd] *nm* prelude (**à** to).
prématuré, -ée [prematyre] *a* premature ▮ *nm* (*bébé*) premature baby. ●**prématurément** *adv* prematurely, too soon.
préméditer [premedite] *vt* to premeditate. ●**préméditation** *nf* Jur premeditation; **meurtre**/*etc* **avec p.** premeditated murder/*etc*.
prémices [premis] *nfpl* **les p. de** Litt the (very) beginnings of.
premier, -ière [prəmje, -jɛr] *a* first; (*enfance*) early; (*page de journal*) front, first; (*qualité, nécessité, importance*) prime; (*état*) original; (*notion, cause*) basic; (*danseuse, rôle*) leading; (*inférieur*) bottom; (*supérieur*) top; **nombre p.** Math prime number; **le p. rang** the front *ou* first row; **à la première occasion** at the earliest opportunity; **P. ministre** Prime Minister, Premier.
▮ *nmf* first (one); **arriver le p.** *ou* **en p.** to arrive first; **être le p. de la classe** to be (at the) top of the class.
▮ *nm* (*date*) first; (*étage*) Br first *ou* Am second floor; **le p. de l'an** New Year's Day.
▮ *nf* **première** (*wagon, billet*) first class; Scol = Br sixth form, = Am twelfth grade; (*vitesse*) first (gear); (*événement historique*) first; **passer en première** (*élève*) Br to go up into the sixth form, Am to enter the twelfth grade; (*en voiture*) to go into first gear. ●**premier-né** *nm*, **première-née** *nf* first-born (child). ●**premièrement** *adv* firstly.
prémisse [premis] *nf* premiss.
prémonition [premɔnisjɔ̃] *nf* premonition. ●**prémonitoire** *a* **un rêve p.** a dream which is a premonition.
prémunir [premynir] *vt* Litt to safeguard (**contre** against).
prenant, -ante [prənɑ̃, -ɑ̃t] *a* (*travail, film etc*) engrossing; (*voix*) engaging.
prénatal, -e, mpl -als [prenatal] *a* Br antenatal, Am prenatal.
prendre* [prɑ̃dr] *vt* to take (**à qn** from s.o.); (*attraper*) to catch, get; (*voyager par*) to take, travel by (*train etc*); (*douche, bain*) to have, take; (*repas, boisson*) to have; (*nouvelles*) to get; (*acheter*) to get; (*photo*) to take; (*ton, air*) to put on; (*pensionnaire*) to take (in); (*engager*) to take (*s.o.*) (on); (*chercher*) to pick up, get; **p. qn pour** (*un autre*) to mistake s.o. for, take s.o. for; (*considérer*) to take s.o. for; **p. qn** (*doute*

présidence

etc) to seize s.o.; **p. feu** to catch fire; **p. du temps/une heure/***etc* to take time/an hour/*etc*; **p. de la place** to take up room; **p. du poids/ de la vitesse** to put on weight/speed; **p. l'eau** (*bateau, chaussure etc*) to take water, leak; **p. l'air** (*se promener*) to get some fresh air; **passer p. qn** to come and get s.o.; **p. un coup de poing dans la figure** *Fam* to get a punch in the face; **à tout p.** on the whole; **qu'est-ce qui te prend?** what's *Br* got *ou Am* gotten into you?
▮ *vi* (*feu*) to catch; (*ciment, gelée*) to set; (*greffe, vaccin*) to take; (*mode*) to catch on.
▮ **se prendre** *vpr* (*médicament*) to be taken; (*s'accrocher*) to get caught; (*eau*) to freeze; **se p. les pieds/***etc* **dans qch** to get one's feet/*etc* caught in sth; **se p. pour un génie/***etc* to think one is a genius/*etc*; **s'y p. pour faire qch** to go *ou* set about doing sth; **s'en p. à** (*critiquer, attaquer*) to attack; (*accuser*) to blame; **se p. à faire** to begin to do sth; **je me suis pris au jeu** *Fig* I got really involved in it, I really got to like it.

preneur, -euse [prənœr, -øz] *nmf* taker, buyer.

prénom [prenɔ̃] *nm* first name. ● **prénommer** *vt* to name; **il se prénomme Daniel** his first name is Daniel.

préoccuper [preɔkype] *vt* (*inquiéter*) to worry; (*absorber*) to preoccupy ▮ **se préoccuper** *vpr* **se p. de** to be worried about; (*s'intéresser à*) to be concerned *ou* preoccupied about. ● **préoccupant, -ante** *a* worrying. ● **préoccupé, -ée** *a* worried. ● **préoccupation** *nf* worry; (*idée, problème*) preoccupation, concern.

préparatifs [preparatif] *nmpl* preparations (**de** for). ● **préparation** *nf* preparation. ● **préparatoire** *a* preparatory.

préparer [prepare] *vt* to prepare (**qch pour** sth for); (*repas etc*) to get ready, prepare; (*examen*) to prepare (for), study for; **p. qch à qn** to prepare sth for s.o.; **p. qn à** (*examen*) to prepare *ou* coach s.o. for.
▮ **se préparer** *vpr* to get (oneself) ready, prepare oneself (**à** *ou* **pour qch** for sth); (*orage*) to brew, threaten; **se p. à faire qch** to prepare to do sth.

prépondérant, -ante [prepɔ̃derɑ̃, -ɑ̃t] *a* dominant. ● **prépondérance** *nf* dominance.

préposé, -ée [prepoze] *nmf* employee; (*facteur*) postman, postwoman.

préposer [prepoze] *vt* **p. qn à qch** to put s.o. in charge of sth.

préposition [prepozisjɔ̃] *nf Grammaire* preposition.

préretraite [prerətret] *nf* early retirement.

prérogative [prerɔgativ] *nf* prerogative.

près [prɛ] *adv* **p. de** (*qn, qch*) near (to), close to; **p. de deux ans/***etc* (*presque*) nearly two years/*etc*; **p. de partir/***etc* about to leave/*etc*; **tout p.** nearby (**de qn/qch** s.o./sth), close by (**de qn/qch** s.o./sth); **de p.** (*lire, suivre, examiner*) closely; **à peu de chose p.** almost; **à cela p.** except for that; **voici le chiffre à un franc p.** here is the figure give or take a franc; **calculer au franc p.** to calculate to the nearest franc.

présage [preza3] *nm* omen, foreboding. ● **présager** *vt* to forebode.

presbyte [prɛsbit] *a & nmf* long-sighted (person). ● **presbytie** [-bisi] *nf* long-sightedness.

presbytère [prɛsbitɛr] *nm Rel* presbytery.

préscolaire [preskɔlɛr] *a* (*âge, enseignement etc*) preschool.

prescrire* [preskrir] *vt* (*médicament*) to prescribe. ● **prescription** *nf* (*instruction*) & *Jur* prescription.

préséance [preseɑ̃s] *nf* precedence (**sur** over).

présence [prezɑ̃s] *nf* presence; (*à l'école etc*) attendance (**à** at); **feuille de p.** attendance sheet; **en p.** (*personnes*) face to face; **en p. de** in the presence of; **p. d'esprit** presence of mind; **faire acte de p.** to put in an appearance.

présent¹, -ente [prezɑ̃, -ɑ̃t] **1** *a* (*non absent*) present (**à** at, **dans** in); **les personnes présentes** those present. **2** *a* (*actuel*) present ▮ *nm* (*temps*) present; *Grammaire* present (tense); **à p.** at present, now; **dès à p.** as from now.

présent² [prezɑ̃] *nm* (*cadeau*) *Litt* present; **faire p. de qch à qn** *Litt* to present s.o. with sth.

présentable [prezɑ̃tabl] *a* presentable.

présentateur, -trice [prezɑ̃tatœr, -tris] *nmf* (*de télévision*) announcer, presenter. ● **présentation** *nf* presentation; (*de personnes*) introduction; **p. de mode** fashion show; **faire les présentations** to make the introductions.

présenter [prezɑ̃te] *vt* (*offrir, animer, exposer etc*) to present; (*montrer*) to present, show; **p. qn à qn** to introduce *ou* present s.o. to s.o. ▮ *vi* **elle présente bien** *Fam* she has (a) good presentation, she presents herself well ▮ **se présenter** *vpr* to introduce *ou* present oneself (**à** to); (*chez qn*) to show up; (*occasion etc*) to arise; **se p. à** (*examen*) to take, *Br* sit for; (*élections*) to run in, stand in; (*emploi*) to apply for; (*autorités*) to report to; **ça se présente bien** it looks promising.

présentoir [prezɑ̃twar] *nm* (*étagère*) (display) stand.

préservatif [prezɛrvatif] *nm* condom, sheath.

préserver [prezɛrve] *vt* to protect, preserve (**de** from). ● **préservation** *nf* protection, preservation.

présidence [prezidɑ̃s] *nf* (*de nation*) presidency; (*de firme etc*) chairmanship. ● **président, -ente** *nmf* (*de nation*) president; (*de réunion, firme*) chairman, chairwoman; **p. directeur général** *Br* (chairman and) managing director, *Am* chief executive officer; **p. du jury** (*d'examen*) chief examiner; (*de tribunal*) foreman of the jury. ● **présidentiable** *a* **être p.** to be a possible presidential candi-

présider [prezide] *vt* (*réunion etc*) to chair, preside over ▮ *vi* to preside.
présomption [prezɔ̃psjɔ̃] *nf* (*supposition*, *suffisance*) presumption.
présomptueux, -euse [prezɔ̃ptɥø, -øz] *a* presumptuous.
presque [prɛsk(ə)] *adv* almost, nearly; **p. jamais/rien** hardly ever/anything.
presqu'île [prɛskil] *nf* peninsula.
pressant, -ante [prɛsɑ̃, -ɑ̃t] *a voir* presser.
presse [prɛs] *nf* (*journaux*, *appareil*) press; *Typ* (printing) press; **conférence/agence de p.** press *ou* news conference/agency.
pressé, -ée [prese] *a voir* presser.
presse-citron [prɛssitrɔ̃] *nm inv* lemon squeezer. ● **presse-papiers** *nm inv* paperweight. ● **presse-purée** *nm inv* (potato) masher.
pressentir* [presɑ̃tir] *vt* (*deviner*) to sense (**que** that). ● **pressentiment** *nm* foreboding, presentiment.
presser [prese] *vt* (*serrer*) to squeeze, press; (*bouton*) to press; (*fruit*) to squeeze; (*départ etc*) to hasten; **p. qn** to hurry s.o. (**de faire** to do); (*assaillir*) to harass s.o.; **p. qn de questions** to bombard s.o. with questions; **p. le pas** to speed up.
▮ *vi* (*temps*) to press; (*affaire*) to be urgent *ou* pressing; **rien ne presse** there's no hurry.
▮ **se presser** *vpr* (*se serrer*) to squeeze (together); (*se hâter*) to hurry (**de faire** to do); (*se grouper*) to crowd, swarm; **presse-toi** (**de partir**) hurry up (and go). ● **pressant, -ante** *a* urgent, pressing. ● **pressé, -ée** *a* (*personne*) in a hurry; (*travail*) pressing, urgent; (*air*) hurried.
pressing [prɛsiŋ] *nm* (*magasin*) dry cleaner's.
pression [prɛsjɔ̃] *nf* **1** pressure; **faire p. sur qn** to put pressure on s.o., pressurize s.o.; **bière (à la) p.** *Br* draught beer, *Am* draft beer. **2** (*bouton*) snap (fastener).
pressoir [prɛswar] *nm* (wine) press.
pressuriser [prɛsyrize] *vt* (*avion*) to pressurize. ● **pressurisation** *nf* pressurization.
prestance [prɛstɑ̃s] *nf* (imposing) presence.
prestation [prɛstasjɔ̃] *nf* **1** (*allocation*) allowance, benefit; **prestations sociales** *Br* social security benefits, *Am* welfare payments. **2** (*performance*) performance.
prestidigitateur, -trice [prɛstidiʒitatœr, -tris] *nmf* conjurer. ● **prestidigitation** *nf* **tour de p.** conjuring trick.
prestige [prɛstiʒ] *nm* prestige. ● **prestigieux, -euse** *a* prestigious.
presto [prɛsto] *adv Fam voir* **illico**.
présumer [prezyme] *vt* to presume (**que** that); **p. de qch** to overestimate sth.
présupposer [presypoze] *vt* to presuppose (**que** that).
prêt¹, prête [prɛ, prɛt] *a* (*préparé*, *disposé*) ready (**à faire** to do, **à qch** for sth); **être fin p.** to be all ready *ou* all set; **il est p. à tout pour l'épouser** he's prepared to do anything *ou* he would do anything to marry her. ● **prêt-à-porter** [prɛtaporte] *nm* (*pl* **prêts-à-porter**) ready-to-wear clothes.
prêt² [prɛ] *nm* (*emprunt*) loan. ● **prêt-logement** *nm* (*pl* **prêts-logement**) mortgage.
prétendre [pretɑ̃dr] *vt* to claim (**que** that); (*vouloir*) to intend (**faire** to do); **p. être/savoir** to claim to be/to know; **elle se prétend riche** she claims to be rich ▮ *vi* **p. à** (*titre etc*) to lay claim to. ● **prédendant** *nm* (*amoureux*) suitor. ● **prétendu, -ue** *a* so-called. ● **prétendument** *adv* supposedly.
prétentieux, -euse [pretɑ̃sjø, -øz] *a* & *nmf* conceited *ou* pretentious (person). ● **prétention** *nf* (*vanité*) pretension; (*revendication*, *ambition*) claim; **sans p.** (*film, robe etc*) unpretentious.
prêter [prete] *vt* (*argent, objet*) to lend (**à** to); (*aide, concours*) to give (**à** to); (*attribuer*) to attribute (**à** to); **p. attention** to pay attention (**à** to); **p. serment** to take an oath ▮ *vi* **p. à** (*phrase etc*) to lend itself to ▮ **se prêter** *vpr* **se p. à** (*consentir à*) to agree to; (*sujet etc*) to lend itself to. ● **prêteur, -euse** [prɛtœr, -øz] *nmf* (*d'argent*) lender; **p. sur gages** pawnbroker.
prétérit [preterit] *nm Grammaire* preterite (tense).
prétexte [pretɛkst] *nm* excuse, pretext; **sous p. de/que** on the pretext of/that; **sous aucun p.** under any circumstances. ● **prétexter** *vt* to plead (**que** that).
prêtre [prɛtr] *nm* priest; **grand p.** high priest.
preuve [prœv] *nf* **preuve(s)** proof, evidence; **faire p. de qch** to show sth; **faire ses preuves** (*personne*) to prove oneself; (*méthode*) to prove itself.
prévaloir* [prevalwar] *vi* to prevail (**contre** against, **sur** over).
prévenant, -ante [prɛvnɑ̃, -ɑ̃t] *a* considerate. ● **prévenance(s)** *nf(pl)* (*gentillesse*) consideration.
prévenir* [prɛvnir] *vt* **1** (*avertir*) to warn (**que** that); (*aviser*) to inform, tell (**que** that). **2** (*désir, question*) to anticipate; (*malheur*) to avert. ● **prévenu, -ue 1** *nmf* (*inculpé*) defendant, accused. **2** *a* prejudiced (**contre** against). ● **préventif, -ive** *a* preventive. ● **prévention** *nf* **1** prevention; **p. routière** road safety. **2** (*opinion*) prejudice.
prévisible [previzibl] *a* foreseeable.
prévision [previzjɔ̃] *nf* (*opinion etc*) forecast; **en p. de** in expectation of; **prévisions météorologiques** weather forecast.
prévoir* [prevwar] *vt* (*anticiper*) to foresee (**que** that); (*prédire*) to forecast (**que** that); (*temps*) to forecast; (*organiser*) to plan (for); (*préparer*) to provide, make provision for; **un repas est prévu** a meal is provided; **au moment prévu** at the appointed time; **comme prévu** as expected, as planned; **prévu pour** (*véhicule, appareil etc*) designed for.
prévoyant, -ante [prɛvwajɑ̃, -ɑ̃t] *a* **être p.** to have foresight. ● **prévoyance** *nf* foresight;

société de p. *Br* provident society, *Am* benefit society.
prier [prije] **1** *vi Rel* to pray ▮ *vt p.* **Dieu pour qu'il nous accorde qch** to pray (to God) for sth. **2** *vt p.* **qn de faire** to ask *ou* request s.o. to do; (*implorer*) to beg s.o. to do; **je vous en prie** (*faites donc, allez-y*) please; (*en réponse à 'merci'*) don't mention it; **je vous prie** please; **se faire p.** to wait to be asked; **il ne s'est pas fait p.** he didn't need much persuading.
prière [prijɛr] *nf Rel* prayer; (*demande*) request; **p. de répondre/***etc* please answer/*etc*.
primaire [primɛr] *a* primary; **école p.** *Br* primary school, *Am* elementary school; **secteur p.** *Écon* primary sector ▮ *nm Br* primary *ou Am* elementary education; **entrer en p.** to enter *Br* primary *ou Am* elementary school.
primauté [primote] *nf* (*importance*) primacy; **donner la p. à qch** to give priority to sth.
prime [prim] **1** *nf* (*d'employé*) bonus; (*d'État*) subsidy; **en p.** (*cadeau*) as a free gift; **p. (d'assurance)** (insurance) premium; **p. de fin d'année** = Christmas bonus; **p. de transport** transport allowance; **p. de licenciement** severance pay, *Br* redundancy payment. **2** *a* **de p. abord** at the very first glance.
primé, -ée [prime] *a* (*animal, film etc*) prize-winning.
primer [prime] *vi* to excel, prevail ▮ *vt* to prevail over.
primeurs [primœr] *nfpl* early fruit and vegetables.
primevère [primvɛr] *nf* primula; (*à fleurs jaunes*) primrose.
primitif, -ive [primitif, -iv] *a* (*société, art etc*) primitive; (*état, sens*) original ▮ *nm* (*artiste*) primitive. ● **primitivement** *adv* originally.
primo [primo] *adv* first(ly).
primordial, -e, -aux [primɔrdjal, -o] *a* vital (**de faire** to do).
prince [prɛ̃s] *nm* prince. ● **princesse** *nf* princess. ● **princier, -ière** *a* princely. ● **principauté** *nf* principality.
principal, -e, -aux [prɛ̃sipal, -o] *a* main, chief, principal ▮ *nm* (*de collège*) principal, *Br* headmaster; **le p.** (*essentiel*) the main *ou* chief thing. ● **principalement** *adv* mainly.
principe [prɛ̃sip] *nm* principle; **en p.** theoretically, in principle; (*normalement*) as a rule; **par p.** on principle.
printemps [prɛ̃tɑ̃] *nm* (*saison*) spring. ● **printanier, -ière** *a* **température/***etc* **printanière** spring-like temperature/*etc*.
priorité [prijɔrite] *nf* priority (**sur** over); **la p. (en voiture)** the right of way; **avoir la p.** to have (the) right of way; **la p. à droite** (*du Code de la route*) right of way to traffic coming from the right; **'cédez la p.'** *Br* 'give way', *Am* 'yield'; **en p.** as a matter of priority. ● **prioritaire** *a* **secteur/***etc* **p.** priority sector/*etc*; **être p.** to have priority; (*en voiture*) to have (the) right of way.
pris, prise¹ [pri, priz] *pp de* **prendre** ▮ *a* (*place*) taken; (*crème, mayonnaise, ciment*) set; (*nez*) congested; (*gorge*) infected; (*eau*) frozen; **être (très) p.** (*occupé*) to be (very) busy; **p. de** (*peur, panique*) stricken with.
prise² [priz] *nf* taking; (*objet saisi*) catch; (*manière d'empoigner*) grip, hold; (*de judo etc*) hold; (*de ville*) capture, taking; (*de tabac*) pinch; **p. (de courant)** *Él* (*mâle*) plug; (*femelle*) socket; **p. multiple** *Él* adaptor; **p. de sang** blood test; **faire une p. de sang à qn** to give s.o. a blood test; **p. de contact** first meeting; **p. de position** *Fig* stand; **p. de conscience** awareness; **p. d'air** air vent; **p. d'otages** hostage-taking; **p. de son** (sound) recording; **p. de vue(s)** *Cinéma Phot* (action) shooting; (*résultat*) shot; **être aux prises avec qn/qch** *Fig* to be struggling *ou* battling with s.o./sth.
priser [prize] **1** *vt* (*tabac, cocaïne etc*) to sniff (up one's nostrils); **tabac à p.** snuff ▮ *vi* to take snuff. **2** *vt* (*estimer*) to prize.
prisme [prism] *nm* prism.
prison [prizɔ̃] *nf* prison, jail, *Br* gaol; (*réclusion*) imprisonment; **être en p.** to be in prison *ou* in jail; **mettre qn en p.** to send s.o. to prison, jail s.o. ● **prisonnier, -ière** *nmf* prisoner; **faire qn p.** to take s.o. prisoner.
privation [privasjɔ̃] *nf* deprivation (**de** of); **privations** (*sacrifices*) hardships.
privatiser [privatize] *vt* to privatize.
privé, -ée [prive] *a* private; **en p.** (*seul à seul*) in private ▮ *nm* **dans le p.** in private life; *Com fam* in the private sector.
priver [prive] *vt* to deprive (**de** of); **se p. de** to do without, deprive oneself of.
privilège [privilɛʒ] *nm* privilege. ● **privilégié, -ée** *a* & *nmf* privileged (person).
prix [pri] *nm* **1** (*d'un objet, du succès etc*) price; **à tout p.** at all costs; **à aucun p.** on no account; **hors (de) p.** exorbitant; **attacher du p. à** to attach importance to; **menu à p. fixe** set price menu; **faire un p. à qn** to give s.o. a special price. **2** (*récompense*) prize.
pro- [pro] *préf* pro-.
probable [prɔbabl] *a* likely, probable; **peu p.** unlikely. ● **probabilité** *nf* probability, likelihood; **selon toute p.** in all probability. ● **probablement** [-əmɑ̃] *adv* probably.
probant, -ante [prɔbɑ̃, -ɑ̃t] *a* conclusive.
probité [prɔbite] *nf* (*honnêteté*) integrity.
problème [prɔblɛm] *nm* problem. ● **problématique** *a* doubtful, problematic.
procédé [prɔsede] *nm* process; (*conduite*) behaviour.
procéder [prɔsede] *vi* (*agir*) to proceed; (*se conduire*) to behave; **p. à** (*enquête etc*) to carry out. ● **procédure** *nf* (*méthode*) procedure; (*règles juridiques*) procedure; (*procès*) proceedings.
procès [prɔsɛ] *nm* (*criminel*) trial; (*civil*) lawsuit; **faire un p. à qn** to take s.o. to court.
processeur [prɔsesœr] *nm* (*d'ordinateur*) processor.
procession [prɔsesjɔ̃] *nf* procession.
processus [prɔsesys] *nm* process.

procès-verbal, -aux [prɔsɛvɛrbal, -o] *nm* (*contravention*) (traffic) fine, ticket; (*de réunion*) minutes; (*constat de juge etc*) report.

prochain, -aine [prɔʃɛ̃, -ɛn] **1** *a* next; (*mort, arrivée*) impending; (*mariage*) forthcoming; (*avenir*) near; **un jour p.** one day soon ▮ *nf* **à la prochaine!** *Fam* see you soon!; **à la prochaine (station)** at the next station. **2** *nm* (*semblable*) fellow (man). ●**prochainement** *adv* shortly, soon.

proche [prɔʃ] *a* (*espace*) near, close; (*temps*) close (at hand); (*parent, ami*) close; (*avenir*) near; **p. de** near (to), close to; **une maison/etc p.** a house/etc nearby *ou* close by; **le P.-Orient** the Middle East. ●**proches** *nmpl* close relations.

proclamer [prɔklame] *vt* to proclaim, declare (**que** that); **p. qn roi** to proclaim s.o. king. ●**proclamation** *nf* proclamation, declaration.

procréer [prɔkree] *vt* to procreate. ●**procréation** *nf* procreation; **p. médicalement assistée** artifical fertilization.

procuration [prɔkyrɑsjɔ̃] *nf* power of attorney; **par p.** (*voter etc*) by proxy.

procurer [prɔkyre] *vt* **p. qch à qn** (*personne*) to obtain sth for s.o.; **ce travail me procure bien des satisfactions** this work brings me *ou* affords me great satisfaction; **se p. qch** to obtain sth.

procureur [prɔkyrœr] *nm* **p. (de la République)** = *Br* public prosecutor, = *Am* district attorney.

prodige [prɔdiʒ] *nm* (*miracle*) wonder; (*personne*) prodigy. ●**prodigieux, -euse** *a* prodigious, extraordinary.

prodigue [prɔdig] *a* (*dépensier*) wasteful, prodigal.

prodiguer [prɔdige] *vt* **p. qch à qn** to lavish sth on s.o.

production [prɔdyksjɔ̃] *nf* production; (*de la terre*) yield. ●**producteur, -trice** *nmf Com Cinéma* producer ▮ *a* producing; **pays p. de pétrole** oil-producing country. ●**productif, -ive** *a* (*terre, réunion etc*) productive. ●**productivité** *nf* productivity.

produire* [prɔdɥir] **1** *vt* (*fabriquer, présenter etc*) to produce; (*causer*) to produce, bring about. **2 se produire** *vpr* (*événement etc*) to happen, occur; (*sur scène*) to perform. ●**produit** *nm* (*article etc*) product; (*pour la vaisselle*) liquid; (*d'une vente, d'une collecte*) proceeds; **produits** (*de la terre*) produce; **p. (chimique)** chemical; **p. de beauté** cosmetic; **p. de consommation courante** basic consumer product; **p. national brut** gross national product; **p. intérieur brut** gross domestic product.

proéminent, -ente [prɔeminɑ̃, -ɑ̃t] *a* prominent.

prof [prɔf] *nm Fam* = **professeur**.

profane [prɔfan] **1** *nmf* lay person. **2** *a* (*art etc*) secular.

profaner [prɔfane] *vt* to profane, desecrate. ●**profanation** *nf* profanation, desecration.

proférer [prɔfere] *vt* to utter.

professer [prɔfese] **1** *vt Litt* to profess (**que** that). **2** *vi* (*enseigner*) to teach.

professeur [prɔfesœr] *nm* teacher; (*à l'université*) *Br* lecturer, *Am* professor; (*titulaire d'une chaire*) professor.

profession [prɔfesjɔ̃] *nf* **1** occupation, vocation; (*manuelle*) trade; **p. libérale** profession; **sans p.** not gainfully employed; **de p.** (*chanteur etc*) professional, by profession. **2 p. de foi** *Rel* profession of faith; *Fig* declaration of principles. ●**professionnel, -elle** *a* professional; (*école*) vocational ▮ *nmf* (*non amateur*) professional.

profil [prɔfil] *nm* (*de personne, objet*) profile; **de p.** (viewed) from the side, in profile. ●**profiler** *vt* to outline, profile ▮ **se profiler** *vpr* to be outlined *ou* profiled (**sur** against).

profit [prɔfi] *nm* profit; (*avantage*) advantage, profit; **tirer p. de** to benefit from *ou* by, profit by; **mettre à p.** to turn to good account, make good use of; **au p. de** for the benefit of. ●**profitable** *a* (*utile*) beneficial, profitable (**à** to). ●**profiter** *vi* **p. de** to take advantage of; **p. à qn** to benefit s.o., be of benefit to s.o. ●**profiteur, -euse** *nmf Péj* profiteer.

profond, -onde [prɔfɔ̃, -ɔ̃d] *a* deep; (*esprit, joie, erreur etc*) profound, great; (*cause*) underlying; **p. de deux mètres** two metres deep ▮ *adv* (*pénétrer etc*) deep ▮ *nm* **au plus p. de** in the depths of. ●**profondément** *adv* deeply; (*dormir*) soundly; (*triste, souhaiter*) profoundly; (*extrêmement*) thoroughly. ●**profondeur** *nf* depth; (*de joie etc*) profoundness; **profondeurs** depths (**de** of); **à six mètres de p.** at a depth of six metres; **en p.** (*étudier etc*) in depth.

profusion [prɔfyzjɔ̃] *nf* profusion; **à p.** in profusion.

progéniture [prɔʒenityr] *nf* (*enfants*) *Litt ou Hum* offspring.

progiciel [prɔʒisjɛl] *nm* (*pour ordinateur*) (software) package.

programmable [prɔgramabl] *a* programmable. ●**programmation** *nf* programming.

programmateur [prɔgramatœr] *nm* (*de four etc*) timer.

programme [prɔgram] *nm Br* programme, *Am* program; (*d'une matière*) *Scol* syllabus; (*d'ordinateur*) program; **p. (d'études)** (*d'une école*) curriculum. ●**programmer** *vt* (*ordinateur etc*) to program; (*au cinéma, à la radio, à la télévision*) to schedule, *Br* programme, *Am* program. ●**programmeur, -euse** *nmf* (computer) programmer.

progrès [prɔgrɛ] *nm & nmpl* progress; **faire des p.** to make (good) progress. ●**progresser** *vi* to progress. ●**progressif, -ive** *a* gradual, progressive. ●**progression** *nf* progression. ●**progressiste** *a & nmf Pol* progressive. ●**progressivement** *adv* gradually, progressively.

prohiber [prɔibe] *vt* to prohibit, forbid.

propre

●**prohibitif, -ive** *a* prohibitive. ●**prohibition** *nf* prohibition.
proie [prwa] *nf* prey; **oiseau de p.** bird of prey; **être en p. à** *Fig* to be (a) prey to, be tortured by; **être la p. des flammes** to be consumed by fire.
projecteur [prɔʒɛktœr] *nm* (*de monument*) floodlight; (*de prison, de l'armée*) searchlight; *Théâtre* spot(light); *Cinéma* projector.
projectile [prɔʒɛktil] *nm* missile.
projection [prɔʒɛksjɔ̃] *nf* (*lancement*) hurling, projection; (*de film, d'ombre*) projection; (*séance*) showing; **salle de p.** film theatre.
projet [prɔʒɛ] *nm* plan; (*ébauche*) draft; (*entreprise, étude*) project; **faire des projets d'avenir** to make plans for the future.
projeter [prɔʒte] *vt* **1** (*lancer*) to hurl, project. **2** (*film, ombre*) to project; (*lumière*) to flash. **3** (*voyage, fête etc*) to plan; **p. de faire qch** to plan to do sth.
prolétaire [prɔletɛr] *nmf* proletarian. ●**prolétariat** *nm* proletariat. ●**prolétarien, -ienne** *a* proletarian.
proliférer [prɔlifere] *vi* to proliferate. ●**prolifération** *nf* proliferation.
prolifique [prɔlifik] *a* prolific.
prolixe [prɔliks] *a* verbose, wordy.
prologue [prɔlɔg] *nm* prologue (**de, à** to).
prolonger [prɔlɔ̃ʒe] *vt* to extend, prolong ▮ **se prolonger** *vpr* (*séance, rue, effet*) to continue. ●**prolongateur** *nm* (*rallonge*) *Él* extension cord. ●**prolongation** *nf* (*dans le temps*) extension; **prolongations** *Football* extra time. ●**prolongement** *nm* (*dans l'espace*) extension.
promenade [prɔm(ə)nad] *nf* (*à pied*) walk; (*en voiture*) drive, ride; (*en vélo, à cheval*) ride; (*action*) *Sport* walking; (*lieu*) walk, promenade; **faire une p.** = **se promener**.
promener [prɔm(ə)ne] *vt* to take for a walk *ou* ride; (*visiteur*) to take *ou* show around; (*chien*) to walk; **p. qch sur qch** (*main, regard*) to run sth over sth; **envoyer p.** *Fam* to send packing ▮ **se promener** *vpr* (*à pied*) to (go for a) walk; (*en voiture*) to (go for a) drive *ou* ride. ●**promeneur, -euse** *nmf* stroller, walker.
promesse [prɔmɛs] *nf* promise; **tenir sa p.** to keep one's promise.
promettre* [prɔmɛtr] *vt* to promise (**qch à qn** s.o. sth, **que** that); **p. de faire qch** to promise to do sth; **c'est promis** it's a promise ▮ *vi* **p. (beaucoup)** *Fig* to be promising ▮ **se promettre** *vpr* **se p. qch** to promise oneself sth; **se p. de faire qch** to resolve to do sth. ●**prometteur, -euse** *a* promising.
promontoire [prɔmɔ̃twar] *nm* *Géog* headland.
promoteur [prɔmɔtœr] *nm* **p. (immobilier)** property developer.
promotion [prɔmɔsjɔ̃] *nf* **1** promotion; **en p.** (*produit*) on (special) offer. **2** (*élèves*) *Univ* year. ●**promouvoir*** *vt* (*personne, produit etc*) to promote; **être promu** (*employé*) to be promoted (**à** to).
prompt, prompte [prɔ̃, prɔ̃t] *a* swift, prompt, quick. ●**promptitude** *nf* swiftness, promptness.
promulguer [prɔmylge] *vt* to promulgate.
prôner [prone] *vt* (*vanter*) to extol; (*préconiser*) to advocate.
pronom [prɔnɔ̃] *nm* *Grammaire* pronoun. ●**pronominal, -e, -aux** *a* *Grammaire* pronominal.
prononcer [prɔnɔ̃se] *vt* (*articuler*) to pronounce; (*dire*) to utter; (*discours*) to deliver; (*jugement*) to pronounce, pass ▮ *vi* (*juge etc*) to pronounce; (*articuler*) to pronounce ▮ **se prononcer** *vpr* (*mot*) to be pronounced; (*personne*) to reach a decision (**sur** about, **on**); **se p. pour/contre qch** to come out in favour of/against sth. ●**prononcé, -ée** *a* (*visible*) pronounced, marked. ●**prononciation** *nf* pronunciation.
pronostic [prɔnɔstik] *nm* (*prévision*) & *Sport* forecast. ●**pronostiquer** *vt* to forecast.
propagande [prɔpagɑ̃d] *nf* propaganda. ●**propagandiste** *nmf* propagandist.
propager [prɔpaʒe] *vt*, **se propager** *vpr* to spread. ●**propagation** *nf* spread(ing).
propension [prɔpɑ̃sjɔ̃] *nf* propensity (**à qch** for sth, **à faire** to do).
prophète [prɔfɛt] *nm* prophet. ●**prophétie** [-fesi] *nf* prophecy. ●**prophétique** *a* prophetic. ●**prophétiser** *vti* to prophesy.
propice [prɔpis] *a* favourable (**à** to).
proportion [prɔpɔrsjɔ̃] *nf* proportion; *Math* ratio; **proportions** (*dimensions*) proportions; **en p. de** in proportion to; **hors de p.** out of proportion (**avec** with); **l'affaire a pris des proportions considérables** the affair has blown up into a scandal. ●**proportionnel, -elle** *a* proportional (**à** to) ▮ *nf* **proportionnelle** (*scrutin*) proportional representation. ●**proportionner** *vt* to proportion (**à** to). ●**proportionné, -ée** *a* proportionate (**à** to); **bien p.** well *ou* nicely proportioned.
propos [prɔpo] **1** *nmpl* (*paroles*) remarks, utterances. **2** *nm* (*sujet*) subject; **à p. de** about; **à tout p.** for no reason, at every turn; **à p. de rien** for no reason. **3** *nm* (*intention*) purpose. **4** *adv* **à p.** (*arriver etc*) at the right time; **à p.!** by the way!; **juger à p. de faire qch** to consider it fit to do sth.
proposer [prɔpoze] *vt* (*suggérer*) to suggest, propose (**qch à qn** sth to s.o., **que** (+ *sub*) that); (*offrir*) to offer (**qch à qn** s.o. sth, **de faire** to do); (*candidat*) to put forward, propose; **je te propose de rester** I suggest (that) you stay ▮ **se proposer** *vpr* **se p. pour faire qch** to offer to do sth; **se p. de faire qch** to propose *ou* mean to do sth. ●**proposition** *nf* suggestion, proposal; (*de paix*) proposal; (*affirmation*) proposition; *Grammaire* clause.
propre¹ [prɔpr] *a* clean; (*soigné*) neat; (*honnête*) decent; **p. comme un sou neuf** squeaky clean ▮ *nm* **mettre qch au p.** to make a fair copy of sth; **c'est du p.!** *Fam* what a shocking way to behave! ●**proprement¹** [-əmɑ̃]

propre

adv (avec propreté) cleanly; *(avec netteté)* neatly; *(comme il faut)* decently. ● **propreté** *nf* cleanliness; *(netteté)* neatness.

propre² [prɔpr] **1** *a (à soi)* own; **par mes propres moyens** under my own steam; **mon p. argent** my own money; **ses propres mots** his very *ou* his own words.
2 *a (qui convient)* right, proper; **p. à** *(attribut, coutume etc)* peculiar to; *(approprié)* well-suited to; **p. à faire qch** likely to do sth; **sens p.** literal meaning; **nom p.** proper noun ▮ *nm* **le p. de** *(qualité)* the distinctive quality of; **au p.** *(au sens propre)* literally. ● **proprement**² [-əmɑ̃] *adv (strictement)* strictly; **à p. parler** strictly speaking; **le village**/*etc* **p. dit** the village/*etc* proper *ou* itself.

propriétaire [prɔprijetɛr] *nmf* owner; *(d'hôtel)* proprietor, owner; *(qui loue)* landlord, landlady; **p. foncier** landowner.

propriété [prɔprijete] *nf* **1** *(bien, maison)* property; *(droit)* ownership, property. **2** *(qualité)* property. **3** *(de mot)* suitability.

propulser [prɔpylse] *vt (faire avancer, projeter)* to propel. ● **propulsion** *nf* propulsion.

prosaïque [prɔzaik] *a* prosaic, pedestrian.

proscrire* [prɔskrir] *vt (exiler)* to proscribe, banish; *(interdire)* to ban. ● **proscrit, -ite** *nmf (personne)* exile.

prose [proz] *nf* prose.

prospecter [prɔspɛkte] *vt (sol)* to prospect; *(pétrole)* to prospect for; *(région) Com* to canvass. ● **prospecteur, -trice** *nmf* prospector. ● **prospection** *nf* prospecting; *Com* canvassing.

prospectus [prɔspɛktys] *nm* leaflet, prospectus.

prospère [prɔspɛr] *a (florissant)* thriving, prosperous; *(riche)* prosperous. ● **prospérer** *vi* to thrive, flourish, prosper. ● **prospérité** *nf* prosperity.

prostate [prɔstat] *nf Anat* prostate (gland).

prosterner (se) [səprɔstɛrne] *vpr* to prostrate oneself **(devant** before). ● **prosterné, -ée** *a* prostrate.

prostituer [prɔstitɥe] *vt* to prostitute ▮ **se prostituer** *vpr* to prostitute oneself. ● **prostituée** *nf* prostitute. ● **prostitution** *nf* prostitution.

prostré, -ée [prɔstre] *a (accablé)* prostrate. ● **prostration** *nf* prostration.

protagoniste [prɔtagɔnist] *nmf* protagonist.

protecteur, -trice [prɔtɛktœr, -tris] *nmf* protector; *(mécène)* patron ▮ *a (geste, crème etc)* & *Écon* protective; *(ton, air)* patronizing. ● **protection** *nf* protection; *(mécénat)* patronage; **de p.** *(écran etc)* protective; **assurer la p. de qn** to ensure s.o.'s safety; **p. sociale** social security. ● **protectionnisme** *nm Écon* protectionism.

protéger [prɔteʒe] *vt* to protect **(de** from, **contre** against); *(appuyer) Fig* to patronize ▮ **se protéger** *vpr* to protect oneself. ● **protégé** *nm* protégé. ● **protégée** *nf* protégée. ● **protège-cahier** *nm* exercise book cover.

protéine [prɔtein] *nf* protein.

protestant, -ante [prɔtɛstɑ̃, -ɑ̃t] *a* & *nmf* Protestant. ● **protestantisme** *nm* Protestantism.

protester [prɔtɛste] *vi* to protest **(contre** against); **p. de son innocence**/*etc* to protest one's innocence/*etc* ▮ *vt* to protest **(que** that). ● **protestataire** *a (tendances etc)* anti-Establishment ▮ *nmf* protester. ● **protestation** *nf* protest **(contre** against); **protestations** *(d'amitié)* declarations **(de** of).

prothèse [prɔtɛz] *nf* **(appareil de) p.** *(membre)* artificial limb; **p. dentaire** dental prosthesis, false tooth *ou* teeth.

protocole [prɔtɔkɔl] *nm* protocol.

prototype [prɔtɔtip] *nm* prototype.

protubérance [prɔtyberɑ̃s] *nf* protuberance. ● **protubérant, -ante** *a (yeux)* bulging; *(menton)* protruding.

proue [pru] *nf (de navire)* bow(s), prow.

prouesse [prues] *nf* feat, exploit.

prouver [pruve] *vt* to prove **(que** that).

Provence [prɔvɑ̃s] *nf* Provence. ● **provençal, -e, -aux** *a* Provençal ▮ *nmf* **P., Provençale** Provençal.

provenir* [prɔv(ə)nir] *vi* **p. de** to come from. ● **provenance** *nf* origin; **en p. de** from.

proverbe [prɔvɛrb] *nm* proverb. ● **proverbial, -e, -aux** *a* proverbial.

providence [prɔvidɑ̃s] *nf* providence. ● **providentiel, -ielle** *a* providential.

province [prɔvɛ̃s] *nf* province; **la p.** the provinces; **en p.** in the provinces; **de p.** *(ville etc)* provincial. ● **provincial, -e, -aux** *a* & *nmf* provincial.

proviseur [prɔvizœr] *nm (de lycée) Br* headmaster, *Br* headmistress, *Am* principal.

provision [prɔvizjɔ̃] *nf* **1** *(réserve)* supply, stock; **provisions** *(achats)* shopping; *(nourriture)* food; **panier**/**sac à provisions** shopping basket/bag. **2** *(somme)* funds; *(acompte)* advance payment; **chèque sans p.** *Br* dud cheque, *Am* bad check.

provisoire [prɔvizwar] *a* temporary, provisional; **à titre p.** temporarily, provisionally. ● **provisoirement** *adv* temporarily, provisionally.

provoquer [prɔvɔke] *vt* **1** *(causer)* to bring about, provoke; *(désir)* to arouse. **2** *(défier)* to provoke *(s.o.)*. ● **provocant, -ante** *a* provocative. ● **provocateur** *nm* troublemaker. ● **provocation** *nf* provocation.

proxénète [prɔksenɛt] *nm* pimp.

proximité [prɔksimite] *nf* closeness, proximity; **à p.** close by; **à p. de** close to.

prude [pryd] *a* prudish ▮ *nf* prude.

prudent, -ente [prydɑ̃, -ɑ̃t] *a (circonspect)* cautious, careful; *(sage)* sensible. ● **prudemment** [-amɑ̃] *adv* cautiously, carefully; *(sagement)* sensibly. ● **prudence** *nf* caution, care, prudence; *(sagesse)* wisdom; **par p.** as a precaution.

prune [pryn] *nf (fruit)* plum. ● **pruneau, -x** *nm* prune. ● **prunier** *nm* plum tree.

prunelle [prynɛl] *nf* **1** *(de l'œil)* pupil; **il tient à ses enfants comme à la p. de ses yeux** his

children are the apple of his eye *ou* his pride and joy. **2** (*fruit*) sloe.
P.-S. [pees] *abrév* (*post-scriptum*) PS.
psaume [psom] *nm* psalm.
pseudo- [psødo] *préf* pseudo-.
pseudonyme [psødɔnim] *nm* pseudonym.
psychanalyse [psikanaliz] *nf* psychoanalysis. ● **psychanalyste** *nmf* psychoanalyst.
psychédélique [psikedelik] *a* (*vision, musique etc*) psychedelic.
psychiatre [psikjatr] *nmf* psychiatrist. ● **psychiatrie** *nf* psychiatry. ● **psychiatrique** *a* psychiatric.
psychique [psiʃik] *a* mental, psychic.
psycho [psiko] *préf* psycho-.
psychologie [psikɔlɔʒi] *nf* psychology. ● **psychologique** *a* psychological. ● **psychologue** *nmf* psychologist; **p. scolaire** educational psychologist.
psychose [psikoz] *nf* psychosis.
PTT [petete] *nfpl* (*Postes, Télégraphes, Téléphones*) Post Office, = *Br* GPO.
pu [py] *pp de* **pouvoir 1**.
puant, -ante [pɥɑ̃, -ɑ̃t] *a* stinking. ● **puanteur** *nf* stink, stench.
pub [pyb] *nf Fam* (*réclame*) advertising; (*annonce*) ad.
puberté [pybɛrte] *nf* puberty.
public, -ique [pyblik] *a* public; **dette publique** national debt; **ennemi p. numéro un** public enemy number one ▮ *nm* public; (*de spectacle*) audience; **le grand p.** the general public; **film grand p.** film suitable for the general public, film of mass appeal; **en p.** in public. ● **publiquement** *adv* publicly.
publication [pyblikasjɔ̃] *nf* (*action, livre etc*) publication. ● **publier** *vt* to publish.
publicité [pyblisite] *nf* publicity (**pour** for); (*réclame*) advertising, publicity; (*annonce*) advertisement; (*à la radio ou télévision*) commercial; *Fig* publicity (**autour de** surrounding); **agence de p.** advertising agency; **faire de la p. pour qch** to advertise sth. ● **publicitaire** *a* **agence/etc p.** advertising agency/etc; **film/etc p.** promotional film/etc ▮ *nmf* advertising executive.
puce [pys] *nf* **1** flea; **le marché aux puces, les puces** the flea market. **2** (*d'un ordinateur*) (micro)chip, silicon chip.
puceron [pysrɔ̃] *nm* greenfly.
pudeur [pydœr] *nf* (sense of) modesty; **attentat à la p.** *Jur* indecency. ● **pudibond, -onde** *a* prudish. ● **pudique** *a* modest.
puer [pɥe] *vi* to stink ▮ *vt* to stink of.
puériculture [pɥerikyltyr] *nf* infant care, child care. ● **puéricultrice** *nf* children's nurse.
puéril, -e [pɥeril] *a* puerile. ● **puérilité** *nf* puerility.
puis [pɥi] *adv* then; **et p.** (*en plus*) and besides; **et p. quoi?** and so what?
puiser [pɥize] *vt* to draw, take (**dans** from) ▮ *vi* **p. dans** to dip into.
puisque [pɥisk(ə)] *conj* since, as.
puissant, -ante [pɥisɑ̃, -ɑ̃t] *a* powerful. ● **puissamment** [-amɑ̃] *adv* powerfully. ● **puissance** *nf* (*force, nation*) & *Math Tech* power; **en p.** (*talent, danger etc*) potential.
puisse(s), puissent *etc* [pɥis] *voir* **pouvoir 1**.
puits [pɥi] *nm* well; (*de mine*) shaft; **un p. de science** *Fig* a fund of knowledge.
pull(-over) [pyl(ɔvɛr)] *nm* sweater, *Br* jumper, pullover.
pulluler [pylyle] *vi Péj* to swarm.
pulmonaire [pylmɔnɛr] *a* **congestion/etc p.** congestion/etc of the lungs.
pulpe [pylp] *nf* (*de fruits*) pulp.
pulsation [pylsasjɔ̃] *nf* (heart)beat.
pulvériser [pylverize] *vt* (*liquide*) to spray; (*broyer*) & *Fig* to pulverize; **p. un record** *Sport Fam* to smash a record. ● **pulvérisateur** *nm* spray, atomizer. ● **pulvérisation** *nf* (*de liquide*) spraying.
puma [pyma] *nm* (*animal*) puma.
punaise [pynɛz] *nf* **1** (*insecte*) bug (*bedbug etc*). **2** (*clou*) *Br* drawing pin, *Am* thumbtack. ● **punaiser** *vt* (*fixer*) to pin (up).
punch [pɔ̃ʃ] *nm* **1** (*boisson*) punch. **2** [pœnʃ] (*énergie*) *Fam* punch.
punir [pynir] *vt* to punish; **p. qn de qch/pour avoir fait qch** to punish s.o. for sth/for doing *ou* having done sth. ● **punissable** *a* punishable (**de** by). ● **punition** *nf* punishment.
punk [pœnk] *nmf* punk ▮ *a inv* (*musique etc*) punk.
pupille [pypij] **1** *nf* (*de l'œil*) pupil. **2** *nmf* (*enfant sous tutelle*) ward; **p. de la Nation** war orphan.
pupitre [pypitr] *nm* (*d'écolier*) desk; (*d'orateur*) lectern; *Ordinat* console; **p. à musique** music stand.
pur, pure [pyr] *a* pure; (*alcool*) neat, straight. ● **purement** *adv* purely; **p. et simplement** (*refuser etc*) purely and simply. ● **pureté** *nf* purity.
purée [pyre] *nf* purée; **p. (de pommes de terre)** mashed potatoes, *Br* mash.
purgatoire [pyrgatwar] *nm* purgatory.
purge [pyrʒ] *nf Pol Méd* purge.
purger [pyrʒe] *vt* **1** (*conduite*) *Tech* to drain, clear; (*débarrasser*) *Litt* to purge, rid (**de** of). **2** (*peine de prison*) to serve.
purifier [pyrifje] *vt* to purify. ● **purification** *nf* purification; **p. ethnique** ethnic cleansing.
purin [pyrɛ̃] *nm* liquid manure.
puriste [pyrist] *nmf Grammaire* purist.
puritain, -aine [pyritɛ̃, -ɛn] *a* & *nmf* puritan.
pur-sang [pyrsɑ̃] *nm inv* (*cheval*) thoroughbred.
pus¹ [py] *nm* (*liquide*) pus, matter.
pus², put [py] *voir* **pouvoir 1**.
putain [pytɛ̃] *nf Péj Vulg* whore.
putois [pytwa] *nm* (*animal*) polecat.
putréfier [pytrefje] *vt*, **se putréfier** *vpr* to putrefy. ● **putréfaction** *nf* putrefaction.
puzzle [pœzl] *nm* (jigsaw) puzzle, jigsaw.
p.-v. [peve] *nm inv abrév* (*procès-verbal*) (traffic) fine.

PVC [pevese] *nm* (*matière plastique*) PVC.
pygmée [pigme] *nm* pygmy.
pyjama [piʒama] *nm Br* pyjamas, *Am* pajamas; **un p.** a pair of *Br* pyjamas *ou Am* pajamas; **pantalon de p.** *Br* pyjama trousers, *Am* pajama bottoms; **être en p.** to be in *Br* pyjamas *ou Am* pajamas.

pylône [pilon] *nm* pylon.
pyramide [piramid] *nf* pyramid.
Pyrénées [pirene] *nfpl* **les P.** the Pyrenees.
Pyrex® [pirɛks] *nm* Pyrex®; **plat**/*etc* **en P.** Pyrex dish/*etc*.
pyromane [pirɔman] *nmf* arsonist, firebug.
python [pitɔ̃] *nm* (*serpent*) python.

Q

Q, q [ky] *nm* Q, q.
QCM [kyseɛm] *nm abrév* (*questionnaire à choix multiple*) multiple choice question paper.
QI [kyi] *nm inv abrév* (*quotient intellectuel*) IQ.
qu' [k] *voir* **que**.
quadragénaire [kwadraʒenɛr] (*Fam* **quadra**) *a* forty-year-old; **être q.** to be in one's forties ∎ *nmf* person in his *ou* her forties.
quadriller [kadrije] *vt* (*police etc*) to be positioned throughout, comb, cover (*town etc*).
quadrillage [kadrijaʒ] *nm* (*lignes*) squares. ●**quadrillé, -ée** *a* (*papier*) squared.
quadrupède [k(w)adrypɛd] *nm* quadruped.
quadruple [k(w)adrypl] *a* **q. de** fourfold ∎ *nm* **le q. de** four times as much as. ●**quadrupler** *vti* to quadruple. ●**quadruplés, -ées** *nmfpl* (*enfants*) quadruplets, quads.
quai [ke] *nm Nau* (*pour passagers*) quay; (*pour marchandises*) wharf; (*de fleuve*) embankment, bank; (*de gare*) platform.
qualification [kalifikɑsjɔ̃] *nf* **1** (*action, à un match etc*) qualifying, qualification. **2** (*nom*) description, designation. ●**qualificatif** *nm* (*mot*) term.
qualifier [kalifje] **1** *vt* (*décrire*) to describe (**de** as); **q. qn de menteur/**etc to call s.o. a liar/*etc*. **2** *vt* (*équipe etc*) to qualify (**pour qch** for sth, **pour faire** to do) ∎ **se qualifier** *vpr* (*équipe etc*) to qualify (**pour** for). **3** *vt Grammaire* to qualify. ●**qualifié, -ée** *a* (*équipe etc*) that has qualified; (*ouvrier, main-d'œuvre*) skilled; **q. pour faire qch** qualified to do sth.
qualité [kalite] *nf* quality; (*condition sociale etc*) occupation, status; **produit/**etc **de q.** high-quality product/*etc*; **en sa q. de** in one's capacity as. ●**qualitatif, -ive** *a* qualitative.
quand [kɑ̃] *conj & adv* when; **je viendrai q. je viendrai** when I come; **c'est pour q.?** (*réunion, mariage*) when is it?; **q. bien même vous le feriez** even if you did it; **q. même** *Fam* all the same.
quant (à) [kɑ̃ta] *prép* as for.
quantifier [kɑ̃tifje] *vt* to quantify. ●**quantitatif, -ive** *a* quantitative.
quantité [kɑ̃tite] *nf* quantity; **une q., des quantités** (*beaucoup*) a lot (**de** of); **en q.** (*abondamment*) in abundance, in plenty.
quarante [karɑ̃t] *a & nm* forty; **un q.-cinq tours** (*disque*) a single. ●**quarantaine** *nf* **1 une q. (de)** (*nombre*) (about) forty; **avoir la q.** (*âge*) to be about forty. **2** *Méd* quarantine; **mettre qn en q.** to quarantine s.o.; (*exclure*) *Fig Br* to send s.o. to Coventry, *Am* give s.o. the silent treatment. ●**quarantième** *a & nmf* fortieth.
quart [kar] *nm* **1** quarter; **q. (de litre)** quarter litre, quarter of a litre; **q. d'heure** quarter of an hour; **une heure et q.** an hour and a quarter; **il est une heure et q.** it's a quarter *Br* past *ou Am* after one; **une heure moins le q.** quarter to one; **jouer les quarts de finale** *Sport* to play in the quarter finals; **passer un mauvais q. d'heure** *Fig* to have a bad *ou* rough time (of it).
2 (*sur un bateau*) watch; **être de q.** to be on watch.
quarté [karte] *nm* system of betting on four horses in the same race.
quartette [kwartɛt] *nm* (*jazz*) quartet(te).
quartier [kartje] **1** *nm* neighbourhood, district, quarter; **de q.** (*cinéma etc*) local; **les gens du q.** the local people; **les beaux quartiers** the rich neighbourhoods; **le Q. latin** the Latin Quarter. **2** *nm* (*de pomme, lune*) quarter; (*d'orange*) segment. **3** *nm(pl)* **quartier(s)** (*cantonnement*) *Mil* quarters; **q. général** headquarters.
quart-monde [karmɔ̃d] *nm* **le q.-monde** the Fourth World (*the poorest countries in the world*).
quartz [kwarts] *nm* quartz; **montre/**etc **à q.** quartz watch/*etc*.
quasi [kazi] *adv* almost. ●**quasi-** *préf* near; **q.-obscurité** near darkness. ●**quasiment** *adv* almost.
quatorze [katɔrz] *a & nm* fourteen. ●**quatorzième** *a & nmf* fourteenth.
quatre [katr] *a & nm* four; **son q. heures** (*goûter*) *Fam* one's afternoon snack; **se mettre en q.** *Fig* to go out of one's way (**pour faire** to do); **manger comme q.** *Fam* to eat like a horse; **un de ces q.** *Fam* some day soon. ●**quatrième** *a & nmf* fourth. ●**quatrièmement** *adv* fourthly.
quatre-vingt(s) [katrəvɛ̃] *a & nm* eighty; **q.-vingts ans** eighty years; **q.-vingt-un** eighty-one; **page q.-vingt** page eighty. ●**quatre-vingt-dix** *a & nm* ninety.
quatuor [kwatɥɔr] *nm* (*musique, musiciens*) quartet(te); **q. à cordes** string quartet(te).
que [k(ə)] (**qu'** *before a vowel or mute h*) **1** *conj* that; **je pense qu'elle restera** I think (that) she'll stay; **qu'elle vienne ou non** whether she comes or not; **qu'il s'en aille!** let him leave!; **ça fait un an q. je suis là** I've been here for a year; **ça fait un an q. je suis parti** I left a year ago.

2 (ne)...q. only; **tu n'as qu'un franc** you only have one franc.

3 (*comparaison*) than; (*avec aussi, même, tel, autant*) as; **plus/moins âgé q.** lui older/younger than him; **aussi sage/fatigué/***etc* **q.** as wise/tired/*etc* as; **le même q.** the same as. **4** *adv* **(ce) qu'il est bête!** (*comme*) he's really stupid!, how stupid he is!; **q. de gens!** (*combien*) what a lot of people! **5** *pron rel objet* (*chose*) that, which; (*personne*) that, whom; (*temps*) when; **le livre q. j'ai** the book (that *ou* which) I have; **l'ami q. j'ai** the friend (that *ou* whom) I have; **un jour qu'il faisait beau** one day when the weather was fine, one fine day. **6** *pron interrogatif* what; **q. fait-il?, qu'est-ce qu'il fait?** what is he doing?; **qu'est-ce qui est dans ta poche?** what's in your pocket?; **q. préférez-vous?** which do you prefer?

Québec [kebɛk] *nm* **le Q.** Quebec.

quel, quelle [kɛl] **1** *a interrogatif* what, which; (*qui*) who; **q. livre/acteur préférez-vous?** which *ou* what book/actor do you prefer?; **q. est cet homme?** who is that man?; **je sais q. est ton but** but I know what your aim is; **je ne sais à q. employé m'adresser** I don't know which clerk to ask ‖ *pron interrogatif* which (one); **q. est le meilleur?** which (one) is the best? **2** *a exclamatif* **q. idiot!** what a fool!; **q. joli bébé!** what a pretty baby! **3** *a rel* **q. qu'il soit** (*chose*) whatever it may be; (*personne*) whoever it *ou* he may be.

quelconque [kɛlkɔ̃k] *a* **1** any (whatever), some (or other); **une raison q.** any reason (whatever *ou* at all), some reason (or other). **2** (*banal*) ordinary.

quelque [kɛlk(ə)] **1** *a* some; **q. jour** some day; **quelques femmes/livres/***etc* some *ou* a few women/books/*etc*; **les quelques amies qu'elle a** the few friends she has. **2** *adv* (*environ*) about, some; **q. peu** somewhat; **cent francs et q.** *Fam* a hundred francs and a bit; **q. grand qu'il soit** however tall he may be; **q. numéro qu'elle choisisse** whichever number she chooses. **3** *pron* **q. chose** something; (*interrogation*) anything, something; **il a q. chose** (*un problème*) *Fig* there's something the matter with him; **q. chose d'autre** something else; **q. chose de grand/***etc* something big/*etc*; **q. chose de plus pratique/de moins lourd/***etc* something more practical/less heavy *ou* not so heavy/*etc*. **4** *adv* **q. part** somewhere; (*interrogation*) anywhere, somewhere.

quelquefois [kɛlkəfwa] *adv* sometimes.

quelques-uns, -unes [kɛlkəzœ̃, -yn] *pron pl* some.

quelqu'un [kɛlkœ̃] *pron* someone, somebody; (*interrogation*) anyone, anybody, someone, somebody; **q. d'intelligent/***etc* someone clever/*etc*.

quémander [kemɑ̃de] *vt* to beg for.

qu'en-dira-t-on [kɑ̃diratɔ̃] *nm inv* (*propos*) gossip.

quenelle [kənɛl] *nf Culin* quenelle, fish *ou* meat roll.

querelle [kərɛl] *nf* quarrel, dispute; **chercher q. à qn** to try to pick a fight with s.o. ●**se quereller** *vpr* to quarrel. ●**querelleur, -euse** *a* quarrelsome.

question [kɛstjɔ̃] *nf* question; (*affaire, problème*) matter, question, issue; **il est q. de** (*on parle de*) there's some talk about, there's some question of (**faire** doing); **il a été q. de vous** we *ou* they talked about you; **il n'en est pas q.** it's out of the question, there's no question of it; **en q.** in question; **hors de q.** out of the question; **(re)mettre qch en q.** to call sth in question, question sth. ●**questionnaire** *nm* questionnaire. ●**questionner** *vt* to question (**sur** about).

quête [kɛt] *nf* **1** (*collecte*) collection; **faire la q.** to collect money. **2** (*recherche*) quest (**de** for); **en q. de** in quest *ou* search of. ●**quêter** [kete] *vt* to seek, beg for ‖ *vi* to collect money.

queue [kø] *nf* **1** (*d'animal*) tail; (*de fleur*) stem, (*de fruit*) stalk; (*de poêle*) handle; (*de train, cortège*) rear; (*de comète*) trail; (*de robe*) train; **q. de cheval** (*coiffure*) ponytail; **à la q. de** (*classe*) at the bottom of; **à la q. leu leu** (*marcher*) in single file; **faire une q. de poisson** (*en voiture*) to cut in (**à qn** in front of s.o.); **ça n'a ni q. ni tête** (*histoire etc*) it just doesn't make sense. **2** (*file*) *Br* queue, *Am* line; **faire la q.** *Br* to queue up, *Am* line up. **3** (*de billard*) cue. ●**queue-de-pie** *nf* (*pl* **queues-de-pie**) (*habit*) tails.

qui [ki] *pron interrogatif* (*personne*) who; (*en complément*) whom; **q. (est-ce qui) est là?** who's there?; **q. désirez-vous voir?, q. est-ce que vous désirez voir?** who(m) do you want to see?; **à q. est ce livre?** whose book is this?; **q. encore?, q. d'autre?** who else?; **je demande q. a téléphoné** I'm asking who phoned.

‖ *pron rel* **1** (*sujet*) (*personne*) who, that; (*chose*) which, that; **l'homme q. est là** the man who's here *ou* that's here; **la maison q. se trouve en face** the house which is *ou* that's opposite. **2** (*sans antécédent*) **q. que vous soyez** whoever you are, whoever you may be; **amène q. tu veux** bring along anyone you like *ou* whoever you like; **q. que ce soit** anyone. **3** (*après prép*) **la femme de q. je parle** the woman I'm talking about *ou* about whom I'm talking; **l'ami sur l'aide de q. je compte** the friend on whose help I rely.

quiche [kiʃ] *nf* quiche; **q. lorraine** quiche lorraine.

quiconque [kikɔ̃k] *pron* (*celui qui*) whoever; (*n'importe qui*) anyone.

quiétude [kjetyd] *nf Litt* quiet; **en toute q.** (*partir etc*) with an easy mind.

quignon [kiɲɔ̃] *nm* chunk (of bread).

quille [kij] *nf* **1** (*de navire*) keel. **2** (*de jeu*) (bowling) pin, *Br* skittle; **jouer aux quilles** to bowl, *Br* play skittles. **3** (*jambe*) *Fam* leg.

quincaillier, -ière [kɛ̃kɑje, -jɛr] *nmf Br* ironmonger, hardware dealer. ●**quincaillerie** *nf* (*magasin*) hardware shop; (*objets*) hardware.
quinine [kinin] *nf* (*médicament*) quinine.
quinquennal, -e, -aux [kɛ̃kenal, -o] *a* **plan/** *etc* **q.** five-year plan/*etc*.
quinte [kɛ̃t] *nf* **q. (de toux)** coughing fit.
quintessence [kɛ̃tesɑ̃s] *nf* quintessence.
quintette [kɛ̃tɛt] *nm* (*musique*, *musiciens*) quintet(te).
quintuple [kɛ̃typl] *a* **q. de** fivefold ▌ *nm* **le q. de** five times as much as. ●**quintupler** *vti* to increase fivefold. ●**quintuplés, -ées** *nmfpl* (*enfants*) quintuplets, quins.
quinze [kɛ̃z] *a* & *nm* fifteen; **q. jours** two weeks, *Br* fortnight; **le q. de France** *Rugby* the French fifteen. ●**quinzaine** *nf* **une q. (de)** (*nombre*) (about) fifteen; **q. (de jours)** two weeks, *Br* fortnight. ●**quinzième** *a* & *nmf* fifteenth.
quiproquo [kiprɔko] *nm* misunderstanding.
quittance [kitɑ̃s] *nf* (*reçu*) receipt; **q. de loyer** rent receipt.
quitte [kit] *a* even, quits (**envers** with); **q. à faire** even if it means doing; **en être q. pour une amende**/*etc* to (be lucky enough to) get off with a fine/*etc*.
quitter [kite] *vt* to leave; (*ôter*) to take off; **q. qn des yeux** to take one's eyes off s.o. ▌ *vi* **ne quittez pas!** (*au téléphone*) hold on!, hold the line! ▌ **se quitter** *vpr* (*se séparer*) to part, say goodbye.
qui-vive (sur le) [syrləkiviv] *adv* on the alert.
quoi [kwa] *pron* what; (*après prép*) which; **à q. penses-tu?** what are you thinking about?; **après q.** after which; **ce à q. je m'attendais** what I was expecting; **de q. manger**/*etc* something to eat/*etc*; (*assez*) enough to eat/ *etc*; **de q. écrire** something to write with; **q. que je dise** whatever I say; **q. que ce soit** anything (at all); **q. qu'il en soit** be that as it may; **il n'y a pas de q.!** (*en réponse à 'merci'*) don't mention it!; **q.?** what?; **c'est un idiot, q.!** (*non traduit*) *Fam* he's a fool!; **et puis q. encore!** really, what next!
quoique [kwak(ə)] *conj* (+ *sub*) (al)though; **quoiqu'il soit pauvre** (al)though he's poor.
quolibet [kɔlibɛ] *nm Litt* gibe.
quorum [k(w)ɔrɔm] *nm* quorum.
quota [k(w)ɔta] *nm* quota.
quote-part [kɔtpar] *nf* (*pl* **quotes-parts**) share.
quotidien, -ienne [kɔtidjɛ̃, -jɛn] *a* (*journalier*) daily; (*banal*) everyday ▌ *nm* daily (paper). ●**quotidiennement** *adv* daily.
quotient [kɔsjɑ̃] *nm* quotient.

R

R, r [ɛr] *nm* R, r.
rab [rab] *nm Fam abrév* **rabiot**.
rabâcher [rabɑʃe] *vt* to repeat endlessly ▮ *vi* to repeat oneself (over and over again). ● **rabâchage** *nm* endless repetition.
rabais [rabɛ] *nm* (price) reduction, discount; **acheter**/*etc* **au r.** to buy/*etc* cheap(ly) *ou* at a reduction.
rabaisser [rabese] *vt* (*dénigrer*) to belittle, humble; **r. à** (*ravaler*) to reduce to.
rabat-joie [rabaʒwa] *nm inv* killjoy.
rabattre* [rabatr] *vt* (*baisser*) to pull *ou* put down; (*refermer*) to close (down); (*replier*) to fold down *ou* over; (*déduire*) to take off; **en r.** (*prétentieux*) *Fig* to climb down (from one's high horse) ▮ **se rabattre** *vpr* (*se refermer*) to close; (*barrière*) to come down; (*après avoir doublé un véhicule*) to cut in (**devant** in front of); **se r. sur** *Fig* to fall back on.
rabbin [rabɛ̃] *nm* rabbi; **grand r.** chief rabbi.
rabibocher [rabiboʃe] *vt* (*réconcilier*) *Fam* to patch it up between ▮ **se rabibocher** *vpr Fam* to patch it up (**avec** with).
rabiot [rabjo] *nm* (*surplus*) *Fam* extra (helping); **faire du r.** *Fam* to work extra time.
râblé, -ée [rɑble] *a* stocky, thickset.
rabot [rabo] *nm* (*outil*) plane. ● **raboter** *vt* to plane.
raboteux, -euse [rabɔtø, -øz] *a* uneven, rough.
rabougri, -ie [rabugri] *a* (*personne, plante*) stunted.
rabrouer [rabrue] *vt* to snub, rebuff.
racaille [rakɑj] *nf* rabble, riffraff.
raccommoder [rakɔmɔde] 1 *vt* (*linge*) to mend; (*chaussette*) to darn. 2 *vt* (*réconcilier*) *Fam* to reconcile ▮ **se raccommoder** *vpr Fam* to become reconciled, *Br* make it up (**avec** with). ● **raccommodage** *nm* (*de linge*) mending; (*de chaussette*) darning.
raccompagner [rakɔ̃paɲe] *vt* to see *ou* take back (home); **r. qn à la porte** to see s.o. to the door, see s.o. out.
raccord [rakɔr] *nm* (*dispositif*) connection, connector; (*de papier peint*) join; **r.** (**de peinture**) touch-up. ● **raccorder** *vt*, **se raccorder** *vpr* to connect (up), join (up) (**à** with, to). ● **raccordement** *nm* (*action, résultat*) connection.
raccourcir [rakursir] *vt* to shorten ▮ *vi* to get shorter; (*au lavage*) to shrink. ● **raccourci** *nm* 1 (*chemin*) short cut. 2 (*tournure*) concise turn of phrase; **en r.** (*histoire etc*) in a nutshell, in brief.
raccroc (par) [parrakro] *adv* by a fluke, by (a lucky) chance.
raccrocher [rakrɔʃe] *vt* (*objet tombé*) to hang back up; (*téléphone*) to put down; (*relier*) to connect (**à** with, to); (*client*) to accost ▮ *vi* (*au téléphone*) to hang up, *Br* ring off; (*sportif*) *Fam* to hang up one's hat, retire ▮ **se raccrocher** *vpr* **se r. à** to hold on to, cling to; (*se rapporter à*) to link (up) with.
race [ras] *nf* (*groupe ethnique*) race; (*animale*) breed; **chien de r.** pedigree dog. ● **racé, -ée** *a* (*cheval*) thoroughbred; (*personne*) distinguished. ● **racial, -e, -aux** *a* racial. ● **racisme** *nm* racism, racialism. ● **raciste** *a & nmf* racist, racialist.
rachat [raʃa] *nm* (*de marchandises*) repurchase; (*de firme*) take-over; *Rel* redemption. ● **racheter** *vt* to buy back; (*objet d'occasion*) to buy; (*firme*) to take over, buy out; (*pécheur, dette*) to redeem; (*compenser*) to make up for; **r. un manteau/une voiture/***etc* to buy another coat/car/*etc*; **r. des chaussettes/du pain/***etc* to buy (some) more socks/bread/*etc* ▮ **se racheter** *vpr* to make amends, redeem oneself.
racine [rasin] *nf* (*de plante, personne etc*) & *Math* root; **prendre r.** (*plante, Fig personne*) to take root.
racket [rakɛt] *nm* (*activité*) racketeering.
raclée [rɑkle] *nf Fam* thrashing, hiding.
racler [rɑkle] *vt* (*enlever*) to scrape off; **se r. la gorge** to clear one's throat. ● **raclette** *nf* 1 scraper; (*à vitres*) squeegee. 2 (*plat*) raclette (*potatoes and melted cheese*). ● **racloir** *nm* scraper. ● **raclures** *nfpl* (*déchets*) scrapings.
racoler [rakɔle] *vt* (*prostituée, vendeur etc*) to accost (*s.o.*). ● **racolage** *nm* (*de prostituée*) soliciting; (*de vendeur etc*) touting. ● **racoleur, -euse** *nmf* (*vendeur etc*) tout; (*prostituée*) prostitute (*who solicits*).
raconter [rakɔ̃te] *vt* (*histoire*) to tell, relate; (*décrire*) to describe; **r. qch à qn** (*vacances etc*) to tell s.o. about sth; **r. à qn que** to tell s.o. that, say to s.o. that; **qu'est-ce que tu racontes?** *Fam* what are you talking about? ● **racontars** *nmpl* gossip, stories.
racornir [rakɔrnir] *vt* (*dessécher*) to harden ▮ **se racornir** *vpr* to get hard.
radar [radar] *nm* radar; **contrôle r.** (*pour véhicules etc*) radar control; **elle marche au r.** *Fam* she's like a zombie going through the motions (*through over-tiredness etc*). ● **radariste** *nmf* radar operator.
rade [rad] *nf* 1 (*bassin*) (natural) harbour. 2 **laisser qn en r.** *Fam* to leave s.o. stranded,

radeau, -x [rado] *nm* raft.
radiateur [radjatœr] *nm* (*à eau*) radiator; (*électrique, à gaz*) heater; (*de chauffage central, voiture*) radiator.
radiation [radjasjɔ̃] *nf* **1** *Phys* radiation. **2** (*suppression*) removal (**de** from).
radical, -e, -aux [radikal, -o] *a* radical ▌ *nm* (*d'un mot*) stem ▌ *nmf Pol* radical.
radier [radje] *vt* to strike *ou* cross off (**de** from).
radieux, -euse [radjø, -øz] *a* (*personne, visage*) beaming, radiant; (*soleil*) brilliant; (*temps*) glorious.
radin, -ine [radɛ̃, -in] *a Fam* stingy ▌ *nmf Fam* skinflint.
radio [radjo] **1** *nf* radio; (*poste*) radio (set); **à la r.** on the radio. **2** *nf* (*des poumons etc*) X-ray; **passer** *ou* **faire passer une r.** to have an X-ray, be X-rayed; **faire passer une r. à qn** to give s.o. an X-ray. **3** *nm* (*opérateur*) radio operator. ● **radio-réveil** *m* (*pl* **radios-réveils**) radio alarm clock.
radioactif, -ive [radjoaktif, -iv] *a* radioactive. ● **radioactivité** *nf* radioactivity.
radiodiffuser [radjodifyse] *vt* to broadcast (on the radio). ● **radiodiffusion** *nf* broadcasting.
radiographie [radjografi] *nf* (*photo*) X-ray; (*technique*) radiography. ● **radiographier** *vt* to X-ray. ● **radiologie** *nf Méd* radiology. ● **radiologue** *nmf* (*technicien*) radiographer; (*médecin*) radiologist.
radiophonique [radjofɔnik] *a* **émission/etc r.** radio broadcast/*etc*. ● **radiotélévisé, -ée** *a* broadcast on radio and television.
radis [radi] *nm* radish; **r. noir** horseradish; **je n'ai plus un r.** *Fam* I don't have a bean.
radoter [radɔte] *vi* to ramble (on), drivel (on). ● **radotage** *nm* (*propos*) drivel.
radoucir (se) [səradusir] *vpr* to calm down; (*temps*) to become milder. ● **radoucissement** *nm* **r. (du temps)** milder weather.
rafale [rafal] *nf* (*vent*) gust, squall; (*de mitrailleuse*) burst; (*de balles*) hail.
raffermir [rafɛrmir] *vt* to strengthen; (*muscles etc*) to tone up ▌ **se raffermir** *vpr* to become stronger.
raffiné, -ée [rafine] *a* (*pétrole, sucre, Fig personne etc*) refined.
raffinement [rafinmɑ̃] *nm* (*de personne*) refinement.
raffiner [rafine] *vt* (*pétrole, sucre, Fig manières*) to refine. **raffinage** *nm* (*du pétrole, sucre*) refining. ● **raffinerie** *nf* refinery.
raffoler [rafɔle] *vi* **r. de** (*aimer*) to be mad *ou* wild about, be very fond of.
raffut [rafy] *nm Fam* din, row.
rafiot [rafjo] *nm* (*bateau*) *Péj* (old) tub.
rafistoler [rafistɔle] *vt Fam* to patch up.
rafle [rafl] *nf* (*police*) raid.
rafler [rafle] *vt* (*enlever*) *Fam* to swipe, make off with.
rafraîchir [rafreʃir] *vt* to cool (down); (*remettre à neuf*) to brighten up; (*personne*) to refresh; **r. la mémoire à qn** to refresh s.o.'s memory ▌ *vi* **mettre à r.** *Culin* to chill ▌ **se rafraîchir** *vpr* (*boire*) to refresh oneself; (*se laver*) to freshen (oneself) up; (*temps*) to get cooler. ● **rafraîchissant, -ante** *a* refreshing. ● **rafraîchissement** *nm* **1** (*de température*) cooling. **2** (*boisson*) cold drink.
ragaillardir [ragajardir] *vt* to buck up.
rage [raʒ] *nf* **1** (*colère*) rage; **r. de dents** violent toothache; **faire r.** (*incendie, tempête*) to rage. **2** (*maladie*) rabies. ● **rager** *vi* (*personne*) *Fam* to rage, fume. ● **rageant, -ante** *a Fam* infuriating. ● **rageur, -euse** *a* bad-tempered, furious.
ragots [rago] *nmpl Fam* gossip.
ragoût [ragu] *nm Culin* stew.
ragoûtant, -ante [ragutɑ̃, -ɑ̃t] *a* **peu r.** (*mets, personne*) unsavoury.
raid [rɛd] *nm* (*aérien, militaire*) raid.
raide [rɛd] *a* (*rigide, guindé*) stiff; (*côte*) steep; (*cheveux*) straight; (*corde etc*) tight; **c'est r.!** (*exagéré*) *Fam* that's a bit hard to swallow, that's a bit much!; **il est complètement r.** *Fam* he's blind drunk ▌ *adv* (*grimper*) steeply; **tomber r. mort** to drop dead. ● **raideur** *nf* stiffness; steepness. ● **raidillon** *nm* (*pente*) short steep rise. ● **raidir** *vt*, **se raidir** *vpr* to stiffen; (*corde*) to tighten; (*position*) *Fig* to harden; **se r. contre** *Fig* to steel oneself against.
raie [rɛ] *nf* **1** (*trait*) line; (*de tissu, zèbre*) stripe; (*de cheveux*) *Br* parting, *Am* part. **2** (*poisson*) skate, ray.
rail [raj] *nm* (*barre*) rail (for train); **le r.** (*transport*) rail.
railler [raje] *vt* to mock, make fun of. ● **raillerie** *nf* gibe, mocking remark. ● **railleur, -euse** *a* mocking.
rainure [renyr] *nf* groove.
raisin [rezɛ̃] *nm* raisin(s) grapes; **grain de r.** grape; **manger du r.** *ou* **des raisins** to eat grapes; **r. sec** raisin.
raison [rezɔ̃] *nf* **1** (*faculté, motif*) reason; **la r. de mon absence/etc** the reason for my absence/*etc*; **la r. pour laquelle je...** the reason (why *ou* that) I...; **pour raisons de famille/de santé/etc** for family/health/*etc* reasons; **en r. de** (*cause*) on account of; **à r. de** (*proportion*) at the rate of; **à plus forte r.** all the more so; **plus que de r.** (*boire etc*) much too much, much more than one should; **r. de plus** all the more reason (**pour faire** to do, for doing); **mariage de r.** marriage of convenience; **avoir r. de qn/qch** to get the better of s.o./sth; **entendre r.** to listen to reason; **se faire une r.** to put up with *ou* accept the situation, resign oneself.
2 **avoir r.** to be right (**de faire** to do, in doing); **donner r. à qn** to agree with s.o.; (*événement etc*) to prove s.o. right; **avec r.** rightly.
raisonnable [rezɔnabl] *a* reasonable. ● **raisonnablement** [-əmɑ̃] *adv* reasonably.
raisonner [rezɔne] *vi* (*penser*) to reason;

(*discuter*) to argue ∎ *vt* **r. qn** to reason with s.o. ●**raisonné, -ée** *a* (*projet*) well-thought-out. ●**raisonnement** *nm* (*faculté, activité*) reasoning; (*propositions*) argument. ●**raisonneur, -euse** *a Péj* argumentative ∎ *nmf Péj* arguer.

rajeunir [raʒœnir] *vt* to make (s.o.) (feel *ou* look) younger; (*personnel*) to infuse new blood into; (*moderniser*) to modernize, update; (*personne âgée*) to rejuvenate ∎ *vi* to get *ou* feel *ou* look younger. ●**rajeunissant, -ante** *a* (*crème etc*) rejuvenating. ●**rajeunissement** *nm* (*de personne âgée*) rejuvenation; **le r. de la population** the population getting younger.

rajout [raʒu] *nm* addition. ●**rajouter** *vt* to add (à to); **en r.** *Fig* to overdo it, exaggerate.

rajuster [raʒyste] *vt* (*mécanisme*) to readjust; (*vêtements, lunettes*) to straighten, adjust; (*cheveux*) to rearrange ∎ **se rajuster** *vpr* to straighten *ou* tidy oneself up.

râle [rɑl] *nm* (*de blessé*) groan; (*de mourant*) death rattle. ●**râler** *vi* (*blessé*) to groan; (*mourant*) to give the death rattle; (*protester*) *Fam* to grouse, moan. ●**râleur, -euse** *nmf Fam* grouser, moaner.

ralentir [ralɑ̃tir] *vti*, **se ralentir** *vpr* to slow down. ●**ralenti** *nm* (*de cinéma, télévision*) slow motion; **au r.** (*filmer etc*) in slow motion; (*vivre, travailler*) at a slower pace; **tourner au r.** (*moteur, usine*) *Br* to tick over, *Am* turn over. ●**ralentissement** *nm* slowing down, slowdown; **un r. sur 10 km** a 10 km (traffic) holdup *ou Br* tailback, slow-moving traffic for 10 km.

rallier [ralje] *vt* (*rassembler*) to rally; (*rejoindre*) to rejoin; **r. qn à** (*convertir*) to win s.o. over to ∎ **se rallier** *vpr* (*se regrouper*) to rally; **se r. à un point de vue/etc** to come over *ou* round to a point of view/etc.

rallonge [ralɔ̃ʒ] *nf* (*de table*) extension; (*fil électrique*) extension (lead); **une r. (de)** (*supplément*) *Fam* (some) extra; **nom à r.** *Fam Br* double-barrelled name, name with a handle. ●**rallonger** *vti* to lengthen.

rallumer [ralyme] *vt* (*feu, pipe etc*) to light again, relight; (*lampe*) to switch on again; (*conflit, haine*) to rekindle ∎ **se rallumer** *vpr* (*guerre, incendie*) to flare up again.

rallye [rali] *nm* (*course automobile*) rally.

ramage [ramaʒ] *nm* (*d'oiseaux*) song, warbling. ●**ramages** *nmpl* (*dessin*) foliage.

ramassé, -ée [ramase] *a* (*trapu*) squat, stocky; (*recroquevillé*) huddled; (*concis*) compact.

ramasser [ramase] **1** *vt* (*prendre par terre, réunir*) to pick up; (*ordures, copies*) to collect, pick up; (*fruits, coquillages*) to gather; (*rhume, amende*) *Fam* to pick up, get; **r. une bûche** *ou* **une pelle** (*tomber*) *Fam* to fall flat on one's face, *Br* come a cropper, *Am* take a spill. **2 se ramasser** *vpr* (*se pelotonner*) to curl up; (*tomber*) *Fam* to fall flat on one's face, *Br* come a cropper; (*échouer*) *Fam* to come to grief, fail. ●**ramassage** *nm* picking up; (*d'ordures etc*) collection; (*de fruits etc*) gathering; **r. scolaire** school bus service.

ramassis [ramasi] *nm* **r. de** (*voyous, vieux livres etc*) *Péj* bunch of.

rambarde [rɑ̃bard] *nf* guardrail.

rame [ram] *nf* **1** (*aviron*) oar. **2** (*de métro*) train. **3** (*de papier*) ream. ●**ramer** *vi* to row; (*s'évertuer*) *Fam* to struggle hard, work hard. ●**rameur, -euse** *nmf* rower.

rameau, -x [ramo] *nm* branch; **le dimanche des Rameaux, les Rameaux** *Rel* Palm Sunday.

ramener [ramne] *vt* to bring *ou* take (s.o.) back; (*paix, ordre, calme etc*) to restore, bring back; (*remettre en place*) to put back; **r. à** (*réduire à*) to reduce to; **r. à la vie** to bring back to life; **cela m'a ramené quinze ans en arrière** that took me back fifteen years ∎ **se ramener** *vpr* (*arriver*) *Fam* to turn up; **se r. à** (*problème etc*) to boil down to.

ramier [ramje] *nm* (*pigeon*) **r.** wood pigeon.

ramification [ramifikasjɔ̃] *nf* ramification.

ramollir [ramɔlir] *vt*, **se ramollir** *vpr* to soften. ●**ramolli, -ie** *a* soft; (*personne*) softheaded.

ramoner [ramɔne] *vt* (*cheminée*) to sweep. ●**ramonage** *nm* (chimney) sweeping. ●**ramoneur** *nm* (chimney)sweep.

rampe [rɑ̃p] *nf* **1** (*d'escalier*) banister(s). **2** (*pente*) ramp, slope; **r. (d'accès)** ramp; **r. de lancement** (*de fusées etc*) launch(ing) pad. **3** (*projecteurs de théâtre*) footlights; **être sous les feux de la r.** (*célèbre*) to be in the limelight.

ramper [rɑ̃pe] *vi* to crawl; (*plante*) to creep; **r. devant qn** *Fig* to cringe *ou* crawl to s.o.

rancard [rɑ̃kar] *nm* (*rendez-vous*) *Fam* date, appointment; (*renseignement*) *Arg* tip.

rancart [rɑ̃kar] *nm* **mettre au r.** *Fam* to throw out, scrap.

rance [rɑ̃s] *a* rancid. ●**rancir** *vi* to turn rancid.

ranch [rɑ̃tʃ] *nm* ranch.

rancœur [rɑ̃kœr] *nf* rancour, resentment.

rançon [rɑ̃sɔ̃] *nf* ransom; **la r. de** (*inconvénient*) the price of (*success, fame etc*). ●**rançonner** *vt* to hold to ransom.

rancune [rɑ̃kyn] *nf* grudge; **garder r. à qn** to bear s.o. a grudge; **sans r.!** no hard feelings! ●**rancunier, -ière** *a* spiteful, vindictive, resentful.

randonnée [rɑ̃dɔne] *nf* (*à pied*) hike, walk; (*en vélo*) ride; **r. équestre** horse ride, pony trek.

rang [rɑ̃] *nm* (*rangée*) row, line; (*classement, grade*) rank; **les rangs** (*soldats*) the ranks (**de** of); **les rangs de ses ennemis** (*nombre*) *Fig* the ranks of his enemies; **se mettre en rang(s)** to line up (**par trois/etc** in threes/etc); **en r. d'oignons** in a straight *ou* neat row; **par r. de** in order of. ●**rangée** *nf* row, line.

ranger [rɑ̃ʒe] *vt* (*papiers, vaisselle etc*) to put away; (*chambre etc*) to tidy (up); (*chiffres,*

rasseoir

mots) to arrange; (*voiture*) to park; **r. un auteur/etc parmi** to rank an author/etc among. ▮ **se ranger** *vpr* (*élèves etc*) to line up; (*s'écarter*) to stand aside; (*voiture*) to pull over; (*s'assagir*) to settle down; **se r. à l'avis de qn** to fall in with s.o.'s opinion. ● **rangé, -ée** *a* (*chambre etc*) tidy; (*personne*) steady; (*bataille*) pitched. ● **rangement** *nm* putting away; (*de chambre etc*) tidying (up); (*espace*) storage space; **rangements** (*placards*) storage space; **faire du r.** to do some tidying up.

ranimer [ranime] *vt* (*réanimer, revigorer*) to revive; (*feu*) to poke, stir; (*querelle*) to revive, rekindle; (*encourager*) to spur on.

rapace [rapas] **1** *nm* (*oiseau*) bird of prey. **2** *a* (*avide*) grasping.

rapatrier [rapatrije] *vt* to repatriate. ● **rapatriement** *nm* repatriation.

râpe [rɑp] *nf* Culin grater; shredder; (*lime*) rasp. ● **râper** *vt* (*fromage etc*) to grate; (*carottes*) to shred, (*finement*) to grate; (*bois*) to rasp. ● **râpé, -ée 1** *a* (*fromage etc*) grated; (*carottes*) shredded; grated ▮ *nm* grated cheese. **2** *a* (*vêtement*) threadbare.

rapetisser [raptise] *vt* to make (look) smaller; (*vêtement*) to shorten ▮ *vi* to get smaller; (*au lavage*) to shrink; (*jours*) to get shorter.

râpeux, -euse [rɑpø, -øz] *a* rough.

raphia [rafja] *nm* raffia.

rapide [rapid] *a* fast, quick, rapid; (*pente*) steep ▮ *nm* (*train*) express (train); (*de fleuve*) rapid. ● **rapidement** *adv* fast, quickly, rapidly. ● **rapidité** *nf* speed, rapidity.

rapiécer [rapjese] *vt* to patch (up).

rappel [rapɛl] *nm* (*de diplomate etc*) recall; (*évocation, souvenir*) reminder; (*paiement*) back pay; (*au théâtre*) curtain call; (*vaccination de*) booster (injection); **r. à l'ordre** call to order; **descendre en r.** (*en alpinisme*) to abseil.

rappeler [rap(ə)le] *vt* (*pour faire revenir, au téléphone*) to call back; (*souvenir, diplomate*) to recall; **r. qch à qn** (*redire*) to remind s.o. of sth ▮ *vi* (*au téléphone*) to call back ▮ **se rappeler** *vpr* (*histoire, personne etc*) to remember, recall, recollect; **r. que** to remember *ou* recall *ou* recollect that.

rappliquer [raplike] *vi* (*arriver*) Fam to show up.

rapport [rapɔr] *nm* **1** (*lien*) connection, link; **rapports** (*entre personnes*) relations; **rapports (sexuels)** (sexual) intercourse, sexual relations; **par r. à** compared to *ou* with; (*envers*) towards; **se mettre en r. avec qn** to get in touch with s.o.; **en r. avec** in keeping with; **sous le r. de** from the point of view of; **homme bien sous tous rapports** nice man in every respect; **ça n'a aucun r.!** it has nothing to do with it! **2** (*revenu, rendement*) return, yield. **3** (*récit*) report.

rapporter [rapɔrte] **1** *vt* (*apporter*) to bring *ou* take back; (*ajouter*) to add ▮ *vi* (*chien*) to retrieve. **2** *vt* (*récit*) to report; (*mot célèbre*) to repeat ▮ *vi* (*moucharder*) Fam to tell tales. **3** *vt* (*profit*) to bring in, yield ▮ *vi* (*investissement*) to bring in a good return. **4** *vt* **r.** (*rattacher*) to relate sth to ▮ **se rapporter** *vpr* **se r. à** to relate to, be connected with; **s'en r. à** to rely on. ● **rapporteur, -euse 1** *nmf* (*mouchard*) telltale. **2** *nm* (*d'un procès etc*) reporter. **3** *nm* (*instrument*) Géom protractor.

rapprocher [raprɔʃe] *vt* to bring closer (**de** to); (*chaise*) to pull up (**de** to); (*réconcilier*) to bring together; (*réunir*) to join; (*comparer*) to compare (**de** to, with) ▮ **se rapprocher** *vpr* to come *ou* get closer (**de** to); (*se réconcilier*) to come together, be reconciled; (*ressembler*) to be close (**de** to). ● **rapproché, -ée** *a* close, near; (*yeux*) close-set; (*fréquent*) frequent. ● **rapprochement** *nm* reconciliation; (*rapport*) connection; (*comparaison*) comparison.

rapt [rapt] *nm* (*d'enfant*) abduction.

raquette [rakɛt] *nf* (*de tennis*) racket; (*de ping-pong*) bat.

rare [rar] *a* rare; (*argent, main-d'œuvre etc*) scarce; (*barbe, herbe*) sparse; **il est r. que** (+ *sub*) it's seldom *ou* rare that. ● **se raréfier** *vpr* (*denrées etc*) to get scarce. ● **rarement** *adv* rarely, seldom. ● **rareté** *nf* rarity; (*de main-d'œuvre etc*) scarcity; **une r.** (*objet*) a rarity.

ras, rase [rɑ, rɑz] *a* (*cheveux*) close-cropped; (*herbe, poil*) short; (*mesure*) full; **en rase campagne** in the open country; **à r. bord** (*remplir*) to the brim; **au r. de, à r. de** very close to; **voler au r. du sol** (*avion etc*) to fly very close to the ground, hedge-hop; **en avoir r. le bol** Fam to be fed up (**de** with); **pull (au) r. du cou** *ou* **à col r.** crewneck(ed) pullover ▮ *adv* (*coupé etc*) short.

RAS [ɛraɛs] *abrév* (*rien à signaler*) nothing to report, all OK.

rase-mottes [razmɔt] *nm inv* **voler en r.-mottes**, **faire du r.-mottes** (*avion etc*) to hedge-hop, fly close to the ground.

raser [rɑze] **1** *vt* (*menton, personne*) to shave; (*barbe, moustache*) to shave off ▮ **se raser** *vpr* to (have a) shave. **2** *vt* (*démolir*) to knock down, raze to the ground. **3** *vt* (*frôler*) to skim, brush. **4** *vt* (*ennuyer*) Fam to bore. ● **rasant, -ante** *a* Fam boring. ● **rasé, -ée** *a* **être bien r.** to have shaved, be clean-shaven; **mal r.** unshaven. ● **rasage** *nm* shaving. ● **raseur, -euse** *nmf* Fam bore.

rasoir [rɑzwar] **1** *nm* razor; (*électrique*) shaver. **2** *a inv* Fam boring.

rassasier [rasazje] *vti* to satisfy; **être rassasié** to have had enough (**de** of).

rassembler [rasɑ̃ble] *vt* (*gens, objets*) to gather (together), assemble; (*courage*) to summon up, muster; **r. des données** to gather *ou* collect data ▮ **se rassembler** *vpr* to gather, assemble. ● **rassemblement** *nm* (*action, groupe*) gathering.

rasseoir* (**se**) [səraswar] *vpr* to sit down again.

rassis, f **rassie** [rasi] a (pain, brioche etc) stale. ● **rassir** vti to turn stale.

rassurer [rasyre] vt to reassure; **rassure-toi** don't worry, set your mind at rest. ● **rassurant, -ante** a (nouvelle) reassuring, comforting.

rat [ra] nm rat; **r. de bibliothèque** Fig bookworm; **petit r. de l'Opéra** young ballet pupil (at the Paris Opera House).

ratatiner (se) [səratatine] vpr to shrivel (up); (vieillard) to become wizened.

ratatouille [ratatuj] nf **r. (niçoise)** Culin ratatouille.

rate [rat] nf Anat spleen.

râteau, -x [rato] nm (outil) rake.

râtelier [ratəlje] nm 1 (support pour outils, armes etc) rack. 2 (dentier) Fam set of false teeth.

rater [rate] vt (bus, cible, occasion etc) to miss; (travail, gâteau etc) to ruin, spoil; (examen) to fail; (vie) to waste; **il n'en rate pas une** Fam he's always putting his foot in it ▮ vi (projet etc) to fail; **ça n'a pas raté** Fam inevitably ou predictably that happened (again), it had to happen (again). ● **raté, -ée** 1 nmf (personne) failure. 2 nmpl **avoir des ratés** (moteur) to backfire. ● **ratage** nm (échec) Fam failure.

ratifier [ratifje] vt to ratify. ● **ratification** nf ratification.

ration [rasjɔ̃] nf ration; **r. de** Fig share of. ● **rationner** vt (vivres, personne) to ration. ● **rationnement** nm rationing.

rationaliser [rasjɔnalize] vt to rationalize. ● **rationalisation** nf rationalization.

rationnel, -elle [rasjɔnɛl] a (pensée, méthode) rational.

ratisser [ratise] vt 1 (allée etc) to rake; (feuilles etc) to rake up. 2 (fouiller) to comb. 3 **r. qn** (au jeu) Fam to clean s.o. out.

raton [ratɔ̃] nm **r. laveur** rac(c)oon.

RATP [eratepe] nf abrév (Régie autonome de transports parisiens) = Paris municipal transport authority.

rattacher [ratafe] vt (lacets etc) to tie up again; (incorporer, joindre) to join (à to); (idée, question) to link (à to); **r. qn à son pays/sa famille**/etc to bind s.o. to his ou her country/family/etc; **se r. à** to be linked to. ● **rattachement** nm (annexion) joining (à to).

rattraper [ratrape] vt to catch; (prisonnier etc) to recapture; (temps perdu, erreur) to make up for; **r. qn** (rejoindre) to catch up with s.o., catch s.o. up; **elle a été rattrapée** (à un examen) she was allowed to get through ou to pass ▮ **se rattraper** vpr to catch up; (après une erreur) to make up for it; **se r. à** (branche etc) to catch hold of. ● **rattrapage** nm **cours de r.** Scol remedial classes; **r. des prix/salaires** adjustment of prices/wages (to the cost of living).

rature [ratyr] nf crossing out, deletion. ● **raturer** vt to cross out, delete.

rauque [rok] a (voix) hoarse, raucous, rough.

ravages [ravaʒ] nmpl havoc, devastation; (du temps, de la maladie) ravages; **faire des r.** to cause ou wreak havoc, cause widespread damage; (femme) to break many hearts. ● **ravager** vt to devastate, ravage.

ravaler [ravale] vt 1 (façade etc) to clean (and restore). 2 (sanglots, salive) to swallow; (colère) Fig to stifle, suppress; (orgueil) to swallow. 3 (avilir) Litt to lower. ● **ravalement** nm (de façade etc) cleaning (and restoration).

ravi, -ie [ravi] a delighted (de with, de faire to do, que that).

ravier [ravje] nm hors-d'œuvre dish.

ravigoter [ravigɔte] vt Fam to buck up.

ravin [ravɛ̃] nm ravine, gully.

ravioli [ravjɔli] nmpl ravioli.

ravir [ravir] vt 1 (plaire à) to delight; **chanter**/etc **à r.** to sing/etc delightfully. 2 (emporter) to snatch (à from). ● **ravissant, -ante** a beautiful, lovely, delightful. ● **ravissement** nm (extase) ecstasy, sheer delight. ● **ravisseur, -euse** nmf kidnapper.

raviser (se) [səravize] vpr to change one's mind.

ravitailler [ravitaje] vt to provide with supplies (en of), supply (en with); (avion) to refuel ▮ **se ravitailler** vpr to stock up (with supplies). ● **ravitaillement** nm supplying; (d'avion) refuelling; (denrées) supplies; **aller au r.** (faire des courses) Fam to stock up, get stocks in.

raviver [ravive] vt (feu, sentiment) to revive; (couleurs) to brighten up.

rayer [reje] vt (érafler) to scratch; (mot etc) to cross out; **r. qn d'une liste** to cross ou strike s.o. off a list. ● **rayé, -ée** a (verre, disque etc) scratched; (tissu, pantalon etc) striped; (papier) lined, ruled. ● **rayure** nf scratch; (bande) stripe; **à rayures** striped.

rayon [rejɔ̃] nm 1 (de lumière, soleil etc) ray; (de cercle) radius; (de roue) spoke; (d'espoir) Fig ray; **r. X** X-ray; **r. d'action** range; **dans un r. de** within a radius of. 2 (planche) shelf; (de magasin) department. 3 (de ruche) honeycomb. 4 **elle en connaît un r.** Fam she knows an awful lot (about it), Br she's well up (on it). ● **rayonnage** nm shelving, shelves.

rayonner [rejɔne] vi to radiate; (dans une région) to travel around (from a central base); **r. de joie** to beam with joy. ● **rayonnant, -ante** a (visage etc) beaming, radiant (de with). ● **rayonnement** nm (éclat) radiance; (influence) influence; (radiation) radiation.

rayure [rejyr] nf voir rayer.

raz-de-marée [radmare] nm inv tidal wave; (bouleversement) Fig upheaval; **r.-de-marée électoral** landslide, massive swing (of votes).

razzia [ra(d)zja] nf **faire une r. sur qch** (tout enlever) Fam to raid sth.

re- [r(ə)] préf re-.

ré [re] nm (note de musique) D.

ré- [re] préf re-.

réabonner (se) [səreabɔne] vpr to renew one's subscription (à to). ● **réabonnement**

nm renewal of subscription.
réacteur [reaktœr] *nm* (*d'avion*) jet engine; (*nucléaire*) reactor.
réaction [reaksjɔ̃] *nf* reaction; **r. en chaîne** chain reaction; **avion à r.** jet (aircraft); **moteur à r.** jet engine. ● **réactionnaire** *a* & *nmf* (*Fam* **réac**) reactionary.
réadapter [readapte] *vt*, **se réadpter** *vpr* to readjust (à to). ● **réadaptation** *nf* readjustment.
réaffirmer [reafirme] *vt* to reaffirm.
réagir [reaʒir] *vi* to react (**contre** against, à to); (*se secouer*) *Fig* to shake oneself out of it.
réaliser [realize] *vt* (*projet etc*) to carry out, realize; (*rêve, ambition*) to fulfil; (*bénéfices, économies*) to make; (*film*) to direct; (*capital*) to realize; (*se rendre compte*) to realize (**que** that).
I se réaliser *vpr* (*vœu*) to come true; (*projet*) to materialize, be carried out; (*personne*) to fulfil oneself. ● **réalisable** *a* (*plan*) workable; (*rêve*) attainable. ● **réalisateur, -trice** *nmf* (*de film*) director. ● **réalisation** *nf* realization; (*de rêve*) fulfilment; (*de film*) direction; (*œuvre*) achievement.
réalisme [realism] *nm* realism. ● **réaliste** *a* realistic **I** *nmf* realist.
réalité [realite] *nf* reality; **en r.** in fact, in reality; **prendre ses désirs pour des réalités** to indulge in wishful thinking.
réanimation [reanimasjɔ̃] *nf* resuscitation; (**service de**) **r.** intensive care unit. ● **réanimer** *vt* (*malade*) to revive, resuscitate.
réapparaître* [reaparetr] *vi* to reappear. ● **réapparition** *nf* reappearance.
réarmer [rearme] *vt* (*fusil etc*) to reload **I** *vi*, **se réarmer** *vpr* (*pays*) to rearm. ● **réarmement** *nm* rearmament.
rébarbatif, -ive [rebarbatif, -iv] *a* forbidding, *Br* off-putting.
rebâtir [r(ə)batir] *vt* to rebuild.
rebattu, -ue [r(ə)baty] *a* (*sujet*) hackneyed.
rebelle [rəbɛl] *a* (*enfant, esprit etc*) rebellious; (*mèche*) unruly; (*fièvre*) stubborn; **troupes rebelles** rebel troops; **être r. à** (*enfant etc*) to resist (*discipline etc*); (*organisme etc*) to be resistant to **I** *nmf* rebel. ● **se rebeller** *vpr* to rebel (**contre** against). ● **rébellion** *nf* rebellion.
rebiffer (se) [sər(ə)bife] *vpr Fam* to rebel.
rebiquer [r(ə)bike] *vi* (*mèche, col etc*) to stick up.
reboiser [r(ə)bwaze] *vti* to reafforest.
rebond [r(ə)bɔ̃] *nm* bounce; (*par ricochet*) rebound; **faux r.** bad bounce. ● **rebondir** *vi* to bounce; (*par ricochet*) to rebound; (**faire**) **r.** (*affaire, discussion etc*) to get going again. ● **rebondissement** *nm* new development (**de** in).
rebondi, -ie [r(ə)bɔ̃di] *a* chubby, rounded.
rebord [r(ə)bɔr] *nm* edge; (*de plat etc*) rim; (*de vêtement*) hem; **r. de (la) fenêtre** windowsill, window ledge.
reboucher [r(ə)buʃe] *vt* (*flacon*) to put the top back on; (*trou*) to fill in again.
rebours (à) [ar(ə)bur] *adv* the wrong way.
rebrousse-poil (à) [ar(ə)bruspwal] *adv* **prendre qn à r.-poil** *Fig* to rub s.o. up the wrong way.
rebrousser [r(ə)bruse] *vt* **r. chemin** to turn back.
rebuffade [rəbyfad] *nf* rebuff.
rébus [rebys] *nm* rebus (*word guessing game*).
rebut [rəby] *nm* **mettre qch au r.** to throw sth out, scrap sth; **le r. de la société** *Péj* the dregs of society.
rebuter [r(ə)byte] *vt* (*décourager*) *Br* to put off, dishearten; (*choquer*) to repel. ● **rebutant, -ante** *a Br* off-putting, disheartening; (*choquant*) revolting, repellent.
récalcitrant, -ante [rekalsitrɑ̃, -ɑ̃t] *a* recalcitrant.
recaler [r(ə)kale] *vt* **r. qn** *Scol Fam* to fail s.o., flunk s.o.; **être recalé, se faire r.** *Scol Fam* to fail, flunk.
récapituler [rekapityle] *vti* to recapitulate. ● **récapitulation** *nf* recapitulation.
recel [rəsɛl] *nm* receiving stolen goods, fencing; harbouring. ● **receler** *ou* **recéler** *vt* (*mystère, secret etc*) to contain; (*objet volé*) to receive; (*malfaiteur*) to harbour. ● **receleur** *ou* **recéleur, -euse** *nmf* receiver (*of stolen goods*), fence.
recenser [r(ə)sɑ̃se] *vt* (*population*) to take a census of; (*inventorier*) to make an inventory of. ● **recensement** *nm* census; (*d'objets*) inventory.
récent, -ente [resɑ̃, -ɑ̃t] *a* recent. ● **récemment** [-amɑ̃] *adv* recently.
récépissé [resepise] *nm* (*reçu*) receipt.
récepteur [resɛptœr] *nm* (*téléphone etc*) receiver. ● **réceptif, -ive** *a* receptive (à to). ● **réception** *nf* (*accueil, soirée*) & *Radio* reception; (*de lettre etc*) receipt; (*d'hôtel etc*) reception (desk); **dès r. de** on receipt of; **avec accusé de r.** with acknowledgement of receipt. ● **réceptionniste** *nmf* receptionist.
récession [resesjɔ̃] *nf Écon* recession.
recette [r(ə)sɛt] *nf* 1 *Culin* & *Fig* recipe (**de** for). 2 (*argent, bénéfice*) takings; (*bureau*) tax office; **recettes** (*rentrées*) *Com* receipts; **faire r.** *Fig* to be a success.
recevoir* [rəs(ə)vwar] *vt* to receive; (*accueillir*) to welcome; (*obtenir*) to get, receive; (*accepter*) to accept; (*candidat*) to pass; **être reçu à un examen** to pass an exam(ination); **être reçu premier** to come first **I** *vi* to have guests, receive visitors; (*médecin etc*) to see patients. ● **recevable** *a* (*excuse etc*) admissible. ● **receveur, -euse** *nmf* (*d'autobus*) *Br* (bus) conductor, *Br* (bus) conductress; (*des postes*) postmaster, postmistress; (*des impôts*) tax collector.
rechange (de) [dər(ə)ʃɑ̃ʒ] *a* (*outil, pièce etc*) spare; (*solution etc*) alternative; **vêtements/chaussures de r.** a change of clothes/shoes.
rechapé, -ée [r(ə)ʃape] *a* **pneu r.** retread, *Br* remould.

réchapper [reʃape] *vi* **r. de** *ou* **à** (*accident etc*) to come through; **en r.** to escape with one's life.
recharge [r(ə)ʃarʒ] *nf* (*de stylo etc*) refill. ● **recharger** *vt* (*fusil, appareil photo, camion*) to reload; (*briquet, stylo etc*) to refill; (*batterie*) to recharge.
réchaud [reʃo] *nm* (portable) stove.
réchauffer [reʃofe] *vt* (*personne, aliment etc*) to warm up ▌ **se réchauffer** *vpr* to warm oneself up; (*temps*) to get warmer. ● **réchauffé** *nm* **c'est du r.** *Fig Péj* it's old hat. ● **réchauffement** *nm* (*de température*) rise (de in); **le r. de la planète** global warming.
rêche [rɛʃ] *a* rough, harsh.
recherche [r(ə)ʃɛrʃ] *nf* **1** search, quest (de for); **à la r. de** in search of; **se mettre à la r. de** to go in search of, search for. **2 la r., des recherches** (*scientifique(s) etc*) research (sur on, into); **faire des recherches** (to do) research; (*enquêter*) to make investigations. **3** (*raffinement*) studied elegance; *Péj* affectation.
rechercher [r(ə)ʃɛrʃe] *vt* (*personne, objet*) to search *ou* hunt for; (*cause, faveur, perfection*) to seek. ● **recherché, -ée** *a* **1** (*très demandé*) in great demand; (*rare*) much sought-after; **r. pour meurtre** wanted for murder. **2** (*élégant*) elegant; *Péj* affected.
rechigner [r(ə)ʃiɲe] *vi* (*renâcler*) to jib (à qch at sth, à faire at doing).
rechute [r(ə)ʃyt] *nf* (*après une guérison*) relapse; **faire une r.** to have a relapse. ● **rechuter** *vi* (*malade*) to (have a) relapse.
récidive [residiv] *nf* (*de malfaiteur*) further *Br* offence *ou Am* offense; (*de maladie*) recurrence (de of). ● **récidiver** *vi* (*malfaiteur*) to commit a further *Br* offence *ou Am* offense; (*maladie*) to recur. ● **récidiviste** *nmf* (*malfaiteur*) repeat offender, reoffender.
récif [resif] *nm* reef.
récipient [resipjɑ̃] *nm* container, receptacle.
réciproque [resiprɔk] *a* mutual, reciprocal ▌ *nf* (*inverse*) opposite; **rendre la r. à qn** to get even with s.o. ● **réciprocité** *nf* reciprocity. ● **réciproquement** *adv* (*l'un l'autre*) each other; **et r.** and vice versa.
récit [resi] *nm* (*histoire*) story; (*compte rendu*) account; **faire le r. de qch** to give an account of sth, tell about sth.
récital, *pl* **-als** [resital] *nm* (*concert*) recital.
réciter [resite] *vt* to recite. ● **récitation** *nf* (*poème*) poem (*learnt by heart and recited aloud*); (*action, matière*) recitation.
réclame [reklam] *nf* advertising; (*annonce*) advertisement; **en r.** (*en promotion*) on (special) offer ▌ *a inv* **vente r.** (bargain) sale.
réclamer [reklame] *vt* (*demander, nécessiter*) to call for, demand; (*redemander*) to ask for (sth) back; (*revendiquer*) to claim (*one's due, compensation etc*) ▌ *vi* to complain ▌ **se réclamer** *vpr* **se r. de qn** to invoke s.o.'s authority; claim s.o.'s support. ● **réclamation** *nf* complaint; (**bureau des**) **réclamations** complaints department.

reclasser [r(ə)klase] *vt* (*fiches etc*) to reclassify.
reclus, -use [rəkly, -yz] *a* (*vie, existence*) cloistered; **vivre** *ou* **être r.** to lead a cloistered life ▌ *nmf* recluse.
réclusion [reklyzjɔ̃] *nf* **r. (criminelle)** imprisonment; **r. (criminelle) à perpétuité** life imprisonment.
recoiffer (se) [sər(ə)kwafe] *vpr* (*se peigner*) to do *ou* comb one's hair.
recoin [rəkwɛ̃] *nm* nook, recess.
recoller [r(ə)kɔle] *vt* (*objet cassé*) to stick back together; (*enveloppe*) to stick back down.
récolte [rekɔlt] *nf* (*action*) harvest; (*produits*) crop, harvest; (*de documents etc*) *Fig* crop. ● **récolter** *vt* to harvest, gather (in); (*recueillir*) *Fig* to collect, gather; (*coups*) *Fam* to get.
recommandable [r(ə)kɔmɑ̃dabl] *a* **peu r.** not very commendable.
recommandation [r(ə)kɔmɑ̃dasjɔ̃] *nf* **1** (*appui, conseil*) recommendation. **2** (*de lettre etc*) registration.
recommander [r(ə)kɔmɑ̃de] *vt* (*appuyer, conseiller*) to recommend (à to, pour for); **r. à qn de faire qch** to recommend s.o. to do sth; **r. son âme à Dieu** to commend one's soul to God; **lettre recommandée** registered letter ▌ **se recommander** *vpr* **se r. de qn** to invoke s.o.'s authority *ou* support, use s.o. as a reference. ● **recommandé** *nm* **envoyer qch en r.** to send sth by registered *Br* post *ou* mail.
recommencer [r(ə)kɔmɑ̃se] *vti* to start *ou* begin again. ● **recommencement** *nm* (*reprise*) renewal (de of).
récompense [rekɔ̃pɑ̃s] *nf* reward (pour, de for); (*prix*) award; **en r. de qch** in return for sth. ● **récompenser** *vt* to reward (de, pour for).
réconcilier [rekɔ̃silje] *vt* to reconcile ▌ **se réconcilier** *vpr* to settle one's differences, become reconciled, *Br* make it up (avec with). ● **réconciliation** *nf* reconciliation.
reconduire* [r(ə)kɔ̃dɥir] *vt* **1 r. qn** to see *ou* take s.o. back; (*à la porte*) to show s.o. out. **2** (*mesures, bail etc*) to renew. ● **reconduction** *nf* renewal.
réconfort [rekɔ̃fɔr] *nm* comfort. ● **réconforter** *vt* to comfort; (*revigorer*) to fortify. ● **réconfortant, -ante** *a* comforting; (*boisson etc*) fortifying.
reconnaissant, -ante [r(ə)kɔnɛsɑ̃, -ɑ̃t] *a* grateful, thankful (à qn de qch to s.o. for sth). ● **reconnaissance**[1] *nf* (*gratitude*) gratitude.
reconnaître* [r(ə)kɔnɛtr] *vt* to recognize (à **qch** by sth); (*admettre*) to admit, acknowledge, recognize (**que** that); (*terrain*) *Mil* to reconnoitre; (*enfant*) to recognize (legally); **être reconnu coupable** to be found guilty ▌ **se reconnaître** *vpr* (*s'orienter*) to find one's bearings; **se r. coupable** to admit one's guilt. ● **reconnu, -ue** *a* (*chef, fait*)

acknowledged, recognized. ●**reconnaissable** *a* recognizable (**à qch by** sth). ●**reconnaissance**² *nf* recognition; (*aveu*) acknowledgement; *Mil* reconnaissance; **r. de dette** IOU; **envoyer qn en r.** *Mil* to send s.o. on a reconnaissance mission.

reconquérir* [r(ə)kɔ̃kerir] *vt* (*territoire*) to regain, reconquer; (*liberté*) to regain, win back; **r. qn** to win back s.o.'s love.

reconsidérer [r(ə)kɔ̃sidere] *vt* to reconsider.

reconstituant, -ante [r(ə)kɔ̃stitɥɑ̃, -ɑ̃t] *a* **aliment/régime r.** food/diet which restores one's strength.

reconstituer [r(ə)kɔ̃stitɥe] *vt* (*armée, parti*) to reconstitute; (*crime, quartier*) to reconstruct; (*faits*) to piece together; (*fortune*) to build up again. ●**reconstitution** *nf* reconstitution; (*de crime etc*) reconstruction.

reconstruire* [r(ə)kɔ̃strɥir] *vt* (*ville, fortune*) to rebuild. ●**reconstruction** *nf* rebuilding.

reconvertir [r(ə)kɔ̃vɛrtir] **1** *vt* (*bâtiment etc*) to reconvert. **2 se reconvertir** *vpr* to take up a new form of employment. ●**reconversion** *nf* reconversion; (*recyclage*) retraining.

recopier [r(ə)kɔpje] *vt* to copy out; **r. qch d'un livre/au tableau** to copy sth from a book/the blackboard; **r. un fichier sur une disquette** *Ordinat* to copy a file to a floppy disk.

record [r(ə)kɔr] *nm* & *a inv Sport* record.

recoucher (se) [sər(ə)kuʃe] *vpr* to go back to bed.

recoudre* [r(ə)kudr] *vt* (*bouton*) to sew (back) on; (*vêtement*) to stitch (up).

recouper [r(ə)kupe] *vt* (*témoignage etc*) to tally with, confirm **I se recouper** *vpr* to tally, match *ou* tie up. ●**recoupement** *nm* crosscheck(ing).

recourbé, -ée [r(ə)kurbe] *a* (*clou etc*) bent; (*nez*) hooked.

recours [r(ə)kur] *nm* recurse (**à** to); *Jur* appeal; **avoir r. à** to resort to; (*personne*) to turn to; **notre dernier r.** our last resort. ●**recourir*** *vi* **r. à** to resort to; (*personne*) to turn to.

recouvrer [r(ə)kuvre] *vt* (*santé etc*) to recover.

recouvrir* [r(ə)kuvrir] *vt* (*livre, meuble, sol etc*) to cover; (*de nouveau*) to recover; (*cacher*) *Fig* to conceal, mask.

récréation [rekreasjɔ̃] *nf* recreation; (*temps*) *Scol Br* break, *Br* playtime, *Am* recess.

récrier (se) [sərekrije] *vpr* (*protester*) *Litt* to protest vehemently.

récriminer [rekrimine] *vi* to complain bitterly (**contre** about). ●**récriminations** *nfpl* (bitter) complaints, recriminations.

récrire* [rekrir] *vt* (*lettre etc*) to rewrite.

recroqueviller (se) [sər(ə)krɔkvije] *vpr* (*papier, personne etc*) to curl up.

recrudescence [rəkrydesɑ̃s] *nf* new *ou* renewed outbreak (**de** of).

recrue [rəkry] *nf* recruit. ●**recruter** *vt* to recruit. ●**recrutement** *nm* recruitment.

rectangle [rɛktɑ̃gl] *nm* rectangle. ●**rectangulaire** *a* rectangular.

rectifier [rɛktifje] *vt* (*erreur etc*) to correct, rectify; (*ajuster*) to adjust. ●**rectificatif** *nm* (*document*) amendment, correction. ●**rectification** *nf* correction, rectification.

recto [rɛkto] *nm* front (of the page); **r. verso** on both sides (of the page).

rectorat [rɛktɔra] *nm* (*bureau*) Education Office.

reçu, -ue [r(ə)sy] *pp de* **recevoir I** *a* (*idée*) conventional, received; (*usages etc*) accepted; (*candidat*) successful **I** *nm* (*récépissé*) receipt.

recueil [r(ə)kœj] *nm* (*ouvrage*) anthology, collection (**de** of).

recueillir* [r(ə)kœjir] **1** *vt* to collect, gather; (*suffrages*) to win, get; (*prendre chez soi*) to take (*s.o.*) in. **2 se recueillir** *vpr* to meditate; (*devant un monument*) to stand in silence. ●**recueilli, -ie** *a* (*air*) meditative. ●**recueillement** *nm* meditation.

recul [r(ə)kyl] *nm* (*d'armée, de négociateur, de maladie*) retreat; (*éloignement*) distance; (*déclin*) decline; (**mouvement de**) **r.** (*de véhicule*) backward movement; **avoir un mouvement de r.** (*personne*) to recoil, start back; **phare de r.** (*de véhicule*) *Br* reversing light, *Am* backup light. ●**reculade** *nf Péj* retreat.

reculer [r(ə)kyle] *vi* to move *ou* step back; (*en voiture*) to reverse, *Am* back up; (*armée*) to retreat; (*épidémie, glacier*) to recede, retreat; (*renoncer*) to back down, retreat; (*diminuer*) to decline; **r. devant** *Fig* to shrink *ou* recoil from **I** *vt* to push *ou* move back; (*différer*) to postpone. ●**reculé, -ée** *a* (*endroit, temps*) remote.

reculons (à) [arkylɔ̃] *adv* backwards.

récupérer [rekypere] *vt* (*objet prêté*) to get back, recover; (*ferraille etc*) to salvage; (*heures*) to make up; (*mouvement, personne etc*) *Pol Péj* to take over, convert **I** *vi* to get one's strength back, recover, recuperate. ●**récupération** *nf* recovery; (*de ferraille etc*) salvage.

récurer [rekyre] *vt* (*casserole etc*) to scrub, scour; **poudre à r.** scouring powder.

récuser [rekyze] *vt* to challenge **I se récuser** *vpr* to decline to give an opinion.

recycler [r(ə)sikle] *vt* **1** (*matériaux*) to recycle. **2** (*reconvertir*) to retrain (*s.o.*). **I se recycler** *vpr* to retrain. ●**recyclage** *nm* (*de matériaux*) recycling; (*de personne*) retraining.

rédacteur, -trice [redaktœr, -tris] *nmf* writer; (*de journal*) editor; (*de dictionnaire etc*) compiler; **r. en chef** (*de journal*) editor (in chief). ●**rédaction** *nf* (*action*) writing; (*de contrat*) drawing up; (*devoir de français*) essay, composition; (*journalistes*) editorial staff; (*bureaux*) editorial offices.

reddition [redisjɔ̃] *nf* surrender.

redemander [rəd(ə)mɑ̃de] *vt* (*pain etc*) to ask for more; **r. qch à qn** to ask s.o. for sth back.

rédemption [redɑ̃psjɔ̃] *nf Rel* redemption.

redescendre [r(ə)desɑ̃dr] *vi* (*aux être*) to come *ou* go back down ▪ *vt* (*aux avoir*) (*objet*) to bring *ou* take back down.

redevable [rəd(ə)vabl] *a* être r. de qch à qn (*argent*) to owe s.o. sth; *Fig* to be indebted to s.o. for sth.

redevance [r(ə)d(ə)vɑ̃s] *nf* (*taxe de télévision*) *Br* licence fee; r. (**téléphonique**) (telephone) rental charge *ou* fee.

redevenir* [r(ə)dəv(ə)nir] *vi* (*aux être*) to become again.

rediffusion [rədifyzjɔ̃] *nf* (*de film etc*) repeat.

rédiger [rediʒe] *vt* to write; (*contrat*) to draw up; (*dictionnaire etc*) to compile.

redire* [r(ə)dir] 1 *vt* to repeat. 2 *vi* avoir *ou* trouver à r. à qch to find fault with sth. ● **redite** *nf* (pointless) repetition.

redondant, -ante [r(ə)dɔ̃dɑ̃, -ɑ̃t] *a* (*style*) redundant.

redonner [r(ə)dɔne] *vt* to give back; (*donner plus*) to give more (*bread etc*); r. un franc/*etc* to give another franc/etc.

redoubler [r(ə)duble] *vti* 1 to increase; r. de patience/*etc* to be much more patient/*etc*; à coups redoublés (*frapper etc*) harder and harder, very hard. 2 r. (une classe) to repeat a year *ou Am* a grade. ● **redoublant, -ante** *nmf* pupil repeating a year *ou Am* a grade. ● **redoublement** *nm* increase (de in); *Scol* repeating a year *ou Am* a grade.

redouter [r(ə)dute] *vt* to dread (de faire doing). ● **redoutable** *a* formidable, fearsome.

redresser [r(ə)drese] *vt* (*objet tordu etc*) to straighten (out); (*économie, situation, tort*) to put right ▪ **se redresser** *vpr* (*se mettre assis*) to sit up; (*debout*) to stand up; (*pays, situation etc*) to put itself right, right itself. ● **redressement** [-ɛsmɑ̃] *nm* (*essor*) recovery; **plan de r.** recovery plan.

réduction [redyksjɔ̃] *nf* reduction (de in); (*prix réduit*) discount; en r. (*copie, modèle etc*) small-scale.

réduire* [reduir] *vt* to reduce (à to, de by); r. en cendres to reduce to ashes; r. qn à (*contraindre à*) to reduce s.o. to (*silence, inaction etc*) ▪ *vi* (faire) r. (*sauce*) to reduce, boil down ▪ **se réduire** *vpr* se r. à (*se ramener à*) to come down to, amount to; se r. en cendres/*etc* to be reduced to ashes/*etc*. ● **réduit, -uite** 1 *a* (*prix, vitesse*) reduced; (*moyens*) limited; (*modèle*) small-scale. 2 *nm* (*pièce*) *Péj* tiny room, cubbyhole; (*recoin*) recess.

réécrire* [reekrir] *vt* (*texte*) to rewrite.

rééduquer [reedyke] *vt* (*membre*) *Méd* to re-educate; r. qn to rehabilitate s.o., re-educate s.o. ● **rééducation** *nf* (*de membre*) re-education; (*de personne*) rehabilitation; faire de la r. to have physiotherapy.

réel, -elle [reɛl] *a* real ▪ *nm* le r. reality. ● **réellement** *adv* really.

réélire* [reelir] *vt* to re-elect.

réévaluer [reevalɥe] *vt* (*monnaie*) to revalue; (*salaires*) to reassess, upgrade. ● **réévaluation** *nf* revaluation; (*de salaires*) reassessment, upgrading.

réexpédier [reɛkspedje] *vt* (*faire suivre*) to forward (*letter etc*); (à l'envoyeur) to return.

refaire* [r(ə)fɛr] *vt* (*exercice, travail etc*) to do again, redo; (*chambre*) to do up, redo; (*erreur, voyage etc*) to make again; (*réparer*) to do up, redo; (*duper*) *Fam* to take in; se faire r. le nez/*etc* to have one's nose/*etc* reshaped. ● **réfection** *nf* repair(ing).

réfectoire [refɛktwar] *nm* dining hall, refectory.

référendum [referɑ̃dɔm] *nm* referendum.

référer [refere] *vi* en r. à to refer the matter to ▪ **se référer** *vpr* se r. à to refer to. ● **référence** *nf* reference; avoir des références (*domestique*) to have references.

refermer [r(ə)fɛrme] *vt*, **se refermer** *vpr* to close *ou* shut (again).

refiler [r(ə)file] *vt* (*donner*) *Fam* to palm off (à on).

réfléchir [refleʃir] 1 *vt* (*image*) to reflect ▪ **se réfléchir** *vpr* to be reflected. 2 *vi* (*penser*) to think (à, sur about) ▪ *vt* r. que to realize that. ● **réfléchi, -ie** *a* (*personne*) thoughtful, reflective; (*action, décision*) carefully thought-out; c'est tout r. my mind is made up; verbe r. reflexive verb. ● **réflecteur** *nm* reflector.

reflet [r(ə)flɛ] *nm* (*image*) & *Fig* reflection; (*lumière*) glint; (*couleur*) tint. ● **refléter** *vt* (*image, sentiment etc*) to reflect ▪ **se refléter** *vpr* to be reflected.

refleurir [rəflœrir] *vi* to bloom *ou* flower again.

réflexe [reflɛks] *nm & a* reflex.

réflexion [reflɛksjɔ̃] *nf* 1 (*de lumière etc*) reflection. 2 (*méditation*) thought, reflection; (*remarque*) remark; r. faite, à la r. on second *Br* thoughts *ou Am* thought, on reflection.

refluer [r(ə)flye] *vi* (*eaux*) to ebb, flow back; (*foule*) to surge back. ● **reflux** *nm* (*de mer*) ebb; (*de la foule*) backward surge.

réforme *nf* 1 (*changement*) reform. 2 (*de soldat*) discharge. ● **réformateur, -trice** *nmf* reformer. ● **réformer** 1 *vt* to reform ▪ **se réformer** *vpr* to mend one's ways. 2 *vt* (*soldat*) to discharge as unfit, *Br* invalid out (of the army).

refouler [r(ə)fule] *vt* to force *ou* drive back; (*sentiment*) to repress; (*larmes*) to hold back. ● **refoulé, -ée** *a* (*personne*) repressed. ● **refoulement** *nm Psy* repression.

réfractaire [refrakter] *a* r. à resistant to.

refrain [r(ə)frɛ̃] *nm* (*de chanson*) chorus, refrain; (*rengaine*) *Fig* tune; c'est toujours le même r. it's always the same old story *ou* tune.

refréner [refrene] *vt* to curb, check.

réfrigérer [refriʒere] *vt* to refrigerate. ● **réfrigérant, -ante** *a* (*accueil, air*) icy. ● **réfrigérateur** *nm* refrigerator. ● **réfrigération** *nf* refrigeration.

refroidir [r(ə)frwadir] *vt* to cool (down);

régulier

(*ardeur etc*) *Fig* to cool, damp, *Br* dampen; **r. qn** (*décourager*) to cool *ou* damp s.o.'s enthusiasm ∎ *vi* to get cold, cool down ∎ **se refroidir** *vpr* (*prendre froid*) *Fam* to catch cold; (*temps*) to get cold; (*ardeur etc*) *Fig* to cool (off). ●**refroidissement** *nm* cooling; (*rhume*) chill; **r. de la température** fall in the temperature.

refuge [r(ə)fyʒ] *nm* refuge; (*pour piétons*) (traffic) island; (*de montagne*) (mountain) hut.

réfugier (se) [sərefyʒje] *vpr* to take refuge. ●**réfugié, -ée** *nmf* refugee.

refus [r(ə)fy] *nm* refusal; **ce n'est pas de r.** *Fam* I won't say no. ●**refuser** *vt* to refuse (**qch à qn** s.o. sth, **de faire** to do); (*offre, invitation*) to turn down, refuse; (*candidat*) to fail; (*client*) to turn away, refuse ∎ **se refuser** *vpr* (*plaisir etc*) to deny oneself; **se r. à** (*l'évidence etc*) to refuse to accept, reject; **se r. à croire/etc** to refuse to believe/etc.

réfuter [refyte] *vt* to refute.

regagner [r(ə)gaɲe] *vt* (*récupérer*) to regain, get back; (*revenir à*) to get back to. ●**regain** *nm* (*renouveau*) renewal; **un r. d'énergie/etc** renewed energy/etc.

régal, *pl* **-als** [regal] *nm* treat. ●**régaler** *vt* to treat to a feast *ou* delicious meal; **r. de** to treat to ∎ **se régaler** *vpr* to have a feast *ou* delicious meal.

regard [rəgar] *nm* 1 (*coup d'œil, expression*) look; (*fixe*) stare, gaze; **jeter un r. sur** to glance at; **chercher qn/qch du r.** to look (a)round for s.o./sth; **parcourir qch du r.** to cast a glance at sth; **attirer les regards** to attract attention; **dévorer qn/qch du r.** to eye s.o./sth. 2 **au r. de** in regard to; **en r. de** compared with.

regarder [rəgarde] 1 *vt* to look at; (*fixement*) to stare at, gaze at; (*observer*) to watch; (*considérer*) to consider, regard (**comme** as); **r. qn faire qch** to watch s.o. do sth ∎ *vi* to look; (*fixement*) to stare, gaze; (*observer*) to watch; **r. à** (*dépense, qualité etc*) to pay attention to; **y r. à deux fois avant de faire qch** to think twice before doing sth; **r. vers** (*maison etc*) to face; **r. par la fenêtre** to look through the window ∎ **se regarder** *vpr* (*personnes*) to look at each other; **se r. en chiens de faïence** to glare at each other.

2 *vt* (*concerner*) to concern; **ça ne te regarde pas!** it's none of your business! ●**regardant, -ante** *a* (*économe*) careful (with money).

régate [regat] *nf* regatta.

régence [reʒɑ̃s] *nf* regency.

régénérer [reʒenere] *vt* to regenerate.

régenter [reʒɑ̃te] *vt* to rule over.

régie [reʒi] *nf* (*entreprise*) state-owned company; (*de théâtre*) stage management; (*de cinéma, télévision*) production department.

regimber [r(ə)ʒɛ̃be] *vi* to balk (**contre** at).

régime [reʒim] *nm* 1 (*politique*) (form of) government; *Péj* regime. 2 (*alimentaire*) diet; **se mettre au r.** to go on a diet; **suivre un r.** to be on a diet; **chocolat/etc de r.** diet chocolate/etc. 3 (*de moteur*) speed; **à ce r.** *Fig* at this rate. 4 (*de bananes, dattes*) bunch.

régiment [reʒimɑ̃] *nm* (*de soldats*) regiment; **un r. de** (*quantité*) *Fam* a host of.

région [reʒjɔ̃] *nf* region, area; **la r. parisienne** the Paris region. ●**régional, -e, -aux** *a* regional.

régir [reʒir] *vt* (*déterminer*) to govern.

régisseur [reʒisœr] *nm* (*de propriété*) steward; (*de théâtre*) stage manager; (*de cinéma*) assistant director.

registre [rəʒistr] *nm* register.

réglable [reglabl] *a* (*siège etc*) adjustable. ●**réglage** *nm* adjustment; (*de moteur*) tuning.

règle [rɛgl] *nf* 1 (*principe*) rule; **en r.** (*papiers d'identité etc*) in order; **être/se mettre en r. avec qn** to be/put oneself straight with s.o.; **en r. générale** as a (general) rule; **dans les règles de l'art** according to the rule book, in the proper way. 2 (*instrument*) ruler; **r. à calcul** slide rule. ●**règles** *nfpl* (*de femme*) (monthly) period.

règlement [rɛgləmɑ̃] *nm* 1 (*arrêté*) regulation; (*règles*) regulations; **contraire au r.** *Br* against the rules, *Am* against the rule. 2 (*de conflit, problème etc*) settling; (*paiement*) payment; **r. de comptes** *Fig* (violent) settling of scores. ●**réglementaire** *a* in accordance with the regulations; **tenue r.** *Mil* regulation uniform. ●**réglementation** *nf* 1 (*action*) regulation. 2 (*règles*) regulations. ●**réglementer** *vt* to regulate.

régler [regle] 1 *vt* (*problème, conflit etc*) to settle; (*mécanisme*) to adjust, regulate; (*moteur*) to tune; (*papier*) to rule; **se r. sur** to model oneself on. 2 *vti* (*payer*) to pay; **r. qn** to settle up with s.o.; **r. son compte à qn** *Fig* to settle old scores with s.o. ●**réglé, -ée** *a* (*vie*) ordered; (*papier*) ruled.

réglisse [reglis] *nf Br* liquorice, *Am* licorice.

règne [rɛɲ] *nm* reign; (*animal, minéral, végétal*) kingdom. ●**régner** *vi* (*roi, silence etc*) to reign (**sur** over); (*prédominer*) to prevail; **faire r. l'ordre** to maintain (law and) order.

regorger [r(ə)gɔrʒe] *vi* **r. de** to be overflowing with.

régresser [regrese] *vi* to regress. ●**régression** *nf* regression; **en r.** on the decline.

regret [r(ə)grɛ] *nm* regret; **à r.** with regret; **avoir le r.** *ou* **être au r. de faire qch** to be sorry to do sth. ●**regretter** [r(ə)grete] *vt* to regret; **r. qn** to miss s.o.; **je regrette, je le regrette** I'm sorry; **r. que** (+ *sub*) to be sorry that, regret that. ●**regrettable** *a* unfortunate, regrettable.

regrouper [r(ə)grupe] *vt*, **se regrouper** *vpr* to gather together.

régulariser [regylarize] *vt* (*situation etc*) to regularize.

régulation [regylasjɔ̃] *nf* (*action*) regulation.

régulier, -ière [regylje, -jɛr] *a* regular; (*progrès, vitesse*) steady; (*légal*) legal, lawful;

réhabiliter

(*honnête*) honest; (*clergé*) regular; **verbe r.** regular verb. ●**régularité** *nf* regularity; (*du progrès etc*) steadiness; (*de jugement etc*) legality. ●**régulièrement** *adv* regularly; (*normalement*) normally.

réhabiliter [reabilite] *vt* (*dans l'estime publique*) to rehabilitate.

réhabituer (se) [səreabitɥe] *vpr* **se r. à qch/à faire qch** to get used to sth/to doing sth again.

rehausser [rəose] *vt* to raise; (*faire valoir*) to enhance.

réimpression [reɛ̃prɛsjɔ̃] *nf* (*livre*) reprint.

rein [rɛ̃] *nm* kidney; **les reins** (*dos*) the back, the small of the back; **avoir mal aux reins** to have a backache, have low back pain; **r. artificiel** *Méd* kidney machine.

reine [rɛn] *nf* queen; **la r. mère** the queen mother; **la r. Élisabeth** Queen Elizabeth.

reine-claude [rɛnklod] *nf* greengage.

réinsertion [reɛ̃sɛrsjɔ̃] *nf* **r. sociale** rehabilitation (*of young criminals etc*).

réintégrer [reɛ̃tegre] *vt* 1 (*fonctionnaire etc*) to reinstate. 2 (*lieu*) to return to. ●**réintégration** *nf* reinstatement.

réitérer [reitere] *vt* to repeat.

rejaillir [r(ə)ʒajir] *vi* to spurt (up *ou* out); **r. sur** *Fig* to rebound on.

rejet [r(ə)ʒɛ] *nm* 1 (*refus*) & *Méd* rejection. 2 (*pousse, branche*) shoot. ●**rejeter** *vt* to throw back; (*offre, greffe etc*) to reject; (*épave*) to cast up; (*vomir*) to bring up; **r. une erreur/** *etc* **sur qn** to put the blame for a mistake/*etc* on s.o.

rejeton [rəʒ(ə)tɔ̃] *nm* (*enfant*) *Fam* kid.

rejoindre* [r(ə)ʒwɛ̃dr] *vt* (*famille, lieu etc*) to get *ou* go back to; (*régiment*) to rejoin, go *ou* get back to; (*route, rue*) to join; **r. qn** (*se joindre à*) to join *ou* meet s.o.; (*rattraper*) to catch up with s.o. ▮ **se rejoindre** *vpr* (*personnes, routes, rues*) to meet.

réjouir [reʒwir] *vt* to delight ▮ **se réjouir** *vpr* to be delighted (**de** at, about; **de faire** to do). ●**réjoui, -ie** *a* (*air*) joyful. ●**réjouissant, -ante** *a* (*nouvelles etc*) cheering; **ce n'est pas r.!** (*amusant*) it's no joking matter! ●**réjouissance** *nf* rejoicing; **réjouissances** festivities, rejoicings.

relâche [r(ə)laʃ] *nf* (*au cinéma, au théâtre*) (temporary) closure; **faire r.** (*théâtre, cinéma*) to close; (*bateau*) to put in (**dans un port** at a port); **sans r.** without a break.

relâcher [r(ə)laʃe] 1 *vt* (*corde etc*) to slacken; (*discipline, étreinte*) to relax; **r. qn** to release s.o. ▮ **se relâcher** *vpr* to slacken; (*discipline*) to get lax. 2 *vi* (*bateau*) to put in. ●**relâché, -ée** *a* lax. ●**relâchement** *nm* (*de corde etc*) slackness; (*de discipline*) slackening.

relais [r(ə)lɛ] *nm* (*dispositif*) (*de radio, vision*) & *Él* relay; **r. de télévision** (*station*) television relay station; (*course de*) **r.** *Sport* relay (race); **r. routier** *Br* transport café, *Am* truck stop (café); **prendre le r.** to take over (**de** from); **par r.** in relays.

relance [r(ə)lɑ̃s] *nf* (*reprise*) revival. ●**relancer** *vt* to throw back; (*moteur*) to restart; (*industrie etc*) to put back on its feet; **r. qn** (*solliciter*) to pester s.o.

relater [r(ə)late] *vt* *Litt* to relate (**que** that).

relatif, -ive [r(ə)latif, -iv] *a* relative (**à** to). ●**relativement** *adv* (*assez*) relatively; **r. à** compared to, relative to.

relation [r(ə)lasjɔ̃] *nf* (*rapport*) relation(ship); (*ami*) acquaintance; **entrer/être en relations avec** to come into/be in contact with; **avoir des relations** (*amis influents*) to have connections; **relations internationales/** *etc* international/*etc* relations.

relax(e) [rəlaks] *a* *Fam* relaxed, informal.

relaxer (se) [sər(ə)lakse] *vpr* to relax. ●**relaxation** *nf* relaxation.

relayer [r(ə)leje] *vt* to take over from (*s.o.*), relieve (*s.o.*); (*émission*) to relay ▮ **se relayer** *vpr* to take (it in) turns (**pour faire** to do); *Sport* to take over from one another.

reléguer [r(ə)lege] *vt* (*objet etc*) to relegate (**à** to); (*équipe*) *Br* to relegate, *Am* demote (**en** to).

relent [rəlɑ̃] *nm* stench, smell.

relève [r(ə)lɛv] *nf* (*remplacement*) relief; **prendre la r.** to take over (**de** from).

relevé [rəl(ə)ve] *nm* list; (*de dépenses*) statement; (*de compteur*) reading; **r.** (**de compte**) (bank) statement; **r. (de notes)** *Scol* list of *Br* marks *ou Am* grades.

relèvement [rəlɛvmɑ̃] *nm* (*d'économie, de pays*) recovery; (*augmentation*) (*des impôts etc*) raising, increase.

relever [rəl(ə)ve] *vt* to raise; (*ramasser*) to pick up; (*personne tombée*) to help up; (*chaise etc*) to put up straight; (*col*) to turn up; (*manches*) to roll up; (*cahiers, copies etc*) to collect; (*copier*) to note down; (*faute*) to pick out, point out; (*compteur*) to read; (*traces*) to find; (*défi*) to accept; (*sauce*) to season; (*relayer*) to relieve; (*rehausser*) to enhance; (*économie, pays*) to put back on its feet; (*mur*) to rebuild; **r. qn de ses fonctions** to relieve s.o. of his *ou* her duties.

▮ *vi* **r. de** (*dépendre de*) to come under; (*maladie*) to get over.

▮ **se relever** *vpr* (*personne tombée*) to get up; **se r. de** (*malheur*) to recover from; (*ruines*) to rise from.

relief [rəljɛf] *nm* (*forme, ouvrage*) relief; **en r.** (*cinéma*) three-D; (*livre*) pop-up; **mettre qch en r.** *Fig* to highlight sth. ●**reliefs** *nmpl* (*de repas*) remains.

relier [rəlje] *vt* to connect, link (**à** to); (*ensemble*) to link (together); (*livre*) to bind.

religion [r(ə)liʒjɔ̃] *nf* religion; (*foi*) faith. ●**religieux, -euse** *a* religious; **mariage r.** church wedding ▮ *nm* monk. ●**religieuse** *nf* 1 *nf* nun. 2 (*gâteau*) cream bun.

reliquat [r(ə)lika] *nm* (*de dette etc*) remainder.

relique [r(ə)lik] *nf* relic.

relire* [r(ə)lir] *vt* to read again, reread.

reliure [rəljyr] *nf* (*couverture de livre*) bind-

ing; (*art*) bookbinding.
reluire* [r(ə)lɥir] *vi* to shine, gleam; **faire r.** (*polir*) to shine, polish up. ●**reluisant, -ante** *a* shiny; **peu r.** *Fig* far from brilliant.
reluquer [r(ə)lyke] *vt Fam* to eye (up).
remâcher [r(ə)mɑʃe] *vt* (*souvenirs etc*) *Fig* to brood over.
remanier [r(ə)manje] *vt* (*texte*) to revise; (*ministère*) to reshuffle. ●**remaniement** *nm* (*de texte*) revision; (*ministériel*) reshuffle.
remarier (se) [sər(ə)marje] *vpr* to remarry.
remarquable [rəmarkabl] *a* remarkable (**par** for). ●**remarquablement** [-əmɑ̃] *adv* remarkably.
remarque [r(ə)mark] *nf* remark; (*écrite*) note; **je lui en ai fait la r.** I remarked on it to him *ou* her.
remarquer [rəmarke] *vt* **1** (*apercevoir*) to notice (**que** that); **faire r.** to point out (**à** to, **que** that); **se faire r.** to attract attention; **remarque!** *Br* mind you!, you know! **2** (*dire*) to remark (**que** that).
remballer [rɑ̃bale] *vt* to repack, pack up; **il s'est fait r.** *Fam* he was sent packing.
rembarrer [rɑ̃bare] *vt Fam* to rebuff, snub.
remblai [rɑ̃blɛ] *nm* (*terres*) embankment. ●**remblayer** *vt* (*route*) to bank up; (*trou*) to fill in.
rembobiner [rɑ̃bɔbine] *vt*, **se rembobiner** *vpr* (*bande*) to rewind.
rembourrer [rɑ̃bure] *vt* (*fauteuil, matelas etc*) to stuff, pad; (*épaules de veston*) to pad. ●**rembourré, -ée** *a* (*fauteuil etc*) padded, stuffed. ●**rembourrage** *nm* (*action, matière*) stuffing, padding.
rembourser [rɑ̃burse] *vt* to pay back, repay; (*billet*) to refund. ●**remboursement** *nm* repayment; (*de billet*) refund; **envoi contre r.** cash on delivery.
remède [r(ə)mɛd] *nm* cure, remedy; (*médicament*) medicine. ●**remédier** *vi* **r. à** to remedy.
remémorer (se) [sər(ə)memɔre] *vpr* (*histoire etc*) *Litt* to recollect, recall.
remercier [r(ə)mɛrsje] *vt* **1** to thank (**de qch, pour qch** for sth); **je vous remercie d'être venu** thank you for coming; **je vous remercie** (*non merci*) no thank you. **2** (*congédier*) to dismiss. ●**remerciements** *nmpl* thanks.
remettre* [r(ə)mɛtr] *vt* to put back, replace; (*vêtement*) to put back on; (*donner*) to hand over (**à** to); (*restituer*) to give back (**à** to); (*démission, devoir*) to hand in; (*différer*) to postpone (**à** until); (*ajouter*) to add more *ou* another; (*reconnaître*) to place s.o., remember s.o.; **r. en question** *ou* **cause** to call into question; **r. en état** to repair; **r. à jour** to bring up to date; **r. les pendules à l'heure** to put the clocks back *ou* forward, put the clocks on the correct time; *Fig* to sort things out, clear things up; **r. une montre à l'heure** to set a watch to the correct time, reset a watch; **ça te remettra les idées en place** that will clear your mind *ou* help you to see straight; **r. ça** *Fam* to start again.

▮ **se remettre** *vpr* **se r. à** (*activité*) to go back to; **se r. à faire qch** to start to do sth again; **se r. de** (*chagrin, maladie*) to get over, recover from; **s'en r. à** to rely on.
réminiscences [reminisɑ̃s] *nfpl* (vague) recollections, reminiscences.
remise [r(ə)miz] *nf* **1** (*de lettre etc*) delivery; **la r. de diplômes** graduation; **r. en cause** *ou* **question** calling into question; **r. en état** repair(ing); **r. à niveau** bringing up to standard; **r. en jeu** *Football* throw-in. **2** (*rabais*) discount. **3 r. de peine** *Jur* remission. **4** (*local*) shed; (*garage*) garage.
remiser [r(ə)mize] *vt* to put away.
rémission [remisjɔ̃] *nf* (*de péché, maladie*) & *Jur* remission; **sans r.** (*travailler etc*) relentlessly.
remmener [rɑ̃m(ə)ne] *vt* to take back.
remontée [r(ə)mɔ̃te] *nf* **1** (*de pente etc*) ascent; (*d'eau, de prix*) rise. **2 r. mécanique** ski lift.
remonte-pente [r(ə)mɔ̃tpɑ̃t] *nm* ski lift.
remonter [r(ə)mɔ̃te] *vi* (*aux être*) to come *ou* go back up; (*niveau, prix*) to rise again, go back up; (*dans le temps*) to go back (**à** to); **r. dans** (*voiture*) to get *ou* go back in(to); (*bus, train*) to get *ou* go back on(to); **r. sur** (*cheval, vélo*) to get back on(to), remount; **r. à dix ans/***etc* to go back ten years/*etc*.

▮ *vt* (*aux avoir*) (*escalier, pente*) to come *ou* go back up; (*porter*) to bring *ou* take back up; (*montre*) to wind up; (*relever*) to raise; (*col*) to turn up; (*objet démonté*) to put back together, reassemble; (*garde-robe etc*) to restock; **r. qn** (*ragaillardir*) to buck s.o. up; **r. le moral à qn** to cheer s.o. up; **r. la pente** *Fig* to get back on one's feet (*after a hard struggle*); **être (très) remonté contre qn** *Fam* to be (really) furious with *ou* mad at s.o.; **se faire r. les bretelles** *Fam* to get rapped over the knuckles, get a serious talking-to. ●**remontant, -ante** *a* (*boisson*) fortifying ▮ *nm* (*médicament*) tonic.
remontoir [r(ə)mɔ̃twar] *nm* (*de mécanisme, montre*) winder.
remontrance [r(ə)mɔ̃trɑ̃s] *nf* reprimand; **faire des remontrances à qn** to reprimand s.o., remonstrate with s.o.
remontrer [r(ə)mɔ̃tre] *vt* to show again; **en r. à qn** to prove one's superiority over s.o.
remords [r(ə)mɔr] *nm* & *nmpl* remorse; **avoir des r.** to feel remorse.
remorque [r(ə)mɔrk] *nf* (*de voiture etc*) trailer; (*câble de*) towrope; **prendre en r.** to tow; **en r.** *Br* on tow, *Am* in tow. ●**remorquer** *vt* (*voiture, bateau*) to tow. ●**remorqueur** *nm* tug(boat).
remous [r(ə)mu] *nm* eddy; (*de foule*) bustle; (*agitation*) *Fig* turmoil.
rempailler [rɑ̃paje] *vt* (*chaise*) to redo the straw bottom of.
rempart [rɑ̃par] *nm* rampart.
remplacer [rɑ̃plase] *vt* to replace (**par** with, by); (*succéder à*) to take over from; (*tempo-*

remplir

rairement) to stand in for. ● **remplaçant, -ante** *nmf* (*personne*) replacement; (*enseignant*) substitute teacher, *Br* supply teacher; (*d'une équipe*) reserve. ● **remplacement** *nm* replacement; **assurer le r. de qn** to stand in for s.o.; **en r. de** in place of.

remplir [rɑ̃plir] *vt* to fill (up) (**de** with); (*fiche, formulaire etc*) to fill out, *Br* fill in; (*condition, devoir*) *Br* to fulfil, *Am* fulfill; (*fonctions*) to perform ∎ **se remplir** *vpr* to fill (up). ● **rempli, -ie** *a* full (**de** of). ● **remplissage** *nm* filling; (*verbiage*) *Péj* padding, *Br* waffle; **faire du r.** to pad, *Br* waffle.

remporter [rɑ̃pɔrte] *vt* **1** (*objet*) to take back. **2** (*prix, victoire*) to win; (*succès*) to achieve.

remuer [r(ə)mɥe] *vt* (*bouger*) to move; (*café etc*) to stir; (*salade*) to toss; (*terre*) to turn over; **r. qn** (*émouvoir*) to move s.o. ∎ *vi* to move; (*gigoter*) to fidget; (*se rebeller*) to stir ∎ **se remuer** *vpr* to move; (*se démener*) *Fam* to go to a lot of trouble, exert oneself. ● **remuant, -ante** *a* (*enfant*) restless, fidgety. ● **remue-ménage** *nm inv* commotion.

rémunérer [remynere] *vt* (*personne*) to pay; (*travail*) to pay for. ● **rémunérateur, -trice** *a* lucrative, remunerative. ● **rémunération** *nf* payment (**de** for).

renâcler [r(ə)nɑkle] *vi* **1** (*cheval*) to snort. **2 r. à** *Fam* to jib at, balk at.

renaître* [r(ə)nɛtr] *vi* (*fleur*) to grow again; (*espoir, industrie*) to revive; **r. de ses cendres** *Fig* to rise from its ashes. ● **renaissance** *nf* rebirth, renaissance.

renard [r(ə)nar] *nm* fox.

renchérir [rɑ̃ʃerir] *vi* **r. sur ce que qn dit**/*etc*, **r. sur qn** to go one further than s.o. in what one says/*etc*.

rencontre [rɑ̃kɔ̃tr] *nf* meeting; (*inattendue*) & *Mil* encounter; (*sportive*) *Br* match, *Am* game; **point de r.** meeting point *ou* place; **amours**/*etc* **de r.** casual love affairs/*etc*; **aller à la r. de qn** to go to meet s.o. ● **rencontrer** *vt* to meet; (*difficulté, obstacle*) to come up against, encounter; (*trouver*) to come across, find; (*heurter*) to hit; (*équipe*) *Sport* to play ∎ **se rencontrer** *vpr* to meet.

rendement [rɑ̃dmɑ̃] *nm* (*d'un champ*) yield; (*d'un investissement*) return, yield; (*de personne, machine*) output.

rendez-vous [rɑ̃devu] *nm inv* appointment; (*d'amoureux*) date; (*lieu*) meeting place; **donner r.-vous à qn, prendre r.-vous avec qn** to make an appointment with s.o.; **recevoir sur r.-vous** (*médecin etc*) to see patients by appointment.

rendormir* (se) [sərɑ̃dɔrmir] *vpr* to go back to sleep.

rendre [rɑ̃dr] *vt* (*restituer*) to give back, return; (*son*) to give; (*hommage*) to pay; (*justice*) to dispense; (*jugement*) to pronounce, give; (*armes*) to surrender; (*invitation*) to return; (*santé*) to restore; (*exprimer, traduire*) to render; (*vomir*) to throw up, bring up; **r. célèbre/plus grand/possible**/*etc* to make famous/bigger/possible/*etc*; **r. la monnaie à qn** to give s.o. his *ou* her change; **r. l'âme** to pass away, die.
∎ *vi* (*vomir*) to throw up, *Br* be sick; (*arbre, terre*) to yield.
∎ **se rendre** *vpr* (*capituler*) to surrender (**à** to); (*aller*) to go (**à** to); **se r. à** (*évidence, ordres*) to submit to; **se r. malade/utile**/*etc* to make oneself ill/useful/*etc*.

rendu, -ue [rɑ̃dy] *a* **être r.** (*arrivé*) to have arrived.

renégat, -ate [rənega, -at] *nmf* renegade.

rênes [rɛn] *nfpl* reins.

renfermer [rɑ̃fɛrme] *vt* to contain ∎ **se renfermer** *vpr* **se r.** (en soi-même) to withdraw into oneself. ● **renfermé, -ée 1** *a* (*personne*) withdrawn. **2** *nm* **sentir le r.** (*chambre etc*) to smell stuffy.

renflé, -ée [rɑ̃fle] *a* bulging. ● **renflement** [-əmɑ̃] *nm* bulge.

renflouer [rɑ̃flue] *vt* (*navire, entreprise*) to refloat; **r. les caisses de l'État** to replenish the State coffers.

renfoncement [rɑ̃fɔ̃smɑ̃] *nm* recess; **dans le r. d'une porte** in a doorway.

renforcer [rɑ̃fɔrse] *vt* to strengthen, reinforce. ● **renforcement** *nm* reinforcement, strengthening.

renfort [rɑ̃fɔr] *nm* **des renforts** (*troupes etc*) reinforcements; (*aide*) *Fig* backup, additional help; **personnel**/*etc* **de r.** backup staff/*etc*; **à grand r. de** *Fig* with (the help of) a great deal of.

renfrogner (se) [sərɑ̃frɔɲe] *vpr* to scowl. ● **renfrogné, -ée** *a* scowling, sullen.

rengaine [rɑ̃gɛn] *nf* **la même r.** *Péj Fam* the same old story *ou* song *ou* tune.

rengorger (se) [sərɑ̃gɔrʒe] *vpr Fig* to give oneself airs.

renier [rənje] *vt* (*ami, pays etc*) to disown; (*foi, opinion*) to renounce. ● **reniement** *nm* disowning; (*de foi etc*) renunciation.

renifler [r(ə)nifle] *vti* to sniff. ● **reniflement** *nm* sniff.

renne [rɛn] *nm* reindeer.

renom [rənɔ̃] *nm* (*popularité*) renown; (*réputation*) reputation (**de** for); **de r., de grand r.** (*ouvrage, artiste etc*) (very) famous, renowned. ● **renommé, -ée** *a* famous, renowned (**pour** for). ● **renommée** *nf* fame, renown; (*réputation*) reputation.

renoncer [r(ə)nɔ̃se] *vi* **r. à qch** to give sth up, abandon sth; **r. à faire qch** to give up (the idea of) doing sth. ● **renoncement** *nm ou* **renonciation** *nf* renunciation (**à** of).

renouer [rənwe] **1** *vt* (*lacet etc*) to retie. **2** *vt* (*reprendre*) to renew ∎ *vi* **r. avec qch** (*tradition, mode etc*) to revive sth; **r. avec qn** to take up with s.o. again.

renouveau, -x [r(ə)nuvo] *nm* revival.

renouveler [r(ə)nuv(ə)le] *vt* to renew; (*erreur, question*) to repeat ∎ **se renouveler** *vpr* (*incident*) to happen again, recur; (*cellules, sang*) to be renewed. ● **renouvelable** *a* renewable. ● **renouvellement** *nm* re-

newal.
rénover [renɔve] *vt* (*édifice, meuble etc*) to renovate; (*institution, méthode*) to reform. ●**rénovation** *nf* renovation; (*d'institution etc*) reform.

renseigner [rɑ̃seɲe] *vt* to inform, give some information to (**sur** about) ▮ **se renseigner** *vpr* to find out, inquire, make inquiries (**sur** about). ●**renseignement** *nm* (piece of) information; **renseignements** information; (*pour la défense d'un pays*) *Mil* intelligence; **les renseignements** (**téléphoniques**) *Br* directory inquiries, *Am* information; **prendre** *ou* **demander des renseignements** to make inquiries; **service de renseignements** *Mil* intelligence service.

rentable [rɑ̃tabl] *a* profitable. ●**rentabilité** *nf* profitability.

rente [rɑ̃t] *nf* (private) income; (*pension*) pension; **avoir des rentes** to have private means. ●**rentier, -lère** *nmf* person of private means.

rentrée [rɑ̃tre] *nf* **1** (*retour*) return; (*de parlement*) reopening, reassembly; (*d'acteur etc*) comeback; **r. (des classes)** beginning of term *ou* of the school year; **faire sa r.** (*acteur etc*) to make one's comeback. **2** (*des foins etc*) bringing in; **rentrées d'argent** (cash) receipts; **les rentrées d'impôts** tax receipts.

rentrer [rɑ̃tre] *vi* (*aux être*) to go *ou* come back, return; (*chez soi*) to go *ou* come (back) home; (*entrer*) to go *ou* come in; (*entrer de nouveau*) to go *ou* come back in; (*écoles, tribunaux*) to reopen, start again; (*argent*) to come in; **r. dans** (*entrer dans*) to go *ou* come into; (*entrer de nouveau dans*) to go *ou* come back into; (*pays, famille*) to return to; (*heurter*) to crash into; (*s'emboîter dans*) to fit into; (*catégorie*) to come under; **r. (en classe)** to go back to school; **r. dans ses frais** to recover one's expenses; **tout est rentré dans l'ordre** everything returned to normal; **je lui suis rentré dedans** (*frapper*) *Fam* I laid into *ou* pitched into him *ou* her. ▮ *vt* (*aux avoir*) to bring *ou* take in; (*voiture*) to put away; (*chemise*) to tuck in; (*griffes*) to draw in. ●**rentré, -ée** *a* (*colère*) suppressed; (*yeux*) sunken.

renverse (à la) [alɑ̃rɑ̃vɛrs] *adv* (*tomber*) backwards, on one's back.

renverser [rɑ̃vɛrse] *vt* (*mettre à l'envers*) to turn upside down; (*faire tomber*) to knock over *ou* down; (*piéton*) to knock down, run over; (*liquide*) to spill, knock over; (*courant, ordre*) to reverse; (*gouvernement*) to overthrow, overturn; (*tête*) to tip back, tilt back.
▮ **se renverser** *vpr* (*en arrière*) to lean back; (*bouteille, vase etc*) to fall over; (*liquide*) to spill. ●**renversant, -ante** *a* (*nouvelle etc*) *Fam* astounding. ●**renversement** *nm* (*de la situation*) reversal; (*de gouvernement*) overthrow.

renvoi [rɑ̃vwa] *nm* **1** return; (*d'employé*) dismissal; (*d'élève*) expulsion; (*ajournement*) postponement; (*dans un livre*) (cross) reference. **2** (*rot*) belch, burp. ●**renvoyer*** *vt* to send back, return; (*employé*) to dismiss; (*élève*) to expel; (*importun*) to send away; (*balle etc*) to throw back; (*lumière, image etc*) to reflect; (*ajourner*) to postpone (**à** until); **r. qn à** (*adresser à*) to refer s.o. to; **r. un lecteur à** to refer a reader to; **cette note (nous) renvoie au chapitre dix** this note refers us to chapter ten.

réorganiser [reɔrganize] *vt* to reorganize. ●**réorganisation** *nf* reorganization.

réouverture [reuvɛrtyr] *nf* reopening.

repaire [r(ə)pɛr] *nm* den.

repaître* (**se**) [sərəpɛtr] *vpr* **se r. de** (*sang*) *Fig Litt* to wallow in.

répandre [repɑ̃dr] *vt* (*liquide*) to spill; (*nouvelle, joie*) to spread; (*odeur*) to give off; (*lumière, larmes, sang, chargement*) to shed; (*gravillons etc*) to scatter; (*dons, bienfaits*) to lavish ▮ **se répandre** *vpr* (*nouvelle, peur etc*) to spread; (*liquide*) to spill; **se r. dans** (*fumée, odeur*) to spread through; **se r. en louanges**/*etc* to pour forth praise/*etc*. ●**répandu, -ue** *a* (*opinion, usage*) widespread; (*épars*) scattered.

reparaître* [r(ə)parɛtr] *vi* to reappear.

réparer [repare] *vt* to repair, mend; (*erreur*) to put right; (*forces*) to restore; (*faute*) to make amends for; (*perte*) to make good; **faire r. qch** to get sth repaired. ●**réparable** *a* (*montre etc*) repairable. ●**réparateur, -trice** *nmf* repairer ▮ *a* (*sommeil*) refreshing. ●**réparation** *nf* repair(ing); (*compensation*) amends, compensation (**de** for); **réparations** *Mil Hist* reparations; **en r.** under repair; **faire des réparations sur qch** to do some repairs to *ou* on sth.

reparler [r(ə)parle] *vi* **r. de** to talk about again.

repartie [rəparti] *nf* (*réponse vive*) repartee.

repartir* [r(ə)partir] *vi* (*aux être*) to set off again; (*s'en retourner*) to go back; (*reprendre*) to start again; **r. à** *ou* **de zéro** to start from scratch again, go back to square one.

répartir [repartir] *vt* to distribute; (*partager*) to share (out); (*classer*) to divide (up); (*étaler dans le temps*) to spread (out) (**sur** over). ●**répartition** *nf* distribution; (*partage*) sharing; (*classement*) division.

repas [r(ə)pɑ] *nm* meal; **prendre un r.** to have *ou* eat a meal.

repasser [r(ə)pɑse] **1** *vi* to come *ou* go back ▮ *vt* (*traverser*) to go back over; (*examen*) to take again, *Br* resit; (*leçon, rôle*) to go over; (*film*) to show again; (*bande magnétique*) to play back; (*maladie, travail*) *Fam* to pass on (**à** to). **2** *vt* (*linge*) to iron. **3** *vt* (*couteau*) to sharpen. ●**repassage** *nm* ironing.

repêcher [r(ə)peʃe] *vt* (*objet*) to fish out; (*candidat*) *Fam* to allow to pass.

repeindre* [rəpɛ̃dr] *vt* to repaint.

repenser [r(ə)pɑ̃se] *vt* to rethink.

repentir [r(ə)pɑ̃tir] *nm* repentance. ●**se repentir*** *vpr Rel* to repent (**de** of); **se r. de**

répercuter

qch/d'avoir fait qch (*regretter*) to be sorry for sth/for doing sth, regret sth/doing sth. ● **repentant, -ante** *ou* **repenti, -ie** *a* repentant.

répercuter [repɛrkyte] *vt* (*son*) to echo ▌ **se répercuter** *vpr* to echo, reverberate; **se r. sur** *Fig* to have repercussions on. ● **répercussion** *nf* repercussion.

reperdre [rəpɛrdr] *vt* to lose again.

repère [r(ə)pɛr] *nm* (*guide*) mark; (*jalon*) marker; **point de r.** (*espace, temps*) landmark, point of reference. ● **repérer** *vt* to locate; (*remarquer*) *Fam* to spot ▌ **se repérer** *vpr* to get one's bearings.

répertoire [repɛrtwar] *nm* 1 index; (*carnet*) (indexed) notebook; (*de fichiers*) *Ordinat* directory; **r. d'adresses** address book. 2 (*de théâtre*) repertoire. ● **répertorier** *vt* to index.

répéter [repete] *vt* to repeat; (*pièce de théâtre, rôle, symphonie etc*) to rehearse; **r. à qn que** to tell s.o. again that; **je te l'ai répété cent fois** I've told you a hundred times; **des tentatives répétées** repeated attempts ▌ *vi* to repeat; **répétez après moi** repeat *ou* say after me ▌ **se répéter** *vpr* (*radoter*) to repeat oneself; (*événement*) to happen again, repeat itself. ● **répétitif, -ive** *a* repetitive. ● **répétition** *nf* repetition; (*au théâtre etc*) rehearsal; **r. générale** (*final*) dress rehearsal.

répétiteur, -trice [repetitœr, -tris] *nmf* tutor.

repiquer [r(ə)pike] *vt* 1 (*plante*) to plant out. 2 (*disque*) to tape, record (on tape).

répit [repi] *nm* rest, respite; **sans r.** ceaselessly.

replacer [r(ə)plase] *vt* to replace, put back.

replanter [rəplɑ̃te] *vt* to (re)plant.

repli [r(ə)pli] *nm* fold; *Mil* withdrawal; **les replis de l'âme** the innermost recesses of the soul.

replier [r(ə)plije] 1 *vt* to fold (up); (*siège*) to fold up; (*couverture, couteau*) to fold back; (*ailes, jambes*) to tuck in ▌ **se replier** (*siège*) to fold up; (*couverture, couteau*) to fold back. 2 *vt*, **se replier** *vpr* (*armée*) to withdraw; **se r. sur soi-même** *Fig* to withdraw into oneself.

réplique [replik] *nf* 1 (*réponse*) (sharp) reply; (*riposte*) retort; (*d'acteur*) lines; **pas de r.!** no answering back!; **sans r.** (*argument*) irrefutable. 2 (*copie*) replica. ● **répliquer** *vt* to reply (sharply) (**que** that); (*riposter*) to retort (**que** that) ▌ *vi* (*être impertinent*) to answer back.

répondre [repɔ̃dr] *vi* to answer, reply; (*être impertinent*) to answer back; (*réagir*) to respond (**à** to); **r. à qn** to answer s.o., reply to s.o.; (*avec impertinence*) to answer s.o. back; **r. à** (*lettre, question, objection*) to answer, reply to; (*besoin*) to meet, answer; (*salut*) to return; (*correspondre à*) to correspond to; **r. de** (*garantir*) to answer for (*s.o., sth*).

▌ *vt* (*remarque etc*) to answer *ou* reply with; **r. que** to answer *ou* reply that. ● **répondant, -ante** 1 *nmf* guarantor. 2 *nm* **avoir du r.** *Fam* to have money behind one. ● **répondeur** *nm* **r. (téléphonique)** answering machine.

réponse [repɔ̃s] *nf* answer, reply; (*réaction*) response (**à** to); **en r.** in answer *ou* reply *ou* response to.

report [r(ə)pɔr] *nm* (*de rendez-vous etc*) postponement; (*transcription*) transfer; (*de somme*) carrying forward.

reportage [r(ə)pɔrtaʒ] *nm* (news) report, article; (*en direct*) commentary; (*métier*) reporting.

reporter¹ [r(ə)pɔrte] *vt* to take back; (*différer*) to put off, postpone (**à** until); (*transcrire*) to transfer (**sur** to); (*somme*) to carry forward (**sur** to); **se r. à** (*texte etc*) to refer to; (*en esprit*) to go *ou* think back to.

reporter² [r(ə)pɔrtɛr] *nm* reporter.

repos [r(ə)po] *nm* rest; (*tranquillité*) peace (and quiet); (*de l'esprit*) peace of mind; **r.!** (*commandement*) *Mil* at ease!; **jour de r.** day off; **de tout r.** (*situation etc*) safe.

reposer [r(ə)poze] 1 *vt* (*objet*) to put back down; (*problème, question*) to raise again. 2 *vt* (*délasser*) to rest, relax; **r. sa tête sur** (*appuyer*) to rest one's head on.

▌ *vi* (*être enterré*) to rest, lie; **r. sur** (*bâtiment*) to be built on; (*théorie etc*) to be based on, rest on; **laisser r.** (*liquide*) to allow to settle.

▌ **se reposer** *vpr* to rest; **se r. sur qn** to rely on s.o.; **se r. sur ses lauriers** to rest on one's laurels. ● **reposant, -ante** *a* restful, relaxing. ● **reposé, -ée** *a* rested, fresh.

repousser [r(ə)puse] 1 *vt* to push back; (*écarter*) to push away; (*attaque, ennemi*) to beat off, *Litt* repulse; (*importun etc*) to turn away; (*différer*) to put off, postpone; (*décliner*) to reject; (*dégoûter*) to repel. 2 *vi* (*cheveux, feuilles etc*) to grow again. ● **repoussant, -ante** *a* repulsive, repellent.

répréhensible [repreɑ̃sibl] *a* reprehensible, blameworthy.

reprendre* [r(ə)prɑ̃dr] *vt* (*objet*) to take back; (*évadé, ville*) to recapture; (*passer prendre*) to pick up again; (*souffle*) to get back; (*activité*) to resume, take up again; (*refrain*) to take up; (*vêtement*) to alter; (*corriger*) to correct; (*blâmer*) to admonish; (*pièce de théâtre*) to put on again; (*texte*) to go back over; **r. de la viande/un œuf/etc** to take (some) more meat/another egg/etc; **r. ses esprits** to come round; **r. des forces** to get one's strength back, recover one's strength; **je jure qu'on ne m'y reprendra plus** *Fam* I swear it's the last time I'll do that, I swear I won't be caught out doing that again.

▌ *vi* (*plante*) to take root again; (*recommencer*) to start (up) again, resume; (*affaires*) to pick up; (*parler*) to go on, continue.

▌ **se reprendre** *vpr* (*se ressaisir*) to get a grip on oneself; (*se corriger*) to correct oneself; **s'y r. à deux/plusieurs fois** to have another go/several goes at (it).

représailles [r(ə)prezaj] *nfpl* reprisals, retaliation.

représenter [r(ə)prezɑ̃te] vt to represent; (*pièce de théâtre*) to perform ‖ **se représenter** vpr (*s'imaginer*) to imagine. ●**représentant, -ante** nmf representative; **r. de commerce** (travelling) salesman *ou* saleswoman, sales representative. ●**représentatif, -ive** a representative (**de** of). ●**représentation** nf representation; (*de théâtre*) performance.

répression [represjɔ̃] nf suppression, repression; (*mesures de contrôle*) Pol repression. ●**répressif, -ive** a repressive. ●**réprimer** vt (*sentiment, révolte etc*) to suppress, repress.

réprimande [reprimɑ̃d] nf reprimand. ●**réprimander** vt to reprimand.

repris [r(ə)pri] nm **r. de justice** hardened criminal.

reprise [r(ə)priz] nf (*recommencement*) resumption; (*de pièce de théâtre*) revival; (*à la radio ou télévision*) repeat; (*raccommodage d'un tissu*) mend; Boxe round; (*économique*) recovery, revival; (*d'un locataire*) money for fittings; (*de marchandise*) taking back; (*pour nouvel achat*) Br part exchange, trade-in; **reprises** (*de moteur*) acceleration; **à plusieurs reprises** on several occasions. ●**repriser** vt (*chaussette etc*) to mend, darn.

réprobation [reprɔbasjɔ̃] nf disapproval. ●**réprobateur, -trice** a disapproving.

reproche [r(ə)prɔʃ] nm criticism, reproach; **faire des reproches à qn** to criticize s.o., reproach s.o.; **sans r.** beyond reproach. ●**reprocher** vt **r. qch à qn** to criticize *ou* blame *ou* reproach s.o. for sth; **n'avoir rien à se r.** to have nothing to reproach *ou* blame oneself for; **qu'as-tu à r. à ce livre?** what do you have against this book?

reproduire* [r(ə)prɔdɥir] **1** vt (*modèle, son etc*) to copy, reproduce ‖ **se reproduire** vpr (*animaux*) to breed, reproduce. **2 se reproduire** vpr (*incident etc*) to happen again, recur. ●**reproducteur, -trice** a reproductive. ●**reproduction** nf (*d'animaux*) breeding, reproduction; (*de son etc*) reproduction; (*copie*) copy.

réprouver [repruve] vt to disapprove of, condemn.

reptile [reptil] nm reptile.

repu, -ue [rəpy] a (*rassasié*) satiated.

république [repyblik] nf republic. ●**républicain, -aine** a & nmf republican.

répudier [repydje] vt to repudiate.

répugnant, -ante [repyɲɑ̃, -ɑ̃t] a repulsive, disgusting, repugnant. ●**répugnance** nf disgust, repugnance, loathing (**pour** for); (*manque d'enthousiasme*) reluctance. ●**répugner** vi **r. à qn** to be repulsive *ou* repugnant to s.o.; **r. à faire qch** to be loath to do sth.

répulsion [repylsjɔ̃] nf repulsion.

réputation [repytasjɔ̃] nf reputation; **avoir la r. d'être franc** to have a reputation for being frank *ou* for frankness; **connaître qn de r.** to know s.o. by reputation. ●**réputé, -ée** a (*célèbre*) renowned (**pour** for); **r. pour être très intelligent/etc** reputed to be very intelligent/ etc.

requérir [rəkerir] vt (*nécessiter*) to demand, require; (*peine de prison*) to call for. ●**requis, -ise** a required, requisite.

requête [rəkɛt] nf request; (*auprès d'un juge etc*) petition.

requiem [rekɥijɛm] nm inv requiem.

requin [r(ə)kɛ̃] nm (*poisson*) & Fig shark.

requinquer [rəkɛ̃ke] vt Fam to buck up, perk up.

réquisition [rekizisjɔ̃] nf requisition. ●**réquisitionner** vt to requisition, commandeer.

réquisitoire [rekizitwar] nm (*critique*) indictment (**contre** of).

RER [ɛrøɛr] nm abrév (*Réseau express régional*) express rail network serving Paris and its suburbs.

rescapé, -ée [rɛskape] a surviving ‖ nmf survivor.

rescousse (à la) [alarɛskus] adv to the rescue.

réseau, -x [rezo] nm network; **r. d'espionnage** spy ring *ou* network.

réservation [rezɛrvasjɔ̃] nf reservation, booking.

réserve [rezɛrv] nf **1** (*provision*) stock, reserve; (*entrepôt*) storeroom; (*de bibliothèque*) stacks; **la r.** Mil the reserve; **les réserves** (*soldats*) the reserves; **en r.** in reserve. **2** (*de chasse, pêche*) preserve; (*indienne*) reservation; **r. naturelle** nature reserve. **3** (*discrétion, réticence*) reserve; (*restriction, doute*) reservation; **sans r.** (*admiration etc*) unqualified; **sous r. de** subject to; **sous toutes réserves** without guarantee.

réserver [rezɛrve] vt to reserve; (*garder*) to save, keep (**à** for); (*marchandises*) to put aside (**à** for); (*place, table*) to book, reserve; (*sort, surprise etc*) to hold in store (**à** for); **se r. pour qch** to save oneself for sth; **se r. de faire qch** to reserve the right to do sth. ●**réservé, -ée** a (*personne, place*) reserved; **être r. dans ses propos/etc** (*prudent*) to be guarded *ou* cautious in one's speech/etc.

réservoir [rezɛrvwar] nm (*lac*) reservoir; (*citerne*) tank; **r. d'essence** Br petrol *ou* Am gas tank.

résidence [rezidɑ̃s] nf residence; **r. secondaire** second home; **r. universitaire** Br hall of residence, Am dormitory. ●**résident, -ente** nmf (foreign) resident. ●**résidentiel, -ielle** a (*quartier*) residential. ●**résider** vi to be resident, reside (**à, en, dans** in); **r. dans** (*consister dans*) to lie in.

résidu [rezidy] nm residue, waste.

résigner (se) [səreziɲe] vpr to resign oneself (**à qch** to sth, **à faire** to doing). ●**résignation** nf resignation.

résilier [rezilje] vt (*contrat*) to terminate. ●**résiliation** nf termination.

résille [rezij] nf (*pour cheveux*) hairnet.

résine [rezin] nf resin.

résistance [rezistɑ̃s] nf resistance (**à** to); (*conducteur*) Él (heating) element; **plat de r.** main dish; **la R.** Hist the Resistance.

résister [reziste] *vi* r. à to resist; (*chaleur, fatigue, souffrance*) to withstand; (*se défendre contre*) to stand up to; r. à l'analyse to stand up to analysis. ●**résistant, -ante** *a* tough, strong; r. à la chaleur heat-resistant; r. au choc shockproof ▮ *nmf* Hist Resistance fighter.

résolu, -ue [rezɔly] *pp de* résoudre ▮ *a* determined, resolute; r. à faire determined *ou* resolved to do. ●**résolument** *adv* resolutely. ●**résolution** *nf* (*décision*) decision, resolution; (*fermeté*) determination.

résonance [rezɔnɑ̃s] *nf* resonance.

résonner [rezɔne] *vi* (*cri etc*) to ring out, resound; (*salle, voix*) to echo (de with).

résorber [rezɔrbe] *vt* (*chômage*) to reduce; (*excédent*) to absorb ▮ **se résorber** *vpr* to be reduced; (*excédent*) to be absorbed. ●**résorption** *nf* reduction; (*d'excédent*) absorption.

résoudre* [rezudr] *vt* (*problème*) to solve; (*difficulté*) to clear up, resolve; r. de faire qch to decide *ou* resolve to do sth; se r. à faire qch (*se résigner*) to bring oneself to do sth, resign oneself to do sth.

respect [rɛspɛ] *nm* respect (pour, de for); mes respects à my regards *ou* respects to; tenir qn en r. to hold s.o. in check. ●**respectabilité** *nf* respectability. ●**respectable** *a* (*honorable, important*) respectable. ●**respecter** *vt* to respect; qui se respecte self-respecting; r. la loi to abide by *ou* obey *ou* respect the law; faire r. la loi to enforce the law. ●**respectueux, -euse** *a* respectful (envers to, de of).

respectif, -ive [rɛspɛktif, -iv] *a* respective. ●**respectivement** *adv* respectively.

respirer [rɛspire] *vi* to breathe; (*reprendre haleine*) to get one's breath back; (*être soulagé*) to breathe again ▮ *vt* to breathe (in); (*exprimer*) to exude, radiate. ●**respiration** *nf* breathing; (*haleine*) breath; r. artificielle Méd artificial respiration. ●**respiratoire** *a* troubles/*etc* respiratoires breathing *ou* respiratory trouble/*etc*.

resplendir [rɛsplɑ̃dir] *vi* to shine; (*visage*) to glow (de with). ●**resplendissant, -ante** *a* (*visage*) glowing, radiant (de with).

responsable [rɛspɔ̃sabl] *a* responsible (de qch for sth, devant qn to s.o.) ▮ *nmf* (*chef*) person in charge; (*dans une organisation*) official; (*coupable*) person responsible (de for). ●**responsabilité** *nf* responsibility; (*légale*) liability.

resquiller [rɛskije] *vi* (*au cinéma, dans le métro etc*) to avoid paying; (*sans attendre*) Br to jump the queue, Am cut in (line). ●**resquilleur, -euse** *nmf* Br queue-jumper, Am person who cuts in (line).

ressaisir (se) [sər(ə)sezir] *vpr* to pull oneself together.

ressasser [r(ə)sase] *vt* (*ruminer*) to keep going over; (*répéter*) to keep trotting out.

ressemblance [r(ə)sɑ̃blɑ̃s] *nf* likeness, resemblance (avec to). ●**ressembler** *vi* r. à to look *ou* be like, resemble; cela ne lui ressemble pas (*ce n'est pas son genre*) that's not like him *ou* her ▮ **se ressembler** *vpr* to look *ou* be alike. ●**ressemblant, -ante** *a* portrait *etc* r. good likeness.

ressentiment [r(ə)sɑ̃timɑ̃] *nm* resentment.

ressentir* [r(ə)sɑ̃tir] *vt* to feel; se r. de qch (*personne*) to feel the effects of sth; (*chose*) to show the effects of sth.

resserre [r(ə)sɛr] *nf* storeroom; (*remise*) shed.

resserrer [r(ə)sere] *vt* (*nœud, boulon etc*) to tighten; (*contracter*) to close (up), contract; (*liens*) Fig to strengthen ▮ **se resserrer** *vpr* to tighten; (*amitié*) to become closer; (*se contracter*) to close (up), contract; (*route etc*) to narrow.

resservir* [r(ə)sɛrvir] 1 *vi* (*outil etc*) to come in useful (again). 2 **se resservir** *vpr* se r. de (*plat etc*) to have another helping of.

ressort [r(ə)sɔr] *nm* 1 (*objet*) spring. 2 (*énergie*) spirit. 3 du r. de within the competence of; en dernier r. (*décider etc*) as a last resort, in the last resort.

ressortir¹* [r(ə)sɔrtir] *vi* (*aux être*) 1 to go *ou* come back out; (*film*) to be shown again. 2 (*se voir*) to stand out; faire r. to bring out; il ressort de (*résulte*) it emerges from.

ressortir² [r(ə)sɔrtir] *vi* (*conjugated like* finir) r. à Litt to fall within the scope of.

ressortissant, -ante [r(ə)sɔrtisɑ̃, -ɑ̃t] *nmf* (*citoyen*) national.

ressource [r(ə)surs] 1 *nfpl* (*moyens*) resources; (*argent*) resources, means. 2 *nf* (*recours*) recourse; (*possibilité*) possibility de faire of doing); dernière r. last resort.

ressusciter [resysite] *vi* to rise from the dead; (*malade, pays*) to recover, revive ▮ *vt* (*mort*) to raise; (*malade, mode*) to revive.

restant, -ante [rɛstɑ̃, -ɑ̃t] *a* remaining; poste restante Br poste restante, Am general delivery ▮ *nm* le r. the rest, the remainder; un r. de viande/*etc* some left-over meat/*etc*.

restaurant [rɛstɔrɑ̃] *nm* restaurant.

restaurer [rɛstɔre] 1 *vt* (*réparer, rétablir*) to restore. 2 **se restaurer** *vpr* to (have something to) eat. ●**restaurateur, -trice** *nmf* 1 (*hôtelier, hôtelière*) restaurant owner. 2 (*de tableaux*) restorer. ●**restauration** *nf* 1 (*hôtellerie*) catering. 2 (*de tableau etc*) restoration.

reste [rɛst] *nm* rest, remainder (de of); Math remainder; restes remains (de of); (*de repas*) leftovers; un r. de fromage/*etc* some left-over cheese/*etc*; au r., du r. moreover, besides; il est parti sans demander son r. he left without further ado, he left discreetly.

rester [rɛste] *vi* (*aux être*) to stay, remain; (*calme, jeune etc*) to keep, stay, remain; (*subsister*) to be left, remain; il reste du pain/*etc* there's some bread/*etc* left (over); il me reste une minute/*etc* I have one minute/*etc* left; l'argent qui lui reste the money he *ou* she has left; reste à savoir it remains to be seen; il me reste deux choses à faire I still have two things to do; **il me reste à vous remercier** it remains for me to thank you; **il n'en reste pas moins que...** the fact remains that..., it's nevertheless the case that...; **en r. à** to stop at; **restons-en là** let's leave it at that; **r. sur sa faim** to remain hungry; **les oignons me sont restés sur l'estomac** the onions are lying on my stomach; **elle a failli y r.** *Fam* that was very nearly the end of her.

restituer [rɛstitɥe] *vt* **1** (*rendre*) to return, restore (à to). **2** (*son*) to reproduce; (*énergie*) to release. ●**restitution** *nf* return.

restreindre* [rɛstrɛ̃dr] *vt* to limit, restrict (à to) ▮ **se restreindre** *vpr* to decrease; (*faire des économies*) to cut back *ou* down. ●**restreint, -einte** *a* limited, restricted (à to). ●**restrictif, -ive** *a* restrictive. ●**restriction** *nf* restriction; **sans r.** unreservedly.

résultat [rezylta] *nm* (*score, d'examen etc*) result; (*conséquence*) outcome, result; **avoir qch pour r.** to result in sth. ●**résulter** *vi* **r. de** to result from.

résumer [rezyme] *vt* (*abréger*) to summarize (*text, thought etc*); (*récapituler*) to sum up (*situation etc*) ▮ **se résumer** *vpr* (*orateur etc*) to sum up; **se r. à** (*se réduire à*) to boil down to. ●**résumé** *nm* summary; **en r.** in short; (*en récapitulant*) to sum up.

résurgence [rezyrʒɑ̃s] *nf* (*de la criminalité etc*) resurgence (de in).

résurrection [rezyrɛksjɔ̃] *nf* resurrection.

rétablir [retablir] *vt* (*communications, ordre, peine de mort etc*) to restore; (*vérité*) to re-establish; (*malade*) to restore to health; (*employé*) to reinstate ▮ **se rétablir** *vpr* to be restored; (*malade*) to recover. ●**rétablissement** *nm* restoring, restoration; (*de vérité*) re-establishment; (*après une maladie*) recovery; **faire un r.** *Gymnastique* to do a pull-up, heave *ou* pull oneself up.

retaper [r(ə)tape] *vt* (*maison, voiture etc*) to do up; (*lit*) to straighten; (*malade*) *Fam* to buck up.

retard [r(ə)tar] *nm* lateness; (*sur un programme etc*) delay; (*de région*) backwardness; **en r.** late; **en r. dans qch** behind in sth; **en r. sur qn/qch** behind s.o./sth; **rattraper *ou* combler son r.** to catch up; **avoir du r.** to be late; (*sur un programme*) to be behind (schedule); (*montre*) to be slow; **avoir une heure de r.** to be an hour late; **prendre du r.** (*montre*) to lose (time); (*personne*) to fall behind; **sans r.** without delay; **elle est en r. pour son âge** she's behind for her age; **il a un métro de r.** *Fam* he's slow on the uptake, he lags miles behind. ●**retardataire** *a* (*qui arrive en retard*) late; **enfant r.** *Méd* slow learner ▮ *nmf* latecomer. ●**retardement** *nm* **bombe à r.** time bomb, delayed-action bomb.

retarder [r(ə)tarde] *vt* to delay; (*date, montre, départ*) to put back; **r. qn** (*dans une activité*) to put s.o. behind ▮ *vi* (*montre*) to be slow; **r. de cinq minutes** to be five minutes slow; **r. (sur son temps)** (*personne*) to be behind the times. ●**retardé, -ée** *a* (*enfant*) backward ▮ *nmf* backward child.

retenir* [rət(ə)nir] *vt* (*empêcher d'agir, contenir*) to hold back; (*souffle, attention*) to hold; (*réserver*) to book; (*se souvenir de*) to remember; (*fixer*) to hold (in place), secure; (*chiffre*) *Math* to carry; (*chaleur, odeur*) to retain; (*candidature, proposition*) to accept; (*invité, suspect etc*) to detain, keep; (*déduire*) to take off; **r. qn prisonnier** to keep *ou* hold s.o. prisoner; **r. qn de faire qch** to stop s.o. (from) doing sth.

▮ **se retenir** *vpr* (*se contenir*) to restrain oneself; **se r. de faire qch** to stop oneself (from) doing sth; **se r. à** to cling to.

rentir [r(ə)tɑ̃tir] *vi* to ring (out) (de with). ●**retentissant, -ante** *a* resounding; (*scandale*) major. ●**retentissement** *nm* (*effet*) effect; **avoir un grand r.** (*film etc*) to create a stir.

retenue [rət(ə)ny] *nf* **1** (*modération*) restraint. **2** (*de salaire*) deduction, *Br* stoppage; (*chiffre*) *Math* figure carried over. **3** (*punition*) *Scol* detention; **en r.** in detention.

réticent, -ente [retisɑ̃, -ɑ̃t] *a* (*réservé*) reticent; (*hésitant*) reluctant. ●**réticence** *nf* reticence; (*hésitation*) reluctance.

rétine [retin] *nf* (*de l'œil*) retina.

retirer [r(ə)tire] *vt* to withdraw; (*sortir*) to take out; (*ôter*) to take off; (*éloigner*) to take away; (*aller chercher*) to pick up; (*offre, plainte, candidature, argent*) to withdraw, take back; **r. qch à qn** (*permis etc*) to take sth away from s.o.; **r. qch de** (*gagner*) to derive sth from ▮ **se retirer** *vpr* to withdraw, retire (de from); (*mer*) to ebb. ●**retiré, -ée** *a* (*lieu, vie*) secluded.

retomber [r(ə)tɔ̃be] *vi* to fall (again); (*pendre*) to hang (down); (*après un saut*) to land; (*intérêt*) to slacken; **r. dans** (*l'oubli, le chaos*) to sink back into; (*le péché*) to lapse into; **r. dans l'erreur** to be wrong again; **r. sur qn** (*responsabilité, frais*) to fall on s.o.; (*dans la rue*) *Fam* to bump into s.o. again. ●**retombées** *nfpl* (*radioactives*) fallout; (*conséquences*) *Fig* repercussions, effects.

rétorquer [retɔrke] *vt* **r. que** to retort that.

retors, -orse [rətɔr, -ɔrs] *a* wily, crafty.

rétorsion [retɔrsjɔ̃] *nf* (*d'un État*) retaliation; **mesure de r.** reprisal.

retouche [r(ə)tuʃ] *nf* (*de vêtement*) alteration; (*de photo etc*) touching up. ●**retoucher** *vt* (*vêtement, texte*) to alter; (*photo, tableau*) to touch up, retouch.

retour [r(ə)tur] *nm* return; (*de fortune*) reversal; **être de r.** to be back (de from); **en r.** (*en échange*) in return; **par r.** (*du courrier*) *Br* by return (of post), *Am* by return mail; **à mon retour** when I get *ou* got back (de from); **en r. en arrière** flashback; **r. de flamme** *Fig* backlash; **match r.** return *Br* match *ou Am* game.

retourner [r(ə)turne] *vt* (*aux* **avoir**) (*matelas, steak etc*) to turn over; (*terre etc*) to turn; (*vêtement, sac etc*) to turn inside out; (*ta-

bleau etc) to turn round; (*compliment, lettre*) to return; (*maison*) *Fam* to turn upside down; **r. contre qn** (*argument*) to turn against s.o.; (*arme*) to turn on s.o.; **r. qn** (*bouleverser*) *Fam* to upset s.o., shake s.o.; **savoir de quoi il retourne** to know what it's all about. ▮ *vi* (*aux être*) to go back, return. ▮ **se retourner** *vpr* (*pour regarder*) to turn round, look round *ou* back; (*sur le dos*) to turn over *ou* round; (*dans son lit*) to toss and turn; (*voiture*) to overturn; **s'en r.** to go back; **se r. contre** *Fig* to turn against. ●**retournement** *nm* **le r. de la situation** the sudden change in the situation, the dramatic turn of events.

retracer [r(ə)trase] *vt* (*histoire etc*) to retrace.

rétracter [retrakte] *vt*, **se rétracter** *vpr* to retract. ●**rétractation** *nf* (*désaveu*) retraction.

retrait [r(ə)trɛ] *nm* withdrawal; (*de bagages, billets*) collection; (*de mer*) ebb(ing); **en r.** (*maison etc*) set back; **ligne en r.** indented line; **commencer un paragraphe en r.** to indent a paragraph; **rester en r.** to stay in the background.

retraite [r(ə)trɛt] *nf* **1** (*d'employé*) retirement; (*pension*) (retirement) pension; (*refuge*) retreat, refuge; **r. anticipée** early retirement; **prendre sa r.** to retire; **à la r.** retired; **mettre qn à la r.** to pension s.o. off. **2** (*d'une armée*) retreat; **r. aux flambeaux** torchlight procession *ou Br* tattoo; **battre en r.** *Mil & Fig* to beat a retreat. ●**retraité, -ée** *a* retired ▮ *nmf* senior citizen, *Br* (old age) pensioner.

retraitement [r(ə)trɛtmɑ̃] *nm* reprocessing; **usine de r.** (*des déchets nucléaires*) (*nuclear*) reprocessing plant.

retrancher [r(ə)trɑ̃ʃe] **1** *vt* (*passage etc*) to cut (**de** from); (*argent, quantité*) to deduct (**de** from). **2 se retrancher** *vpr* (*soldat, gangster etc*) to entrench oneself; **se r. dans/derrière** *Fig* to take refuge in/behind. ●**retranchement** *nm* **pousser qn dans ses derniers retranchements** to drive s.o. to the wall *ou* into a corner.

retransmettre* [r(ə)trɑ̃smɛtr] *vt* to broadcast. ●**retransmission** *nf* broadcast.

rétrécir [retresir] *vt* to narrow; (*vêtement*) to take in ▮ *vi* (*au lavage*) to shrink ▮ **se rétrécir** *vpr* (*rue etc*) to narrow. ●**rétréci, -ie** *a* (*esprit, rue*) narrow.

rétribuer [retribɥe] *vt* to pay, remunerate; (*travail*) to pay for. ●**rétribution** *nf* payment, remuneration.

rétro [retro] *a inv* (*personne, idée etc*) old-fashioned.

rétro- [retro] *préf* retro-.

rétroactif, -ive [retroaktif, -iv] *a* (*mesure etc*) retrospective; **augmentation avec effet r.** retroactive (pay) increase.

rétrograde [retrograd] *a* retrograde. ●**rétrograder** *vi* (*reculer*) to move back; (*civilisation etc*) to go backwards; (*en voiture*) to change down ▮ *vt* (*fonctionnaire, officier*) to demote.

rétroprojecteur [retroproʒɛktœr] *nm* overhead projector.

rétrospectif, -ive [retrospektif, -iv] *a* (*sentiment etc*) retrospective ▮ *nf* **rétrospective** (*de films, tableaux*) retrospective. ●**rétrospectivement** *adv* in retrospect.

retrousser [r(ə)truse] *vt* (*manches*) to roll up; (*jupe etc*) to hitch up, tuck up ●**retroussé, -ée** *a* (*nez*) turned-up, snub.

retrouver [r(ə)truve] *vt* to find (again); (*rejoindre*) to meet (again); (*forces, santé*) to get back, regain; (*se rappeler*) to recall; (*découvrir*) to rediscover ▮ **se retrouver** *vpr* (*chose*) to be found (again); (*se trouver*) to find oneself (back); (*se rencontrer*) to meet (again); **s'y r.** (*s'orienter*) to find one's way *ou* bearings. ●**retrouvailles** *nfpl* reunion.

rétroviseur [retrovizœr] *nm* (*de véhicule*) (rear-view) mirror.

réunion [reynjɔ̃] *nf* (*séance*) meeting; (*d'objets*) collection, gathering; (*d'éléments divers*) combination; (*jonction*) joining.

Réunion [reynjɔ̃] *nf* **la R.** Réunion.

réunir [reynir] *vt* (*objets*) to collect, gather; (*convoquer*) to call together, assemble; (*relier*) to join; (*rapprocher*) to bring together; (*qualités, etc*) to combine. ●**réuni, -ie** *a* **amis/etc réunis** friends/etc (all) together; **éléments réunis** combined elements.

réussir [reysir] *vi* to succeed, be successful (**à faire** in doing); (*à un examen*) to pass; (*plante*) to thrive; **r. à qn** to work out well for s.o.; (*aliment, climat*) to agree with s.o.; **r. à un examen** to pass an exam(ination) ▮ *vt* to make a success of. ●**réussi, -ie** *a* successful. ●**réussite** *nf* **1** success. **2 faire des réussites** *Cartes* to play patience.

revaloir [r(ə)valwar] *vt* **je vous le revaudrai** (*en bien ou en mal*) I'll pay you back.

revaloriser [r(ə)valorize] *vt* (*monnaie*) to revalue; (*salaires*) to raise. ●**revalorisation** *nf* revaluation; (*de salaires*) raising.

revanche [r(ə)vɑ̃ʃ] *nf* revenge; (*d'un match*) return game; **en r.** on the other hand.

rêve [rɛv] *nm* dream; **faire un r.** to have a dream; **maison/voiture/etc de r.** dream house/car/etc. ●**rêvasser** *vi* to daydream.

revêche [rəvɛʃ] *a* bad-tempered, surly.

réveil [revɛj] *nm* waking (up); (*pendule*) alarm (clock); **à son r.** when he wakes (up) *ou* woke (up).

réveiller [reveje] *vt* (*personne*) to wake (up); (*sentiment, souvenir*) *Fig* to revive, awaken ▮ **se réveiller** *vpr* to wake (up); *Fig* to revive, awaken. ●**réveillé, -ée** *a* awake. ●**réveille-matin** *nm inv* alarm (clock).

réveillon [revejɔ̃] *nm* (*repas*) midnight supper (*on Christmas Eve or New Year's Eve*). ●**réveillonner** *vi* to take part in a *réveillon*.

révéler [revele] *vt* to reveal (**que** that) ▮ **se révéler** *vpr* to be revealed; **se r. facile/etc** to turn out to be easy/etc. ●**révélateur, -trice** *a*

Rhin

revealing; r. de indicative of. ●**révélation** *nf* revelation.
revenant [rəv(ə)nɑ̃] *nm* ghost; **voilà un r.!** *Fam* look who's here!, hello, stranger!
revendiquer [r(ə)vɑ̃dike] *vt* to claim; (*exiger*) to demand. ●**revendicatif, -ive** *a* **mouvement**/*etc* r. protest movement/*etc*. ●**revendication** *nf* claim; (*exigence*) demand; (*action*) claiming; demanding.
revendre [r(ə)vɑ̃dr] *vt* to resell; **avoir (de) qch à r.** *Fig* to have sth to spare. ●**revendeur, -euse** *nf* retailer; (*d'occasion*) secondhand dealer; **r. (de drogue)** drug pusher; **r. de billets** *Br* ticket tout, *Am* ticket scalper. ●**revente** *nf* resale.
revenir* [rəv(ə)nir] *vi* (*aux* **être**) to come back, return; (*mot*) to come *ou* crop up; (*date*) to come round again; **r. à cents francs**/*etc* to come to *ou* cost a hundred francs/*etc*; **le dîner nous est revenu à cent francs** the dinner cost us a hundred francs; **r. cher** to work out expensive, cost a lot; **r. à** (*activité, sujet*) to go back to, return to; (*se résumer à*) to boil down to; **r. à qn** (*forces, mémoire*) to come back to s.o., return to s.o.; (*honneur*) to fall to s.o.; **r. à soi** to come round *ou* to; **r. de** (*surprise*) to get over; **r. sur** (*décision, promesse*) to go back on; (*passé, question*) to go back over; **r. sur ses pas** to retrace one's steps; **faire r.** (*aliment*) to brown; **sa tête ne me revient pas** *Fam* I don't like the look of him; **je n'en reviens pas!** *Fam* I can't get over it!; **elle revient de loin** *Fig* she's back in the running (*after almost having been at death's door etc*).
revenu [rəv(ə)ny] *nm* income (**de** from); (*d'un État*) revenue (**de** from); **déclaration de revenus** tax return.
rêver [reve] *vi* to dream (**de** of, **de faire** of doing) **‖** *vt* to dream (**que** that); (*désirer*) to dream of. ●**rêvé, -ée** *a* ideal.
réverbération [reverberɑsjɔ̃] *nf* (*de lumière*) reflection; (*de son*) reverberation.
réverbère [reverber] *nm* street lamp.
reverdir [rəverdir] *vi* to turn green (again).
révérence [reverɑ̃s] *nf* reverence; (*salut d'homme*) bow; (*salut de femme*) curts(e)y; **faire une r.** (*homme*) to bow; (*femme*) to curts(e)y. ●**révérer** *vt* to revere.
révérend, -ende [reverɑ̃, -ɑ̃d] *a* & *nm Rel* reverend.
rêverie [revri] *nf* daydream; (*activité*) daydreaming.
revers [rəver] *nm* (*de veste*) lapel; (*de pantalon*) *Br* turnup, *Am* cuff; (*d'étoffe*) wrong side; (*de pièce d'argent*) reverse; *Tennis* backhand; (*coup du sort*) setback; **d'un r. de la main** with the back of one's hand; **le r. de la médaille** *Fig* the other side of the coin.
reverser [rəverse] *vt* (*café, vin etc*) to pour more; (*argent*) *Fig* to pay back (**sur un compte** into an account).
réversible [reversibl] *a* reversible.

revêtir* [r(ə)vetir] *vt* to cover (**de** with); (*habit*) to put on; (*route*) to surface; (*caractère, forme*) to assume; **r. qn** (*habiller*) to dress s.o. (**de** in); **r. un document de** (*signature*) to provide a document with. ●**revêtement** [-vɛtmɑ̃] *nm* (*surface*) covering; (*de route*) surface.
rêveur, -euse [revœr, -øz] *a* dreamy **‖** *nmf* dreamer.
revient [rəvjɛ̃] *nm* **prix de r.** *Br* cost price, *Am* wholesale price.
revigorer [r(ə)vigore] *vt* (*personne*) to revive.
revirement [r(ə)virmɑ̃] *nm* (*changement*) *Br* about-turn, *Am* about-face; (*de situation, d'opinion, de politique*) reversal.
réviser [revize] *vt* (*leçon*) to revise; (*machine, voiture*) to service, overhaul; (*jugement, règlement etc*) to review. ●**révision** *nf* (*de leçon*) revision; (*de machine etc*) service, overhaul; (*de jugement etc*) review.
revisser [rəvise] *vt* (*bouchon etc*) to screw on.
revivre* [r(ə)vivr] *vi* to live again; **faire r.** to revive **‖** *vt* (*incident etc*) to relive.
révocation [revɔkɑsjɔ̃] *nf* **1** (*de fonctionnaire*) dismissal. **2** (*de contrat etc*) revocation.
revoici [r(ə)vwasi] *prép* **me r.** here I am again.
revoilà [r(ə)vwala] *prép* **la r.** there she is again.
revoir* [r(ə)vwar] *vt* to see (again); (*texte, leçon*) to revise; **au r.** goodbye.
révolte [revɔlt] *nf* rebellion, revolt. ●**révolter 1** *vt* to sicken, revolt. **2 se révolter** *vpr* to rebel, revolt (**contre** against). ●**révoltant, -ante** *a* (*honteux*) revolting. ●**révolté, -ée** *nmf* rebel.
révolu, -ue [revɔly] *a* (*époque*) past; **avoir trente ans révolus** to be over thirty (years of age).
révolution [revɔlysjɔ̃] *nf* (*changement, rotation*) revolution. ●**révolutionnaire** *a* & *nmf* revolutionary. ●**révolutionner** *vt* (*transformer*) to revolutionize.
revolver [revɔlver] *nm* gun, revolver.
révoquer [revɔke] *vt* **1** (*fonctionnaire*) to dismiss. **2** (*contrat etc*) to revoke.
revue [r(ə)vy] *nf* **1** (*magazine*) magazine; (*spécialisée*) journal. **2** (*de music-hall*) variety show. **3** *Mil* review; **passer en r.** to review.
révulser [revylse] *vt* to repulse, disgust. ●**révulsé, -ée** *a* (*visage*) contorted; (*yeux*) with the whites showing.
rez-de-chaussée [red(ə)ʃose] *nm inv Br* ground floor, *Am* first floor.
rhabiller (se) [sərabije] *vpr* to get dressed again.
rhapsodie [rapsɔdi] *nf* rhapsody.
rhésus [rezys] *nm* **r. positif/négatif** rhesus positive/negative.
rhétorique [retɔrik] *nf* rhetoric.
Rhin [rɛ̃] *nm* **le R.** the Rhine.

rhinocéros [rinɔserɔs] *nm* rhinoceros.
rhododendron [rɔdɔdɛ̃drɔ̃] *nm* rhododendron.
Rhône [ron] *nm* **le R.** the Rhone.
rhubarbe [rybarb] *nf* rhubarb.
rhum [rɔm] *nm* rum.
rhumatisme [rymatism] *nm* (*maladie*) rheumatism; **avoir des rhumatismes** to have rheumatism. ●**rhumatisant, -ante** *a* & *nmf* rheumatic. ●**rhumatismal, -e, -aux** *a* (*douleur*) rheumatic.
rhume [rym] *nm* cold; **r. de cerveau** head cold; **r. des foins** hay fever.
ri [ri] *pp de* **rire**.
riant, -ante [rjɑ̃, -ɑ̃t] *p prés de* **rire** ▮ *a* cheerful, smiling.
ribambelle [ribɑ̃bɛl] *nf* **une r. d'enfants**/*etc* a mass *ou* swarm of children/*etc*.
ricaner [rikane] *vi* (*sarcastiquement*) *Br* to snigger, *Am* snicker; (*bêtement*) to giggle.
riche [riʃ] *a* rich; (*personne, pays*) rich, wealthy; **r. en** (*vitamines, minérai etc*) rich in ▮ *nmf* rich *ou* wealthy person; **les riches** the rich. ●**richement** *a* (*vêtu, illustré etc*) richly. ●**richesse** *nf* wealth; (*d'étoffe, de sol, de vocabulaire*) richness; **richesses** (*trésor*) riches; (*ressources*) wealth.
ricin [risɛ̃] *nm* **huile de r.** castor oil.
ricocher [rikɔʃe] *vi* to rebound, ricochet. ●**ricochet** *nm* rebound, ricochet; **par r.** *Fig* as an indirect result.
rictus [riktys] *nm* grin, grimace.
ride [rid] *nf* (*de visage*) wrinkle; (*sur l'eau*) ripple. ●**rider** *vt* (*visage*) to wrinkle; (*eau*) to ripple ▮ **se rider** *vpr* to wrinkle. ●**ridé, -ée** *a* wrinkled.
rideau, -x [rido] *nm* curtain; (*métallique, de magasin*) shutter; (*écran*) *Fig* screen (**de** of).
ridicule [ridikyl] *a* ridiculous, ludicrous ▮ *nm* (*moquerie*) ridicule; (*défaut*) absurdity; (*de situation etc*) ridiculousness; **tourner en r.** to ridicule. ●**ridiculiser** *vt* to ridicule ▮ **se ridiculiser** *vpr* to make a fool of oneself.
rien [rjɛ̃] *pron* nothing; **il ne sait r.** he knows nothing, he doesn't know anything; **r. du tout** nothing at all; **r. d'autre/de bon**/*etc* nothing else/good/*etc*; **r. de tel** nothing like it; **il n'y avait r. que des filles** there were only girls there; **de r.!** (*je vous en prie*) don't mention it!; **ça ne fait r.** it doesn't matter; **ce n'est r.** it's nothing; (*en réponse à 'merci'*) don't mention it!; **trois fois r.** (*chose insignifiante*) next to nothing; **avoir qch pour r.** (*à bas prix*) to get sth for next to nothing; **pour r. au monde** never in your life, never in a thousand years; **il n'en est r.** (*ce n'est pas vrai*) nothing of the kind; **je n'en ai r. à faire** *Fam* I couldn't care less; **comme si de r. n'était** as if nothing had happened.
▮ *nm* (mere) nothing, trifle; **un r. de** a hint *ou* touch of; **en un r. de temps** (*vite*) in no time; **un r. trop petit**/*etc* just a bit too small/*etc*; **pleurer**/*etc* **pour un r.** to cry/*etc* for the slightest thing.
rieur, -euse [rijœr, -øz] *a* cheerful.

rigide [riʒid] *a* rigid; (*carton, muscle*) stiff; (*personne*) *Fig* inflexible; (*éducation*) strict. ●**rigidité** *nf* rigidity; (*de carton etc*) stiffness; (*de personne*) inflexibility; (*d'éducation*) strictness.
rigole [rigɔl] *nf* (*conduit*) channel; (*filet d'eau*) rivulet.
rigoler [rigɔle] *vi Fam* to laugh; (*s'amuser*) to have fun *ou* a laugh; (*plaisanter*) to joke (**avec** about). ●**rigolade** *nf Fam* fun; (*chose ridicule*) joke, farce; **prendre qch à la r.** to make a joke out of sth. ●**rigolo, -ote** *a Fam* funny ▮ *nmf Fam* joker.
rigueur [rigœr] *nf* rigour; (*de climat etc*) harshness; (*de personne etc*) strictness; (*précision*) precision; **être de r.** to be the rule; **à la r.** if absolutely necessary, *Br* at a pinch, *Am* in a pinch; **politique de r.** (*de gouvernement*) austerity policies *ou* programme; **tenir r. à qn de qch** *Fig* to hold sth against s.o. ●**rigoureux, -euse** *a* rigorous; (*climat, punition*) harsh; (*personne, morale, sens*) strict.
rillettes [rijɛt] *nfpl* potted minced pork.
rime [rim] *nf* rhyme. ●**rimer** *vi* to rhyme (**avec** with); **ça ne rime à rien** it makes no sense.
rimmel® [rimɛl] *nm* mascara.
rincer [rɛ̃se] *vt* to rinse; (*verre*) to rinse (out). ●**rinçage** *nm* rinsing; (*opération*) rinse.
ring [riŋ] *nm* (boxing) ring.
ringard, -arde [rɛ̃gar, -ard] *a* (*démodé*) *Fam* old-fashioned, unfashionable, fuddy-duddy.
ripaille [ripɑj] *nf Fam* feast.
riposte [ripɔst] *nf* (*réponse*) retort; (*attaque*) counter(attack). ●**riposter** *vi* to retort; **r. à** (*attaque*) to counter; (*insulte*) to reply to ▮ *vt* **r. que** to retort that.
riquiqui [rikiki] *a inv* (*trop petit*) *Fam* tiny.
rire* [rir] *vi* to laugh (**de** at); (*s'amuser*) to have a good time; (*plaisanter*) to joke; **r. aux éclats** to laugh out loud, roar with laughter; **faire qch pour r.** to do sth for a joke *ou* laugh; **se r. de qch** (*difficulté etc*) to laugh sth off ▮ *nm* laugh; **rires** laughter; **le r.** (*activité*) laughter; **le fou r.** the giggles.
ris [ri] *nm* **r. de veau** *Culin* (calf) sweetbread.
risée [rize] *nf* mockery; **être la r. de** to be the laughing stock of.
risible [rizibl] *a* laughable.
risque [risk] *nm* risk; **au r. de faire qch** at the risk of doing sth; **les risques du métier** occupational hazards; **à vos risques et périls** at your own risk; **assurance tous risques** comprehensive *ou* all risks insurance.
risquer [riske] *vt* to risk; (*question, regard*) to venture, hazard; **r. de faire qch** to stand a good chance of doing sth; **se r. à faire qch** to dare to do sth; **se r. dans** to venture into. ●**risqué, -ée** *a* risky; (*plaisanterie*) daring, risqué.
ristourne [risturn] *nf* discount.
rite [rit] *nm* rite; (*habitude*) *Fig* ritual. ●**rituel, -elle** *a* & *nm* ritual.
rivage [rivaʒ] *nm* shore.

rival, -e, -aux [rival, -o] *a & nmf* rival. ●**rivaliser** *vi* to compete (**avec** with, **de** in). ●**rivalité** *nf* rivalry.

rive [riv] *nf* (*de fleuve*) bank; (*de lac*) shore.

rivé, -ée [rive] *a* (*chaise etc*) *Fig* riveted to; **r. sur qn/qch** (*yeux, regard*) *Fig* riveted on s.o./sth. ●**rivet** *nm* (*tige*) rivet. ●**riveter** *vt* to rivet (together).

riverain, -aine [rivrɛ̃, -ɛn] *a* riverside; lakeside ▮ *nmf* riverside resident; (*de lac*) lakeside resident; (*de rue*) resident.

rivière [rivjɛr] *nf* river.

rixe [riks] *nf* brawl, scuffle.

riz [ri] *nm* rice; **r. blanc/complet** white/brown rice; **r. au lait** rice pudding. ●**rizière** *nf* paddy (field), ricefield.

RMI [ɛrɛmi] *nm abrév* (*Revenu minimum d'insertion*) = *Br* income support, = *Am* welfare.

RN *abrév* = **route nationale**.

robe [rɔb] *nf* (*de femme*) dress; (*d'ecclésiastique, de juge*) robe; (*de professeur*) gown; (*pelage*) coat; **r. de soirée** *ou* **du soir** evening dress *ou* gown; **r. de grossesse/de mariée** maternity/wedding dress; **r. de chambre** *Br* dressing gown, *Am* bathrobe; **r. chasuble** pinafore (dress); **pomme de terre en r. des champs** *Br* jacket potato, baked potato.

robinet [rɔbinɛ] *nm Br* tap, *Am* faucet; **eau du r.** tap water.

robot [rɔbo] *nm* robot; **r. ménager** food processor, *Br* liquidizer. ●**robotique** *nf* robotics.

robuste [rɔbyst] *a* sturdy, robust. ●**robustesse** *nf* robustness.

roc [rɔk] *nm* rock.

rocade [rɔkad] *nf* (*route*) bypass.

rocaille [rɔkaj] *nf* (*terrain*) rocky ground; (*de jardin*) rockery. ●**rocailleux, -euse** *a* rocky, stony; (*voix*) harsh.

rocambolesque [rɔkɑ̃bɔlɛsk] *a* (*aventure etc*) fantastic.

roche [rɔʃ] *nf ou* **rocher** [rɔʃe] *nm* (*bloc, substance*) rock. ●**rocheux, -euse** *a* rocky.

rock [rɔk] *nm* (*musique*) rock ▮ *a inv* **chanteur/opéra/etc r.** rock singer/opera/*etc*. ●**rockeur, -euse** *nmf* rocker, rock fan.

rodéo [rodeo] *nm* (*aux États-Unis*) rodeo.

roder [rɔde] *vt* (*moteur, voiture*) *Br* to run in, *Am* break in; **être rodé** (*personne*) *Fig* to have *Br* got *ou Am* gotten the hang of things. ●**rodage** *nm Br* running in, *Am* breaking in.

rôder [rode] *vi* to roam (around *ou* about); (*suspect*) to prowl (around *ou* about). ●**rôdeur, -euse** *nmf* prowler.

rogne [rɔɲ] *nf Fam* anger, bad temper; **être en r.** to be in a temper; **se mettre en r.** to blow one's top, lose one's temper.

rogner [rɔɲe] *vt* to trim, clip; (*réduire*) to cut ▮ *vi* **r. sur** (*réduire*) to cut down on. ●**rognures** *nfpl* clippings, trimmings.

rognon [rɔɲɔ̃] *nm Culin* kidney.

roi [rwa] *nm* king; **fête** *ou* **jour des Rois** Twelfth Night; **galette des Rois** Twelfth Night cake.

roitelet [rwatlɛ] *nm* (*oiseau*) wren.

rôle [rol] *nm* role, part; (*d'un père etc*) job; **à tour de r.** in turn.

roller [rɔlœr] *nm* roller skate.

romain, -aine [rɔmɛ̃, -ɛn] **1** *a* Roman ▮ *nmf* **R., Romaine** Roman. **2** *nf* (*laitue*) *Br* cos (lettuce), *Am* romaine.

roman¹ [rɔmɑ̃] *nm* novel; (*histoire*) *Fig* story; **r. d'aventures/d'amour** adventure/love story; **r.-fleuve** saga; **r.-photo** photo romance. ●**romancé, -ée** *a* (*histoire*) fictional. ●**romancier, -ière** *nmf* novelist.

roman², -ane [rɔmɑ̃, -an] *a* (*langue*) Romance; *Archit* Romanesque.

romanesque [rɔmanɛsk] *a* romantic; (*incroyable*) fantastic.

romanichel, -elle [rɔmaniʃɛl] *nmf* gipsy.

romantique [rɔmɑ̃tik] *a* romantic. ●**romantisme** *nm* romanticism.

romarin [rɔmarɛ̃] *nm* (*arbuste, condiment*) rosemary.

rompre* [rɔ̃pr] *vt* to break; (*pourparlers, relations*) to break off; (*digue*) to burst ▮ *vi* to break (*Fig* **avec** with); (*digue*) to burst; (*fiancés*) to break it off ▮ **se rompre** *vpr* (*corde etc*) to break; (*digue*) to burst. ●**rompu, -ue** *a* **1** (*fatigué*) exhausted. **2 r. à** (*expérimenté*) *Litt* experienced in.

romsteck [rɔmstɛk] *nm* rump steak.

ronces [rɔ̃s] *nfpl* (*branches*) brambles.

ronchonner [rɔ̃ʃɔne] *vi Fam* to grouse, grumble.

rond, ronde¹ [rɔ̃, rɔ̃d] *a* round; (*gras*) plump; (*honnête*) straight; (*ivre*) *Fam* tight; **chiffre r.** whole number; **r. comme une queue de pelle** *Fam* blind drunk; **ouvrir des yeux ronds** to be wide-eyed with astonishment, look astonished.

▮ *adv* **tourner r.** (*machine etc*) to run smoothly; **dix francs tout r.** ten francs exactly.

▮ *nm* (*cercle*) circle, ring; (*objet*) ring; (*tranche*) slice; **ronds** (*argent*) *Fam* money; **r. de serviette** napkin ring; **en r.** (*s'asseoir etc*) in a ring *ou* circle; **tourner en r.** (*toupie etc*) & *Fig* to go round and round. ●**rondelet, -ette** *a* chubby; (*somme*) *Fig* tidy. ●**rondement** *adv* (*efficacement*) briskly; (*franchement*) straight. ●**rond-de-cuir** *nm* (*pl* **ronds-de-cuir**) *Péj* pen pusher. ●**rond-point** *nm* (*pl* **ronds-points**) *Aut Br* roundabout, *Am* traffic circle.

ronde² [rɔ̃d] *nf* (*de soldat*) round; (*de policier*) beat, round; (*danse*) round (dance); (*note de musique*) *Br* semibreve, *Am* whole note; **à la r.** around; (*boire*) in turn; **faire sa r.** (*gardien etc*) to do one's rounds.

rondelle [rɔ̃dɛl] *nf* (*tranche*) slice; *Tech* washer.

rondeur [rɔ̃dœr] *nf* roundness; (*du corps*) plumpness, **rondeurs** (*de femme*) curves; (*embonpoint*) plumpness.

rondin [rɔ̃dɛ̃] *nm* log.

ronéotyper [rɔneɔtipe] *vt* to duplicate, roneo.
ronflant, -ante [rɔ̃flɑ̃, -ɑ̃t] *a* (*langage etc*) *Péj* high-flown; (*feu*) roaring.
ronfler [rɔ̃fle] *vi* (*personne*) to snore; (*moteur*) to hum. ●**ronflement** *nm* snore; (*de moteur*) hum; **ronflements** snoring; (*de moteur*) humming.
ronger [rɔ̃ʒe] *vt* to gnaw (at); (*ver, mer, rouille*) to eat into (*sth*); **r. qn** (*maladie, chagrin*) to consume s.o.; **r. son frein** (*personne*) *Fig* to champ at the bit; **se r. les ongles** to bite one's nails; **se r. les sangs** (*s'inquiéter*) *Fam* to worry oneself sick. ●**rongeur** *nm* (*animal*) rodent.
ronronnement [rɔ̃rɔnmɑ̃] *nm* (*Fam* **ronron**) purr(ing). ●**ronronner** *vi* to purr.
roquefort [rɔkfɔr] *nm* Roquefort (cheese).
roquette [rɔkɛt] *nf Mil* rocket.
rosace [rozas] *nf* (*figure*) rosette; (*d'église*) rose window.
rosbif [rɔsbif] *nm* **du r.** (*rôti*) roast beef; (*à rôtir*) roasting beef; **un r.** a joint of roast *ou* roasting beef.
rose [roz] **1** *nf* (*fleur*) rose; **envoyer qn sur les roses** *Fam* to send s.o. packing; **découvrir le pot aux roses** *Fam* to find out what's been going on. **2** *a* (*couleur*) pink; (*situation, teint*) rosy ▮ *nm* pink; **vieux r.** soft pink; **r. bonbon** bright pink. ●**rosé, -ée** *a* pinkish ▮ *a & nm* (*vin*) rosé. ●**rosier** *nm* rose bush. ●**roseraie** *nf* rose garden.
roseau, -x [rozo] *nm* (*plante*) reed.
rosée [roze] *nf* dew.
rosette [rozɛt] *nf* (*d'un officier*) rosette; (*nœud*) bow.
rosse [rɔs] *a & nf Fam* nasty (person).
rosser [rɔse] *vt* to thrash. ●**rossée** *nf Fam* thrashing.
rossignol [rɔsiɲɔl] *nm* **1** (*oiseau*) nightingale. **2** (*crochet*) picklock.
rot [ro] *nm Fam* burp, belch. ●**roter** *vi Fam* to burp, belch.
rotation [rɔtasjɔ̃] *nf* rotation; (*de stock*) turnover. ●**rotatif, -ive** *a* rotary ▮ *nf* rotary press.
rotin [rɔtɛ̃] *nm* cane, rattan.
rôtir [rotir] *vti, se* **rôtir** *vpr* to roast; **faire r.** to roast; **se r. au soleil** *Fam* to roast in the sun. ●**rôti** *nm* **du r.** roasting meat; (*cuit*) roast meat; **un r.** a joint; **r. de porc/de bœuf** (joint of) roast pork/beef. ●**rôtissoire** *nf* (roasting) spit.
rotule [rɔtyl] *nf* kneecap; **être sur les rotules** *Fam* to be exhausted *ou Br* dead beat.
roturier, -ière [rɔtyrje, -jɛr] *nmf* commoner.
rouage [rwaʒ] *nm* (*de montre etc*) (working) part; (*d'organisation etc*) *Fig* cog.
roublard, -arde [rublar, -ard] *a Fam* wily, foxy.
rouble [rubl] *nm* (*monnaie*) r(o)uble.
roucouler [rukule] *vi* (*oiseau, Fig amoureux*) to coo.
roue [ru] *nf* wheel; **r.** (**dentée**) cog(wheel); **faire la r.** (*paon*) to spread its tail; (*se pavaner*) *Fig* to strut; **être en p. libre** *Aut* to freewheel; **partir sur les chapeaux de r.** *Fam* to drive off at high speed; **les deux roues** two-wheeled vehicles.
roué, -ée [rwe] *a & nmf* sly *ou* calculating (person).
rouer [rwe] *vt* **r. qn de coups** to beat s.o. black and blue.
rouet [rwɛ] *nm* spinning wheel.
rouge [ruʒ] *a* (*fer*) red-hot ▮ *nm* (*couleur*) red; (*vin*) *Fam* red wine; **r.** (**à lèvres**) lipstick; **r.** (**à joues**) rouge; **le feu est au r.** the (traffic) lights are red ▮ *nmf* (*personne*) *Pol* Red. ●**rougeâtre** *a* reddish. ●**rougeaud, -aude** *a* red-faced. ●**rouge-gorge** *nm* (*pl* **rouges-gorges**) robin.
rougeoyer [ruʒwaje] *vi* to glow (red).
rougeur [ruʒœr] *nf* redness; (*due à la honte*) blush(ing); **rougeurs** *Méd* rash, red spots *ou* blotches.
rougir [ruʒir] *vti* to redden, turn red ▮ *vi* (*de honte*) to blush (de with), go red; (*de colère, de joie*) to flush (de with), go red.
rougeole [ruʒɔl] *nf* measles.
rouget [ruʒɛ] *nm* (*poisson*) mullet.
rouille [ruj] *nf* rust ▮ *a inv* (*couleur*) rust(-coloured). ●**rouiller** *vi* to rust ▮ **se rouiller** *vpr* to rust; (*esprit, sportif etc*) *Fig* to get rusty. ●**rouillé, -ée** *a* rusty.
roulade [rulad] *nf* **1** *Sport* **r. avant/arrière** forward/backward roll; **faire une r.** to do a roll. **2** *Culin* **r. de poisson/etc** rolled fish/etc.
rouleau, -x [rulo] *nm* (*outil, vague*) roller; (*de papier, pellicule etc*) roll; **r. à pâtisserie** rolling pin; **r. compresseur** steamroller.
roulement [rulmɑ̃] *nm* (*bruit*) rumbling, rumble; (*de tambour, de tonnerre, d'yeux*) roll; (*ordre*) rotation; **par r.** in rotation; **r. à billes** *Tech* ball bearing.
rouler [rule] *vt* to roll; (*brouette*) to push, wheel; (*crêpe, ficelle, manches etc*) to roll up; **r. qn** (*duper*) *Fam* to cheat s.o.
▮ *vi* to roll; (*train, voiture*) to go, travel; (*conducteur*) to drive; **r. sur** (*conversation*) to turn on; **r. sur l'or** (*être riche*) to be rolling in it; **ça roule!** *Fam* everything's fine!
▮ **se rouler** *vpr* to roll; **se r. dans** (*couverture etc*) to roll oneself (up) in. ●**roulant, -ante** *a* (*escalier, trottoir*) moving; (*meuble*) on wheels; **chaise roulante** wheelchair; **un feu r. de questions** *Fig* a barrage of questions. ●**roulé** *nm* (*gâteau*) Swiss roll.
roulette [rulɛt] *nf* (*de meuble*) castor; (*de dentiste*) drill; (*jeu*) roulette.
roulis [ruli] *nm* (*de navire*) roll(ing).
roulotte [rulɔt] *nf* (*de gitan*) caravan.
Roumanie [rumani] *nf* Romania. ●**roumain, -aine** *a* Romanian ▮ *nmf* **R., Roumaine** Romanian ▮ *nm* (*langue*) Romanian.
round [rawnd, rund] *nm Boxe* round.
roupiller [rupije] *vi Fam* to sleep, *Br* kip.
rouquin, -ine [rukɛ̃, -in] *a Fam* red-haired ▮ *nmf Fam* redhead.
rouspéter [ruspete] *vi Fam* to complain, grumble. ●**rouspéteur, -euse** *nmf Fam* grumbler.

rousse [rus] *voir* **roux.**
rousseur [rusœr] *nf (de chevelure)* redness; **tache de r.** freckle. ● **roussir** *vt (brûler)* to scorch, singe ▮ *vi (feuilles)* to turn brown; **faire r.** *Culin* to brown. ● **roussi** *nm* **ça sent le r.** there's a a slight smell of something burning.
rouste [rust] *nf Fam* severe thrashing, good hiding.
routard, -arde [rutar, -ard] *nmf* traveller on foot, backpacker.
route [rut] *nf* road **(de** to); *(itinéraire)* way, route; *(aérienne, maritime)* route; *(chemin) Fig* path, way; **r. nationale** *Br* main *ou* trunk *ou* A road, *Am* (state) highway; **r. départementale** secondary road, *Br* B road; **grand-r., grande r.** main road; **Code de la r.** *Br* Highway Code, *Am* traffic regulations; **en r.** on the way, en route; **en r.!** let's go!; **par la r.** by road; **sur la bonne r.** *Fig* on the right track; **faire fausse r.** *Fig* to be on the wrong track; **mettre en r.** *(voiture etc)* to start (up); **se mettre en r.** to set out **(pour** for); **une heure de r.** *Aut* an hour's drive; **faire r. vers Paris/***etc* to head for Paris/*etc*; **faire de la r.** to do a lot of driving; **bonne r.!** have a good trip!; **leurs routes se sont croisées** *Fig* their paths crossed.
routier, -ière [rutje, -jɛr] *a* **carte/sécurité/***etc* **routière** road map/safety/*etc*; **réseau r.** road network ▮ *nm (camionneur)* (long distance) *Br* lorry *ou Am* truck driver; *(restaurant) Br* transport café, *Am* truck stop.
routine [rutin] *nf* routine; **contrôle de r.** routine check. ● **routinier, -ière** *a (personne)* addicted to routine; **travail/***etc* **r.** routine work/*etc*.
rouvrir* [ruvrir] *vti*, **se rouvrir** *vpr* to reopen.
roux, rousse [ru, rus] *a (cheveux)* red, ginger; *(personne)* red-haired ▮ *nmf* redhead.
royal, -e, -aux [rwajal, -o] *a (famille, palais etc)* royal; *(cadeau, festin etc)* fit for a king; *(salaire)* princely. ● **royalement** *adv (traiter)* royally; **je m'en fiche r.** *Fam* I couldn't care less (about it). ● **royaliste** *a & nmf* royalist.
royaume [rwajom] *nm* kingdom. ● **Royaume-Uni** *nm* United Kingdom.
royauté [rwajote] *nf (monarchie)* monarchy.
ruade [rɥad] *nf (d'âne etc)* kick.
ruban [rybɑ̃] *nm* ribbon; *(de chapeau)* band; **r. adhésif** sticky *ou* adhesive tape.
rubéole [rybeɔl] *nf* German measles, rubella.
rubis [rybi] *nm (pierre)* ruby; *(de montre)* jewel.
rubrique [rybrik] *nf (article de journal)* column; *(catégorie; titre)* heading.
ruche [ryʃ] *nf (bee)*hive.
rude [ryd] *a (pénible)* tough; *(hiver, voix)* harsh; *(grossier)* crude; *(rêche)* rough; *(remarquable) Fam* tremendous. ● **rudement** *adv (parler, traiter)* harshly; *(frapper, tomber)* hard; *(très) Fam* awfully. ● **rudesse** *nf* harshness.
rudiments [rydimɑ̃] *nmpl* rudiments. ● **rudimentaire** *a* rudimentary.
rudoyer [rydwaje] *vt* to treat harshly.
rue [ry] *nf* street; **être à la r.** *(sans domicile)* to be on the streets. ● **ruelle** *nf* alley(way).
ruer [rɥe] **1** *vi (cheval)* to kick (out). **2 se ruer** *vpr (foncer)* to rush, fling oneself **(sur** at). ● **ruée** *nf* rush; **la r. vers l'or** the gold rush.
rugby [rygbi] *nm* rugby. ● **rugbyman,** *pl* **-men** [rygbiman, -mɛn] *nm* rugby player.
rugir [ryʒir] *vi* to roar. ● **rugissement** *nm* roar.
rugueux, -euse [rygø, -øz] *a* rough. ● **rugosité** *nf* roughness, **rugosités** *(aspérités)* rough spots, roughness.
ruine [rɥin] *nf (décombres, destruction, faillite etc)* ruin; **en r.** *(bâtiment)* in ruins; **tomber en r.** *(bâtiment)* to become a ruin, crumble; *(mur)* to crumble. ● **ruiner** *vt (personne, santé, pays etc)* to ruin ▮ **se ruiner** *vpr (en dépensant)* to be(come) ruined, ruin oneself. ● **ruineux, -euse** *a (goûts, projet)* ruinously expensive; *(dépense)* ruinous.
ruisseau, -x [rɥiso] *nm* stream; *(caniveau)* gutter. ● **ruisseler** *vi* to stream **(de** with).
rumeur [rymœr] *nf (protestation)* clamour; *(murmure)* murmur; *(nouvelle)* rumour.
ruminer [rymine] *vi (vache)* to chew the cud ▮ *vt (méditer) Fig* to ponder on, ruminate over.
rumsteak [rɔmstɛk] *nm* rump steak.
rupture [ryptyr] *nf* break(ing); *(de fiançailles, relations)* breaking off; *(de pourparlers)* breakdown **(de** in); *(brouille)* breakup, split; *(d'organe) Méd* rupture; **être en r. de stock** to be out of stock; **r. de contrat** breach of contract.
rural, -e, -aux [ryral, -o] *a (population etc)* rural; **vie/école/***etc* **rurale** country life/school/*etc*; **exode r.** rural depopulation *ou* exodus. ● **ruraux** *nmpl* country people.
ruse [ryz] *nf (subterfuge)* trick; **la r.** *(habileté)* cunning; *(fourberie)* trickery. ● **rusé, -ée** *a* cunning, crafty ▮ *nmf* **c'est un r.** he's a cunning *ou* crafty one. ● **ruser** *vi* to resort to trickery.
Russie [rysi] *nf* Russia. ● **russe** *a* Russian ▮ *nmf* **R.** Russian ▮ *nm (langue)* Russian.
rustique [rystik] *a (meuble)* rustic.
rustre [rystr] *nm* lout, churl.
rut (en) [ɑ̃ryt] *nm (animal) Br* on heat, *Am* in heat.
rutabaga [rytabaga] *nm (racine) Br* swede, *Am* rutabaga.
rutilant, -ante [rytilɑ̃, -ɑ̃t] *a* gleaming, glittering.
RV *abrév* = **rendez-vous.**
rythme [ritm] *nm* rhythm; *(de travail)* rate, tempo; *(de la vie)* pace; **au r. de trois par jour** at a *ou* the rate of three a day. ● **rythmé, -ée** *ou* **rythmique** *a* rhythmic(al).

S

S, s [ɛs] *nm* S, s.
s' [s] *voir* **se, si**.
sa [sa] *voir* **son**².
SA *abrév* (*société anonyme*) *Com Br* plc, *Am* Inc.
sabbat [saba] *nm* (Jewish) Sabbath.
sabbatique [sabatik] *a* (*année universitaire etc*) sabbatical; **prendre une année s.** to take a year's sabbatical.
sable [sabl] *nm* sand; **sables mouvants** quicksand(s). ● **sabler** *vt* (*route*) to sand; **s. le champagne** to celebrate with champagne. ● **sableux, -euse** *a* (*eau*) sandy.
sablier [sablije] *nm* hourglass; *Culin* egg timer. ● **sablière** *nf* (*carrière*) sandpit.
sablonneux, -euse [sablonø, -øz] *a* (*terrain*) sandy.
sablé¹ [sable] *nm* shortbread *Br* biscuit *ou Am* cookie. ● **sablé**², **-ée** *a* **pâte sablée** shortcrust pastry.
saborder [saborde] *vt* (*navire*) to scuttle; (*entreprise*) *Fig* to shut down, wind up.
sabot [sabo] *nm* **1** (*de cheval etc*) hoof. **2** (*chaussure*) clog. **3** *Aut* **s. (de frein)** (brake) shoe; **s. (de Denver)** (wheel) clamp.
saboter [sabɔte] *vt* (*machine, Fig projet etc*) to sabotage; (*bâcler*) to botch. ● **sabotage** *nm* sabotage; **un s., un acte de s.** an act of sabotage. ● **saboteur, -euse** *nmf* saboteur.
sabre [sabr] *nm* sabre, sword.
sabrer [sabre] *vt Fam* (*élève, candidat*) to give a thoroughly bad *Br* mark *ou Am* grade to; **se faire s. à un examen** to get a thoroughly bad *Br* mark *ou Am* grade in an exam.
sac [sak] *nm* **1** bag; (*grand et en toile*) sack; **s. (à main)** handbag; **s. à dos** rucksack; **s. de voyage** travelling bag; **prendre qn la main dans le s.** *Fig* to catch s.o. red-handed; **je les mets dans le même s.** *Fam* in my opinion they're as bad as each other *ou* they're all the same; **l'affaire est dans le s.!** *Fam* it's in the bag! **2 mettre à s.** (*ville*) *Mil* to sack.
saccade [sakad] *nf* jerk, jolt; **par saccades** in fits and starts, jerkily. ● **saccadé, -ée** *a* (*geste, style*) jerky.
saccager [sakaʒe] *vt* (*détruire*) to wreck; (*ville, région*) *Mil* to sack; (*bouleverser*) *Fig* to turn upside down.
saccharine [sakarin] *nf* saccharin.
sacerdoce [sasɛrdɔs] *nm* (*fonction*) *Rel* priesthood; *Fig* vocation.
sachant, sache(s), sachent *etc* [saʃɑ̃, saʃ] *voir* **savoir**.
sachet [saʃɛ] *nm* (small) bag; (*de lavande etc*) sachet; **s. de thé** teabag.

sacoche [sakɔʃ] *nf* bag; (*de vélo, moto*) saddlebag; (*d'écolier*) satchel; **s. du facteur** *Br* postman's *ou Am* mailman's bag.
sacquer [sake] *vt Fam* (*renvoyer*) to sack; (*élève*) to give a thoroughly bad *Br* mark *ou Am* grade to; **je ne peux pas le s.** *Fam* I can't stand him.
sacre [sakr] *nm* (*de roi*) coronation; (*d'évêque*) consecration. ● **sacrer** *vt* (*roi*) to crown; (*évêque*) to consecrate.
sacré, -ée [sakre] *a* (*saint*) sacred; **un s. menteur/etc** *Fam* a damned liar/*etc*. ● **sacrément** *adv Fam* (*très*) damn(ed); (*beaucoup*) a hell of a lot.
sacrement [sakrəmɑ̃] *nm Rel* sacrament.
sacrifice [sakrifis] *nm* sacrifice. ● **sacrifier** *vt* to sacrifice (**à** to, **pour** for) ▌ *vi* **s. à** (*mode etc*) to pander to ▌ **se sacrifier** *vpr* to sacrifice oneself (**à** to, **pour** for).
sacrilège [sakrilɛʒ] *nm* sacrilege ▌ *a* sacrilegious.
sacristie [sakristi] *nf* vestry. ● **sacristain** *nm* sexton.
sacro-saint, -sainte [sakrɔsɛ̃, -sɛ̃t] *a Iron* sacrosanct.
sadisme [sadism] *nm* sadism. ● **sadique** *a* sadistic ▌ *nmf* sadist.
safari [safari] *nm* safari; **faire un s.** to be *ou* go on safari; **un s.-photo** a photographic safari.
safran [safrɑ̃] *nm* (*condiment*) saffron.
sagace [sagas] *a* shrewd, sagacious. ● **sagacité** *nf* shrewdness.
sage [saʒ] *a* wise; (*enfant*) good, well-behaved; (*modéré*) moderate ▌ *nm* wise man, sage. ● **sagement** *adv* wisely; (*avec calme*) quietly. ● **sagesse** *nf* (*philosophie*) wisdom; (*calme*) good behaviour; (*modération*) moderation.
sage-femme [saʒfam] *nf* (*pl* **sages-femmes**) midwife.
Sagittaire [saʒitɛr] *nm* **le S.** (*signe*) Sagittarius.
Sahara [saara] *nm* **le S.** the Sahara (desert).
saigner [seɲe] *vti* to bleed; **s. du nez** to have a nosebleed; **saigné à blanc** *Fig* bled white; **se s. aux quatre veines pour qn** *Fig* to make major sacrifices for s.o. ● **saignant, -ante** [sɛɲɑ̃, -ɑ̃t] *a* (*viande*) rare, underdone. ● **saignée** *nf* **1** *Méd* bleeding, blood-letting; (*perte*) *Fig* heavy loss. **2 la s. du bras** *Anat* the bend of the arm. ● **saignement** *nm* bleeding; **s. de nez** nosebleed.
saillant, -ante [sajɑ̃, -ɑ̃t] *a* projecting, jutting out; (*trait etc*) *Fig* salient. ● **saillie** *nf* projection; **en s., faisant s.** projecting.

sain, saine [sɛ̃, sɛn] *a* healthy; *(moralement)* sane; *(jugement)* sound; *(nourriture)* wholesome, healthy; **s. et sauf** safe and sound, unhurt. ●**sainement** *adv (vivre)* healthily; *(raisonner)* sanely.

saindoux [sɛ̃du] *nm* lard.

saint, sainte [sɛ̃, sɛ̃t] *a* holy; *(personne)* saintly; **s. Jean** Saint John; **la Sainte Vierge** the Blessed Virgin; **sainte nitouche** *Fam Iron* little innocent ▌*nmf* saint. ●**saint-bernard** *nm (chien)* St Bernard. ●**Saint-Esprit** *nm* Holy Spirit. ●**saint-frusquin** *nm* **tout le s.-frusquin** *Fam* the whole kit and caboodle. ●**saint-honoré** *nm* Saint-Honoré *(choux pastry ring filled with confectioner's sugar)*. ●**Saint-Siège** *nm* Holy See. ●**Saint-Sylvestre** *nf* New Year's Eve.

sainteté [sɛ̃tte] *nf* holiness; *(de personne)* saintliness; **Sa S.** *(le pape)* His Holiness.

saint-glinglin (à la) [alasɛ̃glɛ̃glɛ̃] *adv* **à la s.-glinglin** *Fam* never in you life, never in a month of Sundays.

sais [sɛ] *voir* **savoir**.

saisie [sezi] *nf Jur* seizure; **s. de données** *Ordinat* data capture, keyboarding; **opérateur de s.** *Ordinat* keyboard operator.

saisir [sezir] **1** *vt* to grab (hold of), seize; *(occasion)* to jump at, seize; *(comprendre)* to understand, grasp; *Jur* to seize; *(frapper) Fig* to strike; **se s. de** to grab (hold of), seize. **2** *vt (viande)* to fry briskly. ●**saisi, -ie** *a* **s. de** *(joie, peur etc)* overcome by; **s. par la ressemblance/etc** struck by the likeness/etc. ●**saisissant, -ante** *a (film etc)* gripping; *(contraste, ressemblance)* striking. ●**saisissement** *nm (émotion)* shock.

saison [sɛzɔ̃] *nf* season; **en/hors s.** in/out of season; **en pleine** *ou* **haute s.** in (the) high season; **en basse s.** in the low season; **la s. des pluies** the rainy season. ●**saisonnier, -ière** *a* seasonal.

sait [sɛ] *voir* **savoir**.

salade [salad] *nf* **1** *(laitue)* lettuce; **s. (verte)** (green) salad; **s. de fruits/de tomates/etc** fruit/tomato/etc salad; **s. niçoise** salade niçoise *(lettuce, tomatoes, olives, anchovies, eggs etc)*. **2** *(désordre) Fam* mess. ●**salades** *nfpl (mensonges) Fam* stories, nonsense. ●**saladier** *nm* salad bowl.

salaire [salɛr] *nm* wage(s), salary.

salaison [salɛzɔ̃] *nf Culin* salting; **salaisons** *(denrées)* salt(ed) meat *ou* fish.

salamandre [salamɑ̃dr] *nf (animal)* salamander.

salami [salami] *nm (saucisson)* salami.

salarial, -e, -aux [salarjal, -o] *a* **accord/etc s.** wage agreement/etc. ●**salarié, -ée** *a* wage-earning ▌*nmf* wage earner.

salaud [salo] *nm Fam Péj* bastard, swine.

sale [sal] *a* dirty; *(dégoûtant)* filthy; *(mauvais)* nasty; *(couleur)* dingy; **s. coup** *Fam* dirty trick; **s. temps** *Fam* rotten *ou* awful weather; **avoir une s. gueule** *Fam* to look rotten *ou* awful. ●**salement** *adv (se conduire, manger)* disgustingly. ●**saleté** *nf* dirtiness; filthiness; *(crasse)* dirt, filth; *(action) Fig* dirty trick; *(camelote) Fam* junk, *Br* rubbish, *Am* garbage; **saletés** *(détritus) Br* rubbish, *Am* garbage; *(obscénités)* filth.

saler [sale] *vt Culin* to salt. ●**salé, -ée** *a* **1** *(goût, plat)* salty; *(aliment)* salted; *(grivois) Fig* spicy; **eau salée** salt water. **2** *(excessif) Fam* steep. ●**salière** *nf Br* saltcellar, *Am* saltshaker.

salir [salir] *vt* to (make) dirty; *(réputation) Fig* to tarnish, sully ▌**se salir** *vpr* to get dirty. ●**salissant, -ante** *a (métier)* dirty, messy; *(étoffe)* that shows the dirt. ●**salissure** *nf (tache)* dirty mark.

salive [saliv] *nf* saliva. ●**saliver** *vi* to salivate.

salle [sal] *nf* room; *(très grande, publique)* hall; *(de théâtre)* theatre, auditorium; *(de cinéma) Br* cinema, *Am* movie theater; *(d'hôpital)* ward; *(public de théâtre)* audience, house; **s. à manger** dining room; **s. de bain(s)** bathroom; **s. d'eau** shower room; **s. de classe** classroom; **s. de concert** concert hall; **s. d'embarquement** *(d'aéroport)* departure lounge; **s. d'exposition** *Com* showroom; **s. de jeux** *(pour enfants)* games room; *(avec machines à sous)* amusement arcade; *(de casino)* gaming room; **s. d'opération** *(d'hôpital)* operating *Br* theatre *ou Am* room.

salon [salɔ̃] *nm* living room, sitting room, *Br* lounge; *(exposition)* show; **s. de beauté/de coiffure** beauty/hairdressing salon; **s. de thé** tearoom(s).

salope [salɔp] *nf (femme) Fam Vulg* bitch, cow. ●**saloper** *vt (salir) Fam* to mess up. ●**saloperie** *nf Fam (action)* dirty trick; *(camelote)* junk, *Br* rubbish, *Am* garbage; **des saloperies** *(propos)* filthy talk *ou* remarks, filth.

salopette [salɔpɛt] *nf (d'enfant, d'ouvrier) Br* dungarees, *Am* overalls.

salsifis [salsifi] *nm Bot Culin* salsify.

saltimbanque [saltɛ̃bɑ̃k] *nmf* (travelling) acrobat.

salubre [salybr] *a* healthy, salubrious. ●**salubrité** *nf* healthiness; **s. publique** public health.

saluer [salɥe] *vt* to greet; *(en partant)* to take one's leave of, say goobye to; *(de la main)* to wave to; *(de la tête)* to nod to; *Mil* to salute; **s. qn comme** *Fig* to hail s.o. as.

salut [saly] **1** *nm* greeting; *(de la main)* wave; *(de la tête)* nod; *Mil* salute ▌*int Fam* hello!, hi!; *(au revoir)* bye! **2** *nm (de peuple etc)* salvation; *(sauvegarde)* safety. ●**salutation** *nf* greeting; **je vous prie d'accepter mes salutations distinguées** *(dans une lettre) Br* yours faithfully, *Am* sincerely.

salutaire [salytɛr] *a* salutary.

salve [salv] *nf* salvo.

samedi [samdi] *nm* Saturday.

SAMU [samy] *nm abrév (service d'assistance médicale d'urgence)* emergency medical service.

sanatorium [sanatɔrjɔm] *nm* sanatorium.

sanctifier [sɑ̃ktifje] *vt* to sanctify.
sanction [sɑ̃ksjɔ̃] *nf* (*approbation, peine*) sanction. ●**sanctionner** *vt* (*confirmer, approuver*) to sanction; (*punir*) to punish.
sanctuaire [sɑ̃ktɥɛr] *nm Rel* sanctuary.
sandale [sɑ̃dal] *nf* sandal.
sandwich [sɑ̃dwitʃ] *nm* sandwich; **s. au fromage**/*etc* cheese/*etc* sandwich.
sang [sɑ̃] *nm* blood; **coup de s.** *Méd* stroke; **être en s.** to be covered in blood; **avoir du s. bleu** (*être noble*) to be blue-blooded, have blue blood; **avoir le s. chaud** to be hot-tempered; **se faire du mauvais s.** *Fam* to worry, fret; **mon s. n'a fait qu'un tour** *Fig* my heart missed a beat. ●**sanglant, -ante** *a* bloody; (*critique, reproche*) scathing.
sang-froid [sɑ̃frwa] *nm* self-control, calm; **garder son s.-froid** to keep calm, keep one's head; **avec s.-froid** calmly; **tuer**/*etc* **de s.-froid** to kill/*etc* in cold blood.
sangle [sɑ̃gl] *nf* (*de selle, parachute*) strap.
sanglier [sɑ̃glije] *nm* wild boar.
sanglot [sɑ̃glo] *nm* sob. ●**sangloter** *vi* to sob.
sangsue [sɑ̃sy] *nf* leech.
sanguin, -ine [sɑ̃gɛ̃, -in] **1** *a* (*tempérament*) full-blooded; **vaisseau/groupe**/*etc* **s.** blood vessel/group/*etc*. **2** *nf* **sanguine** (*fruit*) blood orange, ruby-red orange.
sanguinaire [sɑ̃giner] *a* blood-thirsty.
sanitaire [saniter] *a* (*conditions*) sanitary; (*personnel*) medical; **installation s.** bathroom fittings; **règlement s.** health regulations.
sans [sɑ̃] ([sɑ̃z] *before vowel and mute h*) *prép* without; **s. faire** without doing; **s. qu'il le sache** without him *ou* his knowing; **s. cela, s. quoi** otherwise; **s. plus** (but) no more than that; **s. faute/exception** without fail/exception; **s. importance/travail** unimportant/unemployed; **s. argent/manches** penniless/sleeveless; **ça va s. dire** that goes without saying. ●**sans-abri** *nmf inv* homeless person; **les s.-abri** the homeless. ●**sans-cœur** *nmf inv Fam* heartless person. ●**sans-faute** *nm inv* **faire un s.-faute** *Équitation etc* to do a clear round; *Fig* not to put a foot wrong, turn in a faultless performance. ●**sans-gêne** *a inv* inconsiderate ∥ *nm inv* lack of consideration. ●**sans-travail** *nmf inv* unemployed person.
santé [sɑ̃te] *nf* health; **en bonne/mauvaise s.** in good/bad health, well/not well, fit/unfit; **(à votre) s.!** (*en trinquant*) your (good) health!, cheers!; **boire à la s. de qn** to drink to s.o.'s (good) health; **maison de s.** nursing home.
santiag [sɑ̃tjag] *nf Fam* cowboy boot.
saoul [su] *a & nm* = **soûl**.
saper [sape] *vt* to undermine; **s. le moral à qn** to undermine *ou* sap s.o.'s morale.
sapeur-pompier [sapœrpɔ̃pje] *nm* (*pl* **sapeurs-pompiers**) fireman.
saphir [safir] *nm* (*pierre*) sapphire; (*d'électrophone*) sapphire, stylus.
sapin [sapɛ̃] *nm* (*arbre, bois*) fir; **s. de Noël** Christmas tree.

sarbacane [sarbakan] *nf* (*jouet*) peashooter.
sarcasme [sarkasm] *nm* sarcasm; **un s. a** piece of sarcasm. ●**sarcastique** *a* sarcastic.
sarcler [sarkle] *vt* (*jardin etc*) to weed.
Sardaigne [sardɛɲ] *nf* Sardinia. ●**sarde** *a* Sardinian ∥ *nmf* S. Sardinian.
sardine [sardin] *nf* sardine; **sardines à l'huile** sardines in oil; **serrés comme des sardines** *Fam* squashed like sardines.
sardonique [sardɔnik] *a* sardonic.
SARL [ɛsaɛrɛl] *abrév* (*société à responsabilité limitée*) *Br* Ltd, *Am* Inc.
sarment [sarmɑ̃] *nm* vine shoot.
sarrasin [sarazɛ̃] *nm* buckwheat.
sas [sas] *nm* (*de bateau, d'avion*) airlock; **s. de sécurité** security screen.
Satan [satɑ̃] *nm* Satan. ●**satané, -ée** *a* (*maudit*) *Fam* damned. ●**satanique** *a* satanic.
satellite [satelit] *nm* satellite; **télévision par s.** satellite TV; **antenne s.** satellite dish; **pays s.** *Pol* satellite (country).
satiété [sasjete] *nf* **à s.** (*boire, manger*) one's fill; (*répéter*) ad nauseam.
satin [satɛ̃] *nm* satin. ●**satiné, -ée** *a* satiny, silky.
satire [satir] *nf* satire (**contre** on). ●**satirique** *a* satiric(al).
satisfaction [satisfaksjɔ̃] *nf* satisfaction; **donner s. à qn** to give s.o. (complete) satisfaction. ●**satisfaire*** *vt* to satisfy (*s.o.*) ∥ *vi* **s. à** (*conditions, engagement etc*) *Br* to fulfil, *Am* fulfill. ●**satisfaisant, -ante** *a* (*acceptable*) satisfactory. ●**satisfait, -faite** *a* satisfied, content (**de** with).
saturateur [satyratœr] *nm* (*de radiateur*) humidifier.
saturer [satyre] *vt* to saturate (**de** with). ●**saturation** *nf* saturation; **arriver à s.** to reach saturation point.
satyre [satir] *nm Fam* sex fiend.
sauce [sos] *nf* sauce; (*jus de viande*) gravy; **s. tomate** tomato sauce. ●**saucière** *nf* sauce boat; (*pour jus de viande*) gravy boat.
saucisse [sosis] *nf* sausage; **s. de Strasbourg** beef sausage; **s. de Francfort** frankfurter. ●**saucisson** *nm* (cold) sausage.
sauf¹ [sof] *prép* except (**que** that); **s. avis contraire** unless you hear otherwise; **s. erreur** errors excepted, barring error(s).
sauf², sauve [sof, sov] *a* (*honneur*) intact, saved; **avoir la vie sauve** to be unharmed. ●**sauf-conduit** *nm* (*document*) safe-conduct.
sauge [soʒ] *nf Bot Culin* sage.
saugrenu, -ue [sogrəny] *a* preposterous.
saule [sol] *nm* willow; **s. pleureur** weeping willow.
saumâtre [somatr] *a* (*eau*) briny, brackish.
saumon [somɔ̃] *nm* salmon ∥ *a inv* (*couleur*) salmon (pink).
saumure [somyr] *nf* (pickling) brine.
sauna [sona] *nm* sauna.
saupoudrer [sopudre] *vt* to sprinkle (**de** with).
saur [sɔr] *am* **hareng s.** smoked herring.
saura, saurait *etc* [sora, sorɛ] *voir* **savoir**.

saut [so] *nm* jump, leap; **faire un s.** to jump, leap; **faire un s. (chez qn)** to drop in (on s.o.), *Br* pop round (to s.o.); **au s. du lit** on getting out of bed; **s. à la corde** *Br* skipping, *Am* jumping rope; **s. à l'élastique** bungee jumping; **s. en parachute** parachute jump; (*activité*) parachute jumping; **triple s.** *Sport* triple jump.

sauté, -ée [sote] *a* & *nm Culin* sauté. ● **sauteuse** *nf* (shallow) pan.

sauter [sote] *vi* to jump, leap; (*bombe*) to go off, explode; (*poudrière etc*) to go up, blow up; (*fusible*) to blow; (*se détacher*) to come off; **faire s.** (*détruire*) to blow up; (*arracher*) to tear off; (*casser*) to break; (*renvoyer*) *Fam* to get rid of, fire; (*fusible*) to blow; *Culin* to sauté; **s. à la corde** *Br* to skip, *Am* jump rope; **ça saute aux yeux** it's obvious; **elle m'a sauté dessus** *Fam* she pounced on me.
▮ *vt* (*franchir*) to jump (over); (*mot*, *repas*, *classe*, *cours*, *ligne*) to skip. ● **saute-mouton** *nm* (*jeu*) leapfrog.

sauterelle [sotrɛl] *nf* grasshopper.

sautes [sot] *nfpl* (*d'humeur, de température*) sudden changes (**de** in).

sautiller [sotije] *vi* to hop.

sautoir [sotwar] *nm Sport* jumping area.

sauvage [sovaʒ] *a* (*animal, plante etc*) wild; (*tribu, homme*) primitive; (*cruel*) savage; (*farouche*) unsociable, shy; (*illégal*) unauthorized ▮ *nmf* unsociable person; (*brute*) savage. ● **sauvagerie** *nf* unsociability; (*cruauté*) savagery.

sauve [sov] *a* voir **sauf²**.

sauvegarde [sovgard] *nf* safeguard (**contre** against); (*copie*) *Ordinat* backup. ● **sauvegarder** *vt* to safeguard; *Ordinat* to save; (*copier*) to back up.

sauver [sove] **1** *vt* to save; (*d'un danger*) to rescue (**de** from); (*matériel*) to salvage; **s. la vie à qn** to save s.o.'s life. **2 se sauver** *vpr* (*s'enfuir*) to run away *ou* off; (*partir*) *Fam* to get out, go. ● **sauve-qui-peut** *nm inv* stampede. ● **sauvetage** *nm* rescue; **canot de s.** lifeboat; **ceinture de s.** *Br* lifebelt, *Am* life preserver; **radeau de s.** life raft. ● **sauveteur** *nm* rescuer. ● **sauveur** *nm* saviour.

sauvette (à la) [alasovɛt] *adv* **vendre à la s.** to peddle *ou* hawk on the streets (*illegally*).

savane [savan] *nf* savanna(h).

savant, -ante [savã, -ãt] *a* learned, scholarly; (*manœuvre etc*) masterly, clever ▮ *nm* scientist. ● **savamment** [-amã] *adv* learnedly; (*avec habileté*) cleverly, skilfully.

savate [savat] *nf* old shoe *ou* slipper.

saveur [savœr] *nf* (*goût*) flavour; (*piment*) *Fig* savour.

Savoie [savwa] *nf* Savoy.

savoir* [savwar] *vt* to know; (*nouvelle*) to know, have heard; **j'ai su la nouvelle** I heard *ou* got to know the news. **s. lire/nager/***etc* to know how to read/swim/*etc*; **faire s. à qn que** to inform *ou* tell s.o. that; **à s.** (*c'est-à-dire*) that is, namely; **je ne saurais pas** I could not, I cannot; **(pas) que je sache** (not) as far as I know; **je n'en sais rien** I have no idea, I don't know; **en s. long sur** to know a lot about; **un je ne sais quoi** a something or other.
▮ *nm* (*culture*) learning, knowledge.
● **savoir-faire** *nm inv* know-how, ability.
● **savoir-vivre** *nm inv* good manners.

savon [savɔ̃] *nm* **1** soap; (*morceau*) (bar of) soap. **2 passer un s. à qn** (*gronder*) *Fam* to give s.o. a dressing-down *ou* a talking-to.
● **savonner** *vt* to wash with soap. ● **savonnette** *nf* bar of soap. ● **savonneux, -euse** *a* soapy.

savourer [savure] *vt* to enjoy, savour, relish.
● **savoureux, -euse** *a* tasty; (*histoire etc*) *Fig* juicy.

savoyard, -arde [savwajar, -ard] *a* Savoyard ▮ *nmf* S., Savoyarde Savoyard.

saxophone [saksɔfɔn] *nm* saxophone.
● **saxo** *nm* (*instrument*) *Fam* sax.

saynette [sɛnɛt] *nf* playlet.

sbire [sbir] *nm* (*homme de main*) *Péj* henchman.

scabreux, -euse [skabrø, -øz] *a* obscene.

scalp [skalp] *nm* (*chevelure*) scalp. ● **scalper** *vt* to scalp.

scalpel [skalpɛl] *nm* scalpel.

scandale [skɑ̃dal] *nm* scandal; (*tapage*) uproar; **faire s.** (*livre etc*) to scandalize people; **faire un s.** to make a scene. ● **scandaleux, -euse** *a* shocking, outrageous, scandalous. ● **scandaleusement** *adv* outrageously. ● **scandaliser** *vt* to scandalize, shock ▮ **se scandaliser** *vpr* to be shocked *ou* scandalized (**de** by, **que** (+ *sub*) that).

scander [skɑ̃de] *vt* (*vers*) to scan; (*slogan*) to chant.

Scandinavie [skɑ̃dinavi] *nf* Scandinavia.
● **scandinave** *a* Scandinavian ▮ *nmf* S. Scandinavian.

scanner [skanɛr] *nm Méd Ordinat* scanner.

scaphandre [skafɑ̃dr] *nm* (*de plongeur*) diving suit; (*de cosmonaute*) spacesuit; **s. autonome** aqualung. ● **scaphandrier** *nm* diver.

scarabée [skarabe] *nm* beetle.

scarlatine [skarlatin] *nf* scarlet fever.

scarole [skarɔl] *nf* endive.

sceau, -x [so] *nm* (*cachet, cire*) seal.
● **sceller** *vt* **1** (*document etc*) to seal. **2** (*fixer*) *Tech* to cement in, embed. ● **scellés** *nmpl* (*cachets de cire*) seals; **mettre les s.** (*sur une porte etc*) to put on the seals.

scélérat, -ate [selera, -at] *nmf Litt* scoundrel.

scel-o-frais® [selofrɛ] *nm Br* clingfilm, *Am* plastic wrap.

scénario [senarjo] *nm* (*plan de film*) scenario; (*dialogues de film*) film script, screenplay; (*déroulement*) *Fig* scenario. ● **scénariste** *nmf* (*de cinéma*) scriptwriter.

scène [sɛn] *nf* **1** (*de théâtre*) scene; (*plateau*) stage; (*décors, partie de pièce*) scene; (*action*) action; **mettre en s.** (*pièce, film*) to direct; **entrer en s.** (*acteur*) to come on, go

on; **sur la s. internationale** *Fig* on the international scene. **2** (*dispute*) scene; **faire une s. (à qn)** to make *ou* create a scene; **elle m'a fait une s.** she made *ou* created a scene; **s. de ménage** domestic quarrel.
scepticisme [sεptisism] *nm Br* scepticism, *Am* skepticism. ●**sceptique** *a Br* sceptical, *Am* skeptical ▮ *nmf Br* sceptic, *Am* skeptic.
scheik [ʃεk] *nm* sheikh.
schéma [ʃema] *nm* diagram; *Fig* outline. ●**schématique** *a* diagrammatic; (*succinct*) sketchy. ●**schématiser** *vt* to represent diagrammatically; (*simplifier*) to oversimplify.
schizophrène [skizɔfrεn] *a & nmf* schizophrenic.
sciatique [sjatik] *nf* (*douleur*) sciatica.
scie [si] *nf* (*outil*) saw; **s. électrique** power saw; **s. musicale** musical saw. ●**scier** *vt* to saw. ●**scierie** *nf* sawmill.
sciemment [sjamã] *adv* knowingly.
science [sjãs] *nf* science; (*savoir*) knowledge; (*habileté*) skill; **sciences humaines** social science(s); **sciences naturelles** biology; **étudier les sciences** to study science. ●**science-fiction** *nf* science fiction. ●**scientifique** *a* scientific ▮ *nmf* scientist.
scinder [sɛ̃de] *vt*, **se scinder** *vpr* to divide, split.
scintiller [sɛ̃tije] *vi* to sparkle, glitter; (*étoile*) to twinkle. ●**scintillement** *nm* sparkling; (*d'étoile*) twinkling.
scission [sisjɔ̃] *nf* (*de parti etc*) split (**de** in); **s. de l'atome** splitting of the atom.
sciure [sjyr] *nf* sawdust.
sclérose [skleroz] *nf Méd* sclerosis; *Fig* ossification; **s. en plaques** multiple sclerosis. ●**sclérosé, -ée** *a* (*société etc*) *Fig* ossified.
scolaire [skɔlεr] *a* **année/etc s.** school year/etc; **enfant d'âge s.** child of school age; **progrès scolaires** progress at school, academic progress. ●**scolariser** *vt* (*enfant*) to send to school, put in school; (*pays*) to provide with schools. ●**scolarité** *nf* schooling; **s. obligatoire/gratuite** compulsory/free schooling; **certificat de s.** certificate of attendance (*at school or university*); **pendant ma s.** during my school years.
scoliose [skɔljoz] *nf Méd* curvature of the spine.
scooter [skutεr] *nm* (motor) scooter; **s. des mers** jet ski.
scorbut [skɔrbyt] *nm* (*maladie*) scurvy.
score [skɔr] *nm Sport* score.
scories [skɔri] *nfpl* (*résidu*) slag.
scorpion [skɔrpjɔ̃] *nm* scorpion; **le S.** (*signe*) Scorpio.
scotch [skɔtʃ] *nm* **1** (*boisson*) Scotch, whisky. **2**® (*ruban adhésif*) *Br* sellotape®, *Am* scotch tape®. ●**scotcher** *vt Br* to sellotape, *Am* to tape.
scout, -e [skut] *a & nm* scout. ●**scoutisme** *nm* scout movement, scouting.
script [skript] *nm* (*écriture*) printing.
scripte [skript] *nf* (*de cinéma*) continuity girl.

scrupule [skrypyl] *nm* scruple; **sans scrupules** unscrupulous; (*agir*) unscrupulously. ●**scrupuleux, -euse** *a* scrupulous. ●**scrupuleusement** *adv* scrupulously.
scruter [skryte] *vt* to examine, scrutinize.
scrutin [skrytɛ̃] *nm* voting, ballot; (*opérations électorales*) poll(ing); **premier/etc tour de s.** first/etc ballot *ou* round.
sculpter [skylte] *vt* (*statue, pierre etc*) to sculpture, sculpt; (*bois*) to carve; **s. qch dans** to sculpture sth out of; to carve sth out of. ●**sculpteur** *nm* sculptor. ●**sculptural, -e, -aux** *a* (*beauté, femme etc*) statuesque. ●**sculpture** *nf* (*art, œuvre*) sculpture; **s. sur bois** woodcarving.
SDF [εsdeεf] *nm abrév* (*sans domicile fixe*) person of no fixed abode.
se [s(ə)] (**s'** *before vowel or mute h*) *pron* **1** (*complément direct*) himself; (*féminin*) herself; (*non humain*) itself; (*indéfini*) oneself; *pl* themselves; **il se lave** he washes himself; **ils** *ou* **elles se lavent** they wash themselves.
2 (*indirect*) to himself; to herself; to itself; to oneself; **se dire** to say to oneself; **elle se dit** she says to herself.
3 (*réciproque*) each other, one another; (*indirect*) to each other, to one another; **ils s'aiment** they love each other *ou* one another; **ils** *ou* **elles se parlent** they speak to each other *ou* one another.
4 (*possessif*) **il se lave les mains** he washes his hands; **elle se lave les mains** she washes her hands.
5 (*passif*) **ça se fait** that is done; **ça se vend bien** it sells well.
séance [seãs] *nf* **1** (*de cinéma*) showing, performance. **2** (*d'assemblée etc*) session, sitting; (*de travail etc*) session; **s.** (**de pose**) (*chez un peintre*) sitting. **3 s. tenante** at once.
séant, -ante [seã, -ãt] **1** *a* (*convenable*) *Litt* seemly, proper. **2** *nm* **se mettre sur son s.** to sit up.
seau, -x [so] *nm* bucket, pail.
sec, sèche [sεk, sεʃ] *a* dry; (*fruits, légumes*) dried; (*ton*) curt, harsh; (*maigre*) spare; (*cœur*) *Fig* hard; **frapper un coup s.** to knock (sharply), bang; **bruit s.** (*rupture*) snap ▮ *adv* (*boire*) *Br* neat, *Am* straight; (*frapper, pleuvoir*) hard ▮ *nm* **à s.** dried up, dry; (*sans argent*) *Fam* broke; **au s.** in a dry place.
sécateur [sekatœr] *nm* pruning shears, *Br* secateurs.
sécession [sesesjɔ̃] *nf* secession; **faire s.** to secede.
sèche [sεʃ] *voir* sec. ●**sèche-cheveux** *nm inv* hair dryer. ●**sèche-linge** *nm inv Br* tumble dryer, *Am* (clothes) dryer.
sécher [seʃe] **1** *vti* to dry ▮ **se sécher** *vpr* to dry oneself. **2** *vt* (*cours*) *Scol Fam* to skip ▮ *vi* (*ignorer*) *Scol Fam* to be stumped; (*être absent*) *Scol* to skip lessons *ou* classes. ●**séchage** *nm* drying.
sécheresse [seʃrεs] *nf* dryness; (*de ton*) curtness; *Mét* drought.

séchoir [seʃwar] *nm* (*appareil*) dryer; s. à linge drying rack, clothes horse.

second, -onde[1] [sgɔ̃, -ɔ̃d] *a & nmf* second; de seconde main secondhand ∎ *nm* (*adjoint*) second in command; (*étage*) Br second floor, Am third floor ∎ *nf* Br second class; Scol = Br fifth form, = Am eleventh grade; (*vitesse*) Aut second (gear). ● **secondaire** *a* secondary; **école s.** Br secondary school, Am high school.

seconde[2] [sgɔ̃d] *nf* (*instant*) second.

seconder [sgɔ̃de] *vt* to assist.

secouer [s(ə)kwe] *vt* to shake; (*paresse, poussière*) to shake off; s. qn (*maladie, nouvelle etc*) to shake s.o. up; s. qch de qch (*enlever*) to shake sth out of sth; s. la tête (*réponse affirmative*) to nod (one's head); (*réponse négative*) to shake one's head ∎ **se secouer** *vpr* (*faire un effort*) Fam to shake oneself out of it.

secourir [s(ə)kurir] *vt* to assist, help. ● **secourable** *a* (*personne*) helpful. ● **secourisme** *nm* first aid. ● **secouriste** *nmf* first-aid worker.

secours [s(ə)kur] *nm* assistance, help; des secours (*aux victimes*) aid, relief; **le s., les s.** Mil relief; (**premiers**) **s.** Méd first aid; **au s.!** help!; **porter s. à qn** to give s.o. assistance ou help; **sortie de s.** emergency exit; **équipe de s.** rescue team; **roue de s.** spare wheel.

secousse [s(ə)kus] *nf* jolt, jerk; (*psychologique*) shock; (*dans un tremblement de terre*) tremor.

secret, -ète [səkrɛ, -ɛt] *a* secret; (*cachottier*) secretive ∎ *nm* secret; (*discrétion*) secrecy; **s. d'État** state secret; **en s.** in secret, secretly; **dans le s.** (*au courant*) in on the secret; **au s.** (*en prison*) in solitary confinement.

secrétaire [səkretɛr] **1** *nmf* secretary; s. médicale (doctor's) receptionist; s. d'État Secretary of State; s. de mairie town clerk; s. de rédaction (*de journal*) Br subeditor, Am copyeditor. **2** *nm* (*meuble*) writing desk. ● **secrétariat** *nm* (*bureau*) secretary's office; (*d'organisation internationale*) secretariat; (*métier*) secretarial work; **école/travail de s.** secretarial school/work.

sécréter [sekrete] *vt* Méd Biol to secrete. ● **sécrétion** *nf* secretion.

secte [sɛkt] *nf* sect. ● **sectaire** *a & nmf* Péj sectarian.

secteur [sɛktœr] *nm* Mil Écon sector; (*de ville*) district; (*domaine*) Fig area; (*de réseau*) Él supply area; (*ligne*) Él mains; **branché sur le s.** plugged into the mains; **s. primaire/secondaire** Écon primary/secondary sector.

section [sɛksjɔ̃] *nf* section; (*de ligne d'autobus*) fare stage; Mil platoon. ● **sectionner** *vt* to divide (into sections); (*artère, doigt*) to sever.

séculaire [sekylɛr] *a* (*tradition etc*) age-old.

séculier, -ière [sekylje, -jɛr] *a* (*clergé etc*) secular.

secundo [s(ə)gɔ̃do] *adv* secondly.

sécurité [sekyrite] *nf* (*matérielle*) safety; (*tranquillité*) security; **s. routière** road safety; **S. sociale** = social services, Social Security; **ceinture/marge/normes/***etc* **de s.** safety belt/margin/standards/*etc*; **s. de l'emploi** job security; **en s.** safe; (*tranquille*) secure. ● **sécuriser** *vt* to reassure (*s.o.*), make (*s.o.*) feel (emotionally) secure.

sédatif [sedatif] *nm* sedative.

sédentaire [sedɑ̃tɛr] *a* sedentary.

sédiment [sedimɑ̃] *nm* sediment.

séditieux, -euse [sedisjø, -øz] *a* seditious. ● **sédition** *nf* sedition.

séduire* [seduir] *vt* to charm, attract; (*plaire à*) to appeal to; (*abuser de*) to seduce. ● **séduisant, -ante** *a* attractive. ● **séducteur, -trice** *a* seductive ∎ *nmf* seducer. ● **séduction** *nf* attraction.

segment [sɛgmɑ̃] *nm* segment. ● **segmenter** *vt* to segment, divide into segments.

ségrégation [segregasjɔ̃] *nf* segregation.

seiche [sɛʃ] *nf* cuttlefish.

seigle [sɛgl] *nm* rye; **pain de s.** rye bread.

seigneur [sɛɲœr] *nm* (*noble, maître*) Hist lord; **le S.** Rel the Lord.

sein [sɛ̃] *nm* breast; Fig bosom; **bout de s.** nipple; **donner le s. à** (*enfant*) to breastfeed; **au s. de** (*parti, fédération, famille etc*) within; (*bonheur etc*) in the midst of.

Seine [sɛn] *nf* **la S.** the Seine.

séisme [seism] *nm* earthquake.

seize [sɛz] *a & nm* sixteen. ● **seizième** *a & nmf* sixteenth.

séjour [seʒur] *nm* stay; (**salle de**) **s.** living room. ● **séjourner** *vi* to stay.

sel [sɛl] *nm* salt; (*piquant*) Fig spice; (*humour*) wit; **sels** Méd (smelling) salts; **s. de mer** sea salt; **sels de bain** bath salts.

sélect, -e [selɛkt] *a* Fam select.

sélectif, -ive [selɛktif, -iv] *a* selective. ● **sélection** *nf* selection. ● **sélectionner** *vt* to select. ● **sélectionneur** *nm* (*sportif etc*) selector.

self(-service) [sɛlf(sɛrvis)] *nm* self-service restaurant *ou* shop.

selle [sɛl] *nf* (*de cheval*) saddle. ● **seller** [sele] *vt* (*cheval*) to saddle.

selles [sɛl] *nfpl* **les s.** Méd bowel movements, stools, Br motions.

sellette [sɛlɛt] *nf* **sur la s.** (*personne*) Fig under examination, in the hot seat.

selon [s(ə)lɔ̃] *prép* according to (**que** whether); **c'est s.** Fam it (all) depends.

Seltz (eau de) [sɛlsɛls] *nf* soda (water).

semailles [s(ə)mɑj] *nfpl* (*travail*) sowing; (*période*) seedtime.

semaine [s(ə)mɛn] *nf* week; **en s.** (*opposé à week-end*) in the week; **à la s.** by the week, weekly; **à la petite s.** (*politique etc*) Fam shortsighted.

sémantique [semɑ̃tik] *a* semantic ∎ *nf* semantics.

sémaphore [semafɔr] *nm* (*pour bateaux ou trains*) semaphore.

semblable [sɑ̃blabl] *a* similar (**à** to); **être**

semblant

semblables to be alike *ou* similar; **de semblables propos**/*etc* (*tels*) such remarks/*etc* ▮ *nm* fellow (creature); **toi et tes semblables** you and your kind.
semblant [sɑ̃blɑ̃] *nm* **faire s.** to pretend (**de faire** to do); **un s. de** a semblance of.
sembler [sɑ̃ble] *vi* to seem (**à** to); **il (me) semble vieux** he seems *ou* looks old (to me); **s. être/faire** to seem to be/to do ▮ *v imp* **il semble que** (+ *sub ou indic*) it seems that, it looks as if; **il me semble que** I think that, it seems to me that; **quand bon lui semble** when he *ou* she sees fit.
semelle [s(ə)mɛl] *nf* (*de chaussure*) sole; (*intérieure*) insole; **ne pas quitter qn d'une s.** Fig to be always at s.o.'s heels.
semer [s(ə)me] *vt* **1** (*graines*) to sow; (*jeter*) Fig to strew; (*répandre*) to spread; **semé de** Fig strewn with, dotted with. **2** (*concurrent, poursuivant*) to shake off. ● **semence** *nf* seed; (*clou*) tack. ● **semeur, -euse** *nmf* sower (**de** of).
semestre [s(ə)mɛstr] *nm* half-year; *Univ* semester. ● **semestriel, -ielle** *a* half-yearly.
semi- [səmi] *préf* semi-.
séminaire [seminɛr] *nm* **1** *Univ* seminar. **2** *Rel* seminary. ● **séminariste** *nm* *Rel* seminarist.
semi-remorque [səmirəmɔrk] *nm* (*camion*) *Br* articulated lorry, *Am* semi(trailer), *Am* trailer truck.
semis [s(ə)mi] *nm* sowing; (*terrain*) seedbed; (*plant*) seedling.
sémite [semit] *a* Semitic ▮ *nmf* S. Semite. ● **sémitique** (*langue*) Semitic.
semonce [səmɔ̃s] *nf* reprimand; **coup de s.** (*de navire*) warning shot.
semoule [s(ə)mul] *nf* semolina.
sempiternel, -elle [sɑ̃pitɛrnɛl] *a* endless, ceaseless.
sénat [sena] *nm* *Pol* senate. ● **sénateur** *nm* *Pol* senator.
sénile [senil] *a* senile. ● **sénilité** *nf* senility.
senior [senjɔr] *nm & a inv Sport* senior.
sens [sɑ̃s] *nm* **1** (*faculté, raison, instinct*) sense; **avoir le s. de l'humour** to have a sense of humour; **avoir du bon s.** to have (good) sense, be sensible; **cela tombe sous le s.** that's perfectly obvious; **à mon s.** to my mind; **s. commun** commonsense.
2 (*signification*) meaning, sense; **ça n'a pas de s.** that doesn't make sense; **dans un certain s.** in a way.
3 (*direction*) direction; **s. giratoire** *Aut Br* roundabout, *Am* traffic circle, *Am* rotary; **s. interdit** *ou* **unique** (*rue*) one-way street; **'s. interdit'** 'no entry'; **à s. unique** (*rue*) one-way; **s. dessus dessous** [sɑ̃d(ə)syd(ə)su] upside down; **dans le s. des aiguilles d'une montre** clockwise; **dans le s. inverse des aiguilles d'une montre** *Br* anticlockwise, *Am* counterclockwise.
sensation [sɑ̃sasjɔ̃] *nf* feeling, sensation; **faire s.** to cause *ou* create a sensation; **à s.** (*film, roman etc*) *Péj* sensational. ● **sensationnel, -elle** *a* sensational; (*excellent*) *Fam* fantastic, sensational.
sensé, -ée [sɑ̃se] *a* sensible.
sensible [sɑ̃sibl] *a* sensitive (**à** to); (*douloureux*) tender, sore; (*perceptible*) perceptible; (*progrès, différence etc*) noticeable, appreciable. ● **sensiblement** [-əmɑ̃] *adv* (*notablement*) appreciably; (*à peu près*) more or less. ● **sensibiliser** *vt* **s.** **qn à** (*problème etc*) to make s.o. alive to *ou* aware of. ● **sensibilité** *nf* sensitivity.
sensoriel, -ielle [sɑ̃sɔrjɛl] *a* sensory.
sensuel, -elle [sɑ̃syɛl] *a* (*sexuel*) sensual; (*musique, couleur etc*) sensuous. ● **sensualité** *nf* sensuality; (*de musique etc*) sensuousness.
sentence [sɑ̃tɑ̃s] *nf* **1** (*jugement*) *Jur* sentence. **2** (*maxime*) maxim.
senteur [sɑ̃tœr] *nf* (*odeur*) scent.
sentier [sɑ̃tje] *nm* path.
sentiment [sɑ̃timɑ̃] *nm* feeling; **avoir le s. que** to have a feeling that; **faire du s.** to be sentimental; **meilleurs sentiments** (*sur une carte de visite etc*) best wishes. ● **sentimental, -e, -aux** *a* sentimental; **vie**/*etc* **sentimentale** love life/*etc*. ● **sentimentalité** *nf* sentimentality.
sentinelle [sɑ̃tinɛl] *nf* sentry.
sentir* [sɑ̃tir] *vt* to feel; (*odeur*) to smell; (*goût*) to taste; (*racisme etc*) to smack of; (*se rendre compte de*) to sense, be conscious of; **s. le moisi/le parfum**/*etc* to smell musty/of perfume/*etc*; **s. le poisson**/*etc* (*avoir le goût de*) to taste of fish/*etc*; **je ne peux pas le s.** (*supporter*) *Fam* I can't stand *ou* bear him; **se s. fatigué/humilié**/*etc* to feel tired/humiliated/*etc*; **se faire s.** (*effet etc*) to make itself felt ▮ *vi* to smell; **s. bon/mauvais** to smell good/bad. ● **senti, -ie** *a* **bien s.** (*cruel, direct*) (*remarque etc*) hard-hitting.
séparation [separasjɔ̃] *nf* separation; (*en deux*) division, split; (*départ*) parting.
séparer [separe] *vt* to separate (**de** from); (*diviser en deux*) to divide, split (up); (*cheveux*) to part; **plus rien ne nous sépare de la victoire** nothing (else) stands between us and victory, there is nothing keeping us from victory ▮ **se séparer** *vpr* (*se quitter*) to part; (*couple*) to separate; (*assemblée, cortège*) to disperse, break up; (*se détacher*) to split off; **se s. de** (*objet aimé, chien etc*) to part with. ● **séparé, -ée** *a* (*distinct*) separate; (*époux*) separated (**de** from). ● **séparément** *adv* separately.
sept [sɛt] *a & nm* seven. ● **septième** *a & nmf* seventh; **un s.** a seventh.
septante [sɛptɑ̃t] *a & nm* (*en Belgique, en Suisse*) seventy.
septembre [sɛptɑ̃br] *nm* September.
septennat [sɛptena] *nm* *Pol* seven-year term (of office).
septentrional, -e, -aux [sɛptɑ̃trijɔnal, -o] *a* northern.
sépulcre [sepylkr] *nm* (*tombeau*) sepulchre.
sépulture [sepyltyr] *nf* burial; (*lieu*) burial place.

séquelles [sekɛl] *nfpl* (*de maladie etc*) after-effects; (*de guerre*) aftermath.
séquence [sekɑ̃s] *nf Ordinat Mus Cartes* sequence; **s. de film** film sequence.
séquestrer [sekɛstre] *vt* to confine (illegally), lock up. ● **séquestration** *nf* (illegal) confinement.
sera, serait *etc* [s(ə)ra, s(ə)rɛ] *voir* être.
Serbie [sɛrbi] *nf* Serbia. ● **serbe** *a* Serbian ∎ *nmf* S. Serbian.
serein, -eine [sərɛ̃, -ɛn] *a* serene. ● **sérénité** *nf* serenity.
sérénade [serenad] *nf* serenade.
sergent [sɛrʒɑ̃] *nm Mil* sergeant.
série [seri] *nf* series; (*ensemble*) set; **s. noire** *Fig* series *ou* string of disasters; **de s.** (*article*, voiture etc) standard; **fabrication en s.** mass production; **fins de s.** *Com* oddments, ends of lines; **hors s.** *Fig* outstanding.
sérier [serje] *vt* (*problèmes etc*) to grade (in order of difficulty).
sérieux, -euse [serjø, -øz] *a* (*personne, doute etc*) serious; (*de bonne foi*) genuine, serious; (*fiable*) reliable; (*bénéfices*) substantial; **de sérieuses chances de...** a good chance of... ∎ *nm* seriousness; (*fiabilité*) reliability; **prendre qn/qch au s.** to take s.o./sth seriously; **garder son s.** to keep a straight face; **manquer de s.** (*travailleur*) to lack application; **se prendre (trop) au s.** to take oneself (too) seriously. ● **sérieusement** *adv* seriously; (*travailler*) conscientiously.
serin [s(ə)rɛ̃] *nm* canary.
seriner [s(ə)rine] *vt* **s. qch à qn** *Fig* to repeat sth to s.o. over and over again.
seringue [s(ə)rɛ̃g] *nf* syringe.
serment [sɛrmɑ̃] *nm* (*affirmation solennelle*) oath; (*promesse*) pledge; **prêter s.** to take an oath; **faire le s. de faire qch** to swear to do sth; **sous s.** *Jur* on *ou* under oath.
sermon [sɛrmɔ̃] *nm* (*de prêtre etc*) sermon; (*discours*) *Péj* lecture. ● **sermonner** *vt* (*faire la morale à*) to lecture.
séropositif, -ive [seropozitif, -iv] *a Méd* HIV positive. ● **séronégatif, -ive** *a Méd* HIV negative.
serpe [sɛrp] *nf* bill(hook).
serpent [sɛrpɑ̃] *nm* snake; **s. à sonnette** rattlesnake.
serpenter [sɛrpɑ̃te] *vi* (*sentier etc*) to meander.
serpentin [sɛrpɑ̃tɛ̃] *nm* (*ruban*) streamer.
serpillière [sɛrpijɛr] *nf* floor cloth.
serpolet [sɛrpɔlɛ] *nm* (*plante, aromate*) wild thyme.
serrage [seraʒ] *nm* (*de vis etc*) tightening; **le s. des freins** applying the brakes.
serre [sɛr] *nf* greenhouse. ● **serres** *nfpl* (*d'oiseau*) claws, talons.
serre-livres [sɛrlivr] *nm inv* bookend.
serrement [sɛrmɑ̃] *nm* **s. de cœur** heavy-hearted feeling; **s. de gorge** tightening in one's throat.
serrer [sere] *vt* (*tenir*) to grip, clasp; (*presser*) to squeeze, press; (*nœud, vis, corde*) to tighten; (*poing*) to clench; (*taille*) to hug; (*pieds*) to pinch; (*frein*) to apply, put on; (*rapprocher*) to close up; (*rangs*) *Mil* to close; **s. la main à qn** to shake hands with s.o.; **s. les dents** *Fig* to grit one's teeth; **s. qn** (*embrasser*) to hug s.o.; (*vêtement*) to be too tight for s.o.; **s. qn de près** (*talonner*) to be close behind s.o.
∎ *vi* **s. à droite** (*en voiture*) to keep (to the) right.
∎ **se serrer** *vpr* (*se rapprocher*) to squeeze up *ou* together; **se s. contre** to squeeze up against. ● **serré, -ée** *a* (*nœud, budget, vêtement*) tight; (*gens*) packed (together); (*lutte*) close; (*rangs*) serried; (*dense*) dense, thick; **avoir le cœur s.** *Fig* to have a heavy heart; **avoir la gorge serrée** *Fig* to have a lump in one's throat.
serre-tête [sɛrtɛt] *nm inv* headband.
serrure [seryr] *nf* lock. ● **serrurier** *nm* locksmith.
sertir [sɛrtir] *vt* (*diamant etc*) to set.
sérum [serɔm] *nm* serum.
servante [sɛrvɑ̃t] *nf* (maid)servant.
serveur, -euse [sɛrvœr, -øz] *nmf* waiter, waitress; (*au bar*) barman, barmaid.
serviable [sɛrvjabl] *a* helpful, obliging. ● **serviabilité** *nf* helpfulness.
service [sɛrvis] *nm* service; (*travail*) duty; (*pourboire*) service (charge); (*dans une entreprise*) department; *Tennis* serve, service; **un s.** (*aide*) a favour; **rendre s.** to be of service (**à qn** to s.o.), help (**à qn** s.o.); **rendre un mauvais s. à qn** to do s.o. a disservice; **ça pourrait rendre s.** *Fam* that might come in useful; **s. (non) compris** service (not) included; **s. après-vente** (*d'un magasin etc*) aftersales service; **s. d'ordre** (*policiers*) police; **être de s.** to be on duty; **être au s.** *Tennis* to be serving, be the one to serve; **faire son s. (militaire)** to do one's military service; **s. à café/à thé** coffee/tea service *ou* set; **à votre s.!** at your service!
serviette [sɛrvjɛt] *nf* **1** towel; **s. de bain/de toilette** bath/hand towel; **s. hygiénique** sanitary *Br* towel *ou Am* napkin; **s. (de table)** napkin, *Br* serviette. **2** (*sac*) briefcase. ● **serviette-éponge** *nf* (*pl* **serviettes-éponges**) terry towel.
servile [sɛrvil] *a* servile; (*imitation*) slavish. ● **servilité** *nf* servility; slavishness.
servir* [sɛrvir] **1** *vt* to serve (**qch à qn** s.o. with sth, sth to s.o.); (*convive*) to wait on ∎ *vi* to serve ∎ **se servir** *vpr* (*à table*) to help oneself (**de** to).
2 *vi* (*être utile*) to be useful, serve; **s. à qch/à faire qch** (*objet*) to be used for sth/to do *ou* for doing sth; **ça ne sert à rien** it's useless, it's no good *ou* use (**de faire** doing); **à quoi ça sert de protester/etc** what's the use *ou* good of protesting/etc; **s. de qch** (*objet*) to be used for sth, serve as sth; **ça me sert à faire/de qch** I use it to do *ou* for doing/as sth; **s. à qn de guide/etc** to act as a guide/etc to s.o.
3 se servir *vpr* **se s. de** (*utiliser*) to use.

serviteur [sɛrvitœr] *nm* servant. ●**servitude** *nf* (*esclavage*) servitude; (*contrainte*) *Fig* constraint.

ses [se] *voir* **son**².

session [sesjɔ̃] *nf* session.

set [sɛt] *nm* 1 *Tennis* set. 2 **s. (de table)** (*napperon*) place mat.

seuil [sœj] *nm* doorstep; (*entrée*) doorway; (*limite*) *Fig* threshold; **au s. de** *Fig* on the threshold of.

seul, seule [sœl] 1 *a* (*sans compagnie*) alone; **tout s.** by oneself, on one's own, all alone; **se sentir s.** to feel lonely *ou* alone ▮ *adv* (**tout**) **s.** (*rentrer, vivre etc*) by oneself, alone, on one's own; (*parler*) to oneself; **s. à s.** (*parler*) in private.
2 *a* (*unique*) only; **la seule femme/***etc* the only *ou* sole woman/*etc*; **un s. chat/***etc* only one cat/*etc*; **une seule fois** only once; **pas un s. livre/***etc* not a single book/*etc*; **seuls les garçons...**, **les garçons seuls...** only the boys... ▮ *nmf* **le s., la seule** the only one; **un s., une seule** only one, one only; **pas un s.** not (a single) one.

seulement [sœlmɑ̃] *adv* only; **non s.... mais encore...** not only... but (also)...; **pas s.** (*même*) not even; **sans s. faire** without even doing.

sève [sɛv] *nf* (*de plante*) & *Fig* sap.

sévère [sevɛr] *a* severe; (*parents, professeur, juge etc*) strict. ●**sévèrement** *adv* severely; (*élever qn*) strictly. ●**sévérité** *nf* severity; (*de parents etc*) strictness.

sévices [sevis] *nmpl* brutality; **s. à enfant** child abuse.

sévir [sevir] *vi* (*fléau*) *Fig* to rage; **s. contre** to deal severely with.

sevrer [səvre] *vt* (*enfant*) to wean; **s. de** (*priver*) *Fig* to deprive of.

sexe [sɛks] *nm* (*catégorie, sexualité*) sex; (*organes*) genitals; **l'autre s.** the opposite sex. ●**sexiste** *a* & *nmf* sexist. ●**sexualité** *nf* sexuality. ●**sexuel, -elle** *a* sexual; **éducation/vie/***etc* **sexuelle** sex education/life/*etc*; **avoir des relations sexuelles** to have sex, have sexual relations (**avec qn** with s.o.).

sextuor [sɛkstuɔr] *nm* sextet.

seyant, -ante [sejɑ̃, -ɑ̃t] *a* (*vêtement*) becoming.

shampooing [ʃɑ̃pwɛ̃] *nm* shampoo; **s. colorant** rinse; **faire un s. à qn** to shampoo s.o.'s hair.

shérif [ʃerif] *nm* (*aux États-Unis*) sheriff.

shooter [ʃute] 1 *vti Football* to shoot. 2 **se shooter** *vpr* (*avec une drogue*) *Fam* to inject oneself (**à** with).

short [ʃɔrt] *nm* (pair of) shorts.

si¹ [si] 1 (= **s'** [s] *before* **il, ils**) *conj* if; **si je pouvais** if I could; **s'il vient** if he comes; **si j'étais roi** if I were *ou* was king; **je me demande si** I wonder whether *ou* if; **si on restait?** (*suggestion*) what if we stayed?; **si je dis ça, c'est que...** I say this because...; **si ce n'est** (*sinon*) if not; **si oui** if so; **si non** if not; **si seulement** if only; **même si** even if.
2 *adv* (*tellement*) so; **pas si riche que toi/que tu crois** not as rich as you/as you think; **un si bon dîner** such a good dinner; **si grand qu'il soit** however big he may be; **si bien que** with the result that, so much so that.
3 *adv* (*après négative*) yes; **tu ne viens pas?** – **si!** you're not coming? – yes (I am)!

si² [si] *nm* (*note de musique*) B.

siamois, -oise [sjamwa, -waz] *a* Siamese; **frères s., sœurs siamoises** Siamese twins.

Sicile [sisil] *nf* Sicily.

SIDA [sida] *nm abrév* (*syndrome immunodéficitaire acquis*) AIDS; **malade/virus du S.** AIDS victim/virus. ●**sidéen, -enne** *ou* **sidatique** *nmf* AIDS sufferer *ou* victim.

sidérer [sidere] *vt Fam* to stagger.

sidérurgie [sideryrʒi] *nf* iron and steel industry. ●**sidérurgique** *a* **industrie/***etc* **s.** iron and steel industry/*etc*.

siècle [sjɛkl] *nm* century; (*époque*) age; **depuis des siècles** *Fam* for ages (and ages).

siège [sjɛʒ] *nm* 1 (*meuble, centre, au parlement etc*) seat; (*d'autorité, de parti etc*) headquarters; **s. (social)** (*d'entreprise*) head office. 2 *Mil* siege; **mettre le s. devant** to lay siege to. ●**siéger** *vi* (*assemblée etc*) to sit.

sien, sienne [sjɛ̃, sjɛn] *pron poss* **le s., la sienne, les sien(ne)s** his; (*de femme*) hers; (*de chose*) its; **les deux siens** his *ou* her two ▮ *nmpl* **les siens** (*sa famille*) one's (own) people ▮ *nfpl* **faire des siennes** to be up to one's tricks again.

sieste [sjɛst] *nf* siesta; **faire la s.** to take *ou* have a nap.

siffler [sifle] *vi* to whistle; (*avec un sifflet*) to blow one's whistle; (*gaz, serpent*) to hiss; (*en respirant*) to wheeze ▮ *vt* (*chanson*) to whistle; (*chien*) to whistle to; (*faute, fin de match*) *Sport* to blow one's whistle for; (*acteur, pièce*) to boo; (*boisson*) *Fam Br* to knock back; **se faire s.** (*acteur etc*) to be booed. ●**sifflement** *nm* whistling, whistle; (*de gaz etc*) hiss(ing).

sifflet [sifle] *nm* (*instrument*) whistle; **sifflets** (*des spectateurs*) booing, boos; (**coup de**) **s.** (*son*) whistle. ●**siffloter** *vti* to whistle.

sigle [sigl] *nm* (*initiales*) abbreviation; (*prononcé comme un mot*) acronym.

signal, -aux [siɲal, -o] *nm* signal; **s. d'alarme** (*dans un train*) alarm, *Br* communication cord; **signaux routiers** road signs.

signalement [siɲalmɑ̃] *nm* (*de personne*) description, particulars.

signaler [siɲale] 1 *vt* (*faire remarquer*) to point out (**à qn** to s.o., **que** that); (*indiquer*) to indicate, signal; (*dénoncer à la police etc*) to report (**à** to). 2 **se signaler** *vpr* **se s. par** (*sa présence d'esprit, son courage etc*) to distinguish oneself by.

signalétique [siɲaletik] *a* **fiche s.** descriptive notice, description.

signalisation [siɲalizasjɔ̃] *nf* signalling; (*sur les routes*) signposting; **s. (routière)** (*signaux*) road signs.

signature [siɲatyr] *nf* signature; (*action*)

signing. ●**signataire** *nmf* signatory. ●**signer** 1 *vt* to sign. 2 **se signer** *vpr* (*chrétien*) to cross oneself.

signe [siɲ] *nm* (*indice*) sign, indication; **s. particulier/de ponctuation** distinguishing/punctuation mark; **s. (astrologique)** (astrological) sign; **en s. de protestation**/*etc* as a sign of protest/*etc*; **faire s. à qn** (*geste*) to motion (to) s.o. (*de faire* to do); (*contacter*) to get in touch with s.o.; **faire s. que oui** to nod (one's head); **faire s. que non** to shake one's head; **faire le s. de croix** to make a *ou* the sign of the cross; **ne pas donner s. de vie** to give no sign of life.

signet [siɲɛ] *nm* bookmark.

signification [siɲifikɑsjɔ̃] *nf* meaning. ●**significatif, -ive** *a* significant, meaningful; **s. de** indicative of.

signifier [siɲifje] *vt* to mean, signify (**que** that); **s. qch à qn** (*faire connaître*) to make sth known to s.o., signify sth to s.o.

silence [silɑ̃s] *nm* silence; *Mus* rest; **en s.** in silence; **garder le s.** to keep quiet *ou* silent (**sur** about). ●**silencieux, -euse** 1 *a* silent. 2 *nm* (*de voiture*) *Br* silencer, *Am* muffler; (*d'arme*) silencer. ●**silencieusement** *adv* silently.

silex [silɛks] *nm* (*roche*) flint.

silhouette [silwɛt] *nf* outline; (*en noir*) silhouette; (*ligne du corps*) figure.

silicium [silisjɔm] *nm* silicon; **pastille de s.** silicon chip. ●**silicone** *nf* silicone.

sillage [sijaʒ] *nm* (*de bateau*) wake; **dans le s. de** *Fig* in the wake of.

sillon [sijɔ̃] *nm* furrow; (*de disque*) groove.

sillonner [sijɔne] *vt* (*traverser*) to cross; (*en tous sens*) to criss-cross.

silo [silo] *nm* silo.

simagrées [simagre] *nfpl* airs (and graces); (*minauderies*) fuss.

similaire [similɛr] *a* similar. ●**similitude** *nf* similarity.

similicuir [similikɥir] *nm* imitation leather.

simple [sɛ̃pl] *a* (*non multiple*) single; (*employé, particulier*) ordinary; **c'est s. comme bonjour** *Fam* it's dead easy, it's as easy as pie; **c'est tout s.** *Fam* it's quite simple, this is how it is ▮ *nmf* **s. d'esprit** simpleton ▮ *nm Tennis* singles; **passer du s. au double** to double, increase by a factor of two. ●**simplement** [-əmɑ̃] *adv* simply. ●**simplet, -ette** *a* (*personne*) a bit simple. ●**simplicité** *nf* simplicity.

simplifier [sɛ̃plifje] *vt* to simplify. ●**simplification** *nf* simplification.

simpliste [sɛ̃plist] *a* simplistic.

simulacre [simylakr] *nm* **un s. de** (*procès etc*) *Litt a Br* pretence *ou Am* pretense of.

simuler [simyle] *vt* to simulate; (*feindre*) to feign. ●**simulateur, -trice** 1 *nmf* (*hypocrite*) shammer; (*tire-au-flanc*) malingerer. 2 *nm* (*appareil*) simulator. ●**simulation** *nf* simulation; (*feinte*) feigning.

simultané, -ée [simyltane] *a* simultaneous. ●**simultanément** *adv* simultaneously.

sincère [sɛ̃sɛr] *a* sincere. ●**sincèrement** *adv* sincerely. ●**sincérité** *nf* sincerity; **en toute s.** quite sincerely.

sinécure [sinekyr] *nf* sinecure; **ce n'est pas une s.** *Fam* it's no rest cure.

Singapour [sɛ̃gapur] *nm* Singapore.

singe [sɛ̃ʒ] *nm* monkey, ape. ●**singer** *vt* (*imiter*) to ape, mimic. ●**singeries** *nfpl* antics, clowning; **faire des s.** to clown around *ou* about.

singulariser (se) [səsɛ̃gylarize] *vpr* to draw attention to oneself.

singulier, -lère [sɛ̃gylje, -jɛr] 1 *a* (*peu ordinaire*) peculiar, odd; **combat s.** single combat. 2 *a & nm Grammaire* singular; **au s.** in the singular; **nom au s.** singular noun. ●**singularité** *nf* peculiarity. ●**singulièrement** *adv* (*notamment*) particularly; (*beaucoup*) extremely.

sinistre [sinistr] 1 *a* (*effrayant*) sinister; (*triste*) grim, (*deadly*) dull. 2 *nm* disaster; (*incendie*) fire; (*dommage*) *Jur* damage. ●**sinistré, -ée** *a* (*population, région etc*) disaster-stricken ▮ *nmf* disaster victim.

sinon [sinɔ̃] *conj* (*autrement*) otherwise, or else; (*sauf*) except (**que** that); (*si ce n'est*) if not.

sinueux, -euse [sinɥø, -øz] *a* winding. ●**sinuosités** *nfpl* twists (and turns).

sinus [sinys] *nm inv Anat* sinus. ●**sinusite** *nf* sinusitis; **avoir** *ou* **faire de la s.** to have sinusitis.

siphon [sifɔ̃] *nm* siphon; (*d'évier*) trap, *Br* U-bend.

siphonné, -ée [sifɔne] *a Fam* round the bend, crazy.

sirène [sirɛn] *nf* 1 (*d'usine etc*) siren. 2 (*femme*) mermaid.

sirop [siro] *nm* syrup; (*à diluer*) *Br* (fruit) cordial, fruit drink; **s. contre la toux** cough medicine *ou* mixture *ou* syrup. ●**syrupeux, -euse** *a* syrupy.

siroter [sirɔte] *vt Fam* to sip (at).

sis, sise [si, siz] *a Jur* situated.

sismique [sismik] *a* seismic; **secousse s.** earth tremor.

site [sit] *nm* (*endroit*) site; (*environnement*) setting; (*pittoresque*) beauty spot; **s. (touristique)** (*monument etc*) place of interest; **s. protégé** protected site (*on which building is not allowed*); **s. classé** place of historical importance, historical site.

sitôt [sito] *adv* **s. que** as soon as; **s. levée, elle partit** as soon as she was up, she left; **s. après** immediately after; **pas de s.** not for some time.

situation [sitɥɑsjɔ̃] *nf* situation, position; (*emploi*) position; **s. de famille** marital status. ●**situer** *vt* to situate, locate ▮ **se situer** *vpr* (*se trouver*) to be situated. ●**situé, -ée** *a* (*maison etc*) situated (**à** in).

six [sis] ([si] *before consonant*, [siz] *before vowel*) *a & nm* six. ●**sixième** [sizjɛm] *a & nmf* sixth; **un s.** a sixth ▮ *nf Scol* = *Br* first form; = *Am* sixth grade.

Skaï 284

Skaï® [skaj] *nm* imitation leather, leatherette.
sketch [skɛtʃ] *nm* (*pl* **sketches**) (*de théâtre*) sketch.
ski [ski] *nm* (*objet*) ski; (*sport*) skiing; **faire du s.** to ski; **s. acrobatique** hotdogging; **s. alpin** downhill *ou* alpine skiing; **s. de fond** cross-country skiiing; **s. nautique** water skiing. ● **skier** *vi* to ski. ● **skiable** *a* (*piste*) skiable, fit for skiing. ● **skieur, -euse** *nmf* skier.
slalom [slalɔm] *nm Sport* slalom; **faire du s.** to slalom.
slave [slav] *a* Slav; (*langue*) Slavonic ▮ *nmf* S. Slav.
slip [slip] *nm* (*d'homme*) briefs, underpants, *Br* pants; (*de femme*) panties, *Br* knickers, *Br* pants; **s. de bain** (swimming) trunks; (*d'un bikini*) briefs.
slogan [slɔgɑ̃] *nm* slogan.
Slovaquie [slɔvaki] *nf* Slovakia.
Slovénie [slɔveni] *nf* Slovenia.
slow [slo] *nm* slow dance.
SME [ɛsɛmə] *nm abrév* (*Système monétaire européen*) EMS.
SMIC [smik] *nm abrév* (*salaire minimum interprofessionnel de croissance*) guaranteed minimum wage. ● **smicard, -arde** *nmf* minimum wage earner.
smoking [smɔkiŋ] *nm* (*veston, costume*) dinner jacket, *Am* tuxedo.
snack(-bar) [snak(bar)] *nm* snack bar.
SNCF [ɛsɛnseɛf] *nf abrév* (*Société nationale des chemins de fer français*) *Br* French railways, *Am* French railroad system.
sniffer [snife] *vt* **s. de la colle** *Arg* to sniff glue.
snob [snɔb] *nmf* snob ▮ *a* snobbish; **elles sont snobs** they're snobbish, they're snobs. ● **snober** *vt* **s. qn** to snub s.o. ● **snobisme** *nm* snobbery.
sobre [sɔbr] *a* sober. ● **sobriété** *nf* sobriety.
sobriquet [sɔbrikɛ] *nm* nickname.
sociable [sɔsjabl] *a* sociable. ● **sociabilité** *nf* sociability.
social, -e, -aux [sɔsjal, -o] *a* social. ● **socialisme** *nm* socialism. ● **socialiste** *a* & *nmf* socialist.
société [sɔsjete] *nf* society; (*compagnie*) company; **s. anonyme** (*entreprise*) *Br* (public) limited company, *Am* incorporated company. ● **sociétaire** *nmf* (*d'une association*) member.
sociologie [sɔsjɔlɔʒi] *nf* sociology. ● **sociologique** *a* sociological. ● **sociologue** *nmf* sociologist.
socle [sɔkl] *nm* (*de statue, colonne*) plinth, pedestal; (*de lampe*) base.
socquette [sɔkɛt] *nf* ankle sock.
soda [sɔda] *nm* (*à l'orange etc*) *Br* fizzy drink, *Am* soda (pop).
sœur [sœr] *nf* sister; (*religieuse*) sister, nun; **bonne s.** *Fam* nun; **et ta s.!** *Fam* tell me another!, tell that to the marines!
sofa [sɔfa] *nm* sofa, settee.
soi [swa] *pron* oneself; **chacun pour s.** every man for himself; **en s.** in itself; **chez s.** at home; **prendre sur s.** to get a grip on oneself; **cela va de soi** it's self-evident (**que** that); **amour/conscience de s.** self-love/-awareness. ● **soi-même** *pron* oneself.
soi-disant [swadizɑ̃] *a inv* so-called ▮ *adv* supposedly.
soie [swa] *nf* 1 silk. 2 (*de porc etc*) bristle. ● **soierie** *nf* (*tissu*) silk.
soient [swa] *voir* être.
SOFRES [sɔfrɛs] *nf abrév* (*Société française d'études par sondages*) public opinion polling institute.
soif [swaf] *nf* thirst (*Fig* **de** for); **avoir s.** to be thirsty; **avoir s. de liberté**/*etc Fig* to thirst for freedom/*etc*; **donner s. à qn** to make s.o. thirsty.
soigner [swaɲe] *vt* to look after, take care of; (*malade*) to tend, nurse; (*maladie*) to treat; (*présentation, travail*) to take care over; **se faire s.** to have (medical) treatment. ▮ **se soigner** *vpr* to take care of oneself, look after oneself. ● **soigné, -ée** *a* (*vêtement*) neat, tidy; (*travail*) careful; (*personne*) well-groomed.
soigneux, -euse [swaɲø, -øz] *a* careful (**de** with); (*propre*) neat, tidy. ● **soigneusement** *adv* carefully.
soin [swɛ̃] *nm* care; (*ordre*) tidiness, neatness; **soins** *Méd* treatment, care; **avoir** *ou* **prendre s. de qch/de faire qch** to take care of sth/to do sth; **être aux petits soins avec qn** to wait hand and foot on s.o., fuss over s.o.; **les premiers soins** first aid; **soins de beauté** beauty care *ou* treatment; **aux bons soins de** (*sur lettre*) care of, c/o; **avec s.** carefully, with care.
soir [swar] *nm* evening; **le s.** (*chaque soir*) in the evening(s); **à neuf heures du s.** at nine in the evening; **repas du s.** evening meal. ● **soirée** *nf* evening; (*réunion*) party; **s. dansante** dance.
sois, soit[1] [swa] *voir* être.
soit[2] 1 [swa] *conj* (*à savoir*) that is (to say); **s.... s....** either... or...; **s. une droite...** *Math* given a straight line.... 2 [swat] *adv* (*oui*) very well.
soixante [swasɑ̃t] *a* & *nm* sixty. ● **soixantaine** *nf* **une s. (de)** (*nombre*) (about) sixty; **avoir la s.** (*âge*) to be about sixty. ● **soixantième** *a* & *nmf* sixtieth.
soixante-dix [swasɑ̃tdis] *a* & *nm* seventy. ● **soixante-dixième** *a* & *nmf* seventieth.
soja [sɔʒa] *nm* (*plante*) soya; **graines de s.** soya bean; **germes** *ou* **pousses de s.** beansprouts.
sol[1] [sɔl] *nm* ground; (*plancher*) floor; (*territoire, terrain*) soil.
sol[2] [sɔl] *nm* (*note de musique*) G.
solaire [sɔlɛr] *a* solar; (*rayons, chaleur*) sun's; **crème/huile s.** sun(tan) lotion/oil.
solarium [sɔlarjɔm] *nm* solarium.
soldat [sɔlda] *nm* soldier; **simple s.** private.
solde [sɔld] 1 *nm* (*de compte, à payer*) balance. 2 *nm* **en s.** (*acheter*) at a bargain

price, in the sales, *Am* on sale; **soldes** (*marchandises*) sale goods; (*vente*) (clearance) sale(s); **faire les soldes** to go round the sales. **3** *nf* (*de soldat*) pay; **à la s. de qn** *Fig Péj* in s.o.'s pay.
solder [sɔlde] **1** *vt* (*articles*) to clear, sell off. **2** *vt* (*compte*) to pay the balance of. **3 se solder** *vpr* **se s. par un échec**/*etc* to end in failure/*etc*. ● **soldé, -ée** *a* (*article etc*) reduced. ● **solderie** *nf Br* discount *ou* reject shop, *Am* discount outlet.
sole [sɔl] *nf* (*poisson*) sole.
soleil [sɔlɛj] *nm* sun; (*chaleur, lumière*) sunshine; (*fleur*) sunflower; **au s.** in the sun; **il fait du s.** it's sunny, the sun's shining; **coup de s.** *Méd* sunburn; **prendre un bain de s.** to sunbathe.
solennel, -elle [sɔlanɛl] *a* solemn. ● **solennellement** *adv* solemnly. ● **solennité** [-anite] *nf* solemnity.
solex® [sɔlɛks] *nm* moped.
solfège [sɔlfɛʒ] *nm* rudiments of music.
solidaire [sɔlidɛr] *a* **être s.** (*ouvriers etc*) to show solidarity, be as one (**de** with); (*pièce de machine*) to be interdependent (**de** with). ● **solidairement** *adv* jointly. ● **se solidariser** *vpr* to show solidarity (**avec** with). ● **solidarité** *nf* solidarity; (*d'éléments*) interdependence.
solide [sɔlid] *a* (*voiture, nourriture, caractère, état etc*) solid; (*argument, nerfs etc*) sound; (*vigoureux*) robust ▌ *nm Ch* solid. ● **solidement** *adv* solidly. ● **se solidifier** *vpr* to solidify. ● **solidité** *nf* solidity; (*d'argument etc*) soundness.
soliste [sɔlist] *nmf Mus* soloist.
solitaire [sɔlitɛr] *a* (*vie, passant etc*) solitary; (*tout seul*) all alone ▌ *nmf* (*ermite*) recluse, hermit; **en s.** on one's own; **traversée en s.** solo *ou* single-handed crossing. ● **solitude** *nf* solitude; **aimer la s.** to like being alone.
solive [sɔliv] *nf* joist, beam.
solliciter [sɔlisite] *vt* (*audience, emploi etc*) to seek; (*tenter*) *Litt* to tempt, entice; **s. qn** (*faire appel à*) to appeal to s.o. (**de faire** to do); **être (très) sollicité** (*personne*) to be in (great) demand. ● **sollicitation** *nf* (*demande*) appeal; (*tentation*) temptation.
sollicitude [sɔlisityd] *nf* solicitude, concern.
solo [sɔlo] *a inv* & *nm Mus* solo.
solstice [sɔlstis] *nm* solstice.
soluble [sɔlybl] *a* (*substance, problème*) soluble; **café s.** instant coffee.
solution [sɔlysjɔ̃] *nf* (*d'un problème etc*) solution (**de** to); (*action, mélange chimique*) solution.
solvable [sɔlvabl] *a Fin* solvent. ● **solvabilité** *nf Fin* solvency.
solvant [sɔlvɑ̃] *nm Ch* solvent.
Somalie [sɔmali] *nf* Somalia.
sombre [sɔ̃br] *a* dark; (*triste*) sombre, gloomy; **il fait s.** it's dark.
sombrer [sɔ̃bre] *vi* (*bateau*) to sink, founder; **s. dans** (*folie, sommeil etc*) *Fig* to sink into.

sommaire [sɔmɛr] *a* summary; (*repas, tenue*) scant ▌ *nm* summary, synopsis.
sommation [sɔmasjɔ̃] *nf Jur* summons; (*de policier etc*) warning.
somme [sɔm] **1** *nf* sum; **faire la s. de** to add up; **en s., s. toute** in short. **2** *nm* (*sommeil*) nap; **faire un s.** to to take *ou* have a nap.
sommeil [sɔmɛj] *nm* sleep; (*envie de dormir*) sleepiness, drowsiness; **avoir s.** to feel sleepy *ou* drowsy; **être en plein s.** to be fast asleep; **laisser une affaire**/*etc* **en s.** *Fig* to put a matter/*etc* aside. ● **sommeiller** *vi* to doze; (*faculté, qualité*) *Fig* to lie dormant *ou* idle.
sommelier [sɔməlje] *nm* wine waiter.
sommer [sɔme] *vt* **s. qn de faire qch** (*enjoindre*) *Litt* & *Jur* to summon s.o. to do sth.
sommes [sɔm] *voir* **être**.
sommet [sɔmɛ] *nm* top; (*de montagne*) summit, top; (*de la gloire etc*) *Fig* height, summit; **conférence au s.** summit (conference).
sommier [sɔmje] *nm* (*de lit*) base; **s. à ressorts** spring base.
sommité [sɔmite] *nf* leading light, top person (**de** in).
somnambule [sɔmnɑ̃byl] *nmf* sleepwalker; **être s.** to sleepwalk. ● **somnambulisme** *nm* sleepwalking.
somnifère [sɔmnifɛr] *nm* sleeping pill.
somnolence [sɔmnɔlɑ̃s] *nf* drowsiness, sleepiness. ● **somnolent, -ente** *a* drowsy, sleepy. ● **somnoler** *vi* to doze, drowse.
somptuaire [sɔ̃ptɥɛr] *a* (*dépenses etc*) *Litt* extravagant.
somptueux, -euse [sɔ̃ptɥø, -øz] *a* sumptuous, magnificent. ● **somptuosité** *nf* sumptuousness, magnificence.
son[1] [sɔ̃] *nm* **1** (*bruit*) sound. **2** (*de grains*) bran.
son[2], **sa**, *pl* **ses** [sɔ̃, sa, se] (**sa** becomes **son** [sɔ̃n] *before a vowel or mute h*) *a poss* his; (*de femme*) her; (*de chose*) its; (*indéfini*) one's; **son père/sa mère** his *ou* her *ou* one's father/mother; **son ami(e)** his *ou* her *ou* one's friend; **sa durée** its duration.
sonate [sɔnat] *nf Mus* sonata.
sondage [sɔ̃daʒ] *nm* (*de mer*) sounding; (*de terrain*) drilling; *Méd* probing; **s. (d'opinion)** opinion poll.
sonde [sɔ̃d] *nf Géol* drill; *Nau* sounding line; *Méd* probe; (*pour l'alimentation*) feeding tube; **s. spatiale** space probe.
sonder [sɔ̃de] *vt* (*rivière etc*) to sound; (*terrain*) to drill; (*atmosphère*) & *Méd* to probe; (*personne, l'opinion*) *Fig* to sound out.
songe [sɔ̃ʒ] *nm* dream.
songer [sɔ̃ʒe] *vi* **s. à qch/à faire qch** to think of sth/of doing sth ▌ *vt* **s. que** to consider *ou* think that. ● **songeur, -euse** *a* thoughtful, pensive.
sonner [sɔne] *vi* to ring; (*cor, cloches etc*) to sound; **on a sonné (à la porte)** someone has rung the (door)bell; **midi a sonné** it has

sonnerie

struck twelve ▮ *vt* (*cloche*) to ring; (*domestique*) to ring for; (*cor etc*) to sound; (*l'heure*) to strike; (*assommer*) to knock out.
● **sonnant, -ante** *a* **en espèces sonnantes et trébuchantes** in hard cash, in coin of the realm; **à cinq**/*etc* **heures sonnantes** on the stroke of five/*etc*. ● **sonné, -ée** *a* **1 trois**/*etc* **heures sonnées** *Br* gone *ou* past three/*etc* o'clock. **2** *Fam* (*fou*) crazy; (*assommé*) dazed, groggy.

sonnerie [sɔnri] *nf* (*son*) ring(ing); (*de cor etc*) sound; (*appareil*) bell; (*au bout du fil*) *Br* ringing tone, *Am* ring; **s. 'occupé'** *Br* engaged tone, *Am* busy signal.

sonnette [sɔnɛt] *nf* bell; **coup de s.** ring; **s. d'alarme** alarm (bell).

sonnet [sɔnɛ] *nm* (*poème*) sonnet.

sonore [sɔnɔr] *a* (*rire*) loud; (*salle, voix*) resonant; **effets/ondes**/*etc* **sonores** sound effects/waves/*etc*. ● **sonorité** *nf* (*de salle*) acoustics, resonance; (*de violon etc*) tone.

sonorisation [sɔnɔrizasjɔ̃] *nf* (*Fam* **sono**) (*matériel*) sound equipment *ou* system. ● **sonoriser** *vt* (*salle*) to wire for sound; (*film*) to add sound to.

sont [sɔ̃] *voir* **être**.

sophistiqué, -ée [sɔfistike] *a* sophisticated.

soporifique [sɔpɔrifik] *a* (*médicament, discours etc*) soporific.

soprano [sɔprano] *Mus nmf* (*personne*) soprano ▮ *nm* (*voix*) soprano.

sorbet [sɔrbɛ] *nm* *Culin* *Br* water ice, sorbet.

sorcellerie [sɔrsɛlri] *nf* witchcraft, sorcery.
● **sorcier** *nm* sorcerer ▮ **ce n'est pas s.!** *Fam* there's nothing complicated about it!, it's dead easy! ● **sorcière** *nf* witch; **chasse aux sorcières** *Pol* witch-hunt.

sordide [sɔrdid] *a* (*acte, affaire etc*) sordid; (*maison etc*) squalid.

sornettes [sɔrnɛt] *nfpl* (*propos*) *Péj* twaddle, nonsense.

sort [sɔr] *nm* **1** (*destin, hasard*) fate; (*condition*) lot. **2** (*maléfice*) spell.

sortable [sɔrtabl] *a* (*personne, vêtement*) presentable; **elle n'est pas s.!** *Fam* we *etc* can't really take you anywhere!

sortant, -ante [sɔrtɑ̃, -ɑ̃t] *a* (*numéro*) winning; (*député etc*) outgoing.

sorte [sɔrt] *nf* sort, kind (**de** of); **toutes sortes de** all sorts *ou* kinds of; **en quelque s.** in a way, as it were; **de (telle) s. que**/**de la s.** (*de cette façon*) in that way; **faire en s. que** (+ *sub*) to see to it that.

sortie [sɔrti] *nf* **1** (*porte*) exit, way out; (*action de sortir*) leaving, exit, departure; (*de scène*) exit; (*promenade à pied*) walk; (*en voiture*) drive; (*excursion*) outing, trip; (*au cinéma etc*) evening out; (*de film, disque*) release; (*de livre, modèle etc*) appearance; *Ordinat* output; (*de devises, marchandises*) export; **sorties** (*argent*) outgoings; **à la s. de l'école** when the children come out of school; **l'heure de la s. de qn** the time at which s.o. leaves; **première s. de**

convalescent *etc*) first time out; **être de s.** (*pour s'amuser etc*) to be out, be having time out. **2 s. de bain** (*peignoir*) bathrobe.

sortilège [sɔrtilɛʒ] *nm* (magic) spell.

sortir* [sɔrtir] *vi* (*aux* **être**) to go out, leave; (*venir*) to come out; (*pour s'amuser, danser etc*) to go out; (*film, modèle etc*) to come out; (*numéro gagnant*) to come up; **s. de** (*endroit*) to leave; (*université*) to be a graduate of; (*famille, milieu*) to come from; (*légalité, limites*) to go beyond; (*compétence*) to be outside; (*sujet*) to stray from; (*gonds, rails*) to come off; **s. de table** to leave the table; **s. de terre** (*plante, fondations*) to come up; **s. de l'ordinaire** *ou* **du commun** to be out of the ordinary; **s. indemne** to escape unhurt (**de** from).

▮ *vt* (*aux* **avoir**) to take out (**de** of); (*film, modèle, livre etc*) to bring out; (*dire*) to come out with; (*expulser*) *Fam* to throw out.

▮ **se sortir** *vpr* **s'en s.**, **se s. d'affaire** to get *ou* pull *ou* come through.

▮ *nm* **au s. de l'hiver**/*etc* at the end of winter/*etc*; **au s. du lit** on getting out of bed.

SOS [ɛsoɛs] *nm* SOS; **lancer un SOS** to send (out) an SOS; **SOS médecins** emergency medical services.

sosie [sɔzi] *nm* (*de personne*) double.

sot, sotte [so, sɔt] *a* foolish ▮ *nmf* fool.
● **sottement** *adv* foolishly. ● **sottise** *nf* foolishness; (*action, parole*) foolish thing; **faire des sottises** (*enfant*) to be naughty, misbehave.

sou [su] *nm* (*monnaie*) *Hist* sou; **sous** (*argent*) *Fam* money; **elle n'a pas un ou le s.** she doesn't have a penny, she's penniless; **n'avoir pas un s. de bon sens**/*etc* not to have an ounce of good sense/*etc*; **dépenser jusqu'à son dernier s.** to spend every last penny *ou* one's last penny; **machine à sous** fruit machine, *Am* slot machine, one-armed bandit.

soubresaut [subrəso] *nm* (sudden) start, jolt.

souche [suʃ] *nf* (*d'arbre*) stump; (*de carnet*) stub, counterfoil; (*de vigne, famille*) stock.

souci [susi] *nm* (*inquiétude*) worry, concern; (*préoccupation*) concern (**de** for); **se faire du s.** to worry, be worried; **ça lui donne du s.** it worries him *ou* her. ● **se soucier** *vpr* **se s. de** to be worried *ou* concerned about; **se s. de qch comme de l'an quarante** *Fam* not to give a hoot about sth. ● **soucieux, -euse** *a* worried, concerned (**de qch** about sth); **s. de plaire**/*etc* anxious to please/*etc*.

soucoupe [sukup] *nf* saucer; **s. volante** flying saucer.

soudain, -aine [sudɛ̃, -ɛn] *a* sudden ▮ *adv* suddenly. ● **soudainement** *adv* suddenly.
● **soudaineté** *nf* suddenness.

Soudan [sudɑ̃] *nm* Sudan.

soude [sud] *nf* *Ch* soda; **cristaux de s.** washing soda.

souder [sude] *vt* (*avec de la soudure*) to solder; (*par soudure autogène ou soudure à*

l'arc) to weld; (*groupes etc*) *Fig* to unite (closely); **lampe à s.** blowlamp ∎ **se souder** *vpr* (*os*) to knit (together). ●**soudure** *nf* soldering; (*substance*) solder; **s.** (**autogène**) welding.
soudoyer [sudwaje] *vt* to bribe.
souffle [sufl] *nm* puff, blow; (*haleine*) breath; (*respiration*) breathing; (*de bombe etc*) blast; (*inspiration*) *Fig* inspiration; **s.** (**d'air**) breath of air; **reprendre son s.** to get one's breath back. ●**souffler** *vi* to blow; (*haleter*) to puff; **laisser s. qn** (*reprendre haleine*) to let s.o. get his breath back ∎ *vt* (*bougie*) to blow out; (*fumée, poussière, verre*) to blow; (*par une explosion*) to blow down, blast; (*chuchoter*) to whisper; (*voler*) *Fam* to swipe, *Br* pinch (à from); (*étonner*) *Fam* to astound, flabbergast; **s. une réplique à qn** (*acteur*) to give s.o. a prompt; **ne pas s. mot** not to breathe a word. ●**soufflet** *nm* 1 (*instrument*) bellows. 2 (*de train, d'autobus*) concertina vestibule. 3 (*gifle*) *Litt* slap. ●**souffleur, -euse** *nmf* (*de théâtre*) prompter.
soufflé [sufle] *nm Culin* soufflé.
souffrance [sufrɑ̃s] *nf* 1 **souffrance(s)** suffering. 2 **en s.** (*colis etc*) unclaimed; (*affaire*) in abeyance.
souffreteux, -euse [sufrətø, -øz] *a* sickly.
souffrir* [sufrir] 1 *vi* to suffer; **s. de** to suffer from; (*gorge, pieds etc*) to have trouble with; **faire s. qn** (*physiquement*) to hurt s.o.; (*moralement*) to make s.o. suffer, hurt s.o.; **ta réputation en souffrira** your reputation will suffer. 2 *vt* (*endurer*) to suffer; **je ne peux pas le s.** *Fam* I can't bear him. 3 *vt* (*exception*) to admit of. ●**souffrant, -ante** *a* unwell.
soufre [sufr] *nm Br* sulphur, *Am* sulfur.
souhait [swɛ] *nm* wish; **à vos souhaits!** (*après un éternuement*) bless you!; **à s.** perfectly. ●**souhaiter** [swete] *vt* (*bonheur etc*) to wish for; **s. qch à qn** to wish s.o. sth; **s. faire** to hope to do; **s. que** (+ *sub*) to hope that. ●**souhaitable** *a* desirable.
souiller [suje] *vt* to soil, dirty; (*déshonorer*) *Fig* to sully, tarnish. ●**souillon** *nf* slut, slovenly woman.
soûl, soûle [su, sul] 1 *a* drunk. 2 *nm* **tout son s.** (*boire etc*) to one's heart's content. ●**soûler** *vt* to make (s.o.) drunk ∎ **se soûler** *vpr* to get drunk.
soulager [sulaʒe] *vt* to relieve (de of). ●**soulagement** *nm* relief.
soulever [sul(ə)ve] *vt* to lift (up), raise; (*poussière, question*) to raise; (*le peuple, l'opinion*) to stir up; (*sentiment*) to arouse; **cela me soulève le cœur** it makes me feel sick, it turns my stomach ∎ **se soulever** *vpr* (*malade etc*) to lift oneself (up); (*se révolter*) to rise (up). ●**soulèvement** [-ɛvmɑ̃] *nm* (*révolte*) rising.
soulier [sulje] *nm* shoe; **être dans ses petits souliers** *Fam* to feel awkward.
souligner [suliɲe] *vt* (*d'un trait*) to underline; (*faire remarquer*) to emphasize, underline; **s. que** to emphasize that.
soumettre* [sumɛtr] 1 *vt* (*pays, rebelles*) to subdue, subjugate; **s. à** (*assujettir*) to subject to ∎ **se soumettre** *vpr* to submit (à to). 2 *vt* (*présenter*) to submit (à to). ●**soumis, -ise** *a* (*docile*) submissive; **s. à** subject to. ●**soumission** *nf* 1 submission; (*docilité*) submissiveness. 2 (*offre*) *Com* tender, bid.
soupape [supap] *nf* valve; **s. de sécurité** (*appareil, Fig exutoire*) safety valve.
soupçon [supsɔ̃] *nm* suspicion; **un s. de** (*quantité*) *Fig* a hint *ou* touch of; **au-dessus de tout s.** above suspicion. ●**soupçonner** *vt* to suspect (**de** of, **d'avoir fait** of doing, **que** that). ●**soupçonneux, -euse** *a* suspicious.
soupe [sup] *nf* soup; **s. populaire** (*endroit*) soup kitchen; **être s. au lait** *Fam* to be hot-tempered *ou* quick-tempered; **un gros plein de s.** (*obèse*) *Fam* fatso, *Péj* fat lump. ●**soupière** *nf* (soup) tureen.
soupente [supɑ̃t] *nf* (*sous le toit*) loft.
souper [supe] *nm* supper ∎ *vi* to have supper.
soupeser [supəze] *vt* (*objet dans la main*) to feel the weight of; (*arguments etc*) *Fig* to weigh up.
soupir [supir] *nm* sigh. ●**soupirer** *vi* to sigh; **s. après** to yearn for. ●**soupirant** *nm* (*amoureux*) suitor.
soupirail, -aux [supiraj, -o] *nm* basement window.
souple [supl] *a* (*cuir, membre, personne etc*) supple; (*tolérant*) (*personne etc*) flexible. ●**souplesse** *nf* suppleness; (*adaptabilité*) flexibility.
source [surs] *nf* 1 (*point d'eau*) spring; **eau de s.** spring water; **prendre sa s.** (*rivière*) to rise (**à** at, **dans** in). 2 (*origine*) source; **s. d'énergie** source of energy; **s. lumineuse** light source; **tenir qch de s. sûre** to have sth on good authority.
sourcil [sursi] *nm* eyebrow. ●**sourciller** *vi* **ne pas s.** *Fig* not to bat an eyelid.
sourd, sourde [sur, surd] 1 *a* deaf (*Fig* à to); **être s. comme un pot** *Fam* to be stone-deaf, be as deaf as a post ∎ *nmf* deaf person. 2 *a* (*douleur*) dull; **bruit s.** thump; **lutte sourde** silent *ou* secret struggle. ●**sourd-muet** (*pl* **sourds-muets**), **sourde-muette** (*pl* **sourdes-muettes**) *a* deaf and dumb ∎ *nmf* deaf and dumb person, *Péj* deaf mute.
sourdine [surdin] *nf* (*dispositif*) *Mus* mute; **en s.** *Fig* quietly, secretly.
souricière [surisjɛr] *nf* mousetrap; *Fig* trap.
sourire* [surir] *vi* to smile (à at); **s. à qn** (*fortune*) to smile on s.o. ∎ *nm* smile; **faire un s. à qn** to give s.o. a smile.
souris [suri] *nf* (*animal*) & *Ordinat* mouse (*pl* mice).
sournois, -oise [surnwa, -waz] *a* sly, underhand. ●**sournoisement** *adv* slyly. ●**sournoiserie** *nf* slyness.
sous [su] *prép* (*position*) under, underneath, beneath; (*rang*) under; **s. la pluie** in the rain; **nager s. l'eau** to swim underwater; **s.**

sous- 288

calmants under sedation; **s. cet angle** from that angle *ou* point of view; **s. le nom de** under the name of; **s. Charles X** under Charles X; **travailler s. DOS** *Ordinat* to work in DOS; **s. peu** (*bientôt*) shortly.

sous- [su] *préf* (*subordination, subdivision*) sub-; (*insuffisance*) under-.

sous-alimenté, -ée [suzalimɑ̃te] *a* underfed, undernourished. ● **sous-alimentation** *nf* malnutrition, undernourishment.

sous-bois [subwa] *nm* undergrowth.

sous-chef [suʃɛf] *nmf* second-in-command.

souscrire* [suskrir] *vi* **s. à** (*payer, approuver*) to subscribe to. ● **souscription** *nf* subscription.

sous-développé, -ée [sudevlɔpe] *a* (*pays etc*) underdeveloped.

sous-directeur, -trice [sudirɛktœr, -tris] *nmf* assistant manager, assistant manageress.

sous-emploi [suzɑ̃plwa] *nm* underemployment.

sous-entendre [suzɑ̃tɑ̃dr] *vt* to imply. ● **sous-entendu** *nm* insinuation.

sous-estimer [suzɛstime] *vt* to underestimate.

sous-jacent, -ente [suʒasɑ̃, -ɑ̃t] *a* underlying.

sous-louer [sulwe] *vt* (*appartement*) to sublet.

sous-main [sumɛ̃] *nm inv* desk pad.

sous-marin, -ine [sumarɛ̃, -in] *a* underwater; **plongée sous-marine** skin *ou* scuba diving ∎ *nm* submarine.

sous-officier [suzɔfisje] *nm* noncommissioned officer, NCO.

sous-payer [supeje] *vt* (*ouvrier etc*) to underpay.

sous-préfet [suprefɛ] *nm* subprefect (*chief administrative officer in an arrondissement*). ● **sous-préfecture** *nf* subprefecture.

sous-produit [suprɔdɥi] *nm* by-product.

soussigné, -ée [susiɲe] *a* & *nmf* undersigned; **je s.** I the undersigned.

sous-sol [susɔl] *nm* (*d'immeuble*) basement; *Géol* subsoil.

sous-titre [sutitr] *nm* subtitle. ● **sous-titrer** *vt* (*film*) to subtitle.

soustraire* [sustrɛr] *vt* to remove; *Math* to take away, subtract (**de** from); **s. qn à** (*danger etc*) to shield *ou* protect s.o. from ∎ **se soustraire** *vpr* **se s. à** to escape from; (*devoir, obligation*) to avoid. ● **soustraction** *nf Math* subtraction.

sous-traiter [sutrete] *vi* (*usine etc*) to subcontract ∎ *vt* (*affaire etc*) to subcontract. ● **sous-traitant** *nm* subcontractor. ● **sous-traitance** *nf* travailler en s.-traitance avec qn to work as a subcontractor with s.o.

sous-verre [suvɛr] *nm inv* (*encadrement*) (frameless) glass mount.

sous-vêtement [suvɛtmɑ̃] *nm* undergarment; **sous-vêtements** underwear.

soutane [sutan] *nf* (*de prêtre*) cassock.

soute [sut] *nf* (*de bateau*) hold.

soutenir* [sut(ə)nir] *vt* to support, hold up; (*opinion*) to uphold, maintain; (*candidat etc*) to back, support; (*malade*) to sustain; (*effort, intérêt*) to sustain, keep up; (*thèse*) to defend; (*résister à*) to withstand; **s. que** to maintain that ∎ **se soutenir** *vpr* (*blessé etc*) to hold oneself up (straight); (*se maintenir, durer*) to be sustained. ● **soutenu, -ue** *a* (*attention, effort*) sustained; (*style*) lofty.

souterrain, -aine [sutɛrɛ̃, -ɛn] *a* underground ∎ *nm* underground passage.

soutien [sutjɛ̃] *nm* support; (*personne*) supporter; **s. de famille** breadwinner. ● **soutien-gorge** *nm* (*pl* **soutiens-gorge**) bra.

soutirer [sutire] *vt* **s. qch à qn** to extract *ou* get sth from s.o.

souvenir [suvnir] *nm* memory, recollection; (*objet*) memento; (*cadeau*) keepsake; (*pour touristes*) souvenir; **en s. de** in memory of; **mon bon s. à...** (give) my regards to..., my best regards to.... ● **se souvenir*** *vpr* **se s. de** to remember, recall; **se s. que** to remember *ou* recall that.

souvent [suvɑ̃] *adv* often; **peu s.** seldom; **le plus s.** usually, more often than not.

souverain, -aine [suv(ə)rɛ̃, -ɛn] *a* sovereign; (*extrême*) (*mépris etc*) supreme; **un remède s. contre** a guaranteed *ou Litt* sovereign remedy against ∎ *nmf* sovereign. ● **souveraineté** *nf* sovereignty.

soviétique [sɔvjetik] *Hist a* Soviet; **l'Union s.** the Soviet Union ∎ *nmf* Soviet citizen.

soyeux, -euse [swajø, -øz] *a* silky.

soyons, soyez [swajɔ̃, swaje] *voir* **être**.

SPA [ɛspea] *nf abrév* (*Société protectrice des animaux*) = *Br* RSPCA, = *Am* ASPCA.

spacieux, -euse [spasjø, -øz] *a* spacious, roomy.

spaghetti(s) [spageti] *nmpl* spaghetti.

sparadrap [sparadra] *nm* (*pour pansement*) *Br* sticking plaster, *Am* adhesive tape.

spasme [spasm] *nm* spasm. ● **spasmodique** *a* spasmodic.

spatial, -e, -aux [spasjal, -o] *a* **station**/*etc* **spatiale** space station/*etc*; **engin s.** spaceship, spacecraft.

spatule [spatyl] *nf* spatula.

speaker [spikœr] *nm ou* **speakerine** [spikrin] *nf* (*de télévision ou radio*) announcer.

spécial, -e, -aux [spesjal, -o] *a* special; (*bizarre*) peculiar. ● **spécialement** *adv* (*exprès*) specially; (*en particulier*) especially, particularly; **pas s.** *Fam* not particularly, not especially.

spécialiser (se) [səspesjalize] *vpr* to specialize (**dans** in). ● **spécialisation** *nf* specialization. ● **spécialiste** *nmf* specialist. ● **spécialité** *nf Br* speciality, *Am* specialty.

spécifier [spesifje] *vt* to specify (**que** that).

spécifique [spesifik] *a* (*particulier*) & *Phys Ch* specific.

spécimen [spesimɛn] *nm* specimen; (*livre etc*) specimen copy.

spectacle [spɛktakl] *nm* 1 (*vue*) sight, spectacle; **se donner en s.** *Péj* to make an exhibition of oneself. 2 (*représentation*) show; **le s.**

stigmate

(*industrie*) show business; **salle de s.** (*théâtre*) theatre; (*cinéma*) *Br* cinema, *Am* movie theater. ● **spectateur, -trice** *nmf Sport* spectator; (*au théâtre, cinéma etc*) member of the audience; (*témoin*) onlooker, witness; **spectateurs** (*au théâtre, cinéma etc*) audience.
spectaculaire [spεktakylεr] *a* spectacular.
spectre [spεktr] *nm* 1 (*fantôme*) spectre, ghost. 2 (*solaire*) spectrum.
spéculer [spekyle] *vi Fin Phil* to speculate; **s. sur** (*tabler sur*) to bank *ou* rely on. ● **spéculateur, -trice** *nmf Fin* speculator. ● **spéculatif, -ive** *a Fin Phil* speculative. ● **spéculation** *nf Fin Phil* speculation.
spéléologie [speleɔlɔʒi] *nf* (*activité*) *Br* potholing, caving, *Am* spelunking. ● **spéléologue** *nmf Br* potholer, *Am* spelunker.
sperme [spεrm] *nm* sperm, semen.
sphère [sfεr] *nf* (*boule, domaine*) sphere. ● **sphérique** *a* spherical.
sphinx [sfɛ̃ks] *nm* sphinx.
spirale [spiral] *nf* spiral.
spirite [spirit] *nmf* spiritualist. ● **spiritisme** *nm* spiritualism.
spirituel, -elle [spirityεl] *a* 1 (*amusant*) witty. 2 (*pouvoir, vie etc*) spiritual.
spiritueux [spirityø] *nmpl* (*boissons*) spirits.
splendide [splɑ̃did] *a* (*merveilleux, riche, beau etc*) splendid. ● **splendeur** *nf* (*richesse, beauté*) splendour.
spongieux, -euse [spɔ̃ʒjø, -øz] *a* spongy.
spontané, -ée [spɔ̃tane] *a* spontaneous. ● **spontanéité** *nf* spontaneity. ● **spontanément** *adv* spontaneously.
sporadique [spɔradik] *a* sporadic.
sport [spɔr] *nm* sport; **faire du s.** to play *Br* sport *ou Am* sports; **(de) s.** (*chaussures, vêtements*) casual, sports; **voiture/veste/terrain de s.** sports car/jacket/ground. ● **sportif, -ive** *a* (*personne*) fond of *Br* sport *ou Am* sports; (*attitude, esprit*) sportsmanlike, sporting; (*association, journal, résultats*) sports, sporting; (*allure*) athletic ∥ *nmf* sportsman, sportswoman. ● **sportivité** *nf* sportsmanship.
spot [spɔt] *nm* 1 (*lampe*) spotlight, *Fam* spot. 2 **s. (publicitaire)** (*à la radio, télévision etc*) commercial.
sprint [sprint] *nm Sport* sprint. ● **sprinter** *vt* to sprint ∥ *nm* [-œr] sprinter. ● **sprinteuse** *nf* sprinter.
square [skwar] *nm* public garden.
squash [skwaʃ] *nm* (*jeu*) squash.
squat [skwat] *nm* squat. ● **squatteur, -euse** *nmf* squatter. ● **squatter** *vi* to squat ∥ *nm* [-œr] squatter.
squelette [skəlεt] *nm* skeleton. ● **squelettique** *a* (*personne, maigreur*) skeleton-like; (*exposé*) sketchy.
stable [stabl] *a* stable. ● **stabilisateur** *nm* stabilizer. ● **stabiliser** *vt* to stabilize ∥ **se stabiliser** *vpr* to stabilize. ● **stabilité** *nf* stability.
stade [stad] *nm* 1 *Sport* stadium. 2 (*phase*) stage.
stage [staʒ] *nm* (*période*) training period; (*cours*) (training) course; **faire un s.** to undergo training, do a (training) course; **être en s.** to be undergoing training, be on a (training) course. ● **stagiaire** *a & nmf* trainee.
stagner [stagne] *vi* to stagnate. ● **stagnant, -ante** *a* stagnant. ● **stagnation** *nf* stagnation.
stalle [stal] *nf* (*dans une écurie*) & *Rel* stall.
stand [stɑ̃d] *nm* (*d'exposition etc*) stand, stall; **s. de ravitaillement** *Sport* pit; **s. de tir** (*de foire*) shooting range; (*militaire*) firing range.
standard [stɑ̃dar] 1 *nm* (*téléphonique*) switchboard. 2 *a inv* (*modèle etc*) standard. ● **standardiser** *vt* to standardize. ● **standardiste** *nmf* (switchboard) operator.
standing [stɑ̃diŋ] *nm* standing, status; **immeuble de (grand) s.** *Br* luxury block of flats, *Am* luxury apartment building.
starter [startεr] *nm* 1 (*de véhicule*) choke. 2 *Sport* starter.
station [stasjɔ̃] *nf* (*de métro, d'observation, de radio etc*) station; (*de ski etc*) resort; (*d'autobus*) stop; **s. de taxis** *Br* taxi rank, *Am* taxi stand; **s. debout** standing (position); **s. (thermale)** spa. ● **station-service** *nf* (*pl* **stations-service**) service station, *Br* petrol *ou Am* gas station.
stationnaire [stasjɔnεr] *a* stationary.
stationner [stasjɔne] *vi* (*être garé*) to be parked; (*se garer*) to park. ● **stationnement** *nm* parking.
statique [statik] *a* static.
statistique [statistik] *nf* (*donnée*) statistic; **la s.** (*techniques*) statistics ∥ *a* statistical.
statue [staty] *nf* statue. ● **statuette** *nf* statuette.
statuer [statɥe] *vi* **s. sur** (*juge etc*) to rule on.
statu quo [statykwo] *nm inv* status quo.
stature [statyr] *nf* stature.
statut [staty] *nm* 1 (*position*) status. 2 **statuts** (*règles*) statutes. ● **statutaire** *a* statutory.
steak [stεk] *nm* steak.
stencil [stεnsil] *nm* stencil.
sténo [steno] *nf* (*personne*) stenographer; (*sténographie*) shorthand, stenography; **prendre qch en s.** to take sth down in shorthand. ● **sténodactylo** *nf Br* shorthand typist, *Am* stenographer. ● **sténographie** *nf* shorthand, stenography.
stéréo [stereo] *nf* stereo; **en s.** in stereo ∥ *a inv* (*disque etc*) stereo. ● **stéréophonique** *a* stereophonic.
stéréotype [stereotip] *nm* stereotype. ● **stéréotypé, -ée** *a* stereotyped.
stérile [steril] *a* sterile; (*terre*) barren. ● **stérilisation** *nf* sterilization. ● **stériliser** *vt* to sterilize. ● **stérilité** *nf* sterility; (*de terre*) barrenness.
stérilet [sterilε] *nm* IUD, coil.
stéroïde [steroid] *nm* steroid.
stéthoscope [stetɔskɔp] *nm* stethoscope.
steward [stiwart] *nm* (*d'avion, de bateau*) steward.
stigmate [stigmat] *nm Fig* mark, stigma (**de** of). ● **stigmatiser** *vt* (*dénoncer*) to stigma-

stimuler [stimyle] *vt* to stimulate. ●**stimulant** *nm Fig* stimulus; (*médicament*) stimulant. ●**stimulateur** *nm* s. **cardiaque** pacemaker. ●**stimulation** *nf* stimulation.

stimulus [stimylys] *nm* (*pl* **stimuli** [-li]) (*physiologique*) stimulus.

stipuler [stipyle] *vt* to stipulate (**que** that). ●**stipulation** *nf* stipulation.

stock [stɔk] *nm* (*de marchandises*) & *Fig* stock (**de** of); **en s.** in stock. ●**stocker** *vt* (*provisions etc*) to store, (keep in) stock. ●**stockage** *nm* stocking.

stoïque [stɔik] *a* stoic(al). ●**stoïcisme** *nm* stoicism.

stop [stɔp] **1** *int* stop ▮ *nm* (*panneau*) *Aut* stop sign; (*feu arrière de véhicule*) brake light, *Br* stoplight. **2** *nm* **faire du s.** *Fam* to hitchhike. ●**stopper 1** *vti* to stop. **2** *vt* (*vêtement*) to mend (invisibly). ●**stoppage** *nm* (invisible) mending.

store [stɔr] *nm Br* blind, *Am* (window) shade; (*de magasin*) awning.

strabisme [strabism] *nm* squint.

strapontin [strapɔ̃tɛ̃] *nm* tip-up *ou* folding seat.

stratagème [stratazɛm] *nm* stratagem, ploy.

stratège [stratɛʒ] *nm* strategist. ●**stratégie** *nf* strategy. ●**stratégique** *a* strategic.

stress [strɛs] *nm inv* stress. ●**stressant, -ante** *a* stressful. ●**stressé, -ée** *a* under stress.

strict, -e [strikt] *a* (*principes, professeur etc*) strict; (*tenue, vérité*) plain; **le s. minimum** the bare minimum; **mon droit le plus s.** my basic right; **dans la plus stricte intimité** in the strictest privacy. ●**strictement** [-əmɑ̃] *adv* strictly; (*vêtu*) plainly.

strident, -ente [stridɑ̃, -ɑ̃t] *a* shrill, strident.

strie [stri] *nf* (*sillon*) groove; (*de couleur etc*) streak. ●**strier** *vt* to streak.

strip-tease [striptiz] *nm* striptease. ●**strip-teaseuse** *nf* stripper.

strophe [strɔf] *nf* verse, stanza.

structure [stryktyr] *nf* structure. ●**structural, -e, -aux** *a* structural. ●**structurer** *vt* to structure.

stuc [styk] *nm* stucco.

studieux, -euse [stydjø, -øz] *a* studious; (*vacances etc*) devoted to study.

studio [stydjo] *nm* (*de cinéma, télévision, peintre*) studio; (*logement*) *Br* studio flat, *Am* studio apartment.

stupéfait, -aite [stypefɛ, -ɛt] *a* amazed, astounded (**de** at, by). ●**stupéfaction** *nf* amazement.

stupéfier [stypefje] *vt* to amaze, astound. ●**stupéfiant, -ante 1** *a* amazing, astounding. **2** *nm* drug, narcotic.

stupeur [stypœr] *nf* **1** (*étonnement*) amazement. **2** (*inertie*) stupor.

stupide [stypid] *a* stupid. ●**stupidement** *adv* stupidly. ●**stupidité** *nf* stupidity; (*action, parole*) stupid thing.

style [stil] *nm* style; **meubles de s.** period furniture. ●**stylisé, -ée** *a* stylized. ●**styliste** *nmf* (*de mode etc*) designer. ●**stylistique** *a* stylistic.

stylé, -ée [stile] *a* well-trained.

stylo [stilo] *nm* pen; **s. à bille** ballpoint (pen), *Br* biro®; **s. à encre, s.-plume** fountain pen.

su, sue [sy] *pp* **de savoir**.

suave [sɥav] *a* (*odeur, voix*) sweet.

subalterne [sybaltɛrn] *a* & *nmf* subordinate.

subconscient, -ente [sypkɔ̃sjɑ̃, -ɑ̃t] *a* & *nm* subconscious.

subdiviser [sybdivize] *vt* to subdivide (**en** into). ●**subdivision** *nf* subdivision.

subir [sybir] *vt* to undergo; (*conséquences, défaite, perte, tortures*) to suffer; (*influence*) to be under; **faire s. qch à qn** to subject s.o. to sth, inflict sth on s.o.; **s. qn** (*supporter*) *Fam* to put up with s.o.

subit, -ite [sybi, -it] *a* sudden. ●**subitement** *adv* suddenly.

subjectif, -ive [sybʒɛktif, -iv] *a* subjective. ●**subjectivement** *adv* subjectively. ●**subjectivité** *nf* subjectivity.

subjonctif [sybʒɔ̃ktif] *nm Grammaire* subjunctive.

subjuguer [sybʒyge] *vt* to subjugate, subdue; (*envoûter*) to captivate.

sublime [syblim] *a* & *nm* sublime.

sublimer [syblime] *vt* (*passion etc*) to sublimate.

submerger [sybmɛrʒe] *vt* to submerge; (*envahir*) *Fig* to overwhelm; **plaine/etc submergée** flooded plain/etc; **submergé de travail** *Fig* overwhelmed with work, snowed under with work; **submergé par** (*ennemi, foule etc*) swamped by. ●**submersible** *nm* submarine.

subodorer [sybɔdɔre] *vt Fam* to sense, scent.

subordonner [sybɔrdɔne] *vt* to subordinate (**à** to). ●**subordonné, -ée** *a* subordinate (**à** to); **être s. à** (*dépendre de*) to depend on ▮ *nmf* subordinate. ●**subordination** *nf* subordination.

subreptice [sybrɛptis] *a* surreptitious. ●**subrepticement** *adv* surreptitiously.

subside [sypsid] *nm* grant, subsidy.

subsidiaire [sypsidjɛr] *a* subsidiary; **question s.** (*de concours*) deciding question.

subsister [sybziste] **1** *vi* (*rester*) to remain; (*doutes, souvenirs, traditions etc*) to linger (on), subsist ▮ *v imp* to remain; **il subsiste un doute/une erreur** there remains some doubt/an error. **2** (*vivre*) (*personne*) to get by, subsist. ●**subsistance** *nf* subsistence.

substance [sypstɑ̃s] *nf* substance; **en s.** *Fig* in essence. ●**substantiel, -ielle** *a* substantial.

substantif [sypstɑ̃tif] *nm Grammaire* noun.

substituer [sypstitɥe] *vt* to substitute (*qch, qn*) (**à** for); **se s. à qn** to take the place of s.o., substitute for s.o.; (*représenter*) to substitute for s.o. ●**substitution** *nf* substitution; **produit de s.** substitute (product).

substitut [sypstity] *nm* (*produit de remplacement*) substitute (**de** for); (*magistrat*) deputy

public prosecutor; **s. du sucre**/*etc* sugar/*etc* substitute.
subterfuge [syptɛrfyʒ] *nm* subterfuge.
subtil, -e [syptil] *a* subtle. ● **subtilité** *nf* subtlety.
subtiliser [syptilize] *vt* (*dérober*) *Fam* to make off with, swipe.
subvenir* [sybvənir] *vi* **s. à** (*besoins, frais*) to meet.
subvention [sybvɑ̃sjɔ̃] *nf* subsidy. ● **subventionner** *vt* to subsidize.
subversif, -ive [sybvɛrsif, -iv] *a* subversive. ● **subversion** *nf* subversion.
suc [syk] *nm* (*gastrique, de fruit*) juice; (*de plante*) sap.
succédané [syksedane] *nm* substitute (**de** for).
succéder [syksede] *vi* **s. à qn** to succeed s.o.; **s. à qch** to follow sth, come after sth ▮ **se succéder** *vpr* (*choses*) to follow one another; (*personnes*) to succeed *ou* follow one another.
succès [syksɛ] *nm* success; **s. de librairie** (*livre*) best-seller; **avoir du s.** to be successful, be a success; **à s.** (*auteur, film etc*) successful; **avec s.** successfully.
successeur [syksesœr] *nm* successor. ● **successif, -ive** *a* successive. ● **successivement** *adv* successively. ● **succession** *nf* succession (**de** of, **à** to); (*série*) sequence (**de** of); (*patrimoine*) inheritance, estate; **prendre la s. de qn** to succeed s.o.
succinct, -incte [syksɛ̃, -ɛ̃t] *a* succinct, brief.
succion [sy(k)sjɔ̃] *nf* suction.
succomber [sykɔ̃be] *vi* **1** (*mourir*) to die; **s. à ses blessures** to die of one's wounds. **2 s. à** (*céder à*) to succumb to, give in to.
succulent, -ente [sykylɑ̃, -ɑ̃t] *a* succulent.
succursale [sykyrsal] *nf* (*de magasin etc*) branch; **magasin à succursales multiples** chain store, *Br* multiple store.
sucer [syse] *vt* to suck. ● **sucette** *nf* lollipop; (*tétine*) *Br* dummy, comforter, *Am* pacifier.
sucre [sykr] *nm* sugar; (*morceau*) sugar lump; **s. cristallisé** granulated sugar; **s. en morceaux** lump sugar; **s. en poudre, s. semoule** *Br* castor *ou* caster sugar, *Am* finely ground sugar; **s. d'orge** barley sugar.
sucrer [sykre] *vt* to sugar, sweeten. ● **sucré, -ée** *a* sweet, sugary; (*artificiellement*) sweetened; (*doucereux*) *Fig* sugary, syrupy.
sucrerie [sykrəri] *nf* **1** (*usine*) sugar refinery. **2 sucreries** (*bonbons*) *Br* sweets, *Am* candy.
sucrier, -ière [sykrije, -jɛr] *a* **industrie**/*etc* **sucrière** sugar industry/*etc* ▮ *nm* (*récipient*) sugar bowl.
sud [syd] *nm* south; **au s.** in the south; (*direction*) (to the) south (**de** of); **du s.** (*vent, direction*) southerly; (*ville*) southern; (*gens*) from *ou* in the south; **Amérique/Afrique du S.** South America/Africa; **l'Europe du S.** Southern Europe.
▮ *a inv* (*côte*) south(ern). ● **sud-africain, -aine** *a* South African ▮ *nmf* **S.-Africain, S.-**

Africaine South African. ● **sud-américain, -aine** *a* South American ▮ *nmf* **S.-Américain, S.-Américaine** South American. ● **sud-est** *nm* & *a inv* south-east. ● **sud-ouest** *nm* & *a inv* south-west.
Suède [sɥɛd] *nf* Sweden. ● **suédois, -oise** *a* Swedish ▮ *nmf* **S., Suédoise** Swede ▮ *nm* (*langue*) Swedish.
suer [sɥe] *vi* (*personne, mur etc*) to sweat; **faire s. qn** *Fam* to get on s.o.'s nerves; **se faire s.** *Fam* to be bored stiff ▮ *vt* **s. sang et eau** *Fig* to sweat blood. ● **sueur** *nf* sweat; **(tout) en s.** sweating; **avoir des sueurs froides** *Fam* to break out in a cold sweat.
suffire* [syfir] *vi* to be enough *ou* sufficient, suffice (**à** for); **votre promesse me suffit** your promise is enough *ou* sufficient for me; **ça suffit! that's enough!** ▮ *v imp* **il suffit de faire** one only has to do; **il suffit d'une goutte/d'une heure**/*etc* **pour faire** a drop/an hour/*etc* is enough to do; **il ne me suffit pas de faire** I'm not satisfied with doing ▮ **se suffire** *vpr* **se s.** (**à soi-même**) to be self-sufficient.
suffisance [syfizɑ̃s] *nf* (*vanité*) conceit.
suffisant, -ante [syfizɑ̃, -ɑ̃t] *a* **1** sufficient, adequate. **2** (*vaniteux*) conceited. ● **suffisamment** [-amɑ̃] *adv* sufficiently; **s. de** enough, sufficient.
suffixe [syfiks] *nm Grammaire* suffix.
suffoquer [syfɔke] *vti* to choke, suffocate; **s. qn** (*étonner*) *Fig* to astound s.o., stagger s.o. ● **suffocant, -ante** *a* stifling, suffocating. ● **suffocation** *nf* suffocation; (*sensation*) feeling of suffocation.
suffrage [syfraʒ] *nm Pol* (*voix*) vote; **droit de s.** suffrage; **s. universel** universal suffrage; **suffrages exprimés** (valid) votes cast; **remporter tous les suffrages** to win universal approval.
suggérer [sygʒere] *vt* (*proposer*) to suggest (**à** to, **de faire** doing, **que** (+ *sub*) that); (*évoquer*) to suggest. ● **suggestif, -ive** *a* suggestive. ● **suggestion** *nf* suggestion.
suicide [sɥisid] *nm* suicide. ● **suicidaire** *a* suicidal. ● **se suicider** *vpr* to commit suicide. ● **suicidé, -ée** *nmf* suicide (victim).
suie [sɥi] *nf* soot.
suif [sɥif] *nm* tallow.
suinter [sɥɛ̃te] *vi* to ooze, seep. ● **suintement** *nm* oozing, seeping.
suis [sɥi] *voir* **être, suivre**.
Suisse [sɥis] *nf* Switzerland; **S. allemande/romande** German-speaking/French-speaking Switzerland. ● **suisse** *a* Swiss ▮ *nmf* **S.** Swiss; **les Suisses** the Swiss. ● **Suissesse** *nf* Swiss woman *ou* girl, Swiss *inv*.
suite [sɥit] *nf* (*reste*) rest; (*continuation*) continuation; (*de film, roman*) sequel; (*série*) series, sequence; (*appartement, escorte*) & *Mus* suite; (*cohérence*) order; **suites** (*séquelles*) effects; (*résultats*) consequences; **faire s.** (**à**) to follow; **donner s. à** (*demande etc*) to follow up; **prendre la s. de qn** to take over from s.o.; **attendre la s.** to wait and see what happens next; **avoir de la s. dans les**

suivant

idées to be single-minded (of purpose); **par la s.** afterwards; **par s. de** as a result of; **à la s.** one after another; **à la s. de** (*derrière*) behind; (*événement, maladie etc*) as a result of; **de s.** (*deux jours etc*) in a row.

suivant¹, -ante [sųivã, -ãt] *a* next, following; (*ci-après*) following ∥ *nmf* next (one); **au s.!** next!, next person! ● **suivant²** *prép* (*selon*) according to.

suivi, -ie [sųivi] *a* (*régulier*) regular, steady; (*cohérent*) coherent; (*article*) regularly on sale, generally available; **peu/très s.** (*cours*) poorly/well attended.

suivre* [sųivr] *vt* to follow; (*accompagner*) to go with, accompany; (*cours*) to attend, go to; (*malade*) to treat; **s.** (**des yeux** *ou* **du regard**) to watch; **s. son chemin** to go on one's way; **s. l'exemple de qn** to follow s.o.'s example; **s. le mouvement** to follow the crowd *ou* trend, *Fam* go with the flow; **s. l'actualité** to follow events *ou* the news; **se s.** to follow each other.
∥ *vi* to follow; **faire s.** (*courrier, lettre etc*) to forward; **'à s.'** 'to be continued'; **comme suit** as follows.

sujet¹, -ette [syʒɛ, -ɛt] *a* **s. à** (*maladie etc*) subject *ou* liable to; **s. à caution** (*information, nouvelle etc*) unconfirmed ∥ *nmf* (*personne*) Pol subject.

sujet² [syʒɛ] *nm* **1** (*question*) & *Grammaire* subject; (*d'examen*) question; **au s. de** about; **à quel s.?** about what? **2** (*raison*) cause; **sujet(s) de dispute** grounds for dispute. **3** *nm* (*individu*) subject; **un mauvais s.** (*garçon*) a rotten egg; **un brillant s.** a brilliant student.

sulfurique [sylfyrik] *a* (*acide*) *Br* sulphuric, *Am* sulfuric.

sultan [syltã] *nm* sultan.

summum [sɔmɔm] *nm* (*comble*) *Fig* height.

super [sypɛr] **1** *a inv* (*bon*) *Fam* great, super. **2** *nm* (*supercarburant*) *Br* four-star (petrol), *Am* premium *ou* hi(gh)-test gas.

superbe [sypɛrb] *a* superb.

supercarburant [sypɛrkarbyrã] *nm* high-octane *Br* petrol *ou Am* gasoline.

supercherie [sypɛrʃəri] *nf* deception.

supérette [sypɛrɛt] *nf* mini supermarket, convenience store.

superficie [sypɛrfisi] *nf* surface; (*dimensions*) area. ● **superficiel, -ielle** *a* superficial. ● **superficiellement** *adv* superficially.

superflu, -ue [sypɛrfly] *a* superfluous.

super-grand [sypɛrgrã] *nm* Pol Fam superpower.

supérieur, -e [sypɛrjœr] *a* (*étages, partie etc*) upper; (*qualité, air, ton*) superior; **à l'étage s.** on the floor above; **s. à** (*meilleur que*) superior to, better than; (*plus grand que*) above, greater than; **s. à la moyenne** above average; **études supérieures** higher *ou* university studies ∥ *nmf* superior. ● **supériorité** *nf* superiority.

superlatif, -ive [sypɛrlatif, -iv] *a* & *nm Grammaire* superlative.

supermarché [sypɛrmarʃe] *nm* supermarket.

superposer [sypɛrpoze] *vt* (*objets*) to put on top of each other; (*images etc*) to superimpose.

superproduction [sypɛrprɔdyksjɔ̃] *nf* (*film*) blockbuster.

superpuissance [sypɛrpųisãs] *nf Pol* superpower.

supersonique [sypɛrsɔnik] *a* supersonic.

superstar [sypɛrstar] *nf* superstar.

superstitieux, -euse [sypɛrstisjø, -øz] *a* superstitious. ● **superstition** *nf* superstition.

superviser [sypɛrvize] *vt* to supervise.

supplanter [syplãte] *vt* to take the place of.

suppléer [syplee] *vi* **s. à** (*compenser*) to make up for ∥ *vt Litt* (*remplacer*) to replace; (*compenser*) to make up for. ● **suppléant, -ante** *a* & *nmf* (*personne*) substitute, replacement; (*professeur*) **s.** substitute *ou Br* supply teacher.

supplément [syplemã] *nm* (*argent*) extra charge, supplement; (*de revue, livre*) supplement; **en s.** extra; **un s. de** (*information, travail etc*) extra, additional; **payer un s.** to pay extra, pay a supplement. ● **supplémentaire** *a* extra, additional.

supplication [syplikasjɔ̃] *nf* plea, entreaty.

supplice [syplis] *nm* torture; **au s.** *Fig* in agony. ● **supplicier** *vt* to torture.

supplier [syplije] *vt* **s. qn de faire qch** to beg *ou* implore s.o. to do sth; **je vous en supplie!** I beg *ou* implore you! ● **suppliant, -ante** *a* (*regard etc*) imploring.

support [sypɔr] *nm* **1** support; (*d'instrument etc*) stand. **2** (*moyen*) *Fig* medium; **s. audio-visuel** audio-visual aid.

supporter¹ [sypɔrte] *vt* (*malheur, conséquences etc*) to bear, endure; (*résister à*) to withstand (*heat etc*); (*soutenir*) to support (*arch etc*); (*frais*) to bear; (*affront etc*) to suffer; **je ne peux pas la s.** I can't bear her. ● **supportable** *a* bearable; (*excusable, passable*) tolerable.

supporter² [sypɔrtɛr] *nm* (*de football etc*) supporter.

supposer [sypoze] *vt* to suppose, assume (**que** that); (*impliquer*) to imply (**que** that); **à s.** *ou* **en supposant que** (+ *sub*) supposing (that). ● **supposition** *nf* assumption, supposition.

suppositoire [sypozitwar] *nm* suppository.

supprimer [syprime] *vt* to get rid of, remove; (*mot, passage*) to cut out, delete; (*train etc*) to cancel; (*tuer*) to do away with; (*institution, loi*) to abolish; (*journal etc*) to suppress; **s. des emplois** to axe jobs; **s. qch à qn** to take sth away from s.o. ∥ **se supprimer** *vpr* (*se suicider*) to do away with oneself. ● **suppression** *nf* removal; (*de mot etc*) deletion; (*de train etc*) cancellation; (*d'emplois*) axing; (*de loi etc*) abolition; (*de journal etc*) suppression.

supputer [sypyte] *vt* to calculate, compute.

suprématie [sypremasi] *nf* supremacy.

suprême [syprɛm] *a* supreme.

sur [syr] *prép* on, upon; *(par-dessus)* over; *(au sujet de)* on, about; **six s. dix** six out of ten; **un jour s. deux** every other day; **six mètres s. dix** six metres by ten; **s. les trois heures** at about three o'clock; **coup s. coup** blow after *ou* upon blow; **s. ce** after which, and then; *(maintenant)* and now; **s. votre gauche** to *ou* on your left; **mettre/monter/***etc* **s.** to put/climb/*etc* on (to); **aller/tourner/***etc* **s.** to go/turn/*etc* towards; **aller s. ses vingt/***etc* **ans** to be approaching twenty/*etc*; **être s. le départ** to be about to leave.

sur- [syr] *préf* over-.

sûr, sûre [syr] *a* sure, certain (**de** of, **que** that); *(digne de confiance)* reliable; *(lieu)* safe; *(avenir)* secure; *(goût)* discerning; *(jugement)* sound; *(main)* steady; **c'est s. que** (+ *indic*) it's certain that; **s. de soi** self-assured; **être s. de son coup** *Fam* to be quite sure of oneself; **bien s.!** of course!

surabondant, -ante [syrabɔ̃dɑ̃, -ɑ̃t] *a* overabundant.

suranné, -ée [syrane] *a* outmoded.

surarmement [syrarməmɑ̃] *nm* excessive arms build-up.

surboum [syrbum] *nf Fam* party.

surcharge [syrʃarʒ] *nf* **1** overloading; *(poids)* extra load; **s. de travail** extra work; **en s.** *(passagers etc)* extra. **2** *(correction de texte etc)* alteration; *(de timbre-poste)* surcharge. ● **surcharger** *vt (voiture, personne etc)* to overload (**de** with).

surchauffer [syrʃofe] *vt* to overheat.

surchoix [syrʃwa] *a inv (produit etc)* top-quality.

surclasser [syrklɑse] *vt* to outclass.

surcroît [syrkrwa] *nm* increase (**de** in); **de s., par s.** in addition.

surdité [syrdite] *nf* deafness.

surdose [syrdoz] *nf (de drogue)* overdose.

surdoué, -ée [syrdwe] *nmf* (exceptionally) gifted child, child who has a genius-level IQ.

surélever [syrelve] *vt* to raise (the height of).

sûrement [syrmɑ̃] *adv* certainly; *(sans danger)* safely.

surenchère [syrɑ̃ʃɛr] *nf (offre d'achat)* higher bid; **s. électorale** *Fig* bidding for votes. ● **surenchérir** *vi* to bid higher (**sur** than).

surestimer [syrɛstime] *vt* to overestimate; *(tableau etc)* to overvalue.

sûreté [syrte] *nf* safety; *(de l'État)* security; *(garantie)* surety; *(de geste)* sureness; *(de jugement)* soundness; **être en s.** to be safe; **mettre qch/qn en s.** to put sth/s.o. in a safe place; **épingle/***etc* **de s.** safety pin/*etc*; **pour plus de s.** to be on the safe side.

surexcité, -ée [syrɛksite] *a* overexcited.

surf [sœrf] *nm Sport* surfing; **faire du s.** to surf, go surfing.

surface [syrfas] *nf* surface; *(dimensions)* (surface) area; **faire s.** *(sous-marin etc)* to surface; **(magasin à) grande s.** hypermarket; **de s.** *(politesse etc)* superficial.

surfait, -aite [syrfɛ, -ɛt] *a* overrated.

surgelé, -ée [syrʒəle] *a (viande etc)* (deep-)frozen. ● **surgelés** *nmpl* (deep-)frozen foods.

surgir [syrʒir] *vi* to appear suddenly (**de** from); *(problème etc)* to arise.

surhomme [syrɔm] *nm* superman. ● **surhumain, -aine** *a* superhuman.

sur-le-champ [syrləʃɑ̃] *adv* immediately.

surlendemain [syrlɑ̃d(ə)mɛ̃] *nm* **le s.** two days later; **le s. de** two days after.

surligner [syrliɲe] *vt* to highlight (*with a highlighter*). ● **surligneur** *nm* highlighter (pen).

surmener [syrməne] *vt*, **se surmener** *vpr* to overwork. ● **surmenage** *nm* overwork.

surmonter [syrmɔ̃te] *vt* **1** *(obstacle, peur etc)* to get over, overcome. **2** *(être placé sur)* to be on top of, top.

surnager [syrnaʒe] *vi* to float.

surnaturel, -elle [syrnatyrɛl] *a & nm* supernatural.

surnom [syrnɔ̃] *nm* nickname. ● **surnommer** *vt* to nickname.

surnombre [syrnɔ̃br] *nm* **en s.** too many; **je suis en s.** I am one too many.

surpasser [syrpɑse] *vt* to surpass (**en** in) ▮ **se surpasser** *vpr* to excel *ou* surpass oneself.

surpeuplé, -ée [syrpœple] *a* overpopulated.

surplace [syrplas] *nm* **faire du s.** *(dans un embouteillage)* & *Fig* to be hardly moving, be unable to make any headway.

surplomb [syrplɔ̃] *nm* **en s.** overhanging. ● **surplomber** *vti* to overhang.

surplus [syrply] *nm* surplus; **les surplus agricoles/***etc* agricultural/*etc* surpluses.

surprendre* [syrprɑ̃dr] *vt (étonner)* to surprise; *(prendre sur le fait)* to catch; *(secret)* to discover; *(conversation)* to overhear; **se s. à faire qch** to find oneself doing sth. ● **surprenant, -ante** *a* surprising. ● **surpris, -ise** *a* surprised (**de at, que** (+ *sub*) that); **je suis s. de te voir** I'm surprised to see you. ● **surprise** *nf* surprise; **prendre qn par s.** to catch s.o. unawares. ● **surprise-partie** *nf* (*pl* surprises-parties) party.

surproduction [syrprɔdyksjɔ̃] *nf* excess supply, overproduction.

surréaliste [syrealist] *a (poète, peintre etc)* surrealist; *(bizarre) Fam* surrealistic.

surréservation [syrrezɛrvasjɔ̃] *nf* overbooking.

sursaut [syrso] *nm* (sudden) start *ou* jump; **s. d'énergie/***etc* burst of energy/*etc*; **se réveiller en s.** to wake up with a start. ● **sursauter** *vi* to jump, start.

sursis [syrsi] *nm (à l'armée)* deferment; *(répit) Fig* reprieve; **un an (de prison) avec s.** a one-year suspended sentence.

surtaxe [syrtaks] *nf* surcharge.

surtout [syrtu] *adv* especially; *(avant tout)* above all; **s. pas** certainly not; **s. que** *Fam* especially since *ou* as.

surveiller [syrveje] *vt (garder)* to watch, keep an eye on; *(contrôler)* to supervise; *(épier)* to watch; **s. son langage/sa santé** *Fig*

survenir

to watch one's language/health. ▮ **se surveiller** *vpr* to watch oneself. ●**surveillant, -ante** *nmf* (*de lycée*) supervisor (in charge of discipline); (*de prison*) (prison) guard, *Br* warder; (*de chantier*) supervisor; **s. de plage** lifeguard. ●**surveillance** *nf* watch (**sur** over); (*de travaux, d'ouvriers*) supervision; (*de la police*) surveillance, observation; **tromper la s. de ses gardiens** to escape from one's guards (*by eluding their vigilance*); **à prendre sous s. médicale** (*médicament*) to be taken under medical supervision.

survenir* [syrvənir] *vi* to occur; (*personne*) to turn up.

survêtement [syrvɛtmɑ̃] *nm* (*vêtement de sport*) tracksuit.

survie [syrvi] *nf* survival. ●**survivre*** *vi* to survive (**à qch** sth); **s. à qn** to outlive s.o., survive s.o. ●**survivant, -ante** *nmf* survivor. ●**survivance** *nf* (*chose*) survival, relic.

survol [syrvɔl] *nm* **le s. de** (*en avion etc*) flying over; (*question*) *Fig* the overview of. ●**survoler** *vt* to fly over; (*question etc*) *Fig* to go over (quickly), skim (superficially).

survolté, -ée [syrvɔlte] *a* (*surexcité*) worked up.

sus (en) [ɑ̃sys] *adv Litt* in addition.

susceptible [syseptibl] *a* 1 (*ombrageux*) touchy, sensitive. 2 **s. de** (*interprétations etc*) open to; **s. de faire qch** likely *ou* liable to do sth; (*capable*) able to do sth. ●**susceptibilité** *nf* touchiness, sensitiveness.

susciter [sysite] *vt* (*sentiment*) to arouse; (*ennuis, obstacles etc*) to create.

suspect, -ecte [syspɛ(kt), -ɛkt] *a* suspicious, suspect; **s. de qch** suspected of sth ▮ *nmf* suspect. ●**suspecter** *vt* to suspect (**de qch** of sth, **de faire** of doing); (*bonne foi etc*) to question, suspect, doubt.

suspendre [syspɑ̃dr] *vt* 1 (*accrocher*) to hang (up); **se s. à** to hang from. 2 (*destituer, interrompre, différer*) to suspend. ●**suspendu, -ue** *a* **s. à** hanging from; **pont s.** suspension bridge; **être s. aux paroles de qn** *Fig* to hang upon s.o.'s every word. ●**suspension** *nf* 1 (*d'hostilités, d'employé, de véhicule*) suspension; **points de s.** (*ponctuation*) dots, suspension points. 2 (*lustre*) hanging lamp.

suspens (en) [ɑ̃syspɑ̃] *adv* 1 (*affaire, travail*) in abeyance. 2 (*dans l'incertitude*) in suspense.

suspense [syspɛns] *nm* suspense; **film à s.** thriller, suspense film.

suspicion [syspisjɔ̃] *nf* suspicion.

susurrer [sysyre] *vti* to murmur.

suture [sytyr] *nf* (*opération*) stitching, suture; **point de s.** stitch (*in wound*). ●**suturer** *vt* to stitch up.

svelte [svɛlt] *a* slender. ●**sveltesse** *nf* slenderness.

SVP [esvepe] *abrév* (*s'il vous plaît*) please.

syllabe [silab] *nf* syllable.

symbole [sɛ̃bɔl] *nm* symbol. ●**symbolique** *a* symbolic; (*salaire, cotisation, loyer*) nominal; **geste s.** token gesture; **grève/paiement s.** token strike/payment. ●**symboliser** *vt* to symbolize. ●**symbolisme** *nm* symbolism.

symétrie [simetri] *nf* symmetry. ●**symétrique** *a* symmetrical.

sympa [sɛ̃pa] *a inv Fam* = **sympathique**.

sympathie [sɛ̃pati] *nf* liking, affection; (*affinité*) affinity; (*condoléances*) sympathy; **avoir de la s. pour qn** to be fond of s.o. ●**sympathique** *a* nice, pleasant; (*accueil, geste*) friendly. ●**sympathiser** *vi* to get along well, *Br* get on well (**avec** with). ●**sympathisant, -ante** *nmf* (*d'un parti politique*) sympathizer.

symphonie [sɛ̃fɔni] *nf* symphony. ●**symphonique** *a* symphonic; **orchestre s.** symphony orchestra.

symposium [sɛ̃pozjɔm] *nm* symposium.

symptôme [sɛ̃ptom] *nm Méd & Fig* symptom. ●**symptomatique** *a* symptomatic (**de** of).

synagogue [sinagɔg] *nf* synagogue.

synchroniser [sɛ̃krɔnize] *vt* to synchronize.

syncope [sɛ̃kɔp] *nf* (*évanouissement*) blackout; **tomber en s.** to black out.

syndicat [sɛ̃dika] *nm* 1 (*d'ouvriers etc*) (*Br* trade *ou Am* labor) union; (*de patrons etc*) association. 2 **s. d'initiative** tourist (information) office. ●**syndical, -e, -aux** *a* (*réunion/etc* syndicale (*Br* trade *ou Am* labor) union meeting/*etc*. ●**syndicalisme** *nm Br* trade *ou Am* labor unionism. ●**syndicaliste** *nmf Br* trade *ou Am* labor unionist ▮ *a* **esprit/idéal/***etc* **s.** union spirit/ideal/*etc*.

syndiquer [sɛ̃dike] *vt* to unionize ▮ **se syndiquer** *vpr* (*adhérer*) to join a (*Br* trade *ou Am* labor) union. ●**syndiqué, -ée** *nmf* (*Br* trade *ou Am* labor) union member.

syndrome [sɛ̃drom] *nm Méd & Fig* syndrome; **s. immunodéficitaire acquis** acquired immune deficiency syndrome.

synode [sinɔd] *nm Rel* synod.

synonyme [sinɔnim] *a* synonymous (**de** with) ▮ *nm* synonym.

syntaxe [sɛ̃taks] *nf* (*grammaire*) syntax.

synthèse [sɛ̃tɛz] *nf* synthesis. ●**synthétique** *a* synthetic.

synthétiseur [sɛ̃tetizœr] *nm* synthesizer.

syphilis [sifilis] *nf* (*maladie*) syphilis.

Syrie [siri] *nf* Syria. ●**syrien, -ienne** *a* Syrian ▮ *nmf* S., Syrienne Syrian.

système [sistɛm] *nm* (*structure, réseau etc*) & *Anat* system; **le s. immunitaire** the immune system; **le s. nerveux** the nervous system; **le s. D** *Fam* resourcefulness; **s. d'exploitation** *Ordinat* operating system; **courir sur le s. à qn** *Fam* to get on s.o.'s nerves. ●**systématique** *a* systematic; (*soutien*) unconditional. ●**systématiquement** *adv* systematically.

T

T, t [te] *nm* T, t.
t' [t] *voir* te.
ta [ta] *voir* ton¹.
tabac [taba] 1 *nm* tobacco; (*magasin*) *Br* tobacconist's (shop), *Am* tobacco store; **t. (à priser)** snuff. **2** *nm* **passer qn à t.** *Fam* to beat s.o. up; **passage à t.** beating up. **3** *a inv* (*couleur*) buff.
tabasser [tabase] *vt Fam* to beat up; **se faire t.** to be *ou* get beaten up.
tabatière [tabatjɛr] *nf* (*boîte*) snuffbox.
table [tabl] *nf* **1** (*meuble*) table; (*d'école*) desk; (*nourriture*) fare; **t. de nuit/d'opération/de jeu** bedside/operating/card table; **t. basse** coffee table; **t. à repasser** ironing board; **t. roulante** *Br* (tea) trolley, *Am* (serving) cart; **t. à rallonges** pull-out *ou* extending table; **t. ronde** (*réunion*) (round-table) conference; **mettre/débarrasser la t.** to set *ou Br* lay/clear the table; **être à t.** to be sitting at the table; **à t.!** (food's) ready!; **faire t. rase** *Fig* to make a clean sweep (**de** of); **mettre qn sur t. d'écoute** to tap s.o.'s phone.
2 (*liste*) table; **t. des matières** table of contents.
tableau, -x [tablo] *nm* **1** (*peinture*) picture, painting; (*image, description*) picture; (*scène de théâtre*) scene; **t. de maître** (*peinture*) old master. **2** (*panneau*) board; (*liste*) list; (*graphique*) chart; **t. (noir)** (black)board; **t. d'affichage** *Br* notice board, *Am* bulletin board; **t. de bord** (*de véhicule*) dashboard; **t. de contrôle** *Tech* control panel; **t. des départs/arrivées** (*de gare, d'aéroport*) departures/arrivals board; **avoir le t. d'honneur** *Scol Br* to get one's name on the merit list, *Am* make the honor roll.
tabler [table] *vi* **t. sur** to count *ou* rely on.
tablette [tablɛt] *nf* (*de chocolat*) bar, slab; (*de lavabo etc*) shelf; (*de cheminée*) mantelpiece.
tableur [tablœr] *nm Ordinat* spreadsheet.
tablier [tablije] *nm* **1** (*vêtement*) apron; (*d'écolier*) smock; **rendre son t.** (*démissionner*) *Fam* to give notice. **2** (*de pont*) roadway.
tabou [tabu] *a & nm* taboo.
taboulé [tabule] *nm* (*plat*) tabbouleh.
tabouret [taburɛ] *nm* stool.
tabulateur [tabylatœr] *nm* (*d'ordinateur, de machine à écrire*) tabulator.
tac [tak] *nm* **répondre du t. au t.** to give tit for tat.
tache [taʃ] *nf* spot, mark; (*salissure*) stain; **faire t.** (*détonner*) *Péj* to jar, stand out; **faire t. d'huile** *Fig* to spread. ● **tacher** *vt*, **se tacher** *vpr* (*tissu etc*) to stain ▮ *vi* (*vin etc*) to stain.
tâche [tɑʃ] *nf* task, job; **travailler à la t.** to do piecework; **se tuer à la t.** *Fig* to work oneself to death.
tâcher [tɑʃe] *vi* **t. de faire qch** to try *ou* endeavour to do sth.
tâcheron [tɑʃrɔ̃] *nm* drudge.
tacheté, -ée [taʃte] *a* speckled, spotted.
tacite [tasit] *a* tacit. ● **tacitement** *adv* tacitly.
taciturne [tasityrn] *a* taciturn.
tacot [tako] *nm* (*voiture*) *Fam* (old) wreck, *Br* banger.
tact [takt] *nm* tact; **avoir du t.** to be tactful.
tactile [taktil] *a* tactile.
tactique [taktik] *a* tactical ▮ *nf* **la t.** tactics; **une t.** a tactic.
tag [tag] *nm* tag (*spray-painted graffiti*). ● **tagueur, -euse** *nmf* graffiti artist, tagger.
Tahiti [taiti] *nm* Tahiti. ● **tahitien, -ienne** [taisjɛ̃, -jɛn] *a* Tahitian ▮ *nmf* **T., Tahitienne** Tahitian.
taie [tɛ] *nf* **t. d'oreiller** pillowcase, pillowslip.
taillade [tajad] *nf* gash, slash. ● **taillader** *vt* to gash, slash.
taille¹ [taj] *nf* **1** (*hauteur*) height; (*dimension, mesure*) size; **de haute t.** (*personne*) tall; **de petite t.** short; **de t. moyenne** (*objet, personne*) medium-sized; **être de t. à faire qch** *Fig* to be capable of doing sth; **de t.** (*erreur, objet*) *Fam* enormous. **2** (*ceinture*) waist; **tour de t.** waist measurement.
taille² [taj] *nf* cutting; (*de haie etc*) trimming; (*d'arbre*) pruning; (*de vêtement etc*) cutting out; (*forme*) cut. ● **tailler 1** *vt* to cut; (*haie, barbe*) to trim; (*arbre*) to prune; (*crayon*) to sharpen; (*vêtement*) to cut out; **se t. la part du lion** to take the lion's share. **2 se tailler** *vpr* (*partir*) *Fam* to beat it, make tracks. ● **taillé, -ée** *a* **t. en athlète**/*etc* built like an athlete/*etc*; **t. pour faire qch** *Fig* cut out for doing sth.
taille-crayon(s) [tajkrɛjɔ̃] *nm inv* pencil-sharpener. ● **taille-haie(s)** *nm inv* (garden) shears; (*électrique*) hedge trimmer.
tailleur [tajœr] *nm* **1** (*personne*) tailor. **2** (*costume féminin*) suit.
taillis [taji] *nm* copse, coppice.
tain [tɛ̃] *nm* (*de glace*) silvering; **glace sans t.** two-way mirror.
taire* [tɛr] *vt* to say nothing about ▮ *vi* **faire t. qn** to silence s.o. ▮ **se taire** *vpr* (*ne rien dire*) to keep quiet (**sur qch** about sth); (*cesser de parler*) to stop talking, fall silent; **tais-toi!** be *ou* keep quiet!, shut up!

Taiwan

Taiwan [tajwan] *nm ou f* Taiwan.
talc [talk] *nm* talcum powder.
talé, -ée [tale] *a* (*fruit*) bruised.
talent [talɑ̃] *nm* talent; **avoir du t. pour qch** to have a talent for sth. ●**talentueux, -euse** *a* talented.
talion [taljɔ̃] *nm* **la loi du t.** (*vengeance*) the law of retaliation, an eye for an eye.
talisman [talismɑ̃] *nm* talisman.
talkie-walkie [talkiwalki] *nm* (*poste*) walkie-talkie.
taloche [talɔʃ] *nf* (*gifle*) *Fam* clout, smack.
talon [talɔ̃] *nm* 1 heel; **(chaussures à) talons hauts** high heels, high-heeled shoes; **talons aiguilles** stiletto heels; **tourner les talons** to walk away; **c'est son t. d'Achille** it's his Achilles' heel. 2 (*de chèque, carnet*) stub, counterfoil; (*bout de pain*) crust; (*de jambon*) heel. ●**talonnette** *nf* (*pour chaussure*) lift, heel cushion.
talonner [talɔne] *vt* (*fugitif etc*) to follow on the heels of; (*ballon*) *Rugby* to heel; (*harceler*) *Fig* to hound, dog.
talus [taly] *nm* slope, embankment.
tambour [tɑ̃bur] *nm* 1 (*de machine etc, instrument de musique*) drum; (*personne*) drummer. 2 (*porte*) revolving door; **sans t. ni trompette** quietly, without fuss. ●**tambourin** *nm* tambourine. ●**tambouriner** *vi* (*avec les doigts etc*) to drum (**sur** on).
tamis [tami] *nm* sieve. ●**tamiser** *vt* (*farine etc*) to sift; (*lumière*) to filter, subdue.
Tamise [tamiz] *nf* **la T.** the Thames.
tampon [tɑ̃pɔ̃] *nm* 1 (*marque, instrument*) stamp; **t. buvard** blotter; **t. encreur** ink(ing) pad; **lettre à renvoyer avant minuit le t. de la poste faisant foi** letter to be postmarked no later than midnight. 2 (*bouchon*) plug, stopper; (*de coton etc*) wad, pad; (*pour pansement*) swab; **t. hygiénique** *ou* **périodique** tampon; **t. à récurer** scrubbing *ou* scouring pad. 3 (*de train etc*) & *Fig* buffer; **état t.** buffer state.
tamponner [tɑ̃pɔne] 1 *vt* (*lettre, document etc*) to stamp. 2 *vt* (*visage etc*) to dab; (*plaie*) to swab. 3 *vt* (*train, voiture*) to crash into ▮ **se tamponner** *vpr* to crash into each other. ●**tamponneuses** *afpl* **autos t.** dodgems, bumper cars.
tam-tam [tamtam] *nm* (*tambour*) tom-tom.
tandem [tɑ̃dɛm] *nm* 1 (*bicyclette*) tandem. 2 (*duo*) *Fig* duo, pair; **travailler**/*etc* **en t.** to work/*etc* in tandem.
tandis que [tɑ̃dik(ə)] *conj* (*pendant que*) while; (*contraste*) whereas, while.
tangent, -ente [tɑ̃ʒɑ̃, -ɑ̃t] *a* 1 *Géom* tangential (**à** to). 2 (*juste*) *Fam* touch and go, close. ●**tangente** *nf Géom* tangent.
tangible [tɑ̃ʒibl] *a* tangible.
tango [tɑ̃go] *nm* tango.
tanguer [tɑ̃ge] *vi* (*bateau, avion*) to pitch. ●**tangage** *nm* (*de bateau, d'avion*) pitching.
tanière [tanjɛr] *nf* den, lair.
tank [tɑ̃k] *nm* (*char d'assaut*) tank.
tanker [tɑ̃kɛr] *nm* (*navire*) tanker.

tanner [tane] *vt* (*cuir*) to tan. ●**tanné, -ée** *a* (*visage*) weather-beaten, tanned.
tant [tɑ̃] *adv* (*travailler etc*) so much (**que** that); **t. de** (*pain, temps etc*) so much (**que** that); (*gens, choses etc*) so many (**que** that); **t. de fois** so often, so many times; **t. que** (*autant que*) as much as; (*aussi fort que*) as hard as; (*aussi longtemps que*) as long as; **en t. que** (*considéré comme*) as; **t. bien que mal** more or less, somehow or other; **t. mieux!** good!, I'm glad!; **t. pis!** too bad!, pity!; **t. mieux pour toi!** good for you!; **t. pis pour toi!** that's too bad!, that's a pity for you!; **t. soit peu** (even) remotely *ou* slightly; **un t. soit peu** somewhat; **t. s'en faut** far from it.
tante [tɑ̃t] *nf* aunt.
tantinet [tɑ̃tinɛ] *nm & adv* **un t.** a tiny bit (**de** of).
tantôt [tɑ̃to] *adv* 1 **t....t.** sometimes... sometimes, now... now. 2 (*cet après-midi*) this afternoon.
taon [tɑ̃] *nm* horsefly, gadfly.
tapage [tapaʒ] *nm* din, uproar. ●**tapageur, -euse** *a* 1 (*bruyant*) rowdy. 2 (*criard*) flashy.
tape [tap] *nf* slap.
tape-à-l'œil [tapalœj] *a inv* flashy, gaudy.
tapée [tape] *nf* **une t. de** *Fam* heaps of, *Br* load of.
taper [tape] 1 *vt* (*enfant, cuisse*) to slap; (*table*) to bang; **t. qn** (*emprunter de l'argent à qn*) *Fam* to touch s.o., tap s.o. (**de** for).
▮ *vi* (*soleil*) to beat down; **t. sur qch** to bang on sth; **t. du pied** to stamp one's foot; **t. à la porte** to bang on the door; **t. sur qn** (*critiquer*) *Fam* to run s.o. down, knock s.o.; **t. sur les nerfs de qn** *Fam* to get on s.o.'s nerves; **t. dans** (*provisions etc*) *Fam* to dig into; **t. dans l'œil à qn** *Fam* to take s.o.'s fancy.
▮ **se taper** *vpr* (*travail*) *Fam* to do, take on; (*repas, vin*) *Fam* to put away.
2 *vi* (*à la machine*) to type. ●**tapant, -ante** *a* **à midi t.** at twelve sharp; **à huit heures tapant(es)** at eight sharp.
tapeur, -euse [tapœr, -øz] *nmf Fam* person who borrows money.
tapioca [tapjɔka] *nm* tapioca.
tapir (se) [sətapir] *vpr* to crouch (down). ●**tapi, -ie** *a* crouching, crouched.
tapis [tapi] *nm* carpet; **t. de bain** bathmat; **t. roulant** (*pour marchandises*) conveyor belt; (*pour personnes*) moving walkway; **t. de sol** groundsheet; **t. de table** table cover; **envoyer qn au t.** (*abattre*) to floor s.o.; **mettre sur le t.** (*sujet*) to bring up for discussion; **dérouler le t. rouge** to put out the red carpet. ●**tapis-brosse** *nm* doormat.
tapisser [tapise] *vt* (*mur*) to (wall)paper; (*de tentures etc*) to hang with tapestry; (*recouvrir*) *Fig* to cover. ●**tapisserie** *nf* (*papier peint*) wallpaper; (*broderie*) tapestry; **faire t.** (*jeune fille etc*) to be a wallflower. ●**tapissier, -ière** *nmf* (*qui pose des tissus etc*) upholsterer; **t.(-décorateur)** interior decorator.

tapoter [tapɔte] *vt* to tap; *(joue)* to pat **|** *vi* **t. sur** to tap (on).
taquin, -ine [takɛ̃, -in] *a* (fond of) teasing **|** *nmf* tease(r). ●**taquiner** *vt* to tease; *(inquiéter, agacer)* to bother. ●**taquinerie(s)** *nf(pl)* teasing.
tarabiscoté, -ée [tarabiskɔte] *a* overelaborate.
tarabuster [tarabyste] *vt (idée etc)* to trouble *(s.o.)*, worry *(s.o.)*.
tarauder [tarode] *vt Litt* to torment.
tard [tar] *adv* late; **plus t.** later (on); **au plus t.** at the latest; **sur le t.** late in life.
tarder [tarde] *vi (lettre, saison)* to be a long time coming; **t. à faire qch** to take one's time doing sth; *(différer)* to delay (in) doing sth; **ne tardez pas** *(agissez tout de suite)* don't delay; **elle ne va pas t.** she won't be long; **sans t.** without delay; **il me tarde de faire** I long to do.
tardif, -ive [tardif, -iv] *a* late; *(regrets)* belated. ●**tardivement** *adv* late.
tare [tar] *nf* 1 *(poids)* tare. 2 *(défaut) Fig* defect. ●**taré, -ée** *a (corrompu)* corrupt; *(dégénéré)* defective; *(fou) Fam* mad, idiotic.
tarentule [tarɑ̃tyl] *nf* tarantula.
targette [tarʒɛt] *nf* (flat) door bolt.
targuer (se) [sətarge] *vpr* **se t. de qch/de faire** to boast about sth/about doing.
tarif [tarif] *nm (prix)* rate; *(de train etc)* fare; *(tableau)* rate list, *Br* tariff; **plein t.** full price; *(de train, bus etc)* full fare. ●**tarification** *nf* (price) fixing.
tarir [tarir] *vti*, **se tarir** *vpr (fleuve etc)* & *Fig* to dry up; **ne pas t. d'éloges sur qn** *Fig* to rave about s.o.
tarot [taro] *nm* tarot; **jeu de t.** *(cartes)* deck *ou Br* pack of tarot cards.
tartare [tartar] *a* **sauce t.** tartar sauce.
tarte [tart] 1 *nf* (open) pie, tart; **ce n'est pas de la t.!** *Fam* it isn't easy!, it's no piece of cake! 2 *a inv Fam (sot)* silly; *(laid)* ugly. ●**tartelette** *nf* (small) tart.
tartine [tartin] *nf* slice of bread; **t. (de beurre/de confiture)** slice of bread and butter/jam. ●**tartiner** *vt (beurre etc)* to spread; **fromage à t.** cheese spread.
tartre [tartr] *nm (de bouilloire)* scale, *Br* fur; *(de dents)* plaque, tartar.
tas [tɑ] *nm* pile, heap; **un** *ou* **des t. de** *(beaucoup) Fam* lots of; **mettre en t.** to pile *ou* heap up; **former qn sur le t.** *(au travail) Fam* to train s.o. on the job.
tasse [tɑs] *nf* cup; **t. à café** coffee cup; **t. à thé** teacup; **boire la t.** *Fam* to swallow a mouthful *(when swimming)*.
tasser [tɑse] *vt* to pack, squeeze *(sth, s.o.)* **(dans** into); *(terre)* to pack down; **un café/etc bien tassé** *(fort) Fam* a (good) strong coffee/ *etc* **|** **se tasser** *vpr (se serrer)* to squeeze up; *(sol)* to sink, collapse; *(se voûter)* to become bowed; **ça va se t.** *(s'arranger) Fam* things will pan out (all right).
tâter [tɑte] *vt* to feel; *(sonder) Fig* to sound out **|** *vi* **t. de** *(prison, métier)* to have a taste of, experience **|** **se tâter** *vpr (hésiter)* to be in *ou* of two minds.
tatillon, -onne [tatijɔ̃, -ɔn] *a Fam* finicky.
tâtonner [tɑtɔne] *vi* to grope about, feel one's way. ●**tâtonnement** *nm* **par t.** *(procéder)* by trial and error. ●**tâtons (à)** *adv* **avancer à t.** to feel one's way (along); **chercher à t.** to grope for.
tatouer [tatwe] *vt (corps, dessin)* to tattoo; **se faire t.** to get a tatoo; **se faire t. un bateau sur le bras** to get a boat tatooed on one's arm. ●**tatouage** *nm (dessin)* tattoo; *(action)* tattooing.
taudis [todi] *nm* slum, hovel.
taule [tol] *nf (chambre) Fam* room; *(prison) Arg Br* nick, *Br* jug, *Am* can.
taupe [top] *nf (animal, espion)* mole. ●**taupinière** *nf* molehill.
taureau, -x [tɔro] *nm* bull; **le T.** *(signe)* Taurus. ●**tauromachie** *nf* bull-fighting.
taux [to] *nm* rate; **t. d'alcool/de cholestérol/** *etc* alcohol/cholesterol/*etc* level; **t. d'intérêt/ de change** interest/exchange rate; **t. de natalité** birth rate.
taverne [tavɛrn] *nf* tavern.
taxe [taks] *nf (impôt)* tax; *(de douane)* duty; *(prix)* official price; **t. à la valeur ajoutée** value-added tax; **t. de séjour** tourist tax. ●**taxation** *nf (imposition)* taxation **(de** of); *(fixation du prix)* (price) assessment **(de** of).
taxer [takse] *vt* 1 *(produit, personne, firme etc)* to tax; *(fixer le prix de)* to fix *ou* assess the price of *(product, service etc)*. 2 **t. qn de** to accuse s.o. of. 3 **t. qch à qn** *(prendre, voler) Fam* to swipe sth from s.o. ●**taxé, -ée** *a (produit etc)* taxed.
taxi [taksi] *nm* taxi.
taxiphone® [taksifɔn] *nm* pay phone.
tchador [tʃadɔr] *nm (voile)* chador.
tchatche [tʃatʃ] *nf* **avoir la t.** *Fam* to be a real windbag *ou* gasbag.
Tchécoslovaquie [tʃekɔslɔvaki] *nf* Czechoslovakia. ●**tchèque** *a* Czech; **la République t.** the Czech Republic **|** *nmf* **T.** Czech **|** *nm (langue)* Czech.
TD [tede] *nm abrév* = **travaux dirigés** *(voir* **travail***).*
te [t(ə)] **(t'** *before vowel or mute h) pron* 1 *(complément direct)* you; **je te vois** I see you. 2 *(indirect)* (to) you; **il te parle** he speaks to you; **elle te l'a dit** she told you. 3 *(réfléchi)* yourself; **tu te laves** you wash yourself.
technicien, -ienne [tɛknisjɛ̃, -jɛn] *nmf* technician. ●**technique** *a* technical **|** *nf* technique. ●**techniquement** *adv* technically. ●**technocrate** *nm* technocrat. ●**technologie** *nf* technology. ●**technologique** *a* technological.
teck [tɛk] *nm (bois)* teak.
teckel [tekɛl] *nm (chien)* dachshund.
tee-shirt [tiʃœrt] *nm* tee-shirt.
teindre* [tɛ̃dr] *vt* to dye; **t. en rouge/***etc* to dye red/*etc* **|** **se teindre** *vpr* **se t. (les cheveux)** to dye one's hair.
teint [tɛ̃] *nm* 1 *(de visage)* complexion. 2 **bon**

teinte

ou **grand t.** (*tissu*) colourfast; **bon t.** (*catholique etc*) *Fig Hum* staunch.

teinte [tɛ̃t] *nf* shade, tint; **une t. de** (*dose*) *Fig* a tinge of. ●**teinter** *vt* to tint; (*bois*) to stain; **se t. de** (*remarque, ciel*) *Fig* to be tinged with.

teinture [tɛ̃tyr] *nf* dyeing; (*produit*) dye. ●**teinturerie** *nf* (*boutique*) (dry) cleaner's. ●**teinturier, -ière** *nmf* dry cleaner.

tel, telle [tɛl] *a* such; **un t. livre/homme/***etc* such a book/man/*etc*; **un t. intérêt/***etc* such interest/*etc*; **de tels mots/***etc* such words/*etc*; **t. que** such as, like; **t. que je l'ai laissé** just as I left it; **laissez-le t. quel** leave it just as it is; **en tant que t., comme t.** as such; **t. ou t.** such and such; **rien de t. que...** (there's) nothing like...; **rien de t.** nothing like it; **Monsieur Un t.** Mr So-and-so; **t. père t. fils** like father like son.

télé [tele] *nf* (*téléviseur*) *Fam* TV, *Br* telly; **à la t.** on TV, *Br* on the telly; **regarder la t.** to watch TV *ou Br* the telly.

télé- [tele] *préf* tele-.

télébenne [telebɛn] *nf ou* **télécabine** [telekabin] *nf* (*cabine, système*) cable car.

télécarte® [telekart] *nf* phonecard.

télécommande [telekɔmɑ̃d] *nf* remote control. ●**télécommander** *vt* to operate by remote control.

télécommunications [telekɔmynikɑsjɔ̃] *nfpl* telecommunications.

télécopie [telekɔpi] *nf* fax. ●**télécopieur** *nm* fax (machine).

téléfilm [telefilm] *nm* TV film.

télégramme [telegram] *nm* telegram.

télégraphe [telegraf] *nm* telegraph. ●**télégraphie** *nf* telegraphy. ●**télégraphier** *vt* (*message*) to wire, cable (**que** that). ●**télégraphique** *a* **poteau/fil/***etc* **t.** telegraph pole/wire/*etc*; **style t.** *Fig* telegraphic style. ●**télégraphiste** *nm* (*messager*) telegraph boy.

téléguider [telegide] *vt* to operate by remote control, radio-control. ●**téléguidage** *nm* radio control.

télématique [telematik] *nf* telematics, computer communications.

téléobjectif [teleɔbʒɛktif] *nm* telephoto lens.

télépathie [telepati] *nf* telepathy.

téléphérique [teleferik] *nm* (*système*) cable car, cableway.

téléphone [telefɔn] *nm* (tele)phone; **coup de t.** (phone) call; **passer un coup de t. à qn** to give s.o. a ring *ou* a call; **au t.** on the (tele)phone; **avoir qn au t.** to be on the (tele)phone; **t. portatif** mobile phone; **t. sans fil** cordless phone; **apprendre qch par le t. arabe** *Fig* to hear about sth through *ou* on the grapevine. ●**téléphoner** *vt* (*nouvelle etc*) to (tele)phone (**à** to) ▮ *vi* to (tele)phone; **t. à qn** to (tele)phone s.o., call s.o. (up). ●**téléphonique** *a* **appel/***etc* **t.** telephone call/*etc*. ●**téléphoniste** *nmf* operator, *Br* telephonist.

téléprompteur [teleprɔ̃ptœr] *nm* teleprompter, *Br* autocue.

télescope [telɛskɔp] *nm* telescope. ●**télescopique** *a* telescopic.

télescoper [telɛskɔpe] *vt* (*voiture, train etc*) to smash into; **se t.** to smash into each other. ●**télescopage** *nm* smash.

téléscripteur [teleskriptœr] *nm* (*appareil*) *Br* teleprinter, *Am* teletypewriter.

télésiège [telesjɛʒ] *nm* chair lift.

téléski [teleski] *nm* ski tow.

téléspectateur, -trice [telespɛktatœr, -tris] *nmf* (television) viewer.

télétravail [teletravaj] *nm* home work *ou* working, teleworking.

téléviser [televize] *vt* to televise; **journal télévisé** television news. ●**téléviseur** *nm* television (set). ●**télévision** *nf* television; **à la t.** on (the) television; **regarder la t.** to watch (the) television; **programme/***etc* **de t.** television programme/*etc*.

télex [telɛks] *nm* (*service, message*) telex.

telle [tɛl] *voir* **tel**.

tellement [tɛlmɑ̃] *adv* (*si*) so; (*tant*) so much; **t. grand/***etc* so big/*etc*; **crier/***etc* **t. que** to shout/*etc* so much that; **t. de travail/***etc* so much work/*etc*; **t. de soucis/***etc* so many worries/*etc*; **tu aimes ça? - pas t.!** (*pas beaucoup*) do you like it? - not much *ou* a lot!; **personne ne peut le supporter, t. il est bavard** nobody can stand him, he's so talkative.

tellurique [telyrik] *a* **secousse t.** earth tremor.

téméraire [temerɛr] *a* rash, reckless. ●**témérité** *nf* rashness, recklessness.

témoigner [temwaɲe] **1** *vi* (*devant un tribunal*) to give evidence, testify (**contre** against); **t. de qch** (*personne, attitude etc*) to testify to sth ▮ *vt* **t. que** (*attester*) to testify that. **2** *vt* (*gratitude etc*) to show (**à qn** (to) s.o.). ●**témoignage** *nm* **1** evidence, testimony; (*récit*) account; **faux t.** (*délit*) perjury. **2** (*d'affection etc*) *Fig* token, sign (**de** of); **en t. de** as a token *ou* sign of.

témoin [temwɛ̃] **1** *nm* witness; **t. oculaire** eyewitness; **t. à charge/à décharge** witness for the prosecution/*Br* defence *ou Am* defense; **être t. de** (*accident etc*) to witness ▮ *a* **appartement t.** *Br* show flat, *Am* model apartment. **2** *nm* (*de relais*) baton.

tempe [tɑ̃p] *nf Anat* temple.

tempérament [tɑ̃peramɑ̃] *nm* **1** (*caractère*) temperament; (*physique*) constitution. **2** **acheter à t.** to buy on *Br* hire purchase *ou Am* on the installment plan.

tempérance [tɑ̃perɑ̃s] *nf* temperance; **société de t.** temperance society.

température [tɑ̃peratyr] *nf* temperature; **avoir** *ou* **faire de la t.** (*fièvre*) to have a temperature.

tempéré, -ée [tɑ̃pere] *a* (*climat, zone*) temperate.

tempérer [tɑ̃pere] *vt Litt* to temper.

tempête [tɑ̃pɛt] *nf* storm; **t. de neige** snowstorm, blizzard.

tempêter [tɑ̃pete] *vi* (*crier*) to storm, rage (**contre** against).

temple [tɑ̃pl] *nm* (*romain, grec etc*) temple; (*protestant*) church.
empo [tɛmpo] *nm* tempo.
emporaire [tɑ̃pɔrɛr] *a* temporary. ● **temporairement** *adv* temporarily.
temporel, -elle [tɑ̃pɔrɛl] *a* temporal; (*terrestre*) wordly.
temporiser [tɑ̃pɔrize] *vi* to procrastinate, play for time.
temps¹ [tɑ̃] *nm* (*durée, période, moment*) time; *Grammaire* tense; (*étape*) stage; **t. d'arrêt** pause, break; **t. mort** (*dans un film etc*) *Fig* slow period, slack moment; **en t. de guerre** in wartime, in time of war; **avoir/ trouver le t.** to have/find (the) time (**de faire** to do); **il est t.** it is time (**de faire** to do); **il était t.!** it was about time (too)!; **il est (grand) t. que vous partiez** it's (high) time you left; **ces derniers t.** lately; **de t. en t.** [dətɑ̃zɑ̃tɑ̃], **de t. à autre** [dətɑ̃zaotr] from time to time, now and again; **en t. utile** [ɑ̃tɑ̃zytil] in good *ou* due time; **en même t.** at the same time (**que** as); **à t.** (*arriver*) in time; **à plein t.** (*travailler etc*) full-time; **à t. partiel** (*travailler etc*) part-time; **dans le t.** (*autrefois*) once, at one time; **avec le t.** (*à la longue*) in time; **tout le t.** all the time; **de mon t.** in my time; **du t. de mes parents/etc** in my parents'/etc time; **pendant un t.** for a while *ou* time; **par les t. qui courent** *Fam* at the present time, in the present climate; **moteur à quatre t.** four-stroke engine, *Am* four-cycle engine.
temps² [tɑ̃] *nm* (*climat*) weather; **il fait beau/mauvais t.** the weather's fine/bad; **quel t. fait-il?** what's the weather like?
tenable [tənabl] *a* bearable.
tenace [tənas] *a* stubborn, tenacious. ● **ténacité** *nf* stubbornness, tenacity.
tenailler [tənaje] *vt* (*faim, remords*) to rack, torture (*s.o.*).
tenailles [tənaj] *nfpl* (*outil*) pincers.
tenancier, -ière [tənɑ̃sje, -jɛr] *nmf* (*d'hôtel etc*) manager, manageress.
tenant, -ante [tənɑ̃, -ɑ̃t] **1** *nmf* **le t. du titre** (*champion*) the title holder. **2** *nm* (*partisan*) supporter (**de** of).
tenants [tənɑ̃] *nmpl* **les t. et les aboutissants d'une question/etc** the ins and outs of a question/etc.
tendance [tɑ̃dɑ̃s] *nf* (*penchant*) tendency; (*évolution*) trend (**à** towards); **avoir t. à faire qch** to tend to do sth, have a tendency to do sth.
tendancieux, -euse [tɑ̃dɑ̃sjø, -øz] *a Péj* tendentious.
tendeur [tɑ̃dœr] *nm* (*à bagages*) elastic strap, *Am* bungee.
tendon [tɑ̃dɔ̃] *nm Anat* tendon, sinew.
tendre¹ [tɑ̃dr] **1** *vt* to stretch; (*main*) to hold out (**à qn** to s.o.); (*bras, jambe*) to stretch out; (*cou*) to strain, crane; (*muscle*) to tense, flex; (*arc*) to bend; (*piège*) to set; lay; (*filet*) to spread; (*tapisserie*) to hang; **t. qch à qn** to hold out sth to s.o.; **t. l'oreille** *Fig* to prick up one's ears ▌ **se tendre** *vpr* (*rapports*) to become strained.
2 *vi* **t. à qch/à faire qch** to tend towards sth/ to do sth. ● **tendu, -ue** *a* (*corde*) tight, taut; (*personne, situation, muscle*) tense; (*main*) held out; (*rapports*) strained.
tendre² [tɑ̃dr] *a* **1** (*viande*) tender; (*bois, couleur*) soft; (*peau*) delicate, tender; **depuis ma plus t. enfance** since I've been a young child. **2** (*personne*) affectionate (**avec** to), loving; (*parole, regard etc*) tender, loving. ● **tendrement** [-əmɑ̃] *adv* tenderly, lovingly. ● **tendresse** *nf* (*affection*) affection, tenderness. ● **tendreté** *nf* (*de viande*) tenderness.
ténèbres [tenɛbr] *nfpl* darkness, gloom. ● **ténébreux, -euse** *a* dark, gloomy; (*mystérieux*) mysterious.
teneur [tənœr] *nf* (*de lettre etc*) content; **t. en alcool/etc** alcohol/etc content (**de** of).
tenir* [tənir] *vt* (*à la main etc*) to hold; (*promesse, comptes, hôtel*) to keep; (*rôle*) to play; (*propos*) to utter; **t. la droite** (*conducteur*) to keep to the right; **t. la route** (*véhicule*) to hold the road; **t. sa langue** *Fig* to hold one's tongue; **t. pour** to regard as; **t. propre/chaud/etc** to keep clean/hot/etc; **je le tiens!** (*je l'ai attrapé*) I've got him!; **je le tiens de** (*fait etc*) I got it from; (*caractère héréditaire*) I get it from.
▌ *vi* (*nœud etc*) to hold; (*neige, coiffure*) to last, hold; (*résister*) to hold out; (*offre*) to stand; **t. à qn/qch** to be attached to *ou* fond of s.o./sth; **t. à la vie** to value life; **t. à faire qch** to be anxious to do sth; **t. dans qch** (*être contenu*) to fit into sth; **t. de qn** to take after s.o.; **tenez!** (*prenez*) here (you are)!; **tiens!** (*surprise*) well!, hey!; **ça tient à sa maladie/ etc** it's due to his illness/*etc*.
▌ *v imp* **il ne tient qu'à vous** it's up to you (**de faire** to do).
▌ **se tenir** *vpr* (*avoir lieu*) to be held; (*rester*) to keep, remain; **se t. debout** to stand (up); **se t. droit** to stand up *ou* sit up straight; **se t. par la main** to hold hands; **se t. bien** to behave oneself; **se t. à qch** to hold on to sth; **s'en t. à qch** (*se limiter à*) to stick to sth; **savoir à quoi s'en t.** to know what's what; **tout se tient** *Fig* it all hangs together.
tennis [tenis] *nm* tennis; (*terrain*) (tennis) court; **t. de table** table tennis ▌ *nmpl* (*chaussures*) *Br* plimsolls, *Br* pumps, *Am* sneakers.
ténor [tenɔr] *nm Mus* tenor.
tension [tɑ̃sjɔ̃] *nf* tension; **t. (artérielle)** blood pressure; **t. d'esprit** mental effort, concentration; **avoir de la t. (artérielle)** to have high blood pressure.
tentacule [tɑ̃takyl] *nm* tentacle.
tente [tɑ̃t] *nf* tent.
tenter¹ [tɑ̃te] *vt* (*essayer*) to try; **t. de faire qch** to try *ou* attempt to do sth. ● **tentative** *nf* attempt; **t. de suicide** suicide attempt.
tenter² [tɑ̃te] *vt* (*faire envie à etc*) to tempt; **tenté de faire qch** tempted to do sth. ● **tentant, -ante** *a* tempting. ● **tentation** *nf*

tenture 300

temptation.
tenture [tɑ̃tyr] *nf* (wall) hanging; (*de porte*) drape, curtain.
tenu, -ue [təny] *pp de* **tenir** ‖ *a* **t. de faire qch** obliged to do sth; **bien/mal t.** (*maison etc*) well/badly kept.
ténu, -ue [teny] *a* (*fil etc*) fine; (*soupçon, différence*) tenuous; (*voix*) thin.
tenue [təny] *nf* **1** (*vêtements*) clothes, outfit; (*aspect*) appearance; **t. de combat** (*uniforme*) battle *ou Br* combat dress; **t. de soirée** evening dress; **être en petite t.** to be scantily dressed. **2** (*conduite*) (good) behaviour; (*maintien*) posture; **manquer de t.** to lack (good) manners. **3** (*de maison, hôtel*) running; (*de comptes*) keeping. **4 t. de route** (*de véhicule*) road-holding.
ter [tɛr] *a* **4 t.** (*numéro*) 4B.
térébenthine [terebɑ̃tin] *nf* turpentine.
tergal® [tɛrgal] *nm Br* Terylene®, *Am* Dacron®.
tergiverser [tɛrʒivɛrse] *vi Litt* to procrastinate.
terme [tɛrm] *nm* **1** (*mot*) term. **2** (*date limite*) time (limit), date; (*fin*) *Litt* end; **mettre un t. à qch** to put an end to sth; **à court/long t.** (*conséquences, projet etc*) short-/long-term; **être né avant/à t.** to be born prematurely/at (full) term. **3 moyen t.** (*solution*) middle course. **4 en bons/mauvais termes** on good/bad terms (**avec qn** with s.o.). **5** (*loyer*) rent; (*jour*) rent day; (*période*) rental period.
terminal, -e, -aux [tɛrminal, -o] **1** *a* final; (*phase de maladie*) terminal ‖ *a & nf* (**classe**) **terminale** *Scol* = *Br* sixth form, = *Am* twelfth grade. **2** *nm* (*d'ordinateur, pétrolier*) terminal.
terminer [tɛrmine] *vt* to end; (*achever*) to finish, complete ‖ **se terminer** *vpr* to end (**par** with, **en** in). ● **terminaison** *nf* (*de mot*) ending.
terminologie [tɛrminɔlɔʒi] *nf* terminology.
terminus [tɛrminys] *nm* terminus.
termite [tɛrmit] *nm* (*insecte*) termite.
terne [tɛrn] *a* (*couleur, journée etc*) dull, drab; (*personne*) dull. ● **ternir** *vt* (*métal, réputation*) to tarnish; (*meuble, miroir*) to dull ‖ **se ternir** *vpr* (*métal*) to tarnish.
terrain [tɛrɛ̃] *nm* (*sol*) & *Fig* ground; (*étendue*) land; (*à bâtir*) plot, site; (*pour opérations militaires*) & *Géol* terrain; **un t. a** piece of land; **t. de camping** campsite; **t. de football/rugby** football/rugby pitch; **t. de golf** golf course; **t. de jeu(x)** (*pour enfants*) playground; (*stade*) *Br* playing field, *Am* athletic field; **t. de sport** *Br* sports ground, *Br* playing field, *Am* athletic field; **t. d'aviation** airfield; **t. vague** waste ground, *Am* vacant lot; **céder/gagner/perdre du t.** (*armée etc*) & *Fig* to give/gain/lose ground; **tâter le t.** *Fig* to see how the land lies, sound things out; **trouver un t. d'entente** to find a common ground; **être sur son t.** to be on familiar ground; **véhicule tout t.** *ou* **tous terrains** off-road *ou* all-terrain vehicle.

terrasse [tɛras] *nf* **1** (*balcon, plate-forme*) terrace; (*toit*) terrace (roof). **2** (*de café*) *Br* pavement *ou Am* sidewalk area; **à la t.** outside.
terrassement [tɛrasmɑ̃] *nm* (*travail*) excavation.
terrasser [tɛrase] *vt* (*adversaire*) to floor, knock down; (*accabler*) *Fig* to overcome.
terrassier [tɛrasje] *nm* labourer, *Br* navvy.
terre [tɛr] *nf* (*matière, monde*) earth; (*sol*) ground; (*opposé à mer, étendue*) land; **terre** (*domaine*) land, estate; *Él Br* earth, *Am* ground; **la t.** (*le monde*) the earth; **la T** (*planète*) Earth; **à** *ou* **par t.** (*tomber*) to the ground; (*poser*) on the ground; **par t.** (*assis, couché etc*) on the ground; **aller à t.** (*marin etc*) to go ashore; **sous t.** underground; **t. cuite** (*baked*) clay, earthenware; **poterie/etc en t. cuite** earthenware pottery/*etc*; **t. battue** (*de court de tennis*) hard surface. ● **terre-à-terre** *a inv* down-to-earth. ● **terre-plein** *nm* (earth) platform; (*au milieu de la route*) *Br* central reservation, *Am* median strip.
terreau [tɛro] *nm* compost.
terrer (se) [sətɛre] *vpr* (*fugitif, animal*) to hide, go to ground *ou* earth.
terrestre [tɛrɛstr] *a* (*vie, joies etc*) earthly; **animal/transport/etc t.** land animal/transportation/*etc*; **la surface t.** the earth's surface; **globe t.** globe, terrestrial globe.
terreur [tɛrœr] *nf* terror; **vivre dans la t. de l'armée/etc** to live in terror of the army/*etc*. ● **terrible** *a* awful, terrible; (*formidable*) *Fam* terrific; **pas t.** *Fam* nothing special, not terribly good. ● **terriblement** [-əmɑ̃] *adv* (*extrêmement*) terribly.
terreux, -euse [tɛrø, -øz] *a* (*goût*) earthy; (*sale*) grubby; (*couleur*) dull; (*teint*) ashen.
terrien, -ienne [tɛrjɛ̃, -jɛn] *a* land-owning; **propriétaire t.** landowner ‖ *nmf* (*habitant de la terre*) earth dweller, earthling.
terrier [tɛrje] *nm* **1** (*de lapin etc*) burrow. **2** (*chien*) terrier.
terrifier [tɛrifje] *vt* to terrify. ● **terrifiant, -ante** *a* terrifying; (*extraordinaire*) incredible.
terrine [tɛrin] *nf* (*récipient*) terrine; (*pâté*) pâté.
territoire [tɛritwar] *nm* territory. ● **territorial, -e, -aux** *a* territorial; **eaux territoriales** territorial waters.
terroir [tɛrwar] *nm* (*sol*) soil; (*région*) region; **accent/etc du t.** rural accent/*etc*.
terroriser [tɛrɔrize] *vt* to terrorize. ● **terrorisme** *nm* terrorism. ● **terroriste** *a & nmf* terrorist.
tertiaire [tɛrsjɛr] *a* tertiary; **secteur t.** service *ou* tertiary sector.
tertre [tɛrtr] *nm* hillock, mound.
tes [te] *voir* **ton¹**.
tesson [tesɔ̃] *nm* **t. de bouteille** piece *ou* fragment of broken bottle.
test [tɛst] *nm* test. ● **tester** *vt* (*élève, produit*) to test.
testament [tɛstamɑ̃] *nm* **1** (*document*) will; (*œuvre*) *Fig* testament. **2 Ancien/Nouveau T.**

Rel Old/New Testament.
●**testicule** [tɛstikyl] *nm Anat* testicle.
tétanos [tetanos] *nm* (*maladie*) tetanus.
têtard [tɛtar] *nm* tadpole.
tête [tɛt] *nf* head; (*visage*) face; (*cheveux*) (head of) hair; (*cerveau*) brain; (*d'arbre*) top; (*de lit, clou, cortège*) head; (*de page, liste*) top, head; **(coup de) t.** *Football* header; **t. nucléaire** nuclear warhead; **tenir t. à qn** (*s'opposer à*) to stand up to s.o.; **faire la t.** (*bouder*) to sulk; **faire une t.** *Football* to head the ball; **avoir/faire une drôle de t.** to have/give a funny look; **tomber la t. la première** to fall headlong *ou* head first; **calculer qch de t.** to work sth out in one's head; **se mettre dans la t. de faire qch** to get it into one's head to do sth; **perdre la t.** *Fig* to lose one's head; **à t. reposée** at one's leisure; **à la t. de** (*entreprise, parti*) at the head of; (*classe*) at the top of; **de la t. aux pieds** from head *ou* top to toe; **t. nue** bare-headed; **en t.** (*d'une course etc*) in the lead; **se payer la t. de qn** *Fam* to make fun of s.o.; **j'en ai par-dessus la t.** *Fam* I've had enough of it; **ça me prend la t.** *Fam* it gets on my nerves *ou* under my skin; **tu n'as pas de t.!** *Fam* you're a scatterbrain!
tête-à-queue [tɛtakø] *nm inv* **faire un t.-à-queue** (*en voiture*) to spin right round.
●**tête-à-tête** *adv* **(en) t.-à-tête** (*seul*) in private, alone together ∎ *nm inv* tête-à-tête.
●**tête-bêche** *adv* head to tail.
téter [tete] *vt* (*lait, biberon etc*) to suck; **t. sa mère** (*bébé*) to feed *ou* suck at one's mother's breast; **le bébé tète** the baby is being fed (at the breast); **donner à t. à** to feed, suckle. ●**tétée** *nf* (*de bébé*) feed. ●**tétine** *nf* **1** (*de biberon*) *Br* teat, *Am* nipple; (*sucette*) *Br* dummy, *Am* pacifier. **2** (*de vache*) udder. ●**téton** *nm Fam* breast.
têtu, -ue [tety] *a* stubborn, obstinate.
texte [tɛkst] *nm* text; (*de théâtre*) lines, text; (*de devoir scolaire*) subject; (*morceau choisi*) *Littér* passage. ●**textuel, -elle** *a* (*traduction*) literal. ●**textuellement** *adv* word for word.
textile [tɛkstil] *a & nm* textile.
texture [tɛkstyr] *nf* texture.
TGV [teʒeve] *abrév* = **train à grande vitesse.**
Thaïlande [tailɑ̃d] *nf* Thailand. ●**thaïlandais, -aise** *a* Thai ∎ *nmf* **T., Thaïlandaise** Thai.
thé [te] *nm* (*boisson, réunion*) tea. ●**théière** *nf* teapot.
théâtre [teatr] *nm* (*art, lieu*) theatre; (*œuvres*) drama; (*d'un crime etc*) *Fig* scene; **t. des opérations** *Mil* theatre of operations; **faire du t.** to act. ●**théâtral, -e, -aux** *a* theatrical.
thème [tɛm] *nm* theme; (*traduction*) *Scol* translation, *Br* prose (composition).
théologie [teɔlɔʒi] *nf* theology. ●**théologien** *nm* theologian. ●**théologique** *a* theological.
théorème [teɔrɛm] *nm* theorem.
théorie [teɔri] *nf* theory; **en t.** in theory. ●**théoricien, -ienne** *nmf* theorist, theoretician. ●**théorique** *a* theoretical. ●**théoriquement** *adv* theoretically.
thérapeutique [terapøtik] *a* therapeutic ∎ *nf* (*traitement*) therapy. ●**thérapie** *nf Psy* therapy.
thermal, -e, -aux [tɛrmal, -o] *a* **station thermale** spa; **eaux thermales** hot *ou* thermal springs.
thermique [tɛrmik] *a* (*énergie, unité*) thermal.
thermomètre [tɛrmɔmɛtr] *nm* thermometer.
thermonucléaire [tɛrmɔnykleɛr] *a* thermonuclear.
thermos® [tɛrmos] *nm ou f inv* Thermos® (*Br* flask *ou Am* bottle), *Br* vacuum flask.
thermostat [tɛrmɔsta] *nm* thermostat.
thèse [tɛz] *nf* (*proposition, ouvrage*) thesis.
thon [tɔ̃] *nm* tuna (fish).
thorax [tɔraks] *nm Anat* thorax.
thym [tɛ̃] *nm* (*plante, aromate*) thyme.
thyroïde [tirɔid] *a & nf Anat* thyroid.
Tibet [tibɛ] *nm* Tibet.
tibia [tibja] *nm* shin bone, tibia.
tic [tik] *nm* (*contraction*) twitch, tic; (*manie*) *Fig* mannerism.
ticket [tikɛ] *nm* ticket; **t. de quai** (*de gare*) platform ticket; **t. modérateur** portion of the cost of medical treatment paid by the insured person.
tic(-)tac [tiktak] *int & nm inv* tick-tock.
tiède [tjɛd] *a* (luke)warm, tepid; (*vent, climat*) mild; (*accueil, partisan*) half-hearted. ●**tiédeur** *nf* (luke)warmness, tepidness; (*de vent etc*) mildness; (*d'accueil etc*) half-heartedness. ●**tiédir** *vi* to cool (down); (*devenir plus chaud*) to warm up ∎ *vt* to cool (down); (*chauffer*) to warm (up).
tien, tienne [tjɛ̃, tjɛn] *pron poss* **le t., la tienne, les tien(ne)s** yours; **les deux tiens** your two ∎ *nmpl* **les tiens** (*ta famille*) your (own) people.
tiens, tient [tjɛ̃] *voir* **tenir.**
tiercé [tjɛrse] *nm* (*pari*) place betting (*on the horses*); **jouer/gagner au t.** = to bet/win on the horses.
tiers, tierce [tjɛr, tjɛrs] *a* a third ∎ *nm* (*fraction*) third; (*personne*) third party; **assurance au t.** third-party insurance; **t. provisionnel** interim tax payment (*one third of previous year's tax*). ●**Tiers-Monde** *nm* Third World.
tifs [tif] *nmpl Fam* hair.
tige [tiʒ] *nf* (*de plante*) stem, stalk; (*barre*) rod; (*de botte*) leg.
tignasse [tiɲas] *nf Fam* mop (of hair).
tigre [tigr] *nm* tiger. ●**tigresse** *nf* tigress.
tigré, -ée [tigre] *a* (*rayé*) striped; (*tacheté*) spotted.
tilleul [tijœl] *nm* lime (tree), linden (tree); (*infusion*) lime (blossom) tea.
timbale [tɛ̃bal] *nf* **1** (*gobelet*) (metal) tumbler; **décrocher la t.** *Fam* to hit the jackpot, have a phenomenal success. **2** (*instrument de musique*) kettledrum.
timbre [tɛ̃br] *nm* **1** (*tampon, vignette*) stamp; (*cachet de la poste*) postmark. **2** (*sonnette*) bell. **3** (*d'instrument, de voix*) tone (quality).

timide

●**timbre-poste** *nm* (*pl* **timbres-poste**) (postage) stamp. ●**timbrer** *vt* (*affranchir*) to stamp (*letter*); (*marquer*) to stamp (*document*). ●**timbré, -ée** *a* 1 (*voix*) sonorous, resonant. 2 (*fou*) *Fam* crazy.

timide [timid] *a* (*gêné*) shy, timid; (*timoré*) timid. ●**timidement** *adv* shyly, timidly; (*d'une manière timorée*) timidly. ●**timidité** *nf* shyness, timidity; (*manque d'audace*) timidity.

timonier [timɔnje] *nm* (*marin*) helmsman.

timoré, -ée [timɔre] *a* timorous, fearful.

tintamarre [tɛ̃tamar] *nm* din, racket.

tinter [tɛ̃te] *vi* (*cloche*) to ring, toll; (*clefs, monnaie*) to jingle; (*verres*) to chink. ●**tintement(s)** *nm(pl)* (*de cloche*) ringing; (*de clefs*) jingling; (*de verres*) chinking.

tique [tik] *nf* (*insecte*) tick.

tiquer [tike] *vi* (*personne*) to wince.

tir [tir] *nm* (*sport*) shooting; (*action*) firing, shooting; (*feu, rafale*) fire; *Football* shot; (**stand de**) **t.**, **t.** (**forain**) shooting *ou* rifle range; **t. à l'arc** archery; **ligne de t.** line of fire.

tirade [tirad] *nf* (*au théâtre*) & *Fig Br* monologue, *Am* monolog.

tirage [tiraʒ] *nm* 1 (*de journal*) circulation; (*édition*) edition; (*quantité*) (print) run; (*action*) *Typ Phot* printing. 2 (*de loterie*) draw; **t. au sort** drawing of lots. 3 (*de cheminée*) *Br* draught, *Am* draft.

tirailler [tiraje] 1 *vt* to pull (away) at; (*harceler*) *Fig* to pester, plague; **tiraillé entre** (*possibilités etc*) torn between. 2 *vi* (*au fusil*) to shoot wildly. ●**tiraillement** *nm* 1 (*conflit*) conflict (**entre** between). 2 (*crampe*) cramp.

tirant [tirã] *nm* **le t. d'eau** (*de bateau*) *Br* draught, *Am* draft.

tire [tir] *nf* 1 **vol à la t.** pickpocketing. 2 (*voiture*) *Fam* car.

tire-au-flanc [tiroflɑ̃] *nm inv* (*paresseux*) shirker. ●**tire-bouchon** *nm* corkscrew. ●**tire-d'aile (à)** *adv* swiftly. ●**tire-fesses** *nm inv Fam* ski tow.

tirelire [tirlir] *nf Br* moneybox, *Am* coin bank.

tirer [tire] *vt* to pull; (*langue*) to stick out; (*trait, rideaux, conclusion*) to draw; (*balle, canon*) to shoot, fire; (*gibier*) to shoot; (*journal, épreuves de livre, photo etc*) to print; **t. de** (*sortir*) to pull *ou* draw *ou* take out of; (*obtenir*) to get from; (*nom, origine*) to derive from; (*produit*) to extract from; **t. qn de** (*danger, lit*) to get s.o. out of; **je vous tire mon chapeau** *Fig* I take my hat off to you. ▋ *vi* to pull (**sur** on, at); (*faire feu*) to shoot, fire (**sur** at); *Football* to shoot; (*cheminée*) to draw; **t. au sort** to draw lots; **t. à sa fin** to draw to a close; **t. sur** (*couleur*) to verge on; **t. à boulets rouges sur qn** (*critiquer*) to go for s.o. hammer and tongs.
▋ **se tirer** *vpr* (*partir*) *Fam* to make tracks, beat it; **se t. de** (*travail, problème*) to cope with; (*danger, situation*) to get out of; **se t. d'affaire** to get out of trouble; **s'en t.** *Fam* (*en réchapper*) to come *ou* pull through; (*réussir*) to get along. ●**tiré, -ée** *a* (*traits, visage*) drawn; **t. par les cheveux** *Fig* far-fetched.

tiret [tirɛ] *nm* (*trait*) dash.

tireur [tirœr] *nm* gunman; **t. d'élite** marksman; **t. isolé** sniper; **un bon/mauvais t.** a good/bad shot. ●**tireuse** *nf* **t. de cartes** fortune-teller.

tiroir [tirwar] *nm* (*de commode etc*) drawer. ●**tiroir-caisse** *nm* (*pl* **tiroirs-caisses**) *Br* (cash) till, cash register.

tisane [tizan] *nf* herb(al) tea.

tison [tizɔ̃] *nm* (fire)brand, ember. ●**tisonner** *vt* (*feu*) to poke. ●**tisonnier** *nm* poker.

tisser [tise] *vt* to weave. ●**tissage** *nm* (*action*) weaving. ●**tisserand, -ande** *nmf* weaver.

tissu [tisy] *nm* material, cloth, fabric; *Biol* tissue; **du t.-éponge** *Br* (terry) towelling, *Am* toweling; **un t. de mensonges**/*etc* a web of lies/*etc*; **le t. social** the fabric of society, the social fabric.

titre [titr] *nm* (*nom, qualité*) title; (*coté en Bourse*) security, stock, share; (*diplôme*) qualification; **titres** (*droits*) claims (**à** to); (**gros**) **t.** (*de journal*) headline; **t. de propriété** title deed; **t. de transport** ticket; **t. de noblesse** title (of nobility); **à quel t.?** (*pour quelle raison*) on what grounds?; **à ce t.** (*en cette qualité*) as such; (*pour cette raison*) therefore; **à aucun t.** on no account; **au même t.** in the same way (**que** as); **à t. d'exemple** as an example; **à t. exceptionnel** exceptionally; **à t. privé** in a private capacity; **à t. provisoire** temporarily; **à t. indicatif** for general information; **à juste t.** rightly.

titrer [titre] *vt* (*film*) to title; (*journal*) to run (*sth*) as a headline. ●**titré, -ée** *a* (*personne*) titled.

tituber [titybe] *vi* to reel, stagger.

titulaire [titylɛr] *a* (*enseignant*) tenured; **professeur t. d'une chaire** professor; **être t. de** (*permis etc*) to be the holder of; (*poste*) to hold ▋ *nmf* (*de permis, poste*) holder (**de** of). ●**titulariser** *vt* (*fonctionnaire*) to give tenure to. ●**titularisation** *nf* (granting of) tenure.

toast [tost] *nm* 1 (*pain grillé*) piece *ou* slice of toast. 2 (*allocution*) toast; **porter un t. à** to drink (a toast) to.

toboggan [tɔbɔgɑ̃] *nm* 1 (*de terrain de jeux etc*) slide; (*traîneau*) toboggan. 2 (*voie de circulation*) *Br* flyover, *Am* overpass.

toc [tɔk] 1 *int* **t. t.!** knock knock! 2 *nm* **du t.** (*camelote*) trash; **bijou en t.** imitation jewel.

tocard [tɔkar] *nm Fam* dead loss, complete idiot.

tocsin [tɔksɛ̃] *nm* alarm (bell).

tohu-bohu [tɔybɔy] *nm* (*bruit*) hubbub, commotion; (*confusion*) hurly-burly.

toi [twa] *pron* 1 (*après une préposition*) you; **avec t.** with you. 2 (*sujet*) you; **t., tu peux** *you* may; **c'est t. qui...** it's you who.... 3 (*réfléchi*) **assieds-t.** sit (yourself) down; **dépêche-t.** hurry up. ●**toi-même** *pron*

toile [twal] *nf* **1** cloth; (*à voile, sac etc*) canvas; (*à draps*) linen; **une t.** a piece of cloth *ou* canvas *ou* linen; **t. de jute** hessian; **drap de t.** linen sheet; **t. cirée** oil cloth; **t. de fond** (*de théâtre*) & *Fig* backcloth. **2** (*tableau*) painting, canvas. **3 t. d'araignée** (spider's) web, cobweb. **4 se faire une t.** *Fam* to go and see a movie.

toilette [twalɛt] *nf* (*action*) wash(ing); (*vêtements*) clothes, outfit; **articles de t.** toiletries; **cabinet de t.** washroom; **eau/trousse/savon de t.** toilet water/bag/soap; **table de t.** dressing table; **faire sa t.** to wash (and dress); **les toilettes** (*W-C*) *Br* the toilet(s), *Am* the men's *ou* ladies' room; **aller aux toilettes** *Br* to go to the toilet, *Am* go to the men's *ou* ladies' room.

toiser [twaze] *vt* to eye scornfully.

toison [twazɔ̃] *nf* (*de mouton*) fleece.

toit [twa] *nm* roof; **t. ouvrant** (*de voiture*) sunroof. ● **toiture** *nf* roof(ing).

tôle [tol] *nf* **la t.** sheet metal; **une t.** a metal *ou* steel sheet; **t. ondulée** corrugated iron.

tolérer [tɔlere] *vt* (*permettre*) to tolerate, allow; (*supporter*) to tolerate, bear; (*à la douane*) to allow. ● **tolérant, -ante** *a* tolerant (**à l'égard de** of). ● **tolérable** *a* tolerable. ● **tolérance** *nf* tolerance; (*à la douane*) allowance.

tollé [tɔle] *nm* outcry.

tomate [tɔmat] *nf* tomato; **sauce t.** tomato sauce.

tombe [tɔ̃b] *nf* grave; (*avec monument*) tomb. ● **tombale** *af* **pierre t.** gravestone, tombstone. ● **tombeau, -x** *nm* tomb.

tomber [tɔ̃be] *vi* (*aux* **être**) to fall; (*température*) to drop, fall; (*vent*) to drop (off); (*cheveux, robe*) to hang down; **t. malade** to fall ill; **t. (par terre)** to fall (down); **faire t.** (*personne*) to knock over; (*gouvernement, prix*) to bring down; **laisser t.** (*objet*) to drop; (*projet, personne etc*) *Fig* to drop, give up; **tu m'as laissé t. hier** *Fig* you let me down yesterday; **se laisser t. dans un fauteuil** to drop into an armchair; **tu tombes bien/mal** *Fig* you've come at the right/wrong time; **t. de sommeil** *ou* **de fatigue** to be ready to drop; **t. un lundi** to fall on a Monday; **t. sur** (*trouver*) to come across; **t. de haut** *Fam* to be bitterly disappointed. ● **tombée** *nf* **t. de la nuit** nightfall.

tombereau, -x [tɔ̃bro] *nm* (*charrette*) tip cart.

tombola [tɔ̃bɔla] *nf* raffle.

tome [tɔm] *nm* (*livre*) volume.

tomme [tɔm] *nf* cow's milk cheese made in Savoie.

ton¹, ta, *pl* **tes** [tɔ̃, ta, te] (**ta** *becomes* **ton** [tɔ̃n] *before a vowel or mute h*) *a poss* your; **t. père** your father; **ta mère** your mother; **ton ami(e)** your friend.

ton² [tɔ̃] *nm* (*de voix etc*) tone; (*de couleur*) shade, tone; (*gamme*) *Mus* key; (*hauteur de son*) & *Ling* pitch; **de bon t.** (*goût*) in good taste; **donner le t.** *Fig* to set the tone. ● **tonalité** *nf* (*timbre, impression*) tone; *Tél Br* dialling tone, *Am* dial tone.

tondre [tɔ̃dr] *vt* **1** (*mouton*) to shear; (*gazon*) to mow; (*cheveux*) to clip, crop. **2 t. qn** (*escroquer*) *Fam* to fleece s.o. ● **tondeuse** *nf* shears; (*à cheveux*) clippers; **t. (à gazon)** (lawn)mower.

tonifier [tɔnifje] *vt* (*muscles, peau*) to tone up; (*personne*) to invigorate. ● **tonifiant, -ante** *a* (*activité, climat etc*) invigorating.

tonique [tɔnik] **1** *a* (*accent*) *Ling* tonic. **2** *a* (*froid, effet*) tonic, invigorating ▮ *nm* (*médicament*) tonic; (*cosmétique*) tonic lotion.

tonitruant, -ante [tɔnitryɑ̃, -ɑ̃t] *a* (*voix*) *Fam* booming.

tonnage [tɔnaʒ] *nm* (*de navire*) tonnage.

tonne [tɔn] *nf* (*poids*) metric ton, tonne; **des tonnes de** (*beaucoup*) *Fam* tons of.

tonneau, -x [tɔno] *nm* **1** (*récipient*) barrel, cask. **2** (*acrobatie aérienne*) roll; **faire un t.** (*en voiture*) to roll over. **3** (*poids*) *Nau* ton. **4 du même t.** *Fam* of the same kind. ● **tonnelet** *nm* keg.

tonnelle [tɔnɛl] *nf* arbour, bower.

tonner [tɔne] *vi* (*canons*) to thunder; (*crier*) *Fig* to thunder, rage (**contre** against) ▮ *v imp* **il tonne** it's thundering. ● **tonnerre** *nm* thunder; **coup de t.** burst *ou* crash of thunder, thunderclap; *Fig* bombshell, thunderbolt; **du t.** (*excellent*) *Fam* terrific.

tonte [tɔ̃t] *nf* (*de moutons*) shearing; (*de gazon*) mowing.

tonton [tɔ̃tɔ̃] *nm Fam* uncle.

tonus [tɔnys] *nm* (*énergie*) energy, vitality.

top [tɔp] *nm* (*signal sonore*) bleep, *Br* pip.

topaze [tɔpaz] *nf* (*pierre*) topaz.

topinambour [tɔpinɑ̃bur] *nm* Jerusalem artichoke.

topo [tɔpo] *nm* (*exposé*) *Fam* talk, speech.

topographie [tɔpɔɡrafi] *nf* topography.

toquade [tɔkad] *nf Fam* (*pour qch*) craze (**pour** for); (*pour qn*) infatuation (**pour** with).

toque [tɔk] *nf* (*de fourrure*) fur hat; (*de jockey, juge*) cap; (*de cuisinier*) hat.

toquer (se) [sətɔke] *vpr* **se t. de qn** *Fam* to become infatuated with s.o. ● **toqué, -ée** *a* (*fou*) *Fam* crazy.

torche [tɔrʃ] *nf* (*flamme*) torch; **t. électrique** *Br* torch, *Am* flashlight.

torcher [tɔrʃe] *vt* **1** (*travail*) to botch, skimp. **2** (*essuyer*) *Fam* to wipe.

torchon [tɔrʃɔ̃] *nm* (*à vaisselle*) *Br* tea towel, *Am* dish towel; (*de ménage*) *Br* duster, cloth.

tordre [tɔrdr] *vt* to twist; (*linge, cou*) to wring; (*barre*) to bend; **se t. la cheville/le pied/le dos** to twist *ou* sprain one's ankle/foot/back ▮ **se tordre** *vpr* to twist; (*barre*) to bend; **se t. de douleur** to be doubled up with pain, writhe (in pain); **se t. (de rire)** to split one's sides (laughing). ● **tordant, -ante** *a* (*drôle*) *Fam* hilarious. ● **tordu, -ue** *a* twisted;

tornade

(*esprit*) warped.
tornade [tɔrnad] *nf* tornado.
torpeur [tɔrpœr] *nf* lethargy, torpor.
torpille [tɔrpij] *nf* torpedo. ● **torpiller** *vt* (*navire, Fig projet etc*) to torpedo. ● **torpilleur** *nm* torpedo boat.
torréfier [tɔrefje] *vt* (*café*) to roast. ● **torréfaction** *nf* roasting.
torrent [tɔrɑ̃] *nm* (mountain) stream, torrent; **un t. d'injures/de larmes**/*etc* a flood of insults/tears/*etc*; **il pleut à torrents** it's pouring (down). ● **torrentiel, -ielle** *a* (*pluie*) torrential.
torride [tɔrid] *a* (*chaleur etc*) torrid, scorching.
torsade [tɔrsad] *nf* (*de cheveux*) twist, coil. ● **torsader** *vt* to twist (together).
torse [tɔrs] *nm Anat* chest; (*statue*) torso; **t. nu** stripped to the waist.
torsion [tɔrsjɔ̃] *nf* twisting; *Phys Tech* torsion.
tort [tɔr] *nm* (*dommage*) wrong; (*défaut*) fault; **avoir t.** to be wrong (**de faire** to do, in doing); **tu as t. de fumer!** you shouldn't smoke!; **être dans son t.** *ou* **en t.** to be in the wrong; **donner t. à qn** (*accuser*) to blame s.o.; (*faits etc*) to prove s.o. wrong; **faire du t. à qn** to harm *ou* wrong s.o.; **à t.** wrongly; **parler à t. et à travers** to talk nonsense; **à t. ou à raison** rightly or wrongly.
torticolis [tɔrtikɔli] *nm* **avoir le t.** to have a stiff neck.
tortillard [tɔrtijar] *nm Fam Péj* slow train, local train.
tortiller [tɔrtije] *vt* to twist, twirl; (*moustache*) to twirl; (*tripoter*) to twiddle with ▮ *vi* **il n'y a pas à t.** *Fam* there's no getting around it *ou* away from it ▮ **se tortiller** *vpr* (*ver, personne*) to wriggle; (*en dansant, des hanches*) to wiggle. ● **tortillement** *nm* (*de ver etc*) wriggling; (*en dansant*) wiggling.
tortionnaire [tɔrsjɔnɛr] *nm* torturer.
tortue [tɔrty] *nf Br* tortoise, *Am* turtle; (*de mer*) turtle; **quelle t.!** *Fig* what a *Br* slowcoach *ou Am* slowpoke!
tortueux, -euse [tɔrtɥø, -øz] *a* tortuous.
torture [tɔrtyr] *nf* torture. ● **torturer** *vt* to torture; **se t. les méninges** *Fam* to rack one's brains.
tôt [to] *adv* early; **au plus t.** at the earliest; **le plus t. possible** as soon as possible; **t. ou tard** sooner or later; **je n'étais pas plus t. sorti que...** no sooner had I gone out than....
total, -e, -aux [tɔtal, -o] *a & nm* total; **au t.** all in all, in total; (*somme toute*) all in all. ● **totalement** *adv* totally, completely. ● **totaliser** *vt* to total. ● **totalité** *nf* entirety; **la t. de** all of; **en t.** (*détruit etc*) entirely; (*payé*) fully.
totalitaire [tɔtalitɛr] *a* (*État, régime etc*) totalitarian.
toubib [tubib] *nm* (*médecin*) *Fam* doctor.
touche [tuʃ] *nf* (*de clavier*) key; (*de téléphone*) (push-)button; (*de peintre*) touch; *Pêche* bite; **téléphone à touches** push-button phone; **t. de tabulation/de majuscule** (*d'ordinateur, de machine à écrire*) tab/shift key; **une t. de** (*un peu de*) a touch *ou* hint of; (**ligne de**) **t.** *Football Rugby* touchline.
touche-à-tout [tuʃatu] **1** *a & nmf inv* (*qui touche*) meddlesome (person). **2** *nmf inv* (*qui se disperse*) dabbler.
toucher [tuʃe] *vt* to touch; (*paie*) to draw; (*chèque*) to cash; (*cible*) to hit; (*émouvoir*) to touch, move; (*concerner*) to affect; **t. qn** (*contacter*) to get in touch with s.o., reach s.o.; **t. le fond (du désespoir)** to touch rock-bottom, plumb the depths (of despair) ▮ *vi* **t. à** to touch; (*sujet*) to touch on; (*but, fin*) to approach ▮ **se toucher** *vpr* (*lignes, mains etc*) to touch ▮ *nm* (*sens*) touch; **au t.** to the touch. ● **touchant, -ante** *a* (*émouvant*) moving, touching.
touffe [tuf] *nf* (*de cheveux, d'herbe*) tuft; (*de plantes*) cluster. ● **touffu, -ue** *a* (*barbe, haie*) thick, bushy; (*livre*) *Fig* heavy.
touiller [tuje] *vt* (*salade*) *Fam* to mix, toss.
toujours [tuʒur] *adv* always; (*encore*) still; **pour t.** for ever; **essaie t.!** (*quand même*) try anyhow!; **t. est-il que...** [tuʒurzetil] the fact remains that...; **cause t., tu m'intéresses!** *Fam* you can say what you like, I don't believe a word of it!
toupet [tupɛ] *nm* (*audace*) *Fam* nerve, *Br* cheek.
toupie [tupi] *nf* (spinning) top.
tour[1] [tur] *nf* **1** (*bâtiment*) tower; (*immeuble*) *Br* tower block, high-rise. **2** *Échecs* castle, rook.
tour[2] [tur] *nm* **1** (*mouvement, ordre, tournure*) turn; (*de magie etc*) trick; (*excursion*) trip, outing; (*à pied*) stroll, walk; (*en voiture*) drive; **t. (de phrase)** turn of phrase; **t. (de piste)** (*dans une course*) lap; **faire un t. d'honneur** (*sportif*) to do a lap of honour; **t. de cartes** card trick; **t. d'horizon** survey; **t. de poitrine**/*etc* chest/*etc* measurement *ou* size; **de dix mètres de t.** ten metres round; **faire le t. de** to go round; (*question, situation*) to review; **faire un t.** (**à pied**) to go for a stroll *ou* walk; (*en voiture*) to go for a drive; (*court voyage*) to go on a trip; **jouer** *ou* **faire un t. à qn** to play a trick on s.o.; **avoir plus d'un t. dans son sac** *Fam* to have more than one trick up one's sleeve; **c'est mon t.** it's my turn; **à qui le tour?** whose turn (is it)?; **à son t.** in (one's) turn; **à t. de rôle** in turn; **à t., by turns.
2** *Tech* lathe; (*de potier*) wheel.
tourbe [turb] *nf* peat. ● **tourbière** *nf* peat bog.
tourbillon [turbijɔ̃] *nm* (*de vent*) whirlwind; (*d'eau*) whirlpool; (*de neige, sable*) swirl, eddy; (*tournoiement*) *Fig* whirl, swirl. ● **tourbillonner** *vi* to whirl, swirl.
tourelle [turɛl] *nf* turret.
tourisme [turism] *nm* tourism; **faire du t.** to go sightseeing *ou* touring; **agence/office de t.**

tourist agency/office. ●**touriste** *nmf* tourist. ●**touristique** *a* **guide/menu/***etc* t. tourist guide/menu/*etc*; **route t.**, **circuit t.** scenic route.

tourment [turmã] *nm* torment. ●**tourmenter** *vt* to torment ▮ **se tourmenter** *vpr* to worry (oneself). ●**tourmenté, -ée** *a* (*mer*, *vie*) turbulent, stormy; (*expression*, *visage*) anguished; (*sol*) rough, uneven.

tourmente [turmãt] *nf* (*troubles*) turmoil.

tournage [turnaʒ] *nm* (*de film*) shooting, filming.

tourne-disque [turnədisk] *nm* record player.

tournedos [turnədo] *nm* (*filet de bœuf*) tournedos.

tournée [turne] *nf* **1** (*de livreur etc*) round; (*de spectacle*) tour; **faire la t. de** (*magasins*, *musées etc*) to make the rounds of, go to, *Br* go round. **2** (*de boissons*) round.

tournemain (en un) [ɑ̃nœturnəmɛ̃] *adv Litt* in an instant.

tourner [turne] *vt* to turn; (*film*) to shoot, make; (*difficulté*) to get round; **t. en ridicule** to ridicule; **t. le dos à qn** to turn one's back on s.o.
▮ *vi* to turn; (*tête*, *toupie*) to spin; (*Terre*) to revolve, turn; (*moteur*) to run, go; (*usine*) to run; (*lait*) to go off; **t. autour de** (*objet*) to go round; (*maison*, *personne*) to hang around; (*question*) to centre on; **t. bien/mal** (*évoluer*) to turn out well/badly; **t. au froid** (*temps*) to turn cold; **t. à l'aigre** (*ton*, *conversation etc*) to turn nasty *ou* sour; **t. de l'œil** *Fam* to faint; **t. autour du pot** *Fig* to beat around the bush; **faire t. qn en bourrique** *Fam* to drive s.o. crazy; **ça me fait t. la tête** (*vin etc*) it goes to my head; (*manège etc*) it makes my head spin; **silence! on tourne** quiet we're filming *ou* shooting!
▮ **se tourner** *vpr* to turn (**vers** to, towards). ●**tournant, -ante 1** *a* **pont t.** swing bridge. **2** *nm* (*de route*) bend, turning; (*moment*) *Fig* turning point.

tournesol [turnəsɔl] *nm* sunflower.

tourneur [turnœr] *nm* (*ouvrier*) turner.

tournevis [turnəvis] *nm* screwdriver.

tourniquet [turnikɛ] *nm* **1** (*barrière*) turnstile. **2** (*pour arroser*) sprinkler.

tournis [turni] *nm Fam* **avoir le t.** to feel giddy; **donner le t. à qn** to make s.o. giddy.

tournoi [turnwa] *nm* (*de tennis etc*) & *Hist* tournament.

tournoyer [turnwaje] *vi* to spin (round), whirl.

tournure [turnyr] *nf* (*expression*) turn of phrase; **t. d'esprit** way of thinking; **t. des événements** turn of events; **prendre t.** (*forme*) to take shape.

tourte [turt] *nf* pie.

tourterelle [turtərɛl] *nf* turtledove.

Toussaint [tusɛ̃] *nf* All Saints' Day.

tousser [tuse] *vi* to cough.

tout, toute, *pl* **tous, toutes** [tu, tut, tu, tut] **1** *a* all; **tous les livres/***etc* all the books/*etc*; **t. l'argent/le temps/le village/***etc* all the money/time/village/*etc*, the whole of the money/time/village/*etc*; **toute la nuit** all night, the whole (of the) night; **tous (les) deux** both; **tous (les) trois** all three; **t. un problème** quite a problem.

2 *a* (*chaque*) every, each; (*n'importe quel*) any; **tous les ans/jours/***etc* every *ou* each year/day/*etc*; **tous les deux/trois mois/***etc* every two/three months/*etc*, every second/third month/*etc*; **tous les cinq mètres** every five metres; **à toute heure** at any time; **t. homme** [tutɔm] every *ou* any man.

3 *pron pl* **tous** [tus] all; **ils sont tous là, tous sont là** they're all there.

4 *pron m sing* **tout** everything; **dépenser t.** to spend everything, spend it all; **t. ce qui** everything that, all that; **t. ce que je sais** everything that *ou* all that I know; **t. ce qui est là** everything that *ou* all that is there; **en t.** (*au total*) in all.

5 *adv* (*tout à fait*) quite; (*très*) very; **t. simplement** quite simply; **t. petit** very small; **t. neuf** brand new; **t. seul** all alone; **t. droit** straight ahead; **t. autour** all around, right round; **t. au début** right at the beginning; **le t. premier** the very first; **t. au plus/moins** at the very most/least; **t. en chantant/***etc* while singing/*etc*; **t. rusé qu'il est** however sly he may be; **t. à coup** suddenly, all of a sudden; **t. à fait** completely, quite; **t. de même** all the same; (*indignation*) really!; **t. de suite** at once.

6 *nm* **le t.** everything, the lot; **un t.** a whole; **le t. est** (*l'important*) the main thing is (**que** that, **de faire** to do); **pas du t.** not at all; **rien du t.** nothing at all; **du t. au t.** (*changer*) entirely, completely.

tout-à-l'égout [tutalegu] *nm inv* mains drainage.

toutefois [tutfwa] *adv* nevertheless, however.

tout-puissant, toute-puissante [tupɥisɑ̃, tutpɥisɑ̃t] *a* all-powerful.

tout-terrain [tuterɛ̃] *adj* **véhicule t.-terrain** off-road *ou* all terrain vehicle; **vélo t.-terrain** mountain bike ▮ *nm* **faire du t.-terrain** to do off-road racing.

toutou [tutu] *nm* (*chien*) *Fam* doggie.

toux [tu] *nf* cough.

toxicomane [tɔksikɔman] *nmf* drug addict. ●**toxicomanie** *nf* drug addiction.

toxine [tɔksin] *nf* toxin. ●**toxique** *a* poisonous, toxic.

trac [trak] *nm* **le t.** (*peur*) the jitters; (*de candidat*) exam nerves; (*d'acteur*) stage fright; **avoir le t.** to be *ou* become nervous, have *ou* get nerves.

tracas [traka] *nm* worry. ●**tracasser** *vt*, **se tracasser** *vpr* to worry. ●**tracasseries** *nfpl* annoyances.

trace [tras] *nf* (*quantité*, *tache*, *vestige*) trace; (*marque*) mark; (*de fugitif etc*) trail; **traces** (*de bête*, *pneus*) tracks; **traces de pas** footprints; **disparaître sans laisser de traces** to disappear without trace; **suivre** *ou* **marcher**

tracer

sur les traces de qn *Fig* to follow in s.o.'s footsteps.

tracer [trase] *vt* (*dessiner*) to draw; (*écrire*) to trace; **t. une route** to mark out a route; (*frayer*) to open up a route. ● **tracé** *nm* (*plan*) layout; (*ligne*) line.

trachée [traʃe] *nf Anat* windpipe.

tract [trakt] *nm* leaflet.

tractations [traktɑsjɔ̃] *nfpl Péj* dealings.

tracter [trakte] *vt* (*caravane etc*) to tow. ● **tracteur** *nm* tractor.

traction [traksjɔ̃] *nf Tech* traction; *Gymnastique* pull-up; **t. arrière/avant** (*voiture*) rear-/front-wheel drive.

tradition [tradisjɔ̃] *nf* tradition. ● **traditionnel, -elle** *a* traditional.

traduire* [tradɥir] *vt* 1 to translate (**de** from, **en** into); (*exprimer*) *Fig* to express. 2 **t. qn en justice** to bring s.o. before the courts. ● **traducteur, -trice** *nmf* translator. ● **traduction** *nf* translation. ● **traduisible** *a* translatable.

trafic [trafik] *nm* 1 (*automobile, ferroviaire etc*) traffic. 2 (*de marchandises*) *Péj* traffic, trade; **faire du t.** to traffic, trade; **faire le t. de** to traffic in, trade in. ● **trafiquer** 1 *vi* to traffic, trade. 2 *vt* (*produit*) *Fam* to tamper with. ● **trafiquant, -ante** *nmf* trafficker, dealer; **t. d'armes/de drogue** arms/drug trafficker *ou* dealer.

tragédie [traʒedi] *nf* (*pièce de théâtre, Fig événement etc*) tragedy. ● **tragique** *a* tragic; **prendre qch au t.** (*remarque etc*) to take sth too much to heart. ● **tragiquement** *adv* tragically.

trahir [trair] *vt* to betray; (*secret etc*) to give away, betray; (*forces*) to fail (*s.o.*) ▌ **se trahir** *vpr* to give oneself away, betray oneself. ● **trahison** *nf* betrayal; (*crime*) treason.

train [trɛ̃] *nm* 1 train; **t. à grande vitesse** high-speed train; **t. couchettes** sleeper; **t. auto-couchettes** (car) sleeper; **prendre le t. en marche** *Fig* to climb aboard.

2 **en t.** (*en forme*) on form; **se mettre en t.** to get (oneself) into shape.

3 **être en t. de faire qch** to be (busy) doing sth; **mettre qch en t.** to get sth going, start sth off.

4 (*allure*) pace; **t. de vie** life style.

5 (*de pneus*) set; (*de péniches, véhicules*) string.

6 **t. d'atterrissage** (*d'un avion*) undercarriage.

traînailler [trɛnaje] *vi Fam* = **traînasser**. ● **traînard, -arde** *nmf Br* slowcoach, *Am* slowpoke. ● **traînasser** *vi Fam* to dawdle; (*errer*) to hang around.

traîne [trɛn] *nf* 1 (*de robe*) train. 2 **à la t.** (*en arrière*) lagging behind.

traîneau, -x [trɛno] *nm* sleigh, *Br* sledge, *Am* sled.

traînée [trene] *nf* 1 (*de peinture, dans le ciel etc*) streak; **se répandre comme une t. de poudre** (*vite*) to spread like wildfire. 2 (*prostituée*) *Fam* tart.

traîner [trene] *vt* to drag; (*mots*) to drawl; **faire t. en longueur** (*faire durer*) to drag out. ▌ *vi* (*jouets, papiers etc*) to lie around; (*s'attarder*) to lag behind, dawdle; (*errer*) to hang around; (*subsister*) to linger on; **t. (par terre)** (*robe etc*) to trail (on the ground); **t. (en longueur)** (*durer*) to drag on.

▌ **se traîner** *vpr* (*avancer*) to drag oneself (along); (*par terre*) to crawl; (*durer*) to drag on. ● **traînant, -ante** *a* (*voix*) drawling.

train-train [trɛ̃trɛ̃] *nm inv* **le t.-train quotidien** *Fam* the humdrum daily routine, the daily grind.

traire* [trɛr] *vt* (*vache*) to milk.

trait [trɛ] *nm* 1 line; (*en dessinant*) stroke; (*caractéristique*) feature, trait; **traits** (*du visage*) features; **t. d'union** hyphen; (*intermédiaire*) *Fig* link; **d'un t.** (*boire*) in one gulp, in one go; **à grands traits** in outline; **t. de génie/d'esprit** flash of genius/wit; **t. de bravoure** act of bravery; **avoir t. à qch** (*se rapporter à*) to relate to sth. 2 **cheval de t.** *Br* draught *ou Am* draft horse.

traite [trɛt] *nf* 1 (*de vache*) milking. 2 (*lettre de change*) bill, draft. 3 **d'une (seule) t.** (*sans interruption*) in one go. 4 **t. des Noirs** slave trade; **t. des Blanches** white slave trade.

traité [trete] *nm* 1 *Pol* treaty; **t. de paix** peace treaty. 2 (*ouvrage*) treatise (**sur** on).

traiter [trete] *vt* (*se comporter envers, soigner*) to treat; (*problème, sujet*) to deal with; (*marché*) to negotiate; (*matériau, produit*) to treat, process; **t. qn de lâche/etc** to call s.o. a coward/etc; **t. qn de tous les noms** to call s.o. all the names under the sun.

▌ *vi* to negotiate, deal (**avec** with); **t. de** (*sujet*) to deal with. ● **traitant** [-etɑ̃] *am* **médecin t.** regular doctor. ● **traitement** [-ɛtmɑ̃] *nm* 1 treatment; **t. de données/de texte** data/word processing; **machine à** *ou* **de t. de texte** word processor; **mauvais traitements** rough treatment. 2 (*gains*) salary.

traiteur [trɛtœr] *nm* (*fournisseur*) caterer; **chez le t.** (*magasin*) at the delicatessen.

traître [trɛtr] *nm* traitor; **en t.** treacherously ▌ *a* (*dangereux*) treacherous; **être t. à une cause** to be a traitor to a cause. ● **traîtrise** *nf* treachery.

trajectoire [traʒɛktwar] *nf* (*de fusée, missile etc*) path, trajectory.

trajet [traʒɛ] *nm* trip, journey; (*distance*) distance; (*itinéraire*) route.

trame [tram] *nf* 1 (*de récit etc*) framework. 2 (*de tissu*) weft; **usé jusqu'à la t.** (*completely*) threadbare.

tramer [trame] *vt* (*évasion etc*) to plot; (*complot*) to hatch ▌ **se tramer** *vpr* **il se trame quelque chose** something is brewing *ou* is afoot.

trampoline [trɑ̃pɔlin] *nm* trampoline.

tram(way) [tram(wɛ)] *nm Br* tram, *Am* streetcar.

tranche [trɑ̃ʃ] *nf* (*morceau*) slice; (*bord*) edge; (*partie*) portion; (*de salaire, impôts*) bracket; **t. d'âge** age bracket.

tranchée [trɑ̃ʃe] *nf* trench.
trancher [trɑ̃ʃe] 1 *vt* to cut. 2 *vt* (*difficulté, question etc*) to settle ▮ *vi* (*décider*) to decide. 3 *vi* (*contraster*) to contrast (**avec, sur** with). ●**tranchant, -ante** 1 *a* (*couteau, voix*) sharp ▮ *nm* (*cutting*) edge; **à double t.** *Fig* double-edged. 2 *a* (*péremptoire*) trenchant, cutting. ●**tranché, -ée** *a* (*couleurs*) distinct; (*opinion*) clear-cut.
tranquille [trɑ̃kil] *a* quiet; (*mer*) calm, still; (*esprit*) easy; (*certain*) *Fam* confident; **avoir la conscience t.** to have a clear conscience; **je suis t.** (*rassuré*) my mind is at rest; **laisser qch/qn t.** to leave sth/s.o. alone; **soyez t.** don't worry. ●**tranquillement** *adv* calmly.
tranquilliser [trɑ̃kilize] *vt* to reassure; **tranquillisez-vous** set your mind at rest. ●**tranquillisant** *nm* (*médicament*) tranquillizer.
tranquillité [trɑ̃kilite] *nf* (peace and) quiet; (*d'esprit*) peace of mind.
trans- [trɑ̃z, trɑ̃s] *préf* trans-.
transaction [trɑ̃zaksjɔ̃] *nf* 1 (*opération commerciale*) transaction. 2 (*compromis*) compromise.
transatlantique [trɑ̃zatlɑ̃tik] *a* transatlantic ▮ *nm* (*paquebot*) transatlantic liner; (*chaise*) deckchair. ●**transat** [trɑ̃zat] *nm* (*chaise*) deckchair ▮ *nf* **t. en solitaire** (*course*) single-handed transatlantic race.
transcender [trɑ̃sɑ̃de] *vt* to transcend. ●**transcendant, -ante** *a* transcendent.
transcrire* [trɑ̃skrir] *vt* to transcribe. ●**transcription** *nf* transcription; (*document*) transcript.
transe [trɑ̃s] *nf* **en t.** (*mystique*) in a trance; (*excité*) very exited; **entrer en t.** to go into a trance.
transférer [trɑ̃sfere] *vt* to transfer (**à** to). ●**transfert** *nm* transfer.
transfigurer [trɑ̃sfigyre] *vt* to transform, transfigure.
transformer [trɑ̃sfɔrme] *vt* to change, transform; (*maison*) to carry out alterations to; (*matière première*) to transform; (*robe etc*) to alter; (*essai*) *Rugby* to convert; **t. en** to turn into ▮ **se transformer** *vpr* to change, be transformed (**en** into). ●**transformateur** *nm* *Él* transformer. ●**transformation** *nf* change, transformation; (*dans une maison*) alteration.
transfuge [trɑ̃sfyʒ] *nm* (*soldat*) renegade ▮ *nmf Pol* renegade.
transfusion [trɑ̃sfyzjɔ̃] *nf* **t.** (**sanguine**) (blood) transfusion.
transgresser [trɑ̃sgrese] *vt* (*loi, ordre*) to disobey, contravene. ●**transgression** *nf* (*de loi*) infringement, disobedience.
transi, -ie [trɑ̃zi] *a* (*personne*) numb with cold; **t. de peur** *Br* paralysed *ou Am* paralyzed by fear.
transiger [trɑ̃ziʒe] *vi* to compromise.
transistor [trɑ̃zistɔr] *nm* transistor (radio). ●**transistorisé, -ée** *a* (*téléviseur etc*) transistorized.

transit [trɑ̃zit] *nm* transit; **en t.** in transit; **salle de t.** (*d'aéroport*) transit lounge. ●**transiter** *vt* (**faire**) **t.** to send in transit ▮ *vi* to be in transit.
transitif, -ive [trɑ̃zitif, -iv] *a & nm Grammaire* transitive.
transition [trɑ̃zisjɔ̃] *nf* transition. ●**transitoire** *a* (*qui passe*) transient; (*provisoire*) transitional.
translucide [trɑ̃slysid] *a* translucent.
transmettre* [trɑ̃smɛtr] *vt* (*message, héritage etc*) to pass on (**à** to); *Phys Tech* to transmit; (*à la radio, télévision*) to broadcast, transmit ▮ **se transmettre** *vpr* (*maladie, tradition etc*) to be passed on. ●**transmetteur** *nm* (*appareil*) transmitter, transmitting device. ●**transmission** *nf* transmission; (*de message etc*) passing on.
transparaître* [trɑ̃sparɛtr] *vi* to show (through).
transparent, -ente [trɑ̃sparɑ̃, -ɑ̃t] *a* clear, transparent. ●**transparence** *nf* transparency; **voir qch par t.** to see sth showing through.
transpercer [trɑ̃sperse] *vt* to pierce, go through.
transpirer [trɑ̃spire] *vi* (*suer*) to sweat, perspire; (*information*) *Fig* to leak out. ●**transpiration** *nf* perspiration.
transplanter [trɑ̃splɑ̃te] *vt* (*organe, plante etc*) to transplant. ●**transplantation** *nf* transplantation; (*greffe d'organe*) transplant.
transport [trɑ̃spɔr] *nm* 1 (*action*) transport, transportation (**de** of); **transports** (*moyens*) transport; **moyen de t.** means of transport; **transports en commun** public transport; **frais de t.** transport costs. 2 (*émotion*) *Litt* rapture.
transporter [trɑ̃spɔrte] 1 *vt* (*véhicule, train*) to transport, convey; (*à la main*) to carry, take; **t. qn d'urgence à l'hôpital** to rush s.o. *Br* to hospital *ou Am* to the hospital ▮ **se transporter** *vpr* (*aller*) to take oneself (**à** to). 2 *vt Litt* to enrapture. ●**transporteur** *nm* **t.** (**routier**) *Br* haulier, *Am* trucker.
transposer [trɑ̃spoze] *vt* to transpose. ●**transposition** *nf* transposition.
transvaser [trɑ̃svɑze] *vt* (*vin etc*) to decant.
transversal, -e, -aux [trɑ̃sversal, -o] *a* **rue/ etc transversale** cross street/etc.
trapèze [trapɛz] *nm* (*au cirque*) trapeze. ●**trapéziste** *nmf* trapeze artist.
trappe [trap] *nf* (*dans le plancher*) trap door.
trappeur [trapœr] *nm* (*chasseur*) trapper.
trapu, -ue [trapy] *a* 1 (*personne*) stocky, thickset. 2 (*problème etc*) *Fam* tough.
traquenard [traknar] *nm* trap.
traquer [trake] *vt* to track *ou* hunt (down).
traumatiser [tromatize] *vt* to traumatize. ●**traumatisant, -ante** *a* traumatic. ●**traumatisme** *nm* (*choc*) trauma; **t. crânien** severe head injury.
travail, -aux [travaj, -o] *nm* (*activité, lieu*) work; (*à effectuer*) job, task; (*emploi*) job; (*façonnage*) working (**de** of); (*ouvrage, étude*) work, publication; *Écon Méd* labour;

travailler

travaux work; (*dans la rue*) Br roadworks, Am roadwork; (*aménagement*) alterations; **travaux pratiques** *Scol Univ* practical work; **travaux dirigés** *Scol* supervised classwork *ou* lab work; **travaux manuels** *Scol* handicrafts; **travaux ménagers** housework; **travaux forcés** hard labour; **travaux publics** public works; **t. au noir** moonlighting; **en t.** (*femme*) in labour.

travailler [travaje] **1** *vi* to work (**à qch** at *ou* on sth) ▮ *vt* (*discipline, rôle, style*) to work on; (*façonner*) to work; (*inquiéter*) *Fam* to worry; **t. la terre** to work the land. **2** *vi* (*bois*) to warp. ● **travaillé, -ée** *a* (*style*) elaborate. ● **travailleur, -euse** *a* hard-working ▮ *nmf* worker.

travailliste [travajist] *a* (*parti etc*) *Pol* Labour ▮ *nmf Pol* member of the Labour party.

travelling [travliŋ] *nm* (*mouvement de la caméra*) tracking; **faire un t.** to do a tracking shot.

travers [travɛr] **1** *prép & adv* **à t.** through; **en t. (de)** across. **2** *adv* **de t.** (*chapeau, nez etc*) crooked; **aller de t.** *Fig* to go wrong; **comprendre de t.** to misunderstand; **regarder qn de t.** (*avec suspicion*) to look askance at s.o.; **j'ai avalé de t.** it went down the wrong way. **3** *nm* (*défaut*) failing.

traverse [travɛrs] *nf* **1** (*de voie ferrée*) Br sleeper, Am tie. **2 chemin de t.** short cut.

traverser [travɛrse] *vt* to cross, go across; (*foule, période, mur*) to go through. ● **traversée** *nf* (*voyage*) crossing.

traversin [travɛrsɛ̃] *nm* bolster.

travesti [travɛsti] *nm* (*acteur*) female impersonator; (*homosexuel*) transvestite.

travestir [travɛstir] *vt* to disguise; (*pensée, vérité*) to misrepresent. ● **travestissement** *nm* disguise; (*de pensée etc*) misrepresentation.

trébucher [trebyʃe] *vi* to stumble (**sur** over); **faire t. qn** to trip s.o. (up).

trèfle [trɛfl] *nm* **1** (*plante*) clover. **2** (*couleur*) *Cartes* clubs.

treille [trɛj] *nf* climbing vine.

treillis [treji] *nm* **1** lattice(work); (*en métal*) wire mesh. **2** (*tenue militaire*) combat uniform.

treize [trɛz] *a & nm inv* thirteen. ● **treizième** *a & nmf* thirteenth.

tréma [trema] *nm Grammaire* di(a)eresis.

trembler [trɑ̃ble] *vi* to shake, tremble; (*de froid, peur*) to tremble (**de** with); (*flamme, lumière*) to flicker; (*voix*) to tremble, quaver; (*avoir peur*) to be afraid (**que** + *sub*) that, **de faire** to do); **t. pour qn** to fear for s.o.; **t. de tout son corps** to shake all over, tremble violently. ● **tremblement** *nm* (*action, frisson*) shaking, trembling; **t. de terre** earthquake. ● **trembloter** *vi* to quiver.

trémolo [tremolo] *nm* **avec des trémolos dans la voix** with a tremor in one's voice.

trémousser (se) [sətremuse] *vpr* to wriggle (about).

trempe [trɑ̃p] *nf* (*caractère*) stamp; **un homme de sa t.** a man of his stamp; **mettre une t. à qn** *Fam* to give s.o. a thrashing.

tremper [trɑ̃pe] **1** *vt* to soak, drench; (*plonger*) to dip (**dans** in) ▮ *vi* to soak; **faire t. qch** to soak sth ▮ **se tremper** *vpr* (*se baigner*) *Fam* to take a dip. **2** *vt* (*acier*) to temper. **3** *vi* **t. dans** (*participer*) *Péj* to be mixed up in. ● **trempette** *nf* **faire t.** (*se baigner*) *Fam* to take a dip.

tremplin [trɑ̃plɛ̃] *nm Natation & Fig* springboard.

trente [trɑ̃t] *a & nm* thirty; **un t.-trois tours** (*disque*) an LP; **se mettre sur son t. et un** to get all dressed up; **être au t. sixième dessous** *Fam* to be (feeling) really down. ● **trentaine** *nf* **une t. (de)** (*nombre*) (about) thirty; **avoir la t.** (*âge*) to be about thirty. ● **trentième** *a & nm* thirtieth.

trépas [trepa] *nm Litt* death; **passer de vie à t.** to pass away, depart this life.

trépidant, -ante [trepidɑ̃, -ɑ̃t] *a* (*vie etc*) hectic.

trépied [trepje] *nm* tripod.

trépigner [trepiɲe] *vi* to stamp (one's feet).

très [trɛ] *adv* ([trɛz] before vowel *ou* mute *h*) very; **t. aimé/critiqué/***etc* (*with past participle*) much *ou* greatly liked/criticized/*etc*.

trésor [trezɔr] *nm* treasure; **le T.** (*public*) (*service*) public revenue (department); (*finances*) public funds; **des trésors de tendresse/patience/***etc* boundless love/patience/*etc*. ● **trésorerie** *nf* (*bureaux d'un club etc*) accounts department; (*gestion*) accounting; (*capitaux*) funds. ● **trésorier, -ière** *nmf* treasurer.

tressaillir* [tresajir] *vi* (*frémir*) to shake, quiver; (*de joie, peur*) to tremble (**de** with); (*sursauter*) to jump, start. ● **tressaillement** *nm* (*frémissement*) quiver; (*de joie etc*) trembling; (*de surprise*) start.

tressauter [tresote] *vi* (*sursauter*) to start, jump.

tresse [trɛs] *nf* (*cordon*) braid; (*cheveux*) Br plait, Am braid. ● **tresser** *vt* to braid; (*cheveux*) Br to plait, Am braid.

tréteau, -x [treto] *nm* trestle.

treuil [trœj] *nm* winch, windlass.

trêve [trɛv] *nf* (*de combat*) truce; (*répit*) *Fig* respite; **la T. des confiseurs** the Christmas and New Year political truce; **t. de plaisanteries!** that's enough of your joking *ou* nonsense!

tri [tri] *nm* sorting (out); **faire le t. de** to sort (out); (**centre de**) **t.** (*des postes*) sorting office. ● **triage** *nm* sorting (out).

triangle [trijɑ̃gl] *nm* triangle. ● **triangulaire** *a* triangular.

tribord [tribɔr] *nm* (*de bateau, d'avion*) starboard.

tribu [triby] *nf* tribe. ● **tribal, -e, -aux** *a* tribal.

tribulations [tribylɑsjɔ̃] *nfpl* tribulations.

tribunal, -aux [tribynal, -o] *nm Jur* court; (*militaire*) tribunal.

tribune [tribyn] *nf* **1** (*de salle publique etc*)

gallery; (*de stade*) (grand)stand; (*d'orateur*) rostrum. **2 t. libre** (*dans un journal*) open forum.
tribut [triby] *nm* tribute (à to).
tributaire [tribytɛr] *a* **t. de** *Fig* dependent on.
tricher [triʃe] *vi* to cheat. ● **tricherie** *nf* cheating, trickery; **une t.** a piece of trickery. ● **tricheur, -euse** *nmf* cheat, *Am* cheater.
tricolore [trikɔlɔr] *a* **1** (*cocarde etc*) red, white and blue; **le drapeau/l'équipe t.** the French flag/team. **2 feu t.** traffic lights.
tricot [triko] *nm* (*activité, ouvrage*) knitting; (*chandail*) sweater, *Br* jumper; **un t.** (*ouvrage*) a piece of knitting; **en t.** knitted; **t. de corps** *Br* vest, *Am* undershirt. ● **tricoter** *vti* to knit.
tricycle [trisikl] *nm* tricycle.
trier [trije] *vt* (*séparer*) to sort (out); (*choisir*) to pick *ou* sort out.
trifouiller [trifuje] *vi Fam* to rummage around.
trilingue [trilɛ̃g] *a* trilingual.
trilogie [trilɔʒi] *nf* trilogy.
trimbal(l)er [trɛ̃bale] *vt Fam* to cart about, drag around ▮ **se trimbal(l)er** *vpr Fam* to trail around.
trimer [trime] *vi Fam* to slave (away), work hard.
trimestre [trimɛstr] *nm* (*période*) *Com* quarter; *Scol* term; **premier/second/troisième t.** *Scol Br* autumn *ou Am* fall/winter/summer term. ● **trimestriel, -ielle** *a* (*revue*) quarterly; **bulletin t.** end-of-term *Br* report *ou Am* report card.
tringle [trɛ̃gl] *nf* rail, rod; **t. à rideaux** curtain rail *ou* rod.
Trinité [trinite] *nf* **la T.** (*fête*) Trinity; (*dogme*) the Trinity.
trinquer [trɛ̃ke] *vi* to chink glasses; **t. à la santé/etc de qn** to drink to s.o.'s health/*etc*.
trio [trijo] *nm* (*groupe*) & *Mus* trio.
triomphe [trijɔ̃f] *nm* triumph (**sur** over); **porter qn en t.** to carry s.o. shoulder-high. ● **triomphal, -e, -aux** *a* triumphal. ● **triompher** *vi* to triumph (**de** over); (*jubiler*) to be jubilant. ● **triomphant, -ante** *a* triumphant.
tripes [trip] *nfpl Culin* tripe; *Fam* guts. ● **tripier, -ière** *nmf* tripe butcher.
triple [tripl] *a* treble, triple ▮ *nm* **le t.** three times as much (**de** as). ● **tripler** *vti* to treble, triple. ● **triplés, -ées** *nmfpl* (*enfants*) triplets.
tripot [tripo] *nm Péj* gambling den.
tripoter [tripɔte] *vt Fam Br* to fiddle about *ou* mess about with, *Am* mess around with ▮ *vi Fam Br* to fiddle *ou* mess about, *Am* mess around.
trique [trik] *nf* cudgel, stick.
triste [trist] *a* sad; (*couleur, temps, rue*) gloomy, dreary; (*lamentable*) unfortunate, sorry. ● **tristement** [-əmɑ̃] *adv* sadly. ● **tristesse** *nf* sadness; (*du temps etc*) gloom(iness), dreariness.
triturer [trityre] *vt* (*broyer*) to grind; (*manipuler*) to manipulate.
trivial, -e, -aux [trivjal, -o] *a* coarse, vulgar.
● **trivialité** *nf* coarseness, vulgarity.
troc [trɔk] *nm* exchange, barter.
troène [trɔɛn] *nm* (*arbuste*) privet.
trognon [trɔɲɔ̃] *nm* (*de fruit*) core; (*de chou*) stump.
trois [trwɑ] *a* & *nm* three; **les t. quarts (de)** three-quarters (of). ● **troisième** *a* & *nmf* third; **le t. âge** (*vieillesse*) the retirement years; **personne du t. âge** senior citizen ▮ *nf* **la t.** *Scol Br* = fourth form, *Am* = eighth grade; (*vitesse*) *Aut* third gear. ● **troisièmement** *adv* thirdly. ● **trois-pièces** *nm inv* (*appartement*) three room(ed) *Br* flat *ou Am* apartment.
trolley(bus) [trɔlɛ(bys)] *nm* trolley(bus).
trombe [trɔ̃b] *nf* **trombe(s) d'eau** (*pluie*) rainstorm, downpour; **entrer/etc en t.** *Fig* to burst in *ou* rush in/*etc* like a whirlwind.
trombone [trɔ̃bɔn] *nm* **1** (*instrument de musique*) trombone. **2** (*agrafe*) paper clip.
trompe [trɔ̃p] *nf* **1** (*d'éléphant*) trunk; (*d'insecte*) proboscis. **2** (*instrument de musique*) horn.
trompe-l'œil [trɔ̃plœj] *nm inv* trompe-l'œil (painting); **en t.-l'œil** (*décor etc*) trompe-l'œil.
tromper [trɔ̃pe] *vt* to deceive, mislead; (*escroquer*) to cheat; (*être infidèle à*) to be unfaithful to; (*échapper à*) to elude ▮ **se tromper** *vpr* to be mistaken, make a mistake; **se t. de route/de train**/*etc* to take the wrong road/train/*etc*; **se t. de date/de jour**/*etc* to get the date/day/*etc* wrong; **c'est à s'y t.** you can't tell the difference *ou* tell the two apart. ● **tromperie** *nf* deceit, deception. ● **trompeur, -euse** *a* (*apparences etc*) deceptive, misleading; (*personne*) deceitful.
trompette [trɔ̃pɛt] *nf* trumpet. ● **trompettiste** *nmf* trumpet player.
tronc [trɔ̃] *nm* **1** (*d'arbre*) & *Anat* trunk. **2** (*boîte*) collection box.
tronçon [trɔ̃sɔ̃] *nm* section. ● **tronçonner** *vt* to cut (into sections). ● **tronçonneuse** *nf* chain saw.
trône [tron] *nm* throne. ● **trôner** *vi* (*vase, personne etc*) *Fig* to occupy the place of honour.
tronquer [trɔ̃ke] *vt* to truncate; (*texte etc*) to curtail.
trop [tro] *adv* too; too much; **t. dur/loin**/*etc* too hard/far/*etc*; **t. fatigué pour jouer**/*etc* too tired to play/*etc*; **boire/lire**/*etc* **t.** to drink/read/*etc* too much; **t. de sel**/*etc* (*quantité*) too much salt/*etc*; **t. de gens**/*etc* (*nombre*) too many people/*etc*; **du fromage**/*etc* **en t.** (*quantité*) too much cheese/*etc*; **des œufs**/*etc* **de** *ou* **en t.** (*nombre*) too many eggs/*etc*; **un franc/verre**/*etc* **de t.** *ou* **en t.** one franc/glass/*etc* too many; **t. souvent** too often; **t. peu** not enough; **se sentir de t.** *Fig* to feel in the way; **en faire t.** to overdo it.
trophée [trɔfe] *nm* trophy.
tropique [trɔpik] *nm* tropic; **les tropiques** the tropics; **sous les tropiques** in the tropics. ● **tropical, -e, -aux** *a* tropical.

trop-plein [trɔplɛ̃] nm (dispositif, liquide) overflow; (surabondance) Fig excess.
troquer [trɔke] vt to exchange (**contre** for).
trot [tro] nm trot; **aller au t.** to trot; **au t.** (sans traîner) Fam at the double. ●**trotter** [trɔte] vi (cheval) to trot; (personne) Fig to scurry along ou along, trot around ou along; **une chanson qui me trotte dans la tête** a song that keeps going through my head.
trotteuse [trɔtøz] nf (de montre) second hand. ●**trotteur, -euse** nmf (cheval) trotter.
trottiner [trɔtine] vi (personne) to patter ou trot along.
trottinette [trɔtinɛt] nf (jouet) scooter; (voiture) Fam little car.
trottoir [trɔtwar] nm Br pavement, Am sidewalk; **t. roulant** moving walkway.
trou [tru] nm hole; (d'aiguille) eye; (village) Fam Péj dump, hole; (manque) Fig gap (dans in); **t. d'homme** (ouverture) manhole; **t. de (la) serrure** keyhole; **t. (de mémoire)** Fig lapse (of memory).
trouble [trubl] 1 a (liquide) cloudy; (image) blurred; (affaire) shady ▮ adv **voir t.** to see things blurred. 2 nm Litt (émoi, émotion) agitation; (désarroi) distress; (désordre) confusion; **troubles** (de santé) trouble; (révolte) disturbances, troubles.
troubler [truble] vt to disturb; (vue) to blur; (liquide) to make cloudy; (esprit) to unsettle; (projet) to upset; (inquiéter) to trouble ▮ **se troubler** vpr (liquide) to become cloudy; (candidat etc) to become flustered. ●**troublant, -ante** a (détail etc) disturbing, disquieting. ●**trouble-fête** nmf inv killjoy, spoilsport.
trouer [true] vt to make a hole ou holes in; (silence, ténèbres) to cut through. ●**trouée** nf gap; (brèche) (au combat) breach.
trouille [truj] nf **avoir la t.** Fam to have the jitters, be scared. ●**trouillard, -arde** a (poltron) Fam chicken.
troupe [trup] nf (de soldats) troop; (groupe) group; (de théâtre) company, troupe; **la t., les troupes** (armée) the troops.
troupeau, -x [trupo] nm (de vaches) & Fig Péj herd; (de moutons, d'oies) flock.
trousse [trus] nf (étui) case, kit; (d'écolier) pencil case; **t. à outils** toolkit; **t. à pharmacie** first-aid kit; **t. de toilette** Br sponge ou toilet bag, dressing case.
trousseau, -x [truso] nm 1 **t. de clefs** bunch of keys. 2 (de mariée) trousseau.
trousses [trus] nfpl **aux t. de qn** Fig on s.o.'s heels.
trouvaille [truvaj] nf (lucky) find.
trouver [truve] vt to find; **aller/venir t. qn** to go/come and see s.o.; **je trouve que** (je pense que) I think that; **comment la trouvez-vous?** what do you think of her? ▮ **se trouver** vpr to be; (être situé) to be situated; **se t. dans une situation difficile/etc** to find oneself in a difficult situation/etc; **se t. mal** (s'évanouir) to faint; **se t. beau/petit/etc** to consider oneself attractive/small/etc, think that one is attractive/small/etc ▮ v imp **il se trouve que** it happens that.
truand [tryɑ̃] nm crook.
truander [tryɑ̃de] vi (tricher) Fam to cheat.
truc [tryk] nm 1 Fam (astuce) trick; (moyen) way; **avoir/trouver le t.** to have/get the knack (**pour faire** of doing). 2 (chose) Fam thing. ●**trucage** nm = **truquage**.
truchement [tryʃmɑ̃] nm **par le t. de qn** through (the intermediary of) s.o.
truculent, -ente [trykylɑ̃, -ɑ̃t] a (langage, personnage) colourful.
truelle [tryɛl] nf trowel.
truffe [tryf] nf 1 (champignon) truffle. 2 (de chien) nose.
truffer [tryfe] vt (remplir) to stuff (**de** with). ●**truffé, -ée** a (pâté etc) (garnished) with truffles.
truie [trɥi] nf (animal) sow.
truite [trɥit] nf trout.
truquer [tryke] vt (photo etc) to fake; (élections, match) to rig, fix. ●**truqué, -ée** a (élections, match) rigged, fixed; **photo truquée** fake photo; **scène truquée** (au cinéma) scene with special effects. ●**truquage** nm (de cinéma) (special) effect; (action) faking; (d'élections) rigging.
trust [trœst] nm Com (cartel) trust; (entreprise) corporation.
tsar [dzar] nm tsar, czar.
TSF [teɛsɛf] nf abrév (télégraphie sans fil) (poste de radio) Vieilli radio, Br wireless.
tsigane [tsigan] a (Hungarian) gipsy ▮ nmf **T.** (Hungarian) gipsy.
TSVP [teɛsvepe] abrév (tournez s'il vous plaît) PTO.
TTC [tetese] abrév (toutes taxes comprises) inclusive of tax.
tu[1] [ty] pron you (familiar form of address).
tu[2] [ty] pp de **taire**.
tuant, -ante [tɥɑ̃, -ɑ̃t] a voir **tuer**.
tuba [tyba] nm 1 (instrument de musique) tuba. 2 (de plongée) snorkel.
tube [tyb] nm 1 tube; (de canalisation) pipe; **t. à essai** (de laboratoire) test tube; **marcher à pleins tubes** (stéréo etc) Fam to be going full blast; **rouler à pleins tubes** (voiture etc) Fam to be going flat out. 2 (chanson, disque) Fam hit. ●**tubulaire** a tubular.
tuberculose [tybɛrkyloz] nf TB, tuberculosis. ●**tuberculeux, -euse** a tubercular; **être t.** to have TB ou tuberculosis.
TUC [tyk] nm abrév (travail d'utilité collective) community work for the long-term unemployed. ●**tuciste** nmf worker employed under TUC scheme.
tue-mouches [tymuʃ] a inv **papier t.-mouches** flypaper.
tuer [tɥe] vt to kill; (d'un coup de feu) to shoot (dead), kill; (épuiser) Fam to wear out ▮ **se tuer** vpr to kill oneself; (d'un coup de feu) to shoot oneself; (dans un accident) to be killed; **se t. à faire qch** Fig to wear oneself out doing sth. ●**tuant, -ante** a (fatigant) Fam exhausting. ●**tuerie** nf slaughter.

tueur, -euse *nmf* killer.
tue-tête (à) [atytɛt] *adv* at the top of one's voice.
tuile [tɥil] *nf* 1 tile. 2 (*malchance*) *Fam* (stroke of) bad luck.
tulipe [tylip] *nf* tulip.
tuméfié, -ée [tymefje] *a* swollen.
tumeur [tymœr] *nf* tumour, growth.
tumulte [tymylt] *nm* commotion; (*désordre*) turmoil. ●**tumultueux, -euse** *a* turbulent.
tunique [tynik] *nf* tunic.
Tunisie [tynizi] *nf* Tunisia. ●**tunisien, -ienne** *a* Tunisian ∎ *nmf* **T., Tunisienne** Tunisian.
tunnel [tynɛl] *nm* tunnel; **le t. sous la Manche** the Channel Tunnel.
turban [tyrbɑ̃] *nm* turban.
turbine [tyrbin] *nf* turbine.
turbulences [tyrbylɑ̃s] *nfpl* (*tourbillons*) turbulence.
turbulent, -ente [tyrbylɑ̃, -ɑ̃t] *a* (*enfant*) disruptive, boisterous.
turfiste [tyrfist] *nmf* racegoer, *Br* punter.
turlupiner [tyrlypine] *vt* **t. qn** *Fam* to worry s.o.
Turquie [tyrki] *nf* Turkey. ●**turc, turque** *a* Turkish ∎ *nmf* **T., Turque** Turk ∎ *nm* (*langue*) Turkish.
turquoise [tyrkwaz] *a inv* turquoise.
tuteur, -trice [tytœr, -tris] 1 *nmf* (*d'un mineur*) guardian. 2 *nm* (*bâton*) stake, prop. ●**tutelle** *nf Jur* guardianship; *Fig* protection.

tutoyer [tytwaje] *vt* **t. qn** to use the familiar *tu* form to s.o. ●**tutoiement** *nm* use of the familiar *tu* (*instead of the more formal vous*).
tutu [tyty] *nm* ballet skirt, tutu.
tuyau, -x [tɥijo] *nm* 1 pipe; **t. d'arrosage** hose(pipe); **t. de cheminée** flue; **t. d'échappement** (*de véhicule*) exhaust (pipe). 2 (*renseignement*) *Fam* tip. ●**tuyauter** *vt* **t. qn** (*conseiller*) *Fam* to give s.o. a tip. ●**tuyauterie** *nf* (*tuyaux*) piping.
TVA [tevea] *nf abrév* (*taxe à la valeur ajoutée*) VAT.
tympan [tɛ̃pɑ̃] *nm* eardrum.
type [tip] *nm* (*modèle*) type; (*traits*) features; (*individu*) *Fam* fellow, guy, *Br* bloke; **le t. même de** *Fig* the very model of ∎ *a inv* (*professeur etc*) typical. ●**typique** *a* typical (**de** of). ●**typiquement** *adv* typically.
typé, -ée [tipe] *a* **être (très) t.** to have all the usual distinctive features.
typhoïde [tifɔid] *nf* (*maladie*) typhoid (fever).
typhon [tifɔ̃] *nm* (*tempête*) typhoon.
typographie [typɔgrafi] *nf* typography, printing. ●**typographique** *a* typographical. ●**typographe** *nmf* typographer.
tyran [tirɑ̃] *nm* tyrant. ●**tyrannie** *nf* tyranny. ●**tyrannique** *a* tyrannical. ●**tyranniser** *vt* to tyrannize.
tzigane [dzigan] *a* (Hungarian) gipsy ∎ *nmf* **T.** (Hungarian) gipsy.

U

U, u [y] *nm* U, u.
Ukraine [ykrɛn] *nf* l'U. the Ukraine.
ulcère [ylsɛr] *nm* ulcer, sore.
ulcérer [ylsere] *vt* (*blesser, irriter*) to embitter.
ULM [yɛlɛm] *nm inv abrév* (*Ultra-Léger Motorisé*) (*avion*) microlight.
ultérieur, -e [ylterjœr] *a* later. ●**ultérieurement** *adv* later.
ultimatum [yltimatɔm] *nm* ultimatum; **lancer un u. à qn** to give s.o. *ou* issue s.o. with an ultimatum.
ultime [yltim] *a* final, last.
ultra- [yltra] *préf* ultra-. ●**ultra-secret, -ète** *a* (*document*) top secret.
ultramoderne [yltramɔdɛrn] *a* ultramodern.
ultrason [yltrasɔ̃] *nm* (*vibration*) *Phys* ultrasound.
ultraviolet, -ette [yltravjɔlɛ, -ɛt] *a* ultraviolet ▮ *nm* ultraviolet ray.
un, une [œ̃, yn] **1** *art indéf* a, (*devant voyelle*) an; **une page** a page; **un ange** [œ̃nɑ̃ʒ] an angel.
2 *a* one; **la page un** page one; **un kilo** one kilo; **un type** (*un quelconque*) some *ou* a fellow; **un jour** one day.
3 *pron* & *nmf* one; **l'un** one; **les uns** some; **le numéro un** number one; **j'en ai un** I have one; **l'un d'eux, l'une d'elles** one of them; **la une** (*de journal*) page one; **j'ai eu une de ces peurs!** *Fam* I was really scared!
unanime [ynanim] *a* unanimous. ●**unanimité** *nf* unanimity; **à l'u.** unanimously.
uni, -ie [yni] *a* united; (*famille etc*) close; (*surface*) smooth; (*couleur, étoffe*) plain.
unième [ynjɛm] *a* (*after a number*) (-)first; **trente et u.** thirty-first; **cent u.** hundred and first.
unifier [ynifje] *vt* to unify. ●**unification** *nf* unification.
uniforme [ynifɔrm] **1** *nm* (*vêtement*) uniform. **2** *a* (*régulier*) uniform. ●**uniformément** *adv* uniformly. ●**uniformiser** *vt* to standardize. ●**uniformité** *nf* uniformity.
unijambiste [yniʒɑ̃bist] *a* & *nmf* one-legged (man *ou* woman).
unilatéral, -e, -aux [ynilateral, -o] *a* unilateral; (*stationnement*) on one side of the road *ou* street only.
union [ynjɔ̃] *nf* union; (*association*) association; (*entente*) unity; **u. libre** cohabitation (*of unmarried couple*).
unique [ynik] *a* **1** (*fille, fils*) only; (*espoir, souci etc*) only, sole; (*prix, salaire, marché*) single, one; **son seul et u. souci** his *ou* her one and only worry. **2** (*exceptionnel*) unique;

u. en son genre completely unique. ●**uniquement** *adv* only, solely.
unir [ynir] *vt* (*deux pays etc*) to unite, join (together); (*efforts*) to combine; **u. la force au courage** to combine strength with courage; **u. deux personnes** (*amitié*) to unite two people ▮ **s'unir** *vpr* (*étudiants, travailleurs etc*) to unite; (*se marier*) to be joined together; (*se joindre*) to join (together).
unisexe [ynisɛks] *a* (*vêtements etc*) unisex.
unisson (à l') [alynisɔ̃] *adv* in unison (**de** with).
unité [ynite] *nf* (*de mesure, élément, régiment*) unit; (*cohésion, harmonie*) unity; **u. de recherche** *Univ* research department; **u. de commande** *Ordinat* control unit. ●**unitaire** *a* (*prix*) per unit.
univers [ynivɛr] *nm* universe.
universel, -elle [ynivɛrsɛl] *a* universal. ●**universellement** *adv* universally. ●**universalité** *nf* universality.
université [ynivɛrsite] *nf* university; **à l'u.** *Br* at university, *Am* in college; **professeur d'u.** university teacher. ●**universitaire** *a* **ville/restaurant/etc u.** university town/restaurant *etc* ▮ *nmf* academic.
uranium [yranjɔm] *nm* uranium.
urbain, -aine [yrbɛ̃, -ɛn] *a* urban; **population/etc urbaine** urban *ou* city population/etc. ●**urbaniser** *vt* to urbanize, build up. ●**urbanisme** *nm Br* town planning, *Am* city planning. ●**urbaniste** *nmf Br* town planner, *Am* city planner.
urgent, -ente [yrʒɑ̃, -ɑ̃t] *a* urgent, pressing. ●**urgence** *nf* (*cas*) emergency; (*de décision, tâche etc*) urgency; **mesures/etc d'u.** emergency measures/etc; **état d'u.** *Pol* state of emergency; (**service des**) **urgences** (*d'hôpital*) *Br* casualty (department), *Am* emergency room; **faire qch d'u.** to do sth urgently.
urine [yrin] *nf* urine. ●**uriner** *vi* to urinate. ●**urinoir** *nm* (public) urinal.
urne [yrn] *nf* **1** (*électorale*) ballot box; **aller aux urnes** to go to the polls, vote. **2** (*vase*) urn.
URSS *nf abrév* (*Union des Républiques Socialistes Soviétiques*) *Hist* USSR.
urticaire [yrtikɛr] *nf* nettle rash, hives.
Uruguay [yrygwɛ] *nm* Uruguay.
us [ys] *nmpl* **les us et coutumes** (*de pays etc*) the ways and customs.
usage [yzaʒ] *nm* use; (*habitude*) custom; *Ling* usage; **faire u. de** to make use of; **faire de l'u.** (*vêtement etc*) to wear well; **d'u.** (*habituel*) customary; **à l'u. de** for (the use of);

vaisseau

hors d'u. broken, not in use; **je n'en ai pas l'u.** I have no use for it. ●**usagé, -ée** *a* worn; *(d'occasion)* used. ●**usager** *nm* user.
user [yze] *vt (vêtement, personne)* to wear out; *(consommer)* to use (up); *(santé)* to ruin ▌ *vi* **u. de** to use ▌ **s'user** *vpr (tissu, machine)* to wear out; *(personne)* to wear oneself out. ●**usé, -ée** *a (tissu etc)* worn (out); *(sujet etc)* well-worn; *(personne)* worn out; **eaux usées** dirty *ou* waste water.
usine [yzin] *nf* factory; **u. à gaz** gasworks; **u. métallurgique** ironworks; **ouvrier d'u.** factory worker.
usiner [yzine] *vt (pièce) Tech* to machine.
usité, -ée [yzite] *a* in common use.
ustensile [ystɑ̃sil] *nm* utensil; **u. de cuisine** kitchen utensil; **u. de jardinage** garden implement.
usuel, -elle [yzɥɛl] *a* everyday, ordinary. ●**usuels** *nmpl (d'une bibliothèque)* reference books.
usufruit [yzyfrɥi] *nm Jur* beneficial ownership, usufruct.
usure [yzyr] *nf (détérioration)* wear (and tear); **avoir qn à l'u.** *Fig* to wear s.o. down (in the end).
usurier, -ière [yzyrje, -jɛr] *nmf* usurer.
usurper [yzyrpe] *vt* to usurp. ●**usurpateur, -trice** *nmf* usurper.
utérus [yterys] *nm Anat* womb, uterus.
utile [ytil] *a* useful (à to). ●**utilement** *adv* usefully.
utiliser [ytilize] *vt* to use, utilize. ●**utilisable** *a* usable. ●**utilisateur, -trice** *nmf* user. ●**utilisation** *nf* use. ●**utilité** *nf* use(fulness); **d'une grande u.** very useful; **déclaré d'u. publique** state-recognized and -approved.
utilitaire [ytiliter] *a* utilitarian; **véhicule u.** commercial vehicle.
utopie [ytɔpi] *nf (idéal)* utopia; *(projet, idée)* utopian plan *ou* idea. ●**utopique** *a* utopian.
UV [yve] *nmpl abrév (ultraviolets)* UV.

V

V, v [ve] *nm* V, v.
va [va] *voir* **aller¹**.
vacances [vakɑ̃s] *nfpl Br* holiday(s), *Am* vacation; **en v.** *Br* on holiday, *Am* on vacation; **prendre ses v.** to take one's *Br* holiday(s) *ou Am* vacation; **les grandes v.** the summer *Br* holidays *ou Am* vacation. ●**vacancier, -ière** *nmf Br* holidaymaker, *Am* vacationer.
vacant, -ante [vakɑ̃, -ɑ̃t] *a* vacant. ●**vacance** *nf (poste)* vacancy.
vacarme [vakarm] *nm* din, uproar.
vaccin [vaksɛ̃] *nm* vaccine; **faire un v. à qn** to vaccinate s.o. ●**vaccination** *nf* vaccination. ●**vacciner** *vt* to vaccinate; **se faire v.** to get vaccinated (**contre** against); **ça m'a vacciné contre…** *Fam* that's made me immune to….
vache [vaʃ] **1** *nf* cow; **v. laitière** dairy cow. **2** *nf* (**peau de) v.** *(personne) Fam* swine ▌ *a (méchant) Fam* nasty. ●**vachement** *adv Fam (très)* damned; *(beaucoup)* a hell of a lot. ●**vacher** *nm* cowherd. ●**vacherie** *nf Fam (action)* nasty trick; *(parole)* nasty remark; *(caractère)* nastiness.
vaciller [vasije] *vi* to sway, wobble; *(flamme, lumière)* to flicker; *(jugement, mémoire etc)* to falter, waver. ●**vacillant, -ante** *a (démarche, mémoire)* shaky; *(lumière etc)* flickering.
vadrouille [vadruj] *nf* **en v.** *Fam* roaming *ou* wandering around *ou* about. ●**vadrouiller** *vi Fam* to roam *ou* wander around *ou* about.
va-et-vient [vaevjɛ̃] *nm inv (mouvement)* movement to and fro; *(de personnes)* comings and goings.
vagabond, -onde [vagabɔ̃, -ɔ̃d] *nmf (clochard) Br* tramp, vagrant, vagabond, *Am* hobo ▌ *a* wandering. ●**vagabonder** *vi* to roam *ou* wander around *ou* about; *(pensée)* to wander. ●**vagabondage** *nm* wandering; *Jur* vagrancy.
vagin [vaʒɛ̃] *nm* vagina.
vagir [vaʒir] *vi (bébé)* to cry, wail.
vague [vag] **1** *a* vague; *(regard)* vacant; *(souvenir)* dim, vague ▌ *nm* vagueness; **regarder dans le v.** to gaze into space, gaze vacantly; **rester dans le v.** *(être évasif)* to keep it vague; **avoir du v. à l'âme** to be feeling sad in one's heart.
2 *nf (de mer)* & *Fig* wave; **v. de chaleur** heat wave; **v. de froid** cold spell *ou* snap; **v. de fond** *(dans l'opinion) Fig* tidal wave. ●**vaguement** *adv* vaguely.
vaillant, -ante [vajɑ̃, -ɑ̃t] *a* brave, valiant; *(vigoureux)* healthy. ●**vaillamment** [-amɑ̃] *adv* bravely, valiantly. ●**vaillance** *nf* bravery.
vaille que vaille [vajkəvaj] *adv* somehow or other.
vain, vaine [vɛ̃, vɛn] *a* **1** *(futile)* vain, futile; *(mots, promesse)* empty; **en v.** in vain, vainly. **2** *(vaniteux)* vain. ●**vainement** *adv* in vain, vainly.
vaincre* [vɛ̃kr] *vt* to beat, defeat; *(surmonter)* to overcome; **s'avouer vaincu** to admit defeat. ●**vaincu, -ue** *nmf* defeated man *ou* woman; *(d'un match etc)* loser. ●**vainqueur** *nm* victor; *(d'un match etc)* winner ▌ *am* victorious.
vais [vɛ] *voir* **aller¹**.
vaisseau, -x [vɛso] *nm* **1** *Anat Bot* vessel. **2**

vaisselier

(*bateau*) ship, vessel; **v. spatial** spaceship.
vaisselier [vɛsəlje] *nm* (*meuble*) *Br* dresser, *Am* hutch.
vaisselle [vɛsɛl] *nf* crockery; (*à laver*) *Br* washing up, dirty dishes; **faire la v.** *Br* to do the washing up, wash *ou* do the dishes.
val, *pl* **vals** *ou* **vaux** [val, vo] *nm* valley.
valable [valabl] *a* (*billet, motif etc*) valid; (*remarquable, rentable*) *Fam* worthwhile.
valet [valɛ] *nm* **1** *Cartes* jack. **2 v.** (**de chambre**) valet, manservant; **v. de ferme** farmhand.
valeur [valœr] *nf* value; (*mérite*) worth; (*poids*) importance, weight; **valeurs** (*cotées en Bourse*) stocks and shares; **v. refuge** safe investment; **la v. de** (*quantité*) the equivalent of; **avoir de la v.** to be valuable; **mettre en v.** (*faire ressortir*) to highlight; **personne de v.** person of merit; **objets de v.** valuables; **prendre de la v.** to increase in value.
valide [valid] *a* **1** (*personne*) fit, able-bodied; (*population*) able-bodied. **2** (*billet etc*) valid. ● **valider** *vt* to validate. ● **validité** *nf* validity.
valise [valiz] *nf* (suit)case; **v. diplomatique** diplomatic *Br* bag *ou Am* pouch; **faire ses valises** to pack (one's bags).
vallée [vale] *nf* valley. ● **vallon** *nm* (small) valley. ● **vallonné, -ée** *a* (*région etc*) undulating.
valoir* [valwar] *vi* to be worth; (*s'appliquer*) to apply (**pour** to); **v. mille francs/cher/**etc to be worth a thousand francs/a lot/etc; **un vélo vaut bien une auto** a bicycle is just as good as a car; **il vaut mieux rester** it's better to stay; **il vaut mieux que j'attende** I'd better wait; **ça ne vaut rien** it's no good, it's worthless; **ça vaut la peine** *ou Fam* **le coup** it's worth while (**de faire** doing); **faire v.** (*faire ressortir*) to highlight, set off; (*argument*) to put forward; (*droit*) to assert; **se faire v.** to get oneself noticed, push oneself forward.
▌ *vt* **v. qch à qn** (*causer*) to bring *ou* get s.o. sth.
▌ **se valoir** *vpr* (*objets, personnes*) to be as good as each other; **ça se vaut** *Fam* it's all the same.
valse [vals] *nf* waltz. ● **valser** *vi* to waltz. ● **valseur, -euse** *nmf* waltzer.
valve [valv] *nf* (*clapet*) valve. ● **valvule** *nf* (*du cœur*) valve.
vampire [vɑ̃pir] *nm* vampire.
vandale [vɑ̃dal] *nmf* vandal. ● **vandalisme** *nm* vandalism.
vanille [vanij] *nf* vanilla; **glace/**etc **à la v.** vanilla ice cream/etc. ● **vanillé, -ée** *a* vanilla-flavoured; **sucre v.** vanilla sugar.
vanité [vanite] *nf* (*orgueil*) vanity; (*futilité*) *Litt* vanity, futility. ● **vaniteux, -euse** *a* vain, conceited.
vanne [van] *nf* **1** (*d'écluse*) sluice (gate), floodgate. **2** (*remarque*) *Fam* dig, jibe.
vanné, -ée [vane] *a* (*fatigué*) *Fam* knocked out, *Br* dead beat.
vannerie [vanri] *nf* (*fabrication, objets*) basketwork, basketry.

vantail, -aux [vɑ̃taj, -o] *nm* (*de porte*) leaf.
vanter [vɑ̃te] *vt* to praise ▌ **se vanter** *vpr* to boast, brag (**de** about, of); **il n'y a pas de quoi se v.** *Fam* there's nothing to brag *ou* boast about. ● **vantard, -arde** *a* boastful ▌ *nmf* bighead, boaster, braggart. ● **vantardise** *nf* boastfulness; (*propos*) boast.
va-nu-pieds [vanypje] *nmf inv* beggar, down-and-out, *Br* tramp.
vapeur [vapœr] *nf* (*brume, émanation*) vapour; **v. (d'eau)** steam; **cuire qch à la v.** to steam sth; **bateau à v.** steamship. ● **vaporeux, -euse** *a* hazy, misty; (*tissu*) translucent, diaphanous.
vaporiser [vaporize] *vt* to spray. ● **vaporisateur** *nm* (*appareil*) spray.
vaquer [vake] *vi* **v. à** to attend to.
varappe [varap] *nf* rock-climbing.
varech [varɛk] *nm* wrack, seaweed.
vareuse [varøz] *nf* (*d'uniforme*) tunic.
variable [varjabl] *a* variable; (*humeur, temps*) changeable. ● **variante** *nf* variant. ● **variation** *nf* variation.
varicelle [varisɛl] *nf* (*maladie*) chicken pox.
varices [varis] *nfpl* varicose veins; **bas à v.** support stockings *ou* tights.
varier [varje] *vti* to vary (**de** from). ● **varié, -ée** *a* (*diversifié*) varied; (*divers*) various.
variété [varjete] *nf* variety; **spectacle de variétés** (*chansons etc*) variety show.
variole [varjɔl] *nf* smallpox.
vas [va] *voir* **aller**[1].
vasculaire [vaskylɛr] *a Méd* vascular.
vase [vaz] **1** *nm* vase. **2** *nf* (*boue*) mud, silt.
vaseline [vazlin] *nf* Vaseline®.
vaseux, -euse [vazø, -øz] *a* **1** (*boueux*) muddy, silty. **2** (*faible, fatigué*) *Fam* under the weather, *Br* off colour. **3** (*idées etc*) *Fam* woolly, hazy.
vasistas [vazistas] *nm* (*dans une porte ou une fenêtre*) hinged panel.
vaste [vast] *a* vast, huge.
Vatican [vatikɑ̃] *nm* **le V.** the Vatican.
va-tout [vatu] *nm inv* **jouer son v.-tout** to stake one's all.
vaudeville [vodvil] *nm Théâtre* light comedy.
vau-l'eau (à) [avolo] *adv* **aller à v.-l'eau** to go to rack and ruin.
vaurien, -ienne [vorjɛ̃, -jɛn] *nmf* good-for-nothing.
vaut [vo] *voir* **valoir**.
vautour [votur] *nm* vulture.
vautrer (se) [səvotre] *vpr* to sprawl; **se v. dans la boue/le vice** to wallow in the mud/in vice.
va-vite (à la) [alavavit] *adv Fam* in a hurry.
veau, -x [vo] *nm* **1** (*animal*) calf; (*viande*) veal; (*cuir*) calfskin, calf leather. **2** (*voiture*) *Fam* really slow car.
vécu, -ue [veky] *pp de* **vivre** ▌ *a* (*histoire etc*) real(-life), true.
vedette [vədɛt] *nf* **1** (*de cinéma etc*) star; **avoir la v.** (*artiste*) to head the bill; **en v.** (*personne*) in the limelight; (*objet*) in a prominent position. **2** (*bateau*) motor boat,

launch.
végétal, -e, -aux [veʒetal, -o] *a* **huile**/*etc* **végétale** vegetable oil/*etc*; **règne v.** vegetable kingdom ∎ *nm* plant. ●**végétarien, -ienne** *a* & *nmf* vegetarian. ●**végétation** *nf* vegetation. ●**végétations** *nfpl Méd* adenoids.
végéter [veʒete] *vi* (*personne*) *Péj* to vegetate.
véhément, -ente [veemã, -ãt] *a* vehement. ●**véhémence** *nf* vehemence.
véhicule [veikyl] *nm* vehicle; **v. tout terrain** *ou* **tout-terrain** off-road *ou* all-terrain vehicle. ●**véhiculer** *vt* to convey.
veille [vɛj] *nf* **1 la v. (de)** the day before; **à la v. de** (*événement*) on the eve of; **la v. de Noël** Christmas Eve; **ce n'est pas demain la v.** *Fam* that's not going to happen for quite a while. **2** (*état*) wakefulness.
veillée [veje] *nf* (*soirée*) evening; (*réunion*) evening get-together; (*mortuaire*) vigil.
veiller [veje] *vi* to stay up *ou* awake; (*sentinelle etc*) to keep watch, be on watch; **v. à qch** to see to sth, attend to sth; **v. à ce que** (+ *sub*) to make sure that; **v. sur qn** to watch over s.o.; **v. au grain** to keep an eye open for trouble ∎ *vt* (*malade*) to sit with, watch over. ●**veilleur** *nm* **v. de nuit** night watchman. ●**veilleuse** *nf* (*de voiture*) *Br* sidelight, *Am* parking light; (*de cuisinière*) pilot light; (*lampe allumée la nuit*) night light; **mets-la en v.!** *Fam* put a sock in it!, shut up!
veine [vɛn] *nf* **1** *Anat Bot Géol* vein. **2** (*chance*) *Fam* luck; **avoir de la v.** to be lucky; **une v.** a piece *ou* stroke of luck. ●**veinard, -arde** *nmf Fam* lucky devil ∎ *a Fam* lucky.
vêler [vele] *vi* (*vache*) to calve.
vélin [velɛ̃] *nm* (*papier, peau*) vellum.
véliplanchiste [veliplɑ̃ʃist] *nmf* windsurfer.
velléité [veleite] *nf* vague desire.
vélo [velo] *nm* bike, bicycle; (*activité*) cycling; **faire du v.** to cycle, go cycling; **v. tout(-)terrain** mountain bike. ●**vélodrome** *nm Cyclisme* velodrome, cycle track. ●**vélomoteur** *nm* (lightweight) motorcycle.
velours [v(ə)lur] *nm* velvet; **v. côtelé** corduroy, cord. ●**velouté, -ée** *a* soft, velvety; (*au goût*) mellow, smooth ∎ *nm* smoothness; **v. d'asperges**/*etc* (*potage*) cream of asparagus/*etc* soup.
velu, -ue [vəly] *a* hairy.
venaison [vənɛzɔ̃] *nf* venison.
vénal, -e, -aux [venal, -o] *a* mercenary.
vendange(s) [vɑ̃dɑ̃ʒ] *nf*(*pl*) grape harvest, vintage. ●**vendanger** *vi* to pick the grapes. ●**vendangeur, -euse** *nmf* grape-picker.
vendetta [vɑ̃deta] *nf* vendetta.
vendre [vɑ̃dr] *vt* to sell; **v. qch à qn** to sell s.o. sth, sell sth to s.o.; **v. qn** (*trahir*) to sell s.o. out; **à v.** (*maison etc*) for sale ∎ **se vendre** *vpr* to be sold; **ça se vend bien** it sells well. ●**vendeur, -euse** *nmf* (*de magasin*) *Br* sales *ou* shop assistant, *Am* sales clerk; (*de voitures etc*) salesman, saleswoman; *Jur* vendor, seller.
vendredi [vɑ̃drədi] *nm* Friday; **V. saint** Good Friday.
vénéneux, -euse [venenø, -øz] *a* poisonous.
vénérable [venerabl] *a* venerable. ●**vénérer** *vt* to venerate.
vénérien, -ienne [venerjɛ̃, -jɛn] *a* (*maladie*) venereal.
venger [vɑ̃ʒe] *vt* to avenge ∎ **se venger** *vpr* to get one's revenge, get one's own back, avenge oneself (**de qn** on s.o., **de qch** for sth). ●**vengeance** *nf* revenge, vengeance. ●**vengeur, -eresse** *a* vengeful ∎ *nmf* avenger.
venin [vənɛ̃] *nm* poison, venom; *Fig* venom. ●**venimeux, -euse** *a* poisonous, venomous; (*haineux*) *Fig* venomous.
venir* [v(ə)nir] *vi* (*aux* **être**) to come (**de** from); **v. faire qch** to come to do sth; **viens me voir** come and *ou* to see me; **je viens/venais d'arriver** I've/I'd just arrived; **en v. à** (*conclusion etc*) to come to; **où veux-tu en v.?** what are you getting *ou* driving at?; **les jours**/*etc* **qui viennent** the coming days/*etc*; **faire v. qn** to send for s.o., get s.o.; **une idée m'est venue** an idea occurred to me; **d'où vient que...?** how is it that...?; **s'il venait à faire** (*éventualité*) if he happened to do.
vent [vɑ̃] *nm* wind; **il y a** *ou* **il fait du v.** it's windy; **coup de v.** gust of wind; **avoir v. de** (*connaissance de*) to get wind of; **dans le v.** (*à la mode*) *Fam* trendy, with it.
vente [vɑ̃t] *nf* sale; **v. (aux enchères)** auction (sale); **v. de charité** bazaar, charity sale; **en v.** (*disponible*) on sale; **point de v.** sales *ou* retail outlet, point of sale; **prix de v.** selling price; **salle des ventes** auction room.
ventilateur [vɑ̃tilatœr] *nm* (*électrique, de voiture*) fan; (*dans un mur*) ventilator. ●**ventilation** *nf* ventilation. ●**ventiler** *vt* to ventilate.
ventouse [vɑ̃tuz] *nf* (*pour fixer*) suction grip; **cendrier**/*etc* **à v.** suction-grip ashtray/*etc*.
ventre [vɑ̃tr] *nm* stomach, belly; (*utérus*) womb; (*de cruche etc*) bulge; **avoir**/**prendre du v.** to have/get a paunch; **avoir mal au v.** to have a stomach-ache; **prendre du v.** to be getting a paunch; **il n'a rien dans le v.** *Fam* he has no guts; **à plat v.** flat on one's face. ●**ventru, -ue** *a* (*personne*) pot-bellied; (*objet*) bulging.
ventriloque [vɑ̃trilɔk] *nmf* ventriloquist.
venu, -ue[1] [v(ə)ny] *pp de* **venir** ∎ *nmf* **nouveau v., nouvelle venue** newcomer; **le premier v.** anyone ∎ *a* (*à propos*) timely; **mal v.** untimely; **être bien/mal v. de faire** to have good grounds/no grounds for doing.
venue[2] [v(ə)ny] *nf* (*arrivée*) coming.
vêpres [vɛpr] *nfpl Rel* vespers.
ver [vɛr] *nm* worm; (*larve*) grub; (*de fruits, fromage etc*) maggot; **v. luisant** glow-worm; **v. de terre** (earth)worm; **à soie** silkworm; **v. solitaire** tapeworm; **tirer les vers du nez à qn** *Fam* to worm it out of s.o.
véracité [verasite] *nf* truthfulness, veracity.
véranda [verɑ̃da] *nf* veranda(h); (*en verre*)

conservatory (*room attached to house*).
verbaliser [vɛrbalize] *vi* (*policiers etc*) to fine (s.o.), *Br* book (s.o.).
verbe [vɛrb] *nm* verb. ●**verbal, -e, -aux** *a* (*promesse, expression etc*) verbal.
verbeux, -euse [vɛrbø, -øz] *a Péj* verbose. ●**verbiage** *nm Péj* verbiage.
verdâtre [vɛrdɑtr] *a* greenish.
verdeur [vɛrdœr] *nf* (*de fruit, vin*) tartness; (*de vieillard*) sprightliness; (*de langage*) crudeness.
verdict [vɛrdikt] *nm* verdict.
verdir [vɛrdir] *vti* to turn green. ●**verdoyant, -ante** *a* green, verdant. ●**verdure** *nf* (*arbres etc*) greenery; **théâtre de v.** open-air theatre.
véreux, -euse [verø, -øz] *a* (*fruit etc*) wormy, maggoty; (*malhonnête*) *Fig* dubious, shady.
verge [vɛrʒ] *nf Anat* penis.
verger [vɛrʒe] *nm* orchard.
vergetures [vɛrʒətyr] *nfpl* stretchmarks.
verglas [vɛrgla] *nm Br* (black) ice, *Am* sleet. ●**verglacé, -ée** *a* (*route*) icy.
vergogne (sans) [sɑ̃vɛrgɔɲ] *a* shameless ∥ *adv* shamelessly.
véridique [veridik] *a* truthful.
vérifier [verifje] *vt* to check, verify; (*comptes*) to audit; (*confirmer*) to confirm. ●**vérifiable** *a* verifiable. ●**vérification** *nf* checking, verification; (*de comptes*) audit(ing); (*de théorie etc*) confirmation.
vérité [verite] *nf* truth; (*de personnage, tableau etc*) trueness to life; (*sincérité*) sincerity; **en v.** in fact; **dire la v.** to tell the truth.
véritable [veritabl] *a* a true, real; (*non imité*) real, genuine; (*exactement nommé*) veritable, real. ●**véritablement** [-əmɑ̃] *adv* really.
verlan [vɛrlɑ̃] *nm* back slang.
vermeil, -eille [vɛrmɛj] *a* bright red, vermilion ∥ *nm* **carte vermeil** senior citizen's rail pass.
vermicelle(s) [vɛrmisel] *nm(pl)* (*pâtes*) vermicelli.
vermine [vɛrmin] *nf* (*insectes, racaille*) vermin.
vermoulu, -ue [vɛrmuly] *a* worm-eaten.
vermouth [vɛrmut] *nm* vermouth.
verni, -ie [vɛrni] *a* 1 (*brillant*) (*table etc*) varnished. 2 (*chanceux*) *Fam* lucky.
vernir [vɛrnir] *vt* to varnish; (*poterie*) to glaze. ●**vernis** *nm* varnish; (*pour poterie*) glaze; (*apparence*) *Fig* veneer; **v. à ongles** nail polish *ou Br* varnish. ●**vernissage** *nm* (*d'exposition de peinture*) first day. ●**vernisser** *vt* (*poterie*) to glaze.
verra, verrait *etc* [vera, vɛrɛ] *voir* **voir**.
verre [vɛr] *nm* (*substance, récipient*) glass; **boire** *ou* **prendre un v.** to have a drink; **v. de bière/etc** glass of beer/*etc*; **v. à bière/à vin** beer/wine glass; **v. à dents** toothbrush glass; **v. de contact** contact lens; **porter des verres** to wear glasses. ●**verrerie** *nf* (*objets*) glassware. ●**verrière** *nf* (*toit*) glass roof.
verrou [vɛru] *nm* bolt; **fermer au v.** to bolt; **sous les verrous** behind bars. ●**verrouiller** *vt* to bolt.
verrue [vɛry] *nf* wart.
vers¹ [vɛr] *prép* (*direction*) towards, toward; (*approximation*) around, about.
vers² [vɛr] *nm* (*de poème*) line; **des vers** (*poésie*) verse.
versant [vɛrsɑ̃] *nm* slope, side.
versatile [vɛrsatil] *a* fickle, volatile.
verse (à) [avɛrs] *adv* in torrents; **pleuvoir à v.** to pour (down).
versé, -ée [vɛrse] *a* **v. dans** *Litt* (well) versed in.
Verseau [vɛrso] *nm* (*signe*) Aquarius.
verser [vɛrse] **1** *vt* to pour; (*larmes, sang*) to shed. **2** *vt* (*argent*) to pay (**sur un compte** into an account). **3** *vti* (*basculer*) to overturn. ●**versement** *nm* payment. ●**verseur** *a* **bec v.** spout.
verset [vɛrse] *nm Rel* verse.
version [vɛrsjɔ̃] *nf* (*de film, d'incident etc*) version; (*traduction*) *Scol* translation, *Br* unseen.
verso [vɛrso] *nm* back (of the page); **'voir au v.'** 'see overleaf'.
vert, verte [vɛr, vɛrt] *a* green; (*pas mûr*) unripe; (*vin*) young; (*vieillard*) *Fig* sprightly; **aller en classe verte** to go on a school trip to the countryside; **en dire des vertes et des pas mûres** *Fig* to say some pretty shocking things ∥ *nm* green; **se mettre au v.** to go to the country (to recuperate); **les Verts** *Pol* the Greens.
vert-de-gris [vɛrdəgri] *nm inv* verdigris.
vertèbre [vɛrtɛbr] *nf* vertebra.
vertement [vɛrtəmɑ̃] *adv* (*réprimander etc*) sharply.
vertical, -e, -aux [vɛrtikal, -o] *a & nf* vertical; **à la verticale** vertically. ●**verticalement** *adv* vertically.
vertige [vɛrtiʒ] *nm* (feeling of) dizziness *ou* giddiness; (*peur de tomber dans le vide*) vertigo; **vertiges** dizzy spells; **avoir le v.** to be *ou* feel dizzy *ou* giddy; **donner le v. à qn** to make s.o. (feel) dizzy *ou* giddy. ●**vertigineux, -euse** *a* (*hauteur*) giddy, dizzy; (*très grand*) *Fig* staggering.
vertu [vɛrty] *nf* virtue; **en v. de** in accordance with. ●**vertueux, -euse** *a* virtuous.
verve [vɛrv] *nf* (*d'orateur etc*) brilliance.
verveine [vɛrvɛn] *nf* (*plante*) verbena.
vésicule [vezikyl] *nf* **v. biliaire** gall bladder.
vessie [vesi] *nf* bladder.
veste [vɛst] *nf* jacket, coat.
vestiaire [vɛstjɛr] *nm* (*de théâtre etc*) cloakroom; (*de piscine, stade etc*) changing room, *Am* locker room; (*casier*) locker.
vestibule [vɛstibyl] *nm* (entrance) hall.
vestiges [vɛstiʒ] *nmpl* (*restes, ruines*) remains; (*traces*) traces, vestiges.
vestimentaire [vɛstimɑ̃tɛr] *a* **dépense/etc v.** clothing expenditure/*etc*; **détail v.** dress detail, detail of dress.
veston [vɛstɔ̃] *nm* (suit) jacket.
vêtement [vɛtmɑ̃] *nm* garment, article of clothing; **vêtements** clothes; **vêtements de**

sport sportswear; **industrie**/*etc* **du v.** clothing industry/*etc*.
vétéran [veterã] *nm* veteran.
vétérinaire [veteriner] *a* veterinary ▮ *nmf* vet, *Br* veterinary surgeon, *Am* veterinarian.
vétille [vetij] *nf* trifle, triviality.
vêtir* [vetir] *vt*, **se vêtir** *vpr* to dress. ● **vêtu, -ue** *a* dressed (**de** in).
veto [veto] *nm inv* veto; **mettre** *ou* **opposer son v. à** to veto.
vétuste [vetyst] *a* dilapidated.
veuf, veuve [vœf, vœv] *a* widowed ▮ *nm* widower ▮ *nf* widow.
veuille(s), veuillent *etc* [vœj] *voir* **vouloir**.
veule [vøl] *a* feeble. ● **veulerie** *nf* feebleness.
veut, veux [vø] *voir* **vouloir**.
vexer [vɛkse] *vt* to upset, hurt ▮ **se vexer** *vpr* to be *ou* get upset (**de** at). ● **vexant, -ante** *a* upsetting, hurtful; (*contrariant*) annoying. ● **vexation** *nf* humiliation.
VF [veɛf] *nf abrév* (*version française*) **film en VF** film dubbed into French.
viable [vjabl] *a* (*entreprise, enfant etc*) viable. ● **viabilité** *nf* viability.
viaduc [vjadyk] *nm* viaduct.
viager, -ère [vjaʒe, -ɛr] *a* **rente viagère** life annuity ▮ *nm* life annuity.
viande [vjɑ̃d] *nf* meat.
vibrer [vibre] *vi* to vibrate; (*être ému*) to thrill (**de** with); **faire v.** (*auditoire etc*) to thrill. ● **vibrant, -ante** *a* (*émouvant*) emotional; (*voix, son*) resonant, vibrant. ● **vibration** *nf* vibration. ● **vibromasseur** *nm* (*appareil*) vibrator.
vicaire [vikɛr] *nm* curate.
vice [vis] *nm* vice; (*défectuosité*) defect; **v. de forme** (*d'un procès*) (legal) flaw.
vice- [vis] *préf* vice-.
vice versa [vis(e)vɛrsa] *adv* vice versa.
vicier [visje] *vt* to taint, pollute. ● **vicié, -ée** *a* (*air, atmosphère*) foul, polluted.
vicieux, -euse [visjø, -øz] **1** *a* depraved ▮ *nmf* pervert. **2** *a* **cercle v.** vicious circle.
vicinal, -e, -aux [visinal, -o] *a* **chemin v.** byroad, minor road.
vicissitudes [visisityd] *nfpl* vicissitudes.
vicomte [vikɔ̃t] *nm* viscount. ● **vicomtesse** *nf* viscountess.
victime [viktim] *nf* victim; (*d'un accident*) casualty; **être v. de** to be the victim of.
victoire [viktwar] *nf* victory; (*sportive*) win. ● **victorieux, -euse** *a* victorious; (*équipe*) winning.
victuailles [viktɥaj] *nfpl* provisions.
vidange [vidɑ̃ʒ] *nf* emptying, draining; (*de véhicule*) oil change; (*dispositif*) waste outlet. ● **vidanger** *vt* to empty, drain.
vide [vid] *a* empty ▮ *nm* emptiness, void; (*absence d'air*) vacuum; (*trou, manque, espace*) gap; (*gouffre etc*) drop; **regarder dans le v.** to stare into space; **sauter dans le v.** to jump into the void; **emballé sous v.** vacuum-packed; **à v.** empty.
vidéo [video] *a inv* & *nf* video; **jeu v.** video game. ● **vidéocassette** *nf* video (cassette).

● **vidéoclip** *nm* video (*of rock group etc*).
vidéodisque [videodisk] *nm* videodisk.
vide-ordures [vidɔrdyr] *nm inv* (*Br* rubbish *ou Am* garbage) chute. ● **vide-poches** *nm inv* (*de véhicule*) glove compartment.
vider [vide] *vt* to empty; (*lieu*) to vacate; (*poisson, volaille*) *Culin* to gut; (*querelle*) to settle; **v. qn** *Fam* (*chasser*) to throw s.o. out; (*épuiser*) to tire s.o. out; **j'ai vidé mon sac** *Fam* I got it off my chest ▮ **se vider** *vpr* to empty. ● **vidé, -ée** *a* (*fatigué*) *Fam* exhausted. ● **videur** *nm* (*de boîte de nuit*) bouncer.
vie [vi] *nf* life; (*durée*) lifetime; **le coût de la v.** the cost of living; **gagner sa v.** to earn one's living *ou* livelihood; **en v.** living; **à v., pour la v.** for life; **donner la v. à** to give birth to; **avoir la v. dure** (*préjugés etc*) to die hard; **refaire sa v.** to start a new life; **jamais de la v.!** not on your life!, never!; **ce n'est pas une v.!** *Fam* that's no life!
vieil, vieille [vjɛj] *voir* **vieux**.
vieillard [vjɛjar] *nm* old man; **les vieillards** old people. ● **vieillerie** *nf* (*objet*) old thing; (*idée*) old idea. ● **vieillesse** *nf* old age.
vieillir [vjejir] *vi* to grow old; (*changer*) to age; (*théorie, mot*) to become old-fashioned ▮ *vt* **v. qn** (*vêtement etc*) to make s.o. look old(er), age s.o. ● **vieilli, -ie** *a* (*démodé*) old-fashioned. ● **vieillissant, -ante** *a* ageing. ● **vieillissement** *nm* ageing, aging.
vieillot, -otte [vjɛjo, -ɔt] *a* antiquated.
Vienne [vjɛn] *nm ou f* Vienna.
viens, vient [vjɛ̃] *voir* **venir**.
vierge [vjɛrʒ] *nf* virgin; **la V.** (*signe*) Virgo ▮ *a* (*femme, neige etc*) virgin; (*feuille de papier, film*) blank; **être v.** (*femme, homme*) to be a virgin; **forêt v.** virgin forest.
Việt Nam [vjɛtnam] *nm* Vietnam. ● **vietnamien, -ienne** *a* Vietnamese ▮ *nmf* V., Vietnamienne Vietnamese.
vieux (*or* **vieil** *before vowel or mute* h), **vieille**, *pl* **vieux, vieilles** [vjø, vjɛj] *a* old; **être v. jeu** (*a inv*) to be old-fashioned; **v. garçon** *Péj* bachelor; **vieille fille** *Péj* old maid; **se faire v.** to get old ▮ *nm* old man; **les vieux** old people; **mon v.!** (*mon ami*) *Fam Br* mate!, pal! ▮ *nf* **vieille** old woman; **ma vieille!** (*mon amie*) *Fam* dear!
vif, vive [vif, viv] *a* (*enfant, mouvement*) lively; (*alerte*) quick, sharp; (*intelligence, intérêt, vent*) keen; (*couleur, lumière*) bright; (*froid*) biting; (*pas*) quick, brisk; (*imagination, impression*) vivid; (*parole*) sharp; (*regret, satisfaction etc*) great; (*coléreux*) quick-tempered; **brûler/enterrer qn v.** to burn/bury s.o. alive ▮ *nm* **entrer dans le v. du sujet** to get to the crux *ou* the heart of the matter; **à v.** (*plaie*) open; **piqué au v.** (*vexé*) cut to the quick.
vigie [viʒi] *nf* (*matelot*) lookout; (*poste*) lookout post.
vigilant, -ante [viʒilɑ̃, -ɑ̃t] *a* vigilant. ● **vigilance** *nf* vigilance.
vigile [viʒil] *nm* (*gardien*) watchman; (*de nuit*) night watchman.

vigne [viɲ] *nf* (*plante*) vine; (*plantation*) vineyard; **pied de v.** vine (stock). ●**vigneron, -onne** *nmf* wine grower. ●**vignoble** *nm* vineyard; (*région*) vineyards.

vignette [viɲɛt] *nf* (*de véhicule*) road tax sticker, = Br road tax disc; (*de médicament*) price label (*for reimbursement by Social Security*).

vigueur [vigœr] *nf* vigour; **entrer/être en v.** (*loi*) to come into/be in force. ●**vigoureux, -euse** *a* (*personne, style etc*) vigorous; (*bras*) sturdy.

vilain, -aine [vilɛ̃, -ɛn] *a* (*laid*) ugly; (*enfant*) naughty; (*impoli*) rude; (*mauvais*) nasty.

villa [vila] *nf* (detached) house.

village [vilaʒ] *nm* village. ●**villageois, -oise** *nmf* villager.

ville [vil] *nf* town; (*grande*) city; **aller/être en v.** to go (in)to/be in town; **v. d'eaux** spa (town).

villégiature [vileʒjatyr] *nf* **lieu de v.** (*Br* holiday *ou Am* vacation) resort.

vin [vɛ̃] *nm* wine; **v. ordinaire** *ou* **de table** table wine; **v. d'honneur** reception (*in honour of s.o.*). ●**vinicole** *a* (*région*) wine-growing; **industrie/etc v.** wine industry/*etc*.

vinaigre [vinɛgr] *nm* vinegar. ●**vinaigré, -ée** *a* seasoned with vinegar. ●**vinaigrette** *nf* (*sauce*) vinaigrette, *Br* French dressing, *Am* Italian dressing.

vindicatif, -ive [vɛ̃dikatif, -iv] *a* vindictive.

vingt [vɛ̃] ([vɛ̃t] *before vowel or mute h and in numbers 22–29*) *a & nm* twenty; **v. et un** twenty-one. ●**vingtaine** *nf* **une v. (de)** (*nombre*) about twenty; **avoir la v.** (*âge*) to be about twenty. ●**vingtième** *a & nmf* twentieth.

vinyle [vinil] *nm* vinyl.

viol [vjɔl] *nm* rape; (*de loi, lieu*) violation. ●**violation** *nf* violation. ●**violenter** *vt* to rape. ●**violer** *vt* (*femme*) to rape; (*loi, lieu*) to violate. ●**violeur** *nm* rapist.

violent, -ente [vjɔlɑ̃, -ɑ̃t] *a* violent; (*remède*) drastic. ●**violemment** [-amɑ̃] *adv* violently. ●**violence** *nf* violence; **acte de v.** act of violence.

violet, -ette [vjɔlɛ, -ɛt] **1** *a & nm* (*couleur*) purple, violet. **2** *nf* **violette** (*fleur*) violet. ●**violacé, -ée** *a* purplish.

violon [vjɔlɔ̃] *nm* violin; **accordons nos violons** *Fig* let's make sure we tell the same story. ●**violoncelle** *nm* cello. ●**violoncelliste** *nmf* cellist. ●**violoniste** *nmf* violinist.

vipère [vipɛr] *nf* adder, viper.

virage [viraʒ] *nm* (*de route*) bend; (*de véhicule*) turn; (*revirement*) *Fig* change of course.

virée [vire] *nf Fam* trip, outing.

virer [vire] **1** *vi* to turn, veer; (*sur soi*) to turn round; **v. au bleu/etc** to turn blue/*etc*. **2** *vt* (*expulser*) *Fam* to throw out. **3** *vt* (*somme*) *Fin* to transfer (à to). ●**virement** *nm Fin* (bank *ou* credit) transfer.

virevolter [virvɔlte] *vi* to spin round.

virginité [virʒinite] *nf* virginity.

virgule [virgyl] *nf* (*ponctuation*) comma; *Math* (decimal) point; **2 v. 5** 2 point 5.

viril, -e [viril] *a* virile, manly; (*force, attribut*) male. ●**virilité** *nf* virility, manliness.

virtuel, -elle [virtyɛl] *a* potential; *Phys* **Ordinat** virtual; **réalité virtuelle** virtual reality.

virtuose [virtyoz] *nmf* virtuoso. ●**virtuosité** *nf* virtuosity.

virulent, -ente [virylɑ̃, -ɑ̃t] *a* virulent. ●**virulence** *nf* virulence.

virus [virys] *nm Méd & Ordinat* virus.

vis[1] [vi] *voir* **vivre, voir.**

vis[2] [vis] *nf* screw.

visa [viza] *nm* (*de passeport*) visa; (*timbre*) stamp, stamped signature; **v. de censure** (*d'un film*) certificate.

visage [vizaʒ] *nm* face.

vis-à-vis [vizavi] *prép* **v.-à-vis de** opposite; (*à l'égard de*) with respect to; (*envers*) towards; (*comparé à*) compared to ▮ *nm inv* (*personne*) person opposite; (*bois, maison etc*) opposite view.

viscères [visɛr] *nmpl* intestines. ●**viscéral, -e, -aux** *a* (*haine etc*) *Fig* deeply felt.

viscosité [viskozite] *nf* viscosity.

viser [vize] **1** *vi* to aim (à at); **v. à faire qch** to aim to do sth ▮ *vt* (*cible*) to aim at; (*concerner*) to be aimed at. **2** *vt* (*document*) to stamp. ●**visées** *nfpl* (*desseins*) *Fig* aims; **avoir des visées sur** to have designs on. ●**viseur** *nm Phot* viewfinder; (*d'arme*) sight.

visible [vizibl] *a* visible. ●**visiblement** [-amɑ̃] *adv* visibly. ●**visibilité** *nf* visibility.

visière [vizjɛr] *nf* (*de casquette*) peak; (*en plastique etc*) eyeshade; (*de casque*) visor.

vision [vizjɔ̃] *nf* (*conception, image*) vision; (*sens*) (eye)sight, vision; **avoir des visions** *Fam* to be seeing things. ●**visionnaire** *a & nmf* visionary. ●**visionner** *vt* (*film*) to view. ●**visionneuse** *nf* (*pour diapositives*) viewer.

visite [vizit] *nf* visit; (*personne*) visitor; (*examen*) inspection; **rendre v. à, faire une v. à** to visit; **v. (à domicile)** (*de médecin*) (house) call *ou* visit; **v. (médicale)** medical examination; **v. guidée** guided tour; **heures/etc de v.** visiting hours/*etc*. ●**visiter** *vt* to visit; (*examiner*) to inspect. ●**visiteur, -euse** *nmf* visitor.

vison [vizɔ̃] *nm* mink.

visqueux, -euse [viskø, -øz] *a* viscous; (*surface*) sticky; (*répugnant*) *Fig* slimy.

visser [vise] *vt* to screw on.

visu (de) [dəvizy] *adv Litt* with one's own eyes.

visuel, -elle [vizyɛl] *a* visual. ●**visualiser** *vt* (*afficher*) *Ordinat* to display.

vit [vi] *voir* **vivre, voir.**

vital, -e, -aux [vital, -o] *a* vital. ●**vitalité** *nf* vitality.

vitamine [vitamin] *nf* vitamin. ●**vitaminé, -ée** *a* (*biscuits etc*) vitamin-enriched.

vite [vit] *adv* quickly, fast; (*tôt*) soon; **v.!** quick(ly)! ●**vitesse** *nf* speed; (*de véhicule*) gear; **boîte de vitesses** gearbox; **changement de v.** gear change; **à toute v.** at top *ou* full speed; **v. de pointe** top speed; **en v.** *Fam* quickly.

viticole [vitikɔl] *a* (*région*) wine-growing; **industrie v.** wine industry. ● **viticulteur** *nm* wine grower. ● **viticulture** *nf* wine growing.

vitre [vitr] *nf* (window)pane; (*de véhicule, train*) window. ● **vitrage** *nm* (*vitres*) windows. ● **vitrail, -aux** *nm* stained-glass window. ● **vitré, -ée** *a* **porte/***etc* **vitrée** glass *ou* glazed door/*etc*. ● **vitreux, -euse** *a* (*regard, yeux*) *Fig* glassy. ● **vitrier** *nm* glazier.

vitrine [vitrin] *nf* (*de magasin*) (shop) window; (*meuble*) display cabinet, showcase.

vitriol [vitrijɔl] *nm Ch* & *Fig* vitriol.

vivable [vivabl] *a Fam* (*personne*) easy to live with; (*endroit*) fit to live in.

vivace [vivas] *a* (*plante*) perennial; (*haine*) *Fig* inveterate.

vivacité [vivasite] *nf* liveliness; (*d'une émotion, de l'air*) keenness; (*agilité*) briskness; (*de couleur, d'impression, de style*) vividness; (*emportement*) petulance; **v. d'esprit** quick-wittedness.

vivant, -ante [vivã, -ãt] *a* (*en vie*) alive, living; (*récit, rue, enfant etc*) lively; (*être, matière, preuve*) living; **langue vivante** modern language ▌ *nm* **de son v.** in one's lifetime; **bon v.** jovial fellow; **les vivants** the living.

vivats [viva] *nmpl* cheers.

vive[1] [viv] *voir* **vif**.

vive[2] [viv] *int* **v. le roi/***etc*! long live the king/*etc*!; **v. les vacances!** hurray for the *Br* holidays *ou Am* the vacation!

vivement [vivmã] *adv* quickly, briskly; (*répliquer*) sharply; (*regretter*) deeply; (*sentir*) keenly; **v. demain!** I can hardly wait for tomorrow!, *Br* roll on tomorrow!; **v. que** (+ *sub*) I'll be glad when.

vivier [vivje] *nm* fish pond.

vivifier [vivifje] *vt* to invigorate.

vivisection [vivisɛksjɔ̃] *nf* vivisection.

vivoter [vivɔte] *vi* to jog along, get by.

vivre* [vivr] *vi* to live; **elle vit encore** she's still alive *ou* living; **faire v.** (*famille etc*) to support; **vieux** to live to be old; **facile/difficile à v.** easy/hard to get along *ou Br* on with; **v. de** (*fruits etc*) to live on; (*travail etc*) to live by; **avoir de quoi v.** to have enough to live on; **vivent les vacances!** hurray for the *Br* holidays *ou Am* vacation!
▌ *vt* (*vie*) to live; (*aventure, époque*) to live through; (*éprouver*) to experience. ● **vivres** *nmpl* food, supplies.

vlan! [vlã] *int* bang!, wham!

VO [veo] *nf abrév* (*version originale*) **film en VO** film in the original version.

vocable [vɔkabl] *nm* term, word.

vocabulaire [vɔkabylɛr] *nm* vocabulary.

vocal, -e, -aux [vɔkal, -o] *a* (*cordes, musique*) vocal. ● **vocalise** *nf* **faire des vocalises** to do one's singing exercises.

vocation [vɔkasjɔ̃] *nf* vocation, calling.

vociférer [vɔsifere] *vti* to shout angrily. ● **vocifération** *nf* angry shout.

vodka [vɔdka] *nf* vodka.

vœu, -x [vø] *nm* (*souhait*) wish; (*promesse*) vow; **faire le v. de faire qch** to (make a) vow to do sth; **tous mes vœux!** (my) best wishes!

vogue [vɔg] *nf* fashion, vogue; **en v.** in fashion, in vogue. ● **voguer** *vi Litt* to sail.

voici [vwasi] *prép* here is, this is; *pl* here are, these are; **me v.** here I am; **me v. triste** I'm sad now; **v. dix ans/***etc* ten years/*etc* ago; **v. dix ans que** it's ten years since.

voie [vwa] *nf* (*route*) road; (*rails*) track, line; (*partie de route*) lane; (*chemin*) way; (*de gare*) platform; (*de communication*) line; (*moyen*) means, way; (*diplomatique*) channels; **en v. de** in the process of; **pays en v. de développement** developing country; **v. publique** public highway; **v. navigable** waterway; **v. sans issue** dead end, *Br* cul-de-sac; **préparer la v.** *Fig* to pave the way; **sur la bonne v.** on the right track.

voilà [vwala] *prép* there is, that is; *pl* there are, those are; **les v.** there they are; **v., j'arrive!** all right, I'm coming!; **le v. parti** he has left now; **v. dix ans/***etc* ten years/*etc* ago; **v. dix ans que** it's ten years since; **et v.!** and that's that!

voile[1] [vwal] *nm* (*étoffe qui cache, coiffure etc*) & *Fig* veil. ● **voilage** *nm* net curtain. ● **voiler**[1] *vt* (*visage, vérité etc*) to veil ▌ **se voiler** *vpr* (*personne*) to wear a veil; (*ciel, regard*) to cloud over. ● **voilé, -ée** *a* (*femme, allusion*) veiled; (*terne*) dull; (*photo*) hazy.

voile[2] [vwal] *nf* (*de bateau*) sail; (*sport*) sailing; **bateau à voiles** *Br* sailing boat, *Am* sailboat; **faire de la v.** to sail, go sailing. ● **voilier** *nm* sailing ship; (*de plaisance*) *Br* sailing boat, *Am* sailboat. ● **voilure** *nf Nau* sails.

voiler[2] [vwale] *vt*, **se voiler** *vpr* (*roue*) to buckle.

voir* [vwar] *vti* to see; **faire** *ou* **laisser v. qch** to show sth; **fais v.** let me see, show me; **v. qn faire** to see s.o. do *ou* doing; **voyons!** (*sois raisonnable*) come on!; **y v. clair** (*comprendre*) to see clearly; **je ne peux pas la v.** (*supporter*) *Fam* I can't stand (the sight of) her; **v. venir** (*attendre*) to wait and see; **on verra bien** (*attendons*) we'll see; **ça n'a rien à v. avec** that's got nothing to do with; **elle lui en a fait v. de toutes les couleurs** *Fam* she made his life a misery.
▌ **se voir** *vpr* to see oneself; (*se fréquenter*) to see each other; (*objet, attitude etc*) to be seen; (*reprise, tache*) to show; **ça se voit** that's obvious.

voire [vwar] *adv* indeed.

voirie [vwari] *nf* (*enlèvement des ordures*) refuse collection; (*routes*) public highways.

voisin, -ine [vwazɛ̃, -in] *a* (*pays, village etc*) neighbouring; (*maison, pièce*) next (**de** to); (*idée, état etc*) similar (**de** to) ▌ *nmf* neighbour. ● **voisinage** *nm* (*quartier, voisins*) neighbourhood; (*proximité*) closeness, proximity. ● **voisiner** *vi* **v. avec** to be side by side with.

voiture [vwatyr] *nf* car; (*de train*) carriage,

voix 320

Br coach, *Am* car; (*charrette*) cart; **v. de course/de tourisme** racing/private car; **v. d'enfant** *Br* pram, *Am* baby carriage; **v. (à cheval)** (horse-drawn) carriage; **en v.!** (*dans le train*) all aboard!

voix [vwa] *nf* voice; (*d'électeur*) vote; **à v. basse** in a whisper; **à haute v.** aloud; **à portée de v.** within earshot; **avoir v. au chapitre** *Fig* to have a say (in the matter); **rester sans v.** to remain speechless.

vol [vɔl] *nm* **1** (*d'avion, d'oiseau*) flight; (*groupe d'oiseaux*) flock, flight; **v. libre** hang-gliding; **v. à voile** gliding; **attraper qch au v.** (*objet jeté*) to catch sth in the air. **2** (*délit*) theft; **v. à main armée** armed robbery; **v. à l'étalage** shoplifting; **c'est du v.!** (*trop cher*) it's daylight robbery!

volage [vɔlaʒ] *a* flighty, fickle.

volaille [vɔlaj] *nf* **la v.** (*oiseaux*) poultry; **une v.** (*oiseau*) a fowl. ●**volailler** *nm* poulterer.

volant, -ante [vɔlɑ̃, -ɑ̃t] *a voir* **voler**.

volatile [vɔlatil] *nm* (*oiseau domestique*) fowl.

volatiliser (se) [səvɔlatilize] *vpr* (*disparaître*) to vanish (into thin air).

vol-au-vent [vɔlovɑ̃] *nm inv Culin* vol-au-vent.

volcan [vɔlkɑ̃] *nm* volcano. ●**volcanique** *a* volcanic.

voler [vɔle] **1** *vi* (*oiseau, avion etc*) to fly; (*courir*) to rush. **2** *vt* (*prendre*) to steal (à from); **v. qn** to rob s.o.; **tu ne l'as pas volé!** *Fam* it serves you right! ▮ *vi* (*prendre*) to steal. ●**volant, -ante 1** *a* (*tapis etc*) flying; **feuille volante** loose sheet. **2** *nm* (*de véhicule*) (steering) wheel; (*de badminton*) shuttlecock; (*de jupe*) flounce. ●**volée** *nf* flight; (*groupe d'oiseaux*) flock, flight; (*suite de coups*) thrashing; *Tennis* volley; **sonner à toute v.** to peal *ou* ring out; **lancer à toute v.** to throw as hard as one can.

volet [vɔlɛ] *nm* **1** (*de fenêtre*) shutter. **2** (*de programme, reportage etc*) section, part.

voleter [vɔl(ə)te] *vi* to flutter.

voleur, -euse [vɔlœr, -øz] *nmf* thief; **au v.!** stop thief! ▮ *a* thieving.

volière [vɔljɛr] *nf* aviary.

volley(-ball) [vɔlɛ(bol)] *nm* (*sport*) volleyball. ●**volleyeur, -euse** *nmf* volleyball player.

volontaire [vɔlɔ̃tɛr] *a* (*voulu*) (*geste etc*) deliberate, voluntary; (*opiniâtre*) *Br* wilful, *Am* willful ▮ *nmf* volunteer. ●**volontairement** *adv* voluntarily; (*exprès*) deliberately.

volontariat [vɔlɔ̃tarja] *nm* voluntary work.

volonté [vɔlɔ̃te] *nf* (*faculté, intention*) will; (*désir*) wish; *Phil Psy* free will; **elle a de la v.** she has willpower; **bonne v.** goodwill; **mauvaise v.** ill will; **à v.** (*quantité*) as much as desired.

volontiers [vɔlɔ̃tje] *adv* gladly, willingly; (*habituellement*) readily; **v.!** (*oui*) I'd love to!

volt [vɔlt] *nm El* volt. ●**voltage** *nm* voltage.

volte-face [vɔltəfas] *nf inv Br* about turn, *Am* about face; (*changement d'opinion etc*) *Fig* U-turn; **faire v.-face** to turn round; *Fig* to do a U-turn.

voltige [vɔltiʒ] *nf* acrobatics.

voltiger [vɔltiʒe] *vi* to flutter.

volubile [vɔlybil] *a* (*bavard*) loquacious, voluble.

volume [vɔlym] *nm* (*de boîte, de son, livre*) volume. ●**volumineux, -euse** *a* bulky, voluminous.

volupté [vɔlypte] *nf* sensual pleasure. ●**voluptueux, -euse** *a* voluptuous.

vomir [vɔmir] *vt* to bring up, vomit; (*exécrer*) *Fig* to loathe ▮ *vi* to vomit, *Br* be sick. ●**vomi** *nm Fam* vomit. ●**vomissement** *nm* (*action*) vomiting. ●**vomitif, -ive** *a Fam* nauseating.

vont [vɔ̃] *voir* aller[1].

vorace [vɔras] *a* (*appétit, lecteur etc*) voracious.

vos [vo] *voir* **votre**.

vote [vɔt] *nm* (*action*) vote, voting; (*suffrage*) vote; (*de loi*) passing; **bureau de v.** polling station, *Am* polling place. ●**voter** *vi* to vote ▮ *vt* (*loi*) to pass; (*crédits*) to vote. ●**votant, -ante** *nmf* voter.

votre, *pl* **vos** [vɔtr, vo] *a poss* your. ●**vôtre** *pron poss* **le** *ou* **la v.**, **les vôtres** yours; **à la v.!** (*toast*) (your) good health!, cheers! ▮ *nmpl* **les vôtres** (*votre famille*) your (own) people.

voudra, voudrait *etc* [vudra, vudrɛ] *voir* **vouloir**.

vouer [vwe] *vt* (*promettre*) to vow (à to); (*consacrer*) to dedicate (à to); (*condamner*) to doom (à to); **se v. à** to dedicate oneself to.

vouloir* [vulwar] *vt* to want (**faire** to do); **je veux qu'il parte** I want him to go; **v. dire** to mean (**que** that); **je voudrais rester** I'd like to stay; **je voudrais un pain** I'd like a loaf of bread; **voulez-vous me suivre** will you follow me; **si tu veux** if you like *ou* wish; **en v. à qn d'avoir fait qch** to be angry with s.o. for doing sth *ou* for having done sth; **l'usage veut que...** (+ *sub*) custom requires that...; **v. du bien à qn** to wish s.o. well; **je veux bien (attendre)** I don't mind (waiting); **que voulez-vous!** (*résignation*) what can you expect!; **sans le v.** unintentionally; **ne pas v. de qch/de qn** not to want sth/s.o.; **veuillez attendre** kindly wait; **ça ne veut pas bouger** it won't move. ●**voulu, -ue** *a* (*requis*) required; (*délibéré*) deliberate, intentional.

vous [vu] *pron* **1** (*sujet, complément direct*) you; **v. êtes** you are; **il v. connaît** he knows you. **2** (*complément indirect*) (to) you; **il v. l'a donné** he gave it to you, he gave you it. **3** (*réfléchi*) yourself, *pl* yourselves; **v. v. lavez** you wash yourself; you wash yourselves. **4** (*réciproque*) each other; **v. v. aimez** you love each other. ●**vous-même** *pron* yourself. ●**vous-mêmes** *pron pl* yourselves.

voûte [vut] *nf* (*plafond*) vault; (*porche*) arch(way). ●**voûté, -ée** *a* (*personne*) bent, stooped.

vouvoyer [vuvwaje] *vt* v. qn to use the formal *vous* form to s.o. ● **vouvoiement** *nm* use of the formal *vous* (*instead of the more familiar tu*).
voyage [vwajaʒ] *nm* trip, journey; (*par mer*) voyage; **aimer les voyages** to like *Br* travelling *ou Am* traveling; **faire un v., partir en v.** to go on a trip; **être en v.** to be (away) travelling; **bon v.!** have a pleasant trip!; **v. de noces** honeymoon; **v. organisé** (package) tour; **compagnon de v.** *Br* travelling *ou Am* traveling companion; **agent/agence de voyages** travel agent/agency. ● **voyager** *vi* to travel. ● **voyageur, -euse** *nmf Br* traveller, *Am* traveler; (*passager*) passenger; **v. de commerce** travelling salesman, *Br* commercial traveller. ● **voyagiste** *nm* tour operator.
voyant, -ante[1] [vwajɑ̃, -ɑ̃t] **1** *a* (*couleur*) gaudy, loud. **2** *nm* (*signal*) (warning) light; (*d'appareil électrique*) pilot light.
voyant, -ante[2] [vwajɑ̃, -ɑ̃t] *nmf* clairvoyant; **les non-voyants** the blind.
voyelle [vwajɛl] *nf* vowel.
voyeur, -euse [vwajœr, -øz] *nmf* peeping Tom, voyeur.
voyou [vwaju] *nm* hooligan, hoodlum.
vrac (en) [ɑ̃vrak] *adv* (*en désordre*) in a muddle, haphazardly; (*au poids*) loose, unpackaged.
vrai [vrɛ] *a* true; (*réel*) real; (*authentique*) genuine ▌ *adv* **dire v.** to be right (in what one says) ▌ *nm* (*vérité*) truth. ● **vraiment** *adv* really.

vraisemblable [vrɛsɑ̃blabl] *a* (*probable*) likely, probable; (*plausible*) plausible. ● **vraisemblablement** *adv* probably. ● **vraisemblance** *nf* likelihood; (*plausibilité*) plausibility.
vrille [vrij] *nf* **1** (*outil*) gimlet. **2** (*acrobatie aérienne*) (tail)spin; **descendre en v.** to come down in a spin.
vrombir [vrɔ̃bir] *vi* to hum. ● **vrombissement** *nm* hum(ming).
VRP [veɛrpe] *nm abrév* (*voyageur représentant placier*) sales rep.
VTT [vetete] *nm inv abrév* (*vélo tout terrain*) mountain bike.
vu, -ue [vy] **1** *pp de* **voir** ▌ *a* **bien vu** well thought of; **mal vu** frowned upon. **2** *prép* in view of; **vu que** seeing that.
vue [vy] *nf* (*spectacle*) sight; (*sens*) (eye)sight; (*panorama, photo, idée*) view; **en v.** (*proche*) in sight; (*en évidence*) on view; (*personne*) *Fig* in the public eye; **avoir qch/qn en v.** to have sth/s.o. in mind; **à v.** (*tirer*) on sight; (*payable*) at sight; **à première v.** at first sight; **à v. d'œil** (*grandir etc*) rapidly, for all to see; **de v.** (*connaître*) by sight; **en v. de faire** with a view to doing.
vulgaire [vylgɛr] *a* (*grossier*) vulgar, coarse; (*ordinaire*) common. ● **vulgairement** *adv* vulgarly, coarsely; (*appeler, nommer*) commonly. ● **vulgariser** *vt* to popularize. ● **vulgarité** *nf* vulgarity, coarseness.
vulnérable [vylnerabl] *a* vulnerable. ● **vulnérabilité** *nf* vulnerability.

W

W, w [dubləve] *nm* W, w.
wagon [vagɔ̃] *nm* (*de train de voyageurs*) carriage, *Br* coach, *Am* car; (*de train de marchandises*) *Br* wag(g)on, *Br* truck, *Am* freight car. ● **wagon-lit** *nm* (*pl* **wagons-lits**) sleeping car, sleeper. ● **wagon-restaurant** *nm* (*pl* **wagons-restaurants**) dining *ou* restaurant car, diner. ● **wagonnet** *nm Br* (small) truck, *Am* (small) freight car.
wallon, -onne [walɔ̃, -ɔn] *a* Walloon ▌ *nmf* **W., Wallonne** Walloon.

walkman® [wɔkman] *nm* Walkman®, (personal) stereo.
waters [watɛr] *nmpl Br* toilet, *Am* men's *ou* ladies' room.
watt [wat] *nm Él* watt.
w-c [(dublə)vese] *nmpl Br* toilet, *Am* men's *ou* ladies' room.
week-end [wikɛnd] *nm* weekend.
western [wɛstɛrn] *nm* (*film*) western.
whisky, *pl* -**ies** [wiski] *nm Br* whisky, *Am* whiskey.

X

X, x [iks] *nm* X, x; **rayon X** X-ray; **film classé X** adult film, *Br* '18' film, *Am* X-rated film.
xénophobe [ksenɔfɔb] *a* xenophobic ▌ *nmf* xenophobe. ● **xénophobie** *nf* xenophobia.
xérès [gzerɛs] *nm* sherry.
xylophone [ksilɔfɔn] *nm* xylophone.

Y

Y, y¹ [igrɛk] nm Y, y.
y² [i] **1** adv there; (*dedans*) in it; pl in them; (*dessus*) on it; pl on them; **elle y vivra** she'll live there; **j'y entrai** I entered (it); **allons-y** let's go; **j'y suis!** (*je comprends*) now I get it!; **je n'y suis pour rien** I have nothing to do with it, that's nothing to do with me; **il y a** there is; pl there are (*voir* **il**).
2 pron (= à cela) **j'y pense** I think of it; **je m'y attendais** I was expecting it; **ça y est!** that's it!
yacht [jɔt] nm yacht.
yaourt [jaur(t)] nm yog(h)urt.
Yémen [jemɛn] nm Yemen.
yen [jɛn] nm (*monnaie*) yen.
yeux [jø] voir **œil**.
yiddish [(j)idiʃ] nm & a Yiddish.
yoga [jɔga] nm yoga.
yog(h)ourt [jɔgur(t)] nm = **yaourt**.
yo-yo [jojo] nm inv yoyo.

Z

Z, z [zɛd] nm Z, z.
Zaïre [zair] nm Zaïre.
zapper [zape] vi (*téléspectateur*) Fam to flick channels, channel-hop. ●**zapping** nm **faire du z.** Fam = zapper.
zèbre [zɛbr] nm zebra. ●**zébré, -ée** a striped, streaked (**de** with). ●**zébrures** nfpl stripes.
zèle [zɛl] nm zeal; **faire du z.** to overdo it. ●**zélé, -ée** a zealous.
zénith [zenit] nm zenith.
zéro [zero] nm (*chiffre*) zero, Br nought; (*dans un numéro*) 0 [əʊ]; (*température*) zero; (*rien*) nothing; (*personne*) Fig nobody, nonentity; **deux buts à z.** Football Br two nil, Am two zero; **partir de z.** to start from scratch.
zeste [zɛst] nm **un z. de citron** (a piece of) lemon peel.
zézayer [zezeje] vi to lisp.
zibeline [ziblin] nf (*animal*) sable.
zigzag [zigzag] nm zigzag; **en z.** (*route etc*) zigzag(ging). ●**zigzaguer** vi to zigzag.
Zimbabwe [zimbabwe] nm Zimbabwe.
zinc [zɛ̃g] nm (*métal*) zinc; (*comptoir*) Fam bar; (*avion*) Fam plane.
zinzin [zɛ̃zɛ̃] nm what's-it ▪ a inv (*fou*) Fam nuts, crazy.
zizanie [zizani] nf discord; **semer la z.** to sow discord.
zodiaque [zɔdjak] nm zodiac; **signe du z.** sign of the zodiac.
zona [zona] nm (*maladie*) shingles.
zone [zon] nf zone, area; (*domaine*) Fig sphere; **la z.** (*faubourgs misérables*) the slum area (around city); **z. bleue** restricted parking zone; **z. industrielle** industrial Br estate ou Am park; **de troisième z.** (*acteur etc*) third-rate. ●**zonard** nm Péj Fam drifter, Br yob(b)o. ●**zoner** vi Fam to drift.
zoo [zo(o)] nm zoo. ●**zoologie** [zɔɔlɔʒi] nf zoology. ●**zoologique** a zoological; **jardin** ou **parc z.** zoo.
zoom [zum] nm (*objectif*) zoom lens.
zozo [zozo] nm (*naïf*) Fam drip, deadhead.
zozoter [zɔzɔte] vi Fam to lisp.
zut! [zyt] int Fam oh dear!, heck!